OSMANLICA - TÜRKÇE
SÖZLÜK

BÜYÜK
OSMANLICA - TÜRKÇE
SÖZLÜK

Mustafa Nihat ÖZÖN

SEKİZİNCİ BASKI

İnkılâp Kitabevi
YAYIN SANAYİ ve TİCARET A.Ş.
Ankara Cad. 95, İSTANBUL

"Osmanlıca - Türkçe Sözlük" kitabının ilk basımı 1952 Ekiminde yapıl-mıştır.

2. Basım Ekim 1955
3. Basım Ekim 1959
4. Basım Ocak 1965
5. Basım Ekim 1973
6. Basım Mart 1979
7. Basım Mart 1987
8. Basım Ocak 1989

Dizgi ve Düzenleme:
Sümbül Basımevi

Baskı:

ANKA OFSET A.Ş.
Cağaloğlu Cemalnadir Sok. No.24
İSTANBUL — 1989

BİRKAÇ SÖZ

Osmanlıca - Türkçe Sözlüğün birinci baskısı bundan yirmiyedi yıl önce yapılmıştı. Kitabın yayım nedeni anlatılırken «Bugün artık ne kadar zorlanırsa zorlansın, Osmanlıca bir ölü dil olmuştur» denilmişti. O zaman için biraz çabuk bir düşünce sayılan bu söz, ne bir «keramet»ti, ne de bir falcılık. Olan biten şeyler bunu gösteriyordu. Ölü dil, artık konuşanları kalmayan, yeni sözcükler doğurmayan, yaşayan bir dilin canlılığı, konuşulması, yazılması, yeni sözler yaratma gücü olmayan dil demektir.

Osmanlıca ise artık bunları yapamaz olmuştu. Yazı dilini ilk düzeltme düşüncesi gazetelerle başlar. Ahmet Mitat,

1. Arabî sarf ev nahvinden izafetler ile sıfatlar ve müzekkerler ve müennesler ve müfretler ve cemiler Osmanlı sarf ve nahvine sokulmasa (haniya demek istiyoruz ki Osmanlı lisanında bunlara ihtiyaç gösterilmese),

2. Bir kelimenin Türkçesi ve fakat maruf olan bir Türkçesi var ise onun yerine Arapça ve Farsça bir kelime kullanılmasa, diyordu.

Böyle çok sakıngan bir dille istediği düzeltmelerin ancak kırk yıl sonra «Yeni Lisan»cıların ve Z. Gökalp'in yenilemesi üzerine uygulanmaya başlandı.

Şurası belli bir işti ki Namık Kemal ve arkadaşlarının «Osmanlıcası» kendilerinden öncekilerin dili olmadığı gibi, Edebiyatıcedide'cilerin dili de Namık Kemal'in dili değildi.

Ahmet Mitat'ın karşısına çıkan Hacı İbrahim Efendi :

«Lisanımızı lisan şekline koyup bizi hayvan-i nâtık şekline idhal eden şey lisanımızdaki elfaz-i Arabiyedir. Zira bizim Türkî diye kullandığımız lafızların başlıcaları eğer bin adede baliğ olur ise ben bir daha bahis ve münazaraya girişmeye bin kere tövbe ederim (...). Alafrangada söze böyle girilir, şöyle çıkılır diye gösterilen yollar bizim belâgatimiz için çıkar yollar değildir. Çünkü lisanımızda Fransızca elfazın ne tasrifleri câri ve ne de terkib-i kelâmca* onların kavaidi mer'idir ve kezalik lisanımızda lafızları ve cümleleri yekdiğere atıf ve ircaa mahsus olan zamair ve edevat Fransızcadaki edevatın gayrı olmakla tertip ve telif-i kelâmda Fransızcanın lisanımıza kat'an münasebeti yoktur ve olmak ihtimali dahi mefkuttur» diyor.

Bu arada Arapça için denebilecek sözler, din dili sayılmasından dolayı kolayca **dinsizlik**, **Frenklik** ve en küçüğünden **cehalet** ile damgalanırdı.

Edebiyatıcedide, Osmanlıca yeni lafızlar, tamlamalarda yenilik, fikirlerin Batılı yazarlardan aktarılmış olması (**heykel-i ikrar, ümmid-i cüretkâr, saat-i semenfam,**

lerze-i ruşen, sada-yi billûrî... gibi), kafiyede kayıtsızlık (göz-kulak kafiyesi tartışması sonu meydana gelen genişlik) gibi noktalarda suçlandıktan sonra :

«Sen nerdesin ey debdebeli, şanlı Fuzulî
Kaldır başını, aç yüzünü bak neler oldu?
Şi'rin —ne tuhaf!— kalmadı bir zevki, usuli
Halkın kimi Verlen, kimi âşık Ömer oldu.

Sen nerdesin ey hazret-i Ruhî-i sühanver
Âsar-i garibane-i ruhun unutuldu;
Vardır sebebi: hep dekadan oldu ediban
Jan-Jak Ruso'nun tarzı bize münkeşif oldu.

Sen nerdesin, Allah için ey hazret-i Bakî
Mersiyeni, şirin gazeliyatını attık;
Viktor Hügo'nun zevkine olduk da mülâki
Sonra oraya bir dekadan parçası kattık.

....
Başlar Edebiyatıcedide... Müteverrim!...
Elbet ana bir çare bulur dekadanlar
En sonra görürler de acırlar... Mütebessim,
Bir hiss-i samimî ile derler top-atanlar :

Maî emelin mor sesi gelsin mi vücuda?
«Divanece sözler mi demektir edebiyat?...»
Fikr-i hezeyan müncezip oldukça suuda
«Âsâr-i terakki diyoruz biz buna, heyhat!...»

diye sızlanıyordu.

Aradan on, on beş yıl geçti. İkinci Meşrutiyet geldi; yeni bir genç kuşak çıktı; «millî edebiyat, hece-aruz» tartışmaları başladı. «Yeni Lisan» yanlıları kırk yıl önce Ahmet Mitat'ın söylediklerini yapmaya koyuldular.

Ne şaşırtıcı bir rastlantı ki Edebiyatıcedide'nin bir eski ozanı bu Farsça ve Arapça tamlamasız dile karşı manzum bir savunma yazdı. O da divan yazınının büyük ozanlarını şiirleriyle bir araya topluyor, bu **olamayacak** şeyin nasıl yapılacağını soruyor :

«Nasıl hasısa-i irfan ile olan mecbul
Nasıl eda-yi terakibi görmesin makbul!

O incelik, o letafet, o revnak-i tasvir,
O insicam ü talâkat, o şiddet-i tesir

Lisana bahş ediyor sanki nefha-i i'caz,
Birer misal alalım, söyleyin şu arz-i niyaz,

Hayal-yâr, nesim-i seher, lika-yi hazan,
Bükâ-yi ruh, nikab-i hayâ, enin-i cenan

Garik-i lücce-i zulmet, sada-yi dûradûr
Ezel-nüma, edebiyyet-karîn, bülent-zuhûr,

Harim-i dil... gibi eşkâl-i fikri hep tarasak,
Bütün bu sözler için sade bir beyan arasak,

Acep bulur muyuz? insan bu fikre hayret eder.
Nasıl zaman-i terakki rucua gayret eder?

Nasıl denir meselâ Türkçe **inkisar-i hayal,
Gulüvv-i his, feyezan-i ezel, hayal-i muhal?**

Bütün bu yolda terakibi eylemek tadat
Ne mümkün! İşte misal, işte saha-i icat :

Bulun da gösteriniz Türkçenin edasıyle
Lisan-i fenne girer bir küçük nümune bile!›

Bu yazının yayımlanmasından bir süre sonra Aruz vezni ateşli göz yaşlarıyle uğurlanıyordu.

Osmanlıca bu son devirde sönmek üzere olan bir mumun alevli bir pırıltısı gibi ışıdı. O da, Z. Gökalp'in felsefe ve sosyoloji konuları için birkaç terimlik kelime alması oldu. İşte bu olaydan sonra Osmanlıca ile Arapçanın ilişkisi kesildi. Yabancı kurullarla yapılan tamlamalar yapılmayınca Aruz vezninin kaynağı kurumuş oldu.

1928'deki harf değişimi Osmanlıcanın köklerini kuruttu. İş, yalnız Arap harflerinin yeni Türk harfleriyle seslendirilmesi değildi. Tecvit, Arapça ve Farsça öğretimi gibi yardımcıları da ortadan kaldırmıştı; ortam değişiyordu ve değişti de, Tek tük konuşmada kullananlar görülmedi değil, ama bunlar ya yerinde kullanmadığı için, ya da karşısındakine bir şey anlatamadığı için gülünç olup vazgeçiyorlardı.

Yeni baskıya 1000'den fazla kelime ve örnek katılmıştır. Son yıllarda geçen yüzyılların değer taşıyan yapıtlarını yeni yetişen kuşaklarca anlaşılır hale getirme için «sadeleştirme, bugünün diline çevirme veya aktarma yolunda» yapılmaya başlayan girişimler bu Sözlüğün daha kullanışlı, daha genişletilmiş şekle konulmasını zorunlu kılmıştır. Bununla birlikte şunu da söylemek gerekir, bu girişimin başarısı için yalnız sözlük yeterli değildir. Osmanlıca düzyazı ve koşukları için birtakım özellikler var ki bunları ayrı kılavuzlarla belirtmek, bu işe girişecekler için çok önemlidir.

BİRKAÇ SÖZ

(1952)

Bu Osmanlıca - Türkçe Sözlük, hem bir gereğin hem bir tarih gelişimi sonucunun kitabıdır. Yıllardır, edebiyat kitaplarının olsun, basılmakta olan metinlerin olsun sonlarına küçüklü, büyüklü sözlükler eklenir. Bunlar tam bir sözlük olmadıkları gibi, okuyanın rastlayabileceği güçlüklerin çoğunu kolaylaştıracak durumda olamıyorlardı. Bunların dışında olarak, baş vurulacak belli başlı bir sözlük de yoktu. Arap harfleri ile olan sözlükler ise, okunması ve elde edilmesi bir yana bırakılsın, zamanlarına göre yazıldıkları için bugünün isteklerini karşılayacak durumda değildiler.

a) Ahmet Vefik Paşa ile Şemseddin Sami, Arap ve Fars kelimelerine bir sınır çizip, zamanları için kullanılmalarını gerekli gördüklerini kitaplarına almışlardır.

b) Muallim Naci ile Salâhî'nin kitapları sadece Arap ve Fars kelimelerinden meydana getirilmişse de bunlar da kelime seçiminde «nazm»ı göz önünde tuttukları için bazı eksikler gözükür.

c) Bu sözlüklerin hepsi, zamanları öğretim ve bilgisine göre tertiplenmişler; birçok kelimeleri dilbilgisi bilimine bırakmışlar, kitaplarına almayı fazla bulmuşlardır. Kurallı çoğullar, ek almış kelimeler ayrı bir ders olarak okutulan Arapça ve Farsçanın dilbilgisi kültürüne bırakılmıştır.

d) Yine bu sözlükler XIX. yüzyılın sonlarında yazılmışlardır. Tanzimat sonrası Osmanlıcasında olan değişikliklerin pek azı, XIX. yüzyılın sonralarında başlayan Edebiyatıcedidenin yaptıklarından ise hemen hiç biri bu sözlüklerde bulunmaz.

e) Kelime seçimlerinde, açıklamalarda zamanlarınca genel bilgi içinde bulunduğunu gördükleri noktaları sözlüklerine almamışlardır. Açıklamalardan çoğu, Tanzimat'tan önceki dile göre yapılmış denilebilir.

f) 1908 İkinci Meşrutiyetinden sonra, fikir hayatının gelişmesinde bu Osmanlıca kelimeler kullanılmış, hele felsefe kollarındaki çalışmalar yeni kelimeleri dile soktuğu gibi, bulunan kelimelerden birçoklarına da yeni anlamlar katmıştır. Bunlar ise o sözlüklerden sonra olduğu için onlarda bulunamaz.

g) 1908 den sonra ortaya çıkarılmış olan sözlükler pek azdır. Bunlar da öncekilerden seçme yapılma şeklindedir. Hüseyin Kâzım'ın «Büyük Türk Lûgatı» bu yolda yapılanların en büyüğü ve en sonudur. Onda da planın çok geniş utulmuş olması, kelimelerin köklere göre açıklanması gibi kullanışsızlık onunla güçlük gidereceklere en büyük engel olmaktadır.

İkinci noktaya, «bir tarih gelişimi sonucu kitabı» olmasına gelince : Bugün artık ne kadar zorlanırsa zorlansın, Osmanlıca bir «ölü dil» olmuştur. Bu dilden yabancılığı göze batar halde ortada dolaşan sayılı kelimeler ise ya «Merdiven, çerçeve, perşembe» gibi asıllarını andırmayacak derecede Türkçe ile kaynaşacaklar, yahut yerlerini başka sözlere bırakacaklardır; elli yıla yakın bir zaman içinde geçirdiklerimiz bunun böyle olacağını gösteriyor. Osmanlıca ölü bir dil olunca, bunun için yapılacak sözlüğün de o bakımdan planlaştırılması gerekir. Alışverişine son vermiş bir ticaret evinin elde kalan malı ile parası nasıl hesap edilirse, Osmanlıcanın da şimdiye kadar kullanılmış olan sözleri, onların bulundukları kitaplar taranmak yolu ile ortaya çıkarılmak gerektir. Bunda az kullanılmış, çok kullanılmış; yanlış kullanılmış, doğru kullanılmış yolunda düşüncelerin yeri yoktur.

«Osmanlıca» nedir?

Bu söz, birçok sözlerimiz gibi, çeşitli düşünceler anlatır olmuştur. Cevdet Paşa bu sözle, Farsça, Arapça, Türkçe söz ve kurallarla meydana gelmiş olan «yazı dili» ni anlatıyor. Ahmet Vefik Paşa, Oğuzca, Çağatayca... gibi Osmanlıcaya da bir Türkçe kolu anlamı veriyor. Böyle olduğu halde, **Lehçe-i Osmani** sözlüğünde Türkçe ve Türkçeleşmiş kelimeleri ayrı, Arap ve Fars kelimelerini de ayrı bir bölümde gösteriyor.

Bu «Osmanlıca» ayırması, Türkçe için bir Gramer, bir Sözlük yapılmak istendiği zamandan başlamıştır. O zamana kadar böyle bir ayırma akla bile gelmezdi. Bu ayırma akla gelmemekle beraber, çok eskiden beri birçok yazarlar yazdıklarının çok kişi tarafından anlaşılması amacını gözlemişlerdir, bunun için çalışmışlardır. Bazı kitapların önsözlerinde bu düşünceyi gösteren yazılara rastlıyoruz. Basma işinin genişlemesi, basılmış kitapların çoğalması, gazetenin yaygın bir hal alması zamanına kadar bu durum süregelmiştir. Bu işlerin olması XIX. yüzyılın ikinci yarısında başlar. Eski yazarın herhangi büyük bir insan adına olarak yazdığı bir kitap o kimse tarafından az veya çok ödeniyor; okumuş kimselerin merakına göre beş on kopyası çıkarılıyor, elden ele geziyordu. Fakat işaret ettiğimiz tarihten sonra, basılan kitapların veya çıkarılan gazetelerin karşılığı birçok insan tarafından ufak ufak ödenmeye başlanınca işler değişti. Okuma alanı genişledi. Yazarlar, bir kişiden değil sayısı çok insanlardan, yazdığının karşılığını bekler oldular. Tanzimat'tan sonra kurulan öğretim sistemi, o zamana kadar olanın büsbütün karşıtı idi; adı «Kavaid-i Osmaniye» veya «Lisan-i Osmanî» dahi olsa, başlı başına, Arapça ve Farsça öğretiminden başka bir dil dersi meydana çıkmıştı. Eskiden medresede yıllar yılı Arapça okuyarak veya Hafız Divanı'nın gazellerini açıklayıp onları tasavvuf bakımından inceleyerek yetişme yerine yeni bir okuma sistemi konulmuş, o zamana kadar hemen hiç bir öğretime bağlı olmadan sadece bir «anadil» halinden ileri geçmemiş olan Türkçe, dersler arasında yer almıştı. Tartışma bu noktadan başladı: İlkin Namık Kemal, Tasviriefkâr'daki bir yazısında (1866) yazı dilinin konuşulan dilden ayrılık derecesine işaret ederek «ekseri erbab-i kalem yazdığını söylemekten ve söylediğini yazmaktan hayâ eder. Halbuki bunda utanacak bir hal var ise tebliğ-i efkârda asıl olan lisana başka ve vekil olan kaleme başka bir edep tasavvur etmektir» demekle bu çığırı açtı.

Namık Kemal'in gazete sayfasına düşmüş olan bu ilk yazısından sonra bu fikir işlendi durdu. 1898 de yazdığı bir makalede Şemseddin Sami: «Lisan demek dil demektir. Akvam-i beşeriye ifham-i meram için kullandıkları lûgatlere insanın ağzındaki uzvun namı verilmesi ancak dil ile söylendiğine mebnidir. Bir lisan ki hiç bir cemaat tarafından söylenmeyip yalnız yazılmak için tasni,' olunmuştur, o lisana lisan demek caiz olmayıp, kalem, demek iktiza eder. Evet, dedikleri gibi Lisan-i Osmanî değil, belki lisan-i edebî ve tahrirîmiz üç lisandan mürekkeptir, lâkin lisan değildir. Mademki hiç bir yerde ve hiç kimse tarafından söylenmiyor, lisan ismine müstahak değildir. Sunî ve gayr-i tabiî bir şeydir. Yine tekrar ederiz: Dünyada bizden gayri tekellümde başka ve tahrirde başka lisan, kullanılır hiç bir kavim yoktur; ve bizden başka yazıda kullanmak üzere, sunî bir lisan uydurmak kimsenin hâtır ve hayaline gelmemiştir,' diyerek Kemal'in sözlerini daha açık olarak tekrarlar.

İşte bizim «Osmanlıca» sözünden anladığımız bu anlamdır.

Türkçe, XIII. yüzyıldan başlayarak Anadoluda yeni baştan bir yazı dili şeklini almaya başlamıştır. Bu yazı dilinin oluşu üzerine söylenecek sözler, şöyle yapılmalıydı, böyle olmalıydı, niçin bu yolda davrandılar gibi sözler, hücumlar veya savunmalar gerçeği görmemize engel olabilir.

Bugün ne dersek diyelim, XIII. yüzyıldan beri yazı yazmış kimseler düşündüklerini kendilerine göre anlatmaya çalışmışlardır. Bunların arasında en usta yazardan tutunuz da en acemisine kadar her yazar bu dile bilinmedik işitilmedik bir söz katmak isteğine kapılmıştır. Bu dil Arap ve Fars kelimeleri ile meydana gelmişse de, kullanılışları onları asıl sahipleri tarafından tanınmayacak bir hale koymuştur.

Bu dilin kalıntıları yirmi beş yıl önceye kadar dilimizde sürüklenip duruyordu; bazıları bugün bile tek tük kullanılıyor. Şimdiye kadar bunların bulundukları kitaplara baş vurduğumuz zaman önümüze çıkacak zorlukları çözmek için elimizde bir şey yoktu. İşte bu sözlük böyle bir zorlamanın sonucudur. Bu işi tamamıyle yapabileceği gibi bir iddiası yoktur, bir yardımcı işi görebilirse ne mutlu!

★

Namık Kemal, yukarıda adı geçen yazısında dilin ıslahı üzerine düşüncelerini sıralarken bir sözlüğün gerektiğinden de bahseder; o sıralarda yapılan çalışmalar için şu düşüncelerini yazar: Arap ve Acem için yazılmış sözlükler Türkçe için bir fasahat kaynağı olamaz. Çünkü, son zamanlarda meydana getirilmiş olan terimler bunlarda bulunmaz. Sonra bunlar kelime köklerine göre düzenlendikleri için başka şekillerinde arayan bir kimse asıl kökü bilmedikçe aradığını bulamaz, halbuki asıl kökü bilmek ise o dili iyiden iyi bilmekle olur. «Kamus» ile «Burhan» çok eski kitaplardır. Sonra bunlardaki kelimelerden çoğu Türkçede o anlamlardan biri veya birkaçı ile bulunur; gereksiz anlamlar zihin karıştırmaktan başka ne işe yarar? dedikten sonra **«Lûgat, Osmanlılar için yapılacak ise, onların ihtiyacına tevfik olunmalıdır»** yargısına varır.

Elde bulunan «Lügat-i Osmaniye»lere bakılacak olursa bunların Arapça ve Farsça sözlüklerden seçme yapılmak suretiyle meydana getirildiği görülür. Bu yoldaki bir düzenin bugünün gereklerine uymayacağı meydandadır. Bunda en işe yarar yol elde bulunan metinlerden taramalar yapmaktı. Tarama, bize bazı anlamların o sözlüklerde bulunmadığını göstermektedir. Namık Kemal, söylediklerinde çok haklı idi: O sözlüklerdeki kelime anlamlarından bazıları Türkçe'de hiç hatıra gelmemiş veya büsbütün başka bir anlam verilerek kullanılmıştır. Onun için ister istemez metinlere, kitaplara baş vurmak zorundayız. Bunlar için sözlere örnekler göstermek yerinde olurdu. Kitabı fazla büyütmek korkusu bu isteğe engel olmuştur. İleri için bu şekil düşünülebilir; yapılması hiç de güç değildir; yalnız bir madde imkânı işidir.

● Bu sözlükte, Arap harfli son sözlüklerin pek az bir yer ayırdıkları **Tanzimat sonrası diline oldukça önem verilmiştir.** Hemen her sözlükte görülen, yersizliği besbelli olan **yanlış-doğru işine hiç girişilmemiştir.** Söz, bir yazıda kullandıktan sonra, onun yanlış olmasından ne çıkar? (Örnek olarak **tenkid** sözü için eski sözlüklerimizin açıklamalarına bakınız). Osmanlıca dediğimiz dilin kelimelerinde de birçok sözlerin yanlış yapıldığı, uydurulduğu söylenmiştir, bunlar üzerine en son zamana kadar birtakım «Galatat»lar yazılmıştır. Şemseddin Sami bunlardan birçoğunu Kamus-i Türkî'de göstermiştir. Bunlardan birkaç örnek :

CERİHA   İ. «Yara» mânasıyle lisanımızda kullanılıp, «mecruh» mânasıyle «cerihadar» dahi deniliyorsa da Arabîde yaraya cim'in zammıyle «cürh» ve «karha» denilip, «ceriha» lügati asla mesmu değildir.

DİSAR   A. z. i. Arabîde üst libası demek olduğu halde, lisanımızda yalnız Farisî kaidesi üzere vasf-i terkibilerde bulunarak «kesret» ve «bolluk» mânasıyle kullanılıyor. Kullanılmaması elbette hayırlıdır: âsar-ı merhamet-disar = merhametle dolu eserler.

ENSİCE   «Nesc» in cem'i olmak üzere teşrihte dokumaya müşabih olan teşekkülât-ı uzviyeye ıtlak olunmuş ise de, Lügat-i Arabîye'de böyle bir şeye tesadüf olunamadı. Bu manaya «nesîce» ve cem'i «nesayic» kullanılsa daha doğru olur.

FELÂKET   İ. («Felek» ten müştak Arabî bir kelime gibi kullanılıyorsa da, Arabî olmayıp uydurma ve yanlış bir lügattir.)

HABT   A. z. i. Mübahasede iskât etmek manasıyle kullanılıyorsa la maani-i Arabîyesi başkadır.

HARABİYYET   A. n. i. (Uydurma bir lügat olup Arabîde «harab» masdar olmakla edat-i masdariyyet ilhakı abestir.)

HAYADİD   «Haydud» un cem'i olmak üzere kullanılmış ise de, evvelâ «haydud» kelimesi Arabî olmadığından böyle bir cem'i olamaz ve saniyen bu lügat. Arabî olmadığı için o lisana mahsus olan «ha» ile yazılmayıp «hı» ile yazılmak iktiza eder. Artık lisanımızın böyle âsar-ı cehaletten tathiri zamanıdır.

İBCAL

Doğrusu «tebcil» dir.

A. z. i. («Becl» den. Mas. İf'al). Tâzim vé tekrim manasiyle kullanılıyorsa da, yanlıştır. Arabîde asla bu manaya gelmez.

İBZAL

«bezl» müteaddi olup, gayr-i caizdir.

Esirgemeyip bol sarf ve istimal etme mânasiyle kullanılıyorsa da, «bezl» maddesi if'al babından gelmediği için ve zaten lüzumu olmadığı için yanlış ve istimali

İCTİSAR

dığından, bu makamda istimali yanlıştır. Bunun yerine «tecasür» kullanılmalıdır.)

A. z. i. («Cesaret» ten. Mas. İftial) Cüretlenme, korkmayıp atılma. (Bu kelimenin Arabîde asla böyle bir manası olma-

İDRAC

diği gibi, «derc» lügati dahi maksadı ifade ettiğinden, istimali abestir.

A. z. i. («Derc» den. Mas. İf'al). Bu kelimeyi «derc» manasiyle kullananlar var ise de, esasen Arabîde bu manaya gelme-

İDRAR

lir. Vaktiyle daimî surette akıp verilen maaş ve vazife manasiyle dahi kullanılırdı. Elyevm müstamel manasına göre, Arabîden mehuziyeti şüphesiz olmakla beraber, Türkçe addolunmak iktiza eder.)

İ. Bevl, sidik. (Bu lügat aslı» der» if'al babından masdar olarak Arabî ise de, Arabîde süt ve yağmuru akıtma manasına ge-

İLCA'

ce aramaya mecbur etmek ve birinin ilticasını kabul ile kendisini himaye etmek ve Hak Tealaya tevekkül eylemek mânalarına gelip, bizce müstamel olan mânada istimal olunmaz, ilk mânasıyle biraz müşabeheti var ise de, yine münasebetsizdir.)

A. z. i. cm. İlcaat. (Lec'den. Mas. İf'al) İ. bar, mustar bırakma; ilca-yi zaruretle; ilcaât-i zamaniyeden (Arabîde birini mel-

İMHA'

dan asla gelmez ve zaten «mahv» müteaddi olduğu için o baptan getirilmesine de hacet yoktur. Yalnız mim-i müşeddedenin kesriyle «immiha'» dan mübeddel infial babından «imha» vardır, ki mahv ü nabud olma manasına gelir, bu da lisanımızda müstamel değildir.

«Mahv» maddesini if'al babından getirerek Türkçe'de bu lügati kullanıyorlarsa da, Arabîde madde-i mezkûre if'al babın-

İMLÂ A. z. i. («Melâ»dan. Mas. İf'al) Doldurma manasıyle kesîr-ül-istimal ise de, Arabîde zaten sülasi mücerredi doldurmak manasıyle müteaddi olduğundan, if'al babından asla bu manaya gelmez.

İNTİKAD A. z. i. cm. İntikadat. («Nakd» den mas. İftial). Âsar-ı edebiye ve fenniyenin bitarafane nazar-i tetkik ve muayeneden geçirilmesiyle bilmuhakeme beyan-i mütalâa edilmesi. İntikad edebiyatın eleğidir. (Bunun yerine «tenkid» dahi kullanılıyorsa da, «nakd» maddesi tef'il babından gelmediğinden ve intikad dururken, diğer lügate ihtiyaç olmadığından, bu indî kelime icadını tecvize hacet yoktur. Olsa olsa sülâsî mücerretten mastarı olan ve intikadla zaten müteradif bulunan «nikad» kullanılabilir. «Münakade» tabiri de karşılıklı olan muarazat-i edebiye için yani Fr. polémique denilen şey için pek münasip bir lügattir. — İntikad, Arabîdeki mana-yi asli-i lügavîsiyle Türkçede kullanılmaz.,)

İNCİMAD Donma manasiyle lisanımızda istimali şüyu bulmuş ise de, «cemd» maddesi infial babından asla gelmediğinden, esassız ve yanlış olup, zaten sülâsi-i mücerredinin de binası lâzım olduğundan, hümasiden getirmek külfetini ihtiyar etmekten ise, «incimad» yerine «cümud» ve «mücemid» yerine «camid» demek daha doğru ve Arabîye muvafık olur. Şu kadar ki lisan-i ilm ü fende birer manaya vaz ü tahsis edilmiştir.

LUHUK A. z. i. Ulaşma manasiyle «lihak» yerine kullanılıyorsa da, galattir. Arabîde lüzum manasına gelip bizce müstamel değildir.

MÜDELLEL A. s. (Delâlet'ten. Tef'il). Delil ve ispat olunmuş manasıyle bazı lügat kitaplarımızda mukayyet ise de, Arabîde şımarık çocuğa ıtlak olunup, başka manası olmadığından, galat-i fâhiştir.

MÜTEHASSİS A. s. «His» ten. Bu lügati hissi ziyade ve pek duygulu manasıyle kullanıyorsak da, Arabîde «dinleyip haber alan ve haberlere kulak asan» manasına gelip diğer manası olmadığından, bizim istimalimiz yanlıştır.

RÂTIP Yaş ve nemli manasıyle Cemiyet-i Tıbbiye-i Osmaniyye kullanmış ise de, doğrusu «ratîb» dir.

SÜKÛNET İ. (Mastara ta-i masdariyet ilhakına hacet olmadığından, Arabî olmayıp, uydurma bir lügattir.)

ŞAFAK A. z. i. Asıl Arabîde «guruptan sonraki alaca karanlık ve ufukta görülen kızıllık» manasına mahsus iken, lisanımızda tulûdan evvelki alaca karanlığa naklolunarak galat olarak «fecr» manasıyle kullanılıyor.

TABABET İ. Tabiplik ve hekimlik manasıyle kullanıyorsak da, Arabîde, tı'nın kesriyle olup büsbütün başka manaya da geldiğinden, lafzan ve manen galattır.

TEESSÜR A. z. i. «Eser'den masdar Tef'il» (Arabîde bu iki manadan hiç birini ifade etmeyip, «birinin izini takip etmek» manasına geldiğinden, bu lügat dahi nabemahal kullandığımız elfaz-ı Arabîye cümlesindendir. «Teessür etmek»ten ziyade «müteessir olmak» kullanılıyor.)

TEESSÜS Temelleşme ve yerleşme ve teşekkül manasıyle lisanımızda kullanılıyor. Arabîde ise «üss» maddesi tefa'ul babından gelmez. «Sür'at» ve «acele ettirme manasıyle kul-

TESRİ'A lanılıyorsa da, «sür'at» maddesi Arabîde asla tef'il babından gelmediğinden galattır.

Şemseddin Sami yukarıda örneği alınan yolda birçok kelimelerin «uydurma» olduğunu veya «yanlış kullanıldığını» işaret etmiştir. Bunların arasında zamanında yeni sayılabileceklerinden tutunuz da yüzlerce yıldır kullanılanlar vardır :

Hitampezir, ika', iltiyampezir, imha, imlâ, incimad, isaga, isbal, istar, isticvab, istidrak, istihlâs, istihsal, istihzar, istiknah, istikra, istimlâk, istimzac, istirkab, istiş'ar, iz'ac, i'zam, izbar, lekedar, mahiyye, masîr, mefruşe, mehîm, me'kel, memhur, muannid, muhtem, muhteviyat, muntazam, müdeiyyat, müdirr, müessese, müfahham, mülahham, münakaşa, mündefiat, münzecir, mürteiş, mürtesem, mütedair, mütehassis, mütehaşi, mütelâşi, mütemekkin, müteneffiz, mütesadif, mütevarid, müzekkere, nezaket, rahiyye, sabavet, salâhiyyet, sebebiyyet, sebkat, sefil, sehaya, taannüd, tagaddi, tahaddüs, tahassüs, tahattur, tanzir, tatmin, tebadül, tebadür, tebaiyyet, tecezzü', tedfin, teekküd, telemmüz, temeşşuk, tenkıye, tenkid, tensib, teressüb, erfik, terhib, terzil, tesadüf, teseyyüb, tes'id, teslimiyyet, tesmim, tesri, teşerru', teşbi', teşri', teşrik, teverrüm, tezehhür kelimelerinin neden uydurma veya yanlış sayıldığını öğrenmek isteyenler Şemseddin Sami'nin **Kamus-i Türki'**sine bakabilirler.

Osmanlıca, konuşulmadığı sadece yazıldığı için sesleri üzerinde tartışmaya hiç meydan verilmemişti. Tek tük yazılı metinden yüksek sesle okuyanlar veya «mustalah konuşma» meraklıları arasında geçen bazı olaylar, hikâyeler halinde dolaşır. Bunların ses esasına dayanan Türk hrflerine çevirme işi çıktığı zaman nasıl «okunacağı işi» — nasıl söyleneceği değil — kendini gösterdi.

Türk harfleriyle yazılışlarına göre «yıkıcı» veya «hizmet eden, çalışan» anlamlarına gelen «hâdim» lerin ayırt edilmemesine yanıp yakılanlar Arap harfleriyle sadece «dr» harfleriyle yazılan kelimenin altı türlü okunuşunun nasıl ayırt edileceğini unutuyorlar. Söyleniş veya okunuşların bozukluğundan yazıklananlar, kendilerinin rahat rahat bozuk olarak söylediklerinden kendi çocukluk veya gençlik çağlarında yaşlıların hayıflandıklarını hatırlamalıdırlar.

• Kelimelerin yanına Arap harfleriyle yazılmış şekillerinin konmasının geniş okuyucu grupu için pratik bir yararlığı yoktur. Onun için bu kitapta bunlar yazılmamıştır. Yalnız kitabın sonuna Arap harflerine göre bir indeks yapılmak gerekliydi, ilk planda da böyle düşünülmüştü. Fakat uygulamada, bir sözlük kelimeleri dizecek bollukta Arap harfi bulunmadığı görülünce bunun yapılmasından ister istemez vazgeçilmiştir.

ÜÇÜNCÜ BASKI İÇİN BİRKAÇ SÖZ
(1959)

Osmanlıca - Türkçe Sözlük ilkin 1952 de basıldı. Küçük, fakat meydana getirilişindeki düşünce bakımından, ondan önce bu yolda yazılmış olanlardan bir hayli başka türlü bir eserdi. Bu başkalık, kitabın herhangi Arap harfli bir «lügat»in aktarması olmayıp metinlerle kontrol edilmek fikrindendi. Eski sözlükçüler arasında bunu denemiş olanlar hemen yok gibidir. Ya Vefik Paşa ile Şemseddin Sami gibi kullanılmasında zorunluk olanları ayırıp onları toplamak veyahut birçokları gerekli gereksiz kelime sayısını çoğaltarak kitabı büyültmek amacıyle davranmışlardır. Bu sözlüğün ilk baskısı metinlerle kontrol edilerek derlenmiş kelimelerle ortaya çıkarıldı.

Sözlüğün birkaç yıl içinde tükenmesi ikinci basımına yol açtı. Bu ikinci baskıya kelimelerin derlenmiş olduğu kitaplardan alınmış olan tanıklardan bir kısmı konarak genişletildi. Bu tanıklar, kelime anlamını daha iyi açıklamaya yaradığı gibi, onun Türkçede kullanılıp kullanılmadığını kontrol etme, kullanış şeklini, aslına göre Türkçede almış olduğu anlamı canlı gösterme bakımından önemliydi.

Türkçe kelime haznesine girmiş olan Osmanlıca sözleri üç kategoriye ayırabiliriz : 1. Tanzimat'a kadar, 2. Tanzimat zamanı, 3. Tanzimat sonrası.

• İlk devre en uzun sürenidir, büyük bir kargaşalık ve Arapça ile Farsça'ya karşı büyük bir senlibenlilik içinde geçmiştir. Dilin bir sözlüğü yoktu. Arap ve Farsların kendi dilleri için yaptıkları sözlükler kullanılıyordu. Yazı yazanlar kendilerini hiç bir kurala bağlı tanımıyorlardı, yanlarında iki geniş kelime haznesi vardı. «Seci» için, sanat göstermek için en ufak bir duraksama bile duymadan bunlara baş vuruyorlardı. Öylesine ki sonunda Türkçede her şeyin en aşağı üç' tane adı oldu :

GÜNEŞ, şems, hurşit.
AY, kamer, mah.
YIL, sene, sâl.
SU, ma', ab.
EKMEK, nân, hubz.

Bu örnekler, işin en aşağıdan tutulmuşudur, yoksa bunların yine en azdan sekiz on tane anlamdaşı vardır. Orantılı cümle kurmak hevesi de aynı fikri başka kelimelerle söylemek sakatlığını doğurdu. Onun için eski eserlerden bazılarının yarısı çizilebilir. Tanzimat'a kadar bu hal bütün hızıyle sürdü.

• Tanzimat devri ise, kelimelere yeni «kavramlar» yüklemek, bu yeni kavramlar için birleşikler meydana getirmek çalışması ile göze çarpar. Tanzimat devrinin ilk yirmi otuz yılı içinde gazeteler Batıdan bir sürü haberler ve fikirler aktardılar. «Hukuk, kanun, vatan» kelimelerinin kavramları tamamıyle değişti; «hukuk-i esasiye, hukuk-i beyneddüvel, hukuk-i umumiye, kanun-i tabiat, kanuni esasi, kanunname, vatan-i umumî, vatan-i aziz» gibi sözlere Tanzimat'tan önceki hiç bir yazıda rastlanmaz. Çünkü bunların bu yeni kullanılışlarındaki taşıdıkları anlam «yeni» idi; eskiler bunlar için daha başka yolda düşünüyorlardı. Bugün için, meselâ «hukuk» deyimlerinde hiç bir eskilik yoktur. O kelimelerin bugün için hukuk bilginlerimizin «kutsallaştırmak istedikleri» anlamlardan hepsi yenidir, o eski kelimelerin üzerine katıldıkları zaman yüzyıllık bile değildir. Bu anlam değişmesindeki karışıklık için de Ziya Paşanın «Şiir ve İnşa» makalesindeki şikâyetleri hiç hatırlanmıyor.

Yeni okullara, yeni dersler konulduğu zaman bunların da getirdikleri yeni kavramlar eski kelimelerin üzerine yükletildi. Hekimliğin Türkçe okutulması için girişilen çalışmanın sonucu olarak meydana çıkarılmış olan «Lügat-i Tıp» ta **30 bine** yakın kelime vardır ki, bunlar Arapçadan yapılmıştır. Yani yine eski kelimelerin üzerine yeni anlamlar yükletilmiştir. Bunların en sade ve yakın bir ispatı bunlardan herhangi bir kelimeyi «Kamus»ta ararsak karşılığını hiç bulamayız. O halde, yüzyıl boyunca Arapça kelimeler üzerine yükletilmiş bu yeni anlamları biz nasıl olur da Türkçe kelimeler üzerine aktaramayız? Aktarırsak, ötekilerin zamanla zihinlerde yer ettiği gibi, önümüzdeki yıllar boyunca bunlar da zihinlerde yer etmez mi? Bugün 15-20 yıllık kullanış sonunda alışkanlığımız görülen kelimeler hiç yadırganmıyor. «Müddeiumumi» sözü, bu memurluk meydana getirilmek istendiği zaman aranıp bulunmuştur. İşlemesinin ve gördüğü işlerin halkı nasıl yadırgattığı bir yana, kelimenin daha eski hiç bir geçmişi yoktur, zar zor halk da kendine kolay gelen bir deyiş şekli yaratmıştır; bunun değişmesinde, Türkçe bir kelimeye bu işi gördürmekte ne gibi bir sakınılacak nokta vardır?

• 1908 den sonraki devir de bu yolda, fakat daha küçük bir çapta geçmiştir. Çünkü asıl önemli çalışmayı Tanzimat devri yapmıştı. 1908'den sonra ise en çok felsefe ve yepyeni bir bilim olarak memleketçe bilinmeye başlanmış olan sosyoloji sözleri üzerinde çalışılmıştır. Tanzimat devrinde olsun, Edebiyatıcedide'de olsun, bu alanda ufak bir kımıldanış olmamıştır. Bu devirde yine bazı Arapça sözlere yeni anlamlar yükletilmek istenmiş, fakat bazıları artık yeni bir anlam alamayacak şekilde «doymuş» bulundukları için ya Fransızcası olduğu gibi alınmış veya Arapça zorlanmıştır. Bir de o vakte kadar Türkçeye hiç bir şekilde aktarılmamış olan arapça kelimelerden yardım beklenmiştir. Ziya Gökalp'in bir «Rahti» sözü var ki yanında «sexuel» diye Fransızcası olmasa anlamı sökmenin imkânı yoktur; çünkü Kamus'taki anlamı çok basittir. Yeni yetişenler eskiler kadar Arapça bilmedikleri için ya yalan yanlış karşılık buldular, yahut Fransızcasını olduğu gibi kullandılar. O devrin dikkate değer özelliklerinden biri de bu gibi yazılarda Frenkçeleri yana yazmak veya sonlarına bir küçük sözlük katmaktı.

• Osmanlıca - Türkçe Sözlük kitabının bu baskısında, şimdiye kadar eski sözlüklerimizin «eski» veya zamanlarında «kullanılmaz» veya «kullanılmaması gerekli» sayarak almadıkları **fikir eserleri** sözleri katılarak genişletilmiştir. Eski eserlerimiz sadece divanlar değildir, kitaplarımızdan çeşitli sahalarda yazılmış eserler vardır. Tarih eserlerimiz çoktur, çeşitli nesir eserlerimiz vardır. Hepsinin karşısında rasgele elimize geçip de sayfalarına bir göz attığımız zaman bir bilmece ile karşılaşmış gibi oluyoruz. Bir anahtar da olmadığı için okunmasından, incelemesinden vazgeçiyoruz. Halbuki bütün bu eserlerin kendilerine göre bir «dilleri» vardır; hepsinin kendileri için olan «kelimeleri» vardır; hatta o kadar ki bir Divanın gazeller kısmında kullanılan kelimeler ile kasideler arasında kullanılanlar vardır. Mizanülhak'taki bazı kelimeleri «Naima» tarihinde ve herhangi bir Siyer'de bulamayız. Onun için bugün dediğimiz yolda eskiler «şiir dili», «tarih dili», «felsefe dili»... gibi kendilerine göre bir «kelime haznesi» yaratmışlardır. Taşköprüzade'nin, Kâtip Çelebi'nin, Ziya Gökalp'in bazı eserleri bu bakımdan bir deneme olarak taranmıştır. **Geçmişi ile bir bağ kurmak dileği** sözde kaldıkça eflâtunî bir aşk olmaktan ileri geçemez; onları okumak, okurken anlamak gerektir. Kuru kuruya «mazi» olmaz. Ne olduğunu anlamakla olur. Bu sözlük, maziyi anlamak hevesine düşeceklerin uğrayacakları zorlukları birazcık olsun azaltmak istemiştir, fazla büyük bir iddiası yoktur.

Geçen baskılardaki bazı eksik veya yanılmaları düzeltme bakımından beni uyaran dostlarım olmuştur. Hikmet İlaydın, Vasfi Mahir Kocatürk, Muharrem Mercangil'e bu bakımdan burada teşekkür ederim.

29-X-1959

KİTAPLARDAN ÖRNEKLER
ALINAN YAZARLAR

(Ölüm sıralarına göre)

Nesimî	1404	Nedim	1730
Sinan Paşa	1486	Sami	1733
Fuzulî	1555	Raşit	1735
Hayalî	1556	Seyit Vehbi	1736
Kanunî (Muhibbî)	1556	Belig	1758
Hoca Sadettin	1599	Ragıp Paşa	1762
Bakî	1600	Şeyh Galip	1798
Bağdatlı Ruhi	1605	Sümbülzade Vehbi	1809
Hakanî	1606	Sururî	1813
Taşköprüzade	1616	İzzet Molla	1829
Veysi	1628	Esat Efendi	1847
Nergisî	1634	Şinasi	1871
Nef'î	1636	Ziya Paşa	1880
Şeyhülislâm Yahya	1643	Namık Kemal	1888
Fehim	1648	(Muallim) Naci	1893
Peçoylu (Peçevi)	1650	Ahmet Mitat	1913
Kâtip Çelebi	1658	Recaizade Ekrem	1914
Nailî	1666	Tevfik Fikret	1915
Nabi	1712	Ziya Gökalp	1924
Sabit	1712	Cenap Şehabettin	1934
Şefik	1715	H. Z. Uşaklıgil	1945
Naima	1715	Y. Kemal Beyatlı	1958

BASILMIŞ BELLİ BAŞLI SÖZLÜKLER BİBLİYOGRAFYASI

1. Cevherî'den Mehmet Vanî, VANKULU, 2 cilt, Shf. 666, 755. — İbrahim Müteferrika baskısı, İstanbul, 1729 başları (Recep gurresi, 1729 başları (Recep gurresi, 1141).
(1755—1756 ve 1802 yıllarında yine ikişer cilt olarak 2. ve Müteferrika baskısı).

2. Şuburî, FEHENG-İ ŞUURÎ (LİSAN-ÜL-ACEM), 2 cilt, Shf. 980, 902. — İbrahim Müteferrika baskısı, İstanbul, 1742 (Şaban 1155).
(1896 da Cemal Efendi Matbaasında yeni baskısı yapılmıştır.

3. Şeyhülislâm Esat, LEHCET-ÜL-LÜGAT, Shf. 951. — Dârüttıbaatül-mamure, İstanbul, 1795 (29 Muharrem 1210).

4. Hüseyin Tebrizi'den Mütercim Asım, KİTAB-İ KATI', Shf. 863. — Darüttıbaa, İstanbul, 1799 (23 Rebiülevvel 1214). (1835 ve 1851 yıllarında Mısır'da Bulak Matbaasında iki defa basılmıştır).

5. Firuzabadi'den Mütercim Asım, OKYANUS-ÜL-BASİT Fİ TERCÜMET-İ KAMUS-İL-MUHİT 3. cilt, Shf. 943. 939, 973). — Darüttıbaa, İstanbul, 1814-1817 (1230-1232).

6. Mehmet Hafit, EL-DÜRER-ÜL-MÜNTAHABAT-ÜL-MENSURE Fİ ISLAH-İL-GALATAT-ÜL MEŞHURE, Shf. 534. — Darüttıba, İstanbul, 1806 (c. 1221).

7. Ahterî Mustafa Şemsettin, AHTERİ-İ KABİR, Shf. 1204 — Darüttıbaa, İstanbul, 1826 (1251).
(1903 «1321» yılında İstanbul'da Arif Efendi Matbaasında ikinci baskısı yapılmıştır.)

8. Vehbi, Tuhfe-İ VEHBİ, Shf. 71. — Takvim-i Vekayi Matbaası, İstanbul, 1835 (1250).

9. James W. Redhouse, KİTAB-i MAANİ-ÜL-LEHCE (TÜRKÇEDEN İNGİLİZCEYE LÜGAT KİTABI (1860), Shf. 2223 — Yeni baskı — H. Matteosian Matbaası, İstanbul 1921.

10. (Redhouse), MÜNTAHABAT-İ LÜGAT-İ OSMANİYE (1860), 2 cilt, Shf. 225, 238. — Matbaa-ı Âmire litografya tezgâhı, 1863 - 1864 (1280 ramazan).

11. Ahmet Lûtfi (Vakanüvis—), LÜGAT-İ «KAMUS», c. 1. (A harfi) Shf. 336; c. 2 (B harfi) Shf. 68. — Matbaa-i Âmire, İstanbul, 1865 ve 1866 (1828 ve 1286).

12. Asafi, LÜGAAT-İ AZİZİYE, Shf. 70. — ?, İstanbul, 1870 (c.e. 1287).

13. Ahmet Vefik Paşa, LEHCE-İ OSMANÎ, (1876), Shf. 1455, yeni baskı. — Mahmut Bey Matbaası, İstanbul, (1306).

14. b. Dr. Hüseyin Remzi, LÜGAT-İ REMZİ, Shf. 623, lito., Matbaa-i Hüseyin Remzi, İstanbul 1881 (Ramazan 1298).

15. Ebüzziya Tevfik, LÜGAT-İ EBUZZİYA, 560 (eksik), Matbaa-i Ebüzziya, Kostantiniyye, 1888 (1306).

16. Muallim Naci, ÇOCUKLAR İÇİN LÜGAT KİTABI, Shf. 836, Mahmut Bey Matbaası, İstanbul 1888 (1306).

17. Muallim Naci, KAMUS-İ OS-MANÎ, Shf. 40 (eksik), Mürüvvet gazetesine dercedildikten sonra, Mürüvvet Matbaası, İstanbul, 1890 (1308).

18. Muallim Naci, (Müstecabizade İsmet, Tahirülmevlevi, LÜGAT-İ NACÎ, (1890), Yeni baskı, Asır Kütüphanesi ve Geveze gazetesi sahibi Kirkor Faik, 1909 (?).

19. Mehmet Salâhi, KAMUS-İ OSMANİ, 4. c. Shf. 504, 376, 380, 668, — Mahmut Bey Matbaası, İstanbul, 1896-1904 (1313-1322).

20. Şemseddin Sami, KAMUS-İ TÜRKÎ, c. 2. Shf. 1574. — İkdam Matbaası, İstanbul, 1899-1901 (1317)

21. Ali Seydi, RESİMLİ KAMUS-İ OSMANÎ, Shf. 874. — Matbaa ve Kütüphane-i Cihan : Mihran. — İstanbul, 1906-1909 (1322).

22. M. Babaettin, YENİ TÜRKÇE LÜGAT, Shf. 811. — 2. Baskı. — Evkaf-i İslâmiyye Matbaası, İstanbul, 1926 (?)

23. Hüseyin Kâzım Kadri. — BÜYÜK TÜRK LÜGATİ, c. 1, (Elif — Be), Shf. CXIX+855+4. — Maarif Vekâleti. — Devlet Matbaası, İstanbul, 1927.

24. Hüseyin Kâzım Kadri. — BÜYÜK TÜRK LÜGATİ, II. (Pe-Je). Shf. 982. — Maarif Vekâleti. — Devlet Matbaası, İstanbul, 1928.

25. Ferit Develioğlu, ANSİKLOPEDİK LÛGAT, 1439 + 119, — 2. Baskı. — Doğuş Matbaası, Ankara, 1970.

ARAPÇA kurala göre yapılmış isim ve sıfat tamlamaları.

• Arapça tamlamalar, Farsçaya göre, Osmanlıcada az kullanılmıştır. Bunlar daha çok din konusundaki yazılarda, din konusu terimleri olarak, ağızlarda dolaşan dualardan kalma kalıplar halindedir. Birtakımları da bilim terimleri olarak görülür.

• Gerek isim tamlamaları, gerek sıfat tamlamaları olsun Türkçe tamlamaların tersine kurulur. **Belirtilen** (isim takımlarında muzaf, sıfat takımlarında mevsuf) önce gelir, sonları «ü» olarak seslendirilir. **Belirten** (isim takımlarında sıfat) sonra gelir; bu ikinci kelimenin başında **el** (harf-i tarif) bulunur.

Birinci ismin sonu «hasb» sözü veya kısa küçük çizgi «i'li» veyahut yön, **vakit** bildiren sözler olduğu zaman -e olarak seslendirilir; birinci söz harf-i cerli yahut uzun -i'li oldukları zaman -i olarak seslendirilir.

• Arapça isim tamlaması türkçede birleşik isim, birleşik sıfat, zarf olarak karşılanır.

Belirtilen	Belirten		Belirten	Belirtilen
dürc	—ül—	cevahir	*mücevher*	*kutusu*
abus	—ül—	vech	*suratı*	*asık*
hikmet	—ül—	avam	*halk (ın)*	*felsefesi*
meşkûk	—ül—	ahval	*davranışları*	*şüpheli*
Rabb	—ül—	âlemîn	*âlemlerin*	*Tanrısı*
şefi	—ül—	müznibîn	*günahkârların*	*şefaatçisi*
kurret	—ül—	ayn	*göz*	*bebeği*
tavil	—üz—	zeyl	*kuyruğu*	*uzun*
kasîr	—ül—	kame	*boyu*	*kısa*
adîm	—ür—	re's	*kafası*	*yok*
seçer	—üt—	tin	*incir*	*ağacı*
uzv	—üt—	te'nis	*dişlik*	*organı*
elem	—ül—	enf	*burun*	*ağrısı*
cezri	—üş—	şekl	*kök*	*şeklinde*
ma'n	—el—	kitab	*kitap (ın)*	*anlamı*
ba'de	—ez—	vezal	*öğleden*	*sonra*
kabl	—el—	hicre	*hicretten*	*önce*
kabl	—el—	tarih	*tarih*	*öncesi*
beyn	—el—	milel	*milletler*	*arası*
beyn	—ed—	düvel	*devletler*	*arası*
taht	—el—	arz	*yer*	*altı*
taht	—es—	sıfr	*sıfır*	*altı*
ala-kader	—il—	istitaa	*gücün yettiği*	*kadar*
min-taraf	—il—	lah	*Tanrı*	*tarafından*
mütevazi	—l—	adla'	*kenarları*	*paralel*
müfti	—l—	enam	*halkın*	*müftüsü*

Osmanlıcanın bazı kuralları ile çok kullanılan
ekleri üzerine

Osmanlıcada kullanılmış olan sözlerin, tamlamaların Arapça veya Farsça sözlere, Arapça veya Farsça kurallara göre yapılmış tamlamalar olduğu halde, Arap veya Farslar tarafından anlaşılamadığı, onlara yabancı geldiği söylenir. Bu söz kelimeler için doğrudur. Kurallara gelince onlarla yapılan tamlamalar gerek Arapça, gerek Farsça için yerindedir. Yazarlarımız, kelime kullanışında, söylenişinde her iki dilde de istedikleri gibi davranmışlardır. *Arapçayı, Farsçayı iyice öğrenmiş olanların arayıp buldukları yanlışlar sayısız denecek çokluktadır.* Fakat bu yanlışlık, Arapçaya, yahut Farsçaya göre oluyordu. Belâgat düşkünleri «Nur-üd-din» dedikleri halde, Türkçe dilbilgisi kitapları «İkinci kelimesi din olan kelimelerin birinci kelimesi, bizde ikinciye «e» ile bitiştirilir. «Nureddin» diye bu yanlış sayılanı kurallaştırmışlardı. Farsça kelimelerin, en çok k ve g ayırmaları, u veya o okunuşları çeşitli Fars ağızlarına göre yorumlanmışlardır. Arapça ile Farsçada ortak bazı ekler yazarlara çok defa kolaylık için bir kaçamak yolu bırakmıştır.

Osmanlıcada geçer olan isim ve sıfat tamlamaları yapma kuralları aşağıda kısaca gösterilmiştir. Bunlar, böyle sözler öğretmek için değil, sözlüğün içinde örnek olarak geçmiş olan tamlamaların çözülmesinde bir kolaylık olsun diye bol örneklerle kısaca anlatmak içindir. İkinci bir bölümde de Osmanlıcada çok kullanılmış olan bazı soneklerle yapılmış kelimeler sıralanmıştır. Bunlar sözlüğün içinde o şekilde gösterilmeyenlerdir. Soneki kaldırınca asıl kelimenin anlamı sözlükte bulunur, eke göre anlamı açıklanmış olur.

• Arap Elifbe harfleri Arapçada iki bölüme ayrılır. Bunların «harf-i tarif» li kelimelerin okunuşunda rolleri vardır. Aşağıdaki listede görüleceği gibi Huruf-i Kameriyeden biriyle başlayan sözlerin elif-lâmları okunur. Huruf-i şemsiyye ile başlıyanların ise «l» leri okunmaz, sözün ilk harfi «l» harfinin yerine geçer :

Huruf-i kameriyye		Huruf-i şemsiyye	
elif	el—insan	te	et—turab
be	el—berd	se	es—sevab
ce	el—cami	dal	ed—dua
ha	el—hasen	zal	ez—zikr
hı	el—haber	rı	er—rahmet
ayn	el—akl	ze	ez—zihn
gayn	el—galib	sin	es—seyf
fe	el—fark	şın	eş—şeref
kaf	el—kalem	sad	es—sabr
kâf	el—kâtib	dad	ez—zabt
mim	el—malik	tı	et—talîb
vav	el—vücud	zı	ez—zahir
he	el—heva	lâm	el—leyl
ye	el—yevm	nun	en—nehar

FARSÇA kurala göre yapılmış
isim ve sıfat tamlamaları

• Osmanlıcada en çok kullanılmış olan Farsça isim ve sıfat tamlamalarıdır. Bunların ikisi de iki kelimenin yanyana getirilmesiyle kurulurdu. Kelimenin ikisi de isim olursa ism tamlaması (terkib-i izafî), biri isim öteki sıfat olursa sıfat tamlaması (terkib-i tavsifî) olurlardı. Her ikisinde de birinci kelimenin sonu -i okunurdu. Bu ses yazıda harfle gösterilmez, yalnız -i (meksur) okunurdu. Söylenişte Türkçe ses uyumuna göre değişen bu sesi yazıda hep -i şeklinde göstermek bazı karışıklıkların önünü almaya yaradığı için bu sözlükteki örneklerde o yol tutulmuştur.

• Bu tamlamalar ikisi de Farsça kelime, ikisi de Arapça kelime veya biri Farsça, öteki Arapça kelime olarak yapılabilirdi.

• Bu tamlamalar, Türkçe isim veya sıfat tamlamalarının tersine olarak kurulurdu : Türkçe tamlamalarda belirten (isim olsun, sıfat olsun) önce gelir, Belirten isim ise sonra gelir. Farsça kurala göre yapılan tamlamalarda ise Belirtilen isim önce gelir, Belirten veya Sıfat ise sonra gelir. Osmanlıcada Türk yazarları Fars kurallarına göre yapılan tamlamalarda (ikisi de Arapça kelimelerden yapılmış ise) Arapçanın uyumlaşma (mutabakat) kurallarını uygulamışlardır. Farslar böyle bir kurala uymamışlardır; Araplar ise Fars kurallarına göre tamlamalar yapmamışlardır; bu şekil yalnız Osmanlıcada vardır. Fakat bu kurallara ahenk, seci, kafiye sıkışıklığı yüzünden bazı uymazlıklar göstermişlerdir. Hele bazı eklerin Arapça ve Farsçada benzerlikleri yüzünden bunları rahatlıkla yapmışlardır. Bunlardan bazıları, çok yerleştiklerinden Kavaît (gramer) kitaplarında müteşna sayılmışlar, bazıları da yanlış kullanılışa örnek gösterilmiştir.

Belirtilen	Belirten	Belirten	Belirtilen
Hane-i	peder	Baba(nın)	evi
Şîr-i	mader	ana(nın)	sütü
âb-i	derya	deniz(in)	suyu
kelâm-i	kibar	uluların	sözü
leyle-i	firak	ayrılık	yecesi
arzu-yi	terakki	ilerleme	isteği
sema-yi	bahar	bahar	gökü
hiss-i	übüvvet	babalık	duygusu
mehd-i	amâl	emellerin	beşiği
rûy-i	zerd	sararmış	yüz
aheng-i	şi'r	şiirin	ahengi
şi'r-i	lâtif	hoş	şiir
iştiyak-i	şedid	zorlu	istek
hâk-i	sebz	yeşil	toprak
vak'a-i	dilsuz	yürek paralayan	olay
insan-i	kâmil	olgun	adam
zevce-i	kâmile	olgun	(kadın) eş

Belirtilen	Belirten	Belirten	Belirtilen
arz-i	mev'ud	*adanmış*	*toprak*
arazi-i	mev'ude	*adanmış*	*topraklar*
meslek-i	edebî	*edebiyat*	*mesleği*
mesalik-i	edebiyye	*edebiyat*	*meslekleri*
nesl-i	sabık	*eski*	*kuşak (nesil)*
ensal-i	sabıka	*eski (geçmiş)*	*kuşaklar (nesiller)*
cedd-i	azîm	*ulu*	*ata*
ecdad-i	azîm	*ulu*	*atalar*
fazilet-i	ahlâkiyye	*ahlâk*	*fazileti*
fezail-i	ahlâkiyye	*ahlâk*	*faziletleri*
şair-i	hakikî	*gerçek*	*şair*
şuara-yi	hakikiyye	*gerçek*	*şairler*
hakîm-i	Yunanî	*grek*	*filozofu*
hukema-yi	yunaniyye	*grek*	*filozofları*
kanun-i	esasî	*temel*	*kanun*
kavanin-i	esasiye	*temel*	*kanunlar*
tarafeyn-i	akîdeyn	*bağlaşan*	*iki taraf*
devleteyn-i	mezbureteyn	*adı geçen*	*iki devlet*

§ -an

● Farsçada çoğul edatıdır; canlı varlık kelimeleri bununla çoğul hale konur.

● Kelimenin sonu -a, -i, -u ile bitiyorsa bir kaynaştırma harfi ile -yan şeklini alır : Geda-yan, acemiyan, mahru-yan.

● Kelimenin sonu -e ile bitiyorsa -gân şeklini alır. Bende-gân, haste-gân.

● Türkçede, Arapça kelimelerin de -an ile çoğulu yapıldığı olmuştur: Müşir-an, kaydı-yan, zâbit-an.

abâpuşan	alilân	ayyaran	biçaregân
âbidan	âlûdegân	âzadedilân	bigânegân
âbkeşan	ââlüfttegân	âzadeseran	bigânahan
aceman	amilân	azürdegân	bikesan
acemiyan	âmiran		bimaran
acuzan	-amuzan	bagıyan	bînan
âdilân	âramgüzinan	bağbanan	biraderan
aferidegân	arbedecuyan	basiretkâran	bivayegân
afifan	arifan	bazuvan	büzürgân
ahengeran	arzumendan	beçegân	
ahmakan	âsiyan	bedbinan	caduvan
ahraran	asudegân	bedendişan	cahilân
âkılan	âşaman	bedhahan	canbazan
akidan	aşkbazan	bedmayegân	canibdaran
alâkadaran	aşüftegân	bedmestan	cazibedaran
aleman	ateşzebanan	behadıran	cebbaran
aleyhdaran	avaregân	bendegân	cebînan
âlibahtan	avarerevan	bestekâran	cellâdan
alicenaban	ayyaşan	bezlegûyan	cengâveran

cerrahan
cezbedaran
cidalcuyan
cihaniyan
cihangiran
cilvegeran
civanan
civanmerdan
-cuyan
cündiyan
cür'etkâran

çâlâkân
çaşnigiran
çaşnisencan
çeşman

daderan
dâhiyan
daiyan
dânayan
danişmendan
-dâran
dayegân
dellâlan
defterdaran
denaetkâran
derbederan
dergâhan
desisekâran
destgiran
devacuyan
didegân
digeran
dilâgâhan
dilâveran
dilberan
dilbestegâh
dilîran
dilrişan
dilşikestegân
dirahtan
diyatemendan
divanegân
dizdaran
duhteran
dûnan
dûrendişan
dûşizegân
duzehiyan

dünyaperestan
düzdan

ebruvan
ediban
efsanegûyan
eflâkiyan
-efrazan
efsürdegân
ekâbiran
emîran
-endazan
-endişan
esban
esedan
esiran
eslâfan

faniyan
fârigan
fârikan
fasihan
fassalan
fâtihan
fâzılan
fedaiyan
felâketzedegân
felekzedegân
ferikan
ferzendan
fesadcuyan
feylesofan
fırsatcuyan
-firiban
fitnecuyan
-füruşan
fütüvvetmendan

gaddaran
gafilân
gammazan
garazkâran
garetgeran
gasıban
gavvasan
gayretkeşan
gazalân
gazanferan
gedayan
geysuvan

gıbtekeşan
giriftaran
gurbetzedegân
-gûyan
günahkâran
güzidegân

haberdaran
habiban
hâbidegân
habîsan
-hâhân
hâheran
hahişgeran
hainan
hakîman
hakşinasan
halâskâran
hâlisan
hamiyyetperveran
hâmuşan
haneberduşan
harabatiyan
harbcuyan
harikzedegân
hasretkeşan
hastegân
hasudan
hatiban
hayalperestan
hayırhâhan
hâyidegûyan
heccavan
hemrahan
herzugûyan
heveskâran
hezlgûyan
hidmetkâran
hikmetfüruşan
hilâfgiran
hilekâran
hiredmendan
hissedaran
hodpesendan
huban
hulûskâran
hurafeperestan
huşyaran
hükümdaran
hünermendan

hürmetkâran
hürriyetperveran

ibdakâran
ibretbînan

kadirşinasan
kâhinan
kâragâhan
-kâran
kârgüzaran
kasıdan
keremkâran
keşşafan
keştinişinan
kudsiyan
-küşayan

lâşehâran
lâübaliyan
lâyemutan
lehdaran
leiman
levendan
lihyedaran
lisanşinasan

maarifperveran
maeraperestan
mahbuban
mahduman
mahiyan
mahiran
mahmiyan
mahmûman
mahmuran
mahreman
mahruman
mahzunan
maktulân
makulân
marizan
masiyetkâran
mazluman
mazulân
meb'usan
meclûban
meczuban
melûfan
mededresan

memlûkân	müflisas	mütekebbiran	-perdazan
menfiyan	müfsidan	mütemelikan	perdeberendazan
mensuban	müftehiran	mütemerridan	perdebirunan
merdan	müfteriyan	mütemevvilân	perendebazan
mestan	mülâziman	müteneffizan	-perestan
meşhuran	mülheman	n.ütesallifan	peripeykeran
mimaran	mülteciyan	müteşairan	periruyan
misafiran	mültemisan	mütevazıan	periveşan
muabbiran	mülteziman	mütevekkilân	periyan
mualliman	mümeyyizan	müvesvisan	-pervazan
muarızan	müminan	müverrihan	-perveran
muhafazakâran	münadiyan	müzevviran	-perverdegân
muavinan	münafıkan	müzniban	-pesendan
muhakkinan	münciyan		pesendidegân
muharriran	müneceiman	nabekâran	pesmandegân
muhtacan	münkadan	nabzaşinayan	pestan
muhtaran	münkiran	nabzgiran	pekân
muhtekiran	müntesiban	nadiman	peykeran
muinan	münzevifan	naehlân	peyvevan
mukallidan	müraiyan	nafizan	peyvestegân
mukarriban	mürevvican	nakkaşan	pişdaran
mukbilân	mürşidan	naman	pişvayan
mukdiman	mürtekiban	namdaran	piyadegân
musavviran	mürteşiyan	naşiran	puhtegân
muslihan	müsabıkan	natüvanan	püseran
mûşikâfan	müsebbiban	nâzeninan	pûşan
muteberan	müsrifan	naziran	
mutedilân	müstagniyan	nazifan	ragıban
muterizan	müstaidan	nazikân	rahiban
mutriban	müsteciran	nebiyan	râiyan
muvafıkan	mütehikan	neciban	râkiban
muzahiran	müşahidan	-nevazan	râsıdan
muztariban	müşaviran	nevcivanan	raviyan
mübadilân	müşevvikan	nevhageran	refikan
mübarizan	müşiran	nevhevesan	rehberan
mübtediyan	n.üştekiyan	nigehbanan	rehzenan
mücahidan	müşteriyan	nihalân	remmalân
mücerreban	müteassıban	nimetşinasan	resulân
mücriman	müteazzıman	-nişinan	reşidan
müctehidan	mütebahhiran	-nuşan	
müdafian	mütecahilân	nükteperdazan	sabıkan
müdaviman	mütecasiran	nükteşinasan	sadıkan
müddeiyan	mütecavizan	-nüvisan	safan
müdebbiran	mütefekkiran		safderan
müdekkinan	mütegalliban	pakân	sâfderunan
müderrisan	mütehayyiran	pâkûban	safsatagûyan
müdiran	mütehayyizan	pâmalân	sagîran
müteessiran	mütehevviran	pazedegân	sahiyan
mütessisan	müteheyyican.	pederan	sahiban
müfettişan	mütekaidan	pelengân	sahihan

sahtekâran	suhankâran	tairan	varestegân
sairan	suhanperdazan	talâkatperdazan	varisan
sakinan	sulhperveran	talebkâran	vatanperveran
sakitan	süvariyan	taliban	vazifehâran
saliban		tamakâran	vefakâran
salifan	şadgâman	tarafdaran	vekilân
salikân	şagirdan	tarafgiran	veznedaran
saliman	şahan	tarihşinasan	
sâmitan	şahidan	teberdaran	yâvegûyan
sarikan	şaibedaran	tevabian	yaveran
sarrafan	şairan	tiflân	yetiman
sayyadan	-şecian	tilmizan	
sebatkâran	şehlevendan	timsalân	zâbitan
sebükmagzan	şehperan	tişedaran	zadegân
sebüksüvaran	şeriran	tufeyliyan	zahidan
sefilân	-şikâfan	tüccaran	zâhiran
sefiran	-şikâran	türşruyan	zaifan
serasimegân	şikemperveran	tüvanan	zaifan
serazadegân	şikestegân		zairan
serdaran	-şinasan	umurdidegân	zaminan
serefrazan	şinaveran		zaniyan
serkeşan	şiran	ûftadegân	zarifan
serseriyan	şubedebazan	ümmiyan	-zedegân
seyyahan		üstadan	zemimekâran
sihirbazan	taibban		zimamdaran
silâhedazan	tafrafüruşan	vâizan	ziyankâran
sipahan	tahsildaran	vâkıfan	
sitemkâran	taiban	valiyan	

§ -ane

● Farsça nispet eki olup katıldığı kelimeyi zarflaştırır. Türkçe **-ce** ve **-cesine** ile karşılanır. Şahane (padişahça), kalenderane (kalenderce, kalendercesine).

abusane	bagıyane	caduvane	cündane
acemperestane	basiretkârane	cahilâne	cür'etkârane
acuzane	bedbinane	calibane	
âdilâne	bedhahane	camidane	çakerane
-âgâhane	bedmestane	cebbarane	çalâkâne
ahendestane	behadırane	cebînane	çarecuyane
ahendilâne	beligane	cefakârane	çiredestane
âkılâne	beşuşane	celâdane	
alyehdarane	bezlegûyane	cemilekârane	daderane
anudane	bihudane	cengâverane	dâhiyane
aşubane	bikesane	cesurane	dalâletkârane
ateşbazane	bimagzane	cidalcuyane	danişmendane
ateşdilâne	bimarane	cerrarane	dehakârane ●
ateşzebanene	biraderane	cihangirane	denaetkârane
âzadeserane	bitabane	cinayetkârane	derbederane
	bitarafane	-cuyane	dilâverane

dilbazane	gasıbane	husumetkârane	kadirşinasane
dilberane	gavvasane	huşyarane	kahkahriyane
dilfiribane	gayrendişane	hünermendane	kâhâmilâne
dilhahane	gayretkeşane	hürmetkârane	kârgüzarane
dilîrane	gayyurane		kâsirane
dilsuzane	gazanferane	ibdakârane	kâzibane
dostane	gedayane	icazkârane	ketumane
duhterane	gıbtakârane	ifratkârane	kudemaperestane
durbinane		ihtilâlkârane	
durendişane	habasetkârane	ihtiraskârane	lâkaydane
	haberdarane	ihtiyatkârane	lehdarane
ebkemane	habisane	ikbalperestane	leîmane
echelâne	hadidanl	iltifatperverane	lengâne
ecirane	hadnaşinasane	iltimaskârane	levendane
eclâfane	hafifmeşrebane	iltizamkârane	lûtfkârane
elîmane	-hâhane	imsakkârane	
-endazane	hahişgerane	inayetkârane	maalikârane
esrarengizane	hainane	incilâkârane	maarifperverane
esrarkeşane	hakikatbinane	incizabkârane	maceraperestane
eşbehane	hakikatgûyane	indiyane	madeletkârane
evbaşane	hakîmane	infialkârane	magbutane
	hakîrane	insafkârane	mağdurane
fa'alâne	hakşinasane	intibahkârane	mağlûbane
faidemendane	halimane	intikamcuyane	mağmuma ne
fakîrane	hâlisane	inzibatkârane	maharetkârane
fârigane	halûkane	irfanperverane	mahasinperestane
fasidane	hamakatkârane	irticakârane	mahmiyane
fasihane	hamasetkârane	istidadperverane	mahsudane
fassalâne	hamiyyetkârane	istifhamkârane	mahufane
fâtihane	hamûşane	istifsarkârane	mahviyane
fatinane	hârisane	istigrabkârane	makulâne
fazılâne	hasmane	istihfafkârane	makûsane
feciane	haşudane	istihzakârane	malûlane
fedakârane	haşînane	istişhadkârane	malûmatfüruvane
feragatkârane	hatibane	istizahkârane	mânidarane
ferzendane	hazikane	isyankârane	masiyetkârane
fesadcuyane	hemzebanane	işvebazane	masruane
feylesofane	heveskârane	itaatkârane	masumane
-firibane	hıyanetkârane	itabkârane	matuhane
	hicabaverane	ithamkârane	mebhutane
gabavetkârane	hidmetkârane	itidalkârane	melûlâne
gaddarane	hikmetfüruşane	itilâfkârane	meclûbane
gafilâne	hilekârane	itinakârane	meczubane
gaibane	hiredmendane	itirafkârane	medidane
galibane	hirfetkârane	itirazkârane	mefsedetkârane
galizane	hodbinane	itizalkârane	mehibane
gamkinane	hodpesendane	itizarkârane	melûfane
gammazane	hodserane	itminankârane	mel'unane
garazkârane	hud'akârane	iz'ackârane	memnunane
garibane	hulûskârane	i'zazkârane	menfurane

merdudane
merdümgirizane
mergubane
meserretkârane
meshurane
mesrurane
meşgufane
meşkûrane
meşruane
meş'umane
metînane
meveddetkârane
mezelletkârane
mezemmetkârane
mezmumane
mihmanperverane
miskinane
mizacgirane
mollayane
muaccizane
muahazekârane
muannidane
mucidane
mucizekerâne
mudhikâne
mugayeretkârane
muğberane
mugfilâne
muhabbetkârane
muhadenetkürane
muhafazakârane
muhalâne
muhalefetkârane
muhannesane
muhişane
muhrikane
muhlisane
muhtekirane
mukaremetkârane
mukassiyane
mukavviyane
mukniane
muktesidane
musavvirane
musibane
muslihane
mutavaatkârane
mu'tekidane
mu'terifane
muterizane

mutiane
muttaridane
muvaffakatkârane
muzirrane
muzlimane
mübalâgatkârane
mübeşşirane
mücadelekârane
mücbirane
mücrimane
müctehidane
müctenibane
müdahanekürane
müddeiyane
müflisane
müessirane
müeddebane
müessifane
müfsidane
müfterihane
müfteriyane
müfterisane
mühmelâne
mükedderane
mülâtafatkârane
mülâyemetkârane
mülâyimane
mülhemane
mültefitane
mültehibâne
mültemesane
mültezemane
mülzemane
mümaseletkârane
mümaşatkârane
müminane
mümsikâne
münaferetkârane
münafıkane
münbasıtane
müncezibane
münciyane
mündefiane
müneccimane
münfailâne
münferidane
münhezimane
mün'imane
münkadane
münkalibane

münkesirane
münkirane
müntekimane
münzeviyane
mürahikane
mürebbiyane
mürşidane
mürteciane
mürtekibane
mürteşiyane
mürüvvetmendane
müsaadekürane
müsabakatkürane
müsaafakârane
müsalemetkârane
müstakilâne
müstakîmane
müsterihane
müşevvikane
müştehiyane
müteallimane
müteannidane
mütearrızane
müteazzımane
mütebahhirane
mütecasirane
mütecavizane
mütedehhişane
müueellimane
müteessifane
müteessirane
müteezziyane
mütefekkirane
mütefelsifane
mütefenninane
mütegafilâne
mütegayyirane
mütehakkimane
mütehassirane
mütehayyirane
müteheyyicane
mü'telifane
mütemayilâne
mütemellikane
mütemerridane
mütemessikâne
mütenakızane
mütenasibane
mütenazırane
mütenebbibane

müteneffirane
mütenekkirane
müterakkiyane
müterekkibane
mütereddiyane
müterennimane
mütesallifane
müteselliyane
müteşekkirane
mütevahhişane
mütevazıane
mütevehhimane
müteyakkızane
mütezebzibane
mütezelzilâne
mütezellilâne
müttehidane
müvesvisane
müz'icane

nabekârane
nahlâne
nahifane
nahvetkârane
nakkadane
natukane
nazikâne
necibane
nedametkârane
nevhagerane
nevhevesane
nevmidane
nezihane
nihrirane
nikbinane
nikhâhane
nimetşinasane
niyazmendane
nümayişkârane

pederane
pelengâne
perendebazane
-perestane
-perestarane
periyane
-pervazane
-perverane
-pesendane

peygamberane
-puşane

recihane
racilâne
rahîmane
râiyane
rakîbane
râkidane
recülâne
rediane
rehakârane
rekikâne
reşkâverane
rezilâne

safacuyane
safderane
safderunane
safiyane
safşîkenane
sahabetkârane
sahibkıranane
sahirane
sakinane
sakitane
salibane
salihane
salimane
samimane
sâmıtane
sanatkârane
saniane
sarihane
sarrafane
sayyadane
sebatkârane
sebükmağzane
sefahatperestane
sefergüzinane

sefilâne
sehharane
selimane
selisane
semahatkârane
sanatkârane
serazadane
serbestane
serdarane
serkeşane
serseriyane
serzenişkârane
sezakârane
sezavarane
sınaatkârane
sihirbazane
sitayişkârane
sitemkârane
suhanperdazane
sulhperverane
sühuletkârane

şahane
şaibederane
şaibederane
şairane
şakavetkârane
şâtırane
şeametkârane
şecaatkârane
şeciane
şedidane
şefaatkârane
şefikane
şefkatkârane
şehîrane
şehlevendane
şehperane
şematetkârane
şemimane

şenaatkârane
şerifane
şerirane
şifabahşane
şikâfane
şikemperverane
şîrane
şivekârane
şubedebazane
şuhane
şumane
şübhedarane

taibane
tairane
talâkatperdazane
talebkârane
taltifkârane
tamakârane
tarafdarane
tarafgirane
tarizkârane
tasvibkârane
tatminkârane
tavassutkârane
tavizkârane
tavsifkârane
tazarruane
tazirane
taziyetkârane
tazizkârane
tealipververane
tebaiyetkârane
tecavüzkârane
tecessüskârane
tecvizkârane
teellümane
telâtumkârane
telezzuzkârane
temeddühkârane

temerrüdane
temeshurane
terakkiperverane
terbiyetkârane
tesamühkârane
tesellikârane
teveccühkârane
tev'emane

ukabane
uhuvvetkârane

ümmiyane
ünsiyetkârane
üstadane

vatanperverane
vazıhane
vazifeşinasane
vecdengizane
vefakârane
velûdane
vesatetkürane
vesiane

yavegûyane
ye'saverane
yekzembanane
yetimane

zâhirane
zâhirbînane
zaifane
zarafetcuyane
zarifane
zebunane
zebuküşane
zelilâne
zenperestane
zevkaverane
ziyankârane

§ -at

● Arapça çoğul ekidir. Müannes kelimelerle, eylemlikler (masdarlar), sıfatlar (eylemsizlerden) çoğu bununla çoğul şekle konmuştur. Nispet eylemliklérinden (masdarlarından) bu ekle birçok bilim adları meydana getirilmiştír.

ademiyyat
adediyyat
afakiyyat

akvamiyyat
alâimat
âliyat

aliyat
arabiyyat
arziyyat

avarızat
ayniyyat

bahiyyat
baharat
bakıyat
bedihiyyat
bediiyyat
berevat
beşerriyat
beyanat

camidat
ceddat
cemadat
cem'iyyat
cemrat
cennat
cezaiyyat
cinaiyat
cinayât

dahiyat
diniyyat
düyunat

eflâkiyyat

faciat
fahriyyat
faraziyat
felekiyyat
felsefiyyat
fenniyyat
fiiliyyat
fikriyyat
fuhşiyyat
füruat

garaibat
garamiyyat
garbiyyat
gariziyyat
gayât

hâdisat
hafiyyat
hafriyyat
halkiyyat
haltıyyat
hamasiyat
harekât
harsiyyat
hasadat

hasılat
haşerat
hâtırat
havadisat
havalât
hayatiyyat
hayrat
hayvanat
hesabat
hevesat
hirviyyat
hidemat
hikâyat
hikemmiyat
himemat
hissiyat
hitabiyyat
hububat
hukukiyyat
hulliyyat
hurufat
hurdevat
hususat
hususiyyat
hüsniyyat
hüzniyyat

ıdlaliyyat
ırkıyyat
ıslahat
ıstırabat
ıtriyyat
ıttılaat

iarat
ibadat
ibhamat
iblâgat
ibramat
ibtihacat
ibtizalât
iddiharat
ifhamat
iflâsat
ifragat
ifsadat
ifşaat
iftiraat
iftirakat
iftirasat

iglâkat
ihamat
isticlâbat
isticvabat
istidlâlat
istidracat
istifhamat
istifsarat
istifragat
istifraşat
istifsarat
istigasat
istigfarat
istigrabat
istigrakat
istihdafat
istihfafat
istihkâmat
istihkakat
istihkarat
istihlâfat
istihlâlât
istihlâsat
istihmamat
istihsanat
istihzaat
istihzarat
istihzarat
istikmalât
istiknahat
istikraat
mersiyyat
istikrazat
istiksaat
istiksafat
istiksarat
istiktabat
isti'lâmat
istilzamat
istilzazat
istimaat
isti'marat
istimlâkat
istimzacat
istinfarat
istinkâfat
istinsahat
istintacat
istintakat
istirdadat
istirhamat

istirkabat
istisalât
istisgarat
istiskalât
istismarat
istisnaat
istiş'arat
istişfaat
istişhadat
istişmamat
isti'tafat
istizahat
istizanat
istizkârat
istizrafat
iş'arat
işarat
işgalât
işhadat
işkâlât
işmamat
işrabat
işrakat
işmizazat
iştialât
iştibahat
iştibakât
iştidadat
iştigalât
iştikâat
iştikakat
iştikakıyyat
iştimalât
iştiraat
iştirakât
iştirakiyyat
iştiyakal
italât
itarat
ithafat
ithamat
itibariyyat
i'tidadat
itidalât
i'tıkâfat
i'tikâlât
i'tilâfat
itirafat
itirazat
itisafat

itiyadat	maaliyyat	muradat	müteradifat
itizalât	maassiyyat	murakabat	mütevaliyat
itizarat	maaşat	murassaat	mütevatirat
itlâfat	magsubat	musafahat	müvazat
ittihadat	mahfiyyat	musammemat	müzayedat
ittihazat	mahiyyat	musannaat	müzeyyenat
ittisaat	mahsubat	musarrahat	
ivicacat	mahsusat	musarrahat	nadirat
iz'acat	makduhat	mübadelât	nakliyyat
izafat	manzumat	mücmelât	nazarriyat
izahat	maraziyyat	mücrimiyyat	nev'iyyat
i'zazat	masrufat	müctehidat	nayazat
	mefhumat	müdafaat	nizaat
	mekîlât	müdahalât	
kabiliyyat	meknuzat	müdarat	racihat
kademat	meksubat	müddeayat	rasadat
kadhiyyat	mekşufat	müdehharat	rayihat
kadîmiyyat	memlûkât	müdrikât	rediat
kahriyyat	menhubat	müeccelât	resmiyyat
kanavat	mensiyyat	müessirat	reşehat
kariat	merbutat	müevvelât	rivayat
kasabat	mensucat	mükâşefat	ruhiyyat
kat'iyyat	merdudat	mükellefat	rübaiyyat
kavmiyyat	merhunat	mükerrerat	rüsubat
kazaiyyat	mer'iyyat	mülevvesat	rüsumat
kelâmiyyat	merk zat	mülhemat	
kemalât	mermiyyat	münakehat	saât
kemaiyyat	mersusat	münakasat	sadakat
keramat	mesafat	münakaşat	sademat
kerrat	mesalihat	münazaat	sadırat
keşfiyyat	mesrukat	münazarat	safahat
kıt'at	meskûkât	münebbihat	sanihat
kitabiyyat	mesubat	münhaniyyat	sarfiyyat
kubhiyyat	mezkûrat	mürafaat	sathiyyat
kuvaniyyat	mezmumat	müsadifat	savtiyyat
küfriyyat	mezmurat	müsakkafat	sehviyyat
külliyyat	mikyasat	müsamahat	sekenat
küreviyat	miyarat	müstemlekât	semmiyat
küsurat	miyarat	müstenidat	semerat
	muafiyat	müsveddat	senedat
lâğviyyat	muammiyyat	müşatemat	serhaddat
ledüniyyat	muarazat	müşaverat	sevkıyyat
lehviyyat	muarefat	müştailât	seyyarat
lemeat	muhasedat	müştehiyyat	seyyiat
levazımat	muhteriat	mütalâat	seyyidat
levendat	mukaddimat	mütalebat	sıfât
levsiyyat	mukatelât	müteaddidat	sicillât
lezzat	mukavviyat	mütealikat	siyasiyyat
lisaniyyat	mukáyesat	mütebakiyyat	suubat
lûgaat	muktebesat	mütenevviat	süfliyyat

sünbülât
sünuhat

şahikat
şahsiyyat
şaibat
şarkıyyat
şathiyyat
şayiat
şecerat
şekliyyat
şe'niyyat
şer'iyyat
şi'riyyat
şuaat
şüunat
şüyuat

taabbüdat
taabbüsat
taaddiyyat
taaffünat
taahhüdat
tallûkat
taallülât
taammiyyat
taammüdat
taammülât
taarruzat
tâât
taazziyyat
tabakat
tabhiyyat
tâbirat
tab'iyyat
tabiiyyat
tacizat
tadilât
tafsilât
tagaddiyyat
tahanniyyat
tagallübat
tagayyürat
taglitat
tagyirat
tahaccürat
tahaddüsat
tuhaffuzat
tahakkukat
tahakkümat

tahalliyat
tahallûsat
tahallülât
tahammurat
tahammuzat
taharriyyat
taharrükât
tahassürat
tahassüsat
tahatturat
tahayyülât
tahayyürat
tahayyüzat
tahdidat
tahdişat
tahkikat
tahlifat
tahlilât
tahliliyyat
tahmidat
tahmilât
tahminat
tahnitat
tahtibat
tahrikât
tahrirat
tahrişat
tahsilât
tahsisat
tahşidat
tahvilât
takallübat
takatturat
tekayyüdat
takbihat
takdirat
takdisat
takibat
taklibat
taklilât
takrirat
takrizat
taksimat
taksirat
takyidat
talibat
talimat
taltifat
tamamiyyat
tamikat

tamirat
tanzifat
tanzimat
tarassudat
tarifat
tarizat
tasaddiyat
tasall⸴lat
tasannuat
tasarrufat
tasavvurat
tasdiat
tasdikat
tashiht
tasmimat
tasniat
tasrifat
tasvirat
tatbikat
tatvilât
tavassutat
tavikat
tavizat
tavsifat
tazizat
ta'yibat
tayyarat
tayyibat
tazallûmat
tazarruat
tazibat
tazimat
tazyikat
teahhurat
tebahhurat
tebcilât
tebdilât
tebeddülât
teberruat
tebessümat
tebhirat
teb'idat
tebligat
tebrikât
tebşirat
tecavüzat
tecdidat
teceddüdat
tecelliyat
tecemmuat

tecerrüdat
tecessüast
techizat
tecridat
tecvizat
tedahülât
tedarikât
tedenniyyat
tedibat
tediyyat
tedkikat
tedrisat
tellümat
teemmülât
teessüfat
teessürat
tefahhusat
tefehurat
tefekkürat
teferrüat
tefessühat
tefe'ülât
tcfevvühat
tefhimat
tefrişat
tcfsirat
tefrikât
teftişat
tehacümat
tehalüfat
tehaşşüdat
tehdidat
tehevvürat
teheyyücat
tehciyat
tehzizat
tekâlifat
tekâmülât
tekâsüfat
tekâsülât
tekayyüdat
tekayyühat
tekdirat
tekellüfat
tekellümat
tekemmülât
tekerrürat
tekevvünat
tekidat
teklifat

tekrimat	tenbihat	teslihat	tezekkürat
telâffuzat	tenebbühat	teslimat	tezellülât
telâkkiyat	teneffürat	tesriat	tezeyyünat
telâtumat	tenevvüat	tesvidat	tezvirat
telebbüsat	tenkidat	teşabühat	tezyidat
telefat	tenkihat	teşahhusat	tezyifat
telehhüfat	tenkilât	teşbihat	tezyinat
televvünat	tensibat	teşciat	tezyilât
teleyyünat	tensikat	teşdidat	tulûat
telezzüzat	tenvirat	teşebbüsat	türrehat
telhisat	tenzihat	teşekkükât	tüveycat
telifat	tenzilât	teşekkürat	
tel'inat	terahhumat	teşettütat	ukubât
telkinat	terakkiyyat	teşevvüşat	ulviyyat
telmihat	terakkubat	teşhisat	umumiyyat
telvinat	terakümat	teşkilât	usuliyyat
telvisat	terciat	teşriat	
telyinat	tercihat	teşrifat	vacibat
temaruzat	terdifat	teşrihat	vahimat
temayülât	tereddiyat	teşvikat	vâkıat
temayüzat	tereddüdat	teşvişat	validat
temdidat	tereffuat	tetebbuat	varidat
temeddühat	terekât	tetimmat	vazıhat
temellükât	terekkübat	tevakkıyat	veliyyat
temenniyat	terennümat	tevarüdat	vehmiyyat
temerrüdat	teressübat	tevbihat	vilâdiyyat
temeshurat	tereşşuhat	tevcihat	vukuat
temessükât	tergibat	tevdiat	
temettüat	terhibat	tevehhümat	zahirat
temettüat	terkibat	tevellüdat	zahniyyat
temevvücat	tertibat	tevessüat	zarurat
temeyyüat	terzilât	tevessülât	zatiyyat
temhidat	tescilât	tevkifat	zayiat
teminat	teselliyat	tevhidat	zemmiyat
temlikât	tesellümat	tevkirat	zemzemat
temrinat	teeslsülât	tevilât	zer'iyyat
temsilât	tesemmümat	tevlidat	zerrat
temyizat	teseyyübat	tevziat	zevcat
tenakızat	teshilât	teyidat	zevkiyyat
tenasuhat	tes'idat	tezahürat	zeyciyyat
tenasülât	tesirat	tezayüdat	zimemat
tenavülât	tesisat	tezebbübat	zulümat
			zu'miyyat

§ -en

Arapça kelimelere katılarak belirteçler (zarflar) meydana getirir.

âdeten	aileten	ârızan	bahren
ahden	akvalen	âşiren	barizen
ahlâken	amîkan	atıfeten	batınan

bazan	gadren	ırzan	ikrazen
bedelen	gafilen	ıskaten	iktibasen
bedenen	gaiben	ıslahen	iktisaden
berren	galiben	ıttılaen	ilânen
beyanen	garimen	ıttıraden	ilâveten
bidayeten	garazen	ızraren	ilhakan
bizaren	garben		ilmen
binaen	gariken	iadeten	iltifaten
	gasben	ianeten	iltimasen
cebren	gayzen	iareten	iltizamen
cediden	gıyaben	ibcalen	ilzamen
cefaen		ibdaen	imaen
cehden		ibkaen	imtisalen
cehlen	hacmen	iblâgan	inaden
cem'an	hafiyyen	ibtidaen	infazen
cemileten	haizen	ibtizalen	infiraden
cenuben	hakikaten	ibzalen	inhirafen
cevren	halen	icazen	intihaben
cezaen	halisen	icbaren	intiharen
cidden	hamilen	icmalen	intikalen
cinsen	habsen	ictihaden	intizaren
cirmen	harben	idamen	inzibaten
cismen	haricen	idareten	irfanen
cümleten	harsen	idhalen	irticalen
	haseden	idraken	irtikâben
dahilen	hasren	ifsaden	is'afen
def'aten	hassaten	ifşaen	ismen
derunen	haşven	igbiraren	isticalen
devren	hataen	igfalen	istidlâlen
dinen	havfen	igvaen	istifaen
	hayâen	igzaben	istifsaren
ecîren	hayyen	ihaleten	istigraben
ecnasen	hebaen	ihdasen	istihdafen
edeben	hediyeten	ihfaen	istihfafen
efraden	hicven	ihlâlen	istihkaken
ef'alen	hilâfen	ihracen	istihlâfen
elfazen	hilkaten	ihraken	istihracen
emelen	hissen	ihrazen	istihsalen
eminen	hitaben	ihsanen	istihzaen
esiren	hududen	ihsasen	istikbalen
etvaren	hukukan	ihtaren	istimdaden
evsafen	hulâsaten	ihtimalen	istimlâken
ezelen	hulkan	ihtiramen	istinaden
	hükmen	ihtirazen	istişhaden
fahriyyen	hürmeten	ihtisaren	istitraten
fennen		ihtiyacen	ishaden
ferden		ihtiyaten	işraben
fer'an	ıdlâlen	ihzaren	iştikâen
fiilen	ıktidaen	ikmalen	iştikaken
firaren	ıktifaen	ikramen	iştiraken
füceten	ırkan		

ithafen	mahkûmen	muhacereten	nadimen
itibaren	mahallen	muhakemeten	nadiren
itimaden	mahmulen	muhakkakan	neferen
ivazan	mahrumen	muhtacen	nefsen
iz'aoen	mahruren	muhtelifeten	nescen
izafeten	mahsusen	muhterikan	neslen
izahen	mahzuzen	muhtemelen	neticeten
iz'anen	mailen	mukabeleten	nev'an
izharen	makalen	muktebesen	nezaketen
iznen	makamen	munfasılan	nıfsen
	makhuren	muntazıran	nihanen
	malen	musaben	nisbeten
kabulen	mantıkan	musahhahan	nizamen
kadîmen	masumen	musirren	nutkan
kâffeten	matruden	mutaden	nüfusen
kahren	mazlumen	mutedilen	
kaideten	maznunen	mutekiden	örfen
kaimen	mazulen	muvakkaren	
kalben	mebsuten	muvaşşahen	
kalemen	meb'usen	muvazaaten	rabian
kalen	mebzulen	muvazzafan	racihen
kâmilen	mecburen	muvazzahan	ragmen
kanunen	meccanen	mübadeleten	rakiben
kariben	mecmuan	mücazaten	rasaden
karzan	mecruhen	müdellelen	rayicen
kasden	medyunen	müeccelen	re'sen
kat'iyyen	mekruhen	müftehiren	resmen
kaviyen	memzucen	mükâfaten	rızaen
kayden	menfuren	mükemmelen	riayeten
kerhen	menkûben	mülâzimen	rivayeten
kısasen	menkulen	mülken	ruhen
kıyamen	mercien	mümtezicen	
külliyyen	merhameten	müntehiren	sabıkan
	merhunen	mürüvveten	sahihen
lâbisen	mesruren	müsavaten	salifen
leffen	meşreben	müsteciren	salimen
lilâfzan	meşruten	müşareketen	sâlisen
lisanen	mevyumen	müşavereten	sâniyen
lütfen	mevkien	mütenasiben	sahaten
lüzumen	mevrusen	mütenazıran	serihan
	meyusen	müteneffiren	sefareten
	meyyiten	müteradifen	sefiren
maarifen	mevzunen	müteşekkiren	sehven
maaşen	mikdaren	mütevatiren	selben
magduren	misafireten	mütevekkilen	serian
maglûben	mizacen	müteverrimen	seviyyeten
mahallen	muaddelen	müteyemmenen	seyren
mahbusen	muaveneten	müvaceten	sıhhaten
mahcuben	muayeneten	müvaziyen	sıkleten
mahduden	muhabbeten	müzeyyelen	sırran

sıyaseten	tahsinen	tecdiden	tercihen
silsileten	tahvilen	techilen	terdifen
simaen	tahziren	te'cilen	terfien
sıyaseten	taiben	tecliden	terfihen
siyreten	takbihen	tecriden	tergiben
sualen	takdimen	tecrimen	terhiben
sureten	takdiren	tecrübeten	terhinen
süvaren	takdisen	tecvizen	terhisen
	takiben	tecziyeten	terkiben
şahsen	takliden	tedariken	terkımen
şakulen	takriben	tederrüsen	terkınen
şarkan	takriren	tediben	tersimen
şayian	takrizen	tedkikan	tertiben
şer'an	taksimen	tedricen	tervicen
şerhen	takyiden	tedrisen	terzilen
şimalen	tama'an	tedvinen	tesadüfen
şümulen	talikan	teeddüben	tesaviyen
	tamamen	tefhimen	tescilen
taamülen	tamikan	tefrişen	tesellümen
taannüden	tamimen	tefsiren	teselsülen
taarruzan	tamiren	teftişen	tesemmümen
taassuben	tanzimen	tehcıren	teshilen
tab'an	tanziren	tehdiden	teshinen
tabiaten	tarifen	tehevvüren	teshiren
tacizen	tarihen	tehyicen	tes'iden
tadaden	tarizen	tehzizen	tesisen
tadilen	tasdien	tekâsülen	teslimen
tafsilen	tasdikan	tekaüden	tesliyeten
tagliten	tashihen	tekdiren	temimen
tagyiren	tasnifen	tekiden	tesrien
tahakkümen	tasrifen	tekmilen	tesviden
tahallülen	tasrıhen	tekraren	teşbihen
tahammülen	tasviben	teksifen	teşcien
tahassüren	tatbikan	teksiren	teşdiden
tahatturen	tav'an	tekziben	teşekküren
tahdisen	tavren	tel'inen	teşe'ümen
tahfifen	tavizen	telmihen	teşhiren
tahkikan	tavzihen	temdiden	teşhisen
tahkimen	ta'ziben	temhiren	teşkilen
tahlilen	ta'zimen	te'minen	teşrien
tahlısen	ta'ziren	temliken	teşrifen
tahliten	tazizen	temsilen	teşrihen
tahmilen	tazminen	temyizen	teşrikan
tahminen	tebcilen	tenbihen	teşvikan
tahmisen	tebdilen	tenezzülen	tevarüsen
tahniten	teb'iden	tenkiden	tevarüden
tahrifen	tebligan	tenkilen	tevatüren
tahriken	tebriken	tensiben	tevdien
tahriren	tebşiren	tenviren	tevekkülen
tahsilen	tebyizen	tenzihen	tevessülen

tevfikan	tiyneten	vâlihen	yeminen
tevhiden	tulen	vasfen	yesaren
te'vilen		variden	yetimen
tevkıfen	ufkıyyen	vaz'an	
tevkilen	umkan	vazınan	zabten
tevsien	umumen	vechen	zâhiren
tevsikan	unfen	vedaen	zabten
teyemmünen	uryanen	vefaen	zâhiren
te'yiden	usulen	vehleten	zamimeten
tezellülen	uzven	vehmen	zannen
tezkâren		vekâleten	zarureten
tezvicen	üslûben	veraseten	zaten
tezvıren		vesayeten	zeylen
tezyiden	vaciben	veznen	zımnen
tezyifen	vâhiyen	vicahen	zihnen
tezyilen	vakfen	vicdanen	ziyadeten
tezyinen	vakıen	vikayeten	zulmen
ticareten	vakten	vücuden	zühulen

NOT : Arapçada «harf-i cer» denilen ön-eklerle bulunan kelimeler **-en** yerine **-in** olarak okunur :

alâ rivayetin	an cehlin	bihasebin	min cihetin
an kasdin	bıhakkın	lisebebin	

§ -eyn

● Arapça ikilik ekidir. Katıldığı kelimeye iki anlamı katar :

âkideyn	dareyn	kutbeyn	şeyheyn
ayneyn	devleteyn		
ceddeyn	ebeveyn	memleketeyn	zevceyn
cenaheyn			zülkarneyn
cidareyn	haddeyn	saffeyn	
cinseyn	hükûmeteyn	sakeyn	

§ -ha

● Farsça çoğul ekidir; cansızlar ile eşyayı gösteren isimler bununla çoğul haline konulur. Osmanlıcada bu çoğul şekli pek kullanılmış değildir.

badeha		çeşmha	hâkha
bâdha	câyha		
buyha		dırahtha	jaleha

§ -î

• Farsçada «ya-i masdariye» adı verilen -î, sıfat veya bazı isimlerin sonuna katılır, «ism-i masdar» denilen isimler meydana getirir :

agâhî	destgirî	heykeltraşî	-perverî
-amuzî	didebanî	hilekârî	-pesendî
-aşamî	dilâzarî	hiredmendî	pesmandegî
ateşzebanî	dilbazî	hodbinî	pestî
-âyerî	dilbestegî	hodpésendî	peyvestegî
	dilgirî	hubî	pîrî
bahtiyarî	dilsuzî	hunî	pişdarî
bedbahtî	dilşadî	hunrizî	-puşî
bedbinî	dûnî	huşyarî	pürguyî
bedmestî	dûrendişi	hünnermendî	püserî
bednamî	dûrî	hünerverî	
bendegî	dümdarî	hürmetkârî	rastgûyî
beraberî	dürûyî		rastî
bedbadî	düşnamî	kebudî	rehzenî
berdî	düşvarî	küstahî	
-bestegî			sahibkıranî
bezlegûyî	efşanî	lâgarî	sahtegî
biâramî	-endazî	lâkaydî	serasimegî
biçaregî	endişî	lengî	serbestî
bidarî	eşkbarî		serdarî
bigânegî		nabekârî	serkeşî
bigânahî	fedakârî	naçârî	süstî
bihudegî	fersudegî	naçizî	
bihuşî	ferzendî	nachlî	şadkâmî
bikararî		nakesî	şâdî
bikesî	garetgerî	nalânî	şadmanî
bimarî	gayrendişi	napakî	şeydayî
bitarafî	gayretkeşî	napuhtegî	
bîvayegi	germî	nasazî	vabestegî
bizarî	-gûyî	naşadî	
-busî		natüvanî	yâvegûyî
bürehnegî	-hahî	nayabî	yekdilî
büzürgî	hemuşî	nevhevesî	yeksanî
	hemcinsî	nigehbanî	yeknesakî
çakerî	hemdemî	nikbinî	yekzebanî
çarecuyî	hemnamî	nüktedanî	
-çinî	hemrahî		zârî
	hemzemanî	pakî	zebunî
damengirî	herzegûyî	pejmürdegî	zindegî
danişgerî	hestî	perestişkârî	zindedarî
danişmendî	heveskârî	-prevazî	zişti

§ -î (-iyye)

• Arapça kelimelerin sonlarına «-î» (ye harfi) katılarak «ism-i mensup» adı verilen sıfatlar yapılırdı. Böyle kelimeler, ilgi, ilişik gösterirler; bir yerli olma, birinin olma, biriyle ilgisi bulunma anlatırdı. Nispet (eki).

● Böyle kelmelerin uyum (mutabakat) için müennesleri yapılacağı zaman sonuna ‹-e› konur, fakat araya katılan kaynaştırma harfi iki (şeddeli) ‹y› olarak ‹-iyye› okunurdu. Türkçe söylenişte bu ikilik belli edilmez, yalnız aruz vezniyle yazılmış şiirlerde belli edilir.

● Sonları sesli bir harfle biten kelimelerde ‹i› şekli ‹vi› olurdu.

● Böyle sıfatlardan birçoğu tamlamalar halinde kullanılırken tamlananları bırakılmış, kendileri isimler halinde onların yerini tutmuşlardır: (Nezaret-i umur-i) dahiliye, hariciye, harbiye (nezaretleri); (hukuk-i) medeniye (dersi); (emraz-i) hariciyye, nisaiyye, akliyye, intaniye, asabiyye (koğuşları, klinikleri, dersleri). Çoğul şekli de, bilim adları yapmada kullanılmıştır (Bk. -at)

abai	cemadî	duhulî	garami
aczi	cem'ani	dumuri	garibevî
ahşai	cemelî	dümmeli	garimî
akdî	cenanî		gazalî
âlî	cenbî	efsanevî	gazî
atufî	cenini	elfî	gıdai
arızavî	cerebî	em'aî	guddevî
arzî	cerrahî	enfî	gudedî
askerî	cünudî	enmuzecî	gulâmî
avami	cüzeyrî	esedî	gunnevî
ayanî	cürmî	esatiri	gurrevî
azmî	cününî		
	cürufî	faciavî	habbî
bahsi	cezmî	fahzî	habbevî
balgami	cibali	farzî	habelî
basurî	cidali	fasilevî	habli
bedeni	cidari	fekâhî	hacerî
berkî	cihadî	felcî	hâcizî
beşerî	cevfî	fenaî	hacmî
beşiri	cismî	feresî	hacrî
bevli	cumudî	fesadî	haczî
beyanî	curhavi	fevkî	haddî
bey'iî	cümcümevi	feyfaî	hadevaki
beytari	cümelî	fıddavi	hadesî
beytî	cevrî	fıkhî	hadisevî
beyzi	cevvî	fıkravi	hadisî
bezri	ceyşî	fiskî	hafaî
birtılî	cildî	fuadî	hafızavi
birsamî		fulâdî	hailevî
bünyevî	dafiavî	fusulî	haıtî
bürkâni	def'î	fülfülî	hakemî
bürhanî	delki'	fülkî	hâlevî
	desamî	fülsî	halhali
camiavî	devami	fününî	helibî
cebinî	dıbki	füvaki	halisî
cebrî	dimagî	gabî	halkî
cedeli	didani	gabnî	hâmızî
cehdi	duhanî	ganemî	hancerevî

hanzalî	hulûsî	iltisakî	istiskalî
haracî	hulyavî	iltivaî	istisnaî
haramî	hummaî	iltizamî	istişarî
haresî	hurafevî	i'malî	istitradî
harfî	hurafî	imanî	istizkârî
harharavî	husyevî	imtiyazî	işarî
harkafî	hutbevî	indî	iş'arî
harsî	hututî	indifaî	işbaî
harşefî	hükmî	infialî	işgalî
hasisavî	hüzalî	infilâkî	işhadî
hassî		infiradî	iştibahi
haşhaşî	ırkî	inhilâlî	iştikâi
haşişî	ıslâhî	inhirafî	iştikakî
haşvî	ıstırarî	inhitatî-	iştirakî
hataî	ıtrî	inkârî	ithafî
hatıravî		inkılâbî	ithamî
hattî	ibdaî	inkıyadî	itibari
havfî	ibramî	inkisarî	itikadî
havsalavî	ibtidaî	inşiyakî	itikâlî
haylî	icabî	inşaî	itilâfî
haytî	icmalî	intibahî	itirazî
hayyevî	icraî	intihaî	itiyadî
hazefî	ictihadî	intihalî	ittifakî
hazfî	idarî	intikadî	ittihadî
hazizî	idrakî	intikalî	izafî
hazmî	iftitahî	inzibatî	
hazzî	ihatavî	iradî	kabilevî
hecaî	ihbarî	ircaî	kabulî
hedebî	ihsaî	irsalî	kademî
hevvamî	ihsasî	irsî	kademevî
heyzavî	ihtilacî	irtiaşî	kaderî
hezlî	ihtilâlî	iricaî	kadîmî
hınzırî	ihtimalî	irticalî	karhavî
hibrî	ihtirakî	irtikaî	kaydî
hicaî	ihtiramî	irtisamî	kesrî
hikâr	ihtirasî	ismî	keşfî
himarî	ihtirazî	isnadî	kısmî
hirefî	ihtisasî	istiabî	kifaî
hisalî	ihtiyarî	istiarevî	kûhlî
hitabî	ihtiyatî	isticvabî	küfrî
hitamî	ihzarî	istidlalî	kümmelî
hitanî	ikrarî	istifhamî	kürumî
huceyrî	iktidarî	istihalevî	küsufî
hududî	iktisadî	istikbalî	kütlevî
hudusî	iktıtafî	istiklâlî	
hufrevî	ilâhî	istikraî	lâdinî
huleymî	ilcaî	istilâf	lâfzî
hulfî	ilhamî	istimrarî	lâgvî
hulkî	ilmî	istintakî	lâhkî
hullî	iltihabî	istirhamî	lâhmî

lebenî	recüli	suri	taklili
lehvi	redii	süfli	takribî
leyalî	reevî	sükûtî	takriri
leylî	remadî		takrizî
liani	remzî	Şafii	taksimî
luabî	re'sî	şahmî	takyidî
lûgavi	ruhî	şahsî	talebî
lübbi	rüsubî	şakuli	ta'lîmî
lüzuci	rüsumî	şark	tamamî
lüzumî	rüşdî	şarti	tanzifî
		şebekî	ta'rifî
mai	sadaî	sehrî	tarihî
ma'dumî	sadri	şehvanî	ta'rizî
magzî	safhavî	şekli	tasnifî
mahrekî	safsatavî	şemsi	tasrifî
mahremî	sahraî	se'nî	tatbikî
mahşeri	sahrevî	şey'î	tavsifî
mahvi	sakfî	şeytanî	tayfî
mahzufî	salibî	şifaî	tâyini
makali	sami	şikakî	ta'zirî
makberî	sar'avî	şikârî	tecavüzî
mali	sarfî	şimalî	tecrübî
maliki	sarrafî	şitaî	tedafüî
mansurî	sathî	şuaî	tedfinî
masivaî	savtî	suurî	tedibî
ma'şeri	saydî		tedricî
matari	sayfî	taarruzî	tedrisî
mefkûrevî	sebebî	tabiî	teemmülî
mekâni	seferi	tabiyyevî	teessürî
mektebî	sehabî	ta'dadî	tefhimî
mesnevî	seherî	tafsilî	tefrikî
meşimî	sevhî	tahaffuzî	tefsirî
meşrui	selbî	tahammuzî	teftişî
mizmarî	senevî	taharrükî	teheyyücî
mu'cizevî	serbesti	tahayyüli	tehyicî
Musevi	serirî	tahfifi	tehzibî
müşiri	sermedî	tahkikî	tekâlüfî
	sevdavi	tahlilî	tekâmülî
nahiyevî	seyfî	tahmînî	tekâsüfî
nassi	sıhhî	tahribî	tekâsülî
nesri	sihri	tahrifi	tekaüdî
nevm	sınaî	tahrikî	tekellümî
nesai	sırrî	tahrirî	tekevvünî
nısfî	sihri	tahsilî	tekidî
nidaî	silsilevî	tahsinî	tekrarî
rahmî	sipahi	takallûsî	tekrimî
rabtî	siyahi	takayyüdî	teksifî
rebii	siyasî	takdirî	telâffuzî
recai	sulbi	ta'kibî	telkınî
recmî	sun'i	taklidî	temasilî

temaşaî
temsilî
temakuzî
tenasübî
tenasülî
tenazürî
tenkidî
tenkilî
tensibî
tensıkî
terbiyevî
terennümî
teressübî
terhibî
terkibî
tertibî
teşhirî
teşriî
teşrihî
tevellüdî
te'vilî
tezadî
ticari

ufkî
ukdevî
uknumî
ulûhî
ulûmî
umkî
umranî
umumî
unkudî
unkî
unsurî
usarevî
uyubî

ünsi
üsbuî
üsrübî
üsturevî
üznî

vakfî
varakî
vasatî
vasfî
vasli
vatanî
vaz'i
vedaî
vehmî
veridî
vetedî
vicahî
vifakî
vilâdî
vustaî
vücubi
vücudî

yeminî
yesari
yevmî

zahirî
zahrî
zaikavî
zamani
zarfî
zarurî
zati
zebahî
zecrî
zevalî
zevcî
zevkî
zıllî
zımnî
zıhnî
zikrî
zinaî
ziraî
ziyaî
zücacî
zührevî
zümrevî ·

§ -în (-un)

● Arapça çoğul ekidir, katıldığı sözleri çoğul yapar.

âbidîn
âcizîn
âhirun
ahrarîn
akdemîn
akdemun
ayyarîn
ayyaşîn

bayiîn
bevvabîn

camiîn
carihîn
cerrahîn

esatirîn
esfelîn

fakıhîn
failin

farigîn
fâtihîn
fâzılîn

gafilîn
gaibîn
galibîn
ganimîn
gasıbîn

habîrîn
hâdimîn
hatifîn
hâkimîn
hânisîn
hazikîn

kâmilîn
kaniîn
kariîn
kasıdîn

kâşifîn
kâtibîn
katılîn
kâzibîn

ma'dudîn
ma'dumîn
madunîn
ma'fuvîn
magbutîn
magfurîn
maglûbîn
maglûlîn
magmumîn
magrurîn
magsuşîn
mahbubîn
mahcubin
mahkûmîn
mahrumîn
mahrurîn

mahsudîn
mahsurîn
makhurîn
maklûbîn
marizîn
marufîn
masruin
masumîn
matrudîn
ma'tuhîn
mat'unîn
mazulîn
meclûbîn
mecnunîn
meddahîn
memlûkîn
memurîn
menkubîn
merdudîn
merhumîn
meşhurîn

mevcudîn	mut'imîn	müstahlisîn	müttefikîn
meyusîn	mutribîn	müstahzırîn	müverrihîn
muahidîn	muvafıkîn	müstantıkîn	
muahizîn	muzahirîn	müstecirîn	nafim
muakidîn	mübadilîn	müstehlikîn	nafizîn
muannidîn	mübahisîn	müstensihîn	nâsihîn
muasırîn	mücadilîn	müsteşrikîn	nasirîn
muahharîn	mücalisîn	müşabihîn	naşirîn
muavinîn	mücavirîn	müşahidîn	nâzımîn
mucidîn	mücehhizîn	müşarikîn	nazırîn
muhabirîn	mücellidîn	müşatimîn	
muhalifîn	müctemiîn	müşavirîn	ragibîn
muharrirîn	müctenibîn	müşevvikîn	râkibîn
muhasırîn	müdavimîn	müştakîn	râsıdîn
muhasibîn	müdebbirîn	müşteriîn	remmalîn
muhbirîn	müdrikîn	mütaahhidîn	
muhlisîn	müellifîn	mütaazzımîn	sabıkîn
muhtazırîn	müfetttişîn	mütaliîn	sabıkîn
muhtekirîn	müflisîn	müteaccibîn	sahabîn
muhtelisîn	müfritîn	mütebahhirîn	sahihîn
muhteriîn	müfsidîn	mütecahilîn	sairîn
muhterisîn	mükellefîn	mütecasirîn	sakinîn
muhterizîn	mülâzimîn	mütecessisîn	salihîn
mukallidîn	mümessilîn	müteehhilîn	salimîn
mukarribîn	mümeyyizin	mütefekkirîn	sarikîn
mukavimîn	münaziîn	mütefenninîn	sayyadîn
mukabilîn	müneccimîn	mütegallibîn	seyyahîn
mukarrirîn	münhezimîn	mütehaccirîn	seyyidîn
mukdimîn	mün'imîn	mütehassısîn	
mukniîn	münkirîn	mütehassırrîn	şafiîn
mukrizîn	müntahirîn	mütehassisîn	şairîn
muktesidîn	müntekimîn	mütehayyirîn	
muhtetifîn	müntesibîn	mütehayyizîn	tâbiîn
munafıkîn	mürahikîn	mütekaidîn	tâirîn
munsifîn	mürettibîn	mütekebbirîn	
muntazırîn	mürevvicîn	mütercimîn	vâızın
muratıbîn	mürşidîn	mütesallifîn	vâkıfîn
musavvirîn	mürteciîn	müteşairîn	vâlihîn
muslihîn	mürtekibîn	müteşebbisîn	varisîn
mutaassıbîn	müsabıkîn	müteşekkirîn	vâsılîn
mutekidîn	müsebbibîn	mütebbiîn	vâzıîn
mutemedîn	müsevvidîn	mütevassıtîn	
muterifîn	müstagfirîn	mütevekkilîn	zairîn
			zâminîn

Bütün alfabe
Harflerin sırası ve isimleri

elif	ا	ha	ح	je	ژ	zı	ظ	lam	ل
be	ب	hı	خ	sin	س	ayın	ع	mim	م
pe	پ	dal	د	şın	ش	gayın	غ	nun	ن
te	ت	zel	ذ	sat	ص	fe	ف	vav	و
se	ث	rı	ر	dat	ض	kaf	ق	he	ه
cim	ج	ze	ز	tı	ط	kef	ك	ye	ى
çe	چ								

1	2	3	4	5	6	7	8	9	0
١	٢	٣	٤	٥	٦	٧	٨	٩	٠

حركه واشارتلر   **Hareke ve işaretler**

آشیان	مَد	ــَــ	Med — Aşiyan
مكتَب	جَزم	٠	Cezim — mektep
شِدّت	شَدّه	۳	Şedde — şiddet
اَوَت	اوستون	ــَــ	üstün — evet
اِجرا	اَبِره	ــِــ	esre — icra
لُطف	اوتوره	و	ötere — lütuf
لُطفًا	ایکی اوستون	ــًــ	iki üstün — lütfen
مَقصَدٍ	ایکی اِبره	ــٍــ	iki esre — maksadın
كامِلٌ	ایکی اوتوره	ــٌــ	iki ötre — kâmilün
اَل	همزه	ء	hemze — el

Kısaltmalar

A.	Arapça
(Ana.)	Anatomi
(Arap. Gra.)	Arapça gramer
(As.)	Askerlik
(Ast.)	Astronomi
(Bağ.)	Bağlaç
(Bk.)	Bakınız
(Bot.)	Botanik
(Coğ.)	Coğrafya
(Cüm.)	Cümle
ç.	Çoğul
e.	Edat
(Eski)	Tanzimat'tan önce
(Ed.)	Edebiyat
(Ed. C.)	Edebiyat-i cedide
(Eko.)	Ekonomi
F.	Farsça
(Fel.)	Felsefe
(Fi.)	Fizik
(Gra.)	Gramer
(Geo.)	Geometri
(He.)	Hekimlik
(Hu.)	Hukuk
İ.	İsim
(Kim.)	Kimya
(Man.)	Mantık
(Mat.)	Matematik
(Mec.)	Mecaz veya Mecelle
(Ö. i.)	Özel isim
s.	Sıfat
(Sos.)	Sosyoloji
(Tas).	Tasavvuf
ü.	Önlem
(yy.)	Yüzyıl
zf.	Zarf

(NOT. XIX. yy. Tanzimat sonrasını; XX. yy. 1908 ile 1923 arasını gösterir.)
(NOT: «Mec.» kısaltısı «Mecelle»ye işarettir.)

A

a, â. 1. Türkçede kullanılmış olan Arap alfabesinin ilk harfi *elif;* yerine göre *a, e, i, u, ü,* okunurdu; yine o alfabenin *ayın* harfi de böyleydi. Onun için gerek metli *elif,* gerek *ayın* harfinin 'eliflileriyle, sert harflerle bulunanları *a* ve *â* olarak sıralanmıştır. 2. Ebcet hesabında *elif* 1; *ayın* 70'tir.

â, F. e. ‹Ey!› anlamında ünlem edatıdır : *Âsâfa, canâ, daverâ, mutribâ, şahâ, zahidâ.* Nazımda vezin zorundan olsun, şairin kendine söylenmesi gibi olsun, özel isimlerin sonuna gelir ve sesli ile bitenlerde - *yâ* şeklini alır. *Bakî'yâ, Galib'â, Nefi'yâ, Zati'yâ.*

â, F. e. Aynı iki kelime veya başka başka iki kelime arasına gelerek kelime anlamını pekiştirir.

- cuşâcuş — lebâleb
  çekâçak — malâmal
  demâdem — keşâkeş
  dûrâdur — nevânev
  fevcâfevç — nuşânuş
  girdâgird — rengârenk
  gûnâgûn — serâser

âb, A. i. Ağustos ayı.

âb, F. i. 1. Su. 2. Sıvı. 3. Şarap. 4. Yağmur. 5. Kaynak, çeşme, kuyu. 6. Deniz, göl, büyük nehir. 7. Gözyaşı. 8. Özsu, besi suyu. 9. Döl suyu. 10. Şişe, billûr, sırca, 11. Buz. 12. Parlaklık, tazelik, canlılık. 13. Hoşluk, güzellik. 14. Cilâlılık, kesinlik. 15. Değeril süs taşlarının parlaklığı, suyu. 16. Ahlâk güzelliği. 17. Cevher. 18. Silâh. 19. Değer, şeref. 20. Kısmet.

●*Âb-i abisteni,* döl suyu;● - *âteşin,*● - *âteşnak.*● - *âteşnümay,*● - *âteşpâre,*● - *âteşrenk,*● - *ateşzay,* 1. şarap. 2. kanlı gözyaşı.● ‹Âbsın mânide amma âb-i âteşparesin. — Nef'i›;● - *beka* (Bk. Âbıhayat;● - *beste.* 1. donmuş su, buz. 2. şişe, billur; ‹Nice gam teşne-i merk etmesin a'dâ-yi cerrarı - Ki âb-i beste tig-i âteşîninden olur câri. — Beliğ›.● - *câri.* akarsu :● ‹Bâd-i seher mi ya Rab ya nefha-i Mesiha — Ya fevz-i kalb-i ârif ya mevc-i âb-i câri. — Ziya Pa.›;● - *cavidan* (Bk. Abıhayat)● - *ciğer,* çok acı gözyaşı :● ‹Âteşin âb-i ciğer dideye gelsin dilden, — Sabri›;● — *çeşm,* gözyaşı :● ‹Zulmet içre Nabiyâ Hızr'dan aldım haber - Âb-i çeşm-i naümidî çeşme-i hayvan imiş. - Nabi›;● - *dehan,* ağız suyu, salya;● - *efsürde,* donmuş buz tutmuş su :● ‹Ahker-i mürde ve âb-i efsürde gibi dembeste kaldı. — Lâmiî› :● - *engûr,* 1. üzüm suyu, 2. şarap;● ‹Âb-i engûr hum içinde giderek bâde olur›;● - *erguvanî,* kırmızı şarap; ‹Saki getir âb-i erguvanî - Yaktı beni âteş-i civanî. — Ş. Galip›;● - *füsürde,* 1. donmuş su, buz. 2. kılıç, hançer;● - *hasret,* umutsuzluk, gözyaşı : ‹Âb-i hasret dökülür didelerimden her bâr. — Hayalî›;● - *hayat,* - *hayvan,* - *Hızr* (Bk. Abıhayat);● - *hoşgüvar,* tatlı su : ‹Şarabı âb-i hoşgüvar, gıdası şîr ü şehd-i leziz. — Recaizade›;● - *hufte,* 1. sakin su, 2. kılıç;● - *işret,* şarap;● - *kebud,* Çin denizi;● - *matar,* yağmur suyu : ‹Neşv ü nema çemenlere âb-i matardandır. — Beliğ›;● - *Meryem,* 1. arılık, temizlik, 2. üzüm şırası, şarap;● - *muallak,* 1. gök, 2. güzelin çenesi;● - *revan,* 1. akarsu. 2. Hayat; 3. (Tas.) Tarikat adamının yüreğindeki sürekli ferah : ‹Sarîr-i âb-i revan ü safîr-i murg-i çeman. — Fuzuli›;● - *rez,* 1. üzüm suyu. 2. şarap;● - *rûy* (Bk. Abıru);● - *şer,* şarap;● - *tarab,* şarap : ‹Hane-i rindi yıkar âb-i tarab. — Naci›;● - *tig,* keskin kılıç : ‹Âteş-i şevkimdir âb-i tîğını tîz eyleyen. — Fehim› — ‹Ey şanlı cedd-i ekberimiz âb-i tîğının - Bi-hadd imiş güneş gibi tenvir sanatı. — Beyatlı›;● - *zer,* 1. altın suyu. 2. eritilmiş yaldızdan yapılma mürekkep, 3. safran, 4. altın renginde şarap :● ‹Âb-i zerle yaz o şahın adını — Söyle bir kıssa-i eyyamını. — Sadettin›,● - *zindegâni,* (Bk. Abıhayat);● - *zülâl.* 1. katıksız, berrak su. 2. Billûr.

F. : 1

3. ayna.● «Nevsebil-i Mustafa Handan gel iç âb-i zülâl. — Fıtnat».;● *Âb ü dane*, 1. yiyecek içecek. 2. kısmet;● *âb ü gil*, (su ve balçık), balçıktan yaratılmış vücut, yaradılış :● «Âb ü gil müşk ü gülâb ola çemen sahnında - Bûy-i hulkiyle güzar etse nesim-i eshar. — Baki».;● *âb ü hâk*, su ile toprak, yurt, vatan;● *âb ü hava*, su ile hava, iklim :● «Âb ü hava olunca bir hâkten ne bitmez. — Hayalî;● *âb ü tâb*, 1. parlaklık. 2. hoşluk. 3. tazelik :● «Âb ü tâb eksik değil şi'rinde ey Nef'i senin. — Nef'i» — «Görmekteyim o gülşeni kim gark-i âb ü tâb. — Fikret».

● *garkab*   *simab*
girdab   *sirab*
gülâb   *sürhab*
hoşab   *sadab*
hizab   *şehdab*
hunab   *telhab*
mizab   *tizab*
mürgab   *visnab*
serdab   *zehrab*●
seylâb

abâ, *A. i. (Ayın ile)* 1. Aba. Kalın, kaba kumaş. 2. Bu kumaştan yapılma bol, geniş üstlük, 3. *(Mec.)* Dervişlik, şeyhlik.● *Âl-i abâ*, *ashab-i al-i abâ*, Muhammed peygamberin üzerine abasını örttükleri Ali, Fatma, Hasan, Hüseyin; *bende-i âl-i abâ*, Âl-i abâ yanlısı, onlara bağlı;● *rind-i ab âbeduş*, dünyada yalnız bir abası olan rint. «Bilinir kadr-i abâ mevsim-i barân olsa — Fazıl»; — «Âba var, post var, meydanda er yok. — Beyatlı»; - «Rind-i abâ beduş, fakir-i revendeyiz. — Beyatlı».

âba, *A. i.* [Eb ç.] 1. Babalar. 2. Erkek cetler. 3. Küreler, dokuz felek, 4. Güneş ile ay da beraber olarak yedi gezegen. *Âba-i mâneviye*, morali idare eden kimseler, mürşitler, şeyhler, - *kinisaiye*, kilisenin ileri gelenleri, din üzerine eser yazmışlar anlamına gelen bu söz «Pères d'Eglise» karşılığı olarak (XX. yy.) kullanılmıştır; - *ulviye*, dokuz gök ve ya yedi gezegen; *âba vü ecdat*, Atalar, babalar ve dedeler. «Beşeriyyet nerede? Sulh-i umumî nerede — İtilâf etmiyor âba ile evlât henüz. — Naci» - «Ve biclümle kadr-i ulûmu inkâr ve mücerret âba vü ecdada taklid ile zemm üzre ısrar. - Taş» «Âba-i kinasaiyenin kadınlara karşı vaziyetini yâd edişim. — Cenap».

a'bâ, *A. ç. i. (Elif* ve *ayın)* yükler, ağrılıklar. 2. Sorumluluklar, 3. Çift denk veya sandık. «İmam-i Hasan efendimiz dahi a'bâ-yı hilâfetı terk ederek. — Ragıp Pş.».

abad, *A. i.* [Ebb ç.] Otlaklar, meralar.

ab'âb, *A. i. (Ayın ile)* Karnından lâkırdı söyleyen («Ventriloque» karşılığı. XX. yy.).

âbad, *A. i.* [Ebed ç.] Tükenmez zamanlar, sonsuz gelecekler. *Ebed-ül-âbad* hiç bir zaman, asla. «Birine bir kimse mübtelâ olsa ebedülâbad onun işi onmaz. — Peçoylu.»

âbâd, *F. s.* Bayındır, şenlikli. «Bu dâr-i gamba viran olmayıp âbad olam dersen. — Süheyli»● «Cem bezm-i câmı kurduğu gün şad olun dedi - Ey dil - haraplar için âbad olun dedi. — Beyatlı».

-âbad, *F. s.* 1. Yer 2. Kent. 3. Çokluk. bolluk anlamlarıyle tamlamalar yapılmada kullanılır. *Gamabâd*, gamı çok yer, dünya; *harabâdâd*, Hindistan'da bir şehir; *şemsâbâd*, bol güneşli yer.● «Gerçi rifatteyim amma ki harab-âbadım — Ca'd-i menhus-i Zuhal mürg-ı ser-i bâmımdır. — Fehim».

âbadan, *F. s.* Bayındır, şenlikli.● «Cihan mamur ü âbadan olup halk oldu asude. — Hemdemi».

âbadanî *F. i.* Bayındırlık, şenlik.● «Dünya bir harab-âbad viranedir ki mazhar-i âbadanide gözükür. — Sinan Pş.».

âbadi, *F. i.* Bayındırlık.

âbadî, *F. i.* Sarımtırak renkte cilâlı yazı kâğıdı. İran, Hind veya Çin'den geldiği için değeri fazlaydı.● «Name-i hümayun ki âbadi kâğıt üzerine. — Raşit».

Abadile, *A. i.* [Abdullah ç.] Aptullah adında olan kimseler,● Muhammet Peygamber zamanında bu adda 220 kişi vardı.● *Harb-ül-Abadile*, Aptullah adlı dört komutanın bulunduğu savaş.

abâpuş, *F. s.* [Abâ-puş] 1. Aba giyinen, 2. Derviş, 3. Fakir● «Andeliban-i çemen yine abâ-puş olsun. — Fehim».

âbar, *F. i.* Hesap defteri.

âbar, *A. i.* [Bi'r ç.] Su kuyuları.● «Derecat-i muzlime-i tavali-i âdadan numûne olan âbarı kazdırıp. — Naima».

abayi, *F. s. i.* 1. Ev dokuması yünden üst giyeceği; 2. Hayvan örtüsü,● «Sof feraceler ve ruzmerre destarlar ve aba-yi ve divan rahtlarıyle müzeyyen atlara süvar olup. — Raşit».

Abbas, *A. i.* «Sert, çatık yüzlü, aslan» anlamında da olan bu kelime özel isim olarak, Muhammet Peygamberin am-ması ile Safevî soyundan iki İran şahı-nın adlarıdır.● *Âl-i Abbas* soyu, hane-danı.● «Dahi ayn-i pâk-i hayr-ün nâs hazret-i Hamze hazret-i Abbas. — Eş-rra Dede».● - «132 senesinde Beni Hâ-şim'den âl-i Abbas zuhur edip. — Kâ-tip Çelebi».

Abbasî, Abbasiye *A. s.* 1. Abbas'a ait, 2. *i.* Emevî'lerden sonra kurulan hali-felik ve hükümet (750-1258). 3. İran şahı Abbas tarafından çıkarılan para; —● «Bağdad-i çemende ede dâva-yi hilâfet — Abbasî âlemler dike gülzara benefşe. — Necati,● «Hilâfet rütbesin dâvaya şeksiz şerm ederlerdi - Şükû-hun görse Abbasiyenin Me'mun ü Ha-run'u. — Raşit».

Abbasiyan, *F. i.* **Abbasiyyun.** *A. i.* [Ab-basî ç.] Abbasî halifeleri.

abd, *A. i.* 1. Tanrı yaratığı, 2. «Tanrı Kulu» anlamıyle Tanrı adlarından her hangi biriyle birleşik kelime halinde birçok dalar meydana getirilmiştir :

● *Abdullah*　　*Abdüllatif*
Abdülâziz　　*Abdülmecid*
Abdülbaki　　*Abdülmelik*
Abdülcebbar　　*Abdülmuttalib*
Abdülcelil　　*Abdülmü'min*
Abdülfettah　　*Abdülmün'im*
Abdülfeyyaz　　*Abdülvasi*
Abdülgaffar　　*Abdülvehhap*
Abdülgafur　　*Abdürrahim*
Abdülgani　　*Abdürrahman*
Abdülhak　　*Abdürreşit*
Abdülhalim　　*Abdürrezak*
Abdülhamit　　*Abdüssamet*
Abdülkadir　　*Abdüsselâm*
Abdülkerim　　*Abdüssettar*●

3. Bu kelime kendinden söz edenler ta-rafından alçakgönüllülük veya karşı-sındakine aşırı bağlılık göstermek için● *abd-i âciz,*● - *ahkar,*● - *kemîne*● - *memlûk,*● - *sadık* biçimlerinde de kul-lanılmıştır.● *Abd-i müştera,* para ile satın alınmış köle.● «Abd-i âciz ne ya-par Kadir-i Mutlak sensin. — İzzet Molla».● «İç-oğlanlardan üç nefer abd-i memlûk birbirinin ıdlal ile. — Raşit.»● «Vüzera-yi selef bu makule-lerden külli ihtraz edip abd-i müştera

kullanırlardı. — Koçi Bey».● «Abd-i kemînenin bu idi hep kabahati. — Ziya Pş.».

abdal, ebdal, *A. i.*(Arapça aslında ço-ğul olan bu sözcük Türkçede tekil ola-rak kullanılır ve● *abdalan* olarak Fars kuralınca çoğul yapılırdı). 1. Evliyalar, erenler. 2. Tarikat adamı, 3. Gönlünü Tanrıya vermiş, dünya ile ilgisini kes-miş kimse. 4. Bön insan, aptal.● «Bezm-i fenâ tekkesi abdalıyız - Anla-yamaz her biri halâtımız. — Zâti».

abdalân, *F. i.* [Abdal ç.] Abdallar (Bun-lar 7, 40, 70 olarak sayılır).● «Biz ol abdalân-i aşkız âlem-i mânide kim — Şehper-i Cibril ile mestur olur uryanı-mız. — Leskofçalı».

âbdan, *F. i.* [Âb-dan] 1. Su kabı, 2. dik kavuğu, 3. Gbl.

âbdar, *F. i.* [Âb-dar] 1. Sulu, taze. 2. Parlak, hoş. 9. Keskin, zağlı.● *Meyve-i âbdar,* sulu, taze yemiş;● *şimsir-i âb-dar,* keskin, zağlı kılıç,● *şi'r-i âbdar,* hoş, lâtif şiir.● «Ne kadar âbdardır şi'-rin — Âb-i zerle yazılsa şayandır. — Naci».● «Tig-i sertiz-i âbdar-i sitem. — Gülbün-efraz-i bustanımdır. — Riya-zî».

âbdendan, *F. i.* [Âb-dendan] Şaşkınlık. Zayıflık.● «İsterim bir hâdim amına abdendan istemem».

âbdest, *F. i.* [Âb-dest] 1. Aptes. Na-maz için vücudun belli yerlerini yıka-ma, 2. El yıkama suyu, 3. Eli işe yatkın usta, sanatçı. 4. Hafif veya kalın ba-ğırskaları boşaltma, 5. Paylama, azar-lama.

âbdestan, abdestdan, *F. i.* [Âbdest-dan] **âbdesthane,** *F. i.* [Âb-dest-hane] Ap-tesane, ayakyolu.

abdiyyet, *A. i.* Kulluk, Tanrı kulluğu ● «Abdiyyetimi vasıtadır arza bu yoksa — Tevhidnie lâyık söze kadir miyim Allah. — Recaizade».

abede, *A. i.* [Âbid ç.] Tapanlar, iba-det edenler.● *Abede-i evsan,*● *abedet-ül-evsan,* Puta tapanlar.● «Abede-i mihrab-i niyaz ve zühhad-i sübhatıraz — Veysi».

aberat, *A. i.* [Abre ç.] Gözyaşları :● «Ve katerat-i haserat ve muhacat-i aberatı çehresine revan edip. — Hüma-yunname».

abes, *A. i.* (Ayın ve se ile) 1. Yararsız iş, 2. Boş, saçma şey.● «Kürtlerin riş-handine aldanıp bu kadar zaman abes ile iştigal edip eğlnemesi. — Naima».

abes, *A. i. (Ayın ve sin ile)* 1. Yararsız 2. yüz ekşitme. 3. kaş çatma. 4. Kur'an'ın 80. Suresi.

abesiyyat, *A. i.* [Abes ç.] Boş, işe yaramaz şeyler.• «Emma terin'in ilâli gibi abesiyat ile uğraştı mı. — Kemal».

âbgine, *F. i.* 1. Şişe, sırça, cam. 2. Sürahi, kadeh. 3. Ayna, 4. Göz yaşı, 5. Âşığın yüreği.• «Âbgine içinde mey gi- 'bidir — Leb-i lâ'lin hayali dilde müdam. — Baki».

âbgir, *F. i.* [Âb-gir] Su birikintisi, çukur.• «Âbir olup o gülşen gülü 'nilüfer olur. — Feyz-i tesir-i ruh ü dide-i giryanımdan. — Fehim».

âbgûn, *F. s.* Su renginde, mavi,• *Âbgûn kafes*, gök.• «Âbgûndur künbed-i devvar rengi bilmezem. — Fuzuli».

âbgûne, *F. s.* [Âb-gûne] Mavi.

abher, *A. i. (Ayın ile)* 1. Nergis. 2. Yasemin. 3. Zerrinkadeh çiçeği.• «Haline ayn-i inayetle nigâh eyler isen — Göz açıp ede nazar nite ki abher sümbül — Baki».

abherî, *A. s.* Nergis gibi.• «Pür nem bu hava-yi ahberide — Reng-i gül hiç olur mu peride. — Ş. Galip».

âbhiz, *F. i.* [Âb-hiz] 1. Dalga, 2. Kaynak. 3. Su yolu.• «Bahr-i aşkın âbhizi pek şedit».

âbhor, âbhord, *F. i.* [Âb-hor, hord] 1. Kısmet, nasip. 2 Yiyecek ile içecek. 3. İçme kabı. 4. Kavun. 5. Su içme yeri. • «Âbhordu herkesin âlemde olmaz muttarit».

âbhorde, *F. s.* [Âb-horde] su içen.• «Rüyada abhorde olan sîr olur mu hiç — Beliğ».

âbıhayat, *F. i.* [Âb-i hayat] 1. Hayat suyu. İçeni ölmezliğe kavuşturan masal suyu, 2. Güzelin dudağı. 3. (Ed.) Eski edebiyatın çok işlenmiş bir konusu, fazla kullanılmış bir mazmunudur. Bu sudan yalnız Hızır içebilmiştir. İskender-i Zülkarneyn bu suyu aramak için yola çıkmış ise de zulümat (Bk.) içinde kılavuzu Hızır'ı yitirerek isteğine yaramamıştır.• *Ayn, beka, çeşme, hayvan, Hızır, ma* sözcükleriyle yapılma eşanlamlıları çoktur. 4. (Tas.) Gerçek sevgi, Tanrı sevgisi.• «Gün yüzünden utanıp âb-i hayat — Meskenin etti vera-yi zulümat — Hakani».• «Ey Muhibbi yâr elinden ger olursa âb-i hayvan istemez. — Kanuni».• «Olmayan maye-i feyz-i ezelîden sîrab — Âb-i Hızr'ı yine Hızr olsa da rahber

bulamaz. — Ragıp Pş.».• «Cû-yi adl ü himemi âb-i beka-yi ikbal. — Münif».

âbık, *A. s.* 1. Kaçak, kaçan. 2. Cıva. • *Abd-i âbık*, sahibinden kaçan köle. • «İkincisi keenne bir abd-i âbık ve insana gayr-i lâyıktır ki. - Taş.».

âbıru, *F. s.* [Âb-i ru] 1. Yüz suyu. 2. Onur, şeref.• «Kûyuna yer yer dökülmüş âbırular var idi. — Nedim».

âbi, *F. s.* 1. Su ile ilgili, suda yaşayan. 2. Gök mavisi. 3. Ayva.• *Burc-i âbi*, Hut (Balık) burcu.• «Biri kemalât ile Nabi dürür — Cümlesinin ruhelri âbidürür. — Nabi».

âbî, *A. i.* [İba'dan] Çekinen, tiksinen, sakınan.

âbid, *A. s. i.* [İbadet'ten] 1. Tapan, ibadet eden. 2. Tanrının buyurduğu ibadetten fazlasını (nafileleri) yapan 3. Sofu.• «Salih ü âbid ü hoş-hulk ü besîm. — Nabi».

abid, *A. i.* [Abd ç.] Kullar. Köleler. «Asrımızda fark olunmaz oldu ahrar ü abîd. — Ziya Pş.».

âbidane, *F zf.* [Âbid-ane] Dine bağlı kimselere yakışır yolda.

âbidat, *A. i.* [Âbide ç.] Anıtlar.• *Âbidat-i İslâmiyye*, İslâm medeniyeti anıtları,• - *kadime*, ilkçağlardan, antikiteden kalma anıtlar.• «Asâr-i müteakıbenin gözlerini kamaştıracak âbidat-i ziynet ve sefahat tesis ederken. — Cenap».

âbide, *A. i. s.* [İbadet'ten] İbadete düşkün kadın.

âbide, *A. i.* Arapçada «sürekli, süren ve vahşî, yabanî, bilmece, anlaşılmaz kelime» anlamlarında olan bu söz Türkçede (XIX. yy.) *anıt* anlamında kullanılmıştır. (ç. Abidat, evabid).

âbidevi, *A. s.* Anıt gibi, anıtı andırır yolda. (Fransızca *monumental* karşılığı olarak kullanılmıştır.)

âbile, *F. i.* 1. Sivilce. 2. Su üzerindeki hava kabarcığı.• «Ve âbile-i pâya riza vermeyen ve âbla ateşe girmeyen — Sadettin».

âbir, abire, *A. s.* (Ayın ile) [Ubur'dan] Geçen, geçip giden. (ç. Âbirîn).

abîr, *A. i.* Beyaz sandal, sümbül kökü, kırmızı gül, turunç ve iğde çiçekleri gibi kokulu maddelerin miskle karıştırılıp dövülmesinden yapılan ve eski zamanın en beğenilen kokusu.• «Dâmenin bâd-i saba eylese pür müşk ü abîr. — Nef'i».

âbirîn, A. i. (Ayın ile) [Âbir'den] Geçip gidenler.● Marîn ü âbirîn, gelip geçenler.

âbisten, F. s. (A ve sin, te ilc) Gebe.● Âb-i abisteni, döl suyu.● «Abisten-i safa vü kederdir leyal hep — Gün doğmadan meşime-i şebden neler doğar. — Rahmi».

âbişhor, F. i. 1. Yalak. 2. Su içilecek bardak. 3. Sıra tekneler. 4. Gündelik ekmek, rızık.● «Harmeşreban-i âbişhor-i betalet olan. — Veysi».

âbkâr, F. i. [Âb-kâr] 1. Saka, sucu. 2. Şarap satan.

meyen bir yerinde olan ve cinlerin

abkari, abkariye, A. s. Yemen'in bilinoturduğu sanılan Abkar kentinin adından alınarak çok ustalıklı işlenmiş kumaşlara sıfat olmuştur; ince, çok güzel

âbkeş, F. i. [Âb-keş] 1. Su çeken saka. 2. Süzgeç.

âbnus, F. i. Abanoz.● «Arızın devrinde ey meh zülfüne yoktur zeval — Yata yata su içinde abnus olmuşturur. — İnbi Kemal».● «Eğerçi tahta idi, amma suubet ve iştihkâmda âbnustan metîn. — Naima».

âbnusi, F. s. Abanozdan yapılmış, abanozla ilgili.● «Tar-i zülf-i yâr-i nazikten ana ey çeşm-i ter — Saye-i müjgân ile bir âbnusî şane yap. — Beliğ».

abre, A. i. Gözyaşı. (ç. Aberat).

âbrah, âbrahe, F. i. [Âb-rah] Suyolu

âbriz, F. i. [Âb-riz] 1. Ayakyolu, aptesane. 2. Çirkef ibriği. 3. (Havruz) Oturak. 4. Testi.● «Cümleden biri âbrizci Hüseyin çavuştur. — Naima».

âbsüvaran, F. i. ç. [Âb-süvar-an] Su veya şarap üzerindeki kabarcıklar.

âbşar, F. i. [Âb-şar] Su şarıltısı, çağıltı.● «Dü-çeşm-i âbşarım pül gibi yollarda kalmıştır. — Nabi».

âbşinas, F. i. [Âb-şinas] 1. Sudan anlayan. Suyolcu. 2. Gemi kılavuzu.

âbtab, F. i. 1. Güneş. 2. Şarap. 3. Sarhoş.

âbtabe, F. i. 1. Su kovası, ibrik. 2. Güneş biçiminde yapılma mücevher.

abus, A. s. [Ubuset'ten] Hoş olmayan, ekşi, çatık.● Abus-ül-manzar, görünüşü hoş olmayan;● abus-ül-vech,● vech-i abus,● yüzü ekşi, çatık yüzlü, kem surat.● «Lâzım değil inayeti ehl-i tekebbürün. — Bahş eyledim âtâsınt vech-i abusuna. — Nahifi».

âbyar, F. s. [Âb-yar] Sulayan, sulayıcı.

abyarî, F. i. Sulayıcılık. 2. (Mec.) Yardım.● Âbyar-i himmet, himmet yardımı :● «Abyarî-i cünun laht-i dil etmiş kârın. — Şecer-i ah-i alev-berk-i ciğerrişemizin. — Nailî».

âc, F. i. (A ile) Ilgın ağacı.

âc, A. i. (Ayın ile) Fildişi, bağa : «Taht-l âc üstünde hâli san Habeş sultanıdır. — Kaşları tuğrasını gördün hemen unvanın öp. — Kanunî».

acaib, A. i. [Acibe ç.] Acayip, şaşılacak şeyler.● Acaib-i seb'a-i âlem, dünyanın yedi tane şaşılacak şeyi. «Nice müverrihîn acaib-i vekayi-i rub'-i meskûn ve garaib-i havadis-i dehr-i bukalemunu cem ü tastir edip. — Naima».● «Kendisini tanıyanlar acaib-i seb'a-i âlemin sekizincisi derler. — Cenap».

acaibat, A. i. [Acaib ç.] 1. Acayip şeyler. 2. Yaratıkların olağanüstü bulunanlarını, normal olmayan acayiplerini inceleyen bilgi. 3. Bu şekilde olan yaratıklar.

acaiz, A. i. (Ayın ve ze ile) [Acuz, acuze ç.] Kocakarılar.● «Bazı acaiz ile irsal edip. — Sadettin».

âcal, A. i. (Elif ile) [Ecel ç.] 1. Sonlar, bitimler. 2. Tabiî olan yaşama sonları, ölümler.● «Cem-i rical edip melâike-i âcal gibi kişver-i küffardan nehb-i ervah etmeye müsaraat ederler. — Sadettin».

acele, A. i. Bk.● icale.

acelet, A. i. Bk.● İcalet.

aceleten, A. zf. (İcaleten, ucaleten olduğu halde Türkçede böyle kullanılır). Hemen, çabucak. «İpşir'in aceleten gelmeyeceği mütahakkak oldu. — Naima».

A'cam, A. i. (Elif ve ayın ile) [Acem ç.] Acemler.● «Etti hüner-âveran-i A'cam. — İhya-yi ulûm-i din-i İslâm. — Ziya Pş.».

âcam, A. i. (Elif ile) [Eceme ç.] Meşelikler. Sık ormanlıklar.● «Âcam-i fitneden zi'b-i ekâzip hareket edip. — Sadettin».

âcâr, A. i. (Elif ile) [Ecr ç.] Ecirler, sevaplar.

a'ceb, A. i. (Elif ve ayın ile) Daha veya pek, en çok şaşılacak.● A'ceb-ül-acaib şaşılacakların en şaşılacağı :● Altından yıkıp bende çektiklerinden a'ceb ü agrebi. — Naima».

aceb, A. i. (Ayın ile) Şaşma, şaşakalma. 2. Acaba.● Bü-l-aceb, büyücü, talih, zaman.● «Acep âlem caep dem özge hengâm-i tarabzadır. — Sabrı.● «Cevher-i can mı aceb cevher-i mina-yi adem? — Akif Pş.».

aceba, *A. zf.* Acaba :• «Bugün aceba içlerinde mütalaaya değer şeyler var mıdır? — Kemal».

a'cel, *A. s.* [Acl'den] Daha çabuk, çok acele eder.• «Ve kudum-i ecel andan dahi a'celdir. — Taş.»

acele, *A. i.* Bir şeyi çabuk yapmaya, bitirmeye çalışma.• *Alelacele,* Bk.• *El' aceletü mineş-şey-tan,* acele şeytan işidir.• «Dem-i fırsatı âkıl eyler nigâh. — Olur kâr-i cahil acelden tebah. — Lâmii».• «Ukubette acele ve ifrat edip. — Naima».

aceletn, *A. zf.* Acele ile, ivedilikle.

Acem, *A. i.* Arap olmayan, arapça konuşmayanlar. 2. İranlılar,• *Irak-i Acem* İran'ın kuzeyi ile Horasan.• «Rum'da şöhret tutan şimdi Acem yalanıdır. — Hayali».

acemane, *F. s. zf.* Acemlere yakışırcasına.• «Fahr-i acemaneden masundur. — İbraz-i hakikat etmek ister. — Naci».

a'cemî, *A. s.* Arap olmayan ve Araptan gayrı. 2. Arapçayı iyi söyleyemeyen. 3. İranlı.

acemi, *A. i.* 1. Arap olmayan, Arabın gayrı. 2. İranlı. 3. Bir işe başlayıp yeni öğrenmekte olan kimse. 4. Yabancı.• *Acemi oğlan,* yeniçeriliğe yeni alınanlar.• «Oğlum, usta ol acemi görün. — Cenap».

Acemistan, *F. i.* İran ülkesi.

acemiyan, *F. i.* 1. Acemiler. 2. Yeniçeri ki ocağına ilk girenler.• «Yeniçerilerin Eski Oda'ların ve gilman-i acemiyan odalarını. — Raşit».

acemperesti, *F. i.* [Acem-peresti] İran sanat ve edebiyatı düşkünlüğü, taraflılığı. İran taklitçiliği. (XX. yy.). «Acemperesti-î Rum'un imale devrinde. — Beyatlı».

a'cez, *A. e.* [Âciz'den] Daha veya pek, en âciz, işe yaramaz.• *A'cez-ül-ibat* kulların en beceriksizi.

aceze, *A. i.* [Âciz ç.] Düşkünler, güçsüzler.• *Dar-ül-aceze,* Düşkünler evi (XX. yy.).• «Gurbette kendi başına dermanı olmayan bir alay aceze makulesi. — Kâni».

acib, acibe, *A. s.* [Aceb'den] Şaşkınlığa yol açan şey. Tuhaf, garip.• *Acib-ül-kıyafe,* kılığı kıyafeti tuhaf.• «Görürdü tozlu müşevveş acib rüyalar. — Fikret».

acibane, *F. zf.* Şaşılacak yolda.• «Otuz kırk nefer adam libas-i garibane ve şebkülâh-i acibane ile. — Raşit».

acibe, *A. s. (Ayın* ile) [Aceb'den] Şaşacak, şaşılacak şey.• *Acibe-i hilkat,* normal olmayan yaratık.• «Hangi Harut olup acibe-nümun — Eylemiş kubbe-i semayı nilgûn. — Fikret».

âcil, *A. s. (Ayın* ile) [Acele'den] 1. Acele, çabuk. 2. Şimdiki, hemen; evveli olmayan.• *Şifa-yi âcil,* çabuk iyileşme.

âcil, *A. s. (A* ile) [Ecel'den] Zamanı gelince yapılmaya bırakılmış, ertelenmiş.

âcil, *(Ayın* ile) *A. s.* Aceleci.

âcilen, *A. zf. (Ayın* ile) [Acele'den] 1. Hemen, çabuk. 2. [Ecel'den] vakti gelince yapılmak üzere.• «Sair mevaziden dahi bu veçhile âcilen cem ve sıpaha ulûfe verdiler. — Naima».

acin, *A. i. (Ayın* ile) Kirli, pis su.

acîn, *A. i. (Ayın* ile) Hamur kıvamında ilâç, macun.

acinî, *A. s.* [Acîn'den] Macun gibi, macun kıvamında Hamurumsu.

aciniyyet, *A. i.* Macun halinde olma.

âcir, *A. s. (A* ile) Sahibi olduğu bir şeyi icareye, kiraya veren : «Âcir, icareye veren kimsedir ki - Mec. 409».

âcir, Bk.• *Acür.*

acîz, *A. s. (Ayın* ile) [Acz'den] 1. Eli yetmez gücü yetmez. 2. Beceriksiz. 3. Gevşek, şaşkın. 4. Zavallı, acınacak• *Âcizleri,* kendinden söz ederken kullanılan nezaket formülü.• «Dirayet âciz aldatmak zarafettir yalan şimdi. — Ziya Pş.».

âciz, *A. s.* Cins güçsüzlüğü olan.

âcizan, *F. i.* [Âciz ;.] Âcizler.• «Niçin? niçin? demede âcizan kalır muztar. — Recaizade.».

âcizane, *F. s.* 1. Zavallı, alçakgönüllü. 2. Âcizce, alçakgönüllülükle. «İtikad-i âcizanemize göre şu maarif hususu. — Kemal.».

acize, *A. s.* Beceriksiz, elinden bir iş gelmez (kadın) :• «Ah bu âcizenin münfiki olan pederim. — Deşt-i hasrette kodu bizleri böyle şeha. — Leylâ».

âcizi, *F. i.* Âcizlik.

âcizî, *F. s.* Zavallı, alçakgönüllü kimseye ait. (En çok, kendinden söz edilirken kullanılır, ben.)

acn, *A, i.* (Ayın ile) Macun yapma. Macun kıvamına getirme.

acube, ucube, *A. i.* Pek acayip, pek şaşılacak şey.

acul, *A. s.* *(Ayın* ile) İçi dar. 2. Çok acele eden.● «Esrar içinde aksediyor. — Küçük, acul iki üç lem'a karşı sahilden. — Fikret».

aculâne, *F. zf.* Çabuk çabuk ,aceleciye yakışır yolda.

acuz, acuze, *A. i.* 1. Kocakarı. 2. Huysuz geçimsiz, büyücü karı. *Berd-el-acuz,* kocakarı soğuğu, Mart 10-16 arasında olur.● «Kera demekle marufe bir Yahudiye-i acuz nisvan-i harem vasıtasiyle. — Naima»● «Gaze-i attar ile gelmez çehre-i acuze intizam — Ziya Pş.».

âcür, âcir, *A. i.* 1. Kerpiç. 2. Tuğla.● «Kubbe binasiyçün hışt ü acür cem'ine mübaşirler gönderip. — Sadettin».

acz, *A. i.* Beceriksizlik, güç yetmeme.● *İzhar-i acz,* geceriksizliği, güçsüzlüğü açığa vurma.● «Hayır meskenetimden, ne acz ü ye'simden. — Fikret».

acz, *A. i.* *(Ayın* ile) 1. İnsan ve hayvanların gerisi, sağrısı. 2. (Ed.) Beytin son kelimesi.● *Redd-ül-acz al-es-sadr,* bir beytin son kelimesinin aşağı beytin ilk kelimesi olarak tekrarlanması.● «(Hayvanın) aczini yani zenbi canibini ekl etse. - Taş.».

Âd, *A. i.* Çok eskiden Yemen taraflarında bulunan bir kavmin adıdır. Nuh kavminden sonra hüküm sürmüştür. Hud Peygamber bunları imana getiremediği için Tanrı tarafından yok edilmişlerdir.● «Görmemiştir böyle bir tufan-i bâdi kavm-i Âd. — Fehim».

a'da *A. i.* *(Elif, ayın* ile) [Âdu ç.] 1. Düşmanlar. 2 .Rakîpler.● «Ahibba şive-i yağmada mebhut eyler a'dayı. — Ragıp Pş.».

âdab, *A. i.* [Edeb ç.] 1. Göz önünde bulundurulması gerekli kurallar, yollar. 2. Görgü ve gelenekler.● *Âdab-ı muaşeret,* görgü;● - *munazara,* konuşma, tartışma kuralları;● - *umumiye,* genel ahlâk kuralları;● *âdab ü erkân,* Yol, iz, sıra saygı;● *âbad-ül-kadi,* şeriat mahkemelerinde kadıların tutacakları yol ve kural.● «Âdab ile git ravza-i Ruhi'ye selâm et. — Ziya Pş.».● «Dalkavuğa dalkavuktur demek (âdab-ı umumiyeye mugayir) addolundu. — Kemal».

a'dad, adad, *A. i.* *(Elif* ve *ayın* ile) [Aded ç.] Sayılar. (Gra)● *A'dad-i asliye,* asal sayılar;● - *kesriye,* kesir sayıları : (Mat.)● - *mütebayine,* aralarında asal sayılar; (Gra.)● - *rütbiye,* sıra sayılar;● - *tevziiye,* üleştirme sa-

yıları.● «Bulmaz o tecelliyat gayet — A'dad nasıl bulur nihayet. — Naci».

adalât, *A. i.* *(Ayın* ile) [Adele ç.] Kaslar● «Adalâtı kemikleri üzerinde kurumuş. — Uşaklıgil.»

adale, *A. i.* Üyeleri oynatan sinirli etler. Kas● (Ana.) *Adale-i cebhiye,* alın kası;● - *hicab-i haciz,* diyafram kası;● - *Kalb,* yürek kası;● - *magdiye,* çiğneme kası;● - *muhattata,* çizgili kas;● - *sadriye,* göğüs kası;● - *zat-ür-ruş-i selâse,* üç başlı kas.

adalet, *A. i.* *(Ayın* ile) Doğrudan ayrılmama, haktan yana olma. Hakkı yerine getirme ve hakkı gözetme :● «Afitab-i cihantab-i adaletin neşr-i envar eylediği. — Kemal».

adaletger, *F. s.* [Adalet-ger.] Adalet ile işgören● «Şimdi eyyam-i adaletger-i asaftır — Yürü ey madelet-i Nuşirevan hoş geldin. — Naili».

adalethane, *F. i.* [Adalet-hane] Adalet yeri :● «Verip hakk-i sarihin kabz ü bast ü mahv ü isbatın — Adalethane-i hikmette etmiş cümlesin ırza. — Nabi».

adaletkâr, *F. s.* [Adalet-kâr] Adaletli, hakkı gözctir.

adaletpanah, *F. s.* [Adalet-penah] Adaletli.

adali, adaliyye, *A. s.* Kaslara ait. Kaslarla ilgili.

adall, *A. s.* [Dalâl'den] Çok şaşkın, yoldan aykırı sapıtmış.● «Sair uınurda dahi bedter-i â'ma ve adall olması mukarrerdir. — Taş.».

âdat, *A. i.* *(Ayın* ile) [Âdet ç.] Âdetler, alışkanlıklar.● «Kuvvet-i kudsiye ile havarik-i âdattan olan. — Naima»● «Milletin âdat ü ahlâkına yerleşmiş (...) böyle bir kaide-i adaleti. — Kemal».

adavet, *A. i.* 1. Düşmanlık. 2. Hınç, kin. ● *İzhar-i adavet,* düşmanlık gösterme. - «Mabeyininizde olan jeng-i küduret ve reng-i adavet saykal-i musalâhat ve müsadakat birle. — Lâmii».

add, *A. i.* 1. Sayı, sayma. 2. Sanma, tutma.● «Âsarıma add ve atvarıma hadd yoktur. — Lâmii».

âde, *A. i.* «Âdet» kelimesinin Arap kuralınca yapılan birleşmelerdeki şekli.● *Alalâde, fevkalâde, harikulâde.* (Bk.).

aded, *A. i.* *(Ayın* ile) Sayı, rakam, tane. ● (Mat.) *Aded-i asli,* asal sayı : - *hakikî,* gerçek sayı; - *kesrî,* kesirli sayı; - *menfî,* negatif sayı; - *mevhum,* sanal sayı; - *muntak*, rasyonel sayı; - *müretteb*, tam sayı, - *zevc*, çift sayı. — «Ve encüm adedince çini kâseler şerbetlerle dolu. — Lâmiî».

adeden, *A. zf.* Sayıca, sayı bakımından.

adedî, adediye, *A. s.* Miktar veya rakama ait. Sayılan şey. Sayısal, numaral. *Adedî silsile-i alel vilâ* aritmetik dizi.

adediyat, *A. i. ç.* (Fık.) Sayılabilir şeyler. Sayı ile satılabilir şeyler.

a'del, *A. s. (Elif* ile) [Âdil'den] Daha veya pek, en adaletli. *A'del-ül-adilîn* (Âdillerin en adaletlisi) Tanrı.• «Ahmet Paşa merhum ol sadrda sizden ve bizden ve sair eslâfından afdal ü a'del idi. — Naima».

Âdem, *A. i.* İlk yaratılan insan, insanların babası. Tanrı, bütün meleklere bu yaratığa secde etmelerini buyurdu. Şaytan'dan başka hepsi bu emri yerine getirdi. Şeytan bu davranışından sonra lânetlenerek Cennet'ten kovuldu. Tanrı ilk kadın olarak Havva'yı da yarattıktan Şonra Âdem'le birlikte Cennet'e koyup, her şeyden faydalanmalarını, yalnız buğday veya elma olduğu söylenen bir yiyeceğe yaklaşmamalarını buyurdu. Şeytan, Âdem'i kandırmak istedi, fakat bunu başaramayınca Havva'ya bu yemişten yedirdi. Âdem ile Havva bunun üzerine Cennet'ten çıkarılıp yeryüzüne indirildiler. *Beniâdem, Âdemoğulları*, insan.• «Hesab-i rızkını kılmış temami-i beşerin — Henüz Âdem'e peyvend olmadan Havva. — Fuzuli» - «Nakes bir âdem oğlu meraret verir Kemal - Nâmert olursa sîneye bir fazla dağ olur. — Beyatlı».

âdem, *A. i.* Adam, insan,• «Dehri arasan binde bir âdem bulamazsın — Âdem görünen harları âdem mi sanırsın. — Ziya Pş.».

adem, *A. i. (Ayın* ile) 1. Yokluk, olmama. *Diyar-ı adem*, yokluk ülkesi, ölüm. 2. Bu kelime birçok Arapça kelimelerle birlikte onları olumsuzlaştırarak tamlamaalr meydana getirir.• *Adem-i basiret*, basiretsizlik;• - *dikkat*, dikkatsizlik; - *emniyet*, inançsızlık;• - *iktidar*, gücü yetmezlik, - *imtizaç*, kaynaşmazlık; geçinemezlik; - *inkıta*, kesilmezlik, • - *inzibat*, disiplinsizlik;• - *istikrar*, bir halde durmazlık;• - *iştiha*, iştahsızlık;• - *itaat*, itaatsizlik; - *itilâf*, anlaşmazlık;• - *kifayet*, yetmezlik;• - *liyakat*, liyakatsizlik;• - *merkeziyet*, bir

merkezden değil, her büyük kurulun veya bölgenin kendi kendini idare etmesi;• - *mesuliyet*, sorumsuzluk,• - *mevcudiyet*, bulunmama, yokluk;• - *mutabakat*, uymazlık, uçuşmazlık;• - *muvafakat*, razı olmama;• - *müsaade*, izinsizlik; darlık; - *müsavat*, eşitsizlik;• - *nezafet*, pislik;• - *riayet*, riayetsizlik, saygısızlık; saymama;• - *sebat*, tutunmazlık, çabuk bıkma;• - *tecavüz*, saldırmazlık;• - *tesir*, tesirsizlik, aksine tesir.• «Tarik-i ömrü gibi müntehi o yol ademe. — Fikret».

ademâbad, *F. i.* [Adem-âbad] Yokluk ülkesi. Ölüm.• «Olup şevk ü tarabla serbeser dünya gam ü enduh — Ademâbad mülkünden de sad menzil baid olsun. — Nedim».

âdemi, *A. s.* İnsana mensup, insanla ilgili.

âdemi, *F. i.* 1. İnsna. 2. Bir kimseye yakın adam, hizmetkâr.• *Âdem-i küş*, insan öldüren. «Âkibet bihuş olur takat getirmez âdmei — Saki-i devrin dokuz cam-i zümürrüdfâmına. — Baki». «Benim sancağıma niçin karışırsın diye buyruldusunu şakkedip âdemisini salb eyledi. — Naima». «Filhal peri-peykeran-i merdümâzar-i âdemi-küşten. — Nergisi».

ademi, ademiyye, *A. s. i.* 1. Yoklukla ilgili, ahrete, ölüme dair. 2. (XIX. yy.) *nihilisme* sözü, «her itikadı çürüten fırka-i dalle» olarak bu kelime ile aktarılmıştır.

âdemiyan, *F. i.* [Âdemi ç.] İnsanlar, adamlar. «Kış günü berf âlemi gark-i kâfur ve dîde-i âdemiyanı abisten-i nur eylediği. — Kâni».

âdemiyyet, *F. i.* Adamlık. İnsana yakışır hal. «Behre-i âdemiyyet nidüğünden haberdar olmayanlara. — Kâni».

âdemzad, *F. i.* [Âdem-zad] Âdemoğlu insan.• «Ol abus-ül-manzar eşhas-i nadan-i-nijadın her biri bir peripeyker âdemzad-i firiştenihat oldu. — Nergisi».

ader ,azer, *F. i.* Ateş.

ader, *A. s.* Kasığı çıkık (adem).

adese, *A. i.* Mercek.• «Her şeyi bir adese-i ıstırap içinde seyrediyorduk. — Cenap».

adesî, *A. s.* Mercekle ilgili, ona benzer.

âdet, *A. i.* Alışılmış şey. Olagelmiş, görenek.• *Âdet-i ağnam*, koyun keçi vergisi;• - *belde*, bir bölge veya kentte yapılagelmekte olan şey;• - *mütearife*,

Fransızcadan *usage général* karşılığı olarak (XIX. yy.);• *âdetullah*, Tanrı hükmünün olagelip olagitmesi;• *hilâf-i âdet*, alışkanlığın dışında.• «Şairlerin mübalâğadır gerçi âdeti. — Ziya Pş.».• «Âdetullah bunun üzerine câri olagelmiştir. — Kâtip Çelebi».

âdeta, âdeten, A. zf. 1. Her vakitki gibi 2. Basbayağı. 3. Düzce.

adha, A. i. ç. (*Elif* ve *dat* ile) Kurbanlar. *İd-i adha*, Kurban bayramı. - «Bu id-i adhada Yahya Efendi ziyade hasta olmakla. — Naima».

adi, adiyye, A. s. [Âdet'ten] 1. Alışılmış olan her vakitki gibi. 2. Bayağı, aşağı. • *Umur-i adiyye*, olağan, her günkü işler : «Eğer böyle umur-i adiye için gazete kapatmak âdet olsaydı. — Kemal».

adîd, adide, A. s. [Aded'den] Çok, birçok,• *Defeat-i adide*, birçok kereler; *emsal-i adide*, birçok benzerler;• *sinin-i adide*, birçok yıllar.

âdil, âdile, A. s. [Adl'den] Adalet sahibi, hakkı hakeden. *Âmir-i âdil*, haksızlık etmeyen âmir; *hükûmet-i âdile*, bütün işleri doğrulukla yürütülen hükümet; *şahid-i âdil*, adalet üzerine, yani doğru tanık : «Ahlâk öyle âdil bir hâkimdir ki. — Nuri».

adil, A. s. [Adil'den] 1. Eş, denk. 2. Benzer, akran. *Bîadil*, eşsiz. «Cihanda adîli adîmülvücud. — İzzet Molla».

âdilâne, A. s. ve zf. Adalet sahibi birine yakışır surtete. Adaletle davranış. «Sây ile sermaye arasındaki münasebatın daha âdilâne bir şekil aldığı. — Cenap».

adîm, A. s. [Adem'den] Yok olan, var olmayan. *Adîm-ül-ihtimal*, olamaz; *adîm-ül-iktidar*, güçsüz; *adîm-ül-imkân*, imkânsız, olmayacak; *adîm-ül-vücud*, vücudu olmayan; *adîm-ün-nazîr*, benzeri olmayan, benzersiz. «Bim ü kahriyle vücud-i sitem ü fitne adîm. — Nef'i». «Ve şeyh-i adîmünnazîr idi. — Taş.» — «Matlup veçhile müteneffiz olması adîm-ül-ihtimaldir. — Kemal».

adiyat, A. i. [Adiye ç.] 1. Her vakit olan, olağan şeyler. 2. Alışılmış ve şaşılmayacak işelr. *Adiyat-i umur* günlük, ufak tefek, önemsiz işler.

âdiyen, A. zf. Bir üstünlük olmadan, her vakitki gibi.

âdiyet, A. i. Âdilik, bayağılık.

âdiyye, A. s. [Âdi'den] Alışılmış, bir üstünlüğü olmayan.• *Eyyam-i âdiyye*,

bayram veya tatil günlerinden başka günler;• *mahakim-i âdiye*, ceza mahkemelerinden gayrı mahkemeler.• «Asker-i İslâm esbâb-i âdiyyeden kat-i ümmid edip... — Naima».

adl, A. i. (*Ayın* ile) Adalet, âdilik,• *Kâtib-i adl*, noter (XX. yy.).• «Cemal-i âlem adl ü dâdla gün gibi münevver. — Lâmii».

adla, A. i. [Dılı ç.] 1. (Mat.) Kenarlar. 2. (Ana.) Eğeler. Kaburga.• *zuerbaat-ül-adla*, dörtgen; *zu kesir-ül-adla*, poligon.• «Kadrilin adla-ı mürabbasına fırlattıktan sonra. — Uşaklıgil».

adlî, adliye, A. s. 1. Adalet işlerine ait, onlarla ilgili. 2. Mahkeme ve dava işlerine ait, onlarla ilgili.• *Hata-yı adlî*, adalet yanlışı, yanlış hüküm; *umur-i adliyye*, adalet işleri. 3. *Adlî*, II. Mahmut'un lâkabı.

adliyye, A. i. 1. Mahkeme ve dava işleri dairesi (XX. yy.). 2. Mahmut II. zamanında yirmi gümüş kuruş değerinde çıkarılmış altın para.

adlpenah, F. s. [Adl-penah] Adaletin sığındığı yer, kimse.

Adn, A. i. Cennet.• *Cennet-i Adn*, cennet bahçeleri. «Muhassal her taraftır mahşer-abâd — Görenler nur-i Adni eylemez yâd — Lâmii».

adras, A. ç. i. Azı dişleri.

adû, aduvv, A. i. 1. Kol, pazı 2. (*Mec.*) dayanacak yer, arka.• *Adud-ud-devle*, büyük devlet adamlarından bazılarına verilmiş lakap.

adudî, adudiyye, A. s. Pazı kemiği ile ilgili.

adufersa, F. s. [Adu-fersa] Düşman bozan.• «Harp ü şecaatte dahi manend-i şir adufersa ve dilir idi. — Naima».

afaf, afafet, A. i. 1. Temiz olma. 2. Namus. 3. Günahtan veya kötülükten çekinme.• «Zir-i perde-i afafındandır asude çü şem'. — Münif».

afaif, A. i. [Afife ç.] Namuslu, temiz kadınlar.• «Afaif-i hücre-i hilâfet ve siperde-i şerafetten. — Sadettin».

âfak, A. i. (*A* ile) [Ufuk ç.] 1. Ufuklar. 2. Bütün dünya, gözle göürlen âlem. (*Enfüs* karşıtı).• (Ed. ce.) *Âfak-i hayatiyet*, - *ihsas*, - *ömür*, - *sabah*, - *şühud*. «Hurşid-i münevver azamet ve saltanatıyle âfaka cevahirfeşan olarak. — Kemal».

âfakgir, F. s. [Âfak-gir] Ufukları tutmuş, âleme yayılmış. «Gûya ki o şafaklar şemşir-i himmetlerinin âfakgir olan şa'şaa-i nazar-rübasından yadigâr kalmıştır. — Kemal».

âfaki, A. s. 1. Mekke'ye yalnız hac için gidip oturmayan veya Mekke'den ayrılan kimse, yabancı. 2. Havayi, gereksiz, boş sözler, şeyler. 3. (XX. yy.) Fransızca *objectif* (nesnel) karşılığı olarak felsefe terim.

âfakiye, A. i. Fransızcadan *objectivisme* (nesnelcilik) karşılığı olarak kullanılmıştır (XX. yy.).

âfakiyet, A. i. Fransızcadan *objectivité* (nesnellik) karşılığı olarak kullanılmıştır (XX. yy.).

afarit, A. i. [İfrit ç] İfritler. Cin tayfasının korkunç takımından olanlar. «Afarit-i fesad ü fitne hep mahkûm-i fermandır. — Ziya Pş.».

âfât, A. i. [Âfet ç.] Büyük dertler, belâlar, musibetler. «Kılıp zat-i şerefpiraların âfattan mahfuz — Ziyad eyle safasın anların suriyle dünyanın. — Nedim.»

âferide, F. s. 1. Yaratık. 2. Yaratılmış. ● *Ferd-i âfride,* hiç kimse. (ç. Aferidegân).● «Min ba'd bir-âferidenin hirmen-i haline âteş-i teaddiden şerer ermeye. — Hümayunname» — «Cihan teneffüs için aferidedir Nabi. — Nabi».

aferidkâr, F. s. i. [Aferid-kâr] Yaratan, yaratıcı.

âefrin, F. ü. Aferin.● «Aferin ey rüzgârın şehsuvar-i safderi. — Nef'i».

âferin, F. s. «Yaratan, meydana getiren» anlamlarıyle, birleşikler yapılır.● *Cihanaferin,* dünyayı yaratan, Tanrı;● *mâniaferin* anlam, söz yaratıcı.

âferinende, F. s. Yaratan.

âferinhan, F. s. [Âferin-han] Aferin diyen, beğenen, «Aferinhân oldu âlem ol vezir-i âkıle».

âferiniş, F. i. Yaratılış. «Etmek gerek ehl-i feyz ü bîniş - Tahkik-i vücud-i âferiniş. — Fuzuli».

âfet, A. i. Sakınılacak hal, belâ. 2. Çok güzel insan.● *Âfet-i can,* çok güzel insan :● - *devran,* zamanını kasıp kavuran (güzel).● «Basırsın ki basarına âfet yok. — Sinan Pş.» - «Ne gördüm ah aman el'aman bir âfet-i can. — Nedim».

âfetresan, F. s. [Âfet-resan] Belâ getiren dert çektiren. «Bilki tufana dahi âfetresandır giryemiz. — Fehim».

âfetzede, F. s. [Âfet-zede] Büyük belâya uğramış. «Uzv-i maktuu gibi sâil-i âfetzedenin. — Nevres».

âfetzedegân, F. i. [Âfetzade ç.] Büyük bir belâya, su baskını, yer sarsıntısı gibi büyük felâketlere uğramış kimseler.

aff, A. i. Bk. *Afv.*

afif, A. s. [İffet'ten] 1. Temiz, doğru, çekingen. 2. Namuslu. «Kendisi de hakikaten afif bir çocuktur. — AM.»

afifane, A. zf. Temiz olarak, temizce. «Bu hasbıhalleri de gayet afifane ve âdeta masumane idiler. — AM.»

afife, A. s. [Afif'ten] Namuslu, temiz, saygıdeğer (kadın). «Orhan Gazi ol afifeden mütevellit olmuştur. — Naima».

âfil, A. s. (A ile) [Uful'den] 1. Batan, sönen. 2. Kaybilan, görünmez olan. «Kapıcılar kethüdalığıyle necm-i âfil-i kadr ü şanına fürug verildi. — Raşit.» - «Âftab-i keremin zail ü âfil olmaz. — Şinasi».

afiyet, A. i. 1. Hastalık veya sakatlığı olmamak. 2. Sağlık, sağlamlık. *İade-i afiyet,* hastalığı geçirme. «Ol bezm idi afiyet baharı — Ben bülbül-i zâr ü bikararı. — Fuzuli».

afs, A. i. (Ayın ve sat ile) Kekre.

âftab, F. i. 1. Güneş. 2. (Mec.) Güzel kimse. Güzel, parlak yüz. *Âftab-ı âlemtâb,* dünyayı ısıtan güneş; - *iştihar,* pek ünlü olan büyük adam; - *Kureyşi,* Muhammet Peygamber «Yansın yakılsın ateş-i hicrinle âftab. — Baki» - «Âftab-i Kureyş olunca ayan — Zulümat üzre oldu nurfeşan. — Naci».

aftabe, abtabe, F. i. Bk. *Âbtabe.* «Ya aks-i hüsnün ile oldu reşk-i çeşm-i mihr — Ya âftabla pür oldu aftabe-i dil. — Fehim».

aftab-efruz, F. s. Işıklandırıcı güneş; «Ne deyrin düt-nigâr-i afitab-efruzudur hüsnün — Ne burcun mahısın pertev-perest-i talatın kimdir. — Naili».

âftabgir, F. i. [Âftab-gir] 1. Şemsiye. 2. Hafif çadır.

âftabî, F. s. Güneşe ait, güneşle ilgili.

âftabperest, F. i. [Âftab-perest]. 1. Güneşe tapan kimse. 2. Günçiçeği. 3. Bukalemun.

âftabrû, F. s. [Âftab-ru] Güneş yüzlü, güzel.

aftabruh, F. s. [Âftab-ruh] Güneş yanaklı güzel.

afv, A. i. 1. Affetme, birinin suçunu bağışlama. 2. Özür dileme. 3. Çalışan birinin işine son verme. 4. Zorlamama. 5. (Huk.) Bir hükümlünün cezasını indirme veya bağışlama. *Aff-i umumî*, Fransızcadan *amnistie* karşılığı (XIX. yy.). «Bunda daha aczimiz huveyda - Afv etti yine Cenab-i Mevlâ. — Ş. Galip».

aga, (Türkçe) Ağa. Eskiden büyük birçok insanların adlarına eklenen bu kelime ile fars kuralına uygun olarak tamlamalar yapılırdı; hatta *agavat* ve *agayan* şeklinde Arapça ve Farsça edatlarla çoğulu da kullanılırdı.

agâh, ageh, *F. s. (A ve kef ile)* Haberli, uyanık.● *Dilgâh*, kalbi uyanık.● «Yüz döndürüp andan dedim : Ey kavm olun agâh. — Ruhi».● «Artırır hayfın bu babın agehi. — Ubevdi».

agâhan, *F. i.* [Agâh ç.] Bilginler. «İmam-i din-penahan mürşid-i irşad-i agâhan. — Sabri».

agâhi, agehi, *F. i.* 1. Bilirlik. 2. Uyanıklık.

agani, egani, *F. i.* [Ugniyye ç.] Şarkılar, türküler,● *Ugniyyet ül agani*, Süleyman Peygamberin kitabı.● «Geh saz ü tarab gehi agani — Eyyam-i neşat idi zamanı. — Nabi».

agarr, egarr, *A. s.* [Gurre'den] 1. Pek parlak, beyaz. 2. Fazla gururlu (kimse). 3. Alnında ak uğur işareti olan at. ● *Agarr-ül-eyyam*, en sıcak gün.

agavat, [Aga-vat] Ağalar. (Arap çoğul kuralına uyularak yapılmıştır).● «Sadrazam hazretlerinin kethüda-yi muhteremleri cümle agavat ile mutat üzere istikbal eylediler. — Raşit».

agayan, [Aga-yan] Ağalar. (Fars çoğul kuralına uyularak yapılmıştır).● «Bade-hu on beş yirmi kadar agayan-i sadr-i âli. — Raşit».

agayane, *F. zf.* Ağalara yakışır yolda. Büyükler gibi.● «Elinde bir çevgân alıp agayane cumhurun önüne düşüp. — Naima».

âgaz, *F. i. (A ve gayın ile)* Başlama. ● *Âgaz-i kâr*, bir işe başlama.● «Kafiye tenk oldu âgaz-i dua etsem n'ola. — Nef-i».● «Agaz ve encam-i kârdaki garaib-i ahvalinden. — Recaizade».

agaze, *F. i.* 1. Türkü söyleyenlerin başlangıç ahengi. 2. Şarkı başlangıcı.● «O hüsn-i savt ü suretle edip agaze hanende. — Şerif».

agbiya, egbiya, *A. i.* [Gabi ç.] Akıl ve kavrayışı kıt olanlar, ahmaklar.● «Fehvası icra olunup ağnıya ve agbiya hissedar olup. — Naima».

agdiye, agziye, *A. i.* [Gıda, gıza ç.] Besinler. «Bu gûne elvan-i kesire agdiye-i şehiyye. — Raşit».

agende, *F. s. (A ve kef ile)* Dolu, doldurulmuş.● *Agende gûş*, söz dinlemez, kulağına söz girmez.

-agin, *F. s.* «Dolu, dolmuş» anlamıyle birleşik kelimeler yapılır.● *Meserretagin, müşkâgin, vahşetagin.●* Biraz çiçek şu hazin kabr-i vahset-agine. — Fikret».

agişte, *F. s. (A ve gayın ile)* Bulaşmış, bulanmış. *Ağişte-i hun ü hâk*, kana ve toprağa bulanmış.● *Agaşte, ağuşte* de okunur. «Hâk-i zillette gönül her gece agişte be-hûn — Çeşm-i sermestin ise hufte-i gülbister-i naz. — Fehim».

aglâk, *A. i.* [Galk ç.] 1. Kilitler. 2. Kapalı, kolay anlaşılmaz şeyler.

aglâl, *A. i.* [Gul ç.] Boyuna takılan lâleler, zincirler.● «Ol zindan-i tenk ü târda selâsil ü aglâl-i uruk ve âsab ile. — Nabi».

aglât, *A. i.* [Galat ç.] Yanlışlar.

aglâz, *A. s. (Zı ile)* [Galiz'den] Çok kaba ve çirkin.● «Deyü aglâz-i kelâm eyledi. — Naima».

agleb, *A. s.* [Galib'den] En kuvvetli, en çok.● *Agleb-i ihtimalât,* sanılanların en kuvvetlisi.

aglebiyet, *A. i.* En kuvvetli olma. En çok olma.● «Aglebiyetle istidad-i riyakâranelerini mevki-i icraya koymuş olurlar. — AM.».

agmad, *A. i.* [Gımd ç.] Kınlar, kılıflar.

agna, *A. s.* [Gani'den] Pek zengin.

agnam, *A. i.* [Ganem ç.] Koyunlar, keçiler.● «Ve ashab-i agnama hasaret olup. — Taş.».

agniya, *A. i.* [Gani ç.] Zenginler.

agniye, *A. i.* [Gına ç.] Şarkılar, türküler, ilâhiler.

agrar, *A. i.* [Gır ç.] Tecrübesiz, kolay aldanır kimseler.

agras, *A. i. (Sin ile)* [Gars ç.] Taze fidanlar, yeni ekilmiş ağaçlar.

agraz, *A. i. (Dat ile)* [Garaz ç.] 1. Maksatlar, istekler. 2. Gizli kinler.● *Agraz-i nefsaniyye*, özel düşmanlıklar. Kötü istekler.● «Sakın ikbal için eşhasa olma âlet-i agraz. — Ziya Pş.».

agreb, *A. i.* [Garib'den] Çok şaşılacak olan;● *abreb-ül-garaib*, şaşılacakların en şaşırtıcısı.● «Atından yıkıp bende çektiklerinden a'cep ü agreb bu fitne-i mütemadiyede ihtifayı makul görüp. — Naima».

agribe, A. i. [Gurab ç.] Kargalar.

agsan, A. i. (Sat ile) [Gusn ç.] Dallar.
• ‹Bir nihal-i şikeste agsanı. — Fikret›.

agşiye, A. i. [Gişa ç.] 1. Örtüler. 2. Muhafazalar.• ‹Hissiyatını örten bütün agşiye-i levsiyatı kaldıracak, — Uşaklıgil›.

agtiye, A. ç. i. (Tı ile) Perdeler, örtüler.
• ‹Agtiye-i tevriye ve istiarâta çâkefken olduğu halde — Nabi›.

ağuş, F. i. 1. İki kolun açılmış çevresi; kucak. 2. (Mec.) Sığınılacak yer.• Ağuşbeağuş, kucak kucağa;• ağuş-i mader, ana kucağı;• deraguş,• hemağuş. Bk.• ‹Ağuş-i nev-baharda hâbidedir cihan. — Beyatlı›. ‹Bir buse ile ağuş beaguş-i visal olacak zannediyordu. — Uşaklıgil›.
• (Ed. Ce.) Ağuş-i aşk, - bikarar, - dâvet, - fecr-i sevda, - iktirab, - itimad, - leyl-i târik, - mevt, - pay, - ruhani, - sermediyyet, - şefkat, - ter, - vâdi, - zemin.

agval, A. i. [Gul ç.] Guller. ‹A'vanı olan agvalin helâkini göricek. — Sadettin›.

agvar, A. i. [Gavr ç.] 1. Derinlikler. 2. Güçlükler. ‹Kâr - âzmayan-i dehr-i kinever ki agvar-i bihar-i efkâra gavs ile. — Nergisi›.

agvas, A. i. (Se ile) [Gavs ç.] Gavsler, evliyalar.

agyar, A. i. [Gayr ç.] 1. Gayrılar, yabancılar. Yar ü agyar, dost, düşman. 2. Âşık olana göre, sevgilisiyle görüşen herkes, rakîpler. ‹Mahrem edip agyarı bu dem bezmine zalim — Leylâ'yı edersin yine vakf-i gam-i hasret. — Leylâ›.

agyer, A. s. [Gayret'ten] 1. Çok, aşırı gayretli. 2. Kıskanç.

agzeb, A. s. (Dat ile) Ziyade öfkeli, gazaplı olan.

ah, A. i. (Elif ve he ile) İç çekme, hayıflanma. Ah ü enin, ah ü vah, ah ü zar, yazıklanma, inleyip sızlanma, yanıp yakılma. ‹Ah edersem feleği ah-i şererbar yakar — Ağlamazsan ciğerim dağ-i gami- yâr yakar. — Nailî›.• ‹Güler, şakır, bağırır, ağlar, ah ü vah eyler. — Fikret›.

ah, A. i. (Elif ve hı ile) Erkek kardeş. Ah lieb, baba bir kardeş; - liebeveyn, ana-baba bir kardeş; - liüm ana bir kardeş.

ahab, Bk.• Ehab.

ahabir, A. i. (Elif ve hı ile) [İhbar ç.] İhbarlar, haber vermeler.

ahabis, ehabiş, A. i. (Elif ve ha ile) Habeşliler.

âhâd, A. i. [Ahad ç.] Birler, birden dokuza kadar sayılar.• Âhâd-i nâs, halk, halkın aşağı, fukara kısmı. ‹Vücud-i mülke efrad-i raiyyet cüz-i lâzımdır. — Nasıl cem-i ulûfa nusret-i âhâd lâzımsa. — Ziya Pş.›. ‹Meselâ âhâd-i nâstan birinin bindiği kira arabasını nöbetten geri bırakmak için. — Kemal›.

ahad, ehad, A. s. 1. Bir. 2. Kişi, kimse
• Yevm-i ahad, pazar günü.• Ahâl-ülâhâd, ahad-üll-uhedeyn, eşsiz, benzersiz bir kimse,• bir ahad, bir insan (bile).• ‹Ahadsın, serir-i lâ-yezailde vahdaniyyetle maruf. — Sinan Pş.›.• ‹Bir ahadın sem'ine vâsıl olmadı. — Sadettin›.

ahadd, A. s. [Hadd'den] Pek keskin.

ahadis, A. i. [Hadis ç.] Hadisler.• Ahadis-i nebeviyye, Muhammet Peygamberin buyurdukları.• ‹Ve bunların gayrı dahi niçe ahadis dahi irad eylemişlerdir. — Taş.›.

ahadiyyet, A. i. Tanrının birliği.• ‹Birdir dedi aşina-yi vahdet. — Mevc-i ahadiyyet ü Ahmediyyet. — S. Galip.›.

ahadühüma, A. i. İkiden biri.• ‹Meydan-i cevelânda ahadühüma ahere biddefaat. — Y. Kâmil Pş.›.

ahakk, ehakk, A. i. (Elif, ha ve kaf ile) Daha pek ziyade haklı, pek hak etmiş
• ‹Harim-i biragâh-i Haksın — Sana merd-i Huda dense ahakksın. — Ziya Pş.›.

ahali, ehali, A. i. (Elif ve he ile) [Ehl ç.] Bir yerde oturanlar, halk.

ahar, F. i. Giyecek, kâğıt cilâlamak, parlatmak için kullanılan ak düzgün ‹Defterdar ve Hasan Halifenin ten-i uryanalrı ahar-dade-i hûn avihte ve sernigûn. — Naima›.

âhar aher. A. s. (Hı ile) 1. Başka, diğer. 2. İkinci. Bahs-i âhar, başka konu;
• tâbir-i âharla, başka bir deyimle;• şahs-i âhar, ikinci kişi, vakt-i âhar, başka zaman.• ‹Bedel olmaz buna zira ki senin namındır — Tutamaz Mühr-i Süleyman yerin âher hatem. — Baki›.

ahasin, ehasin, A. s. (Ha ve sin ile) [Ahsen ç.] Çok güzel olan şeyler.

ahass, ehass, A. s. (Hı ve sin ile) Pek, en hasis, bayağı.• ‹Kendisini belki behayimden ve taş ve topraktan ahass ü edna bile. — Fuzulî›.

ahass, ehass, *A. s.* (*Hı* ve *sat* ile) [Hass'-tan] 1. Başlıca. 2. Pek özel. 3. En yakın.

âhât, *A. i.* (*Ayın* ve *he* ile) [Âhe ç.] Belâlar, âfetelr.• ‹Bazı âfât ve emraz ve âhlâtı müstevli oldu ki. — Taş.›.

ahavat, ahvat, *A. i.* (*Hı* ile) [Uh ç.] 1. Kız kardeşler. 2. Kadın yoldaşlar. 3. Nazîrler, benzerler.• ‹Milletimizin nısfını teşkil eden ahavat-i muhterememizi. — Cenap›.

ahbab, *A. i.* [Habib ç.] Sevilen dostlar. • ‹Şarabı neyliyeyim ahbab meşrebimce değil. — Avni›.

ahbar, *A. i.* (*Ha* ile) [Hibr ç.] 1. Bilginler. 2. İsrailoğulları bilginleri, öğretmenleri. 3. Mürekkepler. ‹Beni-İsrailin ahbar-i rühbanına söyle ki. — Taş.›.

ahbar, *A. i.* (*Hı* ile) [Haber ç.] 1. Haberler. 2. Hikâyeler. 3. Tarihler. ‹Ol ahbar-i müdhişeden ol kadar müteessir olmuşlar idi ki. — Naima›.

ahbes, *A. i.* Deli, divane.

ahbcl, *A. s.* Çok kötü, pek fena. ‹Mülhak-i ahbes ferik olan Bayındır nam şahsı dahi. — Naima›.

ahbiye, *A. i.* [Hiba ç.] Kıldan çadırlar. ‹Ve cümlesi ahbiye ile ziba yaylaklarda ve latif kışlaklarda yaylayıp .ve kışlayıp — Naima›.

ahcaf, ihcaf, *A. i.* Eksiklik, noksanlık. ‹Ve girive-i gadr ü ahcaftan çıkmayıp tarik-i müheya-yi insafa girmedi. — Okçuzade›.

ahcal, *A. i.* [Hacl ç.] 1. Topuklar. 2. Zincirler.• ‹İyab için muharrik-i ahcal oldular. — Nergisî›.

ahcar, *A. i.* (*Ha* ile) [Haçer ç.] Taşlar. Kayalar.• ‹Bir aks-i mülevendir ançün — Arzın bana ahcar ü nebatı. — A. Haşim›.

ahd, *A. i.* (*Ayın* ve *he* ile) 1. Bir işi üstüne alıp söz verme. 2. Ant, yemin. 3. Sözleşme, anlaşma. 4. Zaman, devir. 5. Bir hükümdarın zamanı. 6. İsrail oğullarının kutsal kitapları.• *Ahdiatik,* bütün İsrail peygamberlerine verilen kitaplar; Musa Peygambere verilen Tevrat bunlar arasındadır;• *Ahdicedit.* İncil,• - *karip,* yakın zaman; evvelki zaman;• *ahd ü peymen,* ant, yemin.• *karib-ül-ahd,* yakın zamanda;• *nakz-i ahd,* yemini, sözleşmeyi bozma. (ç. Uhud)•. ‹Sebeb-i nakz-i ahddir deyip Engürüs seferine cazim oldu. — Nai-

ma›.• ‹Ve ahd-i Âdem'den, bu vakte erince kevn ü mekânda hudus eyleyen. — Naima›.

ahda, *A. s.* (*Hı* ve *ayın* ile) [Hadi'den] Aşırı hileci olan.

ahdan, *A. ç. i.* Kız olan kızlar.

ahdan, *A. i.* (*Hı* ile) [Hadn ç.] Arkadaşlar, dostlar.• ‹Sütude-menkıbe Rahmi Efendinin pederi — Vefat edince hazin oldu cümleten ahdan. — Şinasi›.

ahdar, ahzar, *A. s.* Yeşil.• *Bahr-i Ahdar (Ahzar),* Arap coğrafyacılarının Pasifik ve ara sıra Akdeniz için kullandıkları ad.

ahdariyet, ahzariyet, *A. i.* Yeşillik, yeşil olma.• ‹Derecat-i muhtelife-i ahdariyetin binlerce televvünatına bulanarak. — Uşaklıgil›.

ahdas, *A. i.* [Hades ç.] 1. Yeniden olan şeyler. 2. Gençler. 3. Olaylar. 4. Fenalıklar.

ahdeb, *A. s.* (*Ha* ile) Kambur.

ahbediyyet, *A. i.* Kamburluk.

ahdî, *A. s.* (*He* ile) Sözleşme veya antlaşmaya ait, onunla ilgili.

ahdname, *F. i.* [Ahd-name] 1. Antlaşma kâğıdı. 2. Bir antlaşmanın iki tarafça imzalanmış kâğıdı.• ‹Şehriyar-i bahtıyar iradesine muvafık ahdname yazılıp şöyle mukarrer buyurdular ki. — Sadettin›.

ahdşiken, *F. s.* [Ahd-şiken] Ahd bozucu; ymein, antlaşma tanımayan. Sözünde durmayan.• ‹Fitneengiz ve ahdşiken-i Osmaniyan mütegallip olmakla. — Naima›.

âhe, âhet, *A. i.* (*Ayın* ve *he* ile) Âfet, büyük belâ (ç. Âhât).• ‹Ol sefahat âhetine müptelâ. — Sadettin›.

ahek, *F. i.* (*He* ve *kef* ile) Kireç.• ‹Bünyad edicek dest-i kudret devlet-i kasrın — Devlet ile iclâlden etmiş gil ü ahek. — Nedim›.

ahen, *F. i.* (*A* ve *he* ile) 1. Demir. 2. Sert, katı. 3. Acımaz.• ‹Penbeden nerm idi Davud'un elinde ahen. — İzzet Molla›.• ‹Duyulur ka'r-i beyanında sadayi ahen. — Fikret›.

ahendest, *F. s.* [Ahen-dest] Demir el. Eli demir gibi olan.

ahendestane, *F. zf.* Demir gibi bir elle. ‹Ve dostlarımızın isnadatını böyle ahendestane bir sille-i tekzip ile — Kemal›.

ahendil, *F. s.* [Ahen-dil] Demir yürekli, acımaz.• ‹Boyacı Hasan ki bir çapükdest ü ahen-dil herif idi. — Naima›.

ahenger, F. i. [Ahen-ger] Demirci. «Diledi ki Gâve-i ahengerin hali gibi sahib-zuhur olup... — Naima».

ahengeran, F. i. ç.. Ahengerler, demirciler. «Rayet-keş-i adalet ü insafi kahrede — Dahhak-i zulmü Gâve-i ahengeran gibi. — Nailî».

ahengerî, F. i. Demircilik.

ahenîn, F. s. i. 1. Demirden 2. (Mec.). Pek sağlam. «Yapıldı himmetiyle harb için çok ahenîn keşti — Ki her bir kıtası bir kale-i pulâd-bünyaddır. — Ziya Pş.» — «Bir ahenîn siper gibi örter semamızı. — Fikret».

ahenk, aheng, F. i. 1. Seselrin düzgün oluşu. 2. Müzik âletleri arasındaki ses uygunluğu. 3. Eğlence, çalıp çağırma. 4. Düzgünlük, uygunluk, uyarlık, 5. İstek, balşama. (Gra.). Aheng-i savait, sesli uyumu. «Cenge ahenk eylediler. — Naima». «Üstat elinde ser-te-ser ahenk olur lisan - Mızraba ses verir kelimatiyel tel gibi. — Beyatlı».
• (E. Ce.) Aheng-i bahr-i mevcenüma, - hayat, - nihan, - pürzilâl, - sürur, - tabiat.

ahenkdar, F. s. [Ahenk-dar] Demir kuşangun. «Nesir bir tekellüm-i ahenkdar, nazım bir terennüm-i kelâmdır. — Cenap».

ahenpuş, F. s. [Ahenk-puş] Demir kuşanmış. «Tertib-i cüyuş-i ahenpuş edip — Veysi.»

ahenrüba, F. i. [Ahen-rüba] Mıknatıs.

aheste, F. s. (He ve te ile) Yavaş, ağır.
• «Erişir menzil-i maksuduna aheste giden. — Hatemi».

ahestegi, F. i. Yavaşlık, ağırlık.

ahesterev, F. s. [Aheste-rev] Acelesiz giden, yavaş yavaş yürüyen.• «Ayağı zahmın bend edip ahesterevlikle ol gece. — Sadettin».

ahfa, A. s. (Hı ile) [Hafi'den] Pek gizli.
• «Sırr-i sadr-i kâtimden ahfa ve ehl olanlara cemi' makasidi beyanda evfadır. — Taş.».

ahfad, A. i. (Ha ile) [Hafid ç.] Torunlar.
• «Yaşardı belki onun gölgesinde ahfadın. — Fikret».

ahfaz, A. s. (Ha ve zı ile) 1. Kuvvetli hafız. Kur'an'ı en iyi bellemiş (kimse). 2. Belleği çok kuvvetli (kimse) :• «Zamanına yetiştiğim kimselerde ondan ahfaz kimse görmedim. — Taş.».

ahfeş, A. i. (Hı ile) «Gece veya karanlıkta daha iyi gören insanı» niteleyen bir kelime. Kimsesizlikten dersini keçisinin karşısında okuyan Ahfeş dolayısıyle Türkçeye geçmiştir.

ahfiye, A. i. [Hafa ç.] Perdeler, örtüler.

ahger, ahker, (Hi ve kâf ile) F. i. Ateşli kor, kızıl ateş :• «Mai yahut siyah birer ahger-i muamma gibi parlayan — Cenap».

aherpare, F. s. [Ahger-pare] Ateş parçası :• «Germ olur mir'at-i dil yad ile ahger-pareden — Bade-i terdir lebin amma ki sagar-suzdur. — Nailî».

ahgersuz, F. s. [Ahger-suz] Kor gibi yakıcı : «Sine-i âşık ne mümkün dağ-berdağ olmamak — Dud-i ah-i hasret-i ruyunla ahgersuzdur. — Nailî».

ahiba, ehibba. A. i. [Habib ç.] Dostlar, tanıdıklar.• «Olunca bahtımın nahsi hüveyda — Ahibba sandığım hep oldu a'da. — Ziya Pş.».

ahihte, F. s. Sıyrılmış, yüzülmüş, çıkarılmış.

ahillâ, ehillâ, A. i. [Halil ç.] Sadık dostlar; seçilmiş, beğenilmiş kimseler.

âhir, A. s. Son, sonraki.• Âhir nefes, son nefes;• âhir-ül-emr, sonunda, nihayet âhir zaman, son zaman (Dünyanın son zamanı).• «Eyledin zülfün gibi âhir peirşan halimi — Ruhi.» — «Deva-yi atıfeti erdi âhir Eyyub'e — Ferais-i hicrde kalmıştı bunca yıl bimar. — Ziya Pş.».• «Âhir-ül-emr olıcak ruz-i kıyam — Cismine nar-i cahim ola haram. — Hakani».

ahir, ahire, A. s. En son, en sonra.• İş'ar-i ahir, sonra yapılacak bildirme; kurun-i ahîre, son zamanlar.• «Kitap ve risale ve saire hakkında zuhur eden memnuniyeti ahireye nazaran — Kemal».

âhirbîn, F. s. [Âhir-bin] Her şeyin sonunu gözünün önüne getiren. (ç. Âhirbîna.n)• «Merdi-i âhirbîn olur mu mail-i dünya-yi dûn».

ahire, A. s. (Ayın ve he ile) Zina edici (kadın) :• «Manend-i gayur aharı bir parelik ettin — Namusunu meydana düşüp ahirelerle. — Nevres».

ahiren, A. zf. En sonra. Şimdiden biraz önce. Son zamanda.• «Bu kavlin sıhhati ahiren bir kere daha teeyyüt etti. — Cenap».

ahiret, A. i. Öbür dünya, ahret.• «Amma çü senindürür bu güftar - Kim dünyeden özge ahiret var. — Fuzuli».

âhirîn A. i. [Âhir ç.] Sonrakiler.• «Menzil-i âhirîn-i mahımsın. — Naci».

âhiz, *A. s.* [Ahz'dan] Alan.● ‹Âhizi gayr-i mu'ti. — Asım».

ahize, *A. i.* [Ahz'den] (Fiz.) Almaç.

ahkab, *A. ç. i.* Uzun zamanlar.● ‹Velev tekadüm eden zaman ahkab-i kesire olsun. — Haydar Ef.».

ahkad, *A. i.* [Hıkd ç.] Kinler, garezler. ● ‹Zamir-i dalalet-perverlerinde muzmar olan cemerat-i ahkadı ikad. — Sadettin».

ahkaf, *A. ç. i.* 1. Kum tepeleri. 2. Kuran'ın 46. suresinin adıdır.

ahkâm, *A. i.* [Hükm ç.] 1. Emirler, buyruklar, 2. Kanunlar. 3. Yıldızlardan ve başka görüntülerden çıkarılan yorumlar.● ‹Cümle memailk-i mahrusede olan balyosları hapsolunmaya ahkâm gönderildi. — Naima». — ‹İlm-i ahkâma vâkıf ise kıranat ve tahvil-i sinîn ve küsufat ve sair ahkâm-i tavaliin usul-ı fen üzre ahkâmını zaptedip. — Naima».

ahkar, *A. s.* [Hakîr'den] çok, pek âciz, önemsiz, küçük.● ‹Âdetin olsa tevazu ehl-i kibr ü nahvetin — Bezmine varsan olursun her nazarda ahkarı. — Münif».

ahkarane, *A. zf.* Âciz ve zavallılara yakışır yolda.● ‹Niyet-i ahkaranem bunları birkaç parçaya iblağ. — Recaizade».

kümlü en kuvvetli.● *Ahkem-ül-hâki-*

ahkem, *A. s.* [Hükm'den] pek çok hümîn, Tanrı.● ‹Sahib-vücut vezirler ve bizden a'lem ve ahkem müftüler gelip. — Naima».

ahlâ, *A. s. (Ha* ile) [Hulv'den] En çok, pek tatlı.● *Ahlâ min-el-asel,* baldan daha tatlı. ‹Kelâm-i şehd-âmizleri ahlâ-min-el-asel idi. — Sadettin».

ahlâb, *A. i. (Hı* ile) [Hilb ç.] Kuş pençeleri.

ahlâf, *A. i. (Ha* ile) [Halif, hilf ç.] Antlar. Yeminler.● ‹Ahd ü peyman ve cadde-i muvafakatten inhiraf etmemek üzere ahlâf ü eyman edip. — Raşit».

ahlâf, *A. i. (Hı* ile) [Halef ç.] Bizden sonra gelecek olanlar.● ‹Ayrıldı bizimle çünki eslâf — Varsın bizi de ayırsın ahlâf. — Ziya Pş.».

ahlâk, *A. i. (A* ve *Hı* ile) [Hulk ç.] İnsanın yaratılıştan veya sonra eğitimle kazandığı ruh ve kalp halleri, huylar,● *Ahlâk-i hamide,* beğenilecek ahlâk nitelikleri;● *- hasene* güzel huylar;● *- redie,* kötü ahlâk nitelikleri;● *- umumiye,* toplum ahlâkı;● *- zemime,* yerilecek ahlâk,● *İlm-i ahlâk,* ahlâk bilgisi,

ahâlk felsefesi, etika.● ‹Ve kat'a su-i hulk üzere olmayıp ahlâk-i hamide ile muttasif ola, — Taş.».● ‹Yeni çıkma bir münasebetsizliğin daha ahlâk-i umumiyeye yerleşmeden lüzum-i izalesi (...) tavsiye olunur. — Kemal».

ahlâk, *A. i.* [Halâk ç.] Eskiler, eski şeyler.● ‹Muhtaçtılar ki zaman ahlâk ettiği yani eskittiği nesneler. — Taş.».

ahlâkan. *A. zf.* Ahlâk bakımından, ahlâkça.● ‹Muhitlerimizi fikren ve ahlâkan ne kadar küçük gösterebilirsek. — Cenap».

ahlâki, *A. s.* Ahlâkla ilgili, ahlâk bilgisine ait. *Gayr-i ahlâkî,* ahlâksızca, lâahlâkî, ahlâk dışı.

ahlâkiyyat, *A. i.* Ahlâk ile ilgili konular. ‹Nasıl ki ahlâkıyattan yalnız ahlâkıyat kasdediliyor. — Cenap».

ahlâkiyyet, *A. i.* Fransızcadan *moralité* ahlâklılık karşılığı olarak (XX. yy.)

ahlâkiyyum, *A. i.* Ahlâkçılar, ahlâka dair kitap yazmış, fikir söylemiş olanlar. ‹Nik ü bedden bihaber ahlâkiyyuna da rast gelirsin. — Cenap».

ahlâm, *A. i. (Ha* ile) [Hülm ç.] Rüyalar. *Azgas-i ahlâm* yahut● *Azgas ü ahlâm,* rüya karışıklıkları, karışık rüyalar. Yaramaz rüyalar. ‹Kör olur mahasal o kimse k'ola sana adû — Ger hirasınla reva görmese a'da ahlâm. — Ziya Pş.». — ‹Gösterdiğin ahlâm-i şagaf muğfil ü müskir. — Fikret».

ahlas, *A. s. (Hı* ve *sat* ile) [Halis'ten] Çok temiz, ziyade halis ve temiz olan; yüreği çok temiz.

ahlât, *A. i. (Hı* ve *tı* ile) [Hılt ç.] 1. Bir kartşımdaki parçalar. 2. Karışık şeyler. 3. Sınıflar. 4. Eski hekimliğin insan bedeninde varsaydığı elemanlar.● *Ahlât-i erbaa,* dem (Kan), balgam, sevda, safra; *ahlât-i fâside,* dört ahlâttan bazılarında olan bozukluk;● *ahlât-i mahmude,* bunalrın normal oluşu. ‹Tagallüp veçhi üzere temekkün ve ahlât-i nâstan çemeylediği haşarata istinat ile. — Naima».

ahlat, *(Hı* ve *tı* ile) *A. s.* Çok, aşırı karışık.

ahlef, *A. s.* Solak (adam).

ahmâ, *A. s. (Ha* ile) [Hamiyet'ten] Çok hamiyetli.

ahmak, *A. s. (Ha* ile) [Humk'tan] Akılsız, budala, kalın kafalı. ‹Savrukça ahmak olmaya gelmez. — Cenap».

ahmakan, *A. i.* [Ahmak ç.] Ahmaklar. «Bu makule mesail-i hilâfiyeyi pâbend-i ahmakan edip. — Kâtip Çelebi».

ahmakane, *F. zf.* Ahmak olana yakışır yolda, ahmakçasına. «Tertib-i sufuf ettiler ve ahmakane mukabelèye cüret edip. — Naima».

ahmakî, ahmakıyyet, *A. i.* Ahmaklık, bönlük.

ahmal, *A. i. (Ha* ile) [Haml, himl ç.] Yükler ağır şeyler, ağırlık *Ahmal ü askal* ağır yükler. «Devap ve ahmal ü eskal geride durup. — Naima».

ahmed, *A. s.* Övülmeye ziyade lâyık, beğenilmiş. Özel isim olarak *Ahmed,* Muhammed Peygamberin adlarındandır. «Sen Ahmed ü Mahmud ü Muhammed'sin efendim. — Ş. Galip».

Ahmedî, *A. s.* 1. Ahmet ile ilgili. 2 Muhammet peygamberin bir adı da Ahmet olduğundan onunla ilgili olan şeyler ve nitelikler anlamında kullanılır. «Sen ki huccet-i din-i Muhammedî ve kıbale-i âyin-i Ahmedîsin. — Veysi».

ahmer, *A. s. (Elif* ve *ha* ile) Kırmızı, kızıl. *Bahr-i Ahmer,* Kızıldeniz. *Hilâl-i Ahmer,* Kızılay; *mevt-i ahmer,* kanı dökülerek ölme.

ahnasiye, ihnasiye, *A. i. (Elif, hı* ve *sin* ile) (Bot.) Ananasgiller.

ahnef, *A. s. (Ha* ile) Ayakları çarpık olan.

ahnes, *A. s. (Hı* ve *sin* ile) Burnu pek yassı olan.

ahra, *A. s. (Elif* ve *ha* ile) Daha, pek, en uygun ,lâyık. «Bir heykel-i tahassür dense olurdu ahra. — Cecaizade».

ahram, *A. i.* [Haram, harîm ç.] 1. Kutsal, özel yerler, topraklar. 2. Kadın daireleri. 3. Kadınlar.

ahrar, *A. s. (Ha* ile) [Hür ç.] Köle ve esir olmayanlar : «Bir vatan ,bir hak tanır ahrarız; aslan canlıyız. — Fikret».

ahrarane, *F. s. zf.* Hür olana yakışır yolda serbestçe : «Vakaa ahrarane beyan-i efkâr, edep dairesinde muahaze, halisane târiz dünyada herkesin hakkıdır. — Kemal».

ahreb, *A. s.* [Harab'tan] Çok harap, perişan olan.

ahreç, *A. s.* Alaca : «Yüz kuruş kıymetli bir ahreç samur kürk giydirdi. — Naima».

ahres, *A. i. (Hi* ile) Dilsiz.

ahrüf, *A. i.* [Harf ç.] Harfler : «Ol şol ahrüf-i seb'adandır ki Kur'an onunla nâzil olmuştur. — Taş.».

ahsam, *A. i. (Hı* ve *sad* ile) [Hasm ç.] Hasımlar, düşmanlar. «İlm-i kelâmda def-i âda ve kam-i ahsamda kuvvet-i kahire ve kudret-i bâhire vardır. — Taş.».

ahsâ, *A. i.* Kumu, taşı, çok yer. Kumluk.

ahsas, *A. i.* [His ç.] Hisler, duvgular : «Her ne zaman girse ahsas-i Osmaniyesinin galeyaniyle kendisini bambaşka bir halde bulurdu. — AM».

ahseb, *A. s.* Ziyade yakışan, uygun olan.

ahsen, *A. i. (Elif* ve *ha, sin* ile) [Hasen'den] Çok, pek, en güzel, yakışıklı. • *Ahsen-i vech-i şebeh,* (Ed.) Benzetme yönlerinden en uygunu, en güzeli; *Ahsenü-ül-halikîn,* yaratıcıların en yakışıklısı, en güzeli, Tanrı; *ahsan-üt-akvim,• ahsen-i takvim,* en yakışıklı surette;• *ahsen-ül-kısas,* hikâyelerin en güzeli, Yusuf ile Züleyha kıssası. «Şüphesiz bakiredir müstahsen — Dürr-i nasüftedir elbet ahsan. — Sümbülzade». «Suret-i Rahmâna inkâr eyledi div-i recîm — Ahsen-i takvime secde kılmayan şeytan olur — Nesimi». «Yegâne hüsn-i ilâhî olur Cemalullah — Cihana ahsne-i takvimden iyan olalı. — Beyatlı».

ahsent, *A. ün.* Pek iyi, âlâ. «Vassafısın o serv-i kaddin rasttır bu kim — Tab-i bülend-i tab'ına ahsent Bakiyâ — Baki».

ahşa, *A. i. ç. (Ha* ile) 1. Canlıların göğüs ve bağır bölgesi içinde bulunanlar; bağırsak, 2. Yanlar, bölgeler.

ahşab, *A. i.* [Haşeb ç.] 1. Ağacın odun kısımları 2. Kereste. Tahta ağaç. «Şol zamana değin ki ahşap ve bevariye yetişti. — Taş.».

ahşam, *A. i. (Ha* ile) 1. Aile, akraba. 2. Bir kimsenin adamları. «Nehb ü garet ettirip kavm ü ahşamı leşker-i garetker elinde. — Sadettin».

ahşeb, *A. s. (Hı* ile) [Haşeb'ten] Ahşap.

ahtab, *A. i.* [Hatab ç.] Odunlar.

ahtâr, *A. i.* [Hatar ç.] Tehlikeler.

ahter, *F. i. (Hı* ve *te* ile) 1. Yıldız. 2. (Mec.) Talih, baht.• *Ahtre-i dünbaledar,* kuyruklu yıldız;• *ahter-şinas,* müneccim, astrolog,• *ahterşümar,* yıldız sayan, geceleri uyuyamayan. «N'al ü mîh-i rahşı çarhın aftab ü ahteri. — Nefi».

ahteran, *F. i.* [Ahter ç.] Yıldızlar.• ‹Ettin beni asman-i eşvak — Mihr ü meh ü ahteranım oldun. — Recaizade›.

ahterpâre, *F. s.* [Ahter-pare] Küçük yıldız parçası. ‹Elâ gözleri var ki... iki ahter-pare-i mütecessis gibi parıldar. ²— Uşaklıgil›.

ahterşinas, *F. i.* [Ahter-şinas] Yıldızlardan hüküm çıkaran. Astrolog.

ahû, *F. i. (He* ile) 1. Ceylân, ceyran, Karaca, maral. 2. Güzel genç, kız. 3. Güzel göz. *Ahû beçe,* maral yavrusu; çekingen güzel; *Ahû-yi âteşin,* Kuzu (Hamel) burcunun işareti; - *bezm,* bir davetin, bir meclisin başlıca güzeli; - *çerende,* ot yiyen, otlayan ceylan; - *Çin,* Çin'in karacası; - *dünbalekeşide,* kenarı sürme ile genişletilmiş göz, - *felek,* - *haverî,* Güneş; - *Huten,* Tataristan'daki Huten ilinin mis karacası, - *Harem,* Kâbe'deki belli bir sınırı olan ahu; - *nerr,* erkck karaca, benekli giyecek; - *sefid,* ak meral; - *sîmîn,* (gümüş beyazlığında ahû) hoş endam, güzellik; - *şirefgen,* (aslan yıkıcı ahû) güzel delikanlı, kız, büyülüyen ve güzel göz; - *Tatar,* Tataristan'ın mis karacası; - *zerrin.* 1. Güneş. 2. Meclisin kadeh veya sürahisi. ‹Yine medhetti Necati senin ahû gözünü. — Necati›. — ‹Çeşmin ahu-yi Hata vü müsk-i Çin'dir saçların. — İbni Kemal›. — ‹Ahû-yi harem sayd-i çeragâh değildir. — Nailî›.

ahund, *F. s.* Şii hocası, imamı.

ahur, *F. i.* Ahır. ‹Masraf-i ahura oldukça zebun — Yorulur atlı yayadan füzun. — Nabi›.

ahuvan, *F. i.* [Ahû ç.] Ahular. ‹Dağlardaki mazalle-i bûyada ahuvan. — Cenap›.

ahuvane, *F. s.* Ahucasına, ahu gibi. ‹O ahuvane nigehler müşîr-i vahşettir. — Nabi›.

ahval, *A. i. (Elif* ve *ha* ile) [Hal ç.] Durumlar, oluşlar, bulunuşlar. *Ahval-i hazıra,* şimdiki durum, işlerin şimdiki durumu; *ahval-i pür melâl,* çok acınacak haller, durum. ‹Kâfir ağlar bizim ahval-i perişanımıza. — Fuzuli›. ‹İlâncıalr ahval-i nefsi bizden pek ziyade bilirler. — Cenap›.

ahvat, *A. s. (Ha* ve *tı* ile) 1. İhtiyatlı. 2. Çok âlyık pek uygun. ‹Pes ahvat olan onu terk edip ıtlakı sahih olan lâfza. — Taş.›.

ahvâz, *A. i. (Ha* ve *dat* ile) [Havz ç.] Su havuzları.

ahvec, *A. s.* Çok, pek, en muhtaç, sıkıntıda.

ahvef, *A. s. (Hı* ile) [Havf'tna] Aşırı korkunç olan.

ahvel, *A. s. (Ha* ile) 1. Şaşı. 2. (Mec.) Yanlış görme. ‹Yüzüme eğri bakamaz zira — Feleğin çeşm-i ahveli görülür. — Nef'i›. — Ne mükedder mizaç-i ahvel ki — Fikret›.

ahver, *A. s.* 1. İri ve akı ak, karası kara gözlü (kimse). 2. Güzel göz. 3. Müşteri yıldızı, Jüpiter. 4. Akıllı.

ahya, *A. s.* [Hayy ç.] Diriler, canlılar. *Ahya vü emvat,* diriler ve ölüler. ‹Ahyaya dûr küşte vü emvata câr idim. — Recaizade›.

ahyal, *A. i.* [Hayl ç.] Atlar.

ahyan, *A. i.* Vakitler, zamanlar.

ahyanâ, ahyanen, *A. zf.* Vakit vakit, arasıra.• ‹Yahya Efendi hazretleri kenduye ahyanen hitab-i itab-âmiz edip. — Naima›.

ahyar, *A. s. (Hı* ile) [Hayyir ç.] Hayrı çok, iyiliği ziyade kimseler. ‹Eşrar galip olmakla ahyara söz değmeden kalmış idi. — Naima›.

ahyaz, *A. i.* [Hayyiz ç.] Meydanlar, ev avluları.

ahyel, *A. i.* 1. Vücudu benli adam. 2. Boyun buran kuşu. 3. Arıkuşu. 4. Kibir, nahvet. ‹Hamame-i evham ve ahyel-i hayal bile güzara mecal bulamaz idi. — Sadettin›.

ahyer, *A. s.* [Hayr'dan] Daha hayırlı olan.

ahz, *A. i. (Hı* ve *zel* ile) 1. Alma, alınma. 2. Tutma, tutulma.• *Ahz-i sâr,* öç alma; • *ahz ü girift;* tutup ele geçirme, yakalama;• *ahz ü i'ta,* alışveriş, aksata;• *ahz ü kabz,* alıp alındı verme • ‹Çiftliği basıp paşayı ahz edip getirip Yedikule'de hapsetti. — Naima›• ‹Ol taifeden muratları üzere ahz-i sâr eylediler. — Naima›.

ahzab, *A. i. (Ha* ve *ze* ile) [Hizb ç.] 1. Kısımlar, bölükler, 2. Kur'anın kısımları. 3. Kur'anın 33. suresinin adı.• ‹Eba Cehl ve anın ahzabı ki. — Taş.›.

ahzak, *A. s. (Ha* ve *zel* ile) [Hazık'tan] En usta (bilgin, hekim).• ‹Ehl-i edebin ahzakı ve nahv ü tasrifte a'lemi ve efyakıdır. — Taş.›.

ahzan, *A. i. (Ha* ve *ze* ile) [Hazen ç.] Hüzünler, tasalar.• *Beyt-ül-ahzan,* 1. Yas evi. 2. (Mec.) Göğüs. 3. Yakup Peygamberin oturup oğlu Yusuf'un acısını çektiği ev;• *külbe-i ahzan,* yas evı, şairler kendi bulundukları yeri böyle adlandırırlardı.• «Ben bütün bir gece-lik cuşiş-i ahzanımla. — Fikret».

ahzar, ahdar, A. s. (Hı ve dat ile) Yeşil.

ahzem, A. s. (Ha ve ze ile) [Hazm'dan] İşleri öncesinden anlayıp önlemini alan.

âib, âyib, A. s. Geri dönen, dönüp çeki-len.• «Bîm-1 canla âyib olurlar idi. — Sadettin».

aid, A. s. (Ayın ve hemze ile) [Avdet'-ten] 1. Geri gelen, dönen. 2. Bir kimse veya şeyle ilgili olan. 3. İlişkin, dolayı, için, üzerine.

aidat, A. i. [Aide ç.] Gelirler, ihsanlar, paylar.

aide, A. s. i. 1. Ait olan. 2. Birine bağ-lanmış gelir; irat.• Daire-i aide, maka-mat-i aide, ilgili daire, makamlar.• «Kâr ahir olmuş iken tedbirin faidesi ne ve maslahat nihayet bulmuş iken tedbirin aidesi nedir. — Lâmii».• «Bi-hiyanet senevi otuz kese kadar aidesi var iken. — Naima».

aidiyet, A. i. Ait olma. İlişiklik.

aik, aika, A. s. [Avk'than] Alıkoyan, engel olan.• «Ve zîk-i mecal ikmale aik olup. — Sadettin».

aile, A. i. 1. Geçimi bir kimseye ait olan ve kadın-erkek eş, çocuklar ve baba anadan meydana gelen topluluk. 2. Bir evde yaşayan insanlar. 3. Kadın eş.

ailevî, A. s. Aile ile ilgili. Aileye ait.

ainne, A. i. (Elif ve ayın ile) [İnan ç.] Dizginler.• «Akıncıların ainne-i azayi-mi Bosna vilâyeti semtine matufe olup — Sadettin».

aizze, Bk.• Eizze.

ajenk, F. i. Yüzdeki buruşukluklar. «Gös-terir ajeng-i çehrem çektiğim mihnet-leri».

âk, akk, A. s. Bk. Akk.

akab, akib, A. i. 1. Topuk, ökçe. 2. Bir-şeyin hemen arkası. 3. Bir zamanın ar-dı.• Akab-i leşker, bir asker kolu veya kıtasının gerisi;• derakap, hemen.• «Guzat-i adüv-şiken dahi akablerinden erişip. — Raşit».

a'kab, A. ç. i. (Elif ve ayın ile) Evlâtlar, torunlar.• «Evlâd ü a'kabı ile mah-voldμ. — Naima».

akabât, A. i. (Ayın ile) [Akabe ç.] 1. Korkunç olaylar. 2. Zorlu geçitler.• «Geldik bu fena mülküne çün geç aka-batı. — Haşmet».

akabe, A. i. (Ayın ile) 1. Zor geçit, sarp yokuş, yol. 2. Dar ve iki yanı pusu olan tehlikeli geçit. 3. Hastalığın veya bir durumun en korkulu sırası, anı.• Aka-be-i ulâ,• akabe-i saniye, Muhammet peygamberin Medine ileri gelenleriyle yaptığı iki gizli gece konuşması.• «Umumiyet itibariyle ifrat ve tefrit akabelerinde ve. — Kemal».

akabgir, F. s. [Akab-gir] Peşe düşen, ko-valayıcı. (Ç. Akabgiran). «Katırcıoğlu hempalarıyle akabgirlik edip, — Nai-ma».

akabgiran, F. i. [Akabgir ç.] Kovala-yanlar, peşe düşenler.• «Akabgiran-i bi-eman akşam üzeri yetişip. — Nai-ma».

akabrev, F. s. [Akab-rev] Arkadan•ge-len. Peşe düşmüş.• Ne hoş o dem alam deste sagar-i mey-i nâb — Akabrev olmaya amma ki renc-i humarı. — Nabi».

akaid, A. i. (Ayın ve hemze ile) [Akide ç.] İtikat olunan şeyler.• Akaid-i di-niyye, dinin, Tanrı ve ibadetle ilgili hususlarını konu yapan bilgi.• «Herke-sin vicdanında akaid-i mukaddese kuv-vetini bulmuştur. — Kemal».

akakır, A. ç. (Ayın ile) Hekimlikte kul-lanılan bitki kökleri.• «Etmiş ecza-yi akakîri Huda - Maraz ü illete esbab-i şifa. — Nabi».

a'kal, A. s. (Elif ve ayın ile) [Âkıl'den] Daha ya da pek ve en akıllı.• «Ve Bay-ram Paşa ki asırlarında a'kal-i ukalâ-dan idiler. — Naima».

a'kâl, A. ç. i. (Elif, ayın ve kef ile) Akel-ler, alçak aşağılık olanlar.

akalim, ekalim, A. i. [İklim ç.] İklimler. • Akalim-i bâride, soğuk iklimler;• -harre, sıcak iklimler;• - seb'a, yedi ik-lim.• «Dönsek mi bu aşkın şafağından — Gitsek mi akalim-i leyale. — Ha-şim».

akall, ekall, A. s. [Kalil'den] Daha veya pek ve en az.• Akall-i kalil, en az, azın azı,• lâakall, en az, hiç olmazsa, ondan aşağı olmamak şartıyle. «Hücum ve ek-serin helâk ettiler akall-i kalil halâs oldu. — Naima».

akalliyyet, ekâlliyyet, A. i. Azınlık.• «Sa-niyen, mademki akalliyetin ekseriyete karşı hiç bir vakit hakkı olmayacak bittabi hakkın bedel-i misli olan vazi-fesi de bulunamaz. — Kemal».

akâm, A. i. [Ekeme ç.] Tepeler, bayır-lar.

akamet, A. i. (Ayın ile) Kısırlık, verimsizlik. Bir sonuç alınmama.• «Şehrimizi tezyine teşebbüs akamete mahkûmdur. — Cenap».

akar, A. i. (Ayın ile) Gelir sağlayan mal ve yapı.• «Cevahir ve akardan maada halis emtia-i ticaret beş yüz akçeye baliğ oldu. — Naima».

akarât, A. i. [Akar ç.] Gelir sağlayan mallar ve yapılar :• «Ve akarâtın vakf ü vasiyet edip. — Naima».

akaret, A. i. Kısır olma, kısırlık.

akarib, A. i. (Ayın ile) [Akreb ç.] Akrepler.• «Ol diyarın eşşedd-i akaribinden idi. — Sadettin».

akarib, ekarib, A. ç. i. (Elif ile) Yakın hısımlar, akrabalar.• «Sana müzaheret için akarib-i nusret-mearibde. — Lâmiî».

akası, ekası, A. i. [Aksa ç.] Pek ıraklar, çok uzaklar.

akasım, ekasım, A. i. [Aksam ç.] 1. Kısımlar, bölümler. 2. Kısmetler.

akasır, ekasır, A. i. [Aksar ç.] Pek kısalar.

akavil, ekavil, A. i. [Akval ç.] Kaviller, sözler.• Akavil-i bâtıla, batıl sözler;• - kâzibe, yalan sözler.• «Akavil-i gûnagûn ve hikâyat-i muhtelife ile mevsim mürur edip. — Selaniki».

akbeh, ekbah, A. s. [Kabih'ten] En çirkin. Pek kötü :• «Vezir her ne işlerse, kimden ne alırsa, ne tevcih ederse bunlar haber alıp hafiyeten padişaha akbeh-i veçh üzre bildirip. — Naima».

akbel, A. s. En çok gözde olan.• «Hemnişini kişinin öyle bil ey akbel-i nâs. — Kemalpaşazade».

akbiye, A. i. ç. (Kabâ ç.) Giyecekler.

akd, A. i. 1. Bağ, bağlama, düğmeleme. 2. İki taraf bir iş hakkında sözleşme, bağlama. 3. Kurma, düzme, düzenleme. 4. Nikâh kıyma.• Akd-i encümen, encümen kurma, toplantı yapma,• - hibale-i izdivaç,• - rişte-i izdivaç, evlenme bağıyle bağlanma;• - meclis,• - meşveret, meclis kurma, konuşma için toplanma.• Hall u akd (Ed.) bilmece şeklinde düzenlenip onu açıklama;• hall ü akd-i umur işlerin görülmesi, yürütülmesi, sonuçlanması.• «Densin mi şi'r ü inşa öyle muakkadata — Kim ola hall ü akdi muhtaç-i istişare. — Nabi.».• «Şeyhülislam efendi tesmiye-i mihr-i emsal ile akd-i nikâh eyledi. — Raşit».

akdah, A. i. [Kadeh ç.] Kadehler.• İdare-i akdah, içki içme, birinin şerefine kadeh kaldırma.• «Gâhice müdavele-i akdah-i uns ü ülfet için. — Kâni».

akdam, A. i. [Kadem ç.] Ayaklar,• «Değildir şîr der-zincire töhmet acz-i akdamı. — Kemal».

akdar, A. i. [Kadr ç.] Değerler, kudretler, ölçüler.

akdem, A. s. [Kadîm'den] 1. Daha önde, daha ileri. 2. Daha önemli, üstün tulur.• Akdem-i umur, işlerin en önemlisi.• «Fakat faydası tarihe münhasır olarak akdem-i vezaifi istikbal için çalışmaktan ibaret olan gazetenin. — Kemal».

akdemin, A. i. [Akdem ç.] Önceden olanlar. Eskiler, geçmişler.• «Çömlek köyü nam karye civarı bu sıfatla muttasıf saydgâh-i selâtin-i akdemin olmağın. — Naima».

akdemiyet, A. i. 1. Öncelik, eskilik. Önce olmuşluk. 2. Üstünlük.• «Ve akdemiyet ve miknet ile sadarete müstahak iken. — Naima».

akdemun, A. i. [Akdem ç.] Önce, yaşamış olanlar. Gelmiş geçmişler.• «Şuara-yi sabıkun ve nuzema-yi akdemun. — Lâtifî».

akdes, A. s. [Kuddus'tan ç.] Daha ya da pek, en kutsal. Kutsallığa en yakın.

akfal, A. i. [Kufl ç.] Kilitler.

âkî, A. s. (Ayın ile) [Akk'tan] Başkaldırmış. Asi.• «Ol gaddar Arnavudu buraya getirmeyi ilka edip bir cahil ve âkî nabekârı üzerimize musallat etmek istersin. — Naima».

akib, A. s. (Ayın ile) [Akab'dan] Hemen arkadan gelen.• «Tulû saatleri akîbinde sağa sola dağılan — Cenap».

âkıbet, A. i. (Ayın ve kaf ile) 1. Son, bitim. 2. Sonuç.• Âkıbet-ül-emr bir işin sonu veya sonucu.• «Duydu bu sırrı âkıbet-ül-emr gûş-i can. — Baki».

âkıbetbîn, F. s. [Âkıbet-bîn] Her işin sonucunu önceden gören.• «Seyreder eşk-i gülâbı hande-i gül goncede — Âkıbetbîn eyleyenler dide-i irfanını — Nedim».

âkıbetbini, F. i. [Âkıbet-bin-î] İşin sonunu görürlük.

âkıbetendiş, F. s. [Âkıbet-endiş] Her işin sonunu ve sonucunu önceden düşünen. • «Uzun Ahmet Paşa bir kârdan-i âkıbetendiş olmakla. — Raşit».

âkıd, A. s. [Akd'den] Söz veya yazı ile bağlaşanlardan her biri.

akıde, *A. i.* İnanılan şey. (ç. Akaid)• ‹Bazı cehelenin akıdesin ifşat ve nice sadelevh adamlar ol kabirden istimdat etmek. — Raşit›.

akıka, *A. i.* Çocuğun doğumunun yedinci günü veya saçının ilk kırkılışında kesilen kurban.

âkıl, *A. s.* (*Ayın ve kaf ile*) Akıllı, aklı çok olan.• *Kâr-i âkıl,* akıllı işi, akıllı harcı :• ‹Hangi âkıle sorulsa ne gazetelerin uğradığı kaza kurşunlarını, (...) faydalı görebilir. — Kemal›• ‹Zarif ü âkıl idin, düşmesen bu aileye — Kalırdı belki kadınlıkta bir büyük yâdın. — Fikret›.

âkım, *A. s.* (*Ayın ile*) Kısır. Verimsiz.• ‹En âmade ve mün'im — Bir fıtrata makrun iken, aç âtıl ü âkım. — Fikret.›

akîm, *A. s.* 1. Kısır, çocuk yapmaz. 2. Sonu çıkmaz, verimsiz.• ‹Hususa ki tab-i akîmi mizac-i zâhirisi gibi sakım. — Okçuzade›.

âkır akıra, *A. s.* 1. Kısır, doğurmaz. 2. Verimsiz, kumsal yer. (ç. Avakır).

âkif, *A. s.* Kendi isteğiyle bir yere çekilip ibadet ile uğraşan.• ‹Ah olsa idim şu sırra vâkıf — Nerden girip onda oldun âkif. — Naci›.

akik, *A. i.* Yüzük taşı, mühür olarak da kullanılan değerli süs taşı.• *Akik-i nâb,* sâf şarap;• *Akik-i Yemanî,* akik taşının Yemen'de çıkarılan en iyi ve kırmızı renkte olanı.• ‹Hemreng-i bahar olup hazanım - Dönmüştü akike zağferanım. — Fuzulî›.

âkil, *A. s.* (*A ve kef ile*) [Ekl'den] 1. Yiyen, yiyici. 2. Tıp terimleri yapılırken (XIX. yy.) - *phage,* ve - *vore,* için ön-ek olarak kullanılmıştır.• *Âkil-ül-beşer,* insan eti yiyen (adam), yamyam;• *âkil-ül-cerrad,* çekirge ile beslenen; *âkil-ül-esmak,* balıkçıl, balıkla beslenen;• *âkil-ül-eşvâk,* dikenle beslenen;• *âkil-ül-haşayiş,* otçul;• *âkil-ül-haşerat,* böcekçil; *âkil-ül-hevam,* uçar böcekle beslenen;• *âkil-ül-hububat,* tanecil;• *âkil-ül-lühum,* etcil;• *âkil-ün-nebat,* otçul, bitki ile beslenen; *âkil-üs-semek,* balıkçıl. (Ç. Ekele).• ‹Gazete - fare ve insan gibi - âkil-i kül bir hayvandır. - Cenap›.

âkile, *A. s. i.* Âkil olan. Kemirici ülser, kanser.• *Âkilet-ül-ekbad* (ciğer sömürücü) Ebu Süfyan'ın eşi Hind'in lakabı.• *Karha-i âkile* frengi yarası.• ‹Mel-

dug olan tarafına bir madde inip cerahat bağlayıp âkile misal bir tarafını çürütüp. — Naima›.

âkilan, *F. i.* [Âkıl ç.] Akıllılar.• ‹Çünkü ıslahından etmiş âkılân kat-i ümit. — Ziya Pş.›.

âkilane, *F. s. zf.* Akıllı adama yakışır surette, akıllıca.• ‹Zamanında vukuu bulan mesail-i mühimmeyi gayet akılâne ve ihtiyatkârane hallederek. — Kemal›.

âkilat, *A. i.* [Âkıle ç.] Akıllılar.

âkile, *A. s.* Akıllı (kadın).

âkire, *A. i.* Ses, çığlık.• ‹Ref-i âkire-i iştikâ kılıp. — Nergisî›.

âkis, *A. s.* [Aks'ten] Akseden, vuran, çarpan :• ‹Sahildeki emakin olmakla bahre âkis. — Recaizade›.

âkk, *A. s.* (*Ayın ile*) İnatçı, başı sert.• *Kazak-i âkk.* ‹Zen-i bibâk igvasiyle âkk olup. — Naima›.

akkâm, *A. i.* 1. Deve sürücüsü. 2. Sürre alayı hizmetçisi.

akl, *A. i.* 1. Akıl, us. 2. Analma. 3. Düşünme. 4. Hâfıza. 5. Fikir; rey, yol.• *Akl-i bâliğ,* ergin kimse hali;• - *evvel,* yaradılıştaki akıl, (Tas.). Tanrı;• - *fa'al,* işleyici, yapıcı akıl,• - *hayvanî,* içgüdü;• - *ilâhî,* Tanrı Zekâsı;• - *insanî,* insan kavrayışı;• - *kül,* tabiatta görülen genel düzen; (Mec) Cebrail;• - *maad,* geleceği kavrayan akıl; - *maaş,* geçim fikri;• - *nefsani,* kendini koruma içgüdüsü;• - *selim,* sağduyu (XIX. yy.) :• ‹Para derler ki akla rehzendir. — Fikret›.• ‹Kemal-i medhi eğer olsa akl-i fa'alin. — Ziya Pş.›.

aklâm, *A. i.* [Kalem ç.] Kalemler.• *Aklâm ve devair,* resmî büro ve daireler. • ‹Ve defterdar Abdülgafur Efendi şehzade hasları aklâmiyle ki elli yük yazardı, dördüncü defterdar olup. — Selânikî›.

aklen, *A. zf.* Akılla, akıl gereğince.• *Aklen ve naklen,* akıl ve önce söylenmişlere göre.• ‹Naklen ve aklen Devlet-i Aliyye-i Osmaniye serdefter-i cümle-i düzvel-i İslamiyye. — Naima›.

akli, akliye, *A. s.* Akıl ile ilgili. Akıl ile anlaşılan, salt akla vurulan.

akliyyat, *A. i.* [Akliyye ç.] Akıl ile bulunan, incelenen, gelenek, ve söylenenlerin etkisi bulunmayan maddeler (*Nakliyat* karşıtı) :• ‹Fünun-i akliyyatta bâri' olmuştur. — Taş.›.

akliyye, *A. i.* 1. Akıl ile ilgisi olan. 2. Akıl ile anlaşılan. 3. Fransızcadan «rarionalisme» (akılcılık) karşılığı (XX. yy.).• *Emraz-i akliyye,* akıl hastalıkları;• *ulum-i akliyye,* doğa bilgisi, matematik bilgiler.• «Meşagil-i akliyye onlar için usandırıcı bir eğlencedir. — Cenap».

akliyyun, *A. ç. i.* Olayları gelenek ve alışknalıklara göre değil, akıl ile inceleyenler.

akım, akam, ukm, *A. i.* Erkek ve dişi kısırlığı.

akmar, *A. i.* [Kamer ç.] Aylar.• «İmdi bizim hurucumuz şümus ve akmar ile değildir. — Taş.».

akmer, *A. s.* Açık mavi; ay gibi güzel.

akmise, *A. i.* [Kamis ç.] Gömlekler.

akmişe, *A. i.* [Kumaş ç.] Kumaşlar :• «Paşa-yi müşarünileyh makdem-i hümayun-i şehinşahiye enva-i akmişe pâyendaz. — Raşit» .

akraba, akriba, *A. i.* [Karib ç.] Aralarında soydan gelme yakınlık olanlar :• «Zevcin verdi neşe düğün akrabasına. — Fikret».

akran, *A. ç. i.* 1. Eşler, eşitler. 2. Yaşca, mevkice eşit olanlar.• *Beyn-el-akran,* eşitler arasında.• «Encümengâh-i âlemde akrandan dûn kalmayacak mevki-i haysiyet istemek. — Kemal».

akraniyet, *A. i.* Akran oluş. Akranlık.• «Zira fi zamanina selâm, müsavat ve akraniyet rütbesini iş'ar.idüğünden. — Kâtip Çelebi».

akreb, *A. s.* [Karib'den] Çok yakın.• «Akreb-i akrabanızdan mehd-i vücuda gelecek mevlûddan. — Kemal».

akreb, *A. i.* (Zoo.) 1. Kuyruğunun ucunda zehrili iğnesi bulunan hayvan, akrep. 2. Saatin saat gösteren küçük ibresi. 3. (Ast.) On iki burçtan, güneşin ekimde girdiği burç. 4. (Simya) Kükürt.• «Nice bin engerek, çıyan, akreb. — Fikret» • «Vesaiti servet burada saât-i eyyamın akrebine ve orada yelkovanına bağlıdır. — Kemal.»

akrebiye, *i.* (Zoo.) Akrepler.

akriba, *A. i.* Bk.• *Akraba.*

aks, *A. i.* (*Ayın* ve *sin* ile) 1. Bir yere vurma, çarpma. 2. Işık veya sesin bir yerde görünmesi, vurması, görünüp dönmesi. 3. Ters, karışıt. 4. (Ed.) Kelâm bölümlerinin yerini değiştirme.• *Aks-i dâva,* karşıt teorem;• - *müddea,* karşısav;• - *seda,* yankı;• - *tesir,* istenilenin karşıtı, tepki;• *Beraks,* bilâkis

Bk.• «Yüzünde aksi nümayandı bir mülahâzanın. — Fikret»• «Bir şeb ki aks-i fer-i kamerle. — Recaizade».

aksâ, *s.* (*A* ve *sat* ile) 1. Uzakta bulunan, ırak. 2. Uç, son basamak,• *Aksay-i meram,* isteklerin son derecesi;• - *Şark;* Uzak Doğu, Çin, Japonya;• - *umran,* kasaba veya köyün en kenarındaki evden gür sesli birinin sadası işitilemeyecek •kadar uzak bulunan yerler;• - *yemin,* (Parlamentolarda) en sağ; *aksay-i yesar,* en sol.• *Aksay-ül- meratib,* rütbelerin en son basamağı, en büyük rütbe;• *Mağrib-i aksâ,* Fas;• *maksad-i aksâ* en büyük ülkü;• *Mescid-i Aksâ* Kudüs tapınağı.• «Bu sima-yi neşatın, işte aksâ-yı refahında — Bütün bir sergüzeşt-i inkisar ağlar nigâhında. — Fikret»• «Aksâ-yi şebde zulmeti çâkeyleyen şafak. — Beyatlı».

aksam, (*A* ve *sin* ile) [Kısım ç.] Bölükler, parçalar, *Aksam-i kelâm,* söz bölükleri.• «Tazenin aksam-i hüsnünü intikad ediyorlardı. — Cenap».

aksar, *A. s.* [Kasîr'den] Daha veya pek kısa.• *Aksar-i tarik,* en kısa yol.• «Erbab-i basiretten biri aksar-i ibaretle ayağında olan za'f-i basarı bu bendelerine irae. — Kâni».

aksendaz, *F. s.* [Aks-endaz] Çarpıp duran (ışık), tınlayan (ses).

aktâ, *A. i.* [Kati ç.] Hayvan sürüleri• «Eyaletinde mukarrer olan aktâı vermekten imtina... — Naima».

akta, *A. s.* [Kat'dan] Eli kesilmiş.

aktab, *A. i.* [Kutub ç.] 1. Kutuplar. 2. (Tas.) *Kutb-ül-aktab,* kutupların kutbu, azizlerin başı.• «İpşir Paşa kendisi evliyadan belki mutasarrıf-i aktab mertebesinde etkiyadan idi derler. — Naima».

aktan, *A. i.* [Kutn ç.] Ülkeler, memleketler.

aktar, *A. i.* [Kutur ç.] Çaplar, kuturlar. • *Aktar-i cihan,* dünyanın dört bucağı.• «Dahil-i havza-i hükûmet-i hidivane-i saadet-ünvanım olan mesakin ü aktar ü memalik ü diyardan. — Raşit».

akur, *A. s.* (*Ayın* ile) Salar, azgın, ısırır.• *Kelb-i akur,* kuduz köpek.• «Bazın akur bir denizin sath-i zâhiri. — Fikret».

akurane, *F. zf.* [Akur-ane] Salarcasına, kudurmuş gibi.

akva, A. s. (A ile) [Kavi'den] Daha, ve-ya pek, en kuvvetli.● «Tıptır akva-yi mühimamt-i fünun. — Nabi».

akval, A. i. [Kavl'den] Sözler.● «Dinleme öyle kerih akvali — Uğraşın başına su-i hali. — Vehbi».

akvam, A. i. [Kavm ç.] Kavimier.● «O zaman, ey ebedî hâmi-i şan-i akvam. — Fikret».

akvamiyat, A. i. Fransızcadan ethnographie karşılığı, kavmiyat (XX. yy.).

akvas, A. i. [Kavs ç.] Kavisler, yaylar.

kavat, A. i. [Kut ç.] Yiyecekler, azıklar.● Akvat-i yevmiye, günlük yiyecek, geçim.

akvem, A. s. [Kavîm'den] Daha ya da pek doğru, en doğru.

akviya, A. i. [Kavi ç.] Kuvvetliler, güçlüler.● «Huzur-i kanunda akviya ile zuafa beraberdir. — Sırrı Pş.».

akyad, A. i. [Kayd ç.] 1. Kayıtlar. 2. Bağlar.● «Ol akyad benden ıtlak olunmuş idi. — Taş.».

akyise, A. i. [Kıyas ç.] Tasımlar. Kıyaslar.● «Çünkü mevad-i akyiseden madud olan cedel ü mugalata. — Akif Pş.».

akza, A. s. [Kazı, kadı'dan] Kadılıkta, fıkıhta daha veya pek, en bilgin.● Akza-yı kuzat-ül-müslimin, müslüman kadılarının en bilgini.● Akza-el-ashab, halifelerden Ali.

akziye, A. i. [Kaza ç.] Hükümler.

âl, A. s. (Ayın ile) [Ulüv'den] Yüce.

al, F. s. Al. Türkçe bu sözcük Fars kuralına göre tamlamalara girer ve «l» ince olarak uzatılıp okunur.● Ârız-i âl, ruhsar-i âl (al yanak) verd-i âl (kırmızı gül) :● «Nedir ol ârız-i âl ü nedir ol çeşm-i siyah. — Fehim»● «Sancak o reng-i âl ile fecr-i ezel gibi. — Fikret».

âl, A. i. (A ile) Evlât, çoluk çocuk. Sülâle, hanedan.● Âl-i âbâ, Bk;● âl-i resul, Muhammet peygamber soyu, sülâlesi.● «Âl-i beytin aşkına söndür bu nâr-i hasreti. — İzzet Molla»● «Bade-hu yirmi kadar sadât gelip âl-i resulü bi-günah katl ne demektir diye feryat ettiklerinde. — Naima».

âl, A. i. Dek, düzen, hile● Mekr ü âl, oyun, düzen, hile :● «Ruh-i âli eyler gül-i âle âl. — İzzet Molla».

alâ, A. ç. i. Bahşışlar, ihsanlar :● «Öyle muhtâc-i tenavül müdür âla-yi adem. — Akif Pş.».

alâ, A. i. Yükseklik, şeref, şan.● Bais-i izz ü alâ, değer ve yüksemle nedeni;● Alâ-üd devle, Alâ-üd-din gibi özel isimler yapılmıştır.● «Alâ mukarin-i gıbta-ferması — Zekâ münevvir-i efkâr-i tâbdarı idi. — Recaizade».

âlâ, A. s. [Âli'den] 1. Daha veya pek yüksek. 2. Kuran'ın 87. suresinin adı.● Aliy-ül-âlâ, alânın alâsı, en yüksek derece;● arş-i âlâ, Bk.;● cebr-i âlâ, yüksek cebir;● cennet-i âlâ, Bk.● matlab-i âlâ, elde edilmesi istenilen son derece;● melc-i âlâ, melekût (Bk.) âlemi;● savt-i âlâ, yüksek ses.● «Âlâlara âlâlanırız pest ile pestiz. — Ruhi».

alâ-, A. e. Ön takıdır, harf-i tarifli sözcüklerden önce ele; zamirden önce de aley şekillerini alır. «Üst ve üzere» anlamlarıyle, kelimenin gerektirdiği yolda ismin bütün hallerini kabul eder.● Alâbahtek, bahtın üzerine, bahtına;● alâ-cenah-il-istical, son derece çabuklukla;● alâhalihi, hali üzere, olduğu gibi, alâhaza, bunun üzerine; alârivayetin, alâtakdir, takdir, farz üzerine; alâtarik, alâvefk, alâvech, Bk. alâzalik, buna göre. «Telhisi Çavuşbaşı vekili İbrahim Ağa ile alâcenah-il-istical rikâb-i hümayuna irsal eylemeleriyle. — Raşit».● «Kandiye kalesinden alâhalihi feragat şartiyle. — Raşit».

âlâf, A. i. (A ile) [Elif ç.] Binler : «Eltaf atıf-i şahid ve âlâfa bedel güvah-i vahiddir. — Sümbülzade».

a'lâf, A. i. (Elif ve Ayın) [Alef ç.] Hayvan yemleri, otlar, samanlar.

alâhalihi, A. cüm. [Alâ-halihi] Bulunduğu halde, değişiklik olmadan. Politika dilinde «statu quo» karşılığı. «Karardade olan alâhalihi esasına mugayir... yerler talebinde. — Raşit».

alâif, A. i. (Ayın ile) [Ulûfe ç.] Ulûfeler.

alâik, A. i. [Alâka ç.] İlgiler, ilişkiler.● Alâik-i dünyeviye. (Tas.) Yola gireni Hakka ulaşmaktan alıkoyan dünya ilgileri.● «Mütecerrid bütün alâyıkten — Fikret».

alâim, A. i. [Alâmet ç.] İzler, nişanlar.● Alâim-i sema, alâim-üs-semâ, eleğimsağma;● ilm-i alâim-ü-cevviye, meteoroloji :● «En nazlı hatlarında huşunet alâimi. — Fikret».

alâka, A. i. 1. İlgili, ilişik. 2. Sevgi, sevme. 3. (Ed.) Benzetme ve mecaz için düşünülen ilgi.● «Nazar olunsa veli dide-i hakikatle — Alâka-i dil ü can olmaya seza nesi var — Ziya Pş.»

alâkabahş, F. s. [Alâka-bahş] ilgi uyandıran.

alâkadar, F. s. [Alâka-dar] İlgili, ilişiği olan.

alâkadaran, F. s. [Alâkadar c.] İlgililer.

alâkader-i, A. i. [Alâ-kader-il]• «Derecesinde. gücü yettiği kadar» anlamıyle bazı kelimelere katılırlar,• alâkader-il -istitaa. alâkader-it-taka, güç yettiği kadar.

alâkavlin, A. zf. [Alâ-kavl-in] Bir söylentiye göre; söylenildiğine göre.

alâküli-i, A. c. [Alâ-külli] «Her» anlamıyle kimi sözcüklere takılır.• Alâ ki-lettakdireyn, işbu iki takdirden her birine göre;• alâküllihalin, her halde, ne biçimde olursa olsun,• alâküllişey'in kadir. her şeye gücü yeten (Tanrı).• Alâküllitakdirin. her takdirde, her surette.• «Alâküllihalin bir ehl-i vukuf kimsene olmakla anın dahi kelâmının meali nakl olundu. — Naima».• «Ve illâ alâkilettakdireyn temlik sahîh olamaz.».

a'lâl, i'lâl, A. ç. i. İlletler, hastalıklar, marazlar.

a'lâm, A. i. (Elif, ayın ile) [Alem ç.] 1. İzler, işaretler. 2. Bayraklar. 3. Reisler. 4. Özel isimler. 5. Dağlar.• A'lâm-i za-fer, zafer bayrakları;• Kamus-ül-a'lâm özel isimler kamusu.• «Ancak vüzera-yi izam ve ulema-yi a'lâmın huzur-i hümayuna duhullerine izn-i sultani inayet olunup. — Raşit•• «Henüz a'lâm-i İslâm berkarar iken kebairden olan firar-i zahfi irtikâp eyledi. — Naima».

âlâm, A. i. [Elem ç.] Elemler, acılar : «Bütün âlâm ü fecayile geçen günlerimin. — Fikret».

alâmât, A. i. [Alâmet ç.] İzler, nişanlar : «Aşiyanesinden nişan verip alâmât ve emaratın beyan kıldı. — Hümayunname».

alâme, A. i. İz. Nişan, işaret. Belirti.• «Ref' oldu alâme-i selâmet — Fevtine göründü çok alâmet. — Fuzuli».

alâmeleinnas, A. zf. [Alâ-mele-in-nas] Herkesin önünde.• «Umur-i askeri alâmeleinnas tavsiye eyleyip. — Naima».

alâmeratibihim, A. zf. [Alâ-meratibihim] Rütbe ve derecelerine göre. Sırasıyle.•

«Ordu-yi hümayun ricaline alâmerati-bihim in'am ve ihsan olunmak hususu. — Raşit».

alâmet, A. i. 1. İşaret. 2. İz. 3. Sembol. (ç. Alâim, Alâmat).• Alâmet-i farika, endüstride fabrikaların kendi yaptıkları için kullandıkları yasal marka.• alâmet-i şerîfe, Padişahın (yazılı emirlerde) işareti, bir nevi marka.• «Tev-fik-i Hakkın işte budur alâmeti. — Ziya Pş.».

alani, A. s. Açıkta olan. Meydanda, herkesin gözü önünde.

alâniyet, A. i. Meydanda oluş, dıştan görünüş.

alâniyeten, A. zf. Açıkta, açıkça.• Sırran ve alâniyeten, gizli ve açık olarak.• «Fevahişi inzal ve içinde alâniyeten fü-cur ettirip. — Naima».

alârivayetin, A. zf. [Alâ-rivayetin] Söylentiye göre, söylenenlere bakılırsa.

alât, A. i. [Âlet ç.] 1. Aletler. 2. İç beden organları.• Alat ü edevat, avadanlık, takımlar;• alât-i harp, silâhlar ve savaş araçları.• «Fişek alâtı nümayan oldu — Şûrgâha şererefressan oldu. — Nabi».

alâtariki- A. e. «Yoluyla» anlamında birleşikler yapılır.• Alâ-tarik-il-hezl, hezl yolu ile;• alâ-tarik-il-icmal, kısaca;• alâ-tarik-il-istidlâl, dedüksiyon yolu ile;• alâ-tarik-il-istişhad, tanık tutarak, tanık gösterme yolu ile.• alâtarik-il-kıyas, kıyas yolu ile;• alâtarik-il-mü-navebe, nöbet yolu ile, nöbetleşe;• alâ-tarik-iş-şehade, tanıklık yoluyla.• «Paşa-yi merhumun alâtarik-il-icmal derc olunan bazı ahval ve ef'aline — Akif Pş.».• «Alâtarikilhibe temlik et-mişlerdi. — Nergisi».

alavechi, A. e. [Alâ-vech] «Üzere» anlamıyle bazı birleşikler yapılır.• Alâ-vech-il-istical, acele üzere, çabuk;• alâvech-it-tafsil, tafsil üzere, inceden inceye :• «Alâvechittafsil beyan buyura-ra. — Hümayunname».

alâvefk, A. s. [Alâ-vefk] «Uygun olarak» anlamıyle tamlamalar yapılır.• Alâvefk-il-matlub, alâvefk-il-murad. istenilene, dilenen şeye uygun olarak.

alay, A. i. Alay. Fars kurallarına göre kimi tamlamalarda kullanılan bu Türk-çe sözcük o şiveye uydurularak uza-tılır ve inceltilir.• Alây-i hümayun. alây-i valâ, padişah alayı, yüce alay, miralay; albay :• «Oldu tertip bir alây-i cedid. — Nabi».

alâyiş, *F. i.* 1. Bulaşıklık, bulaşma. 2. Boş, geçici süs ve gösteriş.• *Alâyiş-i dünya;* dünya süsleri, gösterişleri; insanları ahretlerini düşünmekten alıkoyan engel.• ‹Libas-i nevbenevle ey olan alâyişe mail — Kemalinden haber ver kimse senden ihtişam almaz. — Ragıp Pş.›.

alâzalik, *A. zf.* Buna binaen, bundan ötürü.

ale, *A. s.* Alâ (Bk.) edatının kameriye harflerinden biriyle başlayan sözcüklerde harf-i tarif ile kullanıldığı zaman aldığı biçim.

aledderecat, *A. zf.* Derece derece, sıra ile.

aleddevam, *A. zf.* (*Ayın* ile) [Ale-d-devam] Devam üzere, durmadan, kesiksiz. ‹Seyreylerim bu levhayı artık aleddevam. — Fikret›.

alef, *A. i.* (*Ayın* ile) 1. Ot, saman. 2. Hayvan yemi.• *Alef-i-şimşir,* kılıç harcı, kılıçlık.• ‹Killet-i alef ve kiyah ile devabb ve mevaşi makulesinin hali tebah oldu. — Raşit›.• ‹Ekseri telef ve şimşir-i akebgirane alef olıcak. — Naima›.

alefzar, *F. i.* 1. Ot yeri, samanlık. 2. Otlak :• ‹Alefzarı seraser müşk ü sünbül. — Lâmiî›.

alek, alak, *A. i.* (*Ayın* ve *kaf* ile) 1. Kan pıhtısı. 2. Sülük. 3. Kur'an'ın 96. Suresinin adı.• ‹İçsin ko hûn-i mal-i haramı alek gibi — Zalim tasavvur etmez ise imtilâsını. — Nabi›.

aleka, *A. i.* 1. Yapışkan çamur, balçık. 2. Kan pıhtısı.

aleki, *A. s.* 1. Pıhtımsı. 2. Sülük cinsinden.

alekıyye, *A. i.* (Zoo.) Sülükgiller.

alelacele, *A. zf.* (*Ayın* ile) Acele ile, çarçabuk.• ‹Uykudan şişmiş gözler, alelacele kurulanmış rutubetli yüzler. — Cenap›.

alelâde, *A. zf.* Âdet olduğu üzere, âdeta :• ‹Hayat-i aşka alelâde bir misal olarak. — Fikret›.

alelekser, *A. zf.* Çok kez, sık sık.• ‹En, ziyade onun fikr-i sanatı yerde bulunmuş bir şeyde, alelekser yuvarlak şeylerde tezahür ederdi. — Uşaklıgil›.

alelfevr, *A. zf.* Hemen, birden.• ‹Alelfevr otuz bin âdem cemine kaadir olan şahsı zinde koyup gittikçe. — Naima›.

alelgafle, *A. zf.* Gaflet üzere, ansızın.• ‹Orman arasında olan eşkıyanın alelgafle baskın etmesi. — Naima›.

alelhâdise, *A. s.* [Ale-l-hâdise] (Fel.) Fransızcadan *Epiphénomène* (gölge olay) karışlığı (XX. yy.).

alelhadisiyye, *A. i.* (Fel.) Fransızcadan *Epiphénoménisme* (gölge olaycılık) karşılığı (XX. yy.).

alelhesap, *A. zf.* Hesaba sayarak.

alelhusus, *A. zf.* Hele, en çok.• ‹Alelhusus ki fermanreva-yi kişver olan — Hidiv-i madilet-âra Halil Paşadır. — Beliğ›.

alelıtlak, *A. zf.* Genel olarak, salt, mutlak.• ‹Şikâf-i şadervan-i celâlden alelıtlak suret-i gayr-i marziye gösteririm. — Veysi›.

alelicmal, *A. zf.* İcmal yoluyla topluca.• ‹Sahayif olsa felekler nihal-i Sidre kalem — Yazılmaya keremi defteri alelicmal. — Baki›.

alelimya, alelimmiya, *A. zf.* Körü körüne. Sorup soruşturmadan.• ‹Bu vech üzere alelimmiya meterisler üzerine doğru giderken. — Raşit›.

alelinfirad, *A. zf.* Birer birer, teker teker.• ‹Zuhura gelen hizmetlerinizi alelinfirad şevketlû padiaşhıma arz ve telhis ederim. — Raşit›.

alelistical, *A. zf.* Çabuklukla. Acele ile :• ‹Medine-i Saray'a dahil olup andan dahi alelistical kalkıp. — Naima›.

alelistimrar, *A. zf.* Aralıksız, sürekli.

aleliştirak, *A. zf.* İştirak yoluyle, ortaklıkla.

alelittifak, *A. zf.* İttifakla, oy birliği ile;• ‹Deyu alelittifak bu sene dahi sene-i sabıka misillû metrislerde kışlamak reyinde. — Raşit›.

alelittisal, *A. zf.* Aralarında aralık olmamak üzere, birbiri peşince.• ‹Ol gece alelittisal yağan yağmurun sevl-i azîmi. — Selâniki›.

alelkaide, *A. zf.* Kurala göre.

alelumum, *A. zf.* Genel olarak.• ‹Gerek Mısır ve gerek Tunus'un zâbitleri alelumum rütbelerine bir ferman-i padişahi ile nail olup. — Kemal›.

a'lem, *A. s.* [Âlim'den] Daha veya pek, bilgin.• *A'lem-ül-ulema,* bilginlerin bilgini;• *Allahü â'lem bissavab,* Tanrı daha iyi bilir :• ‹Sen a'lemsin ancak nedir illeti. — Recaizade›.

alem, *A. i.* (*Ayın* ve *lâm* ile) 1. İz, işaret. 2. Bayrak. 3. Minare, bayrak direkleri tepesindeki ay. 4. Sarığın altın oluk teli. 5. (Gra.) Özel isim.• *Mira-*

lem, bayrak beyi, eski kurulda bir rütbe.● ‹Olmağa rayeti-i leşker-i hicran diller — Etti yer yer alem-i ahı nümayan diller. — Nailî›.● ‹Küşade bir alemin al temevvücatında.. — Fikret›.

âlem, *A. i. (Ayın ve elif ile)* 1. Bütün yaratıklar. 2. Dünya, yeryüzü. 3. İnsanlar, halk. 4. Varlıkların bir sınıfı. 5. Hayatın bir devri. 6. Bir meslek, bir iş, ayrı bir nitelikte olan toplantı veya durum.● *Âlem-i ab*, içki meclisi.● *- berin*, en yüksek âlem.● *- Ceberut*, yaratılışın ikinci basamağı.● *- ervah*, ruhlar âlemi, dünya.● *- esbab*, madde dünyası, bu dünya.● *- fâni*, fâni âlem.● *- gayb*, görünmez âlem.● *- hab*, uyku âlemi.● *- imkân*, olabilirlik dünyası.● *- kevn ü fesat*, olma ve bitme dünyası, bu dünya.● *- kitman* saklı, kimseye açılmayan âlem.● *- kudsi*, *- lâhut*. Tanrı âlemi.● *- mâna*, rüya âlemi, rüyalar.● *- melekût*, yaratılışın üçüncü basamağı.● *- menam*, *- misal*, uyku âlemi, düşler.● *- nâr*, ateş dünyası. ● *- rüya*, düş âlemi.● *- sabavet*, çocukluk âlemi.● *- şahadet*, görülen âlem, bu dünya.● *- şems*, Güneş ve uyduları.● *- tahkik*, hakikat dünyası.● *- tecrid*.● *- ulvî*, ruhlar âlemi.● *- zevk ü safa*, sefahat, içki, eğlence, âlemi. (XIX, XX. yüzyıllarda).● *Âlem-i kibar*,● *- matbuat*.● *- ticaret*. *- tahrir*..: gibileri kullanılmıştır.● *Fahr-ı âlem*, Muhammet peygamber; *meşhur-i âlem*, dünyanın tanıdığı, ünlü. (Ed. Ce.)● *Âlem-i camit*,● *- ervah*, - ● *gamfeza*,● *- hayal*,● *- hayat ü ziya*, ● *- insaniyet*,● *- kibar*,● *- külliyat-i ezdad*,● *lâhut-nişan*,● *- meskenet*,● *- sefalet*,● *- seher*,● *- zevk*. ● ‹Öğleyin bir cahim olur âlem. — Fikret›.● ‹Gidelim Göksu'ya bir âlem-i âb eyleyelim.›.● ‹Ahterleri âlem-i berinin — Matuf sana birer nazardır. — Recaizade›.● ‹Çal âlem-i ervahı da raksan edelim, çal. — Fikret›.● ‹Bu âlem-i fânide ne mîr ü ne gedayız. — Ruhi›.● ‹Cism terkib-i gubaridir gel ondan fariğ ol — Ruh-i pak ol âlem-i tecride gel esrara bak. — Hayalî›.● ‹Ruzgâra âlem-i gayb armağandır sözüm. — Nef'i›.● ‹Gına vermez harise âlem-i imkânı bahşetsen. — Naci›.● ‹Beygâh-i âlem-i kevn ü fesat içre Fehim — Cevher-i cana ziyan etmektir sudumuz. — Fehim›.● ‹Geh eyler âlem-i kudside geh lâhutta pervaz —

Hüma-yi tab'im âram eylemez bir aşyan üzre. — Ziya Pş.›.● ‹Münvever eylemişler âlem-i ulviyi kerrubiyan. — Ziya Pş.›.● ‹Âlem-i eşbahta ervah ile keşt ederler. — Kâtip Çelebi›.● ‹Âlem-i kevn ü fesatta bir hal berkarar değildir. — Kâtip Çelebi›.● ‹Terk-i kâr ü bâr-i âlem-i misal ve dâr-i bekaya rihlet ü intikal buyurdular. — Raşit›.

âlemâra, *F. s.* [Âlem-âra] Dünyayı süsleyen, dünyanın süsü olan.● ‹Bak sanatine ne âlemâra — Bak kudretine ne hayretefza. — Naci›.

alemdar, *F. i.* [Alam-dar] Bayrağı tutan kimse, bayraktar.● ‹Olup perçem-i rahşı sünbülfeşan — Alemdarlık etti serv-i revan. — Nedim›.

alemdari, *F. i.* [Alem-dar-i] Bayraktarlık işi.

alemefrahte, *F. s.* [Alem-efrahte] Bayrağı kaldırmış, yükseltmiş. ‹Aferin ey alemefrahte serdar-i dilir. — Nef'i›.

alemefraz, *F. s. i.* [Alem-efraz] Bayrak açan, bayrak kaldıran. Bayrak yükselten.● ‹Kendisi devlete alem-efraz-i ene ve lâ gayri ola. — Naima›.● ‹Alem-efraz-i tugyan olup vâdi-i dalâlete gittik. — Veysi›.

âlemefruz, *F. s.* [Âlem-efruz] Âlemi parlatan, dünyaya nur saçan.● ‹Ziya-bahş olsun âfaka cemal-i âlem-efruzu — Füruzan eyledikçe tal'at-i nevruzu dünyayı. — Baki›.

âlemeyn, *A. i.* 1. İki âlem. 2. Dünya ile ahret.

âlemfirib, *F. s.* [Âlem-firib] Herkesi kendine çeken. ‹Cemal-i hali piraye-i hünerle âlemfirib iken. — Nergisi›.

âlemgir, *F. s.* [Âlem-gir] 1. Dünyayı ele geçiren, cihangir; 2. Bütün dünyaya yayılan, dünyayı dolduran.● ‹Yetmemiş kudretine şöhreti âlemgirin. — Fikret›.● ‹Alem-i âlemgir-i Osmaniyan. — Okçuzade›.

alemî, alemiye, *A. s.* [Alem'den] Özel isimle ilgili, ona ait.

âlemî, *A. s.* [Âlem'den] Dünyaya mensup, onunla ilgili olan.

âlemîn, *A. i.* [Âlem ç.] Âlemler.● *Rabb-ül-âlemîn*, Tanrı.

âlemiyan, *F. i.* Dünya adamları, insanlar.● ‹Âlem ona muhtaç o müstagni-i âlem — Bu mesele malûm-i dil-i âlemiyandır. — Nef'i›.

alemiyane, *F. s.* İnsan oğluna yakışırca akıllı, kurnaz.

alemiyyet, *A. i.* [Alem'den] Bir sözcüğün özel isim olma niteliği.

alemnüma, *F. i.* [Âlem-nüma] Dünyayı gösteren.• ‹Bu rüsvaylıkla ger ayine-i âlemnüma olsam — Yüzüme kimse bakmaz suretimden — âr eder âlem. — Fehim›.

âlempenah, *F. s.* [Âlem-penah] Herkesin sığındığı, sığınacak yer.• ‹Ve berat için dergâh-i âlem-penaha irsal edip mutarassıt oldum. — Fuzuli›.

âlemsûz, *F. s.* [Âlem-suz] Cihanı, herkesi yakan.• *Ah-i âlemsûz.*• ‹Canıma sihr etti necm-i târı âlemsuz-i aşk. — Cenap›.

âlemşümul, *F. s.* [Âlem-şümul] Âlemi kaplamış, dünyayı ilgilemiş.• ‹Kim ruz ü şbe o sufra-i âlemşümulden — Her nefes rızkın almada berveçh-i iştirak. — Ziya Pş.›.

âlemtab, *F. s.* [Âlem-tâb] Cihanı parlatan, aydınlatan.• *Aftab-i âlemtâb.*• ‹Eşiğin üftadesi kemter geda mihr-i münir — Pençe-i hurşid-i âlemtaba hüsnün destgir. — Baki›.

alen, *A. s.* Açık veya meydanda olma. : ‹Onun muhakemesi suret-i aleniyede icra kılınmak. — Kemal›.

alenen, *A. zf.* Açık olarak, meydanda.

alenî, *A. s.* Açık, saklanmayan. ‹Alenîdir bu incilâ alenî — Naci›.

aleniyye, *A. s.* Alenî. *Muhakeme-i aleniye,* her isteyenin girip dinleyebileceği mahkeme;• *münakasa-i alemiye, müzayede-i aleniyye,* açık eksiltme ve açık artırma;• *müzakere-i aleniye,* açık müzakere. ‹Mesail-i amîkanın berahin-i aleniyesini görür ki. — Kemal›. • ‹Onun muhakemesi suret-i aleniyede icra kılınmak. — Kemal›.

aleniyyet, *A. i.* Bir işin açıkta ve meydanda olması.• ‹Nefsini aleniyyete çıkarmakta kendince bir mahzur görmeyenlere mahsus salâhiyet-i itirazı. — Kemal›.

alerre's ü vel ayn, *A. s.* Baş üstüne.• ‹Her nesne ki bize sahabeden gele alerre's ü vel-ayn amma. — Taş.›.

alessabah, *A. zf.* Sabah sabah, erkenden. ‹Alessabah cihan halkı kâr ü bâra gider. — Fehim›.

alesseher, *A. zf.* Erken erken, gün ışırken.• ‹Kaleden kat-i alâka ve taraf-i Devlet-i Aliyyeye alesseher teslim edeceklerdir deyu. — Raşit›.

alesseviyye, *A. zf.* Bidüziye, birbiri üstüne, hepsi birlikte. Eşit olarak.• ‹Berren ve bahren ve nehren alesseviye akd-i ticaret olunup. Raşit›.

âlet, *A. i. s.* 1. Alet. Bir iş işlemede, bir sanat yapmada kullanılan araç. 2. (Mec.) Sebep, vasıta. 3. Oyuncak. 4. Organ.• ‹Bina-yi din ü dünya intizamına edip alet. — Nabi›.• ‹Semi'sin ki sem'ine alet yok — Sinan Pş.).

alettacil, *A. zf.* [Ale-t-tacil] Çarçabuk, hemen, acele ile.• ‹Vücudun sana gerekse alettacil gelesin. — Naima›.

alettafsil, *A. zf.* [Ale-t-tafsil] Ayrıntılarıyle, inceden ince.• ‹Yahut Anibal'in Gebze'de medfun bulunduğunu alettafsil bildiği halde. — Cenap›.

alettahkik, *A. zf.* Gerçek olarak, kesin surette.• ‹Kendinin katli babında hatt-i hümayun ısdar olduğundan, alettahkik haberdar olmakla. — Raşit›.

alettahmin, *A. zf.* Tahmin üzerine, kestirme ile.

alettahsis, *A. zf.* Özel olarak, hele, en çok.

alettakrib, *A. zf.* Yaklaşık olarak, aşağı yukarı. ‹Bunların nümune-i ilânatı alettakrib şudur. — Cenap›.

alettedric, *A. zf.* Derece derece, yavaş yavaş : Belgrat ve Tımışvar kaleleri gibi metanet ve istihkâmına alettedric takayyüt ve ihtimam olunmak. — Raşit›.

alettertib, *A. zf.* Tertip üzere, sırasıyle.• ‹Bir canibinde vüzera-yi izam alettertib ve bir taraftan. — Naima›.

alettesavi, *A. zf.* [Ale-t-tesavi] Eşit olarak, müsavi olarak; denk olarak; ‹Ve bir mak'adda alettesavi oturup badettaam... — Naima›.

alettevali, *A. zf.* Durmadan, bir bir ardınca : ‹Vere ile gelenler üç gün alettevali gelip gittikçe. — Raşit›.

alev, *i.* Türkçe olan bu sözcük ile Fars kuralına göre• *alevgir,* alevlenmiş;• *alevkeş,* alevden fırlayan;• *alevriz,* alevlenen, gibi bazı sözcükler yapılmıştır.

alevgûn, *F. s.* [Alev-gûn] Alev renginde :• ‹Bu ziya-yi alevgûn odanın ortasında. — Uşaklıgil›.

alevhiz, *F. s.* [Alev-hiz] Alevlenen. Parlayan :• ‹Âhirülemr sadrazamın gazab-i asafanesi alevhiz olup çıkın bire edepsizler. — Naima›.

Alevi, Aleviye, *A. s. i.* 1. Halife Ali ile karısı Fatımetüzzehra soyundan gelenler. 2. Hazreti Ali'yi öteki sahabelere üstün tutan ve onda büyük üstünlükler gören taraflılar :● «Dervişan-i aleviyeden Koyun Dede nam. — Naima».

alevnâk, *F. s.* [Alev-nâk] Alevli :● «Şuh ve mütebsesim, hadid ve alevnâk; hulyadar ve şiir-cû. — Uşaklıgil».

aley-, *A. e.* «Alâ» edatının zamirlerle birleştiği zamanki şekil.

aleyh, *A. e.* [Aley-h] 1. Karşı, karşıt. 2. Ona, onun üzerine.● *Binaenaleyh,* Bk.;● *mebnialeyh,* üzerine kurulan şey, konu; *müttefakunaleyh,* birlikte kararlaştırılmış;● *müddei aleyh,* kendisine karşı dava olunan.● «Yine o kudretin kendi aleyhlerinde dahi infaz-i hükm edebilmesinden. — Kemal».

aleyh, aleyha, *A. s.* Onun üzerine olsun.

aleyhdar, *F. s.* [Aleyh-dar] Karşı olan, uygun fikirde olmayan :● «Bu mesele-i izdivaca ne tarafgir ne de aleyhdar idi. — Uşaklıgil».

aleyhüm, aleyhüma, *A. e.* «Aleyh» edatının çoğul ve tesniye şekilleri.

aleyk, aleyke, *A. e.* [Aley-k, -ke] Senin üzerine olsun.● *Esselâmü aleyk, aleykis-selâm, aleyke avnillah,* Tanrı yardımı senin üzerine olsun anlamında dua ve alkış sözü.

aleyküm, *A. e.* [Aley-küm] Sizin üzerinize olsun,● *Selâmün aleyküm,* ve *aleykümüsselâm.*

âlgûne, *F. i.* [Âl-gûne] Pembe düzgün, allık :● «Al cinnet-i aşka bir nümunc — Âşık da süründü âlgûne. — Naci».

âli, *A. s. (A ile)* Yemin eden, ant içen.

âli, âliye, *A. s. (Ayın* ile) [Ulüv'den] Yüce, yüksek.● *Babıâli,* Bk.;● *canib-i âli,* yüksek kat;● *emr-i âli,* yüksek buyruk, padişah ve sadrazam buyruğu; *huzur-i âli,* yüce kat; *ferman-i âli,* yüce buyuruk, padişah emri; *makam-i âli,* yüce mevki; *mekteb-i âli,* yüksekokul; *mesned-i âli,* yüce mevki. «Hâk ol ki Huda mertebeni eyleye âli. — Ruhi».

âli, âliye, *A. s. (A* ile) [Alet'ten] Alet ile ilgili. Teknik. Fransızcadan *machinal* ve *mécanique* karşılığı olarak (XX. yy.).● *Tedrisat-i aliye,* tekniköğretim. «Bir cismin âza-yi aliyesi gibi birbirine geçmiş ve infikâk kudretini bütün bütün kaybetmiş. — Kemal».

Ali, *A. i. (Ayın* ile) Muhammet peygamberin amca çocuğu ve damadı, 4. halife olmuştur. Hailfeliği zamanındaki karışıklıklar İslâm dini üzerinde önemli

etkiler meydana getirmiştir.● «Bu manzumenle ey üstad-i hoşkâm — Ali'den doldurup iksir-i ilham — Leb-i uşşaka sundun öyle bir câm — Ki vuğrulmuş turab-i Kerbelâ'dan. — Beyatlı».● «Vur pençe-i Ali'deki şimşir aşkına — Gülbanki asümanı tutan pîr aşkına. — Beyatlı».

âlibaht, *F. s.* [Âli-baht] Talihi yüksek, çok mutlu.

âlicah, *F. s.* [Âli-cah] Yüce mevkide bulunan :● «Öpmemiş kimdir onun dâmeni-âlicahını. — Nabi».

âlicenab, *F. s.* [Âli-cenap] Onurunu koruyup pintilik veya bayağılık etmeyerek iyilik ve cömertlikte bulunan.● «Her deniye söyleme halini agâh olmasın — Her ne eylerse Muhibbi etsin ol alicenab. — Kanunî».

alif, *A. s.* Yem torbası.● «Ve dabbelerin alef ü alifine halktan akçe ile şey almayıp. — Naima».

âlifıtrat, *F. s.* [Âli-fıtrat] Yartailışı yüce olan.

âilgüher, *F. s.* [Âli-güher] Mayası yüce olan.● «Şah-i âlem daver-i aligüher — Zîbbahş-i mesned-i tac ü kemer. — Nedim».

âligüheran, *A. i.* [Aligüher ç.] Mayası yüce olanlar.● «Başed ki âligüheran-i hakgû-i hakikatginas. — Nergisî»

âlih, *A. i.* Tapınılan nesne. Mabut.

âlihat, *A. i.* [Âlih ç.] Tapınılanlar. Mabutlar.

âlihe, *A. i.* [İlâh ç.] İlâhlar. (XX. yy. da *ilâhe* ile birlikte *déesse* (tanrıça) karşılığı ve tekil olarak kullanılmıştır.)

âlihimem, *A. s.* [Âli-himem] Himmetleri yüce olan.● «Âlemin hakanı sultan Ahmed-i alihimem — Kim sada-yi şevket ü şaniyle pürdür şeşcihet. — Nedim».

âlihimmet, *F. s.* [Âli-himmet] Himmeti çok ve yüce olan;● «Oldu her şah-i şükûfe âlihimmet — Müflis-i hâke nisar eyledi dinar ü direm. — Hayalî».

alik, *A. s.* Torba.● *Alik-üd-devab,* yem torbası.● «Ve ihracat-i alîk-üd-devab. — Fuzuli».

âlikadr, *F. s.* [Âli-kadr] Değer ve derecesi yüce olan.● «Eyleyen tedbirin âram ü salâh-i âlemin — Sadri alikadar İbrahim Paşadır meğer — Nedim».

alil, alile, *A. s.* [İllet'ten] Hasta, sakat. «Henüz yanımızda asker kalil bulunanlar dahi alildir . — Naima›.● ‹Hatır-i alillerini sual ile şifabahş olduktan sonra. — Raşit›.

alim, *A. s.* [İlm'den] Çok bilen.● ‹Eyyamın etsin cümle iyd lûtf-i Hudavend-i alîm. — Fehim›.● ‹Unutup bildiğini ârif isen nadan ol — Bezm-i vahdette ne ilm ü ne alîm isterler. — Ruhi›.

âlim, *A. s.* [İlm'den] Bilgin, bilen.● *Âlim-ül-gayb veş-şahade,* görülen ve görülmeyeni bilen, Tanrı.

âlimakam, *F. s.* [Âli-makam] Makamı, yeri yüce.● ‹Ey muazzam husrev-i âlimakam — Devletin Allah kılsın berdevam. — Nedim›.

alimallh, ‹Allah bilir› anlamında ant sözü.● ‹Alimallah! bir gün o çapkını tuttuğum gibi. — Uşaklıgil›.

âliman, *F. s.* [Âlim ç.] Bilginler.● ‹Destarın kabartıp gezdiren âliman-i tarik-ı ilmin birine karşı söyleye adamı. — Veysi›.

âlimane, *F. zf.* [Âlim-ane] Bilginlere yakışır yolda. Bilgince.● ‹Mevcut olan kitapların en âlimanesi D'Hausson namında bir zatın eseri. — Kemal›.

âlimekân, *F. s.* [Âli-mekân] Yeri, derecesi, rütbesi yüksek olan.

âlimikdar, *F. s.* [Âli-miktar] Kadri, değeri yüksek :● ‹Serdar-i âlimikdar ve yeniçeri ağası. — Naima›.

âlinijad, *F. s.* [Âli-nijad] Aslı, soyu yüksek :● ‹İbrahim Paşa merhumun fer'i celil-i âlinijadları olup. — Raşit›.

âlişan, *F. s.* [Âli-şan] Şan ve şerefi yüce olan : ‹Han-i âlişan Gazi Giray tarafından irsal olunan. — Naima›.

âlitebar, *F. s.* [Âli-tebar] Büyük bir soydan olan : ‹Âlemi kıldı tefhahus ol şeh-i âlitebar. — Nedim›.

âliyat, *A. i.* [Âliye ç.] Yüceler : ‹Allahuteâlâ taksiratını afv ve cennat-i âliyatta garik-i nur-i rahmet eylesin. — Naima›.

âliye, *A. s.* (Ayın ve elif ile) [Ulüv'den âli] Yüce *Makamat-i âliye* yüce makamlar; *mekâtib-i âliye,* yüksekokullar; *tedrisat--i âliye,* yükseköğretim; *ulûm-i âliye,* din konulu bilgiler.

âliye, *A. s.* (A ve lâm ile) [Alet'ten] Alet olarak, aletle yapılan.● *Ulûm-i aliye,* teknik bilgiler : ‹Ulûm-i âliye ve aliyeden altı yedi esaslı fen bilir. — Kemal›.

aliyye, *A. s.* (Ayın ve lâm ile) Yüce.● *Devlet-i aliyye,* Osmanlı İmparatorlu-

ğu;● *evamir-i aliyye,* yüce buyruklar;● *irade-i aliyye,* yüce buyruk : ‹Mustafa Ağaya avatıf-i aliyye-i mülûkâneden. — Raşit›.

aliyyülâlâ, *A. s.* Birincilerin birincisi, en üstün.

Allah, *A. i.* Tanrı.● *Allahü â'lem,* Tanrı daha iyi bilir,● *Allahü ekber,* Tanrı uludur.● ‹Sen bildirdin ki kimdir Allah — Sensiz kim olurdu agâh. — Fuzuli›.

allahan, *F. i.* Allah adamları, ermişler.

allahî, *F. i.* Allah adamı, ermiş, veli.

allahiyan, *F. i.* Allah adamları ermişler.

allâm, *A. s.* [İlm'den] Çok ve her şeyi bilen. Tanrı.● *Elmelik-ül-allâm,* Tanrı : ● ‹Allâm-i avalîm-i maali — Allâme-i ilm-i lâyezali. — Ziya Pş.›.

allâme, *A. s.* [Allâm'dan] ‹Allâm› sıfatı yalnız Tanrı için kullanılır olduğundan çok bilgin, her bilgide üstat olan için bu sözcük kullanılırdı : ‹Hattâ allâme-i riyazi meşhur Newton. — Kemal›.

âlû, *F. i.* Erik :● ‹Ser sebze-i safa dıraht-i alû — Her meyvesi tuti-i şeker-gû. — Ş. Galip›.

-âlud, *F. s.* ‹Bulaşmış, bulaşık› anlamiyle sıfatlar yapılmada kullanılır.

● berfalud   hışmalud
çirkâlud   hicabalud
dâmenalud   jengâlud
eşkâlud   müşkâlud
füituralud   semalud
gamalud   sitemalud
hâbalud   şevkalud
habasetalud   zevkalud.

alude, *F. s.* Bulaşmış, bulaşık.● ‹Aludesi olmasın dudaklar. — Ziya Pş.›.

aludedaman, aludedamen, *F. s.* [Aludedamen]. 1. Eteği bulaşık. 2. Suç işlemiş. 3. Lekeli.● ‹Bâde-i eşkim döküp aludedaman olayım. — Atayî›.

alûdegân, *F. i.* [Alude ç.] Bulaşmışlar, suçlular :● ‹Aludegânı mail-i âzarsın veli — Âzar-i hatıra yetişir masiyet mi olur — Nabi›.

aludegi, *F. i.* Bulaşıklık.

alüfte, *F. s.* 1. Sevgi yüzünden aklını, fikrini yitirmiş, kendini şaşırmış. 2. Namussuz kadın.● ‹Evvel alüftene ta böyle itab etmez idin — Bin sual eylese bir tünd cevap etmez idin. — Fehim›.

alüftegân, *F. i.* [Alufte-gân] Namussuz kadınlar.

alüftegi, F. i. Düşkünlük.

alül'âl, A. s. [Âl, ulüv'den] Yücelerin yücesi, en yüce.• «Zatın adi azametten dahi balâter iken — Sana bir pâye midir mertebe-i âl-ül-âl. — Şinasi».

âm, A. i. Yıl.• Âm-ül-Fil, (Fil yılı) Habeş'li Ebrehe'nin 12 rebiülevvelde Mekke'ye hücumu :• «Bu ane gelince ki sene selâse ve selâsune ve mietü elf âmpür-nevalidir. — Salim».

A. M. Peygamberler adından sonra söylenen «aleyhisselâm» duasının yazıda kısaltılmışı.

am, amm, A. s. [Umum'dan] Genel, herkesin olan.• «Yüz tuttu ana ki feyz-i âmı. — Çekmiş bu medara subh ü şamı — Fuzulî».

âm, A. s. Bk. Amm.

amâ, A. i. Körlük, görmezlik.• Amâ-yi mutlak, (Tas.) Yaratılışın ilk basamağı. «Agraz-ı nefsaniye dide-i idrak ve intibahlarına perdekeş-i amâyi isabet olmağın. — Raşit».

a'mâ, A. s. Kör. Âma. «Veli ne sûd ki sahib-nazar değil â'ma — Fuzulî».

amaç, F. i. Amaç, ulaşılacak yer. «Tir-i tîz rezminin amacıdır ruz-i mesaf. — Nazîm».

amacgâh, F. i. [Amac-gâh] Nişanın konduğu yer, nişan yeri :• «Bu dört muhtelif rüzgârın nokta-i tesadümü olan şu fırtına amacgâhında kalbimi. — Uşaklıgil».

amaik, A. i. (Ayın ile) [Amik ç.] 1. Derin yerler. 2. İnce meseleler.

âmade, F. s. Hazır.• «Bir dil-i bitab ile bin gamzeye âmadeyim. — Nailî». «Bazan da asman yere âmade-i sukut. — Fikret».

âmadegî, F. i. Hazır olma, hazır bulunma.

amaim, A. i. [İmame, ammame ç.] Sarıklar.• «Erbab-i amaim üzre takdimi mülâyim görülüp. — Sadettin».

amair, A. i. (Ayın ile) [İmaret ç.] 1. Bayındırlıklar. 2. Yoksullara yiyecek veren kurullar.• Amair-i hayriyye, hayır yerleri.

a'mak, A. i. [Umk ç.] Derinlikler. «Benzer derinliğin senin â'mak-i fikrete. — Fikret».

a'mal, A. i. (Elif ve ayın ile) [Amel ç.] 1. İşler; 2. Yapılan, uygulanan şeyler; 3. Bir kent veya kasabaları. A'mal-i erbaa (Mat.) Dört işlem; a'mal-i rüsül, Havarilerin hareketleri; a'mal-i saliha, (ahiret için) hayırlı işler; defter-i a'mal, bütün yapılanların defteri; kâtib-i a'mal, insanın dünyada işlediklerini yazan melek. «Defter-i a'malimin hattı hatadandır siyah — Kan döker çeşmim hayal ettikçe hevl-i mahşeri. — Fuzuli». — «Bağdat a'malinden. — Raşit». — «Bir gün a'mal-i erbaaya dair bir makale gelse. — Uşaklıgil».

âmal, A. i. (A ile) [Emel ç.] Emeller, istekler.• Ashab-i âmal, emel sahipleri, halkın ihtiraslı kısmı;• vâhib-ül âmal, istekleri veren (Tanrı).

• (Ed. Ce.) Âmal-i aşk ve garam,• - bâl,• - tantana ve servet,• - şebabet,• - visal,• - zindegî,• bikr-i âmal,• défine-i âmal,• ebvab-i âmal,• medfen-i âmal-i zinde,• pürâmal,• ref-i âmal,• ruh-i âmal,• saha-i âmal,• serir-i âmal,• sine-i âmal,• subh-i sukut-i âmal,• şems-pâre-i âmal,• tecerru-i âmal.• «Cünbüş-geh-i sâfiyyeti âmal-i visalin. — Fikret».

Amalika, A. ö. i. Çok eski zamanlarda Sina yarımadası böglesinde yaşadığı sanılan ve acaiplikleriyle ün almış bir kavim :• «Şeklen dahi kabih-ül-manzar bekaya-yi Amalika'dan zannolunur bir arîz-ül-vesayid — Naima».

a'mam, A. i. (Elif ve ayın ile) [Amm ç.] Amcalar :• «Kahraman veya Kantemir Mirza bir taraftan ve ebna-yi a'mamından Selman Şah Mirza bir taraftan. — Naima».

aman, eman, A. i. (Elif ile) 1. Korkusuzluk, eminlik; 2. Bağış, bağışlama.• «Neşesinden biraz aman bularak. — Fikret».

a'mar, A. i. (Elif ve ayın ile) [Ömr ç.] Ömürler.• A'mar-i beşer, insanların ömürleri.• «A'mar-i beşer her dem her lâhza bulur noksan. — Recaizade».

amari, amariye, A. i. Deve üstündeki mahfe.• «Kaçan ki halifenin amarisi ile gelsin. — Taş.».

amd, A. i. (Ayın ile) Bilerek ve istiyerek yapma.

amden, A. zf. (Ayın ile) Bilerek, isteyerek. Hesaplayarak.• «Etti amden kenduyü pertab-i çengâl-i ukab. — Fehim».

âmed, F. i. 1. Gelme, geliş. 2. Gelen, giren. 3. Hükümet merkezinde bulunan il memuru.• Amed ü süd, gelip gitme,• Hoşamed, seramed (Bk.).

Amed, Amid, ö. i. (A ile) Diyarbakır kenti.

âmedî, F. s. «Ametçi» denilen ve saray ile Babıâli arasındaki haberleşmeye memur olan daire başı, bu daire ve buradaki kâtipler.• Hoşamedi, karşılama ve karşılamada söylenen söz : «Bir gözü daima Amedî Odasının anahtar deliğine yapışıktır. — Cenap».

âmediyye, i. s. (Türkçeden yapılmıştır.) İçeri giren maldan alınan gümrük vergisi. (Karşıtı : Reftiyye).

amedreft, F. s. Geliş gidiş.

amedşüd, F. s. Geliş gidiş. «Âmed şüde kalbi şahran et. — Recaizade».

amel, A. i. (Ayın ile) 1. İş. 2. Uygulama, meydana çıkarma. 3. Din emirlerini yerine getirme işi. 4. Sürgün, iç sürmesi. 5. Vali. (ç. A'mal).• Amel-i bâtıl, gerçek olmayan, boş iş;• - salih, yarar iş (ikisi de din işleri hakkında kullanılır).• Düstur-ül-amel, işlerde uygulanması gerekli örneklik formülü;• ilm ü amel, bilgi ile iş, teori ile pratik; su-i amel, kötü iş;• amele getirmek, sözden iş haline getirmek, uygulamak. «Eyle ilminle amel ta olmaya sâyın heba. — Sümbülzade».

amele, A. i. [Âmil ç.] İşçi. Irgat, rençper.• «Taşçılar ve sair muktezi olan amele cem ve. — Raşit».

ameli, ameliyye, A. s. 1. Pratik, iş olarak. 2. Yapma, yapılma, yapılarak.• Hikmet-i ameliyye pratik felsefe, etika.

ameliyat, A. i. 1. Bir bilgi veya fennin uygulanan şekli (Karşıtı nazariyyat). 2. Cerrahlık, operatörlük.• Ameliyyat-i cerrahiyye, ameliyat;• - turabiyye, toprak işleri, toprak düzeltme.• «Gerek nazariyatta gerek ameliyatta dünyanın en meşhur generallerinden olur. — Kemal».

amelmande, F. s. i. [Amel-mande] 1. İsten kalmış, işlemez. 2. Yaşlı veya sakat insan.• «Mezbur Nuh Paşa bir ihtiyar amelmande adam olmakla. — Naima».

amelnüvis, F. i. [Amel-nüvis] İş yazar. (Fransızcadan ergographe karşılığı, XIX. yy.).

âmenna, A. zf. İnandık, evet öyle, diyecek yok.

a'meş, A. s. (Elif ve Ayın ile) Gözü yaşlanıp durmadan akan.• «Suver-i esnam-i bi-endama nigeran olmaktan alil ve a'meş olan dide-i eşkbar. — Veysî».

âmid, A. s. (Ayın ile) [Amd'den] Bilerek ve isteyerek yapan.• «Lâkin ehl-i Amid zapt-i hisara âmid olup. — Sadettin».

Âmid, Âmed, Ö. i. Diyarbakır kenti. • «Âmid o şehr-i nur övünsün ilelebed. — Beyatlı».

a'mide, A. i. (Elif ve ayın ile) [Amud ç.] 1. Direkler. 2. Ulular.• «Cevf-i Beytullah'ta olan a'mide-i şerifeleri dahi. — Naima».

âmihte, ?. s. (A ve hı ile) Karışık, karışmış.• «Edip âmihte huşk ü ter ü germ ü serdi — Çar rükn üstünde yapmış bu binayı üstad. — Nabi».

amîk, amika, A. s. (Ayın ve kaf ile) [Umk'tan] 1. Derin. 2. (Mec.) İnceden ince.• «Veznim sesin olsaydı, neşidemde bulurdum — Şi'rin daha hiç duymadığı lâhn-i amîkı. — Cenap».

amikane, F. zf. [Amik-ane] Derinden derine.• «Vaki olan tecarib-i amikaneleri saika-i faikasiyle ittihaz buyuracakları. — Kemal».

âmil, A. s. [Amel'den] 1. Yapan, işleyen. 2. Yapan, yapıcı. 3. Vali. 4. (Arapça gra.) Bir kelimenin hareketini idare eden kelime.• «İlm-i fakrî ile olup âmil — Terk-i milk-i Efrasyab ettim. — Fehim».

amim, A. s. [Umum'dan] Genel.• Amim-ül-ihsan, bağışı, bahşişi genel olan.• «Bu kadar ancak olur feyz-i amîm. — Nef'i».

amin, A. s. (Elif ile) [Emn'den] Yüreğinde korku olmayan. Eminlik içinde olan.

âmin!, A. ü. Öyle olsun, Tanrım, kabul et!• «Belâlardan emin olsun cihanda — İlâhi izzetin hakkıyçin âmin. — Baki».

aminen, A. zf. [Emn'den] Sağ ve esen olarak.

âminhan, F. s. [Âmin-han] Aminci, âmin diyen, hiç bir şeye ses çıkarmayan.• «Bu duaya oldu âminhan cihan.»

âmir, A. s. (A ile) [Emir'den] 1. Buyuran, buyurucu. 2. (i.) Memurun üstü, büyük memur.• Âmir-i mücbir, zorla kötülük yaptırabilen kimse.• «Şaye-i Hak hâmi-i din-i mübin — Âmir-i mutlak emîr-ül-müminîn. — Naci».

âmir, âmire, A. s. (Ayın ile) [Umran'dan] 1. Bayındır. 2. Müslümanların olan kolayca ekilebilir halde bulunan (toprak). 3. Halk bulunan, şenlik yer. 4 Devlete ait, devlet arazisi.● *Arazi-i âmire*, iyi işlenmiş toprak;● *bilad-i âmire*, bayındır kentler.● *Darphane-i âmire*, para basılan yer;● *Hazine-i âmire*, devlet hazinesi; *Istabl-i âmire*, saray ahırı;● *Matbaa-i âmire*, Devlet basımevi;● *Matbah-i âmire*, saray mutfağı;● *Tersane-i âmire*, Devlet gemi yapımevi;● *Tophane-i âmire*, devlet top dökümyeri.

âmirane, *F. zf. s.* 1. Âmire yakışır yolda. 2. Emrederek.● ‹Bir seyf-i âmirane parıldar : — Selâm dur! — Fikret›.

âmiriyyet, *A. i.* Âmirlik, buyuruculuk :● ‹Sonra âmiriyetini takınarak metîn bir sesle. — Uşaklıgil›.

amirziş, *F. i.* Tanrı bağışı. Bağış.● ‹Ye's-i küfr olmasa ol denlû günehkârım kim — Kendi amirzişimi eyler idim istib'ad. — Nabi›.

âmirzkâr, *F. i.* Bağışlayan Tanrı. Bağışlayan. Affeden.

amiyane, *A. zf.* Âdice, bayağı.● ‹Umur-i hariciye ve ahval-i hükûmcti bilmek değil mecliste amiyane müsahabeti dahi bilmeyip. — Naima›.

amiyya, amya, imîyya, immiya, *A. zf.* Görmeyerek, düşünmeyerek. Bk.● *Alelimmiya.*

-âmiz, *F. s.* ‹Karışık, karışmış› anlamıyle tamlamalar yapılmada kullanılır.● *Fecramiz,*● *hikmetamiz,* Bk.

amiziş, *F. i.* Geçinme, kaynaşma.● *Hüsn-i amiziş,* iyi geçinme, düzen;● *amiziş-i şîr ü şeker,* sütle şekerin kaynaşması. (Mec.) Düzgün geçim.● ‹Kurup bir barigâh-i sun' lûtf ü kahrdan memzuc — Verip ezdada amiziş komuş namın anın dünya. — Nabi›.

âmm, âmme, *A. s.* [Umum'dan] 1. Genel. 2. Herkesin olan. 3. Âdi, bayağı.● *Ders-i âmm,* müderrisin (profesörün) herkese açık dersi;● *harc-i âmm,* herkesçe elde edilebilecek, yapılacak biçimde ucuz ve bayağı,● *hass u âmm,* seçkinler ile halk,● *ism-i âmm,* cins ismi;● *katl-i âmm,* kırım, ayırtsız öldürme;● *nefîr-i âmm,* ahaliden toplanan düzensiz asker;● *tarik-i âmm,* herkesin geçmek hakkı bulunan sokak.● ‹On beşinci gün oldukta tamam — Ettiler nimet için dâvet-i âmm. — Nabi›.● ‹Birkaç zamandan beri rağbet-i âmmeden mehcur olduğu cihetle — Recaizade›.

amm, *A. i.* Amca.● *Bint-i amm,* amca kızı; ● *ibn-i amm,* amca oğlu,● *zevce-i amm,* yenge, amca eşi.● ‹Ana binaen fakire ve ammimiz Mehmet Çelebiyc tarab-künan ve kinaye tarikıyle sorardı. — Naima›.

amma ba'du, *A. b.* Ama bundan sonra (duadan sonra kullanılır).

ammal, *a. ç. i.* 1. Yapıcılar. 2. Devlet idare adamlarından ileri gelenler.● ‹İşte ben vülât ve ümena ve ammaldan sâdir olan teklifatı cümleten refeyledim. — Naima›.

ammame, *A. i.* Bk. *İmame.*

ammamedar, *F. s.* Sarıklı.● ‹Başında bir iki pîr-i ammamedar-i güzin. — Fikret›.

ammat, *A. i.* (*Ayın* ile) [*Amme* ç.] Halalar, baba kız kardeşleri.● ‹Tezvic-i âmmat-i mutahharat-i Padişahî — Naima›.

amme, *A. s.* (*Ayın* ile) 1. Genel, umuma ait. 2. Halk.● *Umur-i amme,* amme, halk hukuku.● *Umur-i amme,* genel işler, halk işleri.● ‹Amme-i halkı kenduya aduv etmişler idi. — Naima›.

amme, *A. i.* Hala, babanın kız kardeşi.

amme, *A. i.* Kuran'ın 78. suresi.● *Amme cüzu,* bu sureden meydana getirilmiş küçük kitap, Elifbe'den sonra okunurdu.● ‹Çün cemalinden Nesimi ebcedi kıldı tamam — Ayn ü mimin ammesinden erdi vessafatına. — Nesimi›.

ammeten, *A. zf.* Genel olarak. Hepsi birden.● ‹Divan-i Mısır'ın mansıp ve hidematı ammeten kendülere verilmesini ilhah ettiklerinde. — Naima›.

âmmî, *A. s.* Halka ait, seçkinlerin olmayıp herkesin harcı olan, bayağı.● ‹Bana âmmi diyen bâtıl ne herze yer köpek cahil — Edepte ol dahi zu'munca sahib-tab'ü molladır — Nefi›.● ‹Bir âkıl adam kıyas eyledim sen hod âmmî imişsin. — Süheyli›.

amud, *A. i.* (*Ayın* ile) 1. Direk, sütun. 2. (Geo.) Dikey. (ç. A'mide).● *Amud-i fıkari,* omurilik.● ‹Bakın nasıl tütüyor : bir amud-i mevce-nümud — Ağır ağır çıkıyor cevv-i bitenahiye. — Fikret›.

amuden, *A. zf.* Dik olarak, boyuna.

amudî, *A. s.* Dik olan, dikey bulunan. Dikey.

amuhte, *F. s.* (*A* ile) Öğrenmiş.

amuhtegân, *F. ç. i.* Öğretmenler.● *Amuhtegân-i ezel,*● *- ezelî,* peygamberler ve ermişler.

Amuriyye, *A. i.* Ankara kenti.

-amuz, *F. s.* Öğretici, öğrenci.● *Edebamuz,* edep öğreten;● *hikemamuz, hikmetamuz,* hikmet öğreten.

amuzgâr, amuzkâr, *F. i.* Öğretmen. ‹Padişah-i merd-i hıredmend ü huşyar ve sahip tecrübe vü amuzkâr idi. — Hümayunname›.

amuziş, *F. i.* Öğretme.

an, *A. i.* 1. Az bir zaman. 2. Göz açıp kapayıncaya kadar olan kısa zaman.● *An-i vâhid,* çok kısa zaman,●·*el'an,* Bak. (ç. Anât). (Ed. ce.)● *An-i ferd,*● - *hoşgüzeşte,*● - *mağlûbiyet,*● - *mücadele,*● - *sekerat,*● - *semenfam,*● - *visal.*● ‹Geçebilseydi bi-emel bir an. — Fikret›.

ân, *F. i.* Güzellik,● *Hüsn ü ân,* güzellik, çekme kuvveti.● ‹Eyledim hüsn ü anına iman — Görmeden aşikâre didarın. — Recaizade›.

an, *F. s.* Şu.● *İn ü an, an ü in,* şu bu.● ‹Çobanın haline haset ki odur — Fâriğ-i in ü an ü bûd nebûd — Recaizade›.

-an, *F. e.* 1. Çoğul edatı. *Şah-an,* şahlar;● *zen-an,* kadınlar; 2. Sıfat edatı.● *Hıras-an,* korkak; 3. Zarf sıygısı● *gûy-an,* söyleyerek.

an, *A. e. (Ayın ile)* Başına eklediği kelime veya terkibi -den haline koyar.● *An asıl,* aslından;● *an cehlin,* bilmeyerek;● *an-il-gıyab,* hazır olmadan, görmeden veya tanımadan,● *an karib,* yakında;● *an kasdin,* isteyerek bile bile;● *an samim,*● can ve gönülden;● *an yedin,* elden ele.

âna', *A. i.* [Ani ç.] Geceyarıları.

ana', *A. i.* Yorgunluk, zahmet.● *Renc ü anâ,* yorgunluk ve eziyet.● ‹Felektir ol ki eder bir sabi masumu — Pelaşpuş-i mihen gehvare-bend-i anâ. — Ziya Pş.›.

a'nâ, *A. ç. i.* 1. Yönler. 2. Topluluklar.

a'nab, *A. i.* [İneb ç.] Üzümler.

anadil, *A. i. (Ayın ile)* [Andelib ç.] Bülbüller.● ‹Anadil etti beyan-i meratib-i nagamat — Kumar oldu teranekeş ü sürud-i senâ. — Fuzuli›.

ânaf, *A. i.* [Enf ç.] Burunlar.

a'nak, *A. i. (Elif ve ayın ile)* [Unk ç.] Boyunlar.● ‹Bunların bed-dualarını hanginiz ilâve-i ma fil-a'nak ediyorsunuz dedikte. — Naima›.

anakib, *A. i. (Ayın ve kef ile)* [Ankebut ç.] Örümcekler.● ‹Bi-cürm iken gıda-

yi anakib olur meges. — Ziya Pş.›.● ‹Evrak-i mezkûreyi nesayic-i anakib-i nisyan içinde bulup. — Cevdet Pş.›.

anan, *A. i.* [Anane ç.] Bulutlar.

an'ane, *A. i.* 1. Hadis ve buna benzer yolda din buyuruklarının ‹*an filân an filân:* (filandan, filandan) diye kimlerden geldiğini sıralama. 2. (Mec.) Bir söylentiyi inceden inceye araştırıp anlama. 3. Gelenek.

anane, *A. i.* Bulut.

ananet, *A. i.* Cins güçsüzlüğü, cinsel yanaşma gücü olmama.

ananevi, *A. s.* Gelenekle ilgili, geleneksel.

ananeviyye, *A. i.* (Fel.) Fransızcadan *Traditionalisme* (Gelenekçilik) karşılığı (XX. yy.).

anasır, *A. i.* [Unsur ç.] Unsurlar.● *Anasır-i erbaa,* çar anasır, dört unsur (ateş, hava, su, toprak).● ‹Ayâ nice devr ede bu çar anasır. — Ruhi›.

an asl, *A. zf.* Aslından, aslında. Kökü bakımından.

ânât, *A. i.* [An ç.] Zamanlar. Anlar. (XX. yüzyılda *nuances* karışlığı olarak kullanılmıştır.)● ‹Kurdun bize ânat-i ziyadan — Hissiyet-i ebkâr ile âraste bir çenk. — Cenap›.

anbean, *F. zf.* [An-be-an] Gittikçe, zaman ilerledikçe. ‹Eyler yüzü anbean tegayyur. — Fikret›.

anber, *A. i. (Ayın ile)* Amber. 1. Hind denizinden adabalığı (kaşalo) denilen bir balığın midesinden çıkarılma güzel kokulu kara madde. 2. (Mec.) Güzel koku. 3. Güzelin saçı.● *Amber-i sara,* Arı amber : ‹Hatt-i miskinin lebinde anber-i sarâ satar — Rühlerin reng-i muhabbet benlerin sevda satar. — Hayalî›. ‹Micmer-i zerle gelip anber ü ûd — Eyledi haymegehi ıtr-alûd — Nabi›.

anberbar, *F. s.* [Anber-bar] 1. Amber yağdıran, güzel koku saçan. 2. Kokulu. ‹Ve kilk-i anberbâr-i bedavi-nigârı envar-i belâgatten mugtriftir. — Sadettin›.

ânberbû, *F. s.* [Anber-bû] Amber kokulu. (i.) Güzel kokulu Hint pirinci. ‹Kemal-i ziyb ü ferle yaptı bu sahilserayı kim — Havası dilküşa âbı musaffa hâki anberbû. — Nedim›.

anberfâm, *F. s.* [Anber-fam] Anber renkli.● ‹Lebin busun zaman-i hatt-i anberfâm için saklar — Acep nazıklık eyler bâdesin akşam için saklar. — Nedim›.

anberefşan, anberfeşan, *F. s.* [Anber-efşan] Amber saçıcısı. «Cemal-i yâra hal-i dilkeş-i anber-feşan kondu. — Ziya Pş.».

anberi, anberiye, *A. s.* Amber ile ilgili, amberli.

anberi, *F. s.* Amber karışığı, amber kokulu.

anberîn, *F. s.* Amberli, kokulu. «Her nokta-i hub-ı anberîn — Hal-i siyeh-i izar-i mâni. — Ünsi».

anberiye, *A. i.* Amber karışığı içki, şerbet. «Sahba-yi lâ'l-fâm değil anberiye bu. — Beliğ».

anbernisar, *F. s.* [Anber-misar] Amber saçan. «Ki ettikçe teneffüs âleme anbernisar oldu. — Recaizade».

anbernisari, *F. i.* Amber saçıcılık : «Yine kıl deste alıp kilk-i carî — Gülâbefşani vü anbernisari. — Atayî».

anbersirişte, *F. s.* [Anber-sirişte] Amberle yoğrulmuş : «Anbersirişte hakine baksan ne veçhile — Ervah-i fevc fevc-i' rüsül rûymal eder. — Nailî».

anbersuz, *F. s.* [Amber-suz] Amber yakan. «Bak ruh-i pür-âline i'caz-i hüsn-i yârı gör — Nailî hassiyet-i ateş ki anbersuzdur. — Nailî».

anberşemim, *F. s.* [Anber-şemim] Amber kokulu. «Nesim-i anberşemim-i insaf bir kenarını tahrik eylese. — Nergisi».

andelib, *A. i.* Bülbül. (ç. Anadil) : «Şehname-hanlık eyledi Keyhusrev-i güle — Destansera-yi sebz ü bahar oldu andelip. — Nailî».

andeliban, *F. i.* [Andelib ç.] Bülbüller. «Andeliban-i hoş-elhan-ı gülistan-i sena — Ederler medhin ile hoş nagamat-i rengin. — Baki».

-ane, *F. e.* İsimleri sıfat ve sıfatları da zarf şekline sokan edattır. Sesli harflerle biten kelimelere *-yane* şeklinde ulanır. «Yakışacak surette, -ce» anlamı verir.

- acemane   eblehane
- âcizane   edibane
- aculâne   faalâne
- ahkarane   fakirane
- ahmakane   fâtihane
- ahrarane   gulâne
- ahuvane   hâkimane
- âkılâne   hakîmane
- âmirane   -kârane
- amiyane   maderane
- bahadırane   muzafferane

beligane   münfcilâne
beşuşane   -perverane
bihaberane   sadıkane
biraderane   sakitane
caniyane   tıflane•

Özel isimlere katıldığı zaman «Onun üslûbu, yolu» anlamındadır.• *Bakiyane, Hâmidane, Nabiyane, Nedimane.*

ane, *A. i.* (Ana.) Kasık.• «Seravili anesine düştü. — Taş.».

anede, *A. i.* [Anud ç.] Pek inatçılar.• «Lâkin cemiyet-i anede-i Kureyş safbeste-i mümanaat oldukları takdirde. — Naima».

anenfeanen, *A. zf.* Gittikçe, gitgide, zamanla.• «Hal-i civanî açar açmaz kurur bir çiçek gibi anenfeanen mütegayyir olup. — Y. Kâmil Pş.».

anh, anha, anhüm, anhüma, *A. zf. (Ayın ile)* «An hü» edatının münenes, tesniye ve çoğul biçimleri. «Ondan, onlardan, ona, onlara» anlamınadır. Çoğu defa *radiallah* sözü kullanılır.• *Anha, minha,* şu bu, öte beri ederek, kısaca, netice.• «Anha minha bir harika-i muvazenedir. — Cenap».

âni, *A. i. ve s.* 1. Âciz. Güçsüz. 2. Esir. tutsak. (ç. Unat).

ani, *A. s. (A ile)* Bir anda, ansızın olan. «Anî bir üzüntüyle bu rüyadan uyandım. — Beyatlı».

a'ni, *A. bağ, (Elif ve ayın ile)* Yani.• «Pes bu dünyayı dahi' a'ni yeryüzünü hem enva-i mahlukundan hali komayıp. — Marifetname».

anîd, *A. s.* [İnad'dan] İnatçı.• «Aksine devr etmeden asudedir çarh-i anîd. — Fehim».

anidane, *F. zf. (Ayın ile)* [Anid-ane] İnatçılara yakışır yolda.• «O heyet-i samıta-i anidanesiyle. — Uşaklıgil».

ânif, ânîfe, *A. s.* [Unf'tan] Sert, kaba, katı.• «Anif sademe-i gulânesiyle bir kuvvet. — Fikret».• «Hilâf-i esas teklifat-i anîfeden feragat etmeleri. — Raşit».

ânif, ânîfe, *A. s.* Pek yakın geçmişte, biraz önce.• *Ânif-ül-beyan,*• *ânif-üz-zikir,* az yukarıda bildirilen, geçen.• *ifadat-i ânîfe,*• *madde-i ânîfe,* yukardaki ifadeler, yukarıdaki madde.

ânifen, *A. zf.* Az yukarıda, demincek.• «Ve ânifen tafsil-i ahvalinden mesmu olduğu üzere. — Raşit».

Anka *A. i.* 1. Kafdağında bulunduğu söylenen masal kuşu. 2. (Mec.) Adıvar

F. : 3

kendi yok şey. 3. (Tas.)• *Ankay-i lâ-mekân*, Tanrı.• *Anka-meşreb*, minnet-siz.• ‹Emn ü rahat Anka-yi Mağrip gibi çeşm-i halktan nihan olur. — Sil-van›• ‹Anka ile serçe ne mümkün — Bir sahada olsun mütekarin. — Fik-ret›.

an karib, *A. zf.* Yakında.• *An karib-üz-zaman*, yakın vakitte.• ‹Mumdur mülk-i cihan sana duam ol ki hemen — An karib eyleye Allah müyesser hatem. — Baki›.

an kasdin, *A. zf.* Bile bile, isteyerek.• ‹An kasdin tutamadı, padişaha ihanet etti diye. — Naima›.

ankebut, *A. i.* (Farsçada *ankebud* yazılır.) Örümcek.• *Beyt-i ankebut*,• *târ-i ankebut*,, örümcekağı.• *Sure-i ankebud*, Kuran'ın 29. suresi.• ‹Binlerce enkebut-i siyehmest ü gecnigâh. — Fikret›.

ankebuti, *A. s.* (Ana.) Örümceksi.

ankebutiyye, *A. i.* (Zoo.) Fransızcadan *Arachnides* (örümcekler) karşılığı (XX. yy.).

an nakdin, *A. zf.* Nakit para olarak.• ‹Ve baki dört yüz doksan yedi kesesi an nakdin hazineden tekmil olundu. — Raşit›.

an samim, *A. zf.* ‹Özünden, içinden› anla-mınadır.• *An samim-il-hal*,• *an-samim-il-fuat, an samim-il-kalp*, tâ yü-rekten, can ve gönülden.• ‹Asker an samim-il-kalp yapışmadıklarından ma-ada. — Naima›.

ansar, ensar, *A. i.* [Nâsır ç.] 1. Yardım-cılar. 2. Muhammet peygamberi Me-dine'ye çağırıp onun hizmetinde bulu-nanlar. Hicretten önce Müslüman olan Medineliler.• ‹Böyle kale-i müstahke-mede fârig-ul-bâl oturup a'van ve an-sarın seni böyle bir varta-i helâke düş-mekten. — Veysi›.

ansarî, *A. i.* (*Elif* ile) Ansardan olan kim-se.

anter, *A. i.* (Zoo.) Fransızcadan *Calliphore* (mavi-sinek karşılığı (XIX. yy.).

anud, *A. s.* [İnad'dan] İnatçı.• *Nemrud-i anud*, çok inatçı.

anve, *A. i.* (*Ayın* ile) Kuvvet. Zor. *Anveten*, zorla.• ‹Kılıç çaldı aduva anve-ten feth eyledi anı. — Ziya Pş.›.

anz, *A. i.* (*Ayın* ile) Geyik, keçi, gazal... gibi hayvanların dişisi.• ‹Bir kimesne bri anze zaferyap olup. — Silvan›.

âr, *A. i.* 1. Utanılacak şey, ayıp. 2. Utan-ma,• *âr-i namus*, namus utanması,•

âr ü *namus*, utanma ve namus.• ‹Hâk olur karşısında ârından. — Fikret›.

ara', *A. i.* (*A* ile) [Rey ç.] Oylar, fikir-ler.• *Ekseriyet-i âra*, oy çoğunluğu;• *ittifak-i âra*, oybirliği.• *Ara-yi umu-miye*, genel oy.• ‹Gamın vücudunu kimse eylemez ispat — Karîn sübut-i ferah ittifak-i âraya. — Şerif›.

-ârâ, *F. s.* ‹Bezeyen, donatan, süsleyen› anlamlarıyle birleşikler meydana geti-rir.• *Âlemâra*,• *çeşmarâ*,• *dilâ-ra*,• *meclisâra*,• *nazarâra*,• *suhanâra*.

ârâb, *A. i.* Vücut üyeleri.• *Ârab-i seb'a*, Bak.
yedi üye (Alın, eller, dizler, aykalar). 2. Akıl, zekâ. 3. Hile.

Arab, *A. i.* 1. Arap yarımadası halkı ve o o soydan olan, 2. Kara, zenci.• ‹Türk ü Arab ü Acem'den eyyam — Her şaire vermiş idi bir kâm. — Fuzuli›.

A'rab, *A. i.* [Arab ç.] Araplar. Çöl Arap-ları, göçebeler.• ‹Rumdan leşker va-ruptur sanki A'rab üstüne. — İbni Ke-mal›.

arabat, *A. i.* (Araba ç.) Arabalar.

A'rabi, *A. i.* Çöl Arabı, göçebe Arap.

Arabî, Arabiye, *A. s.* 1. Araplara ait, araplarla ilgili. 2. Arapça, Arap dili.• ‹Cehren Arabi dua ile meclise hitam verdikten sonra. — Raşit›.

Arabistan, *F. i.* Arap ili :• ‹Arabistan'a gelince : vakıa orada yarı bir lisan söy-ler ve kendini ayrı bir cinsten addeder milyonlar iel nüfus vardır. — Kemal›.

Arabiyyat, *A. i.* [Arabiyyet ç.] Arap ede-biyatı.• ‹Tarz-i kelâmı arabiyyat üzre tarh edip. — Hümayunname›.

arabiyye, *A. s.* Araplara ait, araplarla ilgi-li.• *Şuhur-i arabiye*, arabî ayları (mu-harrem, safer rebi-ül-evvel, rebi-ül-ahir, cemazi-el-evvel, cemazi-el-ahır, recep, şaban, ramazan, şevval, zi-l-ka-de, zi-l-hicce).

arabiyyet, *A. i.* 1. Arap diliyle ilgili bilim-ler, kitaplar, fikirler, 2. Arap edebiya-tı.• ‹Cebrail mâna-yi mezburdan lû-gat-i Arap ile tâbir edip ve ehl-i sema dahi arabiyyet üzre kıraat eyleyeler. — Taş.›.

a'raf, *A. i.* [Örf ç.] 1. Örfler, âdetler. 2. Sırt, tepe, yükselti. 3. Cennet ile Ce-hennem arasında bir sırt, tepe.• *As-hab-i a'raf, ashab-ül-a'raf*, arafta du-ranruhlar;• *sure-i a'raf*,• *suret-ül-a'raf*, Kuran'ın 7. suresi.

Arafat, A. i. (Ayın ve te ile) [Arefe, arife ç.] 1. Âdem ile Havva'nın cennetten çıkarıldıktan sonra ilk buluştukları ve Mekke doğusunda bulunan tepe. 2. Hacca gidenlerin arife günü toplandıkalrı yer.● ‹Arsa-i Arasat ve mevki-i Arafat gibi her yeri mecma-i ehl-i safa. — Lâmii›.

a'rafiyan, F. i. Araftakiler.● ‹Hususa gümkerde-râhan-i manend-i a'rafiyan bergeşte sâman. — Sümbülzade›.

araik, A. i. (Ayın ile) [Arike ç.] 1. Tabiatler. 2. Ahlâk.

arais, A. i. (Ayın ve sin ile) [Arus ç.] Gelinler.● ‹Hava arais-i gülzara olup çehre-küşa›.

araiz, A. i. [Arize ç.] Üst kimse veya yere yazılan yazılar.

a'rak, A. i. [Irk ç.] 1. Kökler. 2. Damarlar.● ‹Şerif-ül-ahlâk, kerim-ül-a'rak. — Naima›.

arak, A. i. (Ayın ile) 1. Ter. 2. Rakı.● Arak-i cebin, alın teri.● - infial, fena bir heyecan sonunda terleme.● araknuş, rakı içen.● ‹Düşse zülfünden arak ruhsar-i cânan üstüne — Gûyya şebnem düşer gülberk-i handan üstüne. — Baki›.

arakçin, F. i. [Arak-çin] Kavuk altına giyilen takke.● ‹Padişah hazretleri bir havuz kenarında zer-endud bir visadeye alâcanibihi ittikâ edip sadece arakçin ile bi-iktirab oturur imiş. — Naima›.

arakî, arakiye, A. s. Ter ile ilgili.

arakiyye, i. Tiftikten, ince külâh ,takke.● ‹Koyundan bir arakıyye çıkarıp. — Sadettin›.

araknâk, F. s. [Arak-nak] Terlemiş, tere batmış.● ‹Oldukça aranâk ruh-i pürtâbın — Gör cilvegehin şule içinde âbın. — Fehim›.

arakriz, F. s. [Arak-riz] Terleyen, terdöken.● ‹Biçareyi arakriz-i zahmet eylemeye başlamış idi. — Recaizade›.

arakrizi, F. i. [Arak-rizi] Terleme. ‹Amma henüz arakrizi-i bâr-i imtinandan rehayab olmamış idi. — Naima›.

âram, F. i. Dinlenme, rahat etme. 2. Durma.● Ârâm-i can,● -dil, canın, gönlün rahatı, yani sevgili, sevilen güzel.● Bilâ âram, durup dinlenmeden, rahat etmeden.● ‹Görüyor gözlerim meleklerle seyr ü âramın semada. - Recaizade›.● ‹Bana her bir nigehin mâye-i âram-i

can olsun. — Nedim›.● ‹Sadakatle hâsıldır âram-i dil. — Naci›.● ‹... Pürvekâr ü bîâram — Efendiler geçiyor. — Fikret›.

ârambahş, F. s. [Âram-bahş] Dinlendiren, dinlendirici.● ‹Ârambahş-i hâtır olur bir makam bul — Naci›.

âramcu, F. s. [Âram-cû] Dinlenmek isteyen, dinlenme arayan.● ‹Arar sevdiğim can-i âram-cu — Naci›.

âramcuyane, F. zf. Dinlenme istiyene uygun şekilde, dinlenme ister gibi.● ‹Nigâh etti bana biçare pek âramcuyane›.

âramcuyi, F. i. Dinlenme isteği.● ‹Daima bitap olan âramcuyi gösterir›.

âramgâh, âramgeh, F. i.● [Âram-gâh] Dinlenme yeri. ‹Adnan Beyin yalısına girerken gaye-i hayalinin âramgâhına giriyormuşçasına. — Uşaklıgil›.● ‹Aramgeh-i mürg idi derler ser-i Mecnun — Meydan-i muhabbette ne başlar yuvalandı. — Baki›.

âramgüzin, F. s. [Âram-güzin] 1. Dinlenen. 2. Rahatça oturan.● ‹Âramguzin-i mehd-i safa bir sabî-i şîr-harenin. — Recaizade›.

âramî, F. i. Dinlenme hali, rahat etme.

âramide, âramide, F. s. Dinlenmiş, durgun rahatta bulunan.● ‹Can murgu âremide değil remidedir. — Hayali›.

âramiş, F. i. Dinlenme, dinleniş.● ‹Birden bu âramiş-i sükûnu yırtan bir ses, bir düdük sesi. — Uşaklıgil›.

âramkünan, F. s. [Âram-künan] Dinlenerek.● ‹Sensiz geceler elde mey-i nab da olsa — Aramkünandır bize mehtap da olsa — Mailî›.

âramrüba, F. s. [Ârm-rüba] Rahat kaçırıcı.

âramsaz, F. s. [Âram-saz] Dinlenen, oturan.

âramsuz, F. s. Rahat giderici, tedirgin eden.● ‹Sevdiğim bu aşk-i âramsuz ile halim pek yaman›.

âramzar, F. i. [Âram-zar] Dinlenecek yer. ‹Olmuş âramzar-i bûm ü gurab. — Fikret›.

ar'ar, A. i. (Ayın ile) 1. Ardıç, dağservisi 2. (Mec.) Güzelin boyu.● ‹Rakşa girdi serv ü ar'ar çerhvâr. — Lâmii›.

a'ras, A. i. (Elif, ayın ve sat ile) [Arse, ç.] Arsalar, meydanlar.

a'ras, A. i. (Elif, ayın ve sin ile) [Arus ç.] Gelinler.

Arasat, Aresat, A. i. (Ayın ve sat ile) [Arsa ç.] Kıyamet günü toplanılacak meydan.● ‹Tün ü gün nale vü zâr ile kıyamet edip — Arsa-i kûyun etmişti zemin-i Arasat. — Ruhi›.

ârâste, *F. s.* *(A* ile) Donanmış, bezenmiş, süslenmiş, süslü, yerli yerinde.● ‹Ârâste enva-i maarifle vücudu. — Nef'i›.

ârâstegî, *F. i.* Süslülük.

a'raş, *A. i.* [Ârş ç.] Arşlar.

arayende, *F. s.* Düzen verici, süsleyici.

ârayi, *F. i.* Düzen vericilik. Düzen vermeklik.

ârayiş, *F. i.* Süs.● ‹Devletlinin ârayişidir dide-i hussad. — Nabi›.

araz, *A. i.* 1. Aslında olmayıp sonradan olan hal ve nitelik. 2. Görünmesi için bir asla ,cehvre muhtaç nesne. 3. Para ve tartılabilen eşyadan gayrı şeyler (ç. A'raz).● ‹Cevher-i zatınla kaim bir arazdır lâmekân. — Fehim›.

a'raz, *A. i.* *(Elif* ve *ayın* ile) [Araz ç.] 1. Arazlar. 2. Hastalık belirtileri.● ‹Meal-i cevher ü a'razı hıtta-i nasut. — Sabit›.● ‹Bütün bu a'raz-i isyan geceleri iştidat edermiş. — Cenap›.

a'raz, *A. i.* [Irz ç.] Irzlar.● *Hetk-i a'raz,* ırza geçmeler.● ‹İktisas-i ebkâr ve he hekt-i a'raz misillû çok mefasid ve mel'anet ettiler. — Naima›.

arazat, *A. i.* [Arz ç.] Topraklar, araziler.

arazî, araziye, *A. s.* *(Ayın* ile) Yaratılış veya asıldan olmayıp sonradan olma, eğreti.

arazi, erazi, *A. i.* *(Elif* ile) [Arz ç.] 1. Ekilen veya ekilebilen yerler. 2. Bir kimsenin malı olan toprak. 3. Yerler.● *Arazi-i gayr-i memlûke,* halktan bir ashibi olmayan ve mal sahipliği beytülmalin olup herkesin faydalandığı topraklar;● - *haliye,* sahipsiz toprak;● - *haraciye,* haraca bağlanmış toprak;● - *emiriye,* beylik toprak;● → *mevat,* köy ya da kasabanın en kenarındaki evlerden, çok gür sesli bir kimsenin bağırması duyulmayacak kadar uzaklıkta olan topraklar;● - *mahmiye* ya da● - *metruke,* mal sahipliği beytülmalin olarak herkesin yararına bırakılmış koruluk, otlak, yaylak, kışlak gibi topraklar;● - *mübareke,* Hicaz;● - *arazi-i mülkiyye,* hükümet toprağı;● - *üşriye,* düşmandan savaşla alınan ve savaşçılarla Müslümanlar arasında üleştirilen, ya da İslâm olmuş sahiplerine mal edilmiş topraklarla Müslüman halkın arazi-i mevvatta işlemeye açtıkları topraklar.

arbede, *A. i.* *(Ayın* ile) Kavga, gürültü.● ‹Hem-kâse-i erbab-i diliz arbedemiz yok. — Ruhi›.

arbedecu, *F. s.* [Arbede-cû] Kavga arayan, kavgacı.

arbedecuyane, *F. zf.* Kavga çıkarma niyeti ile. ‹Gelir amma ne gelir arbedecuyane gelir›.

arbedegâh, *F. i.* Çekişme yeri.● ‹Şu memat ve hayatın arbedegâh-i mahufunda. — Uşaklıgil›.

arbedesazî, *F. i.* [Arbede-sazî] Kavgacılık.● ‹Gamzende nihan olsa nola arbedesazi — Çeşminde ayan mâni-i keyfiyyet-i mestî. — Fehim›.

arbun, urbun, *A. i.* *(Ayın* ile) Pey akçesi.

arca', *A. s.* *(Ayın* ile) Topal (dişi).

ardiyye, arziyye, *A. i.* 1. Bir malın resmî bir yerde belli bir zaman durmasından sonra alınan para. 2. Eşyanın bu şekilde bekletildiği yer.

arec, *A. i.* Topallık, aksaklık.

a'rec, *A. s.* Topal, aksak.● ‹Buğdan voyvodası olan Kostantin nam - gulâm-i a'rec. — Naima›.

a'ref, *A. s.* 1. Pek tanınmış. 2. Çok bilen.● ‹Ve fıkh ü hadisi cümleden a'ref idi. — Taş.›.

arefe, arife, *A. i.* Bayramdan, en çok da kurban bayramından önceki gün.● ‹İstikbal için yevm-i arefede şevket-i malâkelâm ile saflanıp. — eSlânikî›.

âremide, âramide, *F. s.* Rahatta, dinlenme durumunda olan. Durgun.

aremerm, *A. s.* Pek çok.● ‹eSrdar-i âzam ceyş-i aremrme ile azm-i meydan ince. — Naima›.

ârende, *F. i.* (Bir şey) getiren kimse.● ‹Sayeban-i himayet-i gaffarî icap eyler ki penah arende-i künuz-i rahmetim olan. — Veysi›.

âreng, arenc, *F. i.* 1. Dirsek. 2. Gidiş, davranış, tutulan yol.● ‹Asman-pâye, hüma-saye, hümayun areng. — Hakkı›.

ârız, *A. i.* Yanak.● *Arız-i gülgûn,* pembe, al yanak;● - *pürtab,* parlak, al yanak;● *âyine-i ârız,* yanak aklığı.● ‹Kırılır neşesi solar sararır — Pertev-i ârızı söner kararır. — Recaizade›.● ‹İnerke, pür-hararet ârız-i rengîni titredi. — Fikret›.

ârız, ârıza, *A. s.* 1. Kendiliğinden olmayıp sonradan olan. 2. Yapışan takılan.● ‹Sorulsa zerreye kuvvet nasıl olur ârız. — Cenap›.

ârıza, *A. s.* 1. Sonradan gelip yapışan şey. 2. Sakatlık, bozukluk. (ç. Ârızat, avârız).● ‹Onu lekesiz, ârızasız bir muhabetle sevecekti. — Uşaklıgil›.

ârızat, *A. i.* [Ârıza ç.] Ârızalar, engebeler.● ‹Bütün eşkâl ve ârızat-i turabiyesi. — Cenap›,

ârızan, *A. zf.* [Ârız'dan] Doğal olmayarak. Geçici olarak.● ‹Yalının içinde Bülent ârızan görülürdü. — Uşaklıgil›. pembe dalgalı sedef. lip geçici, kökende olmayan.● ‹Serdar olan yadigâr ârızî cür'et tahsili için mest ü lâ ya'kıl olup. — Naima›.

âri, âriye, *A. s.* 1. Çıplak. 2. Boş. 3. Soyunmuş, kurtulmuş.● ‹Âriydi ebr-i gamdan rû-yi sema-yi enver. — Recaizade›.

ârib, âribe, *A. s.* [Arab'den] Arap cinsinden.● *Arab-i âribe,* kökten ve katıksız arap cinsinden olan.

âric, *A. s.* [Uruc'dan] 1. Yukarı çıkıcı. 2. Yükselmiş.● *Aric-i medaric,* derecelerin en üstünü.● ‹Ahmet ki hariç pâyesine âric idi. — Naima›.

ârif, arife, *A. s.* [İrfan'dan] Bilen, bilgi sahibi.● *Ârif-i billâh,* Tanrıyı hakkıyle anlamış, ermiş;● *mürşid-i ârıf,* Tanrı sırrına ermiş, mürşit, kılavuz.● ‹Güi gibi elde hususa ola câm-i pürmey — Aklı başında olan ârif eder mi ârâm. — Nef'i›.● ‹Arzu-yi kevser ile geçme meyden zahidâ — Ârif isen geç ümid-ı bahşiş-i nâdâneden. — Fehim›.

arif, *A. s.* [İrfan'dan] 1. Ünlü, tanınmış. 2. Ârif, bilgili. 3. Okul öğretmeni veya kalfası. (ç. Urefa).

ârifan, *F. i.* [Ârif ç.] Ârifler.● ‹Nazar-i ârifanda yeksandır — Düşmen-i marifetle düşman-i Hak. — Naciû.

ârifane, *F. s. zf.* [Ârif-ane] Ârife yakışır, uygun yolda, ârifçe.● ‹Tel kırdığımız mahalleri hâme-i taziyane-i ârifaneleri rast tâbir ile tâmir buyurmaları babında. — Nabi›.

ârifin, *A. i.* [Ârif ç.] Ârif kimseler.● ‹Meşayih-i ârifin dahi mezhebini kabul edip. — Taş.».

arife, arefe, *A. i.* Bk.● *Arefe.*

arik, *A. s.* Terlemiş, tere batmış.

Aristatalis, Aristo, *A. i.* Aristo.● ‹Böyle hengâm-ı ihtilâlde ser-i kârda bulunan Aristo ve Flâtun olsa dahi. — Raşit›.

arîş, *A. i.* Çardak, sundurma.● ‹Aguş-i ariş içinde ol şah — Ağuşuna aldı Aşk'i çün mah. — Ş. Galip›.

ariyet, *A. i.* 1. Ödünç. 2. Eğreti.● *Ariyetsaray,* dünya.● ‹Kimisinden zeyn ve rikâp raiyet almak için. — Raşit›.

ariyeten, ariyyeten, *A. zf.* Ödünç olarak, iğreti.

ariyetî, *A. i.* Ödünç. İğreti.● ‹Vücut ariyetîdir hayat emanettir. — Nabi›.

arîz, *A. s.* [Arz'den] Geniş.● *Ariz ü amîk,* enine boyuna, etraflıca.● ‹Hüseyin Paşa dahi eyalet-i mezburede tavil ü arîz terebbü üzere oturup. — Naima›.

ariza, *A. i.* Bir büyüğe sunulan yazı.

arkub, urkub, *A. i.* 1. Ökçe siniri. 2.● *Arkub,* Arabın Amalika boyunda yalancılığı ve sözünde durmazlığı ile ün almış birinin adı. Bundan ötürü yalanla aldatan, sözünde durmayan kimselere denir.● *Mevaîd-i arukbiye,* aldatıcı, oyalayıcı tutulmayacak sözler.● ‹Akall-i kalil mevaîd-i arkub ile irsal-i berid ettiler. — Naima›.● ‹Ve riziş-i âbru-yi rica-yi şermalûd ile ihya-yi kavaid-i arkubiye olmadan. — Nergisi›.

arrade, *A. i.* Tekerlekli mancınık. Savaş arabası.

arsa, *A. i.* 1. Açık, meydanlık; 2. Bina kurulabilecek boş toprak; 3. Yapısı yıkılmış yer.● *Arsa-i âlem;* dünya,● *- kârzar,* savaş meydanı.● *- tarih,* tarih alanı.● ‹Arasa-i rüzgârda nice âsar-i şerife ve ebniye-i latife. — Sadettin›.● ‹Çatladı esb-i kalem arsa-i tarihte. — Sururi›.

arsagâh, *F. i.* Arsagâh 1. Arsa yeri. 2. Meydan. 3. (*Mec.*) Dünya.● ‹Bu arsagâhta Mansur'a olmaya sani. — Nailî›.

arş, *A. i.* (*Ayın* ile) 1. Çardak, çatı, kubbe; 2. Taht; 3. Dokuzuncu ve en sonuncu gök tabakası; 4. Tanrının dokuzuncu tabaka gökte varsayılan kudret ve ululuğunun tecelli yeri, tahtı.● *Arş-i âlâ,*● *arş-i a'zam,*● *arş-i Huda,*● *arş-i ilâhi,*● *arş-i rahman,*● *arş-i yezdanî,* Tanrının cevher-i evvele bakışından vücuda gelen âlem, meleklerin kıblesi,● *arş ü ferş,* dokuzuncu gökle yeryüzü,● *min-el-arş ile-l-ferş,* gökten yere kadar,● *arş ü kürsi,* Arş ile arşın altında ve Levh-i Mahfuz'un bulunduğu kürsü,● *hamele-i arş, hamelet-ül-arş,* Arşı omuzları üstüne yüklenmiş melekler.● ‹Gûya ben Rabbimin arşına nâzırım. — Taş.›.● ‹Değil kürsiye vaiz arşa çıksan âdem olamazsın. — Sabit›.● ‹Hakpay-i na't-gûyanım ki arş-i azamın — Zikr ü tebşih-i lisan-i kudsiyanidir sözüm. — Nefi›.

arş-aşiyan, *F. s.* Yuvası, yeri arşta olan.●
«Astan-i arş-aşiyan-i Muhammedi'ye
vesiyle-i tereddüt ve intisap olur. —
Raşit».

arşiyan, *F. i. s.* Tanrı tahtı tabakasında
bulunan melekler.

arşpâye, *F. s.* Derecesi arşa kadar olan.●
«Meclis-i mesudda olan kürsi-i arşpâ-
yeye bir puşide lâzım olmağın. — Ra-
şit».

artal, *A. s. (Ayın* ve *tı* ile) Cins ve nevi-
nin gereğinden çok büyük, çok iri bitki
veya hayvan; Fransızcadan *géant* kar-
şılığı (XIX. yy.).

artaliyet, *A. i. (Ayın, tı* ve *t* ile) Bütün
vücudun veya bir üyenin aşırı gelişmiş
olması halini anlatmak için Fransızca-
dan *géantisme, gigantesque* karşılığı
(XIX yy.).

Aruba, *A. i.* Yedinci cennet.

arug, *F. i.* Geyirme.

arus, *A. i. (Ayın* ve *sin* ile) 1. Gelin. 2.
Husrev Perviz'in sekiz hazinesinden
biri. 3. (Simya) Kükürt.● *Arus-i cihan,*
dünya.● *- çerh, - felek, - haverî* güneş;
● *arus-i Şam,* Şam, Askalon,● *Nev
arus,* yeni gelin.● «Cihana zîb ü fer
verdi yine meşşata-i kudret — Arus-i
nev gibi ârâyiş etti kâhne dünyayı. —
Baki».

arusan, *F. i.* [Arus ç.] Gelinler.● *Arusan-i
bağ,*● *- çemen,* tarla çiçekleri, yabanî
çiçekler.● *- huld,* Cennet hurileri.●
«Donanıp taze arusan gibi şehr ü ba-
zar — Oldu âlem yine pür-ziyb çü
rûy-i huban. — Nedim».

arusane, *F. s.* Geline yakışır. Gelinlik.

aursek, *F. i.* 1. Küçük gelin; 2. Yeşil ve

asab, *A. i. (Ayın* ve *sat* ile) 1. Sinir. 2.

aruz, *A. i. (Ayın* ve *dat* ile) 1. Nazım
ölçüsü; 2. Bir beytin ilk mısraının son
ayağı.● *Ehl-i aruz,* nâzımlar,● *ilm-i
aruz,* nazım ölçüleri bilimi.

arv, *A. i.* 1. İş için birinin yanına varma.
2. Yemişsiz bir çeşit yabanî ağaç.

arz, *A. i. (Ayın* ve *dat* ile) 1. Bir büyü-
ğe sunma, önüne koma. 2. Gösterme,
görünme.● *Arz-i cemal,*● *- didar,* yüz
gösterme,● *- hacet,* ihtiyacını, maksa-
dını anlatma,● *- hayret,* şaşkınlık gös-
terme;● dalkavukluk etme.● *- hüner,*
marifet gösterme,● *- hürme*, saygı
sunma,● *- ma fizzamir,* gönüldekini
söyleme,● *- leşker,* asker gösterme,
teftiş için önünden geçme, alay göster-

me,● *- mahzar,* bir iş için halk tarafın-
dan düzenlenip yüksek makama sunu-
lan yazı,● *- muahat,* kardeşliği, kar-
deşçe bağlılığı bildirme,● *- müddea,*
fikrini bildirme,● *- tâzimat,* saygılarını
bildirme,● *- arz ü talep* (Eko).● Mal
satma, mal alma,● *- yevm-el-arz,* mah-
şer günü.● «Ulema ve şuaradan âsar-i
imliye ve şi'riye arz edenlere eltaf-i
aliyeleri dirig buyrulmayıp — Naima».
● «Şu kadar var ki âsar-i âcizanemizi
tabettirmek için Maarif Nezaret-i celî-
lesine arz edememekte mazuruz. —
Kemal».

arz, *A. i. (Elif* ve *dat* ile) 1. Yer, toprak;
2. Memleket, ülke.● *Arz-i mukaddes,*
Filistin, Kudüs,● *ehl-i arz,* cinler,● *kü-
re-i arz,* yeryuvarlağı.● «Sarsılır arz u
sema sanki kıyamet kopar. — Nef'i».

arza, *F. i.* Arapça *arz* (sunma, gösterme)
kelimesinin farsça şekli.● «Biçareliğimi
benim ol yâra arza kıl — Başed ki bu-
luna derdime bir çare ey saba. — Ah-
medî».

arzan, *A. zf.* Genişlikçe, enine.● «Bir zen-
bilkeş beygir üzerine arzan konup Edir-
ne kapısı hendeğine tarh olundu. —
Naima».

arzanî, *A. zf.* Enine olarak.

arzdaşt, arzadaşt, *F. i.* Hâtıra, muhtıra,
andaç.

arzgâh, *F. i.* [Arz-gâh] 1. Arz, bildirme,
sunma yeri. 2. Hal kevya askerin gös-
teri için toplandıkları yer.

arzıhal, *F. i.* [Arz-i hal] Resmî bir ma-
kama durum veya iş bildiren yazı, di-
lekçe.● «Yeni feth olmuş bir memle-
ketin nizam-i haline ihtilâl verdiği bazı
sefine reislerinin arzıhal vermesiyle
malum-i asafî oldukta — Raşit».

arzî, *A. s. (Ayın* ve *dat* ile) [Arz'dan] En
ile ilgili.

arzi, arziye, *A. s. (Elif* ve *dat* ile) [Arz'-
dan] Toprağa ait, toprakla ilgili.● «Ka-
labra kıtasının harekât-i arziyesi tar-
zında nagehzuhur. — Cenap».

arziyyat, *A. i. (Elif* ve *dat* ile) Fransızca-
dan *géologie* (jeoloji) karşılığı (XX.
yy.).

arziyye, *A. s.* [Arz'dan] Toprakla ilgili,
topraktan alınan● *Mahsulât-i arziyye,*
toprak ürünleri. (Bk. *ardiyye*).●
«Nefs-i Ankara'da mahsulât-i arziyye-
nin başlıcası olan hınta ve şaîrin fiati.
— Sırrı Pş.».

arzu, F. i. İstek, özleme.• Arzu-yi hayat, yaşama isteği.• «Sinede evvel nemuhrik arzular var idi. — Nedim».

arzukeş, F. s. [Arzu-keş] Yürekten isteyen.• «Tıpkı bir çocuk gibi, hem takip edilmeğe hem tutulmağa arzukeş sıçraya sıçraya kaçardı. — Uşaklıgil».

arzumend, F. s. [Arzu-mend] İstekli. (ç. Arzumendan).• «Lûtfile zaman zaman verip pend — Islahına olma arzumend. — Fuzulî»• «Eder mi gûşzed-i rağbet arzumendan — O nameyi ki sitemle meali mali ola. — Nabi».

âs, F. i. (A ve sin ile) 1. Değirmen, 2. Beyaz kürk, kakum.

âs, A. i. Mersin ağacı.• As-uş-şekl, fransızcadan Myrtiforme (Mersin yaprağı biçiminde) sözünün karşılığı. (XIX yy.).

âs, A. i. (Ayın ve sin ile) Gece bekçisi. (ç. Uses).

asâ, A. i. (Ayın ve sin ile) 1. Uzun el sopası, baston, 2. Sopa. 3. Hükümdar, din başkanı, bazı din adamlarının resmî ve üzerinde işaretler bulunan sopası.• Asâ-yi Musa, Musa peygamberin yılan haline giren sopası,• şakk-i asâ, ayrılık, birliği bozma.• «Kalem bir bülbül-i muciz-i sadadır dest-i kâmilde — Asâ-i Musevinin ejderhadan farkı var yoktur.».

a'sa', A. is. [Asa' ç.] Asalar, uzun bastonlar.

-âsâ, F. s. 1. Gibi. 2. Benzeyen, andıran. • Cennet-âsâ, cennet gibi,• dev-âsâ, dev gibi,• menarâsâ, minare gibi.• «Dökülmüş zülf-i müşk-âsâ o kadd-i dilsitan üzre. — Baki».

asa, A. e. (Ayın ve sin ile) Ola ki, belki.• «Lâalle ve asa ile subh ü mesa geçirdi. — Sadettin».

asab, A. i. (Ayın ve sat ile) 1. Sinir 2. Damar.

a'sab, A. i. (Elif, ayın ve sat ile) [Asab ç.] Sinirler, damarlar. Âsap.• (Ed. Ce.) Asab-i dil,• - his,• - kâinat,• buhran-i âsab,• humma-yi â'sab,• lerizş-i â'sab,• muamma-yi â'sab,• za'f-i â'sab.• «İlletin uruk ve asa'ba sirayet ile. — Ziya Pş.».

as'ab, es'ab, A. s. (Elif, sat ve ayın ile) [Sa'b.dan] Daha veya pek, en güç,• as'ab-ül-umur, işlerin en gücü.

asaba, A. i. 1. Bir tek sinir. 2. Baba tarafından, erkek tarafından akraba olanlar. 3. Hısım, akraba. 4. Taraflı, yardımcı. 5. Mirasta ikinci derece olan mi-

rasçı. Birinci derece mirasçılardan artarsa kalan kısmı alanlar.• Asaba-i nesebiye, neşeb yolu ile olan mirasçılar,• - sebebiye, azat olmuş köle sahibinin asabası.

asâbi', A. i. (Elif ve sin ile) [Isbi, usbu ç.] Parmaklar.• «Asabi-i zaide ve nüfus-i zayıa-i bifaide gibi. — Asım».

asabî, asabiye, A. s. (Ayın ve sat ile) [Asab'dan] Sinirli.

asabiyye, A. s. Sinirle ilgili, sinire ait. Sinir hastalığı.• «Zavallı kadının muvazene-i asabiyesi kalmamıştı. — Cenap».

asabiyyet, A. i. 1. Akrabalık, yakınlık. 2. Yakınlık gayreti gütme. 3. Ziyade taraflılık. 4. Sinirlilik.• Asabiyet-i kavmiye, asabiyet-i milliye, kavim ve millet gayreti gütme.• «Kıdem ve salâbet cihetiyle İslâmın hâmi-i asabiyeti. — Kemal».

âsad, A. i. (A ve sin ile) [Esed ç.] Aslanlar.

Asaf, A. i. Süleyman peygamberin veziri. Çok ünlü bir vezir olduğu için vezirlere, en çok da sadrazamlara sıfat olmuştur.• «Hendem-i padişah-i dehr ki •saf bulsa — Hâkpâk-i kademin dide-i aklına çeker. — Nabi».

âsafane, F. s. Vezire yakışır yolda, vezirce.• «Canib-i Âsafanellerine bais-i mezid-i mülâtafat istipas oldu. — Raşit».

âsafî, A. s. Vezirle ilgili,• Bab-i âsafî, Babıâli;• emr-i âsafi, sadrazam buyruğu.• «Dest-i hamiyet peyvest-i âsafiye teslim. — Raşit».

asafir, A. i. (Ayın ve sat ile) [Asfur ç.] Serçeler. (Zoo.) serçegiller.• «Mihr-i ateş-i şafak sipihrde nihan olup asafir-i encüm havali-i aşiyane-i asümanda tayaran kıldılar. — Hümayunname».

asafiyet, A. i. Asaflık, vezirlik.• «Silihdarlıktan çerağ eyledikte • — Olup sani asafiyetle hursend. — Nabi».

âsafrey, F. s. [Âsaf-rey] Fikri Âsaf'ınki gibi akıllıca olan (vezir).

âsaftedbir, A. s. [Âsaf-tedbir] Tutumu, yolu Âsaf gibi olan (vezir).

asagir, esagir, A. i. [Asgar, esgar ç.] Çok küçükler.• Ekâbir ü asagir, büyükler ve küçükler, herkes.• «Derunlarda haşyet ü huşunet ekâbir ve asagırı birahat etmiş idi. — Naima».

asahh, esahh, A. s. (Elif ve sat ile) [Sahih'ten] Daha veya pek, en gerçek.

asakir, A. (Ayın ve sin ile) [Asker ç.] Askerler.• Asakir-i bahriye, deniz askerleri.• - berriye, kara askeri.• - hassa, padişah muhafaza askeri.• - Mansure-i Muhammediye, Yeniçeri ocağının düzeltilmesi zamanında kurulan asker.• - muavine yardımcı, milis askeri.• - muntazama, ordu askeri.• - nizamiyye, ilk askerlik devresini yapmakta olan asker.• - redife, ikinci devre askerliğini yapan askerler.• ‹İmdad için gönderilen asakir-i vafireden sonra. — Raşit›.

âsal, A. ç.i. (Sin ile) Ahlâk ve alâmetler.

âsâl, A. i. (Sat ile) Öğleden sonra geceye kadar zamanlar.• Bilgudüvvi vel-âsâl, sabah akşam.

âsâl, F. i. Temel. Kök.

asale, assale, A. i. (Ayın ve sin ile) Bal

asalet, A. i. [Asl'dan]. 1. Köklü, temelli peteği. olma. 2. Soyluluk,• Asaletlû, asaletli, yabancı politika adamları için kullanılır ünvan.• ‹Ya ailesinin bütün tarih-i asaletini lekeleyecek. — Uşaklıgil›.

asaleten, A. zf. Kendisi olarak. Başka birinin yerine değil, kendi.• ‹Okçuzade asaleten nişancı... — Naima›.

âsam, A. i. (A ve se ile) [İsm ç.] Günahlar, suçlar.• ‹Çeşmesarından gasl-i ednas-i âsam ettiler. — Naima›.

asamm, esamm, A. s. (Sat ile) [Sum'dan] 1. Sığır, işitmez. 2. Tınlamayan, ses vermeyen.• ‹Hüseyin Ağanın damadı asamm Hüseyin Ağa idi. — Naima›.

asammiyet, A. i. Sağırlık, işitmezlik :• ‹Genç göğüslerinden asammiyet-i afâkı sarsacak, ebkemiyet-i arzı söyletecek. — Cenap›.

âsan, F. s. Kolay.• ‹Düşvar gamın kılarsın âsan. — Fuzuli›.

âsanî, F. i. Kolaylık.• ‹Kamusun bertaraf kıldı edip tedbir-i âsanî. — Hemdemî›.

asanter, F. s. [Asan-ter] Çok kolay.• ‹Hatır-i ahibbayı teshir etmenin asanteri — Bi-tekellüf bi-tasannu handeruluklardır. — Nabi›.

âsar, A. i. (A ve se ile) [Sâr ç.] Öç almalar.

âsar, A. i. [Eser ç.] 1. İzler, nişanlar. Kalıntılar. 3. Anıtlar. 4. Bir yazarın yazdıkları.• Âsar-i atika, eski eserler; antikalar.• - edebiye, edebiyat eserleri.• - ilmiyye, bilim eserleri.• - islâmiye, İslâm eserleri.• - kalemiye, yazılmış eserler.• - külliyat-i âsar, bir yazarın

bütün eserleri.• ‹Ettim şuara-yi Rum'u tahkik — Âsar ü zamanlarıyle tatbik. — Ziya Pş.›.

âsâr, A. i. (Elif, ayın ve sat ile) [Asr ç.] Yüzyıllar. Âsâr-i ibtidaiye, ilk yüzyıllar.• - kadime, geçmiş, eski yüzyıllar.• ‹İSlkip ukud-i ribka-i âsârı, en çetin — Bir uykudan uyandırır akvamı dehşetin. — Fikret›.

âsârdide, F. s. [Âsâr-dide] Yüzyıllar görmüş, (üzerinden) yüzyıllar geçmiş.• ‹Âsârdide bir kılâde-i kanun. — Cenap›.

asayib, asaib, A. i. [Isabe ç.] 1. Cemaatlar, tayfalar. 2. Başa sarılan şeyler. Kaşbastılar, sargılar.• ‹Hali-ül-asayip mekşuf-ül-teraib ziver-i bazar-i yağma etmeye el bir ettiler. — Şefikname›.

asayiş, F. i. 1. Rahat, dinlenme. 2. Eminlik, barış.• ‹Başkadır nimet-i asayiş-i me'va-yi adem. — Akif Pş.›.

asayişperver, F. s. [Asayiş-perver] Eminliğe ve genel barışa hizmet eden.

asbah, A. i. [Sabah ç.] Sabahlar.

asban, F. i. [As-ban] Değirmenci.• ‹Şelşeleyle her gece asban uyur›.

asbani, F. i. Değirmencilik.

asced, A. i. (Ayın ve sin ile) 1. Katıksız altın. 2. Mücevher.

asdika, A. i. (Elif ve sat ile) [Sadik ç.] Doğru ve gerçek dostlar.• Asdika-yi benedgân, gerçek dostlar.• Asdika-yi bendegân, gerçek kullar, hizmet edenler.• ‹Bir lûtf ile şehriyar-i devran — Kıldı yine asdikayı şadan. — Naci›.

asel, A. i. (Ayın ve sin ile) Bal.• Asel-i musaffa, 1. Süzme bal. 2. Cennetteki dört sudan biri.• Şem-i asel, balmumu (ç. A'sal).• ‹Elin çektinse âlem lezzetinden zevka sen erdin — Nice mür ü meges ayağın almış bir aseldir bu. — Hayalî›.

aselî, aseliyye, A. s. 1. Bal gibi sarı renkte olan. 2. Yahudilerin, ayırt edilmek üzere, omuz başlarına taktıkları sarı kumaş parçası.

aseliyyet, A. i. Bal niteliği.

a'ser, A. s. (Elif, ayın ve sin ile) Aşırı güç ve çetin olan.

aserat, A. i. (Ayın ve se ile) [Asere ç.] Sürçmeler, kaymalar, sendelemeler.• ‹Kusur ve aserat vâki olmuş ise... — Naima›.

asere, A. i. Sürçme, yanılma.• ‹Zira hata ve aseresinde rücu ve Bari Tealadan af rica etmiş olur ki. — Silvan›.

ases, A. ç. i. Gece kolu, gece bekçileri, emniyet memuru.● «Mest-i ba-temiki-ne rehzen mi olur bîm-i ases. — Ragip Pş.».

asf, A. i. (Ayın ve sin ile) 1. Zulüm etme. 2. Azma. Yoldan çıkma. 3. Ölüm.● «Zulm ü şirret ve asf ü şakavet ile mütearef olanları. — Naima».

asf, A. i. (Ayın ve sat ile) Rüzgâr kuvvetle esme.

asfa, A. s. (Elif ve sat ile) [Safi'den] Aşırı sâf ve temiz olan.● «Şol nesayıh ki âb-i zülâlden ahlâ ve asfa idi. — Lâmii».

asfâr, A. i. [Sıfır ;.] Sıfırlar.● «Olur bidayet-i sıfr intiha-yi her asfâr».

asfer, A. s. [Safret.ten] Sarı.● Bahr-ı Asfer, Sarı Deniz,● Beni asfer, sarı ırk.

asfiya, A. i. [Safî ç.] Halisler, sâflar. 2. Gerçek dostlar, ermişler, azizler.● «Mihr-i nübüvvet mah-i burc-i asfiya. — Fehim».

asfur, usfur, A. i. Serçe kuşu. (ç. Asafir)● «Gıda-yi nâr-i muhabbet — Zaif asfurum. — Fehim».

asgar, esgar, A. i. [Sagîr'den] Daha veya pek, en küçük.● «Sinnen kendisinden asgar olan birader-i fazailküsteri. — H. Vehbi».

asgari, A. s. En az. Minimum.

ashab, A. i. [Sahib ç.] 1. Arkadaşlar. Muhammet peygambere gerek Mekke'de uyan (Muhacirîn), gerek onu Medine'ye çağıran (Ansar) kimseler, olup dokuz tabakadır. 2. Niteliği, ünlü olan kimseler. 3. Büyük bir meslek veya mezhep sahibine uyanlar.● Ashab-i akar, irat sahipleri.● - Bedr, Bk. Bedir. ● - cah, ileri rütbeliler.● - cennet, melekler veya şehitler.● - devlet, zengin olanlar, saygı değerler.● - dirayet, becerikliler.● - emlâk, malları olanlar.● - feraiz, mirasta birinci derecede pay almaya hakkı olanlar.● - intikal, bir mirastan pay düşecek kimseler.● - itibar, sayılır kimseler.● - kalem, yazarlar.● - Kehf, Bk. Kehf.● - kiram, Muhammet peygamberi görmüş, konuşmuş olanlar.● - kubur, kabirdekiler, ölüler. ● - masalih, devlet dairesinde işi olanlar.● - mütalaa, okuyucular.● - nâr, zebaniler veya cehennemlikler.● - rivayet, menkıbe anlatıcılar.● - sebt, yahudi kavmi.● - Soffa Medine'de Muhammet peygamberin yakınında oturup kalkan bazı fukara ashap.● - süyuf, kılıç sahipleri, savaşçılar.● - tapu,

bk. Tapu.● - tevarih, olay kaydedenler, tarihçiler.● - timar, Bk. Timar.● - zaamat, Bk. Zaamet.● «Etsin ashab-i vega semt-i gülistana hıram. — Nabi».

ashâr, A. i. (Sad ve ha ile) [Sıhr ç.] Evlenme ile akraba olan erkekler.

âsıf, asıfa, A. s. (Ayın ve sat ile) Sert, kuvvetli, şiddetli esen. (Coğ.) Buragan. (ç. Avasıf).● «Bu son cümle şedit bir âsıfa-i itiraz kopardı. — Cenap».

âsım, A. s. (Ayın, elif ve sat ile) [İsmet.-den] Temiz, namuslu, günahtan çekinen.● «Azab-ül-lahtan sizi âsım ve mani olmaz. — Silvan».

âsi, esi, A. s. (A ve sin ile) Hüzünlü Gamlı.

âsi, A. s. Cerrah.

asi, asa, A. s. Belki, ola ki.● «Lâalle ve asa ile bubh ü mesa geçirdi. — Sadettin».

âsi, âsiye, A. s. [İsyan'dan] 1. Başkaldıran, azan. 2. Günah işlemiş. (ç. Âşiyan, usat).● «Şefaatinle bekâm et bu abd-i âsiyi — Behakk-i Âl-i Âbâ mefhar-i abây-i vücut. — Nevres».

asîb, F. i. (A ve sin ile) 1. Çarpma. 2. Talihsizlik, felâket.● «Ne hoş idi bu dehrin bustanı — Eğer olmasaydı asîb-i hazanı. — Sinan Pş.».

asîb, A. s. Şiddetli sıcak. Çok ısı.● «Ol yevm-i asîbde... — efikname».

âsibresan, F. s. [Âsib-resan] Felâket getiren. Belâ açan.

aside, A. i. Pirinç unu, bamya ve etten yapılan yemek.

asif, A. i. Para ile tutulmuş işçi, gündelikçi.

asil, A. s. [Asalet'ten] 1. Soylu, soydan. 2. Kendi adına hareket eden, kendisi.● «Lâkin kapudanlık bir emr-i azîm ve temşiyet-i umuru vekil ile olmayıp asîle muhtaç olmakla. — Raşit».● «Kendisine parlak ve asîl hayat-i kibarane açacak bir izdivaç. — Uşaklıgil».

asilâne, F. zf. Soyluya yakışır, kibar yolda.

asilzade, F. i. [Asil-zade] Soylu, soydan. (ç. Asilzadegân).● «Cemiyet-i asilzadegâna bir âza daha kaydetmiş oluruz. — A. M.».● «İlelebet fakir fakat asilzade bir kız sıfatıyle. — Uşaklıgil».

âsim, A. s. (Se ile) [İsm'den] Günah işlemiş, suçlu.● «Benim ol âsi vü âsim ki âleme geleli — Birer günah-i kebir oldu bana her girdar. — Ziya Pş.».

asime, *F. s.* Deli olan.

asir, *A. s.* (*Ayın* ve *sin* ile) [Usret'den] Zor, güç, ağır.● *Emr-i asir*, zor iş.● ‹Bu adaletle bu ikbal-i bülent ile sana — İtikadım bu ki hiç olmaya bir feth asîr. — Nef'i›.

asiya, *F. i.* Değirmen.● ‹Kendim bilelden işte cevabım budur benim — Manend-i asiya dönerim kısmet ardına. — Veh-

asiyab, asyab, *F. i.* Bk. Asyab.● ‹Asiyab-i bi›. .
devleti bir har da olsa döndürür›.

asiyaban, *F. i.* Değirmenci.

âsiyager, *F. s. i.* [Âsiya-ger] 1. Değirmenci. 2. Değirmen yapan.

âsiyan, *A. i.* [Âsi ç.] Âsiler, başkaldıranlar.● ‹Şefata etsen eğer âşiyan-ı küffarı — Yerinde yeller eser düzenin kıyamette. — Ziya Pş.›.

asiye, *A. i.* 1. Direk. 2. Acılı kadın.

Asiye, *A. i.* Yahudilerin Musa peygamberle Mısır'dan çıkmasını sağlıyan kadın, Firavun'un karısıdır.● ‹Lût'un peygamberliği avratına bais-i saadet Firavun'un küfrü Asiye'ye muris-i şekavet oldu mu? — Sinan Pş.›.

âsiyye„ *A. i.* (Bot.) Fransızcadan Myrtacées (Mersingiller) karşılığı; (XIX. yy.).

aska, *A. i.* Bölgeler.● ‹Aska-i Yemen'in ekserisine müstevli olup — Naima›.

asker, *A. i.* (*Ayın* ve *sin* ile) Asker,● *Ahz-i asker*, asker alma, askere alınma,● *se-rasker*, komutan, Tanzimattan sonra asker işlerinin en büyük âmiri, millî savunma bakanı.● ‹Bir dilâver askere malik ki hengâm-i vega. — Her birisi görünür a'daya bir şîr-i gurin. — Ziya Pş.›.

askergâh, *F. i.* [Asker-gâh] Asker kampı.

askerî, *F. i.* 1. Asker olmuş kimse. 2. Asker er veya subay.● ‹Validi askeriden olmakla ol zümreye geçip. — Kâtip Çelebi›.

askerî, askeriyye, *A. s.* Askere değgin, asker veya askerlikle ilgili.● *Daire-i askeriye*, askerlik işlerinin görüldüğü daire, savunma bakanlığı.● *cihet-i askeriye,* asker dairesi.● *kuvay-i·askeriye,* asker kuvveti.● *malumat-i askeriye,* askerlik bilgisi.● *mekâtib-i askeriyye,* asker okulları.

askeriyan, *F. i.* [Asker ç.] Askerler.● ‹Çün maksud-i askeriyan tedib-i mütemerridîn idi. — Naima›.

askerkeş, *F. s.* [Asker-keş] Asker çeken. Askerin başına geçip bir yere götüren. ● ‹Şah-i gümrahın malumu olıcak üzerine askerkeş-i Bağdad olup. — Peçoylu›.

asl, *A. i.* (*A* ve *sat* ile) 1. Kök, 2. Dip, temel. 3. Başlangıç, ilk çıkış yeri. 4. Gerçeklik. 5. Eskilik, özlük.● *Asl ü nesl,* soy.● *an asl,* aslında.● *bi asl,* asılsız.● *fi-l-asl,* aslında.● ‹Ben de bilmem aslını· bir ıstırabım var benim. — Recaizade›.

asla, *zf.* (Olumsuz cümlelerde) Hiç bir zaman.● ‹Bir dal kadar dayanmadan ölmek... Bu zilleti — Asla düşünmemişti. — Fikret›.

asla, *A. i.* (*Elif*, *sat* ve *ayın* ile) Başının ön tarafı saçsız olan kimse.● ‹Ve ser-i asla'larına kalensöve-i half ü kasem geçirip. — Şefikname›.

aslâb, *A. i.* [Sulb ç.] 1. Beller, 2. Soylar, kuşaklar.● *Aslâb ü erham,* beller ve dölyatakları.● ‹Aslâb-i âba-i ulviden erham-i ümmehat-i süfliyeye. — Şefikname›.

aslah, *A. s.* [Salih'ten] Daha iyi.● ‹Sulhün bu vakitte aslah-i ahval olduğu mahall-i şüphe değildir. — Raşit›.

aslahallah, *A. söz.* ‹Tanrı ıslah etsin› anlamında, çoğu defa alaylı olarak kullanılır dua.● ‹Üdeba, aslahımüllahi ecmain, kurtlara benzerler; en körpesi en sivri dişli olur. — Cenap›.

aslen, *A. zf.* Kökten, temelden. Soyca, soy bakımından.● ‹Ne cevherdir aslen o nur ü ziya — Bunu fen dahi bilmiyor haliya. — Recaizade›.

aslî, asliye, *A. s.* 1. En evvelki, ilk. 2. Bir şeyin kendisiyle ilgili olan, katma olmayan. 3. En başlı, temel (nesne). Fransızca *original* (özgün) karşılığı. (XX. yy.).● *Hatt-i aslî,* ana yol;● *metn-i aslî,* ilk meydana getirilmiş metin;● *şekl-i aslî,* ilk biçim.● ‹Bir nam ile vatan-i aslinin daire-i ittifakından ayrılan. — Kemal›.

asliyet, *A. i.* Fransızcadan *originalité* (özgünlük) karşılığı olarak kullanılmıştır. (XX. yy.).

asliyye, *A. s.* Asli.● *Heyet-i asliye,* ilk, katıksız şekil.● *memuriyet-i asliye,* asıl memurluk.

aslûb, *A. i.* [Sulb ç.] Beller, soylar, kuşaklar.

asma', *A. s.* (*A* ve *sat* ile) 1. Küçük kulaklı. 2. Anlayışlı, çabuk kavrayan. 3. Keskin kılıç.

asman, *F. i.* Asüman, gök.● *Asman-i be-rîn*, en yüksek gök, arş-i alâ (Bk.).● *asman ü risman* (Gök ve halat); birbirini tutmaz, saçma sapan söz.● «Kasr-i Cennet mi bu ya bağ-i Irem ya gülistan. — Ya harim-i Kuds ya Beyt-ül-harem ya asman. — Nev'i».

asmane, *F. i.* Tavan. Kubbe, dam.● «Asman-i bülend-pâye asmane der-i rifatında. — Lâmii».

asmanî, *F. s.* 1. Göke ait, onunla ilgili. 2. Gök rengi, mavi. 3. *(i)* Melek.● «Ben ne keşşafım ne sahib-i keşf amma mânide. — Muşikâf-i nükteha-yi asmanidir sözüm. — Nef'i».

asmaniyan, *F. i.* [Asmanî ç.] Melekler.● «İndi zemine gulgule-i asmaniyan. — Baki».

asmet, *A. s.* (*A, sat ve te* ile) Dilsiz, söylemez.● «Şöyle gûyayım ki yanımda cihan asmettir. — Geh dilimden sihr câri gâh narencattır. — Hayalî».

asmıha, *A. i.* [Sımah ç.] Kulak kanalları.● «Nehib-i hevl-i mehib-i ferdayı asmıha-i a'daya eda edip. — Sadettin».

asr, *i.* (*Ayın ve sat* ile) 1. Devir, zaman, vakit. 2. İkindi vakti, mevsimine göre günşe batmasından 2,5 saat önceki zaman. 3. Kuran'ın 103. suresinin adı, ö4. (XX. Yüzyıldan sonra) Yüzyıllık zaman.● *Asr-i evvel*,● *- sani*, ikindi namazının vakitleri.● *- saadet*, Muhammet peygamber zamanı.● *- sabik*, geçen devir.● *bâ'd-el-asr*, ikindiden sonra;● *salât-i asr*, ikindi namazı.● *sure-i asr*, Kuran'ın 103. suresi.● *vahîd-ül-asr*, zamanın tek insanı.● «Darb-ül-mesel iradına bu asrda Nabi — Kimse olmaz Sabit Efendiye reside. — Nabi».● «Erişip asr çalındı növbet. — Nabi».● «Şu sade makbere beş asrın nişanesidir. — Fikret».

asr, *A. i.* (*Ayın ve sat* ile) Sıkma. Sıkıp suyunu çıkarma.

asret, *A. i.* (*Se* ile) 1. Ayak sürçüp yere kapanma. 2. Yanılma.

asrî, *A. s.* 1. Zamanla ilgili, zamana ait. 2. (XX. yy.). «Moderne» karşılığı olarak kullanılmıştır.

assal, *A. i.* Balcı.

assale, asale, *A. i.* (*Ayın ve sin* ile) 1. Bal peteği. 2. Arı kovanı. 3. Balarısı.● Nice dilnişin asale-i rayet-i gaza ihtizaz-i sürur-i mücahidîn ile. — Kemal».

astan, *F. i.* 1. Eşik, 2. Tekke.● *Astan-i fena*, dünya.● «Değer her vakti bir ömr astanında geçen ömrün. — Ziya Pş.».

astane, *F. i.* 1. Eşik, 2. Padişah sarayı eşiği. (ö. i.)● *Asitane-i saadet*, İstanbul. 3. Büyük tekke.● «Zaruriyat-i astaneden ziyade kalsa bizden kalır mı? — Fuzuli».● «İptida Astane çengilerinden Bahçivan kolu. — Raşit».

astîn, *F. i.* Giyecek kolu, yen.● *Astîn berçide*.● *- berzede*.● *- mâlide* yeniden sıvamış, işe hazırlanmış.● «Astîn-i rif'atında izz ü devlet câygir. — Astan-i himmetinde feyz ü rifat pâsban. — Ziya Pş.».

astine, *F. i.* Yumurta.● «Astine çok yenir kış günleri».

astinefşan, astinfeşan, *F. s.* Vazgeçen, vazgeçici.● «Astinefşan olur dünyadan herkes âkıbet».

asubet, *A. i.* ●(*Ayın, sat ve te* ile) Baba tarafından akrabalık.

asud, *F. i.* Rahat, rahatlama, dinlenme.

asude, *F. s.* Rahatlamış.● «Oldum asude cihanın gam-i ferdasından. — Cevri».

asudedil, *F. s.* [Asude-dil] Gönlü rahat. (ç. Asudedilân).● «Bilmez asudedilân ha-li dil-i bimarı. — Naci».

asudedilî, *F. i.* Gönül rahatlığı.● «Humk imiş maye-i asudedili. — Naci».

asudegî, *F. i.* Rahat, durgunluk.● «Pây-malin olmadan asudegi bulmaz dilim. — Naci».

asudehal, *F. i.* [Asude-hal] Rahat bir halde.● «Olsun ol zıll-i Hudanın daima asudehal — Sayesinde bendegân-i Rabb-ül-ibad. — Fehim».

asudehâtır, *F. s.* [Asude-hâtır] Aklı rahat, derli toplu.

asudenişin, *F. s.* [Asude-nişin] Rahat, sessiz oturan. (ç. Asudenişinan).● «O asudenişinan-i ismet ve saffete. — Cenap».

asuf, *A. s.* (*Ayın ve sin* ile) [Asf'ten] Zulüm eden.

asvat, esvat, *A. i.* (*Elif ve sat* ile) [Savt ç.] Sesler.● «Tagayyür-i hey'ât ile ref-i asvat ve hilâf ü mükâberat mütemadi oldu. — Naima».

asveb, *A. s.* [Saib'den] Daha veya pek, en doğru. Çok isabetli.● «Hocazade'nin kelâmı asveb ve nefs-el-emre ve hakka akreb şekilde vakı oulp. — Naima».

asvef, *A. s.* [Suf'tan] Postu yün kaplı olan.

asya, asiya, *F. i.* Değirmen.● «Üstüne gerçi dönersin bir iki gün âkıbet — Âsya gibi edersin daneni zîr ü zeber. — Nev'i».

asyab, asiyab, *F. i.* Su değirmeni.● *Asyab-i âlem,* dünya;● - *devlet,* devlet idaresi.● ‹Kâr ü bârı asyab-i âlemin növbetledir. — Nabi›.

asyaban, asiyaban, *F. i.* Değirmenci.

asyaf, *A. i.* [Sayf ç.] Yazlar.

a'şâ, *A. i.* Gözleri dumanlı adam.● ‹Bir kimse ki derk-i hakaikten a'şa ve fehm-i dekaikten âma ola. — Taş›.

aşâ, *A. i.* (*Ayın* ile) Akşam yemeği.● ‹Geh devlet-i cihandan eder cehl behreyab — Geh lokma-i aşâdan eder akl binasib. — Ziya Pş.›.

a'şab, *A. ç. i.* (*Elif* ve *ayın* ile) Yeşil otlar.● ‹Lâkin zahire kısmı asla bulunmaz oldu. Bazıları nebatat ve a'şab kökü devşirip yerlerdi. — Naima›.

aşair, *A. i.* (*Ayın* ve *hemze* ile) [Aşiret ç.] Aşiretler. Oymaklar, kabîleler.● *İskân-i aşair,* göçebeleri yurtlandırma.● ‹Bir dahi hiç bir memleketin aşair ve kabailini istimalet ve teshir edemezsiz. — Naima›.

-âşam, *F. s.* (*A* ile) ‹İçen, içici› anlamıyle tamlamlar yapmada kullanılır.● *Hunâşam,* kan içici;● *meyâşam,* şarap içen.● ‹Filibe'ye vâsıl oldukta bir duhan-âşam salb edip. — Naima›.

aşamende, *F. s.* İçki içen, içici.

a'şar, *A. i.* (*Elif* ve *ayın* ile) [Öşr, üşr ç.] 1. Onda birler. 2. Üründen alınan vergi, ürün vergisi. 3. Kuran'dan okunan onar ayet miktarı parçalar.● ‹Kılıç kuşanıp ve a'şar-i şerife okutup. — Naima›.

a'şarî, *A. s.* Ondalık.● *Hesab-i a'şarî,* ondalık hesap.● *kesr-i aşarî,* ondalık kesir.● *usul-i aşarî* metre sistemi.

aşavet, *A. i.* (*Ayın* ile) Gündüz görüp gece görememek hastalığı.

aşayâ, *A. i.* [Aşi ç.] Akşamlar.

aşb, usb, *A. i.* (*Ayın* ile) Yaş ot.● ‹Bana bazı aşb-i mübah cemeyle. Hâdim dahi cemedip şeyh üç gün anı ekl eyledi. — Taş.›.

aşebî, aşebiyye, *A. i.* Ot gibi olan.

aşer, *A. s.* On.● *Buruc-i isna aşer,* 12 Takımyıldız.● *eimme-i isna aşer,* on iki imam.

aşerat, *A. i.* [Aşere ç.] (Mat.) Onlar (basamağı).● ‹Her iki mısradaki âhâd ü aşerat ü miat. — Süruri›.

aşere, *A. s.* On.● *Aşere-i mübeşşire,* Muhammet peygamberin cennetlik olduklarını müjdelediği on kimse;● *maku-*

lat-i aşere, Aristo'nun on kategorisi.● ‹İmam cevher midir araz mıdır ve makulât-i aşerenin ne makulesindendir? — Naima›.

âşık, *A. s.* [Aşk'tan] Birini seven, tutkun, yanık. (ç. Uşşak).● ‹Kız bu son aşığının kaç gecedir en coşkun. — Bir muhabbetle alevler saçan ağuşunda. — Fikret›.

âşıka, *A. s. i.* Seven kadın. Âşık kadın.● ‹Tamamıyle emin olduğumuz âşıkalar gibi biraz istiğna-yi kalbimizden kurtulamayacak. — Cenap›.

âşıkan, *F. i.* [Âşık ç.] Âşıklar.● ‹Hayrette bu cezbet-ül-cününden — En cezbeli âşıkanı dehrin. — Naci›.

âşıkane, *F. s.* [Âşık-ane] Sevişenlere yakışır yolda.● ‹Münasebet-i âşıkanesini, kısmen başkalarına dinletmek nevesiyle tesis ederdi. — Uşaklıgil›. (Ed. ce.)● *Hâtırat-i âşıkane,*● *hayat-i âşıkane,*● *izdivac-i âşıkane,*● *münasebet-i âşıkane,*● *nazar-i âşıkane,*● *nazariyat-i âşıkane,*● *nazariyat-i âşıkane,*● *seyran-i âşıkane,*● *vaka-i âşıkane.*

âşıkıyyet, *A. s.* Âşıklık.● ‹Leyali-i âşıkı yetin — hamuşi-i mükevkebi — İner sımah-i ruhuma. — Cenap›.

âşıkküs, *F. s.* Seveni öldüren.● ‹Şu karşıdan gelen dilber begayet gamzekâr ansak — O fitne-çeşm-i âşıkküş kemanebru nigâr ancak. — Hayalî›.

âşıkpesend, *F. s.* [Âşık-pesend] Âşık beğenir.● ‹Bir dilberin zamiri ki âşıkpesend olur — Düşnam-i telhi ehl-i dile nuşpesend olur›.

aşi, *A. i.* 1. Akşam. 2. Akşam yemeği.

aşib, *F. i.* Çatma, çatışma, asib.

âşikâr, âşikâra, âşikâre, *F. s.* Açık belli, meydanda.● ‹Ref eyledi perde-i mudara — Pinhan gamın etti aşikâra. — Fuzuli›.● ‹Her gören aşikâre şemt ü lâ'n ederdi. — Naima›.

âşina, aşna, *F. s.* Bildik, tanıdık.● ‹Künc-i gurbet gülşen-i Cennet kadar canbahş olur — Dâr-i gutbette bulunsa âşinalardan biri. — Nabi›.

-âşina, *F. s.* ‹Bilgili› anlamıyle birleşik kelime yapılmada kullanılır.● *halaşina,* halden anlar.● *lisan aşina,* yabancı dil bilen.

aşinager, *F. s.* (Suda) yüzücü.

aşinaver, *F. s.* (Suda) yüzücü.

aşinayan, *F. s. i.* [Aşina ç.] Tanıyanlar, bilenler.● ‹Aşnayan-i hakayık anı etmez irad. — Nabi›.

aşinayî, *F. i.* Bildiklik, ahbaplık. Tanış.
● «Tuhaf ü tefarik-i maarif-i gûnagûn ile kesb-i aşinayî ederek. — Nergisi».

âşir, *A. s.* (*Ayın* ve *elif* ile) Onuncu.●
«Ertesi cuma günü ki yevm-i âşir-i sûr-i pür-sürurdur. — Raşit».

aşir, *A. s.* Onda bir.● «Anın kuvvetinin aşr-i aşîri kadar kuvvetin yoktur. — Hümayunname».

aşiret, *A. i.* 1. Bir asıldan gelen, birlikte yaşayıp konan, göçen kimseler topluluğu. 2. Kabile, göçebe.● «Dünyanın altını üstüne getirmeyi arzu eder bir vahşî aşiret tasavvur olunuyor. — Kemal».

aşiyan, aşiyane, *F. i.* 1. Kuş yuvası. 2. Ev.● «Ne kaldı zemin ü ne zamane — Mahy oldu bu turfa aşiyane. — Ş. Galip».● «Çamlık'a o yeşil aşiyan-i sevdaya avdet etmek istiyordu. — Uşaklıgil».

aşiyangir, *F. s.* [Aşiyan-gir] Yuva tutan, yuvalanan.● «Andelib-i hunîn tene-i delil-i aşiyangir-i şahçe-i cism-i nizar olaldan beri. — Nabi».

aşiyansaz, *F. s.* [Aşiyan-saz] Yuva yapan, yer tutan.

aşk, ışk, *A. F. i.* (*Ayın* ve *kaf* ile) 1. Sevgi. 2. (Tas.) Tanrı sevgisi.● *Aşk-ı cismanî* ten ve et sevgisi.● - *derun,* içten gelen istek, arzu.● - *eflâtunî* maddeci olmayan istek, arzu; - (XX. yüzyıl).● - *hakikî,* gerçek, ruhanî olan, maddeci olmayan sevgi.● - *marazî,* düzensiz, bir ruh halinin uyandırdığı, normal olmayan sevgi (XX. yüzyıl);● - *mecazî* Tanrı sevgisine ulaşmak için onun tecellisi olan güzel yaratıkları sevme.● - *ruhanî,*● - *mânevî,* Tanrı sevgisi.● - *vatan,* yurt sevgisi (XIX. yüzyıl).

● abdal-i aşk
abdalân-i-
afitab-i-
âlem-i-
alem-i-
arsa-i-
asîtan-i-
asüman-i-
aşiyan-i-
ateş-i-
ateşgede-i-
ayât-i-
bab-i-
bade-i-
badiye-i-
bag-i-

bezm-i-
bina-yi-
bimar-i-
bisat-i-
bu-yi-
bustan-i-
burak-i-
büthane-i-
cam-i-
cami-i-
cellâd-i-
cevher-i-
cezbe-i-
cürm-i-
çare-i-
çarsu-yi-

bahr-i-
bahs-i-
bar-i-
bargâh-i-
baz-i-
bazar-i-
belâ-yi-
beyaban-i-
derd-i-
ders-i-
derya-yi-
dest-i-
devran-i-
devlet-i-
dilhaste-i-
din-i-
divane-i-
diyar-i-
efsane-i-
ehl-i-
erbab-i-
esir-i-
eyvan-ı-
fenn-i-
ferah-i-
Ferhad-i-
fitne-i-
gam-i-
germiyyet-i-
gevher-i-
gülşeh-i-
hace-i-
hadis-i-
halet-i-
hane-i-
hancer-i-
hanikah-i-
harabat-i-
harem-i-
harf-i-
haste-i-
havay-i-
hayl-i-
heves-i-
hil'at-i-
husrev-i-
Hüma-yi-
iksir-i-
imam-i-
inkâr-i-
Kâbe-i-
Kaf-i-
kafile-i-
kâr-i-
kârban-i-
kârgâh-i-
keman-i-

çerağ-i-
dag-i-
damgâh-i-
dar-üş-şifa-yi-
davi-i-
defter-i-
der-i-
derbend-i-
meclis-i-
Mecnun-i-
mekteb-i-
menzil-i-
mest-i mey-i-
mey-i
meygede-i-
meyhane-i-
Mirrih-i-
mihnet-i-
mihrab-i-
Mushaf-i-
mülk-i-
mürg-i-
navek-i-
nar-i-
nerd-i-
nevbahar-i-
nişter-i-
nüsha-i-
pertev-i-
peykân-i-
pir-i-
puta-i-
rah-i-
rahş-i-
rayet-i-
raz-i-
rehrevan-i-
rind-i-
Rüstem-i-
sagar-i-
sahra-yi-
saz-i-
sevda-yi-
sırr-i-
sipah-i-
sipeh-i-
Simurg-i-
sipehr-i-
Sultan-i-
surna-yi-
suz-i-
şah-i-
şehbaz-i-
şahne-i-
şahrah-i-
şarab-i-
şatranc-i-

kilk-i-
kişver-i-
kitab-i-
kûh-i-
kûhsar-i-
kûy-i-
leşker-i-
lezze-i-
lisan-i-
liva-yi-
mahruse-i-
·makam-i-
tas-i-
tekke-i-
terk-i-
tig-i-
tir-i-
tişe-i-
tufan-i-
ud-i-

şehid-i-
şehr-i-
şehinşeh-i-
şem-i-
şeriat-i-
şîr-i-
şuride-i-
tabl-i-
taht-i-
tahtgâh-i-
tarik-i-
tarüm-i-
ukab-i-
ukde-i-
umman-i-
vadi-i-
veba-yi-
zebur-i-
zencir-i-
zevk-i-

(Ed. ce.)● Aşk-ı füsunkâr,● - mahkur, ● - şüküfte,● - sahhar;● aguş-i aşk, ● aşiyan-i aşk,● bahar-i aşk,● behişt-i aşk,● beka-yi aşk,● bükâ-yi aşk,● derd-i aşk,● emel-i aşk,● enzar-i aşk,● felsefe-i aşk,● füsun-i aşk,● gülbuse-i aşk,● günah-i aşk,● hayal-i aşk,● hayat-i aşk,● hulya-yi aşk,● humma-yi aşk,● huzur-i aşk,● huzuz-i aşk,● kitab-i aşk,● leyal-i aşk,● leyle-i aşk,● murg-i aşk,● nigâh-i aşk,● peri-i aşk,● raşe-i aşk,● yadigâr-i aşk,● ye's-i aşk.

aşkbaz, F. i. [Aşk-baz] Takılıp sataşarak aşk teklif eden kimse.● «Tıfl-i aşkbaz-i hayalisi. — Recaizade».

aşkbazan, F. ç. i. [Aşk-baz-an] Sever görünenler.● «Oyuncak ettiler aşkı zamanın aşkbazanı — Usul-i devlet-i aşka müceddet bir nizam ister. — Nevres».

aşkbazî, F. i. [Aşk-baz-î] Sever görünme: ● «Billah bu mu resm-i aşkbazî — Dildar ede şiye-i niyazı. — Ş. Galip».

aşkî, aşkıyye, A. s. zf. Aşka ait, aşk üzerine.

aşkperver, F. s. [Aşk-perver] Aşk besleyen, sevgi artıran.● «Hâk ü sema gecenin bu sükûn-i aşkperveri içinde — Uşaklıgil».

aşpez, aşpüz, F. i. Ahçı. Aş pişiren.

aşr, aşere, A. s. (Ayın ile) On.● «Anıp ahval-i sıbt-i Ahmet'i aşr-i muharremde — Yezid ü kavmine kim lânet etmezse Yezid olsun. — Kâzım Pş.».

aşş, uşş, A. i. (Ağaç budaklarında kurulmuş) Kuş yuvası.● «Ve div-i tama,

aşş-i dimağnıda bâyiz oldu. — Hümayunname».

aşşab, A. s. (Ayın ile) [Aşb'dan] 1. Ot toplayan, otçu. 2. Kökçü. Fransızcadan herboriste karşılığı (XIX. yy.).

aşti, F. i. Barışıklık. Sulh.● «Feth-i dükkân-i .âşti. — Naima».● «Âşti seddine verdi ne güzel istihdâm. — Nabi».

aştiperver, F. s. [Aşti-perver] Barış isteyen, barıştan yana olan.

aşub, F. i. Kargaşalık.● «Her birinin aşubu hadden aşıp. — Veysi».

-âşub, uşb, F. s. «Karıştırıcı anlamıyle birleşik kelime yapmada kullanılır.● Dilâşub, Bk.;● şehrâşub, şehri karıştıran, kargaşa çıkaran (güzel).

âşubgâh, aşugbeh, F. i. [Âşub-gâh] Kargaşa yeri.● «Tecelli-zâr-i dil aşubgah-i lenteranidir. — Avni».● «Aşubgeh-i mihnet olur kûçe-i dilber — Böyle olı-

aşura, A. i. (Ayın ile) Aşure. 1. Muharcak âşık-i nalân müteaddid. — Nabi». rem ayının onuncu günü. 2. O gün pişirilen tatlının adı. (Bu, Nuh peygamberin gemisinin toprağa oturduğu günün anılması sayılır.)

aşüfte, F. s. 1. Çıldırırcasına seven; bu yüzden kendinden geçen, perişan olan. 2. Açık saçık, ahlâksız kadın aşüfte.● Aşüftedil, gönlü perişan olmuş.● aşüftedilmağ, aklı perişan.● «Zülf-i dilber bendine düşmüş gibi aşüftehâl — Sünbül-i miskîn aceb kendin perişan eyledi. — Baki».● «Cebindeki parayı bir murdar aşüfteye versin. — Uşaklıgil».

aşüftegân, F. ç. s. [Aşüfte-gân] Aşüfteler. Sevgi ile kendini yitirmiş olanlar.● «Bahar aşüftegânın çekmeye kayd-i leb-i cucir eder mehtap. — Ragıp Pş.».

aşüftegî, F. ·i. Kendinden geçme, coşma, divanelik.

aşüftehal, F. s. [Aşüfte-hal] Perişan, aklını dağıtmış.● «Tir-i gamze atma kim bağrım deler kanım döker — Ikd-i zülfün açma kim aşüfte hal eyler beni. — Fuzulî».

aşva, A. i. (Ayın ile) Gözünde tavuk karası olan kimse (geceleri göremez).

-at, A. e. 1. Arapça çoğul edatıdır.● Diyun-at, borçlar,● himem-at, himmetler,● masarif-at, masraflar, giderler,● nadir-at, az bulunur şeyler,● varid-at, gelirler. 2. Bu çoğul edatiyle (XX. yy.) bilgi adları meydana getirilmiştir:

● acaibat   içtimaiyat
akvamiyat   iktisadiyat
arziyat   ilâhiyat
atikiyat   insaniyat
beşeriyat   kavmiyat
edebiyat   Mısriyat
felsefiyat   nebatat
hayatiyat   Şarkiyat
ırkiyat   Türkiyat

atâ, A. i. (Ayın ve tı. ile) 1. Verme, veriş. 2. Bağışlama, bahşiş; ihsan, vergi. ● «Atâdır eyleyen erbab-i devleti meşhur. — Nergisi». ● ‹Lâzım değil inayeti ehl-i tekebbürün — Bahş eyledim atâsını vech-i abusuna. — Nahifi›.

atâbahş, F. i. [Atâ-bahş] Bahşiş verici.

atad, A. i. 1. İşe yarar alet. Aygıt. 2. Büyük kadeh. ● ‹Çend ruze ude vü atad ve tehiye-i zad ü zevade-i ecnad. —

a'tâf, A. i. [Atf ç.] Lütuflar, ihsanlar. ● Ragıp Pş.». ‹Saadât-i dü-kevn a'tâf-i zatından ibarettir. — Ziya Pş.›.

a'taf, A. s. [Atf'tan] Daha, pek esirgeyici; çok acır. ● «Velinimetim âtıftan hezar mertebe berter ü a'taftır. — Sümbülzade».

atak, A. i. Köle azat etme. ● ‹Gâh talâka gâh ataka yemin eyler. — Naima›.

ataka, A. i. (Ayın ve te ile) Serbestlik, azat etme, azat olma.

atalet, A. i. İşsizlik, boş durma; işlememe. ● ‹Bütün hakayıkı pâmal edip ataletime — Biraz da rahata baksam. — Fikret›.

atarîf, A. i. [Atrif, utruf ç.] Kötü huylu atılgan, şirret, gözü pek, zalim kimse. ● ‹Şuyu bulan ekâzib ü eracif ü muris-i ihtilâl harekât-i edani vü atarîf hadd-i mübalâgayı tecavüz etmiş idi. — Şefikname›.

ataşa, A. i. [Atşan ç.] Susamışlar. Bk. Itaş, utaş.

atâyâ, A. i. (Ayın ve tı ile) [Atiyye ç.] Bir büyüğün küçüğe bahşişi, hediyesi. ● Atâyâ-yi ilâhiyye, Tanrı vergileri. ● -seniyye, padişah hediyeleri. ● ‹Arz edip yine hedayalarını — Aldılar cümle atâyâlarını. — Nabi›.

atba', A. i. ç. Tabılar. Akarsular, çaylar, sel yatakları.

atbak, etbak, A. i. [Tabak ç.] İnce katlar, tabakalar. ● «Çâk etti biz atbak-i tahayyülde uçarken — Bir sadme-i baliyle hakikat bu zılâli. — Fikret›.

atbika, A. i. [Tabak ç.] Tabaklar, tabakalar, katlar.

atebat, A. i. [Atebe ç.] 1. Basamaklar. 2. Eşikler. 3. Eşiği öpülen kutsal yerler. ● Atebat-i âliye, Irak'ta Necef, Kerbelâ, Kâzımiyye gibi türbeli yerler.

atebe, A. i. (Ayın ve te ile) 1. Eşik. 2. Basamak. ● Atebe-i felekmertebe, ● -ulya-i aliye, Osmanlı padişahı sarayı, katı.

ateh, ath, uth, A. i. Bunama; bunaklık. ● Ateh-i kabl-el-miad, vaktinden önce bunama, erken bunama, ● - pirî, yaşlılık bunaması. ● ‹Kemal-i tehevvür birle ‹Bir adamın sinni sekseni tecavüz ettikte idrâkten kalıp kenduye ateh ârız olur dedikleri yerinde imiş› diye gazabın izhar. — Raşit›.

âteş, F. i. 1. Ateş. 2. Isı. 3. Kızgınlık, paralama. 4. Yangın, tutuşma. 5. Kırmızı, kızıl renk. 6. Kırmızı şarap. 7. Göz yaşı. 8. Savaş. 9. Hastalık. ● Ateş-i Nemrut, Babil hükümdarlarından Nemrut'un, peygamber İbrahim'in halkı uyarmalarına kızarak cezalandırmak için yaktırdığı ateş. Peygamber İbrahim bu ateş içine mancınıkla fırlatılınca, bir gül bahçesi halini almıştır, ● -suzan, yakıcı ateş. ● - ter, kırmızı şarap. ● ‹Bir tutuşmuş âteşim kurb-i civarından sakın. — Fuzuli›. ● «Ter geçme ateş-i teri ey rind-i bihaber — Yakmıştır âl ile o nice hanümanları. — Naci›.

âteşbar, F. s. [Âteş-bar] Ateş yağdıran. Çok şiddetli, yakıcı. ● Ah-i ateşbar. ● ‹Kaleler olduğu dem ateşbâr — Durmayıp kaynadı fevvare-i nâr. — Nabi›.

âteşbaz, F. i. [Âteş-baz] Ateş oyunu yapan hokkabaz. (ç. Ateşbazan). ● ‹Yine ol gecede âteşbazan — Ettiler sûrgehi şulesitan. — Nabi›.

âteşbazî, F. i. Savaşlarda patlayıcı silâh kullanma ve bunu idare etme. ● ‹Ateşbazî edersem evlâ — Bezm-i aşka nedimim. — Fehim›.

âteşdan, F. i. [Âteş-dan] 1. Ateşlik. 2. Ocak. 3. Mangal. ● «İki yüz ateşdan-i harb ü kıtal meyanelerinde şererrefeşan olup. — Veysi›.

âteşdar, F. s. [Ateş-dar] Ateşli. ● ‹Bir buhar-i ateşdar kuvvetiyle kaynayan teessüratı. — Uşakligil›.

âteşdem, F. s. [Âteş-dem] Sözü, sesi dokunaklı, yanık olan. ● ‹Ben ol ateşdem-i nazmım ki olur hussadın — Hirmen-i natıkası berk-i hayalimle harîk. — Nazîm».

âteşdide, *F. s.* [Âteş-dide] Ateş görmüş, ateşten geçmiş.• «Seng-i ateş-dide sirke sebebinden rahavet kesbedip. — Naima».

âteşefruz, *F. s.* [Âteş-dil] Yanık gönüllü.

âteferuz, *F. s.* [Âteş-efruz] Ateşleyen, yakan.• «Eylemiş şem-i cemalin ateşefruz-i hayâ — Ârız-i pür-tâbın âb-i şule-amiz eyleyen — Fehim».

ateşefşan, *F. s.* Bk.• *Âteşfeşan.*

âteşek, *F. i.* 1. Şimşek. 2. Yıldız böceği. 3. Frengi hastalığı.

ateşengiz, *F. s.* [Âteş-engiz] Ateşleyen, çok şiddetli.• «İki asırdan beri yanardağlar gibi hiç umulmadığı bir zamanda ateşengiz-i galeyan olarak. — Kemal».

âteşfâm, *F. s.* [Âteş-fâm] Ateş renkli, kırmızı.• «Bir zaman da cereyan etse mey-i ateşfam. — Nabi».

âteşfeşan, âteşefşan, *F. s.* [Âteş-feşan] Ateş saçan, ateş püsküren.• «Bir civan-i dil-âşub-i mevzun-endam elinde bir asâyi âteş-feşan gelip Firavun'un başına vurup. — Veysi».

âteşfüruz, *F. s.* Bk. Âteşefruz.• «İhtirakiyle olur ateşefruz kalb-i mah. — Recaizade».

âteşgâh, *F. s.* [Âteş-gâh] 1. Ateş yeri. 2. Ateş tapınağı.• «Nageh âsar-i temmuz bağı ateşgâh ede — Nageh ede duzehâsâ âteş-i mihr iltihab. — Fehim».

âteşgede, ateşkede, *F. i.* [Âteş-gede] Ateşe tapanların tapınağı.• «Gördü ki pertâb-i semender sıfat — Hemser-i ateşgede-i Sumenat. — Nabi».

âteşgûn, *F. s.* [Âteş-gûn] Ateş gibi kırmızı.• «Ne iktiza eder elmas ü l'âl-i âteşgûn»• «Vuralım ateşe kâlâ-yi gam-i devranı — Yine nuş eyleyelim bade-i ateşgûnu. — Nabi».

âteşhane, *F. i.* [Âteş-hane] 1. Ocak, külhan. 2. Ateş tapınağı.• «Kâbe ateşhane olmuş der gören vicdanımı. — Naci».

âteşhatır, *F. s.* [Âteş-hatır] Her güzeli seven, tabiatı çok ateşli olan.

âteşhiram, *F. s.* [Âteş-hiram] Çabuk yürüyen.• «Pâymal-i tevsen-i ateşhiram ettin beni. — Nedim».

âteşhiz, *F. s.* [Âteş-hiz] Ateşleyici, ateş uyandırıcı.

ateşhuruş, *F. s.* [Ateş-huruş] Ateş püsküren.• «Yem-i eteşhuruş-i dilde oldukça peyda. — Nailî».

âteşî, *F. s.* 1. Ateş renginde. 2. Açık kızıl.• «Bir ateşî atlas kaftan üzerine zırhını giymiş idi. — Kemal».

âteşi, *F. i.* Cehennem zebanisi.

âteşîn, *F. s.* 1. Ateş gibi pek kızgın ve yakıcı. 2. Parlak.• «Ne mâna gösterir duşundaki ol ateşîn atlas. — Nedim».• «Bir kalb-i âteşîn ile fikr-i bîkarar — Fikret».

âteşîndem, *F. s.* [Âteşîn-dem] Sözü veya sesi dokunaklı, yanık.• «Almış mı nefes bir ateşîndem — Naci».

âteşiyan, *F. i.* [Âteşi ç.] Cehennem zebanileri.

âteşkarra, *F. s. i.* [Ateş-karar] Durağı cehennem olan.• «Sımah-i samia-i küffar-i ateşkarar olmasına. — Veysi».

âteşkede, âteşgede, *F. i.* Ateşe tapanların tapınağı.• «Rû-yi gülgûnunda hâlin Hindû-yi atşekede — Lâ'l-i canbahşinde hattın kâfir-i İsaperest. — Hayalî».

âteşnak, *F. s.* [Âteş-nâk] Ateşli, kızgın. Yakıcı.• «Daha derinleşerek, âteşnak ve zehralûd, tekrar uyanıyordu. — Uşaklıgil».

atşenisar, *F. s.* [Âteş-nisar] 1. Ateş saçan. 2. (Mec.) Çok öfkeli.• «Kinden, hırstan ateşnisar gözlerle. — Uşaklıgil».

âteşnüma, *F. s.* [Âteş-nüma] Ateş gösteren.• «Bu gülşengâh-i aşkın gülleri âteş-nümadır hep. — Haşmet».

âteşpâ, *F. s.* [Âteş-pâ] Çevik. Atik.

âteşpâre, *F. s.* [Âteş-pâre] 1. Ateş parçası, kıvılcım. 2. Şiddetli, yiğit adam, ele avuca sığmaz. 3. Göz yaşı ile şaraba sıfat olur.• «Şimdi hakisterle örtülmüş bir âteşpâreyim. — Naci».

âteşpaş, *F. s.* [Âteş-paş] Ateş saçan.• «Yine verdi fşiek-i âteşpaş — Dil-i çarh-i sitem-enduza hıraş. — Nabi».

âteşperest, *F. i. s.* [Âteş-perest] 1. Ateşe tapan. 2. Ateşe tapanların dini.• «Cihan âteşperest-i pertev-i ikbal ü devlettir. — Ziya Pş.».

âteşperestî, *F. i.* Ateşe tapma.

âteşrenk, *F. s.* Ateş renginde, kızıl.• «Rezm hengâmında görmüş tig-i ateşrengini — Benzi sararmış dahi ol korkudan titrer güneş. — Hayalî».

âteşsühan, F. s. [Âteş-suhan] Sözü sert, dokunaklı olan.● ‹Olma âlemde sakın âteşsuhan. — Naci›.

âteştâb, F. i. s. [Âteş-tâb] 1. Ateş gibi sıcak, 2. Işıklı.● «Mazhar-i itab ve tig-i abgûn ü ateştâb ile kelleleri habab oldu. — Naima›.

âteşzar, F. i. [Âteş-zar] Ateşi çok yer. Ateşlilik.● ‹Ki irtibat-i veda-i ayal ile Musa — Harim-i Tûr-i tecellâyı sandı âteşzâr. — Ziya Pş.›.

ateşzeban, F. s. [Âteş-zeban] Sözü dokunaklı olan. Ateş gibi dokunaklı ve şiddetli söz veya şiir söyleyen.● ‹Hiddet-i lisana malik ve hezl ü mizah mesleğine salik bir şahs-i ateş-zeban idi. — Raşit›.

ateşzede F. s. [Âteş-zade] Yakılmış. Ateşe uğramış. ‹Ettim yine ben ah-i bibâk — Âteşzede dudman-i eflâk. — Fehim›.

âteşzen, F. s. [Âteş-zen] Yakıcı, yakan. ● ‹Vechi varsa sebebin eyle sual — Olma âteşzen-i kânun-i cidal. — Nabi›.

ateşzene, F. i. [Âteşzene] Çakmak.

atf, A. i. (Ayın ve tı ile) 1. Çevirme, döndürme. 2. Yükleme. 3. (Gra.) Bir kelime veya cümlenin başka bir kelime veya cümlenin başka bir kelime veya cümleye bağlanması.● Atf-i beyan, bir cümlenin anlamını açıklama ve kuvvetlendirme için bağlar kullanma,● - inan, yolunu (o tarafa) çevirme, döndürme;● - nazar, bakma.● - tefsir, hemen aynı anlamda olan ve sadece kuvvetlendirme için brbirnie ve ile bağlanan kelime.● Harf-i atf, atıf yapmada kullanılan sözcük (Ahz ü girift; hüzn ü keder gibi).● ‹Maziye atf edip nazar-i infalini — Fikret›.● ‹Levs-i hayatın mesuliyetini validesine atf ediyordu. — Uşaklıgil›.

atfan, atfen, A. zf. Birine yükleyerek, birinden naklederek, onun adına.

atfi, atfiyye, A. s. (Gra.) Bağlaca ait, bağlaçla iglili.● Huruf-i atfiyye. bağlaç sözcükleri.

âtıf, atıfa, A. s. [Atf'tan] 1. Yüzünü çeviren, bakan. 2. Birini beğenen, ona sevgi ile bakan. 3. (Gra.) Bağlaç.

atıfet, A. i. 1. Sevgi, acıma. 2. Taraflılık ile esirgeme, koruma.● ‹Kim âşığa böyle hürmet eyler? — Allah! nedir bu atıfetler. — Naci›.

atıfetkâr, F. s. [Âtıfet-kâr] Esirgeyip koruyucu, gözetici.● ‹Atıfetkâra aceb âyinedir benm bahtım — Şahid-i ümmidi benden rûy-gerdan gösterir. — Fehim›.

âtık, âtıka, A. s. (Ayın ve kaf ile) kız.

âtıl, A. s. 1. İşlemez, boş durur. 2. Tembel. 3. Etkisi olmıyan.● ‹Ey fazl-i tabiat la en âmade ve mün'im — Bir fıtrata makrun iken aç, âtıl ü âkım. — Fikret›.

âtır, A. s. [Itr'dan] Güzel kokulu.● Hâtır-ı âtır, mektuplarda hatır sorma formülü.● ‹Hatır-i âtırınız işbu umur-i pürfüturun mukaddematından şikeste olmasın ki. — Lâmii›.

âtıs, A. s. (Ayın, tı ve sin ile) [Ats'tan] Aksıran.● İmam ol kmseye bi-tarik-is -sual âtıs olan kimse ne etmek gerektir deyip. — Taş›.

âti, A. s. [Utv'dan] Sert başlı. Serkeş.

âti, A. s. [İtyna'dan] 1. Gelecek. 2. Önde, aşağıda.● Âtiy-ül-beyan, alt tarafta bildirilen,● âtiy-üz-zikr aşağıda zikrolunan; eyyam-i âtiyye,● gelecek günler;● nesl-i âti, gelecek nesil, kuşak.● ‹Âti çıkınca ortaya mazi silinmeli. — Fikret›.

atik, atika, A. s. [Itk'tan] .1 Eski. 2. Azat edilmiş köle. 3. Ebubekir'in lakabı. 4. Genç kız. 5. Soylu,● Âsar-i atîka, eski eserler, antikite eserleri.● Beyt-i atîk, Mekke'deki Kâbe,● edebiyat-i atîka, eski (Tanzimattan önce) edebiyat.● ‹Alât-i harbe müstağrak ve atîk esblere süvar. — Silvan›.● ‹Maabid-i atîkaya mahsus bir fenere benzeyen kandile uzandı. — Uşaklıgil›.

atikiyyat, A. i. Eski eserler bilimi, arkeoloji (XX. yy.).

at'ime, A. i. [Taam ç.] Yemekler. ‹Olıcak her biri câyında celîs — Çektiler at'ime-i pâk ü nefîş. — Nabi›.

âtiyen, A. zf. Önde, gelecekte,

atiyyat, A. i. [Atiyye ç.] İhsanlar. Büyük bir kimsenin bahşışları.● ‹Ve cümle ehl-i Divan'a hil'at ve ulemaya dahi atiyyat gönderpi. — Naima›.

atiyye, A. i. (Ayın ve tı ile) Büyük bir kimsenin küçüğe verdiği bahşiş, armağan,● Atiyye-i seniyye,● - şahane, padişah armağanı.● ‹Samurlu kadife hil'at ve murassa serguç ve bir kabza murassa şemşir ve atiyye-i vafire in'am olundu. — Raşit›.

F. : 4

atk, *A. i.* Köle azat etme.

atlas, *A. i.* 1. Yüzü ipek tersi pamuk kumaş. 2. (s.) Yıpranmış dümdüz olmuş.● *Atlas-i cah,* mevki şeref giyeceği,● - *çerh,* ● - *gerdun,*● - *mina,* gökyüzü;● *felek-i atlas,* Batlamyos sistemine göre, bütün felekleri kaplayan ve içinde hiç bir yıldız bulunmayan dokuzuncu gök tabakası.● ‹Zamanede felek-i atlas olsa Nailîya — Kumaş-i nazm-i mani tıraza bakmazlar — Nailî›.● ‹Eğninde görüp gayrıların atlas ü dibâ — Gam çkme ki sırtımda benim köhne abâ var. — Ruhi›.● ‹Atlas-i caha ki ârifte tehaşi görünür — Cahilin duş-i tefahürde kumaşı görünür. — Nailî›.● ‹Çıkmadı bir nîmten kadd-i bülend-i himmete — Atlas-i gerdunu birkaç kerre tahmin ettiler. — Nevres›.

atliye, *A. s.* [Tıla ç.] Sürünecek veya sürülecek sıvılar.● ‹Man-i ufunet olan sabır ve zift gibi atliye ile tıla edip. — Naima›.

atnab, *A. i.* [Tınab ç.] Çadır ipleri.

atrâb, *A. i.* [Tarab ç.] Neşeler, sevinçler. ler.

atrak, *A. i.* Susma. Gözünü yere dikip bakıp durma.● ‹Anadolu kaleminden bir ihtiyar Rumeli kaleminden bir emektar kadıları ileri gelip atrak ettiklerinde padişah hazretleri dahi onlara hitap edip. — Naima›.

atse, *A. i. (Ayın, te* ve *sin* ile) Aksırık.● *Atse-i amberin,* güzel kokulu nefes,● - *çah,* kuyuda olan yankı,● - *keman,* okun çığardığı ses,● - *subh,* - *şeb,* - *şafak,*● - *tıg,* vurulan kılıcın çıkardığı ses.● ‹Çarh etti dimağını muattar — Berk eyledi atseyi mükerrer. — Ş. Galip›.

atş, *A. i. (Ayın* ve *tı* ile) Susama susuzak.● *Atş-i garam,* sevgiye susamışlık (XX. yy.).● ‹Bütün gençliğin atş-i garmını, azîm boş bir hufre-i nisyana gömecekti. — Uşaklıgil›.

atşan, *A. s.* [Atş'tan] Susamış, susuz.● ‹Eyledim tebşir atşana Ziya tarihini — Oldu cârî gel Gümüşsuyu'ndan iç ab-i hayat. — Ziya Pş.›.

atşdaran, *F. i. (Ayın* ile) [Atş-dar-ən] Susamışlar. Susuzlar.● ‹Serin bir membadan ayrılamıyan atşdaran-i beyaban gib. — Uşaklıgil›.

attar, *A. i.* [Itr'dan] 1. Aktar. 2. Güzel koku, kokulu şeyler satan dükkâncı.

(*ö. i.*) İran şairi Feridüddin.● ‹Gaze-i attar ile gelmez acuze intizam. — Ziya Pş.›.

atub, *A. s. (Ayın* ve *te* ile) Başa kakma, azarlama tesir etmez olan.

atuf, *A. s. (Ayın* ve *tı* ile) [Atf'dan] Çok esirgeyici, acıyıcı.

atufet, utufet, *A. i.* Lütuf, nezaket, şefkat.● ‹Zira İbrahim Paşaya muhbabet ve atufetin müşahede ediyorum. — Naima›.

atuh, *A. s.* Bunak.

atvad, *A. i.* [Tavd ç.] Dağlar.

atvak, *A. i.* [Tavk ç.] 1. Gerdanlıklar. 2. Tasmalar. 3. Boyunda halka biçiminde çizgiler. 4. Güçler, kuvvetler.

atvâl, *A. i.* [Tul ç.] 1. Boylamlar. 2. Uzunluklar. Tuller.● ‹Vaki olan büldanın aruzu ve atvâli›.

atvas, *A. i.* [Tavas ç.] Tavus kuşları.

atvel, *A. s.* [Tavil'den] Daha veya pek, en uzun.

atyeb, *A. s.* [Tayb'den] Daha, pek güzel.

a'vad, *A. i.* [Ud ç.] Utlar.

avadi, *A. ç. i.* Zülüm edenler, zalimler.

avaid, *A. i.* [Aide ç.] 1. Mal ve akçe olarak gelirler. 2. Bahşışlar.● *Avaid-i şehriyye,* aylık gelirler.● ‹Alınır şimdi avaid yerine vaz-i giran — Verilir şimdi hedayaya bedel sade selâm. — Nabi›.

avaik, avayık, *A. i.* [Aik ç.] Alıkoyanlar, engel olanlar. Engeller.● ‹Mukaddema mevzu-ül-esas olup avayık-i eyyam ile nateman kalan cami. — Raşit›.

avakıb, *A. i.* [Âkibet ç.] Sonlar, sonuçlar. Bitimler.● *Avakıb-i ahval,* durumların sonu,● - *hasene,* iyi sonlar, iyi son nefesler,● - *umur,* işlerin sonucu.● ‹Cünundan hâlî olmayıp ziyade ceri ve avakıb-i umuru tefekkür ve tasavvurdan âri sadedil idi. — Naima›.

avakir, *A. i.* [Âkıra ç.] 1. Fakirler. 2. Verimsiz olanlar. 3. Kısırlar. 4. Kudurmuşlar.

avali, *A. s.* [Âli ç.] Yüceler, yüce olanlar.● ‹Ahali ve kudat ve müderrisînden ashab-i himem-i avali gencine-i sinelerin. — Saadetin›.

avalim, *A. i.* [Âlem ç.] Âlmeler.● *Avalim-i süfliye,* Arz ile güneş arasında en aşağı bulunan Utarit ile Zühre,● - *ulviye,* Merih ve Müşteri âlemi.● ‹Gönül avalim-i lâhut-pâye-i şiirin — Tasavvur eyliyemez haricinde ulviyyet. — Fikret›.

a'vam, *A. i.* [Âmm ç.] Yıllar.• *Şuhur ü a'vam,* aylar ve yıllar.• ‹Âkıbet eyyam-i civani ve a'vam-i izz ü kâmranisi münkazi olup. — Naima›.

avam,- *A. i.* [Amm ç.] Halkın büyük kısmı, ‹havas› karşıtı.• *Hükûmet-i avam,* demokrat hükümet, demokrasi.• ‹Keremin âmmdır olur sana dildade avam. — Ziya Pş.›.

avamfirib, *F. s.* [Avam-firib] Halkın, büyük çoğunluktaki insanların hoşuna gidecek yolda davranan.

avampesend, *F. s.* [Avam-pesend] Halkın beğeneceği yolda, halkça beğenilecek şey.• ‹Takvim inşasında nice fıkralar gösterip avampesend olmuştu. — Naima›.

avamil, *A. i.* [Âmil ç.] 1. Etmenler, sebepler. 2. (Gra.) Arapça kelimelerin a, e, i, okunmasını öğreten bilgi ve kitap. 3. Valiler.• ‹Ezman, âdât, maarif gibi avamilin nüfuzunu bir tarafa bırakalım. — Cenap›.

a'van, *A. i.* *(Elif ve aynı ile)* [Avn ç.] Yardımlar.• ‹Fransız, İngiliz de Moskovun olmuştu a'vanı. — Ziya Pş.›.

avani, *Bk.*• Evani.

avar, uvar, *A. i.* Kusur, ayıp, eksiklik,• ‹Setr-i avara evfak olduğunu meşveret edip. — Naima›.

âvare, *F. s.* Serseri, boş gezen.• ‹Hasılı âvarelik vakti bahar eyyamıdır. — Baki›.

âveregî, *F. i.* Avarelik, boş gezicilik.• ‹Âvaregi-i aşk ile âlemde Fehima — Mahsud-i safa pişe-i erbab-i sükûnuz. — Fehim›.

avarereviş, *F. s.* [Avare-reviş] Başı boş gidişli.• ‹Dağıtır kendini bir ah ile zülfünde gönül — Rind-i avarereviş fikr-i tecemmül mü arar. — Nailî›.

âvareser, *F. s.* [Âvare-ser] Başıboş.• ‹Döner âvareser tehziz-i bâd-i pür tehevvürle. — Fikret›.

avarız, *A. i.* *(Ayın ve dat ile)* [Ârıza ç.] 1. Sakatlıklar, bozukluklar. 2. Engeller. 3. Girinti çıkıntı. 4. Olağanüstü alınan geçici vergi.• *Avarız-i zemin,* engebeler• ‹Avarız ve sair tekâlif-i mahudeden gayrı. — Naima›.• ‹Şimdi mesele avaırzından tecrit oluna oluna şu dereceye indi. — Kemal›.

avarızat, *A. i.* [Avarız ç.] Sakatlıklar. 2. Olağanüstü vergiler.• ‹Memalik-i Mahrusa reayası kesret-i tekâlif ve avarızattan nice şedaid ve·belâ çekip. — Naima›.

avarî, *A. i.* [Âriyet ç.] Ödünç şeyler.• ‹Ve avari-i vasmet-avarı puşide ve mestur ola. — Okçuzade›.

avarif, *A. i.* [Arif ç.] 1. Ârifler. 2. Bilgin ve iş anlar olanlar.• ‹Dili dürr-i maarifte gehi bezl-i avarifte — Demadem eyler ispat-i fazilet bahr ü kân üzre. — Baki›.

avasıf, *A. i.* *(Ayın ve sat ile)* [Âsıf ç.] Sert, kuvvetli rüzgârlar.• ‹Avasıf-i tavayih-i rüzigâr ile. — Şefikname›.

avasım, *A. i.* [Âsım, asıma ç.] Temiz kimseler. Günahsızlar.• ‹Dest-i sây ü talebi kasr-i maarife kasr ve bünyad-i hisar-i avarife hasr edip. — Okçuzade›.

avatıf, *A. i.* *(Ayın ve tı ile)* [Âtıfet ç.] Atıfetler.• ‹Avatıf-i aliyye-i husrevane ve avarif-i seniyye-i mülûkâneden. — Ragıp Pş.›.

avatık, *A. i.* [Atîk ç.] Genç kızlar.

av'ave, *A. i.* Köpek havlaması. İt köpek şamatası.• ‹Av'ave kabîlinden olan itirazlar bir tarafa bırakılırsa. — Kemal›.

av'az, *A. i.* [İvaz ç.] İvazlar, bedeller.

âvaz, *F. i.* 1. Ses, seda. 2. Bağırtı. 3. (Mec.) Ün.• ‹Koymadı âyine-i dilde gubar — Yâd-i âvaz-i ney ü musikar. — Nabi›.

âvaze, *F. i.* Yüksek ses. Narâ.• ‹Pişinde bir avaze-i şan yükseliyordu. — Fikret›.

avd, *A. i.* Geri dönme.• ‹Ve dâr-i ukbaya sarf-i inan-i avd ü kuful etmekle. — Raşit›.

avdet, *A. i.* Geri dönme.• ‹Bu şanlı avdeti gûya selâmlıyor öteden. — Fikret›.

a'vec, *A. s.* Eğri, çarpık.• ‹Pây-i zemin-peyması bir mikdar a'vec idi, yanı ki a'rec idi. — Tas.›.

aveh!, *F. ü.* Eyvah, yazık.• ‹Bu bey ü şiradır etme aveh — Ver gonce ve al hezar duzeh. — Ş. Galip›.

avene, *i.* (Fenalıkta) yardımcılar, arkadaşlar. *(A'van,* yardımcılar demektir, fenalıkta yardım edenler için bu kelime Türkçede yapılmıştır.)• *Avene-i havene,* hayınlık yardımcıları.• ‹Silâhtar Paşa zikr oluñan âvenesiyle meşveret edip. — Naima›.

âveng, avenk, *F. i.* İpe geçirilmiş askı. Hevenk.• ‹Hun-i dilden asılır her müjeme bin avenk. — Kâzım Pş.›.

-âver, *F. s.* ‹Getirici, sebep olucu› anlamlarıyle birleşik kelime yapmada kullanılır.• *Cengâver,*• *dilâver,* (Bk.);

huzurâver, rahatlandırıcı,● *peyamaver*, haber ulaşırıcı;● *reşkâver*, imrendirici;● *tâbâver*, güçlü, dayanıklı;● *zoraver*, kuvvet sahibi, kuvvetli.

a'ver, *A. s.* (*Elif* ve *ayın* ile) 1. Tek gözlü. 2. (Ana.) Kör barsak.● «Meselâ a'ver veya eşel yahut âma gibi. — Taş.».

âverd, *F. i.* Savaş. Kavga.

averde, *F. s.* Getiren, getirici.

averdgâh, *F. i.* [Averd-gâh] Savaş yeri.

avergeh, *F. i.* [Avergeh] Savaş yeri, savaş meydanı.

âvihte, *F. s.* Asılmış.● «Etti avihte ol hayy-i Kadîr — Tak-i çarha iki kandil-i münir. — Nabi».

avî, *A. s.* (*Ayın* ile) [Avl'den] Feryat, acınma.● «İbadullahı zâr ü zelil. — Naima».

avine, *A. i.* [Evan ç.] Zamanlar.● «İs'ad-i ezmine ve esra-i avinede — Sadettin».

avis, *A. i.* (*Ayın* ve *sat* ile) Güç, zor, (ç. Avisat).● «Ve gayamız-i avisat-i meyl ü meveddetin allâme-i zi-fünun olmak. — Nergisi».

-âviz, *F. s.* «Asılan, asılı bulunan» anlamlarıyle birleşikler yapmada kullanılır.● *Dilâviz*, Bk.

avizan, *F. s. zf.* [Avihten'den] Asılma, asılmış olma. Asılı.● «Piraheni ilişip yırtılıp bir pâresi avizan olup. — Naima».● «Damen-i aff ü ricaya avizan olup. — Ragıp Pş.».

âvize, *F. i.* 1. Ama, askı. 2. Tavana asılan ışık aracı.● *Âvize-i gûş*, (kulak askısı) küpe.● «Ve illâ seni çarpâre edip pârelerin şehir kapılarına âvize ederim. — Naima».● «Pencerelerinden avizeleri, ağır perdeleri. — Uşaklıgil».

avk, *A. i.* (*Ayın* ve *kaf* ile) Alıkoyma, geciktirme.● *Avk ü tehir*, aksama ve gecikme.● «Donanma-yı İslâmın avkına güzel bais almuşsundur. — Naima».

avl, *A. i.* 1. Feryat. 2. Acıma. 3. Sıkıntı sebebi.

avl, *A. i.* 1. Şerre yönelme. 2. Çoluk çocuğu çok olma. 3. Mirasçı paylarının bölümde artık çıkması.

avn, *A. i.* 1. Yardım. 2. Yardım eden. 3. Özel isim olarak, Süleyman Peygamberle birlik olan bir cin. (ç. A'van).● *Avn-i Hak, - ilâhi*, Tanrı yardımı.● «Avn-i hazrettir karîn ü mahremi. — Ziya Pş.».

avnî, *A. s.* Yardıma ait, yardımla ilgili.

avniye, *A. i.* Serasker Hüseyin Avni Paşa tarafından ilk defa kullanılmış kolsuz asker kaputu.

avrât, *A. i.* (*Ayın* ve *te* ile) [Avret ç.] 1. Kadınlar. 2. Mahrem yerler.

avret, *A. i.* 1. Kadın. 2. Dince görünmesi haram sayılan beden yerleri.● *Setr-i avret*, bu gibi yerleri örtme.● «Avret gibi mağlûb-i heva olma er ol er. — Ziya Pş.».

avvad, avvade, *A. s.* [Ud'dan] Uçtu. Ut çalan.● «Şehin ol haline avvad demşaz — Münasip bir gazel, kıldı agaz. — Şeyhi».

avz, ivaz, *A. i.* Trampa. Karşılıklı verişme.

âyâ, *F. ü.* Şaşma, sorma, umut hallerinde, acaba anlamında kullanılır.● «N'olurdu anlasam bu mürg-i nalânın lisanından — Nedir maksudu âyâ girye vü âh-i nihanından. — Cenap».

a'yâ, *A. i.* Yorulma, yorgunluk.

a'yad, *A. i.* [İd ç.] Bayramlar.● *Â'yad-i Müslimîn*, Müslüman bayramları.● «Ola her bir günümüz gıbta-feza-yi a'yad. — Ziya Pş.».

ayağ, eyağ, Türkçede «kadeh» anlamında olan *Ayak* sözü, «mey, baş» kelimeleriyle tevriye sanatı yapılmada kullanılır.● «Ayağ-i mah-i gerdune baş eğmem ta sebu âsâ — Perestişkâr-i mihr-i sagar-i gerdanınım sâki. — Fehim».

a'yal, *A. i.* [Ayl ç.] Çoluklar çocuklar.

ayal, iyal, *A. ç. i.* 1. Bir kimsenin geçimini sağlama zorunda olduğu kimseler. 2. Kadın eş.● *Evlâd ü ayal*, çoluk çocuk.● «O sisli hâtıra uğrar mı ev, ayal, çocuk?. — Fikret».

ayan, iyan, *A. s.* Açık. Meydanda.● «Bu renklerde onun rengidir bakılsa ayan. — Fikret».

ayan, âyan, *A. i.* [Ayn ç.] 1. Gözler. 2. Gözle görünen şeyler. 3. Âyan. Bir yerin ileri gelenleri. 4. *A'yan-i sâbite*, eşyanın yaratılmadan önce Tanrıca saptanmış şekilleri;● *a'yan ü eşraf*, (bir kent veya kasabanın) ileri gelen halkı;● *Âyan-i hariciye*, Fransızcadan *objets extériurs* karşılığı.● *müşahhasa, - müteşahhısa*, Fransızcadan *objets concrets* karşılığı;● *Meclis-i âyan*, Osmanlı İmparatorluğunun 1877 ve 1908 meşrutiyeinde iki meclisten, üyeleri hükümetçe seçileni.● «Oldu resm üzre mürettep divan — Müçtemi oldu umumen a'yan. — Nabi».● «Müstenittir birine âyanın — Hakkını iste var ise eşya a'yan ve esmaniyle yoklanıp. — Raşit».

ayanen, *A. zf.* Açıkça, açık açık.● «Ayanen görmek arzusuyle. — Uşaklıgil».

ayaniyet, *A. i.* Göze görünür olma. Meydana çıkma.● «Çehre-i abus-i hakikat ayaniyet-i tamme ile mer'iyet-i sabıkasını yine bulmuşidi. — Recaizade».

ayar, iyar, *A. i.* 1. Altın ve gümüşte sâf-sâflık derecesi. 2. Saatte tam vakit gösterme. 3. Ölçülerde tam ve doğru olma. 4. (Mec.) Derece, mertebe.● *Kemayar*, katıklı;● *sahip ayar*, Darphanede basılan paraların ayarını kontrol memuru; ● *tamm-ül-ayar*, eksiksiz, tam.● «Nâkıstı ayar-i iştiyakı — Sevdan ile kâmil odlu göndüm. — Recaizade».

ayardan, iyardan, *F. s.* [Ayar-dan] Ölçü, değer bilir.

âyât, *A. i.* [Ayet ç.] Ayetler.● *Âyat-i Kuraniyye*, Kuran ayetleri,● *muhakemat*, açık ve kesin anlamlı ayetler.● *mütesabihat*, tevile geleblen ayetler. «Âyat-i hakikat okunur rayetimizde. — Fikret».

Ayaz, *A. ö. i.* Ayaz ile Mahmut hikâyesi genç kahramanı.● «Kemend-i sayd-i dil ü can iken kesip zülfün — Yine kesilmedi zülf-i Ayaz'dan Mahmut. — Beliğ».

ayb, *A. i.* 1. Ayıp. Utanılacak şey, 2. Eksiklik. 3. Bir malın değerini düşüren kusur. 4. *(s.)* Utanmayı doğuran, edepsizce.● *Âyb-i kadîm*, satıcı elinde iken malda bulunan kusur. (ç. Uyub.)● «Yârsız kalmış aybsız yâr isteyen. — Ahmet Pş.».

aybcu, *F. s.* [Ayb-cu] Herkesin ayıbını arayan, dedikoducu.● «Değil mi lüt-i Hakka karşı ayb aybculuklar — Kemine lokmayı bi-itham alır bulunur. — Nabi».
● «Başına çalsın felek Âyine-i İskender'i — Nef'i».● «Didar-i Kibriya'yı kemaliyle gözeten — Şeyda gönülden özge bir âyine bilmedik. — Beyatlı».

aybcuyi, *F. i.* Ayıp arayıcılık.

aybe, *A. i.* Heybe.

aybet, *A. i.* Tek kusur biricik ayıp.

aybgû, *F. s.* [Ayb-gû] Herkesin kusur veya aybını söyleyip gezen. Dedikoducu.● «Ve lûtf ü ihsan ragıplarıdır aybculuk etmezler. — Lâmii».

aybgûyi, *F. i.* Ayıp anlatıcılık. Fesatçılık. Munafıklık.

aybnâk, *F. s.* 1. Aybı olan. 2. Kusurlu.

a'yen, *A. i.* 1. Büyük, iri gözlü. 2. (Mec.) Herkesin göz dikip ümit bağladığı.

a'yen, *A. s.* Çok açık, çok belli. Meydanda.

âyende, *F. s.* Gelen, gelici. *Hoşayende*, gelişi güzel; zahmetsiz.● *Ayende ve revende*, gelen giden (ç. Aynedegân).● «Nimeti aynede ve revendeye mebzul. — Naima».

ayet, *A. i.* 1. Kur'an surelerini meydana getiren cümlelerden her biri. 2. İz. İşaret. 3. (Mec.) Çok belli ve kuvvetli gerçek.● *Ayet-i kerime*, kutsal ayet, Kur'an ayeti,● *ayet ber kenar*, özel sıralamayla düzenlenmiş Mushaf.● (Şefre-i tigında mersum ayet-i nassi-mübin. — Ziya Pş.».

ayib, Bk.● *Aib.*

âyin, *F. i.* 1. Gelenek, kanun, eski usul. 2. Din töreni. 3. Yol, davranış.● *Âyin-i Cem*, Bektaşi tarikatının özel töreni, (Mec.) İçki meclisi;● *- kudema*, eskilerin yolu, davranışı;● *- Mevlevi*, Mevlevilerin ney ile, dönerek yaptıkları âyin;● *şehrayin*, şenlik donanma.● «Bir mezheb âyince bir tazyik altına düşerse. — Kemal».

ayine, aine, *F. i.* (A ile) 1. Ayna. 2. (Tas.) Tanrının kendi cemalini seyretmek için yarattığı âlem.● *Ayine-i ârız*, parlak yanak;● *- asman*,● *- çerh*, güneş;● *- Çin, çini*, cilâlı madenden ayna;● *- haveri*, güneş;● *- İskender*, Büyük İskender'in Faros adasında denizdeki gemileri gözlemek için yaptırdığı ayna;● *- kitiefruz*, güneş;● *- kîtinüma*, 1. İskender'in aynası, 2. İçki dolu kadeh;● *- maksut*, Kuran'ın 4. suresinin 62. ayeti;● *- şeş cihet*, bir ermişin, bir din ulusunun, en ziyade, Muhammet peygamberin kalbi.● «Ne bu renciş sana küstah nigâh eylemedik. — Bakıp âyine-i ruhsarına ah eylemedik. — Nabi».

ayinedan, *F. i.* [Ayine-dan] Ayna mahfazası.● «Nev-arus-i hacle-i rûyine subh ayinedan. — Nef'i».

ayinedar, *F. i.* [Ayine-dar] Ayna tutan kimse.● «Yasemen şane, saba maşite, âb âyinedar. — Baki».

ayineru, *F. s.* [Ayine-rû] Yüzü ayna gibi parlak.

ayke, *A. i.* Balta girmemiş orman.

aykevi, *A. s.* (Coğ.) Ormansal. Orman ile ilgili.

ayn *A. i. (Ayın* ile) 1. Göz. 2. Pınar, kaynak. 3. Bir nesne veya kimsenin kendisi. 4. Gözle görülen ve meydanda olan eşya. 5. Arap alfabesinin 18., Fars ve Osmanlıca alfabelerinin 21. harfinin adı. 6. Fransızcadan *objet* (nesne) karşılığı (XX. yy.).● *Aynel yakîn,* görmüş gibi; kesin. (Tas.) Yürekten gözlem ile gerçek birliği görmek;● *ayn-i betra,* (Ayın harfinin başı) hemze;● - *hata,* yanlışın tâ kendisi, tam yanlış;● - *hayat,* (hayat pınarı) abıhayat (Bk.).● - *ibret,* ibret sözü;● - *keramet,* keramet gibi, peygamberlere yakışır bir kudretle;● - *mürekkep,* (Bio) 1. Petek göz. 2. Birleşik göz;● - *vahid,* tek gözlü;● *ayn-ül-fiil* «fiil» maddesinin ikinci harfi;● *ayn-ül- bakar,* (Bot.) öküzgözü;● *ayn-ül-kemal,* nazar değmesi;● *biaynihi,* tıpkısı, tamamıyle;● *iğmaz-i ayn,* göz yumma, görmezlikten gelme;● *insan-ül-ayn,* gözbebeği;● *isabet-i ayn,* gözdeğme;● *karir-ül-ayn,* gözü aydın;● *kurret-ül-ayn,* göz aydınlığı, sevinç;● *mehmuz-ül-ayn,* üç harfli kelimelerin ortasında «elif, yay, vav, ye» harflerinden biri bulunmak;● *nasb-i ayn,* gözdikme;● *nur-i ayn,* göz nuru, çok değerli ve sevgili;● *re'y-el-ayn,* kendi, görerek, gözü ile görerek; *tartaf-ül-ayn,* kendi, görerek, gözü ile görerek; *tarfat-ül-ayn,* göz açıp yumuncaya kadar çok ısı çok kısa bir zamanda. «Ayn-i ibretle bakılsa dehre — Her nazarda alınır bir behre — Nabi».● «Hayat hâb ü hayal ü vücud ayn-i zılâl. — Recaizade».

aynen, *A. zf.* Bir şeyin kendisi ve aslı olarak; tıpkı tıpkısına, tamamıyle, hiç değiştirmeden.

ayneyni, *A. s.* [Ayn'dan] İki gözle bakan. Fransızcadan *vison binoculaire* basar-i ayneynî (iki gözle görme) karşılığı (XX. yy.).

aynı, *A. s.* 1. Başkası değil yine o. 2. Tıpkısı.

ayni, ayniye, *A. s.* Göze mensup gözle ilgili.

ayniyye, *A. i.* 1. Aynen alınan şeyler. 2. Taşınabilen ve para eden şeyler.

ayniyye, *A. s. i.* 1. Göz hastalıkları bilgi ve bakımı. 2. Gümrük resmi para olarak değil, eşyanın kendisi olarak alınan.

ayniyyet, *A. i.* Bir nesne veya kimsenin ta kendisi olma. Aynılık.

aynülkemal, *A. i.* [Ayn-ül-kemal] Kem göz, batar bakış.● *Ayş-i dehruz* (on günlük yaşama) bu dünyadaki hayat;● - *müdam,* sürekli içki, zevk âlemi;● *ayş ü işret,* yiyip içme;● *ayş ü tarab,* yeme içme, çalgı çağanak.● «Semensima güzellerle gönül ayş-i müdam eyle — Ki âlem deyrine suret veren nakkaş-i nigâr ancak. — Hayalî».● «Ümit, neşe, muhabbet, visâl, ayş ü tarab. — Fikret».

a'yün, *A. i. (Elif* ve *ayın* ile) [Ayn ç.] Gözler.● «Ve Orhan-i devlet-medar a'yün-i küffarda mehib ü ba-vekar görünüp. — Sadettin».

ayy, *A. i. (Ayın* ve *ye* ile) Bitkin ve söyleme beceriği olmayan kimse.● «Elçi olmak üzre irsal eylediği ayy ve idare-i kelâmdan âciz».

ayyar, ayyare, *A. s. (Ayın* ile) 1. Hileci, dolandırıcı. 2. Kurnaz. 3. Çevik, atik. (ç. Ayyarân).● «Söze gelip ayyar olduğun izhar eyledi. — Koynundan hançre ve bıçak ve resen ve bazı ayyaran alâtı çıkmış idi. — Naima».

ayyaş, *A. s. (Ayın* ile) [Ayş'tan] Çok içki içen.● *Ayyaş-i bedmaaş,* geçimi kötü sarhoş.● «Sen de aklın var ise bir neşe tahsil et yürü — Âlemin ta'n etme tiryakisine ayyaşına. — Seyit Vehbi».

ayyaşan, *F. i.* [Ayyaş ç.] Ayyaşlar.● «Ayyaşan-i dehr ve kallâşan-i şehr. — Lâmii».

ayyuk, *A. i.* 1. Keçi yıldızı. *Aurigae.* 2. (Mec.) Gökyüzünün pek yüksek yeri.● «Hep kevn ü mekân âşık ya Rab bu ne halettir. — Ayyuka çıkar feryat gûya ki kıyamettir. — Esrar».

âz, *F. i. (A* ve *ze* ile) Hırs, tamah. Açgözlülük.● «Sîr olur mu nazar-i âzı tehiytab'anın. — Nabi».● «Bir bölük esir-i hırs ü âzım hevasına tâbi olmak mukteza-yi akl değildir. — Naima».

azâ, *A. i. (Ayın* ve *ze* ile) Ölüm karşısında sabır ve tahammül.● *Eyyarı-i azâ,* yas günleri;● *mreasim-i azâ,* başsağı.● «İkamet-i resm-i azâ' için siyah şemle sarınıp. — Naima».

a'za, *A i.* [Uzv ç.] Üyeler, uzuvlar.● *Âzayi dahiliye,* iç organlar;● - *fahriyye,* ilgisi olmadığı halde onur için veya saygı göstermek için bir kurula seçilen üyeler;● - *hariciyye,* dış üyeler;● - *tenasüliye,* üreme organları.● «Fakat şimdi onda bütün âzasını gevşeten bir keselân vardı. — Uşaklıgil».

azab, *A. i. (Ayın ve ze ile)* 1. Ceza. 2. Günahlara karşı ahiretet çekilecek ceza. 3. Eziyet, işkence. 4. Büyük sıkıntı, şiddetli acı.● *Azab-ı ahiret,* cehennem azabı;● *- kabr,* mezarda meleklerin soracaklarına cevap verirken çekilecek sıkıntı; *ehl-i azab,* günah işleyenler:● *- mühîn,* aşağılatıcı azap;● *Sure-i Azab,* Kuran'ın 9. suresine verilen adlardan biri. (Ed. ce.).● *Azab-i intizar,*● *- ihtizar,*● *- maraz;*● *- seyyal,*● *- vicdani.*● «Duzaha girmez siteminden yanan — Kabil-i cennet değil ehl-i azab. — Fuzuli».

âzad, *F. s.* 1. Kölelikten kurtulmuş serbest bırakılmış. 2. Kimseye bağlı olmayan, serbest düşünceli. 3. Azat edilmiş.● *Serâzad,* Bk.;● *servazzad,,* bir kökten ayrılıp uzanmış servi, uzun boy.● «Bende-i makbulünü mevlâsı azad eylemez. — Nev'i».

âzade, *F. s.* Her türlü bağdan kurtulmuş.● «Gam ü alâmdan âzade beraya-yi adem. — Akif Pş.».

âzadedil, *F. s.* [Azade-dil] Gönlü bir şeye bağlı olmayan.● «Görmedim âlemde ben bir âkıl-i âzadedil».

âzadegân, *F. i.* [Azade .ç] Serbest fikirliler.● «Âzadegân-ı kayd ü emel serfiraz olur. — Ragıp Pş.».

âzadegî, *F. i.* Serbestlik. Bağsızlık. Kayıtsız yaşama.● «Lezzet-i azadegî biarzuluklardır — Çaşni-i istirahat nermhuluklardadır. — Nabi».

âzadehatır, *F. s.* [Âzade-hâtır] Gönlü her türlü hırs ve emel bağından kurtulmuş.

âzadeser, *F. s.* [Âzade-ser] Başında gailesi olmayan.● «Âzadeser olurdum asib-i derd ü gamdan — Ya dehre gelmeseydim ya aklım olmasaydı. — Ziya Pş.».

azadeserane, *F. zf.* [Azade-serane] Başı boş olarak; tek başına.● «Her türlü kayıttan berî olarak azadeserane icra eder. — Kemal».

âzadi, *F. i.* Serbetslik, azatlık.● *Azadi-i dil,* gönül serbestliği.● «Esirin hâtırından dûr olur mu şevk-i âzadî. — Naci».

azaim, *A. i. (Ayın ve ze ile)* [Azime ç.] Fena şeylerden kurtulmak için düzenlenen muskalar, okunan dualar.● *Azaim-ür-ruka* üfürükçülerin dua olarak okudukları bazı Kuran sureleri.● «Bazı meşayihten erbab-i azaime kendule-

rin okutmakla müsterih olurlardı. — Naima».

azaim, *A. i. (Ayın ve ze ile)* [Azime ç.] Büyük işler.● «Nihayet mertebe irtikab eyledikleri azaim ve işledikleri ceraim sebebi ile. — Taş.».

azaimhan, *F. i. s.* [Azaim-han] Dua okuyucu. Üfürükçü.

âzal, *A. i. (A ve ze ile)* [Ezel ç.] Ezeller. Geçmişe ait başlangıçsız zamanlar.● *Ezel-ül-âzal,* en büyük ezel.● «Ezel-i âzalde mukadder olan zuhura gelir elem çekmeyip karşı gelesin. — Naima».

âzam, *A. s. (Ayın ve zı ile)* [Azîm'den] Pek ulu. En büyük.● *Arş-i âzam,* Bk.● *İmam-i Âzam,* dört büyük imamdan Hanefîlerin imamı Ebu Hanife.● *İsm-i âzam,* Tanrı adı;● *sadr-i âzam,* (sadırazam) Osmanlı İmparatorluğunda başvekil (başbakan).● «Bunda olmuş münteşir feyzi imam-i Azam'ın. — Fuzuli».● «Sevadında fürug-i nur-i vahdet — Hurufunda havas-i isim-i âzam. — Nef'i».

azamet, *A. i. (Ayın, zı ve te ile)* 1. Ululuk, büyüklük. 2. Kibirlilik.● «Dahi şehzade-i valâ-kadre — Yani evc-i azametle bedre. — Nabi».

azametfüruş, *F. s.* [Azamet-füruş] Ululuk satan, büyüklük taslayan.

azametperver, *F. s.* [Azamet-perver] Azametli, büyüklük gösterisi yapan.● «Kümesine avdet teşebbüsünde olan bir horozun vaz-i azametperverine gülümseyerek. — Uşaklıgil».

a'zamî, *A. s.* 1. En yüksek, âzami. 2. (Mat.) Maksimum.

a'zamiyyet, *A. i.* En büyük olma.

âzan, *A. i.* [Üzn ç.] Kulaklar.● «Sıytım ayyılmamış mıdır âzan-i âleme. — Naci».

azar, *F. i.* Mart ayı «Basıt-i hâke bir garra bisat-i nev salıp azar — Girihler bağladı bad-i saba âb-i revan üzre. — Baki».

a'zar, *A. i. (Elif ve ayın ile)* [Özr ç.] Bahaneler, kusurlar.● *A'zar-i baride,* hoş karşılanmayan özürler;● *- vâhiye,* uydurma asılsız özürler.● «A'zar-i bâridesi dahi makbul olmamakla. — Naima».

âzar, *F. i. (Elif ve ze ile)* İncitme.● «Lütfun evvel ne idi şimdi bu âzar nedir. — Fehim».

-azar, *F. s.* «İnciten kıran» anlamıyle birleşikler yapmada kullanılır.• *Dilâzar*, gönül kıran;• *merdümazar*, insan inciten, kaba.

azardide, *F. s.* [Âzar-dide] 1. İncitilmiş, küskün. 2. Zulüm görmüş.• «Tıfl-i azardide ağlarken güler.».

azarende, *F. s.* Keder verici. İncitici.• «Azarendesine âzar kast eylese indallah mücrim ve günahkâr mı olurmuş. — Hümayunname».

azarî, *F. i.* Dert, küskünlük, incitme.

azariş, *F. i.* Dert, keder, eziyet.

azarmend, *F. s.* Kederli, dertli.

azarr, *A. s.* (*Elif* ve *dat* ile) [Zarar'dan] Çok ve pek zararlı. En zararlı.• «Havf olunur ki geçen fitnelerden eşedd ü azarr fitne-i azime hudus edip — Naima».

azarresan, *F. s.* [Azar-resan] Dert ve kedere uğramış.

azarrerside, *F. s.* Derde, kedere uğramış.

azaz, *A. i.* Sert, işlenmemiş toprak.

Azazil, *A. ö. i.* Şeytan. İblis'nin meleklikteki adı.• «Kalır âbar-i dalâlette Azazil gibi. — Kâzım Pş.».

azb, *A. s.* (*Ayın* ve *zel* ile) Tatlı, hoş.• *Lisan-i azb-ül-beyan*, söylenişi tatlı dil.• «Bahçelikte vakı bi'r-i azbdn tulumba ihdasiyle su çıkarmak kabildir. — Naima».

azeb, *A. i.* (*Ayın* ve *ze* ile) 1. Evlenmemiş, bekâr. 2. Azab, (Tanzimattan önce) Deniz tüfekçi eri.• «Yeniçeri ve azebden kifayet mikdarı zâbitler. — Sadettin».

a'zeb, *A. s.* (*Elif, ayın* ve *zel* ile) [Azb'den] Daha veya pek, tatlı. En tatlı.

azeban, *A. i.* [Azeb ç.] 1. Bekârlar. 2. Eski Deniz tüfekçi erleri.• «Cemaat-i rüesa ve azeban ve forsalar. — Selânikî».

a'zel, *A. s.* (*Elif, ayın* ve *ze* ile) Silâhsız ve yalnız adam.

Azer, *Ö. i.* İbrahim peygamberin atası.

âzer, *F. i.* (*A* ve *zel* ile) Ateş.• «Kânun-i derune şule-i rikkatle pür-azer olup. — Hümayunname».

âzerâsâ, *F. s.* [Âzer-âsâ] Ateş gibi kızıl.

âzergûn, azergûne, *F. s.* [Âzer-gûn] Ateş renginde, kızıl.

azerî, *F. s.* Ateşle ilgili, ateş gibi.• «Etse ger hassiyyet-i hıfzı sirayet âleme — Tarh olurdu safha-i âb üzere nakş-i azerî. — Nef'i».

âzerkede, *F. i.* [Azer-kede] Ateşe tapanlar tapınağı.

âzerm, *F. i.* 1. Yumuşaklık. 2. Sevgi. 3. İncelik• «Ref' oldu iki taraftan âzerm — Hangâme-i rezmi ettiler germ. — Fuzuli».

âzerperest, *F. i.* [Âzer-prest] Ateşe tapan.

azfar, *A. i.* (*Zı* ile) [Zıfr, zufr ç.] Tırnaklar.• «Mahasal mûy ü azfar gibi tasallut-i agyar ve germ ü serd-i ruzgârdan. — Kemal».

azhar, *A. s.* [Zâhir'den] Daha veya pek, en açık, meydanda.• *Azharü min-eş-şems*, Güneş'ten daha aydın, açık.• «Sürat-i seyrinden azhardır ki rahş-i himmetim — Hem-inan-i sabıkun olmak temennasındadır. — Naci».

âzil, *A. s. ve i.* (*Ayın* ve *zel* ile) 1. Kınayıcı (kime). 2. Kadınların aybaşları kanı gelen damar. (ç. Azilîn).• «Saruca Paşa ilka-yi âzilîn ile mazul olup — Sadettin».

âzim, âzime, *A. s.* (*Ayın* ve *ze* ile) [Azm'den] 1. Kesin olarak karar veren. 2. Bir yere gitmeye kalkan.• *Âzim-i dâr-i beka*, ölme.• «Oldum bu merama çünkü âzim — Fırsat demin iğtinam lâzım. — Recaizade».

azîm, azime, *A. s.* (*Ayın* ve *zı* ile) [Azamet'ten] 1. Büyük, ulu. 2. Yüce, derecesi yüksek. 3. Önemli.• *Azîm-üşşan*, şan derecesi büyük;• *emr-i azîm*, önemli iş;• *umur-i azime*, önemli işler.• «Nihal'in kalbinde bir şey azîm bir hazz-i saadetle eriyordu. — Uşaklıgil».

azime, *A. i.* (*Ayın* ve *ze* ile) Cin, yılan buna benzer fena şey ve fenalıklardan korunmak için yapılan muska, okunan dua.

azimet, *A. i.* (*Ayın* ve *ze* ile) 1. Yola çıkma, gidiş. 2. Niyet tutup okunan afsun.• «Azimelerinden dönmeyip. — Naima».• «Bu azimette bir fecaat var. — Cenap».

azimethân, *F. s. i.* Azime duası okuyan, afsun okuyucu.

âzin, *A. i.* Kapıcı, perdeci.

azin, *F. i.* 1. Tören süsleri. 2. Bağ ve bahçe süsleri. 3. Güzellik.• «Ayin-i şahane ve azin-i husrevane üzre akd-i nikâh — Hümayunname».

âzine, *F. i.* 1. Bayram günü. 2. Cuma.• «Lehv ü lu'b erbabı da yek-dil değil bildim görüp — Rind ü tıflın ihilâf-i meşrebin âzineden. — Şerif».

azîr, *A s* (*Ayın* ve *zel* ile) Güç olan veya mümkün olmayan.

azir, *A. i.* Biçilmiş ekinin tarlada satılması.

aziz, *A. s.* 1. Değerli. 2. Ermiş. Eren. 3. Yüksek dereceli, çok değerli. 4. Kuvvet, kudret sahibi.● *Aziz-i Mısr.* Eski Mısır'da hâkim ve vezir;● *Nân-i aziz,* ekmek. (ç. Azizan, eizze).● «Hava-yi nefsten sermaye-i izzetir istigna — Aziz olmazdı Yusuf çekemese damen Zeliha'dan — Ragıp Pş.».● «Lâkin, azizim Behlül, sen felsefende tedenni mi ediyorsun yoksa? — Uşaklıgil».

azizan, *F. i.* [Aziz ç.] Azizler, dostlar.● «Ey azizan işte başlarız söze. — Süleyman Çelebi».

azize, *A. s.* «Aziz» sözünün kadınlar için olanı. XIX. yüzyılda Fransızca «Chérie» karşılığı kullanılmaya başlanmıştır.● «İstiyorsun ki bihaber kalalım — Bikarari-i kalb ü sevdadan — Ey azizem severken ayrılalım. — Cenap».

azl, *A. i.* (*Zel* ile) Kınama, başa kakma, azarlama.● «Sür'at-i levm ü azl şart-i adl değildir. — Taş.».

azl, *A. i.* (*Ze* ile) Bir yerden, bir işten çıkarımla,● *Azl-i nefs,* kendi kendini azl, istifa;● *azl ü nasb,* işten çıkarma, bir işe tâyin etme.● «Gerçi kim kişver-i virane-i kalbimde benim — Azl ü nasb eylemez icra-yi rüsum-i ahkâm. — Nabi».● «Azl-i müftüye olan azimeti fesh edip. — Naima».

azlâf, *A. i.* (*Elif* ve *zı* ile) [Zılf ç.] 1. (Zoo.) Toynaklar. Tırnakları çatal hayvanların tırnakları. 2. (Mec.) At.

azlâl, *A. i.* [Zıl ç.] Gölgeler: «Sandalların, gemilerin azlâl-i memdudesine. — Uşaklıgil».

azlem, *A. s.* [Zalim'den] Daha veya pek, en zalim. Haksız.● «Biri birinden ehass ü müzevvir ü azlem. — Nef'i».

azlem, *A. s.* (*Elif* ve *zı* ile) [Zulmet'ten] Daha veya pek, en karanlık.

azm, *A. i.* (*Ayın* ve *ze* ile) 1. Kesin karar. 2. Yola çıkma.● *Ulül-azm,* (Kesin niyetli büyükler) Nuh, İbrahim, Musa ve Muhammet Peygamberler gibi yılmıyan ayak direyen büyükler.● «Geceler azm ettiğim ol maha sayem havfidir — Bir tarik ile kabul etmez muhabbet şirketi. — Fasih».● «Fikr ordusu ceht ordusu azm ordusuyuz biz — Fikret».

azm, *A. i.* (*Ayın* ve *zı* ile) Kemik.● *Azm-i aciz,* sağrı kemiği;● *- adesî,* mercimek kemiği;● *- adud,* pazı kemiği;● *- akab,* ökçe kemiği;● *- âne,* kasık kemiği;● *- cebhî,* alın kemiği;● *- cidarî,* yan kemiği;● *- dıl'î* eğe kemiği;● *- enfî,* burun kemiği;● *- fahz,* uyluk kemiği;● *- gırbalî,* kalbur kemiği;● *- hanek,* damak kemiği;● *- kafa,* artkafa kemiği;● *- kâs,* göğüs kemiği;● *- kasaba,* baldır kemiği;● *- kûbere,* önkol kemiği;● *- mik'a,* kasık kemiği;● *- rıdfa,* dizkapağı kemiği;● *- remîm,* çürümüş kemik;● *- rikâbî,* üzengi kemiği;● *- sudgî,* şakak kemiği;● *- şaziye,* kaval kemiği;● *- vecnî,* elmacık kemiği;● *- vetedî,* temel kemiği;● *- zend,* dirsek kemiği;● *- zıfrî,* tırnak kemiği.● (ç. İzam).● «Hızr-i serçeşme-i nazmım ki bulur taze hayat — Reşha-i feyz-i nem-i hanem ile azm-i remîm. — Nef'i».

-âzma, *F. s.* «Denenmiş» anlamıyle bileşikler yapmada kullanılır.● *Cenk-âzma,* işte denenmiş, savaşçı;● *kâr-azma,* işte denenmiş, görgülü.

-âzmay, Bk.● *âzma.*

azmayî, *F. i.* Tecrübe görmüşlük.

âzmayiş, *F. i.* Deneme.● «Zannetme ki âzmayiş etmiş — Ehl-i hünere nümayiş etmiş. — Ziya Pş.».

âzmend, *F. s.* Açgözlü, tamahkâr.

azmerde, *F. s.* Tamahcı, pinti, cimri.● «Ve geceler zag ü zegn girdar-i halâik-i âzmerde olup aşiyanına yol bulmazdı. — Lâmiî».

-âzmude, *F. s.* «Denenmiş» anlamıyle takımlar yapmada kullanılır.● *Kâr-azmude,* iş görmüş, tecrübeli,● *na-azmude,* alıştırılmamış denenmemiş, acemî.● «Verka-yi na-azmude misal havalandık. — Kâni».

âzmudegî, *F. i.* Görgülü olma. Tecrübeli, alışık olma.

azmun, *F. i.* Deneme. Sınav. İmtihan.● «Meyl-i rütbe-i kitabet ile tarik-i imtihan ve azmuna bu veçhile rehnümun olurlar. — Okçuzade».

azot, Fransızcadan alınan bu kelime ile (XIX. yy.).● *azotî,*● *azotiyet,*● *zül-azot* gibi kimya terimleri yapılmıştır.

azra', *A. i.* Kız oğlan kız.

Azra, *A. ö. i.* 1. Medine kenti. 2. Vamık ile Azra öyküsünün kadın kahramanı.

azraf, *A i* (*Elif* ve *zı* ile) [Zarif'ten] Aşırı zarif olan.

Azrail, *A. ö. i.* Ölüm meleği.● «Hasta-i hicran olan korkar mı Azrail'den. — Eşref Pş.».

azrar, *A. i.* *(A ve dat ile)* [Zarar ç.] Zararlar, ziyanlar, eksikler.

âzur, âzver, *F. s.* *(A, ze ve ve ile)* Pinti. tamâhkâr.● ‹Gubar-i dergehidir zahm-i rüzgâr-i azur. — Nabi›.

azürde, *F. s.* *(A ve ze ile)* İncinmiş.● ‹Bağ-i âlemde olur gül diken azürde-i hâr. — Vâsıf›.

âzürdedil, *F. s.* [Azurde-dil] Gönlü kırık.● ‹Gülmez a âlemde elbet âşık-i azürdedil›.

âzürdegî, *F. i.* İncinme, kırılma.● ‹Rind çekmez mi aceb endişe-i azürdegî.›

âzürdehâtır, *F. s.* [Azürdl-hâtır] Hatırı kırılmış, küksün.

azv, *A. i.* *(Ayın ve ze ile)* Bir kimseye bir iş veya sözü yakıştırma, gerçek olmadığı halde onundur deme. İftira.● *Azv ü isnad, azv-i maksan.*

azva, *A. i.* *(Elif ve dat ile)* [Zu' ç.] Işıklar.● ‹İnzimam-i azva-i kevakib ile. — Sadettin›.

azviyyat, *A. i.* *(Ayın ve ze ile)* [Azv ç.] İftiralar.

azz, *A. i.* Isırmak, dişlemek.● *Azz-i benan,* parmak ısırmak.● ‹Azz-i benan eylediler. — Sadettin›.

azze, *A. ü.* *(Ayın ve ze ile)* Aziz olsun, kadri yüce olsun.● *Azze ve celle,* aziz ve celil olan (Tanrı).

B

b, 1. Arap ve Fars elifbelerinin ikinci harfi. 2. Ebcet hesabında 2 sayısını, 3. Ay olarak «recep» ayını gösterir. (Türkçede bazı Arap ve Fars kelimelerinin sonlarındaki bu harf *p* ile gösterilir, sert harflerle bulununca da yine *p* ile gösterilir).

bâ, *A. i.* Arapça «b» harfinin okunuşu. tek noktalı olduğundan «ba-i muvahhide» ve noktası altta olduğundan «ba-i tahtaniye» denir.

ba, be, *F. e.* ile, -le● *Ba berat*, berat ile;● *ba dil ü can*, can ve gönülle, büyük istekle;● *ba emr-i âli*, sadrazam buyruğu ile;● *ba-haber*, haberli, bilgili;● *ba jurnal*, (zaptiyece düzenlenen) tutulga ile;● *ba mazbata*, mazbata ile;● *ba posta*, posta ile; muhafaza altında;● *ba rapor*, rapor ile, polis mazbatası ile; ● *ba senet*, senetle;● *ba tahrirat*, resmî bir makam yazısıyle;●*ba tapu*, tapu ile;● *bavekar*, vekarlı olan, ağırbaşlı;● *cemal-i bakemal*, kemali (tam) güzellik;● *yâran-i ba safa*, safalı dostlar.● «Fasl-i baharda şehriyar-i ba-vekar Diyarbakır'dan İstanbul'a teveccüh etmişler idi. — Naima».

ba', *A. i.* 1. Kulaç (1.829 m.) 2. Erişmek, yetmek. 3. Kudret, beceriklilik. 4. Şeref. Kerem, vergililik.● *Kasir-ül-ba'*, 1. Kısa boylu. 2. Beceriksiz, gücü yetmez. 3. Zavallı;● *tavil-ül-ba'*, 1. Uzun kulaçlı. 2. Gücü yeter. 3. Eliaçık, vergili.● «Ve şer-i şerife ittiba ve şemşir-i cihadla rikab-i a'da-yi dine medd-i ba' ve akaid-i vahiyeden imtina etmektir. — Saadettin».● «Bu dai-i kem-bıdaa dahi maa kasr-ül-baa. — M. Esat».

ba anki, *F. bağ.* Şu şartla ki, şu suretle ki.● «Ba anki Hasan Efendizade'nin ol hücceti beray-i def-i meclis bir takrir hücceti idi. — Naima».

bab, *A. i.* Bap. 1. Kapı. 2. (Mec.) Sığınılacak, baş vurulacak yer.● *Bab-i adalet*, hak kapısı;● - *hükümet*, hükümet dairesi;● - *irtişa*, rüşvet kapısı.● *Min-el-bab ilel mihrab*, kapıdan mihraba

dek baştan aşağı.● «Olur erbab-i dile bab-i inayet meftuh — Hakanî».● «Çekildik izzet ü ikbal ile bab-i hükûmetten. — Kemal».

bab, *A. i.* Bap. Kapı. Tanzimat'tan önceleri saray, Tanzimat'tan sonraları yeni düzenlenen hükümet dairelerinden bazıları hakkında kullanılmıştır.● *Bab-i hümayun* Topkapı sarayının birinci kapısı;● - *Fetvapenahi*,● - *Meşihat*, şeyhülislâm kapısı;● - *Seraskeri*, askerlik işleri ile uğraşan daire;● - *Zaptiyye*, İstanbul'da güvenlik işleriyle uğraşan daire;● - *Bab-üs-saade*, Topkapı sarayının ikinci kapısı.

bab, *A. i.* Bap. 1. Bir kitabın bölümlerinden her biri. 2. Arapçada fiillerin çekim şekillerinden her biri. 3. İş, husus, madde.● *Ol bapta*, o iş hakkında. 4. Geçit, boğaz. *Bab-ül-ebvab*, Kafkasyada Şirvan civarındaki derbent.● *Bab-ül-Mendep*, Kızıldeniz'in Hint denizine doğru tarafındaki boğaz. 5. *Bab tutmak*, uğurlu, hayırlı saymak.● «Dest-i tazallüm ve istiman ile kar-i bab-i eman etmeleriyle. — Raşit».

bab, baba, *F. i.* 1. Baba. 2. Şeyh.● *Baba-yi âlem*, Âdem Peygamber;● - *suhan*, söz babası;● - *zemane*, çağdaş şeyh.● *Baba-yi atîk*, Trakyadaki Babaeski.● «Baştan başa dünyayı dolaşsan bulamazsın — Bir ârif-i hoş-sohbet ü baba-yi zamane. — Nef'i».● «Kenan Paşa selâmet-i nefs ile müsellem-i beni-âdem ve söz bilir baba-yi âlem idi. — Naima».

babayan, *F. i.* [Baba ç.] 1. Tarikat babaları, şeyhler. 2. Bektaşi şeyhleri.

babayane, *F. zf. s.* Babayani. Dervişçe. Dervişlere yakışır kılık ve davranışta.● «Piri Çavuş ki ümmî ve sade-dil idi, lâkin babayane özler bilir mâkul-gûy adam idi — Naima».

Babıâli, *Ö. i.* [Bab-i âli] Tanzimat'tan önce vezir-i âzam kapılarının, bu devirden sonra hükümet dairelerinden birçoğu da içinde toplanan ve sadrazamların bulundukları dairenin adı idi. Bulunduğu semtin de adı olmuştur. *(Mec.)* Bu semtte basımevleri bulunduğundan İstanbul basını için kullanılır kinayeli söz hali de almıştır.● «Acaba o zaman Babıâli'nin riyasetinde bulunan zat. — Kemal».

Babil, *A. i.* Irak'ta ve Bağdat'ın aşağı tarafına düşen ünlü bir ilkçağ kenti. Büyücülüğünden dolayı● «Babil kuyusu» anlamında «çeh-i Babil» eski edebiyatımızda çok kullanılırdı. Türlü insan dillerinin vücuda gelmesi üzerine olan masalın dayandığı ünlü kuleden dolayı «Babil kulesi» ve dünyanın yedi acaibinden biri olan «asma bahçeleri» yüzünden çok kullanılır olmuştur.● «O fitne kim anı Harut uyardı Babil'de — Siyah gözlerinin hâb-i âremidesidir. — Nedim».● «Zekan bir çeh-i Babil-i pür-fünün — Flâtun'u eyler esir-i cünun. — İzzet Molla».

babune, *F.* **babunec,** *A. i.* Papatya.● *babune-i gâv,* sığır gözü, sarı papatya çiçeği.● «Ve babunec ü semen ü nergis ü nesteren. — Lâmii».

bac, *F. i.* Bir yerden başka bir yere getirilen mallardan alınan vergi. Baç, haraç.● «Nireng-i hayaldan ibaret — Her sureti bac-i şehr-i suret. — Ş. Galip».

bacdar, *F. i.* Baç toplama memuru.● «Silistire ve Akkirman beyleri iskele eminleri ve bacdarları iki canip tacirlerinden gayri kimseneyi. — Naima».

bacenk, *F. i.* Baca.

bacgâh, *F. i.* Vergi alınan yer.● «Bacgâh-i çemende vurdu nema — Nabi».

bacgir, *F. i.* Bac toplama memuru.

bacgüzar, *F. s.* [Bac-güzar] Bac veren.

bachâh, *F. s.* [Bac-hâh] Bas istiyen.● «Çarha ferr ü tâb salsın rayet-i mehpeykerin — Mihr ü mehten bachâh olsun niginin hancerin — Nedim».

-bad, bâdâ, *F. i.* «Olsun, ola» anlamında dua.● *Afiyetbâd,*● *aferinbad,*● *mübarekbâd,*● *müjde-bad,* kutlu olsun;● *zindebâd,* çok yaşa;● *mebadâ,* olmaya ki.● *«Yekser* dediler sad aferin-bâd. — Nabi».● «Mealin her kim istihrac ederse aferin bâda. — Nabi».

bâd, *F. i.* 1. Yel, rüzgâr. 2. Hava. 3. Soluk, nefes. 4. Ah, iç çekme. 5. (Tas.) Tanrı yardımı. 6. (Mec.) Söz. Övme. 7. Ululuk satma, kibir. 8. Şarap.● *Bâd-i berin,* sabah yeli;● - *bürut* (bıyık yeli)

kibir, ululanma;● - *fena,* ölüm;● - *giysu,* kadın kalbi, kadın ululanması;● - *İsa,* 1. İsa peygamberin ölüyü dirilten nefesi; 2. Usta hekim; 3. Etkili ilâç;● - *nevruz,* bahar yeli;● - *saba* baharda hafif esen rüzgâr; (Tas.) Tanrı lütfunun etkileri;● - *sebükhiz,* hızlı esen yel;● - *seher,*● - *seherhîz,* sabah erken esmeye başlayan hafif yel;● - *serd* 1. Soğukluk, sert yel. 2. İçten gelen ah;● - *sümum,* Sam yeli, çölün ağılı yeli;● - *şurta,* uygun, güzel yel.
(Ed. Ce.)● *Bad-i âfet,*● - *aşk,*● - *biinsaf,*● - *bikarar,*● - *hâlik,*● - *hamuş,* ● - *hazan,*● - *hiraman,*● - *meşacir,* ● - *muattar,*● - *muganni,*● - *muhabbet,*● - *nalân,*● - *peyem-res,*● - *purgû,*● - *pür-safir,*● - *pür-va'ad-i bahar,*● - *ratîb,*● - *rebiî, serma,*● - *sümum,*● - *şebangâh;*● - *tabiat,*● - *teranedar,*● - *zâr.*● «Bağdat'a yolun düşse ger ey bâd-i seherhiz — Adap ile var hizmet-i yârna-i safaya. — Ruhi».● «Dünyayı güzer etse n'ola bâd-i sebük-hiz — Manendi onun bulmaya meva-yi selâmet. — Nabi».● «Bir pîr gelip nagâh pend etti alelâde — Al destine bir bade derd ü gamı ver bâde. — Ş. Galip».● «Müneccimbaşı ile Budakzade ihtifa edip bâd-i bürutları muzmahil oldu. — Naima».● «Bad-i nalân-i hazan giryeli ıslıklarla. — Fikret».

badam, *F. i.* Badem. (Mec.) Çekik göz. ● *Badam-i dümagz,* iki içli badem.● «İşret arasında nukl-i badam. — Ş. Galip».● «Bezm-i meyde nukle el sunmaz hemen ancak Nedim — Dilberin unnab-i lâ'lin çeşm-i badamın bilir. — Nedim».

badame, *F. i.* 1. İpek kurdu, ipek kozası. 2. Nazarlık, nazar boncuğu. 3. Et beni. 4. Zincir halkası. 5. Yamalı devriş hırkası. 6. Süslü, göz alan şey.

badamî, *F. s.* Badem biçiminde.● *Çeşm-i badamî,* sürmeli, iri, çekik güzel göz.

bâdaver, *F. i.* [Bâd-aver] Bedavadan ele geçen şey.● *Gencine-i bâdaver,* Husrev Perviz'in ikinci haznesi.● «Sevahil-i çemene çıktı genc-i bâdaver — Yöneldi husrev-i nevruza devlet ü ikbal. — Baki».

badban, *F. i.* Yelken.● *Badban-i ahdar,* yeşil yelken.● (Mec.) Arş, felek-ül-eflâk.● *badbanükşa-yi azimet,* yola hazırlık.● «Çıkıp yelkenliler Rumî siperden badbanlarla — Yine gösterdiler cuş ü huruş-i bahr-i ummanı. — Baki».• «Tarafına doğru badbanküşayi azimet ve itticah oldu. — Raşit».

badbedest, F. i. Yelpaze.

badbedest, F. s. [Bâd-be-dest] Ele bir şey geçmemiş, hava almış, züğürt.• «Ümmid-i mansıp edenler mahrum ve bedbedest kaldılar. — Naima» :

badbiz, F. i. Yelpaze.

bâde, F. i. Şarap.• Bade-i canbahş, can veren şarap;• - gülfam,• - gülreng, gül renkli (Kırmızı) şarap,• - hamra, kırmızı şarap;• - nâb katıksız, duru şarap.• «Hoş ol ki dem-i ecel çekip bade-i nab — Sermest yatam kabirde ta ruz-i hesap. — Fuzuli».• «Biz âşık-i âzadeyiz amma esir-i bâdeyiz. — Nef'i».

ba'de, A. zf. (Ayın ile) «sonra» anlamıyla tamlamalar yapmada kullanılır,• ba'de bu'dun, bir hayli zaman sonra.• Bade harab-ül-Basra, Basra yıkıldıktan sonra, yani iş işten geçtikten sonra,• Ba'd-el-lüteyya v-el-leti, birçok belâlar çekildikten sonra.• bad-el-icra, yapıldıktan sonra;• bad-el- ifa, yerine geldikten sonra;• bad-el-imza imzadan sonra;• bad-el-musalaha, barıştan sonra;• bad-el-vakit, bir zaman sonra;• bad-el-yevm, bugünden sonra;• bad-ez-zeval, öğleden sonra;• min ba'd, bundan sonra, bundan böyle.• «Ba'de zamanin Şemsi Han kızılbaşe asir düşen bazı kimseler ile mübadele olunmuştur. — Naima».• «Bad-el-vakt ne tavakkuf ü ârâma zaman müsait. — Nergisi».

badefüruş, F. s. [Bâde-füruş] Şarap satan, meyhaneci.• «Hum-i felek gibi bir gün olur çe tehi — Ne pir-i badefüruş badehar kalır. — Nailî».

bâdfeza, F. s. [Bâd-efza] Rüzgâr getiren: • «Deyu hirmen-i lâf ü güzafa cevv-i ceberruttan bâdefzav olmuş idi. — Naima».

badegüdaz, F. s. [Bâde-güdaz] Şarap tüketen.• «Benim o badegüdaz-i harim-i meykede kim — Elimde gül gibi bir cam-i şuletabım var. — Nailî».

badehar, F. s. [Bâde-har] Şarap içen.• «Maşuk ile bade-hâr idim ben. — Ş. Galip».

badehu, A. zf. (Be, ayın ve he ile) Ondan sonra.• «Sermaye-i azîmeye destres bulup bedehu yüz elli akçe ile müssterih olup. — Naima».

badehüm, A. zf. [Ba'de-hüm] Onlardan sonra.• «Sabıkta hulefa ve ashab-i kiram ve badehüm ukalâ-yi selâtin ve hükkâm-i fiham. — Naima.»

badekeş, F. s. [Bâde-keş] Şarap içen.• «Ne rind-i badekesiz Nailî ne zahid-i hüşk — Bize ne meykede ne hankah lâzımdır. — Nailî».

badel'ahz, A. zf. (Ayın ve zel ile) [Ba'del-ahz] Tutulduktan sonra, yakalandıktan sonra.• «Zindıkın ise bedel'ahz tövbesi makbul olmayıp... — Naima».

badel'asr, A. zf. (Ayın ve sat ile) [Bade-l-asr] İkindiden sonra.• «Salı gününden badel-asr meydan-i sûr-i pür-sürurda mansub otaklarına. — Raşit».

badelistizan, A. zf. [Bad-el-istizan] İzin aldıktan, sorduktan sonra.• «Bu esnada üçüncü defa olarak badelistizan. — Recaizade».

badelyevm, A. zf. [Bade-l-yevm] Bugünden sonra. Bundan sonra.• «Hemen bunları bilküllîye defedin badelyevm bir müstahkem kale bina olunup. — Naima».

badema, A. zf. (Ayın ile) Bundan sonra.

badenuş, F. s. [Bâde-nûş] Şarap içen.• Badenuş olmak, şerefe içki içmek.• «Lebin hayali ile badenuş olan âşık — Eder mi meyl-i şerab-i tahur ü ke's-i dehâk. — Nevres».

badeperest, F. s. [Bâde-perest] Şaraba tapan. (Mec.) Şarabı çok içen.• «Sadrın gözetip neyleyelim bezm-i cihanın — Pâyi hum-i meydir yerimiz badeperestiz. — Ruhi».

badeza, badezalik, A. zf. (Ayın ve zel ile) [Bâde-za] Bundan sonra.• «Badezalik memleketlerinden gelen tüccar metaı gümrük vermemek için. — Raşit».

badezin, F. zf. [ba'd-ezin] Bundan sonra.• «Arsa-i mahşerde cem' olursa olur badezin. — Ziya' Pş.».

badezzeval, A. zf. (Ayın ve ze ile) [Bade-z-zeval] Öğleden sonra.• «Cuma ve salı günleri badezeval dörtte. — Uşaklıgil».

badezzuhr, A. zf. (Ayın, ze ve he ile) [Bade-z-zuhr] Öğleden sonra.• «Mah-i şevvalin yirmi beşinci perşembe günü badezzuhr. — Raşit».

badgân, F. i. 1. Gözetici, bekçi. 2. Haznedar.

bârgâne, F. i. Kafesli pencere.

badgir, F. i. [Bad-gir] Baca, nefeslik.• Minfaha-i Sair ki badgir-i külhen-i şişegeran-i azaptır. — Veysi».

badi, *A. s. i.* [Bed'den] 1. Sebep. Gereken ve gerektiren. 2. İlk, baş.• *Badi-i emirde,* işin başında.• ‹Bu ahval badi-i nazarda gerçi paşanın salâh ü iffetinden addolundu. — Naima›.• ‹Ol mey ki olur saykal-i dil erbab-i kemale — Na-puhtelerin aklına badi-i ziyandır. — Ziya Pş.›.

bad-i heva, *F. s.* Bedava. Parasız, beleşten.• ‹Dolmuştur içi anla mamure-i dehrin — Mahsulü benim iki gözüm bad-i hevadır. — Hakanî›.

badinc, *F. i.* Hindistan cevizi.

badincan, *F. i.* Patlıcan.• ‹Renc-i sevdaya verir badican — Kan alır kande görse yerkan — Nabi›.

badicani, *F. s.* Patlıcan renginde. Morumsu.• ‹Ve hunak hudus edip çehresi badecani renge girip. — Naima».

badingân, *F. i.* Patlıcan.

badire, *A. i.* 1. Ansızın, birdenbire söylenen söz. 2. Birdenbire olan şey. 3. Kabahat. (ç. Bevadir).• ‹Tabanı Yassı Mehmet Paşaya badire-i gazap isabet edip Kulel-i Seb'a'ya gönderildikte. — Naima›.

badiye, *A. i.* Çöl.• *Badiye nişin,* çölde oturan, çöl halkı;• *badiye-peyma,* çölde gezip dolaşan;• *Badiye-i gul,* dünya, (ç. Beyadi).• ‹Bulamadım badiye-i gamde refik-i müşfik — Gel seninle olalım biz yine hemrah gönül. — Naci›.

badnüma, *F. i.* [Bâd-nüma] Yelin esme yönünü gösteren alet.

bâdpa, -y, *F. s.* [Bâd-pa] Yel ayaklı. *(Mec.)* Ayağına çabuk (at).• ‹Davutpaşa sahrasından inan-i bâdpâ-yi teveccüh-i hümayunalrı Edirne canibine tevcih. — Raşit›.

bâdpeyma, *F. s.* [Bâd-peyma] Boş gezen. serseri.• ‹Yirmi dört senedir kim kulun tarika girip — Ümid-i nef-i menasıbla bâdpeymadır. — Beliğ›.

badreftar, *F. s.* [Bâd-reftar] Koşması yel gibi olan, çabuk koşan.• ‹Ol asker-i cerrar ve ol asker-i badreftar kavi dil olup. — Lâmii».

badreng, *F. i.* 1. Ağaçkavunu. 2. Başı sert ve hızlı gider at.

badsenc, *F. s.* 1. Kibirli, ululuk satan. 2. Kötü niyetli.

badser, *F. s.* [Bâd-ser] Başı yelli. (Mec.) Kibirli. Âsil. Mutaasıp.

badsüvar, *F. s.* [Bad-süvar] Hızlı giden. Yele binmiş.• ‹Gâh badsüvar-i tayaran olmuş kar fırtınası gibi. — Uşaklıgil›.

badzehr, *F. i.* Panzehir. Zehir etkisini önliyen nesne.• ‹Renc-i enduh komaz dillerde — Badzehr-i gam-i devrandır berş. — Nabi».

bâdzen, bâdzene, *F. i.* [Bâd-zen]. Yelpaze.• ‹Şule-i aşkı heva-yi dildir efzun eyleyen — Badzen bâl-i semenderdir bu ateşhaneye. — Nedim›.• ‹Zene şayan görülür badzene. — Naci›.

-baf, *F. s.* ‹Dokuyan, dokuyucu› anlamıyle bileşik kelimeler yapmada kullanılır.• *Buriyabaf,* hasır ören,• *zerbaf,* sırma dokuyan.

bag, *F. i.* 1. Ağaç ve çiçek dikili yer. 2. Üzüm bahçesi. 3. *(Mec.)* Seyir, gezinti yeri. 4. Dünya. 5. Cennet.• *Bağ-i adn,* • *- behişti,*• *- cinan,*• *- firdevs,* • *- huld,*• *- irem,*• *- kuds, - naim,* • *- Rıdvan,* Cennet,• *bag-i dehr,* dünya. (ç. Bagat, bagha).• ‹Bağ-i dehrin hem baharın hem hazanın görmüşüz — Nabi›.• ‹Nişimen eyledi altmış yaşında bağ-i Rıdvan'ı».

bagal, begal, *F. i.* Koltuk.• *Bagalgir,* tutucu, koltuğa girici.• ‹Ümmid-i vefa eyleme her şahs-i dagalde — Çok hacıların çıktı haçı zir-i bagalde. — Ziya Pş.›.• ‹Silâhtar Ağa ve Çukadar Ağa bagalgir-i tevkir olarak. — Raşit›.

bagat, *F. i.* [Bağ ç.] 1. Bahçeler. 2. Üzüm bağları.• ‹Kıla ü bıkaın bagat ve meyva esçarını kat'. — Naima›.

bagban, *F. i.* [Bag-ban] Bahçıvan, bağ bekçisi.• ‹Bağban bir gül için bin hâra hizmetkâr olur.›

bagbanî, *F. i.* Bağ bekçiliği, bahçıvanlık.

bagçe, *F. i.* [bag-çe] Bahçe.• ‹Habbezâ bagçe-i padiaşh-i rû-yi zemin. — Nef'i».

bagçevan, *F. i.* Bahçıvan.• ‹Olsa lâyıktır Nişat-âbad'a Kisra bağçevan. — Ziya Pş.›.

bâgî, bâgiye, *A. s.* [Bagy'den] Âsi. Başkaldırmış.• ‹Huzur hümayuna dahil oldukta taife-i bagiyenin kemal-i tecebbür ve şiddetlerin ifade. — Raşit›.• ‹Tecemmü eyledi Meydan-i Lâhm'e — Edip küfran-i nimet bunca bâgi. — İzzet Molla›.

bagıstan, *F. i.* Bağ ve bahçe yeri.

bâgıyane, *F. s. zf.* Âsilikle, âsilere yakışır şekilde.• ‹Câygir-i zamirleri olan harekât-i bagıyaneyi vücuda getirmek için. — Şefikname›.

bâgız, *A. s.* [Bugz'dan] Kinci. Kin tutan. (ç. Bugaza).

bagîz, begîz, A. s. [Bugz'dan] Herkese karşı kin besleyen. Kimseyi sevmeyen.● ‹Bulunur nice bagîz-i âlem — Bi-sebep düşman-i erbab-i niam. — Vehbi».

bagl, A. i. Katır. (ç. Bigal).● ‹Şorba yemeziz diye işveha-yi bagl... ettiklerinde. — Naima›.

bagle, A. i. Dişi katır.● ‹Her kimse ki tahsil-i fıkh isteye bu baglenin zenbini şemm eylesin. — Taş.›.

bagteten, A. zf. (Te ile) Birdenbire, ansızın.● ‹Bir gün tıfl-i bihaberin kalb-i sâfına — Bir nokta-i siyah-i elem düştü bağteten. — Fikret›.

bagvan, F. i. Bagban, bahçıvan.

bagy, A. i. Azgınlık, aşırılık, Haktan ayrılma.● ‹Ocaklının güzar etmişti haddi bagy ü isyanı — Ziya Pş.›.

bagza, A. i. (Gayın ve dat ile) Hiç sevmeyiş. Şiddetli sevgisizlik.● Farkı gûya bu iki suretin aklınca benim — Birisi hubb-i fenadır biri bagza-yi adem. — Akif Pş.».

bagzar, F. i. [Bâg-zar] Bağlık yer. Bağ.● ‹Firdevs idi bağzar-i ömrüm. — Recaizade›.

bah, A. i. (He ile) Erkek ile dişinin birleşmesi.● ‹Denidir o kim ifftei terk edip. — Tefahur ede kesret-i bah ile — Okçuzade›.

baha, A. F. i. Bk.● Beha.

bahaber, F. i. (Hı ile) Haberli olma. Haberi olma. (ç. Bahabern).● ‹Gayet ve maksat ve tarikinden bahaber olan. — Taş.›.

bahaberan, F. i. ç. [Ba-haber-an] Haberli, haberi olan kimseler.● ‹Gûş et bu sözü kim haber-i bahaberandır. — Ruhi›.

bahadir, F. i. s. (He ile) Yiğit, kahraman. (ç. Bahadıran).● ‹Emirgûne'nin mirahuru ki bir civan bahadır idi. — Naima».● ‹Bahadıran-i guzat üç gün firarileri takip. — Naima›.

bahadirane, F. s. zf. Yiğitçe, yiğite yakışır yolda.

bahaim, A. i. Bk.● Bahayim.

bahane, behane, F. i. 1. Sebep, vesile. 2. Yalandan özür.● ‹Kastım hemen şikâyet-i baht-i siyahtır — Ey dud-i ah sen arada bir bahanesin. — Nabi›.

bahanecu, F. s. [Bahane-cû] 1. Bahane arıyan. 2. Fırsat gözeten. Garezci.● ‹Bahanecu-yi fırsat olduğum yâra du-

yurmuşlar — Nifak etmişler amma mânevi himmet buyurmuşlar. — Yahya›.

bahar, F. i. (He ile) 1. İlk yaz mevsimi. 2. Yeşillik. 3. Çiçek ve yeşillik mevsimi.● ‹Bahar gelse de gitmez hazan hayalimden. — Naci›. (Ed. Ce).● Bahar-i aşk,● - hayat,● - mutrip,● - nâtık,● - terennüm;● Aşiyan-i bahar,● benat-i bahar,● dem-i bahar,● ezhar-i bahar,● feyz-i bahar,● incilâ-i bahar,● leb-i bahar,● nefha-i bahar,● sürud-i şuh-i bahar.

bahar, A. i. 1. Sarı papatya. 2. Tarçın ve karanfil gibi güzel kokulu ve sert taneler, ki yemeklere konur. (ç. Baharat).● ‹Yine erraş-i saba sahn-i rıbat-i çemene — Geldi bir kafile kondurdu yükü cümle bahar. — Baki».

bahar, bahr, A. i. (Hı ile) Ağız kokusu.● ‹(Tülün) içmeyen kimse anın teneffüsün. iştişmam eylese rayiha-i bahar ana nisbetle ud ü anber gelir. — Kâtip Çelebi›.

baharalûd, F. s. [Bahar-alud] Bahar karışımı.● ‹Hoş nigâh et bu hazangâh-i baharaluda — Kimi bülbül gibi mahzun kimi gül gibi şad. — Nabi›.

baharan, F. i. İlk yaz.● ‹ Gel ey fasli baharan maye-i ârâm ü hâbımsin. — Nedim›.

baharat, A. i. [Bahar ç.] Yemeklere tat için katılan kokulu ve tadı sert maddeler.

baharî, F. s. İkl yazla ilgili, ona dair.● ‹Bir kuşcağızın ömr-i baharisi kadar hoş. — Fikret›.

baharistan, F. i. 1. Baharın hüküm sürdüğü zaman. 2. (Ö. i.) Molla Cami'nin kitabı.● ‹Fırka-i beşer şu baharistan-i ârâm içinde. — Cenap».● ‹Maani câmını içmekte oldum Cami-i sani — Baharistan-i tab'ımda açıldı bir gül-i sûrî. — Hayali›.

bahariyye, F. i. 1. Kasidelerden bahar tasviriyle başlayanı. 2. (Ö. i.) İstanbul'da Haliç'te tekkesiyle ünlü bir semt.● ‹Servkametleri seyr eyle Bahariyye'ye gel. — Beliğ›.

bahem, behem, F. zf. [Ba-hem] Bir arada, beraber.● ‹Pamal olurdu gird-i kesada dükkânları — Yek kârda cemal ü nazar bahem olmasa. — Nabi›.

bahî, A. zf. (He ile) [Bah'tan] Şehvet ile ilgili

bahîl, *A. s.* [Buhl'den] Pinti, cimri .(ç. Bahilân, buhala).● «Bir merd-i bahîl-i nakes idi. — Taş.».● «Merd-i bahîl din ü dünyada bednamdır. — Hümayunname».

bâhil, *A. s.* Başına buyruk. İşsiz güçsüz, avare.● «Ve dahi anların bâhili olanlar anların gayrı Araba küfüv değildir. — Taş.».

bahilân, *A. i.* [Bahîl ç.] Pintiler, cimriler.● «Kerem erbabına vermezdi atâya növbet — Zevkini bilse bahîlân dahi bezl-i diremin. — Sünbülzade».

bâhir, bahire, *A. s.* (He ile) 1. Parlak, güzel. 2. Açık, belli, görünen.● «Lem'a yelerdi o nur-i bâhir — Şuleler yer yer olurdu zâhir. — Hakani».● «Ayet-i seyf gibi bir mucize-i bahire addolunsa reva değil mi? — Kemal».

bâhis, *A. s.* (Ha ve se ile) [Bahs'ten] 1. Bahseden (kimse). 2. Konu yapan.● «Lâkin niçin ol dilir-i bâhis — Hayriye'den açmamış mebahis. — Ziya Pş.».

bahname, *F. i.* [Bah-name] Şehveti hareket ettirici tarif ve resimlerle meydana getirilmiş kitap.

bahr, *A. i.* (Ha ile) 1. Deniz. Büyük nehir, veya göl. 2. Aruz vezinlerinin bölümleri. 3. *(Mec.)* Bilgisine son olmıyan kimse.● *Bahr-i Ahdar,* Hind Okyanusu,● - *bipayan,* genişliği sınırsız deniz,● - *bahr-i muhit,* büyük deniz, dış deniz, okyanus.● «Kenar-ı bahre gizlice seninle eyleyip şitap. — Fikret».

bahrârâ, *F. s.* [Bahr-ârâ] Denizi süsliyen.● «Hevası bi-bedel mevki' güzel âbı bir mullâ kasr-i bahrârâ. — Nedim».

bahren, *A. zf.* Deniz yoluyla.

bahreyn, *A. i.* 1. İki deniz. Akdeniz. Karadeniz.● *Hakan-ül-bahreyn.* 2. İki büyük, temel şey. 3. *(Ö. i.)* Acem körfezinde bir ülke.● «Mülk-i suhan kalemrev-i tab-i kerimidir — Bahreyn-i nazm ü nesrde câri hükümeti. — Akif Pş.».● «Mesaib-i bahreyn istimaından kulübe vahşet ve halka haşyet müstevli oludu. — Naima».

bahrî, bahriye, *A. s.* Denize ait. Deniz veya denizcilikle ilgili.● «Hattâ belde-i mezburenin canib-i bahrisinde olan iki mil mesaede. — Raşit».

bahriyye, *A. i.* Devletin donanma ve deniz askerleri ve bunlara ait işler.● «Kuvve-i berriye vü bahriyyesi — Devletin olmuş iken misl-i serab. — Ziya Pş.».

bahs, *A. i.* 1. Bir nesne hakkında etraflı söz söyleyip gerçeği araştırma. 2. Söz tartışması. 3. İddialaşmak (ç. Ebhâs).● «Bana sevmekten — Bahs ederler : çekemem, mazurum. — Fikret».● «Şeyh Mücib'in istidlâli ve redd-i bahs ü nazar kaidesi üzre değil idi. — Kâtip Çelebi».

bahsî, *A. s.* [Bahs'ten] Fransızcadan *discursif* (diskürsif) karşılığı (XIX. yy.).

bahş, *F. i.* Bağış, ihsan.● *Bahş-i kalenderî,* cömertçe dağıtma. Bol keseden ihsan.● «Ez afı mertebe tuhaf ü nevadir Mısır'da bahş-i kalenderî oldu. — Naima».

-bahş, -bahşa, *F. s.* «Bağışlayıcı, verici» anlamıyle bileşik kelimeler meydana getirir.● *Canbahş,● canbahşa,● kerembahş,● kerembahşa,● hayatbahş,● hayretbahş,● giryebahş,● safabahş,● safabahşa,● revnabahş,● ruhbahş.*

bahşayiş, *F. i.* Bağışlayış, bağışlama.● «Takdise ehaktır bu — Bahşayiş-i Haktır bu. — Naci».

bahşayişger, *F. s.* [Bahşayiş-ger] Bağış yapan. Acıyan, şefkatli.

bahşende, *F. s.* Bağışlayan.● «Bahşende-i kişver-i muhalled — Şahinşeh-i enbiya Muhammed. — Nabi».

bahşiş, *F. i.* Bağışlama. Ücretten fazla verilen şey.● «Amma daha bahşiş-i ilâhi — Miracını bulmadı kemahi. — Ş. Galip».

baht, *A. i.* Katıksız. Öz. Salt. Halis. Sâf.

baht, *F. i.* (Hı ve te ile) 1. Uğur. 2. Talih. Yazı, kader.● *Baht-i bidad,* insafsız talih, köüt kader;● - *bidar,* uyanık, açık talih,● - *dun,* aşağılık talih,● - *habalûd,* uyumuş, yani kapalı kısmet;● - *siyah,* kara talih,● *bedbaht,● bibaht,● civanbaht,* talihi genç, kısmeti açık;● *kavibaht,* talihi kuvvetli uğuru açık;● *nikbaht,* iyi talihli, kaderi uygun.● «Baht-i dun elinden bir dolu içtim. — RT. Bölükbaşı».● «Zülfün görenlerin hep bahtı siyah olurmuş — Tek zülünü göreydim bahtım siyah olaydı. — Nevres».● «Nakş etti bir tehekküm için baht-i bişuur — Tarih-i zulme bir yeni dibace-i gurur. — Fikret».

bahtaver, *F. s.* [Baht-âver] Talihli.

bâhte, *F. s.* Oyunda kaybetmiş, yutulmuş.● «Bir iki senede bahte-i kumarbaz-i meyperesti olup. — Nergisi».

bahtek, *F. i.* 1. Küçük baht. Fena talih. 2. Ö. i. Nuşirevan'ın vezirinin adı.

bâhter, *F. i.* Batı, batı yönü. (Doğu, doğu yönü anlamında da kullanıldığı olur.)● «Geh memleket-i haver ü geh bâhter eyler — Nef'î».

bahteri, *A. s.* 1. Salına salına yürüyen. 2. Ululuk satan (kimse).

bahtiyar, *F. s.* Kutlu, mutlu, bahtlı.● «Melek çocuk baban seninle bahtiyar olur. — Fikret».

bahtiyarane, *F. zf.* Bahtiyar olanlara yakışır biçimde.● «Ötüşürlerdi bahtiyarane — Vermesinler mi neşve insana. — Naci».

bahtiyarî, *F. i.* Kutluluk.● «Bâzu-yi rahm-i izzetine ittikâ edip — Tesir-i bahtiyari-i vuslatla ağlasam. — Cenap».

bâhur, *A. i. (Ha* ile) Fazla sıcaklık. Sıcak zamanlarda yerden yükselen buhar.● *Eyyam-i bahur,* ağustos ayında yedi gün süren sıcaklar.● «Bahar-i gülşen-i şadiye fasl-i bahurum. — Fehim».

bahusus, *F. zf.* [Ba-husus] Hele, en çok. ● «Bahusus ana eyleye destur — Sadr-i zişanı hazret-i Mevlâ. — Nedim».

bahye, *F. i. (Hı* ile) Terzi dikişi, çatma.● «Rahne-i meşakkatın rüfuger-i tedbir ile bahye-i felâh peyda kıla. — Nergisi».

bahyezen, *F. i.* Terzi, Dikişçi.

baid, baide, *A. s.* [Buud'dan] 1. Uzak, arası çok olan, ırak. 2. *(Mec.)* Beklenmedik, umulmaz.● *Aktar-i baide,* uzak ülkeler;● *esfar-i baide,* uzak açık deniz seferleri.● «Dıraht-i ye'sten izhar-i berk ü bâr-i ümid — Tasarrufat-i ilâhiyeden baid midir. — Nabi».

bâir, bâyir, *A. i.* Sürülüp açılmamış toprak. Sert,k atı toprak. (ç. Bur).● «Bâyır olmuş mülke tâyin etti mimar-i hired — Susamış gülzara irsal etti ebr-i nevbahar. — Fuzuli».

baîr, *A. i.* Erkek deve.● «Bu gamlar kim benimv ardır bâirin başına koysan — Çıkar kâfir cehennemden güler ehl-i azap oynar. — Fuzuli».

bâis, baise, *R. s.* Sebep. Neden? Gerektiren.● *Bais-i feryad,* feryad ettiren;● *meserret,* sevince neden olan. (ç. Bevais).● «Şiddet-i şita mürur edip fimabait Selânik'te meks ü ârâm olunmaya bais olur halet kalmamakla. — Raşit».

bâk, *F. i. (Kef* ile) korku, çekinme.● *Bibâk,* korkusuz, korkmayan. Günah sahibi anlamında da kullanıldığı olmuştur.● «Ne bâkim var sipehr-i bivefa eylerse istiğna. — Hakani».

bakar, bakara, *A. i.* 1. Öküz, sığır. 2. (Mec.) İyiyi, kötüyü ayırt edemeyen, sersem, ahmak. 3. Kuran'ın 2. suresi.

bakari, bakariye, *A. s.* Öküz, sığır, inek, manda gibi hayvanlara ait, onlarla ilgili● *Hayvanat-i bakariye,* sığır cinsinden hayvanlar.

bakaya, bekaya, *A. i.* [Bakiyye ç.] 1. Artanlar, kalıntılar. 2. Akçah yıl içinde toplanmayıp ertesi yıla kalan vergiler. 3. Her hangi bir yüzden zamanında askerliği sonraya kalmış olanlar.

bakemal, *F. zf.* [Ba-kemal] Tam bir olgunlukta.● «Ne denlû âlem-ârâ ise hurşid-i ziyaküster — Letafette cemal-i bakemali andan ahsendir. — Ruhi».

bakıa, *A. s.* Dert ve belâ.● «Ve vâkıa-i bakıayı hicv-i melih ile telmih ederdi. — Okçuzade».

Bakıl, *A. ö. i.* Ahmaklığı mesel olmuş bir arap.● «Bezm-i cühhalde Hassan ile Bakıl birdir. — Ziya Pş.».

Bâkır, *A. ö. i.* 12 imamın beşincisi. İmam Zeynelabidin'in oğlu ve Hüseyin'in torunudur (694 - 785). Asıl anlamı 1. Geniş, 2. Aslan, 3. Göz damarıdır.

bâkıyat, *A. i.* [Baki, bakiyye ç.] Sürüp giden şeyler.● *Bakıyat-i salihat,* sevabı sürüp giden güzel şeyler.

bakıyye, *A. i. (Kaf* ile) 1. Artıp kalan. 2. Alt taraf, sonrası. 3. Yok olmuş bir şeyin artığı.● *Bakıyyet-üs-selef,* eskilerden artakalan adam. Daha çok dine bağlı ve hayırlı kimseler için kullanılır.● *Bakıyyet-üs-seyf,*● *bakıyyet-üssüyuf,* Kılıç artıkları, savaştan veya öldürülmeden kurtulabilmiş olanlar.● «Eşkıyanın ekseri tenkil edilerek bakıyyesi kemal-i hıybet ve hizlân ile perişan oldular. — Şefikname».● «Eş'arı alıp götürdüler hayf — Kaldık hele biz bakıyyet-üs-seyf. — Ş. Galip».● «Hakkaa ki bakıyyet-üs-seleftir. — Ziya Pş.».

baki, bakiye, *A. s. (Kaf* ile) [Beka'dan] 1. Tanrı. 2. Kalan, artık.● *Elbaki,* Tanrı;● *hüvelbaki,* (mezar taşlarında) ölmiyen, bakik alan Tanrıdır;● *âsar-i bakiyye, mucizat-i bakiyye,* sürüp giden, ölmiyen eserler, mucizeler.● «Bakı kalan bu kubbede bir hoş sada imiş. — Baki».● «Darüşşefaka gibi mülkümüzce hakikaten asar-i bakiyyeden addolunabilecek. — Kemal».

bâkî, bâkîye, *A. s. (Kef* ile) [Büka'dan] Ağlayan.

F. : 5

bakir, A. i. (Kef ile) El değmemiş :• ‹Ey bin kocadan artakalan bive-i bakir. — Fikret›.

bakire, A. i. Er görmemiş kız :• ‹Alagör bakire-i bakûre. — Sümbülzade›.

bakkal, A. i. Bakkal.• ‹Câme-alûdeliği ziynettir bakkalın. — Nabi›.

bakkam, A. i. Kırmızı boya çıkarılan ağaç. Geniş anlamda tabiî ve has olmayan kumaş boyaları için kullanılır.• ‹Küçük Mehmet'in dest ve libası bakkam endud-i gark-i arak çıkıp. — Naima›.

bakl, A. i. Yenecek her türlü yeşillik (ç. Bukur).• ‹Medresesine müdavemt ve bakl-i besatînden rızkını tâyin etmekte. — Taş.›.

bakla, A. i. (Kaf ile) 1. Yeşillik. 2. Bakla tanesi.• ‹Erzan-füruş-i bakla vü erzan ve sudageran-i sabun ü revgan. — Şefikname›.

bakûre, A. i. (Kef ile) Turfanda yemiş :• ‹Bakûre-i şehd-riz-i muhtelif-ül-elvan — Nergisi›.

bâl, F. i. 1. Kuş kanadı. 2. Kol, pazı.• Yâl ü bâl (boyun ve kol) boy bos, düzgün endam.• ‹Haddeden geçmiş nezaket yâl ü bâl olmuş sana. — Nedim›.• Kavi bâl, kolu kuvvetli;• küşade bâl, Kanadı açmış, uçmaya hazır;• şikeste bâl, kanadı kırık, uçamaz, zavallı.• ‹Dil-i mecruhuma rahm eyle kalsın dâm-i zülfünde — Şikeste-bâl olan murgu edip azat neylersin. — Bahayî›. • tahrik-i bâl, kanat açmak, gitmeye hazırlanmak.• ‹Aşiyan-i vuslata tahrik-i bâl etmez misin. — Akif Pş.›.• bâl ü per, kanat;• ‹Stanbul'a o rütbe arzu var dilde ey Vecdi — Uçardım bulsam amma neyleyim bâl ü perim yoktur. — Vecdi›.

bâl, A. i. Yürek, gönül, kalp.• Fârig-ül-bal, kaygısız;• ferih-ül-bâl, gönlü rahat;• halis-ül-bâl, yüreği rahat, temiz; • mafi-l-bal, yürekteki (mec.) murat, istek;• münkesir-ül-bâl, gönlü kırık, gücenmiş;• müşevveş-ül-böl, yüreği, (niyeti) bozuk;• selim-ül-bâl, temiz yürekli.• ‹Herkes çadırında farig-ül-bâl otururken. — Naima›.

balâ, F. s. Yüksek, yukarı, yüce. 2. (i.) Boy,• Balâ kadd, uzun boylu;• dü-balâ, iki kat;•kadd-i balâ, yüksek boy;• rütbe-i balâ, vezirlikten bir önceki rütbe;• Zir ü balâ, alt ve üst.• ‹Balâlara doğru etme pervaz. — Naci›.

balâdest, F. s. [Balâ-dest] Üstte olan, üstün olan. Eli üstte olan.• ‹İhtiyaç eylemesin destini pest — Bahşedip sen olasın balâ-dest. — Nabi›.

balâhân, F. s. [Balâ-han] Bir şeyi aşırı yükseklikte gösteren.

balâhane, F. i. [Balâ-hane] Evin üstündeki kısım, cihannüma.• ‹Ki teşrif ede her gün sadr-i balâhane-i kasrın — O hurşid-i cihan-devletin didar-i pürnuru. — Nef'i›.

balâhimmet, F. s. [Balâ-himmet] Yüksek himmetli.

balâkadd, F. s. [Balâ-kadd] Uzun boylu.• ‹Üçyüz nefer balâkadd mülebbes müzeyyen atlı ve yaya kâfir ile gelip. — Selânikî›.

balâkeşide, F. s. [Balâ-keşide] 1. Yükselmiş, boy atmış. 2. Yüksek, uzun boylu. (ç. Balâkeşidegân).• ‹Hadika-i sineden serzede olan her taze nihal-i balâkeşide-i evc-i kemal-i terbiyet. — Nergisî›.

balânişin, F. s. [Balâ-nişin] Üstte, yukarıda oturan. (ç. Balânisinan).• ‹Balânişin-i mesned-i şahân-i tacdar. — Baki›.

balâpervaz, F. s. [Balâ-perzaz] Yüksekten uçan, kendini gücünün üstünde görüp göstermeğe çalışan. (ç. Balâpervazan). • ‹Var mıdır bâz-i hayalim gibi balâpervaz. — Naci›.

balâpervazane, F. zf. [Balâ-pervaz-ane] Yüksekten lakırdı ederek, atıp tutarak.

balârev, F. s. [Balâ-rev] Yüksekten giden, uçan.• ‹Fikri anka gibi balârev-i atbak-i hayal. — Fikret›.

balâter, F. s. [Balâ-ter] Daha veya pek yüksek olan.• ‹Horşid-veş gerektir ola feyzi kâmilin — Balâter eyledikçe felek kadr ü şanını. — Ragıp Pş.›.

balâterin, F. s. En yüksek.• ‹Verdi taht-i şevkete bir şevket-i balâterin. — Ziya Pş.›.

balgam, belgam, A. i. İnsanı vücuda getiren 4 ahlattan biri sayılan lenf veya serum. (Phlegme karşılığı XIX. yy.).

balgamî, belgamî, A. s. Balgamla ilgili. Vücut yapısında balgam üstün bulunan.• ‹Güruh-i safraviyana maraz-feza amma — Mizâç-i balgamiyane tabibdir lüle. — Nabi›.

bâli, bâliye, A. s. Eski, köhne.• Ebniye-i bâliye, eskiden kalma binalar.• ‹Ayasofya cenbinde vakı bir kavı künbet ki ebniye-i bâliyeden idi. — Naima›.

balide, F. s. Büyümüş. Yetişmiş. Uzamış.

balig, baliga, A. s. [Bülüğ'dan] 1. Erişen, ermiş. 2. Ergin. 3. Varan. 4. Olgunluğun son basamağına ulaşan.● *Baligan mabelâğ,* ferah ferah.● *Hikmet-i baliga,*● *inaye-i baliga, kudret-i baliga,* (Tanrıya mahsus) en tam, olgun hikmet, bağış, kudret.● ‹Henüz nisab-i şebaba bâliğ olmayan. — Şefikname›.

balin, F. i. Yastık.● *Balin-i istirahat, - rahat,* dinlenme yastığı.● *Balinperest,* tembel.● *Ser-i balin,* yastık ucu, başucu.● ‹Pusidesi şu'leler içinde — Bâlinine serpilir safalar. — Cenap›.

baliş, F. i. Yüz yastığı.● *Baliş-i çarmin,* deriden yastık.● *Çar-baliş,* yüce makam.● ‹Mader verecek sana nevale. — Pehlûsunu etmiyor mu bâliş. — Naci›. ● ‹Çarbâlişe dayanıp emîrane oturur sakalı tıraş bir pehlivan merd idi. — Naima›.

bâlküşa, F. s. [Bâl-küşa] Kanadını açmış, uçan :● ‹Can-i habisi lâne-i mehdden bâlküşa-yi şahsar-i vücut olup. — Nergisî›.

balua, A. i. (Ayın ve he ile) Su dökecek çukur, delikli taş.● ‹Pa-lâgzide-i balua-i beşeriyyet olmakla. — Nergisi›.

balvar, bâlver, F. s. Kanatlı.

bâm, F. i. 1. Dam, çatı. 2. Kubbe, kemer. 3. Sabah ışığı. 4. Telli sazların en kalın teli.● *Bam-i bedi,* dokuzuncu gök. 5. Çeşme. 6. Gözkapağı.● ‹Gurre-i ruzeyi gördüm feleğin bâmında. — Nedim›.● ‹Bir çeşm-i bestebâmı sorardı meleklere. — Cenap›.

bâmdad, bâmdadan, F. i. Sabah vakti. Erte.● ‹Kılar subh ü mesâ feryad şam ü bâmdadından. — Fikret›.

bame, F. i. Uzun, gür, kaba sakal.

bâmgâh, bâmgeh, F. i. Sabah vakti.

ban, A. i. 1. Sorgun ağacı, bey söğüdü. 2. (Mec.) sevgilinin boyu.● ‹Nahl-i nâzım bilemem doğrusunu hangisi rast — Serve benzetti acem kaddini urban bana. — Sürurî›.

ban, [Slâvcadan] Bey, küçük prens.● ‹Gördü nihal-i serv-i serefraz-i nizeni — Serkeşlik adın anmadı bir dahi banları. — Bakî›.

-ban, F. e. -ci.● *Bağban,* bağcı;● *derban,* kapıcı;● *dideban, nigehban,* gözcü;● *pasban,* bekçi; *pilban,* filci.

bâni, A. s. [Bina'dan] Yapıcı. Yaptıran.● ‹Ben bir kuş idim garip ü mehcur — Sen bani-i aşiyanım oldun. — Recaizade›.

bank, bang, F. i. 1. Haykırma. Avaz. 2. Bir ağızdan alkış.● *Bang-i revarev,* 3. İsrafil'in mahşer için çalacağı surun ikinci derecesi.● *- namaz,* ezan.● ‹Bin şevk ü tarab hezar korku. — Nakus ü nakkare bang-i yahu. — Ş. Galip›.

banu, F. i. Kadın, bayan.● *Banu-yi meşrik,* güneş.● *- Mısır,* Züleyha.● ‹Gel ey banu-yi ismet perdeden seyr et bu alâyı. — Nabi›.

bâr, F. i. 1. Yük, ağırlık. 2. Kez, defa. 3. İzin. 4. Yemiş, meyva. 5. Kale, duvar.● *bar-i dil,* gönül yükü, tasa;● *- evvel,* birinci defa;● *- giran,* ağır yük, sıkıntı;● *- Huda,* (izin sahibi) Tanrı;● *bar ü bengâh,* eşya ve çadır;● *kâr ü bar,* iş güc.● ‹Bu kârhanede bir başka kâr ü bârım yok — Ne varsa cümle anındır bir özge varım yok. — Nabi›.● ‹Lâkil feleğe hüner gerekmez — Her bârı çeker bu bârı çekmez. — Ziya Pş.›.

-bar, F. s. ‹Yağdıran, saçan, serpen, dökülen› anlamlariyle birleşik kelimeler yapmada kullanılır.

anberbar	*jalebar*
ateşbar	*müşkbar*
eşkbar	*neşvebar*
gevherbar	*saikabar*
giranbar	*sâyebar*
giryebar	*şerarebar*
güherbar	*şererbar*
handebar	*şulebar*
hûnbar	*ziyabar*

baran, F. i. Yağmur.● *Mevsim-i baran,* yağmur mevsimi, güzün sonları.● ‹Bibaht olanın bağına bir katresi düşmez — Baran yerine dürr ü güher yağsa semadan. — Ziya Pş.›●. ‹Baran yerine gülle yağıp kıldı hâksâr. — Beyatlı›.

barandide, F. s. [Baran-dide] Görmüş, geçirmiş.● *Gürk-i barandide,* eski kurt.

baranî, F. s. 1. Yağmurla ilgili. 2. Yağmurdan koruyan nsne. 3. (i.) Yağmurluk.● ‹Hiç tac-i Kubad'a benzeye mi — Kembaha bir külâh-i barani. — Hayalî›.

baranriz, F. s. [Baran-riz] 1. Yağmur saçan. 2. Yağmur serpiştiren.● ‹O denlû oldu sehab-i dü-dide baranriz — Ki oldu her ser-i mû bâm-i tende bir mizab. — Nabi›.

baraver, F. s. [Bar-aver] Yemişli, yemişi olan.● ‹Meyve-i âbdar-i şiringüvar esmar-i salah ü tevbekâri ile bâraver. — Nergisî›.

bardan, *F. i.* [Bar-dan] Yol için yük kabı.

bardar, *F. s.* [Bar-dar] 1. Yüklü. 2. Gebe.

bare, *F. i.* 1. Defa, kez. 2. Kale. 3. Zülf. 4. At.• ‹Tig-i kahr bare-i devletin buride düm edip. — Sadettin›.• ‹Hamvare bare-i ikbali zir-i rân ü inan-i inayet-geri. — Nabi›.

barec, *F. i.* İtüzümü bitkisi.

barekâllah, *A. ü.* Allah mübarek etsin.• ‹Ey hame hezar barekâllah — Oldun cezebat-i hüzne agâh. — Ş. Galip›.

bargâh, bargeh, *F. i.* [Bar-gâh] 1. İzinle girilecek yer. 2. Büyük yer, makam. Çadır. *(Mec.)*• *Bargâh-i kibriya,* Tanrı huzuru.• ‹Tunca kenarına bir bargâh-i şahane nasb olunup. — Raşit›.• ‹Südde-i bargehi kıble-i ikbal-i enam — Der-i cud-i keremi bab-i selâm-i devlet. — Münif›.

bargir, *F. s. i.* [Bar-gir] Yük kaldıran yük taşıyan. Beygir, iğdiş edilmiş at.• ‹Divanda eli ayağı kırıldıktan sonra bir bargire süvar ve esvakta teşhir olunup. — Naima›.

barha, *F. i.* [Bâr ç.] Yükler.• ‹Malâmal-i güher ve barha-yi nasayih ü iber olmakla. — Nergisî›.

barhane, *F. i.* [Bar-hane] Yolcu yükü ve ağırlığı.• ‹Ve ol yıl bin katar deve helâk olup barhane-i hümayuna muzayaka gelmeğin. — Sadettin›.

bârika, *A. i.* Işın, parıltı. Şimşek.• ‹Bârika-i hakikat müsademe-i efkârdan çıkar. — Kemal›.

bârıkanüma, *F. s.* Parlak.

bari', baria, *A. s.* İyi nitelikleri olan.• ‹Ve fıkıhta bari' olmuştur. — Taş.›.

bari, *F. bağ.* 1. Hiç olmazsa. 2. Bir defa olsun. 3. Keşki.• ‹Bari birkaç gün huzur-i kalb ile dünyaya bak. — Bakî›.

Bari, *A. i. s.* Yaradan, yaratıcı. Tanrı.• *Avn-i Bari,• feyz-i Bari,• lûtf-i Bari,* Tanrının yardımı, feyzi, lütfu. ‹Zihi Bari ki lu'bethane-i sun'unda halk eyler — Hezeran dilber-i mevzun hezaran duhter-i hasna. — Nabi›.

bari, baria, *A. s.* [Beraat'ten] 1. Tam. 2. Üstün.

barid, baride, *A. s.* [Berd'den] Soğuk. *(Mec.)* Hoş olmayan.• ‹Sema bir buzlu cam halinde barid bir kesafetle — Fikret›.

barik, *F. s. (Kef* ile) İnce.• *Fikr-i barik,• hayal-i barik,• rişte-i barik.*• ‹Daha geçen aya dek bir hilâl idi barîk — Bugün sabaha gördüm ki aftab olmuş. — Nedim›.

bârik, barika, *A. s. (Kaf* ile) [Berk'tan] Parlayan. Şimşekli bulut.• ‹Birden yetişti mahve bu tedbir-i hârikı — Söndürdü bir nefeste bu ümmid-i bârikı. — Fikret›.

barikbin, *F. s. (Kef* ile) [Barik-bin] İnce şeyleri gören, incelikten anlayan.• ‹Barîkbîn olanlar eder kaşların hayal — Dendanını tasavvur eder tab-i hurdedan. — Baki›.

bâriş, *F. s.* Yağış.• ‹Bâriş-i baran müsadif düştü hicran şamına. — Naci›.

bariz, barize, *A. s.* [Büruz'dan] Doğan, meydanda, açık.

bârkeş, *F. s.* [Bar-keş] Yük çeken yük kaldıran, ağır şeyler taşıyan. (ç. Bârkeşan).• ‹Kad-i sipihrin anlayan anlar ham olduğun — Biçare çerh bârkeş-i âlem olduğun. — Nabi›.

bârmend, *F. i.* Yemişli. Yemiş veren (ağaç).• ‹Olanlar gıpta-ferma meyveçin-i avsl-i canana — O nahl-i bârmendi zib-i aguş eylesin bari. — Beliğ›.

bâru, *F. i.* 1. Kale duvarı, tabyanın gezinti yeri. 2. Sığınacak yer, siper.• ‹Ceyş-i gamdan kande etsin iltica ehl-i niyaz — Kal'a-i himmette Nabi burc ü baru kalmamış. — Nabi›.

barud, *F. i.* Barut. *Barudhane,* barut işlenen yer.• *Barudi,* baygın siyah, koyu gri,• *barud-i siyah,* güherçilden işlenen barut.• ‹Barud-i rûsiyah yakıp yıktı hanemi — Döndürdü çarh hatırıma aşiyanemi — Nabi›.

bârver, *F. s.* [Bar-ver] Yemişli, yemişi olan. *(Mec.)* Yarar, fayda.• ‹Olur bir tohm-i kemterden dıraht-i bârver peyda. — Nabî›.

ba's, *A. i.* 1. Gönderme. 2. Yaratma. Diriltme.• *Ba'sü bâd-el-mevt,* tekrar dirilme. 3. Peygamber etme.• ‹Der-i devlete ircai için akabinden ba's-i berid-i dâvet olundu. — Raşit›.

basair, *A. i. (Sat* ve *hemze* ile) [Basiret ç.] İbret uyandıracak haller. İbretli görünüşler.• ‹Mir'at-i zamair-i ehl-i basaire ruşen ve bâhir ve vazıh ve zâhirdir ki. — Naima›.

basal, *A. i. (Sat* ile) 1. Soğan. 2. Soğan biçimi kök.• ‹Yedirir haste-i hummaya asel — Derd-i çeşme akıtır âb-i basal — Nabi›.

basala, *A. i.* Bedende yaradılıştan olan her çeşit kabartı.• *Basala-i sisaiyye,* omurilik soğanı.

basaman, *F. s.* *(Sin* ile) [Ba-saman] 1. Zengin, varlıklı. 2. Düzgün, düzenli.

basar, *A. i.* 1. *(Sat* ile) görme. 2. Göz. 3. *(Mec.)* Kalp gözü.● *Hadid-ül-başar*, gözü keskin;● *hiddet-i basar*, göz keskinliği;● *kilemh bilbasar*, göz atma, çarçabuk bakma;● *kuvvet-i basar*, gözün iyi görmesi;● *lemha-i basar*, bir göz atınca;● *medd-i basar*, uzun, uzağı görme;● *nur-i basar*, göz nuru, emek;● *şiddet-i basar*, keskin görüş, görüş keskinliği;● *za'f-i basar*, miyopluk, uzağı görmeme.● ‹Gül-ruhlerin âzürde eden nur-i basardır. — Akif Pş.›.

basaret, *A. i.* 1. Derin görüş. 2. Göz açıklığı.● ‹Hadayki-i ahdak-i erbab-i nazar basaret bula. — Fuzulî›.

basarî, basariye, *A. s.* [Basar'dan] Görmeye ait, görmekle ilgili.● ‹Huttu-i basariye nüfuz eyleyemez idi. — Sadettin›.

basavab, *A. zf.* *(Sat* ile) [Ba-savab] Doğruca. Doğrulukla.● ‹Cümleye hitap ve istida-yi cevab-i basavap eylediler. — Raşit›.

basbasa, *A. i.* 1. Köpeğin yaltaklanması. 2. Dalkavukluk hali.

bâsır, bâsıra, *A. s.* [Basar'dan] 1. Gören, görücü. 2. *(Mec.)* Göz.● *Kuvve-i bâsıra*, görme yetisi.● ‹Kuvvet-i basıranın kudreti yoktur ki ola — Vefk-i dilhan-i temaşager-i ruhsar-i sühan. — Nabi›.● ‹Ruyet-i hevetlerine tâzib-i basıra ettikçe. — Şefikname›.

bâsıt, *A. s.* [Bast'tan] 1. Yayan, yayıcı.● *Bâsıt-ür-rızk*, Tanrı. 2. *(Ana.)* Açan.● ‹Zehi bâsıt ki çekmiş kâinata sufra-i yağma. — Nabi›.

bâsim, *A. s.* [Besm'den] Gülen, gülücü.

basîr, *A. s.* [Basar'dan] 1. Gören. 2. Görüp anlayıcı, kalp gözüyle gören. 3. Her şeyi görüp bilen (Tanrı).● ‹Naziram hem binazirem hem basîrem hem basar. — Nesimi›.● ‹Kaldı hayrette görüp hâce Nasir — Gördü kim perdelidir çeşm-i basîr. — Vehbi›.

basiret, *A. i.* 1. Kalk gözüyle görme. 2. Biliş, kavrayış. 3. Akıllılık. 4. İşin sonunu anlama.● ‹Meymenet ü saadet mücerreb-i erbab-i basiret olan. — Çelebizade›.

basiretkâr, *F. s.* [Basiret-kâr] Basiretli, öngören.

basit, basite, *A. s.* [Basit'tan] 1. Düz, engelsiz. 2. Açık, geniş. 3. Sade, yalın. 4. Yayılmış, serilmiş. 5. Neşeli, şen. Güleç. 6. Aruz vezinlerinden biri.● *Arz-i* basit, düz yer;● *basit-ül-arz*, dünyanın genişliği, yayvanlığı;● *basit-ül-vech*, güler yüzlü;● *basit-ül-yed*, eli açık, cömert. (ç. Besait).● ‹Belki sath-i basit-i gabradan sakf-i muhit-i hadraya erince. — Şefikname›.● ‹Basit-i âlemde medayin-i azîme inşasiyle. — Kemal›. ● ‹Mâna-yi basit-i eser-i kelimat-i fem-i aşkım. — Sami›.

basite, *A. i.* 1. Döşeme. 2. Düz yer. 3. İrtifa almaya mahsus yayvan güneş saati. (ç. Besait).

bast, *A. i.* *(Sin* ve *tı* ile) 1. Yayma, serme, açma. 2. Gevşetme.● *Bast-i bisat*, örtünün yayılması;● *- cevap*, karşılık verme;● *- makal*, söz açma;● *- mukaddemat*, asıl maksada girmeden bir şeyler söyleme.● *Kabz ü bast*, büzülme ile gevşeme, iyilikle fenalık.● ‹Eğer hâk-i siyeh bast eylemezse hân-i ihsanı — Olur kâr-i şikemhârân-i âlem âh ü vaveylâ — Nabi›.● ‹Samim-i ruhuma bast etti bir hadika-i ter. — Fikret›.

basur, *A. i.* Kalın bağırsağın yangısı yüzünden kan gelme. Mayasıl. (ç. Bevasir).

baş, *F. ü.* Olsun, ola.

başe, *F. i.* Doğan kuşu, atmaca.● *Başe-i felek*, Nesr-i vaki ile Nesr-i tâir yıldızları.● ‹Günceşk-i zârı başe-i bürran helâk eder — Eyler tezervi pençe-i gadrında bâz hâr — Ziya Pş.›.

başed, *F. ü.* ‹Olur, ola› anlamına olup bazı● *gâh başed*, *gâh nebased*, (gâh olur gâh olmaz) şeklinde kullanılır.● ‹Ve eğer bir haletin dahi var ise ilâm eyle. Başed ki bizim kifayetimizle derdine çare bulasın. — Hümayunname›.

bat, *F. i.* *(Tı* ile) 1. Kaz. 2. Uzun boyunlu sürahi, desti. 3. Meşinden yapılma çanak, maşrapa.● *Bat-i sahba*, şarap kabı;● *- şehd*, bal kabı;● *- şîr*, süt kabı.● ‹Sen bat-i sahba değil tavus-i kudsisin Nedim — Kim zuhur-i haletin mecliste cevlânındadır. — Nedim›.

bataet, *A. i.* Ağır davranma. yavaş ve geç davranma.● ‹Nazmında eder şu yolda külfet — Andan görünür biraz bataet. — Ziya Pş.›.

Batalese, Betalese, *A. ç. i.* Ptolemeos (Batlamyos) soyundan gelen hükümdarlar. (İ. ö. 323-30).

batalet, *A. i.* 1. İşsizlik. Avarelik. 2. Cesurluk, yiğitlik.● ‹Vay o kavme ki batalet döşeğinde melûf-i hâb-i gaflettir — Kemal›.

batane, batanet, *A. i.* 1. Büyük karınlı, şişman olma. 2. Obur olma.

batar, betar, *A. i.* 1. Ululanma, Ululuk satma. 2. Haktan ayrılma, haksızlık etme. 3. Aşırı sevinç.● «Amma tecebbür ve taannüfü hadden aşıp batar-i tam ve gurur ü ihtişamı nihayete varmış idi. — Naima».

batarik, batarika, *A. i.* [Batrik ç.] Patrikler.● «Batarik ve rehabini cemedip. — Taş.».● «Ve Batarika-i Habeş'ten. — Naima».

batayih, *A. i.* [Batha ç.] Kamışlı, sazlı dereler.

batbata, *A. i.* Kazın ötmesi, kazın suya dalması.

Batha, *A. i.* Mekke'de dağ arasında bir derenin adı. 2. (Mec.) Çakıl taşı bulunan büyük dere.● «Hâk ile yeksan medfun eyledikte Batha'yi Kâbetullah'ın kumlarını beniâdem kanından. — Veysi».● «Âl-i Kâbe'nin ey hace dilden haberin gör kim — Yesrib ne acep gûşe Batha ne aceb yerdir. — Nabi».

bâtıl, bâtıla, *A. s.* [Butlan'dan] 1. Boş. 2. Çürük. 3. Doğru ve gerçeğe karşıt.● «Bâtıl hemişe bâtıl ü bihudedir veli — Müşkül budur ki suret-i haktan zuhur ede. — Nabi».

bâtın, bâtına, *A. i. ve s.* 1. İç, içyüz. 2. Gizli, görünmeyen şey. 3. (Gözle görülmemesinden ötürü) Tanrı. 4. İçteki, içyüzündeki.● *Ehl-i bâtın*, sofiler, Tanrı sırrına ermiş kimseler;● *havass-i bâtına* (Fel). Hiss-i müşterek, hayal, vehim, hâfıza, mutasarrıfa adları verilen beş iç duygusu. (ç. Beyatın).● «Sen ol zâhirsin ki kimse ne idüğün bilmez ve ol bâtınsın ki kimseden gizlenmez. — Sinan Pş.».● «Hep maglata vü lâklâkadır bâtın ü zâhir — Bir nokta imiş asl-i suhan evvel ü âhır. — Ruhi».

bâtınan, *A. zf.* İçten olarak. İçyüzünden.● «Zâhiren ve bâtınan ol senede bâvücud-i kemal-i devlet ve mezid-i satvet ve mehabtkârlarında nev-i teraci nümayan olup. — Naima».

bâtınî, bâtıniye, *A. s.* 1. İç. 2. Aşikâr. belli olmayıp gizlilik bulunan şeylere ait. 3. Bâtıniyyeden olan.

Bâtıniyye, *A. i.* Ayetlerin dış anlamlarından çok bâtın anlamlarına önem verdikleri için Tanrı sıfatlarından bazılarında şüphe gösterirler. Hasan Sabbah'ın tarikatı.● *Sahabiye*,● *ibahiye*,●

karamıta,● *seb'iye*... gibi.● «Melâhide Batıniyye ile tesmiye olundular, zira iddia ederler ki nusus, zevahiri üzre değildir. — Taş.».

batî, batıy, *A. s.* (*Tı* ile) [Bataet'ten] 1. Ağır, yavaş davranan. 2. Yavaş, geç.● *Batıy-ül-hareke*, davranışı ağır;● *batıy-ül-hazm*, geç sindirilen;● *batıy-ül-mizac*, huyu ağır, yavaş olan.

batir, Keskin (kılıç).

batir, *F. i.* Turna kuşu.

batîş, *A. s.* [Batş'tan] 1. Güçlü. 2. Tuttuğunu koparan.

batn, *A. i.* (*Tı* ile) 1. Karın. 2. Soy, kuşak.● *Batnen ba'de batnın*, soydan soya, kuşaktan kuşağa. (ç. Bütun).● «Pâk batniyle o nazik sine — Hûb ü hemvar iid biri birine. — Hakani».

batnî, batniye, *A. s.* Karna mensup, karın ile ilgili.

batrik, *A. i.* Patrik. (ç. Batarik).● «Leh ve Buğdan kapı-kethüdanlarından ve nasârâ batriklrinden hod mebaliğ-i azîme mal alıp. — Naima».

batş, *A. i.* (*Tı* ile) 1. Sertlik ve kuvvetle tutup yakalama, kapma. 2. Kuvvet, şiddet, üstünlük.● «Kuvvet-i yed ve şiddet-i batşta yegâne. — Naima».

battal, *A. s. i.* (*Tı* ile) [Betalet'ten] 1. Hükümsüz, boş. 2. İşlemez. 3. Cesaretli, yiğit. 4. Çok büyük, hantal. 5. 57 x 82 boyunda matbaa kâğıdı.● «Hakk ü insaf ile kan etmeden ettin kanun — Oldu bâtıl işi cellâd-i leimin battal. — Şinasi».

battaliyye, *A. i.* [Battal'dan] Eskiden işi bitne resmî kâğıtları koydukları torbaya denilirdi.● «Câygâh oldu o kâğıtlara battaliyye — Her konakta bulunur bir iki torba-yi suhan. — Vehbi».

bauz, bauze, *A. i.* (*Ayın* ve *dat* ile) Sivrisinek.● «Muaşiran-i suffa-i safayı manend-i bauz tanin-i samia-hiraş ile tekdir ettiler. — Şefikname».

baver, *F. i.* 1. İnanma. 2. Razı olma.● «Bir vech ile eylemezdi baver — Kim Hüsn ola rû-yi aşka çaker — Ş. Galip».

bay, *F. i.* 1. Zengin. 2. (Mec.) Sevilen, sevgili.● *Bay ü geda*, zengin ile fakir.● «Bir donanma etti kim bay ü geda — Görmemiş emsalini nev-i beşer. — Ziya Pş.».

bâyeste, *F. i.* Gerek. Gerekli.● «Hidemat-i şayeste ve riayât-i bayeste ile. — Sadettin».

baygân, *F. i.* [Bay-gân] Bekçi, koruyucu.

bayız, *A. s.* *(Dat* ile) [Beyza'dan] Yumurtlayan.• «Ve div-i tama' aşş-i dimağında bayız oldu. — Hümayunname».

bâyi, *A. s.* [Bey'den] Mal satan, satıcı.• «Bâyiin heves ve emniyeti suistimal ederek cevaz perdesi altında setr olunmuş bir nevi sirkattir. — Kemal».

bâyin, *A. s.* [Beyn'den] Aralayıcı, ayıran, ayırıcı.• *Talâk-i bâyin,* yeniden nikâh gerektiren boşanma. «Ulülemre itaat etmeyenler kendileri kâfir ve avratları bâyin olduğunu bilmez misiz deyip. — Naima».

bayrakdar, *F. i.* [Bayrak-dar] Türkçe «bayrak» sözünden yapılma. Bayrak taşımak ile görevli kimse.

bayramiye, *A. s.* Hacı Bayram tarikatı. Bu tarikatle ilgili.• «Tarikat-i bayramiyede mürebbi-i erbab-i istidat olan. — Raşit».

baytar, baytara, *A. i.* 1. Baytar. 2. Veteriner bilgisi.• «Ancak bir baytar-i beşer olursun. — Cenap».

baytarî, baytariye, *A. i.* ve *s.* 1. Baytarlık. 2. Baytarlık ile ilgili.• «Fenn-i harb ile tıbba mücaneseti malûm olan fenn-i baytarî de bu kabildendir. — Kemal».

bâz, *F. s.* *(Ze* ile) 1. Açık, 2. Açılmış olan. 3. Geriye arkaya doğru.• «Çok zaman geçmeden geri bab-i rüşvet ve âzı bâz ve pesperdeden şu'bedebazlığa ağaz edip. — Okçuzade».

baz, *F. i.* *(Ze* ile) Doğan kuşu.

ba'z, *A. i.* *(Ayın* ve *dat* ile) 1. Birtakım, bir parça, biraz. 2. Hepsi olmayıp içlerinden birkaçı.• «İlmin bazına meyl ve bazına adavet eylemesin. — Taş.».• «Ulemanın bazı atından inmeye meşgul idiler. — Naima».

-baz, *F. i.* «Oynayan» anlamı ile bileşik kelimeler meydana getirir.• *Ateşbaz,*• *canbaz,*• *dilbaz,*• *hokkabaz,*• *kumarbaz,*• *serbaz,* (Bk.).

bâzan, *A. s.* *(Ayın* ve *dat* ile) [Ba'zan] Kimi vakit. Her zaman değil.

bazar, *F. i.* *(Ze* ile) 1. Pazar. 2. Alışveriş. 3. Pazar yeri. 4. Pazarlık.• *Bazar-i esb,* At pazarı;• *- esirfüruşan,* esir pazarı.• *Akdı-i bazar,* alışveriş bağlantısı;• *şahid-i bazar,* hafif ahlaklı kadın.• «Sensin ol sermaye-i bazar-i sûk-i ehl-i aşk — Düştü feyzinle kesada cevher-i namus ü nenk. — Nafi».• «Meh-i şeb-gird-i âlem ârız-i dildara benzer

mi. — Nedim».• «Ve bu ticaret-i rabiha sermaye-i dünya ve ahirettir deyip bu akd-i bazarda».

bazargâh, *F. i.* [Bazar-gâh] 1. Pazar yeri. 2. Alışveriş yeri, çarşı.• «Ol havalide vaki olan bazargâhlardan. — Naima».

bazargân, bazergan, *F. i.* 1. Tüccar, alışveriş eden esnaf. 2. Bezirgân,• *Bazargân başı,* tüccar vekili, şehbender.• «Ve Abaza'dan da ziyade şekva etmiş idi. Bezirgân-zadenin dahi yüreğinde ukde kalıp. — Naima».

bâzdar, *F. i.* [Bâz-dar] Doğancı. Çakırbaşı. Kuşçubaşı.

bazende, *F. i.* Oyuncu, dansöz.

bazgerd, *F. s.* Diken, dikici. (ç. Bazgerdan).• «Karar vechi üzere Beç tarafından bazgerdan-i liva-yi menkûs oldular. — Raşit».

bazergânan, *F. ç. i.* Bezirgânlar, tüccarlar.• «Cemaat-i bezergânandan. — Şilvan».

bazgeşt, *F. s.* [Baz-geşt] Geçmiş, arada tatsızlık geçen. Vazgeçti.

bazgeşte, *F. s.* 1. Geri dönmüş, tepmiş. 2. Tükenmiş.• «Ol şahbaz-i şider-nişin sayd olur bu şeb. — Olmazsa bazgeşte hadeng-i dua abes. — Beliğ».

bazgûn, bazgûne, *F. s.* Ters, başaşağı.• «Mû-yi tâban-i bezgûn reftarın ise şakirdan-i nademide muyları. — Şefikname».• «Ahval-i bazgûne-i dehr oldu bisebat — Devlet midir bu devlet-i yekruze-i hayat. — Ziya Pş.».

bazî, *A. i.* Doğan kuşu. (ç. Bevazi)

bazî, *F. i.* Oyun.• «Temkin ü vekar ederken ima — Bâzî mi ya işve mi nedir bu. — Recaizade».

baziçe, *F. i.* 1. Oyuncak. 2. Oyun.• «Eyvah bu baziçde bizler yine yandık — Zira ki ziyan ortada bilmem ne kazandık — Ziya Pş.».

baziçegâh, *F. i.* [Baziçe-gâh] Kumarhane.• «Evvel yutul da sonra çalış yutmaya — Baziçegâh-i âlemin öğren kumarını. — Atıf».

baziçekâr, *F. i.* [Baziçe-kâr] Oyuncu. (ç. Baziçekâran).• «Mısır, Kahire'den gelen baziçekârandan birisi gûnagûn arz-i hüner için. — Raşit».

bazigâh, *F. i.* [Bazi-gâh] Oyun yeri.• «Dehr bazigâh-i nerd ü sufra-i satrançtır. — Nabi».

bazigede, bazikede, *F. i.* [Bazi-gede] Oyun, eğlence yeri.

baziger, *F. i.* Köçek. Oyuncu.

bazigeran, *F. i.* [Baziger ç.] Köçekler, oyuncular.● «Mutat üzere hünermentler ve bazigeran lû'b ü hüner arz edip. — Naima».

bazigûş, bazikûş, *F. s.* Şen, latifeci.● «Oynatır uşşakını etfal-i bazigûşlar. — Ragip Pş.».

bâzil, *A. s.* (*Zel* ile) [Bezl'den] Bol bol veren, bol bol dağıtan.● «Ben hem ol bâzil-i feyz-i suhanım kim Rum'da — Raşha-i kilkim eder lücce-i Umman'a kerem. — Hayalî».

baziş, *F. i.* Oyun.● «Nümayiş ve bazişleri. — Recaizade».

bazküşa, *F. i.* Ayırt etme kudreti.

bazmende, *F. s.* Geri kalmış.● «Cemaat-i bazgânandan bir har bazmende olup. — Silvan».

bazu, *F. i.* 1. Pazı, kol. 2. (Mec.) Güç, kudret.● *Bazu-yi himmet,* himmet kolu;● - *simîn,* gümüş gibi beyaz kol;● - *zoraver,* dayanıklı, kuvvetli kol. (ç. Bazuvan).● «Ruhu bazu-yi bâd-i hâlikte — Ömr-i naçizi gamzeda-yi ziya'. — Cenap».

bazubend, *F. i.* [Babu-bend] Pazvand, kola bağlanan muska.● «Zenbağın goncasıdır bağa gümüş bazubend. — Baki».

bazudıraz, *F. s.* [Bazu-dıraz] Kolu uzun, güçlü kahraman.

bazuvan, *F. i.* [Bazu ç.] Pazılar, kollar.● «... Fenerini gördük, açılıp kapanan bazuvan-i nuru arasında güya. — Cenap».

-be, *F. e.* kelimeleri - e haline koyar, ile, için; «tâ» eklenerek «-e kadar» anlamı verir.● *begayet,*● *behakk-ı benam-i,*● *betekrar*●, *dembedem,*● *dest bedeste,*● *leb beleb,*● *mah be mah*● ,*şûbesû,*● *tâ be,*● *zanubezanu,*● *nevbenev.* Buna göre Türkçe kelimelerle de *aybeay,*● *karşı be karşı,*● *yan be yan* gibi.

be an şart ki, *F. zf.* Şu şartla ki.● «Bu kaviyen mlehuzdur, be an şart ki ki artık gözlerimizde nur-i intibah parlasın. — Cenap».

bebega, bepga, *F. i.* Papağan.● «Bülbülleri tuti-i suhan-sâz — Bebgaları sûz ü saze hemraz. — Ş. Galip».

bebr, beber, bebir, *F. i.* Kaplanı andıran ve kediden büyükçe yırtıcı ve postu değerli bir hayvan.● «Harbde askerleri bebr ü pelenk — Darbda çakerleri nemr ü nehenk. — Ziya Pş.».

bebruh, *A. i.* Bk.● *Yebruh.*

Bec, *i.* [Macarcadan] Viyana şehri.

becâ, *F. s.* [Be-câ] Yerinde, uygun.● *Beca nabecâ,* yerli yersiz.● «Etse zatınla becâdrı iftihar rüzgâr. — Akif Pş.».

becayiş, *F. i.* [Be-cayeş] Onun yerine. İki memurun kendi istekleriyle birbirleriyle yer değiştirmeleri.

becbece, *A. i.* Çocukları avutmak için yapılan gürültü.● «Civarında bir duht-i tersa-beçe — Edip zârını âleme becbece. — İzzet Molla».

beceyb, *F. s.* [Be-ceyb] 1. Yakaya, yakaya doğru. 2. Cebe doğru.● *Ser becayb-i murakabe,* başını eğerek düşünceye dalma.● «Âşık erişti sıdkile eflâke seyr eder — Ancak hemen başını zahit çeker beceyb. — Kanunî».● «İfa-yi semen için dest becayb-i eda olduğunda. — Nergisî».

bacid, *F. zf.* [Be-cidd] Uğraşma, çalışma ile.● «Becid ü cehd bir iki akçe vazife ile kayyım ü salahân olmaktır. — Nergisî».

becil, *A. s.* Hatırı ziyade sayılan kimse.

beçe, beçce, *F. i.* 1. Yavru. 2. Çocuk.● *Şirbece,* aslanın yavrusu, cesaretli genç;● *tersabece,* hıristiyan genci.● «Manend-i div beçeçlerin iltikam eder — Köhne rıbat-i dehr aceb aşiyanedir. — Ziya Pş.».

beçegân, *F. i.* [Beçe ç.] Yavrular, çocuklar.

bed, *F. s. i.* 1. Kötü, fena, çirkin. 2. Kötülük, fenalık.● «Baht-i bedim etti perişan beni. — Recaizade».

bed', *A. i.* (*Hemze* ile) Başlayış, ilk.● «Bed eyledi Aşk piç ü tâba — Bend oldu kumat-i ıstıraba. — Ş. Galip».

bedaat, *A. i.* (*De, elif veayın* ile) 1. Güzellik. 2. iBrden, ansızın söz söyleme. 3. Fransızcadan *originalité* karşılığı (XX. yy.).

bedaht, *F. s.* [Bed-ahd] Yalancı. Sözüne ve vaadine inanılmaz.● «Ve ihsanına mazhar olan bayır aşmaz bedahd sekbanlarına nihanî otuz bin altın gönderip. — Naima».

bedahe, bedahet, *A. i.* 1. Açık meydanda olma. 2. Birden, ansızın.● «Bü bedahetler meydanda iken. — Kemal».

bedaheten, *A. zf.* İspat ve tanık istemez derecede açık ve meydanda olarak.● «Gayet muzır olduğu edna mütalaa ile bedaheten malum olur. — Kemal».

bedahlâk, *F. s.* [Bed-ahlâk] Kötü huylu.

Bedahş, Bedahşan, *F. i.* Hindistan ile Horasan arasında eski Baktria.• *Lâ'l-i Bedahşan*, adı geçen şehirde çok değerli lâl taşları işlendiği için bu yolda ün almıştır.• «Her tude-i hâk olup Bedahşan — Lâ'l ırmağı oldu bağa cuşan. — Ş. Galip».

bedahter, *F. s.* [Bed-ahter] Kötü yıldızlı, talihsiz. (ç. Bedahteran).• «Öyle bedahterim ki mihr ü mehi — Bais-i zulmet-i sehab ettim. — Fehim».

bedamel, *F. s.* [Bed-amel] İşi ve tutumu kötü olan.

bedamuz, *F. s.* [Bed-amuz] Kötülük öğreten, rezil, deni. (ç. Bedamuzan).• «Bedamuzan-i devlet ve bu makule mezalimi rikâb-i hümayuna arz eden ehl-i hıyanet. — Naima».

bedamuzane, *F. zf.* [Bed-amuzane] Terbiye görmemişçesine, terbiyesizce.• «Enderun'da olan iç-oğlanların bedamuzane hareket etmeleriyle. — Naima».

bedasl, *F. s.* [Bed-asl] Soyu kötü olan.• «Bedasla necabet mi verir hiç üniforma — Zerduz palan ursan eşek yine eşektir. — Ziya Pş.».

bedavaz, *F. s.* [Bed-avaz] Kötü sesli.

bedavet, *A. i.* Bedevilik. Badiyede oturma, göçebelik.• «Lâkin Arap taifesinde evvelki gibi humk-i bedavet kalmamıştır. — Naima».

bedavi, *A. i.* ve *s.* 1. Bedevi. 2. Çölde, kırda, çayırda dağ tepe dolaşan.

bedayi, *A. i.* (*Dal* ve *ayın* ile) [Bedi, bedai ç.] Görülmedik ve beğenilebilecek yeni icat edilmiş şeyler.• *Bedayi-perver*, sanatçı, artist,• *hikmet-i bedayi*, estetik.• «Doğan bedayie karşı şairin hayalinden — Bu şeylerin biri mümkün müdür nazîr olmak. — Fikret».

bedayi', bezayi', *A. i.* (*Dat* ve *ayın* ile) [Bidaa ç.] Bidaatlar, anamaller, sermayeler.• «Ve bedayi-i nâsa biesri-him nask terettüp eyledi. — Naima».

bedayiaşina, *F. s.* [Bedayi-âşina] Güzellik tanrı, güzellik bilir.• «Bedayişinas bir mimar planını getirir. — Cenap».

bedâyin, *F. s.* [Bed-âyin] Gelenek ve tutamakları, âyin ve mezhebi kötü.• «Halk rafaza-i bedâyinden tamam mertebe ahz-i intikam eden. — Naima».

bedayipesend, *F. s.* [Bedayi-pesend] Güzel şeyleri değerlendiren, güzel şeyleri seven (ç. Bedayipesenden).• «Arz-i dider etmeye başlar ki bedayi-pesend olan gönüller için meftun olmamak. — Kemal».

bedayipesendane, *F. s.* Güzelliği sevenlere yakışır şekilde.• «Bütün sekene-i belde bir ittifak-i bedayipesendane ile bir prestar-i ziynet olmalı. — Cenap».

bedazmâ, *F. s.* [Bed-âzmâ] Kötülüğü belli.• «Bedazma vü bedamuz ü bedmaaş olma. — Nabi».

bedbaht, *F. s.* [Bed-baht] Talihi kötü, talihsiz.• «Bulur yerinde o bedbaht-i aşkı necm-i seher. — Fikret».

bedbahtan, *F. ç. i.* [bed-baht-an] Mutsuzlar. Bahtı karalar.• «Bu bedbahtan-i cehalete sual olunsa ki. — Nuri».

bedbin, *F. s.* [Bed-bin] Her şeyi fena gören, kötümser.

bedbini, *A. i.* Kötümserlik. İşleri kötü tarafından alma.• «Her vakayı su-i meşmulâtiyle telâkki etmek bana mahsus bir meslek-i bedbinî. — Uşaklıgil».

bedbû, *F. s.* [Bed-bû] Kötü kokulu, fena kokan.• «Zihi sâni' ki eyler berg-i dut ü kirm-i bedbûdan — Libas-i iftihar-i şehriyarana atlas ü diba. — Nabi».

bedbud, *F. s.* [Bed-bud] Fena yapılı.• «Bilâd ü bikaı levs-i vücud-i bedbud-i evsan ve asnamdan tanzif ve tathir. — Raşit».

bedcins, *F. s.* [Bed-cins] Cinsi fena olan soysuz olan.

bedçehre, *F. s.* [Bed-çehre] Çirkin yüzlü.

bedçeşm, *F. s.* [Bed-çeşm] Fena gözlü, nazarı değen.

beddua, *F. s.* [Bed-dua] inkisar, ilinç.• «Bed-dua eylemezem sağ olasın yar olasın. — Vâsıf».

bededa, *F. s.* [Bed-eda] Edası, tavrı kötü, çirkin.• «Alayların tertip ve sada-yi bededa-yi kürrenay. — Naima».

bedel, *A. i.* 1. Bir şeyin yerini tutan veya tutabilen. 2. Karşılık, bir şeyin yerine verilen.• *Bedel-i askerî*, askerlik ödevine karşı verilen para;• - *nakdi*, askerlik ödevi için verilen belli bir para;• - *şahsî*, askerlik ödevini maaşını vererek birine yaptırma.• *Bedel-i mayetehallel*, vücudun harcamalarını tamamlayan yiyecekler;• - *misl*, bir şeyin kıyaslanarak biçilme bedeli;• - *üşr*, ekilmesi bırakılmış bir tarla için üşre karşılık alınan bedel.• «Hun-i dil nuş ederim bade-i gülgûne bedel. — Nef'i».• «Hayvanların bedel-i mukarreri olan dört yüz on sekiz lira. — Recaizade».

beden, A. i. Gövde. (ç. Ebdan).• «Ebedi-yen kalacak böyle mülevves bedenin. — Fikret».

bedene, A. i. Kurban devesi.• «Yetmiş re's bedene-i hüda. — Naima».

bedeniş, F. s. [Bed-eniş] Başkaları hak-kında kötülük düşünen.• «Zemane ateş urdu hirmen-i can-i bedendişe — Dü-şelden şule-i şemşiri Azerbaycan üzre. — Baki».

bedenen, A. zf. 1. Vücuduyle. 2. Fizik ba-kımından.• «Padişahıma malen ve be-denen hizmet etsin demekle'.— Nai-ma».

bedenî, bedeniyye, A. s. Beden, vücutla ilgili.• Terbiye-i bedeniyy,e jimnastik. • «Haricî ve bedeni esbabının teradü-fünden mizac-i ahlata fesat geldi. — Naima».

beder, F. s. [Be-der] 1. Kapı dışarı etme. 2. Kapıdan çıkma. 3. Saray hizmetin-den memur olarak dışarı çıkma.• «Gel-di bir velvele-endaz ferah namında — Menzilinden beni etbaım ile etti beder. — Nabi».

bedergâh, F. i. [Be-dergâh] Kapıyı çık-ma.• «Birkaç yüz bostancı bedergâh olmuşlar idi. — Naima».

bedevî, A. s. i. Çölde, çadırda yaşayan, göçebe adam.• «Mademki bunlar bede-vîlerde yoktur. Anlar dahi mesut addo-lunurlar. — Recaizade».

bedeviyyet, A. i. Çölde ve çadırda yaşa-yan ve konup göçen halkın hali.• «Bir-çokları sonra avdet ettiği bedeviyyet haymelerinde hâb-i gaflete meluf ol-muş duruyor. — Kemal».

bedfal, F. s. [Bed-fal] Uğursuzluğa alâ-met olan (yorum).• «Bizim memulü-müz gayridir, niçin bedfal edersiz de-dikte. — Naima».

bedfercam, F. s. [Bed-fercam] Sonu kötü. • «Üzerlerine hücum eylediklerinde aduvv-i bedfercam taburlarına doğru firar. — Raşit».

bedferma, F. s. [Bed-ferma] Ayıp ve gü-nah işletici.

bedfial, F. s. [Bed-fial] yaptığı işler kö-tü olan.• «Leh kralından istimdat et-mekle kral-i bed-fial dahi. — Naima».

bedgevher, F. s. Mayası kötü.

bedgirdar, F. s. [Bed-girdar] Kötü tabiat-li. Yaptığı işler kötü olan.• Küffar-i bedgirdar; rüzgâr-i bedgirdar.• «Hülâsa himmet eylen duhter-i rez kalmasın giryan — Hum-i myehane-veş bir hubs ü bedgirdar altında. — Nabi».

bedgû, bedgûy, F. s. [Bed-gû] Herkes hakkında kötü söyleyen, dedikoducu, çekiştirici.• «Bed-gûlara leb-beste gö-rünmekteyiz amma — Rindan-i Mesi-ha-deme miftah-i fütuhuz. — Ruhi».

bedgüher, bedgevher, F. s. [Bed-güher] Mayası kötü.• «Çarhın da bedgüherli-ğine dâl imiş hilâl — Dellâl-i hodfü-ruş-i zeban küteh olmasa. — Nailî».

bedgüheran, F. s. ç. [Bed-güher-an] Ma-yası kötü olanlar.• «Nazar-i vifak-i ahibbada Nailî yoksa — Nifak-i bed-gühe an-i cesuru neylerler. — Nailî».

bedgüman, F. s. [Bed-güman] 1. Fenalık gören. 2. İşkilli.• «Zehre-çâk olsa n'ola toptan adu-yi bed-güman. — Ziya Pş.».

bedhah, F. s. [Bed-hah] Herkesin kötülü-ğünü isteyen.• «Yine ol şuh-i cefa-pişe bizi bed-hâh bilir. — Ruhi».

bedhahan, F. i. [Bedhah ç.] Kötülük is-teyenler.• «Birtakım bedbahan-i din ü devlt sözüyle dünyayı birbirine kattı-lar. — Raşit».

bedhanî, F. i. Bedhahlıh, herkesin kötü-lüğünü isteme.

bedhal, F. s. [Bed-hal] Kötü halli, düşkün.

bedhisal, F. s. [Bed-hisal] Kötü huylu.

bedhu, bedhuy, F. s. [Bed-hu] Kötü huy-lu, huysuz.• «Ahu hoş-hiram ü bed-hu — Hiç kimseye eylemez tekâpu. — Ş. Galip».

bedhulk, F. s. [Bed-hulk] Huyu, yaradı-lışı kötü olan, rezil, şirret.• «Lezaiz-i dünyeviyeden mahrum olduğundan ma-ada bedhulk ve bedzindegânilikle mev-sum olur. — Veysi».

bedi', bedia, A. s. (Dal ve ayın ile) Ör-nek ve benzeri olmayan bir şey yara-tan. Böylece yaratılan. (ç. Bedayi).• «Bir eda-yi bedi-i rikkatle. — Fikret».

bedi', A. i. (Ed.) Kelâmın lafız ve anlam-ca sanat ve süslerini konu yapan bilim.

bedia, A. i. Görülmedik ve beğenilebilecek yeni bulunma şey.• Bedia-i hayaliye, ülkü, ideal.• «Sevda çiçek, şebab... o ilâhî bedialar. — Fikret».

bediazar, F. i. [Bedia-zar] Güzellik yeri.• «Bediazâr-i tecellis inur-i icadın. — Fikret».

bedid, pedid, F. s. Görünür, açık belli.• Nabedid, görünmez, kayıp.• «Olup şa-yeste-i şan-i hilâfet tarh-i vâlâsı — Anın her revzeninden haşmet ü şevket bedid olsun. — Nedim».• «Güzar ey-lerdi bir sis cephe-i sevda-bedidinden. — Fikret».

bedidar, *F. s.* Görünür, açık, belli.● «Bir şey demek olmayacağı, bedidar olacağına mebni. — Akif Pş.».

bedihe, *A. i.* Ansızın ye düşünmeden söylenen güzel söz. Hazır cevaplık.

bedihegû, *F. i.* [Bedihe-gû] Bedihe söyleyen, söylemeye alışık olan kimse.

bedihî, bedihiyye, *A. s.* Kanıt ve tanıt gerekmeyecek derecede açık, belli olan.● «Bu âlem-i aceb-efza acib âlemdir — Ukulün anda bedihisi ayn-i müphemdir. — Ziya Pş.».

bedihiyyat, *A. i.* [Bedihi ç.] Kanıt ve tanıt gerekmeyecek derecede açık, meydanda olan şeyler.● «Çıkarsa vâdi-i zanna reh-i bedihiyyat — Nasıl denir faraziyyat-i sırfaya fendir. — Cenap».

bedihiyyet, *A. i.* Bedihi olma. Akıl kestikten sonra tasdiki için başka bir şeye muhtaç olmamak hali.

bediî, bediiye, *A. s. i.* Güzellik. Güzel.● «Bütün bu yalanlar üslub-i siyasetin sanayi-i bediiyesi nevindendir. — Cenap».

bediiyat, *A. i.* Estetik.● «Lisanı değil, bediiyatı gözetecek. — Cenap».

bediiyet, *A. i.* [Bedi'den] Güzellik.● «Esir-i bediiyetini kaçırmamak için. — Uşaklıgil».

bedil, *F. s.* Gönülden.

berkâr, *F. s.* [Bed-kâr] İşi kötü, fena. (ç. Bedkâran).● «Küffârın serdar-ı murdarları olan Sinanoğlu nam mürtedd-i bedkâr. — Raşit».

bedkâran, *F. i.* [Bed-kâr ç.] Yaptığı işler veya davranışları kötü olanlar.● «Aralarında olan bedkâran-i fitne ve fesat ile akd-i peyvend-i muahede ve ittihad edip. — Raşit».

bedkârane, *F. zf.* Kötü davranarak.● «Pertev Paşanın himmet-i bedkâranesi ile. — Akif Pş.».

bedkarîn, *F. s.* [Bed-karîn] Kötü arkadaş.

bedkiş, *F. s.* [Bed-kiş] Dinsiz,● *Keşiş-i bedkiş.* (ç. Bedkişan).● «Bazılara horozlanmakla hasudan-i bedkişan hasetlerinden naşi. — Kethüdazade Arif».

bedlika, *F. s.* [Bed-lika] Suratı kötü, çirkin. (ç. Bedlikayan).● «Cin nev'i hezar bed'likalar. — Ş. Galip».

bedlikâm, *F. s.* [Bed-likâm] Gem tutmaz, başı sert. Âsi.

bedmaaş, *F. s.* [Bed-maaş] Geçimsiz.● «Dü-keynde garaz asayiş ise ey Nabi — Bedazma vü bedamuz ü bedmaaş olma. — Nabi».

bedmaye, *F. s.* [Bed-maye] Mayası, yaradılışı bozuk. (ç. Bedmayegân).● «Bedmaye olan anlaşılır meclis-i meyde — İşret güher-i âdemi temyize mihaktır. — Ziya Pş.».

bedmeniş, *F. s.* [Bed-meniş] Kötü huylu. (ç. Bedmenişan).● «Miyan-i güftgûda bedmeniş izhar eder kubhun — Şecaat arz ederken merd-i kıpti sirkatin söyler. — Ragıp Pş.».

bedmest, *F. s.* [Bed-mest] 1. Sarhoşluğu kötü olan. 2. Kötü sarhoş. 3. Kendini bilmeyecek kadar sarhoş. (ç. Bedmestan).● «Bunlara bedmest-i fazail demek münasip olur. — Cenap».

bedmestan, *F. i.* [Bedmest ç.] Kendini kaybedecek derecede sarhoş olanlar.● «Bedmestan-i ahlâkın çoğu. — Cenap».

bedmestî, *F. i.* Bedmestlik. Sarhoşluk hali.

bedmezheb, *F. s.* [Bcd-mezheb] Kötü mezhepli, mezhebi kötü.● «Eğer ol bedmezhep rücu ederse febiha ve illâ. — Naima».

bedmihr, *F. s.* [Bed-mihr] Muhabetsiz.● «Bir meh-i bed-mihre mailsin Fuzulî yok acep. — Fuzulî».

bednam, *F. s.* [Bed-nam] Kötü ad kazanan, adı kötüye çıkmış olan.● «Yazık sana kim eyleyesin hırs ü tam'adan — Bir habbe için kendini âlemlere bednam. — Ruhi».

bednesl, *F. s.* [Bed-nesl] Soyu sopu âdi olan, piç olan.

bednigâh, *F. s.* [Bed-nigâh] Kötü bakışlı. ● «Birkaç nazîr-i tayf-i adem — Zag-i bed-nigâh. — Fikret».

bednihad, *F. s.* [Bed-nihad] Kötü tabiatlı. (ç. Bednihadan).● «Ve bir miktarı ekrad-i bednihadden bir güruh ile. — Naima».

bednijad, *F. s.* [Bed-nijad] Kötü huylu.

bedniyet, *F. s.* [Bed-niyet] Niyeti ve içi kötü olan.

bednüma, *F. s.* [Bed-nüma] Çirkin, görünüşü kötü.

bedpesend, *F. s.* [Bed-pesend] kötüyü beğenen, cahil.● «Zamanede erbab-i hased ve bebdin ü bedpesend gayete bihad. — Lâtifi».

bedpeyman, *F. s.* [Bed-peyman] Andında, sözünde durmayan. Sözünü tutmayan.● «Her mizban mihmanı olan pedpeymanı nabud eyledi. — Naima».

bedr, *A. i.* Dolunay. On dört gecelik ay.● «Gün günden edip kemal hâsıl — Ol mah-i nev oldu bedr-i kâmil. — Fuzuli». • «Bebri pâ-yi turaba indirmiş. — Fikret».

Bedr, *A. i.* Mekke ile Medine arasında bir yer olup Muhammed Peygamberin dinsizlerle ünlü bir gazasına sahne olmuştur. • *Ashab-i Bedr,* bu gazada Peygamberle birlikte bulunan 313 kişi.

bedrah, *F. s.* [Bed-rah] Kötü yola sapmış olan.

bedram, *F. i.* Ferah yer. Seyir yeri. Ziyafet.

bedre, *A. i.* İçinde para olan torba. Para torbası. • «Girdi mahın destine bir bedre sîm. — Lâmii .

bedreftar, *F. s.* [Bed-reftar] Tutumu, gidişi kötü.

bderek, *F. s.* [Bed-rek] Kötü damarlı, huysuz. • «Bende hamyaze-i ağuş ü rakîb-i bedrek — Sarılır gerdenine illet-i kulunc gibi. — Nabi».

bedreka, bedrika, *F. i.* Kılavuz, yol gösterici. • «Hadi-i vâdi-i din bedreka-i rah-i yakîn — Peyrev-i müctehidin hazret-i Şeyhülislâm — Nef'i».

bedrenk, *F. s.* [Bed-renk] Açıkla koyu arasında kirlimsi bir renk. • «Kaplumbağa iki çeşm-i bed-renk — Kirpikleri hemcb pâ-yi harçenk. — Ş. Gelip».

bedrey, *F. s.* [Bed-rey] Fikri yanlış ve bâtıl olan.

bedrud, *F. i.* Esenlik, esenleme. Veda. • «Çün bu iki şair oldu mevcud — İran'a belâgat etti bedrud. — Ziya Pş.».

bedsikâl, *F. s.* [Bed-sikâl] Kötü fikirli, herkes hakkında fena söyleyen. • «Pak idi sıdk ü safa âyinesiydi siretim — Rûnüma olmazdı anda bedsikâlin sureti. — Nevres».

bedsiret, *F. s.* [Bed-siret] Tabiatı kötü. • «İkincisi insanın ol merd-i bedsiret ve şahs-i bibasiretidir ki. — Taş.».

bedsirişt, *F. s.* [Bed-sirişt] Kötü tarz ve hal. • «Bedsiriştin ırkını kes hârvâr. — Lâmiî».

bedtebar, *F. s.* [Bed-tebar] Kötü soylu. • «Ol diyar-i behcetmedarı Çerakese-i bedtebar elinden istihlâs daiyesiyle. — Sadettin».

bedtedbir, *F. s.* Kötü istekli. Niyeti fena. • «On altı bin hınzır-i bed-etdbir ile derun-i kaleye dühulden sonra... — Raşit».

bedter, *F. s.* [Bed-ter] Çok kötü. Beter. • «Duhan içen yanında hamr içenden bedter idi. — Naima».

bedterîn, *F. s.* Aşırı, en ziyade kötü olan. • «Bedterîn-i ahıbba oldur ki — Nergisi».

bedtıynet, *F. s.* [Bed-tıynet] Yaradılışı kötü. • «Edip zevk u safalar daim sahilsarayında — Helâk olsun hasseden düşmen-i bedtıynet ü bedgû. — Nedim».

beduh, *A. i.* Mektup zarfları üzerine yazılan ve zarf mühürlerine kazılan bir söz olup anlamı için çok şeyler denilmiştir. Bunun yerine ebcet hesabına göre, karşılğıı olan 2. 4. 6. 8. rakamları da kullanılır. • «Yazılsam arzuhal-i dilberan üzer beduh olsam. — İffet».

beduş, *F. s.* [Be-duş] Omuzda, omuza. • *Ababeduş,* abası omuzunda, serseri; • *duşbeduş,* omuz omuza. • «Bir hanebeduş bülbül-i mehcur-i hayalim — Gurbette bana zir-i cehanım vatan oldu. — Neşet».

bedüslub, *F. s.* [Bed-üslub] Tuttuğu yol kötü ve çirkin olan.

bedzeban, *F. s.* [Bed-zeban] Kötü dilli küfürcü, ağzı bozuk. (ç. Bedzebanan). • «Mehîn-i ulema şerir ü bedzeban ve tamma' ve müzevvir olup. — Naima».

bedzehre, *F. s.* [Bed-zehre] Yüreksiz, korkak.

bedzinde, *F. s.* 1. Cansız, güçsüz. 2. Geçimi dar.

bedzindegâni, *F. i.* 1. Geçimsizlik. 2. Geçim darlığı. • «Bedhulk ve bedzindegânilikle mevsum olur. — Veysi».

beft, baft, Bk. • *Zerbeft.*

beftere, *F. i.* Avcıların kullandıkları alıştırılmış kuş. • «Şahbaz-i hüma-pervazı idare-i beftere-i kil ü kaal ile bazu-yi davete icabet ettirip. — Şefikname».

bfteri, pefteri, *F. s.* Çulha tarağı.

begal, Bk. • *Bagal.*

begas, bigas, bugas, *A. i.* Zararlı ve hayırsız kuş. • «Huruc edip tenessür eden bügas-i bügat mahruse-i dar-ün-nasrvel-meymene. — Şefikname şerhi».

begavet, *A. i.* Bagîlik. Zorbalık.

begayâ, *A. i.* (Bagi ç.). 1. Askerin ön karakol takımı, çarhacılar. 2. Zorbalar.

begayet, *F. zf.* [Be-gayet] Son derece, pek. • «Afv ü iğmaz et kusur-i diğerani daima — Nefsini afv etmeden amma begayet kıl hazer. — Recaizade».

beggal, *A. i.* [Bagl'den] Katırcı.

begîz, *A. s.* Bk. • *Bagîz.*

begra, *F. i.* Erkek domuz. • «Lâzımsa buna bir isim-i garra — Begra demeli bu şahsa begra».

begza, bagza, A. i. Hiç sevmeyiş.

beha, F. i. Değer, ifyat, paha.• Bibeha, değer biçilmeyecek yükseklikte.• «Tarafeynden her kim tutulursa üçer yüz kuruş behaya kesilip. — Naima».

beha', A. i. 1. Alışmak, dadanmak. 2. Güzellik, süs, parıltı.• Hüsn ü beha.• «Var mı bir cariyede böyle beha' — Mümkün olamaz buna takdir-i beha. — Naci».

behadar, F. s. [Beha-dar] Pahalı, değerli.

behaim, behayim, A. i. [Behime ç.] Dört ayaklı hayvanlar.• «Ve pâye-i itibarın cemî' gedalardan belki behayimden ve taş ve topraktan ahass ü edna bile. — Fuzulî».

behak, A. i. [Farsçası Behek] İnsan derisinde pul pul alacalık peyda eden hastalık.• «Hasodabaşı Sefer Ağa behak marazına müptelâ olduğundan. — Naima».

behak, behk, A. i. Göz patlama, göz patlatma.

behakki, F. sf. [Be-hak] Hakkıyçin.• Behakki Huda, Allah hakkıyçin.• «Behakki hazret-i Sıddık ü zat-i Zinnureyn — Behakki satvet-i Faruk ü Hayder-i Kerrar. — Ziya Pş.».

behalil, A. i. [Behlûl ç.] 1. Çok gülen kişiler. 2. Onurlu kimseler.• «Ama behalil ve şüfeha ve nice humeka ve agbiya kemal-i taaccüplerinden. — Taş.».

beharic, A. ç. i. Çürük paralar.• «Dest ber-balâ-yi dest ukde-küşa-yi ekyas-i beharic olmakla. — Şefikname».

behc, A. i. Her zaman neşeli adam.

behcet, A. i. 1. Güzellik. 2. Sevinç. 3. Güleryüzlülük.• «Cihanı kaplamış envar-i behcet özge seyrandır. — Ziya Pş.».

behem, bahem, F. zf. (He ile) [Be-hem] Toplu, bir arada, hep bir yerde.• «Giysuları târümar idi ebruları behem. — Recaizade».

behemehal, F. zf. (He ve ha ile) [Be-heme-hal] Her halde. Mutlaka.

behemzede, F. s. Karmakarışık, dağınık.

beher, F. s. [Be-her] Her bir, her biri.

bherhal, F. zf. (He ve ha ile) [Be-her-hal] Mutlaka. Her ne hal olursa olsun.• «Hıfz u harasetine bezl-i makdur etmek emrinde beherhal mazuruz deyu. — Raşit».

behhal, A. s. (Hı ile) [Buhl'den] Çok pinti, çok cimri.

behhar, A. s. (Ha ile) [Bahr'den] Gemici.

behhas, A. s. (Ha ile) [Bahs'ten] Tartışmayı, çekişmeyi çok seven.

behî, behiy, A. s. (He ile) Güzel.

behîc, behice, A. s. [Behcet'ten] 1. Güzel. 2. Şen, güler yüzlü.• «Bu şimdi neşeli bir gamzedir behic-i emel. — Fikret». • «Sönük duran sine-i hâbide-i sema envar-i behice ile dolar. — Uşaklıgil».

behîm, A. i. 1. Düz siyah şey. 2. Alacasız hayvan. 3. Dik, tiz pürüzsüz ses.

behime, A. i. Dört ayaklı hayvan.• «Bir zavallı hayattan hâtıra-i yegâne olarak bir behimenin dudağında biraz kan lekesi kalırdı. — Cenap».

behimî, behimiyye, A. s. Hayvancasına. Hayvan gibi.• «Nasiye-i pürgubarını — Okşar bir incilâ ki, behimî ve handever. — Benzer tevekküle. — Fikret».

behimiyyet, A. i. 1. Hayvanlık. 2. Canlılık kalmakla beraber aklın tam olarak kaybolma hali. Fransızcadan hébetude karşılığı (XIX. yy.).• «Behimiyyet çeragâh-i safadır — Gam-i âlem beni-âdem içindir. — Şeyhülislâm A. Hikmet».

behîr, A. i. (He ile) Nefesi sıkışıp çok soluyan kimse. Nefes darlığı.

behire, A. s. 1. Soyluluk ve iyilikle ün almış (kadın). 2. Şişmanlıktan yürürken solur kadın.

behişt, bihişt, F. i. Cennet, uçmak.• Behişt aşiyan,• - nişîn, durağı cennet olan, rahmetli, ölmüş.• «Behişt-i aşkını mestane gezdiğim ahde — Behişt-i aşkıma gel der uzaktan bir hande. — Cenap».

behiştî, F. s. Cennetlik, cennete ait. Huri.• «Her aşiyana konma ey tair-i behiştî — Candır senin makamın gönlümdür aşiyanın. — Nevres».

behiy, behî, A. s. [Beha'dan] Güzel.• «Oldu şerh-i Tuhfe-i Vehbi behî. — Esat».

behiyye, A. i. [Beha'dan] Güzel.• Hediye-i behiyye, güzel hediye;• emanet-i behiyye,• idare-i behiyye,• müdiriyet-i behiyye, rütbeleri balâdan aşağı olan idare başkanlarına yazılırdı.• «Ziyafet-i behiyye ve bezl-i niam-i şehiyye merasimi icra olunup. — Naima».

behle, F. i. (He ile) Doğancı eldiveni.

behlül, A. i. Ziyade gülen ve hayır sahibi kimse anlamında olan bu söz ad olarak da kullanılmaktadır. Harun-ür-Reşid'in kardeşinin adı olup divanece davranışlariyle ün almıştı.• Behlül-i Dâna denirdi.

Behmen, *F. i.* Eski İran şahlarından Erdeşir'in lâkabı.• «Süvar olunca saadetle rahş-i ikbale — Güzergehinde durur ruh-i Behmen ü Şapur. — Nabi».

behmen, *F. i. (He* ile) Brehmen sözünün hafifi.

behnan, *A. s. (He* ile) 1. İyi huylu. 2. Güler yüzlü.

behod, *F. s. (Hi* ile) [Be-hod] Yalnız.• *Hod behod,* yapayalınız, başlı başına, kendi kendine.

Behram, *F. i.* 1. Fars Hükümdarlarından, zamanını yaban eşeği avlamakla geçirdiği için *Kûr* lâkaplı bir hükümdar ile, Nuşrevan'ın oğlu Hürmüz'ün başkomutanı ve çok zayıf olduğundan *Çupîn* lâkabı verilen kimse. 2. Merih yıldızı. 3. Fars mitolojisinde bir perinin adı.• «Yirmi altı bin kelle-i büride pişgâh-i Behram-iktidara getirilip. — Naima».• «Tig-i Behram gibi kilki Fehim'in İzzet — Etmiş üşküste felekte kalem-i Bercis'i. — İzzet Molla».

behre, *F. i.* 1. Pay, hisse. 2. Nasip, kısmet.• Eğridir dehrden alan behre».

behredar, *F. s.* [Behre-dar] Pay almış, faydalanmış.• «Üveyş Paaş gibi, Kadızade gibi hidmetleri şerefinden behredar olanların. — Kemal».

behremend, *F. s.* [Behre-mend] Nasiplenmiş.• Ve hasayıs-i mülkten behremend olmayan serair-i melekûte destres bulmaz. — Fuzuli».

behremendan, *F. s. ç.* Yararlananlar.

behrever, *F. s.* [Behre-ver] Pay almış, nasip sahibi.• «Fânidi fakat bahrever-i hüsn-i ezeldi. — Safa».

behreyab, *F. s.* [Behre-yab] Behreli, başarı göstermiş.• «Budur ümmid o âsiye diyesin — Ki şefaatle behreyab ettim. — Fehim».

beht, *A. i. (He* ve *te* ile) Şaşma, şaşakalmak.• «Bu hale beht ile nâzır felekte her ahter. — Recaizade».

behur, *A. i.* Buhur. Tütsü.• «Ve kahve şerbet ve behur ikramından sonra. — Raşit».

behurdan, *F. i.* [Behur-dan] Bunurdan. Tütsü yakılan kap.

behükmi, *F. zf.* [Be-hükm] Hükmünce, hükmiyle.• *Behükm-i kadı,* kadı hükmiyle;• *- kader,* kader hükmünce.

beis, be's, *A. i.* 1. Zarar. 2. Korku. 3. Fenalık.• Fakat ne beis var? — Uşaklıgil».

beka, *A. i.* 1. Bulunduğu halde kalma. 2. Kalım. 3. Bozulmama. Değişilmeme.•

eBka-i hayat (conservation de la vie), • *- nevi* (- de l'espece);• *- vücut,*• *- zat* (- de l'être) karşılıkları felsefe terimleri (XIX, XX. yy.).• *Dar-i beka,*• *mülk-i beka,* ahret.• «Ol dem ki kıldı mülk-i bekaya azimeti. — Baki».• «Beka-yi aşknıı gâhi teemmül eyler de. — Fikret».

bekâm, *F. s.* [Be-kâm] İsteğine kavuşmuş. • «Halil Paşa kaymakam ve Hafız Ahmet Paşa vezaret-i salise ile bekâm kılındı. — Naima».

bekâmet, *A. i.* Dilsizlik. Fransızcadan *alalie* karşılığı.

bekâr, Arapça «bekâret» veya Farsça «bikâr» keilmesinden alınma olup Türkçe «evlenmemiş» anlamında kullanılır.

bekâret, *A. i.* 1. Erkek görmemiş kız. 2. Kızlık.• «Benim bekâret-i ruhumdur onda nâim olan. — Fikret».

bekavli, *F. zf.* [Be-kavl] Dediğine, sözüne göre.• *Bekavl-i şari,* kanunu koyana göre.• «Tavafa kâbe-i kûyun bekavl-i Baki — Derun-i dilde niyet âb-i zemzemdn musaffadır. — Nef'i».

bekaya, *A. i.* [Bakıyye ç.] 1. Artanlar, kalıntılar. 2. Akçalı yıl içinde tahsil olunmayıp ertesi yıla kalan vergiler. 3. Her hangi bir yüzden zamanında askerliği sonraya kalmış olanlar.• «Bunlar yine bir kenarda cemiyet bekayasın cem'e meşgul oldular. — Naima».

bekef, *F. zf. (Kef* ile) [Be-kef] Avuçta, el içinde.• «Şemşir bekef o çeşm-i sâhir — Gencine-i mülk-i naza nâzır. — Ş. Galip».

bekiyy, *A. s.* Ağlayıcı.

bekre, *A. i.* 1. Çark, çıkrık. 2. Makara.

bekrevi, *A. s.* Makara biçiminde olan.

bekrî, *A. s.* İçkiye düşkün sarhoş.• *Bekri Mustafa.*

Bektaşî, Bektaşiye, *A. s. i.* 1. Bektaşilikle ilgili. 2. Bektaşi. 3. Yeniçeri.• «Neferat-i Bektaşiye yoklamasında — Raşit».

Bektaşiyan, *F. i.* [Bektaşi ç.] 1. Bektaşiler. 2. Yeniçeriler.• «Turnacı başı bektaşiyan ile hayli ikdam edip Han'a gezend eriştirmeyi. — Naima».

bekûri, *A. i.* Erken doğan çocuk.

beküsiste, *F. s.* [B-eküsiste] 1. Kopmuş, kopuk. 2. Çözük, gevşek, düşük.• «Eder bir har-nijadı şehsüvar-i âlem-i ikbâl — Yıkar görse beni bir esb-i beküsiste inan üzere. — Ziya Pş.».

bel', *A. i. (Ayın* ile) Yutma, emme.● ‹Ey midelerin, zehr-i tekazası önünde — Her zilleti bel' eyleyen efyah-i kadide. — Fikret›.

belâ, *A. i.* 1. Tasa, kaygı. 2. Büyük kaygı, afet. 3. Sıkıntılı iş veya kimse. 4. Sıkıntı, zorluk. 5. Ceza.● *Belâdide,* sıkıntı görmüş;● *belâ ender belâ,* püsküllü, katmerli belâ;● *belâkeş,* belâ çekici;● *belâ-yi siyah,* kará belâ (Mec.) acı olan her türlü olay.● ‹Gam çekmeyiz uğrarsak eğer derd ü belâya. — Ruhi›.

belâbil, *A. i.* [Bülbül ç.] Bülbüller.● ‹Ol gülistan-i nükhet-fiarvanda belâbil-i şirin-şemail-i istihsan nümayan olmaz. — Salim›.

belâbil, *A. i.* [Belbal ç.] Kuruntular, vesveseler.

belâcû, belâcûv, *F. s.* [Belâ-cû] Kendine dret arayan belâ siteklisi. (ç. Belâcuyan).● ‹Çün Kâbe'ye erdi ol nigû-huy — Mccnun'a dedi ki ey belâcûy — Fuzuli›.

belâcûyan, *F. i.* [Belâcûy ç.] Belâ istcklileri.● ‹Bâr-i hatırdır belâcûyan-i aşka âşti — Lezzet ol şadidedir kim eyleye gamdan zuhur. — Ziya Pş.›.

belâdet, *A. i.* 1. Kalın kafalılık. 2. Akıl eksikliği, şaşkınlık. Fransızcadan *abrutissement* ve *apathie* karşılığı (XIX. yy.).● ‹Tilâl-i cibal-i idrâkinde nümudar olan mezen-i belâdet delâletiyle. — Şefikname›.

belâğ, bilâğ, *A. i.* 1. Yetiştirme, eriştirme. 2. Yetiştirilen söz, şey.

belâgat, *A. i.* (Ed.) Meramın düzgün olarak süslü sözlerle anlatılması.● *Fenn-i belâgat,* lafız ve kelimelerin hale uygun olarak kullanılmasını konu edinen bilim.● ‹Ziya çok zaman ister ki meydan-i belâgatte — Ola zatın gibi bir sahib-i fünun peyda. — Ziya Pş.›.

belâgatfüruş, *F. s.* [Belâgat-füruş] Beliğlik taslayan.

belâgatperdaz, *F. s.* [Belâgat-perdaz] Beliğ söze kudreti olan.

belâhet, *A. i.* Bönlük.● ‹Bir tahta veya taş parçasını sani-i mükevvenat addedecek kadar belâhet gösterirler. — Kemal›.● ‹Ben miyim bu mîr-i belâhetsimir? — Uşaklıgil›.● ‹Füsusa kim cihan-i fitneengiz — Eder bahr-i gamı mevc-i belâhiz — Ltayî›.

belâk, *A. i.* Ayakları alaca at.● ‹Halil Paşa ki ra-hod-i rüzgâr ve belakına aduvv-i mezheptıraş olan kızılbaş tah-

sin ü sabaş etmiş bahadır-i namdar idi. — Peçovlu›.

belâkeş, *F. s.* [Belâ-keş] Eziyet ve sıkıntı çeken, çekici (ç. Belâkeşan).● ‹Ey bülbül-i belâkeş çekme cefa-yi hârı — Vasl-i düruze-i güle değmez bu hâr-i hâr. — Ziya Pş.›.● ‹Sergüzest-i belâkeşan-i aşk u muhabbeti. — Nergisî›.

Bel'am bin Baur, *A. i.* Musa peygamber hakkında İsraillileri kandırarak kötü söylediğinden ün almış bir kişi.● ‹İbadetine dayanma ki sana pent yeter — Hemîn hikâyet-i İblis ü Bel'am-i Baur. — Hayali›.

belâya, *A. i.* [Belivye ç.] Belâlar.● ‹Ekser-i belâyanın menşei kelâmdır — Cenap›.

belâzede, *F. s.* [Belâ-zede] Belâya uğramış. (ç. Belâzedegân).● ‹Ey ask bildiğin gibi yak yık derunumu — Bir kimsesiz belâzedenin hanmanıdır. — Naci›.

belbal, *A. i.* Tasa. Kuruntu. (ç. Belâbil).

belbele, *A. i.* Emzikli bardak (F. Bülbüle).

belde, *A. i.* Kent, kasaba.● *Belde-i tayyibe,* Medine, Mekke yahut İstanbul.● ‹Bir beldede hicab-î zenan ayb olur yine — Bir şehirde bu halet olur bais-i cemal. — Ziya Pş.›.

beleb, *F. zf.* [Be-leb] Dudakta.● *Can beleb,* canı dudağa gelmiş, ölecek halde.● ‹Rakik ü hande-beleb bir dehan-i istihza. — Fikret›.

beled, *A. i.* 1. Memleket, ülke. 2. Kent.● *Beled-ül-emin,* Mckke;● *nefy-i beled,* kentden, memleketten çıkarma, sürme;● *şeyh-ül-beled,* belediye başkanı yerini tutan kimse.● ‹Sur-i Kostantıniye'nin kapıları iglak olmağın ehl-i beledin mevtasını bile ihraca mecal muhal olup. — Naima›.● ‹Kimisine zeer ile nefy-i beled. — Azerî›.

beledî, belediye, *A. s.* 1. Kentli. 2. Kent veya kasabaya ait. 3. Yerli. 4. Belediye ile ilgili. 5. (Türkçede) Bir çeşit kumaş.● ‹Şerleri beledî ve kureviye hadden efzun olmuştu. — Naima›.

belediyye, *A. i.* Kent veya kasaba işleriyle uğraşan daire.● ‹Devair-i belediye tahsisatı bütün ebniye-i emiriye tamiratiyle. — Kemal›.

beleh, *A. i.* Boş kafalık. Bönlük. Ahmaklık.● ‹Zehi beleh ü hamakat. — Ragıp Pş.›.

belel, *A. i.* Yaşlık. Islaklık.● ‹Ve lâkin dâmen-i ismet tafsili alûde-i belel-i halel olmakla — Şefikname›.

belesan, belsan, *A. i.* (Bot.) Pelesenk.● ‹Hem-meşreb-i safi-idle ol rugan-i kandil — Nadangiran-i tıynete dühn-i belesan ol. — Nabi›.

beli, *F. i.* Evet.● ‹Çün sual-i elestü birabbiküm'e — Bimuhaba beli cevap ettim. — Fehim›.● ‹Ol şehrde kimya olurmuş — Yolda beli çok belâ olurmuş. — Ş. Galip›.

belid, *A. s.* Akılsız, bön.● ‹Güftar-i muallakı Lebid'in — Makbüldür a'kal ü belîdin. — Ziya Pş.›.

beliğ, *A. s.* [Belâgat'ten] 1. Belâgatle yani düzgün olarak meramını anlatan. 2. Belâgatle anlatılan, düzgün ve sanatlı. 3. Yeter derecede, fazla, çok.● *Sây-i beliğ,● tesir-i beliğ,●* ‹Kâmil-i derrak fünun-aşna — Fazil-i mihrir ü beliğ ü hakim. — Ziya Pş.›.

beligane, *F. zf.* Beliğ bir kimseye yakışır surette.

belil, *A. s.* 1. Yağmur serpiştiren yel. 2. Islanmış şey.

beliyyat, *A. i.* [Beliyye ç.] Beliyeler.● ‹Evkat-i beliyyat için bir hayrı olur bir dost peydası hatırına hutur etmezdi. — Naima›.

beliyye, *A. i.* Zorluk, sıkıntı.● ‹Etmiş kimisin rahatın ikbal için feda — Olmuş kimisi beliyye-i idbara müptelâ. — Ziya Pş.›.● ‹Evrak-i havadis birer beliyye-i uzma kesildi. — Cenap›.

belka', belkaa, *A. i.* Çöl. (ç. Belâkı).

Belkis, *A. i.* Yemen'de bulunan Saba ülkesinin hükümdarı kadın. Süleyman peygamberle olan kıssası meşhurdur.● ‹Devlete Belkis-i maksudu getir bir lâhzada — Kuvve-i kudsiyye olsun aşikâr rüzgâr. — Akif Pş.›.

bellut, *A. i.* (Bot.) 1. Meşe. 2. Meşe palamutu.

belma, *F. s.* Kaba, işe yaramaz.

bellûtiye, *A. i.* (Bot.) Palamutlar.

belsemiye, *A. i.* (Bot.) Kınaçiçeğigiller. Fransızcadan *Balsaminées* (Kınaçiçeğigiller) karşılığı (XIX. yy.).

bel'um, bül'üm, *A. i.* Gırtlak.

belva, *A. i.* Çile. Sıkıntı.● *Dar-i belva,* dünya.● *Umum-i belva,* halkın uğradığı sıkıntı.● ‹Cümle halk umum-i belva şeklinde derd ü belâda kalmışlar idi. — Naima›.

bem, *F. i.* Bâm. Telli sazların en kalın teli.● *Zir ü bem,* en ince telle en kalın tel. (ç. Bümum).● ‹Hafız olur leb-beste-dem — Hâmem edince zîr ü bem. — Nef'i›.

ben, *F. i.* Harman. Ekin. Bağ.

benadık, *A. i.* [Bünduk ç.] 1. Tüfekler. 2. Kurşun taneleri.● ‹Yani kavs ü benadık ve bunların gayrı umuru remyetmektir. — Taş.›.

benadir, *A. i.* [Bender ç.] Ticareti işlek iskeleler, limanlar.

benam, *F. s.* [Be-nam] Adlı, ünlü.● ‹Nice selâtîn-i izam ve ekâbir-i benam-i devlet devlet-i zaile ve agraz-i faniye için. — Naima›.

benam-i, Adına, adıyçin.● ‹Benam-i pâk-i şefi' ü be-lâfz-i gaffar. — Ziya Pş.›.

benan, *A. i.* Parmak, parmak ucu.● *Müşar bilbenan,* parmakla gösterilir, ünlü;● *ser-i benan,* parmak ucu.● ‹Gelir tezelzüle ruhum ser-i benanında. — Fikret›.

benat, *A. i.* [Bint ç.] Kız çocuklar.● *Benat-i Havva,* kadınlar;● *- naış,* Büyükayı yıldız kümesi.● ‹Benat-ün-na'ş reh-i kehkeşandan alsa ol gerdi. — Hayalî›.● ‹Nevazışiyle tazelenir benat-i bahar. — Fikret›.

benc, beng, *A. i.* (Bot.) Banotu bitkisi.● ‹Ve alelfevr bezr-i bencin semmiyeti kenduyü bimecal etmekle. — Raşit›.

bend, *F. i.* 1. Bağlama. 2. Kendinden ayrılmayacak surette çekme. 3. Boğma. 4. Kanun veya gramer kitaplarında rakamlı rakamsız fıkra, madde. 5. Baraj. 6. Makale. 7. Fıkra. 8. Kafiyeleri başka olarak ve birkaç kısımdan meydana getirilmiş uzun manzumenin her kısmı.● *Heftbend.* 1. Yedi kat gök. 2. Yedi bent olarak yazılmış manzume.● *Bend-i ahenin,* demir bağ, kelepçe;● *terkib-i bend,* birkaç bentten meydana gelmiş manzumelerden bent sonlarında kendi başına keyifli beyit bulunan;● *terci-i bend,* bentler arasında başlı başına birer beyit bulunanı.● ‹Ashab-i derdi cûşa getirsin bu heft bend. — Baki›.● ‹Yüz on sekiz kâfir bend-i zencir olup. — Raşit›.

-bend, *F. s.* ‹Bağlayan, bağlanmış› anlamlarıylek elimeler meydana getirir.● *Bazubend* (Bk.)● *divbend,* devleri bağlayan;● *kalebend,* kalede cezasını çekmeye hükümlü;● *miyan bend,* kuşak.● ‹Miyanbendimde olan destmal-pâre-i çirk-âlûdu alıp. — Nergisî›.● *Pıranga bend,* pıranga ile hapsini çekmeye hükümlü;● *zincirbend,* zincire vurulmuş.● ‹Vefa-yi ahd' bendince bazı muahazatı havi bir makale görüldü. — Kemal›.

bende, *F. i.* 1. Bağlı, esir. 2. Kul. 3. Birine bağlı, onun taraflısı,● *bende-i halka begûş,* kulağı küpeli köle (esirlerin kulağına küpe takmak gelenekti);● - *direm hiride,* para ile alınmış köle;● - *dirîne,* eski kul,● *bendeniz, bendeleri* gibi sözler, kendini karşısındaki önünde küçük tutup onun büyüklüğüne saygı göstermek gibi bir terbiye ve nezaket geleneği idi. (ç. Bendegân).● «Kapında bende bir kemter gedayım ya resulallah. — Ziya Pş.».

bendegân, *F. i.* [Bende ç.] 1. Kullar. 2. Padişah hizmetinde olanlar.● «Bizzat terbiyyetle yetiştirildi bendegân — Matlub üzre teşkil eyledi heyeti. — Ziya Pş.».

bendegî, *F. i.* Kulluk.● «Hukuk-i bendegiyi eda için padişahımızdan rica ederim ki. — Raşit».

bendehane, *F. i.* Kendi evinden söz eden birinin nezaket olsun diye «köle-evi» anlamında bu sözü kullanması gerekti.

bendenüvaz, bendenevaz, *F. s.* [Bende-nevaz] Kulunu, kölesini, adamlarını hoş tutan.● «Mermer Mehmet Ağa hakkında aftab-i iltifat-i sultan-i bendenevaz pertev-endaz olmakla. — Raşit».

bendeperver, *F. s.* [Bende-perver] Kendi adamlarını koruyup kayıran.● «Şehriyar-i adaletkiş-i bendeperver-i gerdun gulâmın. — Nergisi».

bender, *F. i.* Ticareti olan liman, iskele.● «Geçmez bu bender içre meta-i hünerverî — Lâyık budur ki beste dura bârımız bizim. — Haleti».

bendergâh, bendergeh, *F. i.* Ticaret limanı.● «Her metaın bir revacı var bu bendergâhta — Geh tahammül geh niyaz ü gâh istigna yürür. — Ragıp Pş.». ● «Bu bendergehte herkes dirhem ü dinara tâbidir. — Ziya Pş.».

bendezade, *F. s.* [Bende-zade] Kendi çocuğundan söz eden birinin kullanacağı nezaket sözü.

bendide, *F. s.* Bağlı, bağlanmış.

benefşe, *F. s.* Mor.● «Bir tarafı gayet açık benefşe ve bir tarafı gayet koyu alev rengine gark olmuş. — Kemal».

benefşe, *F. i.* Menekşe.● «Ben ol bülbül değil miydim ki nalem hep seninçindi — Gülüm goncem benefşem serv ü lâlem hep seninçindi. — Nevres».● «Sümbülle benefşyi görür dun — Ol kâkülü eyleyen temaşa. — Naci».

benefşezar, *F. s.* [Benefşe-zar] Menekşelik, menekşe tarlası.● «Hep çalınan kulağına udun benefşezâr. — Nef'i».

benevan, *F. i.* Tarla veya ekin bekçisi.

benevbet, *F. s. zf.* Nöbetle, sıra ile.

beng, benc, *F. i.* Banotu bitkisi.● «Olma nigeran-i sebze-i beng — K'âyine-i dinine olur jeng. — Fuzuli».● «Sana hâşâ benzetem afyon u bengin neşvesin — Anların dahi hususen keyfini kem bulmadım. — Nef'i».

bengâh, *F. i.* Keçeden yapılma Türkmen evi, çadır.● *Bâr ü bengâh ve hayme vü hargâh,* (büyük ağırlık) sözü tarihlerde çok geçer.● «Nice ümmet-i Muhammed şehit olup bu kadar bâr ü bengâh nasib-i küffar oldu. — Naima».

bengî, *F. s.* Beng düşkünü, tiryaki.● «Bengî ketm eylemez esrarın — Şirekeş tatlı sanır güftarın. — Vehbi».

beni, *A. i.* ● Oğullar demek olup bazı kabîle ve hanedan adlariyle kullanılır.● *Beni Âdem,* Âdemoğulları, insanlar;● - *beşer,* ● - *nev,* insan oğulları;● - *İsrail,* İsrail oğulları;● - *Ümeyye,* Ümeyye oğulları.● «İnsan ana derler ki ede kalb-i rakiki — Âlâm-i ben-i nev'i ile kesb-i melâlet. — Ziya Pş.».

benin, *A. i.* [İbn ç.] Oğullar.● «Ümena-i bahriyeden Mehmet Paşa kalyonu alıp bunca ganayim ve benat ü benîn-i a'da ele girdiği haberi geldi. — Naima».

benna', *A. i.* [Bina'dan] Yapı yapma işiyle geçinen adam. Mimar kalfa.● «Öyle bimar-i gamım sahn-i fenada gûya — Yaptı enkaz-i elemden beni benna-yi âdem. — Akif Pş.».

benu, benun, *A. i.* [İbn ç.] Oğullar.

bepga, *F. i.* Papağan.

ber, *F. e.* Gibi, üzre.● «Sana ber-kaide ağyara aksiyle bakardım ben — Elimden hame-i mu'ciz-nüma bir durbîn olsa. — Nabi».

-ber, *F. s.* ● «Götüren, ileten, alan» anlamı katarak kelimelere girer.● *Dilber,* ● *nameber* (Bk.).

ber, *F. i.* Yemiş.● «Feryadıma ber vermedi bidaddan özge — Gözyaşı ile beslediğim taze nihalım. — Fuzuli».

ber, bür, *A. i.* Hastalıktan kalkma, iyileşme.

ber, *F. i.* Göğüs.

beraa, beraat, *A. i.* İyi huy ve meziyetlerle benzerlerine üstün olma.● *Beraat-i istihlâl,* bir eserin bahislerini iyi bir başgıçla anlatma, iyi başlangıç.● «Yahut o nazenin-i zamandır ki göste-

F. : 6

rir — Her hatvesinde nice delâl bera-
ati. — Akif Pş.».• «Fıkıhta sahib-i be-
raat ve hatta mansup, kitabetinde bâ-
hir ve ehl-i beraat idi. — Taş.».

beraber, *F. s.* [Ber-ber] 1. Birlikte bulu-
nan. 2. *(zf.)* Birlikte. Beraber.• «Bi-
zimle beraber çıktı keder. — İzzet Mol-
la».

Beraber. *A. i.* [Berber ç.] Berberistan
halkı.

beraet, *A. i.* Bir işle ilgisi olmadığı an-
laşılma. İlişiksiz çıkma.• *Beraet-i zim-
met,* üstünde bir şey ispatlanmamış ol-
ma, temiz bulunma.• «Ve kenduyü ke-
faletten hak ve izhar-i beraat etmekle.
— Naima».

berah, *F. i.* Süs.

Berahime, *A. i.* [Brehmen ç.] Brehmenler.

berahîn, *A. i.* [Bürhan ç.] Bürhanlar.
Kanıtlar.• *Berahin-i adide,* birçok ka-
nıt.• «Mantık gibi, ispat-i hakikat eden
berahîn-i mâkuleden itikatçe, mazarrat
tevehhüm etmek. — Kemal».

berahmen, *Bk.* Berehmen.

ber'aks, *F. zf.* [Ber-aks] Tersine, aksine.•
«Şimdi ber'akstir ahval-i visal ü hic-
ran — Vaslına mahrem idik hicrine bi-
gâne idik. — Nabi».

Beramike, *A. i.* ç. Bermeki'ler. Bk. Ber-
mek.• «Emr-i hilâfet Harun-ür-Reşit'e
ric'at edip Beramike'ye taklid-i emr-i
vezaret eyledi. — Taş.».

berarende, *F. s.* [Ber-arende] Üste getiri-
ci, üste getiren.• «Cenab-i berarende-i
çarh-i bukalemum. — Ragıp Pş.».

berari, *A. i.* [Berriye ç.] Çöller, sahralar.•
«Cibal ü bihar ve berari vü enharının
adedi. — Taş.».

beras, *A. i.* Abraşlık. Leke hastalığı. Ala-
enlik.

berat, *A. i.* Nişan, rütbe, memurluk, maaş
ve buna benzer şeyler hakkında dev-
letçe verilen resmî kâğıt.• *Leyle-i Be-
rat,* Muhammet peygambere, peygam-
berliğinin bildirildiği 15 şaban gecesini
anmak için kandil (ç. Berevat).• «Ev-
kaftan dokuz akçe vazifeye kanaat kı-
lıp arz aldım ve berat için dergâh-i
âlem-penaha irsal edip mutarassıt ol-
dum. — Fuzuli».

beratil, *A. i.* [Birtîl ç.] Rüşvetler, arma-
ğanlar.• «Rüşvet ile tevcih edip ahz-i
beratîl ve işaret-i ebatîl ile. — Nai-
ma».

beraver, *F. s.* [Ber-aver] Yemiş veren
yemiş ağacı.

beraverd, beraverde, *F. s.* 1. Korunma ile
ileri çekilmiş adam. 2. Ayrılmış seçil-
miş şey. 3. Yukarı kaldırılmış, yüksel-
tilmiş.• *Ber averde-i zeban,* dile getir-
me. Söyleme.• «Ademden etti beni
kudreti beraverde — Gıdamı eyledi
âmâde rahm-i maderde. — Nabi».

beray-, *F. e.* İçin.• Maksadiyle.• *Beray-i
hatır,* hatır için;• - *isticvab,* sorgu için;
• - *keşif,* keşif için;• - *maslahat,* iş
için;• - *tenezzüh* gezinti için.• «Zebun
bulup bizi pamâl-i cevr edenlerden —
Bera-yi gayret-i Hak intikam alan bu-
lunur. — Nabi».

beraya, *A. i.* [Beriyye ç.] 1. Halk. 2. Hal-
kın, haraç ve teklif vermeyen; müslü-
man ve kılıç ehli kısmı (Böyle olma-
yanlara *reaya* denirdi).• *Reaya ve be-
raya,* bütün, halk.• «Behey asılacak
ben sana ol vilâyeti viran ve reaya ve
berayayı perakende ve perişan et diye
mi verdim. — Raşit».

berbad, *F. s.* [Ber-dad] 1. Havaya uçmuş
gibi dağınık. 2. Viran, harap. 3. Pis,
kötü.• «Eyledin bir hamlede berbad
mülk-i düşmeni. — Nef'i».• «Berbad
kıldı taht-i Süleyman'i ruzigâr. — Ba-
ki».

berbat, *A. i.* *(Tı ile)* Kopuz ve lavtayı
andırır saz.• «Çaldım taşa ben şişe-i
namus ile nengi — Mutrib kerem et
sen dahi çal berbat-i çengi. — Sami».

Berberî, *A. s.* Berber kavminden, Afrika'-
nın Mısır'dan başka, bütün kuzeyinde
oturan halktan olan.

Berberistan, *A. i.* Mısır'dan öte olan ku-
zey Afrika ülkesi.• «Tıraş etti ser-i
a'dayı bir bir tig-i bürranı — Atan
fethetti gürz ile bilâd-i Berberistan'ı.
— Baki».

berbürde, *F. s.* Kapanmış, alınmış, götü-
rülmüş olan.

berca, *F. s.* [Ber-ca] Yerinde uygun.•
Naberca, yersiz;• *pâberca,* ayağı yerin-
de, sebat edici. (Mec.) Uygun.• «Bah-
tını berca ederse câyını berbad eder. —
Nevres».

berceste, *F. s.* Nazik, güzel, yakışıklı.•
Mısra-i berceste, kuvvetli, sağlam mıs-
ra.• «Eğer maksut eserse mısra-i ber-
ceste kâfirdir. — Ragıp Pş.».

Bercîs, Bircis, *F. i.* Müşteri yıldız.• «Yak-
mıştı şem-i fikreti Bercis-i nüktedan.
— Baki».

berçide, *F. s.* Toplanmış, devşirilmiş.•
Berçide dâmen, eteğini toplamış.•

«Derkemindir sipeh-i hat sakın ey zülf-i siyah — Rehzeni hâr olanın dâmeni berçide gerek. — Nedim».

berçin, F. s. Toplayıcı.

berd, A. i. Soğuk.● Berd-el-acuz,● berd-i acuz, koçakarı soğuğu.● «Geh suzişimden ateş içinde kalır tenim. — Bazen tiril tiril üşütür berd-i hasretim. — Ziya Pş.».● «Fusule eltese talluk nesim-i madileti — Eder musalaha berd-el-acuz ile bahur. — Nabi».

berdaht, perdaht, F. i. 1. Düzleme. Düzeltme. 2. Parlatma, cilâlama. 3. Pürüzünü giderme.● «Mütegalipleri berdaht ettiği gibi ağayı mahudu ve sair mukarripleri dahi berdaht edip. — Naima».

berdar, F. s. [Ber-dar] Yemişli.

berdar, F. s. [Ber-dâr] Dar ağacına çekilmiş, asılmış.● «Hadımköy'lü Mustafa nam zorbayı berdar edip. — Naima».

berdaşte, F. s. Yükseğe kaldırılmış. Giderilmiş.● «Alem-i isyanı berdaşte edip. — Naima».

berde, F. i. Esir, tutsak.

berde, berede, A. i. Mide dolgunluğu.● Dachy1'●ŞL?'! 1 — — — Da-ül-berdet, mide dolgunluğu hastalığı.

berdegân, F. i. [Berde ç.] Esirler, tutsaklar.

berdevam, F. s. [Ber-devam] Süren, sürüp giden, sürekli.● «Bu kim bilir ne kadar böyle berdevam olacak — Fikret».

berdevamî, F. i. Sürerlik. Devamlılık.● «Bu halde berdevami-i sıdk u muhabbetin müşahede edilecek. — Nergisî».

berdî, F. i. Saz otu.

berduş, F. s. [Ber-duş] Omuz üzerinde. Sırtında.● Haneberduş, evi omuzunda, serseri.● «Sanırım bir şehid-i dem-huruşandır kefen berduş. — Cenap».

bere, berre, F. i. Kuzu.● «Berre ahuya gezend erdiremez savlet-i sîr. — Hakkı».

bered, A. i. (Yağan) Dolu.

Berehmen, A. i. 1. Brahma dininde olan. 2. Hintli, Mecusî din başkanı.● «Deyr-i aşkın o Berehmenleriyiz kim elhak — Bank-i ya Rab ile nakusunu gûyâ ederiz. — Manastırlı Faik».

berehmenhane, F. i. [Berehmen-hane[Mecusî tapınağı.● «Kemer-bend-i tarikat olsa sâlik dest-i mürşidden — Berehmenhane-i taklidde zünnara yer kalmaz. — Nabi».

berekât, A. i. [Bereket ç.] 1. Bereketler. 2. Tanrı ihsanları.● «Süleyman Ağanın kuvvet-i bahtı berekâtiyle vüsulü nasip oldu. — Naima».

bereket, A. i. 1. Nimet, Tanrı vergisi. 2. Bolluk, gürlük. 3. Uğurluluk.● «Ya muaşşer-ül-guzat bu din-i mübinde menfaat celâdette bereket bedavettedir. — Şefikname».

berendahte, F. s. [Ber-endahte] 1. Yükseğe kaldırılmış. 2. Üste, yükseğe fırlatılmış.● «Eğer Yahya Efendi sadr-i fetvada kalırsa seni berendahte ettirmesinde şek yoktur. — Naima».

berendaz, berendaze, F. s. [Ber-endaz] Yukarı atan, fırlatan. Yok eden.● Mevani berendez, engelleri yıkan, yok eden.● «Olunca perde-berendaz nazara çeşmi-i şühud — Görüntü âyine-i dilde çehre-i makusd. — Sami.»● «Ve servin kametin berendaze edip. — Lamii».

berere, A. i. [Barr ç.] Hayır ve iyiilkleri çok olan kimseler.● «Gözlerine rast gelen berere-1 ehl-i islâm ve eizze-i müminin-i kiramın kılâde-i taarruzu gerden-i ırzlarına tavk etmeye başladılar. — Şefikname».

berevat, A. i. [Berat ç.] Beratlar.● «Ulemadan rûsum-i berevat alıp. — Naima».

berf, A. i. Kar.● «Bütün o manzara-i cansikâfı bir de kalın — Rida-yi berf ile örtün. — Fikret».

berfalûd, F. s. [Berf-alûd] Kara batmış, kar içinde.● «Önümde bir mütebait sema-yi berfalûd. — Fikret».

berfîn, F. s. Kardan, kar ile yapılma.● «Şîr-i felek oldu şîr-i berfîn. — Ş. Galip».

berfnâk, F. i. [Berf-nâk] Kış ve yaz karı olan yer.● «Kat' eyledi dest-i herfnâki — Gördü o musibet-i helâki. — Ş. Galip».

berfpâre, F. s. [Berf-pâre] Kar parçası.● «Şu berfpâreler ki doğrusu üşütmüyor beni. — Fikret».

berg, berk, F. i. Yaprak. Bk.● Berk.

bergeşte, F. s. Tersine dönmüş.● Bergeşte ahter, yıldızı tersine dönmüş;● - baht, talihi tersine dönmüş;● - hal, geçimi bozulmuş, düşkün;● - ruz, günü dönmüş, talihsiz.● «Kendi emsali nice bergeşte ahvali yanına cem' edip. — Naima».

bergriz, F. s. 1. Yaprak dökücü. 2. Güz.● «Ser-i diarhte müştzen, hıyaz-i bağa bergriz. — Recaizade».

bergul, *F. i.* Bulgur.

bergüstvan, *F. i.* Zırhtan hayvan örtüsü.• «Vâdi-i medhinde cevelân ettiğiyçin yaraşır — Atlas-i çarh olsa rahş-i tab'-ıma bergüstyan. — Nef'i».

bergüzar, *F. i.* Anılmak üzere verilen armağan.• «Karşıdan lâl ü muntazır bakarım — O hazin bergüzara ağlayarak. — Fikret».

bergüzide, *F. s.* Seçilmiş, seçkin.• «Bu muhterem vatanın bergüzide evlâdı. — Fikret».

berhabe, *F. i.* [Ber-hâbe] 1. Yatılacak nesne. 2. Birlikte yatılan kimse.

berhane, *F. i.* Barhane, büyük ve düzensiz konak.

berhast, berhaste, *F. s.* Kalkmış, ayaklanmış.• «Feryad-i mutazaccırane berhaste olup. — Nergisî».

berhayat, *F. s.* Yaşayan, hayatta olan.

berhe, *A. zf.* Bk.• *Bürhe.*

berhem, *A. s.* Karışık, dağınık.

berhemzede, *F. s.* Karmakarışık, altüst edilmiş.• «Akl-i akîle cuy-i hemvare idrak-i dekayik fethinde berhem-zede-i hayret idi. — Veysî».

berhemzen, *F. s.* Karmakarışık eden. Dağıtan.• «Söz bir nefes-i sazec-i bi-renktir amma — Berhemzen-i suret-gede-i kevn ü mekândır. — Avni».

berheva, *F. s.* [Ber-hava] 1. Havaya doğru atılmış. 2. (Mec.) Boş, faydasız.

berhîz, *F. s.* 1. Kalkıcı, sıçrayıcı. 2. Zorbalık eden.

berhudar, *F. s.* Unmak.• «Şeb-i miraçta yümn-i didar — Nahl-i ümmidin edip berhurdar. — Hakanî».

beri, *A. s.* [Beraet'ten] 1. Kurtulmuş. 2. Temiz. Hiç bir işe karışmamış, işte eli olmayan.• *Beriyy-üz-zimme,* Üzerinde bir şey olmayan, paklanmış.• «Tek hâtır-i şerifleri cem' olup tevehhümattan beri ve halâs olsunlar deyu. — Naima».

beria, *A. s.* Güzelllik ve olgunluk ile akrarına üstün sevgili, kadın.

berid, *F. i.* Postacı, sai, ulak, tatar,• *Berid-i felek,* Satürn (Zuhal) veya ay;• - *tayr,* haber kuşu.• «Erzincan'a berid-i tayr irsal eylediler. — Sadettin».• «Gel ey berid-i perestide, bir nigâhınla — Bugün melâl ü neşatım takarrür eyleyecek. — Fikret».

beridan, *F. i.* [Berid ç.] Postacılar.• «Esrarlarından istihbar için mütefahhısan-i ahbar ve beridan-i bidar-i hüşyar. — Sadettin».

berik, *A. s.* (*Kaf* ile) Işık, parıltı.• «Eşia-i eseneleri berîkından nümudar-i dide-i ukab olmuş idi. — Saadettin».

berin, *F. s.* Yüksek, en yüce.• *Arş-i berin,* •*çerh-i berin,*• *sipehr-i berin,* arş-i alâ;• *behişt-i berin,*• *huld-i berin,* cennet-i âlâ;• *bâd-i berin,* tan zamanı esen yel.• «Pişimdeki levha-i berine — Bir lem'a konardı her seherden. — Fikret».

beriyye, *A. i.* Halk, insanlar.• *Hayr-ül-beriyye,* Muhammet peygamber.

beriyye, *A. i.* Çöl. Kır. Sahra.• «Ve baki kalan kırk elli nefer eşkıya beriyyelere dağılıp hayat ve memmatları malum olmadı. — Naima».

beriyyeneverd, *F. s.* [Beriyye-neverd] Çölde dolaşan. (ç. Beriyyeneverdan).• «Beriyyeneverdan-i iklim-i isyana nice mubaderet kılınır. — Veysi».

berk, berg, *F. i.* 1. Yaprak.• *Berk ü bâr,* yaprak ile meyve. 2. (Mec.) Sermaye, mal;• *berk ü neva,* geçinecek şey;• *bi berk ü neva,* elde avuçta yok;• *berk ü saz,* gerekli şeyler, mal, yük;• *berk-i sebz,* armağan;• *berk ü şah,* dal budak.• «An ol günü ki âhir olup nevbahar-i ömr— Berk-i hazana dönse gerek rû-yi lâlerenk. — Baki».• «Ruhi'yi eğer bir sorar özler bulunursa — Derlerse buluştun mu o bi berk ü nevaya. — Ruhi».• «Sarı habis dahi her söze bin berk ü şah aşlayıp ağalara eriştirirdi. — Naima».• «Sımat-i haşmetinde asman meşgul-i hurd ü bürd — İrem gülşenseray-i devletinde düzd-i berk ü saz. — Nedim».• «Eyledim dergâhına bu berk-i sebzi bergüzar. — Nazım». (Ed. ce.)•*Berk-i hazan,*• - *hazan-i birenk,*• - *mürde,*• - *semen,*• - *ümit.*

berk, *A. i.* (*Kaf* ile) Şimşek.• *Rad ü berk,* gök gürültüsü ile şimşek.• «Seng-i dilâ hazer tündi-i berk-i ahtan — Tişe-i kûhken ile hiç sahti-i hâre bir midir. — Nailî.• «Dilimde berk uran envar-i esma-yi muhabbettir. — Akif Pş.».

berkân, bürkân, *A. i.* Volkan, yanardağ.

berkarar, *F. s.* [Ber-karar] Kararlı, yerleşmiş, sürekli.• «Şikest olsa surahi câm-i meclis berkarar olmaz. — Hilâli».

berkefşan, *F. s.* [Berk-efşan] Şimşek saçan.

berkendaz, *F. s.* [Berk-endaz] Parıldayıcı.

berkende, *F. s.* Koparılmış, kökünden sökülüp atılmış.• «Devha-i kamet-i Abdullah berkende-i seylâb-i fena olmuş ola. — Veysi».

berkeşide, F. s. 1. Çekilmiş, kınından çıkarılmış. 2. (Mec.) Çekilip meydana getirilmiş, ilerletilmiş.● «Amma kaymakam ve defterdar ve sair rical-i devlet kendi berkeşidesi oldukta. — Naima».

berkeşte, F. s. Çıkarılmış, çıkmış olan (ç. Berkeştegân).● «Beni mukaddimetül-ceyş-i küştegân ve imam-i cemaat-i berkeştegân eylen ki. — Nergisî».

berkî, berkiyye, A. s. i. (Kafile) 1. Şimşek gibi. 2. (XX. yy.) Elektrik.● Ahbar-i berkiyye, telgraf haberleri. «Şelâle-i envar altında berkî bir teakub-i inhisaf ve inkişaf ile görülen. — Uşaklıgil».● «Seyyale-i berkıyye kuvvetiyledir ki. — Kemal».

berkuk, A. i. Şeftali. Kayısı. Zerdali.

Bermek, A. i. Harun Reşit zamanında vezirlik eden bir ailenin Halit, Yahya, Fazıl Cafer adlarında dört oğlunun soyadları. Bağış, cömertlik örneği tutularak Bermeki-meşrep, Bermeki-haslet gibi sıfatlar yapılmıştır. (ç. Bermekiyan).● «Hal ve tavrı dervişane, bezl ü atâsı mülûkâne Bermeki-i zaman bir zat-i kerim-üş-şan idi. — Naima».● «Kaldı keçkûl bekef sail-i Bağdatsıfat — Bab-i dâdında ilâhi okuyup Bermekiyan. — Şinasi».

bermekiyane, F. zf. Bermek'lere yakışır cömertlikle.● «Ve mazhar-i atâyâ-yi bermekiyane-i canah-i sadr-i kerim oldular. — Raşit».

bermezid, F. s. Çok, ziyade olan.● «Dergâh-i Hakka yüz tutalım bermezid ola — Câh ü celâl-i saltanat-i şah-i kâmran. — Baki».

berminval, F. zf. Üzere, olduğu gibi.● Ber minval-i âti, aşağıda olduğu gibi;● ber minval-i muharrer, yazıldığı yolda;● ber minval-i sabık, eskisi gibi.● «Derakab serdar-i Osman-iktidar — Verdi berminval-i âti bir karar. — Naci».

bermucib-i, A. zf. Mucibince. Uyarına göre.● «Ve bilcümle ol etrafın umurunu takvim hususu bermucib-i ferman-i hümayun gerden-i ihtimamına havale olunduğun. — Raşit».

bermurad, F. s. [Ber-murad] Muradına, isteğine ermiş.● «Bir namuradı eylemek isterse bermurad — Olur reside hod-behod ecza-yi devleti. — Nabi».

bermutad, F. s. [Ber-mutad] Alışıldığı, her vakit olduğu üzere.● «Şiir değil, diye bühtan ederdi bermutad — Hayal ü his ile mâli güzide bir gazele. — Fikret».

berna, F. i. Genç.● Pir ü berna, ihtiyar ve genç.● «Ceyş-i düşmandan kırıldı pîr ü berna kalmayıp. — Süruri».

bername, F. i. 1. Mektup başlığı, elkap ve unvanı. 2. Adres.

berpâ, berpay, F. s. [Ber-pâ] Ayakta. Yıkılmamış.● «Kadd-i mânayı etmiş câme-i terkip ile berpâ. — Nabi».● «Ey kapkara damlarla birer matem-i berpâ — Temsil eden asude ve fersude mesakin. — Fikret».

berr, ber, A. i. Kara, toprak.● Bahar ü ber, deniz ve kara.● Berr-i atik, Asya, Avrupa, Afrika;● - cedid, Amerika, Avustralya kıtaları.● «Teşkil eder siyehkede-i şebde bahr ü berr — Bir hufte aile. — Cenap».

berr, A. i. Hayrı işleyen, doğru sözlü insan. (ç. Ebrar).

berrak, A. s. [Berk'ten] 1. Pek parlak. 2. Duru.● «Ferş-i berrak-i ruhamın eyledikçe secdegâh. — Nabi».

berran,b üran, F. s. Kesen, kesici, keskin. ● Tig-i berran, keskin kılıç.● «Tig-i bearranı sefer-hiz-i vega — Mig-i ihsanı güher-riz-i âtâ. — Ziya Pş.».

berranî, A. s. [Berr'den] 1. Kıra, sahraya ait. 2. Haricî, dışçı. 3. Mezhep bağlarına karşı ilgisiz.

berren, A. zf. Karadan, kara yoluyla.● «Piyade ve süvari askerin bir miktarı berren. — Raşit».

berri, berriye, A. s. Karaya ait, kara ile ilgili.● Asakir-i berriye,● kuvve-i berriyye, kara askeri kuvveti;● Mühendishane-i berri-i hümayun, kara kuvvetleri için teknik subay yetiştirme okulu.● «Geh div olurdu gâh perri — Geh bahri olurdu gâh berri. — Ş. Galip».

berriyye, A. i. Çöl. Sahra. (ç. Berari).

berş, A. F. i. Keten yaprağı ile yapılma afyon şurubu, macunu, keyif veren maddelerden idi.● «Ne belâdır hele berş ü afyon — Ki eder âdemi süst ü mecnun. — Sümbülzade».

bertafsil, F. zf. [Ber-tafsil] Ayrıntılarıyle.● «Şu zabıt bertafsil okunarak. — Kemal».

bertaraf, F. s. [Ber-taraf] 1. Bir yana. 2. Ortadan çıkmış, yok edilmiş. Şöyle dursun.● «Tek olmasın kavaid-i ihlâs bertaraf — Mani değil merasime dair kusurumuz. — Nabi».

berter, *F. s.* [Ber-ter] Daha yüksek.• «Emsaline nisbetle kadri berter olmuştu. — Naima».

berterin, *F. s.* [Berter-in] En yüksek.• «İlm ü irfansa berterin-i rütbe. — Safa».

berumend, *F. s.* 1. Taze, taravetli. 2. Yemiş verir.• «Şecere-i Sidre sayesinde şah-i berumend-i ebdan meyva feşan-i hayat oluncaya dek. — Naima».

beruz, *F. i.* Savaş.• *Ruz-i beruz,* savaş günü.

bervech-, *F. s.* [Ber-vech] Olduğu gibi, olarak.• *Bervech-i âti,*• - *zir,* aşağıda olduğu gibi;• - *balâ,* yukarda olduğu gibi;• - *iştirak,* ortaklıkla;• - *meşruh,* anlatıldığı üzere;• - *mülkiyet,* mülk etme yolu ile, mülk olarak;• - *peşin,* önceden, peşin verilmek şartile;• - *yesir,* kolaylıkla.• «İlmin ulüvv-i kadrini berveçh-i bihterîn — İspat eder şahadet-i hel yesteviyellezin. — Naci».

berzah, *A. i.* 1. İki şey arasındaki aralık. 2. Ruhların kıyamet zamanına kadar bekleyecekleri, dünya ile ahret arasındaki yer. 3. (Mec.) Çok sıkıntılı yer.• «O varta-gâh-i belâ berzahından eyle halâs — Uluşmadan daha ecsada nâr-i zat-i vakud. — Sabit».

berzede, *F. s.* 1. Toplanılmış, bir araya getirilmiş. 2. Yukarı doğru kaldırılmış. 3. Biriktirilmiş.• «Her târı oldu berze-ed-i dest-i rüzgâr — Ettikleri o zülf-i perişana kalmadı. — Ziya Pş.».

berzen, *F. i.* 1. Sokak. 2. Meydan. 3. Mahalle.• «Çar-cihet-i her kûy ü berzenden gün gibi hüveyda. — Nergisi».

be's, beis, *A. i.* 1. (*hemze* ile) Azap, sıkıntı. 2. Zarar, korku, fenalık. 3. Şiddet.• *İman-i be's,* zor ve sıkıntı inanı. 4. Kudret. Güç.• «Ahmet Ağa bir şedid-ül-be's zabit idi. — Naima».

bes, *F. zf.* Yeter, yetişir.• «Ne hacet pas-bân-i devlet ü ikbali bestir — Anın hısn-i celâl ü câhına hıfz-i Huda bâru. — Nedim».• «Allah bes — Baki heves — Sami Pş.».

besair, basair, Bk. *Basair.*

besait, *A. i.* [Basit ç] Basit şeyler.• «Besaiti saymaz ilm-i köhne-i kimya — Kuvayı fark edemez sâlhurde hikmetler. — Cenap».

besalet, *A. i.* (*Sini* le) Yürek sağlamlığı, yürekte korku olmayış. Yiğitlik.

besamet, *A. i.* (*Sin* ile) Güler yüzlü olma.

besaret, *A. i.* (*Sat* ile) Göz açıklığı, derin görüş.

besat, *A. i.* Düz yayvan kap.

besatet, *A. i.* Basitlik, düzlük.• «Cism-i milleitn adem-i besateti idare-i dahihi-liyeyi işkâl etmekle. — Cenap».

besatin, *A. i.* [Bustan ç.] Bostanlar.• «Davutpaşa sarayı ile civar ve havalisinde tesadüf ettikleri besatin ve mezarie. — M. Celâlettin».

beser, *F. s.* [Be-ser] Baş üstünde.• *Beser ü çeşm* (Baş göz üstüne) başüstüne.• «Sayyad beser ü çeşm deyü. — Süheyli».

besi, *F. i.* Çokluk.• «Ya Rab kerem et ki hâr ü zarım — Dergâha besi ümidvarım. — Fuzuli».

besic, *F. i.* 1. Yol hazırlığı. 2. Yolluk azık.

besim, *A. s.* [Besm'den] Güler yüzlü.• «Âlemi gül gibi açtı nefesin — Eyledin çehre-i eyyamı besîm. — Naf'i».

besir, *A. s.* Çok çok olan.

besme, vesme, *F. i.* Rastık.

besmele, *A. i.* 1. Bismillâhirrahmanirrahim sözü. 2. Başlangıç,• *besmelehân-i...* besmele çeken, başlayan.• «Besmeleyle edelim feth-i kelâm — Feth ola ta bu muamma-yi benam. — Hakani».

besr, besre, *A. i.* (*Se* ile) Sivilce, ufak çıban.• *Besre-i habise,* kangran yapan sivilce, karakabarcık (ç. Büsur.)

bess, *A. i.* 1. Yayma, dağıtma. 2. Anlatma, açığa vurma.• *Bess-i şekva, bess ü şekva,* şikayeti açığa vurma.• «İlm-i imamı aktar-i arza bess ü neşr eyleyen oldur. — Taş.».• «Asvat-i arza karşı sen etmiştin itiyad — Bess ü şikâyet etmeyi alâm-i şem'den. — Cenap».

bessam, bessame, *A. s.* (*Sin* ile) Güler yüzlü.• «Bir dehan ile daima bessam idi. — Taş.».

best, *F. i.* Düğüm.• «Zardır kabzla bastın dü-ser-i engüştünde — Vaz-i hikmetle bu baziçe ki best ü küşad — Nabi».

beste, *F. s.* 1. Ezgi, hava, müzik. 2. Kapalı, bağlı.• *Şikeste beste,* kırık dökük, şöyle böyle.• «Mızrab-i kalbimiz sözü kalbetti besteye — Hem beste söylesin bunu hem kâr söylesin. — Beyatlı».• «Cadular elinde etme beste — Öldür beni koyma böyle haste. — Ş. Galip».

-beste, F. s. Bağlı.• Dilbeste,• pâbeste.

bestedehan, F. s. [Beste-dehan] Dili tutulmuş, susan.• «Efsun-i kelâmımla cihan beste dehandır. — Nef'i».

bestedem, F. s. [Beste-dem] Nefesi tutulmuş.• «Böyle kalmazdı hele hayretle Ekrem beste-dem — Ah eğer olsaydı bir kad-aşnası hâmemin. — Recaizade».

bestedil, F. s. [Beste-dil] Gönlü bağlı, tutuk, tutkun.• «Sanmam bizi kim bestedil-i nefs-i gavayız. — Ş. Galip».

-besteği, F. s. 1. Bağlılık. 2. Kapalılık. • Dilbesteği, gönül bağlılığı, âşıklık.

bestekâr, F. i. Besteci. (ç. Bestekâran).

besteleb, F. s. [Beste-leb] Dudağı kapalı. Tutuk.• «Bu lügaz ilmin bilen ehl-i edep — Olur âlemde Ziya-veş besteleb. — Ziya Pş.».

besur, A. i. (Se ile) [Besr ç.] Sivilceler, küçük çıbanlar.

beşanika, Arapça kurala uydurularak «Boşnak» kelimesinin çoğulu diye kullanılmıştır.• «Ervah-i güzeştegân-i beşanikaya ittisal eyledi. — Naima».

beşaret, bişaret, A. i. Müjde.• Haber-i beşaretâver, müjdeci haber.• «Bu beşaretle olup hurrem ü handan âlem — Herkes evsafını bir gûne edince tâbir. — Hakkı».

beşaretname, F. i. Müjde kâğıdı..• «İnşallahi teâlâ ramazan-i şerifte vatana avd için size beşaretname gelir — Naima».

beşaretresan, F. s. [Beşaret-res-an] Müjde ulaştırıcılar.• «Melâike-i beşaretresanın. — Nergisi».

beşaret-i an ki, F. zf. [Be-şart] Şu şartla ki.• «Mal sahibinin zaruratını def ve müşkilâtını hall eder beşart-i an ki cem ü iddihar hadd-i itidali tecavüz etmeye. — Naima».

beşaşet, A. i. Güler yüzlülük. «Gözlerinde hûn-alûd — Bir iltima-i beşaşetle eyliyordu suud. — Fikret».

beşe, başe, F. i. Atmaca kuşu.

beşel, F. s. Sarılma, tutuşma, yapışma.

beşem, F. s. i. 1. Hüzünlü. 2. Mide dolgunluğu. 3. Dinsiz, kâfir.

beşen, F. i. Beden. Boy. Uzun boy.

beşenc, F. i. Yüz güzelliği.

beşer, A. i. İnsan.• Eb-ül-beşer, Âdem peygamber;• nev-i beşer, insan cinsi;• hayr-ül-beşer,• seyyid-ül-beşer, Muhammet peygamber;• ilm-ül-beşer antropoloji (XX. yy.).• «Bir devrde gel-

dik bu fena âleme biz kim — Âsar-i atâ yok ne beşerde ne melekte. — Ruhi».

beşere, A. i. İnsan derisinin dış tarafı. (Bio.) Üstderi.• «Hadden efzun kan akıp beşere-i hümayunda tegayyur ve mizaçta zaaf zuhur edecek mertebe dem seyelân ettiğinden. — Naima».

beşerî, beşeriyye, A. s. İnsanla ilgili, insan-i.• «Süfeha-yi kavmdan takat-i beşeriyye Nüh tak olmakla. — Veysi».

beşeriyyat, A. i. Antropoloji (XX. yy.) • «Beşeriyyat ilmi Avrupa'daki insanları kafalarının şekil ve saçlariyle gözlerinin rengi itibariyle. — Z. Gökalp».

beşeriyye, A. i. Mutezile fırkalarından biri. Tanrıyı, yarattıklarından biri gibi şekillendirir.

beşeriyyet, A. i. İnsanlık. İnsanın tabii hali.• «Çün ol beşerriyyetin unuttu — Ahû hem anınla üns tuttu. — Fuzuli».

beşi', beşia, A. s. Çirkin, beğenilecek yeri olmayan.• «Kazıklı Voyvoda'nın harekât-i şenia ve etvar-i beşiasını. — Sadettin».

beşir, A. s. Müjdeci, sevinçli haber getiren. Güzel yüzlü olan.• «Pîr-i mugandan içmişiz biz edeb şarabını — Şimdiki halde budur mürşidimiz beşirimiz. — Ruhi».

beşiri, A. s. Müjdecilik etme.• «Ol asafnazîrin beşiri-i hüsn-i tâbiri işaret ferma-yi takarrüp olup. — Nergisi».

beşuş, A. s. Güler yüzlü.

beşuşane, F. zf. Güler yüzlüye yakışır surette. Güler yüzlülükle.

beta', A. i. Bir yerde oturma. Evi barkı olma.

Betaleme, A. i. [Betoleme ç.] Makedonyalı Prolemeus soyundan gelenler.• «Betaleme ve kayasirenin maabad-i uzviyesi bizde. — Cenap».

Betalese, Batalese, A. i. [Bastlamyos ç.] Makedonyalı Ptolemeus soyundan gelen hükümdarlar.

betanet, A. s. İri karınlı, şişman.

betarik, Bk. Batarik.

betat, A. i. (Te ile) Kesin. Kesme.• Bey-i betat, kesin satış.

betekrar, A. zf. [Be-tekrar] Tekrar. Yine.

beter, F. s. [Bed-ter'den] Daha kötü. • «Müşkül budur ki her kime kim halim ağlasam — Aşkın yolunda ol dahi benden beter çıkar. — Ahmet Pş.».

betra, A. s. 1. Kuyruğu kesik, bir tarafı eksik olan. 2. Yürüyen, akan, geçen.

bettat, *A. i.* Şalcı. Şal yapan ve satan.

betul, *A. s.* Erkeğe yanaşmayan kadın. Meryem ile Muhammet peygamberin kızı Fatımat-üz-Zehra'nnı lâkaplarıdır.

betuliye, 1. Kayıngiller. 2. Gürgengiller. Fransızcadan *Bétulineés* karşılığı (XX. yy.).

betyap, *F. i.* Eziyet. Dert. Sıkıntı.

betyar, betyare, *F. i.* İfrit. Gulyabani.• ‹Peyrev-i nefs-i emmare — Ser bezencir'div-i betyare. — Bahaî›.

bevadi, *A. i.* [Badiye ç] Badiyeler.• ‹Perişan bir bulut halinde titreşir bevadide. — Fikret›.

bevadir, *A. i.* [Badire ç.] Birdenbire olan olaylar.

bevais, *A. i.* [Bais ç] 1. Bais olan şeyler. 2. Gönderilen şeyler.• ‹Nice esbap ve bevais ile nukud nayaft olup. — Naima›.

bevaki, *A. i.* [Baki ç] Geri kalanlar.• *Ve kıssı aleyh-ül-bevaki* geri kalanları da buna kıyas et.• ‹Bevaki can kurtarmak ardınca olup. — Naima›.

bevar, *A. i.* Ölme, yok olma.• *Dar-ül-bevar*, Cehennem.• ‹Ne gûne rüsvaylık ile üftade-i hübur-i bevar olacakları hod malûm idi. — Şefikname».

bevari, *A. i.* [Buriye ç.] Hasırlar.• ‹Şol zamana değin ki ahşap ve bevariye yetişti. — Taş.›.

bevarid *A, i.* [Barid ç] Soğuklar. Soğutulmuş şeyler.

bevarih, *A. ç. i.* Sam yelleri.

bevarik, *A. i.* [Barika ç.] Parıltılar, parıldayıcılar.

bevasir, *A. i.* [Basur ç.] Basurlar.• ‹Esir-i maraz-i bevasir olanlar. — Taş.›.

bevatıl, *A. i.* [Batıl ç.] Batıl şeyler. Yaramaz şeyler.• ‹Hâtırlarına bile gelmez bir alay bevatıl idiler. — Naima›.

bevatın, *A. i.* [Batın ç.] Bâtınlar. Kapalı şeyler.• ‹Dâna-yi bevatın ü zevahir — Derya-yi muhit-i âlem-i sırr. — Ziya Pş.›.

bevefk, *A. zf.* Uygun olarak.• *Bevefk-i dilhah*, gönlün istediğine uygun olarak;• - *meram*, istek yolunca.• ‹Düruze girdeşi yoktur bevefk-i hatırhâh — Tabiat-i felek-i nabekârı biz biliriz. — Nabi».

bevl, *A. i.* 1. İşeme. 2. Çiş.• *Habs-i bevl*, sidik tutma;• *sils-ül-bevl*, sidik tutamama, hep akıtma.• *Bevle*, üre.• ‹Galebe-i bevl vaki olup tâ ki mesanesi yarılıp andan vefat eyledi. — Taş.›.

bevr, *A. i.* 1. Sürülmemiş yer. 2. Yoklama, sınama. 3. Alışveriş sıkıntısı. 4. Yok olma.• ‹Has ü hâra ateşzen-i bevr oldum zu'miyle. — Şefikname›.

bevva, beva, *A. i. Cevz-i bevva*, Hindistan cevizi.

bevvab, *A. i.* Kapıcı. (Ana.)• *Bevvab-i mide*, mide kapısı.• ‹Taraf-i saltanattan Silivrikapı bevvaplarına tenbih olunmuştur demekle. — Naima›.

bevvaban, *F. i.* [Bevvab ç.] Kapıcılar.• ‹Ve kethüda-yi bevvabîn-i sadrazam. — Raşit›.

bevvabin, *A. i.* [Bevvab ç.] Kapıcılar.• ‹Ve kethüda-yi bevvabîn-i sadrazam. — Raşit».

bevval, *A. s.* [Bevl'den] Çok işeyen. Şeker hastalığına tutulan kimse.• *Bevval-i çeh-i Zemzem*, adı ün alsın diye Zemzem kuyusuna işeyen adam.• ‹Bevval-i çeh-i zemzemi lânetle anar halk. — Ziya Pş.›.

bey', *A. i.* Satma.• *Bey ü şira*, alım satım; • *Bey-i men yezid*, artırma ile satış;• *bey-i bât*, kesin satış.• ‹Bey', malı mala değiştirmektir. — Mec. 105›.• ‹Hamrin bilâd-i İslâmiyede bey ü şirasına mesağ olmadığından. — Raşit›.• ‹Bak a efendi hâlâ menasıp bey-i men yezid ile satılıp. — Naima›.

beyaat, *A. i.* [Bey'den] Satın alma, satma.

beyaban, *F. i.* Çöl.• *Beyabanneverd*, çöllerde dolaşan;• *beyabannişin*, çölde oturan.• ‹Şol ki aşk ehlidir olur kûy-i dilberde mukim — Eyleyip divanelik bağ ü beyaban istemez. — Kanunî».

beyabanî, *F. i.* Çöl adamı.• ‹Muhabbet rahmımın resmin bana sor anma Mecnun'u — Makamı aşkın âdabın ne bilsin bir beyabanî. — Hayalî›.

beyadika, *A. i.* [Beydak ç.] (Santraçta) Paytaklar, piyadeler.

beyadir, *A. ç. i.* Harmanlar.• ‹Cümle zehair ve beyadiri kabz ü hasaret edeler. — Naima›.

beyan, *A. i.* 1. Anlatma, açık söyleme. 2. Tanıt ve kanıtla fikrini ispatlama.• *Azb-ül-beyan*, anlatışı tatlı;• *hüsn-i beyan*, anlatış güzelliği;• *fasih-ül beyan*, anlatışı fasih;• *ilm-i beyan*, belâgatin teşbih, istiare, mecaz ve kinaye kısımlarını konu yapan bölümü;• *sadık-ül-beyan*, anlattığında sadık olan;• *aft-i beyan*, birbirini daha açıklamaya yarayan eşanlamlılardan her biri, (ahz ü girift, ifade vü beyan, gibi).• *Beyan-i hal,* durumu anlatma.● «Meşhurları beyan olundu — Âsar ile imtihan olundu. — Ziya Pş.».● «Sây eyle uluma mukdimane-Ezcümle bedi' ile beyane. — Ziya Pş.».

beyanat, *A. i.* [Beyan ç] Resmî olarak yapılan açıklamalar.

beyanname, *F. i.* [Beyan-name] 1. Yazılı resmî açıklama. 2. Hali yazı ile bildiren açıklama.

bey'at, biat, *A. i.* 1. Birinin hâkimliğini, hükümdarlığını kabul etme. 2. Uyma.● «Esvak kapanık durup badehu itmam-i bey'atte münadiler Memleket sultan İbrahim'indir deyu nida edip. — Naima».

beyaz, *A. i.* Aklık.● «Gerden-i sâfı beyaz öyle ki kâfur gibi — Çeşm ü ebrusu siyah öyle ki sammur gibi. — Nedim».

beydak, *A. i.* (Satrançta) Piyade, paytak.

behgâh, *F. i.* [Bey-gâh] Pazar yeri. Pazar.● «Beygâh-i âlem-i kevn ü fesat içre Fehim — Cevher-i canın ziyan etmektir ancak sûdumuz. — Fehim».

beygar, beygare, *F. i.* Başa kakma.● «Ehl-i dil beygare-i nâdanı çekmez bir zaman».

beyn, *A. i.* Ara, aralık, (zf.) Arada, araya.● *Beyne beyne,* ikisi ortası;● *beynehu beynallah,* kendi arasıyle Allah arası, yani Allah bilir;● *beyn-el-ahali,* ahali arasında;● *beyn-el-akran,* yaşıtlar veya eşitler arasında;● *beyn-el-avam,* halk arasında;● *beyn-el-emsal,* benzerleri arasında;● *beyn-el-enam,* halk arasında;● *beyn-el-esabi,* parmaklar arasında;● *el-havf ver-rica,* korku ile yalvarma arasında;● *beyn-el-halk,* halk arasında;● *beyn-el-havf ver-rica,* korku ile yalvarma arasında, ümitle, ümitsizlik arasında;● *beyn-el-ihvan,* eş dost, arasında;● *beyn-el-milel,* milletlerarası;● *beyn-el-ulema;* âlimler (sarıklılar) arasında;● *beyn-el-üdeba,* edipler arasında;● *beyn-el-ümem,* milletler arası;● *beyn-en-nas,* halk, ahali arasında;● *beyn-en-nevm vel vakaza,* uyku ile yarı uyanıklık arası;● *beyn-el-verese,* mirasçılar arasında;● *beyn-es-sema-i vel-arz* yerle gök arasında;● *beyn-ez-zevceyn* karı koca arasında;● *beynina,* aramızda.● «Kaldı biçare gönül hayf ü rica beyninde. — Ayni».● «Birkaç günden sonra Rumeli kazaskeri olup beynennas hayli iştihar bulmuştu. — Naima».● «Beynelakran

kesb-i teayyün ve imtiyaz eyledi. — Raşit».● «Bu fadahatler ile beynelenam tamam bednam olup. — Naima».● «Hukuk-i umumiye en şâmil mânasınca hukuk-i idare şubelerine münkasemdir. — Kemal».

beynehüma, *A. zf.* İkisi arasında.

beynelmileliyet, *A. i.* [Beyn-el-mileliyet] Fransızcadan *cosmopolitisme* karşılığı olarak, kozmopolitik için kullanılmıştır (XX. yy.).● «Beynelmilelliyet iptida böyle dinî olarak başlarsa beynelmilliyeet, medeniyet zümresi de denebilir. Z. Gökalp».

beynunet, *A. i.* 1. Aralık. 2. Fark, zıtlık. Anlaşmazlık.● *Beynunet-i âzamiye,* (Ast.) Uzanım.● «Ve ateş-i ihtilâf ü beynunet ol anda mültemi oldu. — Celâlettin».

beyt, *A. i.* Ev, konut.● *Beytullah,*● *beytül-haram,*● *beyt-i haram,*● *beyt-i mukaddes,* Kâbe.● *Beyt-ül-mukaddes,* Kudüs'teki Mescid-i aksâ;● *Beytullâhm,* Kudüs'teki tapınak.● *Beytülmamur,*● *beyt-i mamur,* yedinci kat gökte Cennet-i Firdevs'te bir köşk olup, Âdem peygamberle, yeryüzüne (Kâbe bulunan mevkie) indirilmiş, Tufan'dan sonra yine Cennet'teki yerine alınmıştır.● *Beyt-ül-hazen,*● *beyt-i ahzan,* Yakup peygamberin oğlu acısıyle yaşadığı yer; gam, tasa yuvası.● *Beyt-ül-arus,*● *Beyt-üz-zifaf,* gelin odası, gerdek odası.● *Beyt-ül-mal,* genel mal haznesi.● *Beyt-ül-muzlim,* fotoğraf kutusu.● *Ehl-i beyt,* ev halkı, Muhammet peygamber hanedanı. (ç. Büyut).● «Ve bir gece elinde şem'a ve ağuşunda masumu bir hatun beyti avlusunda gezerken. — Naima».● «Menafi-i dünyeviyenin ekserini beytülmal-i müslimine isar edip. — Naima».● «Mukim-i bab-i safa-bahşına olur hâsıl — Ziyaret-i harem-i Kuds ü tavf-i Beyt-i haram. — Ruhi».● «Harimim ehl-i harabat tavaf eder ki müdam — Zemin-i şehr-i muhabbette beyt-i mamurum. — Fehim».● «O Buhtunnasır hunî gamzelerle tuttu afâkı — Yıkar Beytülmukaddes gibi her dem kalb-i uşşakı. — Beliğ».● «Dil var mı kahr-i dehr ile viran edilmedik — Beyt-ül-hazen mi kaldı perişan edilmedik. — Beyatlı».

beyt, *A. i.* İki mısradan meydana getirilmiş nazım.● *Beyt-i musarra',* mısralarının ikisi de kafiyeli beyit;● *beyt-ül-gazel,* bir gazelin en güzel beyti.● *beyt-*

ül-kasid, bir kasidenin en güzel beyti. (ç. Ebyat).● «Ne mümkündür edayi vasf-i pâkin eylemek tekmil — Gerekse şairin her beyti bir beyt-ül-kasid olsun. — Nedim».● «Bir tek gazel bıraksa yeter bir gazelserâ — Her beyti ancak olmalı beytülgazel gibi. — Beyatlı».

beytar, *A. i.* Baytar. Veteriner.

beytara, *A. i.* Baytarlık, hayvan hekimliği.

beytî, beytiyye, *A. s.* Ev ile ilgili; ev -i; ● *idare-i beytiyye,* ev idaresi.● «Ekserisinin masarif-i beytiyesi için tuttuğu defterlere bakılırsa. — Kemal».

beytutet, *A. i.* [Beyt'ten] Bir yerde geceyi geçirme, gece yatma.● «Saray-i atik teberdarlarının Yeni Saray'da beytutet eden teberdarlarının Yeni Saray'da beytutet eden Yeni Saraylı tâbir ettikleri emektarlar. — Naima».

beyuz, *A. s.* [Beyza'dan] Fazla yumurtlayan (tavuk).

beyya', *A. s.* [Bey'den] 1. (Tellâl gibi) Satıcı. 2. Hadisçilerden bazıları.● «Beyya, suretinde bir emin tâyiniyle. — Esat Efendi».

beyyin, *A. s.* Açık, aşikâr. Belli.● «Belki küfr ü dalâl olduğu zâhir ve beyyin olup. — Okçuzade».

beyyine, *A. i.* 1. Kanıt, burhan. 2. Hakkı bâtılıdan ayıracak şey. (ç. Beyyinat).● «Harften beharf ayât-i beyyinat-i Tevrata tatbik edip. — Veysi».● «Nitekim âtideki beyitler müddeamızı ispata bir beyyinedir. — Ebüzziya».

beyza', *A. i.* Daha ak, çok ak.● *Hil'at-i beyza'* beyaz kaftan (şeyhülislâm kaftanı);● *Millet-i beyza,* İslâmlar;● *yed-i beyza'* Musa peygamberin ışıklı görünen eli.● «Kılmaz dil-i Firavun'u münevver yed-i beyza. — Fuzuli».● «Rıbat-i köhne-i dünyayı kıldı lûtf ile tecdid — Olup re'y-i rezini kârsaz-i millet-i beyza. — Nedim».● «Bir zulmet-i beyza ki peyapey mütezayit. — Fikret».

beyza, beyze, *A. i.* 1. Yumurta. 2. Savaşçı başlığı.● *Beyza-i İslâm,* müslüman şehirleri;● *- anka,*● *- dik,* bulunmaz şey;● *- ateşîn, - çerh, - zer, - zerrin,* güneş.● «Yek beyza vü sad-hezar dâva. — Ş. Galip».● «Bir beyza içinde hayli eyyam — Tenhaca kapandı etti ârâm. — Naci».

beyzer, *A. i.* Kumaş yıkayıcıların kullandığı tokmak (ç. Beyazir).

beyzi, *A. s.* (Dat ile) Yumurta biçiminde. Oval.

bezbaz, *F. i.* (Ze ile) Hindistan cevizi kabuğu.

beze, *A. i.* (Ze ile) Günah, suç.

bezl, *A. i.* (Zel ile) Kendiliğinden verme, esirgemeden bol bol harcama,● *Bezl-i himmet,*● *- makdur,*● *- nefs;* himmetini, kuvvetini, nefsini esirgemen uğraşma.● «Bezl-i küdret ve gayret eyle göreyim seni. — Raşit».

bezle, bizle, *A. i.* Latife.● «Yine bezminde sultan-i gülün kumri ile bülbül — Biri bezle senc-i turfagû biri gazelhandır. — Riyazi».

bezlegû, *F. s.* [bezle-gû] Şakacı.● «Safabahş-i edeptir bezle-gûy-i şuh meşreptir. — Ziya Pş.».

bezm, *F. i.* 1. Konuşma, yiyip içme meclisi. 2. İçki meclisi.● *Bezm-i cihan,* dünya meclisi;● *- elest,*● *- ezel,* elest meclisi;● *- has,* özel meclis, sayılı birkaç kişilik içki meclisi.● «Sadrın gözetip neyliyeyim bezm-i cihanın. — Ruhi».● «Gelir hem bezme tenha hem peşiman gösterir kendin. — Nedim».● «Tekrar mülâki oluruz bezm-i ezelde — Evvel giden ahbaba selâm olsun erenler. — Beyatlı».

bezmgâh, bezmgeh, *F. i.* [Bezm-gâh] İşret meclisi yeri.● «Ol sâf-zamir ü pâkmeşreb — Bir bezmgeh eyledi müretteb. — Fuzuli».● «Açın şu perdeyi bir bezmgâh-i nuşanuş. — Fikret».

bezr, *A. i.* (Zel ile) Tohum.● «Ve alelfevr bezr-i bencin semmiyeti kenduyü bimecal etmekle. — Raşit».

bezrgâr, bezrger, *F. i.* Çiftçi. Ekici. ● «Zezrger nakd-i ömrünü imar-i bağa sarf. — Silvan».

bezul, *A. i.* [Bezl'den] Eli açık, ihsan ve bahşışı bol olan.

bezzaz, *A. i.* (Ze ile) Bez ve bezden yapılma şeyler satan.● «Yine ol mahalle karip dükkânı olan bezzaz yahudi ile. — Raşit».

bezzazistan, bezzistan, *F. i.* Bedesten.● «Bektaş Hanın sarayın ve sair hanların hanelerin ve bezzazistanı yağmadan hıfz için. — Naima».

bıddaa, bızaa, *A. i.* (Dat, ayın ve he ile) 1. Anamal, sermaye. 2. Bilgi.● *Kalil-ül -bidaa,* sermayesi az, bilgisi az;● *kembidaa,* ilmi az, eksik.● «Fikir et ne kadar bıdaat ister — Bu nazm ne istitaat ister. — Ziya Pş.».

bınsır, *A. i.* Yüzükparmağı.

bıta', *A. i.* Gecikme. Yavaşlık.

bıtane, *A. i.* 1. Gizli şey. 2. Astar. 3. İç yüz. 4. Sır arkadaşı.● «Firavun bıtane ve vüzerasını cem. — Silvan».

bıtn, *A. s.* 1. Bodur. 2. Zengin. 3. Şaşkın adam. 4. Obur.

bıtna, *A. i.* Çok yemek yeme. Mide şişkinliği.

bıttıh, *A. i.* Kavun, (bazı) karpuz.

bızaa, bıdaa, *A. i.* (*Dat* ile) Anamal. Sermaye.● «Sermayeye bızaa, ve veren kimseye mubzi ve alan kimseye müstebzı dnilir. — Mec. 1059».

bızır, bazır, *A. i.* (*Dat* ile) Kadının cinslik aletinin altındaki idrar deliği üzerinde bulunan küçük organ.

bi-, *A. s.* Başlarına eklendiği kelimeleri -e haline koyar; «ile, için» anlamları katar.● *Billahi, bihakkın,* (Bk.) (Farsça *be-* edatiyle aynı işi görür. Arapça bileşiklerde *bi-*, farsçalarda *-be* okunması gerekir.) Kameriye harfleriyle başlayan kelimelere eklendiği zaman «bil-» şeklini, şemsiye harfleriyle, *bid-, -bin, bir-, bis-, biş-, biz-,* şeklini alır.

bi-, *F. e.* Başlarına katıldığı isimlerin anlamına olumsuzluk katar (-sız).

● biab
biâr
bibahene
bibaha
bibaht
bibedel
bibâk
biberk
bicâ
bicevab
bidad
biderd
bidin
biderman
bidirig
biedep
biencam
bienbaz
bifaide
bifütur
bigam
bigayret
bigeran
bigüman
bigünah
bigüvah
bihâb
bihaber

bikıyas
bilüzum
bimağz
bimâna
bimeal
bimecal
bimisal
bimuhaba
binam
binasip
binazir
bineva
binihaye
binişan
biniyaz
bikayt
biperva
bipayan
birahm
birenk
biriya
biruh
bisebat
bisebep
biseher
bisükûn
bisud
bişaibe

bihayâ
bihesap
bihareket
bihayat
bihired
bihis
bihudut
bihutut
bihuzur
biihtiyar
biiktidar
biinsaf
biintibak
biintiha
biitibar
biiştibah
bikârı
bikâr
bikeran
bikusur

bişek
bişekip
bişuur
bişümar
bişüphe
bitakat
bitaraf
bitekellüf
bitenahi
bitehaşi
bitevakkuf
bitüvan
bivakt
bivefa
bivukuf
bivücut
bizeban
bizeval
biziya

bia, *A. i.* (*Ayın* ve *he* ile) Tapınak. Kilise vya sinagog.● «Der ü bâmına bia-i etrsa-âsâ suret-i hakta nadide ve naşinide. — Şefikname».

biad, *A. s.* [Baid ç.] İraklar.● «Vasıl-i abişkede-i hecr ü biad ola. — Nergisi».

biadd, *F. s.* [Bî-add] Sayısız.

biaded, *F. s.* [Bî-aded] Sayısız.● «Hayme vü hargâh ü kali vü nemed — Girdi gaziler eline biaded. — Sadettin».

biadil, *F. s.* [Bî-adîl] Benzersiz, benzeri olmayan.● «Bir puşide-i biadil ve dilkeş. — Raşit».

biafet, *F. s.* [Bi-afet] 1. Afetsiz. 2. (Mec.) Afet gibi güzelsiz.● «Rahat hevesin etmese dil arhat olurdu — Ol afete meyl etmese biafet olurdu. — Nabi».

bial, *A. i.* Çiftleşme, cima etme. Sevişme.

biaman, *F. s.* [Bî-aman] Bk. *Bieman.*

biâr, *F. s.* (*Ayın* ile) [Bî-âr] Hayâsız, utanmaz.● «Yeniçeri ağası bulunup ceban ve biâr olmakla cenk ihtiyar eylemeyi. — Naima».

biâr, *F. s.* (*Ayın* ile) [Bî-ârâm] 1. Durup idnlenmez. 2. Bidüziye. 3. Rahatsız.● «Pür-vekar ü biârâm efendiler geçiyor. — Fikret».

biat, bey'at, *A. i.* 1. Birinin hâkimliğini kabul etme. 2. El sıkışma. 3. Saçak öpme.● *Biat-ı Rıdvan,* Hudeybiye'de Muhammet Peygambere yapılan biat.● «(Mustafaha) asılda biat ve mülâkatta sünnet idi. — Kâtip Çelebi».

biavni, *A. zf.* [Bi-avn] «Yardımıyle» anlamında terkip.● *Biavnillahi tealâ.* Tanrının yardımıyle.● «Alessabah cenk ü mukabele olunup biavnillâhi tealâ melâin münhezim ve nicesi maktul oldular. — Naima».

biaynihi, biayniha, A. zf. [Biaynhi] Aynıyle, olduğu gibi.● «Bu kaziyede bıaynihi Hızır nebi aleyhisselâm ile katl-i gulâm kıssasın telmih ve tesrih edip. — Naima».

bibahane, F. s. [Bî-bahane] Bahane olmadan. Sebepsiz.● «Öter hezar-i nagmeger — Ki şevki bibahanedir. — Fikret».

bibaht, F. s. [Bî-baht] Talihsiz, bahtı kötü.● «Bibaht olanın bağına bir katresi düşmez — Bâran yerine dürr ü güher yağsa semadan. — Ziya Pş.».

bibâk, F. s. [Bî-bâk] Sakınmaz, korkusuz.● Bir bölük haric ez zapt bibâkler söz dinlemeyip. — Naima».● «Der demez bibâk ü biperva ilâm-i şer'î hakkında zebandıraz olduğu. — Akif Pş.».

bibakâne, F. zf. Korkusuzca.● «Kadı efendi dahi bibakâne cevap verir. — Naima».

bibaki, F. i. [Bî-bakî] Korkusuzluk. Aldırmama.● «Nedir bu hûnrizi vü bibakî — Müjdeler leşker-i birahm-i Hülâgû dinle. — Nabi».

bibasiret, F. s. [Bî-basiret] Basiretsiz, ileri görmeyen, akılsız.● «İnsanın ol mrd-i bedsiret ve şahs-i bibasiretidir ki. — Taş.».

bibedel F. s. [Bî-bedel] Benzeri olmayan. Benzersiz, eşsiz.● «Bibedel bir askere maliktir ol şah-i zaman. — Ziya Pş.».

bibeha, F. s. [Bî-beha] Değer biçilmeyecek kadar pahalı. Eşsiz.● «... Ah, o kan — Sinende, kollarında kimin, hangi canfeda — Âşıkların hediye-i yakutu, bibeha?. — Fikret».

bibehre, F. s. [Bî-bhere] 1. Nasipsiz, mahrum. 2. Değersiz.● «Biçare mansıb-i saltanattan bibehre kalıcak. — Hümayunname».

bibeka, F. s. [Bî-beka] 1. Bekasız. Süreksiz. 2. Geçici.● «Çün devlet-i bivefa ve câh-i bibeka benim ferzendlerimden yüz döndüre. — Hümayunname».

biberk, F. s. [Bî-berk] Yapraksız.● Biberk ü neva, elde avuçta bir şeyi olmayan.● «Müfekkirem o zaman bir nihale benzer ki — Alîl ü râşenüma şahsâr-i biberki. — Fikret».

bibr, F. i. Fare.

bicâ, F. s. [Bî-câ] Yersiz.● «Susturun söyletmeyin sofiyi bicâ söylüyor. — Naci».

bican, F. s. [bîcan] 1. Cansız. 2. Canını esirgemez yiğit.● «Biraderlerin edna istiş'ar ile bican etmiş idi. — Naima».

Bicen, F. i. Bk. Bijen. «Şeh-i zemane Süleyman-i ins ü cin ki anın — Kemine kullarıdır Bicen ü Giv ü Huşeng. — Hayalî».

bicevab, F. s. [Bî-cevab] Cevapsız, karşılıksız.

biçare, F. s. [Bî-çare] Çaresiz. Zavallı, yoksul. (ç. Biçargân).● «İki biçare hasta-i firkat — İki biçare, işte inliyoruz. — Fikret».● «Sahil-i necat ve selâmete çıkmaya çalışmaktan bitâb ve garkab olan biçaregân gibi. — Y. Kâmil Pş.».

biçaregî, F. i. Biçarelik, zavallılık.

Biçen, F. i. Bk. Bijen.

biçide, piçide, F. s. Bükülmüş, kıvrılmış, karışık.● «Biçide nazargâh-i melâlimde bir nehenk. — Fikret».

biçun, F. s. [Bî-çun] Yaptığından sorulmayan (Tanrı sıfatı).● Biçun ü çira, sorumsuz (Tanrı).● «Ey sun-i safa-feza-yi biçun — Dil oldu tenezzülünle memnun. — Naci».

bid-, A. s. [Bi-el-d...] Arapça bi- edatının d ile başlıyan kelimelerdeki eliflâmlılara katıldığı zamanki biçimi.● Biddâva, dâva ederek;● biddâve, davet ederek;● biddef'at, birçok defalar, defalarla;● biddevlet ü vel ikbal, devlet ve ikbal ile;● biddevr, dolaşarak, başkasına bırakarak;● biddua, dua ile, dua ederek.

bîd, F. i. Söğüt.● Bîd-i giryan, - sermigûn, salkım söğüt.● - müşk, - muş, sultani söğüt, çiçeği kokulu söğüt.● «Ve yer yer bîd-i sernigûn ve dırahtan-i sebzgûn. — Nergisi».● «Perverdsi bî-i saye-küster. — Naci».

bida', A. i. (Dal ve ayın ile) [Bid'at ç.] Bid'atler.● «Şenayi-i bida'dan zannedip. — Sadettin».

bidaa, A. i. Bidaat, (Be, dat, a ve ayın ile) 1. Sermaye. 2. Bilgi.● «Bidaa kalmaz idi iftihar-i mahduma — Fürunihade olsa efendizadeliği. — Ragıp Pş.».● «Bu adîm-ül-bidaanın keşti-i tufanzede-i kısmeti. — Şefikname şerhi».

bidad, F. s. [Bî-dad] 1. A daletsiz zalim. 2. Zulüm.● «Eyler nigehi ederse bidad — İsa'yı arus-i merke damad. — Ş. Galip».

bidadger, F. s. [Bî-dad-ger] Zulüm edici.

bidadî, F. i. Zalimlik.● «Tekrar tecdid-i ahd-i bidadî birle. — Şefikname».

bidar, *F. s.* Uyanık.● *Bidar baht,* mutlu;● *-dil,* uyanık, aydın.● *Baht-i bidar,* uyanık uygun talih;● *dil-i bidar,* uyanık gönül. (ç. Bidaran).● «Gelip döküldü Halûk'un sada-yi biadri. — Fikret».

bidarî, *F. i.* 1. Uyanıklık. 2. Uğraşma, çabalama. 3. Dikkatlilik.● «Rüyada mıdır? Yoksa bu lakırdılar hal-i bidaride mi işitiyor? — AM.».

bid'at, *F. i.* (*Dal* ve *ayın* ile) 1. Sonradan, yeniden çıkmış şey. 2. Peygamber zamanından sonra dinde olan şey.● *Bid'at-i hasene,* önceleri olmayıp sonradan çıkınca din adamlarının caiz gördükleri yeni şeyler;● *- seyyie,* kötü yenilikler. [ç. Bida'.].● «Mağrib'e varıp yine ol bid'ate mübaşeret edeyim derken tutup hapsettikleri haberi geldikte. — Naima».

bidaye,bid ayet, *A. i.* 1. Başlama. 2. Ön, başlangıç, ilk.● *Mahkeme-i bidayet,* dâvaların ilk görüldüğü mahkeme, bunun üstünde *istinaf, temyiz* mahkemeleri vardı.● «Şuunat-i tabiatte bidayet yok nihayet yok. — Hersekli».● «Dersaadet Bidayet Mahkemesi Ceza Dairesi tarafından. — Kemal».

bidayeten, *A. zf.* İlk olarak.

Bidbay, Bidpay, *F. ö. i.* Kelile ve Dimne yazarı olan ünlü Hint filozofu.● «Bir nahl-i bend-i hikmet idi hemçü Bidbay. — Şinasi».

biddefeat, *A. s.* Birçok kereler, defalarca.● «França ve Malta ve Papa gemileri imdat ile biddefeat asker-i İslâm üzerine hucüm etmiş iken. — Raşit».

bidester, *F. i.* (Zoo.) Kunduz.● «Bidesterin helâkine hâye olur sebep — Katl-i semmur-i zâra olur postu medar. — Ziya Pş.».

bidevlet, *F. s.* Zavallı, mutsuz.● «Serbüride-i şmşir-i âbdar edip kelle-i bidevletlrin rikâb-i kâmyaba gönderdiler. — Raşit».

bidil, *F. s.* [Bî-dil] Gönülsüz.● «Olmaz ey Baki-i bidil ser-i a'da pâmal — Yine esn tab-i semendine süvar olmayıcak. — Baki».

bidimağ, *F. s.* [Bî-dimağ] Akılsız. Düşünmez. Kendini üzüntüye sokmaz.● «Kendüler ise mugfilâne tereffüh ve halinden hoşnut ve bidimağ ve mütenezzih nazik mizaç. — Naima».

bidin, *F. s.* [Bî-din] 1. Dinsiz. 2. (Mec.) Acımaz, merhametsiz.● «General olan Morozin dedikleri bidin kaleyi Osmanlıya teslim töhmetiyle. — Raşit».

bidireng, *F. s.* [Bî-direng] Eğlenmeyen, durmayan, çabuk olan.● «Ey pâybend-i dâmgeh-i kayd-i nam ü neng — Ta key heva-yi meşgale-i dehr-i bidireng. — Baki».

bidirig, *F. s.* [Bi-dirig] Esirgemeyen. Elinden geleni tam olarak yapan.● «Sairi tu'me-i tig-i bidirig oldu. — Naima».

bidud, *F. s.* [Bi-dud] Dumansız. Duman çıkarmayan.● «Ah etmeyecek eğlenemem kûşe-i gamda — Erbab-i dile meclis-i bidud gerekmez. — Nabi».

Biduht, *F. i.* Venüs (Zühre).

biecmaihim, *A. zf.* Hepsi, tümü.● «Mübarizan-i İslâmın biecmaihim miktarı mertebe-i dü-sad hezarı mütecaviz ola. — Kemal».

biedeb, *F. s.* [Bî-edeb] Terbiyesiz, edepsiz.● «Şeyh oğlu Abdi Ağa ki müftü Bahayi Efendiye itale-i lisan töhmeti ile muahaze ve hapsolunan biedeptir. — Naima».● «Gonceyi servi sana teşbih eder her biedeb — Hep sükûtunla sükûnundur buna cana sebep. — Yahya».

biedebane, *F. zf.* [Bî-edeb-ane] Edepsizce.● Merhum ve mağfur padişah hakkında tefrit edip biedebane vaz'ları taslit-i ilâhiye oldukta. — Naima».

bieman, biaman, *F. s.* [Bî-eman] Amansız. Aman vermez. Acımaz.● «Felektir ol felek-i bieman ki çeşmine — Gelen ıtaşı der hun-i dil-i ebed irva. — Ziya Pş.».

biemrillah, *A. zf.* Tanrının emriyle.● «Biemirllâhitealâ bir azîm fırtına zuhur edip. — Raşit».

biendaze, *F. s.* [Bî-endaze] Endazesiz, ölçüsüz, aşırı.● «Çün kim bu neşat-i taze ve inbisat-ı biendaze nice günler imtidat buldu. — Lâmiî».

biesriha, biesrihi, biesrihim, *A. zf.* Hep bir arada.● «Bununla olmaz mademki cümle malınızı biesrihi defter ve feda etmeyesiz olmaz. — Naima».

bieyyihalin, *zf.* [Bi-eyy-hal] Her halde, mutlaka.● «Eşkıyai- hodkâm bieyyihal İstanbul'a azimet tarafın iltizam ile. — Raşit».

bifaide, *F. s.* [Bî-faide] Faydasız, işe yaramaz.● «Bihude değil bu kârhane — Bifaide gerdis-i zemane. — Fuzuli».

bifazlillâhi tealâ, «Allahın fazlıyle» anlamına Arapça tamlama.● « Bakıyet-üssüyuf esir olup bifazlillâhi tealâ lâğıma muhtaç olmadan taşra kale tasarrufa gelip. — Naima».

bigâh, [Bî-gâh] Vakitsiz. *Gâh ü bigâh,* vakitli vakitsiz.● «Eyler seni ima bana, ey mürg-i hevahâh — Bir lemha-i bigâh — Umkunda leyalin. — Fikret».

bigal, *A. i.* [Bagl ç.] Katırlar.● «Sair vüzeraya dahi cimal ve bigal salıp alıverdi. — Naima».

bigam, *F. s.* [Bî-gam] Gamsız, tasasız. ● «Cihanda âdem olan bigam olmaz — Onunçin bigam olan âdem olmaz. — Necati».

bigâne, *F. s.* 1. Yabancı. 2. Tanımaz. 3. (Tos.) Yaşadığı halde dünya ile ilgisini kesmiş. (ç. Bigânegân).● «Aşinaya aşina — Bigâneye bigâneyiz. — Cevri».● «Bigâne bir kadınla bir erkekti hanede — Dargın bir ihtiram idi câri meyanede. — Fikret».

bigânegî, *F. i.* Yabancılık.

bigaraz, *F. s.* (*Dat* ile) [Bî-garaz] 1. Garezsiz. 2. Taraf tutmayan. 3. Samimi.● «Yok bigaraz muamele ehl-i zamanede — Kimes ibadet etmez idi Cennet olma sa. — Nabi».

bigarazane, *F. zf.* [Bî-garaz-ane] 1. Garezsiz. 2. Taraf tutmayan. 3. İçten.● «Yok bigaraz mumaele ehl-i zamanede — Kimse ibadet etmez idi Cennet olma-sa. — Nabi».

bigavr, *F. s.* [Bî-gayr] 1. Sığ olan, derin olmayan. 2. Akılsız, ahmak.

bigayat, *F. i.* [Bigaye ç.] Sonsuzlar, sonu olmayanlar.

bigaye, *F. s.* [Bî-gaye] 1. Sonsuz. 2. Çok.● «Olur bu ruh için bir neşat-i bigaye. — Fikret».● «Öyle bigaye, bihaber, bihab. — Fikret».

bigayri, *A. zf.* [Bi-gayr-i] Olumsuzlukla asıl kelime manasına aksini vererek terkiplere girer.● *Bigayri hakkın,* haksızlıkla, haksız olarak.● «Osmanlıların bigayri hakkın hizmetini görecek. — Kemal».

bigayriha, bigayrihi, Başkası.● *Asaba bigayriha,* mirası kalan kimse ile arasındaki bağda kadın bulunan kadın mirasçılar.

bigeran, bikeran, *F. s.* Sınırsız. Uçsuz bucaksız. Sonsuz.● «Çok gördüm o bahr-i bigeranı — Fark eyledim ol zaman cihanı. — Ziya Pş.».

bigış, *F. s.* [Bî-gış] Hilesiz, içten.

bigüman, *F. s.* [Bî-güman] Şüphesiz.● «İtaat etmeyenler âsi ve bagî idüğü bigümandır. — Naima».

bigünah, bigüneh, *F. s.* [Bî-günah] 1. Suçsuz. 2. (Mec.) Zavallı.● «Çok bigünehi sipehr-i gaddar — Bin kayd-i hevana kıldı düçar. — Nevres».● «Kaçıp sümum-i sefalet onun civarından — Gelir bu aile-i bigünahı ifnaya. — Fikret».

bih, *F. s.* (*He* ile) İyi. (*i.*) Ayva.● «Çinî tabakta çarh, meh ü mihr ü encümü — Bu bezme düzdü sîb ü bih ü dane-i enar. — Nabi».

bih, *F. i.* (*Hı* ile) 1. Kök. 2. Temel. Kaynak.● «Bîh-i seylâb-i huruşanın arasında kaza — Âşti seddine verdi ne güzel istihkâm. — Nabi».● «Şiddet-i serma-yi acz ü keder bîh ü bün-i şecere-i intizamını zîr ü zeber kılmış idi. — Nergisi».

biha, bihi, bihima, bihim, (*He* ile) *A. s.* O zamirinin, müzekker, müennes, tesniye ve çoğul halleri. O, onunla, ona, ondan.● *Mahkûmunbih,* ona hükmolunmuş;● *mamulünbih,* onunla amel olunan, hükmü geçer;● *mefülünbih,* (Gra.) -i hali.● «Birer hizmet-i mutena-biha ile kayrılır idi ki, — Kemal».

bihab, *F. s.* (*Hı* ile) [Bî-hab] Uykusuz. ● «Olmuş şeb-i sevda bihab. — A. Haşim».

Bihaber, *F. s.* [Bî-haber] Habersiz. Haberi olmayan.● «Altın başaklı tarlasının bir kenarını — Tezyin eden ağaçların altında, bihaber. — Dalmış tahayyüle. — Fikret».

bihadd, *F. s.* [Bi-hadd] Sınırsız. Pek çok. ● *Bihadd ü pâyan,* uçsuz bucaksız, tükenmez.● «Sazların zıll-i kesifinde o bihadd, binam. — Fikret».

bihakkın, *A. zf.* Hakkıyle, tamamıyle.● «tttihaz olunan meslek ve tedabir hakkında bihakkın ihtarat ve ihtirazat-i halisaneye müsaraat eyledikçe. — Kemal».

bihalet, *F. s.* [Bî-halet] Durgun. Neşesiz. ● «Böyle bihalet değildi gördüğüm sahrayi aşk — Anda mecnun bidler, divane cular var idi. — Nedim».

biham, *A. i.* (Koyun, kuzu, keçi, deve ve benzeri) Hayvan.

bihamdillâh, *A. zf.* Allaha şükür olsun, Allahın yardımıyle.● «Sabaha kadar cenk ve bihamdilillâhitealâ devlet-i padişahide fethi müyesser olduktan sonra — Raşit».

bihanüman, *F. s.* [Bî-hanüman] Evsiz barksız.

bihâr, *A. i.* (*Ha* ile) [Bahr ç.] Denizler. ● ‹Mucip ne şu hilkat-i bihare. — Recaizade›.

bihar, *F. s.* (*He* ile) [Bî-har] Dikensiz. ● ‹Gül-i bîhâr açılır gülşen-i nazmımda. — Şinasi».

bihareket, *F. s. s.* [Bî-hareket] Hareketsiz. Kımıldamaz.● ‹Kaldı cismim önünde bihareket. — Fikret›.

bihasebi, *A. s.* ‹-ce, bakımından› anlamıyle bileşikler meydana getirir.● *Bihaseb-il-hal,* hal dolayısıyle, duruma göre;● *bihaseb-il-i'rab,* i'rapça;● *bihaseb-il-meratib,* rütbece, rütbe bakımından.● ‹Bostanzade İstanbul kadılığına bihaseb-it-tarik ehakk ve müteheyyi iken. — Naima›.

bihâsıl, *F. s.* [Bî-hâsıl] 1. Somu çıkmayan. 2. Verimsiz.● ‹Akl ü namusu verip aldım belâ-yu derd-i aşk — Aşık-i bihâsılım fark eylemem sûd ü ziyan».

bihayâ, *F. s.* [Bî-hayâ] Hayâsız, utanmaz. ● ‹Dir fikr-i bihayâ ilo koştum fezaile — Cenap›.

bihayat, *F. s.* [Bî-hayat] Hayatsız, cansız. ● ‹Bir dûd-i müncemit gibi âfak-i bihayat — Pişinde canlanır mütehaşi nazarların. — Fikret».

bihazan, *F. s.* [Bî-hazan] Son baharı olmayan. Her zaman taze, her zaman bahar.● ‹Bihazan bir taze bağ-i dilküşadır rû-yi dost. — Beliğ›.

bihdud, *F. s.* İyi, sağ.● ‹Merhem-i bihbud-i vaslınla tabibim kıl deva — Müptelâ-yi derd ü hicran olduğum bilmez misin. — Halim Giray».

bihbudî, *F. i.* İyi olmaklık.

bihefgen, *F. s.* Kök söken.● *Tündbad-i bih efgen,* kök söken esrt yel.● ‹Ol kadar didmde bihefgen hayal-i kadd-i yâr — Tohm-i eşkim kande düşse setr olur serv-i sehiy.›

bihemal, bihümal, *F. s.* [Bî-hemal] Eşsiz, benzersiz.● ‹Sever tefekkürü, demsaz-i bihemali odur. — Fikret›.

bihemta, *F. s.* [Bî-hem-ta] Eşsiz, benzersiz.● ‹Bir donanmış at ve on re's esb-i bihemtayı nazar-i padişahiye arz ü ithaf ile. — Raşit».

bihengâm, *F. s.* [Bî-hengâm] Vakitsiz.● ‹Açıldı cehl ile Rusya üzre harb-i bihengâm. — Ziya Pş.›.

bihesab, *F. s.* [Bî-hesab] Hesaba gelmez, sayısız.● ‹Kızıl tabyaya iki taraftan bihasp lâğımlar atılmış. — Raşit›.

bihicab, *F. s.* [Bî-hicab] Hicapsız, utanmaz olan.● ‹Ko hali gayrı sen ey can dini gör — Ne oldu mahasalın çerh asyabında. — Nailî›.

bihin, *F. s.* (*He* ile) En ziyade iyi olan. Çok beğenilen.● Taklid-i seyf-i husrevanî resmli bihini badel'icra. — Şefikname».

bihired, *F. s.* [Bî-hired] Akılsız, ahmak olan.

bihis, *F. s.* [Bî-his] Duygusu.z Hissiz.● ‹Üstünde coşan giryelerin hepsine bihis. — Fikret».

bihişt, behişt, *F. i.* (*He* ile) Cennet. Bk.● *Behişt.●* ‹Buy-i zülfün ki ala havsala-i bad-i bihişt — Şiken-i turra-i havraya tenezzül mü eder. — Nailî».

bihter, *F. s.* (*He* ve *te* ile) En iyi.● ‹Bu da bir şi'r-i bihter-i diğer. — Recaizade›.

bihterin, *F. s.* Çok iyi, pek iyi● ‹Kesti a'danın cmanın bu cihad-i bihterîn — Behayi».

bihud, *F. s.* (*Hı* ile) [Bî-hud] Kendinden geçmiş.● ‹Bihud eylerdi temaşa-yi cemalin âlemi — Didelerden olmasan ey can-agâhım nihan. — M. Naci».

bihudane, *F. zf.* Kendinden geçmişçesine. ● ‹Bihudane muvafakat ediyor — Evvibi emrine henüz cibal. — M. Naci».

bihude, *F. s.* (*He* ile) Beyhude, nafile, hoş.● *Bihudegû,* boşuna söz söyleyen;● *bihudekâr,* boşuna çalışan.● ‹Yine bihude topladın ördün. — Cenap».

bihudegi, *F. i.* Beyhudelik, faydasızlık.

bihudud, *F. s.* [Bî-hudud] Sınırsız. Sayıya gelmeyecek kadar çok.● ‹Bihudud anda olan kevkebe-i lem-yezeli. — Şinasi›.

bihuş, *F. s.* (*He* ile) [Bî-huş] Aklını kaybetmiş, sersem, baygın, kendinden geçmiş.● ‹Ya ben bihuş-i aşkım ya o sermest-i muhabbettir. — Ziya Pş.».

bihuşane, *F. zf.* Kendinden geçmişçesine.

bihutut, *F. s.* (*Hı* ve *tı* ile) [Bî-hutut] Hatsız, çizgisiz. Çizgileri belirsiz, karışık.● ‹İçinde rengi bozuk bihutut simalar. — Fikret›.

bihuzur, *F. s.* [Bî-huzur] Tedirgin rahatsız. Huzuru olmayan.● ‹Rikâb-i hümahunda nüfuz-i kelâmı kenduyi bihuzur etmeğin. — Raşit».

bihükmün, *A. zf.* Hükmünden ötürü.

bihüner, *F. s.* [Bî-hüner] Hüner ve marifeti olmayan, cahil olan.● ‹Hünermendler onun nevale-i ihsanından bineva ve bihünerler mevaid-i fevaid-i bigeranından imtilâdır. — Hümayunnâme».

Bihzad, *F. s.* Ünlü fars ressamı. «Doğuşu iyi» anlamındadır.• «Güzel tasvir edersin hat ü hâl-i dilberi amma — Füsun-i işveye geldikte ey Bihzat neylersin. — Behayi».

biibaretiha, *A. zf.* Aynıyle, ibaresi ibaresine.

biidrak, *F. s.* [Bî-idrak] İdraksiz, anlayışsız.• «Vay ol taife-i biidrake ki ukul-i kasıraları. — Taş.».

biihtiyar, *F. s.* [Bî-ihtiyar] Elde olmayarak. Kendiliğinden.• «Eğer Karun gibi malik olursa ehl-i dil gence — Verir bi-ihtiyar ol meblâği yekpare bir gence. — Beliğ».

biiman, *F. s.* [Bî-iman] İmansız, dinsiz olan.

biinsaf, *F. s.* [Bi-insaf] İnsafsız. Acımaz. • «Umumun nur-i nazardan mahrumiyetini isteyecek kadar biinsaf olanlardır. — Kemal».

biintiha, *F. s.* [Bî-intiha] Nihayetsiz. Sonsuz.• «Okur biintiha eş'ar-i davet. — Fikret».

biirtiyab, *F. s.* [Bî-irtiyab] Şüphesiz.• «Ol perinin öyle tenha kalması biirtiyab — Aşka dair ruh-perver bir sebebtendir dedim. — Recaizade».

biitibar, *F. s.* [Bî-itibar] İtibarsız. Değersiz.• *Dünya-i biitibar*, itibar edilmeye değmez dünya.• «Bazı kibardan terk-i dünya-yi biitibar ederken sordular ki — Taş.».

biiz'an, *F. s.* [Bi-iz'an] Anlayışsız.• «Ya ki bir iş zanniyle şeytanlığa özencek kadar bii'zan mıdır. — Kemal».

biiznillâhi tealâ, Tanrının iziniyle.• «Biiznillahi tealâ paşanın tedbiri takdire muvafık gelip. — Naima».

biizzet, *F. s.* [Bî-izzet] İzzeti, itibarı olmayan, itibarsız.• «Devran ister ki hâr ola nazm — Biizet ü itibar ola nazm. — Fuzulî».

Bijen, *F. i.* Rüstem'in yeğeni.• «Eder avihte bin can ile İzz etkndin — Görse çah-i zekan-i yârimi ruh-i Bijen. — İzzet Molla».

bika', *A. i.* [Buk'a ç.] Ülkeler.• «Taht-i eyaletinde olan bika'dan Ahısha kalesinde bulunan. — Naima».

bikâm, *F. s.* [Bî-kâm] İstediğini elde edemeyen.

bikâr, *F. s.* [Bî-kâr] 1. İşsiz, işe yaramaz. 2. Bekâr.• «Zamir-i valâları nakş-i bikârdan musaffa idi. — Naima».

bikarar, *F. s.* [Bî-karar] 1. Kararsız. Rahatsız.• «Fikir-i killet-i barut ile bikarar olmuşlar idi. — Raşit».

bikararî, *F. i.* Kararsızlık. Karar verememe.• «Bir bikarari-i marizane ile silsile-i meşagili dolaşır. — Cenap».

bikayd, *F. s.* [Bî-kayıd] İlgisiz, aldırmaz. • «Biz çocuktuk. Seni defn eylediler — Bivefa kumlara bikayd eller. — Fikret».

bikaydane, *F. zf.* Kayıtsızca• «Düşündü, pek bikaydane bir eda ile. — Uşaklıgil».
cadan *atraxie* karşılığı (XX. yy. Ataraksiya).

bikemükâst, *F. zf.* [Bîkem ü kast] Eksiksiz, artıksız, tamam olarak.

bikeran, Bak. *Bigeran.*

bikes, *F. s.* [Bî-kes] Kimsesiz.• «Biçareye çaresaz olursun. — Bikeslere dilnevaz olursun. — Ziya Pş.».

bikesan, *F. i.* [Bikes ç.] Kimsesizler.• «Melce-i bikesan melâz-i cihan — Kâmbahşa-yi cümle âlemiyan. — Nedim».

bikesane, *F. zf.* Kimsesizlere yakışır halde. O kadar bikesane ağlar ki. — Fikret».

bikıymet, *F. s.* [Bî-kıymet] Kıymetsiz, değersiz.• «Sözün lû'lû-yi lâlâdan zamane tuttu zikıymet — Neden şah-i cihan bikıymet eyler böyle lâlâyı — Baki».

bikıyas, *F. s.* [Bî-kıyas] Ölçüsüz. Çok büyük olan.

bikine, *F. s.* [Bi-kine] Kinsiz, garezsiz. • «Eder lâkin sitemle âşık-i bikinesin tekdir — Dil-i senginine hiç suziş-i ah etmiyor tesir. — Beliğ».

bikr, *A. s.* 1. Kızlık. 2. Bozulmamış, el sürülmemiş.• *Bikr-i fikr*,• - *mazmun*, ilk olarak söylenmiş fikir, mazmun.• «Bikr-i fikre kail oldum diye. — Lâtifi».• «Ruhunun en bikr ü pakize derinliklerinde. — Uşaklıgil».

bikusur, *F. i.* [Bî-kusur] Kusursuz, eksiksiz. Tam.• «Adanın köprüsü olan mahalle varmaya sây-i bikusur eylediler. — Raşit».

bil-, *A. e.* [Bî-el] Kameriye harfleriyle başlayan kelimelerde *bi-* edatı bu şekli alır. Katıldığı kelimeye «ile ,için» anlamı katarak zarf grupları meydana getirir.

* Bilafiye
bilahare
bilakis
bilasale
bilcümle
bilhusus
bilıskat
bilicab
bilicad
biliclal
biliddia
bilifa
biliftihar
bilihtimam
bilihtisar
bilihtişam
bilihtiyar
biliktiza
biliktibas
biliktidar
biliktifa
biliktisap
bililtica
bililtifat
bililtimas
bilimal
bililtizam
bilimdad
bilimha
bilimlâ
bilimtihan
bilintihap
bilittihad
bilintikal
bilintisap
bilirad
bilirae
bilirkâp
bilis'af
bilistical
bilisticar
bilisticvap
bilistid'a
bilistidlâl
bilisti'fa
bilistifsar
bilistihbar

bilistihdam
bilistihsal
bilistikbal
bilistikmal
bilfarz
bilistilzam
bilistimlâk
bilistintak
bilistişare
bilistizan
bilistizan
bilistisna
biliş'ar
bilişare
bilişgal
biliştira
biliştirak
bilitiraf
bilitiraz
bilimtisal
bilimtizaç
bilimza
bilincimad
bilinfaz
bilinfikâk
bilinfilak
bilinfirad
bilinfisal
bilinkısam
bilinkişaf
bilintaç
bil'ita
bilittifak
bilityan
bilkalb
bilkayd
bilkeşf
billisan
bilmukabele
bilmünavebe
bilmüşahade
bilmüşavere
bilmüvacehe
bilmüzakere
bilvasıta
bilvekâle
bilvesaye

bilâ-, *A. s.* Bulunduğu sözcüğü olumsuzlaştırır. Yalnız Arapça sözcüklere eklenmesi kural gereği ise de farsça sözcüklere de eklendiği olmuştur.● *Bilâ-âram,*● *bilâperva* gibi.

* -bedel
-faide
-faiz
-fark
-fâsıla
-fütur
-ihtar
-ihtisas
-ihtilâf
-ihtiyar
-imhal
-imtihan
-ıntıka'
-intihap
-intitikal
-irtikâp
-ispat
-isticvap
-istisna
-is'ar
-itiraz
-izn
-kayd ü şart
-lüzum

-mehl
-mualece
-mucib
-müdafaa
-muhakeme
-mücadele
-münazaa
-müsademe
-müzakere
-resm
-tahkik
-muayene
-taksir
-tarif
-târiz
-tasdik
-tashih
-teemmül
-tefrik
-tehir
-teklif
-teşhis
-tevakkuf
-ücret

bilâd, *A. i.* [Beled ç.] Kentler.● *Bilâd-i asere,* (10 kent) İzmir, Eyüp, Kandiye, Halep, Selânik, Sofya, Trabzon, Galata, Kudüs, Lârisa;● - *erbaa,* (4 kent) Edirne, Bursa, Şam, Kahire;● - *isna aşer* (on iki) Adana, Erzurum, Bağdat, Beyrut, Diyarıbakır, Rusçuk, Bosnasaray, Sivas, Maraş, Trablusgarp, Ayıntap, Çankırı.● - *Rum,* Osmanlı ülkesi kentleri.● «Niyyeti asayiş-i bilâd — Fikreti efzayiş-i mal-i ibad. — Ziya Pş.».● «Âbru-yi bilâd-i Rum olan. — Nergisî».

bilâfâsıla, *F. s.* [Bilâ-fâsıla] Aralıksız. Biteviye.

bilâfütur, *F. zf.* [Bilâ-fütur] Fütursuzca, çekinmeden.● «Buraya geldikçe bilâfütur içeri girmek. — Uşaklıgil».

bilâg, *A. i.* Bildirme, haber verme.

bilâhare, *A. zf.* [Bil-âhare] Sonra, sonunda.● «Evvelâ bunu kendisine karşı mültezem bir vaz-i içtinaba haml eden Nihal bilâhare. — Uşaklıgil».

bilâihtiyar, *F. zf.* [Bilâ-ihtiyar] Elinde olmayarak, kendiliğinden.● «Kendisini bilâihtiyar sürükleyen bir dalga üzerinde gibiydi. — Uşaklıgil».

bilâillet, *F. zf.* [Bilâ-illet] Sebepsiz, nedeni hiçten.● «Ali Ağayı bilâillet boğdurup herkes mütehayyir iken. — Naima».

F. : 7

bilaimhal, *F. s.* [Bilâ-imhal] Mehilsiz; zaman, vakit vermeden.• ‹Emr-i âliye mağruren bilaimhal ihraçları için hücum edip. — Naima».

bilaistisna, *F. s.* [Bilâ-istisna] İstisnasız, ayırt olmadan.• ‹Elinde olan kuvveti bilâistisna istediği yere sarfederek. — Kemal›.

bilakis, *A. zf.* [Bi-l-aks] Aksine. Tam tersine.• ‹Seninle nisbeti yok, sen şereflisin, ulusun — Ne sis yüzünde ne zül; bilâkis safa vü vekar. — Fikret›.

bilamehil, *F. s.* [Bilâ-meh] Vakit bırakmadan, hemen.• ‹İşaret-i aliyye ile bostancılar üşüp bilâmehil kellesin kestiler. — Naima›.

bilaruhsat, *A. s.* [Bilâ-ruhsat] İzin almadan, izinsiz.• ‹Üç cüz Evrak-i Perişan'ın bilâruhsat ve mükerreren ruhsatsız tab'ı mücaz olarak. — Kemal».

bilasebeb, *F. s.* [Bilâ-sebeb] Sebepsiz.• ‹Bu Devlet-i Aliyede bir padişah-i Osmanî bir düşmandan bilâsebeb-i kavi rugrdan olduğu mesmu değildir. — Naima».

bilataab, *A. s.* [Bilâ-taab] Yorulmadan. Eziyetsiz.• ‹Bilâtaap olur efruhte çerag-i ümit — Gehiy düşer geh nefes vaktine müsadif olur. — Nabi›.

bilatehir, *F. s.* [Bilâ-tehir] Tehirsiz, gecikmedn, geciktirmeden.• ‹Mikdar-i kifaye hazine verilip bilâtehir göç olundu. — Naima›.

bilatevakkuf, *A. zf.* [Bilâ-tevakkuf] Durmadan.• ‹O gün Hasan bölüğün ta önünde on saat — Bilâ-tavakkuf avuçlarla kurşun atmıştı. — Fikret› .

bilaudul, *A. zf.* [Bilâ-udul] Sapmadan, dönmeden.• ‹Bilâudul ü tevakkuf devam eder yoluna. — Fikret›.

bilavasıta, *A. zf.* [Bilâ-vasıta] Araçsız. Doğrudan doğruya.• ‹Hüseyin Halife ve Poyraz Osman ve kâtip Cezmi pay-i taht-i hümayuna bilâvasıta arzettiler ki. — Naima».

bilaveled, *A. zf.* [Bilâ-veled] Çocuksuz.

bilbedahe, *A. zf.* [Bil-bedahe] Düşünmeden, hemen fikre geldiği gibi.• ‹Herkesin iştiraki bilbedahe sabit olur. — Kemal›.

bilcümle, *A. zf.* [Bi-l-cümle] Bütün. Hep. • ‹Kahr-i Hak erdi Françe oldu bilcümle mahzun. — Süruri›.

bilerziş, *F. s.* [Bî-lerziş] Titremeden, titremez.• ‹En kanlı muhabbetleri bîlerziş-i nefret — Perverde eden sine-i meshuf-i sefahat. — Fikret›.

bilfarz, *A. zf.* [Bi-l-farz] Diyelim ki, tutalım ki.• ‹Ve hattâ ben bilfarz nakz-i ahd ettim sözünü telâffuz etmiş bile olsâm. — Akif Pş.›.

bilfiil, *A. zf.* [Bi-l-fiil] Gerçek olarak, lafla değil işle.• ‹Yerince bilfiil rütbe-i âliye-i sadaret ihraz. — Raşit».

bilhassa, *A. zf.* [Bi-l-hassa] Mahsus, özel olarak, hele.• ‹Adnan Bey tarafından bilhassa buldurtulan. — Uşaklıgil›.

bilhayr, *A. zf.* [Bi-hayr] Hayırlısıyle.

bilıstırar, *A. zf.* [Bi-l-ıstırar] İster istemez.• ‹Nadanlar ibram edip bilıstırar ol sade-dil hanzade. — Naima›.

bilicra, *A. zf.* [Bi-l-icra] 1. İcra ederek, yaparak, 2. İcra yolu ile.

bililtizam, *A. zf.* [Bi-l-iltizam] İş edinerek, mahsus; bile bile. İnadına.• ‹Bu karar kendisine karşı bilitizam tertip olunmuş bir şey mânasını kesbediyordu. — Uşaklıgil».

bilimla, *A. zf.* [Bi-l-imlâ] 1. Söyleyip yazdırarak. 2. Doldurarak.• ‹Midelerini Çamlıca suyu ile bilimlâ. — Recaizade›.

bilintikal, *A. zf.* [Bi-l-intikal] 1. İntikal suretiyle. 2. Ondan ona geçerek.

bil'istiklal, *A. zf.* İstiklal üzere. Başlı başına.• ‹Ve Yahya Paşa ferman-i padişahi üzere Basra hükümetinde bil'istiklal karar eylediğin. — Raşit».

bilitmam, *A. zf.* [Bi-l-itmam] Tamamlayarak.• ‹Menevrasını bilitmam yelkenlerini tekrar doldurmuş olduğundan. — AM».

bilittifak, *A. zf.* [Bi-l-ittifak] İttifak ederek, birleşerek.• ‹Hademe-i ahur bilittifak ihracına şây-i mevfur ederek. — Kâni›.

bilkuvve, *A. zf.* [Bi-l-kuvve] 1. Fikirde, düşünce halinde. 2. İs haline çıkmadan. 3. (Fel.) Gizli, tasarlı.• ‹Bilkuvvesi bil'fi'l zuhur eyledi sende — Gencine-i gaybde olan ilm ü hayatın. — Nabi›.

bilkülliye, *A. zf.* [Bi-l-külliye] Bütün bütüne. Büsbütün.• ‹Diye cevab-i mizahamiz verdiklerinde bilkülliye meyus olup. — Raşit›.

billah, billahi, *A. zf.* [Bi-l-Allah] Allah için (And.).• ‹Billâh o eldir koparan ruhu yerinden. — Fikret».

billur, *A. i.* Billur• ‹Ben mi saki olayım bezme dururken sevdiğim — Böyle simîn saklar billur bazularla sen. — Nedim›.• ‹Hazin terane-i billuru bir küçük derenin. — Fikret›.

billurin, F. s. Billurdan, billur gibi.• «Bir çeşme-i billûr ile bir cû-yi billûrin. — Cenap».

bilma', A. zf. [Bi-l-mâ] (Kim.) Su veya hidrojeni bulunan madde adlarına *hydro* karşılığı olarak girer.

bilmana, A. zf. [Bi-l-mâna] Grçekte.

bilmaiyye, A. zf. [Bi-l-maiyye] Maiyeti ile, adamlarıyle.• «Vezir-i azam ve şeyhülislam ve vüzera ve ayan ve ümera emr-i teşyie bilmaiyye kıyam edip. — Naima».

bilmuhafaza, A. zf. [Bi-l-muhafaza] 1. Muhafaza ederek. 2. Bozmadan.• «İtidal-i demini bilmuhafaza sorduk ki. — A. Mithat».

bilmukabele, A. zf. [Bi-l-mukabele] Karşılık olarak.• «Bilmukabele biz de inkâr etmeyelim. — Cenap».

bilmünasebe, A. zf. [Bi-l-münasebe] Sırası, vesilesi gelmekle.

bilmüşafehe, A. zf. [Bi-l-müşafehe] Yüz yüze görüşerek.

bilmüvacehe, A. zf. [Bi-l-müvacehe] Karşı karşıya gelerek, getirilerek.• «Kaptan paşa ile bilmüvacehe. — Naima».

bilütfihi teâlâ, A. zf. [Bi-lûtf-hi] Tanrının inayetiyle.• «Ve bilütfihi teâlâ biraz zamandan beri vücutları riyaset-i idareden zail olan. — Kemal».

bilüzum, F. s. [Bî-lüzum] Lüzumsuz. Gereksiz.• «Etmiş hulasa bir emel-i hass-i bilüzum — Her şahs-i hurrü kayd-i esaretle müptelâ. — Ziya Pş.».

bîm, F. i. Korku.• *Bim ü ümid,* korku ile umut, kararsızlık;• *Bîm-i can,* can korkusu.• «Mührü götürüp tayian padişaha teslim ve tahlis-i giriban ve def-i bîm eyleyeyim dedi. — Raşit».• «Olud sermaye-i hayret bana bîm ü ümid — Bilemem eyliyecek girye midir hande midir. — Nabi».

bimagz, F. s. [Bî-magz] Akılsız. Beyinsiz. Hafif davranışlı. (ç. Bimagzan).• «Mütaleat-i vâhiye bimagaz ü bimâna şeyler olacağı ledeliktiza. — Akif Pş.».

bimahal, F. s. [Bî-mahal] Yeri değilken, yersiz, sırasız.• «Bimahal mıkraya agaz eyler — Zanneder kim hüner ibraz eyler. — Vehbi».

bimana, F. s. [Bi-mâna] Manası yok. Münasebeti yok.• «Abdurrahman Paşa cevab-i bimana verip. — Naima».• «Uzakta bir mütereddit ziya-yi bimana — Yolun likayı ratibinde, muhteriz, dolaşır. — Fikret».

bimar, F. s. Hasta.• «Sıhhat gibi bimar-i gama geç geliyorlar — Öldürdü bizi naz-i etibba ne beladır. — Sabit».

bimâran, F. i. [Bimar ç.] Hastalar.• «Ey deva-i bela-yi bimâran. — Haleti».

bimarhane, A. i. 1. Hastahane. 2. Akıl hastahanesi.• «Ve andan Süleymaniye bimarhanesi ve Ağa-kapısı yanına. — Raşit».

bimari, F. i. Hastalık. Keyifsizlik, keyifsiz olma.

bimaristan, F. s. Hastane.

bimeal, F. s. [Bî-meal] Manasız. Anlamı yok. Saçma.• «Ve tab-i asafiye melâl-i bimeal verdiler. — Raşit».

bimecal, F. s. [Bî-mecal] Mecalsiz. Dermansız, zayıf.• «Hasta bir nağme, bimecal-i suud. — Dökülür katre katre, eşkâlad. — Fikret».

bimecelane, F. zf. [Bî- mecal-ane] Güçlükle. Mecalsiz, halsiz gibi.• «Bir vaz-ı bimecalâneyi süs ittihaz ediyordu. — Uşaklıgil».

bimecali, F. i. [Bi-mecal-î] Güçsüzlük. Halsizlik. Bitkinlik.• «Gebeliğin ilave ettiği fazla-i bimecali ile. — Uşaklıgil».

bimekân, F. s. [Bî-mekân] Yersiz, yurtsuz. Serseri.

bîmengiz, F. s. [Bim-engiz] Ürküten, ürkütücü.• «Kûşe-i çeşm-i bîmengiz ile halk mündefi olunca. — Nergisi».

bimer, F. s. [Bî-mer] Sayısız.

bimera, F. s. [Bî-mera] Riyasız.

bimerhamet, F. s. [Bî-merhamet] Merhametsiz, acımaz.

bimesas, F. s. [Bî-mesas] Esassız.• «Şikâyet-i bimesaslarına iltifat olmayıp — Raşit».

bimezak, F. s. [Bî-mezak] Zevksiz. Tat almayan.• «Bektaş Ağa ve sair duhan içmeyen bimezaklar. — Naima».

bimeze, F. s. [Bî-meze] Tatsız, tuzsuz.• «Ve tefahur-gûne dıhk-i bimeze etmişti. — Naima».

bimihr, F. s. [Bî-mihr] Sevgisiz, şefkatsiz.• «(...) bimihr ü vefadır».

bimikdar, F. s. [Bî-mikdar] Değersiz, önemsiz.• «Arzeder hâksâr-i bimikdar — Bende-i kemterîn Fuzuli-i zâr. — Fuzuli».• «Ser-pençe-i kahırlarından surah-i mâra girmiş susmar-i bimikdara döndüler. — Naima».

biminnet, F. s. [Bî-minnet] Yaptığı iyiliği başa kakmaz.• «Amalimizin hâdim-i biminneti eşya — Yollar gibi her yer bize bir tuhfe-i sevda. — Fikret».

bimisal, *F. s.* [Bî-misal] Benzersiz. Eşsiz. ● ‹Mest-i bimisal-i muhabbetle ağlasam. — Fikret›.

bimnâk, *F. s.* [Bim-nâk] Korkulu, korkuya kapılmış.

bimuadil, *F. s.* [Bî-muadil] Benzersiz, eşsiz.● ‹Bu subh-i taze ki pür-feyz ü bimuadildir. — Fikret›.

bimucib, *F. s.* [Bî-mucib] Mucipsiz. Yok yere.● ‹Ankara kazasın verip bimucib altı ayda azlettin. — Naima».

bimuhaba, *F. s.* [Bî-muhaba] Çekinmeyerek, korkmadan.● «Ceza-yi aşk u muhabbette ‹ bimahabayım. — Nailî›.● ‹Böyle bimuhaba tüfek atarak. — Akif Pş.›.

bimunis, *F. s.* [Bî-munis] Candan kimsesi olmayan.● ‹Rahm et ki garib ü hâksarım — Bimunis ü yâr ü gam küsarım. — Fuzuli›.

bimübalat, *F. s.* [Bî-mübalât] Dikkatsiz kayıtsız.● ‹Gâhi yine yâd eder mi dersin — Mehcurların o bimübalât. — Recaizade›.

bimüdani, *F. s.* [Bî-müdani] Emsalsiz, benzersiz.

bimünazi, *F. s.* [Bi-münazi] Rakipsiz, kavgacısız.● ‹Gazi Giray bimünazi mesned-i hanîde karar edip. — Naima».

bimürüvvet, *F. s.* [Bî-mürüvvet] Mürüvvetsiz, insaniyetsiz.● ‹Bir hasm-i bimürüvvete duş etti beni. — Ziya Pş.›.

bin, *A. i.* Oğul.

bin-, *A. e.* [Bi-el-n...] Arapça *nun* harfiyle başlayan eliflâmlı kelimelerin *bi* (Bak.) edatıyle birleştiği zamanki şekli olup sözcüğü -e, -de hallerine. koyar.● *Binnetice,* sonunda;● *binnefs,* nefisle;● *binnisbe,* bir dereceye kadar,● *binnihaye,* sonunda, en sonunda.

-bîn, *F. s.* Gören, görücü. Bileşik kelimeler yapmada kullanılır.● *Âkıbebin, diğerbin, durbin, geçbin, hakbin, hakikatbin, hodbin, zâhirbin.* Bk.

binâ, *F. s.* Gören, görücü.● *Çeşm-i bina,* görür göz;● *nabina,* kör.● ‹Eyler o merayada bugün dide-i binâ — Üç bin sene evvel geçen akvamı temaşa. — Naci›.

bina, *A. i.* 1. Yapı. 2. Yapma. 3. Dayama, bir sav ve iddiayı bir şeyin üzerine kondurma. 4. (Gra.) Arapçada eylemlerin çatılarını konu yapan kitap.● *Bina emini,* yapıya bakmakla ödevli

kimse.● ‹Türlü mesai ile kurulabilen bina-yi samimiyet birden yıkılacak. — Uşaklıgil›.

binaberin, *F. zf.* Bunun üzerine.

binaen, *A. zf.* Dayanarak, yapılarak, dolayı,● *Binaen alâzalik,* bunun üzerine, bundan dolayı;● *binaenaleyh,* bundan dolayı, bunun üzerine.● ‹Ahbabından idi ana binaen haşiye-i tarihte der ki. — Naima›.● ‹Bu vakaya bir zemin-i tatbik bulamıyordu, binaenaleyh inanmadı. — Uşaklıgil».

binagûş, *F. i.* Kulak memesi.● ‹Jaleler damlamak ister gül-i terden gûya — Görünen dürr-i binagûşu değildir yârin. — Baki›.

binam, *F. s.* [Bî nam] Adsız. Ünsüz.● ‹Sazların zıll-i kesifinde o bihadd, binam. — Fikret›.

binamaz, *F. s.* [Bî-namaz] Beynamaz, namaz kılmaz.● ‹Gördünüz mü şu binamaz mülhid, münkir-i haşr, şâtim-i eimme bize ne renk eyledi. — Naima›.

binamus, *F. s.* [Bî-namus] Namussuz.

binasip, *F. s.* [Bî-nasib] Nasipsiz, talihsiz. Talihi kapalı.● ‹O sevda-yi binasibe karşı samimi bir merhamet hissettiği için. — Uşaklıgil›.

binâyî, *F. i.* Görürlük. Görme gücü.

binazir, *F. s.* [Bî-nazîr] Benzersiz. Eşsiz.● ‹Müthiş tebessümündeki mânayi binazir. — Fikret».

bincişk, *F. i.* (Zoo.) Serçe kuşu.

binefsihî, *A. zf.* [Bî-nefs-hi] 1. Kendisi, kendi. 2. Fransızcadan *par lui-même* karşılığı (XX. yy.).● *Asaba binefsihi,* miras bırakan kimse ile arasına kadın karışmadan erkek kolundan gelen ikinci dereceden erkek mirasçılar.● ‹Binefsihi at sürüp cenge tahriz edip gayret verdirdi. — Naima›.● ‹(Valide sultan) Bu makule hayra binefsiha takayyüt edip huddam tamahkârlarına itimat etmez idi. — Naima›.

binemek, *F. s.* [Bî-nemek] Tuzsuz, tatsız, lezzetsiz.● ‹Bu binemek muamelenin kâinat ile — Bir lokma nan değil mi meal-i mahasalı. — Ragıp Pş.›.

binmekân, *F. ç. s.* Tatsız (şeyler).● ‹Olduk girifte binemekán-i kenardan — İstanbul'un gözümde uçar mahruları. — Nabi›.

binende, *F. s.* Gören, görücü.● ‹Dânende-i her müşkil-i serbeste-i icat — Binende-i esrar-i hafaya-yi zamair. — Sami».

bineng, *F. s.* [Bî-neng] Utanmaz.

bineva, *F. s.* [Bî-neva] 1. Nasipsiz. 2. Her şeyden yoksun.● ‹Dünyayı bir sefaya veren rind-i bineva — Kemter meta-i zevkini dünyaya vermemiş. — Cevri›.

binevayan, *F. i.* [Bineva ç.] Nasipsizler. Hiçbir şeyleri olmayanlar. Sıkıntıda olanlar.● ‹Her ne kadar fukara-yi sıbyan ve binevayan-i gılman niyazmend-i hitan olurlarsa. — Raşit›.

bini, *F. i.* Burun.● ‹On yerde yakıp micmere-i anber ü udu — Pür oldu meşam-i meh ü bini-i Süreyya. — Nabi›.

-binî, *F. i.* Görücülük, görürlük.● *Âkıbetbini,* sonu görürlük.

binihaye, binihayet, *F. s.* [Bî-nihaye] Nihayetsiz, sonsuz. Pek çok.● ‹Binihaye nüfus hiçe satıldıktan sonra. — Raşit›.

binîş, *F. s.* Görüş, uyanıklık● ‹Rişet-i bînişi şakul-i bina-yi âlem. — Nabi».

binişan, *F. s.* [Bî-nişan] Nişansız, izsiz.● ‹Fâş oldu kim sırr-i Hak nihandır — Âlemde nişan binişandır. — Fuzuli›.

biniyaz, *F. s.* [Bî-niyaz] Niyazsız olan, müstağni, gözü tok.

binnefs, *A. zf.* Kendinden. Kendisi.

binnisbe, *A. zf.* [Bi-n-nisbe] 1. Nisbetle. 2. Bir dereceye kadar.● ‹O, otuz yaşına kadar binnisbe masum bir hayat geçirmiş idi. — Uşaklıgil›.

bint, *A. i.* Kız.● *Zeyneb binti Ali,* Ali'nin kızı Zeyneb.● *Bint-i ineb, bint-ül-ineb,* üzüm kızı, şarap kızı, şarap.● ‹Meze-i bintiinep ruy-i nigâr olmalıdır. — Duhterin aybını kim setrecek anc gibi. — İzzet Molla›.● ‹Kim iddia edebilir ki ceddemizle hafidemiz aynı bint-i Havva'dır. — Cenap›.

binur, *F. s.* [Bî-nur] Nursuz, uğursuz; ışıksız, görmez.● ‹Cemalin daima yavuz nazardan saklaya Rabbi — Gözün hemçün çerağ-i mürde binur eyle a'danın. — Nedim».

bipayan, *F. s.* [Bî-payan] Payansız, sınırsız. Ucu bucağı olmayan. Sonsuz, tükenmez.◄ ‹Mektep, azîm, bipayan bir bina oluyor. — Uşaklıgil›.

biperde, *F. s.* [Bî-perde] 1. Perdesiz. Yırtık. 2. Arsız, hayâsız.

biperva, *F. s.* [Bî-perva] Pervasız. Korkusuz, aldırış etmez.● ‹Ruz-i mahşerde iki elim giribanındadır deyip biperva nice sözler söyledi. — Naima›.

bir-, *A. e.* [Bi-el-r...] Arapça *rı* harfiyle başlayan eliflâmlı sözcüklerin bi edatiyle birleştiği zamanki şekli olup sözcüğe ‹ile, ederek› anlamı katar.

● birrakabe birric'a
 birrasad birrivaye
 birremz birrücu
 birresm birrükûp
 birrıza birrüus
 birrica birruye

bi'r, biir, *A. i.* (*Hemze* ile) Kuyu. (c. Âbar).● ‹İskemle üzerinde oturup hafr olunan bi're gelen adamları katl ettirip. — Naima›.

bîr, *F. i.* 1. Yıldırım. 2. Döşek, yaygı. 3. Yanak.

birader, *F. i.* Erkek kardş. (Mec.) Dost, arkadaş. (ç. Biraderan) ● ‹Ömr-i birader-i şir-savlet tamam olmuş. — Naima».

biraderane, *F. s. zf.* 1. Kardeşliğe ait. 2. Kardeşçe.● ‹Veya kardeşim olsaydı belki daha biraderane bir surette evrakımı iade etmezdi. — AM».

biraderî, *R. i.* Kardeşlik.● ‹Hmişe ayin-i yegânegî ve biraderî berkarar ola. — Nergisî›.

birah, *F. s.* [Bî-rah] Yolsuz, erkân ve edepten mahrum, dinsiz.● ‹Serkeşler gerdenin nerm etmek için ol birahı taziyanc-i şemşir-i siyaset ile tedip ettiler — Sadettin›.

birahe, *F. i.* Yolunu sapıtmışlık, yoldan çıkmışlık.● ‹Senden gayrı ne kadar pesmande-i birahe-i gavayet ve dalâlet var ise. — Veysi›.

birahm, *F. s.* [Bî-rahm] Acımaz. Kalpsiz.● ‹Ne mümkün iltifat ümmidi ol birahmden Nabi — Tegafül gayetinde naz ü istiğna kemalinde. — Nabi».

Bircis, *A. i.* Müşteri yıldızı (Jüpiter).● ‹Feleğe bais-i rifattır ederse Bircis — Eser-i kilkimi arayiş tak-i Geyvan. — Şinasi›.

birek, *F. s.* [Bi-rek] Damarsız. Huysuz. 2. Arsız. Yüzsüz.

birengi, *F. i.* [Bî-rengi] Renksizlik.● ‹Bakın gözlerindeki birengî-i temaşaya — Fikret›.

birenk, *F. s.* [Bî-renk] Renksiz. Tek renk olan.● ‹Manzur olan o safhada, birenk ü bihudut — Timsal-i hadşeaveridir mevt-i hâilin. — Fikret».

bire'sihi, *A. zf.* [Bi-re's-ihi] Başlı başına. ● ‹Ve bir sâlden bir sâle varınca güftarsenç olduğu âsar bire'sihi bir divan-i müstebab olmak kabildir. — Salim›.

biresm, *A. zf* [Bi-resm] Âdet olduğu gibi, resmî olarak.● ‹Hatem-i Süleymanî Hazine-i âmirede biresm-i vediat mevkuf durup. — Naima».

birey, *F. s.* [Bî-rey] Reysiz, oysuz. Fikrini söylemeyen.

bireyb, *F. s.* [Bî-reyb] Kuşkusuz.

biriya, *F. s.* [Bî-riya] Riyasız, gerçek olan. Sözü düşüncesine uygun olan.● «Mahfice başlayan giderek biriya içer. — Beyatlı».

birke, bürke, *A. i.* Gölcük, büyük havuz.

birr, *A. i.* Dininde, ibadetinde kuvvetli olan. 2. İyilik etme. 3. Bahşiş ve bağışta bulunma. 4. Dince iyi işler işleme.● «Teslim-i kalem-i kitabet ile terbiye ve teşrih ve vişah-i birr ü semah ile tevşih edip. — Okçuzade».

birsam, *A. i. Hallucination* karşılığı (XX. yy.). Sanrı.● «Münkir olanlar maraz-i birsama müptelâ oldular demektir. — Taş.».

birtıl, bertıl, *A. i.* Haksızlığı yürütmek için verilen armağan, rüşvet.● «Avam ve ulemadan nükud ü hedaya ve birtıl ü irtişa tarikiyle cem eylediği emval-i lâyuhsa. — Naima».

biru, *F. s.* [Bî-ru] Arsız, yüzsüz, haylaz.

biruh, *F. s.* [Bî-ruh] Cansız.● «Memleketi biruh çöllere mahsus düzlükten kurtarır. — Cenap».

birun, *F. i.* 1. Dışarı. 2. Aşırı.● *Derun ü birun,* iç ve dış, içerisi dışarısı.● *Perdebirun,* haddi aşıran.● «Her zaviye fayz-i Hakla meşhun — Pürnur-i Huda derun ü bîrun. — Haşim».

biruz, *F. s.* [Bî-ruz] Talihsiz. Yıldızı düşkün.

biruze, *F. i.* Her gün giyilen üstlük.

biruzi, *F. i.* Rızık ve nafakası kesilmiş, geçimi kısılmış olan.

biryan, *F. i.* Kebap. Püryan.● «Niçin özümü ellerine vereyim ta ki beni diri şişe sancıp biryan etsinler. — Naima».

bisabr, *F. s.* [Bî-sabr] Sabarsız. Bekleyemez, dişini sıkamaz.● «Âşık-i bîsabr ü kararın bu mertebede sıkleti — Nergisi».

bisaman, *F. s.* [Bi-sâman] Sermayesiz, parasız.

bisan, *F. s.* Eşsiz, benzeri olmayan.

bisanî, *F. s.* [Bî-sani] İkincisi olmayan. Benzersiz.● «Uzm-i şan ve celâlet-i unvan ile bisani geçinip. — Nabi».

bisat, *A. i. (Sin* ve *tı* ile) Halı, kilim, yaygı, döşeme.● *Bisat-i arz,* yeşillik, çimen;● *bisat-i hâk,* yeryüzü.● *Bisatbusî,* etek öpme.● «Şayan değil mi bir güle pejmürde bir bisat. — Cenap».

bisatbusi, *F. i.* [Bisat-busi] Etek öpme.● «Bisatbusi-i sultan ile... — Naima».

bisaz, *F. s.* [Bî-saz] Gerekli eşyası bulunmayan.

bi'se, *A. ün. (Hemze* ve *sin* ile) Ne fena! Berbat!● *Bi'sel masir,* cehennem;● *benat-i bi'se,* büyük belalar, afetler.● «Habis dahi iç kaleye mevrid-i bi'selmasire vürut eyledi. — Naima».

bisebat, *F. s.* [Bî-sebat] 1. Dönek, durmaz. 2. Sebatsız, dayanık olmayan.● «Tef-i hayatbahş-i afitaba karşı bisebat. — Fikret».

bisebeb, *F. s.* [Bî-sebeb] Sebepsiz. Yok yere.● «Vatan melûf olanlar bisebeb terk-i diyar etmez — Zaruretsiz cihanda kimse gurbet ihtiyar etmez. — Ziya Pş.».

biseher, *F. s.* [Bî-seher] Sabahsız. Günü açılmayan.● «Öyle bigaye, biseher, bihâb. — Daima aynı iltizaz-i şebab. — Fikret».

biser ü bün, *F. s.* [Bî-ser-ü-bün] Saçma sapan. Başı sonu olmayan.● «Zünun-i biser ü bünle beni unutturma. — Cenap».

biser ü pâ, *F. s.* [Bî-ser-ü-pa] Başsız ayaksız, dağınık bir halde.● «Dil-i Füzuli-i aşüftehal ü biser ü pâ. — Fuzuli».

bi'set, *A. i. (Ayın* ve *se* ile) Gönderme. Bir peygamber göndererek halkın dine çağrılması.● *Bi'set-i nebeviye,* Muhammet peygamberin gönderilmesi.● «Cihan uyandı o neşe ile kim haber verdi — Peyam-i bi'setin ervaha müpteda-yi vücut. — Nef'i».

bismi, *A. zf.* [Bi-ism] adıyle.● *Bismillâhi,* Allah adıyle;● *bismihi subhanehu,* Allahın adıyle.

bismil, *A. s.* 1. Boğazlanacak hayvan. 2. Besmele ile kesilecek.● «Feda edeyim sana can ü teni — Kerem kıl koyma nîm bismil beni. — Yahya».

bismilgâh, *F. i.* Kurban boğazlanma yeri.

bismilgeh, *F. s.* [Bismil-geh] Bk.● *Bismilgâh.*● «Çün lâle sıfat yaktı derunum dil-i Şirin — Bismilgehim olsa nola kûhsar-i melâhat. — Nabi».

bismillah, *A. cüm.* «Tanrı adıyle» demektir.● «Bilmeyen şevket-i bismillahı — Anlamaz sırr-i kelâmullahı. — Hakanî».

bismilşude, *F. s.* [Bismil-şüde] Boğazlanmış.

bissuhule, *A. zf.* [Bi-suhule] Kolaylıkla, kolay olarak.● «Nice mahiyat-i hafiyeyi bissuhule istikşaf eyler. — Kemal».

bist, *F. s.* Yirmi.

bister, pister, *F. i.* Döşek.● «Senenin cismi muhtazır gibidir — Şu mesafât-i binihayette, — Bister-ı vâsi-i tabiatte. — Cenap».

bisud, *F. s.* [Bî-sud] Boş. Faydasız.● «Karıştı hâke, ben artık ne söylesem bisud. — Fikret».

bisuzis, *F. s.* [Bî-suziş] Yanıp yakılmaksızın.● «Bisuziş-i dil çeşni-i aşk bilinmez — Sermest-i heva neşever-i ah değildir. — Nailî».

bisükûn, *F. s.* [Bî-sükun] Durmaz. Hareketten kalmaz.● «Dursaydı bir dakikacağız devr-i bisükûn — Fikret».

Bisütun, *F. i.* Ferhat tarafından delinen dağ. 2. (Mec.) Gökyüzü.● *Çetr-i bisûtun,* Gök.● «Çü erdi Bisutun'a serv-i simîn — Bu sengin dağı kıldı bağ-i nesrin. — Şeyhî».

bisyar, *F. s.* Çok.● «Her bir sözü tahallüf-i vaadin güvahıdır. — Eymanı hîn-i va'dede bisyar olanların. — Nabi».

bisyarî, *F. i.* Çokluk.

biş, *F. s.* Fazla, artık. *Kem ü biş,* Eksik ve artık.● «Daima ola hem-sohbet-i rindan-i kadeh nuş — Varın koya meydana eğer bîş ü eğer kem. — Ruhi».

bişaibe, *F. s.* [Bî-şaibe] Lekesiz, eksiksiz, kusursuz; şüphesiz, bilinen, malum olan.● «Bu adamla (...) bişaibe bir muhabbetin, bitekellüf birmünasebetin hâsıl olacağını. — Uşaklıgil».

bişe, *F. i.* Meşelik, sazlık, orman.● «Yine endişe kıldı bişesini — Ele aldı külenk ü tişesini. — Şeyhi».

bişek, *F. s.* [Bî-şek] Kesin olarak. Kuşkusuz.● «Tefekkür eyleyecek refref-i vürudunla — Ümmid-i mes'adetim, ye's-i matemim bişek. — Fikret».

bişezar, *F. i.* Ormanlık.● «Nücum birle felek bişezar-i kadrinde — Pelenk-i sayd-ifikendir hilâl ana çengâl. — Hayalî».

bişikib, *F. s.* [Bî-şikib] Sabırsız olan.● «Çeşm ü dil ü mesami-i huzzarı bişikib edip. — Nabi».

bişerm, *F. s.* [Bî-şerm] Utanmaz.

bişter, *F. s.* [Biş-ter] Daha ziyade.● «Her kimde aşk galip ise kurb-i hazrete — Ol denlû anaddır elem ü dert bîşter».

bişuur, *F. s.* [Bî-şuur] Şuursuz. İdraksiz.● *Bişuurane,* Şuursuzca, düşünmeden.● «Bu gûne himmet ve celâdet müşahedesi muhazil-i müşrikini bişuur ve serhadd-i ümit ve rehadan sad merhale dur etmekle. — Ragıp Pş.».● «Nakş etti bir tehekküm için baht-i bişuur — Tarih-i zulme bir yeni dibace-i gurur. — Fikret».

bişuuran, *F. s.* [Bişuur ç.] Şuursuzlar. İdraksizler.● «Nice bişuuran-i kem-endiş daniş-furuşî ve kârdanlık izharı. — Raşit».

bişübhe, *F. s.* [Bî-şüphe] Kuşkusuz.● «Onu bişübhe bir kadın çalıyor. — Cenap».

bişümar, *F. s.* [Bî-şümar] Sayısız. Pek çok.● «Seyr-i didarında buldu dil füyuz-i bimüşar. — Cenap».

bit-, *A. e.* [Bi-el...] Arapça *te* ve *tı* harfleriyle başlayan eliflamlı kelimelerin *bi* (Bk.) edatiyle birleştiği zamanki şekli olup «ile, ederek» anlamı verir.

● *Bittabi* — *bittamam*
bittadil — *bittasmim*
ittagyir — *bitanzim*
bittahkik — *bittedriç*
bittahrir — *bittemsil*
bittahsis — *bittensip*
bittahvil — *bittenzil*
bittakdim — *bitterazi*
bittakdir — *bittercih*
bittakrip — *bitteslim*
bittaksim — *bittevdi*
bittalep — *bittevfik*

bitâ, *F. s.* [Bî-tâ] Buruşuksuz, buruşuğu olmayan.

bitab, *F. s.* (*Te* ile) [Bî-tab] Gücsüz, kuvvetsiz.● «Cism-i bitâbını bezl etmiş idi. — Fikret».

bitabane, *F. zf.* Bitik bir halde.● «Veznin ceryan-i bitabanesi üzerinden bir seyelân-i marizane ile akıyor. — Uşaklıgil».

bitabî, *F. i.* Takatsızlık, halsizlik.● «Fazla uyku uyumuş gibi simasına bir bitabi-i huzur çöker. — Uşaklıgil».

bitahsis, *A. zf.* [Bi-tahsis] Hususiyle, hele.● «Elçi-i mersumun tarz ü tavrına ve bitahsis nakz-i ahd iddiasına nazaran. — Akif Pş.».

bitâil, *F. s.* (*Te* ile) [Bî-tâil] Boş. İşe yaramaz.● «Ed'iye-i müstecabe-i fukaranın bitail ve hayr-dua ve beddduaları bihasıl idüğün. — Naima».

bitaka, *A. i.* 1. Güvercinle gönderilen mektup. 2. Kumaşlara yapıştırılan yafta.

bitakat, *F. s.* [Bî-takat] Takatı olmayan. güçsüz.● «Sayda bitakat olup kıydı Hayalî cana — Döndü şol haceye kim el ura sermayesine. — Hayalî».

bitakdirillâhi tealâ, «Tanrının takdiriyle» anlamında Arapça cümle.● «Abdürrahim Efendinin bitakdirillâhi tealâ ecel-i müsemması hulul edip. — Raşit».

bitamamiha, bitamamîhi, *A. zf.* [Bitamam-ha] Tamamiyle, bütün, hep.● «Serdar-i nâmdar bitamamihi kelâmların istima ettikten sonra. — Naima».

bitane, *A. i.* Bk.● *Bıtane.*

bitaraf, *F. s.* (*Te* ile) [Bî-taraf] Tarafsız, taraf tutmayan. İki taraftan da olmayan.● «Bitaraf erbab-i tefekkürün gösterdiği çarelere bakalım. — Cenap».

bitarik, *A. zf.* [Bî-tarik] Yoluyla.● *Bitarik-il-evlâ,* haydi haydi, «afortiori» karşılığı;● *bitarik-it-tecrit,* tecrit (soyutlama) yoluyla,● *bitarik-it-temsil,* (benzetme yolu ile) Fransızca «par analogie» karşılığı. (XX. yy.).

biteayyün, *F. s.* (*Te* ile) [Bî-teayyün] Adı sanı belirsiz.

bitedbir, *F. s.* [Bî-tedbir] Tedbirsiz, tedbirde kusur eden.● «Vezir-i bitedbirden serhat umurunda vaki olan taksiri sebebi ile. — Naima».

bitekellüf, *F. s.* [Bî-tekellüf] Teklifsiz, lâübali, içten.● «Artık tamamen bitekellüf idi. — Uşaklıgil».

bitıbkıhi, *A. zf.* [Bî-tıbkıhi] Tıpkısı, aynı olarak.

bittab', *A. zf.* (*Tı* ve *ayın* ile) [Bî-t-tab'] Tabiaten. Aslında. Sonradan olma değil.

bittabiî, *A. zf.* Tabiî olarak.

bittahkik, *A. zf.* [Bi-t-tahkik] Tahkik ile, araştırarak, tahkik ederek.● «Muharrik-i tecessüs mesaili bittahkik. — Cenap».

bittav, *A. zf.* (*Tı* ile) [Bi-t-tav'] İstek ile.● «Vezaretten bittav' i'raz ve hemen ziy-i kadimîyle kalmak üzre iltimas edip. — Naima».

bittemam, *A. zf.* Tamamıyle. Eksiksiz.● «Vezirden havf ettikleri ecilden emvali mukarrerelerin bittemam eda. — Naima».

bivakt, *F. s.* [Bi-vakt] Vakitsiz.● «Hareket-i asker her zaman vakt-i muayyende olup böyle bivakt hareket asîr. — Naima».

bivare, *F. s.* Yabancı olan.

bivaye, *F. s.* Kimsesiz, koruyucusu olmayan; nasipsiz.● «Fer almışken tulû-i Kibriya'dan — Bugün bivaye kalmış her ziyaden. — Beyatlı».

bive, *F. s.* Dul.● «Ey köhne Bizans, ey koca fertut-i müsahhir — Ey bin kocadan artakalan bive-i bakir. — Fikret».

bivech, *F. s.* [Bi-vech] Sebepsiz.● «Kenduye bivech 'tekaütlük ihsan olundu. — Raşit».

bivefa *F. s.* [Bî-vefa] Vefasız. Dönek. Sözünde, sevgisinde durmayan.● «Biz çocuktur. Seni defn eylediler — Bivefa kumlara, bikayd eller. — Fikret».

bivefayi, *F. s.* [Bî-vefa-i] Vefasızlık.

biver, *F. s.* 1. On bin. 2. (Mec.) Sayısız.● «Biver-i gamdan felek ârâm versin şahid-i nazmın — Beliğ-i zârdan matlub ise tekmil-i namusu. — Beliğ».

bivukuf, *F. s.* [Bî-vukuf] 1. Durmayan. 2. Bilmez, cahil.● «Fenn-i istîfadan bihaber Hafız Mahmudi demekle maruf şahs-i bivukufu defterdar etmekle. — Naima».● «Her cümle merkezinde eder seyr-i bivukuf. — Ziya Pş.».

bivücud, *F. i.* [Bî-vücud] Vücutsuz.● «Ol ne mürg-i hoş-nefes kim bivücud — Her yered pervaz eder bilmez hudud. — Ziya Pş.».

biz-, *A. e.* [Bi-el-z...] Arapça *zel, ze, dad* harfleriyle lâmelifli sözcüklerin *bi* (Bk.) edatiyle birleştiği zamanki hali olup sözcüğü -e, -ile haline koyar.● *Bizzat,* kendi kendisi;● *bizzecr,* zorla;● *bizziyare,* ziyaretle;● *bizzikir,* zikrederek; söyleyerek tekrar ederek.

-biz, *F. s.* «Eyleyen, tarayan, bitiren» anlamlarıyle sözcüğe katılır.● *Fitnebiz,* dalavera yapan;● *gülbiz,* gül yetiştiren.

bizad, *F. s.* [Bî-zad] Azıksız. Zahiresiz.● «Ve toplar çeken camusların bizad ü alef ekseri telef olup. — Raşit».

bizar, *F. s.* Bıkmış, usanmış. Küsmüş.● «Oldursan eğer bu hale bizar — Bir sihr ile halin eylerim zâr. — Ş. Galip».

bizarî, *F. i.* Bezginlik, küskünlük.

bizatihi, *A. zf.* [Bi-zat-hi] 1. Kendiliğinden.● *Müteharrik bizatihi,* kendi işler, otomatik. Fransızcadan *par lui-même* ve *en soi* karşılığı (XX. yy.).

bizeban, *F. s.* [Bî-zeban] Dilsiz. (ç. Bizebanan).● «O daima yanan, asude, bizeban çölde. — Cenap».

bizeval, *F. s.* [Bî-zeval] Zevalsiz. Sonsuz.

bizer, *F. s.* Pinti. Cimri.

biziya, *F.. s.* [Bî-ziya] Işıksız. Karanlık.● «Tenha bıraktığım oda bihiss-i merhamet — Hâmuş ü biziya bakıyor ıstırabıma. — Cenap».

bizzarur, bizzarure, *A. zf.* [Bî-z-zarure] İster istemez.● «Tahrik-i fitne ve şikak etmeye başlamış bizzarure diyar-i ahara nefyolunması iktiza etmiştir deyu. — Raşit».

bizzat, *A. zf.* [Bi-z-zat] Kendisi, kendi. ●*Hasıl bizzat,* Fransızcadan *spontané* karşılığı (XX. yy.).● «Uyur gehvare-i sinemde bizzat — Uyur sevda, o hırçın tıfl-i bidar. — Fikret».

Bosnavî, *A. s. i.* Bosna'lı. Boşnak.● «Altı parmak Bosnavî İbrahim Çelebi ki. — Naima».

bostanciyan, bostaniyan, *i.* Eski saray kuruluşunda padişah saraylarının korunması ile görevli olan bostancılar.● «Ferman padişahımındır deyu bir bölük bostanciyan-i bieman seğirtip. — Naima».● «Bostancıbaşı Doçe bir güruh bostaniyan-i pür-şüküh ile Helvacıbaşıyı gönderdi. — Naima».

bû, buy, *F. i.* 1. Koku. 2. (Mec.) Umut.● *Buy-i vefa,* vefa umudu.● «Her kim ki arar bû-yi vefa tab-i beşerde — Benzer ana kim devlet umar zıll-i Hüma'dan. — Ziya Pş.».

bu, *A. i.* [Ebu hafifi] Baba.● *Bu Ali Sina.* ● *Bu Turab,* halife Ali.● «Hâksâr olanlara daima olursun destgîr — Anınçin namın olmuştur Bu Turab. — Ruhi».

bûd, *F. i.* Varlık.● *Bud ü nebud,* var yok. Varlık ve yokluk.● «Çobanın haline haset ki odur — Farığ-i în ü ân ü bud ü nebud. — Recaizade».

bu'd, buud, *A. i.* (*Ayın* ile) 1. Uzaklık. 2. Aralık. 3. (Geo.) Boyut.● *Bu'd-i kutub,* (Ast.) kutup uzaklığı.● *Bu'd-i müzevva,* var sayılan, uzay;● *- müzevva,* (Ast.) açı uzaklığı.● «Vüs'at-i eyvanının serhaddi hadd-i lâmekân. — Nef'i».

budala, büdalâ, *A. ç. i.* 1. Abdal. Derviş. 2. Aptal. Budala. Bön.● «Zahirde görüp bizleri sanma ukalayız — Biz bir sürü âkıl sıfatında budalayız. — Ziya Pş.».

bugas, *A. i.* Çaylak kuşu.

bugat, *A. i.* [Ba gi ç.] Âsiler, başkaldıranlar.● «Bir miktar guzat pusuda olan bugat üzerine uğrarlar. — Peçoylu».

bugaza, *A. s.* [Bagîz ç.] Aşırı nefret edenler, sevmeyenler. kinciler.

buğz, *A. i.* Sevmeme. Gizli, yürekte düşmanlık duyma.● «Cem-i mal cihat-i makbuleden dahi olursa da sahibine bugz ü haset etmek hevam-i avamın mukteza-i tabiatıdır. — Naima».

buh, *A. i.* (*He* ile) Baykuş, puhu kuşu.

buhalâ, *A. i.* [Bahil ç.] Pintiler, cimriler.

buhar, *A. i.* 1. Buğu. 2. Öfke.● «Aralarından biri meğer ziyade gazub ve buhar-i tehevvür başına çıkmış cesur imiş. — Naima».● «Bir yandan camları örten buhar-i berrakın. — Fikret».

buhayre, *A. i.* Göl.● «Nalende bir sürud ile bir yâd-i pür-hazen — Bazan olur buhayre-i kalbimde mevczen. — Fikret».

buhe, *A. i.* Dişi baykuş.

buhl, *A. i.* Pintilik. Cimrilik.● «Tabiat-i kerem ü buhl ü siklet ü hiffet. — Ziya Pş.».

buhran, *A. i.* 1. Hastalığın en ağır vakti. 2. Nöbet. 3. (Mec.) Bir işin tehlikeli, karışık bir hal alması. Bunalım.● *Buhran-i ceyyid,*● *- kâmil,*● *- mahmut,* hastalığın iyiliğe döneceğini gösteren nöbet,● *- red'* hastalığın fenalaşma nöbeti;● *- vilkelâ,* kabine buhranı.● «Huruş içredir hâlâ cihanın hal-i buhranı. — Ziya Pş.».

buht, buhtî, *A. i.* Çift hörgüçlü deve.● «Göç oldu açıldı bargehler — Buhtilere mehd çekti mchter. — Fuzuli».● «Köse Sefer Paşa istikbal edip raht ü buht ve devabın peşkeş çekti. — Naima».

buhur, *A. i.* [Bahr ç.] 1. Denizler. 2. Nazım bahirleri.● «Buhur ve kavafi nedir bilmeden. — Lâtifi».

buhur, behur, *A. i.* Kokulu tütsüler.

buhurdan, *F. i.* İçine kokulu ağaç parçaları konulup yakılan kap.● «Ölüm âsude bahar ülkesidir bir rinde — Gönlü her yerde, buhurdan gibi, yıllarca tüter. — Beyatlı».

buk, *A. i.* 1. Boru, düdük. 2. Boş, yalan söz. 3. Sır saklamaz adam.● «Dembedem surah-i buk-i dimağlarına ilka-i heva-yi dad ü sited olunduğunu hissetmeleriyle. — Şefikname».

buka, *A. i.* Şiddetli yağmur.

buka', Bk.● *Bika.*

buk'a, *A. i.* 1. Arz parçası, ülke. 2. Büyük yapı. 3. Leke, benek.● «Buk'a buk'a kıldı tayy mamure-i mahsureyi — Aldı feyz-i feth-i mil için dua-yi farz-i âmm. — Fuzuli».

bukal, *A. i.* Kulpsuz kap. Bokali, potkal.

bukalmun, *A. i.* 1. Bukalemun. 2. (Mec.) Dönek adam.● «Çemenistan-i zi-rengi-i bukalemun ile. — Nergisi».• «Üzerlerine rengârenk güneşlerin enkaz-i bukalemunu dökülerek. — Uşaklıgil».

Bukrat, *A. i.* Meşhur eski Yunan hekimi Hipokratis.• «Cünbiş-i nabz-i dil-i âşıkı bilmez Bukrat. — Beliğ».

bukul, *A. i.* [Baklâ ç.] Yeşillikler. Otlar.

bukur, *A. i.* [Bakar ç] Bakarlar, sığırlar, öküzler.

bûm, *A. i.* Baykuş.• «Bum âr eyler iken konmağa viranemize — Ol Hüma hiç ola mı saye sala hanemize. — Nailî».• «Bir sefa-hane-i pür-fer ü tâb — Olmuş âramzâr-i bûm ü gürab. — Fikret».

bum, *F. i.* Memleket, ülke.• «Bûm-veş meşumsun her bume sen. — Lâmii».

bur, *A. i.* 1. Dünya ve ahirete yaramaz adam. 2. Ekime yaramaz tarla.

bur, *F. i.* Sülün kuşu.

bur, *F. s.* 1. Fıstıkî renk. 2. Kızıla çalan at.

Burak, *A. i.* Muhammet peygamberin Miraç'ta bindiği binek. Cennetin olağanüstü bineği.• «Evsaf-i Burak-i fahr-i âlem. — Rahşiye-i Nef'i andan akdem. — Ş. Galip».

burc, bürc, *A. i.* 1. Kale çıkıntısı, tabya. 2. Tek hisar, kule. 3. (Ast.) Güneş dönencesinin bölündüğü on iki parçadan her biri.• *Burc-i mahî,* Balık (Hut) Burcu.• «Asaf-i akdem ü a'lem şeref-i burc-i alâ. — Nabi».• «Bir kalc-i ser der-felek olup kat ender kat burçları ve yanların korur bâruları. — Naima».

bure, *F. i.* Natron denilen maden.• «Pute-i pulad-güdaz-i duzaha isar-i bure-i şure-i gazap kıldıkta. — Veysi».

burka', bürka, *A. i.* 1. Kadınların yüzörtüsü, peçe, tül. 2. Mekke'de Kâbe örtüsü. 3. Yedinci kat felek.• *Burkafiken,* peçe-açıcı. (ç. Beraki').• «Temaşa eyle rû-yi dilrübayı zir-i burka'da. — Beliğ».• «Bir âftab-ruhün bürka-i cema'li gibi — Hafif bir sise hep kâinat müstağrak. — Fikret».

buruc, *A. i.* [Burc ç.] 1. Burçlar.• *Buruc-i isna aşer* (Güneş dönencesinin) on iki burcu.• *Zat-ül-buruc,* gökyüzü. 2. Tek hisarlar, kuleler.• «Kavala kalesine varıp derun-i burcuna suud ve uruc buyurup. — Raşit».• «Turra-i tâk ü revakı hemesr-i zatülburuc — Saye-i sakfi bülendi hâbgâh-i ahteran. — Nef'i».

buriya, *F. i.* Hasır• *Buriyabaf,* hasır örücü.• «Buriyayı ko da sofi şu küçük mindere geç. — Vâsıf».

buriyanişin, *F. s.* [Buriya-nişin] Hasırda oturan, fakir.• «Ben ol hâce-i şehirbend-i ihsanım ki buriyanişin-i külbe-i iflâs olan gedayan. — Veysi».

bus, *F. i.* Öpme.• «Tahassürle haris-i bus-i dâman olduğum demler. — Recaizade».

-bus, *F. s.* Öpen.• *Bisatbus,*• *damenbus,*• *destbus,*• *pâbus,*• *paybus,*• *zeminbus.* Bk

buse, *F. i.* 1. Öpme. 2. (Tas.) Dünya zevki veya Tanrı sevgisinden yürekte doğan sevinç.• «Leb-i tabiatle bir buse-i hafi sürünür. — Fikret».

busecâ, *F. s.* [Buşe-ca] Öpücük toplayan.• «Hak-i pâk-i astani buse-câ-yi ins ü can. — Nef'i».

buseçin, *F. s.* [Buse-çin] Öpücük toplayan.

busedade, *F. s.* [Buse-dade] Öpücük verici.• «Dilber esir-i bade olursa acep midir — Mestane busedade olursa acep midir. — Nabi».

busegâh, busegeh, *F. i.* [Buse-gâh] Öpülecek yer.• «Olunca busegeh-i payı dâmen-i Arafat. — Nabi».

busende, *F. s.* Öpücü, öpen.

busî, *F. i.* Öpme, öpmeklik.• *Damenbusî,* etekleme, etek öpme;• *destbusî,* el öpme.

buside, *F. s.* Öpülmüş.

busir, *A. i.* (*Sat* ile) Sığır kuyruğu bitkisi. ··

busiş, *F. s.* Öpüş.• «Şimdi bir mevc-i buşiş-i nağamat. — Fikret».

bustan, busitan, *F. i.* Bahçe, çiçek bahçesi.• «Zemistan geldi hükm-i zemherir erdi cihan üzre — Felek ak câmeler kesti sevad-i bustan üzre. — Ziya Pş.».

but', *A. i.* Yavaşlık. Hareketin ağırlığı. (ç. Butu').• «Ve âdet-i tabiîleri olan butu' ve teemmül ile çıkmak ve çıkmamak hususunda tereddüt üzre iken. — Naima».

bute, *F. i.* (*Te* ile) Pota. Kuyumcu kalıbı.• «Yok yere etme tehi hemyanın — Buteye koyup eritme canın. — Nabi».

buteyn, *A. i.* (*Tı* ile) (Ana.) Karıncık.

butimar, *F. i.* Sorguçlu balıkçıl.• «Badehu iki butimar görüp. — Naima».

butlan, *A. i.* 1. Haksızlık. Boş olma. 2. Hükümsüz olma.• *Hatt-i butlan,* bir yazıya hükümsüzlüğünü göstermek için çekilen çizgi.• «Nakz-i ahd lakırdısı ise bilkülliye bâhir-ül-butlan olduğundan gayrı. — Akif Pş.».

butnan, *A. i. ç.* İç taraflar.

butulet, *A. i.* (*Tı* ile) Cesaret, yiğitlik.

butun, *A. i.* (*Tı* ile) [Batn ç.] 1. Her şeyin içyüzleri. 2. Kuşaklar, nesiller.• «Perde endaz-i hafaya-yi butun — Ruşena saz-i habaya-yi fünun. — Şeyhi». • «Butun-i salifenin bize terkettiği. — Cenap».

buule, *A. i.* (*Ayın* ile) Kadın eş.• «Sen dahi biraderim ve buule-i melûle hâherim olup. — Nergisi».

buulet, *A. i.* (Kadın veya erkek) Eşlik.

buy, bu, Bk.• *Bû.*

buyâ, *F. s.* Güzel kokulu.• «Gülbün-i bağ-i musavvir-i gül bûyâ vermez. — Ragıp Pş.».• «Dağlardaki mazalla-i bûyadaki ahûvan. — Cenap».

buyaver, *F. s.* [Bûy-âver] Koku ulaştıran, koku ulaştırıcı.• «Gül-i sadberk-i cemalinden olup buyaver — Eyledin meclisimiz bag-ı cinan hoş geldin. — Naima».

buyce, *F. i.* Sarmaşık otu.

buydar, *F. s.* [Bûy-dar] Kokulu. Güzel kokusu olan.

bücdet, *A. i.* Bilgi.• «Girip birliğe kudret ü bücdettin — Nizam üzre icra eder âdetin. — Recaizade».

büdalâ, *A. i. ç.* Bk.• *Budala.*

büdur, *A. i.* [Bedir ç.] Ayın on dörtleri. • «Ashab-i zellât için mücum ve büdur iken. — Taş.».

bühr, *A. i.* Soluğan illeti. Astıma.

bühre, *A. i.* 1. Geniş yer, çayırlık. Sazlık. 2. Kesik soluma.

bühtan, *A. i.* Birine yalandan bir şey kondurma, iftira.• «Şiir değil; diye bühtan ederdi bermutad — Hayal ü his ile mâli güzide bir gazele. — Fikret».

bükâ, *A. i.* Ağlama.• «Bana bir cuşiş-i bükâ getirir. — Fikret».

bükâalûd, *F. s.* [Bükâ-alûd] Ağlamaklı.

bükâengiz, *F. s.* [Bükâ-engiz] Ağlatıcı. • «En bükâengizidir eş'ardan müstahzarım. — Recaizade».

bükât, *A. i.* [Bâki ç.] Ağlayanlar. Ağlayıcılar.• «Destinle uzattın şu harabat-i bukâta — Bir câm-i şefakreng-i tebessüm. — Cenap».

bükm, *A. s.* [Ebkem ç.] Dilsizler.

bükre, *A. i.* Sabah vakti.

bül'aceb, *A. s.* Şaşılacak, garip.• «On arşın yerden sıçrayıp bül'acep ki âzası şikeste olmadı. — Naima».

bükâlet, *A. i.* Nem. Nemlilik.

bülbül, *F. i.* Bülbül.• *Çeşm-i bülbül* çok ince kristal;• *bülbül-i şeyda,* çılgın bülbül. (ç. Belâbil).• «Germ edip dairesin mihr-i cihantapta gül — Her seher bülbül-i şurideye bir kâr okutur. — Nailî».• «Ne bülbül fark eder gûşum, ne elhan. — Fikret».

bülbülân, *F. i.* [Bülbül ç.] Bülbüller.• «Meşgufane nagme-nevaz-i tehlilât olan bülbülân-i taze elhan gibi. — Recaizade».

bülbüle, *F. i.* Emzikli su kabı.• «Şevkın şarabından ki bülbüle-gerdan-i muhabbet ve gulguleendaz-i meveddeti. — Sinan Pş.».

bülbüli, *F. i.* Şarap kadehi.

büldan, *A. i.* [Beled ç.] Şehirler.• «İmaret kıldı ikdamı nice emsar ü büldanı. — Ziya Pş.».

bülega, *A. i.* [Beliğ ç.] Beliğ kimseler.• «Örfi-i Rum idiğim cümle ederler teslim — Görseler ger bu kasidem bülega-yi A'cam. — Nef'i».

bülagapesend, *F. s.* [Bülega-pesend] Belig söz söyleyenlerin beğeneceği.• «Esca-i bülegapesend-i mustahsen-ül-medlûlün. — Nergisi».

büleha, *A. i. ç.* Eblehler, ahmaklar.• «İhanet-i teşni-i süfehadan ve zillet-i itiraz-i bülehadan ki. — Fuzuli».

bülend, *F. s.* Yüce, yüksek.• *Bülendahter,* yüce talihli;• *bülendavaz,* haykırma;• *bülendpâye,* yüce rütbeli;• *bülendpervaz,* yücelerde uçar, gözü yükseklerde; • *bülendhimmet,* iyi çalışır;• *serbülend,* övünür.• «Her kim kenduyi dostlarından mütefevvik tutup bülend-pervaz-i evc-i kibr u naz ola. — Nergisi».• «Bülend-nasiye siyma-yi zivekar-i deha. — Fikret».

bülendî, *F. i.* Yücelik.

bülfodul, *A. s.* (*Dat* ile) 1. Boşboğaz. 2. Gücünün üstünde işlere karışan.• «Kıllet-i bıdaa ile bu kâr-i hatir ikdamına bülfodulluk edip. — Naima».

bülfodulâne, bülfuzulâne, *F. zf.* Boşboğazlıkla, gücünün üstünde işlere karışır yolda.• «Şöyle tenbih eyledik, dahi şöyle etsektir deyu bülfodulâne meclis-ârâlığa meşgul iken. — Naima».

bülgâme, *F. s.* Çok istekli.

bülgat, *A. i.* Geçinmeye yetecek kadar

şey.● ‹Kûşe-i vahdette tuşe-yi bülgat ile kani. — Okçuzade›.

bülheves, *A. s.* Maymun iştahlı. (ç. Bülhevesan).● ‹Ey nefs-i bülheves hazerin yok mudur senin — Yoksa neticeden haberin yok mudur senin. — Ramiz›.● ‹Şeyhülislâm Sun'izade Esseyit Mehmet Efendi bülhevasan-i mahadimden olup. — Raşit›.

bülhevesane, *F. zf.* Maymun iştahlılara yakışır yolda.● ‹Miyah-i câriyesinde asabiyét-i bülhevesane vardır. — Cenap›.

büluğ *A. i.* Erginlik.● ‹Padişahımız sinn-i büluğa vardıkta her nice bilirse etsin. — Naima».

bül'um, *A. i.* Gırtlak.

bün, *F. i.* 1. Dip, temel. 2. Alt taraf, aşağı. 3. Kök, kütük. 4. Ağaç.● *Bîser ü bün,* başsız kıçsız (anlamsız); ● *gülbün,* gül ağacı.● ‹İllâ bün-i çehte bir resen var — Cinnîler ona değil haberdar. — Ş. Galip›.

bün, *A. i.* Kahve, kahve ağacı.

bünduk, *A. i.* 1. Fındık. 2. (Küçük) kurşun tanesi. (ç. Benadık).● ‹Sâid-i nekbetmesanidini dane-i bünduk ile şikest eyledi. — Nergisi›.

bünüvvet, *A. i.* [İbn'den] Oğulluk, evlâtlık.● ‹Mehmet Paşa ile ülfet ve muhabbet edip beyinlerinde übüvvet ve bünüvvet akdi sebk edip. — Naima›.

bünyad, *F. i.* Temel, esas.● ‹Edeli seyl-i hücumun hane-i zühdü harap — Tövbenin bünyadını hâtırda muhkem bulmadım. — Nef'i›.

bünyadfiken, *F. s.* Temel atan, temel atıcı.● ‹Oldu mimar-i hüner şahid-i endişem için — Böyle bir hane-i ayineye bünyad-fiken. — Nedim».

bünyan, *A. i.* 1. Yapı, bina. 2. Bir şeyin yapısı.● ‹Tesis olunurken daha bir dest-i hıyanet — Bunyanına katmış gibi zehrabe-i lânet. — Fikret›.

bünye, *A. i.* 1. Bir şeyin yapısı. 2. Vücut yapısı.● *Bünye-i dahiliye,* (Bot.) iç yapı;● - *içtimaiye,* sosyal yapı;● - *sünaiye,* (Bot.) ikinci yapı.● *Kaviy-ül-bünye,* vücudunun yapısı kuvvetli;● *zaif-ül-bünye,* vücut yapısı zayıf.● ‹Kâh-i ikbale esas olmaz inanma bulmaz — Bünye-i künbed-i berdab-i hayat istihkâm. — Nabi›.

bür', ber', *A. i.* Hasta iyiliğe yüz tutma. İyileşme.● *Bür-üs-saa,* çabuk iyileşme.● ‹Dâru-yi bür-üs-saa-i teşrifleriyle. — Nabi›.

bürc, burc, Bk. *Burc.*

büraye, *A. i.* Ağaç kırıntısı. Yonga.● ‹Ahadis-i resul yazdığı aklâmının bürayesi. — Taş.›.

bürcüme, *A. i.* Parmak boğumu.

bürdbâr, *F. s.* Dayanıklı. Katlanıcı (kimse).

bürd, *A. i.* Çubuklu (yollu) kumaş.

bürdbari, *F. i.* Sabretme, dayanma.

bürde, *A. i.* Arapların üstten giydikleri üstlük. Hırka.● *Kaside-i Bürde,* Kâab bin Zehir'in Muhammet peygamber önünde okuduğu bir kasideye karşı sırtından çıkardığı hırkayı ona giydirmesiyle ün salmış bir kasidenin adı.● ‹Zaviye-i Geyikli Baba'ya puşide olmaya salih burde-i sof-i ganem iken. — Şefikname».

bürehne, berehne, *F. s.* 1. Çıplak, açık. 2. Yalın.● *Bürehnepâ,* yalınayak;● *bürehneser,* başı kabak;● *Bürehne ten-(nan),* çıplak (lar).● ‹Bürehne sine vü sâid bürehne sak ü serin. — Bürehne sertâpa. — Fikret›.● ‹Tertib-i mühimmat-i bürehnetenan. — Nergisi›.

bürehnegi, *F. i.* Çıplaklık.

bürgus, *A. i.* (Se ile) Pire.

bürhan, *A. i.* Kanıt. Hüccet. Delil.● ‹Hakkı bâtıldan tefrik, sahihi fâsıtten temyi zeden delil.› (Man.) Öncül, kesin bilgilerden meydana gelmiş tasım.● *Bürhan-i innî,* indüksiyon,● - *limmî* dedüksiyon.● ‹Tuttu beni ol söz ile yâran — Dâvaya gerek gel imdi bürhan. — Ş. Galip›.

bürhanî, *A. s.* Kanıt ve delille ilgili.

bürhe, berhe, *A. zf.* Müddet, uzun zaman.● *Bürheten min-ez-zaman,* bir hayli zaman;● *ba'de bürhetin,* bir hayli zamandan sonra.● ‹Çün Merre sadr-i vezarette bürheten minezzaman mutasarrıf ve kâmran oldu. — Naima».

büride, *F. s.* Kesilmiş.● *Büride ser, ser büride,* başı kesilmiş.● ‹Mazlumen öldü şah-i şehidan büride ser. — Ziya Pş.›.

bürka', *A. i.* Bk. *Burka'.*

bürkân, *A. i.* [Volkan'dan] Yanardağ, volkan.● ‹Bürkân-i güher-feşanım oldun. — Recaizade›.

bürkâni, bürkâniyye, *A. s.* Volkanla ilgili. Volkan gibi.● ‹Lâkin maraz derin bir seyale-i bürkâniye hiyanet-i muhtefiyesiyle kaynamakta berdevam. — Uşaklıgil›.

bürke, *A. i.* Bk. *Birke.*

bürke, *A. i.* Martı kuşu.

bürnus, *A. i.* Bornoz, Arap maşlahı (ç. Beranis).● ‹Başını cüssesiyle bürnusu içine sarıp. — Naima›.

bürran, *F. s.* Keskin.● ‹Kanlar dökülür hancer-i bürranın ucundan. — Fazlı».

bürsün, *A. i.* Yırtıcı hayvan pençesi.

bürudet, *A. i.* Soğukluk.● ‹Titrerdi civarındaki, pişindeki eşya — Nutkundan uçan zehr-i bürudetle. — Fikret›.

büruk, *A. i.* (Kaf ile) [Berk ç.] Şimşekler.● ‹Ol gün ziyade büruk ve savaık olup İstanbul'da emakin-i müteaddideye saika inip. — Naima›.

bürut, *A. i.* Bıyık.● *Bürut ve riş,* bıyık ve sakal.● ‹Enamil-i hayret ile tahrik-i bürut ve rîş eyleyerek. — Naima›.

bürüz, *A. i.* **1.** Meydana çıkma. **2.** Açığa vurma.● ‹Ruz beruz cilvenüma-yi mınassa-i bürüz olan âsar ve ahvallerin. — Raşit›.

büstan, bustan, *A. i.* Bostan.● ‹Sahn-i büstan oldu gûya çarsu-yi zergeran. — Baki».

büsur, *A. i.* (Se ile) [Besr ç.] **1.** Sivilceler. **2.** Ufak çıbanlar.● *Büsur-i balgamiye,● - demeviye.●* ‹Hüseyin Ağa ki illet-i basura ve evram ü büsura müptelâ zayıf ve nahif adam olup. — Naima›.

büşra, *A. i.* **1.** Müjde. **2.** İncil.● ‹İsabet-i mesaib ve izafet-i nevaib-i ibadullaha büşradır ki bade üsrün yüsradır. — Lâmii›.

büt, *F. i.* **1.** Put. **2.** (Mec.) Güzel, genç (ç. Bütan).● ‹Ma'şuk idin ey büt-i vefadar — Âşıklığını hem etti izhar. — Fuzuli›.● ‹Nice asude olsun Cevri-i âvare âlemde — Muhabbet afet ü dil âfet ü hüsn-i bütan âfet. — Cevri›.

bütan, *F. ç. i.* [Büt-an] **1.** Putlar. **2.** (Mec.) Güzeller.● ‹Olurdu hasret-i hab-i humarı nahvet-i naz — Bütan-i âlem-i hüsnün nigah-i tannazı. — Nailî».

bütane, *F. zf.* [Büt-ane] Güzellere, gençlere yakışırcasına.● ‹Bütane cilvelerin yıktı deyr-i canımızı — Şirar-i şem-i rühun yaktı hanümanımızı. — Nailî›.

Büthal, Büthale, *F. i.* Ünlü bir tapınak.

büthane, *F. i.* Tapınak.● ‹Mescid ü meyhanede Kâbe'de büthane — Hanede viranede çağırırım dost dost. — Niyazi›.

bütkede, *F. i.* Tapınak.● ‹Beytinin her biri bir bütkededir kim yaraşır — Olsa seng-i dil-i hubandan ana ferş-i ruham. — Nef'i›.

bütperest, *F. i. s.* [Büt-prest] Puta tapan.● ‹Zencir takıp bu bütpereste — Abdiyete çek şikeste beste. — Ş. Galip›.

bütperestî, *F. i.* Putperestlik.

bütşiken, *F. s.* [Büt-şiken] Put kırıcı.

büttıraş, *F. i.* [Büt-tıraş] Put oyan, put yapan.

büus, *A. i.* Sıkıntı.● ‹Ol ruz bazar-i büus ü mihnette. — Şefikname».

büyeyz, *A. i.* (Bio.) Yumurtacık.

büyu', *A. i.* [Bey ç.] Satışlar.● *Kitab-ül -büyu',* Mecelle'nin birinci kitabı, konusu alım ve satımdır.● ‹Ukud-i büyu-i faside gibi fesh ettiği ecilden. — Hümayunname›.

büyut, *A. i.* [Beyt ç.] Evler.● ‹Yaptığı ebyat ile yıktığı büyutun vezni mizan-i ahirette malum olacağından. — Akif Pş.›.

büyuz, *A. i.* [Beyza ç.] Yumurtalar.

büz, *F. i.* Keçi● ‹Hem eder ta'ne hem olur ser cünban — Düşmana har mı desem ya büz-i Ahfeş mi desem. — Münif›.

büzak, *A. i.* Tükrük, salya.● ‹İbrişim sandıkları büzak-i ankebutî olduğu zâhir olmakla. — Şefikname›.

büzgale, *F. i.* Oğlak.● *Büzgale-i felek,* Oğlak burcu.

büzur, *A. i.* [Bezr ç.] Tohumlar. (ç. Büzürat).● *Buzurat-i mütaharrike,* (Bot.) Zoospor.

büzürg, *F. s.* **1.** Kocaman. Büyük. **2.** Yapısı iri. **3.** Kudretli. **4.** Şef, başkan. **5.** Musiki makamlarından abecesel sırayla birincisi. (ç. Büzürgân).● ‹Olsa ebr-i rahmet-i Hak âleme rizan olur — Katrenin hurd ü büzürgü olduğu meşhur-i enam. — Nabi».

büzürgâne, *F. zf.* Büyük kimseye yakışır yolda. Büyüklükle.● ‹Ve zabt ü rapt umurunda yed-i tulâ gösterip etvar-i büzürgâne ile hayli nam tahsil edip. — Naima›.

büzürgî, *F. i.* Büyüklük.● ‹Fuzuni-i izzet ve büzürgi-i devletten gayri mesne görmez. — Nergisi›.

büzürgvar, *F. s.* Büyük mertebeli, kadri yüce (ç. Büzürgvaran).● ‹Hakîm-i büzürgvar ve berehmen-i hikmetşiardan iltimas ederim ki. — Hümayunname›.● ‹Tenbihat-i büzürgvaran-i ebrardandır ki. — Nergisi›.

büzürgvari, *F. i.* Büyüklük, büyük mertebede olmak.

C

c, 1. Osmanlı ve Fars abecesinin altıncı, Arap abecesinin beşinci harfi. 2. Ebced hesabında 3 sayısına işarettir. 3. Ay kısaltılmasında cemaziyelâhır ayını gösterir.

ca, A. i. Ay kısaltılmasında cemaziyelevvel işaretidir.

câ, cây, F. i. 1. Yer. 2. (Mec.) Uygun, münasip, yerinde.● Cây-i behişti, cennet gibi yer;● - dilnişin, gönül açıcı yer;● - iştibah, şüphe;● - tereddüt, şüphe edilecek, işkillenecek, duraksanacak nokta;● - mülâhaza, düşünülecek nokta; - rahat, rahat edilecek yer;● beca, yerinde, uygun;● bica, yerinde değil, yersiz;● nabercâ, yersiz;● busecâ, öpecek yer. Bk.● Cây.

caal, cu'l, A. i. Bk.● Cu'l.

ca'be, A. i. (Ayın ile) Ok kuburu. Terkeş. ● «Derhal bazuya kemanların alıp ca'belerin meydana döküp ok atmaya meşgul oldular. — Naima».

câbecâ, F. zf. [Câ-be-câ] Yer yer.● «Câbecâ cidar-i kaleyi viran etmekte bezl-i tâb ü tüvan ederdi. — Raşit».

câbi, A. i. [Cibayet'ten] Evkaf kiralarını ve zekâtı toplayan tahsildar.● «Ol diyarlara cizye câbileri ve sair ehl-i hizmet vardıkça şey-i yesîr karşı gönderip. — Naima».

Cabilka, F. i. Uzakdoğu'da bin kapısı bulunan bir şehir. (Tas.). «Mutlak»a ulaşma çabalarının ilk basamağı.

Cabilsa, F. i. Uzakdoğu'da bin kapısı bulunan bir şehir. (Tas.) İnsanların «Mutlak»a ulaşma çabalamalarının son varış noktası.

câbir, A. i. s. [Cebr'den] 1. Zorlayıcı. 2. Kırıkçı, çıkıkçı. Kemik kırık ve çıkıklarını düzeltip yerine koyan, iyi eden.● «Ve ol hükm-i câbiri kalem-i adl ile nesh edip. — Naima».● «Ve kesr-i cerâyimi edevat-i safh-i cemil ile câbir olurlar. — Nergisi».

cablûs, F. i. El etek öpme, yaltaklanma. ● «Deyu cablûs-i mağlûbaneye başlan-dı. — Naima».● «Durðu huzurunda edip câblus. — Nabi».

cablûsî, F. i. Dalkavukluk niteliği ve davranışı. Dalkavukluk.

ca'caa, A. i. Değirmen gürültüsü.

ca'd, A. s. (Ayın ile) Kıvırcık (saç)● «O ca'd-i zülf-i muanber o kâkül-i pertap. — Sireti».

cadde, A. i. Büyük, geniş anayol.●. «Caddesi gülzar-i maksudun tarik-i sabrdır. — Şerif».

cadi, F. s. Büyücü.

cadib, A. s. Yalan söyleyen, yalancı.

cadu, F. s. i. 1. Cadı. 2. Hortlak, gul. 3. Büyücü. 4. Çok güzel göz (ç. Caduvan).● «Gamze cadu zülf ü hâlin fitnedir. — Nesimi».● «Cadular elinde etme beste — Beni koyma böyle haste. — Ş. Galip».

cadufen, F. i. [Cadu-fen] Büyücü.● «Şurefken olan Nailâya — Hükm-i rakam-i hame-i cadufenimizdir. — Naili».● «Sakın o nergis-i cadu-fen olmasın Naci — Seni bu mertebe meşhur eden nedir bilmem. — Naci».

cadugr, F. i. [Cadu-ger] Büyücü.

cadugeri, F. i. Büyücülük.

cadukeş, F. s. Büyü yapan.

cadusuhan, F. s. [Cadu- suhan] Büyülercesine söz söyleyen.

caduvâne, F. zf. Büyücülere yakışır yolda.● «O caduvane bakış kimsede karar komaz — Sana muhabbet eden vermesin firara karar. — Ruhi».

caduvî, caduyî, F. i. Büyücülük.

caduzeban, F. s. [Cadu-zeban] Büyüleyici dili olan, kandırıcı söz söyleyen.

cafer, A. i. 1. Küçük akarsu. 2. (Ö. i.).● Cafer-i Zülcenaheyn, Ali'nin kardeşi olup Muta savaşında bayrak tutarken iki elini de kaybederek öldürüldü. Buna karşı iki kanatla cennete gitmişti.● Cafer-i Sadık, şiilerin on iki imamından altıncısı. 3. Bermeki'lerin sonuncusu.● «Bir köhne hikâyedir ki derler — Cafer kerem ehlidir filândır. — Nedim».

caferi, A. s. Şiilerden İmam Cafer-i Sadık yanlısı olan.

caferiyye, A. i. Caferi tarikatı.

cafi, A. s. Cefacı, eziyet eden.

câgir, F. s. 1. Meydana gelen, olan. 2. Oturan, yer tutan.

câgüzin, F. s. Bir yeri seçip oturan.

câh, A. i. (He ile) Rütbe, derece, yüksek mevki.● Hırs-i câh, mevki hırsı;● hubb-i câh, mevki sevgisi.● «Ne ceht iledir ne mal iledir — Beyim ulûluk kemal iledir. — Şahidî».

cahd, A. i. (Ha ile) Bile bile inkâr etme, ayak direme.● Cahd-i mutlak,● cahd-i mustağrak, Arap gramerinde iki tane olumsuz geniş zaman kipi.

cahız, A. s. (Ha ve zı ile) Patlak gözlü (adam), lokma gözlü.

cahet, A. i. (He ve te ile) Rütbe, mevki, yükseklik, aşama.

cahf, A. i. (Ha ile) 1. Kabuk soyma. 2. Kapıp alma.

cahf, A. i. (Hı ile) Övünme, yüksekten atma.

cahid, A. s. (He ile) [Cehd'den] Çalışıp çabalayan.● «Tahsil-i ulûma cahid olmuş. — Naci».

cahid, A. s. (Ha ile) [Cahd'dan] Bildiği halde inkâr eden, ayak direyen.● Hasm-i cahid, bile bile inkâr eden düşman.● «Feridim marifette gerçi hâsid hasm-i cahiddir — Bu dâvaya mutabık iki mısra bana şahiddir. — Beliğ».

cahidin, A. i. [Cahid ç] İnatçılar, kuvvetle direnenler.● «Amma bakıyye-i mücahidîn câh-i din ile cahidîn sufufunu şakk ile. — Sadettin».

cahif, A. s. (Hı ile) Kibirli, kendini beğenmiş.

cahil, A. s. [Cehl'den] 1. Bilmeyen, habersiz. 2. Okumamış, öğrenmemiş. 3. Tecrübesiz, acemi.● Cahil-i anud, inatçı cahil;● - munsif, bilmediğini teslim eden, söyleyen cahil.● «O hayatın bu derece cahili kalacak kadar uzaklarda yaşayabildiğine şaşıyordu. — Uşaklıgil».

cahilâne, F. s. Cahil kimseye yakışır surette, cahillikle, cahilee.● Cür'et-i câhilâne, cahilce ataklık;● gayret- cahilâne, ne olduğunu bilmeden bir şeyin sıkı surette taraflılığını gütme.● «Birkaç mukaddemat-i bînetice ve kelimat-i cahilâne-i namefhum söyledi. — Naima».

cahili, cahiliyye, A. s. 1. Cahilliğe ait. 2. İslâmdan evvelki Arap zamanına ait.

Cahiliyye, A. i. s. Cahiliyyet devri adamları, puta tapanlar.● Şuara-yi Cahiliyye, Cahiliyet devri şairleri.

Cahiliyyet, A. i. Muhammet peygamberden önceki Arap yarımadasındaki puta tapma zamanı, devri.

cahîm, A. i. Yedi kat Cehennemin dördüncü katı. İslâmdan ayrılanlarla şeytanların azap çekecekleri yer.● Nâr-i Cahîm, Cehennem ateşi.● «Bir ömr-i achîmin bütün ezvakını sürdüm. — Fikret».

cahimî, A. s. Cehennem gibi.

cahiz, A. s. (He ve dad ile) Kızgın ve atılgan, gözü pek.● «Nazm-i kabiz ve neşr-i cahize edebiyat diyemiyorum. — Cenap».

cahr, A. i. Derin mağara. İn● «Kendine münasip mahalde bir cahr yani me'va ittihaz. — Silvan».

cahs, A. i. (Ha ve sin ile) 1. Tırmalama. yok etme. 2. Hile, düzen kurma.

cahud, A. s. [Cahd'dan] Kuvvet ve inatla inkâr eden.

cahûf, A. i. Kibirli, kendini beğenmiş.

cai, cayi', A. s. Aç, acıkmış.

câî, A. s. Gelen, aşağıda, altta olan.

cail, A. s. (Hemze ile) [Cevelân'dan] Dönüp dolaşan.● «Nagâh olarak zemine nâzil — Birlikte olur seninle câil. — Naci».

cail, A. s. (Ayın ile) Yapan, eden, kılıcı. Halk edici olan.

caile, A. s. İnsan içindeki anı.● «Bir cailedir ki fikr-i çeşmin — Dilden ebadâ tebaüd etmez. — Naci».

cair, A. s. (Hemze ile) [Cevr'den] Eziyet eden.● «Ve ol hükm-i cairi kalem-i adl ile nesh edip. — Naima».

caiz, cayiz, A. s. [Cevaz'dan] 1. İşlenmesinde bir suç olmayan; izin verilmiş sayılabilen. 2. Olabilir, olur.● «Bu nükteler o dumanlar sayılsa caizdir. — Fikret».

caizat, A. i. [Caiz ç] Caiz olan şeyler.● «Umur-i beşeriye ise embiya hakkında caizatta olup. — Kâtip Çelebi».

caize, A. i. [Cevaz'dan] 1. Bir büyüğün kendisine sunulan bir armağana, en çok da şairlerin sundukları eserler ve manzumeler için verdikleri bahşiş. 2. Eşit, aynı, ve başkaları deme anlamında (=) veya (») şekillerinde konan işaret. (ç. Cevaiz).● «Süruri caize ister şefaat yaresulallah. — Süruri».• «Kaptan Ali Paşa vezaret caizesinden kaçıp paşalıkla eda-yi hizmet şartiyle. — Naima».

ca'l, A. i. (Ayın ile) 1. Yapma, meydana getirme. 2. Dayanma, sabır. 3. Ad koma, adlandırma. 4. Alma; işe başlama.• «Erbab-i hamakat bu ca'li cidd kıyas edip. — Kâtip Çelebi».• «Kendinin cal' ü vaz'ını ve ol kavmin keyfiyet-i tuğyanını bildirmek siyakında. — Naima».

cali', A. s. Utanması kıt.

ca'li, câliyye, A. s. (Ayın ile) Câli, yapmacık. Gerçek ve içten olmayan. Etvar-i câliye, yapmacık tavırlar.• «Benim kefaletim ile gelmiştir bu ne olmaz iştir deyu câli bir iki feryad eyledi. — Naima».

cali, A. s. 1. Cilâlı, parlak olan. 2. Sürüp koyan, sürgün eden.

calib, calibe, A. s. [Celb'den] Kendine doğru çeken, çekip alıcı, çekici.• Calib-i dikkat, dikkati çeken;• calib-i merhamet, acındıran.• «Şimdi daha calib görünen bu vücudu riyakâr bir tebessümle güya çağırıyordu. — Uşaklıgil».

calif, A. s. Deri veya kabuk soyan.

calife, A. i. Deri ile eti beraber koparan yara.

Calinus, A. i. İlkçağların, İpokrat ile beraber en büyük Grek hekimi, Galen (131 - 210).

câlis, A. s. [Cülûs'tan] Oturan, oturucu.• Câlis evreng-i saltanat, saltanat tahtına oturan.• «Bir yer de olup ikisi câlis — Ayineye girdi aks ü âkis. — Ş. Galip».• «Yekser gazâ kılıncı kuşanmış bir ümmetin — Câlis budur erike-i âlempenahına. — Beyatlı».

câliyet, A. i. Yapmacık.

caliyet, A. i. 1. Cali olan. 2. Sürgün, sürülme. 3. Zimmiler, ehl-i zimmet taifesi.

Calût, A. i. Davut peygamberle savaşmış olan dev gibi bir Filistin'li olup Davut tarafından alnına atılan bir taşla öldürülmüştür. Goliath.

câm, F. i. 1. Kadeh. «Ateş» ve «gül» sözcükleriyle ve daha birçok kelimelerle bileşikleri vardır.• Cam-i Cem, (Cem'in kadehi) şarap;• - cihanniima, her şeyi, bütün olayları gösterdiği söylenen bir ayna;• - fena, (fanilik kadehi) ölüm;• - gurur, insanı gururlandıran içki kadehi;• - gülfam, (gül rengi ka-

deh) kırmızı şarap;• - ikbal, dünya ululuğu kadehi, şarabı;• - memlû, dolu kadeh;• - minarenk, açık mavi renk kadeh;• - zerrin, (altın kadeh) beyaz şarap. (Tas.) Tanrı âşığının yüreği.• «Merhaba ey câm-i minâ-i yakut-renk — Nef'i».• «Mestiz ol cam-i fenadan ki kenarınki hat — Nailî nice senayi nice Attar okutur. — Nailî».• «Olma dilbeste-i cam-i gülfam — Ki eder âdemi rüsva-yi enam — Nabi».• «Câm-i cihan-nüma-yi tarab her ne dem yürür — Turna göz şarabile dil âlemi görür. — Haşmet».• «Sermest-i câm-i vuslat-i şan oldu tuğlar. — Beyatlı».

Camasb, A. i. Daniyal peygamberin oğullarından biri Gûştasb (Hystaspes) in veziri olan ünlü hakîm.

came, F. i. Elbise.• Came-i fena, (fanilik elbisesi) kefen;• - hayat, (hayat elbisesi) ömür;• tebdil-i came, (elbise değiştirmek) tanınmaz kılığa girmek.• «Camesi serbeser siyeh-gûndur. — Recaizade».

camedan, F. i. 1. Elbise veya çamaşır sandığı. Hurç. 2. Camadan.

cameduz, F. s. [Came-duz] Elbise biçen, diken.• «Came-duz-i gazabı istese biçmez mi kefen. — İzzet Molla».

camegi, F. i. Elbiselik kumaş.

camehab, F. i. Yatak.• «Bu camehâb-i rebiide bir ten-i şişin. — Fikret».

camekân, cameken, F. i. Camla örtülü, kapalı yer. Camlık.• «Bina buyurdukları hamamların camekenlerini tecdît ve tevsi buyurmakla. — Sadettin».

cami', A. i. (Ayın ile) [Cem'den] Müslümanların ibadet için toplandıkları minareli, minberli, mihraplı yapı, cami.• Câmi-î kebir ulu cami.• «Mah-i nev sanma görüp gurra-i şehr-i savmı — Cami-i mağfirete bir alem-i valâ-şan. — Nef'i».

cami, camia, A. s. [Cemi'den] 1. Derleyen, toplayan. 2. İçine alan, içinde bulunduran.• Cami-i Kur'an (Kur'an'ı derleyen) Halife Osman;• cami-ül-huruf, kitap yazarı;• Cemi-ül-kelim, lafzı az anlamı çok söz;• cami-ül-mahasin, güzel nitelikleri bulunan;• cihet-i camia, haller, şartlar;• kelâm-i cami, öğüt sözü.• «Encam erdi Cami-i Kuran şehadete. — Ziya Pş.».

camia, A. i. s. [Cami'den] Toplum, topluluk, cemiyet (XX. yy.).

câmid, camide, *A. s.* [Cümud'dan] Donmuş, donuk.● *Cism-i câmid,● ecsam-i camide,* cansız cisim (ler);● *isim-i câmid,* (Arap gramerinde) Çekimsiz ve türevi olmayan isim veya fiil.● «Sahab-âsa yürürler yerde câmid gördüğün dağlar — Bütün zerrat bir kanun-i istimrara tâbidir. — Ziya Pş.».● «Kâffe-i anasır-i camideden istimdad ederdi. — Cenap».

camih, *A. s. (Ha* ile) Başı sert, zaptolunmaz (kimse).

camii, *A. s.* 1. Camide bulunan. 2. Cami ile ilgili.

camiiyyet, *A. i.* Toplu olma, topluluk.● «Maarif-i edebiyyede bihemta ve camiiyyette yekta idi. — Sadettin».

camus, *A. i.* Susığırı, manda.● «Nenk ü namus olsa camus-i vahl-nişin gibi bir mahallede karar. — Sadettin».

can, *F. i.* 1. Can. 2. Hayat, yaşayış. 3. Gönül, yürek. 4. Bektaşi dervişi.● *Can-i can,* (Canın canı) Tanrı;● *gûş-i can,* can kulağı;● *yâr-i can,* can dostu.● «Arş-i Hak ey can, yüzündür vesselam — Levhle Kur'an yüzündür vesselam. — Nesimi».● «Ümmid ü bimden bana ya Rab ferağ ver — Can ü cihanı terk edecek bir dimağ ver. — Nailî».● «Âlâm içinde can veriyor. — Fikret».

can cann, *A. i.* Cin tayfası.

canâ!, *F. ün.* Ey sevgili!● «İşte ben de tamam iki senedir — Hastayım ölmedim yine cânâ. — Ziya Pş.».

canâferin, *F. s.* [Can-âferin] Yaratıcı.

canan, *F. i.* 1. Sevgili. 2. (Tas.) Vücud-i mutlak.● «Salt bende değil bu fikr-i canan — Ölsem de giyahım eyler efgan. — Ş. Galip».

canan, *F. i.* [Can ç.] Canlar.

canane, *F.s.* Sevgili (kadın).● «Vasl istemeyip hicr ile hoş geçtiği bu kim — Miskin gam-i cananeye mutad olayım der. — Ruhi».● «Haremgâh-i dil-i cananeden azürdehatırlar — Acep ey Naili Mecnun-sıfat efsane olmaz mı? — Nailî».● «Hulyalar, iştirak ü emeller, garamlar; — Cananeler ki cümlesi ârayiş-i mezar. — Fikret».

canâver, *F. s.* [Can-âver] 1. Canlı, yaşayan. 2. Canavar.

canazar, *F. s.* [Can-azâr] Can yakıcı, eziyet eden.

canbahş, *F. s.* [Can-bahş] Can veren, iç açan.● «Cennetlere, hurilere canbahş-i sefadır. — Fikret».

canbaz, *F. i.* [Can-baz] 1. Canıyla oynayan kimse. Tehlikeli gösteriler yapan adam. 2. *(Eski) Fedai* asker atlısı. *(Mec.)* Hileci. (ç. Canbazan).● «Emrini tutup o iki canbaz — Mansur olup oldular serefraz. — Ş. Galip».

canbazî, *F. i.* 1. Canıyle oynayanın hali, niteliği. 2. Canbazlık. 3. Hilecilik.

canbekef, *F. s.* Can avuçta.● «Bin müptelâsı var ser-i rahında canbekef — Oltıfl-i nevzuhur-i hezar aşinayı görür. — Nailî».

canbeleb, canberleb, *F. s.* [Can-be-leb] Canı dudağında. Neredeyse ölecek halde bulunan.● «Oluyor can-beleb tuyura cevap. — Cenap».

candade, *F. s.* [Can-dâde] Candan bağlanmış, bağlı.● «Kılmış tama' kimisini candade-i vega — Olmuş kimi müsahhar-i efsun-i çeşm-i yâr. — Ziya Pş.».

candâr, *F. i.* [Can-dâr] 1. Diri, canlı. 2. Koruyucu kimse, emniyet memuru.

cane, *F. i.* Hayvan yavrusu.

caneşfan, canfeşan, *F. s.* [Can-efşan] Bir dava uğruna can veren.● «Duydum gam-i Hüsn'e can feşansın — Zer tâlibisin esir-i kânsın. — Ş. Galip».

canefşanî, *F. i.* Bir dava uğruna can vericilik.

canefza, canfeza, *F. s.* [Can-efza] Taze hayat verici, iç açıcı.● «Ruh-i suhanı ki canfezadır — Uşşakına aslı yok beladır. — Ş. Galip».

canfersa, *F. s.* [Can-fersa] Canın dayanamayacağı.

canfeza, *F. s.* [Can-feza] Can artırıcı, taze hayat verici, yürek açıcı.● «Her vadide sohbet-i dilküşa ve musahabet-i canfezaya kadir. — Raşit».

canfigen, *F. s.* [Can-figen] Can düşüren. can harcayan.● «Hamle-i saf-şiken-i canfigen-i pîl-i deman. — Fikret».

cangâh, cangeh, *F. i.* [Can-gah,-geh] 1. Can eskitici, çok üzücü. 2. Can evi.● «Cana âşık nice dağ ursun o sudager-i naz — Cevher-i cangeh-i hicrana tahammül mü eder. — Nailî».● «Cangâhımı gören o nigeh sende var iken. — Yoktur sana hafi kalacak sırr-i mübhemim. — Recaizade».

cangeza, *F. s.* [Can-geza] Can ısırıcı, öldürücü, tehlikeli olan.

cangir, *F. s.* Can alıcı.

cangüdaz, *F. s.* [Can-güdaz] Can eritici, acıma uyandırıcı.● «Maişetin o tekazayi cangüdazında. — Fikret».

F.: 8

cangüzar, F. s. [Can-güzar] Candan geçer olan, cana dokunan.• «Cidar-i türbede bu cangüzar mersiyyem — Teessüf üzre okunsun zaman-i haşre kadar. — Ziya Pş.».

canhıraş, F. s. [Can-hıraş] Dayanılmayacak derecede acı veren. İç tırmalayan.• «Muslı Ağa üç seneye kairp emraz-i muhtelife ile sahib-firaş ve müptelâ-yi ilel-i canhiraş olup. — Raşit».

canî, F. s. Candan sevilmiş olan.

cani, A. i. [Cinayet'ten] Cinayet işlemiş kimse.• «Görme caniler gibi lâyık bana udvanını — Bir cinayet etmedim etimse ilâ şanını. — Naci».

canib, A. i. [Cenab'dan] Yan taraf. Yön.• Leyyin-ül-canip, geçinmesi kolay, yumuşak. (ç. Cevanib).• «Mora canibinde olan asakir-i İslam üzerlerine serasker tain olundu. — Raşit».

canibdar, F. s. [Canib-dar] Taraflı. Bir tarafın gayretini güden. (As.) Yancı. (ç. Canibdaran).

canıbdari, F. i. Taraflılık.• «Siz canibdari-i Muhammet ile muttasıf bir taifesiz. — Naima».

canibeyn, A. i. İki taraf. Antlaşma veya sözleşmelerde karşılıklı bulunan taraflar.• «Asayiş-i fukara-yi tarafeyn ve ârayiş-i zuafa-yi canibeyn için. — Raşit».

canibgir, F. s. [Canib-gir] Taraf tutan, taraflı)ç. Canibgiran).• «Müşarünileyhin canibgirlerinden bir avret ki. — Naima».

canibî, A. s. Yana ait. (Mat.) Yanal.

canih, caniha, A. s. [Cünha'dan] Suç sahibi olan.

canişin, F. s. [Ca-nişin] Birinin yerine oturan, yerine geçen. Vekil.• «Hepsinin canişin-i hicranı — Şimdi bir tude zulmet-i makber. — Fikret».

cann, can, A. i. Cin tayfası.• «Yegâne şeyh-ül-islam-i melek- haslet ki evsafi — Olur ziynet-i zeban-i ifitihar-i ins ü cann üzre. — Ziya Pş.».

cannisar, F. s. [Can-nisar] Canını feda edip harcayan.

canperver, F. s. [Can-perver] Ruha hoş gelen. Ruh besleyici. İç açan, rahatlandıran. (ç. Canperveran).• «Etse tasvirim teveccüh âlem-i ervah olur — İn'ikâs-i peyker-i can-perverimden müştenir. — Naci».

canrüba, F. s. [Can-rüba] 1. Can alan, öldürücü. 2. Gönül kapan.• «Tig-i cellad-i canrübaya sifariş etti ki. — Nergisi».• «Fakat şu tıfl-i canrüba — Ki ruhtan nişanedir — Gülerken ağlıyor bana. — Fikret» .

cansipar, cansüpar, F. s. [Can-sipar] Canını feda edici. (ç. Cansiparan).• «Tatar Han rikâbında bendelik ve cansiparlık ederler. — Naima».• Bitakdirillah-i tealâ ol cansiparan-i gayret-i din-i mübinin ekseri. — Raşit».

cansiparane, F. zf. Canını feda edercesine.

cansiparî, F. i. Can feda edicilik.

cansitan, F. s. [Can-sitan] 1. öldüren. 2. Gönül alan, insana belâ olan (güzel).• «Arz et nasıl olurmuş dünyada fitne nâim — Çeşm-i cansitanın mahmur-i hâb olduğun göster. — Recaizade».

cansitani, F. i. Cansitanilik.• Kâr-i cansitani, öldürmek işi. Can alıcılık.• «Ve guzat-i İslam meydan-i cansitanide kendilerini din-i mübin uğruna feda edip. — Raşit».

cansuz, F. s. [Can-suz] Can yakıcı.• «Yani ki çeke bir ah-i cansuz — Ol düşmana ola hanmansuz. — Ş. Galip».

canşikâf, F. s. [Can-şikâf] Can yırtıcı, yaralayıcı.• «Bütün o manzara-i canşikâfı bir de kalın — Rida-yi berf ile örtün ki... — Fikret».

canşikâr, F. s. [Can-şikâr] 1. Can avlayıcı, öldürücü (olan sevgili). 2. (Mec.) Azrail.• «Canşikârım nice bend olmayam ol kâfire kim — Gerdiş-i çeşm-i peri halka olur dameninde. — Nedim».

canvar, canver, F. s. 1. Canlı, diri. 2. Canavar.• «Dalgalar bir canavar sanki kudurmuş, çılgın. — Fikret».

canveran, F. i. [Canver ç.] Canavarlar.• «Canveran-i vahşi gibi. — Sadettin».

câr, A. i. 1. Komşu.• Cârullah, Mekke'ye çekilip orada oturan. 2. Çarşaf, örtü.• «Ahyaya dûr küşte vü emvata câr idim. — Recaizade».• «Hasan Paşa câr ve mi'cer ile nisvan libasına girip. — Naima».

ca'r, A. i. (Ayın ile) Hayvan tersi, mayıs.

cari, cariye, A. s. [Cereyan'dan] 1. Akan, akıcı. 2. Geçmekte olan. 3. Geçer olan.• Âdet-i cariye, hükmünü kaybetmemiş gelenek;• hayat-i cariye, akıp geçen hayat, gündelik hayat;• hesab-i cari, karşılıklı geçen hesap; banka hesabı;• miyah-i cariye, akarsular;• nizam-i cari, yürürlükte olan nizam;• sikke-i cariye, geçer akçe;• şehr-i cari, geçmekte olan, içinde bulunduğumuz ay;• umur-i cariye, her gün görülen işler.•

«Gören sanır ki bu yer medfen-i sera-
irdir — Sükût o mertebe câri denizde,
sahilde. — Fikret».• «Muvaffak oldu
çünkim böyle valâ hayr-i cariye — Se-
zadır kim duası cümleye vird-i zeban
olsun. — Nedim».• «Etrafımızdaki ha-
yat-ı cariyenin. — Cenap».

carih, cariha, *A. s.* [Cerh'ten] 1. Yarala-
yan. (kimse). Yara açan. 2. Bir fikrin
aksini söyleyen.• *Alet-i cariha,* yara
açan alet;• *esliha-i cariha,* yara açan
silâhlar.• «Bütün dikenleri, bütün me-
naat-i carihasiyle bir arz-i hakaik. —
Cenap».

cariha, *A. i.* 1. Üyelerden her biri (Kol,
ayak gibi). 2. Avcı kuş.-

cariha, *A. i.* (Zoo.) Fransızcadan *Rapacés*
(yırtıcılar) karşılığı (XX. yy.).

carihîn, *A. i.* [Carih ç.] 1. Yaralayanlar
2. Bir fikre karşıt olup kanıt ve tanıt
gösterenler.• «Ve hedef cerh-i carihîn
olup. — Taş.».

cârim, *A. s.* [Cürüm'den] Suç sahibi.

caris, *A. s.* (Sin ile) Yaygaracı. Geveze.

cariye, *A. i.* 1. Para ile satılıp alınan hiz-
metçi kız. 2. Savaşta esir olmuş veya
odalık diye alınmış kız.• «Cariye me-
ğer hâmile imiş. İmam Kuli Han hare-
minde bir erkek velet dünyaya getirir.
— Naima».

carr, carre, *A. s.* [Cer'den] Çeken. Çeki-
ci, sürükleyici.• *Huruf-i carre,* (Arap-
ça gra.) harf-i cerler.

caru, carub, *F. i.* Süpürge.• «Muhammed
Kethüda Paşa o zat-i âkıl ü dânâ — Ki
olmuştu seray-i câhına perr-i Hüma
câru. — Nedim».• «Yine ferraş sıfat
destine carub almış — Ki hidmet-i
hâk-i der-i daver sünbül. — Baki».

carubkeş, *F. i.* [Carub-keş] Mekke'de Kâ-
be'nin, Medine'de camilerin süpürme
işi (Eskiden önemli bir ödev ve şerefli
bir rütbe idi).• «Ol şah ki tahtı lâme-
kândır — Carubkeşi kerrubiyandır. —
Ş. Galip».

carubnüma, *F. s.* [Carub-nüma] Süpür-
ge gibi, süpürgeyi andıran.• «Ablak
yüzünün lihye-i carubnüması. — Fik-
ret».

carübzen, *F. i.* [Carub-zen] Süpürücü,
çöpçü.

Câselik, *A. i.* (Se ve *kaf* ile) Katolik, pat-
rik.

câsir, *A. s.* (Sin ile) [Cesaret'ten] Cesaret
edici.• «Elbette gayret-i ilâhiye zuhur
edip bir hâkim-i câsirin şemşiri- kahr ü
tedibiyle. — Naima».

cass, cess, *A. i.* (Sat ile) 1. Alçıtaşı. 2. Ki-
reç.• «Müstahkem binalar ki cass ü
acur ile müşeyyid idi. — Naima».

casus, *A. i.* (Sin ile) 1. Çaşıt. 2. Fenalığa
dair haberleri ve gizli şeyleri öğrenip
bildiren kimse. 3. Düşmanın askerliğe
dair haberlerini öğrenip bildiren. (ç.
Cevasis).• «On üçüncü günü casus ge-
lip şah tarafından sulh ricasına elçi
gelmek üzere idüğünü ihbar eyledi. —
Naima».

casusî, *F. s.* Casusluk.

cavers, *A. i.* (Sin ile) Darı, kara darı de-
nen ekin.

caversî, *A. s.* Hacmı bir darı tanesi bü-
yüklüğünü geçmeyen kabarcık.• *Ca-
versiy-üş-şekl* darı şeklinde;• *dâ-i ca-
versi,* kabarcık hastalığı.

cavid, cavîd, *F. s.* Sonu olmayan, sonsuz.

cavidan, *F. s.* Sonu olmayan, sonsuz.• *Ca-
vidan hired,* (ezelî akıl) Huşeng'in ki-
tabı;• *Cavidanname,* Fazlullah'ın kita-
bı;• *cavidan seray* (sonu olmayan sa-
ray) Cennet.• «Bir lezzet-i cavidanım
oldun. — Recaizade».

cavidane, *F. s.* Sonu olmayan, sonsuz.•
«Bir kaidedir bu cavidane — Elbette
gider gelen cihane. — Fuzuli».

cavidanî, *F. s.* Sonsuz, tükenmez.• *Hayat-i
cavidanî.* «Âleme feyz-i hayat-i ca-
vidanidir sözüm. — Nef'i».

cây, câ, *F. i.* Yer.• *Cây-ı iştibah,* kuşku
noktası;• - *karar,* durma, dinlenme ye-
ri;• - *mülâhaza,* düşünülecek nokta,
yer.• «Zülfün hayali cay edeli çeşmin
olmadı — Giysu-yi hâb şane-i müjgâ-
na aşina. — Nedim».• «Abestir cây-i
dûru gösterirse dûrbin akreb — Haya-
le menzil-i maksudu almakla yakîn
olmaz. — Beliğ».

câygâh, câygeh, *F. i.* [Cây-gâh] İyi me-
murluk yeri.• «Câygâhın söylemez
mâdam kabristan bana. — Recaizade».

câygir, *F. s.* [Cây-gîr] Yerleşen, yer tutan,
yerleşmiş. Süren.• «Öteden beri bu
dâiye zamirinde câygir olduğun bildik-
lerinden. — Raşit».

cayi, cai, *A. s.* (Ayın ile) Aç. Acıkmış.

câynişin, *F. i.* Birinin yerine geçen. Mev-
ki tutan.

cazî, *F. i.* (Zel ile) Cadılık. Büyücülük.

cazi', *A. s.* [Ceza'dan] Çığlık koparan,
telâşlanan.

cazib, cazibe, *A. s.* (Zel ile) [Cezb'den]
1. Kendine doğru çeken. 2. Gönül çe-
ken, sevgi uyandıran.• *Teklif-i cazib,•*

tekâlif-i cazibe, insanda tamah uyandıran çekici, kandırıcı teklif (ler).● ‹Rehber-i tali-i saadetsin — Cazib-i ibtisam-i şöhretsin. — Fikret›.

cazibe, *A. i.* [Cezb'den] Çekim. Kendine çekme niteliği, kudreti.● *Cazibe-i arz*, yerçekimi.● ‹Sizi bir cazibe almış gibidir pençesine. — Fikret›.

cazibedar, *F. s.* [Cazibe-dar] Çekici.● ‹Şarkın ezeli hakime-i cazibedarı. — Fikret›.

cazim, *A. s.* (Ze ile) [Cezm'den] Kesin karar veren. Zihninde kestirip karar veren.● *İkad-i cazim*, hiçbir şüphe olmayan, kesin inanış.● ‹Derundan kaziyenin sıhhatine cazim olmakla. — Naima».

cebabire, *A. i.* [Cebbar ç.] 1. Zorlayıcılar. 2. Zorbalar, zulüm edenler.● ‹Binası taş yüreğindendir ol cebabirenin — Budur şu kabr-i mübarekte gördüğüm dehşet. — Kemal›.

ceban, cebban, *A. s.* [Cebanet'ten] Korkak, yüreksiz, ödlek.● ‹Diye zımnen vezir-i müşarünileyhe cebanlık ispat ve kendi rey ü karardadesinde izhar-i ısrar ve sebat eyledi. — Naima›.

cebanet, *A. i.* Korkaklık, yüreksizlik.● ‹Mukaddema nümude olan cünbüş-i nahvet ü gururdan hâlâ şu mertebe-i menzil-i acz ü cebanete indirmek mukadder oldu. — Raşit›.

cebbar, *A. s.* [Cebr'den] 1. Kudret, ululuk sahibi. Tanrı. 2. Zor kullanılan, zorba. 3. Giriştiği işi mutlaka başaran.● ‹Cesur ve cebbar merd-i kârgüzar olmakla. — Naima›.

cebbarane, *F. zf.* Cebbara yakışacak yolda, zorbalıkla.

cebbarî, *A., F., s., i.* 1. Cebbarlık. 2. Cebbarlık eden.

cebe, *F. i.* Halka veya zincirden örme zırh● .‹Bu kadar emtia-i fıravan ve alât-i sîm ü zer ve esliha ve tuhaf ve cebe ve cevşenler ve vâfir flori-i ahmer. — Naima».

cebehane, *F. i.* Savaş aletlerinin korunduğu yer.● ‹Biliktiza cebehanei temaşaya teşrif buyurup. — Raşit›.

cebel, *A. i.* Dağ.● *Cebel-i Nur, Cebel-ün-Nur*, Mekke'deki Harra dağı;●, *cebel-üz-zühre*, kadın üreme organının dış görünüşündeki yuvarlak dışbükey kısım.● *Şeyh-ül-cebel*, Haşhaşiler de denilen İsmaililerin başkanı, Hazer de-

nizi dolaylarında Alamut dağında otururdu.● ‹Nakkare önde, bir müteharrik cebel gibi. — Fikret›.

cebelî, cebeliyye, *A. s.* Dağa ait, dağsal.

cebelistan, *F. i.* [Cebel-istan] Dağlık. Dağlık yer.● ‹Asker cebelistan ve haristan yerlerde yol iz bilmez, kılavuzları yok dolaşıp gezdiler. — Naima›.

cebepuş, *F. i.* [Cebe-puş] Zırh giymiş.

ceberî, *A. i.* İnsanda elindelik kabul etmeyip her davranışı bir zor altında yaptığına inanan tarikat, bu tarikata inanmış kimse.

ceberiyye, *A. i.* [Ceberî'den] Elindelik (irade-i cüz' iyye)i kabul etmeyen felsefe yolu, mezhep. (ç. Ceberiyyun).

ceberut, *A. i.* 1. Aşırı ululuk. 2. Tanrı ululuğu. 3. (Tas.) Tanrıya varmanın üçüncü basamağı.● *Âlem-i ceberut*, Tanrısal kudret;● *âlem-i makam-i ceberut*, ● *menzil-i ceberut*, Tanrısal kudrete doğrudan temas noktası.● «Şah-i melekût-i arş-sâye — Mah-i ceberut-i ferş-pâye. — Ş. Galip›.

cebhe, *A. i.* (He ile) 1. Alın. 2. Ön taraf, yüz. 3. (As.) Ordunun ön tarafı, savaş hattı, cephe.● ‹Seza gelir o geniş cebhesiyle hatırıma. — Fikret».

cebhesây, *F. s.* [Cebhe-sây] Birinin karşısında alnını yere koyan.

cebin, *A. i.* Alın.● *Çin-i cebin*, alın kırışığı, buruşuk, kızgınlık.● ‹Hûn-i celâdeti — Aktıkça dalga dalga, cebininde toprağın — Bir çin-i hande fark ediyor çeşm-i nefreti. — Fikret›.

cebîn, *A. s.* [Cebanet'ten] Korkak, yüreksiz.● ‹Kendisini bu kadar cebîn olduğundan muhaze etti. — Uşaklıgil›.

cebinan, *A. i.* Alnın üst yarısının şakağa bitiştiği yerler.

cebinsâ, *F. s.* [Cebin-sâ] Alnını yere koyan, fazla saygı gösteren.● ‹Saik-i acz ü ıstırar sevkiyle Asitane-i devlete cebinsây olıcak. — Naima›.

cebire, *A. i.* Cerrahların kırık sarma işi için kullandıkları ağaç ve tahta parçaları.● ‹Hezar bâr lânet deyip bir yarasına cebîre bağlamışlar iken çıkarıp bıraktı. — Naima›.

cebr, *A. i.* 1. Razı olmadığı, yapmak istemediği bir iş için bir kimseyi o işi yapmaya zorlama. 2. Zorlama, zor kullanma. 3. Düzeltme, onarma. 4. (Mat.) Cebir.● *Cebr-i âdi;*● - *âlâ*, matematikten cebir konuları;● - *hâtır*, gönül alma, yapma;● - *mâfat*, kaybedilmiş bir şey yerine başka bir şey bulup avunma;• - *nefs*, kendini zorla tutma;• - *noksan*, eksiği tamamlama;• *cebr ve mukabele*, cebir muadelesi, denklem.• «Mebhas-i cebr ü kaderden o kadar bizarım — Şu kadar fehm ederim ben ki maasi-kârım. — İzzet Molla».• «Niçin cebreylemezsin bir nazarla kalb-i meksuru — Tavaf etsen n'olur bir kerre kâfir beyt-i Mamuru. — Nevres».• «Bir büyük donanmamıza galebe etti. Cebr-i mafat için tersanelerimizde beş altı ay zarfında altı yüz gemi peyda etmeye muvaffak olduk. — Kemal».• «O ayrılış da niçin sanki... cebr eden var mı?. — Fikret».• «Hamir-i maye-i fesat olan Sekbanbaşı Mahmut vehamet-i âkıbetten havf edip paşanın kalbini cebr ve nifak töhmetini setr için. — Raşit».

Cebrail, Cebril, Cibril, *A. i.* Tanrıya en yakın dört melekten, yeryüzünde peygamberlere selam ve söz getirme işini göreni.• «Ayet-i aşkı eylesek tertil — Can atardı zemine Cebrail. — Naci».

cebren, *F. zf.* Zorla.• «Kadınlığından hemen cebren gasp edilen sadaka-i aşk. — Uşaklıgil».

cebri, cebriyye, *A. s.* [Cebr'den] 1. Cebir ile ilgili.• *İfade-i cebriyye*, cebirsel ifade. 2. Zorla, sıkı altında yaptırılan.• *Muamele-i cebriyye*, zor muamelesi.• «Cebrî, sürüklenir gibi indim adım adım. — Fikret».

cebriye, cebriyye, *A. i.* Kadercilik. (XX. yy.). *Fatalisme* karşılığı. İnsanlarda kudret ve irade yoktur; bütün hareketleri mecburi ve ıstıraridir inancındadırlar.

ced, *A. i.* 1. Zindana koyup hapsetme. 2. Birinin burun, kulak, el veya ayağını kesme.

ced, *A. i.* Bk.• *Cedd.*

ced'a, *A. i.* Kesilmiş burun veya kulaktan artakalan kısım.

cedavil, *A. i.* [Cedvel ç.] Cetveller.• «Cedavil-i enhar gibi ordugâha her taraftan yüz tuttular. — Naima».

cedd, *A. i.* 1. Büyükbaba. 2. Dedelerden biri. 3. Babanın babası ve annenin babası.• *Cedd beceded*, soyca, eskiden, babadan babaya geçe geçe;• *ced-i alâ*, bir soyun başı olan kimse;• - *büzürkvar*, kadri yüksek soybaşı;• - *fasit*, annenin babası;• - *sahih*, babanın babası. (ç. Ecdat).• «Eb ü ceddiyle tefahur

eden ebced-hânın — Ehl olan redd ü kabulüne verir mi ihkâm. — Nef'i».• «Sıhr-i âlinijad-i sadr-i güzin — Cedbeced âsaf-i cihanpira. — Nedim».

ceddanî, *A. s.* [Cedd'den] Ataya ait. Onunla ilgili. *Atavistique* karşılığı (XX. yy.).

ceddaniyet, *A. i.* Atacılık. (XX. yy.). *Atavisme* karşılığı.

cedde, *A. i.* 1. Büyük anne, nine. 2. Babanın, yahut ananın anası. 3.• *Cedde-i fâside.* Anenın anası;• *cadde-i sahiha*, babanın anası. (ç. Ceddat).• «Kim iddia edebilir ki ceddemizle hafidemiz aynı bint-i Havva'dır? — Cenap».

cedel, *A. i.* 1. Konuşmada çekişme. 2. (*Man.*) Eytişim, diyalektik.• *İlm-i hilâf ü cedel*, mantık yoluyla tartışma ve çekişme bilimi.• «Haber-i vahit ve zanniyet ile umur-i yakiniyyenin hilafı sabit olmamak tarik-i cedelde müsellemdir. — Kâtip Çelebi».• «Biz cedelsiz yaşar mıyız heyhat. — Naci».

cedelgâh, *F. i.* [Cedel-gâh] Çekişme yeri (yani dünya).• «Şu cedelgâh-i mukasside bütün husranla. — Fikret».

cederî, cedrî, *A. i.* Çiçek hastalığı.• *Telkih-i cederi*, çiçek aşısı.

Cedi, Cedy, *A. i.* Oğlak burcu. Güneş aralık ayının dokuzunda bu burca girer.• *Medar-i Cedi.* Oğlak dönencesi; çok sıcak iklimlerle güneydeki orta iklimi ayırır, güneşin güneye doğru en aşağı derecesini bildirir.• «Pervinle Cedi olunca tezyin — Sıbteynine tuhfe kıldı tâyin. — Ş. Galip».

cedid, cedide, *A. s.* 1. Yeni. 2. Yeni çıkma. 3. Farsların kullandıkları bir vezin.• *Edebiyat-i Cedide*, (Yeni Edebiyat) 1896'dan 1901 yılına kadar süren Halit Ziya Uşaklıgil, Cenap Şahabettin ve arkadaşlarının temsilcileri oldukları edebiyat okulu;• *eser-i cedid*, bir çeşit dilekçelik kâğıt;• *Nizam-i Cedit*, III. Selim zamanında kurulmuş olan yeni askerlik.• «Ve cedit asker vardıktan ol kalelere girip muhafaza ederler. — Naima».

cedidan, cedideyn, *A. i.* Gece ile gündüz.

cediden, *A. zf.* Yeniden, yeni olarak.• «Hep bunlar cediden Girit'e tayin olundular. — Naima».

cedîr, *A. s.* Uygun, layık.• «Cerbeze ve hikmetin cedîr-i takdir değildir. — Y. Kâmil Pş.».

cedr, cidar, A. i. Duvar.

cedran, A. i. [Cedr, cidar ç.] Duvarlar.• «Binaya mübaşeret olunup cedran-i erbaası serapâ vaz-i kadimisi üzere bina olundu. — Naima».

cedvel, A. i. 1. Ark, su kanalı. 2. Çizgi veya sıraları olan ve bölümleri bulunan defter veya kâğıt. 3. Çizgi tahtası.• «Cedvel-i sim içre âdem binse bir zevrakçeye — İstese mümkün varılmak cennetin ta yanına. — Nedim».

cefa, A. i. 1. Ayırlıkta bırakma. 2. Eziyet etme. 3. (Tas.) Tarikat adamının kalbinin öğrendiklerinden perişan olması.• «Bana bu cefayı edenin biri Mustafa Ağadır. — Naima».

cefacu, F. s. [Cefa-cu] 1. Cefa arayan. 2. Cefa eden.• «Keşide tig-i kaza gamze-i cefacular — İki gılaf-i siyehtir yanına ebrular. — Beliğ».

cefadide, F. s. [Cefa-dinde] Cefa görmüş, eziyete uğramış.• «Ol mazluman-i cefadide ve melhufan-i sitem-keşide. — Veysi».

cefakâr, F. s. [Cefa-kâr] 1. Cefa eden. 2. Cefa çekmiş olan.• «Dert ile beni sen eyledin zâr — Ben handan ü Leyli-i cefakâr. — Fuzuli».

cefakeş, F. s. [Cefa-keş] Cefa çekip sesini çıkarmayan.• «Daha şimdiden âşık-i cefakeşi addettiği. — Recaizade».

cefapişe, F. s. [Cefa-pişe] Cefa etmeyi huy edinmiş olan.• «Ey tıfl-i cefapîşe ne var merdümek-i çeşmin — Ziverdih-i ağuş-i hayal olsa bebektir. — Beliğ».

ceffar, A. s. [Cifr'den] Cifirci. Falcı.

ceffelkalem, A. zf. Bir kalemde. Uzun uzadıya düşünmeden bir şey yazıverme, söyleyiverme. Birden, hemen.

cefn, A. i. 1. Gözkapağı. 2. Kılıç ve bıçak kını. (ç. Cüfn, ecfan).

cefne, A. i. (On kişilik yemek alacak) Büyük çanak, kap.• «Rızk-i cefne-i inayet-i mebzul-ül-füyuzat-i ilâhiden. — Nergisi».

cefr, cifr, A. i. Bk.• Cifr.

cehabize, A. i. ç. (He ve zel ile) Gerçeklerden haberi olanlar.• Cehabize-i ulum, tasavvuftan, bilim gerçeklerinden haberli olanlar ,bunları iyice bilenler.

cehalet, A. i. (He ve te ile) Bilmemezlik.• «Ne cehalet bu ki andan umarım dâd henüz — Eridim ben dil-i canan ise pulât henüz. — Naci».

cehamet, A. i. 1. Patlıcan burunlu kimse. 2. Yüz ekşiterek karşılama.

cehan, F. i. Bk.• Cihan.

ceharet, A. i. (He ve te ile) Göze büyük ve kibar görünme. 2. Sesi gür olma. 3. Güzellik, yakışıklılık.

cehaz, cihaz, A. i. (He ve ze ile) Çeyiz.

cehazet, A. i. Öfkelilik.

cehcehe, A. i. 1. Çağırma. 2. Kuş ötüşme.• «Gûş edelden nağme-i ateş neva-i hameni — Bülbülân Ragıp feramuş eylemişler cehcehi. — Ragıp Pş.».

cehd, A. i. (He ile) Çalışma, çabalama, çok uğraşma.• Cehd ü gayret, cehd ü ikdam, çok çalışma;• bezl-i cehd, çalışma, harcanma.• «Nasıl bu cehdimi kabilse anlamak, görmek. — Fikret».

cehele, A. i. [Cahil ç.] 1. Cahiller. Bilmezler. 2. Kendini bilmezler, münasebetsizler.• «Benim dakikalar hasrettiğim büyük esere — Geçende «Şi'r!» diyorlardı birtakım cehele. — Fikret».

cehende, F. s. Sıçramış, fırlamış; sıçrayan, fırlayan.

cehennem, A. i. Günah işleyenlerin ahrette cezalandırılacakları yer. Yedi kattır: Cehennem, sair, sakar, cahîm, huteme, lâzi, heviye yahut derk-i esfel.• «Gülsün beşeriyet, şu cehennemleri söndür. — Fikret».

cehennemî, cehennemiye, A. s. 1. Cehenneme lâyık. 2. Cehennem gibi (sıcak veya sıkıntılı).• «Ol cehennemî dahi sultan Cem'i sermaye-i maksud-i âzamı bilip. — Sadettin».• «Lâkin hata bırakmadı : Muzlim, cehennemî — Bir kuvvet elinde. — Fikret».

cehennemiyyun, A. i. Cehennemlikler.• «İçlerinde olan cehennemiyyun bile yanıp. — Naima».

cehîd, A. s. [Cehd'den] Aşırı çalışkan olan.

cehîr, A. s. [Cehr'den] Yüksek sesle, açık olarak söylenen.

cehîz, A. s. (He ve dad ile) Düşük (çocuk).

cehl, A. i. Bilmezlik.• Cehl-i mürekkep, bilmediğini de bilmemek suretiyle olan iki kat bilmemezlik.• «Çiğnendi yeter, varlığımız cehl ile kahra. — Fikret».

cehr, A. i. Açıktan ve yüksek sesle (söyleme veya okuma).• «Niçin besmeleyi cehr ile okur deme. — Sadettin».

cehre, A. i. Açıkta ve belli olan şeyler.

cehren, A. zf. Yüksek sesle; duyrulacak, açık olarak.• Sirran ve cehren, gizliden ve açık olarak.• «Bu uyuşukluğun içinde, cehren : — Gelmeyecek, diyor. — Uşaklıgîl».

cehreten, A. zf. Aşikâr olarak.

cehri, cehriyye, A. s. Açıktan veya yüksek sesle yapılan.• «Oturdukları yerde zikr-i cehrî ederlerdi. — Naima».

cehşan, A. i. Korku ile birine koşup sığınma.

cehşet, A. i. 1. Akan gözyaşı. 2. İnsan topluluğu.

cehud, A. s. Aşırı çalışkan olan.

Cehud, Cühud, A. F. i. Yahudi.• «Bundan akdem İzmir'de zuhur eden haham namında şahs-i Cehud mu'tekadü aleyh-i taife-i Yehud olup. — Raşit».

cehudane, F. s. Çıfıtçasına.

cehul, F. s. [Cehl'den] Pek, çok cahil.

cehulâne, F. s. Pek cahilcesine.• «Olsa cehulâne cihan düşmanım — Münkalip olmaz yine fikrim benim. — Naci».

cehum, A. s. Düşkün ve zayıf olan.

cehz, A. i. 1. Düşük (yavru, çocuk). 2. Birini zorla işinden alıkoyma.

celâ', A. i. Memleketinden ayrılma. Gurbete düşme.• Celâ-yi vatan, doğduğu yerden ayrılma, ayırma.• «Efendi ve gayrılar anın şerrinden celâ-yi vatan edip — Naima».

celâbib, A. i. [Cilbab ç.] Kadın baş ve yüz örtüleri. Yaşmaklar.

celâcil, A. i. [Cülcül ç.] Tef zilleri.• «Başladı cünbüşe celâcil-i def — Çok mu şevkinden oynasa dil-i def. — Naci».

celâdet, A. i. Yiğitlik.• Şemşir-i celâdet, yiğitlik kılıcı.• «Bir gün pusuda bir avuç erbab-i celâdet — Bir fırka harap eyledi. — Fikret».

celâfet, A. s. Kalabalık, yakışıksızlık.

celâil, A. i. [Celile ç.] Yüce olan şeyler.• Celâil-i masalih-i devlet, devlet işlerinin büyükleri.

celâl, A. i. 1. Büyüklük, ululuk. 2. Hışım, kızgınlık.• Zülcelâl, celâl sahibi, Tanrı;• ism-i celâl, Tanrı adı.• «Zelil titreşiyorken der-i celâlinde. — Fikret».

celâlet, A. i. Büyüklük, ululuk.• «Mütenasip eyledi feyz-i Hak kaleminde kudret ü şhöerti — Ne kadar talâkati var ise o kadar celâlet-i şanı var. — Naci».

celâlî, A. s. 1. Tanrıya ait, tanrısal. 2. Celâl adlı kimselerle ilgili. 3. XVI. yy. sonlarıyle XVII. yy. başlarında Anadolu'da kalabalık olarak ayaklananlar. 4. Sultan Celâlettin Melikşah tarafından, düzenlenen ve 1100 (H. 471) yılında başlayan bir takvim.• «Beni padişaha celâli oldu diye yanlış anlatmışlar. İşittiğim gibi geldim katl ederlerse boynum kıldan incedir. — Raşit».

celâliyan, F. i. [Celâlî ç.] Celâliler.• «Zikrolunan celâliyandan 1010 evailine gelince. — Naima».

celâliyane, F. zf. Celâli olana yakışır surette.• «Celâli olup Şam eyaletin benden celâliyane zoru ile aldı deyu. — Naima».

celb, A. i. 1. Getirme, kendine çekme. 2. Getirtme. 3. Yazı ile çağırma.• Celb-i kulûp, kalpleri kazanma;• - menfaat ve def-i mazarrat, faydayı isteme ve zararı istememe.• «Herkesi kendi tarafına celb edecek, artık bu defa kendisini muhik gösterecek. — Uşaklıgil». ğıdı.

celbname, F. i. 1. Mahkemeye çağırı kâğıdı.

celd, A. i. 1. Kamçı ile vurma. 2. Yiğit, kahraman.

celdbaz, F. i. [Celd-baz] Çabuk ve çevik olan.

celdî, A. i. Çabukluk, çeviklik.

celdkadem, F. s. [Celd-kadem] Ayağı çabuk olan.

celdmizac, F. s. [Celd-mizac] Çabuk kızan, öfkelenen.

celeb, A. i. 1. Kasaplık hayvan alışverişi yapan, sürü getiren. 2. İstanbul sarayında ise ilk başlamış acemi.• «Koyun kitabetin edip, bade zamanın celebkeşan keferesinden biri vasıtasıyle. — Naima».

celeb, F. i. Orospu.

celebe, A. i. Ana baba günü, kavga, gürültü.

celed, A. i. Kuvvet, güç. Şiddet.

celesat, A. i. [Celse ç.] Oturumlar.

celf, A. i. 1. Kabuğunu soyma. 2. Kökünden koparma.

celi, celli, A. s. [Cilâ'dan] 1. Açık, meydanda. 2. Parlak, aşikâr. 3. Bir yazı çeşidi.• «Durur bir müphemmiyyet en celi tal'at-i likasında. — Fikret».• «Firdevsi esseyit Hüseyin Efendi celi tâbir olunur hatt-i maruf ile. — Raşit».

celib, A. i. 1. Esir. 2. Satılık esir.

celîd, A. s. [Celâdet'ten] Fazla celâdetli.

celid, celit, A. i. Kırağı. Çiy.

celid, celidiyye, A. s. Gözbebeğindeki su.

celil, celile, A. s. [Celâl'den] 1. Büyük, ulu. 2. Resmi yazılarda vezir veya müşür rütbeli kimselere ve onların dairelerine hitap olarak yazılırdı.• Nezaret-i celile,• vilâyet-i celile. Bu rütbelerden aşağıdakilerin bulundukları dairelere de● *behiyye* veya● *aliyye* diye yazılırdı. (XX. yy.).● «Mazhar-i Hak iken o sun-i celil. — Hakani».● «Rütbe-i celile-i vezaret ile ikram ve Diyarbakır eyaleti ihsan ve in'am — Raşit».● «Tebriz'e uçtu feth-i celilin hümaları. — Beyatlı».

celîs, *A. s.* [Gülûs'tan] Birlikte oturan arkadaş.● *Celîs-i enis,* cana yakın arkadaş.● «Vahdet idi gönlümün enisi — Pürgûların olmadım celîsi. — Naci».

cellad, *A. i.* Ölüme hükümlü kimseleri öldürmekle ödevli kimes. (*Mec.*) Çok zalim, acımaz.● *Cellad-i felek,* ölüm meleği, Merih (Mars) ile Zühal (Satürn).●' «Elinde tigi cellad-i feleküt ol büt-i rana — Siyasetgâh-i aşkında yine merdane biperva. — Beliğ».● «Nedim-i zârı bir kâfir esir etmiş işitmiştim — Sen ol cellad-i din ol düşman-i iman mısın kâfir. — Nedim».

celladan, *A. i.* [Cellâd ç.] Cellatlar.

celle, *A. ü.* «Celil ve aziz olsun» anlamında dua sözü.● *Celle ve alâ,● celle şunuhu,● celle celâluhu,●* azze ve celle, şekilleriyle Tanrı hakkında kullanılır.● «Rızaullah (celle celâlühu) için sure-i Fâtiha-i şerife. — Kâtip Çelebi».

celse, *A. i.* Bir defa oturma; oturum.● *Celse-i hafife,* hafif oturma, ilişme;● *- hafiyye,* gizli oturum.● «Lâkin celse-i hafife ile emre imtisal edip. — Raşit».● «Bu celselere yeni bir keşfin sevinciyle hitam verirlerdi. — Uşaklıgil».

Celveti, Celvetiyye, *A. i. s.* Bir tarikat.● «Zümre-i meşayih-i kiram-i Celvetiyeden olup. — Raşit».

Cem, *F. i.* 1. İran Pişdadiyan hükümdarlarının dördüncüsü Cemşid. Şarabı bulan masal hükümdarı. 2. Peygamber Süleyman lakabı. 3. Büyük İskender'in lakabı.● *Âyin-i Cem,* şarabı bulan Cem tarafından kurulan usul, âyin;● *bad-i Cem,* Peygamber Süleyman'ın hükmettiği yel;● *Câm-i Cem,* şarap kadehi, şarap.● «Merhaba ey yadigâr-i meclis-i devran-i Cem — Âbrû-i devlet-i cemşid ü âyin-i Peşenk. — Nef'i».

cem', *A. i.* 1. Toplama. Bir yere getirme. 2. Asker kuvveti. 3. (*Gra.*) Çoğul. 4. (*Mat.*) Toplam.● *Cem-ül-cem',* İki kat çoğul;● *eyyam-ı cem,* Mekke'de Mina ve Arafat ziyaretiyle geçen dört hac günü;● *yevm-ül-cem',* 1. Zilhiccenin dokuzunda Mekke yakınındaki Arafat dağında hacıların toplandığı gün. 2.

Kıyamet günü.● «Seraskerlik bahanesiyle reaya fıkarasın rencide edip kazalardan cem-i emvala meşgul olmağın. — Raşit».

cemaât, *A. i.* [Cemaat ç.] 1. Cemaatler. 2. Topluluklar, kalabalıklar.● «Ve cemaât-i silahdaran kethüdası. — Selânikî».

cemaat, *A. i.* [Cem'den] 1. Bir yere toplanmış insanlar. 2. Bir imama uyup namaz kılanlar. 3. Bir mezhepten olan topluca ahali. 4. Yeniçeri kurulunda birkaç odanın meydana getirdiği kısım.● «Mahbeste cumadan ve cemaatten mahrum ve memnun edip. — Veysi».

cemaatkeş, *F. s.* [Cemaat-keş] İnsan toplayan.● «Ve bu işbu kenarda cemaatkeş bir ihtiyarım. — Lâmii».

cemad, *A. i.* Canlılığı ve gelişmesi olmayan cisim.● «Cihanda adına âdem dene reva mıdır — Cemad gibi yatsın müsebbih ola tuyur. — Hayali».

cem'adan, *F. i.* Yolcu için yapılmış mahfaza. Camadan.

cemadat, *A. i.* [Cemad ç.] Canlılardan ve bitkilerden gayrı cisimler.● «Semavat ü cemadat ü hayaletler nigârımdır. — Cenap».

cemadi, *F. i.* Cemat. Canısz. Ruhu olmayan cisim. ● «... O bir nefes gibidir — Ki her vücud-i cemadiye bir hayat verir. — Fikret».

cemadi, cemazi, cumadi, *A. i.* Arabi ayların beşincisiyle altıncısının adı.● *Cemadi-el-ulâ, Cemadi-el-âhıre.*

cemadiyet, *A. i.* Cansızlık, donukluk. (Ed. madiyet olur nâim. — Kesafetten ibaret bir tecelli arz eder eşya. — Fikret».

cemah, *A. i.* 1. Başı sert hayvan, sert hayvan. 2. Evini bırakan kadın.

cemahir, *A. i.* [Cumhur ç.] Cumhurlar. Cumhuriyetler.● *Cemahir-i Müttehide-i Amerika* Amerika Birleşik Devletleri.

cemal, *A. i.* 1. Güzellik. Yüz güzelliği. 2. Bu güzellik, Tanrı kemalinin bir görünüşü tutularak, (tasavvufta) Hakka erişmek, Hakka kavuşmak için bir yol sayılmıştır.● *Cemalullah,* Tanrının lütfu;● *arz-i cemal,* yüz gösterme, görünme.● «Hem cemilem hem cemalem hem vedudem hem aded. — Nesimi».● «Karşımda bir cemal ki benzer hayalete. — Fikret».

cem'an, *A. zf.* Toplamak suretiyle, toplanmış olarak, tümü birden.

cem'aniye, *A. i.* (Sos.) Fransızcadan *collectivisme* (ortakçılık, kollektivizm) karşılığı olarak (XX. yy.).

cemare, cimar, *A. i.* 1. Kabîle. 2. Kalabalık. Güruh.● ‹Etraf ü eknafta olan halk alelhusus Arap ve Acem memleketinin cemaresi gelip. — Selânikî›.

cemed, *A. i.* Buz, kar. Dondurma.

cemedî, *A. s.* [Cemed'den] Pek soğuk, buz gibi.

cemel, *A. i.* Erkek deve.● ‹Divana girmeziz, alkışlamazız deyu işve-i cemel ettiklerinden. — Naima›.

cemerat, *A. i.* [Cemre ç.] 1. Cemreler. 2. Yanmış kömür parçaları.● ‹Zamir-i delalet-rehberlerinden muzmar olan cemerat-i ahkadı ikad. — Sadettin».

cemh, *A. i.* (At) dizgin ve kamçı dinlemeyerek azgın olma.

cemî', *A. s.* [Cem'den] Bütün, hep.● ‹Valide ağası tavaşi Hüseyin Ağa ki cemi-i umura musallat ve nafiz-üşşefaa idi. — Raşit›.

cem'î, *A. s.* [Cemiyet'ten] Topluma ait, toplumla ilgili (XX. yy.).

cemia, *A. i.* Topluluk, bir yere gelmiş insanlar takımı.

cemian, *A. zf.* Bütün, hepsi.● ‹Kuyucuk ve Ezine kazalarında cemian hiffet üzre olmuş iken. — Naima›.

cemil, cemile, *A. s.* [Cemal'den] Güzel.● *Evsaf-i cemile*, güzel nitelikler;● *taife-i cemile*, güzel taife, kadınlar;● *zikr-i cemil*, 1. İyilikle anma. 2. Okullarda verilen mükâfat kâğıtlarından biri.● ‹Hidemat-i celile ve gazevat-i cemilesi zuhura gelip. — Naima›.● ‹Sultan Murat'a müşabih kadd ü kamet ve mehabet ü sahavet sahibi cemil-iüs-sure devletû idi. — Naima›.● ‹Ruhsar-i bitekellufüne sade-rûların — Zen kısmının adil olamaz en cemilesi. — Nabi».● ‹Ahlâk cihetiyle ekseriya, pek çirkin olan o taife-i cemilenin (...) kadınların. — Recaizade›.

cemile, *A. i.* 1. Hatır hoşluğu için yapılan hareket. 2. Yaranma, yaranmak için yapılan hareket.

cem'iyyat, *A. i.* [Cemiyet ç.] Cemiyetler. Toplumlar, kurumlar, dernekler.● ‹Zaman zaman-i terakki; cihan cihan ulûm — Olur mu cehl ile kaim beka-yi cem'iyyat. — Ziya Pş.›.

cemiyyet, *A. i.* 1. Topluluk, bir yere toplanma. 2. Toplum. 3. Kurul 4.. Dernek. 5. Düğün. 6. *(Ed.)* Sözün birkaç yönden anlamlı bulunması. 7. (Tas.) Zihin ve hatırın yalnız Tanrı ile dolu bulunması, meşgul olması. 8. Derli topluluk, rahatlık.● *Cemiyet-i beşeriye*, insan topluluğu, toplum;● - *hatır*, zihin ve fikrin dağınık olmayıp rahat ve toplu olması;● - *İlmiyye-i Osmaniye*, on dokuzuncu yy. da kurulmuş bir bilim kurulu;● *hitan cemiyeti*, sünnet düğünü;● *velime cemiyeti*, düğün.● ‹Bostancılar gayrete gelip Bu bî-insafı paralarız deyu cemiyet ve ahvalini padişaha ilâm ettiklerinde. — Raşit».

cemiyyetgâh, *F. i.* Toplantı yeri.● ‹Cemiyetgâhı olan germabe vü sûrda. — Kâni›.

cemm, *A. i.* Tüm, bütün. Halk kalabalığı, topluluk.● ‹Sultan Cem asker-i cemm ile Adana'ya geldikte. — Sadettin›.● ‹Bir kürsi-i mürtefi üzerinde bir cemm-i gafir karşısında. — Kemal›.

cemmal, *A. i.* Deveci. Deve mehteri.● ‹Ramazan-i şerif âhır olunca bir gece cemmal gezdirmekten ve bu gûne habaset etmekten hâli olmadılar. — Naima›.

cemmaş, *A. s.* Zampara.● ‹Bunu nakl eyleyen cemmaş-i hoş-gû. — Recaizade».

cemmaz, cemmaze, *A. i.* Erkek deve, dişi deve.● ‹İnaha-i cemmaze-i rihlet ettikte. — Raşit›.

cemmaz, cemmaze, *A. s.* Kıvrak, hareketli, canlı.● ‹Naima Efendinin mennah-i cemmaze-i kalem-i dilkeşhiramı. — Raşit›.

cemmen, *A. zf.* Kalabalık ederek.

cemre, *A. i.* 1. Yanmış kömür parçası. Kor. 2. Hacca gidenlerin Mekke yakınında Mina vâdiisnde şeytan taşlamaları. 3. Şubat sonlarıyle Mart başında havaya suya, toprağa düştü denen nesne ki, havalar yavaş yavaş ısınmaya başlar. 4. Karakabarcık denen çıban. (ç. Cemerat).● ‹Cemre eğer olmasaydı lâğzan — Düşmezdi zemine ta haziran. — Ş. Galip›.

Cemşid, *F. i.* Bk.● *Cem.*● ‹Bezm-i Cemşid'de devran ki kadehlerle döner. — Beyatlı».● ‹Sâkinin öp ayağın lâya'kıl ol da sonra — Cemşid-vari kendini alicenap göster. — Recaizade›.

cemşidî, *F. s.* Cemşit ile ilgili.● ‹Daudi zırhlarını ve çemşidî miğferlerini. — Lâmii›.

cenab, A. i. 1. Taraf, yön. 2. Büyütme, ulu görme deyimi.● *Cenab-i Hak,* Tanrı,● - *hilâfetpenahi,*● - *padişahî;* Padişah.● «Hizmet-i hâk-i cenabından gelen kadr ü şeref — Serfiraz-i ehl-i dil mümtaz-i akran eyledi. — Baki».

cenabet, A. i. Din bakımından yıkanma gerektiren durum. Pis.● «Pes cenabet ve haızla murdar olanlara haram idüğü aşikârdır. — Taş».● «Heveskâran eder ruhsar-i yare nazra-i şehvet — Cenabet şüst şusiçin döker su dide-i terden. — Nabi».

cenadil, A. i. [Cendel ç.] İri kayalar. Akarsularda suyun dökülüp kaynayarak aktığı yerler.

cenafir, A. i. [Cenfur ç.] Pek eskiden kalma mezarlar.

cenah, A. i. 1. Kuş kanadı. 2. Kol. Pazı. 3. (As.) Yan. Kol.● «Takarrür eyleyecek refref-i cenahınla. — Fikret».● «Bahçeye nazır olan cenahta idi. — Uşaklıgil».

cenahan, A. i. [Cenah ç.] İki kanat ve iki kol. Üyeler.

cenaheyn, A. i. [Cenah'tan] İki yan.● *Zü-l -cenaheyn,* dünya ve ahreti de iyi olan anlamında bulunan bu söz aynı zamanda iki tarafa da yaranan, iki yüzlü için de kullanılmıştır.● «Sair ulema yollu yolunca cenaheyn ta cami kapısına gelince kat ender kat dizilmişti. — Naima».

cenahyafte, F. s. Kanatlanmış.● «Bilmezdi hâkin olduğunu bister-i hayat — Nur-i cenahyafte bi per ü bal iken. — Nabi».

cenaib, cenayib, A. i. ç. Yedek hayvanlar, binekler.● «Cenaib-i mevkib-i Timur Handa pişahenk ve Bursa muharebesinde. — Kâni».

cenan, A. i. Yürek, gönül.● *Halis-ül-cenan,* yüreği temiz.● «Geldi vakt-i ruyet-i didar zanneyler uyan — Düşse bir pertev cenanımdan cinanın fevkine. — Naci».

cenaze, A. i. Kefenlenmiş, tabuta yatırılmış ölü.● «Köpüklerden kefenlere sararak birer cenaze-i nazenin şeklinde. — Naci».

cenb, A. i. Yan. Yan taraf, koltuk altının aşağısı.● «Biz de asaflanırız cenb-i Süleymanide. — Sadık».

cenbî, A. s. Yanal.

cenbiyye, A. i. Yan tarafa asılan bir nevi eğri kama veya hançer.

cendel, A. i. 1. Nehirlerde bulunan iri kaya. 2. İri taş. 3. Taşlık yer. (ç. Cenadil).

cendere, F. i. Baskı. Mengene.

cendere, A. i. Bozulmuş yazıyı düzeltme veya kumaşın bozulmuş yerini düzeltme.

ceneve, A. i. Cinayet, suç, kabahat.

cenf, A. i. Doğru yoldan sapma, vücut çarpıklığı.

cenfur, A. i. Eskiden kalma mezar.

ceng, F. i. Cenk, savaş.● *Ceng-i zergeri,* yalancıktan savaş.● *Der ceng-i evvel,* ilk ağızda.● «Bu iki kızla valide arasında ebedi bir ceng ü istihza zemini idi ki. — Uşaklıgil».

cengâr, F. s. Savaşçı. Cenk edici.

cengâver, F. s. Cenkçi, savaşçı. (ç. Cengâveran).● «Tarafeynden toplar atılmaya ve cengâveran bir birine katılmaya başladılar. — Naima».

cengâverane, F. s. Savaşçı gibi, savaşçıya yakışır yolda.

cengâverî, F. i. Savaşçılık. Cenkçilik.● «Hiçbir kavmni sermae-i cengâverisi namütenahi olmadığını teslim ile beraber. — Cenap».

cengazmâ, F. s. [Ceng-âzmâ] Savaş görmüş, tecrübeli savaşçı. (ç. Cengâzmâyân).● «Mecma-i aleyh cengazmâyan neberdâyin-i imandır. — Veysi».

cengazmûde, F. s. [Ceng-âzmûde] Savaş görmüş, tecrübeli.

cengcû, F. s. Savaş arayan, savaşa hazır. Kavgacı.

cengel, cengül, F. i. Sık ağaçlık ve sazlık yer.

cengelistan, F. i. Ağaçlık ve sazlık olan yer.

cengî, F. i. Savaş halinde olan kimse.

Cengiziyan, F. ç. i. Cengiz soyundan gelen kimseler. Onlara uyruk olanlar.● «Umumen taife-i Cengiziyan ile üzerinize varılmak mukarrerdir deyu. — Raşit».

cenib, cenibe, cenibet, A. i. Yedek hayvanı.● *Cenibe-keş,* yedek hayvanı çekip götüren.● «Cenibet-i rah-i iclâli eblak-i gerdun. — Nergisi».

cenin, A. i. 1. Döl. 2. Anasının karnında olan çocuk.● *Cenin-i kâzib,* gerçek olmayan gebelik;● - *sakıt,* düşük;● *iskat-i cenin,* çocuk düşürme.● «... Ferda. — O bir cenin ki bugünden tevellüt eyleyemez. — Fikret».

cenis, A. s. Karışık olmayan, hep bir cinsten olan.

cenk, ceng, F. i. Savaş.

cenkcuyane, F. zf. [Cenk-cu-yane] Kavga çıkarmak ister gibi, kavga edeceklere mahsus.● «Sahanı sofranın ortasına atıp kaçmaya meyyal duran vaz-i cenkcuyanesi. — Uşaklıgil».

cennat, *A. i.* [Cennet ç.] Cennetler. *Cennat-i Adn,* (cennet bahçeleri).

cennet, *A. i.* 1. Ağaçlı, sulak yer, bahçe. 2. 2. Tanrının, insanlara müjdelediği ölümden sonraki güzel, ebedî durak.● *Dar-ül-celâl, cennet-ül-huld, cennet-ün -naim, cennet-ül-firdevs, cennet-ül-karar, cennet-ül-adn,* adlarında sekiz cennettir. (ç. Cennat, cinan).● «Her yer bu sükûnetle hemâramiş-i Cennet. — Fikret».● «Boyun tuba dudağın âb-i hayvan — Ruhündür cennet-i adn ü hatın hur. — Nesimi».● «Zülâlinden ibarettir nesiminden kinayettir. — Sefa-yi çeşme-i kevser hava-yi cennet-ül-me'va. — Baki».

cennetmakarr, *F. s.* [Cennet-makarr] Ölmüşler için «Durağı Cennet olsun» anlamında kullanılan söz.● «Padişah hazretleri peder-i cennetmakarları katelesinden. — Naima».

cennetmekân, *F. s.* [Cennet-mekân] Ölmüşler için «Durağı Cennet olsun» anlamında kullanılan söz.● «Cennetmekân Fatih Sultan Mehmet Han».

cennî, *A. s.* Devşirilmiş, koparılmış olan.

cenub, *A. i.* Güney.● «Heva-yi cenubun gezindiği sular. — Kemal».

cenubi, *A. s.* Güneyle ilgili, güney -i.● «Bad-i şimali ile heva-yi cenubi birbirlerinin ağuş-i vefasından koparak. — Kemal».

cer', *A. i.* (Ayın ile) İçme, su yutma.

cerab, *A. i.* Dağarcık.● «Şebeke içinden bir meşin cerab çıktı. — Süheylî».

cerad, *A. i.* 1. Çekirge. 2. (Mec.) Yağmacı kalabalığı.● *Cerad-i münteşire,* yayılmış yağmacılar,● *âkil-ül-cerad,* çekirge yiyen tayfa, çekirge ile beslenen, aeridophages (XX. yy.).● «Fırat ü Dicle kenarında eyleyip tuğyan — Mülâhid olmuş iken münteşir misal-i cerad. — Nabi».

cerahat, *A. i.* 1. Yara. 2. Yaradan akan sulu madde, irin.● «Huddamından altı nefer helâk olup ve ondan ziyadesine cerahat isabet eyledi. — Naima».

cerahatyab, *F. s.* Cerahatlenen.● «Meh-i âlemfüruzu bedr iken gördüm hilâl olmuş — Cerahatyab-i noksan olmamış kâkül mü kalmıştır. — Nabi».

ceraid, *A. i.* [Ceride ç.] 1. Cerideler. 2. Gazeteler.● «Evet ceraid-i mizaha güldürmek yaraşır. — Cenap».

ceraim, *A. i.* [Cerime ç.] 1. Suçlar. 2. Suç pahaları.● «Valide sultan hazretlerine dahîl caraimden istiğfar edesiz inşallahütealâ karin-i afv olmanızda şüphe yoktur. — Naima».

cerair, *A. i.* [Cerire] Suçlar, kabahatler.

cerb, Bk. Çerp.

cerban, *A. s.* Uyuz (kimse).

cerbeze, *A. i.* 1. Hilekârlık, kurnazlık. 2. Beceriklilik. 3. Güzel ve kandırıcı söz söyleme.● «Âteşin-cerbeze bir nâtıkaâsâ gözler. — Fikret».

cerd, *A. i.* Atlı veya yaya asker takımı. ● «Han-i alişan ve âyan-i asakir-i İslâm ile cerd ü sebükbâr kale-i mezbure altına ilgar edip. — Raşit».

cerda, *A. s.* Tüysüz. Dazlak.

cerde, *F. i.* Kuladan açıkça sarı renkli at.

cereb, *A. i.* Uyuz hastalığı.● *Cereb-i frengî,* Frengi hastalığı.● «Rakîb-i kalb-nihad oldu müptelâ-yi cereb. — Naci».● «Cereb-i frengî gibi sirayet. — Resmî».

cerebiye, *A. i.* (Zoo.) Fransızcadan *Acariens, acarides* (uyuzböcekleri) karşılığı (XX. yy.).

cerem, *A. i.* Ayrılma.● *Lâcerem,* şüphesiz, mutlaka.

ceres, *A. i.* Hayvan boynuna asılan çıngırak. Küçük çan.● «Gerden-i naka-i Leylâ'ya sarılsa Mecnun — Sallanırdı yüreği aşk ile manend-i ceres. — Sabit».

ceresiyye, *A. i.* (Bot.) Fransızcadan *Campanulacés* (Çançiçekgiller) karşılığı (XIX. yy.).

cereyan, *A. i.* 1. Akma, akım. 2. Geçme. Olma.● *Cereyan-i hava,* hava akımı;● *- mesalih,* işlerin oluşu;● *- vakıa,* olayın geçişi;● *baiy-ül-cereyan,* ağır akışlı;● *kaza-cereyan,* Tanrı buyruğuna uygun olarak, önlenemez halde geçen;● *seri-ül-cereyan,* çabuk akan, çabuk geçen. ● «Müterennim, güzel neler varsa — Cereyan-i hakikat-i sevdada. — Cenap».

cerh, *A. i.* 1. Yaralama. 2. (Bir fikri) çürütme, kabul etmeme.● *cerh-i amd,* bir kimseyi önceden tasarlayarak yaralama;● *- hata,* yanlışlık veya tedbirsizlikle yaralama;● *- müshen,* bir günden ziyade yaşayacağı kestirilemeyen yaralama;● *- mühlik,* yaralananın ölümüne yol açan yaralama.

ceri, *A. s.* [Cüret'ten] Gözü pek, yılmaz. *Ceriy-ül-kalem,* serbest yazar, kalemi zorlu; *ceriy-ül-lisan,* sözünü esirgemez, serbest sözlü.• «Zatında bir ceri ve aklı gözünde şahıs olmağin. — Naima».

cerib, *A. i.* Osmanlı imparatorluğunun Arabistan ülkelerinde de kullanılan 216 litre kadar olan bir hacım ölçüsü, 80 metre kadar tutan bir ölçüsü.

ceride, *A. i.* 1. Haraç defterdarlarının toprak ölçülerini kaydettikleri defter. 2. Önemli olayların kaydedildiği resmî dairelerin bazı büyük defterleri. 3. Gazete (XIX. yy.).• *Ceride-i feride,* eşi olmayan, tek gazete;• *Ceride-i Havadis.* 1840'ta çıkarılmış resmî olmayan ilk gazete;• *Ceride-i nüfus,* nüfus kütüğü.• «Ceride-i amelim açma ruz-i mahşerde — Kıl ismimi dehen-i merhamet ile tizkâr. — Ziya Pş.».• «Münazaaya müdahale etmemek için dudaklarını ısırır, eline bir ceride alırdı. — Uşaklıgil».

cerih, *A. i.* [Cerh'ten] Yaralı.• «Zeynel Han bu hali görüp naçar cerih ve darih süvar olup. — Naima».

ceriha, *A. i.* Yara. (Arapçada yok diye bazı sözlükler almaz ve yanlış olduğunu yazanlar vardır; böyle olduğu halde çok kullanılmıştır).• «Kalbimde bir ceriha eder her dem ittisa'. — Cenap».

cerihadar, *F. s.* [Ceriha-dar] Yaralı.• «En küçük bir lâtifenin beni müebbeden cerihadar edecek bir ehemmiyeti olabilir. — Uşaklıgil».

cerim, *A. s.* Suçlu.

cerime, *A, i.* [Cürm'den] 1. Suç. 2. Para cezası.• «Bu az akçe değildir, bu kadar cerimeyi çekmeye gürcü Nebi'nin borcu ve suçu nedir deyu. — Naima».

cerire, *A. i.* Suç, kabahat, (ç. Cerair).

cerm, *A. i.* 1. Kesme. 2. Kırkma. 3. Günah işleme.• «Hanman-i devleti berbat edip mesned-i cerm ü siyasete gelen vüzera ve vükelâ. — Raşit».

cerr, *A. i.* 1. Çekme, sürükleme. 2. Kendine doğru çekme. 3. Dilenme. 4. Medreselerde okuyanların üç aylarda köy köy dolaşarak imamlık, vaaz işleri görerek yıllık geçim parası toplamaları. 5. Arap gramerinde kelime sonlarının i okunması.• *Cerr-i eskal,* mekanik;• *- menfaat,*• *- nükud,* fayda, para çekme;• *harf-i cerr,* beraber ublunduğu kelimenin sonunu i okutan harf.• «Cihandan gayr-i munsarif gibî cerr mürtefi oldu. — Sadettin».• «Siyasiyat-i hariciyede hak bir cerriaskal muadelesi oluyor. — Cenap».

cerrah, *A. i.* 1. Yaraya bakan hekim. 2. Operatör. (ç. Cerrahan).• «Ve müteaddit cerah çadırları kurulup. — Naima».• «Bedehu cerrahan yürüyün. — Raşit».

cerrahi, *F. i.* Cerrahlık.

cerrar, *A. i.* [Cerr'den] 1. Mutlaka para toplamak için kendine bir kıyafet vermiş dilenci. 2. Arsız, asılıcı dilenci. *(s.)* Kalabalık, çok ve ağır giden (asker). (ç. Cerrahan).• «Bulur hiffet ekâbir siklet-i cerrardan sonra. — Beliğ».• «Tatar-i adû-şikârı bir miktar asakir-i cerrar ile akına salıp. — Raşit».

cerrare, *A. i.* 1. Küçük, ağılı akrep. 2. (Mec.) Saç.

cerre, *A. i.* Toprak testi.• «Havadan iki melek ol cerrenin içine su korlar idi. — Süheyli».

cesamet, *A. i.* [Cism'den] Büyüklük, irilik.

cesaret, *A. i.* Yiğitlik, yüreklilik.• «Evvelâ söylemeye cesaret edemiyordu. — Uşaklıgil».

cesban, çespan, *A. s.* Lâyık, yaraşır.• «Cenge cesban bir vasi' meydana cem'. — Raşit».

cesbusi, *F. i.* İkiyüzlülük. Mürayilik.

cesed, *A. i.* 1. Cisim. 2. Gövde, ten. 3. Ölü insan gövdesi. Hayat kabiliyetini kaybetmiş kimsenin maddece varlığı. (ç. Ecsad).

cesedî, *F. s.* Cesetle ilgili.

cesîm, cesime, *A. s.* [Cesamet'ten] 1. İri. 2. Ulu. 3. Önemli, büyük.• «Karadeniz'e doğru yol alan cesim bir yük vapurunun. — Uşaklıgil».

cessas, cassas, *A. i.* (Sad ile) Sıvacı, badanacı, kireççi.

cest, *F. i.* Sıçrama, atlama; *(s.)* Atlayıcı, kaçıcı, kurtulucu; *(zf.)* sıçrayarak, atlayarak.

ceste, *F. s.* Sıçramış, fırlamış. *Ceste ceste,* azar azar.• «Maadası dahi gitmeye ragıp ve ceste ceste firar ederler iş muattal olur. — Raşit».

cesur, *A. s.* [Cesaret'ten] Yiğit.

cesurane, *F. zf.* Cesaretle. Yiğitçe.• «Muhakkak bu müsademeye cesurane mukavemet için karar vermiş gibiydi. — Uşaklıgil».

ceşa', *A. i.* Daha iyi bir yere taşınma.

ceşn, çeşn, *F. i.* Ziyafet.

cev, F. i. Arpa.● Dane-i cev, arpa tanesi.
● «Nîm cev hâsılı yok ehl-i dilin sâmanı — Bu tehi yelmeden ey esb-i tabiat bıktın. — Beliğ».

cevab, A. i. 1. Soruya karşı söylenen söz. 2. Kabul etmeme. 3. Bir yazıya karşılık,● Cevab-i cevab, söylenene karşılık;● - kâtî, kesin söz;● - nasavab, doğru olmayan karşılık;● - red, olmaz deme;● - şafi, inandırıcı cevap;● hazırcevab, yerinde ve hemen karşılık bulan;● redd-i cevab, karşılık söylenene karşı söz söyleme.

cevabdih, F.. s. Cevap veren. Cevaplayan.

cevaben, F. zf. Karşılık olarak.

cevabî, A. i. [Cabi ç] Tahsildarlar, cabiler.

cevabî, A. s. Cevap, karşılık olarak söyleyen.

cevabname, F. i. Cevap, karşılık olarak yazılan şey.● «Der-i devletten cevabname ile. — Naima».

cevad, A. s. [Cud'dan] Cömert.

cevadd, A. i. [Cadde ç.] Caddeler.

cevahir, A. i. [Cevher ç] Cevherler. Değerli süs taşları.● Cevahir-i ulviye, felekler, gezegenler.● «Dâmenin dürr ü cevahirle pür etti gül-i ter — Ki ede hâk-i der-i hazret-i paşaya nisâr. — Bâki».

cevahiri, A. i. Cevahirci, kuyumcu.

cevaib, A. i. ç. Halk arasında dolaşan sözler. Haberler.

cevaiz, A. i. [Caize ç.] Caizeler, verilen bahşişler.● «Tahsil-i emval ekseriya Mısır ve Bağdat ve kaptanlık ve sair menasıp cevaiziyle. — Naima».

cevale, A. i. [Cul ç.] Çukurların dipten ağzına kadar olan yanları ve duvarları.

cevami', A. i. [Cami' caima ç] 1. Camiler. 2. Toplu şeyler. 3. İçinde çok şeyler bulunan kitap veya nesneler.● «İstanbul'da vakı cami-i şerif-i Süleymaniye ve Sultanahmet ve Bahçekapı'sı dahilinde vakı valde sultan cevamiinde. — Raşit».

cevamid, A. i. [Camide ç] Donmuş, donuk şeyler.

cevamih, A. i. [Camih ç.] Dizgin, kamçı idnlemeyen başı sert hayvanlar.

cevamis, A. i. [Camus ç.] Susığırları, mandalar.

cev'an, A. s. [Cu'dan] Acıkmış midesi boş.

cevan, civan, cüvan, F. i. Genç, delikanlı.

cevanan, civanan, F. i. [Cevan ç.] Gençler, tazeler.

cevanbaht, F. s. Talihli genç, mutlu.● «Devlet-i şah-i cevanbahte dua kıl ki seni — Kimse çekmez ileri himmet-i şahane çeker. — Baki».

cevanî, F. i. Gençlik.● «Beni âzade kılsa pirlik aşk-i cevaniden — Yine hakk-i velâ bu bende-i dirineden çıkmaz. — Beliğ».

cevanib, A. i. [Canib ç.] Yönler, taraflar.● Cevanib-i erbaa, dört taraf.● «Bek kalesinin cevanib-i erbaasında otuz saat mesafeye varıncaya değin. — Raşit».

cevari, A. s. [Cariye ç.] Cariyeler, kızlar, halayıklar.● Cevariy-ül-künnes, gezegenler, Utarit (Merkür), Zühre (Venüs), Merih (Mars), Müşteri (Jüpiter) ile Zuhal (Saturn).● «Peri-çehre ve kamer-talât cevari ve gılman ve ganamim-i bigeran. — Raşit».

cevarih, A. i. [Cariha ç.] 1. Avcı kuşlar. 2. El, ayak gibi beden öğeleri.● «Kendi sâid-i zafer-müsaidlerinden cevarih salmakla bizzat aldırdıkları şikâr. — Naima».● «Muşt ve lekd ile başın ve bazı âza ve cevarihini mecruh etmekle. — Naima».

cevasir, A. i. [Casir ç.] Yiğitler, cesur olanlar.

cevasis, A. i. [Casus ç.] Casuslar.● «Cevasis vasıtasıyle Rüstem Han Osmaniyanın cümle ahvaline muttali' olmuş idi. — Naima».

cevaşin, A. i. [Cevşen ç.] Pul ile halkadan yapılma zırhlar.● «Birkaç gün muharebe için iktisa-yi cevaşin ve duru' eylediler. — Raşit».

cevaz, A. i. Yasak olmama. İzin. Olurluk. İşlenmesi veya işlenmemesi bir olan.● Cevazi-i kanunî, işlenmesinde kanunca bir yasak olmayan;● - şer'î, yapılması şeriatçe suç sayılmayan.● «Mahremane sohbetlerde şerbet-i darihten nükûl ve cevaza karip olan nebiz ve müsellesat istimaline udul için. — Naima».

cevazib, A. i. [Cazibe ç.] Çekici şeyler, gönül bağlayıcı nesneler.

cevbecev, F. s. [Cev-be-cev] Tane tane, parça parça, zerre zerre.

cev cev, F. zf. Tane tane. Bir ona bir buna.● «Her ne kazanır gezende ev ev — Taksim ederiz arada cev cev. — Fuzuli».

cevd, A. i. Çok yağan yağmur.

cevdet, A. i. 1. İyilik. 2. Tazelik. 3. Kusursuzluk.● Cevdet-i fehm,● - fikir,● -

kariha,• - zihn, anlayış, fikir, kavrama, zihin tazeliği, iyiliği, üstünlüğü.• «İdraki olanlara ayandır — Fikrindeki cevdet ü selâmet. — Naci».

cevelân, cevlân, A. i. Dolaşma, gidip gelme. Dönüp dolaşma.• Cevlâna gelmek, dolaşmak, dönmeye başlamak.• «Bir yanda hale-nüma telli pullu bir cevelân. — Fikret».

cevelangâh, cevlângeh, F. i. Dönüp dolaşma yeri; koşu, savaş yeri.• «Âlem kalır ortasında erzen — Cevlângehi böyle isterim ben. — Naci».

cevelânger, cevlânger, F. i. Dönüp dolaşan atlı.

cevere, A. i. ç. Adaletsiz hâkimler.

cevesan, A. i. Köşe bucak araştırma. Casuslama için araştırma.

cevf, A. i. 1. İç orta. 2. Kof, oyuk.• Cevf-i leyl, yarı gece, geceyarısı;• - mide, mide boşluğu.• «Bu rükûdet, bu samt ü cevf-i leyal. — Cenap».• «Nikbahtan ki bulur cevf-i sadefte dür-i pak — Şumi-i bahtla biz katre-i baran buluruz. — Nabi».

cevher, A. i. 1. Yaradılış, asıl maya. 2. Özellik, yaratıştaki değer. 3. Değerli süs taşı. 4. Kılıç namlusundaki meneviş ve dalgalar. 5. Ebced hesabındaki noktalı harf. 6. (Fel.) Kendi kendine bir varlığı olup gerçekleşmesi için başka bir nesneye ihtiyacı olmayan.• Cevher-i ferd, bir cismin bölünmez ufaklıktaki parçalarından her biri; (Ed.) Sevgili veya sevgilinin dudağı;• - mücerred, mutlak, katıksız cevher; madde halinde olmayan ve kâinatın ruhunu meydaan getiren nesne;• - ulvi, yüce cevher, felek.• «Sanki tesmim ederek cevher-i safiyyetini. — Fikret».

cevherdar, F. s. [Cevher-dar] 1. Cevherli. 2. Kendisi ve mayası beğenilecek halde olan. 3. Özelliği bulunan. 4. Değerli taşlarla süslü bulunan. 5. Yalnız noktalı harfleri sayılan tarih.• «Gül gibi hurrem ü handan ola rû-yi bahtın — Sagar-i ayşın ola lâle-sıfat cevherdar. — Baki».

cevhere, A. i. Bir tane cevher.

cevherfürüş, F. i. [Cevher-füruş] Cevahirci.

cevheri, cevheriyye, A. s. Değerli taş veya inciye ait, onlarla yapılmış, işlenmiş bulunan. (i) XX. yy. da Fransızcadan substantialisme karşılığı.

cevherîn, F. s. Mücevherden, cevherden.• «Rahikler sunulur cevherîn kadehlerlerle. — Fikret».

cevheriyyun, A. i. Tanrıya bir cevher gözüyle bakan mutezile firkası.

cevherpare, F. s. [Cevher-pâre] Mücevher parçası.• «O her biri birer cevherpare gibi işlenmiş. — Uşaklıgil».

cevherşinas, F. s. [Cevher-şinas] Mücevherden anlayan. (ç. Cevherşinasan).• «Ve bu çâr-bazar-i sanageri-i fenada cevherşinasan-i ehl-i men mezide. — Veysi».

cevhertıraş, F. s. [Cevher-tıraş] Mücevher işleyici.• «Ve Frengistan'dan cevhertıraş hakkâklar getirip. — Naima».

cevkân, F. i. Bk.• Çevgân.• «Serencam-i adû ahir ne hale erişe derken — Hezaran kelleler top etti çerh cevgânı. — Baki».

cevlân, cevelân, A. i. Bk.• Cevelân.• «Ol zaman erdi ki bin şevk ile taus-i neşat — Ede sahn-i harem-i bağ-i cihanda cevlân. — Baki».

cevlângâh, cevlângeh, F. i. [Cevlângâh] Dolaşacak yer, dolaşma yeri.• «Tenkna-yi siyaset haricinde, daha vasi, daha müferrih cevlângâhlar yok mudur? — Cenap».

cevlânger, F. s. Dolaşan, dolaşıcı.

cevlângeri, F. i. Dolaşıcılık, gezicilik.• •«Eyledikçe tig-i hunfeşan ile cevlângeri. — Nef'i».

cevin, F. s. Arpadan yapılma.• Nan-i cevin, arpa ekmeği.

cevr, A. i. Haksızlık edip incitme. (Tas.) Tarikat adamının ruh yolunda ilerlemesine engel olan nesne.• «Kısmetleri dersen ezeli cevr ü cefadır. — Cevr ola niçin zevk ü safa olmaya kısmet. — Ruhi».

cevreb, A. i. Çorap.• Çâk-i cevreb, çorap söküğü.• «Çâk-i cevreb gibi kârları rahnesi. — Naima».

cevrpişe, F. s. [Cevr-pişe] Zalim ve gaddar olan.

cevşen, F. i. Örme zırh. Zincir ve puldan yapılma zırh.• Cevşengüdaz, zırh eriten,• -güzar, zırh delen.• «Mevc mevc leşkeri cevşen-şiken. — Ziya Pş.».

cevşenpuş, F. s. [Cevşen-puş] Zırh giyen. zırhlı asker.

cevv, A. i. Yeryüzünün etrafındaki geniş boşluk.• Cevv-i hava, hava boşluğu, gök.• İlm-i ahval-i cevv, Meteoroloji.• «Kendi cevvim, kendi eflâkimde kendim tâirim. — Fikret».

cevvad, *A. s.* [Cud'den] Çok vergili.● «Hak
teâlâ cevvad-i mutlak ve hisar-i ger-
dunun feyz-i âmmına nisbet. — Sa-
dettin».

cevval, cevvale, *A. s.* Fazla veya pek do-
laşan, hareketli, canlı● «Fikr-i cevval
içinde rahşiş- berk. — Naci».● «Birta-
kım kollar zincirlerle şu kütle-i cevva-
le-i âteşîni. — Uşaklıgil».

cevi, cevviyye, *A. s.* Yeryüzü etrafında-
ki boşluğa ait, onunla ilgili.

cevz, *A. i.* Ceviz, koz.● *Cevz-i bevva,* Hin-
distan cevizi.● «Şeytan ile cevz oyna-
ma, lâzım mı çocukluk. — Naci».

Cevza, *A. i. (Ast.)* İkizler. Güneş Mayıs
ayında bu burca girer.● «İsneyn günü
terbi-i nahseyn vaki oldu. Zühal Cev-
za'dâ, Mirrih Sünbüle'de idi. — Nai-
ma».

cevziyye, *A. i.* (Bot.) Fransızcadan *Jug-
landasées* (Cevizgiller) karşılığı (XIX.
yy.).

ceyaid, *A. i.* [Cevad ç.] Eşkin ve depreni-
şi güzel atlar, soy ve yürük atlar.

cey'an, *A. s.* Aç.

ceyb, *A. i.* 1. Yaka, iki yaka arası. 2.
Cep. 3. *(Geo.)* Sinüs.● *Ceyb-i hüma-
yun,* padişahınözel harcamalarını ya-
pan daire (XX. yy.).● *murakabe,* dev-
rişlerin düşünme için başlarını öne eğ-
meleri,● *-sabr,* dayanma, kendini tut-
ma,● *-efekkür,* düşünce durumu;● *der-
ceyb etmek,* hilekârlıkla cebe atmak,
elde etmek. (ç. Cüyub).● «Câme-i fi-
rakın ceyb-i sabrın çâk ederim — Bu
derde ben doyamam kendimi helâk
ederim. — Ş. Sadettin».● «Zemine
bâd-i hevadan çok akçe düştü yine —
Pür etti dâmen-i sahrayı doldu ceyb-i
cibal. — Baki».

ceybî, *A. s.* [Ceyb'den] Ceyb (Sinüs) ile
ilgili.

cey'et, *A. i.* Gelme, ulaşma, gelip çatma.

ceyl, *A. i.* Bk.● *Cil.*

ceyş, *A. i.* Asker. Beş bin veya daha faz-
la insandan oluşan ordu.● *Mukaddi-
met-ül-ceyş,* büyük kuvvetlerin öncü-
leri;● *sevk-ül-ceyş,* asker güdümü;●
tâbiyet-ül-ceyş, kuvvetleri yerleştirme
bilgisi. (ç. Cüyuş).● «Dalkılıçlarla hi-
sara daldı erbab-i salâh — Ceyş-i
mahsuru cahime saldı erbab-i salâh. —
Süruri».● «Gark oldu hûna Rumeli
beylerbeyiyle ceyş. — Beyatlı».

ceyyaf, *A. i.* Mezar açıcısı, kefen soyu-
cu.

ceyyid, ceyyide, *A. s.* [Cevdet'ten] İyi,
hoş.● «Çün sanat-ı tıbaat-ı ceyyidet-ül
-menafiin esas ve mebnası. — Raşit».

cez', cez'a, *A. i. (Ze* ve *ayın* ile) Göz bon-
cuğu denen değerli süs taşı.● «Ve pâ-
yeleri yeşm-i beyaz ve cez' ile murassa
idi. — Süheyli».

cez', *A. i. (Zel* ve *ayın* ile) Ağaç kütüğü,
tomruk.

ceza', *A. i. (Ze* ve *ayın* ile) Sabırsızlık gös-
terip acı acı telâşlanma.● *Ceza ü feza',*
telâş figan, ağlayıp sızlama.● «Kara
Ali'ye hitap edip : Acele etme cellât
ağa ivme, deyüp kat'a ceza' etmediğin-
den seyr edenler hayran oldular. —
Naima».

ceza, *A. i. (Ze* ile) İyi veya kötü karşılık.
2. Suç işleyene dünyada veya ahrette
yapılan karşılık. 3. *(Gra.)* Şart cümle-
lerinde ikinci bölüm.● «Haber verirse-
niz» şart «ben de gelirim» cezadır.●
Ceza-yi amel, işlenen bir şeyin görülen,
çekilen fenalığı;● *- nakdî,* para cezası;●
- seza, lâyık olan ceza;● *- Sinimmar,*
Sinimmar'ın gördüğü karşılık (Yaptığı
güzel binanın üstünden fırlatılarak,
bundan daha iyi yapı yapmasın diye,
öldürülmüştür). *Dâr-ül-ceza,* öbür dün-
ya.● *Kanun-i ceza,* ceza kanunu;●
mahkeme-i ceza, cünha ve kabahat suç-
larına bakan mahkeme;● *ruz-i ceza,*
kıyamet günü.● «Süleyman Paşanın
ceza-yi sezası görülüp şer-i maktuu
cümlenin manzuru olmak için. — Ra-
şit».

cezaen, *A. zf.* Ceza olarak.

cezaî, cezaiyye, *A. s.* Cezaya ait, ceza iş-
leriyle ilgili.● «İşittiğimize göre maha-
kim-i cezaiyede avukat kabul olunma-
makta imiş. — Kemal».

cezail, *A. i.* [Cezil ç.] Çok olanlar, bol
olanlar.

cezair, *A. i.* [Cezire ç.] Adalar.● *Cezair-i
Bahr-i Sefid,* Akdeniz (Ege adaları);●
- Garb, Cezayir;● *- Halidat,*● *- saadet,*
Kanarya adaları;● *- Hind,* Hindiçinî
adaları.● *- Seb'a* (Yedi ada) İyoniyen
adaları.

cezalet, *A. i.* Düzgün söyleyiş, pepeme ve
kekeme olmayış.● *Cezalet-i lafz,* lafız
düzgünlüğü;● *- mâna,* anlam düzgün-
lüğü.

Cezayir, *A. i.* Cezayir memleketi.

cezb, *A. i.* 1. Kendine doğru çekme. 2.
İçme.● «Bir aralık gözlerini bir kuv-
vet cezbetti. — Uşaklıgil».

cezbe, *A. i.* Hal ehlinin Tanrı hatırlamalarıyle dalıp kendinden geçme hali.● «Ooh, bak dalgaların cezbe-i safiyyetine. — Fikret».

cezebat, *A. i.* [Cezbe ç.] Cezbeler.● «Ahvalimi anlatmaksa maltup — Gel, ol cezebata sen de mağlup. — Naci».

cezel, *A. i. (Ed.)* Doğru olan lâfız.

cezer, *A. i. (Ze* ile) Havuç. (ç. Cüzür).

cezîl, cezile, *A. s.* Bol, çok.● *Ecr-i cezîl,* çok sevap;● *hayrat-i cezile.*● «Olup günden güne ikbali berter hem bu hayr-i pâk — Ola serlevha-pira defter-i hayr-i cezîlinde. — Nedim».

cezîm, *A. s.* Kesilmiş, koparılmış.

cezire, *A. i.* Ada.● *Ceziret-ül-Arap,* Arap yarımadası;● *Elcezire,* Fırat ile Dicle arasında bulunan Irak toprağı;● *şibih-cezire,* yarımada.● «Ferman-i hümayun ile cezire-i Rados'a irsal olunup. — Raşit».

cezm, *A. i.* 1. Kesme. 2. Kesin karar verme.● «Farz oldu bu azme cezm kılmak. — Fuzuli».● «Sarf etti azm ü cezm ile bilcümle varını. — Beyatlı».

cezm, *A. i.* Arapça kelimelerde sükûn ve hareketsizlik işareti.

cezma, *A. i. (Zel* ile) Kesilmiş el.

cezr, *A. i. (Zel* ile) Kök. (Bot.).● *Cezr-i ârızi,* ek kök;● *- dereni,* yumru kök;● *rişi,* saçak kök;● *- vetedî,* kazık kök; (Mat.) Kök.● *Cezr-i asamm,* sağır kök; ● *- mikâb,* küb kök;● *- murabba,* kare kök. (c. Cüzur).● «Ol kılar cezr-i asamın şüphesin mahz-i vuzuh — Bu eder kutr-i muhitin nispetin ayn-i yakîn. — Nedim».● «Yahut Türk cezirlerinden yeni edatlarla yapılacak yeni Türk kelimelerini. — Z. Gökalp».

cezr, *A. i. (Ze* ile) Deniz suyunun çekilmesi.● *Cezr ü medd,* gelgit.

cezrî, *A. s.* Köke ait, kökle ilgili.

cezri, *A. i.* Radikal (XX. yy).

cezriyye, *A. i.* (Fel.) Fransızcadan *Radicalisme* (Köktencilik, radikalizm) karşılığı (XX. yy.).

cezu', *A. s. (Ze* ile) Açıklanan, dert yanan. Sızlanan.

cezub, *A. s. (Zel* ile) [Cezb'den] Kendine çekici olan, çeken.

cezve, *A. i. (Zel* ile) Ateş koru.● «Şeyh-i mezbura cezbe-i ilâhiye ve cezve-i nâr-i muhabbet-i rabbaniye erişip. — Taş.».

cezzab, *A. s.* [Cezb'den] Çok çeken, fazla çekici.

cezzar, *A. i.* 1. Deve kasabı. 2. *(Mec.)* Zalim, kanlı.

cıss, *A. i. (Sat* ile) 1. Kireç. 2. Alçı.

ciale, cialet, *A. i.* Karşılık ücret, mükâfat.

cibah, *A. i.* [Cebhe ç.] Alınlar.● «Celâlin bârgâhında melekler. — Felekler secdesây eyler cibahı. — Recaizade».

cibal, *A. i.* [Cebel ç.] Dağlar.● «Bugün nasılsa gamalûd sislerinle cibal. — Fikret».

cibavet, *A. i.* Cibayet. Derip toplamak. Cabîlik.

cibayât, *A. i.* [Cibayet ç.] Gelir toplamalar.● «Hem kulunuz deyu itaati müş'ir kelimat edersiz, hem cemi-i aklâm-i cibayât ve iradât-i divaniyeye cümle hizmet namına müstevli olup. — Naima».

cibayet, *A. i.* 1. Toplama, derleme. 2. Gelir toplama. 3. Vakıf kirası toplama, câbilik.● «Selâtin-i maziye evkafını ve hayrat-i müslimînin tevliyet ve kitabet ve cibayet ve nezaretleri bile alınıp. — Naima».

cîbet, *A. i.* Soruya karşılık verme.

cibillet, *A. i.* Cibilliyet. Yaratılış. Asıl maya. Huy.● «Cibillet ve halin tefahhus ettiler. — Naima».

cibilli, cibilliye, *A. s.* Yaradılışta olan.● «Arap ile Rum meyanında adavet cibilli olup. — Naima».

cibilliyet, *A. i.* Cibillet sözünün Türkçede kullanılan şekli. Yaradılış asıl maya. Huy.● «Ama içlerinden biri cibilliyetinde merkûz olan vefur-i fikr ü feraset ile. — Raşit».

Cibril, *A. i.* Cebrail.● *Cibril-Emin,* Cebrail.● «Eyleyip şehper-i Cibril'den ey meh yeleğin — Bir kez ahımla ok atışsa o dem yane sadak. — Hayali».● «Düştü Hüseyin atından sahra-yı Kerbelâ'ya — Cibril var haber ver sultan-i enbiyaya. — Kâzım Pş.».● «(...) firiştegân — Cibril'i gördüler nice demdir gider gelür. — Beyatlı».

cibs, *A. i.* 1. Alçak, hayırsız kimse. 2. Alçı. Kireç.

Cibt, *A. i.* Cahiliyet devri putlarından birinin adı. Put.

cîd, *A. i.* Boyun, gerdan.

cida', *A. i.* Sövüşüp çekişme.

cidal, *A. i.* 1. Zorlu çekişme, uğraşma. 2. Ateşli konuşma, bahis.● *Cenk ü cidal,* savaş.● «Rümuz-i aşkla hayretgüzin cahidler — Cidal-i daniş ile dem urur muanidler. — Behçet».

cidalcu, F. s. [Cidal-cu] Kavgacı dalaşçı.

cidalcuyane, F. s. [Cidal-cu-yane] Kavga arayana mahsus yolda, kavga çıkarmak istercesine.• ‹Tecavüzat-i cidalcuyanesine. — Uşaklıgil›.

cidalgâh, F. i. [Cidal-gâh] Savaş yeri, uğraş yeri.• Cidalgâh-i hayat,• - maişet, hayat, geçim kavgası yeri (Bu dünya). • ‹Nasılsa cidalgâh-i maişete sürüklediği. — Cenap».

cidar, A. i. Duvar (ç. Cüdran, cüdur.).• ‹Şimdi boş odanın — Nîmmuzlim kalan cidarında — İnce bir gölge irtiaş ediyor. — Fikret›.

cidd, A. i. 1. Gayretle açlışma, çabalama. ma. 2. Ciddîlik.

cidden, A. i. Gerçekten. Şakadan değil.

ciddi, ciddiye, A. s. Gerçek. Şaka değil.• ‹Siz beni hiç ciddî gördünüz mü? — Uşaklıgil›.• ‹Hayatın ezvak-i ciddiyesini o tadıyor. — Cenap›.

ciddiyat, A. i. [Ciddî ç.] Ağır başlıca, gerçek davranış ve uğraşışlar.

ciddiyet, A. i. Ağırbaşlılık ve gerçeklik.• ‹Tıflâne sohbetlerindeki ciddiyet-i eda. — Fikret›.

ciet, A. i. Gelme, geliş.

cifan, A. i. [Cefne ç.] Cömert insanlar.

cife, A. i. Leş. (ç. Cüyuf, ecyaf).• ‹Ne diyordum bak : Âdem evlâdı — Canlı bir cife, bir yürür pıhtı. — Fikret›.

cifegâh, A. i. [Cife-gâh] Leşle dolu yer. (Dünya).

cifehâr, F. s. [Cife-hâr] Leş yiyen.

cifr, cefr, A. i. Rakam, harf ve sembolle ifade edilir bir bilgi olup insan bununla geleceği hakkında bazı haberler öğrenir, fal. İlkin Hazreti Ali'nin bu işle uğraştığı söylenir.• ‹Cifr ise ehl-i keramet işidir — Kim görür ehlin anın kim işitir. — Sümbülzade›.

cifri, A. i. Cifirci, falcı.

cifriyyat, A. i. Cifre ait eserler, işler.

cifs, A. s. (Sin ile) Düşük, bayağı kimse.

cift, F. s. Çift, eş. Tek olmayan.

ciğer, F. i. Karaciğer.• ‹Çıkmakta bu âvaz o garibin ciğerinden. — Fikret›.

ciğerdar, F. s. [Ciğer-dar] Ciğerli, yürekli, cesaretli.• ‹İki kapısın kırıp kati vafir merd-i ciğerdar içeri girdiler. — Raşit›.

ciğerder, F. s. [Ciğer-der] Ciğer paralayan. Ciğer söken, yırtan.• ‹Bu anda çıktı bütün sadr-i zâr-i kafileden — Revan-hıraş ü ciğerder, derin bir : Ah, serab. — Cenap».

ciğerduz, F. s. [Ciğer-duz] Ciğeri delip geçen.• ‹Rüstem-i tab'ım eğer düşman ile cenk etse — Hamemi tir-i ciğerduz-i düpeykân eyler. — Cevri›.

ciğergâh, ciğerkâh, F. i. [Ciğer-gâh] Ciğerin bulunduğu yer. Ciğerin ta kendisi.• ‹Hail enîn-i kalbe ciğergâh bir taab. — Fikret›.

ciğergûşe, [Ciğer-gûşe] Sevgili. Evlât.• ‹Validesinden nasihat talep ettikte benim ciğergûşem Haccac gibi bir kâfire fermanber olmaktan. — Veysi›.

ciğerhıraş, F. s. [Ciğer-hıraş] Ciğer koparan, ciğer söken.• ‹Raci'nin ciğerhıraş öksürüğüyle sarsıldı. — Uşaklıgil›.

ciğerhun, F. s. [Ciğer-hun] Ciğeri kanlı, çok acıklı.• ‹Tekâlif-i gûnagûndan alâ ve edna ciğerhun olmuşlar idi. — Naima».

ciğerpare, F. i. [Ciğer-pâre] Evlât.• ‹Gel ey izz ü nazım ciğerpâresi — Gel ey derd-i dağ-i derun çaresi. — Nedim›.

ciğersuhte, F. s. [Ciğer-suhte] Ciğeri yanık. (ç. Cigersuhtegân).• ‹Tebzedegân-i temmuz-i isyan olan ciğersühtegân-i ateş-i hicrana. — Veysi».

ciğersuz, F. i. [Ciğer-suz] Bağır yakan çok acı.• ‹Ya Rab nedir bu nâr-i ciğersuz-i iftirak. — Ziya Pş.›.

ciğerşikâf, F. s. Ciğer yaran.• ‹Ciğerşikâf-i kaza hancer-i nigehtir bu. — Naili›.

cihad, F. i. 1. Din uğrunda savaş. 2. Dini yaymak için uğraşma. 3. (Tas.) Nefisle savaş.• Dâr-ül-cihat, İslâm sınırları dışındaki ülke, İslâmla anlaşma yapmamış veya barış halinde olmayan ülke.• ‹Aldı hamd olsun Arış'ın kalesin ehl-i cihad. — Süruri».• ‹Tevhide koşmuş ehl-i cihadın birer birer — Zerhatla tak-i arşa yazılsın gazaları. — Beyatlı›.

cihadî, cihadiyye, A. s. Savaş işlerine ait, savaşla ilgili.

cihal, A. i. 1. Bilmez olma, bilmezlik etme. 2. Yakışmaz iş işleme.

cihan, F. i. 1. Yaratılmış âlemlerin hepsi. 2. Arz.• İki cihan, dünya ile ahret.• Sadr-i cihan, Ekber Şah'ın veziri,• cihan cihan, çok çok.• ‹Bu beyaz cihanı siyah bir nefes-i memat içinde saran — Uşaklıgil›.

cihanaferin, F. s. [Cihan-aferin] Âlemi yaratan, Tanrı.

cihanârâ, F. s. [Cihan-ârâ] Âlemi süsleyen, âleme süs veren.• ‹Bülend ü pâk ü nazik ol kadar kim ana âlemde —

Nazîr olmaz meğer kim tab-i düstur-i cihanârâ. — Nedim».

cihanarayi, *F. i.* Cihanı süsleme. Cihana güzellik verme.

cihanban, *F. s. i.* [Cihan-ban] Âlemi gözetici. 1. Tanrı. 2. Hükümdar.• «Sahibkıranlık dövüşüp durmakla ve cihanbanlık verip almakla olur. — Lâmii».

cihanbanî, *F. s.* Hükümdarlığa ait.• «Mustafa Paşa perverde-i harim-i sultanî ye mahrem-i meclis-i cihanbanî olduğuna binaen. — Raşit».

cihanbîn, *F. s.* [Cihan-bîn] Âlemi görücü, uyanık.• «Nagâh deriçe-i çeşm-i cihanbînime perde-i gaflet asılıp. — Veysi».

cihandar, *F. s. i.* [Cihan-dar] Âlemi tututucu, hükümdar.• «Şehtir o güruha Molla Hünkâr — Bestir bu cihana bir cihandar. — Ş. Galip».

cihandaran, *F. i.* [Cihan-dar-an] Cihandarlar.• «Şol zevabıt ki cihandaran-i namdarana lâzım. — Hümayunname».

cihandarane, *F. zf.* [Cihan-dar-ane] Cihandara yakışır şekilde.

cihandarî, *F. s.* Hükümdarlığa ait.• «Emval ve eşyasını dahi mîri için kabz etmek için hatt-i hümayun-i cihandarî vürudetmekle. — Raşit».

cihandide, *F. s.* [Cihan-dide] Çok yer gezmiş, çok yer görmüş, tercübeli.• «Köprülü Mehmet Paşa şiddet ve salâbetle maruf pîr-i cihandide olmak hasebiyle. — Raşit».

cihandidegi, *F. i.* Cihanı gezip dolaşmış olma.

cihanefruz, *F. s.* [Cihan-efruz] Âlemi parlatan, ışık veren.• «Mehçe-i rayet-i mansur-i cihanefruzu — Matla'i subh-i zaferden yine oldu tâban. — Baki».

cihanefruzi, *F. i.* Cihana nur ve ışık vericilik. Dünyayı aydınlatıcılık.

cihangerd, *F. s.* [Cihan-gerd] Cihanı dolaşan.• «Mest-i harab-i meykederperverd-i hasretim — Manend-i Kays rind-i cihangerd-i hasretim. — Ziya Pş.».

cihangir, *F. i.* Cihan alıcı, cihanı zapteden, fâtih. (ç. Cihangiran).• «Mahv oluptur ser-i şemşir-i cihangirinle — Levha-i âlemde olan nakş-i dalal ü tugyan. — Baki».

cihangirane, *F. zf. s.* Cihangire yakışır hal ve surette.• «Cihangirane bir devlet çıkardık bir aşiretten. — Kemal».

cihangirî, *F. i.* Cihangirlik.

cihanî, *A. s.* Čihan ile ilgili (insan).

cihanistan, *F. i.* Cihan alıcı, cihanı zaptedici padişah.

cihanistani, *F. i.* Padişahlık.

cihaniyan, *F. i.* [Cihanî ç.] Dünya adamları. Fâni olanlar.• «Nasıl olmaz cihaniyan hayran — Tab'ımın bikararlıklarına. — Naci».

cihanküşa, *F. s.* [Cihan-küsa] Fâtih.• «Padişah-i cihanküşa hazretleri pîr ve natuvan derler. — Selânikî».

cihanmuta', *F. i.* [Cihan-muta'] Kendisine bütün cihan itaat etmiş.• «Deyu ferman?i cihan-muta' ısdar ve irsal olundu. — Naima».

cihaneverd, *F. s.* [Cihan-neverd] Dünyayı dolaşır, büyük seyyah.

cihannüma, *F. i.* [Cihan-nüma] 1. Dünyayı gösteren harita. 2. Evin en üstü, çatı altı.• «Mey ayine-i cihannümadır — Haki zer eden bu kimyadır. — Fuzuli».

cihanpenah, *F. s.* [Cihan-penah] Herkesin sığınacağı yer, kimse.• «Cihanpenah hidiva keremverâ sadra — Eyâ vezir-i felkbargâh-i mihr-âsâr. — Nedim».

cihanpenahi, *F. i.* Cihanpenahlık.

cihanperver, *F. s.* [Cihan-perver] Cihanı besleyen.• «Kat-i ümit etmişiz ümmid-i ataya-yi felekten — İhsan-i Hudavend-i cihanpervere minnet. — Nabi».

cihanpira, *F. s.* [Cihan-pira] Âlemi süsleyen.• «Çubuklu Göksu sair gûşe gûşe menziletler hep — Zaman-i devletinde her biri oldu cihanpira. — Nedim».

cihanreva, *F. s.* [Cihan-reva] Cihanda geçer olan, cihana yaraşır olan.

cihansalar, *F. i.* Cihanın büyüğü ve komutanı olan padişah.

cihansuz, *F. i.* [Cihan-suz] Cihanı yakan.• «Giydikleri aftab-i temmuz — İçtikleri şule-i cihansuz. — Ş. Galip».

cihanşümul, *F. s.* [Cihan-şümul] Âlemi kavrayan, dünya çapında.

cihantâb, *F. s.* [Cihan-tâb] Dünyayı parlatan.• «Ateş-i şule-i şemşir-i cihantâbından — Küfr ü ilhad kütübhanesin etti suzan. — Baki».

cihantâbane, *F. zf.* [Cihan-tâb-ane] Cihana nur ve ışık saçana yaraşır şekilde.

cihar, *A. i.* [Cehr'den] Yüksek sesle söyleme veya okuma.

ciharen, *A. zf.* [Cehr'den] Açıktan açığa. Aşikâr olarak.• *Sırran ve ciharen,* gizliden ve açıktan olarak.• «Halil Paşanın meraren ve keraren ve sırran ve ciharen ahval-i pür-telâşisi muayene olunmuş iken. — Naima».

cihas, *A. i.* (*Ha* ile) Zorla öteye kakıp savma, kalabalık etme.

cihat, *A. i.* [Cihet ç.] 1. Yanlar, taraflar, yönler. 2. Yerler, semtler. Bakımlar, görüşler. 4. Evkaf maaşları.• *Cihat-i erbaa,* doğu, batı, kuzey, güney;• - *selâse,* en, boy, kalınlık;• - *sitte,* ön, arka, sağ, sol, üst, alt.• «Enzarı terakkiyata matuf — Efkârı cihât-i hayra masruf. — Naci».• «Evkafın altını üstüne getirip cihat verilmeden ve ecza okunmadan kalıp. — Naima».

cihaz, *A. i.* Çeyiz. 2. Alet ve edevat takımı. 3. Aygıt.• «Sultan-i müşarünileyhanın cihaz-i ziynet efzasını. — Raşit».

cihet, *A. i.* 1. Yan. 2. Yön. 3. İlgi, ilişik. 4. Sebep, bahane. 5. Evkaftan olan maaş.• *Min cihetin,* bir yönden veya bir sebepten.• «Şimdi bu izdivacın fena cihetlerini sayıyor. — Uşaklıgil».

cîl, ceyl, *A. i.* 1. İnsan grubu. 2. Kuşak, nesil. (ç. Cilân).• «Bakkalın cîl ü cireti cem olup. — Abdullah».

cilâ', *A. i.* (*Ayın* ile) Kumar veya içki âleminde kavga etme.

cilâ, *A. i.* Parlama, açma.• «Renginde öyle cilâsını solduran bir donukluk. — Uşaklıgil».

cilâ, celâ, *A. i.* Bk.• *Celâ.*

cilâbahş, *F. s.* [Cilâ-bahş] Cilâ veren, parlatan.

cilâd, *A. i.* Silâhla cenkleşme.

cilâdade, *F. s.* [Cilâ-dade] Cilâ verilmiş, cilâlanmış.

cilâdar, *F. s.* [Cilâ-dar] Cilâlı, parlak.

cilâgir, *F. s.* [Cilâ-gir] Cilâlı, parlak.• «Sarım-i iştiharı cilâgir. — Raşit».

Cilân, *A. i.* İran'ın Cilan ili.

cilânger, *F. i.* Çilingir.

cilâs, *A. i.* Birine arkadaş olup oturma.

cilâsaz, *F. s.* [Cilâ-saz] Cilâ veren, parlatan.• «Sine-i âfakta gizli duran neyyir-i cilâsaz-i kalbi. — Uşaklıgil».

cilbab, *A. i.* Gömlek. Kadın feracesi.• «Ve hamil-i a'ba-i sınaat ve mütederri-i cilbab-i taat idi. — Taş.».

cilbend, *F. i.* Büyük cüzdan, kâğıt saklamak için mukavva kap.

cild, *A. i.* 1. Her türlü hayvanın derisi. 2. Meşin. 3. Kitap kabı. 4. Bir kitabın ayrıldığı büyük kısımlardan her biri. (ç. Cülûd, eclâd).• «Ve nefesi validesinin cildine dokunarak — Uşaklıgil».

cile, *F. i.* Çile, okun yay ipi.

cilf, *A. i.* Kaba, hoyrat. Ayaktakımından kimse. (ç. Eclâf).• «Cem-i mal eyleyip pabuç almaya kudreti olmayan cilf ü ırgad katar ü mehar sahibi ağalar olup. — Naima».

cille, *F. i.* Çile. Kırk günlük sıkıntı.

cils, *A. i.* Arkadaş olan kimse.

cilve, *A. i.* Güzellere yakışır duruş ve davranış. 2. Hoşa gider şekilde görünme. 3. (*Tas.*) Tanrının sâlik kalbinde görünüşü.• «Birçok sürer bu reng-i tereddüt bu nazlanış — Kuşlar, zavallı yavrucağızlar bu cilveden — Sersemlenir. — Fikret».

cilvegâh, cilvegeh, *F. i.* [Cilve-gâh] 1. Görünme ve gözükme yeri. 2. Gelin odası.• «Bâd-i şimale cilvegâh olan suların emvacı. — Kemal».

cilveger, *F. s.* [Cilve-ger] Cilve ve naz eden. Cilveli. 2. Görülen.• «Mazmunun bunlar hakkında cilveger eyledi. — Naima.»• «Sinedir cilvegehi badegüsaran-i gamın — Dil-i pürhun gibi bir cam-i muhabbet yeridir. — Nailî».

cilvegerî, *F. i.* Cilve etme, cilvecilik.

cilvekâr, *F. s.* [Cilve-kâr] Cilve eden, cilveli.

cilvekün, *F. s.* Cilve edici. Meydana çıkıcı.

cilvekünan, *F. zf.* [Cilve-künan] Cilve ederek.• «Sıdk ü safa tavusları bir şaha ve bir kâhtan bir kâha cilvekünan pervaza başladılar. — Lâmiî».

cilvenüma, *F. s.* [Cilve-nüma] Cilve gösteren; görünen.• «Ruz beruz cilvenüma-yi mınassa-i bürüz olan asâr ve usullerine. — Raşit».

cilveriz, *F. s.* [Cilve-riz] Kendini gösterme. Cilve etme.• «Isınıp cümle kulûb âb-i bürudet gitti — Cilveriz olsa acep mi dönerek arz ü sema. — Nedim».

cilvesaz, *F. s.* [Cilve-saz] Cilve eden, cilveli, nazlı.• «Derununda cilvesaz-i tenezzüh olan ebkâr-i endişe. — Kemal».

cim, *A. i.* «C» harfinin sesi.• «Olma bir lokma için ehl-i şikem cim gibi — Meclis-i dehrde leb-beste geçin mim gibi. — Nabi».

cima', *A. i.* [Cemi'den] 1. (Erkek ile kadın) Cinsel münasebette bulunma. 2. Çiftleşme.• «Benden cima' lezzetin istifsar etti. — Sadettin».

cimal, *A. i.* [Cemel ç.] Develer.• «Bunun çamurun çekmeye cimal ü bigalde tâb ü tüvan olmamakla. — Raşit».

cimri, *F. i.* Pinti. Hasis.

cin, *A. i.* Bk.• *Cinn.*

cinaî, *A. s.* Cinayete ait, cinayetle ilgili.

cinaiyyet, *A. i.* (Hek.) Fransızcadan *Criminalté* karşılığı (XIX. yy.).

cinan, *A. i.* [Cennet ç.] Cennetler. Ars ile Kürsi altında ve yedi gök üstündeki sekiz cennet.• *Cinan-üd-dünya.* (dünya cennetleri). (1) Basra'da Ubulla, (2) Sogdiyana, Semerkand vâdisi. (3) Elcezire'de Bevvan geçidi, (4) Şam vâdisi.• ‹Bugün zavallı Seza sakin-i cinan artık. — Fikret›.

cinas, *A. i.* Söyleniş veya anlamca birbirine benzeyen iki kelimenin her iki tarafa ihtimali olacak şekilde beraberce kullanılması.

cinayât, *A. i.* [Cinayet ç.] Cinayetler.• ‹Tarih-i cinayatımıza idhal edildi. — Cenap›.

cinayet, *A. i.* 1. Cana kıyma. 2. Bu ağırlıkta suç veya günah işleme.• ‹Bir fikr-i cinayetin humma-yi icrasiyle hareket edenlere mahsus. — Uşaklıgil».

cinayetkâr, *F. s.* [Cinayet-kâr] Cinayet işleyen.

cinayetkârane, *F. s.* Cinayet işleyenlere yakışır surette.

cinistan, *F. i.* Cinler ülkesi.

cinn, *A. i.* İnsanlardan gayri, göze görünmez, lâtif cisim olan yaratık. Meleklerin bir kısmı. Çoğunlukla fena anılır.• ‹Cinn nev'i hezar bed-likalar — Cadu kılığında ejderhalar. — Ş. Galip».

cinnet, *A. i.* [Cin'den] 1. Cin tutma. 2. Delilik. (ç. Cünun).• ‹Eski mecnunlardaki gayret hamiyet kalmamış — Şimdi herkes âkıl olmuşlar o cinnet kalmamış. — Ziya Pş.›.

cinnî, *A. s.* Cin taifesine mensup, onlarla ilgili.

cinni, *A. i.* Ecinni, bir cin.• ‹İllâ bün-i çehte bir resen var — Cinniler ona değil haberdar. — Ş. Galip›.

cins, *A. i.* 1. Cins. 2. Soy. 3. Kavim, kabîle. 4. (*Gra.*) Bir çeşidin hepsini anlatan isim. 5. (*Arap Gra.*) Kelimenin müzekker veya müennes oluşu.• *Ebna-yi cins,* insanlar.

cinsen, *A. zf.* Cins bakımından.• ‹Cinsen muhtelfi veya muvafakat-i cinseynin vücudiyle beraber. — Kemal›.

cinseyn, *A. s.* İki cins. Kadın ve erkek.• ‹Cinseyn arasında iddea-i müsavat, hiç olmazsa, iki cinsten birinin. — Cenap».

cinsi, *A. s.* Erkeklik veya dişilikle ilgili. (XX. yy.).

cinsiyyet. *A. i.* 1. Bir kavim ve kabîleden oluş. 2. (XX. yy.). Aynı cinsten, erkek veya dişi oluş. Erkek ve dişinin özellikleri.• ‹Nerede bu kadar cinsiyet beka bulmuş. — Kemal›.

cirab, cerab, *A. i.* Dağarcık, torba.

cirah, *A. i.* [Cerh c.] Yaralar.

cîran, *A. i.* [Câr c.] Komsular.• ‹Akaribe ve cîrana havale ve sipariş eyledim. — Taş.›.

cîranî, *A. i.* Komşuluk.• ‹Kafadar oldular şîr ü peleng ahûya sahrada — Edeler şol kadar şimdi riayet hakk-i cîranî. — Baki›.

cirar, *A. i.* [Cerre ç] Toprak testiler.• ‹Vafir cirar ile sirke hazır etmişlerdi.— Naima›.

ciret, *A. i.* Komsuluk Komsu:• ‹Bakkalın cîl ü cireti cemolun. — Abdullah›.

cirm, *A. i.* 1. Cansız cisimler. 2. Büyüklük.• ‹Istılah-i fen-şinasan-i nücum üzere oniki isb' farz olunan cirm-i âfitab-i âlemten tamamen münkesif olup. — Raşit›.• ‹Tude-ber-tude mahşer-i esrar — Ona bız cirm-i bihaber diyoruz. — Fikret».

cirri, cirris, *A. i.* Yılanbalığı.

cism, *A. i.* 1. Canlıların bedeni, gövde. 2. Madde, maddî olan şey. 3. Dünya. • *Cisim-i cevheri,* ilk madde;• -*Eflâtunî,* dört yüzlü, altı yüzlü, sekiz yüzlü, oniki yüzlü, yirmi yüzlü, düzgün beş cisim,• -*lâtif,* beş duygunun kavrayamadığı melek, cin gibi cisimler.• ‹Mazi... o şimdi gölge iken şimdi ziyahat bir cisim olan. — Fikret›.

cismanî, cismaniye, *A. i.* 1. Cisme, bedene ait. 2. Din ve din işlerinden gayri olan.• ‹Ona âdeta bir ıstırab-i cismanî vererek tahakkuk eden bu hakikat. — Uşaklıgil›.

cismaniyat, *A. i.* Cisimle, maddi tarafla ilgili şeyler.• ‹Ama aşağı mertebeler ashabı celb ü defide ruhaniyet ve cismaniyat ile tesebbüb ve tevessül ederler. — Kâtip Çelebi›.

cismaniyyet, *A. i.* 1. Cisim, vücut. 2. Cisim olma.• ‹Nazik-i cismaniyetinin nagehan bir isyanıyle titremiş. — Uşaklıgil›.

cismen, *A. zf.* Cisim bakımından, gövdece.

cisr, *A. i.* Köprü.• ‹Müurr ü umur-i asakir için cisirler binasına mübaşeret olunmak. — Raşit».

cisreyn, *A. i.* İki köprü. Haliç üzerinde biri Unkapanı, öteki Galata olan iki köprü (XX. yy.).

civan, cevan, cüvan, *F. i.* Genç. • *Nevcivan,* pek genç.• ‹Yazık sana acıdım cüvansın — Amma ki aceb bed-gümansın. — Ş. Galip›. — ‹Çocuk, o şimdi kavi bir civan, fakat mader. — Zavallı, üstüne hâlâ çocuk gibi titrer. — Fikret›.

civanan, *F. i.* [Civan ç] Gençler.• ‹Bu rütbe bend-i civanan değil idik evvel — Bizim de elde biraz ihtiyarımız var idi. — Ziya Pş.›.

civanane, *F. zf.* Genç olana yakışır surette.• ‹Şu seyrek bıyıklara da biraz eser-i zindegi-i civanane verebilse. — Uşaklıgil›.

civanbaht, *F. s.* [Civan-baht] Talihli.• ‹Her biri bir civanbaht kahraman peykerdir. — Naima».

civandil, *F. s.* [Civan-dil] Gönlü genç kalmış.• ‹Ve civandil bir pîr-i kalenderim. — Lâmii›.

civani, *F. i.* Gençlik.• ‹Saki getir âb-i erguvanî — Yaktı beni âteş-i civanî — Ş. Galip›.

civanmerd, *F. s.* [Civan-merd] Cömert. •‹Kıldı zemini berf gibi nakd-i sîme gark — İn'am-i civanmerd-i bahtiyar. —Baki›.

civanmerdan, *F. i.* [Civan-merd ç.] Cömertler. Hiç bir şey esirgemeyenler.• ‹Civanmerdan-i milletle hazer gaygadan ey bidad. — Kemal›.

civanmerdî, *F. i.* Cömertlik.

civar, *A. i.* 1. Yakın yer. 2. Yakın komşu.• «Ehl-i Mardin ile civar-i kadîmi olan Halil Beyi. — Sadettin».• ‹Kaçıp sümum-i sefalet onun civarından. — Gelir bu aile-i bigünahı ifnaya. — Fikret›.

civari, *A. s.* Yakınlık, komşuluk ile ilgili.• ‹Mersay-i civari-i ticaret ve hazine-i cevahir-i servet olan. — Kemal›.

civariyet, *A. i.* Yakınlık, komşuluk.• Bahçenin açılacağını civariyet münasebetiyle herkesten evvel haber alan. — Recaizade›.

cive, *F. i.* Cıva.

ciya' *A. s.* [Cayi' ç.] Açlar.• ‹Bir mansıbda tetavül-i eydi ile heyet-i ictizab-i zübade-i ciya' zâhir olmağın. — Naima›.

ciyad, *A. i. ç.* Eşkini ve deprenişi soy atlar:• ‹Hazret-i Ruh-ul-Emin gaşiye-berduşu idi. — Konmadan dahi huyul-i feleğe nam-i ciyad. — Nabi».

ciyadet, *A. i.* Tazelik, yenilik.• ‹Memleketimizin ikliminde olan ciyadet-i tabiiye dünyanın bildiği şeyledendir. — Kemal›.

civef, *A. i.* [Cife ç.] Leşler.

ciz', cez, *A. i.* Bk. *Cez.*

ciza, cezi, *A. i.* [Cizye ç.] Cizyeler.

cize, *A. i.* Bölge, taraf, yön.

cizl, cezl, *A. i.* Ağaç kütüğü, ağaç kökü.

cizye, *A. i.* Vergi, haraç. Düşman memleketlerinden aman dileyerek alınanlar halkının ödedikleri vergi (harac-i rüus).• ‹Haci Ali Efendiyi cizye tahririne tâyin edip esami-i ehl-i cizyeyi teksir ferman etmekle. — Naima›.

cizyedar, *F. i.* [Cizye-dar] Cizye toplayan.• ‹Ve Deli Birader Ahmet Ağa ki cizyedardır. — Naima›.

cizyegüzar, *F. s.* [Cizye-güzar] Müslüman olmayan ve İslâm devleti uyruğu bulunan cizye ödeyen delikanlı. (ç. Cizyegüzaran).

cu, *F. i.* Arama, araştırma,• *Cüst ü cu,* arama, araştırma.

cu, cuy, *F. i.* Akarsu, çay:• ‹Aldı çenar sayesinde cuyu — Cu dahi pâyine sernihade olursa acep midir. — Nabi›.• ‹Tekrir-i sürudunla ağaçlar. — Cûlar gibi çağlar. — Cenap».

-cu, *F. s.* ‹Arayan, arayıcı, isteyen» anlamlarıyle sıfatlar meydana getirir.• *Arbedecu,* •*belâcu,* •*cengcu,* •*çarecu,* •*firsatcu,* •*intikamcu* vb. Bk.

cu', *A. i.* Açlık.• *Cu-i kelbî,* (Köpek açlığı) bir hastalık;• *def-i cu',* açlık giderme.• ‹Ehl-i kal'e sek ve gürbe ekl edip cûdan kârları tamam olup. — Naima›.

cuan, *A. zf.* [Cu'dan] Aç olarak.

cûd, *A. i.* El açıklığı, cömertlik.• *Cûd ü kerem,*• *cûd ü seha,* cömertlik.• ‹Sahrayi âlemde eyledin cûd — Verdin yoğiken libas-i mevcut. — Ş. Galip›.

Cûdi, *A. i.* Dicle suyu dolaylarında, Cezire'ye yakın bir yerde Nuh peygamberin gemisinin Tufan'dan sonra üzerinde bulunduğu dağın adı.

cudg, *F. i.* Baykuş.• ‹Şehbazları nigâh-i hasret — Tuttukları cugd ü bûm-i dehşet. — Ş. Galip›.

Cuha, Cuhi, *A. i.* Yalancılık ve ikiyüzlülükle ün almış bir Arap.

cuhud, cühud, *A. i.* Bk. *Cühud.*

cu'l, *A. i.* 1. Ücret, karşılık. 2. Bir iş için verilecek mükâfat parası. «Deli birader firar edip bulana bin altın cu'l vaad olunup münadiler çağırdı. — Naima».

cum'a, *A. i.* [Cem'den] 1. Cuma. 2. Cuma günü kılınan namaz.• *Cuma-i atîk.* (Eski Cûma) Bulgaristan'da Şumnu ile Razgrad arasında Osmanlılar zamanında ün bir kent.• *Cuma-i bâlâ* (Yukarı Cuma), Osmanlılar zamanında Selânik Vilâyetinin Serez sancağında bir kaza merkezi;• *sure-i Cum'a,* Kur'anın 62. suresi.• «Bu gaileyi def, cum'adan elzemdir. Âlem böyle herc ü merc iken cum'a mı caiz olur deyip. — Naima».

cuma', *A. i.* [Cuma ç.] Cuma günleri.

cumade, cumadi, *A. i.* Arabî ayların beşinci ve altıncı aylarının adı.• *Cumad-el-ulâ, cumad-el-ahire,* Cemazi-el-evvel, Cemazi-el-ahir de denir.

cum'at, cumaât, cumuat, *A. i.* [Cum'a ç.] Cuma günleri, cumalar.• «Ve eyyam-i cum'atta tefsir ve tezkir ettirdiler. — Sadettin».

cumhur, *A. i.* 1. Halk kalabalığı, halk. 2. Başsız kalabalık. 3 .Belli bir sınıf insan. 4. (Tar.) Venedik Cumhuriyeti. 5. (XIX. yy.). Seçilme başkanla idare olunan halk.• *Cumhur-i hükema,* filozoflar;• *umur-i cumhur,* halk işleri.• «Edebiniz ile olun diye cumhura tenbih eyleyip. — Naima».

cumhurî, cumhuriyet, *A. s.* Cumhur ile ilgili olan.• *Hükûme-i Cumhuriyye,* cumhuriyet hükümeti.

cumhuriyet, *A. i.* Seçilme bir başkanın başında bulunduğu devlet idaresi (XIX. yy..

cumu', *A. i.* [Cem' ç.] 1. Cemler, toplamalar. 2. Çoğullar. 3. Asker kuvveti. • «Şule-i cevvale gibi her tarafa ılgar ve cumu-i azîme-i eşkıya-yi bibaki bu reşme tarümar. — Naima».

cumud, *A. i.* Donma, kaskatı kesilme.• *Cümud-ül-mevt,* ölüm titremeleri; *da-ül-cumud,* donma, Katalepsi (*catalepsie,* XIX. yy.).• «Bu hâdisenin mahbup ve muhterem kahramanına dest-i cumudunu uzatmaktan. —Cenap».

cumudiyye, *A. i.* Buzul, glasiye (XX. yy.),

cur, *F. i.* Dopdolu kadeh.

cur'a, cür'a, *A. i.* (*Re* ve *ayın* ile) Tek yutum, yudum. (*Tas.*) İçeni coşkunluğun son derecesine ulaştıran yudum. Daha çok, içildikten sonra kadehin dibinde kalan anlamında kullanılırdı.• *Cur'a-i mevt,* ölüm yudumu.• «Cur'ana vermezdi can her âşık-i efsürde-dil — Olmasan tâb-efgen-i her hâtır-i bitab ü teng. — Fuzuli».

cur'adan, *F. s.* [Cur'a-dân] Yutumluk su ile dolu kap.• Esrar-i kâinata ezel cur'adan iken — Ben hankah-i aşkta hayranidim sana. — Hayali».

cur'akeş, *F. s.* [Cur'a-keş] İçki içen :• «Biz rind-i fenameşreb-i cananeperestiz — Kalubelâ'dan cur'akeş-i câm-i elestiz. — Nabi».

cur'apâş, *F. s.* [Cur'a-pâş] İçki kadehi dibinde kalanı yere döken.

cur'ariz, *F. s.* [Cur'a-riz] Damla, yudumluk içecek saçan. Kadehin dibinde kalanı serpen.• «Cur'ariz olsa eğer gülşene câm-i keremin — Tuta nergis sıfat elde kadeh-i zer sünbül. — Baki».

curh, curha, *A. i.* Tek yara. (Ceriha'nın doğrusu olarak kullanılırdı).

curuh, *A. i.* [Curh ç.] Yaralar.• «Ol dem bedeninde curuhundan seylân-i dem ederdi. — Taş.».• Ayaklarında curuh-i pür-iltihab-i hayat. — Cenap». Bk. *Cüruh.*

cuş, *F. i.* 1. Kaynama, coşma. 2. (*Tas.*) Halleri açığa vurma, coşma.• *Cûş ü huruş,* aşıp taşma;• *pürcûş,* coşkunluk içinde çok coşkun.• «Teranesiyle yüreklerde cuş eder sevda. — Fikret».

cuşacuş, *F. s.* Çok coşkun.• «Sanki bir ma'reke, bir mâ'reke-i cuşacuş. — Fikret».

cuşan, *F. s.* Kaynayan. Coşkun.• «Ne cuşan 'şarab ü lâle bir devr-i bahariydi. — Beyatlı».

cuşaver, *F. s.* [Cuş-aver] Coşturucu.• Cuşaver edip yem-i telâşın — Derya derya dökerdi yaşın. — Ş. Galip».

cuside, *F. s.* Kaynamış, coşmuş.

cuşiş, *F. i.* Kaynama, kaynaşma. Coşma. Coşkunluk.• «Ziya efkâr-i asra ittiba et rahat istersen — Has ü haşâk zira cusiş-i enhara tâbidir. — Ziya Pş.».

cuvan, cevan, civan, *F. i.* Bk. *Civan.*

-cuy, -cu ,*F. s.* Bk. -cu.

cuy, cu, *F. i.* Akar su, çay.• *Cuy-i revan,* akarsu;• *leb-i cuy,* ırmak kenarı.

cuya, cuyan, *F. s.* Arayan arayıcı.• «Olsa şayeste cihan can ile cuya-yi adem. — Akif Pş.».• «Yeniçeri neferatından birkaç civanmerd dil tutmak dâiyesiyle ol havalide cuyan ve puyan iken. — Raşit».

cuybar *F. i.* Akarsu, çay, dere, ırmak.• ‹Ben olsam bir de mutrib bir de tarf-i cuybar olsa. — Nedim›.

cuyende, *F. s.* Arayan, isteyen.• ‹Cuyende-i necatız o yemden ki cümleden — Evvel tutar temevvüc-i gam nahüdamızı. — Nabi›.

cuyine, *F. i.* Çay veya göl kuşu.

cübb, *A. i.* 1. Kuyu, sarnı;. 2. Susuz kuyu, derin çukur, zindan.• *Cübb-i Yusuf,* Yusuf peygamberin atıldığı kuyu. • ‹Şeyh-i mezbur ve iki biraderi on ay miktarı cübb içinde mescun oldular. — Taş.».

cübbe, *A. i.* Sarıklıların eskiden biniş altına giydikleri darca ve uzun üstlük, sonraları daha bol olarak üste giyilen binişlere de cübbe denilmiştir.• ‹Bir kimseyi kim cübbe vü destar ile görsen — Eylersin anın cübbe vü destarına ikram. — Ruhi›.

cübn, cübün, *A. i.* 1. Utangaçlık, ürkeklik, korkaklık. 2. Peynir.• ‹Bu zelle sudurun anın cübn ü firarına haml edip akbah-i vech üzere padişaha arz eyledi. — Naima›.

cüburet, *A. i.* Ululuk.

cübün, *A. i.* [Cebin ç.] Alınlar.

cübünn, cübn, *A. i.* Peynir.

cüda, *F. s.* Ayrılmış, ayrı düşmüş.• ‹Eylemez halvetsara-yi sırr-i vahdet mahremi — Âşıkı maşuktan maşuku âşıktan cüda. — Fuzuli›.

cudagâne, *F. zf. s.* Ayrıca, başkaca. Ayrı ayrı.• ‹Her biri cudgâne-i canefşan-i şadumanî olup. — Veysi›.

cüdam, *F. i.* Alacalık, alatenlik.

cüdayî, *F. i.* Ayrılık.

cüdde, *A. i.* 1. Dağ arasındaki yol. 2. Çizgi. (ç. Cüded).• ‹Cüdde-i mamure-i mecelle-i masturede. — Nergisi».

cüddet, *A. i.* Yol, cadde.

cüdera, *A. i.* [Cedir ç.] Lâyık olanlar, uygun olanlar.

cüderî, *A. i.* Bk. *Cedrî.*

cüdet, *A. i.* Yollar, caddeler.

cüdran, *A. i.* [Cedr ç] Duvarlar:• ‹Binaya mübaşeret olunup cüdran-i erbaası serapa vaz-i kadîmîsi üzre bina olundu. — Naima›.

cüdur, *A. s.* Lâyık, uygun olan.

cüfa, *A. i.* Köpük.• ‹Lây-i belâdan ve cüfa-yi cefadan âri olmaz. — Lâmii›.

cüff, *A. i.* İçi boş olan şey.

cüfre, *A. i.* Çukur.

cüft, *F. i.* Çift, çifte. Tek olmayan :• ‹Cüft olsa zebanın siyeh olsa nola — Casus-i seraperde-i tahkik ü gümansın. — Nailî›.

cüfte, *F. i.* (Hayvan) Çiftesi.

cühelâ, *A. i.* [Cahil ç.] Cahiller, bilmezler.• ‹Mağlub-i zümre-i cühelâ ehl-i marifet. — Ziya Pş.›.

cühera', *A. i.* ç. Yüzleri güzel olanlar.

cünhal, *A. i.* [Cahil ç.] Cahiller, bilmezler.• ‹Fehm eder anları erbab-i kemal — Ta'n ü teşni' ededursun cühhal — İbni Kemal».

cühud, cuhud, *A. i.* Yahudi.• *Cühud-i anud,* çok inatçı yahudi.• ‹Badehu ol altını cühudlara ikişer riyael tarh edip. — Naima›.

cühudane, *F. zf.* Yahudiye yakışır şekilde.

cühumet, *A. i.* 1. Yüzü yumru ve çirkin olma. 2. Ekşi yüzle karşılama.

cül, cüll, *A. i.* Çul.• ‹Ve cell-i asnayileri tobra ve cülbaflık olup. — Sadettin› • ‹Cüll-i münakkaş olur mu hâre medar-i şercf. — Naci›.

cülâb, cüllâb, *A. i.* 1. Gülsuyu. 2. Sürgün şerbeti, müshil. ‹Leblerinde hatın ey şirin dehen — Murlar cüllâba düşmüş gûyya. — Baki›.

cülâh, *F. i.* Çulha. Dokumacı.

cülban, *A. i.* Mercimek bitkisi.• ‹Ve içinde hınta ve şaîr ve cülban. — Taş».

cülbe, *A. i.* 1. Yara iyi olurken meydana gelen kabuk, pul. 2. Sıkıntılı, şiddetli zaman. 3. Mühre.

cülcül, *A. i.* 1. Hayvan boynuna asılan çıngırak. 2. Def çevresine dizilen pul.

cülcülân, *A. i.* Kişniş bitkisi.

cülcüle, celcele, *A. i.* Defin etrafında bulunan pul, zil.• ‹Def döver sinesini cülcüle başlar zâra. — Beliğ .›

cülencibin, *A. i.* Gül tatlısı.

cülesa, *A. i.* [Celîs ç] Beraber oturanlar.

cüllâs, *A. i.* [Câlis ç.] Beraber oturanlar.

cülnesrin, *A. i.* Yaprakları güzel kokan gül ağacı, gül-i nesrin.

cülûd, *A. i.* [Cild ç.] Ciltler, deriler.• ‹Gelen koyunları cümle selh edip cülûdu tulumlar çıkarıp. — Naima›.

cülûs, *A. i.* 1. Oturma. 2. Hükümdarın tahta çıkması, hükümdar olması.• *Cülûs-i hümayun,* padişahın tahta çıkması.• ‹Kenduye ikram için ferş olunan ihram üzerine emr-i hümayun ile cülûs eyledi. —Raşit.• ‹Etti şehinşah-i muazzam cülûs. — Feyzi».

cülûsiyye, A. i. 1. Yeni hükümdarın tahta çıkışının yıldönümünde sunulan manzume, kaside. 2. Hükümdarların ilk tahta çıkışında verdiği bahşiş.

cümade, cümâdi, A. i. Bk. Cumade.

cüman, A. i. Hurma ağacının tepesinde olan lâhana biçimi körpe ve tatlı bir yaprak (kesilirse ağaç kurur).

cüman, A. i. İri inci. İkd-ül-cüman, inci gerdanlık.

cümcüme, A. i. Kafatası.

cümel, A. i. [Cümle ç.] Cümleler.• Cümel-i hikemiyye, hikmetli cümleler;• -müntahabe, seçme cümleler.• «Efvah-i nâsta salyalanan bu cümle-i şekvaiye. — Cenap».

cümel, cümmel, A. i. Harflerin sayı değerine göre hesaplanması.• Cümel-i sağîr, ebced hesabı;• -kebîr, ebced harflerinin adlarının sayısına göre yapılan hesap;• -ekber, ebcet cümlesi harflerinin sayılarının Arapça adlarının sayılmasıyle yapılan hesap. Buna göre Muhammed adı birinci hesaplamada 92, ikincide 224, üçüncüde ise 1530 eder.

cümle, A. i. 1. Bütün, top, hep. 2. (Gra.) Fiil, özne ve nsenden meydana gelmiş tam anlamlı söz. 3. Aynı çeşitten veya bir aslın uzantı ve ayrıtları hep bir arada, fransızcadan système (sistem) karşılığı (XX. yy.).• Cümle-i asabiye (Ana.) sinir sistemi,• -fiiliye, fiil cümlesi;• -ihbariye haber cümlesi; -ismiyye, isim cümlesi;• -kevkebiyye, takımyıldız;• -mutarıza, iki virgül veya iki çizgi, parantez içinde bulunan cümle;• -şarıyye, şart cümlesi;• cümle-ül-mülk, bir hükümdarın yetkilerini tamamıyle verdiği veziri.• «Saray-i şeşcihetin şah-i cümlet-ül-mülkü — Rical-i âlem-i gaybin nedim-i demsazi. — Nailî».• Bilcümle, hep bütün;• ez an cümle, • ez cümle, cümelden biri, birçok örneklerden biri;• filcümle, sözün kısası, özü;• kara cümle, dört işlem.• «Defterini kadıya mühürletip kaptan kethüdasının cümle metrukâtı ile iki çektiriye vaz' vei rsal eyledi. — Naima».• «Şu cümlelerde, şunesc-i rakik-i sanatte. — Fikret».

cümleten, A. zf. Bütün, hep birden.• «İktifa eylerim şarap ile ben — Cümleten nimet-i behişte bedel. — Naci».

cümuh, A. i. Atın dizgin ve kamçıyı kulak vermemesi. 2. Kadının kocasından izinsiz akraba evine gitmesi:• «Esb-i cümuh ve serkeş olup. — Silvan».

cünafî, A. i. Yürüyüşü kibirli kimse.

cünban, F. s. Kımıldanan, sallanan, oynayan.• «Eyler memevi basivle tehziz — Dünbale ise cünban. — Naci».

-cünban, F. s. «Kımıldanan, sallanan, oynayan» anlamıyle sıfatlar meydana getirir.• Dünbalecünban, kuyruk sallayan;• kadimecünban, kanat uçlarını oynatan;• sercünban, baş sallayan, baş oynatan.

cünbani, F. i. Tahrik edicilik. oynatıcılık:• «O şeh ki piş-i nigâh-i tegafülünde kaza — Ne mümkün eyleye izhar-i tig-i cünbani. — Nailî».

cünbed, F. i. Kümbet.

cünbide, F. s. Kımıdanmış, oynamış.• «Cünbide olunca mehdi her an — Sîmab gibi olurdu lerzan. — Ş. Galip».

cünbiş, cünbüş, F. i. 1. Kımıldanma, oynama. 2. Cümbüş. Eğlence, eğlenti.• «Bazı etvar-i nahemvarlarından cünbiş-i isyan mahsus olduğundan. — Raşit».

cünbişgeh, F. i. [Cünbiş-geh] Eğlence yeri.• «Cünbişgeh-i sâfiyyeti âmal-i visalin — Zevrakçe, o bir neşeli geh»

cünd, A. i. Asker. Aşker kıtası. (ç. Cüvare-i sevda. — Fikret». nud, ecnad).• «Vezir Murtaza Paşa ianet-i cünd-i mansur için. — Raşit».

cündî, A. i. 1. Bir asker. 2. Mısır atlısı, sipahi. 3. Binicilikte usta adam.• «Halifeden gelen cündî bunları alıp giderken. — Taş».

cündiyane, F. zf. İyi binicilere yakışır halde, böyle bir hal takınarak.• «Cüssesi sagir ve destarı küçük cundiyane. — Naima».

Cüneyd, A. i. Bağdatlı ünlü bir şeyh (909 da ölmüştür).

cünh, A. i. Koruma, esirgeme.

cünha, A. i. Suç.• «Habisin cünha-i lisanı katline sebep oldu. — Naima».

cünhadar, A. s. [Cünha-dar] Suçlu.• «Bir cünhadar gibi gözlerini indirmek. — Uşaklıgil».

cünhakâr, F. s. [Cünha-kâr] Suç işlemiş, suçlu.• «Gönül istemezdi ki sen de bir cünhakâr-i anzm ü nesr olasın. — Cenap».

cünnar, A. i. Çınar.• «Büküptür servazadın belini — Cünnarın tutuben kesti elini. — Lâmii».

cünud, *A. i.* [Cünd ç.] Askerler. Asker kıtaları.• ‹Saf-şikâf-i cünud-i a'dayız. — Naci».

cünuf, *A. i.* Doğru yoldan sapma.

cünuh, *A. i.* (*Ha* ile) Meyletmek, eğilmek.

cünun, *A. i.* Delirme, deli olma.• *Cünun-i devrî*, zaman zamanuttan delilik;• -*mutbık*, süren delilik, mahkemece hükümlü delilik; -*âhidi*, merak hastalığı.• ‹Cünun iklimini seyr eyleyenler rahatın söyler. — Ragıp Pş.›.

cünüb, *A. s.* Dince yıkanmayı gerektiren durum.• ‹Yani hem cünüb ve hem sarhoş bir fahişe-i rüzgâra imamet ettirdi. — Veysi›.

cür'a, Bk.• *Cur'a.*

cürab, *A. i.* Çorap.

cürade, *A. i.* Tahta kap.• ‹Rivayet ederdi ki bir cürade görmüş ki. — Taş.›.

cürh, *A. i.* Bk.• *Curh.*

cür'et, *A. i.* Korkmayarak ileri atılma, yiğitlik.• ‹Nasıl bilmem, ne cüretle — Elimden tuttu; baktım: Bir küçük gümrah. — Fikret».

cür'etkâr, *F. s.* [Cüret-kâr] Atılgan, atak.

cür'etkârane, *F. s.* Atılganlara, korkmayarak ileri atılanlara yakışır yolda.

cür'etyab, *A. s.* [Cüret-yab] Cesaret eden, davranabilen. Göze aldırıp saldıran.

cürm, *A. i.* 1. Suç. 2. Ceza kanununun sırasıyle kabahat, cünha, cinayet diye ayırdığı suçların hepsi.• *Cürm-i meşhut*, suçüstü.• ‹Mustafa Paşa derdmend dahi Siyavuş Paşanın damenine teşebbüs ile, Benim cürmüm nedir diye feryat ü figan eyledi. — Raşit›.

cürmnâk, *F. s.* Kabahatli, suçlu olan.

cürre, *F. s.* Cesaretli.• ‹Curre-i şahinin üsküfün alıcak. — Nabi›.

cürrebaz, *E. i.* Erkek şahin veya doğan.

cürsume, *A. i.* 1. Kök. 2. Gırtlak kapağı. 3. Bir tohumun özü; ilk hücrecik (XIX. yy.).• ‹Buna karşı yeni tarzda Avrupaî bir sanayiin cürsumesi bile vücuda gelmedi. — Z. Gökalp›.

cürub, *A. i. ç.* Kötü sözler. Beddualar.• ‹Ve süratle at ayağı sadası ve huddamın ayak avazesi kudatın cürubunu bastırıp. — Naima».• ‹Bais olana esb ü lâ'n ve cürub ü şütum ederek. — Naima›.

cüruf, *A. i.* Maden posası.

cüruh, curuh, *A. i.* [Curh ç.] Yaralar.• • *Cüruh-i katıa*, Bıçak· ve kama gibi kesici aletlerle enilliğine açılan yaralar,• -*nariye*, tabanca gibi ateşli silâh-

larla açılan ve çıkış deliği giriş deliğinden büyük yaralar;• -*vahize*, süngü, biz, çuvaldız gibi delici aletlerle açılan derinliği eninden çok olan yaralar.

cürüf, *A. i.* Yalıyar, uçurum.

cürz, *A. i.* Gürz, topuz.

cüsam, *A. i.* Ağırlık, karabasan. Kâbus.

cüsban, *F. s.* Çeşban, yaraşır.

cüseym, *A. i.* [Cism'den] Cisimcik (XIX. yy.).

cüseymat, *A. i.* [Cüseym ç.] Cisimcikler.

cüsse, *A. i.* Gövde, kalıp, beden.• ‹Ah, bak sevgilim bu zulmet — Ne kadar cüssesiz kalır insan. — Bizi gûya ezer bu leyl-i giran. — Cenap›.

cüssedar, *F. s.* [Cüsse-dar] İri yarı, kalıbı kıyafeti yerinde.

cüst, *F. i.* Arama, araştırma.

cüst, *F. s.* Çevik, arayıcı.• *Cüst ü çalâk*, çevik, atik.• ‹Kırşehir beyi İshak Bey cüst deprenip Karapınar kurbünde üzerine varıp gafil iken basıp. — Naima›.

cüstcu, *F. i.* Araştırma, arama.• ‹Taraf taraf cüstcularına ihtimam olunurken. — Raşit».

cüsu, *A. i.* Tamahkârlık, ipntilik.

cüsum, *A. i.* [Cisim ç.] Cisimler.• ‹Ruh-i cüsum-i âlem ve nur-i uyun-i beni âdem. — Ragıp Pş.›.

cüsur, *A. i.* [Cisr, ç.] Köprüler.• ‹Nice mesacid ü maabid ve sûr ü cüsur ve han ü rıbat gibi. — Sadettin›.

cüşa, *A. i.* Geyirme.

cüvan, cevan, civan, Bk.• *Civan.*

cüvariş, *A. i.* Mide ilâcı. (ç. Cüvarişat).

cüveda, *A. i.* [Cevad ç.] Kerim insanlar.

cüvud, *A. i.* [Cevad ç.] Kerim insanlar.

cüyub, *A. i.* [Ceyb ç.] Yakalar.

cüyud, *A. i.* [Cid ç.] Boyunlar, gerdanlar.

cüyuş, *A. i.* [Ceyş ç.] Askerler.• ‹Sıyt-i velval-i vega, velvele-i ceng-i cüyuş. — Fikret›.• ‹Görsün kiminle ahgi cüyuş-i zafer gelür. — Beyatlı›.

cüz', *A. i.* (*Ze* ile) 1. Bölük, parça. 2. Bir bütünün parçalarından her biri, Kur'an'ın otuz bölümünden her biri. 4. Kitap forması.• *Cüz-i ferd* atom;• -*lâyeteczza*, eski felsefenin her cismin artık bölünemeyecek derecede varsaydığı en küçük bölümü.• ‹Sensin ol sahip kemalât-i fünun-i cüz' ü küll — Ki olur her bir kelâmın ilden ile armağan. — Ziya Pş.».• ‹Ecza deme cüz-i lâyetecezza — Taksîmi hayalden müberra. — Ş. Galip›.

cüzaf, *A. i.* (*Zel* ile) Götürü pazarlık.

cüzam, *A. i.* (*Zel* ile) Miskin illeti.● «Artığın cüzamın kimse yemez. — Lâtifî». yacak kap.

cüzbend, *A. i.* [Cüz-bend] Cüzleri saklacüzdan, *F. i.* [Cüz-dan] Kâğıt para koymaya mahsus çanta.● «Cüzdanınızdan bir beşlik kâğıt aşırmak için kifayet edecek kadar. — Uşaklıgil».

cüzeyr, *A. i.* İnce kök.

cüzeyre, *A. i.* Küçük ada.

cüzhân, *F. i.* (*Hı* ile) [Cüz-han] Kur'an cüzlerini okumakla görevli kimse.

cüz'i, cüziyye, (*Ze* ve *hemze* ile) *A. s.* 1. Bir şeyin bütününe ait olmayıp özel olan. 2. Az miktarda, pek az.● *İrade-i cüz'iye*, elindelik.● *Masarif-i cüz'iye*, az bir masraf;● *miktar-i cüz'î* az bir miktar, pek az.● «Kâtip Çelebi merhum ile müverrih Mehmet Paşa asrında tariklerinde sûdmend ve devletinden cüz'i ve küllî hissemend olmadıklariyçün taraf-i hilâfını tutup zemmetmişlerdir. — Naima».

cüz'iyyat, *A. i.* [Cüz'i ç.] Ufak tefek, önemsiz şeyler.● *Cüz'iyat-i umur*, ufak tefek işler.● «Cümle umuru anlara danışıp cüz'iyyat-i umurda dahi anlara muhalefette kaldı. — Naima».

cüz'iyyet, *A. i.* Azlık.

cüzul, *A. i.* [Cizl ç.] Kökler, kütükler.

cüzur, *A. i.* (*Ze* ile) [Cezr ç.] Kökler.● «Irk-i Samî, ırk-i İranî, ırk-i Turanî bütün bu cüzur-i muhtelife-i insaniyet. — Cenap».

cüzûr, *A. i.* (*Ze* ile) [Cezer ç.] Havuçlar.

Ç

ç, *i.* 1. Fars ve Osmanlı alfabelerinin yedinci harfi. Arap alfabesinde yoktur. 2. Ebced hesabında, c gibi 3 sayısının işaretidir.

çabluş, çablûsî, Bk.● *Cablûs.*

çabük, *F. s.* Çabuk.● ‹Şikârımızı ayağımıza gelmiştir deyu dinç ve çabük ü çalâk atlı yiğitler gönderip. — Naima›.

çabukâne, *F. zf.* Çabukça atik davranaraö.● ‹Hareketi cüst ve çabükâne idi. — Naima›.

çabükdest, *F. i.* [Çabük-dest] Eline çabuk:● ‹Meh ile mihr çabükdest bir iki hokkabaz ancak. — Hayalî›.

çabükdestî, *F. i.* Eline çabukluk. El çabukluğu.

çabükhiram, *F. s.* (Hı ile) [Çabük-hiram] Çabuk yürüyen.● ‹Edhem-i kalem-i çabük-hirama müheyyic-i şevk-i tamam olup. — Raşit».

çabükî, *F. i.* Çabukluk.

çabükinan, *F. s.* (Ayın ile) [Çabük-inan] Dizginine çabuk, atını hızla süren.● ‹Serdar-i âzam zîr-i ranında olan yekran-i çabükinanı birkaç kadem ileri sürüp. — Naima›.

çabükpâ, *A. s.* [Çabük-pâ] Ayağına çabuk.● ‹Şatıran-i çabükpâdan birkaçı dünbale rev-i imam olup. — Nergisî›.

çabukrev, *F. s.* [Çabük-rev] Çabuk giden.

çabüksüvar, *F. s.* [Çabük-süvar] Ata iyi binen, iyi at süren.● ‹Hudavendâ sen ol çabüksüvar-i mülk ü devletsin — Ki rahş-i himmetin evvel kademde aldı meydanı. — Bakî›.

çabüksüvaran, *F. i. ç.* Ata iyi binen kimseler.

çabüksüvarane, *F. zf.* [Çabük-süvar-ane] Ata iyi binene yaraşır surette.● ‹Sebükbarane birden nehzat ve çabüksüvarane hareket ile. — Naima›.

çader, *F. i.* 1. Çadır. 2. Kadınların başörtüsü.● ‹Bir aceb deryadır ordu-yi hümayunun senin — Kim habab-i berkarar olmuş ana her çaderi. — Nef'i›.

çadırşeb, *F. i.* [Çadır-şeb] Çarşaf.● ‹(Güneş) ve havfından şeb çadırşebine bürünüp. — Sadettin›.

çah, çeh, *F. i.* (He ile) 1. Kuyu. 2. Çukur.● *Çah-i Babil,* Babil'de Harut ile Marut'un kıyamet gününe kadar saçlarından asılı bulundukları kuyu veya çukur.● *-Biçen,* ●*-Bijen,* Bijen'in Efrasyap tarafından hapsolunduğu kuyu;● *-bün,* kuyu dibi;● *-gabgab* çene altı çukuru,● *-Nahşeb,* Orta Asya'da Nahşeb'de bir müneccim çukuru;● çukuru;● *-nisyan,* (-a atımalk) unutulmak;● *-pest,* bu aşağı dünya;● *-Rüstem,* Rüstem'in üvey kardeşi tarafından tuzağa düşürüldüğü ve öldürüldüğü çukur;● *-Yusuf,* Yusuf Peygamberin kardeşleri tarafından atıldığı kuyu;● *-zekân,* çene çukuru;● *-zenehdan,* çene çukuru;● *-zîc,* rasat kuyusu.● ‹Diller nice bir çah-i zenahdanına düşsün — Sayen gibi zülfün de ko dâmanına düşsün. — Nef'i›● ‹Her çeşm olamaz layık-i ruhsare-i Yusuf — Her kafile lebteşne-i çah-i zekan olmaz. — Nabi›.● ‹Ve hendekleri çah-i Babil gibi amik olup. — Raşit›.● ‹Kalbi ümmid ü hırsa çah-i şuun.» — Fikret›.

çahsar, *F. i.* Kuyusu çok olan yer.

çâk, *F. i.* (Kef ile) Yırtık yer.● *Çak-i giriban,* yaka yırtmacı.● ‹Aşk oldu bu müjdeden ferahnak — Bin şevkle kıldı câmesin çâk. — Ş. Galip›.● ‹Görürlerse gönüller çâk olur çâk-i gibibanın. — Fasih›● ‹Çâk eylemedir sin-i aşkı emelim, çal. — Fikret›.

çâk, *F. s.* Yarık. Yırtmaç. Yırtık.

çakâçâk, *F. s.* Silâh çatışmalarından çıkan sse.

çâkçâk, *F. s.* Ziyade yırtık. Parça parça. ● ‹Hâk-i kûy-i yâri kılmış eşk-i cuşan çâk-çâk».

çaker, *F. i.* Kul, köle. Bende (Bk.) sözü gibi bu da eski remsî ve özel yazîlarda bir nezaket formülü gibi kullanılırdı. (ç. Çakeran).● «Tavk-i fermana çekip gerden-i teslimlerin — Niçe âzadeleri eyledi çaker hatem. — Bakî».

çakerane, F. s. Kula, köleye yakışır surette. Kounşma veya yazıda «ben» den kinayedir.● Fikri çakerane,● mâruzat-i çakerane, fikrim, bildirdiklerim.

çakerhane, F. s. (Hı ile) [Çaker-hane] «Benim evim» anlamına kullanılır.

çakerî, F. i. Kulluk, kölelik.

çakernevaz, F. s. (Ze ile) [Çaker-nevaz] Adamlarını iyi muamele ile okşayan «Siz» yerine de kullanılır.

çakernevazi, F. i. ve s. Kendinden küçüğe iyilik etme. Kendi adamına iyi davranma ile ilgili.

çakerperver, F. s. [Çaker-perver] Adamlarını besleyip kayıran. «Siz» yerine de kullanılır.

çakerperverî, F. s. ve i. [Çaker?perverî] Adamını kayırıcı olma; böyle davranmakla ilgili.

çakide, F. s. Yırtılmış.● «Sonra bu sine-i çekide-i âfaktan bir şems-i siyah yükseldi. — Uşaklıgil».

çalâk, F. s. (Kef ile) Çevik. Eline ayağına çabuk. Cüst ü çalâk, çevik ve tetik; fikr-i çalâk, çabuk kavrar fikir; kilk-i çalâk, alabildiğine yazan kalem; tab-i çalâk, keskin tabiat. «Balâ-yi kaleye hücumda ne mertebe cüst ü çalâk oldukların görmekle. — Raşit». — «Gûş et ki ne der bu kilk-i çalâk. — Ş. Galip».

çalâkî, F. s. Çeviklik, çabukluk.

çaliş, F. i. Savaş.

çame, F. i. Vezinli kelâm, manzume.

caplûs, F. i. Bk.● Cablûs.

car, F. i. Çare hafifi.

çar, F. i. Dört. Çihar sözünün hafifi. Anasır-i erbaa (Bk.) anlamında Farsçada da busözle tamlamalar yapılmıştır.● Çarejdaha,● çarerkân,● çarmedar,● çarmih-i hayat, bunlardandır.● «Kerame-i bâhire ve measir-i sairesi çar cihet-i memlekette şüyu' bulup. — Naima».

çarbaliş, F. i. [Çar-baliş] 1. Dört yastık. Bir hükümdar veya büyük bir mevki sahibinin mevkii, oturduğu eyr. 2. Dört unsur.● «Çarbalişe dayanıp emiarne oturur, sakalı tıraş bir pehlivan merd idi. — Naima».

çarçeşm, F. s. [Çar-çeşm] Dört göz demek olan bu sözle fazla ve candan

bekleme, isteme anlatılır.● «Ey nur-i dide sanma abes gözlüğüm görüp — Teşrif-i yâri bekliyorum çarçeşm ile. — Naci».

çarçube, F. i. [Çar-çube] Çerçeve.

çardih, F. s. On dört.● «Bir letafet var sanır hüsnünde mah-i çardih — Öygünür hurşid-i âlemtâbına garralanır. — Ruhi».

çare, F. i. 1. Herhangi bir işi bitirme yolu, bir işten kurtulma yolu. 2. Yardım. 3. İlâç.● «Ne çare ki ben şimdi şi're muğberrim. — Fikret».

çarebru, F. s. [Çar-ebru] Dört kaşlı, bıyığı yeni çıkmış delikanlı.

çarecu, -cuy F. s. [Çare-cuy] Çare arayan.● «Çarecu oldukça derman derdnâk eyler seni — Ey gönül bu derd-i aşk âhır helâk eyler seni. — Ziya Pş.».

çarerkân F. i. Dört temel (Su, ateş, toprak, hava).● «İnanma imtizacın seyredip bu çarerkâna — Deadam birbirinin fırsatın gözler münafıktır. — Nabi».

çarekâr, çareker F. s. [Çare-kâr] Çare bulucu, kurtulacak vesile yaratıcı.

çaresaz, F. s. [Çare-saz] Çare ve ilâç yapan, düşünen, bulan.● «Sad nale-i tazallüm ü bin ah-i cangüdaz — Derd-i edruna olmadı hayfa ki çaresaz. — Ziya Pş.».

çargâh, F. i. [Çar-gâh] 1. Dört yön (doğu, batı, güney, kuzey). 2. Dünya. 3 Musikide bir makam adı.

çargûşe, F. s. [Çar-gûşe] Dört yön. Dört köşe.

çarh çerh, (Hı ile) F. i. 1. Çark. 2. Gök. 3. Makienlerin döner tekerleği. 4. Felek. 5. Talih.● Çarh-i ahzar, mavi gök kubbesi,● çarh-i berin, arş-i âlâ (Bk.) ● çarh-i çiharüm, Batlamyos sisteminde dördüncü felek;● çarh-i devvar, gök;● çarh-i gaddar, talih;● -mina, mavi gök kubbesi;● «Bu kühen dar-i şifanın nazar-i dânaya — Çarh-i atlas dediğin köhne firaşı görünür. — Nailî».

çarha, çerha, F. i. Çarka. Düşman saflarını çevirmek için yapılan asker hareketi.● Çarka, topu, hafif top.

çarmih, F. i. (Hı ile) [Çar-mih] 1. Çarmık, çarmıh. 2. Adam asmak için kurulmuş haç şeklinde dar ağacı. 3. Gemi direklerinin başından aşağı inen kalın ipler.● «Bir sihr ile çekti çarmiha — Hem kıldı nişane tiğ ü siha. — Ş. Galip».

çarnaçar, *F. zf.* [Çar-na-çar] İster iste-mez.

çarpâ, *F. i.* [Çar-pâ] Dört ayaklı hayvan.
● ‹Nagehan karşıdan oldu peyda — Bir sürü çarpâ-yi kûh-beden. — Fik-ret›.

çarpâre, *F. i.* [Çar-pâre] Çalpara. Par-maklara takılıp çalınan zil.● ‹Ele al-dıkça çengi güzeli çarpâre — Reşkten kahr ile felek görse olur câr pâre. — Beliğ».

çarseb, *F. i.* Çarşaf.● ‹Berk-efken olunca gâh ü bigah — Vechin o siyeh çarseb-den — Gûya ki doğar sevda şebden — Recaizade›.

çarsenbih, *F. i.* [Çar-şenbih] Dördüncü gün, çarşamba.

çarsu, *F. i.* Çarşı.● ‹Cehalet çarşu-yi deh-ri tuttu öyle kim herkes — Ziyanı sûd zanneyler dahi sûdu ziyan. — Ziya Pş.›.

çartak, *F. i.* [Çar-tak] Çardak.● ‹Engûr-i siyah-i hindû-yi bâm — Amma yeri çartak-i ecram. — Ş. Galip›.

çarub, carub, *F. i.* Süpürge.● ‹Manend-i diraht-i piste çok hub — Müjgânını kılmış anda çarub. — Ş. Galip›.● ‹Ça-rub-i takdirin nasılsa cedelgâh-i mai-şete sürüklediği. — Cenap».

çarubkeş, *F. i.* [Çarub-keş] Süpüren, sü-pürücü.● ‹Bu âsitane-i izzet-aşiyane-de çarubkeş olup. — Sadettin›.● ‹Otağ-i hümayun pişgâhına çarubkeş-lik hizmet-i lâzimelerini eda. — Ra-şit›.

çarûm, *F. s.* Dördüncü.● ‹Çerh-i çarüm-den öte arş-i muallâdan beri. — Ne-dim›.

çarümin, *F. s.* Dördüncü.● *Çarümin bâm,* ● *-felek,*● *sipihr,* Batlamyos sisteminin dördüncü feleği.● ‹Sürdükçe hâkpâyi-ne reşk eder Mesih — Hurşid-i tâc-ver-i felek-i çârümin ile. — Nailî›.

çarünaçar, *F. zf.* [Çar ü naçar] İster is-temez.● ‹Gayret olup ahdına vefadar — Ol gümrehe uydu çarünaçar. — Ş. Galip».

çaryâr, *F. i.* [Çar-yâr] Dört dost, Ebube-kir, Ömer, Osman, Ali.● ‹Ey çaryâr-i kâmilîn âyan-i milk-i din — Erbab-i sıdk u madilet ü refet ü hayâ. — Fu-zuli›.

çaryârî, *F. s. i.* Çaryâra, ilk dört halife-ye bağlılık. Sünnilik.

çaryek, *F. i.* [Çar-yek] Çeyrek. Dörtte bir.

çasar, *F. i.* 1. Kayser. 2. Çar.● ‹Nemçe çasarı Ferdinandos Belgrat kadısı Ha-

bil Efendiye mektup gönderip. — Nai-ma›.

çaslik, *F. i.* (*Se* ile) Büyük papaz, patrik.

çaşni, *F. i.* Çeşni, tat. Tat örneği.● ‹Çek-tim gam-i sad-gûne-i gerdun-i dü-tâyı — Tattım nice dem çaşni-i zehr ü şi-fayı. — Ziya Pş.›.

çaşnigir, *F. i.* [Çaşni-gir] Büyük yerlerde yemeklerin tadına bakmakla ödevli kimse.● ‹Tarz-i gam edende cana te-sir — Ol nakstan ola çaşnigir. — Fu-zuli›.

çaşnigiran, *F. i.* [Çaşnigir ç.] Sofra hiz-metine bakanlar.● ‹Ve çaşnigîran sof-ralar döşemeğe. — Raşit».

çaşnisenc, *F. s.* [Çaşni-senc] Çeşniden anlayan. Çeşni uzmanı.● ‹Nailî zem-zeme-i nay-i kalem destinde — Çaş-nisanc-i mezaya-yi tabiat görünür. — Nailî›.

çaşt, *F. i.* Kuşluk vakti. Kuşluk yemeği. Sabah ile öğle arası.

çastdan, *F. i.* Yemek sepeti.

çaste, *F. i.* Kuşluk zamanı. Kuşluk yeme-ği.

çastgâh, *F. i.* Kuşluk yemeği yenecek yer.

çavuşan, *F. i.* [Çavuş ç.] Divanda icra ile görevli çavuşlar.● ‹Çekin götürün de-mekle erazil-i çavuşan yumruk ile ba-şına gözüne girişip. — Naima›.

çay, *F. i.* Çay.● ‹Şimdi İran'da kanaat ederiz çay ile biz. — Münif›.

çayfüruş, *F. i.* [Çay-füruş] 1. Çay satan. 2. Çaycı.

çayhane, *F. i.* [Çay-hane] Çay içilen yer.

-çe, *F. i.* Küçültme edatı.

çeb, *F. i.* Bk.● *Cep.*

çebendaz, *F. s.* Bk. *Çependaz.*

çegane, *F. i.* Çengilerin usul tutmak için ellerine aldıkları ucu yarık ve birkaç pulu bulunan müzik aleti, küçük tef.● ‹Çeng ü çegane zevki biraz dursun el'-eman. — Nedim›.

çeh, *F. i.* (*He* ile) Kuyu.● ‹Düştüğüne ey-leme teessüf — Miracını çehte buldu Yusuf. — ›Ş. Galip».

Çeh, *i.* Çek. Çehistan. Çekoslovakyanın Bohemya ili.● ‹Ve Macar kıralı olalı iki yıl ve Çeh kıralı olalı üç yıldır. — Naima›.

çehar, çihar, *F. s.* (*He* ile) Dört. Bk. *Çar.*

çehardeh, *F. s.* On dört.● *Çehirdeh ma-sum,* Muhammet peygamber, kızı Fat-ma ve on iki imam.

çehargâne, *F. s.* [Çehar-gâne] Dört un-sur.

çeharşenbih, *F. i.* [Çehar-şehbih] Dördüncü gün, çarşamba.

çiharüm, *F. s.* Dördüncü.● «Düşüp at boynuna hurşit ta çerh-i çiharümden — Erişti geldi dergâhında derban oldu bir günde. — Nedim».

çeharümin, *F. s.* Bk. *Çarumin.*

çeharyâr, *F. i.* Bk. *Çaryar.*● «Gidelim ha-,lini arz et Leylâ — Der-i valâ-yi çeharyâre. — Leylâ».

çehre, çihre, *F. i.* 1. Yüz, surat. 2. Surat etme, ekşi yüz.● *Çehre-i gülgûn,* gül rengi (pembe) yüz. 3. (Tas.) İlâhi tecelli nurlarının görünmesi.● «Ağlamış çehreli sofi ne belâ — Cennete girse de gülmez meselâ — Sünbülzade».● «Huzur-i hümayuna çehre-sâyi ubudiyyet olmasına izin ve ruhsat ihsan olunup. — Raşit».

çehrefersa, *F. s.* [çehre-fersa] Yüz süren.● «Cenab-i barigâh-i rifati ol denlü âlidir — Ki hakipayine sükkân-i ulvi çehrefersadır. — Nefi».

çehreküşa, *F. s.* [Çehre-küşa] Yüzünü açan, yüz açıcı.● «Mehçe-i rayet-i hümayunu — Affab-i münire Çehrekuşa: — Nedim».

çehreküşayi, *F. i.* Çehre açıcılık, yüz güldürücülük.● «Âb ü tab-i çehreküşayiden hissedar etmeye zaman bulunmazdı. — Nergisi».

çehrenüma, *F. s.* [Çehre-nüma] Yüz gösteren görünen.● «Bâkıya şahid-i maksud olur çehrenüma — Sâf ü pâk ayine-i dilde gubar olmayıcak. — Baki».

çehreperdaz, *F. i.* [Çehre-perdaz] Ressam.● *Çehreperdaz-i cihan,* güneş.

çehresâ, *F. s.* [Çehre-sâ] Yüz süren.● «Evc-i hevada yedi muallâk döner hamam — Bircis eşiği hakine olurdu çehresây. — Baki».● Acep ne tiz feramuş eder cebin-i gurur — Hasir-i mescide her ruz çehresalığını. — Nabi».

çek, *F. i.* 1. Berat. 2. Tapu.

çekâçek, çekâçek, *F. i.* [Çek-a-çâk] Sert, madenden nesnelerin, en çok silâhların çatışma sesi.● «Tarraka-i tüfenk ve çekâçek-i tig-i bidireng velvele-endaz-i künbed-i firuze olmuş idi. — Naima».● «Oluyor her sehabeden rizan —Bir çekâçek-i dilhiraş-i belâ. — Cenap».

çekân, *F. s.* Damlayan, damlamış.● *Hunçekân,* kan damlayan.

çekâv, *F. i.* Toygar kuşu.

çekide, *F. i.* Damlamış. Damıtık.● «Bir kere bus eden seni ölmez Hızrmisal — Ab-i hayat lâ'l-i lebinden çekidedir. — Nazîm».

çelenk, *F. i.* Maden veya mücevherden yapılan ve başa takılan sorguç.● «İki kulağı çeleng-i şehbaz — Gerdanı sürahi-î şerefraz. — Ş. Galip».

çelipa, *F. i.* Haç. Put. Salip.● «Yanına alsın deyu kâfir gözün gamzen gibi — Girdiler şimdi çelipa şekline şemşirler. — Bakî».● «Katl ü garete çıkarken çelipayi İsa ve sanem-i Meryem önünde. — Cenap».

çeman, *F. s.* Salınarak yürüyen, salınan.

çemen, *F. i.* Çimen. Yeşil alan.● «Son katre-i gevherle bezenmişti çemenler. — Fikret».

çemenâra, *F. i.* Bahçıvan.

çmeenbend, *F. i.* [Çemen-bend] Bahçıvan.

çemenistan, *F. i.* [Çemen-sitan] Çimli yer. «Bir çemenistan-i mutalsam, bir râi-i dahi, bir asâ-yi Musa ki. — Cenap».

çemenpira, *F. s.* [Çemn-pira] Bahçıvan.

çemensoffa, *F. i.* [Çemen-soffa] Bahçede çimle kapalı oturacak yer.

çemenzar, *F. i.* [Çemn-zar] Yeşil çimli alan.● «Fasl-i bahar geldi seyreyle lâlezarı — Gülzarı et temaşa kıl nazra-i çemenzar — Ziya Pş.».

çenar, çınar, *F. i.* Çınar. (Yaprağının biçiminden el ve ele ait bir hayalle beraber söylenir. İhtiyarladığı zaman kendiliğinden tutuşup yandığına inanılır). ● «Kaldırdı elini çenar-i serkeş — Bir söz dedi var içinde ateş. — Ş. Galip».● «Çenar âsâ derunundan tutuşmuş nahl-i zibadır. — Sabri».

çenber, *F. i.* 1. Çember. 2. Halka, kasnak. 3. Yemeni, eşarp. 4. Demir kuşak.● *Derçenber,* çember içinde, sıkıştırılmış. ● «İkbaline idbarine dil bağlama dehrin — Bir dairede devr edemez çenber-i devran. — Ziya Pş.».

çend, *S. e.* Birkaç, bazı.● *Cend bar,* birkaç defa;● *çend ruz,* birkaç gün;● *her çend,* her ne kadar.● «Her çend ki getirilip sulh ü salâhın tecdiden istihkâmt ahvali müzakere olundu. — Raşit».

çendan, *F. e.* O kadar, pek o kadar.● «Cümlesi müçtemian Asitane-i saadetime çenden münasip ve makul değildir. — Raşit».

çendin, *T. e.* Kaç. Kadar.● ‹Eder bir nok-
tadan çendin kitab-i anberîn imlâ. —
Nabi›.

çeng, *F. i.* (*Kef* ile) Bk.● *Çenk.*

çengal, *F. i.* (*Kef* ile) 1. Çengel. 2. Yırtı-
cı hayvan veya kuş pençesi.● ‹O gece
düşmüş idi çah-i hâke Delv-i sipihr —
Ki anı çıkarmaya olmuştu mah-i nev
çengâl. — Hayali›.

çengâr, *F. i.* Bakır pasından yapılma ye-
şil boya.● ‹Kâh-i ziyba ve kasr-i dilâ-
ra ki binasında ziyade tekayyüd edip
derunun safayih-i zehep ü lâ'l ve çen-
gâr ile bilcümle zer ü zivere müstağrak
eylemişler idi. — Naima›.

çengel, *F. ii* 1. Çengel. 2. Çengel, sık ağaç-
lık veya sazlık yer.

çengelistan, *F. i.* Cengül, sık orman.

çengi, *F. i. s.* 1. Çenge ait. 2. Sazla oyun
oynayan kadın. (ç. Çengiyan).● ‹Bir
çengi güzel sevdim sermayeyi çaldır-
dım. — Zati›.

çenid, *F. s.* Devşirilmiş, toplanmış.

çenk, ceng, *F. i..* 1. El, pençe. 2. Kanuna
benzer ve dik tutularak çalınan saz.●
‹Gönlüm elden gitti sevdanın ne galip
çengi var. — Naci›.● ‹Olsun mu Niza-
mi'ye hem ahenk — Kur'an'a uyar mı
nağme-i çenk. — Ş. Galip›.● ‹Verir
bir başka halet dil-i âşıka — Bu dilkeş
havâda bu çenk ü çegane. — Naci›.

çep, *F. s.* 1. Sol. 2. Falso, yanlış.● *Çep ü
rast,* sağa, sola.● ‹Yoksa bu kale ve
sair Beç'e varınca çep ü rastında olan
palankalar dest-i düşmanda dururken.
— Raşit›.

çependaz, *F. s.* (*Ze* ile) Hileci.● ‹Ben o
mehru ile Ragip işim sağ ettim — İm-
tihan eylemesin çerh-i çependaz bana.
— Ragıp Pş.›.

çependazane, *F. zf.* Hileciye yakışır yol-
da.● ‹Serasimeg-i gubar-i hayretten
pergâr-i akdamı çependazane reftar
ile. — Nergisi›.

çependazi, *F. i.* Hilecilik.● ‹Olur mu rast-
kâran mail-i çependazî. — Naci›.

çera, *F. i.* Ot.

çera, çira, *F. e.* Bk.● *Çira.*

çeracâ, *F. i.* [Çera-câ] Otlak. Çayrı. Ova.

çerag, çirag, *F. i.* (*Gayın* ile) 1. Lâmba,
mum, kandil. 2. Aydınlatan, açan. 3.
Kılavuz, pîr, mürşit. 4. At şaha kalk-
ma. 5. Çırak edilme.● *Ruşençerağ,* ışı-
ğı yanan, kutlu ve mutlu.● ‹Gönlüm
ferahı gözüm çerağı. — Fuzuli›.● ‹Des-
tinde câm-i neşve şemavî çerağ olur.
— Beyatlı›.

çeragâh, çerageh, *F. i.* (*Kef* ile) [Çera-
gâh] Otlak.● ‹Ahu-yi harem sayd-i
çeragâh değildir. — Nailî›.● ‹Sanırsın
koptu bir pertev çeragâh-i meşiyyetten.
— Cenap›.

çeragan, *F. i.* 1. Yağa bulanmış fitil. 2.
Kandil donanması, çırağan.● ‹Müjdeler
gülşene kim vakt-i çerağan geldi. —
Nedim›.

çeragdan, *F. i.* [Çerag-dan] Üzerine kan-
dil konacak nesne.

çeragefruhte, *F. s.* [Çerag-efruhte] Ev
bark ile çerağ edilmiş.● ‹Çarh abda-
lındır ey meh tende dag-efruhte —
Mihr bir pürşevk bendendir çerağ ef-
ruhte. — Hayalî›.

çeragfüruz, *F. s.* [Çerag-fruz] Işıtan, ay-
dınlatan.● ‹Siyehdilsin düşmen-i bî-
vefasın hayf bilmezsin — Çeragefruz-i
mah-i asüman-i behcetin kaimdir. —
Nailî›.

çerageh, *F. i.* [Çera-geh] Otlak, çayır.

çerager, *F. i.* [Çera-ger] Otlayan, hayvan.

çeragpâ, *F. i.* [Çerag-pâ] 1. Kandil ayağı.
2. Şahlanan at.

çeragperest, *F. i.* [Çerag-perest] (Zoo.)
Pervane böceği.

çeragperhiz, *F. i.* [Çerag-prhiz] Fanus,
fener.

çerahar, çerahor, *F. i.* Otlak, çayır.

Çerakese, *A. i.* [Çerkes ç.] Çerkesler.●
‹Şahi- âlicah Çerakese-i gümrah irti-
kâp ettiği günahtan agâh olıcak. — Sa-
dettin›.

çeram, çeramin, *F. i.* Otlak.

çerazar, *A. i.* (*Ze* ile) [Çera-zar] Otlak.
Çayır.

çerb, *F. s.* 1. Semiz, yağlı. 2. (Mec.) Üs-
tün.● *Çerb ü huşk,* semiz ile kuru, zen-
gin ile fakir.

çerbdest, *F. s.* [Çerb-dest] Eli işe yakı-
şır.

çerbgû, *F. s.* (*Kef* ile) [Çerb-gû] Yumu-
şak sözlü.

çerbî, *F. i.* 1. Yumuşaklık, tatlılık. 3. Ko-
layca dünya nimetlerine kavuşma.

çerbpehlû, *F. s.* (*He* ile) [Çerb-pehlû]
Semiz, şişman, rahatta.

çerbzeban, *F. s.* (*Ze* ile) [Çerb-zeban]
Tatlı dilli, yaltaklanan.● ‹Serdar anı
söyletip çerbzebanlık ile hoşamed-gûy-
luğundan hazzedip katl etmedi. — Nai-
ma›.

çerde, *F. i.* Renk.● *Siyehçerde,* kara yağız.
● ‹Bir mahruh-i siyah-çerde — Çün
âb-i beka-yi vera-yı perde. — Ş. Ga-
lip›.

çerend, çerende, *F. i.* Otçul. Ot yiyen hayvan.• «Perende ve çerende şıkâr ederek. — Naima».• «Bir şeb-perre-i hufte, bir ahû-yi çerende — Vermişti bu nüzhetgehe bir vahşet-i nermin. — Cenap».

çeresdan, *F. i.* (*Sin* ile) Dilencinin sadaka mendili, dilenci çanağı.

çerh, çarh, *F. i.* Bk.• *Çarh.* • «Çerhin sana maksadı yamandır. — Ş. Galip».

çerha, *F. i.* Bk.• *Çarha.*

çerhendaz, *F. s.* [Çerh-endaz] Mancınık ile taş veya ok atan.

çerhzen, *F. s.* [Çerh-zen] Dönen, dönücü.

çerkesî, *A. s.* Çerkez biçiminde.• «Ve libası çerkesî. — Naima».

çerm, *F. i.* Deri, post, kösele.

çermin, çermine, *F. s.* Köseleden yapılma.

çermineduz, *F. s.* [Çermine-duz] Pabuç dikici.

çesban, çespan, *F. s.* Lâyık, yakışık, uygun.• «Acep münasib ü çespandır ey büt-i tannaz — Nigâh-i mestine vâdi-i mezheb-i aşub. — Nedim».

çesbide, *F. s.* Lâyık, uygun.• «Var huccetine göre usulü — Çesbide kabasına fusulü. — Ş. Galip».

-çeş, *F. s.* «Deneyen, tadına bakan» anlamıyle birleşikler yapılır.• *Nemekçeş,* tuzlu.

çeşende, *F. s.* Tadan, tadına bakan.

çeşide, *F. s.* Tatmış olan, tadılmış olan.• «Çeşide eylemişim zevk ü zehr ü tiryakı. — Ziya Pş.».

çeşm, *F. i.* Göz.• *Çeşm-i ahu,* ahu gözlü, çok güzel göz;• - *badam,* çekik göz;• - *bed,* zararı dokunan kötü göz;• - *bülbül,* noktalı veya damarlı sırça;• - *gazal,* ahu gözü, pek güzel göz;• - *horos,* horoz gözü, kırmızı şarap;• - *İsmail,* babası İbrahim tarafından kurban edilecek olan peygamber İsmail'in gözü, kadere razı göz;• - *mahmur,* - *mest,* baygın, süzük göz;• - *meygûm,* şarap gibi sarhoş edici göz;• - *pür humar,* - *terk,* (Tas.) olgunluğa ait hallerin görünmesi; fazla baygın göz;• - *şeb,* ay, yıldız;• - *şehlâ,* (yakışıklı) şaşı, kaymış göz;• - *zag,* (karga gözü) mavi, açık mavi göz;• *çeşm ü gûş,* (göz ve kulak) dikkat;• *merdüm-i çeşm,* gözbebeği;• *nur-i çeşm,* gözün nuru, çok sevgili.• «Daima canib-i a'daya çeşm ü gûş olmak üzere istısvab ettiler. — Raşit».• «Sahra-yi dilde gerd-i sipah-i hayal-i dost — Çeşm-i ümmidi

ruşen eder tutya kadar. — Nabi».• «Püskürme ben değil o peri çeşm-i zah miçin — Atmiş izarı ateşine bir avuç sepend. — Beliğ».• «Çektiğim derdi felekten nice tabir edeyim — Ya nice söyleyeyim çeşm-i siyehkâra sabah. — Leylâ».

Çeşman, *F. i.* [Çeşm ç.] Gözler.• «Umk-i sâfiyetinde çeşmanın — Bana bir başka inci arz ediyor. — Fikret».

çeşmaru, *F. i.* [Çeşm-ar] uKötü göze karşı muska.

çeşmaşina, *F. s.* [Çeşm-âşina] Göz aşinalığı olan, tanıdık.• «Sabavetten, o cennetten beri çeşm-âşinayız. — Fikret».

çeşmaviz, *F. i.* (*Ze* ile) [Çeşm-aviz] Yüz örtüsü, peçe.

çeşmbaz, *F. s.* [Çeşm-baz] Göz oynatma, yalvarma.• «Sipihre olmadan gayrı çeşmbaz-i niyaz — Ne nef'i var bize bu kamet-i hamidemizin. — Nabi».

çeşmbend, *F. s.* [Çeşm-bend] Gözbağı. Büyü.

çeşmbeste, *F. s.* [Çeşm-beste] 1. Gözü bağlanmış. 2. Bağlı gözlü.

çeşmbus, *F. i.* ve *s.* [Çeşm-bus] Göz öpme. Gözden öpen.

çeşmbusi, *F. i.* Göz öpme.

çeşmdar, *F. s.* [Çeşm-dar] Gözleyen. Bekleyen.• «Gelibolu sahrasında kudum-i sultaniye çeşmdar-i intizar olan ordu-yi hümayun halkına. — Raşit».

çeşmdaşt, *F. i.* [Çeşm-daşt] Umma.• «Çeşmdaş-ti halis-ül-fuadleridir. — Raşit».

çeşmduz, *F. s.* [Çeşm-duz] Göz dikip bekleyen.• «Ve çeşmduz-i gûşe-i işaret olmuşlar idi. — Nabi».

çeşme, *F. i.* Çeşme. Kaynak, pınar.• *Çeşme-i haveri,* güneş;• - *hayvan,* • - *Hızır,* Bk.• *Âbıhayat.* (ç. Çeşmeha).• *Serçeşme,* bir bölge veya şehir büyüğü.• «Dirahtan-i sebzgûn ve çeşmehayi selsebil-nümun. — Nergisi».• «Bir katre içen çeşme-i pürhûn-i fenadan — Başın alamaz bir dahi bâran-i belâdan. — Ziya Pş.».• «Ben senin âb-i hayat-i lebinin tieşnesiyim — Tâlib-i çeşme-i hayvan isem insan değilim. — Avni».

çeşmesar, *F. i.* (*Sin* ile) [Çeşme-sar] 1. Pınart çok olan yer. 2. Çeşme başı.• «Tedib-i ilâhi olup istişhad ile (...) çeşmesarından gasl-i ednas-i âsâm ettiler. — Naima».

çeşmhane, *F. i.* (*Hı* ile) [Çeşm-hane] Gözevi.

çeşmküşa, F. s. [Çeşm-küşa] Göz açmış, dikkat veya şaşkınlıkla bakan.● «Ve çeşmküşa-yi temaşası olan huzzarı. — Raşit».

çeşmzahm, F. i. (Ze ve hı ile) Göz değmesi.● «Sene-i sabıkada donanmaya çeşmzahm ve taksir-i cür'et töhmetiyle. — Naima».

çeşn, F. i. Şölen.● «Bir gün bir çeşn-i azîm ve bir ziyafet-i pürneval-i amîm. — Nergisî».

çetr, F. i. 1. Çadır. 2. Şemsiye. Güneşlik.● «Ordu-yi hümayun içinde müzeyyen kurulan çetr-i âliye götürdüler. — Raşit».

çevgân, F. i. (Kef ile) 1. Cirit oyununda topu idare eden eğri uçlu sopa. 2. (Tas.) Tanrının ezeldeki takdiri.● «Eline bir çevgân alıp agayane cümhurun önüne düşüp çevgânın sallayarak. — Naima».

çevgânbaz, F. i. [Çevgân-baz] 1. Çevgân ile oynayan. 2. Sopa sallayan.

çevgandar, F. i. [Çevgân-dar] Çevgân taşıyan uşak.

çevgânzen, F. s. [Çevgân-zen] Çevgân vuran, çevgân ile oynayan. (ç. Çevgânzenan).● «Kaside-perdazan-i destan-i kühen ve çevgânzenan-i meydan-i suhan. — Sadettin».

çi, F. e. Ne.● Çi faide, ne fayda;● çi hacet, ne gerek, ne lüzum var.● «Eşk-i hasret döktüler amma çi faide sultan-i cihan olan kahraman-i ateş-feşanın fermanına muhalefet değil belki. — Naima».● «Ol sahir-i gamze bi-muhaba — Cibril çi ve güdam İsa. — Ş. Galip».

çide, F. s. Derilmiş, toplanmış.● Berçide, çekilip toplanmış.● «Fasl-i bahar bağ-i muradın residedir — Gülbeste-i hadika-i maksud çidedir — Nazîm».

çigûnegi, F. i. Nasıllık, nicelik, ne türlülük.

çihar, çehar, F. s. Dört.● «Cehd eyle çihar cevahir-i pâk — Fikr etme ki yoktur ehl-i idrak. — Fuzuli».

çihil, F. s. (He ile) Kırk. (Mec.) Çok.

çihl, çihil, F. s. Kırk.● «Cahil olan pîr nabaliğ olur — Cehl gitmez çihl ile pençahla. — İbn Kemal».

çile, çille, F. i. 1. Dervişlerin kırk günlük denenmesi. 2. Yayın örme kirişi. 3. İplik, ipek, sırma, ibrişim sarması. 4. Sıkıntı. Eziyet.● «Çille-i sahtın çeker her dem keman-ebrulerin. — Fıtnat».

çilekeş, F. s. [Çile-keş] Çile çıkaran. Dert çekmiş.

çillegüzin, F. s. [Çille-güzin] Çileye çekilmiş. Kimse ile görüşmez.● «Çillegüzin-i halvethane-i zühd ü salâh. — Nergisî».

çillehane, F. i. [Çille-hane] Çilehane. Çile zamanını geçirmek için dervişlerin kapandıkları oda.● «Ve taraf-i camide iki çillehane. — Nergisî».

çim, F. i. Farsçada bulunan ç harfinin sesi.

çîn, F. i. Kıvrım, bükülü, buruşuk.● Çin-i cebin, alın buruşukluğu. Dargınlık;● -ebru, kaş çatıklığı, kızgınlık.● «Cin-i sitemi belâ-yi ümmid — Mihr-i keremi asfa-yi cavid. — Ş. Galip».● «Nabi'yâ şimdi atâyası kibar-i asrın — Değmez ebrularının çînine bevvabların. — Nabi».

-çin, F. s. «Toplayan, derleyen» anlamıyle birleşikler yapılmada kullanılır.● Hurdeçin, kırıntı toplayan;● huşeçin, başak toplayan.

Çin, F. i. Çin ülkesi. Şiirlerde, saç ve koku anlamlarıyle beraber çok kullanılırdı.● Çin ü Maçin, Çin ile (belki) Mançurya.● «Ol mahlika zülf-i siyah-kârını çözdü. — San Çin ü Hata taciridir bârini çözdü. — Yahya».● «Turralar mülket-i Çin nafe-i müşgin ol hâl — Gözün ahûyi Huten gamzelerindir Tatar. — Baki».

çinar, F. i. Bk. Çenar.

çine, F. i. Kuş yemi.● «Dağlarda dane dane yaşım etti aşkı sayd — Dâme konmaz murg içinde olmayınca çinesi. — Hayali».

cina, F. s. [Çin'den] Toplayıcı. Devşirici.

çinî, F. i. s. Çini. Sırlı kap, tuğla.

çira, çera, F. s. zf. Niçin?● Çün ü çira, niçin, neden.● «Ef'ali çira vü çünden dûr — Hem dinde hem küfrde mazur. — Ş. Galip».

çirag, F. i. Bk. Çerag.● «Düşmanların çirağı hemen ruşen olmasın — Haktan bulur eden kötülük benden olmasın. — Ziya Pş.».

çire, F. s. Üstün, usta.● «Destar-i çiresiz bana kim eyler itibar — Küttap içinde her ne kadar çire-dest isem. — Sünbülzade».

çiredest, F. s. [Çire-dest] Eli yakışır, elinden iş gelir. (ç. Çiredestan).● «Mukaddema çiredestan çide etmiş puhte esmarın — Mezamînin riyaz-i marifette hamı kalmıştır. — A. Hikmet».● «El-verir ki siz bir sanatkâr-i çiredest olasınız. — Cenap».

F.: 10

çiredesti, *F. i.* Ustalık.● ‹Havi olduğu hakaik çiredesti-i intihal ile. — Kemal›.

çiregî, *F. i.* Ustalık, beceriklilik.

çirk, *F. i.* Kir, murdarlık.● ‹Alûde-i çirk-i küfr ü şirk olan bilâd ü bikaı. — Raşit».

çirkâb, çirkâbe, *F. i.* [Çirk-âb] Çirkef.● ‹Nabi tahassun eyle ki olmaz halelpezir — Çirkâbe-i zünub ile barû-yi mağfiret. — Nabi›.● ‹Eş'ar ü fünun hep o dudaklarda müheyya — Çirkâb-i taarruzdan eylerdi tehaşa. — Fikret›.

çirkâbe efşan, *F. s.* Çirkef saçan.● ‹Hünerdir Nabiya ebna-yi asrın itikadında — Riyaz-i ülfete çirkâbe efşan-i nifak olmak. — Nabi›.

çirkâlûd, *F. s.* [Çirk-alûd] Murdar, bulaşık.● ‹Ta bekey ey nefs-i çirk-âlûd meyl-i masiyet — Ağla kim eşk-i nedamet belki pâk eyler seni. — Ziya Pş.›.

çirkin, *F. s.* Güzel olmayan.

çirknak, *F. s.* Kirli, kir içinde.● ‹Zeval-i hüsnü hengâmında bastı hat — Sahife çirknak oldukça âdettir rakam çekmek. — Nabi».

çi sûd, *F. ün.* [Çi-sûd] Ne fayda! Neye yarar.● ‹Bunca demler ağladı yaşın yaşın amma çi sûd — Birisi ne iltifat etti ne tecdit eyledi. — Nedim›.

çiz, *F. s.* Şey, nesne. Bk.● *Naçiz.*

çûb, *F. i.* Değnek. Tahta parçası, çöp.● ‹Mencuk-i aleminden şems ü kamer şikeste-dil ve çûb-i rayetinden serv-i sanovber hacildir. — Lâmiî›.● ‹Hane-i marifet-i çûb- cğerveş İzzet — Garazı Arnavudun duşuna tahmil gibi. — İzzet Molla›.

çûban, *F. i.* Çoban.● ‹Kasb-üs-sebak-i hâme yerine kâş — Olsa destimde nây-i çubanî. — Fehim›.

çube, *F. i.* Oklava.

çubek, *F. i.* Küçük ağaç parçası, çubuk.

çubhâr, *F. i.* Ağaç kurdu.

çubî, çubin, *F. zf.* Ağaçtan, tahtadan.● ‹Dahi nev-amededir tıfl-i nazm ey Nabi — Acep mi hameden eylerse mürekkeb çubin — Nabi».

Çubin, *F. i.* Nuşirevan'a karşı ayaklanmış olan Behram'ın lâkabı.

çubpare, *F. i.* Ağaç parçası. Yonga.

çugd, cugd, *F. i.* Baykuş.

cugl, *F. s.* Dedikoducu, fesatçı.

çugul, *F. i.* Serçe kuşu.

çul, *F. i.* Çul.● ‹Atlas-i cahı eyleyip çull-i hazan-i hırs u âz — Hâcegân-i himmete cevher-i zat verdiler. — Nailî›.

çun, *F. e.* Nasıl?● *Çun ü çira.* Nasıl, niçin? ● ‹Zerrece çun ü çira kimsede yoktur hâşâ — Südde-i devletinedir yine Baki ferman. — Bakî›.● ‹Bahr-i efkâra dalıp çekme emek — Nükte-i çun ü çiradan el çek. — Hakanî›.

çuygân, *F. i.* Bk.● *Çevgân.*

-çü, *F. e.* Gibi.● ‹Bir canibi hep siyah puşan — Leyl içre çü encüm-i dırahşan. — Ş. Galip›.

çümçüme, *F. i.* Çamçak. Su kabı.

çün, *F. e.* 1. Gibi. 2. (Nazımda) Çünkü, madem.● ‹Çün şive-i naza mailiz biz — Bir taze edaya kailiz biz. — Ş. Galip».

çünan, *F. e.* Böyle, bunun gibi, her ne kadar.

çünbek, *F.* Sıçrama, atlama.

çünbekzen, *F. s.* Zıplayan, takla atan.

çünin, *F. s.* Böyle, bu yolda.

çünki, *F. e.* Çünkü. Niçini, nedeni açıklar. Eskiden vakit gösterirdi,● *mademki, ziar,* anlamında kullanılırdı.● ‹Çünkü bülbülsün gönül bir gülsitan lâzım sana. — Nedim›.

çüst, cüst, *F. s.* Çevik. Bk.● *Cüst.*

çüstî, *F. i.* Çabukluk.

çüval, *F. i.* Çuval.

çüvalduz, *F. i.* Çuvaldız.

D

d, 1. Osmanlı ve Fars abecesinin 10. Arap abecesinin 8. harfi. 2. Ebcet hesabında 4 rakamına işarettir. 3. *Dad* ve *tı* harfleriyle yazılan sözcüklerden kimi «de» sesi verir.

dâ, *A. i.* Hastalık. Tanzimat'tan sonra Cemiyet-i Tıbbiye-i Osmaniye hekimlik terimlerini dilimize çevirirken türlü hastalıklarla ilgili kelimelere bunu katmış ve birçok tamlamalar yapmıştır.● *Dâ-i merak*, karasevda; hypocondrie. (Fel.)● *Da-i Dalton*, Fr. Daltonisme karşılığı (XX. yy.).● «Lütfunla, itabınla bulur illeti şiddet — Kalbim azürde-i dâ-i halecandır. — Cenap».

daavat, *A. i.* [Dâvet ç.] «Dua» anlamının çoğulu olarak kullanılır.● *Daavat-i hayriyye*, hayırlı dualar.● «Cemi' hayırlı maslahatların izdiyad-i saadet ü ikbal daavatı takdiminden sonra. — Raşit».

dabbe, *A. i.* Binek hayvanı.● «Orduda kati çok âdem ve dabbe helâk oldu. — Naima».

Dabbet-ül-arz, *A. i.* Kıyamet vakti yaklaşınca çıkacak olan korkunç hayvan.

dâbir, *A. s.* Arkadan gelme, biri öbürünün peşinden gitme.

Dabişlim, *F. i.* Bir Hint hükümdar hanedanın adı.● «Ray-i âzam Dabişlim Bidpây-i hekîme eyitti. — Hümayunname».

dâd, *F. i.* (*De* ile) 1. Bahşiş. Vergi. 2. Verme. 3. Adalet, infaz, hak. 4. Sızlanma, şikâyet. 5. Feryat.● *Dâd-i Hak;*● - *Huda*, Tanrı vergisi;● *dâd ü dihiş*, bağış;● *dâd ü feryad*, feryad, eyvah;● *dâd ü sited*, alışveriş.● «Kenan Paşa sair Şam dilâverleriyle erlik dâdın verip Şam sancağına düşman gezende mecal bulamadı. — Naima».● «Dad elinden gönlümün feryad elinden gönlümün. — Nev'i».● «Dâd-i Hudadır demişler kisbî değildir aşk — Tahsili kati müşkül olmayıcak liyakat. — Kanunî».

dat, dat, Osmanlıca abecenin 17. harfinin sesi)Bu harfle yazılı kelimelerden kimi aynı zamanda *ze* sesi verirdi).● «Haktealânın kelâmı sendedir — Fa vü dadı bil ki lâm'ı sendedir. — Naimi».

dâdâ, *F. i.* Çocuğa bakan cariye, dadı.

dâdâferin, *F. i.* [Dâd-âferin] Tanrı.

dadâr, *F. i.* Tanrı. 2. Adaletli hükümdar.● «Dâdâr-i cihan eylemesin âlemi sensin. — Baki».

dâdaver, *F. s.* [Dâd-aver] Adaletli.● «Padişah-ı bahr ü berr dâdaver-i daniş karin. — Ziya Pş.».● «Ey daver-i dâdaver-i Dâra-dârat».

dâdbahs, *F. i.* [Dâd-bahş] Adalet verici)Tanrı).● «Dâdbahşa-yi raiyet hayrhâh-i maslahat — Müşfik-i hatırnevaz-i ehl-i âyan elveda. — Nabi».

-dâde, *F. s.* 1. Verilmiş, verimilş olan. 2. Vergi.● *Karardâde*, (hakkında) karar verilmiş;● *rızadâde*, razı olunmuş.● «Ser behem dâde-i des-ti ahadiyettir hep — Yek be-yek silsile-i nisbet-i inşa-yi kurun. — Münif».

dâder, *F. i.* Erkek kardeş.● «Sormuyorsun ki dâderim nerde — Pederim nerde? maderim nerde?. — Naci».

dâderane, *F. s.* [Dader-âne] Kardeşçe; kardeşe yakışır yolda.● «İki yüz milyon kadar nüfus dâderane ve yekvücudane birbirinin. — Kemal».

dâdferma, *F. s.* [Dâd-fermâ] İnsaf edici, adaletle buyurucu (Tanrı ve mecaz olarak da padişahlar hakkında).● «Şehriyar-i dâdferma kim ulüvv-i tab'ını — İtiraf etmektedir hayretle her akl-i selim. — Ziya Pş.».

dâdgâh, *F. i.* [Dâd-gâh] 1. Adalet dağıtılan yer. 2. Divan. 3. Mahkeme.

dâdger, *F. s.* [Dâd-ger] Adaletli.● «Sultan Murad-i tâcver fermanreva-yi bahr ü ber — Sahibkıran-i dâdger şahinşah-i âli-nazar. — Bakî».

dâdhâh, *F. i.* [Dâd-hâh] Hak, adalet isteyen, şikayetçi. (ç. Dâdhâhân).● «Sad-hezar velvele vü feryad ile giryekünan ü dâdhâhan daman ü giribana dest-i tazallüm yetürürlerse. — Veysi».

dâdhâhane, *F. zf.* Adalet isteyerek, şikâyetçi olarak.● «Sadrazam Hnsrev Paşaya doğru gidip arz ve mahzarlarını verip dâdhâhane şekva ve feryat ettiler. — Naima».

dâdküster, *F. s.* [Dâd-küster] Adaletli. adalet yayıcı, adalet icra eden.

dâdküsterî, *F. i.* Adalet icra edicilik.

dâdres, *F. s.* [Dâd-res] Yardımcı, yardıma yetişen (ç. Dâdresan).

dâdüsited, *F. i.* [Dâd ü sited] Alışveriş.● «Hace-i dadüsited ziver-i bazar ede tâ — Dembedem taze zuhur-i emtia-î gûnagûn. — Münif».● «Bu bazar-i dadüsited-i edebden. — Uşaklıgil».

dafadi' *A. i* (*Dat* ve *Ayın* ile) [Dıfda ç.] Kurbağalar.

dâfi, dafia, *A. s.* (*Ayın* ile) [Def'den] Kovan, savan.● *Dâfi-i teaffün*, pis kokuları defeden)antiseptique);● *kuyve-i dâfia*, çekici kuvvetin karşıtı, itici kuvvet. Fenalıkları, hastalıkları defedici anlamında. Tanrı için de kullanılır.● *Dâfi-i beliyyat*, belâlar savuşturucu;● *ya Dâfi'*, ey Tanrım.● «Saki getir ol bâdeyi kim dâfi-i gamdır. — Ruhi».

dâfık, dâfıka, *A. s.* Atılarak dökülen, dökülücü.

dag, *F. i.* Kızgın demirle gövdeye açılan nişan, iz. Damga.● *Dag ber dag*, yara yara üzerine;● *dag ber dil*, gönlü yaralı, kederli;● *dag-i dil*,● - *derun*, unutulmayacak yara, gönül yarası;● - *elem*, elem yarası.● «Sine-i âşık ne mümkün dag ber dag olmamak — Dud-i ah-i hasret-i ruyunla ahkersuzdur. — Nailî».● «İzdiyad-i haşmetleriyle dag-i suz-i dil-i âda-yi din oldular. — Raşit».● «Bade kim dag-i dil-i ümittir her katresi. — Nailî».

dagal, *F. i.* Hile, oyun.● «Ve dahi nice kelâm-i ahmakanesi mahz-i dagal idüğü mütebeyyin olup. — Naima».

dagalbaz, *F. s.* [Dagal-baz] Hileci, aldatıcı.● «Ta subha dek ayş ü işret edip baziçe-i dagalbazdan gaflette idiler. — Naima».

dagalperdaz, *F. s.* [Dagal-perdaz] Hile, oyun düzücü, hazırlayıcı.

dagalperdazi, *F. i.* Hile düzücülük. Hilecilik, oyunbazlık.● «Şaibe-i hilekâri ve dagalperdaziden berî selâm-i dostane. — Kâni».

dagdaga, *A. i.* Dağdağa. Gürültü; patırtı; boşuna telâş ve ıstırap.● *Dagdaga-i âlem*,● - *cihan*,● - *dünya*,● - *hayat*,● - *maişet*.● *Terk-i dagdaga-i hayat*, ölmek.● «Ümmet-i Muhammedi dagdaga-i intizar-i encam-i kârdan tahlis buyurdular. — Raşit».

dagdagaferma, *F. s.* [Dağdağa-ferma] Gürültü uyandıran, iç çıkaran.

dagdâr, *F. s.* [Dag-dâr] Pek acılı, (gönlü yaralı.● «Bağdat kalesi ciğerlerin dagdâr edip. — Naima».

dagi, dagiyye, *A. s.* Azgın, baş kaldıran.● «Bunlara dagî ve bagî olanlar hayır etmedi. — Naima».● «Andan beri taraf-i sahraya seyl-sıfat revan oldukların ol taife-i dagivye gördüklerinde pâ-yi sebatları mütezelzil olup. — Naima».

dagistan, *F. i.* (Türkçe «dağ» sözünden yapılma). Dağlık yer.● «İnhizama karib bir hal ile etnk dağistan yollara düşüp. — Naima».

Dagistan, *F. i.* Kafkas dağlarının kuzey ve güney tarafından Hazer kıyılarına yakın bölgesi.

dağkeş, *F. s.* [Dağ-keş] Yara açan. Dağ.● «Bu ne ândır ki melâhatle nemekdan-i lebin — Hindu-yi dagkeş-i fülfül-i hâl etti beni. — Nevres».

dağzen, *F. s.* [Dag-zen] Damgalayıcı, iz bırakıcı, (gönül) yaralayıcı.● «Bilsem şu kuzu neden gam almış — Her nâlesi kalbe dağzendir. — Naci».

dahalet, *A. i.*)Türkçede kullanılmıştır). Sığınma.

dahamet, *A. i.* (*Dat* ve *hı* ile) Kalınlık, kabalık. İrilik. (Hek.) Fr. *Hipertrophie* karşılığı (XX. yy.).● «Kisve-i ruzmerresiyle ve dahamet ve cesametinden naşi iki nefer kapıcı başı ağa bagalgirlikleri ile. — Raşit».

dahaya, *A. i.* (*Dat* ve *ha* ile) [Dahiyye ç.] Kurbanlık hayvanlar.

dahhâk, *A. s.* (*Da, ha* ve *kef* ile) [Dıhk'tan] Çok gülen.● *Dahhâk-i bittabî*, insan (mantık tarifi).● «Dahhâk bittabi, olmayanlara ve ezan cümle. — Cenap».

Dahhâk, *F. i.* Cemşid'in yerini almış olan İran hükümdarlarından ünlü bir zalim. *Dahhâk-i Marî* de denir, tutulduğu hastalık için her seferinde iki çocuk beyni ilâç olarak kullanılırdı. Gâve'nin (Bk.) çocuklarına sıra gelince isyan etmiş ve Dahhâk'in düşürülmesine yol açmıştır.● «Manend-i Dahhâk magz-i ser-i bigünahan-i âlemi gıda-yi mâr etti. — Naima».

dâhi, *A. s.* (*Dal* ve *he* ile) Çok üstün akıllı.● «Güler, ey dâhi-i a'zam serin fevkinde ecramın. — Fikret».

dâhik, dâhike, *A. s.* (Dal ve ha ile) [Dıhk'-ten] Gülen, gülücü.● «İtikadımca insan bir hayvan-i dâhik ve mudhiktir. — Cenap».

dahil, dahile, *A. s. i.* 1. İç, içeri. 2. İçeri giren. 3. İçeri girmiş, içeride.● Dahil-i esnan,● - kur'a, ilk askerlik çağı;● - memleket, memleket içi;● hareket-i dahil, ilmiye sınıfında ilk derece;● tida-i dahil, medrese yolunda başlangıç.● «Zavallı, dahil olurken sabaha pür-âmal — Söner leali-i bâran içinde girye-künan. — Fikret».

dahil, *A. s.* (Dal ve hı ile) [Dühul'den] Dışardan gelip birinin acıma ve korumasına sığınan.● Dahilek, sana sığındım.● «Ocak ağalarından nafiz-ül-kelâm olanlara dahi dahil düşüp hedaya vermekle. — Naima».

dahile, *A. i.* ve *s.* 1. İç, içeri. 2. İçle ilgili. 3. Bir nesnenin iç yüzü. 4. Bir insanın içi, iç düşüncesi. (ç. Devahil).

dahilen, *A. zf.* İçerden, içten.● «1255 senesine gelinceye kadar dahilen ve haricen birtakım emvac-i gavail ve müşkilâtın — Kemal».

dahili, dahiliyye, *A. s.* [Dühul'den] 1. İçe veya içeriye mensup, iç ile ilgili, içsel. 2. Aileye ait, özel. 3. Bir devletin kendi ülkesine ait.● Nizamname-i dahili, iç-tüzük;● emraz-i dahiliye, iç hastalıkları;● havadis-i dahiliye, iç haberler;● nezaret-i dahiliye, dahiliye nezareti, içişleri bakanlığı;● umur-i dahiliye, içişleri.● «Tadadı kabil olmayacak kesrette olan dahilî gümrüklerin. — Kemal».

dahîm, *A. s.* [Dahamet'ten] Normalden fazla kalınlıkta olan.

dahine, *A. i.* Duman çıkan baca.

dahis, *A. i.* (Hek.) Dolama.

dahiye, *A. s.* (He ile) Üstün zekâ ve anlayış sahibi.● «Bir dahiye-i melek-kıyafet — Şeytanı da aldatır o âfet. — Naci».

dahiye, *A. i.* (He ile) 1. Büyük belâ, âfet. 2. Bunama.● «Cümle enam bu dahiye-i kübradan müteellim oldular. — Raşit».

dahiyye, *A. i.* (Dal ve ha ile) Kurban. Kurbanlık kesilen hayvan.

dahl, *A. i.* 1. Karışma. Eli olma. 2. Etki. 3. Takılma, dokunma. 4. Gelir.● Dahl ü harc, gelir ve gider;● dahl ü târiz, işe karışma, dokunma.● «Beyn-el-ukalâ makbul olmayıp tâ'n ü dahl ettiler. — Naima».

dahm, *A. s.* [Dahamet'ten] İri, büyük, kocaman.● «Bir mücelled-i dahm ü kebîrdir. — Taş.».

dahme, *F. i.* (Dal ve hı ile) 1. Mezar. 2. Şenlik geceleri atılan hava fişeği.● Dahmeendaz, lâğım ve fişek atıcı;● dahmefesan, lâğım açıcı;● «Ey dahme-i mersus-i havatır, ulu mâbet. — Fikret».

dahmegâh, *F. s.* [Dahme-gâh] Mezar deliği.● «Ol şuledir ki zâhir olur dahmegâhdan — Pergaleler ki dag-i ciğerden zuhur eder. — Nailî».

dahve, *A. i.* (Dat ile) İlk kuşluk vakti. Güneşin ufukta ilk yükselip yayılmaya başladığı zaman.● Dahve-i kübrâ, kaba kuşluk. Öğleden önceki iki üç saatlik zaman.● «Dahve-i kübradan hengâm-i guruba dek. — Naima».

dâî, *A. s.* (Dal ve ayın ile) [Davet'ten] 1. Dua eden, duacı. 2. Çağıran, çeken, sebep olan. 3. Mezhep propagandacısı.● Dâi-i dirîne, eski duacı, eskiden beri dua eden;● - mazarrat,● - mesuliyet,● - şüphe, zarar, sorumluluk getiren, bunlara neden olan, kuşku uyandıran. 4. Ulema sınıfından olanlar, «bendeniz, bendeleri» yerine «dâiniz, dâileri» sözünü kullanırlardı ki, «duacınız» demektir. 5. Güdü (Fr. Motif karşılığı olarak XX. yy.).● «Firkat mi bu ıstırabı dâi. — Naci».● «Bu hizmeti sahib-i devlet hazretleri bir gayri dâilerine tefviz buyurup. — Naima».

daim, daime, *A. s.* [Devam'dan] Sürekli, sürüp gelen. Devam üzere. Bidüziye. Her vakit.● Daim-ül-evkat,● daim-ül-eyyam, her vakit, her gün;● meveddet-i daime, sürekli dostluk.● «Yerinde kaim ve şerr ü fesad üzere daim olup. — Naima».

daima, *A. zf.* [Devam'dan] Her vakit.● Gündüzün daima harab-i taab. — Gece bir meyyitane hâb-i taab. — Fikret».

daimî, *A. s.* [Devam'dan] (Türkçede yapılmıştır). Sürekli. Hiç eksik olmayan.● Encümen-i daimi, geçici olmayan encümen;● neşve-i daimî, sürekli neşe.● «Hâtırımda daimî bir pîçtâbım var benim. — Recaizade».

dâin, dayin, *A. s.* [Deyn'den] Borç veren, alacaklı.● Dainler vekili, Osmanlı İmparatorluğu zamanında Düyun-i Umumiyede bulunan alacaklı temsilcisi.● «Yanında giden dainlerden maldar olanları tesmim ve emvalini kabz töhmeti ile müttehem olmakla. — Naima».

dair, A. s. [Devr'den] 1. Dönen, dolaşan, devreden. 2. Bir şey hakkında olan, ilgili.• *Dairen mâ dâr*, çepeçevre.• *Dair ve sair*, (dönen ve dolaşan) seyyah.• «Taht-i hümayunun iki tarafından dairen mâ dâr zanuzen-i kuud oldular. — Raşit».• «Fikrim gibi ah dair olsam — Daima hareminde tair olsam. — Naci».

daire, A. i. 1. (Geo.) Daire. Çember. 2. Büyük bir kimsenin evi, adamları. 3. Büyük bir ev veya yapının birkaç odalık bölümü. 4. Hükümet idare kollarından beheri. Bunların kalemlerini, meclislerini barındıran yapı. 5. Osmanlı İmparatorluğu zamanında İstanbul Şehramanetinin belediye dalları. 6. Zilli tef.• *Daire-i aide,*. ilgili resmî makam;• - *arz*, (Ast.) arz dairesi, paralel;• - *faside*, (Man.) Kısır döngü;• - *husuf*,)Ast.) Tutulma dairesi;• - *muhitiyye*,)Geo.) Çevreteker;• - *nısfün-nehar*, meridyen dairesi;• - *resmiye*,)resmî daire) hükümet dairesi;• - *sadaret*, sadaret dairesi;• - *sadise*, (İstanbul belediyesi) altıncı (Beyoğlu) daire.

dairevi, A. i. [Dairc'den] Çevre şeklinde. Dairesel.• «Bacaklarını bir resm-i nîm dairevi ile öne uzatarak. — Uşakligil».

dairezen, F. s. [Daire-zen] Tef çalan.• «Olma ol dairede dairezen. — Sümbülzade».

daiyan, A. s. [Dâi ç.] Duacılar;• *Daiyan-i devlet,* devlete dua eden (ulema, sarıklılar).

daiyane, F. zf. «Dâi» olana yakışır şekilde.

dâiye, daiyye, A. i. İnsanı bir şeye, bir işe candan bağlanmaya sürükleyen iç duygusu. Arzu, hırs.• *Daiye-i istiklâl*,• - *tefavvuk*, istiklâl, üstünlük isteği.• «Tekrar Boğazhisarlarını seyr ü temaşa daiyesi zuhur edip. — Raşit».

dakaik, A. i. [Dakika ç.] Anlaşılması dikkat isteyen, ince işler.• *Dakaik-i edebiye*,• - *fenniye*, edebiyat ve fennin ince noktaları;• *dakaik - iktinah*, işlerin ince noktalarını bilen;• *dakaik-i umur,* işlerin ince noktaları.• «Mukaddemat-i ulum-i akliyye ve dakayik-i muhadarat-i fikriyyeden naşi. — Veysi».

dakik, dekik, A. s. [Dikkat'ten] 1. İnce, nazik)soyut fikirler için kullanılır). 2. (i.) Toz haline getirilmiş şey, un.• *Fikr-i dakik*, ince fikir;• *dakik-i has,* has un.

dakika, dekika, A. i. 1. İnce fikir, düşünce. 2. Bir saat zamanın altmışta biri. 3.

İnce, nazik, fikirliler, düşünceler.• «Merhum Mustafa Paşa ulum ve sanayi-i dakikadan kati çok maarife malik. — Naima».• «Sefir-i mesfur dakikadan agâh iken bizi gafildir zumiyle... — Raşit».

dakikabîn, F. s. [Dakika-bîn] İncelikleri bilir (kimse).• «Elçi-i müşarünileyh Mehmet Paşa dakikabîn kimse olmakla... — Raşit».

dakikadan, F. s. [Dakika-dân] Güç, zor şeyleri bilen.• «Üstadan-i dakikadân dönüp makam-i davaya kıyam ile. — Nabi».

dakikasenc, F. s. [Dakika-senc] Güç, zor şeyleri tartıp anlayan.)ç. Dakikasencan).

dakikaşinas, F. s. [Dakika-şinas] Güç, zor şeyleri tartıp anlayan. (ç. Dakikaşinasan).• «Ve desayis-i Nasaraya ıttıla, etmiş bir kârdan-i dakikaşinas olmakla. — Raşit».• «Dakikaşinasan-i umur-i din ü devlet ve girihküşa-yi meşalih-i mülk ü millet olan. — Hafız Müşfik».

dakikî, dakikiyye, A. s. [Dakik'ten] Un gibi olan veya içinde un bulunan. (Patates ve fasulye gibi);• *mevadd-i dakikiyye.*

dakk, A. i. Çalma, vurma.• *Dakk-i bâb,* kapı çalma.• «Odası kapısını dakk eder sada yok. — Raşit».

dakkak, A. s. [Dakk'tan] 1. Kapı çalıcı. 2. Kapı kapı dolaşan, eşik aşındıran.• «Şeyh Salim dedikleri dakkak-i devran. — Naima».

dâl, A. s. [Delâlet'ten] Gösteren. İşaret olan.• «Seyr et ne denlû vaz-i garibi eder zuhur — Kim her biri cünuna olur başka başka dâl. — Ziya Pş.».• «Zannım sizi Hak kudretine dâl yaratmış. — Cenap».

dâl, A. i. 1. Arap abecesinde «d» harfinin adı. Noktasız olduğu *dâl-i mühmele* de denir. 2. Kambur, iki kat olan.• *Kamet-i dâl*, iki kat olmuş boy.• «Çektirip çille-i sahtin bana yay kaşlarının — Nevres âhir elf kameti dal etti beni. — Nevres».

dalâl, A. i. (Dat ile) 1. Doğru yoldan çıkma, sapıtma. Azıp eğri yola sapma. 2. Din ve mezhep cihetiyle yanılıp bâtılı kabul etme.)Fel.) Fr. *Aberration* ve *erreur* karşılığı)XX. yy.).• «Vâbestedir hayaline ef'ali herkesin — Kimse umuruna edemez nisbet-i dalâl. — Ziya Pş.».

dalâlet, A. i. Azma. Doğru yoldan çıkma.● ma.● Tarik-i dalâlet, azma yolu, günah yolu.● «Sadık görünür kisvede erbab-i hıyanet — Mürşit sanılır vehlede ashab-i dalâlet. — Ziya Pş.».

dalâletşiar, F. s. [Dalâlet-şiar] İşi gücü sapkınlık olan.● «Nemçe ve Macar ve Venedik ve Hırvat ve Leh ve Mosku ve anlara tâbi tavaif-i mütenevvia-i küffar-i dalâletşiar ile taraf taraf cenk ve harp için. — Raşit».

dâliyye, A. i.)Türkçede kullanılır. Dal ile) Delta harfi şeklinde olan. Deltoide karşılığı kullanılmıştır)XX. yy.).

dâll, dâlle, A. s. (Dat ile) 1. Doğru yolu şaşırmış. 2. Günaha girmiş, günah içinde.● Firak-i dalle, doğru yoldan ayrılmış din fırkaları (her mezhebe göre karşısındakiler. XII. yüzyılda 12 iken sonraları 70 fırka oldu);● kıral-i dâl, hıristiyan hükümdar.● «Süleyman nam şeyh-i dâllin kardeşi oğludur ki. — Naima».

dalle, A. s. [Delâlet'ten] (Mat.) Determinant.

dâm, F. i. Tuzak. Ağ.● Dâm-i belâ, bela tuzağı;● - tezvir, yalan, tezvir tuzağı. Aldatma için yapılmış hile;● - zülf, zülfün tuzağı.● «Baysungur Mirza dâma düşmeyip etbaından bir cem' ile firar edip — Naima».● «Halini gördüm esir oldum kemal-i zülfüne — Dane için kendimi saldım düşürdüm dâme ben. — Nevres».

dâm, F. i. 1. Ot yiyen hayvan. 2. İnsana veya başka canlıya saldırmayan hayvan.● Ded, et yiyen orman hayvanı;● dâm ü ded, orman hayvanları.● «Ol zâr idi mülk-i dert şahı — Hayl-i ded ü dâm anın sipahı. — Fuzulî».

damad, F. i. Bir kimseye göre kızının kocası. Güvey.● Damad-i hazret-i padişahî, Osmanlı hanedanından prenslesle evlenmiş kimse.● «Bu kere dahi Hasan Paşa damat olmakla sıfr-ül-yed kalmak münasip görülmeyip. — Naima».

dâmen, damen, F. i. Etek.● «Dâmen-i tarik-i şer' tutgıl — Her ne hilâf-i şer' unutgıl. — Fuzulî».

damçide, E. s. [Dam-çide] Tuzağa yakalanmış.● «Gamzen ki dane göstere ol yerde hâlini — Sayyad-i canşikâr-i kaza damçidedir. — Nailî».

dâme, damet, A. zf. «Daim ve baki olsun» anlamında dua sözü olarak kullanılır.● Dâme mülkühü, ülkesi daim olsun;●

damet saadetühu, saadeti sürsün.● «Devletlû valide sultan damet ismetühüma hazretlerinin. — Raşit».

dâmefken, F. s. [Dâm-efken] Tuzağa düşmek.● «Ne çapükdest sayyad-i perişan danedir zülfün — Ki bin yerde ruh-i püraline dâmefgen olmuştur. — Nailî».

dâmen, dâman, F. i. Etek.● Dâmen-i afv ile setr buyrulmak, affetmek.● «Şeyhülislâm ve sair ulema ve meşayih girip takbil-i dâmen-i padişahî ettiler. — Naima».

dâmenalûde, F. s. [Dâmen-alûde] Eteği bulaşık. İffetsiz.

dâmenalûdegi, F. i. [Dâmen-alûdegi] Etek bulaşıklığı. İffetsizlik.

dâmenbus, F. s. [Dâmen-bus] Etek öpen.● «Sadrazamın otağına girip buluştuklarında her biri dâmenbus edip. — Naima».

dâmenbusi, F. i. Etek öpme. Etek öpme töreni.

damençide, F. s. [Damen-çide] Eteğini toplamış.● «Nikab-i nazdan gâhi gören kim olmasın naçar — Tecellâ-yi rühun uşşak-i damençideden mestur. — Nailî».

dâmençin, F. s. [Dâmen-çin] Etek toplayan, naz eden.● «Benden ol serv-i revanı böyle dâmençin eden — Nabiyâ seylâb-i eşk-i rûberahmıdır benim. — Nabi».

dâmen der meyan, F. s. Eteği belinde. İşe hazır durumda.● Dâmen der meyan-i gayret olmak, bir işe canla başla girişmek.● «Padişah cümle şehzadeleri katle damen der meyandır inkıraz-i âl-i Osmana sebep olur. — Naima».

dâmengîr, F. s. [Dâmen-gir] 1. Yardım dileyerek eteğe sarılan. 2. Davacı, şikâyetçi.● «Tahayyür ve hacalet ile damengîr olmağın. — Naima».

dâmenkeş, F. s. [Dâmen-keş] Eteğini çeken, toplayan, bir işe karışmayan.● «Dâmenkeş-i vefadır mâdam senden ol şuh. — Recaizade».

damenkeşide, F. s. [Damen-keşide] El etek çekmiş.● «Meta-i dünyadan damenkeşide ve fakr ü fake ve za'f-i bedene müptelâ. — Silvan».

dâmenzeni, F. i. Etek ile yelleme.● «Birbirine damenzeni-i istigva ile. — Şefikname».

dâmgâh, dâmgeh, F. i. [Dâm-gâh] Tuzak yeri.● «Gördün mü bu dâmgehte âzâd — Bir dâmın esiri sayd u sayyad. — Naci».● «Bu dâmgâha senin saçlarınla merbutum. — Fikret».

-dân, *F. e.* Farsça ve Arapça isimlere ulanarak yer, kap, mahfaza anlamına sözcükler meydana getirir.● *Ateşdan,* ateşlik;● *cüz'dan,* cüzdan;● *kalemdan,* kalemlik;● *nemekdan,* tuzluk;● *şemdan.* Hattâ Türkçe● *iğnedan,●* *sürmedan* gibi kelimeler de yapılmıştır.

-dân, *F. s.* İsimlere katılan «bilen, bilir» anlamına sıfatlar meydana getirir.● *Kadirdan,●* *nüktedan,●* *suhandan.*

dânâ, *F. s.* Bilen, bilici. Bilgili.● *Dânay-i Tus,* (Tus'lu) Firdevsî;● *dânây-i Yunan,* Eflâtun;● *dil-i dânâ,●* *merd-i dânâ,* bilir gönül, bilir kişi;● *mürg-i dâna,* papağanların söz söyleyen cinsi, tuti;● *mürşid-i dânâ,* bilici mürşid. (ç. Dânâyan).● «Bu kühen dar-i şifanın nazar-i dânâya — Çarh-i atlas dediğin köhne firaşı görünür. — Nailî».● «Nadan firaz-i izz ü saadette serfiraz — Dânâ haziz-i acz ü mezellette sernigûn. — Ziya Pş.».

dânâdil, *F. s.* [Dânâ-dil] Gönlü çok aydınlık, gönlüyle anlar.

dânâyan, *F. i.* [Dânâ ç.] Bilirler. Bilgililer.

dânâyî, *F. i.* Bilicilik. Bilirlik.

dane, *F. i.* 1. Tane. 2. Tohum. 3. Ateşli silâhların attığı kurşun, gülle.● *Dâne-i hal,* tek ben;● - *hardal,* hardal tanesi (en ufak bir şey);● *âb ü dâne,* içecek ve yiyecek (kısmet).● «Nakletti Rum'a kısmetimiz dane-i ezel — Şehba'da şimdi nuş edecek şîr kalmadı. — Nabi».● «Top çekip danesiyle nice adamların helâk — Raşit».● «Gel daneye kaçma ey kebuter — Danem seni sayd için değildir. — Naci».

danecin, *F. s.* [Dâne-cîn] Tane toplayan, döküntü halinde ufak tefek şevlerden faydalanan.● «Dâneçin olmak idi maksadımız gurbetten — Dane-i hâlini gördük de tutulduk kaldık. — Kâni».

danende, *F. s.* Bilen, bilgili.● «Danende-i hal olan bir üstad. — Recaizade».

daneriz, *F. s.* [Dane-riz] Dane döken. Tohum serpici.● «Bir müasit mülke sahiptir ki sehven hâkine — Her kim olsa daneriz olur sonunda nukreçin. — Ziya Pş.».

dani, *A. i.* Yakın.

daniş, *F. i.* Bilgili, bilme, biliş.● *Ehl-î daniş.* Bilgi sahipleri (XIX. yy.).● «Karanlık fehm ü daniş, akl ü istihraç hep muzlim. — Fikret».

danişfüruşî, *F. i.* [Daniş-füruşi] Bilgiçlik satma. Ukalâlık etme.● «Nice biişuu-

ran-i kemendiş danişfüruşî ve kârdanlık izharı. — Raşit».

danişgeh, *F. i.* [Daniş-geh] Bilim yeri.● «Bu danişgehte zate galip olmak nam müşküldür. — Nailî».

danişger, *F. s.* [Daniş-ger] Bilgi sahibi. (ç. Danişgeran).

danişmend, *F. s.* [Daniş-mend] 1. Bilgi sahibi. 2. Tanzimattan önce, kadılar yanında çalışan mülâzım, stajyer. (ç. Danişmendan).

danişmendan, *F. i.* [Dahişmend ç.] Danişmentler.

danişpezir, *F. s.* [Daniş-pezir] Bilgili olan.

danişver, *F. s.* [Daniş-ver] Bilgin, bilgiç. (ç. Danişveran).● «Husrev-i sahib-kıran danişever-i sahib-yakîn. — Nef'i».

danişveran, *F. i.* [Danişver ç.] Bilginler.

dank, *A. F. i.* Dirhem küçüğü, ağırlık tartışı; denk.

dâr, *A. i.* 1. Ev. 2. Yapı. 3. Yer. 4. Yurt.● *Dâr-i ahiret,* ahret, öbür dünya;● -*beka,* (sonsuz âlem) ahret;● -*berzah,* ölümden kıyamet gününe kadar beklenecek yer;● -*dünya, -fena, -ibtilâ,* bu dünya;● -*sar,i* Cehennem;● -*Şûray-i Askerî,* (Tanzimat'tan sonra) Harbiye Nezaretinde Büyük Askerlik Şûrası. Bundan başka Arapça tamlamalar halinde birçok kurul adları yapılmıştır. Bk.● *Darül.●* «Dâr ü diyarların garet için. — Raşit».● «Künc-i gurbet gülşen-i cennet kadar canbahş olur — Dar-i gurbette bulunsa aşinalardan biri. — Nabi».

dâr, *F. i.* Darağacı.● *Berdar,* darağacına çekilmiş, asılmış.● «Hem fena dar-ülgururun dârıyem, Mansuru'yem. — Nesimi».● «Lâzım mı her ehl-i derd-i pürşur — Çıkmak ser-i dâra hem-çü Mansur. — Ş. Galip».

-dâr, *F. s.* «Tutan, sahip, malik» anlamlarıyle sıfatlar meydana getirir. Eski memurlardan, işlerden,● *alemdar,●* *bayraktar,●* *hazinedar,●* *hissedar,●* *hükümdar,●* *ibrikdar,●* *kisedar,●* *maldar,●* *mühürdar,●* *pâydar,●* *serdar,●* *silâhdar,●* *silihdar,●* *tâcdar,●* *vâyedar.*

dâr, *F. i.* Savaş. Eşanlamı olan *gîr* ile birlikte kullanılır.● *dâr ü gîr,* kavga, savaş.

Dârâ, *F. i.* Fars hükümdarlarından Keykubad'ın lâkabı. Büyük Dâra, Darius. Bundan alınarak «Büyük, kudret sahibi» anlamıyle hükümdarlar hakkında sıfat olarak kullanılmıştır.● «Sultan-i şark ü garb şehinşah-i bahr ü berr — Dârâ-yi dehr şah-i Süleyman kâmkâr. — Baki».

daraat, zaraat, A. i. (Dat ve ayın ile) Alçalma, kendini küçültme.• Daraatname, kendini çok küçülterek yazılmış mektup.• «Eskişehir kurbune geldikte daraatname ile Haydar Bey nam bir pîr ammisini ileri gönderip. — Naima».

daraban, A. i. (Dat ile) Nabız vurması, vuru. 2. Oynama, çarpma.• Daraban-i kalp, yürek çarpıntısı,• -şedid, şiddetli çarpma, vurma.• «Kalb-i muteessir ki demadem. — Eyler darabanında tecelli — Ahzan-i tarab, neşe-i matem. Fikret».

darabat, A. i. (Dat ile) [Darbe ç.] Vuruşlar, çarpışlar.• Darabat-i anîfe, şiddetli vuruşlar.• «Kadıyı darabat-i peyderpey ile düşürüp. — Naima».

dârât, F. i. (De ile) (Padişahlara lâyık) Şan, şevket. Büyük gösteriş.• Dârât-i İskender.• «Tumturak-i suhanim fevc-i sipah-i nazmım — Husrevan-ı hünere etmede arz-i dârât. — Nazım».

dârâyî, F. i. 1. Sahip olma. 2. Hüküm sürme. 3. Bir nevi kumaş adı.

darb, zarb, A. i. (Dat ile) 1. Vurma, dövme. 2. Maden üzerine para damgası vurma, damgalama. 3. Dikme, kurma. 4. Kuvvet, güç. 5. (Mat.) Çarpma. 6.)Ed.) Nazımda beytin ikinci mısraın son tef'ilesi.• Darb-i dest,• darb-üllyed, el kol kuvveti;• -hiyam, çadırları dikme, kurma;• -mesel atasözü;• -sikke, para kesme;• -unk, boyun vurma, öldürme;• hâsil-i darp (zarp), çarpım sonucu sayı.• «Agaz-i harb ü kıtal edip darb-i dest ile melâînin yüzlerin çevirdiler. — Naima». • «Darbşeşperle çıkan ka'kaa miğferlerden. — Fikret».• «Çorum'a gelip anda darbotağ-i asayiş etmişti. — Naima».• «Bir adedi diğer bir adet miktarınca çoğaltmaya darp derler. — Uşaklıgil».

darbe, A. i. (Dat ile) Vuruş, çarpış. Vurma, çarpma.• Darbe-i şedide, zorlu vuruş.• «Anîf darbeleri kahriyle bâd-i bi-insaf. — Fikret». • «İndirdi yıldırı mgibi bir darbe-i giran. — Beyatlı».

darben, A. zf. Vurarak, döverek.• «Ve sair bilâdından Eflak'lıyı darben ve kahren ihraç etti. — Naima».

darbet, A. i. (Dat ile) Vurma, vuruş.• «Âdâya darbet-i şimşirin göstermek kasdiyle. — Selânikî».• «Savlet-i

gürz-i giran, darbe-i şimşir ü sinan. — Fikret».

darbhane, zarbhane, F. i. [Darb-hane] Para kesilen yer.• Darbhane-i âmire, hükümetin para kesme işiyle uğraşan dairesi.• «Rayiç olan sikke-i Osmanî züyuf ve emin-i Darphane olanların adem-i takayyüdü sebebinden. — Naima».

darbülmesel, A. i. [Darb-ül-mesel] Atasözü• «Basra ki vehamet ile darbümesel olmuş — Bakılsa yien gayret-i Sana-yi Yemendir. — Nevres».

darbzen, zarbzen, F. i. (Dat ile) Kale döven top.• «Kaleden ol taife mukabelesinde vâki burçlar üzere darbzenler kurdular. — Naima».

darçin, F. i. (Dal ile) Tarçın. (Tarçın suyu, keyif veren içki olarak kullanılırdı).• «Eden hep renk ü bû-yi bâtındir cilve zâhirde — Anınçün kışrı her sade dırahtın darçin olmaz. — Nabi».

darçinî, darsinî, F. A. s. Tarçın renginde.

darende, F. s. 1. Tutan, sahip. 2. Getiren, ulaştıran.• Darende-i ferman,• -mensur,• -yerlig, ferman almış.)ç. Darendegân).• «Sensin ol darende-i yerlig-i ahkâm-i kadre — Hemen olmuştur rümuz-i asmana tercüman. — Nef'i».

dâreyn, A. i. İki konak, yani Dünya ile Ahret.• Saadet-i dâreyn. İki dünya saadcti.• «Bana dareynde kâfi kulun olmak şerefi. — Naci».

dârıb, A. s. (Dat ile) [Darb'dan] 1. Döven, dayak atan. 2. (Mat.) Dârıb-i müşterek, ortak çarpan.

dâric, darice, A. s. [Derc'den] Yazılma. İçine girme.• «Rütbe-i sahn-i semaniyeye dâric oldukta. — Raşit».

darîh, zarih', A. i. (Dat ile) Mezar.

darih, zarih, A. s. Kaçırılmış, püskürtülmüş.• «Zeynel Han bu hali görüp naçar csrih ü darîh süvar olup. — Naima».

darîr, A. s. (Dat ile) 1. Anadan doğma kör. 2. Pek güçsüz hasta.• «Tesir-i telhabe-i eşk-i hasretten darîr ü alîl halde. — Veysî».

daris, A. s. Yıkılacak, göçecek (olan).• «Eğer ol olmasa âlemden resm-i ulûm ve medaris cümleten bîeser ve daris olurdu. — Taş.».

darr, darre, A. s. (Dat ile) Zarar ve ziyana sebep olan, zararlı.• Kaide-i darre, zarar veren kural, usul.• «Darr ü nef-i küfr ü din âhir olur ait sana — Sani-i âlem ganidir küfr ü dininden senin. — Naci». • «Kendisi baştarte ile hücum ve tekaddüm edelden bu kaide-i darreyi ihdas etmişlerdir ki. — Naima».

darra, A. i. (Dat ile) Sıkıntı, belâ, • Serra ve darra, rahatlık ve sıkıntı; iyi ve fena günler. • «Serra vü darrada yâr-i garımız olan Abdurrahman Efendiyi. — Naima».

dars, dırs, A. i. Azıdişi.

darsî, darsiyye, .s. Azı dişiyle ilgili.

dâru, F. i. (Sade olsun, katışık olsun) İlâç. • Dâru-yi bür-üs-saa, hemen etkiden tâlib-i dâru-yi derman olduğum yerler. — Recaizade».

daruberd, F. s.)Dal ile) Büyüklük, ululuk. Büyük gösteriş. • «Nerede divan-i Feridun meclis-i ceng-i Peşenk — Nerde dârât-i Sikender daruberd-i Keykubat. — Ziya Pş.».

darufüruş, F. s. [Dâru-füruş] İlâç satan, eczacı.

daruga, F. i. Yerli hâkim. Bir kasabanın hâkimi.

darugîr, F. i. Savaş. Kavga. Arbede. • «Cemşid-i ayş ü Dâra-yi darugir. — Bakî».

daruhane, F. i. [Dâru-hane] Eczacı dükkânı. • «Daruhane-i inayet-i samadaniyeden. — Ragip Pş.».

dârülâmân, A. i. [Dâr-ül-âman] Sığınılacak yer. Sığınak. • «Devran havadisinden yok bakimiz Fuzulî — Darülamanımızdır meyhaneler bucağı — Fuzulî».

dârülbedayi, A. i. [Dâr-ül-bedayi] Konservatuvar karşılığı olarak bulunmuş, 1914'ten sonra bir tiyatro kurulu adı oalrak kalmıştır (1935). • «Tiyatronun terakkisi güzel Türkçe ile halk vezninin kabulüne bağlı iken mevcut Darülbedayi bu esaslara kâfi derecede kıymet vermemektedir. — Z. Gökalp».

dârülbeka, A. i. [Dâr-ül-beka] Beka yeri, ahret. • «Mahbus olduğu mahalde âzim-i dârülbeka olmağın. — Raşit».

dârülbevar, A. i. [Dâr-ül-bevar] Çürüyüp kalınacak yer. Cehennem. • «İki ol miktar dahi küffar dahil-i dâr-ül-beyar olup. — Naima».

dârülcahim, A. i. [Dâr-ül-cahîm] Cehennem. • «Hem biriyle kufl-i dar-i darülcahime mühür vurulur. — Veysi».

dârülcinan, A. i. [Dâr-ül-cinan] Cennet. • «Murg-i ruh-i pûr-fütuhları yaratan edip dârülcinanda aşiyan eyledi. — Selânikî».

Dârülâceze, A. i. [Dâr-ül-acezc] Düşkünler yurdu. XIX. yy. sonlarında İstanbul'da bir düşkünler yurdu kurulmuştur.

dârülcihad, A. i. [dâr-ül-cihad] Müslümanların müslüman olmayanlarla cenkleştiği yer.

Dârülelhan, A. i. [Dâr-ül-elhan] Darülbedayi'in musiki ile uğraşan kolu olarak aynı tarihlerde kurulmuştu. • «İstanbul'da mevcut bulunan Darülelhan düm tek usulünün, yani Bizans musikisinin darülelhanıdır. — Z. Gökalp».

dârülemare, A. i. [Dâr-ül-emare] Emaret dairesi. Hükümet konağı. • «Andan İbrahim Han sarayı dedikleri derülemareye konup defterdar kaleye nüzul eyledi. — Naima».

Dârülfünun, A. i. [Dâr-ül-fünun] Üniversite. • Ne bir hakikî Darülfünun yapabildiler, ne mütecanis bir adliye teşkilâtı. — Z. Gökalp».

dârülhadis, A. i. [Dâr-ül-hadis] Hadis ve hadis bilgilerini öğretme yeri. • «Binasına mübaşeret buyurdukları dârülhadis ve kütüphane tamam olmakla. — Raşit».

dârülharb, A. i. [Dâr-ül-harb] 1. Kavga meydanı. Savaş yeri. 2. İslâm elinde olmayan, her zaman savaş yeri olabilecek yer. • Reayanın çoğu darülharbe firar eyledi. — Naima».

Dârülhilâfe, A. i. [Dâr-ül-hilâfe] 1. Hilâfet merkezi. 2. İstanbul. • «İmam Ahmet vakta ki Darülhilâfete ihzar olundu. — Taş.».

dârülhuld, dârülhulûd, A. i. [Dâr-ül-huld] Beka evi, Cennet. • «Ahmet Ağa azm-i dârülhulûd-i beka. — Raşit».

dârül-istihzar, A. i. [Dâr-ül-istihzâr] Lâboratuvar karşılığı olarak XIX. yy. sonlarında kullanılmaya başlanmıştır. ten sonra kalınacak yer. • «Canib-i guzattan ancak on dört nefer merd-i saadetmend ihraz-i saadet-i şehadet ile âzim-i darülkarar oldular. — Raşit».

dârülkarar, A. i. [Dâr-ül-karar] Kıyametten sonra kalınacak yer.

dârülmesai, A. i. [Dâr-ül-mesai] Çalışma yeri. Atölye, ensittü karşılığı olarak XX. yy. da kullanılmaya başlanmıştır.

dârülmuallimat, A. i. [Dâr-ül-muallimat] Kız öğretmen okulu.

dârülmuallimîn, A. i. [Dâr-ül-muallimîn] Erkek öğretmen okulu.● *Darülmuallimîn-i âliye* yüksek öğretmen okulu.● «Vaktiyle Me'mun'un sarayı darülmuallimîn-i cihan idi. — Kemal».

dârülmülk, A. i. [Dâr-ül-mülk] Başkent.● *Darülmülk-i Osmanî*, İstanbul.● «Darülmülk-i memleket elde olmadıkça ol araziyi muhafaza etmek muhal iken. — Naima».

Dârünnedve, A. i. [Dâr-ün-nedve]. İslâmlıktan önce Kureyş kabîlesinin tartışmalar için toplandığı yerin adı. Sonraları Muhammet Peygambere karşı olanların toplanmasından ötürü karıştırıcı ve fesat kurucuların toplandıkları yer anlamına kullanılmaya başlanmıştır.● «Kahvehanelered ve berber dükkânlarında bazı nâsın hanesinde ki darünnedveye mümasil idi. — Naima».

Darüssaade, A. i. [Dâr-üs-saade] Saadet yeri, saray.● *Darüssaade ağası*, saray harem dairesindeki kadınların başı olan karaağa.● «Valide sultana haberler gönderip bu ağayı Darüssade'den dûr kılmak bais-i nef-i azîmdir dediler. — Naima».

darüssair, A. i. [Dâr-üs-saîr] Cehennem.● «Düşse kemter şerer-i berk-i gazabı — Bağ-i firdevs olur ateşkede-i dar-ı saîr. — Hakkı».

Darüssaltana, A. i. [Dâr-üs-saltana] Saltanat yeri, İstanbul.● «Padişah hazretleri Diyarbakır'dan çıkıp sürat ile Darüssaltana canibine teveccüh ve azimet buyurdular. — Naima».

Dârüsselâm, A. i. [Dâr-üs-selâm] 1. İkinci kat Cennet. 2. Bağdat şehri.● «Buk'a-i Bağdat'ın vasfın etmiş Darüsselâm. — Fuzuli».

Darüşşafaka, A. i. [Dâr-üş-şafaka] XIX. yy. sonlarında İstanbul'da öksüz ve yetimler için kurulmuş, yatılı okul.

darüşşifa, A. i. [Dâr-üş-şifa] Şifa yurdu. İlkin genel olarak● *hastane* anlamında iken gitgide● *akıl hastanesi*,● *tımarhane* anlamına kullanılır olmuştur.● «Halk-i âlem serteser bimar-i derd-i ihtiyaç — Zehr bir darüşşifa lûtfun tabib-i mihriban. — Nef'i».

dâs, dâse, F. i. (*Dal* ve *sin* ile) Orak.● *Dâs-i zerrin*, (altın orak) hilâl.● «Dâs-i şimşir-i şule-i tesir-i gayretleriyle. — Ragıp Pş.».

dâstan, F. i. Hikâye, masal. 2. Bir olay veya hali anlatan manzume. 3. *Epopée* karşılığı (XIX. yy. sonları).● «Eğer fırsat kocanın olursa hod bizim ettiğimiz işler dillerde dâstan olduğu hemen bize kâfidir. — Naima».

dastanî, F. s. Destan kahramanlarına yakışacak şekilde, kahramanca. Destan ile ilgili. *Epique* karşılığı olarak kullanılmıştır.

dastanserâ, F. s. [Dastan-serâ] Destan okuyucu.

-daşt, -daşte, F. s. Olan, bulunan.● «Cerayim-i sabıkası dahi hatırdaşt-i padişahî olmağın hakkından gelindi. — Naima».● «İsmetulû haseki sultan hazretlerinin ileri irsalleri reva-daşte-i re'y-i hümayun olup. — Raşit».

daşte, F. s. Eskimiş, yıpranmış.

Daud, Davut, A. i. Bk.● *Davud.*● «Daud-i dilim Zebur-hân et — Murgan-i süruşu bi-zeban et. — Ş. Galip».● «Ye'sinde safayı hıfz meşhud — Mevc-i güher anda zırh-i Daud. — Ş. Galip».

daülefrenc, A. i. [Dâ-ül-efrenc] Frengi hastalığı.

daülfil, A. i. [Dâ'-ül-fil] Kol ve bacak derilerinin fil derisi gibi çizgili ve sert olma hastalığı; *éléphantiasis*.

daülhanazir, A. i. [Da'-ül-hanazir] Sıraca hastalığı.

daülkelb, A. i. [Dâ'-ül-kelb] Kuduz hastalığı.

daülküül, A. i. [Dâ'-ül-küül] İspirtolu içkilere düşkünlük hastalığı. Alkolizm.

daülmerak, A. i. [Dâ'-ül-merak] Karasevda; *hypocondrie*.

dâünnibah, A. i. [Dâ'-ün-nibah] Havlama hastalığı; havlar gibi sesler çıkararak soluma.

dâüssa'leb, A. i. (*Se* ile) [Dâ'-üs-sa'leb] Saç dökülme hastalığı (uyuz, kel, vb.).

dâüssıla, A. i. (*Sat* ile) [Dâ'-üs-sıla] Memleket hastalığı; *nostalgie*.● «Bir nevi daüssıla gibi da-ül-matbaa vardır. — Cenap».

daütteşhir, A. i. [Dâ'-üt-teşhir] Ut-açıcılık. Ötesini berisini gösterme illeti.

dav, F. i. (Oyunda) el, sıra.

dâva, dâvı, A. i. (*Ayın* ile) 1. Hak için mahkemeye baş vurma. 2. Bir kimsenin başka bir kimseden yargıç önünde hakkını istemesi. 3. Bir şey için böyledir veya böyle değildir demek, iddia. 4. (*Mat.*) Teorem.● *Dâva-yi bimâna*, anlamsız, saçma iddia;● - *nübüvvet*, peygamberlik iddiası;• *dâva vekili*, avukat.• «Manend-i makiyan-i garra — Yek beyaza hezar fahr ü dâva. — Ş. Galip».

da'vat, *A. i. (Ayın* ve *te* ile) [Davet ç.] 1. Çağrılar. 2. (Yalnız çoğul halde) Dua.

dâver, *F. i.* 1. Hükümdar. 2. Vezir, vali. 3. Tanrı.• «Vâsıl-i sem-i hümayun-i dâver-i devran olmakla. — Raşit».

dâverâ, *F. ü. Ey* daver! (Hükümdar, vezir).• «Dâverâ dâdaverâ serverâ valâ güherâ — Sana mahkûm mesalih sana malum meham. — Ziya Pş.».

dâverane, *F. s.* Adalet sahibi bir büyüğe yakışacak surette. Hükümdara vezire mensup. Vezirlere hitap.• *Huzur-i daveranelerine.*

dâveri, *F. s.* Hükümdarlık. Vezirlik.

davet, *A· i. (Dal, ayın* ve *te* ile) (Arapça tamlamalarda *dâve* şeklinde kullanılır). 1. Çağırma, beraber bulunmayı isteme. Çekme, sebep olmasına meydan verme. 3. (Çoğul halinde veya Arapça tamlama halinde). Dua.• *Müstecab-üd-dave.* duası Tanrı nezdinde kabul buyrulan;• *ümmet-i davet,* peygamber çağrısına uymayan ümmet.• «Cümle vüzera ve ulema ve erkân-i devlet davet ve âli ziyafet tertip olundukta. — Naima».

davetgeran, *F. i.* [Davet-ger-an] Davetliler.• «Davetgeran-i hüsnün o giysuyu amberîn — Razaşina-yi perdenişinan-i nur eder. — Nailî».

davetiyye, *A. i.* 1. Çağrı kâğıdı. Bir kimseyi çağırmak için gönderilen kâğıt. 2. Tanık veya sanıklara mahkemede bulunmak üzere gönderilen kâğıt.

dâvi, *A. i.* Dava.• «Ey Hayalî davi-i aşk eylemek hacet değil — Anlatır âsıklığın lâbüdd kişinin haleti. — Hayalî».

Davut, Daud, *A. i.* İsrail hükümdarlarından ve peygamber (İ. Ö. X. yy.). Sesi çok güzel ve gürdü; şairdi.• *Mezamir-i Davud,* dualar dergisi. Calût'u (Bak.) yenmiştir.• «Âvazeyi bu âlemde Davut gibi sal — Baki kalan bu kubbede bir hoş sada imiş. — Baki».

davudî, daudî, *A. s.* Peygamber Davud'un sesini andırır kalınca, hoş dokunaklı (ses.) Davud'a yakışır, onunla ilgili.• *Zırh-i davudi,* Davud peygamberin Calût ile savaşında giydiği zırha benzer, onun gibi.• «Ol gün zırh-i davudi giyip başına miğfer-i pulâd üzerine. — Naima».

day'a, *A. i. (Dat* ve *gayın* ile) Bk.• *Zay'a.*

dâye, *F. i.* Daya. Dadı.• «Bir gün onu gezdirirdi dâye — Derdini yetirmeye devaye. — Fuzuli».

dayegân, *F. i.* Daye çoğulu. Tayalar.• «Ve terbiye ve muhafazasına genizegân ve dayegân tayin. — Silvan».

dâyegi, *F. i.* Dadılık.

dayf, zayf, *A. i.* Konuk. Misafir.

dayin, dain, *A. s.* [Deyn'den] Borç, ödünç para veren. Alacak. Alacaklı.

deaim, deayim, *A. i.* ç. Destekler. Direkler.

deavi, *A. i.* [Dâva ç.] Dâvalar.• *Deavi. Nezareti,* XIX. yy. Tanzimattan sonra Adliye Nezaretinden önce kurulmuş aynı görevli bakanlık;• *vükelâ-yi deavi,* (dâva vekilleri) avukatlar.• «Bir gün kazaskerler ile Divan'da iştima-i deavi-i nâsa meşgul idiler. — Naima».

de'b, deeb, *A. i.* Gelenek, töre, kural.• *De'b-i dirîn,* eski töre.• «Ve vükelâ-yi devlet kullarını de'b-i kadîm üzere hil'-atlar ilbasiyle taltif buyurdular. — Raşit».

debabis, *A. i.* [Debbus ç.] Topuzlar.

debagat, *A. i.* Tabaklık, sepicilik. Bk.• *Dibagat.*• «Birkaç sığır postun debagat edip. — Naima».

dehbag, *A. i.* Hayvan derisi terbiye eden, sepici, tabak.

debbus, *A. i.* Topuz.• «Bâruya çıkıp darb-i debbus ile bâru üzerinde olan revafızı sürüp. — Naima».

debdebe, *A. i.* 1. Patırdı, gürültü. 2. Patırtılı gürültülü ululuk. Gösteriş.• «Ey debdebeler, tantanalar, şanlar, alaylar. — Fikret».

Deberan, *A. i.* Gökcismi. Ayın dördüncü durağı.• «Ol zaman kamer menzil-i Deberanda idi. — Taş.».

debg, *A. i.* Hayvan derisini terbiye etme, sepi.

debîr, *F. i.* 1. Kâtip, yazıcı. 2. Danışılacak, müsteşar.• *Debîr-i encüm,*• - *felek,*• - *sema.* Utarit, Merkür.• «Dest urmuş idi kilk-i şehaba debîr-i çarh — Tuğranüvis-i hükm-i Hudavend-i ins ü cann. — Bakî».

debiran, *F. i.* [Debir ç.] Kâtipler.• «Ve çarub-i aklâm-i debiran-i huceste erkam ile. — Sadettin».

debiristan, *F. i.* 1. Kalem odası. 2. İlkokul.• «Mehmet Efendinin debiristan-i hucre-i terbiyetinde tahsil-i fenn-i edep. — Raşit».

debistan, F. i. Okul.● «Bir gün bizi bir üstad-i debistan-i talimin mülâzemetine tâyin ettiler. — Nabi».

debur, A. i. Batı rüzgârı.● «Maveraünnehr'den gelmiş Horasaniyan şeklinde efles min debur. — Sümbülzade».

decac, A. i. Tavuk ve horoz. Bk.● Düccac.

decace, A. i. Tavuk.

Deccal, A. i. Kıyamet zamanına yakın meydana çıkacak olan çok yalancı ve zararlı biri. Yalancı Mesih; Antechriste, Teccal.● «Çeşm-i Deccal'a sanırsın ki Mesiha görünür. — Naci».

ded, F. i. Et yiyen orman hayvanı.● Dâm ü ded, (et ve ot yiyen) orman hayvanları.● «Gördü ki şikeste-hal Mecnun — Durmuş ded ü dâm içinde mahzun. — Fuzuli».

def, deff, A. i. Tef, daire.● «Defli defkeş urma sen dâva-yi merdiden utan — Zen gibi cemiyyet-i rindanda defzensin henüz. — Naci».

def', A. i. (De ve ayın ile) Savma, savulma. 2. Verme, harcama. 3. Öteye itme, kakma. 4. Ortadan kaldırma. 5. (Huk.) Bir dâvayı savunmak için açılan dâva.● Def-i gam, gam gidermek;● - hacet, aptes bozmak;● - mazarrat, zarar verecek şeyi savma, savuşturma;● Def ü ref', savma, kaldırma.● «Asitane-i Saadette vüzera kullarınız def'ine kadirler midir. — Naima».● «Diye cevap vermekle def-i meclis olunup. — Raşit».

def'a, A. i. (Dal ve ayın ile) Defa, kere, kez.● Defa-i ulâ, ilk defa, birinci defa.● «Bu böyle kaç gece, kaç defadır tekerrür eder. — Fikret».

defain, A. i. (Dal ve hemze ile) [Define ç.] Defineler. Yer altında gömülerek gizlenmiş hazine.● «Dünyanın defain-i tabiat ve hazain-i serveti. — Kemal».

defaten, A. zf. Bir defada, birden.● Defaten ba'de uhra, tekrar tekrar, birçok defalar.● «Zümre-i asakir defaten hücum ve top ü tüfenk ve sair alât-i cenk ile şeatin-i bugatı nişane-i rücum ettiklerinde. — Naima».

defateyn, A. s. İki defa.

defatir, A. i. [Defter ç.] Defterler.● Defatir-i atika, eski defterler.● «Defatir-i hasenatı hezar olursa dahi — Ne faide eğer ol hazret olmaya hoşnut. — Sabit».

defeat, A. i. [Defa ç.] Birçok kere.● Biddefeat, defalarla, birçok defa.

deffaf, deffafe. A. i. Tefci. Tef çalan kimse.● Deffafe-i felek, (Zühre) Venüs.● «Meclis-i aşkında çengi Zühre deffaf aftab — Neylesin raks etmesin mi zerre-i naçizler. — Veysi».

deffe, A. i. (Bir şeyden) Yan. Yüz.

defîn, A. s. [Defn'den] Gömülü.● Defin-i hâk-i ıtırnak, güzel kokulu toprağa gömülü (ölüler hakkında).● «Bir gün bizim gibi bu dahi berhayat idi. — Şimdi defin-i hâk-i siyah oldu hasretâ. — Behçet».● «Artık ebedî defîn-i vahdet — Bir türbeyi andıran köşemde. — Fikret».

define, A. i. Yere gömülmüş mal veya akçe.● «Bu kalede bir hazine vardır — Boş sanma anı define vardır. — Ş. Galip».● «Çatlasa yerde define bulamaz. — Vehbi».

defn, A. i. Toprağın içine sokma. Mezara koyma.● «Biz çocuktuk seni defn eylediler — Bivefa kumlara bikayd eller. — Fikret».

defter, A. i. Defter.● Defter-i a'mal, insanların iyilik ve kötülüklerinin yazıldığı mânevi defter;● - Hakanî, mülk ve toprakların kayıtlı oldukları defterleri tutan ve alım satım kayıtlarını yürüten devlet dairesi;● - mazbutat, el konulmuş eşya defteri;● defter etmek, listesini yapmak.● «Ne miktar malları var ise vikaye-i can-i şirin için bezl edip mecmuun defter ve teslim eylediler. — Naima».

defterdar, F. i. [Defter-dar] 1. Devletin gelir ve gider defterlerini tutan; Tanzimattan biraz evvel Maliye Nazırlığı kurulmuş ve bu şekil defterdarlık kaldırılmıştır. 2. Bir vilâyetin en yüksek maliye memuru (Sancaklardakilere muhasebeci, kazalardakine (ilçeler)● malmüdürü denirdi.).● «Defterdar-i mezbura mahsus bir vezir mektubu gelmiş. — Naima».

defterhane, F. i. [Defter-hane] Emlâk ve arazinin kayıtlı bulunduğu ve bunların alım ve satım ve vergi işlerine bakan daire.● «Asla defterhaneyi açmayıp ve umurdan bir şeye müdahale etmeyip. — Naima».

defzen, A. i. [Def-zen] Tefçi. Tef çalan kimse.● «Kanun ü nakkare savt-i şiven — Teblerze-i cangüdaz defzen. — Ş. Galip».

dega, F. i. Hile, düzen. Hileci. Kötü huylu.● «Ve hizberan-i vega cem-i dega kam'ı için. — Sadettin».

deh, F. s. (He ile) On.● Deh sale, on yıl- lık, on yaşında.

deha', A. i. Dâhilik. Üstün zekâlılık. Génie karşılığı (XIX. yy. sonları).● «Ey ceb- he-i dehaya vuran şule-i seher. — Fik- ret».

dehaet, A. i. Deha. Dâhilik. (XIX. yy. son- ları).● «Nasıl berk-i dehaettir ki lem- ha-i in'ikâsiyle — Hayat-engiz olur bir kütle-i câmitte? — Fikret».

dehak, A. s. (He ve kaf ile) Dolu, dol- muş.● «Lebin hayali ile badenuş olan âşık — Eder mi meyl-i şarab-i tahur ü ke's-i dehak. — Nevres».

dehakîn, A. i. (He ve kaf ile) [Dihkan ç.] 1. Köylüler, çiftçiler. 2. Köy ağaları.

dehalet,)Türkçede kullanılmıştır.) (Hı ile) Birine sığınma.● «Cihanı öyle tutmuş adli kim her milletin fikri — O şahın saye-i eltafına şimdi dehalettir. — Zi- ya Pş.».

dehaliz, A. i. (He ile) [Dehliz ç.] Dehliz- ler. Koridorlar.● Ebna-üd-dehaliz, so- kağa, öteye beriye atılmış bırakılmış çocuklar.

dehan, dehen, F. i. (He ile) Ağız.● Dehan- beste, kapalı ağız, susmuş;● dehanküşa, açılmış ağız, söylenen. (Ede. Ce.).● Dehan-i istihza,● - kadid, - pür-hun,● - ruh,● - yâr.● «Bu nazm-i nadireden doğru söyle ey Nabi — De- hane lezzet-i âb-i zülâl gelmedi mi. — Nabi».● «Cevab-i nâkısı rizan olurdu dehanından. — Fikret».● «Kalmamıştı mecal-i fekk-i dehen. — Fikret».

dehenbaz, F. s. i. [Dehen-baz] Ağız oy- natan. Söylemek için ağız açan.)ç. De- henbazan).● «İsmet komaz olmaya de- henbaz — Peyda idi lik gevher-i râz. — Ş. Galip».

dehenşuy, F. s. i. [Dehen-şûy] Ağız yıka- ma. Ağız temizleme.● «Ruhün vasfa gülâb ile dehunşuy olmak isterdim. — Nabi».

dehhaş, A. s. (He ile) [Dehşet'ten] Aşırı korkunç.● «Şimşek kadar seri bir gül- le yuvarlanarak uçuyor, bir sukut-i dehhaş ile düşüyor. — Uşaklıgil».

dehim, F. i. Bk.● Dîhim.

dehin, A. s. Yağlanmış.

dehkan, A. i. Bk.● Dihkan.

dehliz, A. i. İç ve dış kapı arasındaki ge- çit, koridor.)ç. Dehaliz).● «Nevheves- ler kim eder tanzîr-i şi'r-i kâmilân — Sohbet-i sadra karışmak gibidir dehliz- den. — Esat Muhlis Pş.».

dehna', A. i. Geniş, susuz ova, çöl.

dehr, A. i. 1. Zaman. 2. Cihan. 3. Devir. 4. Dünya. (ç. Dühur).● Dehr-i bisebat,● - dûn,● - fani, (sebatsız, aşağılık, geçici cihan) bu dünya;● aşub-i dehr, zama- nında karışılık uyandıran (güzel);● sure-i dehr, Kuran'ın 76. suresi.● «Te- essürat-i beşerden gelir mi dehre me- lâl. — Fikret».● «Ve bir aşub-i dehr ve âfet-i cana. — Nergisi».

dehrî, dehriyye, A. s. i. 1. Zaman ve dün- yaya ait, onunla ilgili. 2. Dehriyye yo- lunda olan kimse. Dünya olaylarının tabiattan olduğuna inanıp ahrete inan- mayan adam)XIX. yy. Matérialiste karşılığı kullanılmış, sonra bu kelime● Maddiye ile karşılanmıştır).● «Ne in- kâr ettiğini bilmeyen dehriler ve neye inandığının farkına varmayan mümin- ler olduğu gibi — Cenap».

dehriyye, A. i. Cihanın sonu gelmezliğine, bakiliğine inanan felsefe okulu. Ma- térialisme karşılığı (XIX. yy. sonları).

deh ruze, F. s. On günlük.● «Olsa müm- tet ne kadar devlet-i deh ruze-i hayat — Yine bifaidedir saye-i memdut gibi. — Nailî».

dehşet, A. i. Korkunç bir şey veya büyük bir tehlike karşısında şaşıp kalma, korkma, ürkme.● «Bunu dehşetle eyli- yor takip — Bir huruş-i hamuş-i div-i jiyan. — Fikret».

dehşetaver, F. s. [Dehşet-aver] Dehşet saçan, ziyade korkutan.● «Bir lâhza ön- ce aldanarak inkişaf eden — Ezhara dehşetaver oldu. — Fikret».

dehşetefşan, F. s. [Dehşet-efşan] Dehşet koparan ürküten, korkunç.

dehşetnâk,, F. s. [Dehşet-nâk] Dehşetli, aşırı korkunç.● «Âlem-i hakikatin deh- şetnâk bir vartasından güç ile kurtul- du. — Recaizade».

dehşetres, F. s. Korku veren, korkutan.● «Asıl vatan hakkında dehşetres-i efkâr olan. — Kemal».

dehüm, F. s. Onuncu.● «Eyleyip ahım as- man-i dehüm — Şulesin naib-i şehab ettim. — Fehim».

dehya', A. i. «Dahiye» sözünü pekiştirmek için kullanılır.● Dahiye-i dehya, çok büyük belâ, musibet.● «Amma nâs za- vallılar yine müterakkip ve bir dâhi- ye-i dehva zuhurunda istisalleri babın- da bir-rahm ü mütaassıp olagelmişler- dir. — Naima».

dekaik, *A. i.* [Dakika ç.] Anlasılması dikkate bağlı güç işler.• «Ve şiir ü inşaya müteallik dekaik ve hakayıktan habîr idi. — Naima».

dekâkîn, *A. i.* [Dükkân ç] Dükkânlar.• «Cümle menzilleri ve akarât ve dekâkîni ve bazı emtia-i mahsusası cümle evlâdına reddolundu. — Naima».

dekik, *A. i.* Bk.• *Dakik.*

dekk, *A. i.* Bk.• *Dakk.*

delâil, *A. i.* [Delil ç.] Deliller. 2. *(Man.)* Kanıtlar.• «Berahîn-i aklî ve delail-i naklî birle. — Lâmii».

delâl, *A. i.* 1. İnsana hoş sevimli görünecek hal, davranış. 2.)Tas.) Tanrı sevgisinin, bir cilve olarak sâlikin kalbinde kesilmesi.• «Kim sen yürüdükçe kalsa şayan, — Hasretle delâl ü işve hayran. — Recaizade».

delâlât, *A. i.* [Delâlet ç.] Delâletler.• «Muktaziyat-i hesap ve delâlât ile. — Taş.».

delâlet, *A. i.* 1. Yol gösterme, kılavuzluk. 2. Delil ve alâmet olma. 3. İz, işaret. 4. Bilinen bir şeyin başka bir şeyi de bildirmesi)uzaktaki dumanın ateşe delâleti).• «Âdem olanın hayr olur Âdemlere kasti — İnsanlığa insanda budur işte delâlet. — Ziya Pş.».• «Ben dahi muhzir olmak hasebiyle delâletkünan içeri bile girmiş idim. — Naima».

delil, *A. i.* 1. Kılavuz. Yol gösterici. 2. Bilinmeyen nesneyi bilmeye, bildirmeye, bilinen şeyin aslını faslını ispatlamağa yarayan madde. Kanıt, Fr. *Argument* karşılığı.• *Delil-i aklî,* düşünülerek bulunan kanıt;• - *naklî,* üstatlardan birinin kanıtı.• *Delil-i cedelî,* (istidlâl alel-müsellemat) Fr. *Argument exconcesso* karşılığı;• - *gayât,* Fr. *Preuve physico-théolgique* karşılığı;• - *kevnî,* Fr. *Preuves cosmologiques de l'existance de Dieu* karşılığı;• - *tekvini,* • - *vücut,* Fr. *Argument ontologique* karşılığı (XX. yy.).• «Gördün mü ne padişahtır ol — Hem Aşk'a delil-i rahtır ol. — Ş. Galip».

delk, *A. i.* *(Kaf* ile) Eski ve yamalı hırka.• «Rindin kaba-yi atlası delk-i siyahtır. — Ziya Pş.».

delk, *A. i.* *(Kef* ile) 1. El sürtme, uğuşturma. 2. Sürtme, sürtünme. 3. Oğuşturma.• *Delk ü temas,* sürtme ve dokunma.

delkpus, *F. s.* [Delk-puş] 1. Eski, yamalı hırka giymiş)derviş). 2. Fakir. 3. İki yüzlü)kimse).)ç. Delkpuşan).

dell, *A. i.* Fındıkçılık, koketlik.• «Bir su-i tesadüf Çengi Hanım denilen delle-i muhtale ile birleştirmiş. — Recaizade».

dellâk, *A. i.* [Delk'ten] Tellak. Hamamlarda müşterileri oğuşturup yıkayan kimse.• «Kese sürünürken mezkûr dellâki nâpâk târiz gûne. — Raşit».

dellâl, *A. i.* [Delâlet'ten] Tellâl 1. Alışverişte aracılık eden kimse. 2. Satılacak bir şeyi yüksek sesle satan adam.• *Dellâliye,* tellal harcı, parası.• «Gına vermez meta-i müstearı dûş-i dellâlın. — Sami».

dellâlân, *F. i.* [Dellâl ç.] Tellâllar.• «Muttasıl dellâlan çarşu-yi bimayegiye dam daman pay-müzd ederler. — Veysi».

dellâle, *A. i.* Kadınla erkek arasında aracılık eden kadın.

delv, delve, *A. i.*)On iki burçtan) Kova burcu (Güneş, Ocak ayının 21. günü bu burca girer).• «Delv ağlayıp oldu hali derhem. — Ş. Galip».

dem, *A. i.* Kan.• *İraka-i dem,* kan dökmek;• *itidal-i dem,* soğukkanlılık.• «Bakıp bakıp yaresinden akan dem-i âle. — Fikret».

dem, *F. i.* 1. Soluk, nefes;• *dem-i İsa,* • *Mesiha-dem,* İsa nefesi, İsa nefesli (İsa peygamber nefes etmekle ölüyü diriltme mucizesini göstermişti);• *dem-i vâpesin,* son nefes.• «Deva gelir ilel-i âleme dem-i keremin — Meğer ki derd-i dile dergehindedir merhem. — Ziya Pş.».• «Ben ne her dem başıma cihanı amma — Tenk katte arar âdemim. — Naci». 2. Vakit, zaman;• *dem-i seher,* • - *subh,* tan vakti.• «Her dem başıma cihanı afma — Tenk etmede hasret-i müsemma. — Naci». 3. İçki;• *dem çekmek,* içki içmek. «Dem çekmek» kuşların ötüşlerini uzatmasını anlatmada da kullanılır.• *Dem vurmak,* sözünü etme, bahsetme.• «Dem bu demdir dem bu dem bil bu demi — Âdem'e urdu bu demden Hak demi. — Neismi».• «Tiğ-i bidad ile her dem kanımı dökmek nedir — Ey felek her kim dem urdu aşktan kan etmedi. — Fuzuli».

dem', *A. i.* *(Ayın* ile) Göz yaşı.• *Dem'-i teessür,* üzüntü göz aşı (ç. Dümu').

dem'a, *A. s.* Bir damla göz yaşı.• «Düşen her dem'a-i mevhume ecfan-i sefidinden. — Fikret».

demadem, *F. zf.* [Dem-a-dem] Her zaman, sık sık.• «Terennümat-i demademleriyle, pürgaleyan. — Sükûn-i meşçeri târac eden güruh-i tuyûr. — Fikret».

demag, *F. i.* 1. Damak. Ağzın tavanı. 2. Tat, keyf. 3. Kibir, ululanma)Bk. Dimağ).● «Lezzet-i devlet henüz demağından gitmeyip. — Naima».● «İngiliz balyoslarının demağ-i azîmî mukarrer idi. — Naima».

demagdar, *F. s.* [Demag-dâr] Kibirli, ululuk satan.

deman, *F. s.* 1. Hemen seğirten, deli gibi saldıran. 2. Sevinç veya kızgınlıkla bağırma, küfretme.● *Pil-i deman*, saldırıcı, yahut kuvvetle bağıran fil.● «Hemle-i safşiken-i can-figen-i pîl-i deman. — Fikret».

demar, dimar, *A. i.* Ölüm.● *Tîg-i demar*, ölüm kılcı.● «Tarafeynden niceler meydan-i demara gelip şeb-i târda dost ve düşman fark olunmazdı. — Naima».

dem'âriz, *F. s.* [Dem'a-riz] Göz yaşı döken, ağlayan.● «Gel, gel ey yâr-i dem'-ariz-i keder. — Cenap».

dembedem, *F. s.* [Dem-be-dem] Vakit vakit, durmadan, her zaman.● «Olur âfaka dembedem nâzil — Zerre halinde bir yığın ahker. — Fikret».

dembeste, *F. s.* [Dem-beste] Soluğu kesilmiş, susmuş, sessiz.● «Ta'n-i hussad ile dembeste vü lâl oldum ah. — Vehbi».

dembestegî, *F. i.* Soluğu kesilmişlik. Susma. Sessizlik. Susurluk.

demdeme, *A. i.* 1. Hiddetle söz söyleme, azarlama. 2. Halkı kökünden koparırcasına kırıp geçirme.● «Köpürür her köşeden demdeme-i div-i memat — Fikret».

demdeme, *F. i.* Hile, aldatma. 2. Ün. 3. Davul, kös. 4. Kavga.

demen, *A. i.* Öç, kin.

demende, *F. s.* 1. Kükreyip saldırıcı. 2. Üfleyici.● «Evraka ney-i demende yazar etse iktiza».

demevî, demeviyye, *A. s.* Kana ait, kan ile ilgili.● *Demevi-yül-mizac*, tabiatı demevi olan;● *eskam-i demeviye*, kan bozuklukları.● «Baharda ten-i gülbünden eyleyip heyecan — Hararet-i demevi kıldı ukdeler peyda — Fuzuli».

demgîr, *F. s.* [Dem-gîr] Tempo tutan.● «Yazıhanemin üzerinde homurtularıyle kaleminin ahengine demgir olur. — Uşaklıgil».

demgüzar, *F. s.* [Dem-güzar] Vakit geçiren, yaşayan.

dem'î, dem'iyye, *A. s.* Göz yaşı ile ilgili.● *Gudde-i dem'iyye*, göz yaşı bezi.

edmide, *F. s.* (Çiçek gibi) açılmış.● «Yek bîhten demide olurken nihal-i kerm — Düşab ü gure sirke vü mey imtiyazda. — Nabi».

demkâr, *F. s.* [Dem-kâr] (Müzükte) eş.● «Müstekreh mugannayelere demkârlık etmekle geçiren biçare bir kemancı. — Uşaklıgil».

demkes, *F. s.* 1. Nefes, soluk çeken. 2. Bülbül, güvercin gibi kuşların biteviye, durmadan ötmeleri. 3. Şarap içen.

demkeşıde, *F. s. i.* [Dem-keşide] Arkadaş, kafadar.● «Azm-i İstadar eyledi. Kendi demkeşidenlerinden Kethüda Bey Mustafa Ağa ve Yeniçeri kâtibi Şaban Efendi bunlar dahi mahfiyen İstanbul semtine firar edip. — Naima».

Demne, Dimne, *F. i.* Kelile ve Dimne eserinin kahramanlarından olan çakalın adı.

demsaz, *F. i.* [Dem-saz] Uygun arkadaş.● «Bu hususta hem-raz ve temşiyetine demsaz olmuşlar idi. — Naima».● «Kalkınız ey refikler gidelim — O bütün var hezar demsazı. — Naci».

demsazî, *F. i.* İçli dışlı arkadaşlık.

demserdî, *F. s.* [Dem-serdi] Soğuk nefes, soğuk zaman.● «Bir taraftan hengâme-i şita ve demerdi-i serma ve bir taraftan. — Sadettin».

denaet, *A. i.* (Hemze ve te ile) Alçaklık. Aşağılık.● *Denaet-i tab'*, tabiat âdiliği.● «İkisi dahi Pinti Hamit gibi hisset ve denaet ile maruf idiler. — Naima».

denaetkâr, *F. s.* [Denaet-kâr] Alçak, aşağılık tabiatlı.

denaetkârane, *F. s. zf.* Alçakça, alçaklıkla yapılan.

denanir, *A. i.* [Dinar ç.] Altınlar.● «Eğer bir zaman padişahlıkta kalırsa denanir-i mezkûreyi deryaya ve beyabana ve mahalsiz yerlere sarf etmekle. — Naima».

denaset, *A. i.* (Sin ile) Kirlilik, pasaklılık.

dendan, *F. i.* 1. Diş. 2. (Arap harflerinden) b, t, n, s, ş, gibi harflerin dişi andıran çıkıntıları.● «Dendan-i şîre lokma olur ahüvan-i zâr. — Ziya Pş.».

dendane, *F. i.* 1. Diş tanesi. 2. Çark gibi âletlerin dişleri.● «Taşlar yedirdi nân yerine bir zaman felek — Nân verdi şimdi âh ki dendane kalmadı. — Ziya Pş.».

dendene, *F. i.* Yavaş yavaş söyleme, mırıldanma.

denes, *A. i.* (Sin ile) Kir. Murdarlık. Pislik.● ‹Amma çünkü damen-i namusu denes-i teşeyyu ile alâde olmakla. — Naima›.

denesâ, *A. i.* [Denes ç.] Kirler.

deng, denk, *F. s.* Şaşkın.● ‹Haktır bu ki deng ü lâl idim ben — Nutk etmeye bimecal idim ben. — Ş. Galip›.

denî, *A. s.* Alçak.● *Deni-yüt-tab'*, alçak tabiatlı.● ‹Devletse de, kanunsa da, artık yeter olsun — Artık yeter olsun zu denî zulm ü cehalet. — Fikret›.

denis, *A. s.* (Sin ile) Kirli, pis, murdar.

deniyyat, *A. i.* [Deni ç.] Aşağılık şeyler.● ‹Fâtih dâiye-i intikam ve izhar-i tefevvuk gibi deniyyat-i nefsaniyeye tenezzülden beri. — Kemal›.

der, *F. s.* Zarflık edatı. Sözcükleri -de haline koyar veya «içinde» anlamı katar;● *der anbar*, ambarda, ambar içinde.● *Derhal*,● *derhatır*,● *derpiş*. Bk.

-der, *F. s.* «Yırtan, yırtıcı, yaran» anlamlarıyle kelimeleri sıfatlaştırır.● *Ciğerder*, ciğer delen;● *perdeler*, perde yırtıcı, edepsiz;● *safder*, saf yaran, sıra yaran.

der, *F. i.* Kapı.● *Der-i aliyye (Deraliye)*,● *Der-i bâr*, divan kapısı.● ‹Yıllarca taharri der-i mesdud-i necatı. — Fikret›.● ‹Ser-i maktuunu der-i Devlet-i Aliyeye irsal eyledi. — Raşit›.

derâ, *F. i.* Çan.● *Dera-yi deyr*, kilise çanı. ●‹Bu gamdan asılı kaldım derâ-yi deyr gibi — Başım aşağıda dilim güft ü gûda nite ki zenk. — Hayali›.● ‹Olmaz reside kimse sada-yi dcrasına — Sad kârvan-i nale şeb-i tardan geçer. — Nabi›.

-derâ, -deray, *F. s.* ‹Durmadan söyleyen, dırlanan› anlamıyle sıfatlar meydana getirir.● *Herzederay*,● *yâvederay*, saçma söyleyen.

deraguş, *F. i.* [Der-aguş] Kucaklama, sarma.● ‹Ey Marmara'nın mai deraguşu içnde. — Fikret.›

derahim, *A. i.* (He ile) [Dirhem ç.] 1. Dirhemler. 2. Paralar.● ‹Bana imam bir sürre in'am eyledi ki içinde bir miktar derahi mvardı. — Taş.›.

derakap, *F. zf.* [Der-akab] Arkası sıra, hemen.● ‹Bir miktar bâran teraşşuh ve nısıf saat kadar imtidat bulup derekap cibal-i etraftan bir seyl-i azîm gelip. — Raşit›.

Deraliye, *F. i.* İstanbul.

deramed, *F. i. s.* [Der-amed] Gelir.● ‹Bizim dahi israfatımıza bir meded ve deramed-i azimdir deyu. — Naima›.

der-an, *F. zf.* O anda, hemen.● ‹Gösterirsin der-an bana rû — Dide mahzun ü perişan giysu. — Recaizade›.

derari, *A. i.* [Dürri ç.] Parlak yıldızlar.

derayende, *F. s.* Çan çan eden, çene çalan, geveze.)ç. Deraendegân).

deraz, *F. s.* Bk. *Diraz*.

derb, *A. i.* Sokak. (ç. Dürub).

der-begal, *F. zf.* Koltuk altı etme. Alıp koltuk altına koyma. Koltuklama.

derban, *F. i.* [Der-ban] Kapıcı. Kapı bekçisi.● ‹Dilese kudreti İskender ile Cemşid'i — Dergeh-i devlet i iclâline derban eyler. — Cevri›.

derbar, *F. i.* [Der-bar] (Büyük kimselerin) kapı yeri. kapısı.● *Derbar-i saadetkarar*,● *derbar-i şevketkarar*, İstanbul (Padişah kapısı).

derbeder, *F. s.* Kapı kapı gezen, serseri.● ‹Ne lâzım ufk-i muzi, ey hayal-i derbederim. — Açılsın artık o vazıh sahayif-i alâm. — Cenap›.

derbend, *F. i.* [Derbend] 1. Dar geçit, boğaz. 2. Küçük, sınır kalesi.● ‹Gaziyan der-çeng-i evvel açtı derbend-i asîr. —Süruri›.

derbendat, *A. i.* [Derbend ç.] Derbentler. (Farsça bir kelimenin arapça edatla çoğulu yapılmak kural dışı olduğu halde bu kelime tarih kitaplarında ve resmî kayıtlarda çok kullanılmıştır).

derbest, derbeste, *F. s.* 1. Kapalı kapı. 2. Kapalı, kapanış. Susmuş.● ‹Her taraf sisli, her taraf birden — Sanki derbeste-i nikab-i buhar. — Cenap›.

derc, *A. i.* 1. Sokma, araya sıkıştırma. 2. Gazete veya dergiye kitaba koyma, katma. 3. Toplama, biriktirme. 4. Nakışlı kâğıda yazılmış yazı.● ‹Bu razı hazret-i Mahmut Beyden et iz'an — Ki etti hikmeti bu matlaında derc ü beyan. — Ziya Pş.›.

derd, *F. i.* 1. Kaygı, tasa. 2. Hastalık, illet.● *Derd-i dil*,● - *derun*, iç kaygısı;● - *ser*, sıkıntı, baş ağrısı.● ‹Ey Hayali derd-i aşka herkes olmaz aşina — Buma viran bülbülün gülzardır endişesi. — Hayalî.›● ‹Mihnet-sera-yi dehre gelip ayş ü nuş eden — Bir dem hoş olsa bir nice gün derd-i ser çeker. — Baki›.● ‹Bilir misin nasıl izhar-i derd eder ağlar. — Fikret›.

derdâ, *F. ü.* Yazık, eyvah.

derd âşina, *F. s.* [Derd-âşina] Dert ve keder görmüş olan.• ‹Gurbette dost Kadri'ni derhahatır et Kemal — Âlemde ehl-i derd ile derdâşina içer. — Beyatlı›.

derdest, *F. i.* [Der-dest] 1. Elde. Elde etme, yakalama. 2.)s.) Elde, hemen olmak üzere.• ‹Kavalı şevk ile edip derdest. — Recaizade›.

derdmend, *F. s.* [Derd-mend] Tasalı, kaygılı, zavallı.• ‹Bazı müsahipleri ol derdmendin sebk eden hidematın yâd ettikçe... — Naima›.

derdmendan, *F. i.* [Derdmend ç.] Tasalılar, dertliler.• ‹Olmuştu o turra-i perişan — Tugrakeş-i katl-i derdmendan. — Ş. Galip›.

derdmendane, *F. zf.* Dertlilere yakışır yolda.

derdnâk, *F. s.* [Derd-nâk] Dertli, kaygılı.• ‹Derdnâkim şad ü handan olmadım canımla ben. — Cenap›.

derec, [Derece ç.] Dereceler. Basamaklar.

derecat, *A. i.* [Derece ç.] Dereceler.• *Derecat-i Cennet*, Cennet tabakaları, katları.• ‹Amma zahit derecatta ve kâfir derekâttadır. — Taş.›.• ‹Avrupa'nın kemalât-i medeniyye ve derecat-i marifeti buralarda bilinmeye başlandı. — Kemal›.

derece, *A. i.* 1. Basamak, 2. Derece. 3. Memurluk, rütbe sırası. 4. Değer, miktar.• *Derece-i arz*, enlem;• - *hararet*, ısı derecesi;• - *mirkat*, merdiven basamağı;• - *nihayet*, son derece;• - *süllem*, merdiven basamağı;• - *tûl*, boylam;• - • - *ûla*,• - *saniye*, birinci, ikinci derece.

derekât, *A. i.* [Dereke ç.] Aşağıya inen basamaklar.• *Derekât-i Cehennem*, Cehennem tabakaları.• ‹Her biri mucib-i vuusl-i derekât-i cehennemdir. — Veysi›.

dereke, *A. i.*)Aşağıya doğru inen) Basamak.• ‹Ve ekserin tîg-i ateşbâr ile dereke-i cahime yolladılar. — Raşit›.

derekî, *i.* [Dereke'den] Türkçede bu kelime Fransızca *régression* karşılığı olarak kullanılmıştır ki *gerileme* demektir.• *Derki* de bu anlamda kullanılmıştır.

deren, dern, *A. i.* Ur, şiş, verem.

derende, derrende, *F. s.* Yırtıcı.• *Şir-i derende*, yırtıcı aslan.• ‹Derende nihengân-i ateşîn dendan. — Kemal›.

derenî, dereniyye, *A. s. i.* Ura, şişe ait.

dergâh, dergeh, *F. i.* 1. Kapı, kapı önü.• *Dergâh-i âli*, padişah kapısı. 2. Tekke;• - *ilâhî*,• - *izzet*. Tanrı katı;• - *Mevlâna*, mevlevi tekkesi.• ‹Hasetle dergehine âlem melâldedir. — Ziya Pş.›.• ‹Uzatıt ruhunu dergâh-i İzzete gülerek. — Cenap›.

derhab, *F. i.*)*Hı* ile) [Der-hâb] Uyutma. • ‹O est-i işveyi derhab edip bahane ile — Hele muradına erdin gönül fesane ile. — Nedim›.

derhal, *F. zf.* (*Ha* ile) [Der-hal] Şimdi, hemen, vakti gecikeden, çabucak.

derhâst, *F. i.* (*Hı* ile) İstek. Dilek, dilekçe.• ‹Sarı kâtibi derhast ettikte. — Naima›.

derhem, *F. s.* (*He* ile) İncinme. Yüz buruşturma.• ‹Sofi ki safada geçinir malik-i dinar — Bir dirhemini alsan olur hatırı derhem. — Ruhi›.

derhar, derhâr, *F. s.*)*Hı* ile) Uygun. Lâyık.• ‹Ravza-i Cennet denilse derhordur ki bir çeşmesinin adı Âb-i Kevser'dir. — Lâmiî›.

deri, *F. i.* Havası iyi, çimenli dağ eteği.• *Kebk-i deri*, bir çeşit güzel keklik.• ‹Nevha eyler negamla kebk-i deri. — Recaizade›.

derî, *F. s.* Saray veya kentle ilgili)olan eski düzgün) Farsça.• *Deriyye* de denir.• ‹Ne hacalet henüz ki bir Türkî bilmez. — Tarz-i Tazî vü Deride ede peyda-yi suhan. — Nef'î›.

deriçe, *F. i.* 1. Küçük kapı. Oyma kapı. 2. Küçük pencere.

deride, *F. s.* Yırtılmış, yırtık.• *Deride dehen*, boşboğaz, dik sözlü;• - *per*, kanadı kırılmış;• *nikab deride*,• *perde deride*, örtüsü, perdesi yırtık, utanmaz.• ‹O tıfl-i bîkederin kalb-i şadmanda — Deride oldu o dem bir şehabe-i gülgûn. — Cenap›.• ‹Gâh derideper güvercinler gibi süzülerek. — Uşaklıgil›.

derk, *A. i.* 1. En aşağı kat. 2. Bir şeyin dibine varma, iyice anlama.• *Derk-i dekaik*,• - *gavamız*,• - *hakaik*,• - *netayic*, ince şeyleri, güç şeyleri, gerçekleri, sonuçları anlamak, onları kökten kavramak.• ‹Zümre-i eşkıyayı hüsn-i tedbir ile ele getirip hakkından geldiği sanayi-i hakîmane derkinde ukul hayran olurdu. — Naima›. •

derkafa, *F. s.* [Der-kafa] Artta, peşte bulunan.• ‹Uğrumuza gelen kaleleri feth ü teşhir ederek yürüyüp düşmanı derkafa bırakmaktır. — Raşit›.

derkâr, *F. s.* [Der-kâr] 1. İşte bulunan, işin içinde olan. 2. Beli, meydanda.• «Kim görse bunu ederdi ikrar — Kim ola beka fenada derkâr. — Ş. Galip».

derkemin, *F. zf.* [Der-kemin] Pusuda. Pusu bekleyen.• «Lâkin a'da-yi din hâlâ kasd-i kin ile der-kemin iken. — Raşit».

derkenar, *F. i.* [Der-kenar] Kenarda bulunan. Bir yazının kenarına çıkılan yazı. Çıkmo. 2. Kucağına alma, kucaklama.• «Ol esb-i bâd-pây ile ol kadd-i serefraz — Bir cuybar idi kim ede servi edrkenar. — Nev'î».• «Maderi masumu etmiş derkenar. — Naci».

derman, *F. i.* 1. Çare. 2. İlâç. 3. Güc, kuvvet.• «Çeşminden ereydi Hızr'a derman —Zulmet görünürdü âb-i hayvan. — Ş. Galip».

dermande, *F. s.* Çaresiz kalmış. Zavallı, biçare [ç. Dermandegân].• «Leyl ü nehar muharebeye bezl-i makdur edip dermande-i acz ü fütur olduklarından. — Raşit».

dermandegân, *F. s.* [Dermande ç.] Zavallılar. Âcizler, düşkünler.• «Ve hazret-i şifa-bahş-i dermandegân. — Nergisi».

dermanedegî, *F. i.* Âcizlik, düşkünlük.

dermeyan, dermiyan, *F. s.* [Der-meyan] Ortada, arada,• *Dermeyan etmek,* araya sürmek, söylemek, anlatmak.

dern, deren, *A. i.* Ur, şiş. Verem.

derniyam, *F. s. zf.* [Der-niyam] Kında, kın içinde, kına sokulmuş.• «Şimşir-i intikam derniyam olmaz. — Vefik Pş.».

derpey, *F. s.* [Der-pey] Ardı sıra.• «Bu esrgerdanlığa azadelik elbette derpey-dir — Nedima seyr kıl bu nükteyi seng-i eflahanda. — Nedim».

derpiş, *F. s.* [Der-piş] Önde olan, göz önünde bulunan.• *Derpiş etmek,* göz önünde tutmak, göz önünde bulundurmak.• «Umur-i memuresinde sadakat ve istikameti derpiş etmek üzere tenbih olundu. — Raşit».

derr, *A. i. s.* 1. İyi hediye, iyi iş. 2. İyilik.• *Lillâhi derrühu,* «Tanrı mükâfatını versin» anlamında dua ve övme cümlesidir.

derrace, *A. i.* 1. Kale diplerine varmak için içine girip ileri sürülen bir savaş arabası. 2. (XIX. yy. osnları) Velospit, bisiklet.• *Derracesüvar,* bisiklete binmiş kimse.• «Şimşek gibi akıp giden üç dört derace. — Uşaklıgil».

derrak, derrake, *A. s.* [Derk'ten] çok anlayışlı.• «Kâmil-i derrak-i fünun âşina — Fazıl-i nihrir-i beliğ ü hakîm. — Ziya Pş.».

derri, dürri, *A. s.* Parlak. Işıldayan.

ders, *A. i.* 1. Bir şey öğrenme. 2. Bir şey öğrenmek için okuma.• *Ders-i âmm,*)umuma açık ders) camilere baş vuran öğrencilere verilen ders, böyle ders okutmaya izinli)müderris) öğretmen;• - *ibret,*)ibret dersi) göz açacak şey, us payı;• *Ders vekâleti,* Şeyhülislâm kapısında medrese öğrencileri ve bunların dersleriyle uğraşan daire idi. (ç. Dürus).• «Öğretti hayat en acı bir ders ile birden — En giryeli hicranı... bütün hüzn-i leyali. — Fikret».

Dersaadet, *F. i.* [Der-saadet] İstanbul.• «Memur hemen daima Karakulak suyu gibi Dersaadet mataıdır. — Cenap».

dershân, *F. i.* [Ders-han] Ders okuyan, öğrenci.

dershane, *F. i.* [Ders-hane] Ders yeri. Ders verilen geniş oda. Sınıf.• «Bu kârgâh-i sun' acep dershanedir. — Ziya Pş.».

dersî, dersiyye, *A. s.* Ders ile ilgili. derse ait,• *Alât-i dersiye,* ders aletleri,• *Sene-i dersiye,* öğretim yılı.

Derteng, Dertenk, *F. i.* Irak'ta, Bağdat seferinde adı çok geçen bir Fars şehri.

der'uhde, *F. i.* [Der-uhde] Üstünel alma.• *Der'uhde-i mesuliyet,* sorumluluğu kabul.

derun, *F. i.* 1. İç taraf. 2. Yürek, kalp, iç.• acıları;• *ateş-i-,* yürek yanıklığı;• *derd-i-,* yürek derdi.• «Korsan gemileri ol halic-i vâsii liman ittihaz etmekle derun ve bi rundan sefain-i İslâmiyenin mürur ve uburlarına mani oldup. — Raşit».• «Ahmet Cemil'in âlâm-i derununu husn-i telâkki etmiş oldu. — Uşaklıgil».

derunî, *F. s.* İçle ilgili. İçe ait. İçten.• *Ah-i derunî,* içten gelen ah.• «Sen Osmanlıya derunî ittiba eyledin deyu hapseylediler. — Naima».

dervaze, *F. i.* 1. Kent ve kale kapısı. 2. Büyük kapı.• *Dervaze-i gûş,* kulak deliği;• - *nuş,* ağız.• «Kendisi haric-i şehirde olmakla şehrin dervazelerini seddedip mani-i dühul olup. — Naima».

dervis, *F. i.* Fakir, zavallı. 2. Tarikatlerden birine girmiş kimse. 3. *(Mec.)* İşini Tanrıya bırakmış kanaat sahibi kimse. (ç. Dervişan).• *Derviş-i âbapûş,* aba giyinmiş derviş;• - *dilriş,* gönlü yaralı derviş;• *tuvanger ü derviş,* zengin ve fakir (herkes).• «Kayd-i rüsumdur hep tesbih ü vekarı n'eyler. — Nabi».• «Sinni hamsine karîp derviş-meşrep ve lâkayt bir padişah idiler. — Naima».

dervişan, *F. i.* [Derviş ç.] Dervişler.• «Dervişan-i Aleviyyeden Koyun Dede nam bir mazanne-i keramet kimse. — Naima».

dervişane, *F. s. zf.* Dervişlere mahsus veya lâyık yolda. Onlara yakışır şekilde. Sâflık ve kalenderlikle.• «Tarz ü tavrı dervişane bezl ü atâsı mülûkâne. — Naima».

derya, *F. i.* Deniz.• *Derya-yi bigeran,* sonsuz deniz;• - *rahmet,* Tanrı rahmeti)nin denizi);• *Kapudan-i derya,* Tanzimattan önce en büyük deniz amirali.• «Ve kapudan vezir-i mükerem Musatfa Paşa ve sair ümera-yi deryayaya huzur-i hümayunda hil'atler ilbas olunduktan sonra. — Raşit».

deyab, *F. s.* Akıllı, anlayışlı.

deryabar, *F. s.* [Derya-bâr] Hızlı fırtına. Ulu deniz.• «Ben ol gevher-i deryabar-i saadetim ki. — Veysi».

deryabî, *F. i.* Akıllılık, anlayışlılık.• «Bimennihi teâlâ deryab-i zihn-i Fârabileri buyruldukta. — Nabi».

deryaçe, *F. s.* Küçük deniz. Göl.• «Ebrüvanım iki göz cisr-i metîndir gûya — Dembedem anda akan göz yaşı derya-çe-i Şat. — Beliğ».

deryadil, *F. s.* [Derya-dil] Kalbi deniz gibi geniş olan. Gönlü büyük. Olur olmaz şeye aldırmayan, kalender.• «Hissene mahsulden her ne çıkarsa kail ol — Her ne derlerse sana kayd eyleme deryadil ol. — Ziya Pş.».

deryaft, *F. i.* Anlayış, kavrayış. Zekâ.

deryaneval, *F. s.* [Derya-neval] Lütuf ve bahşişi deniz gibi çok ve nihayetsiz olan.• «Hamis günü alesseher padişah-i deryaneval hazretleri. — Raşit».

deryaneverd, *F. s.* [Derya-neverd] Denizde yol alan.• «Eşk-i revan ü dil-i pürdûd ile — Olmadadır şimdi de deryaneverd. — Naci».

deryaşinas, *F. s.* [Derya-şinas] Deniz işlerini çok iyi bilen.• «Kara Hasan nam merd-i dilâver ki deryaşinaslık fenninde mütebahhir ve şinaver idi. — Sadettin».

deryuze, *F. i.* Dilencilik. Dilenci.• *Kâse-i deryuze,* dilenci çanağı.• «Neşvehân olmak reva mı kâse-i deryuzeden. — Nedim».

derzencir, *F. s.* [Der-zencir] Zincirde, zincire bağlı.• «Bir güruhun rûus-i maktualarıyle birkaç zindesi derzencir Asitane-i Saadete getirilip. — Naima».

derzi, *F. i.* Terzi.• «Bir derzi yahudinin dükkânından. — Raşit».

derzindan, *F. zf.* Zindanda, hapiste.• «Öygünürse naleme bülbül Hayalî göreyim — Bağban anı kafes küncünde derzindan ede. — Hayalî».

des, dess, *A. i. (Sin* ile) Gizleme, belli etmeme.• «Hafiyeten dess olunup bilmedi. — Taş.».

desais, desayiş, *A. i. (Sin* ile) [Desise ç.] Desiseler. Gizli hileler, oyunlar.• *Desais-i şeytaniye,* şeytanca desiseler.• «Tertib-i muhaverat vedesayis-i Nasarâya, tahsil-i ıttıla' etmiş. — Raşit».

desam, desame, *A. i.*)Ana.) Kapak, kapacık,)XIX. yy.).

desamat, *A. i.* [Desam ç.] Kapaklar, kapakçıklar.

desatir, *A. i.* [Düstur ç.] Düsturlar.

desem, *A. i. (Sin* ile) Çerviş yağ (ç. Düsum).

desemî, desemiyye, *A. s.* Yağ ile ilgili.

desise, *A. i.* Gizli hile, oyun.• «Desiselerin en muzırı kendi nefsimizi iğfaldir. — Cenap».

desisekâr, *F. s.* [Desise-kâr] Hileci, gizli hileler düzen. (ç. Desisekâran).

desisekârane, *F. s. zf.* Desiseciye yakışır surette.

desisî, *A. s.* Hileli, uydurma, desiseli.• «Bu mahal desisidir bir yahudi idhal etmiştir. — Kâtip Çelebi».

deskere, *F. s.* (Hasta ve eşya taşımada kullanılan) teskere.

dessas, *A. s.* [Desise'den] Çok desiseci.

dest, *F. i.* 1. El. 2. Meclisin itibarlı yeri, büyük efendi yeri.• «Ol miftah-i mübareki kendi eliyle bizzat dest-i şehriyariye teslim eyledikten sonra. — Naima».
(Ed. Ce.).• *Dest-i ahenîn,•* - *âsüman-i şita,•* - *billûr,•* - *hafi,•* - *dil,•* - *gayb,•* - *hazan,•* - *kerem,•* - *kitman,•* - *meçhul,•* - *muavenet,•* - *muazzez,•* - *nazenin,•* - *nekbet,•* - *nevaziş,•* - *pürmeharet,•* - *râşedar,•* - *râşenak,•* - *sâf ü şeffaf,•* - *sema,•* - *sitemkâr,•* - *siyeh-i şeb,•* - *şübhedar,•* - *şeb,•* - *şita,•* - *tehekküm,•* - *veda',•* - *zaman.*

destalây, *F. s.* [Dest-alây] Bulaşık, bulaşmış el.● ‹Hun-i nâ-hakk-i padişaha destalây olanların kısâsına ihtimam ve eşyayı idam etmekle. — Naima›.

destamuz, *F. s.* [Dest-amuz] Yavrudan beslenip ele alıştırılmış (hayvan).● ‹Murg-i dest-amuzu sayd etmek kolaydır dâmsı z.— Ziya Pş.›.

destan, *F. i.* [Dest ç.] Eller.

destan, *F. i.* 1. Hikâye, masal. 2. Şarkı. 3. Hiyle, oyun. 4.)XIX. yy. sonu) *Epopée* karşılığı.● *hezar destan,* bülbül.

destanserâ, *F. s.* [Destan-serâ] Destan okuyan. Övücü.● ‹Destanserâ-yi midhatı şah-i tarabda nağmesaz. — Tavus-i baht-i devleti bâm-i felekte cilveger. — Baki›.

destar, *F. i.* Sarık.● ‹Bilmem Allahü azîmüşşana kimden şikâyet edeyin deyip destarın yere urdu. — Naima›.

destarbend, *F. s.* [Destar-bend] Sarık saran, sarıklı. Sarıklıların sınıfından.

destarçe, *F. i.* Mendil, yağlık.

destare, *F. i.* Testere.

destasenk, *F. i.* Boya ve benzerleri ecza ezmekte kullanılan taş.

destaviz, *F. i.* [Dest-aviz] Ufak armağan.● ‹Ve irtişa tesmiye ettikleri ne kadar destaviz ve hedaya almışlar ise. — Naima›.

destbedest, *F. s. zf.* [Dest-be-dest] El ele. Elden ele.● ‹Yanına adamlar koşup Rumeli mütesellimine ol dahi Belgrat'a ol dahi Budin'e andan Kanije'ye ulaştırmak üzere destbedest göndermekte müsaraat edeler. — Naima›.

dest ber balâ-yi dest, *F. cüm.* El elden üstündür.● ‹Hodpesendan-i Acemi biihtiyar zemzemegûy-i dest ber balâ-yi dest eylediler. — Raşit›.

destbeste, *F. s.* [Dest-beste] 1. El kavuşturmuş. El bağlamış. 2. Eli bağlı.● ‹Ulema ve ağalar cümle destbeste selâm-i kıyam edip. — Naima›.● ‹Mustafa Paşayı destbeste ve piyade meydan-i siyasete getirdiler. — Naima›.

destbus, *F. i.* [Dest-bus] El öpme.● ‹Muhasip Mustafa Paşa hazretleri tekrar destbus-i cenab-i padişahî ile şerefyab. — Raşit›.

destbusî, *F. i.* El öpme töreni.● ‹Padişah-i âlempenah bizzat mahall-i destbuside mezbur Mehmet Efendiye hitap buyurup. — Naima›.

destbürd, *F. i.* [Dest-bürd] 1. Üstünlük, galebe. 2. Çok güzel ustalık.● ‹Havali-i Bağdat'a erişir, kızılbaşa, destbürd-i dilirane gösterip. — Naima›.

destcub, desteçub, *F. i.* Çomak, sopa.

destdıraz, *F. i. s.* [Dest-dıraz] 1. El uzatma, sarkıntılık. 2. El uzatan zulüm eden.● ‹Gâhice Kandiye küffarı destdırazlık ederlerdi. — Naima›.

deste, *F. i.* 1. El,. tutam, bağ, demet. 2. Kabza, tutacak yer. 3. Takım.

desteçub, *F. i.* [Deste-çub] Değnek. Sopa.● ‹Ol mahalde yerli raiyet kâffesi dahi bulunmağın desteçublar ile girişip ol kâfiri tutup bende çektiler. — Naima›.

destefşan, *F. i. ve s.* [Dest-efşan] Çengi. Dans eden.● ‹Olur arus-i suhan pâykûb destefşan — Zeban-i hamc-i Nabi terennüm ettikçe. — Nabi›.

destek, *F. i.* 1. İğ. 2. Küçük el. 3. Kapı artlarına konan kol, dayak.

destendaz, *F. s.* [Dest-endaz] El uzatan, el atan.● ‹Karz tarikiyle destendaz-i taaddi olup. — Raşit›.

destere, desterre, *F. i.* [Dest-erre] 1. El bıçkısı. 2. Testere.● ‹Türaşide-i tişe-i neccar ev huraşide-i desterre-i küffar-i füccardır. — Veysi›.

destgâh, destgeh, *F. i.* [Dest-gâh] 1. Tezgâh. 2. Kudret, iktidar.● ‹Destgâh-i kalemim reşk-i benan-i Nahid. — İzzet Molla›.● ‹İlk destgâh-i sanayi tesis edilmişti. — Cenap›.

destgîr, *F. s.* [Dest-gîr] Elden tutucu. Yardımcı.● ‹Melce-i biçaregânsın destgir-i ehl-i gam. — Ziya Pş.›.

destgîr, *F. s.* El tutuculuk, yardım etme.

desthuş, *F. i.* Vakit geçirmek için elde tutulan nesne, oyuncak.● ‹Ve iki elma gibi ser-pençe-i irdakinde desthuş etse reva şi'r ü inşayı. — Nergisi›.● ‹Desthuş eyleyerek pistanın — Okşasaydım sıkarak her yanın. — Vehbi›.

destî, *F. i.* Testi.● ‹Abaver ile bır idi ol sebuşiken — Mümtazdır zemanede desti kıran dahi. — İzzet Molla›.

destine, *F. i.* Kola takılan bilezik.● ‹Said-i sîmde destine-i zer — Ki iki başı seraser cevher. — Vehbi›.

destkâr, *F. s.* [Dest-kâr] İş, el işi.● ‹Her kubbesi destkâr-i Ferhad — Her sengi veli mezar-i Ferhad. — Ş. Galip›.

destkeş, *F. s.* [Dest-keş] El çekici. Vazgeçen. (ç. Destkeşan).● ‹Kahr ü tedmirlerden destkeş-i dâman-i rey ü tedbir ve muntazır-i cilve-i takdir olmuşlar idi. — Raşit›.● ‹Tecemmu hengâmesinde destkeşan olmak mânasına gelmedi. — Naima›.

destküşa, *F. s.* [Dest-küşa] El açma, avuç açma.● ‹Ârif ol destküşay olma atâyi çarha. — Nabi›.

destmal, *F. i.* [Dest-mâl] El silecek. Mendil.● Başlarına siyah ibrişim destmal setr etmişler, bir siyah hadım ağa mirvaha sallardı. — Naima›.

destmalçe, *F. i.* Küçük destmal, küçük yağlık.

destmaye, *F. i.* [Dest-maye] Sermaye, elde olan şey.● ‹Tahsil-i dest-maye-i istirahat için bizimle bir müddet feth-i dükkân-i âştî etmektir. — Naima›.

destres, *F. s.* [Dest-res] Eli yetişen. İsteğine eren, başaran.● «Sair kethüdaların öşrü kadar itibara destres bulamadığından. — Raşit›.● ‹Ve mahasininde parmak basacak bir maddeye destres olunmamakla. — Kâni›.

destşu, -y, *F. s.* [Dest-şu-y] El yıkayan, vazgeçen.● ‹İmtihanından halâs olmak kibar-i âlemin — Çeşmesar-i arzudan destşuluklardadır. — Nabi›.

desttengî, *F. i.* [Dest-tengi] Fakirlik.

destur, *F. i.* İzin.● «Ne canı var çıka bûyi verdi gülşenden — Nesim almayıcak bağbandan destur. — Nabi›.

destüvan, *F. i.* Eldiven.

destyâr, *F. s.* [Dest-yâr] 1. Yardımcı. 2. Arka olan.● ‹Garik-i lücce-i hayret bu heft girdabın — Ne ka'rına nazar eyler ne destyâr ister. — Nailî›.

destyâri, *F. i.* Yardım etme. Arka çıkma.● «Yine destyari-i avn-i perverdigâr ile. — Raşit›.

destzen, *F. i.* [Dest-zen] El uzatma. Yapışma, tutunma.● ‹İki duvarı zapt ve üçüncü duvara destzen-i ceng ü peygâr olduklarında. — Raşit›.

deşişe, *A. i.* Bulgur.● ‹Hutut cevr ile pürsafha safha-i eyyam — Lisan-i bahtımın ey Nailî deşişesidir. — Nailî›.

deşne, *F. i.* Hançer.● *Deşne-i subh,*)ilkin hançer şeklinde görünmesinden) tan yeri.● ‹Buldukça sürmeden müjeler gâh gâh tab — Elmas deşneler mi değildir siyah-tab. — Nailî›.

deşt, *F. i.*)Ekilmemiş) ova.● *Deşt-i Kıpçak,* Dinyesetr ile İrtiş arası geniş step; ● *deşt-i fena,* (fânilik ovası) bu dünya.● ‹Ve sayd ü şikâr ile etraf-i deşt ü kühsarı geşt ü güzardan sonra. — Raşit›.

deva', *A. i.* İlâç. Çare.● *Devanapezir,* ilâcı olmayan.● *Dâ-i bideva,* ilâcı olmayan hastalık.● «Zebun-i derd-i isyana tabib-i mihriban sensin — Alilim ben de muhtac-i devayım ya Resulullâh. — Ziya Pş.›.

devabb, *A. i.* [Dabbe ç.] Binek hayvanları.● ‹Ser-i rahına gelen devabb ve mevaşiyi sürüp hasaret ederek. — Naima›.

devadar, *F. i.* Bk.● *Devatdar.*

devahi, *A. i.* (*He* ile) [Dahiye ç.] Büyük belâlar.● ‹Dilersen kahrın eyler dehre taslıt — Nice tufan gibi müthiş devahi. — Recaizade›.

devahil, *A. i.* (*Hı* ile) [Dahile ç.] İçler. İç yönler.

edvahin, *A. i.* [Dahine ç.] Duman çıkan bacalar.

devahin, *A. i.* [Dühan ç.] Tütünler.

devai, devaiyye, (*Hemze* ile) [Deva'dan] İlâçla ilgili. İlâçlara ait.● *Tertib-i devai,* ilâç formülü. Fr. *Formule* karşılığı (XIX. yy.).

devai, *A. i.* (*Ayın* ile) [Daiye ç.] Daiyeler. Dürtüler.● *Devai-yüd-dehr,* dünya halleri, değişiklikleri.● ‹Ancak siyaset ve mezhep devaisinden bütün bütün tecridiyle hâsıl olur. — Kemal›.

devair, *A. i.* [Daire ç.] Daireler.● *Devair-i belediye,* ● - *devlet,* ● - *resmiye,* belediye, devlet dairesi, resmî daireler.

devali, *A. s.* Damar hastalığı. *Varice* karşılığı)XIX. yy.).

devalib, *A. i.* [Dolab ç.] Dolaplar.● *Devalib-i ihtiyalât,* hile, düzen dolapları.

devam, *A. i.* Daim olma. Sürme, kesilmeme. Bir hal üzerine sürüp gitme.

devan, *A. s. zf.* Koşucu, seğirtici. Koşarak.● *Esb-i devan,* koşucu at;● *peyk-i devan,* yanda koşan at uşağı.● «Nasuh Paşa sayesıfat akabince devan olup. — Naima›.

devar, *A. i.* Baş dönmesi.

devat, *A. i.* Divit. Taşınabilir yazı takımı.● ‹Kırmızı havranisinin sağ canibin şerpip kâğıt ve devat talep eyledi. — Naima›.

devatdar, *A. i.* [Devat-dâr] 1. Yazıcı. 2. Yazı takımlarına bakan kimse.

devavin, *A. i.* [Divan ç.] Divanlar, şiir dergileri.● *Devavin-i atîka,* eski)şiir) divanları.● ‹Defatir ü devayin ile üns-i tamım. — Lâtifî›.

devende, *F. s.* Dönüp dolaşan. Gezen.● ‹Ayende ve revende ardınca devende idi. — Saadettin›.

deveran, devran, *A. i.* 1. Dönüp dolaşma. 2. Çark gibi dönmek. 3.● *Devran,* felek, zaman.• *Deveran-i dem*, kan dolaşımı.

devha, *A. i. (Ha* ile) Büyük, ağaç.• «Tahtes-seraya ermiş idi bîh-ı nahl-i küfr — Fevk-es-semaya devha-i birevank-i dalâl. — Veysi».

devi, *A. i.* 1. Kulak çınlama. 2. Anlaşılmaz sesler.• «Ocak zahmeti ve taşra illeti denilen dâ-i devi gibi ebdan-i dâr ü diyara müstevlî olan. — Esat».

devle, *A. i.* «Devlet» kelimesinin arapça deyimlerdeki şekli.

devlet, *A. i.* 1. Talih, kut. 2. Büyük rütbe, mevki. 3. Zenginlik, varlıklı olma 4. Hükümet ve ülkesi. 5. Hükümet süren sülâle, hükümdar kuşağı.• *Devlet-i aliyye*, Osmanlı İmparatorluğu,• *- ebed -müddet*,)ebediyete kadar sürecek devlet) Osmanlı İmparatorluğu;• *- şahadet*, şehitlik devleti, ahrette olacak en büyük saadet;• *Devlet ü ikbal*, uluuluk ve (güzel) talih,• *din ü devlet*, din ve hükümet.• *Devletlû*, Tanzimattan önce vezirler ve vezir derecesinde bulunan büyük kimselere denidi. Sadrazamlarla, vezir valilere de• *sahib-i devlet* denilirdi. Tanzimattan sonra rütbeler düzenlenip, unvanlar kararlaştırılınca sadrazamlara,• *fahametlû, devletlû*, sadrazamlık etmişlere,• *übühhetlû devletlû*; seraskere,• *devletlû re'fetlû*; Mekke şerifine,• *'devletlû siyadetlû*, müşür rütbeli komutanlara, padişah damatlarına,• *devletlû atufetlû*; sarayın kızlarağasına,• *Devletlû inayetlû*, yazılırdı. (ç. Düvel).• «Taharrüz ve tevakki vacip iken devlet-i dünyaya frifte olup halkın ta'n ü teşniine vücut vermeyip. — Naima».

devlethâh, *F. s. (Hı* ve *he* ile) [Devlethah] Mevki ve ilerleme isteklisi. (ç. Devlethahan).• «Hirman yani devlethâhları kenduden mehcur etmek. — Hümayunname».

devlethane, *F. i.* [Devlet-hane] Bir büyük kimsenin konağı, evi.

devletmeab, *F. s.* [Devlet-meab] Talih ve kudretin sığınacağı yer, hükümdar.

devletmedar, *F. s.* [Devlet-medar] Büyüklük merkezi olan)hükümdar vb.).• «İkisi dahi maan der-i devlet-medara ihzar olundu. — Raşit».

devletmend, *F. s.* [Devlet-mend] Devletlû.)ç. Devletmendan).• «Ve rikâb-i hümayunları ağalarından birer devletmende tezviç buyurdular. — Naima».

devr, *A. i.* 1. Bir şeyin kendi ekseni üzerinde dolaşması. 2. Bir şeyin etrafından dolaşma. 3. Bir memleketin her tarafını gezip dolaşma. 4. Dervişlerin dönmeleri. 5. Bir kimseden başka bir kimseye geçme, verilme. 6. Zaman. 7. Bir zamanın ayrıldığı bölümlerden her biri. 8. Yukarıdan aşağı okumak. 9. *(Tas.)* Yarattığın âlem-i gaybdan âlem-i şühuda inmcsi, yani dünyaya gelmesi• *(nüzul)*, tekrar kaynağına kavuşması, yani ölmesi• *(uruc)* hali.• *Devr-i âlem*, dünyayı dolaşma;• *- daim*, bidüziye, durmamacasına, dönme, dolaşma;• *- dilâra*, gönül hoşlandırıcı devir, en hoş zaman.• *- ebvab*, kapı kapı gezip dolaşma.• *- felek*, talih, kader;• *- gül*, gül mevsimi;• *- ihtiyarî* (yahut)• *- rabi*, eski takvimde uğurlu ve uğursuz günler devri, on iki gün;• *- isna aşeri*, eski Türklerin hayvan adlarıyle saydıkları on iki yıllık devir;• *- kamerî*, ayın 19 yılda bir aynı durumda bulunması; bir ay içinde ayın dolaşımı;• *- nücumî*, ayın bir yıldız meridyeninden iki defa geçmesi arasındaki zaman;• *- sabık*, bir evvelki padişah, hükümet zamanı;• *- senevî*, bir kere gelen)gün);• *- şemsî*, güneşin 21 yılda bir aynı günlere rastlayan durumu;• *- tefrih*, kuluçka devri;• *devr ü teselsül*, dâvanın kanıta, kanıtın dâvaya esas teşkil etmesiyle önermenin dönüp dolaşıp eski haline gelerek çözülememesi;• *devr ü teslim*, birinin bir işi tamamıyle başkasına verip çekilmesi. 10. Fr. *Période* karşılığı (XX. yy.). 11. (Man.). Diyalel. Fr. *Dialèlle* karşılığı.• *Devr-i bâtıl*. (Man.) Kısır döngü. Fr. *Cercle vicieux* karşılığı)XX. yy.).)ç. Edvar).• «Karip ve bait havalisinde olan kasabatı devr edip bölükler gönderip. — Naima».• «Pâ-keşide-i devr-i ebvab-i kibar iken. — Raşit».• «Beyzalar devr-i felek gibi metîn ü muhkem berca. — Nabi».• «Fakat herkesin arzusu bir devr ü teselsül içinde dönmek değil ileri gitmektir. — Kemal».• «Devr-i futuhu sur-i Sırafil müjdeler. — Beyatlı».

devran, *A. i.* Devran. 1. Zaman. 2. Felek. 3. Devir.• «Gerdiş-i devran-i şuunatı mükevvindir fakat — Kabza-i Halıkta kalmış mihver-i devran henüz. — Cenap».

devre, *A. i.* 1. Dönüş, dönme. 2. Bir şeyin fırdolayı çevresi. Çevrim. 3. Birkaç yıldan meydana gelen zaman suresi.● *Devre-i âliye,* sultani (lise) teşkilâtında «ulâ» denilen ilk altı sınıfın son sınıfları; öteki sınıflar● - *mutavassıta,*● - *ibtidaiye,* diye ayrılırdı. Tam kuruluşlu Sultanilerde ilk altı sınıfa● - *ulâ,* ondan sonraki sınıflara● - *sâniye* denirdi.● *Devre-i kasîre* (Fiz.) Kısa devre.● «Lâkin o devre geçti, bugün her saadettin — Ben matem-i sukutunu tutmaktayım, figan. — Fikret».

devrhan, *F. i.* [Devr-hân] Kur'anı durmadan, tekrar tekrar okuyan görevli kimse.

devrî, devriyye, *A. s.* 1. Devre, devrana mensup, onunla ilgili. 2. Zaman zaman.● *Cünun-i devrî,* döner delilik;● *sene-i devriyye,* bir olayın her yıl gelen oluş günü. Tam. bir yıllık zaman geçmesi.

devriyye, *A. i. s.* 1. Dolaşıp gezerken koruyan, konrol eden.● *Mevali-i devriye,* devriyye mevalisi. 2. *(Tas·).● Devr* sözcüğünün 9. uncu anlamındaki fikirleri işleyen manzume çeşidi. 3. Devriye, kol.

devvar, devvare, *A. s.* [Devr'den] Devr eden. Çok veya durmadan dönen.● *Çerh-i devvar,● felek-i devvar,* dünya.● «Kulûbe neşe döker selsebil-i devvarı. — Fikret».● «Ta ötede bir levha-i devvarenin yalnız bir kısmı şeklinde. — Uşaklıgil».

dey, *F. i.* Ekim ayına rastlayan ve güneşin Oğlak döncesinde bulunduğu zamanın adı, kış.● *Fasl-i dey,● mevsim-i dey,* kış mevsimi.● «Açıl ey fasl-i dey sen gülsitanlardan açılsın gül. — Nedim».

deyacir, *A. i.* [Deycur ç.] Karanlıklar.

Deyalime, *A. i.* [Deylem ç.] Deylemliler.● «Düvel-i salifeden Emeviye ve Abbasiye ve Deyalime ve Çerakise ve saire. — Raşit».

deycur, *F. s.* Karanlık. Kapanık.● *Şeb-i deycur,* karanlık gece.● «Sahil gunude kütle-i deycur, ufuk abus. — Fikret».

deydene, *A. s.* Töre, gelenek.● *Deydene-i dirine,● - hasene,* çok eskiden süregelen, iyi töre.

deymumet, *A. i.* Daimlik. Sürme, devam.

deyn, *A. i.* 1. Belli bir zaman sonunda ödenmek üzere alınmış borç. 2. Zimmette sâbit olan şey.● *Deyn-i sahih,● - gayr-i sahih.* (ç. Düyun, düyunat).● «Akçe dersen deyn ile alıp harç ediyoruz. — Naima».

deyr, *A. i.* 1. Hıristiyan manastırı. Kilise. 2. *(Tas.)* İnsanlık âlemi, bu dünya. 3. *(Mec·)* Meyhane.● «Sürud ü nevha-i şevkındır ancak — Eden lebriz deyr ü hânkahı. — Recaizade».

deyranî, *A. s.* [Deyr'den] Manastıra mensup, manastır adamı.

deyyan, *A. i.* «Mücazat ve mükâfatı hakkıyle veren» anlamında Tanrı adlarından biri.

deyrhane, *F. i.* [Deyr-hane] 1. Manastır. 2. Kilise.

deyyar, *A. i.* 1. Manastır, kilise adamı. 2. İnsan, kimse.● «Pusuda olan yeniçeri mutfak tarafından hücum edip sipahiyi bir veçhile kırarlar ki deyyar kalmaya ve içlerinden fert kurtulamaya. — Naima».

deyyus, *A. s. i.* Kurumsak, karısını başkasına bile bile teslim eden.

dıbk, *A. i.* Ökse.

dîfan, dîyfan, zîfan, *A. i.* (Dat ile) [Dayf ç.] Misafirler.

dıfda', dıfd, defdâ', *A. i.* (Dat ile) Kurbağa.

dıfdaiye, *A. i.* (Dat, de ve ayın ile) Kurbağagiller.

dıhk, dahk, *A. i.* (Dat ile) Gülme.● «Dıhki koysun zurefa giryeden ursun demi kim — Oldu hembezm-i hamuşan o letaif kânı. — Süruri».

dıhkâver, *F. s.* [Dıhk-âver] Gülme getiren, güldürücü.

dıkk, *A. i.* (Kaf ile) İnce ağrı, erime hastalığı.● «Humma-yı dıkk arızasına uğrayıp sual hilâlinde vefat etti. — Naima».

dıl', dılı', *A. i.* (Dat ve ayın ile) 1. Eğe kemiği. 2.)Geo.) Kenar.● *Dıl-i kaim,* dik kenar;● - *sahih,* doğrudan göğüs kemiğine bağlı yedi tane eğe kemiği;● - *kâzib,* göğüs kemiği ile bağlı olan beş küçük eğe kemiği.

diam, diamet, *A. i.* (Dal ve ayın ile) 1. Destek. Payanda. 2. Toplum ileri geleni, baş.● «Yanımızda olan diame yani sütun niçe oldu. — Taş.».

diba, *F. i.* Kalın canfes kumaş.● *Diba-yi frenk,* frenk canfesi;● - *münakkaş,* işlemeli canfes.● «Gün başına bir hil'at-i diba verir amma — Dâmanını alûde-i hun-i ciğer eyler. — Nef'i».

dibac, *A. i.* Diba. Canfes.● «Nazar hakikattadır yoksa kim perestiş eder — Giderse câme-i zertara suret-i dibac. — Nabi».

dibace, A. i. 1. Başlangıç, önsöz. 2. Kitabın yaldızlanmış, işlenmiş başlangıç sahifeleri.● «Dedi dibacesinde olsa bir sername-i tevhit — Olurdu nakstan âri mükemmel nüsha-i garra. — Nabi».

dibagat, debagat, A. i. Tabaklık. Sepicilik. Deriyi sepileyip meşin, kösele, sahtiyan haline getirme.

dibbag, A. i. Hayvan derisini terbiye etme, sepileme.

didan, A. i. [Dûd ç.] Kurtçuklar, solucanlar.● Didan-i em'a, bağırsak solucanları;● - haytiyye, şeritler.

didar, F. i. 1. Güzel yüz. 2. Görme. 3. Cennette Tanrının manevî görünüşü.● Didar-i yâr, sevgilinin güzel yüzü;● arz-i didar, yüz gösterme;● müştak-i didar, yüzünü göreceği gelmiş olma.● «Vardık der-i saadetine yâri görmedik — Girdik behişte hayf ki didarı görmedik. — Fuzuli».

dide, F. i. Göz.● Nur-i dide, gözün nuru sevgili.● «Nur-i didem oldu didemden nihan».

-dide, F. s. «Görmüş» anlamıyla ulandığı kelimelerle sıfatlar meydana getirir.● Cihandide, ihsandide, kermdide, lütufdide, zarardide, Bk.● Dide ve şinide, görülmüş ve işitilmiş.● «(Meyvelerden) bir cins dide ve şinide yoktur ki. — Nergisi».

dideban, F. i. 1. Bekçi, kolcu. 2. Nöbetçi karakol.● Didebânan-i âlem. (Ast.) yedi gezegen;● - çiharüm, güneş;● - felek, Satürn.● «Bolvadin sahrasına çıkan bozgun atlıları dideban minare başıdnan görüp haber verirdi. — Naima».

dideduz, F. s. [Dide-duz] Göz dikmiş, bekler durumda.● «Şemse müteveccih ve dideduz olup. — Silvan».

didefüruz, F. s. [Dide-füruz] Göz aydınlatan.● «Hülyalarının şa'şaa-yı didefüruzuna... — Uşaklıgil».

-didegân, F. s. [-dide ç.] Görmüşler.● Lütufdidegân, lütuf görmüşler.

didekûşa, F. s. [Dide-küşa] Göz açıcı olan.

didekûşud, F. s. [Dide-kûşud] Gözü açık olan.

diderûba, F. s. [Dide-rüba] Göz alıcı.● «Taşlara oyulunca bir ârâyiş-i diderüba temin etmez mi? — Cenap».

digal, A. i. [Dagal ç.] Hileler. Oyunda dalavereler.

diger, F. s. Diğer, başka.● «Her dönüş arz eder cihan-i diğer — Her cihan başka letafette. — Naci».

digerbâr, F. s. [Diğer-bar] Başka zaman, başka kez.

digerbîn, F. s. [Diğer-bin] Başkasını düşünen.

digergûn, F. s. [Diger-gûn] Başka türlü. Başkalaşmış. Bozuk, perişan.● «Ayâ ne canibe gidem ve derd-i derun ve hal-i diğergûnum kime takrir edem. — Hümayunname».

digerkâm, F. s. [Diğer-kâm] Özgeci. Başkalartnı düşünen, Fr. Altruiste karşılığı (XX. yy.).

dih, F. i. Köy.● «Tayaran esnasında ittifak bir dihe erdi. — Hümayunname».

-dih, F. s. «Veren, verici» anlamıyle ulandığı kelimeleri sıfat haline koyar.● Âramdih, rahatlandırıcı;● fermandih, buyurucu;● fürugdih, parıldatıcı, ışık verici;● hacletdih, utandırıcı, utanç verici;● rahatdih, rahatlandırıcı.● «Sâki getir ol bâdeyi kim maye-i candır — Âram-dih-i akl-i melâmetzedegândır. — Ziya Pş.».● «Nuş eden bu mey-i rahat-dih-i ruh-efzayı. — Nergisi».

dihan, A. i. [Dühün ç.] Sürünülecek yağlar.

dihat, F. i. [Dih ç.] Köyler.

dihim, F. i. Taç.

dihiş, F. i. Verme. Bağışlama. İhsan.● Dâd ü dihiş, bağış, bahşiş.● «Devr-i sultan Ahmet handa kemal-i istiklâl ile dâd ü dihişe mutat iken... — Naima».

dihkan, F. i. 1. Çiftçi. 2. Köyün başlıca adamı. 3. Köy ağası.● «Bir dihkan anbarında bir miktar galle pınhan edip. — Hümayunname».

dihliz, F. i. Bk.● Dehliz.

dijem, F. s. 1. Hazin, kederli. 2. Çılgın, deli. 3. Ters, aksi. 4. Öfkeli, kızgın. 5. Karanlık.● «Geh muntazam ü gâh perişan ü dijemdir. — Nef'i».● «Ceyb-i âfâk rehayafte-i dest-i dijem. — Nabi».

dik, A. i. (Dal ve kef ile) Horoz.● Dik-i ebyaz, Cennette bir kuş;● dik-ül-arş, Sidret-ül-müntehada bulunan Tavus şeklindeki melek olup bağırtısıyle Cennet'teki meleklere namaz vakitlerini bildirir.

dik, F. i. Kazan.● Dik-i sevda,)Muhabbet kazanı) sevda hayalleri.● «Diye dik-i fitneye bu yüzden âb ü tâb verdiklerinde. — Naima».

dikak, dükak, A. s. [Dakik ç.] İncelmişler (şeyler), ufalmışlar.

dikkat, A. i. 1. İnce arama. Çok ince eleme. 2. Zihin harcama.● Dikkat-i nazar, bakış inceliği; bakış. Fr. Attention karşılığı (XX. yy.).

dil, F. i. 1. Gönül. 2. Cesaret, yürek. 3. İstek, niyet. 4. Yarı.● Dil-i pâk, temiz gönül;● - şeb, yarı gece.● Ehl-i dil, Tanrı adamı;● ez dil ü can, can ve gönülden. (Ed. Ce.).● Dil-i bikarar, - bitab, - nizar, - pak, - sevdanihad, - sevdanişan, - şair, - yekvücut; lerzebahş-i dil, maraz-i dil, pür-heva-yi müsekkir-i dil, rize-i dil.● «Hemişe fikr-i muhabbet dilimdedir mezkûr. — Fuzuli».

dilâ, F. ün. Ey gönül.● «Elin yu kendi kendinden idlâ teslim kıl canı — Tarik-i aşka girdinse budur âyin ü erkânı. — Hayalî».

dilâgâh, F. s. [Dil-agâh] İşten anlayan, geniş kavrayışlı, gönlü uyanık, kalp gözü açık olan. (ç. Dilâgâhan).● «İstedim bir pîr-i dilâgâh — Desin Destur mihrab-i hafadan. — Beyatlı».

dilârâ, F. s. [Dil-ârâ] Gönül bezeyici, sevgili.● «Bir revzeninde kâhın bir çehre-i dilâra. — Recaizade».

dilârâm, F. s. [Dil-ârâm] Gönle rahat verici, gönül eğlendirici, sevgili.● «Şehim, mahim, dilâramım, hayatım, dirliğim, ruhum. — Nesimi».● «Ben şair olsaydım sana, ey yâr-i dilâram — Hemşire-i ruhun gibi sözler getirirdim. — Cenap».

dilâşub, F. s. [Dil-aşub] Gönül karıştırıcı. Gönüle acı verici.● «Döndü bir şuh-i dilâşuba tarabgâh-i çemen — Kim ruhü gül, zülfü sünbül, gazesidir erguvan. — Ziya Pş.».

dilâver, F. i. s. Yürekli, yiğit.● «Bir dilâver askere malik ki hengâm-i vega — Her birisi görünür a'daya bir şîr-i gurin. — Ziya Pş.».

dilâveran, F. i. [Dilâver ç.] Yürekliler, yiğitler.● «Geçit başında bulunan dilâveran-i guzat. — Raşit».

dilâverî, F. i. Yiğitlik. Yüreklilik.

dilâviz, F. s. [Dil-aviz] Gönüle asılan, gönülü çeken. (ç. Dilâvizan).● «Bir çeng-i dilâviz-i müzehhep. — Cenap».

dilâzar, F. s. [Dil-azar] Gönül incitici, hatır kıran. (ç. Dilâzaran).● «Bundan kendisi nefsinde dil-azar ve gazabnâk ve müdara bilmez mütehevvir ve bibâk olmakla. — Naima».

dilazürde, F. s. [Dil-azürde] Gönlü kırılmış, incinmiş olan. (ç. Dilâzürdegân).

dilbaz, F. s. [Dil-baz] Gönül eğleyen, sözü ve davranışı hoş olan. (ç. Dilbazan).● «Bu bir ziyadır, nazarfirib ve dilbaz bir hande-i ziya. — Uşaklıgil».

dilbend, F. s. [Dil-bend] Gönülden bağlı.● «Evine meftun... zevcesine, çocuklarına tamamen dilbend... — Uşaklıgil».

dilber, F. s. [Dil-ber] Gönül götürücü, sevgili. Güzel.● «Mayıs bir köylü kızıdır: sâf ü dilber, şuh ü sevdakâr. — Fik. et».

dilberan, F. i. [Dilber ç.] Dilberler.● «Çün gamze-i dilberan-i tannaz. — Aşub-i kazaya harf endaz. — Ş. Galip».

dilberane, F. s. zf. Güzel ve sevgiliye yakışır surette.

dilbeste, F. s. [Dil-beste] Gönül bağlamış, âşık. (ç. Dilbestegân).● «Dilbeste-i zülfü kosun ümmid-i halâsı — Sudager-i aşka heves-i sud gerekmez. — Nabi».● «İrtidatları malûm olunmamak hayaline dilbeste olup. — Raşit».

dilcu, F. s. [Dil-cû] Gönül arayıcı, gönül çeken.● «Paşa hazretleri âyandan aldığı hedaya mukabelesinde, dilcuyluk kasdıyle... — Naima».● «Ruh-i dilcu da güzel zülf-i semenbu da güzel. — Abdi Pş.».

dildade, F. s. [Dil-dade] Gönül vermiş, âşık. (Türkçe i.) Bazı kimselerin özel olarak başlarına bağladıkları boyalı mendil. Alın baskısı. (ç. Dildadegân).● «Keremin âmdır olur sana dildade avam. — Ziya Pş.».● «Bir sermedî bahar idi gördüm cihan-i aşk — Dildadegân içer dil içer dilrübe içer. — Beyatlı».

dildar, F. s. [Dil-dar] Gönlü baskı altında tutan, sevgili. (ç. Dildaran).● «Âşıkta gam ü belâ gerektir — Dildar ise bivefa gerektir. — Ş. Galip».

dilduz, F. s. [Dil-duz] Gönül delici, acı veren.● «Menzil-i mezburda bir tîr-i dilduz pertab eylediler ki nehr-i Tuna'yı geçip andan öte dört hatve miktarı yerde karar kıldı. — Naima».● «Ol kadar dilduzdur gûya bir şuh âfetin — Navek-i müşkîn-i keman ebruvanidir sözüm. — Nef'i».

dilefruz, dilfüruz, F. s. [Dil-efruz] Gönül parlatıcı. Gönül sevindiren.● «Sende hani o eda-yi dilsuz — Eş'ar ü hikâyet-i dilefruz. — Fuzuli».

Dilem, *F. ö. i.* Hazer kıyısında bir Fars vilâyeti.

dilfigâr, dilfikâr, *F. s.* [Dil-figâr, fikâr] Gönlü yaralı. (ç. Dilfigâran).● ‹Tay-yeyler idi dilfigâri — Ayine içinde jengbari. — Ş. Galip›.

dilfirib, *F. s.* [Dil-firib] Gönül avlayan. Gönlü eğlendiren, avutan. (ç. Dilfiri-ban).● ‹Zahmet çekeceklerin fehm et-meleriyle hile-i dilfirib ile def etmeği tasvip edip. — Raşit›.

dilfiribane, *F. zf.* Gönlü avlayarak, gönül avlayıcı yolda.● ‹İnşirah-i sürur ile anların dilfiribane harekât ve sekenat-larına firifte olup. — Naima›.

dilfüruz, *F. s.* [Dil-füruz] Gönül ışıtan, gönül ferahlandırıcı.

dilgerm, *F. s.* [Dil-germ] Gönül kızma, kızışma. Öfkelenmiş.● ‹Çün Kadızade-ler Kürdü kaçırıp galip olmakla dil-germ olmuşlar idi. — Naima›.

dilgir, *F. s.* [Dil-gir] Gücenik; kırgın. Unutulmaz, derin etkili.● ‹Mahmur idi şarab-i kazadan — Dilgir idi yâr ü aşinadan. — Ş. Galip›.

dilgüdaz, *F. s.* [Dil-güdaz] Yüreği eriten, yüreğin dayanamayacağı. (ç. Dilgüda-zan).

dilhâh, *F. s.* [Dil-hâh] Gönül isteği.● ‹Dil-hâh üzre sayda zafer bulunmadığın-dan delâlet eden Bostancıbaşı Şaban Ağanın ahvali bilmediğine mahmul. — Raşit›.

dilharab, *F. s.* [Dil-harab] Gönlü yıkıl-mış.● ‹Bir kuş, uzakta muhteriz, âva-re, dilharab — Bir kuş eder figan. — Fikret›.

dilhaste, *F. s.* [Dil-haste] Yüreğine hasta-lık çökmüş, dertli olan.● ‹Ol şah-i dil-haste aheste aheste leşker-i şikestesiy-le. — Lâmii›.

dilhastegân, *F. s.* ç. [Dil-haste-gân] Gö-nül hastaları.● ‹Dilhastegân-i aşka ve-rir neşve-i hayat — Kemter gıda-yi daruyu ahyar-i evliya. — Nabi›.

dilhıraş, *F. s.* [Dil-hıraş] Yüreği tırmala-yan, ziyade acıklı.● ‹Oluyor her seha-beden rizan — Bir çekâçak-i dilhıraş-i belâ. — Cenap›.

dilhun, *F. s.* [Dil-hun] Yüreği kanamış olan, pek dertli olan.

dilhuş, *F. s.* [Dil-huş] Yüreği rahat, mutlu.

dilîr, *F. s. i.* Yiğit. Cesaretli.● ‹Hikema-muz ü suhan-senc ü maarif-perver —

şefkat-endişe kerem-pişe dilîr ü a'kal. — Ziya Pş.›.● ‹Meraş'la Kayseriyye'yi feth etti bir dilir. — Beyatlı›.

diliran, *F. i.* [Dilir ç.] Yiğitler. Cesur-lar.● ‹Ve ol diliran-i kâfirler dahi. — Raşit›.

dilirane, *F. zf.* Yiğitçe. Yiğit insana ya-kışır yolda.● ‹Vezir-i âzam mahdumun dilirane hak-gûluğunu görüp. — Nai-ma›.

diliri, *F. i.* Yiğitlik, cesurluk.

dilistan, dilsitan, *F. s.* Gönül alıcı olan.● ‹Seninle hemdem olursa beca değil mi dil — Esiridir yine bir dilsitanın ey bülbül. — Recaizade›.

dilkeş, *F. s.* [Dil-keş] Gönül çeken.● ‹Ey Nailî sözünde bu dilkeş hayallerin İ'cazdrı ki nev-i beşerden zuhur eder. — Nailî›.● ‹Neva-yi dilkeşiyle arz-i istidat eder bir kuş. — Cenap›.

dilkûb, *F. s.* [Dil-kûb] Gönlü zedeleyen, vuran.● ‹Meclisleri rezmgâh-i aşub — Mutribleri hayhuy-i dilkûb. — Ş. Ga-lip›.

dilküşa, *F. s.* [Dil-küşa] İç açıcı. Yüreğe ferahlık veren.● ‹Yoktur daha dilküşa teselli — Bir mader önünde ağlamak-tan. — Cenap›.

dilkuşade, *F. s.* [Dil-küşade] Gönlü fe-rah (ç. Dilküşadegân).● ‹Kendi de dil-küşade vü ferhan. — Recaizade›.

dilküşte, *F. s.* [Dil-küşte] Yüreği ölü.

dilmürde, *F. s.* [Dil-mürde] Yüreği ölü. Manevî şeyleri duymaz, duygusuz. (ç. Dilmürdegân).● ‹Getir ey saki-i fer-hunde-lika bu meyden — Canı var ise desin sofi-i dilmürde haarm. — Nef'î›.

dilnevaz, dilnüvaz, *F. s.* [Dil-nevaz] Gön-lü okşayan, hoşa giden.● ‹Ey cevri gü-zel, cefası dilber! — Ey naz ü edası dilnevazım. — Recaizade›.

dilnevazane, *F. zf.* Gönlü alanlara yakışır yolda; gönül alarak.● ‹Dilnevazane ve-rüp bendelere ihsanın — Nice peyven-di anın olmaya edna hademi. — Beliğ›.

dilnihad, *F. s.* [Dil-nihad] Gönlün muradı olan.

dilnişin, *F. s.* [Dil-nişin] Yürekte duran, pek hoşa giden. Ferahlı, safalı. (ç. Dil-nişinan).● ‹Aman ne dilnişin belâ... ne tatlı zehir imiş gamın. — Recaizade›.

dilnümude, *F. s.* [Dil-nümude] Âşık olan.

dilpesend, *F. s.* [Dil-pesend] Gönlün be-ğendiği, beğenilecek.● ‹Sevimli dostu-nun pend-i dilpesendini tasvip ederek. — Recaizade›.

dilpezir, *F. s.* [Dil-pezir] Gönlün kabul edeceği. Gönlün beğendiği.• ‹Miftah-i tedbir-i dilpezir ile feth... — Naima›.

dilriş, *F. s.* [Dil-riş] Yüreği yaralı.• *Derviş-i dilriş*, gönlü yaralı derviş. (ç. Dilrişan).• ‹Nevbaharın hayat-i dilrişi — Düşünür zahm-i arzı tefrişi. — Cenap›.

dilrüba, *F. s.* [Dil-rüba] Gönül uğrusu. Gönül kapan. Güzel. (ç. Dilrübayan).• ‹Yüz ka tdaha dilrüba imişsin — Gönlümdeki şekl-i nazeninden. — Recaizade›.

dilrübayi, *F. i.* Güzellik. Gönül çelen güzellik.• ‹Civan-i mezkûrun kemal-i zaman-i dilrübayi ve mevsim-i hüsn-i âlemârayisinde. — Nergisi›.

dilsaht, *F. s.* [Dil-saht] Katı yürekli.• ‹Ferruh dedi ane K'ey civanbaht — Olma bu hayal-i kecle dilsaht. — Nevres›.

dilsaz, *F. s.* [Dil-saz] Gönül yapan. Tatlı davranan.

dilsir, *F. s.* [Dil-sir] Yüreği tok, kanmış.• ‹Dilsir-i bisat-i niamın mürg-i havaî — Sîrab-i zülâl-i keremindir suda mahî. — Ziya Pş.›.

dilsitan, dilistan, Gönül alıcı.• ‹Yürü bir nakş-i bîrengin temaşasında hayran ol — Hayalî âşık-i reng-i rüh-i her dilsitan olma. — Hayali›.

dilsuhte, *F. s.* [Dil-suhte] Yüreği yanmış. (ç. Dilsuhtegân).• ‹Lâle-i dilsuhte tutmağa geldi damenin. — Hayali›.

dilsuz, *F. s.* [Dil-suz] Yürek yakan. Acıklı.• *Vak'a-i dilsuz*, yürek yakan (çok acıklı) olay.• ‹Kalmış işin tazallum-i dilsuza hep senin. — Recaizade›.

dilşad, *F. s.* [Dil-şad] Gönlü sevinçli.• ‹Rütbe-i âliye-i vezarete is'ad ve Erzurum eyaletiyle dilşad kılıp. — Raşit›.

dilşikâf, *F. s.* [Dil-şikâf] Yürek delen. Çok acıklı, dokunaklı.

dilşikâr, *F. s.* [Dil-şikâr] Gönül avlayan. (ç. Dilişikâran).• ‹Tevlid eder o lâne-ed es'ar-i dilşikâr. — Fikret›.

dilşiken, *F. s.* [Dil-şiken] Gönül yakıcı, kırıcı. (ç. Dilşikenan).• ‹Sen ki şah-i hüsn ü ânsın elverir mi sevdiğim — Dilşikenlikler bu nakz-i ahd ü peymanlar sana. — Ziya Pş.›.• ‹Olur mu dilşikenan hiç hatardan asude. — Nedim›.

dilşikenane, *F. zf.* [Dil-şiken-ane] Gönül kırarcasına, gönül kıranlara mahuss

yolda.• ‹Bazan Seher'e karşı dilşikenane lâtifeler. — Uşaklıgil›.

dilşikeste, *F. s.* [Dil-şikeste] Yüreği kırık.• ‹Bir can olaydı kâş men-i dilşikestede — Ta her biriyle bin kez olaydım feda sana. — Fuzuli›.• ‹Hazin fakat bahtiyarane dilşikeste fakat mesudane. — Uşaklıgil›.

dilşüde, *F. s.* [Dil-şüde] Gönlü gitmiş, âşık.• ‹Henüz neşesini görmeden humar çeker — Nedim-i dilşüde-i bikararı benden sor. — Nedim›.

dilşüdegân, *F. i.* [Dilşüde-gân] Âşıklar, sevenler.• ‹Ki odur cami-i hüsne mihrab — Kıble-i dilşüdegân-i bîtab. — Vehbi›.

dilşüküfte, *F. s.* [Dil-şüküfte] Gönlü açmış.

diltengî, *F. i.* Gönül darlığı, iç sıkıntısı.• ‹Bırakıp mektebe gitsem — Diltengi-i hasret — Mutlak beni rahatsız eder. — Fikret›.

diltenk, *F. s.* [Dil-tenk] Gönlü daralmış, içi sıkkın.• ‹Bu nağmeye kim ben ettim ahenk — Evvel beni kıldı zâr ü diltenk. — Ş. Galip›.

dilteşne, *F. s.* [Dil-teşne] Gönlü susamış. Çok özlemiş.• ‹Amme-i âlem ihsanına dilteşne idiler. — Selânikî›.

dilzinde, *F. s.* [Dil-zinde] Gönlü dirilmiş; yeni, taze şevk bulmuş. (ç. Dilzindegân).

dima', *A. i.* [Dem ç.] Kanlar.• *Sefk-i dima'*, kan dökücülük.• ‹Uburdan âciz olup esfk-i dimaları ol mahalde olduğuna cezm edip. — Naima›.

dimağ, *A. i.* Beyin. Bk.• *Demağ.*• ‹Yığılsın dimağımda leyli zilâlin. — Fikret›.

dimagî, dimagiyye, *A. s.* 1. Dimağa, beyne ait, beyinle ilgili. 2. Fikrî, zihni (Ed. Ce.).• ‹Bir dimagî vedad ü refetle — Olalım biz de bir gam-i zinde. — Cenap›.• ‹Büyük zenginlerin sia-i dimagıyyesini teftiş ediniz. — Cenap›.

dimar, demar, *A. i.* Ölüm.

Dimişk, *A. i.* Şam şehri:

dimişkî, *A. s.* Şam ile ilgili, oraya ait.

dimn, *F. i.* Gübre, fışkı.• ‹Nâpâki-i bedeninden ki lâşe-i dimn-i dalâlettir necaset pezir olmaya. — Veysi›.

Dimne, *A. i.* Kelile ve Mimme hikâyesinin kahramanı çakal.• ‹Ve Nasuh Ağa ki Dimne-i bîşe-i hiyledir. — Naima›.

din, *A. i.* 1. Tanrı ve Peygamber hususunda insanlar arasındaki olan inanış. 2. İnanış yolu.• *Yevm-üd-din,* kıyamet günü. (ç. Edyan).• ‹Düşman-i din ile vuku bulan muharebe keyfiyetin sual buyurduklarında. — Naima›.

dinar, *A. i.* (Lâtince) 1. Altın para. 2. Şeriatçe (on dirhem sâf gümüş değerinde olan altın). (ç. Denanir).• ‹Sofi ki safada geçinir malik-i dinar. — Ruhi›.

dindar, *F. s.* [Din-dar] Dinin yap, yapma emirlerine sıkıdan sıkıya bağlı. Din işlerinde titiz ve dikkatli. (ç. Dindaran).• ‹Hâsılı kerim ü âkıl ve hüsn-i hulki kâmil mütteki ve dindar ve hayre mail bir şehinşah idi. — Naima›.

dindarane, *F. s. zf.* Dinin bütün buyruklarına uyan adama mahsus veya yakışır surette.

dindarî, *F. i.* Dindarlık.

dinen, *A. zf.* Din bakımından, dince.

dinî, diniyye, *A. s.* Din ve mezhebe ait, onunla ilgili.• *Emr-i dinî,• umur-i diniyye,* dine ait iş (ler).• *Ulûm-i diniyye,* (din bilgileri) din dersleri (XIX. yy.).• ‹Bunun sebebi dinî idi. — Z. Gökalp›.

diniyat, *A. i.* Din konulu bilgiler.• ‹Halk hocalarından ve şeyhlerinden ibaret olan Türk diinyatçılarını ise yalnız halk beslerdi. —Z. Gökalp›.

dinpenah, *F. s.* [Din-penah] Dinin dayanağı, dine destek olan.• *Padişah-i dinpenah,* dine destek olan padişah.

dinperver, *F. s.* [Din-perver] Dine hizmet eden, arka olan.

dinşiken, *F. s.* [Din-şiken] Dini kıran, dine karşı koyan.

dinşikenane, *F. s. zf.* Dini kıracak, ona zarar verecek yolda.• *Akval-i dinşikenane,* dine zarar verecek yolda sözler.

dir, *A. i.* Bk.• *Deyr.*

dir', *A. i.* (Ayın ile) Zırh gömlek.• ‹Fevtinde bulundu dir'i merhun. — Ziya Pş.›.

dirahş, derahş, *F. i.* Parlama. Işık. Parıltı.• ‹Dirahş-i derahşan-i samsamcelâl. — Kemal›.

dirahşan, *F. s.* Parlak, parıldayan.• *Mihr-i diarhşan,* parıldayan güneş;• *necm-i dirahşan,* parlayan yıldız.• ‹Barıştık rüzgâr ile araya girdiler şimdi — Gerek sâki-i meclistir gerek câm-i dirahşandır. — Riyazi›.

dirahşende, *F. s.* Işıldayan, parlak. Nurlu.• ‹Olmada gittikçe dirahşende, ter — Fikr-i münevevr bana rehber yeter. — Naci›.

diraht, *F. i.* (Hı ve te ile) Ağaç.• *Diraht-i Meryem.* Meryem'in Mısır'a gidişinde altında oturduğu ağaç;• *diraht-i meyvedar,* yemişli, yemiş veren.• ‹Ediyor her diraht-i uryanı — Şiddet-i rüzgârdan feryad. — Fikret›.

dirahtan, *F. i.* [Diraht ç.] Ağaçlar.• ‹Hancer-i hicrin ile tende dil ü can titrer. — Esicek bâd-i hazan berk-i dırahtan titrer. — Baki›.

dirahtistan, *F. s.* Ağaçlık yer.• ‹Bir hâli dirahtistana yanaşıp iki gün mahall-i merkumda. — Raşit›.

dirahtpare, *F. s.* [Diraht-pâre] Ağaç parçası.• ‹Rehgüzar-i enamdan bir dirahtpâre-i bi-endamı kal' ü kam'. — Nergisi›.

dîran, *A. i.* [Dâr ç.] Evler.

diraset, *A. i.* (Sin ile) Çalışma.• ‹Mısır'da hasbetenlillâh diarset-i ulûma mübaşir olup. — Taş.›.

dirayet, *A. i.* 1. Akıl, zekâ. 2. İnce şeyleri kavrayış. 3. Beceriklilik.• *Erbab-i dirayet,* becerikliler.• ‹Evvel gerek basiret-i sultan ikincidir — Tedbir-i mülkte vükelânın dirayeti. — Ziya Pş.›.

dirayetkâr, *F. s.* [Dirayet-kâr] Dirayetli. Becerikli.

dirayetmend, *F. s.* [Dirayet-mend] Dirayetli, becerikli.

diraz, *F. i.* Uzun.• *Ömr-i diraz,* uzun ömür.• ‹Dest-i taaddiyi diraz etmeye agaz ettiğin nâtık. — Raşit›.

dirazdest, *F. i.* [Diraz-dest] 1. Uzun el, el uzatan, zulüm eden.• ‹Şehirliden bazı emredlere diraz-destî edicek. — Naima›.

dirazgûş, *F. i.* [Diraz-gûş] 1. Uzun kulak. 2. Tavşan. 3. Eşek. 4. 1565'te Malta kuşatmasında ölen Turgut Reisin lâkabı.

dirazî, *F. i.* Uzunluk.

direfş, *F. i.* 1. Bayrak. 2. Büyük iğne. Biz.• *Direfş-i Gâviyanî,* (Gâve'nin bayrağı) Dahhak'e karşı ayaklanan demirci Gâve'nin deriden olan önlüğünden yapılma bayrak; eski Farslılarca kutsal ve çok değerli sayılırdı. Kadisiyye savaşında Arapların eline geçmiştir.• ‹Duş-i istilâda direfş-i Gâviyanî itilâların buldu. — Şefikname›.• ‹Direfş-i dür'efşan-i izz ü ikbal. — Kemal›.

direm, *F. i.* 1. Gümüş para. 2. Para, akçe. 3. Dirhem.• ‹O denlû dolmada asrında sürre-i âmal — Muadil olmada dilde vedad-i remel ü direm. — Ziya Pş.›.

diremhiride, *F. s.* [Direm-hiride] Para ile alınmış.

direng, direnk, *F. i.* 1. Yavaşlık. 2. Dinlenme, durma.• *Bi-direng,* durup dinlenmez.• ‹Pâyende midir sipihr-i bidad — Devr eyle direnge olma mutad. — Ş. Galip›.

direv, *F. i.* Ekin biçme.

dirhem, *A. i.* 1. Gümüş para. 2. Okkanın 400 de biri. 3. Şeriat bakımından 70 tane orta boy arpa ağırlığı; 3 Gram.• *Dirhem ü dinar,* gümüş ve altın para;• *dirhem-i aşarî,* gram.• ‹Sofi ki safada geçinir malik-i dinar — Bir dirhemini alsan olur hatırı derhem. — Ruhi›.

dirig, *F. i.* 1. Esirgeme, kıyamama. 2. *(Ün.)* Yazık!• *Bidirig,* esirgenmemiş, bol.• ‹Kabil-i talim olanları müstefid etmekte diriği yok. — Naima›.• ‹Mesullerinin is'afına dirig-i inayet buyrulmayacağına. — Kemal›.

dirigaa!, *F. ün.* Çok yazık!, eyvah!.

dirîn, dirîne, *F. s.* Eski.• *Âyin-i dirîn,* eski töre;• *bende-i dirine,* eski kul;• *deydene-i dirîne,* eski usul, eski gelenek.• ‹Resm-i dirîni levh-i âlemden — Mahv eden kilk-i ter-zebanındır. — Riyazi›.• ‹Âdet-i hasene-i devlet ve kaide-i dirîne-i müstahsene-i saltanat olmak üzere. — Raşit›.

dirre, *F. i.* Kamçı, kırbaç.• ‹Hatta mehd-i ulya hazretleri mezbureyi darabat-i dirre-i tedip ile tâzir ettiği. — Naima›.

dirs, *A. i. (Sin ile)* Eski giyecek.

dirsan, *F. i.* [Dırs ç.] Eski giyecekler.

diruz, *F. s.* Dün, dünkü gün.• ‹Bir ceridenin her bir satırı ruh-i diruzun fikr-i ferdaya bir selâm ve vasiyeti olmalı. — Cenap›.

diryak, *A. i.* Bk.• *Tiryak.*

disam, Bk.• *Deşeme.*

-disar, *(Se ile)* Arapça, ‹üste giyilecek şey› anlamında olan bu söz Farsça kurala göre ‹bolluk› anlamıyle kelimelere ulanır.• *Âsar-i merhametdisar,* merhamet dolu eserler;• *hükümdar-i mekârimdisar,* keremi bol hükümdar.• ‹Tevliyetin mülûk-i adaletşiar ve hâkim-i merhamet-disare tefviz ettikçe. — Fuzuli›.

div, *F. i.* Dev. Şeytan, cin, ifrit.• ‹Kantemir Mirza gelip garik-i ahen başında kalpak manend-i fil-i Mengelûş bir dilâver ve div-zad ü kühten ki heybet ile. — Naima›.• ‹Cellâd-i div-nijad elbisesin soyup. — Naima›.

divan, *F. i.* [Div ç.] Devler.

divan, *A. F. i.* 1. Hükümetin ileri gelenlerinin toplantısı, meclis. 2. Eskiden şairlerin elifbe sırasına göre düzenledikleri şiir dergisi,• *Divan-i Âli,* Yüce divan (XX. yy.);• *- harb-i örfî,* sıkıyönetim mahkemesi (XX. yy.);• *Divan-i Hümayun,* padişaha bildirilecek şeylerle bunların yazılma, kaydedilme, saklanma işleriyle uğraşan daire;• *- ilâhî,* ahiretteki hesap günü;• *Divan-i Muhasebat,* Sayıştay (XX. yy.);• *- padişahi* Tanzimat'tan önce padişahın kendisinin bulunduğu veya onun adına olarak sadrazamlar veya vezirlerin kurdukları resmî toplantı.• *Ayak divanı,* acele görülecek işler için hemen ayakta toplanan divan;• *Beş Divan,* (eski) Taşköprü bölgesi;• *ehl-i divan,* bir divanda bulunmaya yetkili kimseler;• *galebe divanı,* yabancı elçiler kabulü sırasında ulûfelerin de verildiği divan;• *on iki Divan,* (eski) Bartın ve bölgesi.• ‹Ertesi gün divan olup padişah-ı âlempenah. — Naima›.• ‹Meal-i hikmet istinbat eder divan-i Galip'ten. — Recaizade›.

divançe, *F. i.* Küçük boyda manzume kitabı.

divane, *F. s.* 1. Deli. 2. Aptal.• ‹Bulundum ben dahi darüşşifa-yi Babıâli'de — Flâtun'u beğenmez anda çok divaneler gördüm. — Ziya Pş.›.

divanegân, *F. i. ç.* [Divane-gân] Divaneler, deliler.• ‹Zencir-i zülfe çekti alıp gönlümüz o şuh — Olur Beliğ bend ile divanegâna pend. — Beliğ›.

divanegî, *F. i.* Divanelik. Delilik.

divanemeşreb, *F. s.* [Divane-meşreb] Divane huylu.• ‹Dilden Hayalî suret-i idraki kazıyıp. — Divane meşreb oldu kalenderlik eyledi. — Hayalî›.

divanerev, *F. s.* [Divane-rev] Delicesine davranan.

divanhane, *F. i.* Odalar arasındaki geniş sofa. Salon.• ‹Sultan Ahmet merhumun naaşı ol gün divanhaneye çıkarılıp. — Naima›.

divanî, divaniyye, *A. s. i.* Divana ait, divanla ilgili.• *Hatt-i divanî,* divandan çıkan yazıların yazıldığı bir çeşit yazı;• *menasıb-i divaniye,* divan kalemindeki memurluklar.

divar, *F. i.* Duvar.• ‹Divar ü der-i sineyi tahrib ediyor dil — Bir haneye divaneyi tenha kapamışlar. — Naci›.

divbeçe, *F. s.* [Div-beçe] Dev yavrusu.

divçe, *F. s.* Küçük dev.

divlâh, *F. i.* [Div-lâh] Dev yatağı.• ‹Ol zengi-i bed-rengi bir mezbele-i divlâha hâkendaz ettiler. — Veysi›.

diyanet, *A. i.* Dindarlık. Din buyruklarına uyma, başeğme.• «Mehmet Efendi sıdk ü istikamet ve hüsn-i sülûk ü diyanet ile meşhur olmağın. — Naima».

diyar, *A. i.* [Dâr ç.] Memleket, ülke.• *Diyar-i âhar,* başka memleket;• - *küfr,* İslâm diyarlarından gayri yerler;• - *Rum,* Osmanlı ülkesi.• «Şemim-i ravza-i gülbuyuna tesadüf için — Gezer nesim-i sehr şevk ile diyar diyar. — Ziya Pş.».

diyât, *A. i.* [Diyet ç.] Diyetler.

diyet, *A. i.* 1. Kan bahası. 2. Öldürülen veya yaralanan bir kimse için bu işi yapanın ödemesi gereken mal.• «Etmezdi vefa aldığı nakd-i dil-i uşşak — Ebrularının küştelerinde diyet olsa. — Nabi».

-diz, *F. s.* «Siyah veya koyu külrengi» anlamında olup sıfat yapmak için kelimelere ulanır.• *Şebdiz,* Bk.

dizdâr, *F. i.* [Diz-dâr] Kale ağası.• «At ile çıkılmaz deyu âzar eyledi, dizdarın bu vaz'ından padişah mahzuz olup. — Naima».

Dobravenedik, *(İslavcadan)* Raguza şehri.

dolâb, dulâb, *A. i.* 1. Su dolabı. 2. Her döner çark. 3. Duvar içine oyulmuş veya ayrıca yapılmış raflı ve kanatlı eşya yeri. 4. Haremle selâmlık arasında eşya alıp vermeye mahsus döner dolab. 5. Bedesten içindeki küçük dükkânlar. 6. İşini yürütmek, uydurmak. 7. Hile, oyun, düzen. (ç. Devalib).• «Ablar galip gelince döndüler dolaplar. — Yahya›.• «Gerdiş-i dolab-i âlem böyledir».

dost, *F. i.* 1. Sevilen kimse. 2. Sevgili. 3. *(Tas.)* Gerçek sevgili vücud-i multlak. Tanrı.• «İkisi birdir muazzeb eylemekte âlemi — Kevkeb-i mseud-i düşman tali-i menhus-i dost. — Sabit».

dostan, *F. i.* [Dost ç.] Dostlar.• «Oldu şadan dostan-i mülk ü millet vaktidir — Gark-i alâm-i ekdar olusn a'da-yi mehîn. — Ziya Pş.».

dostane, *F. s.* Dostça. Dosta yakışır şekilde.

dostdâr, *F. s.* [Dost-dâr] Birini dost edinen, dostluk kuran.

dostî, *F. i.* Dostluk.• «Kâffe-i halk cihanana dostî ve nigûyîdir. — Nergisi».•

‹Bu adamlar hakkında derin bir hissi-i dostî duymuş idi. — Uşaklıgil›.

dostkâm, dostkân, dostkânî, *F. i.* 1. Ahbap isteğine uygun kimse. 2. Mecliste dostlar ile şarap içme. 3. Birinin şerefine içme.• ‹Ahmet Paşa müptedi nevzuhurlardan olmakla dostkâm dönüp gurur-i intisar ile. — Naima›.

dû', *A. i.* *(Dat* ile) Işık. Ziya, nur. Bk.• *Zav', zu'.*

dua', *A. i.* *(Dal* ve *ayın* ile) 1. Tanrıya yalvarma. 2. Yakarış. 3. Biriin iyiliği için Tanrıya yalvarma. 4. Böyle yakarışta okunan ibareler.• *Dua-yi hayr,* hayır dileyen dua,• *-müsecab,* kabul edilen dua;• *beddua,* ilenç, birinin aleyhinde okunan dua.• «Dua-yi hayrım seninle biledir. — Raşit».

duagû, *F. s. i.* [Dua-gû] 1. Duacı, dua eden. 2. Vakıf idaresinden ücreti olup karşılığında dua etmekle ödevli kimse.• ‹Feyz alsa Mesih'ten Hülâgû — Olurdu o gamzeye duagû. — Ş. Galip›.

duagûyan, *F. i.* [Duagû ç.] 1. Duacılar. 2. Bu vazife için evkaftan aylık alanlar. • ‹Anadolu muhasebesi defterinde duagûyan ve mütekaidîn ve sair vezaif-i zuafa. — Naima›.

duagûyi, *F. i.* Duagûluk, dua edicilik.

duahân, *F. s.* [Dua-hân] Dua okuyucu. (ç. Duahânan).

duahanî, *F. i.* Dua okuyuculuk.

duakünan, *F. zf.* Dua okuyarak.• «Ve tesliyet makamında olup duakünan hal ve hatırın sordular. — Sadettin›.

duaname, *F. i.* Birinin hayır duası yazılı mektup.• ‹Ve baki âyan-i askire hilâ-i fahrie ve duaname irsal buyurdular. — Naima».

du'at, duat, *A. i.* *(Dal, ayın* ve *te* ile) [Dai ç.] 1. Çağırıcılar. 2. Duacılar. 3. Bâtınıyye propagandacıları.

ducret, *A. i.* *(Dat* ile) İç sıkıntısı, yürek darlığı. Sıkıntı, darlık.• «Ducret-i ruhu bütün fark olunur. — Fikret».

ducretver, *F. s.* [Ducret-ver] Sıkıntılı.• ‹Bu zalâm-i hamuş içinde hayal — Mütakallis, melûl ü ducretver — Varlığından da iştibah eyler. — Cenap».

duçar, *F. s.* 1. Ulaşmış, buluşmuş. 2. Yakalanmış, tutulmuş.• «Eylemez yolda duçar olsa dahi redd-i selâm. Nabi›.• ‹Bâlâlara doğru etme pervaz. — Ta olmayasın duçar-i şehbaz. —Naci›.

dûd, dude, *A. i.* Kurtçağız. Böcek.● *Dud-i harir*, ipekböceği;● *-mükeyyes*, (Zoo.) Keesli kurt; - *müsellah* (Zoo.) Sığır şeridi;● *-müstakim (Zoo·)* Sivri kuyruk;● *-şaritî*, *-vahid*, karında olan uzun solucan, domuz şeridi, *tenya*.

dûd, *F. i.* 1. Duman. 2. Acı, gam. 3. Soluk, nefes.● *Dûd-i âh*, ilenç, beddua;● *dûd-i demağ* kibirlenmek.● «Bir nâr ki dûdu Nemrud — Gulân-i siyehnümud-i Nemrud. — Ş. Galip».● «Sinemde ger müessir bir dud-i ah olaydı — Ruhsa? rını yakardım ger gökte mah olaydı. — Nevres».

dûdalûd, *F. s.* [Dûd-alûd] Dumanlı.

dude, *F. i.* Ocak. Soy.● «Çirag-i dude-i ecdad-i madilet-bünyad. — Nabi».

dudgâh, dudgeh, *F. i.* [Dûd-gâh] Duman yeri, ocak, baca.● «Cennet-âbad gördüğüm yerler — Dûdgâh-i cahîmden bedter. — Naci».

dûdî, dudiyye, *A. i.* (Zoo.) Kurtçuklara ait, onlarla ilgili.

dûdman, *F. i.* 1. Ocak. 2. Hanedan. 3. Soy. Aile.● *Dûdman-ı Bektaşiye*, Yeniçeri ocağı;● *-Osmaniyan*, Osman oğulları hanedanı.

dufayda, *A. i.* (Zoo.) Fransızcadan *Tétard* (iribaş) karşılığı (XX. yy.).

duha, *A. i.* (Dat ve *ha* ile) Kuşluk vakti.● *Salât-i duha*, sabah namazı;● *sure-i Duha*, Kur'anın 93. suresi (*Vedduha* diye başlar).● «Bir mertebe harb ü aşub ettiler ki vakt-i duhadan beynes-salavateyne dek küffarı sındırıp kaçırıp. — Naima».

duhan, *A. i.* (Dal ve *hı* ile) 1. Duman. 2. Tütün. *İnhisar-i duhan*, tütün tekeli;● *sure-i Duhan*, Kur'an'ın 44. suresi.● «Değil asth-i sema vü encüm rahşende sermadan. — Felek bir perniyan nakş etti efsürde duhan üzere. — Ziya Pş.».● «Ve tüccar taifesinin getirdikleri duhandan dahi. — Raşit».

duhanaşam, *F. s.* [Duhan-aşam] Tütün içen.● «Tenha duhanaşamlığa meşgul idik. — Naima».

duhanfüruş, *F. s.* [Duhan-füruş] Tütün satan. (ç. Duhanfüruşan).● «Münkerat-i azîmeye had yoğiken duhanfüruşların dükkânlarını basıp duhanlarını yakıp duhan içenleri ifrat üzere darb. — Naima». ·

duhanî, duhaniye, *A. s.* Dumanla ilgili, tütün.

duhaya, *A. i.* (Dat ve *ha* ile) [Dahiyye ç.] Kurbanlar.

duht, *F. i.* (Dal ve *hı* ile) Kız oğlan kız.● *Duht-i rez*, (asma kızı) şarap.● «Behçet hele ol Halikin ihsanları çoktur — Verdi kereminden sana bir duht-i necibe. — Behçet».● «Bilir duht-i rezin muğbeçe vakt-i hürmetin gûya. — Ziya Pş.».

duhte, *F. s.* 1. İğne ile dikilmiş. 2. Sağılmış.● «Padişahımız henüz bir şahbaz-i çeşm duhte ve gazanfer-i şikârneyamuhtedir. — Naima».● «Bostancılar mirahur ağa elinde duhte gaşiyeye yapışıp. — Selânikî».

duhter, *A. i.* Kız. Kız çocuk.● *Duht-i rez, duhter-i rez*, (asma kızı) şarap.● «Hezaran dilber-i mevzun — Hezaran duhter-i hasna. — Nabi».● «Bu yolda mest-i hayalât iken o duhter-i şad. — Cenap».

duhteran, *F. i.* [Duhter ç.] Kız çocuklar.● «Namzed olan duhteran-i saadahteranlarının. — Raşit».

duhul, *A. i.* İçeri girme.● *Duhul ü huruç*, içeri girip çıkmak.● «İstanbul'a duhul ve saray-i şahaenlerine nüzul buyurdular. — Raşit».

duhuliyye, *A. i.* İçeri girme parası. ● «Memuriyetin en tatlı tarafı şudur ki duhuliyye bileti muhtelif diplomalardır. — Cenap».

duka, doka, *İt.* (Eski tarihlerde geçer) Toskanya altını,● *Duka denizi*, Tireniyen ednizi.

dumur, *A. i.* (Dat ile) 1. Körelme. 2. Bir organ veya bir dokunun beslenmeyerek küçülmesi.

dûn, *A. s.* 1. Alçak (kimse). 2. Aşağı. 3. Altta, aşağıda olan.● *Baht-i dûn, dünya-yi dûn, düşmen-i dûn*, alçak, aşağılık talih, dünya, düşman; madûn. Bk. ● «Şeklindeki noksan ile dununda cihanın. — Fikret».

dûnan, *F. i.* [Dûn ç.] Alçaklar.● «Et lokması lâzım mı doyurmaz mı seni nan — Ol lokma kim ola pesmande-i dûnan».

dûnhimmet, *F. s.* [Dûn-himmet] Az istekli, iştahsız. İsteksiz.

duniyet, *A. i.* Aşağılık.● «Mertebe-i zekâiyesine âdeta duniyet veren bu huccet-i derece-i istidattan utanırdı. — Uşaklığı». i

dünperver, *F. s.* [Dûn-perver] Alçakları, fenaları koruyan, onları ilerleten.● *Dehr-i dunperver*.

dûr, *F. s.* Uzak.● *Dûr ü dıraz,* uzun uzadı.● «Geçen leyal-i sefanın o çeşm-i hasretidir — Ki dûrdan nazar etmekte âlem-i sehere. — Fikret».

dur, *A. i.* [Dâr ç.] 1. Evler. 2. Bölgeler.

Dûrâdûr, *F. zf.* Uzun uzadıya.● «Ve netayic-i ahvalin fikr-i dûradûrundan ve mülâhazasından berî bir şahs-i sadedil olup. — Naima».

dûr bas!, *F. ü.* Eskiden büyük adamların yanındaki yasakçıların «Uzak dur, savul» anlamına seslendikleri söz.● «Molla hazretleri el ile işaret-i dûr bas edip. — Naima».

durbaşan, *F. i.* «Dûr baş» diye bağıranlar, yasakçılar.● «Rikâb-i saikaşitabında durbaşan-i celâl ü azamet. — Kemal».

dûrbin, *F. i.* [Dûr-bîn] 1. Dürbün. 2. (s.) Uzağı görür (kimse), uzak görücü, akıllı.● «Değildim muktedir bir iltifata — Bakardım dûrbîn ile hayata. — Ziya Pş.».

dûrbinane, *F. zf.* İşin sonunu önden kestirircesine, kestirerek.

durbinî, *F. i.* Uzak görürlük.● «Dûrbinî-i nigâh-i hiredindendir kim — Vatanın zahmı zuhur etmeden eyler merhem. — Nabi».

durendiş, *F. s.* [Dur-endiş] Her şeyi uzaktan yani çok önceden düşünen; her şeyin sonunu evvelden düşünüp akıl eden.● «Ve cem-i mala tamah ve hırsı kadar müdara ve dur-endişlikte taksiri var idi. — Naima».

durendişane, *F. zf.* İleriyi düşünerek● «(...) Mütalaa-i durendişanesiyle icra olunan. — Recaizade».

dûrî, *F. i.* Uzaklık.● «Gördükçe o bağ-i pürşürunu — Dağlardı dilin belâ-yi dûrî. — Ş. Galip».

dûrnüvis, *F. i.* [Dûr-nüvis] Uzak yazıcı anlamına olup bir ara telgraf karşılığı kullanılması teklif edilmişse de tutmamıştır. (XIX. yy. sonları).

durûb, *A. i. (Dat ile)* [Darb ç.] 1. Darbeler, vuruşlar. 2.● *Durub-i emsal,* atalarsözü, atasözleri.

dûş, *F. i.* Sırt, omuz.● *Dûş-i gayret,●* - *hamiyyet,●* - *tahammül,* gayret, hamiyet, tahammül omuzuna (yüklemek, yüklenmek),● *dûş ber dûş,* omuz omuza;● *hane beduş,●* *hane berduş,* (evi omuzunda) omuzundaki kilim veya pösteki ile rastladığı yerde yatan serseri, kalender.● «Dûş-i liyakatine samur kürk

libas olundu. — Raşit».● «Her biri hem sohbetan-i kurb ile duş beduş ve dest bedest oldukta. — Nergisî».

duşbeduş, *F. zf.* [Duş-be-duş] Omuz omuza.● «Cuş eder mevc-i hayal-i şuara duş beduş — Beyt-i ebrusunun ara yeri divan yoludur. — Nabi».

duşiz, duşize, *F. i.* Kız oğlan kız. (ç. Duşizegân).● «Hızır Paşa kızından tevellüd eden duşiz duhterin tezevvüç ve azîm velime edip. — Naima».● «Ey dilber-i duşize-i reşkâver-i devran. — Zari».

-duz, *F. s.* «Dikici, dikmiş» anlamıyle kelimelere ulanır.● *Çuvalduz,* çuvaldız, çuval dikici;● *dideduz,* göz dikip bekleyici;● *zerduz,* altınla dikilmiş, altın telle işlenmiş.

duzah, *F. i.* 1. Cehennem. 2. (Tas.) Dünya düşkünlerinin cemiyeti.● *Duzahmakarr, duzahmekân, duzahnişin,* (durağı cehennem olan) kâfir (eski tarihlerde çok geçer).● «Nesim-i lûtfu vezan olsa ruz-i rüstahiz — Verir zebane-i duzah nişane-i gülzar. — Ziya Pş.».● «Küffar-i duzah-kararın üç nefer serdar-i murdarların. — Raşit».

duzahî, *F. s.* 1. Cehenneme mensup, cehennemle ilgili. 2. Zebani.● «Cennetoğlu dedikleri duzahî ana mukavim olmayıp. — Naima».● «Güneşin insidad-i nazra-i duzahisinden. — Uşaklıgil».

duzahiyan, *F. i.* [Duzahî ç.] Azap melekleri. Zebaniler.

dü, *F. s.* İki.● «Zemin dü çeşmi yaşarmış kadın gibi muğber. — Cenap».

düâlem, *F. i.* İki âlem (dünya ile ahret).● «Dü-âlemde Ziya-yi mücrimin ümidi sendedir. — Ziya Pş.».● «Dübalâ oldu aşkım hatt-i anber-famdan sonra. — Halimgiray».

dübalâ, *F. s.* [Dü-balâ] İki kat.● «Kendisirin meziyet-i şairanesi dübalâ mı oluyor?. — Uşaklıgil».

dübar, dübare, *F. s.* İki kat. Katmerleme.● «Çarüm felegi kılınca seyran — Fahr etti dübar çarerkân. — Ş. Galip».

dübare, dübara, *F. s.* [Dü-bare] 1. Zarların ikisinin de iki benekli gelmesi. 2. Hile, oyun, dalavere.

dübb, *A. i.* Ayı.● *Dübbi-i asgar* (Ast.) Küçük ayı;● - *ekber,* Büyük ayı;● - *şimalî* (Şimal ayısı) Rusya.

dübbiyye, *A. i.* ç. (Zoo.) Ayıgiller.

dübeyle, *A. i.* [Deble, düble'den] Küçük, cerahatli şiş; küçük apse.

dübeyt, *F. i.* [Dü-beyt] Rubaî. Özel vezinlerle yazılan dört mısralık nazım.

düble, deble, *A. i.* Cerahatli şiş, apse.

dübr, dübür, *A. i.* Kıç.• ‹Dem gelir kim dübüründen çıkarırlar nefesin. — Nabi›.

düca, *A. i.* Karanlık.• ‹Horos-i subhgâhî aheng-i neva ve dücace-i düca vaz-i beyza-i beyza eylediği hengâmda. — Nabi›.

dücace, decace, dicace, *A. i.* Tavuk.• ‹Katl-i insan yanında zebh-i dücaceden ehven ve kesr-i zücaceden eşhel ve ahsen görünüp. — Naima›.

dücaciyye, *A. i.* (Zoo.) Tavukgiller.

dücihan, *F. i.* [Dü-cihan] İki cihan (dünya ile ahret).• ‹Şi'rin dücihandır, kelimatın bütün ecram. — Cenap›.

düçeşm, *F. s.* [Dü-çeşm] İki göz.• ‹Düçeşmin Nailî'nin şimdi damanın tutar amma — Giribangir mahşerde ol iki afetin kimdir. — Nailî›.

düdide, *F. i.* [Dü-dide] İki göz.• ‹Ümmid-i makdemin ile ey mihr-i bi-adîl — Eyler düdide rahına ferş-i Fırat ü Nil. — Ziya Pş.›.

düdil, *F. s.* [Dü-dil] İki yüzlü. İki tarafa da yaranır.• ‹Sabık-üz-zikr Ahmet Han düdil olduğundan naşi. — Naima›.

düdilî, *F. i.* Kararsızlık. Duraklama, tereddüt.

düesbe, *F. s.* (çatal atlı) Biri binek, biri yedek iki atla giden.

düfuf, [Def ç.] Tefler.

dügâh, *F. i.* Müzik makamlarından.• ‹Çıkar makam-i dügâha neva-yi şehvettir — Dem-i kebutere benzer teraneniz vardır. — Recaizade›.

dügâne, *F. s.* [Dü-gâne] Çift, ikiz.• *Salât-i dügâne*, iki rekât namaz.

dühat, *A. i.* [Dâhi ç.] Dâhiler, üstün akıllılar.• ‹Bu fikri haiz iken serhoşane ağlayışım — Dühatı ağlatacak maceralarımdandır. — Naci›.• ‹Ebusait Efendi dühattan bir pîr-i cihandide olmağın. — Naima›.

dühl, dühül, *F. i.* (He ile) Davul.• *Avaz-i dühül*, davul sesi.• ‹Mehteran-i şahî elinden sinekûb olan dühller erfa-i savtla cevap veriyorlar. — Sadettin›.

dühn, *A. i.* 1. Bitkiden (ot, yemiş veya çiçekten) çıkarılan yağ. 2. Sürünecek yağ.• ‹Alât-i sihr yanında hazır — Bin kâhne şifal ü dühn-i vâfir. — Ş. Galip›.

dühnî, dühniye, *A. s.* Sürülecek yağ ile ilgili.

dühur, *A. i.* [Dehr ç.] 1. Zamanlar. 2. Cihanlar. Devirler.• ‹Dühur-i muzlimenin sine-i melâlinden. — Fikret›.

dühülbaz, *F. s.* [Dühl-baz] 1. Davulcu. 2. Doğancıların kuş kaldırmada kullandıkları küçük davul.

dükevn, *F. i.* [Dü-kevn] İki âlem, dünya ile ahret.• ‹Birdir basiret ehline hep neşe-i dükeyn — Badam-i tevemin iki olmaz şükûfesi. — Beliğ›.• ‹Saadet-i dükevn a'taf-i zatından ibarettir — Saadet zatına olmaktır ümmet ya Resulullah. — Ziya Pş.›.

dükkân, *A. i.* Çarşı ve pazarda mal, eşya konulup satılan önü açık veya camlı yer. Dükkân. (ç. Dekâkin).• ‹Zemin billûrdan âvizelerle kıldı şehrâyin — Değil buzlar der ü divar-i her beyt ü dükân üzre. — Ziya Pş.›.

dükkânce, *F. i.* Dükkâncık, küçük dükkân.• ‹Dest-i ahbabda gâhice gördük evvel — Şimdi dükkânce-i sarrafta görmem diremi. — Beliğ›.

dülbend, *F. i.* Tülbent.• ‹Cemaat-i müslimîn ve padişah anda idi. Cami ortasına varıp dülbendin çıkarıp... — Naima›.

dübenddâr, *F. i.* [Dülbend-dâr] Sarayda, büyük dairelered sarıklar ve başka ince bezlerle uğraşan içoğlanı, bunların başları. Tülbent ağası.

Düldül, *A. i.* İskenderiye emirî Mukavkıs tarafından Muhammed peygambere armağan edilip, onun tarafından da Ali'ye verilen kır katır. At ve katır nitelemede kullanılır.• ‹On reis semend-i bâb-pây-i Düldül-sima arz ü ihda buyrulup. — Raşit›.

düm, *F. i.* Kuyruk.• ‹Kâse süm ve tavus düm bir esb-i dilâram. — Kâni›.

dümbal, dümbale, *F. i.* Kuyruk.• ‹Âhir zaman-i fitne-i hüsne nişanedir — Yârin ki hali ahter-i dümbaledar ola. — Beliğ›.

dümbüride, *F. s.* [Düm-büride] Kuyruğu kesik.

dümçe, *F. i.* Küçük kuyruk.

dümdar, *F. i.* [Düm-dar] (As.) Artçı.• ‹Vücud-i maali-nihadleri leşker-i islâma dümdar suretinde merkez bekleyeler. — Naima›.

dümmel, *A. i.* 1. Çıban. 2. Kan çıbanı (XX. yy.).

dümu', *A. i.* [Dem' ç.] Gözyaşları.• ‹Yüzünü atı bastığı hâke sürüp dümu-i çeşm-i giryan ile meblûl olan hâki. — Naima›.

dünbal, dünbale, *F. i.* 1. Kuyruk. 2. Art.● «Dünbale ise hemişe cünban. — Naci».● «Üftan ü hîzan dünbale- devan saray-i âmire-i ağaya revan oldum. — Nergisi».

dünbaledâr, *F. s.* [Dünbale-dâr] Kuyruklu.● *Necm-i dünbaledar,* Kuyruklu yıldız.

dünbalerev, *F. s.* [Dünbale-rev] Bir kimseye kuyruk gibi takılmış, arkası sıra giden.● «Dünbale-rev-i har oldu üştür. — Naci».

dünbe, *F. i.* Kuyruk.● «Dünbe-beduşan-i harabatın. — Kâni».

dünim, dünime, *F. s.* [Dü-nim, nime] İki parça, ikiye bölünmüş.● «Seyf-i gayretle mukarrerdir dünîm olmak bana. — Avni».

dünya, *A. i.* 1. Şimdi yaşadığımız âlem. 2. Yeryuvarlağı. 3. (Tas.) Görünen âlem.● *Ehl-i dünya,* yaşamaktan başka şey düşünmeyen; dünya şeylerine fazla düşkün;● *târik-i dünya,* yaşadığımız dünya ile ilgisini kesip ahreti sağlamakla uğraşan kimse.● «Gülelim oynayalım kâm alalım dünyadan. — Nedim».

dünyadâr, *F. s.* [Dünya-dâr] Dünya işleriyle uğraşıp mal mülk sahibi olan.

dünyaperest, *F. s.* [Dünya-perest] Dünyaya önem veren, ahretini düşünmeyen. (ç. Dünyaperestan).

dünyevî, dünyeviyye, *A. s.* Dünya ile ilgili. Dünyaya ait.● *Alâka-i dünyeviye,* dünya işleriyle fazla ilgi;● *emel-i dünyevi,* dünyaya ait istek.● «Ve menasıbı zaman-i kalilde garaz-i dünyevî için tebdil. — Naima».● «Bu dâvaların istimai zunun ü şübehata ittibaı gazı agraz-i dünyeviye mebni olup. — Raşit».

düpâ, *F. s.* [Dü-pâ] İki ayaklı.● *Har-i düpâ.* (İki ayaklı eşek) eşek gibi insan. ● «O bir gâv-i düpâdır karayı fark edemez akından. — Beliğ».

dür, dürr, *A. F. i.* İnci.● *Dürr-i Aden,* Aden incisi;● *- giranmaye,* değeri çok, iri inci;● *- hoşab,* iyi inci;● *- meknun,* mahfazalı parlak inci;● *- nâb,* parlak, beyaz inci;● *- nasüfte,* delinmemiş inci, (Mec.) kız oğlan kız;● *- nazım,* dizilmiş inci;● *- nefid,* dizi inci;● *- semîn,* değerli iri inci;● *- sadef-nişin,* sedefinden çıkmamış inci;● *- sirab,* iri inci;● *- şehvâr,* (padişaha lâyık) iri inci;● *- yegâne,* eşi olmayan tek inci;● *- yekdane,* iri taneli inci;● *- yekta,* eşi

olmayan inci;● *- yetim,* sedefinde tek olan inci. (Mec.) Muhammet peygamber.● «Her dür ki sehabdan döküldü — Eftal-i çemen sevindi güldü. — Ş. Galip».● «Bahr-i nazm içre Hayalî göricek dürr-i yetim — Verdi fer terbiyet-i mihri ile Şah sana. — Hayali».● «Riştedir cismim ki devr-i çarh vermiş tâb ana — Merdüm-i çeşmim düzer herdem dür-i sirab ana. — Fuzuli».

dür', *A. i.* (*Ayın* ile) Arabi ayların 16., 17., 18. geceleri.

dürc, *A. i.* 1. (Kadın tuvaleti için) kutu. 2. Mücevher kutusu. 3. Güzel, biçimli ağız.● *Dürc-i dür,* inci kutusu;● *- tenk,* sevgilinin ağzı (inciye benzetilen dişlerden dolayı cevher kutusu);● *- zer,* altın kutusu.● «Doldu ol yağmada dürc-i gonce zer. — Lâmii».

dürd, dürde, *F. i.* Tortu, çöküntü.● «Galiba bir ehl-i dil toprağıdır dürd-i şarab — Kim kılıp hurmet binalar üstünde tutmuş harab. — Fuzuli».

dürdane, dürrdane, *F. i.* İnci tanesi.● «Serper bu samtın üstüne bir çeşme-i nihan — Dürdane-i sürud. — Cenap».

dürdâşam, *F. s.* [Dürd-âşam] Şarabın tortusunu içen rint, kalender. (ç. Dürdâşaman).● «Rind-i dür-âşâm-i aşk olup dili bihuş kıl. — Hayali».

dürdefgen, *F. s.* [Dürd-efgen] Kadehin dibindekini yere döken.● «Biz saki-i hun-i ciğeriz gamze-i dilber — Peymane bekef serhoş-i dürdefgenimizdir. — Nailî».

dürdkeş, *F. s.* [Dürd-keş] Şarap tortularını içen.● «Dem olur kûy-i harabatta bir dürdkeşin — Çarh-i çarümde Mesiha eremez payesine. — Hayalî».

dürece, derce, *A. i.* Merdiven baasmağı.

dürer, *A. i.* [Dürre ç.] İnciler.

dürerbâr, *F. s.* [Dürer-bâr] İnciler yağdıran, inci gibi söz söyleyen.

dürrabe, *A. i.* Giyecek, elbise.● «Bir dükkân görür ki sahibi kapısında iki dürrabesini manend-i şekl-i salip vazedip. — Taş.».

dürraa, *A. i.* (*Ayın* ile) 1. Önü açık üst giyeceği. 2. Ferace, biniş.

dürrac, dürrace, *A. i.* Eti gevrek keklik cinsinden bir kuş.● «Tihuları susmar olur hep — Dürracları perende akrep. — Ş. Galip».

dürrat, *A. i.* [Dürre ç.] İri inci taneleri.

dürre, *A. i.* İnci tanesi. Dürdane.● «Sisler üstünde âftab-i hazin — Bir büyük dane dürre-i hunîn. — Cenap».

dürrefşan, dürefşan, *F. s.* [Dürr-efşan] İnci serpen. İnci gibi söz söyleyen (ağız).• ‹Hem ilm feninde nüktedanlar — Hem söz revişinde dürfeşanlar. — Fuzulî›.

dürrî, dürriye, *A. s.* [Dürr'den] İnci gibi parlayan, parlak.• *Kevkeb-i dürrî,* parlak yıldız.• ‹Kevkeb-i dürri-i hikmet bir zaman etmez gurub. — Vasfi›.

düru, düruy, *F. s.* [Dü-rû] İki yüzlü.• ‹Her biri harbe ve sapan kullanmakta mahir ve meç tâbir olunur şimşir-i düruy istimal edip. — Naima›.

düru', *A. i. (Ayın* ile) [Dir' ç.] Zırh gömlekler.• ‹Muharebe için iktisa-yi cevaşin ve düru eylediler. — Raşit›.

dürub, *A. i. (Dat* ile) [Derb ç.] Sokaklar.

dürud, *F. i.* Dua.• ‹Leb-i hamuşu lerzenâk-i dürud. — Fikret›.

dürug, *F. i.* Yalan.• *Dürug-i bifürug,* kaba, âdi yalan;• - *maslahatamiz,* iş bitiren yalan.• ‹Bir amel-i dürug ile padişahın pençesinden kurtulurum deyu. — Naima›.• ‹Ol bapta sudur eden dürug-i bifüruguna itimat dahi. — Nergisî›.

dürus, *A. i.* [Ders ç.] Dersler.

düruz, *A. i.* [Dürzi ç.] Dürziler.• *Cebel-i Düruz,* Lübnan dağı.

düruz, düruze, *F. s.* [Dü-ruz] 1. İki günlük. 2. Kısa.• ‹Ey bülbül-i belâkeş çekme cefa-yi hârı — Vasl-i düruze-i gül değmez bu hârhâri. — Ziya Pş.›.

dürüst, *F. s. (Sin* ve *te* ile) Sağlam, doğru, gerçek. Bütün, tam. (ç. Dürüstan).

dürüstî, *F. i.* Sağlamlık, doğruluk, gerçeklik.

dürüşt, *F. s.* Kaba. Sert.• ‹Edepten hariç nice dürüşt kelimat ettiği tab-i padişahîye hoş gelmeyip. — Naima›.

dürüştane, *F. zf.* Kabaca.• ‹Gösterdiği muamele-i dürüştanede o kadar haksız değildi. — Recaizade›.

dürüşti, *F. i.* Kabalık, hoyratlık.

dürzî, *A. i.* Lübnan'lı. (ç. Düruz).• ‹Dürzi askerlerinden cem-i kesîr ve Şehab oğulları maktul olup. — Naima›.

düstur, *A. i.* 1. Kanun. 2. Kanun ve nizam dergisi.• *Düstur-i mükerrem,* (yasa, tüzük ile davranmakla ödevli) vezir, sadrazam;• *düstur-ül-amel,* (hükümlerine uyulacak, yürürlükte) yasa, kural;• *düstur-ül-edviye,* kodeks. Fr. *Codex* karşılığı (XIX. yy.). (ç. Desatir).• ‹Vezir içeri odasına girip saka

Mehmet'i davet eyledi. Huzur-i düstura dahil oldukta. — Naima›.• ‹Babası yazısını yazar; Düsturları karıştırır. — Uşaklıgil›.

düsum, *A. i. (Sin* ile) [Desem ç.] İçyağlar, Çerviş yağları.• ‹Lühum ve düsum gayet fıravan ve erzan oldu. — Naima›.

düsur, *A. i. (Se* ile) [Disar ç.] Üst giyecekleri.

düşab, *F. i.* Pekmez.• ‹Yek bîhten demide olurken nihal-i krem — Düşab ü gûre sirke vü mey imtiyazda. — Nabi›.

düşah, düşaha, *F. s. i. (Hı* ile) 1. Çatal ağaç. Tomruk. 2. Suçlu boynuna geçirilen çatal ağaç.• ‹Ve ol memleketleri berbab ve berayayı düşaha-i cevr ü bidad eylemeye bais. — Raşit›.

düşenbih, *F. i.* Pazartesi günü.

düşeş, *F. i.* 1. Zarlardan ikisinin de altı altı gelmesi. 2. *(Mec.)* Beklenmedik kazanç.

düşin, düşine, *F. s.* Dün gece.• ‹Düşine meclisinde ta subh ağladım ben — Sen naz ile uyurdun gafil bu maceradan. — Recaizade›.

düşmen, *F. i.* Düşman.• ‹O hüsn-i esmere meftunluğu ezeldendir — Onun gamıyle Fuzuli hayata düşmendir. — Fikret›.

düşmenan, *F. i.* [Düşman ç.] Düşmanlar.• ‹Düşmenan hısna kapanmıştı kapısın berkedip. — Sururî›.

düşnam, *F. i.* Sövme. Sövüp sayma.• ‹Ümmet-i Muhammedi pâre pâre edip Saray halkına düşnamlar edip. — Naima›.

düşvar, *F. s.* Güç.• *Emr-i düşvar,* güç iş.• ‹Ne te'yid-i ilâhidir ki her bir mebhas-i düşvar — Ne denlû olsa düşvar ol kadar zatınca âsandır. — Ziya Pş.›.

dütâ, *F. s. (Te* ile) [Dü-ta] 1. İki büklüm, iki kat. 2. Bükülmüş, eğrilmiş.• *Kadd-i dütû,* iki büklüm boy, endam.• ‹Çektim gam-i sad-gûne-i gerdun-i dütâyı. — Ziya Pş.›.

düval, *F. i.* 1. Kayış. 2. Köseleden kesilmiş ince uzun tasma.• ‹Revnakfüruz-i millet-i Museviyye olan kâkül-i ser-zir ve düval-i bagalgiri. — Kâni›.

düvazdeh, *F. s.* On iki.• *Düvazdeh imam,* şiilerin on iki imamı.

düvel, *A. i.* [Devlet ç.] Devletler.• *Düvel-i muazzama,* büyük devletler (İngiltere, Fransa, Almanya, Avusturya, Macaristan, İtalya, Rusya);• - *müte-lile,* (İtilâf devletleri, (I. Genel Savaş) İngiltere,

Rusya, Fransa, İtalya;• - *müttefika,* (İttifak devletleri I. Genel Savaş) Osmanlı İmparatorluğu, Almanya, Avusturya-Macaristan;• *beyn-eddüvel,* devletler arası;• *hukuk-i düvel,* devletler hukuku.• ‹Devlet-i Aliyyenin itaatinde bulunmak cümle milel ü düvelin maye-i iftiharları olup. — Naima›.

düveli, düveliyye, *A. s.* Devletlerle ilgili, onlara ait.• *Münasebet-i düveliye,* devletler münasebetleri.• ‹Ahval-i düveliyede hukuk-i tabiiyenin bir kısmı da baki olduğunu. — Kemal›.

düveybe, *A. i.* [Dabbe'den] Dabbecik, küçük hayvan.

düvimin, *F. s.* İkinci.

düvüm, düvümin, *F. s.* İkinci.

düyun, *A. i.* [Deyn ç.] Borçlar.• *Düyun-i Umumiye,* Osmanlı İmparatorluğunun XIX. yy. ikinci yarısından başlayarak yabancı devletlerden aldığı borçlar için gösterdiği gelirleri toplamaya mahsus yabancı memurlar idaresi.• ‹Latifeler ile mecmu-i düyunun eda edecek akçe ihsan buyurdu. — Raşit›.

düyunat, *A. i.* [Düyun ç.] Borçlar.• *Düyunat-i atika,* eski borçlar.

düzd, *F. i.* Hırsız. (ç. Düzdan).• .‹Bir düzd-i bürehne-pâyı gûya — Diler ki ede hempâ. — Ş. Galip›.• ‹Olur mu havf-i yed düzdan-i asra mucib-i tekva — Ki halkın şimdi sirkat ettiği hep mirî malıdır. — Ziya Pş.›.

düzadne, *F. s., zf.* Hırsız gibi, hırsızca. Hırsıza yakışır yolda.

düzdî, *F. i.* Hırsızlık.

düzdide, *F. s.* Çalınmış.• *Nigâh-i düzdide,* göz ucuyla acele bakış.

düzeban, *F. s.* [Dü-zeban] 1. İki dilli. 2. Gereklere göre konuşan.• ‹Hâme gibi düzeban ü yek-dil — Her bahsi olurlar idi nâkıl. — Ş. Galip›.

E

e, Elif harfinin üstün ve ince okunan şekli.

-e, *A. e.* Arapça kelimelerin sonuna müenneslik işareti olarak eklenir ve kelimenin müennes olduğunu gösterir.• *Âdil, âdile* (adaletle iş gören kadın);• *malik, malike;•* *sahib, sahibe...* vb.

eabid, *A. i.* [Abd ç.] Kullar, bendeler.

eacîb, *A. i.* *(Elif* ve *ayın* ile) [Ucube ç.] Şaşılacak, çok tuhaf şeyler.• *Eacib-i dehr,* dünyanın çok şaşılacak nesneleri.• ‹Deyu alenen şetm etmesi eacîb-dendir. — Naima›.

eacim, *A. i.* [A'cem ç.] Arap soyundan olmayan, Arapça konuşmayan kimseler.

eadd, *A. s.* Çok hazır, tetikte olan.

eadi, *A. i.* [Adüv'ün iki dereceli ç.] Düşmanlar.• *Dest-i eadi,* düşmanların eli.• ‹İlâhi bugün katl-i eadide ben kulunu şermsar etme. — Naima›.

eali, *A. i.* [A'lâ ç.] Şerefli, ulu kimseler.• ‹Her makamın ashabına ve her tarikın erbabına mahsus bir hadd-i mahdut vardır ki anı ittihaz edip esagir ekâbire edani ealiye taklit etmek fesad-i nizama baistir. — Naima›.

eamm, *A. s. (Elif* ve *ayın* ile) [Âmm'dan] Geniş usrette genel olan, genel.• ‹Tâ ki anında eammın tahtında münderiç olan ulumun. — Taş.›.

earîb, *A. i.* [A'rabî ç.] Arabîler, çöl göçebeleri.

eariz, *A. i.* [Aruz ç.] Aruzlar.

easıb, *A. i.* [Asaba ç.] Sinirler.

easır, *A. i. (Elif, ayın* ve *sat* ile) [İ'sar ç.] Kasırgalar.• ‹Ve dimağından easır ve riyah-i hubb-i riyaset hubub edip. — Taş.›.

eazım, *A i (Elif, ayın* ve *zı* ile) [A'zam ç.] Büyükler.• *Eazım-i millet,* millet uluları;• *eazım-i rical,* pek ulu siyaset, uluları;• *eazım-i rical,* pek ulu siyaset, devlet adamları;• *eazım-i üdeba,* edebiyatçıların pek büyükleri.• ‹Ey silsile-i vücuda nâzım — Rezzak-i erazil ü eazım. — Fuzuli›.

eazz, *A. s. (Elif, ayın* ve *ze* ile) [Aziz'den] 1. En, pek, çok aziz. 2. Kıymetli.• *Eazz-i ehibba,* tanıdıkların en azizi.

eazze, *A. cüm.* ‹Aziz etsin› anlamıyle duada kullanılır.

eb, *A. i.* Baba.• *Eb ü cedd,* baba ve büyükbaba;• *eb-i müşfik,* şefkatli baba;• *liebin,* baba bir ana ayrı kardeş, baba tarafından.• ‹Lâkin bu teessür ne için, ey eb-i müşfik. — Fikret›.

eba, *A. i.* Arap isimlerinde künyelerde babayı göstermek üzere ‹eb› sözünün aldığı şekil.• *Eba Bekir, Eba Eyyub.*• ‹Ve şeref-i ebasını tâmıs ve mahık olup. — Naima›.

ebabil, *A. i.* 1. Dağ kırlangıcı, keçisağan kuşu. 2. Habeş komutanı Ebrehe'nin ordusu üzerine taş yağdıran kuşlar.• ‹İmtizac-i fieteyne bakmayıp tayr-i ebabil gibi. — Sadettin›.• ‹Olmadan Ebreheveş senkzen-i Kâbe-i dil — Düşmen-i Kâbeye vur sengi ebabil gibi. — Nabi›.

eb'ad, *A. s. (Elif* ve *ayın* ile) [Baid'den] Pek uzak.• *Eb'ad-i ihtimalât,* ihtimallerin en uzağı, münasebetsiz.

eb'âd, *A. i.* [Bu'd ç.] 1. Uzaklıklar. 2. *(Geo.)* Boyutlar.• *Eb'ad-i binihaye,* sonsuz uzaklıklar;• *eb'ad-i selâse,* (uzunluk, enlilik, derinlik) üç boyut.• ‹Avâre dolaşmaktayım eb'âd-i hayatı. — Fikret›.

ebade, ebadet, *A. i.* Helâk etme, öldürme.• ‹Saki-i tig-i helahil-füruşları bade-i ebade ile a'da-yi dini üftade. — Sadettin›.

ebadid, *A. s.* Dağınık.

ebaet, *A. i.* Kamışlık (yer). 2. Kamış.

ebaid, *A. i.* [Eb'ad ç.] Hısım ve akrabanın çok yakın olmayanları.• *Ekarib ü ebaid,* yakın ve uzak hısımlar.

ebalis, ebalise, *A. i. (Sin* ile) [İblis ç.] İblisler, şeytanlar.• ‹Lâkin ebalise-i Çerakisenin bünyad-i vifakları nifak üzre. — Sadettin›.

ebarik, *A. i.* [İbrik ç.] İbrikler.

ebatıl, ebatil, *A. i. (Tı* ile) [Bâtıl ç.] Boş faydasız, mantıksız, akla uygun olmayan şeyler.● ‹Cehillerden, vehimlerden, ebatil ve hurafattan sıyrılmak için. — Cenap›.

ebazir, *A. i.* [Ebzar ç.] Kekik otları.

ebb, *A. i.* Otlak, otu çok yer.

ebbar, *A. i.* İğne yapan, satan, iğneci.

ebbaz, *A. s.* Ürkek. Kaçmaya hazır.

ebced, *A. i.* Eski abecede hecelemelerin alt tarafında bulunan bir ibarenin ilk sözü ve bütününün adı.● *Ebced hüvvez hutti kelemen sa'fes kareşet se'haz zazugulen.* Bu harfleri rakam gibi sayıp bir sözcük veya ibareden tarih veya başka bir sayı çıkarabilecek şekilde düzenlemeye "ebced hesabı" denir.● ‹Ebced ile mim elifbadır yüzün. — Nesimi›.● ‹Okur ebced gibi tıfl-i edip. — Vehbi›.

ebcedhân, *F. s.* [Ebced hân] Henüz ebced okuyan, öğretimin ilk zamanlarında bulunan.● *Tıfl-i ebcedhân,* (ebced okuyan çocuk) çok acemi, daha başlangıçta.● ‹Hâceye gitsin okumaya bu ebcedhânlar — Başlasın mektebe varsın da elifba-yi suhan. — Vehbi›.

ebda', *A. s. (Dal* ve *aym* ile) [Bed'den] Pek göze çarpan, dikkati çok çeken.● ‹Âlemi ebda-i nizam üzre ibda' ve icad. — Taş.›.

ebdal, *A. i.* Dünya İle ilgisini kesmiş, kendini Tanrıya vermiş, abdal.● ‹İlme meşgul iken halet-i fena galebe edip ser ü pâ bürehne ebdallar haletin ve fena ehli suretin kullandı. — Lâtifî›.

ebdan, *A. i.* [Beedn ç.] Bedenler.● *İlm-ül-ebdan,* hekimlik; beden bilgisi, cimnastik.● ‹Merde sermaye-i ihsandır zer — Zéne piraye-i ebdandır zer. — Nabi›.

ebed, *A. i.* Sonu olmayan gelecek.● *Ebed müddet,* sonsuz, sürekli. Lâtince *a parte poste* karşılığı (XX. yy.).● ‹Tırnak çamur, tokat... sonu mahv-i ebed, turab. — Fikret›.

ebeda, ebeden, *A. zf.* (Olumsuz cümlelerde) Hiç bir vakit, asla.● ‹Bir cailedir ki fikr-i çeşmin — Dilden ebeda, tebaüt etmez. — Naci›.

ebedgâh, *F. i.* [Ebed-gâh] Mezar.● ‹Döner bir pertev-i bârik edebgâh-i muallâda. — Cenap›.

ebedhane, *F. i.* [Edeb-hane] Mezar.● ‹Bari kıl hâk-i ebedhaneme ihda-yi nigâh — Derd-i aşkınla ölürsem senin ey çeşm-i siyah. — Cenap›.

ebedi, ebediyye, *A. zf.* Sürekli. Hiç son bulmayacak şekilde süren.● *Ebediy-üddevam,* sonu gelmez şekilde sürecek olan,● *ebediyy-ül-hafâ,*● *Ebediyy-üzzuhûr,* ufuk durumuna göre bazı yerlerce hiç görünmeyen, bazı yerlerce de hiç batmayan yıldzıarl;● *Hürriyet-i Ebediyye,* 31 Martta ölenler için İstanbul'da dikilmiş olan anıt ve yeri.● ‹Fakat ne fikr-i baid! — Hayat-i zâil içinde muhabbet-i ebedî. — Fikret›.

ebediyyen, *A. zf.* Ebedî, sonsuz olarak.● ‹Çıkalım doymadan şu hulyadan — Ebediyyen seninle dost olalım. — Cenap›.

ebediyyet, *A. i.* 1. Ebedilik, sonsuzluk. 2. Sonsuz zamanın hali. 3. Ölüm.● ‹Hoş geçen her dem-i sevda ebediyyet sayılır. — Fikret›.

ebedpeyvend, *F. s.* [Ebed-peyvend] Sonu gelmeyecek olan, ebede ulaşacak olan.● ‹Biavnihi teâlâ Devlet-i Aliyye-i ebedpeyvend ile Nemçelû beyninde. — Raşit›.

eben an cedd, eben an ceddin, *A. zf.* Babadan oğula, kuşaktan kuşağa.● ‹Ol havalide eben an ceddin bagy ü isyan üzre olan. — Raşit›.

eber, *A. s.* Herkesçe hayırlı ve şerefli olan.

ebeveyn, *A. i.* Baba ile ana.● ‹Lâkin gayet hilekâr ve bivefa ve gaddar ve mekkâr olup fırsatı düştükçe ebeveynine merhamet etmez fırsat esiri bir sitemkâr olduğun. — Naima›.

ebhal, *A. s. (Hı* ile) [Buhl'den] Pek cimri.

ebhar, *A. i. (Ha* ile) [Bahr ç.] Denizler.● ‹Feza-yi bi-tenahisiyle, ebhar ü cibaliyle. — Fikret›.

ebhar, *A. s. (Hı* ile) Ağzı fena kokan (Kimse).

ebhâs, *A. i. (Ha* ve *se* ile) [Bahs ç.] Bahisler.● *Ebhâs-i müşkile,* zor konular.● ‹Bu garip temaşadır ki tahtında nice ebhâs-i dakika vardır. — Naima›.

ebher, *A. i. (He* ile) 1. Temiz kanı yürekten gövdeye dağıtan damar, atardamar. 2. En, pek parlak. Ziyade parlayan.● ‹Tâ haşr durur o nur-i ebher — Körler görmez görür görenler›.

ebhıre, *A. i. (Hı* ile) [Buhar ç.] Buharlar, buğular.● ‹Koma hasrette tehidest dil-i mahzunu — Etmede ebhıre-i azl dimağım sersam. — Nabi›.

ebhur, *A. i. (Ha* ile) [Bahr ç.] Denizler.

ebi, *A. i.* Baba.

ebid, *A. s.* Sürekli, bitimsiz, ebedî olan.

ebkâr, *A. i.* [Bikr ç.] 1. Kız olan kızlar. 2. Daha önce kimse tarafından kullanılmamış şeyler.• *Ebkâr-i efkâr,*• *- maani,*• *- nüket,* daha önce kimse tarafnıdan söylenmemiş, kullanılmamış fikirler, anlamlar, nükteler.• «Niçin ebkâr-i maani beslemez erbab-i nazm. — Ş. Yahya».• «Kurdun bize ânât-i ziyaadn — Hissiyet-i ebkâr ile âraste bir çenk. — Cenap».

ebkem, *A. s.* [Bükm'den] Dilsiz.• *Zulmet-i ebkem,* dilsiz karanlık, (Ed. cedide).• «Ebkem olsun beni hâmuş eden a'da-yi suhan. — Vehbi».

ebkemiyyet, *A. i.* Dilsizlik.• *Ebkemiyyet-i mutlaka,* tam dilsizlik.• «Zulmet-i ebkemiyyetin derununda. — Cenap».

eblag, *A. i.* *(Gayın* ile) [Beliğ'den] Pek, daha, en beliğ. Sözü tam kelimeleriyle düzgün söyleyip etki yaratan.• «Nabi'ye Munif iken mukallit — Andan eblag demiş kasait. — Ziya Pş.».

eblak, *A. s. i.* 1. Alaca. 2. Alaca bacak at.• «Zerrin libaslar ile müzeyyen ve murassaât ile serapa piraste rahş-i eblâkpâye süvar olup. — Selâniki».

eblaksüvar, *F. s.* [Eblak-süvar] Cenkçi yiğit. (ç. Eblâksüvaran).• «Eblaksüvar-i ruzgâr — Aşub-i Rum ü Zengibar. — Nef'i».

eblas, *A. s.* Miskin hastalığına tutulmuş.

ebleh, *A. s.* *(He* ile) [Belâhat'ten] Akılsız. Budala.• «Gürcü Mehmet Paşa bed-ir-rey bir ebleh adamdır. — Naima».

eblehan, *F. i.* [Ebleh ç.] Akılsızlar, budalalar.• «Eblehanın kimi şahit, kimi mürit ve zahid-i bârid olup. — Kâtip Çelebi».

eblehane, *F. zf.* Akılsızcasına.• «Eblehane kimi edip pendi. — Atayi».

eblehfirîb, *F. s.* [Ebleh-firib] Ahmak aldatan.• «Ahmak-pesend ve eblehfirib olmak için tatlı kuyu mukabelesinde menzili köşesinde bir çeşme yapmaya dahi başlanmış idi. — Naima».

eblehfiribane, *F. zf.* Ahmak aldatanlara yakışır yolda.

eblehî, *F. i.* Bönlük, ahmaklık. Akılsızlık.

eblehiyyet, *A. i.* Bönlük, ahmaklık.

eblem, *A. i.* Kalın dudaklı adam.

ebna, *A. i.* [İbn ç.] Oğullar, çocuklar.• *Ebnay-i Âdem,* âdemoğulları;• *- beşer,* insanoğulları;• *- cins,* aynı cinsten olanlar İnsanlar;• *- sebil,* yolcular.• «Bütün ebna-yi hilkat en mutantan bir

mezellette — Bulurken her küçük nefhanda bir matem veya bir sûr. — Fikret».• «Fitne ve fesada agaz reaya ve ebna-yi esbile dest-i teaddilerini dıraz edip. — Raşit».

ebniye, ebniyye, *A. i.* [Bina' ç.] Yapılar. Binalar.• *Ebniye-i âliye,* yüksek yapılar;• *- hassa,* padişah binaları;• *- miriye,* beylik yapılar;• *- seniyye,* padişah binaları.• «Rîh-i şedit olmağın derya üzerinde olan ebniye tutuşup cümle yanıp. — Naima».

ebr, *F. i.* Bulut.• *Ebr-i bahar,*• *- bâran,*• *- ihsan,*• *- nisan,*• *- rahmet,*• *- seher,*• bahar, yağmur, ihsan, nisan, rahmet, sabah bulutu.• «Sen ey ebr-i münever, incilâbahşa-yi vicdansın. — Fikret».

ebrac, *A. i.* [Burç ç.] Burçlar, kaleler.• «Ve semaya hemser olan kulel ü ebracına basar erişmez. — Naima».

ebralûd, *F. s.* [Ebr-alûd] Bulutlu.

ebrar, *A. i.* [Berr ç.] Doğru sözlü, hayır işleyen olgun insanlar.• *Ebrar-i ümmet,* ümmetin hayırlı insanları;• *şeş ebrar,* Ebubekir, Ömer, Osman, Ali, Hasan ve Hüseyin.• «Yolunda can verip oldu güzide-i ebarr. — Yahya».

ebras, *A. s.* *(Sad* ile) Vücudunda hastalıktan ileri gelen lekeler.• «Zira a'ma ve atraş ve ebras ve meczum oldu. — Taş.».

ebred, *A. s.* Çok, pek soğuk. Soğuk (kaçan söz).

ebrehe, *A. i.* Hıristiyan Habeşlilerin Kâbeyi yıkmak için fillerle kuvvetlendirilmiş ordusunun komutanı olan kişi.• «Olmadan Ebreheveş senkzen-i Kâbe-i dil — Düşman-i Kâbeye vur sengi ebabil gibi. — Nabi».

ebreş, *A. s.* Abraş. Alaca, benekli at.

ebrişim, *F. i.* İbrişim.• «Eder ebrişime talim-i nuumet pulâd. — Nabi».

ebru, *F. i.* Kaş.• «Ey keman-ebru şehid-i hançer-i müjgânınım. — Fuzuli».• «Tirin kaçan nişane ol ebru keman atar — Ana nişan olmaya uşşak can atar. — Hayali».• «Rükûu eyler ebruna kıyamı kaddine âşık — Olur taat-i ehl-i derd gâhi rast gâhi geç. — Nailî».

ebruferah, *F. s.* [Ebru-ferah] Güler yüzlü.• «Sevdirir elbette kendin daima ebruferah».

ebruferahi, *F. i.* Güler yüzlülük.• «Türşrû olma cihanda kimse bakmaz çehrene — Âlemin makbulüdür ebruferahî daima».

ebruperest, F. s. [Ebru-perest] Kaşa tapan, kaşına tutkun.● «Dil oldu taze bir bütün ebruperesti kim — Cibrile nakş-i pâyı olur secdegâh-i nev. — Nailî».

ebruvan, F. i. [Ebru ç.] Kaşlar.● «Çü nun ü vel-kelam ol ebrüvan-i hilâl-nümud. — Sami».

ebsar, A. i. (Sat ile) [Basar ç.] Gözler;● Ulül-ebsar, görüp anlayanlar.● «Bakmakla ebsâra cilâlar verip benefşe. — Necati».

ebtal, A. i. (Tı ile) [Batl ç.] Yiğitler, kahramanlar.● «İnayet Şah ve Veli Şah ve sair ebtal-i rical-i Tatar ile cemian. — Naima».

ebter, A. s. 1. Kuyruksuz, kuyruğu kesik. 2. Eksik, tamamlanmamış. 3. Dölsüz, yaramaz kimse.● Emr-i ebter, faydasız iş.● «Allah adı olsa her işin önü — Hergiz ebter olmaya anın sonu. — Süleyman Çelebi».● «Ekser-i tesanifi füsul ve ta'likat ve bazı ebter ü nâkıs olmuştur. — Taş.».

ebu, A. i. «Eb» kelimesinin künyede aldığı şekil.● Ebu Bekir,● Ebu Süfyan,● Ebu Turab, Halife Ali.● «Eylemem çerha serfüru arıma — Hâkpâ-yi Ebu Turab olurum. — Naci».

Ebülbeşer, A. i. [Ebu-beşer] İnsanların babası, Âdem peygamber.● «Düştü cüda naim-i sefadan Ebülbeşer — Oldu Halil'e tecrübegeh gerden-i püser. — Ziya Pş.».

Ebülhevl, A. i. (Mısır'daki) Sifenks.● «Dört bin seneden beri aynı vaziyeti muhafaza eden Ebülhevl-i Mısrîdir. — Cenap».

ebüzzeheb, A. s. (Zel ve he ile) [Ebuz-zeheb] Altın babası, çok zengin;● Ebu zeheb.

ebvab, A. i. [Bab ç.] Baplar. 1. Kapılar. 2. Başvurulacak büyük kapılar. 3. Kitap bölümleri. 4. Arapça fiillerin çekim kalıpları.● Ebvab-i rahmet, rahmet kapıları.● «Hazret-i Allah, efendi, müfettih-ül-ebvabdır — Anınla müzakere edip cemi ebvabı anın üzerine ahz edip. — Taş.».● «İstanbul sûrları ebvabından Topkapı'sı dahi. — Raşit».

ebval, A. i. [Bevl ç.] Sidikler, çişler.

ebvibe, A. i. [Bab ç.] Kapılar.

ebyat, A. i. [Beyt ç.] Beyitler. İki mısradan meydana gelme manzum parçalar.● «Görünce sahib-i divan olanlar ebyatını — Dediler olsan olur ehl-i nazma serdefter. — Hayalî».

ebyaz, A. s. [Beyaz'dan] Ak. Beyaz.● Mevt-i ebyaz, ansızın ölüm.● «Sakal ve kaşları eslç-i ebyaz gibi ağarmış bir pîr-i cesim idi. — Naima».

ebyazıyet, A. i. Beyazlık, aklık.● «Bir ebyazıyet-i bekâretle münevver bir göz şeklinde. — Uşaklıgil».

ebzar, A. i. Kekik otu (ç. Ebazir).

ecahil, i. (He ile) [Echel ç.] Eçheller, aşırı cahiller.

ecamire, A. i. [Cemre ç.] 1. Cemreler. 2. Tayfalar, insan grupları.

ecanib, A. i. [Ecnab ç.] Ecnebiler, yabancılar. (XIX. yy. dan sonra yabancı uyruklu kimseler anlamında kalmıştır).● «Şayet ola bu hayale zâhib — Kim oldu lebaleb ecnaib. — Nabi».● «Eski idaerler ecnaible lâyıkıyle netayicini düşünmeksizin birtakım mukaveleler akdederek. — Reşat».

ecbal, A. i. [Cebel ç.] Dağlar.

ecdad, A. i. [Cedd ç.] Büyükbabalar, atalar.● «Ey türbeler, ey her biri pürvelvele bir yâd — İkaz ederek sâmit ü sakin yatan ecdad. — Fikret».

ecdas, A. i. (Se ile) [Ceds ç.] Mezarlar.

ecel, A. i. 1. Her canlının, en çok da insanın ömrünün son demi. Ölüm vakti.● Ecel-i kaza, bir kaza ile ölme;● ecel-i mev'ud,● - müsemma, tabiî bir ölüm.● «Huzzak-i etibbanın müdavat ve tedbirleri kat'a kârgir-i tesir olmayıp ecel-i müsemması hulûl etmekle. — Raşit».

ecell, A. i. [Celil'den] Daha ve pek büyük, en üst.● Ecell-i mahlûkat, (yaratıkların en parlağı, üstünü) insan.● «Marifet Hakkın ecell-i lûtf-i süphanisidir. — Kemal».

eceme, A. i. Vahşi hayvan yeri olan orman. Meşelik. (ç. Âcam).

ecfan, A. i. [Cefn ç.] Gözkapakları.● «Döküp zaman zaman ecfan-i hunçekânından. — Fikret».

echar, A. i. (He ile) Sesini yükselterek söyleme.

echel, A. s. [Cahil'den] Daha veya pek cahil, eçhel.● Echel-i min Karagöz, Karagözden daha cahil.

echer, A. s. 1. Pek dilber. 2. Gündüzleri görmez (kimse), kamaşır gözlü.

echiz, A. i. [Cihaz ç.] Çeyizler.

ecil, A. i. Ertelenmiş, sonraya bırakılmış şey.

ecille, A. i. [Celil ç.] Büyükler, ulular. Rütbe ve derece yükseklikleri.● Ecille-i rical-i Devlet-i Aliyye, (Osmanlı İmparatorluğu) ulâ rütbesinin sınıf-i evvelinde olanlar;• *Ecille-i üdeba-yi Osmaniyye*, Osmanlı edebiyatının ulu kimseleri.• ‹Tabiata mucib-i îftihar olan ecille-i hükemanın hemen cümlesini. — Kemal›.

ecinne, *A. i.* [Cenin ç.] Ana karnındaki çocuklar.

ecinne, *A. i.* [Cin ç.] Cinler.• ‹Efendi hazretleri evvel ervah-i ulviye davet ederdi şimdi ecinne-i süfliye davetiyçin hasır altına girmiş ancak. — Naima›.

ecinni, *A. i.* Bir cin.

ecîr, *A. i.* [Ecr'den] 1. Ücretle işleyen, Gündelikçi. 2. Nefsini kiraya veren kimsedir. (Mec. 413).• *Ecîr-i has*, yalnız kiralayana işlemek üzere tutulan kimse;• *- müşterek*, yalnız belli bir iş ve belli bir zaman için iş gören kimse.• ‹Bir boş fıçıyle dolu tefelsüflerin ecîr. — Cenap›.

ecl, *A. i.* Sebep. Türkçede ‹-den, için› ile veya arapça ‹li› katılarak kullanılır.• *Bu eciden*, bu yüzden;• *liecl-il-maslaha*, iş için;• *liecl-il-muayene*, bakılmak için.• ‹Mustafa Paşa sahrada pelenk ve deryada nehenk kadar nâmdar-i şecaat ve celâdet olduğu eclden. — Raşit›.

eclâ, *A. s.* *(Eilf* ile) [Celî'den] Daha ve pek aşikâr, pek belli.• ‹Hezarân tuşe-i şirin hezarân nimet-i eclâ. — Nabi›.

eclâ', *A. s.* *(Ayın* ile) 1. Kısa dudaklı. Miskin.

eclâd, *A. i.* [Cild ç.] Ciltler, deriler.

eclâf, *A. i.* [Cilf ç.] Edepsiz, yüzsüz adamlar.• ‹Şeyat serhad eclâfı ve maksutları yağma ve garet olanlar. — Naima›.

eclâh, *A. i.* *(Ha* ile) 1. Şakaklarının saçı dökülmüş olan. 2. Başı kel kimse. 3. Üstü düz mahfe veya araba.• ‹Ve dahi eclâh idi, yani başının canibeyninin şa'rı yok idi. — Taş.›.

eclef, *A. s.* [Cilf'ten] En edepsiz.• ‹Veled-i na-halef ve pûr-i bişuur-i eclef ile. — Esat›.

ecma', *A. s.* [Cem'den] En toplu. Ziyade birleşmiş ve birikmiş.

ecmad, *A. i.* [Cemd ç.] Kaleler, hisarlar.

ecmaîn, *A. Cüm.* Hepsi, toplu, cümlesi.• *Radıyallahü anhüm ecmain*, Tanrı tümünden razı olsun.

ecmal, *A. i.* [Cemal ç.] Develer.

ecme, *A. i.* Sık ağaçlı yer. Orman. Vahşi hayvan yatağı.

ecmel, *A. s.* [Cemil'den] Daha güzel. En yakışıklı.• ‹Ve hüsn ü cemalde ehl-i Basra'nın ecmeli idi. — Taş.›.

ecnab, *A. i.* [Cenb ç.] Yan taraflar.

ecnad, *A. i.* [Cünd ç.] Askerler.• ‹Cem-i ecnad edip. — Sadettin›.

ecnas, *A. i.* [Cins ç.] Cinsler, türler, çeşitler.• *Ecnas-i muhtelife*, türlü çeşitler.• ‹Ve acnas-i asakirden vafir kimesne tâyin. — Raşit›.

ecnebi, *A. i.* 1. Yabancı, garip. 2. Sert başlı at.• ‹Akraba olsa da faraza düşmen — Ecnebilerden olur elbet ehven. — Sümbülzade›.

ecnebi, ecnebiyye, *A. s.* 1. Yabancı. 2. Başka devlet uyruğu.• *Memalik-i ecnebiyye*, yabancı ülkeler.• ‹Yüzde sekiz gümrüklü bir hâtıra-i ecnebiyye bırakır. — Cenap›.

ecniha, *A. i.* *(Ha* ile) [Cenah ç.] Kanatlar.• ‹Ferzendinin üstüne hayali — Bir kuş gibi ecniha-küşadır. — Cenap›.

ecr, *A. i.* 1. Bir iş karşılığı verilen şey, ücret. 2. Ahret mükâfatı, sevap.• *Ecr-i misil*, bir iş için bilirkişi tarafından benzerlerine bakılarak belirtilen ücret;• *- müsemma*, sözleşmede veya pazarlıkta belirtilen ücret;• *ecir ve sabır*, başsağlığı dileği.• ‹Elbette ecrini verecektir adaletin. — Recaizade›.

ecrah, *A. i.* [Cürh ç.] Yaralar.

ecram, *A. i.* [Cirm ç.] Ruhu olmayan cisimler.• *Ecram-i felekiyye*,• *- semaiyye*,• *- ulviyye*, gökcisimleri, yıldızlar.• ‹Ey gıbta-i nahid, ki zîr ü bem-i sazın — Eflâki de, ecramı da inletse revadır. — Fikret›.

ecras, *A. i.* *(Sin* ile) [Ceres ç.] Çanlar. çıngırdaklar.

ecraz, *A. i.* [Curuz ç.] Topuzlar.

ecreb, *A. i.* Uyuz hastalığı.

ecred, *A. i.* Tüysüz (saçı sakalı olmayan).

ecribe, *A. i.* [Cirab ç.] Dağarcıklar.

ecsad, *A. i.* *(Sin* ile) 1. Gövdeler, tenler. 2. Cisimler.• *Ecsad-i seb'a*, Yedi cisim (Eskilerin yedi cisim ve yedi maden dedikleri; altın, gümüş, kalay, kurşun, demir, bakır ve harçini);• *ümm-ül-ecsad*, (eski kimyada) civa.• ‹Milyonla barındırdığın ecsad arasından. — Fikret›.

ecsam, *A. i.* *(Sin* ile) [Cism ç.] Cisimler.

ecsem, *A. s.* İri, gövdesi büyük.

ecvad, *A. i.* [Cud ç.] Cömertlikler.• ‹Ecvad içinde cud ile cümleye galiptir. — Süheyli›.

ecvaf, *A. i.* [Cevf ç.] 1. İçler. 2. Kovuklar, oyuklar.

ecvam, *A. i.* [Câm ç.] Kadehler.

ecvar, *A. i.* [Câr ç.] Komşular.

ecvaz, *A. i.* ç. Ortalar, vasatlar.

ecveb, *A. s.* En iyi, uygun olan.

ecved, *A. s.* Aşırı iyi, güzel olan.• «Ve nâsın ecved ü eshası idi. — Taş.›.

ecvef, *A. s.* [Cevf'ten] İçi boş, kof. (Arap gra.) İkinci harfi «v», ‹y› olan fiil.• *Ecvef-i vavî,*• *ecvef-i yaî·*

ecvibe, *A. i.* [Cevab ç.] Cevapalr, karşılıklar.• ‹Tevcih-i ma'kul ile verdiği ecvibe-i mutadeden müteselli olmayıp. — Naima›.

ecyad, *A. i.* [Cid ç.] Uzun boyunlar.

ecyaf, *A. i.* [Cife ç.] Cifeler, leşler.

ecyal, *A. i.* [Ceyl ç.] Soylar.

ecyed, *A. s.* En iyi, en güzel.• ‹Tefsir-i Kalûr ki ecyed ve evzah-i tefasirdir. — Taş.›.

ecza', *A. i.* [Cüz' ç.] 1. Cüzler. Bölümler. Parçalar. 2. Ciltlenmemiş kitap. 3. İlâç. Kimyasal madde.• *Eczay-i nariyye,* ateşlenici kimyasal maddeler;• *eczay-i tıbbiyye,* ilâçlar;• *eczay-i şerife,* Kur'an cüzleri;• *ecza-üş-şi'r,* aruzun sekiz asıl parçası : failün, faulün, mefailün, müstef'ilün, failâtün, müfaaletün, mef'ulâtün mütefailün.• ‹Vaz etmek üzere bulduğum ecza-yi zulmeti — Tırnaklarım enîn ile enkaz-i sanatı. — Cenap›.• ‹Etrafına ecza ve keraris vaz edip. — Taş.›.• «Ecza-i vücudumuz bizim için lâyenkati ölmekte olduğu gibi. — Cenap›.• ‹Hasta diller verir ecza-yi etibbaya revac. — Vasıf›.

eczahane, *F. i.* [Ecze-hane] İlâç yapılan dükkân.• ‹Bunlar için eczahaneye girmeyi. — Cenap›.

eczal, *(Zel* ile) [Cizl ç.] Ağaç kökleri.

eczal, *A. i.* (*Ze* ile) Cömertlik etme.

eczam, *A. i.* (*Ze* ile) Burnu kesilmiş kimse.

eczem, *A. i.* (*Zel* ile) Eli kesilmiş kimse.

eczem, *A. s.* [Cüzam'dan] Cüzama tutulmuş, miskinlik illetine yakalanmış.

eda', *A. i.* 1. Ödeme. 2. Yapma, kılma, yerine getirme. 3. Üslup, tarz. 4. Soğuk davranış. Kurum.• *Eday-i deyn,* borç ödeme;• *şair-i pakize-eda,* temiz üs-

luplu şair.• ‹Vusul buldukta tâyin olunduğu hizmeti eda eyleyip. — Raşit›.• «Siyavüş Paşa hazretleri hem kardeşimiz hem efendimizdir bu edalar ağaların ibramıyle yazılmıştır. — Naima›.

edakk, *A. s.* [Dikkat'ten] Pek ince, pek önemli.• ‹Fıkh-i Şafiî'nin edakk-i mesilini camidir. — H. Vehbi›.

edamellahü, *A. ü.* ‹Tanrı daim etsin›. anlamında dua.

edani, *A. s.* [Edna ç.] Pek alçak, en bayağı adamlar.• ‹Biz sizden geçmeziz edani sözüne ve eracife vücut vermeyesiz. — Naima›.

edat, *A. i.* 1. Alet. 2. (*Gra·*) Kendi kendine anlamı olmayıp isim ve fiillere katılarak anlam gösteren kelime, harf.• ‹Amma ki bizim lisanımızda. — Ziya Pş.›·

edavi, *A. i.* [İdave ç.] Su ibrikleri.

eddua, *A. ter.* ‹Sizin için duamız eksik değildir› anlamında Arapça takım.

edeb, *A. i.* 1. Terbiye, güzel ahlâk, iyi davranış. 2. İncelik, kibarlık. 3. Utanma. 4. Örtülmesi gerekli ayıp yerler. 5. Edebiyat. (ç. Âdab).• *Edeb-ül-bahs,* mantığın bir konu üzerinde konuşmada tutulacak yol ve kuralları gösteren bölümü;• *edeb-ül-kâtip,*• *edeb-ül-kadı,* kâtip ve kadıların mesleklerinde bilmeleri ve kullanmaları gerekli yollar ve kurallar;• *ilm-i edeb,* sarf, nahiv, bedi', beyan, lügat, iştikak, aruz, kafiye, hat, inşa, şiir, muhadarat bölümlerine ayrılan edebiyat bilgisi.• ‹Ve vüzera-yi izam ve sair erkân-i divan edeb ve vekar ile yerli yerinde karar edip. — Naima›.• ‹Asıl olan lisana başka ve vekil olan kaleme başka edeb tasavvur etmektir. — Kemal›.

edebane, *F. zf.* 1. Edebe uygun şekilde. Edepli kimseye uygun şekilde.

edebî, edebiyye, *A. s.* [Edeb'ten] Edebiyata, edebiyat bilgilerine ait, onunla ilgili.• *Mecmua-i edebiyye,* edebiyat dergisi;• *mekteb-i edebî,* edebiyat okulu;• *musahabe-i edebiyye,* edebiyat konuşması.• ‹Maarif-i edebiyye efkârın dahi muallim-i evveli addolunur. — Kemal›.

edebiyyat, *A. i.* ç. Edebiyat (Arapça anlamıyle ilm-i edebin bütün bölümlerini toplayan çoğul anlamlı bu kelime Tanzimat'tan sonra Türkçede bugünkü tekil isim anlamıyle kullanılmaya başlanmıştır).• ‹Edebiyatın muhafaza-i milliyette olan tesirine her millet-i muntazamayı bir delil-i nâtık bulmuşlardır. — Kemal».

edeme, edme, *A. i.* Derinin ikinci tabakası, altderi.● *Edeme-i dahiliyye,* içderi (dahilet-ül-beşere).

edevat, *A. i.* [Edat ç.] 1. Edatlar. 2. Aletler.● *Edevat-i lâhika,* son takılar.● «Muhasarasına mübaşeret ve şeb ü ruz imal-i edevat-i ceng ü harbe mübaderet ettikten sonra. — Raşit».

edfa', *A. ,s.* (Ayın ile) [Def'den] Aşırı uzaklaştırıcı olan, defedici.

edfan, *A. i.* [Define ç.] Yerde gömülü şeyler. Gömüler.

edha, *A. s.* (He ile) Çok zeki.

edhan, *A. i.* (He ile) [Dühn ç.] Sürünecek güzel kokulu yağlar.

edhem, *A. i.* Karayağız (at.)● «Edhem-i hamem eylesin min-ba'd — Vâdi-i fahr içinde ceylânı. — Fehim».

Edhem, *A. i.* XX. yy. da Belh'te hükümdar iken derviş olup devletinden vazgeçen İbrahim Edhem.● «Her taç giyen zâhidi Edhem mi sanırsın. — 'Vâsıf».

edhi, *A. s.* (He ile) Çok zeki.

edhine, *A. i.* (Hı ile) [Duhan ç.] Dumanlar, tütünler.● «Lâ melâyı pür eder edhine-i fahm-i emel. — Kâzım Pş.».

edhiye, *A. i.* Zihin ve zekâ sahipleri.

edib, edibe, *A. s.* [Edeb'den] 1. Edepli, terbiyeli. 2. Edebiyalta uğraşan.● *Edib-i bimüdani,* benzeri olmayan edebiyatçı;● *tıfl-i edip,* terbiyeli çocuk.● «İnkılâbat-i âlem bir edip-i kâmilin namını seng-i mezarından ifna etse. — Kemal».

ediban, *A. i.* [Edip ç.] Edipler.● «Zihi vifak-i ediban-i alem-i tecrid — Ki bîedebiniz ile ihtilât bilmezler. — Nailî».

edibane, *F. s. zf.* [Edib-ane] Edip olana yakışır surette.● *Etvar-i edibane,* terbiyelice davranışlar.● «Aralarında cereyan eden mübahasat-i edibaneden başka sıkıca bir öksürük sesi bile işitilmez. — Kemal».

edille, *A. i.* [Delil ç.] Kanıtlar, deliller.● *Edille-i akliyye,*● *edille-i kanuniyye,*● *edille-i kaviyye,* akla, kanuna uygun, kuvvetli kanıtlar;● *edille-i şer'iyye,*● -*erbaa,* kitap, sünnet, icma-i ümmet, kıyas-i fukahadan çıkarılma şeriatın dört kanıtı.● «İtibar edilenin kuvvetinedir, kesretine değildir. — Taş.».● «Mazide emsile ve edille taharrisine ne hacet. — Cenap».

edîm, *A. i.* 1. Tabaklanmış deri. 2. Yüz (taraf).● *Edim-i arz,* yeryüzü.● «Nâzil olmuş edîm-i arza kamer. — Fikret».

ed'iye, ed'iyye, *A. i.* (Ayın ile) [Dua ç.] Dualar.

edmiga, *A. i.*' [Dimağ ç.] Dimağlar. Beyinler.

edmu', *A. i.* (Ayın ile) [Dem' ç.] Göz yaşları.

edna, *A. s.* [Deni'den] 1. Daha veya pek aşağı. 2. Daha veya pek alçak. 3. Daha veya pek bayağı. 4. Pek az.● «Asakir-i mansurenin edna hamle-i hücumlarına mukavemet etmek emr-i muhal olduğun. — Raşit».

ednas, *A. i.* [Denes ç.] 1. Murdarlıklar, pislikler. 2. Çapkınlar, bayağı kimseler.

edva', *A. i.* [Da' ç.] Hastalıklar.

edvar, *A. i.* [Devir ç.] 1. Devirler, zamanlar. 2. Musikiyi konu yapan eserler.● «Kütle-i pür-kesafet-i edvar. — Fikret».

edven, *A. s.* Ziyade aşağı olan.● «Sevk-i ıstırar ile suk ihtisabını edven-i manasıb iken. — Sadettin».

edviye, *A. i.* [Deva' ç.] İlâçlar.● «Re's-i edviye perhiz ve himyedir. — Y. Kâmil Pş.».

edyak, *A. i.* (Kef ile) [Dik ç.] Horozlar.

edyan, *A. i.* [Din ç.] Dinler.● «Bir cinayet ki kavanin, edyan — Koymamış ismini. — Fikret».

ef'a, ef'i, *A. i.* Bk.● *Ef'i.*

efadıl, efazıl, *A. i.* (Dat ile) [Efdal ç.] Fuzula, çok fazilet sahibi olgunlar.● «Tefsir-i muteber telif edip pesendide-i efadıl olmakla. — Naima».

efahim, *A. i.* (Hı ile) [Efham ç.] En ulular, pek büyükler.● «Eş'arda zübed-i efahim. — Ziya Pş.».

efai, *A. i.* [Ef'i ç.] Engerek yılanları.● «Efai-i megare-i cahîm lokma-i cism-i usata dehan küşade. — Veysi».

efail, *A. i.* 1. İşlenen işler. 2. Efaîl ü tefaîl.● «Yevmen feyevma efaîl acîbe ve umur-i garibe zuhur eder oldu. — Naima».● «Bir rubu asırdan beri efaîl ve tefaîl ile ahz ü i'tası vardır. — Cenap».

ef'al, *A. i.* (Ayın ile) [Fi'l ç.] Fiiller. İşler.● *Ef'al-i hasene,* iyi işler;● *ef'al-i muzırra,* zararlı işler.● «Bibakâne nice ef'ali sâdir olmuş idi. — Naima».

efanin, *A. i.* [Ufnun ç.] Haller, çeşitler.

efavic, *A. i.* [Fevc ç.] Bölükler, cemaatler, kalabalıklar.

efayik, A. i. [Efike ç.] Yalan, uydurma sözler.

efazıl, Bk.• Efadıl.

efdah, A. s. (Dat ile) [Fadih'ten] Pek rezil.

efdal, A. s. [Fazıl, fadıl'dan] Pek faziletli. Derecesi yüksek.• ‹Efdal-i meratib-i beşeriyye olan meşihat-i islâmiyenin ırz ve namusunu hetke cüret eyleyerck. — Naima›.

efdâl, A. i. (Dat ile) [Fazl ç.] Bahşişler, ihsanlar.• ‹Akl ü kemal ve liyakat-i mecd ü efdâle binaen. — Raşit›.

efdaliyyet, A. i. Daha faziletli olma, üstünlük.

effak, A. s. (Kaf ile) [İfk'ten] Yalancı.• ‹Tatar askerin cem'edip ol şeffak ve effakler Edirne'ye su-i kasd ettiler. — Naima›.

eferr, A. s. Ziyade, pek koşucu, kaçıcı.

efgan, F. i. Acı iie bağırıp çağırma. Feryat ile bağırışma.• ‹Tevfik, eserin felsefenin levha-i ye'si — Bir mâ'kes-i efgan-i muaşir. — Cenap›.

-efgâr, F. s. ‹Yaralı› anlamıyle kelimeye ulanır. Bk.• Figâr.• ‹Matem tutup etti ol giriftar — Tırnağı ile yüzünü efgâr. — Fuzuli›.

-efgen, A. s. ‹Atıcı, yıkıcı, düşürücü› anlamlarıyle kelimelere ulanır.• ‹Sandık kim sarsar-ı gusun-efgen — Başka bir yerde eylemiş izhar — Ana mahsus taze bir gülşen. — Cenap›.

efgende, F. s. 1. Yıkılmış, yıkık. 2. Düşkün, bağlı.• ‹Bilmiş ol eyledin efgendeser ey dilefgen — İhtisasatımı, efkârımı, amalimi sen. — Cenap›.• ‹Bir efgendesine esbab-i zafer vermek dilese. — Lâmii›.

efham, A. s. (Hı ile) [Fahîm'den] Daha veya pek ulu.• ‹Budur ol efdal-i emsal-i müşir-i efham. — Nabi›.

efhâm, A. i. (He ile) [Fehm ç.] Anlamalar, zihinler.• ‹Filcümle hayret-endaz-i ukul ü efhâm ola. — Nergisi›.

efhem, A. s. [Fehm'den] Çabuk anlayan.• ‹Derke kadir değil edna-yi bedihiyyatın — Ne kadar etse teemmül ukalâ-yi efhem. — Nabi›.

ef'i, ef'a, A. i. (Ayın ile) Engerek yılanı.• ‹Her canibden manend-i ef'i baş kaldırıp fitne ve fesada agaz. — Raşit›.

ef'ide, A. i. (Hemze ile) [Fuad ç.] Yürekler, kalpler.• ‹Kalpleri kasi ve efi'deleri galiz olup. — Taş.›.

efkah, A. s. (Kaf ve he ile) [Fıkh'tan] Çok iyi, aşırı fıkıh bilen.• ‹Ben eba Hanife'den efkah bir kimse görmedim. — Taş.›.

efkar, A. i. (Kaf ile) [Fakir'den] Daha veya pek fakir, çok yoksul.• Efkar-i fukara, fakirlerin en fakiri.• ‹Kifayet ve muamelatında zamanının efkar-i fukarasından fark olunmazdı. — Kemal›.

efkâr, A. s. (Kef ile) [Fikr ç.] Fikirler.• Efkâr-i umumiyye, kamu oyu.• ‹Bir anda bütün benliğimiz etti tenevvür — Efkârımızı kapladı bir cevf-i tahayyür. — Cenap›.

-efken, F. s. Bk.•. Efgen.

efkende, F. s. Bk.• Efgende.

eflâk, A. i. (Kef ile) [Felek ç.] Felekler.• Eflâk-i ulviyye, Zuhal (Satürn), Müşteri (Jupiter), Merih (Mars) yıldızları.• ‹Kendi cevvim kendi eflâkimde kendim tâirim. — Fikret›.

Eflak, i. Osmanlı İmparatorluğu zamanında, iki memleket anlamına gelen,• Memleketeyn'den bir bölüm ki merkezi Bükreş idi.• ‹Yine Eflâk tarafına geçip. — Raşit›.

eflâkî, F. s. Eflâkte bulunan, yani melek.

eflâkiyan, F. i. [Eflâki ç.] Melekler.

Eflâtun, Felâtun, A. i. Sokrat'ın öğrencisi, Aristo'nun da öğretmeni olan Grek filozofu,• Eflâtun-i ilâhî denir.• ‹Ahd-i Eflâtun'a kadar. — Cevdet Pş.›.

eflâtunî, A. s. Eflâtun'a ve onun felsefesine ait, onunla ilgili.• Aşk-i Eflâtunî.

efles, A. s. Pek züğürt, çok müflis.• ‹Maveraunnehr'den gelmiş Horasanîyan şeklinde efles mindebur. — Sünbülzade›.

efnan, A. i. [Fen ç.] 1. Ağaç dalları. 2. Soylar, cinsler. 3. Çeşitler, türler.• ‹Efnan-i tâbirat-i pesendidesi hıyaban-i selika-i hemvar-eserden serzede. — Nergisî›.

efniye, A. i. [Fina ç.] Avlular.• ‹Ebniye-i garibe ve efniye-i acîbe ile meşhun. — Sadettin›.

efrad, A. i. [Ferd ç.] 1. Erler, kimseler. 2. Ordu erleri. 3.• Efrad tâbiri hazret-i resulullaha mahsus vasıftır. Yine sofiyye hazret-i resulullaha üç ferdiyeti haiz olmakla tâbiratlarında hemişe ‹efrad› ıtlak ederler. — Baki›.• ‹Ve siz ey ordumuzun anlı şanlı efradı. — Fikret›.

efrah, A. i. [Ferah ç.] Sevinmeler. İç açıklıkları.• ‹Câlib-i etrah ve sâlib-i efrah iken. — Sadettin›.

efrahte, *F. s.* Yükselmiş, yükseltilmiş, kaldırmış, kaldırılmış.● «Aferin ey alemetrahte serdar-i dilir. — Nef'î».

efrak, *A. i.* [Fark, fırka ç.] Fırkalar. 2. İnsan bölükleri.

efras, *A. i.* [Feres ç.] Atlar.

Efrasiyab, *F. i.* Büyük İskender zamanınnında yaşamış ve Keyhusrev tarafından öldürülmüş bir Turan yiğidi.● «Keskinli Ali Paşa ki Efrasiyab-asâ bir pîr-i sefîd. — Naima».

efraş, *A. i.* [Ferş ç.] 1. Döşenecek şeyler. 2. Kadınlar.

efraşte, *F. s.* Yukarı kaldırılmış olan.● «Çetr-i sürur fark-i pür-nurları üzre efraşte. — Nergisî».

-efraz, *F. s.* (Ze ile) «Yükselten, kaldıran» anlamıyle kelimelere ulanır.● *Serefraz*, baş yükselten.

efraz, *A. s.* [Farz'dan] Kur'an'ı çok iyi bilen kimse.

efrâzî, *F. s.* (Ze ile) Yükseklik.

efrenc, *A. i.* Frenk, Avrupalı.● *Da'-ül-efrenç*,● *illet-i efrenciyye*, frengi;● *taife-î efrenc*, Frenkler, Avrupalılar.● «Ve çuha levazımı min ba'din taife-i efrence füruht ettirilmemekte. — Raşit».

efrenci, efrenciyye, *A. s.* Frenklere, Avrupalılara mensup, onlarla ilgili.● *Tarih-i efrencî*, milât tarihi.● «Zer-i efrencî gerek sayda büt-i efrenci. — Nedim».

Efridun, Feridun, *F. i.* Cemşid soyundan ünlü bir Fars hükümdarı.● «Nemed külâh-i gedayiyle tâc-i Efridun. — Nef'î».

efriga, *A. i.* [Ferag ç.] Boş vakitler.

efruhte, *F. s.* «Parlamış, tutuşmuş» anlamıyle kelimelere ulanır.● *Dil efruhte*, gönlü yanık;● *şem' efruhte*,● *çerağ efruhte*, mumunu yakmış, geçimini sağlamış.● «Padişah-i âlempenah hazretlerinin çerag efruhtesiyim diye garralanıp ibadullaha hüsn-i muamele etmeyip. — Naima».

-efruz, -füruz, *F. s.* «Parlatan, tutuşturan» anlamıyle kelimelere katılır.● *Hüsn-i cihan efruz*, dünyayı tutuşturan güzellik;● *dilefuruz*, gönül yakan.● «Gevher-i nazm-i âlem-efruzum — Şehlerin ziver-i külâhıdır. — Nef'î».

efruzende, *F. s.* Işıklandırıcı.

efsah, *F. s.* (Sat ve ha ile) [Fasih'ten] Daha veya pek fasahatli, çok düzgün söz söyleyen.● «Rabb-i nutk-âferine hamd-i sarih — Efsah-ül-mürsiline medh-i fasîh. — Naci».

efsak, *A. s.* (Sin ve kaf ile) Pek veya ziyade fâsik, en edepsiz.● «Hâtırı sayılacak efsak idi — Ana facir lâkabı evfak idi. — Atayî».

efsane, *F. i.* 1. Masal. 2. Ün salmış, dillere düşmüş olay.● «Firara düşüp tekrar gelmelerini akıl tecviz etmez iken bir kuru efsaneye vücut verilmek makul değil idi. — Naima».● «Her ne derlerse senin hakkında hep efsanedir. — Nef'î».

efsane vü efsun, (Masal ve büyü), boş lâkırdı.

efsanecû, *F. s.* [Efsane-cû] Masal arayan, boş vakit geçiren.

efsanecûyi, *F. i.* Boş vakit geçiricilik.

efsanegû, *F. s.* [Efsane-gû] Masal söyleyen.

efsanegûyi, *F. i.* Masal söyleyicilik.

efsaneperdaz, *F. s.* Masal uyduran, masalcı.

efsaneperdazî, *F. i.* Masal uydurma. Masalcılık.● «Hakikat ehli olmaz mail-i efsaneperdezî. — Naci».

efsar, *F. i.* Yular.● «Taktı ol daver-i cemmaze süvar — Serine üştür-i çerhın efsar. — Hakanî».

efsed, *A. s.* Pek fena, çok bozuk.

efser, *F. i.* Taç.● «Kim lem'a-i nurdan bir efser — Giymiş vermiş özüne ziver. — Fuzuli».

efsun, füsun, *F. i.* 1. Afsun, büyü. Üfürük. 2. (Mec.) Masal.● «Şöyle bihuş ü harap eyledi efsane-i gam — Aklımız başımıza gelmeye efsunlar ile. — Nef'î».● «Elbette gelip buluşmak gerek deyu hezar efsunla ol mütemerridi yaylaktan indirdi. — Naima».

efsunger, *F. i.* Büyücü, üfürükçü.● «Efendisinin âr eylediği efsungerlik sanatı sebeb-i mâye-i izzet olup. — Naima».

efsungerî, *F. i.* Büyücülük, üfürükçülük.

efsunsaz, *F. s.* [Efsun-saz] Büyücü.● «Her nigâhın kûşe-i çeşminde sayd-i can için — Suret-i ahuda bir cadu-yi efsunsaz eder. — Nailî».

efsus, *F. ü.* Yazık. Eyvah!● «Fakat efsus! — Evet efsus ki biçare, senin — Ebediyyen kalacak böyle mülevves bedenin. — Fikret».

efsürde, *F. s.* (Sin ile) Donmuş, donuk.● «O alevler, o tude tude şerer — Şimdi efsürde bir avuç ahker. — Fikret».

efsürdedil, *F. s.* [Efsürde-dil] Yüreği donmuş, duyguusz, (ç. Efsürdedilân).

efsürdedilî, *F. i.* Yürek donukluğu, duygusuzluk.● ‹Aşktır çare-i efsurdedilî. — Naci›.

efsürdegân, *F. i.* [Efsürde ç.] Gayretsiz, duygusuz kimseler.

efsürdegî, *F. i.* Donukluk, duygusuzluk. Gayretsizlik.● ‹Eser etmez yine efsürdegi-i bâl ü perinden. — Ziya Pş.›.

-efşan, *F. s.* ‹Saçan, serpen, dağıtan, silken› anlamlarıyle kelimelere katılır.● *Anberefşan,● damenefşan,● hunefşan,● müşkefşan,● nurefşan,● pertevefşan,●* *zerefşan.* Bk.

efşar, *F. i.* 1. Sıkma, özünü çıkarma. 2. Çimdikleme.

eftimun, *i.* (Hek.) Çiçeği, yaprağı ve kabuğu hastalıklarda kullanılan dağ bitkisi.● ‹Cününumdan sarıldım sandılar zülf-i dilâraya — Ben eftimun ile buldum ilâcı def-i sevdaya. — Beliğ›.

efvac, *A. i.* [Fevc ç.] Bölükler, takımlar.● ‹Uyur nağmenle efvac-i hayalât. — Fikret›.

efvah, *A. i.* [Fevh, fuh ç.] Ağızlar.● *Efvah-i nariyye,* ateşli silâh ağızları;● - *nâs,* halk ağzı.● ‹Padişah-i âlempenah geldikte efvah-i halktan merkumun mun mezemmeti ve şikâyeti. — Naima›.

efyak, *A. s.* [Faik’ten] En üstün.● ‹Ehl-i edebin ahzakı ve nahv ü tasrifte a’lem ve efyakıdır. — Taş.›.

efyal, *A. i.* [Fil ç.] Filler.

-efza, *F. s.* (Ze ile) ‹Artıran, çoğaltan› anlamıyle sözcüklere ulanır.● *Ferahefza,* neşe artıran;● *ruhefza,* gönül açan.

efza’, *A. i.* [Feza’ ç.] Korku ile bağırmalar.

efzayiş, *F. i.* Artma, çoğalma.● ‹Kâse-i fagfur lebriz olsa da vermez sada — Servet efzayiş bulunca agniya hissetlenir. — Ragıp Pş.›.

-efzud, *F. s.* ‹Çoğaltıcı, arttırıcı; çoğaltan, artıran› anlamıyle kelimelere ulanır.● ‹Ne aşk-i dinşiken ü kıblebend ü küfr-efzud. — Sami›.

efzun, *F. s.* Ziyade, çok. Aşkın, taşkın.● ‹Mal ve mevaşi ve kavm ü aşiret hesaptan efzun olmağın. — Naima›.

efzunî, *F. s.* Çokluk, artıklık.● ‹Efzuni-i hayat kem-âzarlıktadır. — Nabi›.

efzunter, *F. s.* [Efzun-ter] Daha artık, daha fazla.● ‹Meyvesi az ise de lezzeti efzunter olur — O dırahtın ki hiyaban-i suhande ola pir. — Nabi›.

egalit, *A. i.* [Uglûte ç.] Yanıltmaçlar. Bilmece ve bulmacalar.● ‹Ve bunlarda va-

kı olan egalit-i hissiyeye vukuftur. — Taş.›.

eger, *F. e.* Şart edatı olarak kullanılır.● ‹Eğer bu memleketin sislenen şu nasiye-i — Mukadderati kavi bir elin, kavi, muhiy — Bir ihtizaz-i temasıyle silkip. — Fikret›.

egerçi, eğerçi, *F. s.* Her ne kadar, olsa da…, ise de…● ‹Şairlik eğerçi mutederdir — Şi’ri tanımak da bir hünerdir. — Ziya Pş.›.

eglâk, aglâk, *A. i.* [Galak ç.] Kilitler. Kapalı şeyler.

eglâl, aglâl, *A. i.* [Gull ç.] Hükümlülerin boyunlarına, kol ve ayaklarına takılan zincirler.

eglâl, aglâl, *A. i.* [Galel ç.] Korulukta, ağaçlar arasından akan sular.

egmad, agmad, *A. i.* [Gımd ç.] Kınlar.

egna, agna, *A. s.* Pek, en zengin.● *Egnay-ül-agniya,* zenginlerin zengini.

egval, agval, *A. i.* [Gul ç.] Guller.

egvar, agvar, *A. i.* [Gavr ç.] Dipler, çukurlar, sonlar.● *Baid-ül-egvar,* çok derin şeyler.● ‹Ve ekser-i encal ve egvarından piyade-revlik edip. — Sadettin›.

egvas, agvas, *A. i.* (Se ile) [Gavs ç.] Gasvler.

egzaşte, *F. s.* Geçmiş.● ‹Seni tenha ve egzaşte-i varta-i husema edeceklerin. — Naima›.

ehabb, *A. s.* (Ha ile) [Habib’den] En sevgili.● ‹Ve bir köye uğradıkta reaya ehabb-i mal ü menalleri olan mevaşilerin çıkarıp kurban ederlerdi. — Naima›.

ehabîr, *A. i.* [İhbar ç.] Olayların söylenip bildirilmeleri.

ehabiş, ehabiş, *A. i.* [Habeşi ç.] Habeşler. Habeşistanlılar.

ehaci, *A. i.* (Ha ile) [Uhcuve ç.] Muammalar, bilmeceler.

ehaci, *A. i.* (He ile) [Hicv ç.] Hicviyeler, yergiler.● ‹Nef’î’nin Siham-i Kaza adlı ehaci mecmuasına nazar ederken. — Naima›.

ehad, ahad, *A. s.* (Ha ile) Bir.● ‹Ehadsin serir-i lâyezalide vahdaniyetle maruf — Sinan Pş.›.

ehadd, *A. s.* (Ha ile) [Hadd’den] Pek veya çok keskin.

ehadiyyet, ahadiyyet, *A. i.* Birlik.● *Bargâh-i ehadiyyet,* Tanrı kapısı.

ehadis, *A. i.* [Hadis ç.] Hadisler. Bk.● *Ahadis.*

ehaff, *A. s. (Hı* ile) [Hafif'ten] Pek veya en hafif. (Mec.) Pek' şen, sevinçli.● *Ehaff-i mücazat,* cezaların en hafifi.● «Girandır âşıka erbab-i aşkın ta'nı münkirden — Ehaftır seng-i a'da zahm-i gülden cismi Mansur'a. — Beliğ».

ehakk, *A. s.* [Hakikat'ten] Daha veya pek haklı; en yakışır.● «... Tavsifine ehakk. — Kemal».

ehali, ahali, *A. i.* Bk.● *Ahali.*

eharr, *A. s. (Ha* ile) Aşırı sıcak olan.

ehasin, *A. i. (Ha* ve *sin* ile) [Ahsen ç.] Pek, en güzel olan şeyler.● *Ehasin-i ahlâk,* ahlâkın en iyi şeyleri.● «Ehasin-i eşyanın, bedayi-i âsarın. — Recaizade».

ehasin, *A. i. (Ha* ve *sat* ile) [Hass'tan] En başlı, başlıca. Özel.● *Ehass-i âmal,* dileklerin en başlıcası.● «Hâsılı ehass-i mukarribîn olmuş idi. — Naima».

ehass, *A. s. (Hı* ve *sin* ile) [Hasis'ten] En hasis, bayağı, âdi,● *Dünyay-i ehas,* en âdi dünya (bu dünya).● «Değmez bu dünya-yi ehass. — Sami Pş.».

ehazz, *A. s.* Aşırı bahtlı olan.

ehba, *A. i.* [Haba ç.] Mabeyinciler, hükümdar yakınları.

ehbar, ahbar, *A. i.* [Hibr ç.] 1. Mürekkepler. 2. Yahudi bilginleri.

ehbar, ahbar, *A. i.* [Haber ç.] Haberler.

ehbas, *A. i.* [Habs ç.] 1. Hapishaneler, zindanlar. 2. Hayrat için vakfedilmiş yapılar, topraklar.

ehdab, *A. i.* [Hüdb ç.] Kirpikler.● *Ehdab-i mühezze,* titrek tüyler.

ehdaf, *A. i.* [Hedef ç.] Hedefler. Amaçlar.● «Ne müstesna ehdaf-i istihza keşfeder. — Cenap».

ehdak, *A. i.* [Hadeka ç.] Gözbebekleri.

ehdeb, *A. s.* Sık ve uzun kirpikli (adam).

ehemm, *A. s. (He* ile) [Mühim'den] Daha veya pek önemli.● *Takdim-ül-ehem alelmühim.* İki işten en önemliyi öne alma.● «Nez ü teşhiri ehemm-i mühimmat-i vakt ühal olduğu. — Raşit.»

ehemmiyet, *A. i.* Ehemmiyet, önem. Değerlilik.● «O çelik parçası bir gün bir ehemmiyet alır. — Fikret».

ehibba', *A. i. (Ha* ile) [Habib ç.] Dostlar. İyi görüşen kimseler.● «Ehibba şive-i yağmada mebhut eyler a'dayı — Huda göstermesin âsar-i izmihlâl bir yerde. — Avni».

ehillâ, *A. i. (He* ve *hemze* ile) [Halil ç.] Dostlar.

ehissa, *A. i. (Hı* ve *sin* ile) [Hasis ç.] Pintiler, cimriler.● «Bezl-i canda dahi ehissa-yi sebükmagz gibi 'lerzenâk oldu. — Naima».

ehl, *A. s. i. (He* ile) 1. Sahip, malik olan, olanlar. 2. Bir yerde oturanlar, oranın halkı. 3. Becerikli, elinden iş gelir. 4. Karı ve kocadan her biri.● *Ehl-i âlem,* insanlar;● *-Beyt.* 1. Ev halkı. 2. Muhammed peygamberin kızı Fatımetüzzehra'dan gelen soyu;● *-Cehennem,* cehennemlikler, günahlılar ve Müslüman olmayanlar;● *-Cennet,* Cennetlikler;● *-dil,* gönül erbabları, Tanrıyı iyice anlamış kimseler;● *-Divan,* Divan halkı, Divan'da memurlukları olan kimseler;● *-Hak,* Tanrıya kendini vermiş kimse;● *-hal,* hal erbabı, coşkunlaşır kimse;● *-hibre,* bilirkişi;● *-namus,* kendi halinde kimse;● *-İslâm,* İslâm topluluğu;● *-keyf,* tadını çıkaran kimseler;● *-Kıble,* Müslümanlar; ● *-Rum,* Osmanlılar;● *-sûk,* çarşı halkı, esnafı;● *-sünnet,* peygamber gidişatına ve ashabına inanma ve işleme hususunda uyan Müslümanlar;● *-şia,* Ali'ye uyup ona bağlı olan mezhepteki insanlar;● *-tarik,* tarikatlerden birine girmiş kimseler;● *-vukuf,* bilirkişi;● *-zevk* tadına varmışlar.● «Ve Benaloka müftüsü Beşr Efendi ki bir ehl-i ilm adam olup. — Naima».● «Ehl-i dildir diyemem sinei sâf olmayana — Ehl-i dil birbirini bilmemek insaf değil. — Nef'î.● «Mecnun dedi ehl-i hal olur lâl — Bestir nem-i eşk şahid-i hal. — Fuzulî» «Muasırin-i hükemanın ekseriyet-i azimesi ehl-i sünnet mezhebine mütemayildir. — Cenap».

ehlâ, *A. s. (Ha* ile) [Halv'den] Daha veya pek tatlı. Bk.● *Ahlâ.*

ehlî, ehliyye, *A. s.* [Ehl'den] Alışık, yabanî olmayan hep ayıp dediği fena. — Cenap».

ehliyyet, *A. i.* Yeterlik, yetenek. Beceriklilik.● «Aferinler asna hem sanatına — Fenn-i iksirde ehliyyetine. — Nabi».

ehlperver, *F. s.* [Ehl-perver] Yarar kimseyi tuar, adamını kayırır.

ehlperverî, *F. i.* Ehilperverlik. Adam tutma.● «Muhyi-i resm-i ehlperverî. — Raşit».

ehlullah, *A. i.* Tanrı adamı, veli, evliya.

ehmâ, *A. s. (Ha* ile) [Hamiyyet'ten] Çok veya pek hamiyetli.

Ehram, *A. i.* *(He* ile) Mısır'da bulunan piramit biçiminde eski zaman yapısı.● ‹Senden bir i'tilâ diler Ehram-i bâdiye — Her pençe tırmanır sana bir i'tilâ diye. — Cenap›.

ehram, *A. i.* (Geo.) Piramit.● *Ehram-i nâkıs,* kesik piramit.● ‹Yosunlarla minelenmiş üç ehram-i ebniye halinde İstanbul, Galata, Üsküdar. — Cenap›.

ehramî, *A. s.* (Geo.) Piramidal.

Ehremen, Ehrimen, *F. i.* Zerdüşt'lerin inandıkları iki tanrıdan kötülük ve karanlık tanrısı. Şeytan, fenalık.● ‹Bektaş Ağa ol Arnavut Ehremeni ileri seğirtip. — Naima›.

ehsa, *A. i.* *(Ha* ve *sin* ile) Pek kumlu, taşlı yer.

ehtab, ahtab, *A. i.* [Hatab ç.] Odunlar.

ehtar, ahtar, *A. i.* *(Hı* ve *te* ile) [Hatar ç.] Tehlikeler, korkulu şeyler.

ehva', *A. i.* *(He* ile) [Hava ç.] 1. Nefis istekleri. 2. Fransızca *penchants (eğinimler)* felscfc terimi karşılığı olarak (XX. yy.).● *Ehva-i seyyie*● *-ehliyye,*● *- içtimaiyye,*● *istibka,*● *- tahavvül.*● *Ehl-i ehva',* ehl-i kıbleden olup itikatları ehl-i sünnetinkine uymayan bazı mezhep fırkaları.● ‹Mu'tezile ve ehl-i ehva ile munazara için. — Taş.›.● ‹Hususa ki ihtilâl-i devlet vaktinde tebayün-i ehva vc tasallût-i şürekâ. — Naima›.

ehva, *A. s.* Aşırı dost ve ahbap olan.

ehval, *A. i.* *(He* ile) [Hevl ç.] Korkular.● ‹Silin bulutları, silkin zilâl-i ehvali — Ziya içinde koşun bir halâs-i meşkûre. — Fikret›.

ehvel, *A. i.* [Hevl'den] Pek veya ziyade korkunç.

ehven, *A. s.* 1. Daha hafif, daha zararsız. 2. Daha ve pek ucuz.● *Ehven-i şer,* ● *ehven-i şerreyn,* iki fenalığın en hafifi.● ‹Ve hâkim dahi ehven-i şerreyn ihtiyarı gibi bir asl-i şer'iye irca ile. — Kâtip Çelebi›.● ‹Onsuz yaşamaktansa beraber ölüş ehven. — Fikret›.

ehveniyyet, *A. i.* Ucuzluk.

ehviye, *A. i.* [Hava ç.] 1. Havalar, 2. Müzik parçaları.● *Ehviye-i lâtife,* latif (müzik) parçaları.● ‹Orkestra ehviye-i lâtife terennüm edecektir›.

ehya, ahya, *A. i.* [Hayy ç.] Diriler.● *Ehya' ü emvat,* diriler ve ölüler. Bk.● *Ahya.*

ehyan, *A. i.* [Hîn ç.] Vakitler, zamanlar.

ehyanî, ehyanen, *A. zf.* Ara sıra.● ‹Ama Kansu Paşa San'a'ya malik olmadı ve ehyanen asker-i Arap gelip Rumîleri muhasara ederler idi. — Naima›.

eimme, *A. i.* [İmam ç.] İmamlar.● *Eimme-i din,* din konularında sözü geçer kimseler;● *eimme-i erbaa,* (Dört imam) imam-i A'zam Ebu Hanife, imam Şafiî, imam Malik, imam Hanbel;● *eimme-i isna aşer,* (on iki imam) Alevî imamlar;● *eimme-i izam,* din imamları;● *eimme-i nuhat,* nahv (sentaks) bilginleri.● ‹Cümle ulema ve eimme ve meşayih ve şehirde olan âyan-i devlet ve agavat. — Naima›.

eizzâ, *A. i.* [Aziz ç.] Müşerref ve mükerrem olanlar.

eizze, *A. i.* *(Elif, ayın* ve *ze* ile) [Aziz ç.] Azizler, kutsal kimseler (Evliyalar için kullanılır).● ‹Sabıkaa vali-i Yemen iken bazı eizze-i meşayih tarafından kenduye vasıl. — Naima›.

ejdeha, *F. i.* Bk.● *Ejder.*● ‹Zülf ü ğamzen fikrile sahra-yı aşkın görünür — Her kiyahı ok yılanı, her ağacı ejdeha. — İbn Kemal›.

ejder, ejderha, *F. i.* Yılanı andırır, dört ayaklı, kanatlı, ağzından ateş püskürür var sayılan hayvan.● ‹Ol nâdan ejderha ağzından tahlis-i cań mülâhazasıyle. — Naima›.

ekâbir, *A. s.* [Ekber ç.] Pek ululular.● ‹İptida İstanbul'da bazı ekâbire hizmet edip Hattat Hasan Paşaya da hizmet etmiş idi. — Naima›.

ekâbirane, *F. zf.* Ululara yakışır şekilde.● ‹Ekâbirane firaşlar döşetip bir müzeyyen vesade vazettirip. — Sadettin›.● ‹Elfaz-i nazmı mollâyane ve üslûb-i şi'ri ekâbiranedir. — Lâtifî›.

ekadih, *A. i.* *(Kaf* ve *ha* ile) [Kadeh ç.] Kadehler.

ekalim, *A. i.* Bk.● *Akalim.*

ekall, *A. s.* Bk.● *Akall.*

ekalliyet, *A. i.* Azınlık.

ekanim, *A. i.* [Uknum ç.] Asıllar, rükünler.● *Ekanim-i selâse,* hıristiyan inancında Eb, İbn, Ruhülkudüs inancı.● ‹Kumar, küul ve kadın (hatıra) geldiği cihetle bu ekanim-i selâse-i sefahat hakkında. — Cenap›.

ekarib, *A. i.* *(Elif* ve *kaf* ile) [Akreb ç.] Yakın akrabalar.● ‹Kadızade reis-ül-küttap Şemizade'nin ekaribinden idi. — Naima›.

ekârim, *A. i.* [Ekrem ç.] Pek kerem sahibi olan kimseler.

ekasi, A. i. (Sat ile) [Aksa ç.] Pek ıraklar.• «Destbürd-i kahramanisi şuyu bulup ekasi-i İran zeminine ersin deyu. — Naima».

ekasır, A. i. [Aksar ç.] Pek kısalar.

ekasım, A. i. (Sin ile) [Aksam ç.] Bölümler, kısmetler.

ekâsire, A. i. [Kisra ç.] Kisra'lar. Eski Fars hükümdarları.• «Ekâsire-i izamdan Nuşirevan-i âdil zamanında. — Hümayunname».

ekavil, A. i. [Akval ç.] Sözler.• Ekavil-i bâtıla, bâtıl sözler.• «Ashab-i Muhammed ekavilini edille ve hücec ile kesr ü ibtal ederdi. — Taş.».• «Ekavil-i gûnagûn ve hikâyat-i muhtelife ile mevsim mürur edip. — Selânikî».

ekavîm, A. i. [Kavm ç.] Kavimler, milletler.

ekâzib, A. i. (Elif, kef ve ze ile) [Ekzube ç.] Yalanlar.• «Defterdarın ekâzibi mütehakkik olup. — Naima».

ekbad, A. i. [Kebed ç.] Ciğerler.• «Atşan olan ekbad-i insan ve hayvanı zülâl-i ihsan-birle reyyan etmeye niyet ve kast edip. — Selânikî».

ekbah, akbah, A. i. (Kaf ve ha ile) [Kabih'ten] Pek veya en çirkin.

ekber, A. s. [Kebir'den] En veya pek çok büyük.• Ekber ü erşed, (soyun) en büyük ve en ergeni;• Allahü ekber, Tanrı uludur;• cihad-i ekber,• gazay-i ekber, din uğruna yapılan savaş. (ç. Ekâbir).• «Nedir hakikatı, ey sırr-i ekber-i mescud. — Fikret».

ekdar, A. i. [Keder ç.] 1. Kederler, acılar. 2. Bulanıklıklar.• Ekdar ü âlâm, kederler ve acılar.• «Ağlasam, ah azıcık ağlayabilsem, ömrüm — Bütün alâm ile ekdar ile geçsin, aramam. — Fikret».

ekele, A. i. [Âkil ç.] Yiyiciler. Oburlar.

ekeme, A. i. Tepe, bayır. (ç. Âkam).

ekfa', A. i. [Küfüv ç.] Denkler, uygunlar.• «Ve satvet ü mehabette mümtaz-i ekfa' idi. — Naima».

ekfan, A. i. [Kefen ç.] Kefenler. Ölüye sarılan bezler.

ekhâl, A. i. (Kef ve ha ile) [Kühl ç.] Sürmeler.

ekhâl, A. s. (Ha ile) 1. Çok sürme kullanan. 2. Gözü sürmeli.• «Ve aynı berrak ve ekhal. — Taş.».

ekid, ekide, A. s. 1. Sağlam, kuvvetli. 2. Açık ve kesin.• Emr-i ekid,• evamir-i

ekide, kesin buyruklar.• «Bir fert seferden tahallüf etmeyip oturak ve korucu olmamak babında men-i şedit ve tehdid-i ekîd buyurdular. — Naima».

ekiden, A. zf. Kesin olarak, sağlam surette.

ekil, ekile, A. s. [Ekl'den] Yiyen. Aşırı iştahla yiyen.• «Ol geda-yi zayıf ekîle-i mûr ü meks ola. — Veysi».

ekimme, A. i. [Kümm ç.] Çiçek kapçıkları.

ekkâl, A. s. [Ekl'den] 1. Çok yiyen, obur. 2. Etrafındaki etleri çürüterek yok eden (yara). 3. Aşındıran.

ekl, A. i. Yeme.• «Et'ıma-i fâhire-i lezize ve eşrübe-i lâtife ekl ü şürbünden sonra. — Naima».

ekmam, A. i. [Kümm ç.] 1. Giyecek kolları, yenler. 2. Ağaç çiçeklerinin kapçıkları.• «Şimdi hamuş bülbül ekmamda müstetir gül. — Sırrı Pş.».

ekme, A. i. Anadan doğma kör.• «Beytülmukaddes'te bir kimse ekme ve ebrası ibra ve mevtayı ihya eder. — Taş.».

ekmel, A. s. [Kâmil'den] Daha ve pek kâmil, en olgun. Hiç eksiği olmayan.• Ekmel-i enbiya, Muhammed peygamber.• «Emel-i vaslın iken gönlüme şevk-i ekmel — Niçin ettin, niçin ettin beni mahrum-i emel. — Cenap».

ekmelâne, F. zf. [Ekmel-âne] Hiç eksiksiz olacak şekilde, çok mükemmel olarak.• «Bu kere ahd-i riyaset-i ekmelânelerinde: — Sırrı Pş.».

ekmeliyyet, A. i. Ekmel oluş. Olgunluk. Eksiksizlik.

eknaf, A. i. [Kenef ç.] Taraflar; yönler. Çok defa etraf ü eknaf şeklinde kullanılır.• «Erişe müjde-i feth ü zafer etraf ü eknafa. — Nef'î».

eknan, ekinne, A. i. [Kinan, kinn ç.] 1. Perdeler, örtüler. 2. Evler, odalar. 3. Çadırlar.

ekrad, A. i. [Kürd ç.] Kürtler.• «Şeyh-i müşarünileyhin başına cem' olan rical-i Ekrad ile mukabele. — Raşit».

ekrem, A. s. [Kerem'den] Çok keremli.• «Ve paşa asaf-i makbul-i âlem dâver-i ekrem — Hıdiv-i Cem-şiyem, Dârâ-haşem İskender-i sani. — Nabi».

ekser, A. i. (Se ile) [Kesir'den] En çok.• «Ekser-i umurda ecdadı kanununa ittiba etmeyip. — Naima».

ekseriyya, A. zf. Çok defa olarak.• «Ekseriyya mehareti cirit ve mızrak oynatmak ve kılıç çalmak ve at kullanmak. — Naima».

ekseriyyet, *A. i.* Çoğunluk, çokluk.• *Ekseriyyet-i ârâ,* bir toplulukta oyların çokluğu;• *ekseriyet-i mutlaka,* salt çokluk;• *sülüsan-i ekseriyyet,* hazır olanların üçte ikisi.• «Hükm eyledi ekseriyyet üzre — Şi'rindeki istikamet üzre. — Ziya Pş.».

eksibe, *A. i.* Kumsal, kumul.

ektaf, *A. i.* (*Te* ile) [Ketf ç.] 1. Omuzbaşları. 2. Kürek kemikleri.• «Mezburun sine ve ektafından düvaller çıkartılıp ve parmakların mafsal mafsal kestiler. — Naima».

ektem, *A. s.* [Ketm'den] Çok gizli olan.

ekûl, *A. s.* [Ekl'den] Çok yiyen, obur, pisboğaz.• «Taama haris ve ekûl ü mütehettik. — Taş.».

ekûlâne, *F. zf.* [Ekûl-âne] Oburcasına.

ekûli, *F. i.* Oburluk.

ekva. *A. s.* Bk.• *Akva.*

ekvab, *A. i.* [Kûb ç.] Küpler. Büyük su kapları.

ekvan, *A. i.* [Kevn ç.] Varlıklar, var olanlar.• «Bir kadeh parlattı kim sâki-i sahba-yı ezel — Neşesiyle devr eder bu âlemi ekvan henüz. — Sait».

ekvar, *A. i.* [Kevr ç.] 1. Dönmeler, çevirmeler. 2. Bir şeyi sarmalar.• «Tahavvul edvar ve ekvarı. — Cevdet Pş.».

ekvat, akvat, (*Kaf* ile) [Kut ç.] Karın doyuracak şeyler.• «Ve otuz yıllık zahire ve ekvatı var idi. — Sadettin».

ekvaz, *A. i.* (*Kef* ve *ze* ile) [Kûz ç.] Kadehler, kâseler, bardaklar.

ekyal, *A. i.* [Keyl ç.] Ölçekler. Kileler.

ekyas, *A. i.* [Kîs ç.] Keseler.• «Matbah-i Mevlâna için alınan keseleri dahi ekyas-i memhure ile müdahhar akçe bulup padişaha getirdiler. — Naima».

ekyes, *A. s.* (*Kef* ve *sin* ile) Aşırı anlayışlı olan, çok akıllı.

ekzâm, *A. i.* (*Kef* ve *ze* ile) [Kâzm ç.] Kızgınlığını göstermeyen, belli etmeyen.

ekzeb, *A. i.* (*Kef* ve *zel* ile) Pek büyük yalan, uydurma.• «Tahkik ekzeb-i nâs Allaha ve habibine kizb edendir. — Taş.».

el-, Arapça *harf-i tarif* olup kelimenin kavramını belirtir. Türkçede özel isimlerle cins isimlerinde ve Arapça tamlamalarda rastlanır; çok defa da belirtilen ile belirten arasında bulunur. Kelime başlarında iken okunur. *Elhac* gibi. Tamlamalarda (d, l, n, r, s, ş, t, z) harflerinden önce «l» harfı okunmayıp alt tarafındaki harf ikileştirilir :• *Abdüsselâm,*• *eddai,*• *esselâm.*

elâ, *A. s.* «Bak, dinle, haberin olsun». anlamlarında olup Türkçede *elâ ey* şeklinde ünlem olarak kullanılır.

el'ab, il'ab, *A. i.* (*Elif* ve *ayın* ile) Oyun.

el'aceb, *A. s.* Şaşılacak şey.• «Zahair ve mühimmat ve alât defteri Tersane kethüdası Çağalazade'ye vardıkta el'aceb ki tamah ve garaz temşiyetine agaz edip. — Naima».

el'aman, *ün.* İmdat, aman.• «Ol büt-i tersa sana mey nuş eder misin demiş — El'aman ey dil ne müşkülter sual olmuş sana. — Nedim».

el'eman, *A. ü.* [El-eman] Medet, aman, imdat.• «Yevm-i cuma idi el'eman sadasını bülent ve dest-i ricayı damen-i afv-i sultaniye. — Naima».

el'emanhâh, *F. s.* [El-eman-hâh] Aman dileyen. Amana gelen.• «Bir haste bu kim neuzü billâh — Azrail önünde el'emannâh. — Ş. Galip».

el'an, *A. zf.* [El'an] 1. Şimdi. 2. Hâlâ.• «Molla Şerif elhak ki zat-ı şeriftir — Eyler mi hoş nüvislik el'an ne demdedir. — Ruhi».

elâstikî, *F. s.* Esnek.

elâstikiyet, *A. i.* Esneklik.• «Ya tekerrürat-i daimeden yahut elâstikiyet-i hayatiyenin azalmak veya çoğalmak. — Cenap».

elbab, *A. s.* [Lübb ç.] Akıllar.• *Ulülelebab,* akıl sahipleri.• -Böyle kabule makrun bir kitap manzur-i dide-i elbab olmamıştır. — Taş.».

elban, *A. i.* [Lebn ç.] Sütler.• «Ekser-i maazı elban-i nâbi ve mevaşiden olup. — Taş.».

elbas, *A. i.* [Libas ç.] Giyecekler.

elbet, elbette, *A. e.* Mutlaka. Kesin olarak.• «Durur elbet gözüne nan ü nemek — Kör olur şüphe mi var öyle köpek. — Nabi».

elbise, *A. i.* [Libas ç.] Giyilecek şeyler.

eledd, *A. s.* Hakkı kabul etmeyen, inatçı.• *Düşman-i eledd,*• *hasm-i eledd,* bir türlü anlaşmaya yatmayan inatçı düşman.• «Ağa-yi mezbur katl-i padişaha evked-i eshab ve eledd-i hisam makulesi olmağın. — Naima».

elektrikî, elektrikiyye, *F. s.* Elektrikle ilgili, elektrik akımı;• *tedavi-i elektrikî,* elektrikle hasta iyileştirme.

elektrikiyyet, *A. i.* Elektrikleştirme, elektrikleşme.

elem, *A. i.* 1. Ağrı, acı, sancı. 2. Kaygı, dert, gam. 3. Hekimlik terimlerinde - *algie* soneki bu sözle karşılanmıştır;● *Elem-i asabî* (nevralgie);● - *fem,* (stomalgie);● - *gudde,* (adénalgie);● - *kassi,* (sternalgie);● - *mafsal,* (arthralgie);● - *sin,* (odontalgie). (Ed. Ce.)● *Elem-i kalp,*● - *yetimane;*● *ifade-i elem;*● *mâna-yi elem;*● *neside-i elem;*● *nevehat-i elem;*● *nokta-i elem;*● *şebrev-i elem.*● «Yağmur yağmayıp çayır eseri olmadığı bais-i elem-i azîm olmakla. — Raşit».

el'emrü, emrüküm, *A. cüm.* [El-emr]● ‹Emir sizin emrinizdir, ne buyurursanız› anlamında.

Elemut, *F. i.* Hasan Sabbah'ın otuz beş yıl içinde sığındığı sarp kale.

elemzede, *F. s.* [Elem-zede] Acılı, kederli.

elest, elestü, *A. i.* 1. Asıl anlamı, Tanrının Âdem peygamberi yarattığı zaman sorduğu ‹Ben sizin Tanrınız değil miyim?› de olduğu gibi olumsuz soru şeklidir. 2. Buradan alınarak ruhların ilk yaratıldığı an olarak kullanılmıştır.● *Bezm-i elest,*● *ruz-i elest,*● *mest-i elest,* elest gününden mest olmuş.● «Biz ehl-i harabbattanız mest-i elestiz. — Ruhi».

elezz, *A. s.* [Leziz'den] Daha veya pek tatlı.● «Bulmuştum elezz vaslınızı ülfetinizden — Şirinter imiş ülfetiniz vuslatınızdan. — Recaizade».

elf, *A. s.* Bin.● «Elften kat-i nazar mevlidimin tarihi — Mahlasımdan bilinirdi bihesab-i ebced. — Recaizade».

elfaf, *A. i.* [Lif ç.] Dalları birbirine sarılmış fidanlar, dolaşık fidanlar.

elfâtiha, *A. ü.* [El-fâtiha] Fâtiha suresinin okunmasını anlatır bir deyimdir. Bu söylendikten sonra Fâtiha okunur.

elfaz, *A. i.* [Lâfz ç.] Sözler. Lâfızlar.● *Elfaz-i galiza,* kaba küfürler;● *elfaz-i küfr,* dinden düşmeye sebep olan sözler;● - *müştereke,* eşanlamlılar.● «Ağa mütehevvirane yumruğun döğüp elfaz-i şenia ile "Bre fi-ilân ver mührü yoksa senin ağzını kırarım" deyu. — Naima».

elfirak, *A. ü.* [El-firak] Elveda! Ayrılık sözü.● ‹Elveda' ey hal-i hasret, elfirak ey seng-i gam›.

elfiyye, *A. i.* Bin beyitlik kaside.

elgaraz, *A. ü.* [El-garaz] «Diyeceğim şu ki, gelelim maksada› anlamında kullanılır.

elgaz, *A. i.* [Lûgaz ç.] Lûgazler, yanıltmaçlar, bilmeceler.● «Müftiye lâyık oldur ki cevabının elfazında elgaz ve takidden ictinap eyleye. — Taş.».

elgıbte, *A. ü.* (*Tı* ile) ‹İmrenilir imrenirim› anlamında çok beğenme anlatır.● «Elgıbte o pîr-i pâk reye. — Ziya Pş.».

elgıyas, *A. ün.* Ey yardımcı olan (Tanrı).● ‹Elgıyas ol zulmü çok fettan elinden elgıyas. — Hayali›.

elhac, *A. i.* [El-hac] Hacı.

elhakk, *A. zf.* [El-hak] Doğrusu, gerçekten.● ‹Elhakk o suhan güzel suhandir. — Ziya Pş.›.● «Güzel değil mi şu halim, bakın, diyor... Elhakk. — Fikret».

elhaletü hazihi, *A. zf.* [El-halet-ü hazihi] Bugün, bugünkü günde, şimdi.● «Bu suret elhaletühazihi bulunduğum hal ve mevki iktizasınca. — Reşit Pş.».

elhamdülillâh, *A. ün.* [El-hamdü-lillâh]● ‹Şükür Tanrıya; Tanrıya şükürler olsun› anlamında.● «Gidip elhamdülillâh cism-i pâkinden bu illetler. — Nedim».

elhan, *A. i.* [Lâhn ç.] İrlamalar, ezgiler. (Ed. Ce.)● *Elhan-i maani,*● - *muhabbet,*● - *sürur,*● - *şita,*● - *tuyur,* ● - *yekâheng-i cihan;*● *lükent-i elhan,*● *mürg-i elhan.*● «Savt-i murgan-i hoşelhan ü sada-yi kûhsar. — Baki›.

elhased, *A. ü.* [El-hased] ‹Kıskanılır, kıskanırım› anlamıyla aşırı beğenme anlatır.● «Fart-i reşkinden felekte derdi Merih elhased. — Süruri».

elhasıl, *A. zf.* [El-hâsıl] Sözün kısası, Kısacası. Uzatmayalım.● ‹Nakd-i irfanı bilenler kâmil — *Ma arefnake* demiş elhasıl. — Hakanî›.

elhaz, *A. i.* [Lâhz ç.] Göz ucu ile bakışlar.

elhazer, *A. ü.* [El-hazer] ‹Sakın, sakınalım, sakınınız, sakınılsın› anlamlarına kullanılır.● ‹Elhazer olma sakın baderest. — Nabi›.

elhükmü lilgalib, elhükmü limen galebe, *A. cüm.* ‹Hüküm, üstün olanındır; hüküm üstün gelmektedir› anlamlarında kulanılır.

elhükmü lillâh, *A. cüm.* [El-hükm lillâh] «Hüküm Tanrınındır; buna karşı yapılacak bir şey yoktur› anlamında başsağlığı için kullanılır.● «Düşman-i din kaleye hücum etmeleriyle zaferyab-i istilâ oldular, elhükmülillâh-ül-kad'r. — Raşit».

elibba, *A. i.* [Lebib ç.] Akıllılar.

elif, *A. s.* [Ülfet'ten] Alışkın, tanıdık.• ‹Mâni ile eylemişken ülfet — Aşk etti beni elif-i suret — Nabi›.

elif, *A. i.* Arap abecesinde ilk harf. *(Mec.)* Doğru, düz boy.• ‹Aslı denidir dünyanın zatında yoktur elif — Terkibine gel bak anın şol ya vü nun ü dâline. — Nesimi›.• ‹Kendine ermekledir evvel fikri aşk içre dilin — Tıfl-i mektep gibi kim eyler elf'ten iptida. — İbn Kemal›.

elifba, elifbe, *A. i.* 1. Harflerin düzeni, takımı. 2. Harflerin ses ve okunmasını öğreten kitap. 3. İlk öğrenilen şey.• ‹Türk milleti bu şeylere yeniden her birinin elifbasından başlamak mecburiyetinde kaldı. — Z. Gökalp›.

elîm, elime, *A. s.* [Elem'den] 1. Ağrıtan, ağrı veren. 2. Şiddetli, çok acı veren.• *Azab-i elîm,*• *darbe-i elime.*• ‹Bâd-i pürva'd-i nevbaharı eder — Bir enîn-i elîm ile tekzip — Öksüren, inleyen şu bâd-i ratîp. — Cenap›.

el'insaf, *A. ü.* [El-insaf] ‹İnsaf etmeli, insaf edilsin› anlamında.

el'iyazübillâh, *A. cüm.* ‹Tanrıya sığındık, Tanrı esirgesin› anlamında.• ‹Zülfü ki eden füsunu agâh — Gamze okur el'iyazübillâh. — Ş. Galip›.

elkab, *A. i.* [Lakab ç.] Lakaplar. 2. Resmî terim olarak rütbe sahiplerine rütbelerine göre yazılacak lakaplar. (En küçük rütbeden yukarıya doğru) Hamiyyetlû, Fütüvetlû, Rif'atlû, İzzetlû, Saadetlû, Utufetlû, Devletlû, (Ulema, yani sarıklı sınıfının da yine en küçükten başlayarak) Mekrümetlû, Faziletlû, Semahatlû.• ‹Senin devrinde elkab-i selâtîn — Denilse gayrıya bühtana benzer. — Hayalî›.

elken, *A. i.* Pepe.• ‹Ne efsunkâr olur ey Nailî şi'rin ki lafzından — Zeban-i reşk-i mucizekâr-i mana elken olmuştur. — Nailî›.

elkıssa, *A. bağ.* [El-kıssa] Hikâyemize, sözümüze gelelim, sözün kısası.• ‹Elkıssa vücudum oldu berbad — Bir lâhza felekten olmadım şad. — Fuzulî›.

elmas, *A. F. i. (Sin* ile) Elmas.• ‹Elmas gibi peyale-i nur. — Ş. Galip›.

elmasnisar, *F. s. (Sin ve se* ile) [Elmasnisar] Elmas saçan.• ‹Agsan-i elmasnisarın birinden diğerine. — Recaizade›.

elmaspâre, *F. i.* [Elmas pâre] 1. Elmas parçası. 2. Çiy.• ‹Gusun ve evrak u eşcar üzerinde yığın yığın duran elmaspareler. — Recaizade›.

elmastıraş, *F. i.* [Elmas-tıraş] Billûr, kristal.

elmia, *A. i.* [Lemean ç.] Işıklar, parıltılar.

elminnetüllillâh, *A. cüm.* [Elminnet-ü-lillâh] ‹Minnet Tanrı içindir; Tanrıya minnet olsun› anlamlarında kullanılır şükür cümlesi.• ‹Elminnetüllillâh ki zaman ahd-i keremdir. — Nef'i›.

elsag, *A. s.* ‹R› harfinin ‹g› ya da ‹l› olarak söyleyen dıgıdığı.• ‹Ve lafz-i rayı tekellümde elsag olup gayet kabih-ülsaga idi. — Taş.›.

elsas, *A. i.* [Lus ç.] Hırsızlar.

elsen, *A. s.* Çok düzgün, fasahatle söz söyleyen (kimse).

elsine, elsün, *A. i.* [Lisan ç.] Lisanlar, diller,• *Elsine-i selâse* (üç dil) Türkçe, Arapça, Farsça.• ‹Ve elsine-i Nasarayı tekellüme kadir. — Raşit›.

eltaf, *A. s.* [Latif'ten] Daha veya pek latif.• ‹Vardır deyip eltaf-i hile ile kavgası tebs. — Naima›.

eltâf, *A. i.* [Lûtuf ç.] Lütuflar.• ‹Vilâyet halkı ve dervişan bu sebep ile Bekir Çelebiye dilgir olup eltâf-i padişahiye mazhar oldu. — Naima›.

elvah, *A. i.* [Levh ç.] Levhalar, tablolar.• ‹Bir tozlu kesafetten ibaret bütün elvah. — Fikret›.

elvan, *A. i.* [Levn ç.] Renkler.• ‹Bir kerre batıp da mihr-i tâban — Kaldıkça o şule şule elvan — Yekpâre karaltıdan ibaret. — Fikret›.

elveda, *A. cüm.* [El-veda'] Allaha ısmarladık. Allaha emanet olun.• ‹Buse-i elvedaa na-kadir — Hasta, fırkatreside leblerdir. — Cenap›.

elviye, *A. i.* [Liva ç.] Eski idare kurulunda mutasarrıflık olan livalar.• *Elvive-i müstakille,* bir vilâyete, ile bağlı olmayıp doğrudan doğruya Dahiliye Nezaretine bağlı (Bingazi, Bolu, Canik, Çanakkale, Çatalca, İzmit, Karesi, Kudüs, Zor gibi) bazı sancaklar.• ‹Alettevali nice eyalet ve elviyeye vali olarak. — Raşit›.

elyaf, *A. i.* [Lif ç.] Lifler.

elyak, *A. s.* [Lâyık'tan] Daha veya pek uygun; en liyakatli.• ‹Nabi'ye ikinci dense elyak. — Ziya Pş.›.

elyen, *A. s.* Daha yumuşak.• ‹Lebenden elyen ve şekerden ahlâ güneşten ruşen ve kamerden eclâdır. — Lâmii›.

elyes, *A. s.* *(Se* ile) Daha yiğit.

elyet, *A. s.* *(Tı* ile) Daha ziyade liyakat sahibi.

elyevî, *A. s.* [İlye'den] Sağrı butlarına ait, onunla ilgili.

elyevm, *A. zf.* [El-yevm] Bugün, hâlâ.● «Elyevm düstur-ül-amel bulunmuştur. — Şinasi».

elzem, *A. s.* *(Ze* ile) [Lâzım'dan] En gerekli, en lüzumlu.● «Şi'r ü inşa ikisi tev'emdir — Lik inşa dahi pek elzemdir. — Sünbülzade».

elzemiyyet, *A. i.* Gereklilik.

em'a, *A. i.* [Mea' ç.] Bağırsaklar.● *Emay-i galiza,* kalın bağırsaklar;● *em'ay-i rakika,* ince bağırsaklar.● «Şerayin ü em'ada olsa halel. — İzzet Molla».

emacid, *A. s.* [Emced ç.] Pek veya çok şeref, ululuk sahipleri.● *İftihar-ül-emacid vel ekârim.*

emakin, *A. i.* [Mekân ç.] Mahaller, yerler.● *Emakin-i mukaddese,●* - *mübareke,* kutsal yerler.● «Cibal-i şahıka ve emakin-i mürtefiadan. — Taş.».

emalike, *A. i.* ç. Kullar, köleler.

emam, *A. i.* Bir kimse veya şeyin ön tarafı.

emame, imame, *A. i.* 1. İmamlık. 2. Çubuk veya tesbih ucundaki kehlibar parça.

eman, *A. i.* 1. Korkusuzluk, eminlik. 2. Bağış, izin. 3. Sığınma, yardım dileme.● *El eman,* yardım dileme, imdat deme; yaka silkme;● *fi emanillâh,* Tanrı selâmet versin;● *taleb-i eman,* aman demek, bağış dileme, ne olursa senden olur deme.● «Der-i devletmedardan istida-yi afv ü eman etmekle. — Raşit».

emanât, *A i..* [Emanet ç.] Emanetler.● *Emanât-i mukaddese,* Yavuz Sultan Selim'in halifeliği aldığı sırada İstanbul'a getirttiği Muhammet Peygamberden kalmış olan eşya.● «Etti emr ehline teslim emanâtı Huda — Ne olur emr-i ilâhi daha bundan ahkem. — Nabi».

emanet, *A. i.* 1. Bir kimseye inanıp bir şey bırakma. 2. İnanıp bırakılan şey. 3. Osmanlı İmparatorluğunda bazı kurulların adı.● *Emanetullah,* (Tanrı emaneti) Osmanlı İmparatorluğunda bazı kurulların adı.● *Emanetullah,* (Tanrı emaneti) Osmanlı İmparatorluğunda padişahların hükümet telâkkileri bakımından, halk, millet;● *Rüsumat Emaneti,* Gümrükler İdaresi;● *Şehremaneti,* (İstanbul) belediye kurulu.● «Ali Çelebi ki şiddet-i tahsil ile gayr-i mesbuk-

ül-misl olmağın Gümrük Emanetine nasb olundu. — Naima».● «Vücut ariyetidir hayat emanettir. — Nabi».

emanetdar, *F. i.* [Emanet-dar] Emanetçi.

emanetdarî, *F. i.* Emanetçilik.

emaneten, *A. s.* 1. Emanet yolu ile 2. Hükümet adına olarak, yapılacak bir işi, geçici bir zaman için bir kimseye vererek.

emanetkâr, *F. s.* Emanetçi.● «Birkaç günlük emanetkâr şeklinde vaktimizi hoş geçirelim. — Naima».

emanhâh, *F. s.* [Eman-hâh] Aman dileyen, aman, isteyen.

emanhâhân, *F. i.* [Eman-hâh ç.] Amana düşenler.● «Derun-i kaleden nuruca şitaban ve emanhahan ü tazarrukünan. — Ragıp Pş.».

emani, *A. i.* [Ümniye ç.] İstekler, dilekler.● «Lanet ü nefrin ol emani-i kâzibeye. — Akif Pş.».

emarât, *A. i.* [Emare ç.] Emareler. Nişanlar, ipuçları.● «Katil için davet olunduğunu bazı emarâttan dahi hissedip. — Naima».

emare, *A. i.* Nişan, iz.● «Gûya rütbeler, nişanlar ehliyetsizlere mahsus emare-i mükâfat. — Kemal».● «Emare-i nihayet-i belâhattir. — Hümayunname».

emaret, *A. i.* [Emr'den] 1. Emîrlik, beylik. 2. Emîr, bey hali ve şanı. 3. Bir emîr veya bey idaresinde bulunan yer; prenslik. Osmanlı İmparatorluğunda :● *Bulgaristan emareti.*● *Mekke-i Mükerreme emareti.*● *Sisam emareti.*

emarid, *A. i.* [Emred ç.] Sakalı bitmemiş olanlar.

emasil, *A. i.* *(Se* ile) [Emsel ç.] Akranlar, benzerler, eşler.● *İftihar-ül-emasil ü vel-akran,* eski buyruklarda kullanılan bir formül.

emcad, *A. i.* [Macid ç.] Ulular, şanlılar, şerefliler.● «Vekil-i dâver-i âlem güzide-i emcad. — Nabi».

emced, *A. s.* [Mecid'den] Daha ve pek ululuk sahibi.● *Cedd-i emced,* çok ulu ata. (ç. Emacid).● «Fâtih civarına geldikte attan inip cedd-i emcedlerin ziyaret. — Naima».

emed, *A. i.* Son. Bitim.● «Ulûm-i akliye ve nakliyede emed-i aksaya baliğ olup. — Sadettin».

emedd, *A. s.* [Medd'den] Daha, pek uzun. Çok sürekli.● «Onların emedd-i baidden beri medar-i maaş ve alet-i cemiyet ve rükn-i intiaş kıldıkları. — Kâtip Çelebi».

emekdar, *A. i.* [Emek-dar] Emektar. Eski ve sadık hizmetçi.● «Mezbur Büyük Mirahurluktan gelip merd-i müsin ve mücerreb ve kadimî emekdar idi. — Naima».

emel, *A. i.* 1. Umu. Umma. 2. Şiddetli istek.● *Tûl-i emel,* gerçekleşmesine insan ömrünün yetmeyeceği istekler, kuruntular. (ç. Amâl).
(Ed. Ce.)● *Emel-i arş,*● *- aşk ü perestiş,*● ¬ *kalp,*● *- mekruh,*● *- meyus,* ● *- reculiyet,*● *- sanatkârane,*● *- şebab,*● *- vasl;*● *behic-i emel,*● *firaş-i emel,*● *gaye-i emel,*● *hun-i emel,*● *hüma-i emel,*● *kâşane-i emel,*● *mahrum-i emel,*● *misal-i emel,*● *nev-emel,*● *pürvaad-i emel,*● *pür-emel,*● *râz-i emel,*● *saha-i emel,*● *sarsar-i hırs ü emel,*● *şükûfe-i emel,*● *tıfl-i pür-emel.*● «Sema kadar açık olsun hudud-i zevk ü emel. — Fikret».

emerr, *A. s.* Pek acı.● «Birbirlerine söyledikleri kelimat ki emerr-i min-ez-zakkum idi. — Naima».

emhal, *A. i.* (*He* ile) [Meh ç.] Zamanı vermeler, sonraya bırakmalar.● «Aldanır elbet emhal gösteren medyununa»:

emhar, *A. i.* [Mehir ç.] Kadına evlenme sırası verilmesi kararlaştırılan paralar.

emhar, *A. i.* [Mühür ç.] Taylar.

emîn, *A. s.* 1. Korkusuz, korkmaz (kimse). 2. İnanan, güvenen. 3. Korkulmayacak, sağlam. Kendisine inanılabilir. 5. Emanet olarak idare edilen devlet dairelerinin başkanı.● *Emin-i şaîr* (arpa emini),● *emin-i kadı,* hâkimin bir işe vekil ettiği kimse,● *alay emini,*● *bölük emini,* askerde alay ve bölüğün hesap işlerini gören kimse;● *fetva emini,* Şeyhülislâm kapısında fetva işlerinin en büyük memuru;● *sandık emini,* kasadar;● *Şehremini,* şehremanetinin başkanı;●*yed-i emin,* mahkemece kendisine bir şey emanet edilen kimse.● «İbadullah ve padişah şerrinden emîn oldu dediler. — Naima».

emir, *A. i.* ve *s.* [Emir'den] 1. Bir aşiret, bir ülkenin başı, bey, reis (en çok Arabistan'da). 2. Büyük bir soydan gelen. 3. Peygamber soyundan gelen, şerif.● *Emîr ahur,* (min ahur) padişahın dairesinin ve büyük kimseler dairesi taşıt ve binek hayvanlarına bakanların başı;● *Emîr-i Mekke,* Hicaz valisiyle birlikte Mekke ve dolaylarının işlerine bakmak üzere atanan peygamber soyundan (şerif) kimse. (ç. Emiran, Üme-

ra).● «Olsam iki âlemin emîri — Emrim yine bir şehin esiri. — Naci».

emîrane, *F. zf.* Emîre yakışır surette, bir emîr gibi.● «Musli çavuş kelle-puş ile oturup emîrane zevk ederken. — Naima».

emirname, *F. i.* [Emir-name] Buyruk.● *Emirname-i sami,* sadrazamın yazdığı emir.

emîrülceyş, *A. i.* [Emîr-ül-ceyş] Asker, ordu, ordular komutanı.

emîrülhacc, *A. i.* [Emîr-ül-hacc] Hicaz'a hacı olmaya giden kafilenin eminliği ve işleriyle uğraşan memur.● «Ahval-i urbana suret vermeğe kadir ve zabt u rabt-i eşkıya hususunda bahadır bir emîrülhacc nasb olunmağa. — Raşit».

emîrülmüminîn, *A. i.* [Emîr-ül-mü'minin] Halifelerin lakapları. 2. Bu lakap. Halife Ömer hakkında kullanılmıştır. Sonraları Osmanlı padişahları için kullanılmıştır.● «Dâva-yi siyadet edip emîrülmüminîn telakkub etmişti. — Naima».

emîrülümera, *A. i.* [Emir-ül-ümera] Tanzimat'tan önce «beylerbeyi» ler hakkında kullanılırdı; sonra bazı kimselere olağanüstü «paşa» denilmek üzere çıkarılmış olan bir rütbe.● «Diyar-i Yemen eyaletine emîrülümera nasb olunup. — Naima».

emkine, *A. i.* [Mekân ç.] Yerler, mahaller.● «Ahadis-i şerifenin vürudunun esbabını ve ezmine ve emkinesini beyan eden. — Taş.».

emlah, *A. s.* (*Ha* ile) [Melih'ten] Daha ve pek güzel.● «Varsa çok melih o emlahtır. — Naci».

emlâh, *A. i.* [Milh ç.] Tuzlar.

emlâk, *A. i.* [Mülk ç.] Mülkler.● *Emlâk ü emval,* mülkler ve mallar,● *emlâk-i hümayun,* padişah malları;● *- mîriye,* beylik mallar.● «Ne emlâkini satabilir, ne emlâk satın alabilir. — Cenap».

emles, *A. s.* Avuç içi gibi düz, pürüzsüz. Yalız.● *Levh-i emles,* «Table rase» karşılığı (XX. yy.).● «Zen tek rical âyine-i emles istemez. — Kâni».

emma, *A. e.* Ama, amma. Ancak. Şu kadar var ki.

emma b'adü, *A. bağ.* Bir yazı veya söze başlarken söylenmesi gerekli besmele, Tanrıya hamd, peygambere duadan sonra asıl maksada girerken bu söz söylenir. Buna «fasl-i hitab» denir.

emmar, emmare, *A. s.* [Emr'den] Ziyade, fazla emredici, zorlayan, zorlayıcı.● *Nefs-i emmûre,* insanı fenalığa, günaha zorlayan nefs, istek.● ‹Ve imam-i kebir-i nâtık bissıdk ve dahi emmar bi-l-maruf. — Taş.›.● ‹Akl ü ruhun nefs-i emmareye mağlûp. — Asım›.

emn, *A. i.* 1. Korkusuzluk, eminlik. 2. Rahatlık, düzen. Güven. Çok defa pekiştirmek için anlamdaşı «eman» ile kullanılır,● *emn ü eman.*● ‹Husrev Paşa emaniyle itaat edip hâlâ gadrından dahi emn yoğidi. — Naima›.● ‹Her yerde remz-i emn ü aman oldu tuğlar. — Beyatlı›.

emniyyet, *A. i.* 1. Emn, korkusuzluk. 2. Güvenme, inanma.● *Emniyet-i amme,* halkın güvenliği;● *Emniyet-i umumiye,* memleketin güvenliğiyle görevli dairenin Osmanlı İmparatorluğu zamanındaki adı (XX. yy.).● ‹Ekâbir esagir nev'a emniyet ü rahat buldu. — Naima›.

emr, *A. i.* 1. Buyruk. Buyurma. 2. İş, şey. *Emr-i âli,* yüksek emir, buyruk;● *emr-i azîm,* büyük, önemli iş;● *emr-i bilma'ruf ve nehy alelmünker,* şeriatın buyruklarına göre, uygun emir ve yasaklarına göre yaptırmama;● *emr-i gaib,*● *emr-i hazır* (Gr.) Üçüncü şahsa, ikinci şahsa verilen emirler;● *emr-i Hak,* (Tanrı buyruğu) ölme;● *emr-i ilâhî,* Tanrının takdir buyruğu, kader, alın yazısı;● *emr-i vaki,* olupbitti (XIX. yy.);● *âhir-ül-emr,* nihayet en son, sonunda;● *evvel-i emirde,* ilkin, başta;● *nefs-el-emr,* bir işin gerçeği, aslı;● *ul-ül-emr,* halka emretmekle görevli ve halkın da bu emirleri tutma zorunda oldukları kimseler (birinci derecede halife, sonra onun vekilleri). (ç. Evamir).● «Ve sair müştemilâtının hitamına edk emr-i binasında sarf olunan akçe. — Raşit›.● ‹Emr edin çıkar görünür. — Fikret›.

emraz, *A. i.* (Dat ile) [Maraz ç.] Hastalıklar.● *Emraz-i akliyye,* akıl hastalıkları;● *- ayniyye,* göz;● *- asabiye,* sinir;● *- bevliye,* sidik yolu;● *- cildiyye,* deri;● *- dahiliyye,* iç;● *- efranciye,* frengi ve benzerleri;● *- hariciyye,* dış;● *- intaniyye,* mikroplu;● *- müstevliyye,* salgın;● *- nisaiyye,* kadın;● *- sariyye,* bulaşıcı hastalıklar (XIX. yy.).● ‹Öyle bir maraz ki emraz-i nefsaniyenin deva kabul etmeyenlerinden sayılır. —

Kemal›.● ‹Türlü emraz-i müdhişenin semm-i müteaffiniyle. — Uşaklıgil›.

emred, *A. s.* Daha bıyık ve sakalı çıkmamış, tüysüz.● *Şabemred,* tüysüz genç. (ç. Emredan).● «Reislerini ahz eyledi İbrahim Voyvoda namına bir emred idi. — Naima›.● ‹Melûnlar harim-i nâsa ve emredana taarruz edip. — Naima›.

emrî, emriyye, *A. s.* Emre ait, emirle ilgili.● *Siyga-i emriyye,* emir kipi.

emrud, *F. i.* Armut.

ems, *A. i.* (Sin ile) Dünkü gün.● «Tulû-i şemsle ve beşaret-i zafer-i emsle Gazze şehrinde. — Sadettin›.

emsal, *A. i.* (Se ile) [Misl ç.] Eşler, benzerler.● *Emsal-i kesîre,* birçok benzerler.● ‹Şeyhülislâm efendi tesmiye-i mihr-i emsal ile akd-i nikâh eyledi. — Raşit›.

emsal, *A. i.* [Mesel ç.] Dilden düşmeyen şeyler; hikâyeler, destanlar.● *Durub-i emsal,* atalarsözü, atasözleri.● ‹Türkçede dahi "kulaktan âşık olmak" emsal-i meşhuredendir. — Kemal›.

emsar, *A. i.* (Sat ile) [Mısr ç.] Büyük şehirler.● *Emsar ü bilâd,* büyük şehirler.● «Mahall-i icra-yi ahkâm olan emsar-i Müslimînde. — Raşit›.

emsel, *A. i.* [Misl'den] Çok benzeyen, benzer.

emsile, *A. i.* [Misal ç.] 1. Örnekler. 2. (Gra.)● *Emsile-i muhtelife,* geçmiş, gelecek, geniş zaman gibi çeşitli kiplerin sıra ile çekimi;● *emsile-i muttaride,* bir kipin şahısları sırasıyle çekimi.● ‹Mazide emsile ve edille taharrisine ne hacet. — Cenap›.

Emsile, *A. i.* Arap gramerinde fiil çekim örneği bulunan birinci kitabın adı.

emsule, *A. i.* Örnek beyit veya ibare.

emtar, *A. i.* [Matar ç.] Yağmurlar.● *Sahaib-i emtar,* yağmur bulutları.● ‹Lâkin kesret-i emtar ve şiddet-i rüzgâr mani-i safa-yi ârâm. — Raşit›.

emtia, *A. i.* (Te ile) [Meta' ç.] Emtia, mal, mallar.● *Emtia-i ecnebiyye,* yabancı ülke malları;● *- gûnagûn,* çeşitli mallar.● ‹Ve bilcümle nukud ve cevahir ve tuhaf ye emtiası evsaf ve ecnasiyle tahrir ve defter olunup. — Raşit›.

emvac, *A. i.* [Mevc ç.] Dalgalar.● *Emvac-i bihar,* denizlerin dalgaları;● *ser-i emvac,* dalgaların ucu.● «Derya şedit fırtına iken asla fırtınaya ve emvaca bakmayıp ol zevrakla binip. — Naima›.

(Ed. Ce.)• *Emvac-i gunude,•* - *ikti-rab,•* - *intikad,•* - *pür-garam,•* - *pür-huruş,•* - *pür-sürud,•* - *rüya,•* *duş-i emvac,•* *gıriv-i muhik-i emvar,•* *saf-ha-i emvac,•* *selsebil-i emvac,•* *tesa-düm-i emvac.*

emvacgeh, *F. s.* [Emvac-geh] Dalgalı yer.• ‹Emvacgeh-i hun-i ciğer kim dilimiz-dir — Girdab-i belâ dâm-i reh-i sa-hilimizdir. — Nailî›.

emvah, *A. i. (He* ile) [Ma' ç.] Sular.

emval, *A. i.* [Mal ç.] Mallar.• *Emval-i emîriyye*, (eşya ve para) beylik mal-lar;• *gayr-i menkule*, ev dükkân, tarla gibi, bir yerden başka ycre taşınama-yan mallar, akar;• - *menkule*, bir yer-den başka yere taşınabilen mal, eşya;• - *metruke*, sahipleri kaybolmuş mal-lar;• *bezl-i emval*, para ve armağan gibi mallar dağıtma.• ‹Asker-i İslâm emval-i ganayimden azîm doyumluğa nail oldular. — Naima›.

emvat, *A. i.* [Meyyit ç.] Ölüler.• *Ahya vü cmvat*, diriler ve ölüler;• *arazi-i emvat*, ölüleri görmme;• *ihyay-i emvat*, ölülere can verme.
(Ed. Ce.)• *Mahfil-i emvat,•* *mahşer-i emvat,•* *lifafe-i emvat.•* ‹Benziyor hâbgâh-i emvata — Hali sakf-i kiyah-bestesinin. — Fikret›.

emyal, *A. i.* [Mil ç.] Miller.• ‹Mesalik ve emsarın ferasih ve emyal cihetinden kemmiyet ve mikdarı. — Taş.›.

emyel, *A. s.* [Meyl'den] 1. Aşırı eğilmiş. 2. Çok istidatlı.

emza, *A. s.* 1. Hükmü çok yürüyen. 2. İçe geçen. 3. Keskin, kesin.• ‹Ve ol Gür-cü Paşayı sevk etmekle anın tedbirini emzaya âzim idi. — Naima›.

emzice, *A. i.* [Mizac ç.] Mizaçlar, huy-lar, tabiatler.• ‹Ukul ve emzicenin te-fafüt ve ihtilâfı. — Pertev Pşş.›.

-en, *A. e.* Arapça sözcüklerin sonuna ulan-dığı zaman sözcüğü zarf haline ko-yar :• *Kasden,•* *mânen...*

enabîb, *A. i.* [Enbube ç.] 1. Boğum bo-ğum olan şeyler. 2. Küçük borucuk-lar.• *Enabib-i gırbaliyye.* (Bot.) kalbur damarları.

enabik, *A. i.* [İnbik ç.] İmbikler;• ‹Kâr-hane olan mevzi ki içinde kara' ü ena-bik ve alât-i kimyevî var idi. — Nai-ma›.

Enacil, *A. i.* [İncil ç.] İnciller.• *Enacil-i erbaa*, dört incil.• ‹Tevrat ola mı ya-hut Enacil — Hem menkıbet-i Kitab-i Tenzil. — Ziya Pş.›.

enafis, *A. i.* [Enfes ç.] Pek nefis olan şey-ler.• ‹Enafis-i âsar ile halkın ruhunu tahrik ederek. — Cenap›.

enaiyyet, eneiyyet, ananiyyet, *A. i.* Bk.• *Enaniyyet.*

enam, *A. i.* Halk, bütün yaratıklar.• *Beyn-el-enam*, halk arasında;• *Rabb-ül-enam*, bütün yaratıkların Tanrısı;• *seyyid-ül-enam* (halkın ulusu) Muhammet pey-gamber.• ‹Harekâtı muvafık-i rıza-yi sultan-i enam olmakla. — Raşit›.

En'am, *A. i.* Kur'an'ın En'am suresiyle da-ha bazı surelerinden meydana getiril-miş küçük kitap.• *Sure-i en'am*, Kur'-an'ın 6. suresi.

enamil, *A. i.* [Enmile ç.] Parmak uçları.• ‹Enamil-i keremin halleder ümmidim odur — Olursa rişte-i kârımda sad gi-rih ma'kud. — Sabit›.

enaniyyet, enaiyyet, eneiyyet, *A. i.* Ben-cillik. Kendini beğenme (XX. yy.).• ‹Lâf ü dâva-yi enaniyyet ne lâzım âde-me — Herkesin âlemde bin mafevki bin madunu var. — Muhlis Pş.›.

enar, *F. i.* Nar.• ‹Et'ıma ve fevakih ile memlûdur, hususa ki enarı kati meş-hurdur. — Naima›.

enarallahü kabrühu, *A. cüm.* ‹Tanrı meza-rını ışıtsın› anlamında dua.

enba, *A. i.* [Nebi ç.] Peygamberler.

enban, enbane, *F. i.* Dağarcık. Heybe.• ‹Zihiy râzık ki enban-i ademden et-mede ihsan — Hezarân tûşe-i şirîn he-zaran meyve-i eclâ. — Nabi›.• ‹Olma ey tab-i haris enban-küşa-yi ıstırab. — Nabi›.

enbar, *A. i.* Ambar.• *Der enbar etmek*, teslim almak, ambara koymak.• ‹Hu-bubatın Öküz limanına tarh oldu en-barı. — Fazıl›.

enbaşte, *F. s.* Tıkanmış. Yıkılmış.• ‹Cid-de'den Mekke'ye varınca yol üzerinde olan çahları enbaşte edip. — Naima›.

enbaz, *F. i.* Ortak. Eş. Benzer.• *Bienbaz*, ortaksız (Tanrı).• ‹Ve tedris ü va'zın-da enbazı nadir bir vücud-i şerif idi. — Peçoylu›.

enbiya, *A. i.* [Nebi ç.] Peygamberler.• *Ha-tem-ül enbiya*,• *şah-i enbiya*, Muham-met Peygamber.• ‹Cibril var haber ver o sultan-i enbiyaya — Düştü Hü-seyn atından sahra-yi Kerbelâ'ya. — Kâzım Pş.›.

enbube, ünbube, *F. ve A. i.* Kamışın boğu-mu. İnce boru. İnce yol, patika.• *En-bube-i teneffüsiyye*, nefes borusu.• ‹Hatt ü nakş ü kumaş-i kâfi etmiş cû-yi sun'unda — Ser-i enbube-i mizab-i engüştan ile iska. — Nabi».

enbubî, enbubiyye, *A. s.* 1. İnce boru. 2. Boğmaklı boru biçiminde olan.

enbuh, *F. i.* (*He* ile) Kalabalık.• *Leşker-i enbuh*, kalabalık asker.• «Margrav dahi leşker-i enbuh ile mukabele ve harp edip. — Naima».

encab, *A. i.* [Necib ç.] Soyu temiz olanlar.

encad, *A. i.* [Necd ç.] Yüce, yüksek yerler.• «Ve ekser-i encad ü egvarında piyade-revlik edip. — Sadettin».

encam, *F. i.* Son.• *Encam-i kâr*, işin sonu.• «Mübarek ola subh ü şamının agaz ü encamı. — Nef'i».

encas, *A. i.* (*Sin* ile) [Necs ç.] Necsler, . pislikler.• «Encas-i ecnas-i şeyatîn ü ins. — Sadettin».

enced, *A. s.* En yiğit.• «Ve dahi nasın enced ve eşcaı idi. — Taş.».

encere, *F. i.* 1. Isırgan otu. 2. Kurdeşen (ecthymos, urtica). Bk.• *Encüre.*

encir, *F. i.* İncir.• «Eylese şan ü şükûhu zuafaya imdat — Kûh-i Elbürz'e satar kevkebe tohm-i encir. — Nabi».

encüm, *A. i.* [Necm ç.] Yıldızlar.• *Encüm şümar*, yıldızlar sayısınca.• «Encüm ile âlemi donattın — Her necmde bin cihan yarattın. — Ziya Pş.».

encümen, *F. i.* Meclis, komisyon.• *Encümen-i daniş*, akademi.• «Her söz ki gelir zuhura benden — Bin ta'ne bulur her encümenden. — Fuzuli».

encümengâh, *F. i.* [Encümen-gâh] Meclis yeri.• «Rumeli askeri encümengâh-i Halep'e erişmeye ziyade ikdama muhtaç olmağın. — Naima».

encür, encüre, *A. i.* Isırgan otu.

encüriyye, *A. s.* ve *i.* 1. Isırgangiller. 2. Kabarcık bir deri hastalığı (XIX. yy.).

enda', *A. ç. i.* Kırağılar, çiğler.

endad, *A. i.* Benzerler, eşler.• *Endad ü ezdad*, benzerler ve zıtlar;• *bîendad*, benzersiz, eşsiz.• «Kim ki var misl ü şebîhi bulunur âlemde — Münhasır sana fakat rütbe-i nefy-i endad. — Nabi».

endaht, *F. i.* (*Hı* ve *te* ile) Atma, silâh boşaltma. Atış.

endahte, *F. s.* Atılmış, bırakılmış.• *Endahte-i kûşe-i nisyan*, unutma köşesine atılmış, unutulup gitmiş.• «Takvim-i sâl-i dirine gibi endahte-i takçe-i nisyan olmak. — Raşit».

endam, *F. i.* 1. Beden, vücut. 2. Boy bos. 3. Biçim.• *Gülendam, simendam*, gül, gümüş tenli;• *endam-i mevzun*, düz-

gün boy;• *arz-i endam etmek*, boy göstermek, görünmek.• «O gül-endam bir âl şale bürünsün yürüsün — Ucu gönlüm gibi ardınca sürünsün yürüsün. — Vâsıf».

-endaz, *F. s.* «Atan, atıcı» anlamıyle kelimeleri sıfatlaştırır.• *Aksendaz*, (ışık) vurma;• *lenger-endaz*, (gemi) demir atımı;• *silâh-endaz*, savaş gemilerinde silâhlı er, genel olarak silâhlı er;• *tirendaz*, ok atan.• «Bir taht-i râna üzerine ıturup gün gibi her canibe nazarendaz olurlardı. — Naima». .

endaze, *F. i.* Ölçü. 65 santimlik ölçü.• «Tabya ve hendeklerini endaze-i hatavat ile mesaha etmek mümkün oldu. — Raşit».

endek, *F. s. Az.* Yaşı küçük.• *Tıfl-i endek sale*, yaşı küçük çocuk.• «Atâ-yı endeki bişvar-i gayre galibdir. — Nabi».

endekterin, *F. s.* En küçük, en az.• «Zaman-i endekterinde bir hane sahte eylediler ki. — Silvan».

.ender, *F. e.* «-de, içinde» anlamıyle kelime arasına girerek anlamlarını pekiştirir.• *Behişt ender bahişt*, cennet içinde cennet;• *belâ ender belâ*, belâ içinde belâ;• *muhal ender muhal*, olmaz içinde olmaz, hiç olmayacak;• *müşkil ender müşkil*, zorluk içinde zorluk. (Bütün sözler yazanlar,• *kat ender kat* sözünün yanlış olduğunu kaydederler, fakat kullanıp dururdu).• «Yolun iki tarafı asker ile kat ender kat müzeyyen olup dizildiklerini kızılbaşlar görüp medhuş oldular. — Naima».

ender, *F. s.* [Nadir'den] Daha veya pek seyrek, çok az.

enderun, *F. i.* 1. İç, yürek. 2. Büyük bir kimsenin konağının iç tarafı. 3. Sarayın harem dairesi kısmı.• *Enderun-i hümayun*, padişah sarayının iç kısmı;• *enderun ü birun*, iç ve dış.• «Enderun ü bîrunda nüfuz-i kelâm ile merci-i hâss ü âmm olmağın. — Raşit».

-endiş, *F. s.* «Düşünen, hesaplı davranan» anlamıyle sıfatlar meydana getirmek için kelimelere ulanır.• *Âkıbet-endiş*,• *bedendiş*,• *durendiş*. Bk.

endişe, *F. i.* 1. Düşünce. 2. Acı, keder. 3. Şüphe, kuruntu, merak.• *Endişe-i ferda*, yarın düşüncesi;• *endişe-i maişet*, geçim düşüncesi, derdi.• «Görüp endişe-i katlimde ol mahı budur derdim — Ki ol endişeden ol meh peşiman olma-

sın ya Rab. — Fuzulî».• «Saki bize mey sun ki dil-i tecrübet-amuz — Endişe-i encam ile vakf-i helecandır. — Ziya Pş.».
(Edebiyatı Cedide :)• Bais-i endişe,• ebr-i endişe,• mâna-yi endişe.

endişekâr, F. s. [Endişe-kâr] Endişeli, düşünceli.• «Gamhar-i ümmetan-i gamkin ve endişekâr-i usat-i miskîn böyle mi olur. — Veysi».

endişekârî, F. i. Düşünceli olma. Düşünme.

-endişî, F. i. «-endiş» ekiyle oluşan sıfatları isim şekline koyar.• Âkibetendişi, sonunu düşünüş;• durendişi, her şeyi önceden görüş.

endişnâk, endişenâk, F. s. [Endişe-nâk] 1. Düşünen, düşüncesi olan. 2. Tasalı. 3. İşkilli, vesveseli.• «Hafız Paşa endişenâk olup etbaına : Bre hazır olun tez topları doldursunlar diye tembih ettiği. — Naima».

endud, F. i. 1. Sıva. 2. Sürme, sıvama.

-endud, F. s. «Sürülmüş, boyanmış, işlenmiş» anlamlarıyla kelimeleri sıfat haline koyar.• Zerendud, sırma işlenmiş.
• «Tecebbür ve gazapta ifrat eleyip ol vezir-i vizr-endud halka yavuz görünmek için. — Naima».

enduh, F. i. (He ile) Tasa, kaygı, gam.• «Gamın bîintiha, enduh ü derdim bîhisab olsun. — Recaizade».

enduhgin, enduhnâk, F. s. [Enduh-gin, -nâk] Gamlı, tasalı, kaygılı.• «İttifak bu zikr olunan küsuf-i cüz'iden ziyade enduhnâk olup. — Naima».

enduhte, F. s. Kazanılmış. Elde edilmiş.• «Etmem enduhte-i gayre heves çün Perviz — Açtı Ferhad-i hayalim bir nev maden. — Nedim».

-enduz, F. s. «Kazanan» anlamıyle ulandığı sözcükleri sıfatlandırır.• Hikmetenduz,• mesadetenduz,• tarabenduz, hikmet, kutluluk, ahenk kazanan.

ene, A. zm. Birinci tekil şahıs. Ben.• «Ene ve lâgayrihi livasın ref' etmiş idi. — Naima».• «Dilir-i mîr-i enel-Hak sipah-i Mansur'um. — Fehim».

eneiyye, A. i. Tekbencilik (XX. yy.), solipsisme karşılığı.

eneiyyet, A. i. Bk.• Enaniyyet.• «Ayine-i kalbinde o ruşengüheranın — Jeng-i eneiyet eseri mahz-i ademdir. — Sami».

enf, F. i. 1. Burun. 2. Kibir, ululuk satma.• Kesr-i enf (burun kırmak) kibir kırma.• Ebü-l-enf, koca burunlu, kibirli.

enfa', A. s. (Ayın ile) [Nafi'den] Daha, pek yarar.• Âyan-i devlet her hususta taraf-i devlete enfa' ve evlâ olan maslahatta bulunup. — Naima».

enfal, A. i. [Nefel ç.] 1. Ganimetler. 2. Kur'an'ın 8. suresi.

enfar, A. i. [Nefer ç.] Kişiler.

enfas, A. i. (Sin ile) [Nefs ç.] Nefesler. Soluklar.• Enfas-i hayriye, ululların hayırlı nefesleri;• - madude, sayılı nefesler, insan hayatı.• Tekmil i enfas-i madude-i hayat etmek, (hayatın sayılı nefeslerini bitirmek) ölmek.
(Ed. Ced.)• Enfas-i bahar,• - barid-i şita,• - saadet,• - zâr. «Ruh-bahş oldu Mesiha-sıfat enfas-i bahar. — Baki».• «Bahçeden güllerin, yaseminlerin karanfillerin enfas-i müşkinini tolayarak. — Uşaklıgil».

enfes, A. s. [Nefîs'ten] Daha ve pek güzel.• «Enfesler içinde ey bedia. — Recaizade».

enfî, A. s. Burna ait, burunla ilgili.

enfiyye, A. i. Burunotu.• «Hoşça bir keyf idi enfiyye bahis — Etmese rîş ü burnu telvis. — Sümbülzade».

enfüs, A. i. [Nefs ç.] Yaşayanlar, hayat sahipleri, canlılar. (XIX. yy. sonları) sujet karşılığı.• Enfüs ü âfak, nefis ile dışı.• «Enfüs ü âfakı hayran etti Kur'an'ın senin. — Naci».

enfüsî, A. s. (XX. yy.) Subjectif karşılığı, öznel.• «Göreyim yâri de rüyada bana yeksandır — Enfüsîsiyle tâbirinin afakîsi. — İzzet Molla».

enfüsiyye, A. i. (XX. yy.) Subjectivisme karşılığı, öznel, öznecilik.

engam, A. i. [Nagm ç.] Nağmeler, ezgiler.• «Lâmia harekât-i engama tebean (...) başı harekât-i muttaride ile sallanarak. — Uşaklıgil».

engebin, F. i. Bk.• Engübin.

Engelyon, Engilyon, F. i. 1. İncil. 2. İşlemeli, renkli bir kumaş. 3. Ünlü Fars ressamı Ertenk'in yaptığı resim albümü.• «Oldu hem-gûne-i nakş-i varak-i Engilyun. — Munif».

Engerus, Engürus, i. ve s. Macar, Macaristan.• «Baş eğdi âb-i tîgına küffar-i Engürus. — Baki».

engihte, F. s. Koparılmış, oynatılmış, karıştırılmış, yükseltilmiş.• «Bu nükuş acep engihte-i bukalmun. — Münif».

engis, enkis, A. i. Remil falı figürlerinden biri.• «Eylesen remmalden teftiş-i nik ü bed — Mürşid-i rah-i yakîn enkis limandır ona. — Fuzulî».

-engiz, F. s. (Kef ve ze ile) «Koparıcı, karıştırıcı, kışkırtıcı» anlamlarıyla kelimeleri sıfatlaştırır.• Fitneengiz, fitne koparıcı,• safaengiz, safa koparan neşe meydana getiren,• şevkengiz, neşe koparan.

engûr, F. i. Üzüm.• Âb-i engûr, (üzüm suyu) şarap,• şire-i engûr, üzüm şırası.• «Sanmam bizi kim şire-i engûr ile mestiz. — Ruhi».• «Yakut gibi şarab-i engûr — Elmas gibi piyale-i nur. — Ş. Galip».

engûrek, F. i. Üzümcük. (Gözbebeği).

engübin, engebin, F. i. Bal.

engüşt, F. i. Parmak.• Engüşt-i hata, yanlışı işaret eden parmak;• - muhannâ, kınalı parmak.• «Gâh enguşt-i muhannasın gehi lâ'lin emip — Dane-i unnap ile nuş-i şarap etmez misin? — Nedim».• «Eyler iki engüşt-i dürüştü bize ima. — Fikret».

engüşt bedendan, F. s. Parmağını ısırmış.

engüşt berdehan, F. s. 1. (Şaşkınlıktan) Parmak ağzında kalma. 2. Sus işareti yapma.• «Sanki engüşt berdehan melekût — Bütün eşyaya der: Sükût, sükût. — Cenap».

engüşte, F. i. Yaba.

engüşter, engüşteri. F. i. Yüzük. Yüzük halkası.• «Bazuları kevser-i muhalled — Engüşteri cevher-i mücerred. — Ş. Galip».

engüştnüma, F. s. [Engüşt-nüma] Parmakla gösterilir. Ünlü.• «Ulviyet-i fıtriyede engüştnümasın. — Naci».

enha, A. i. [Nahiye ç.] Nahiyeler. Yönler, yanlar. Taraflar.• «Artık işe hörgüç bile şaşmış — Kuyruksa dolaşmış — Baştan başa enhayı. — Fikret».

enhar, enhür, A. i. [Nehr ç.] Nehirler, ırmaklar,• Enhar-i amika, derin nehirler;• - amme, kimsenin olmayan, bir cemaatin mülkü olan mecralardan geçmeyen nehirler;• - memlûke, mülk olan nehirler;• menabi-i enhar, nehir kaynakları;• mevc-i enhar, nehir dalgası.• «Başında neşeli ninni söyler enharın — Sürud-i serşarı. — Fikret».

enhas, A. s. (Hı ve sin ile) [Nahs'tan] En uğursuz.• «Anlar dahi enhas-i satta yola girip gittiler. — Naima».

enîk, A. s. Güzel, ince şey.• «Tedvin-i kütüb-i nefise-i enîkada. — Taş.».

enin, A. i. İnleme, inilti.• Ah ü enin, ah etme ve inleme;• enin-i teellüm, acı iniltisi.

(Ed. Ce.).• Enin-i elîm,• - gam,• - hafi,• - halb,• - itap,• - sukut, • - riyah.• «Yine bir mustarip enin-i hayat — Duyulur en küçük şehikînden. — Fikret».

enîs, enise, A. s. (Sin ile) [Üns'ten] Görüşülen adam, arkadaş.• «Evet, her şey uyur, ey leyl-i mesut — Fakat ben bir ziya-yi râşedarın — Enis-i hüznü, bîâram ü bîsud. — Fikret».• «Bu hucere-i enise-i hayat. — Uşaklıgil».

enîse, A. s. Ateş.

enkas, A. s. (Sat ile) Eksiği aşırı olan, çok eksik.

enkaz, A. i. (Dat ile) [Nukz ç.] Yıkılan bir şeyin kalıntısı; yıkıntı. Moloz.• «Düşmüş turaba zırh ü silâhiyle bir yığın — Enkaz-i ahenîn gibi. — Fikret».

enker, A. s. Pek çirkin, çok korkunç, fazla bet.• Enker-i asvat,• seslerin en beti, çirkini.• «Zira asvatın enker erfaıdır. — Taş.».

enkiha, A. i. [Nikâh ç.] Nikâhlar.• «Seferde ve hazarda masalih ve münazaat ve enkiha ve sair muamelât. — Sadettin».

enmile, A. i. Parmak ucu.• «Rişe-i sâk-i diraht enmile-i dest-i gusun. — Münif».

enmüzec, ünmuzec, A. i. (Zel ile) Örnek. (XX. yy.). Type karşılığı.• Enmuzec-i evvel, ilk örnek.• «Cümlesi zikrolunan enmuzecden istidlâl ile malûm olur. — Naima».• «Ne der güzelliği tarif ederken Eflâtun : — Güzel, hakikatin enmuzec-i letaifidir. — Fikret».

ensa, A. i. (Sin ile) [Nesy ç.] Unutmalar. Akıldan çıkarmalar.• «İzhar-i şan-i sadarette ensa-yi evsaf-i küremay-yi eslâf edip. — Raşit».

ensab, A. i. (Sin ile) [Neseb ç.] Nesebler, soylar, (XIX. yy.). Genéologie karşılığı olarak ilm-ül-ensab.

ensâb, A. i. (Sat ile) [Nasb ç.] 1. Dikili taşlar. 2. Arapların cahiliyet devri putları.

ensac, A. i. [Nesc ç.] Nesiçler, dokular.• İlm-i ensac,• ilm-ül-ensac, histologie (dokubilim) karşılığı olarak. (XIX. yy.).

ensaf, A. s. (Sat ile) [İnsaf'tan] Pek insaflı.

ensâf, A. i. [Nısf ç.] Yarımlar.

ensal, A. i. [Nesl ç.] Nesiller, kuşaklar.• «Zir-i kahrından inliyor ensal. — Fikret».

ensar, A. i. Bk.• Ansar.

enseb, A. s. [Nesib'ten] Daha ve en uygun.• «Taşra mansıba gitmeniz enseb, bunda oturulmasında beis yok. — Naima».

ensiba, *A. i.* [Nesib ç.] Soy ve nesep sahipleri.

ensice, *A. i.* [Nesc ç.] Örmeler, dokumalar, dokular. (Ş. S. bu sözün Arap sözlüklerinde bulunmadığını söyler. (XIX. yy.) Cemiyet-i Tıbbiye-i Osmaniye bunu kullanmış, birçok terimler meydana getirmiştir. • *Mebhas-ül-ensice,* histologie; • *ensice-i müşekkile,* sürgendoku. • «Bir atlas-i beyaz ki (...) ensicesi çözülüvermiş. — Uşaklıgil».

entak, *A. i.* [Nutuk'tan] Daha veya pek iyi söz söyler.• «Lâzım mı ki söylesin zebanım — Entak mı değil mi lisan-i halim. — Naci».

enuf, unuf, Bk.• *Unuf.*

enva', *A. i.* *(Ayın* ile) [Nev' ç.] Neviler. Çeşitler, türlüler.• *Enva-i kesire,* çok çeşitler. Terim olarak (XIX. yy.) *espêces* karşılığı. • «Haksızlığın envaını gördük... bu mu kanun. — Fikret».

envar, *A. i.* [Nur ç.] Nurlar.• «Envar-i zafer hüveyda ve kevkeb i a'da napeyda olduğun müşahede müyesser olmayıp. — Naima».

enver, *A. s.* [Nur'dan] Daha ve çok parlak. • «Bir de cânan ki hüsn-i enveri ni — Edeyim seyre doymadan zayi. — Fikret».

enyab, *A. i.* [Nâb ç.] Dört sivriler, köpek dişleri.• «Ol kilâb-i zevil-enyabdan bir şûr bahtı otuz mikdarı eşkıya ile koyup. — Naima».

enzar, *A. i.* (Zı ile) [Nazar ç.] Bakışlar.• *Enzar-i umumiye,* herkesin gözü önü.• «Henüz fekk-i müjgâna başlamış olan enzar. — Kemal».

er'a, *A. i.* *(Ayın* ile) [Ra'y ç.] Otlar.

eracif, *A. i.* [Ürcufe ç.] Uydurma sözler.• *Eracif ve ekâzib,* uydurma ve yalan sözler.• *Neşr-i eracif,* uydurma sözler yayma.• «Gâh ü bigâh Şahingiray han olmuş diye eracif ve buna benzer ekâzip çıkarmakla. — Naima» .

eracih, *A. i.* *(Ha* ile) [Ürcuhe ç.] Salıncaklar.• «Etfale verir neşe eracih».

eraciz, *A. i.* *(Ze* ile) [Ürcuze ç.] Kafiyeli, kısa manzumeler.

eraik, *A. i.* *(Kef* ile) [Erike ç.] Tahtlar.• «Etraf-i memalike ve şahan-i sahib eraike nameler ye peykler irsal edip. — Lâmiî».

erakım, *A. i.* *(Kaf* ile) [Rakam ç.] Yazılar, çizgiler.

erakin, *A. i.* *(Kef* ile) [Rükn ç.] Direkler, dayaklar.• «Erakine-i Hintten bir erkün-i sahib-kudret olup. — Silvan».

erakk, *A. s.* Ziyade rakik, aşırı ince.

eramil, eramile, *A. i.* [Ermile ç.] Dul kadınlar.• *Eytam ü eramil,* yetimler ve dullar.• «Ve eramil-i heftad reside. — Veysi».

eranîb, *A. i.* [Erneb ç.] Tavşanlar.

eraris, *A. i.* *(Sin* ile) [Eris ç.] Çiftçiler.

eraz, *A. i.* [Arz ç.] Topraklar.

erazi, *A. i.* Bk.• *Arazi.*

erazil, *A. i.* *(Zel* ile) [Erzel ç.] Çok, pek reziller.• *Erazil-i nâs,* halkın pek rezilleri, aşağıları. (ç. Erazilân).• «Ve derununda fesat muzmar olan erazilden bazı itler tahrikiyle beş yüz kadarı cemiyet edip. — Naima».• «Tavr-i erazilâna taklit ile meclise yâran getirmenin safası nedir? — Nergisi».

erba', *A. s.* *(Ayın* ile) Dört (4).

erbaa, *A. s.* Dört.• *Ahlat-ı erbaa,* dem, balgam, safra, sevda;• *âmal-i erbaa,* dört işlem,• *anasır-ı erbaa,* ateş, hava, su, toprak;• *cihat-i erbaa,* (dört yön) doğu, batı, kuzey, güney;• *esmar-i erbaa,* dört yemiş (çekirdeksiz hurma, hünnap, incir kuru erik veya kuru üzüm);• *etraf-i erbaa,* (dört yan) sağ, sol, ön, arka;• *ezhar-i erbaa,* (dört çiçek) Ebegümeci, hatmi, menekşe, gelincik. (Eski hekimlik ilâçlarında kullanılmıştır);• *füsul-i erbaa,* (dört mevsim) ilkbahar, yaz, sonbahar, kış;• *yevm-ül-erbaa,* (dördüncü gün) çarşamba.• «Receb-i şerifin ikinci günü, yevm-ül-erbaada İstavroz Bahçesi meydanında. — Raşit».

erbab, *A. i. ve s.* [Rabb ç.] Sahipler, efendiler. Becerikli, bilgiç.• *Erbab-i hacât,* iş sahipleri, işi olan kimseler;• - *kalem,* kalem sahipleri, yazarlar;• - *namus,* namuslu kimseler;• - *vukuf,* bilir kimseler.• «Kûyun dolanmadan ne kaçarsın seler.• «Kûyun dolanmadan ne kaçarsın iki gözüm — Erbab-i aşkın elde değildir iradeti. — Naili».• «Girit ceziresinde imtidad-i muhasarası erbab-i gayreti kebab-i âteş-i ıstırab eden Kandiye kalesin. — Raşit».

erbah, *A. s.* *(Ha* ile) [Ribh'ten] Daha kârlı, çok kazançlı.• «Ahsen-i hal ve erbah-i ticaret ve tayyib-i emval ile. — Taş.».

erbain, *A. s. ve i. (Ayın* ile) Kırk. 1. Aralık ayının 21'inden, gündönümünden sonra, 40 gün süren kış, karakış. 2. Tarikate girenlerin kırk gün süren çileleri.● ‹Kâfla nundan yarattı âlemi — Erbain günde yoğurmuş Âdem'i. — Nesimi›.● ‹Senevat-i ömr-i berbad dâde-i nisab-i erbainden tecavüz etmekle. — Nergisi›.

erbaun, *A. s.* Kırk sayısı.

erca, *A. s. (Hemze* ile) [Reca ç.] Taraflar, yönler.● ‹Ada-i Kebir kalesinin bilcümle etraf ü enha ve aska ü ercasını. — Ragıp Pş.›.

ercaf, *A. i.* Bk.● *İrcaf.*

ercah, *A. s. (Ha* ile) [Racih'ten] Daha veya pek üstün, çok beğenilir.● «Eltaf ve efsah ve andan her veçhile ercah idi. — Taş.›.

ercahiyyet, *A. i.* Üstünlük.● ‹Emlâhiyyette afsahiyyette — Her fazilette ercahiyyette. — Naci›.

ercâl, *A. i.* [Ricl ç.] Ayaklar.

ercemend, *F. s.* Şerefli, sayılır olma.● ‹Himmet-i bülendi ve emniyet-i ercemendi ihya-i mealim-i şeriat. — Lâmii›.

ercül, *A. i.* [Ricl ç.] Ayaklar.

ercuvan, *A. i.* Bk.● *Ergevan.*

erdeb, irdeb, *A. i.* Sekiz yüz kiloya yakın ölçü.● ‹Aç ve uryan urbana erdeb erreb hınta ve erzen bağışlamakla. — Naima›.

Erdeşir, *F. i.* Eski Fars hükümdarlarından bazılarının adı.

erdeşirane, *F. zf.* Erdeşir'e yakışır şekilde.● ‹Şirane demdeme ve erdeşirane zemzeme ile. — Raşit›.

erfa', *A. s. (Ayın* ile) [Refi'den] Daha veya en yüksek.● «Dühüller erfa-i savt ile cevap veriyorlar. — Sadettin».

erfâk, *A. i.* [Rıfak ç.] Yoldaş dernekleri.

erfak, *A. s.* [Refik'ten] Daha iyi, çok uygun (arkadaş) lar.● ‹Her tarika erfak ve her veçhile hallerine evfak. — Sadettin›.

ergab, *A. s.* Ziyade istenecek şey, çok rağbette olan.

ergad, *A. s.* Daha bol. Ferah içinde yaşayış.● ‹Ve ayş-i ergad ile müreffeh-ül-bâl. — Taş.›.

erganun, *F. i.* Yunanca Organon sözcüğünden. Org.● ‹Bazan bu muhteşem geceler, sen derin derin — Başlarsın ihtizazına bir erganun gibi. — Fikret›.

ergavan, erguvan, *F. i.* Erguvan.● *Şarab-i erguvan,* kırmızı şarap.● «Beklemem fecrini leylâklar açan insanın — Özlemem vaktini dağ dağ kızaran erguvanın. — Beyatlı›.● ‹Havzun suyu erguvana döndü. — A. Haşim›.

ergavanî, erguvanî, *F. s.* Erguvan renginde.

erhâm, *A. i. (Ha* ile) [Rahm ç.] 1. Döl yatakları. 2. Hısımlar, akrabalar.● ‹Aslab-i âba-i ulviyeden erham-i ümmehat-i süfliyeye. — Şefikname›.

erham, *A. s.* [Rahm'den] Daha veya pek merhametli.● *Erhem-ür-rahimin,* merhameti pek çok olan Tanrı.● ‹Âlem-i marifetin a'lemisin — Rüsülün ekremisin erhamısın. — Hakani›.

erhas, *A. s. (Hı* ve *sat* ile) [Rahis'ten] Daha ucuz, en ucuz.

erîb, eribe, *A. s.* [İreb'den] Akıllı.

erih, *A. s.* Bol, geniş.

erihiyyet, *A. i.* Bolluk, genişlik.

erike, *A. i.* 1. Taht. 2. Gelin için hazırlanan sedir ile üstündeki kubbe.● «Güzel şark içinde ruhu ancak bir erike-i şi'r ü hayal üstüne yatırmak. — Cenap.● ‹Yekser gaza kılıncı kuşanmış bir ümmetin — Câlis budur erike-i âlempenahına. — Beyatlı›.

erikenişin, *F. s.* [Erike-nişin] Tahtta oturan (padişah).

erikepira, *F. s.* [Erike-pira] Tahtı süsleyen hükümdar.

Erjeng, Erjenk, *F. i.* Ünlü fars ressamı Mani'nin resim albümü.● ‹Bu Hayalî Erjenk-i Nigâristan-i nazm — Mani'yi ko gör maani-i hüsnünün nakkaşını. — Hayalî›.● ‹Gencine-i sine genc-i nîrenk — Ayine içinde nakş-i Erjenk. — Ş. Gailp›.

erk, *A. i.* (Başta bir ağrı veya hastalıktan ileri gelme) Uykusuzluk hastalığı.

erka, *A. s.* Pek yüksek, en yukarı.● «Cümleden ehl-i velâyet âlâ — Enbiya rütbesi ondan erka. — Nabi›.

erkam, *A. i. (Kaf* ile) [Rakam ç.] Rakamlar.● *Erkam-i arabiyye,* Arap rakamları;● *erkam-i aşere,* sıfırdan dokuza kadar rakamlar;● *erkam-i cümel,* ebced hesabı;● *erkam-i dalle,* birden dokuza kadar olan sayıların topu;● *erkâm-i divaniyye,* bazı Arap harfleriyle gösterilen rakamlar.● «Sâl-i tarihi hesap etmeye kaldı erkam. — Nabi›.

erkân, A. i. [Rükn ç.] 1. Direkler, sütunlar. 2. Âdetler. 3. Kaideler. 4. Bir kurulun ileri gelenleri.● Erkân-i devlet, devletin ileri gelenleri;● erkan-i harb, kurmay subay;● erkan-i harbiyye, kurmay heyeti;● erkân-i salât, kıyam, kıraat, rükû sücud, ka'de-i ahire;● âdab ü erkân, yol ve iz (davranışta).● «Hamuş ne ah eder ne efgan — Medhuş ne yol bilir ne erkân. — Ş. Galip».

erma', A. s. Gayetle güzel, oynak.● «Yaktın uşşakı aman erma-yi âlem el'aman.».

ermah, A. i. (Ha ile) [Rumh ç.] Mızraklar. 2. (Remh ç.) Vurmalar, tepıneler.

ermak, A. i. Zayıf ip.

ermam, A. i. [Rimm, rimme ç.] Çürümüş kemikler.

ermas, A. i. (Se ile) Çürük ip.

ermegan, F. i. Armağan. Peşkeş.● «Ruzgârâ âlem-i gayb ermaganidir sözüm. — Nef'î».

ermel, A. i. 1. Fakir. 2. Ergen. 3. Faydasız yıl.

ermele, A. i. Dul kadın. (ç. Eramil).

Ermeniyan, A. i. Ermeniler. Ermeni ülkesi.● «Bu esnada serhadd-i Ermeniyan ve Gürcistan olan eyalet-i Kars emirülümerası. — Nabi».

erneb, A. i. (Zoo.) Tavşan.

erre, F. i. Tahta biçecek dişli alet, bıçkı.● «Erre-i canhiraş-i derd ü belâ — Nahlpirâ-yi gülsitanımdır. — Riyazi».

errchanc, F. i. [Erre-hanc] Bıçkı yeri.

errekeş, F. s. [Erre-keş] Bıçkıcı.

ersad, A. i. (Sat ile) [Rasad ç.] Rasatlar.● «İlm-i ersadı tahkik ü tetkik ve beyan eylemişler. — Süheylî».

erş, A. i. 1. Bir üyeyi sakatlayandan istenilen para, diyet. 2. Satıldıktan sonra eksiği, kötülüğü görülen malın parasından indirilen kısım.

erşed, A. s. [Reşid'den] Doğru ola başkalarından daha yakın olan, davranışı daha beğenilir olan.● «Salisen ol erşed-i âlem ki piran-i reşit. — Ruhi».

Ertenk, Erjenk, F. i. Ünlü Fars resimcisi Mani'nin resim albümü.

erume, A. i. Kök. Ana kök, (ç. Erum).● «Ol erume her-gâh bu hanedan-i refiül-unvanın nişande-i inayetleri ve perverde-i hân-i nimetleri olagelmiştir. — Naima».

ervah, A. i. (Ha ile) [Ruh ç.] Ruhlar.● Ervah-i habise, cin ve şeytanlar;● - mukaddese, kutsal ruhlar;● - tayyibe, iyi, hoş ruhlar.● Âlem-i ervah, ruh-lar âlemi.● «Ve babası türbelerin ziyaret ve ervah-i tayyaibelerinden istianet vetaleb-i himmet buyurup. — Naima».

ervahiyye, A. i. 1. Tabiatın (insan iradesine benzer) ruhlarca idare olunduğuna inanma. 2. Organik hayatın olduğu gibi moral hayatın da başlangıcı ruh olduğunu kabul eden mezhep. 3. Canlıcılık (animisme karşılığı, XX. yy.).

ervak, A. i. [Rivak ç.] Perdeler, çadırlar.

Ervam, A. i. [Rumî ç.] Romalılar. 2. Rumîler, yani Arap illeri dışında olanlar. 3. (Araplarca) Osmanlılar.● «Yemen'e müstevli olup Haydar Paşa San'a'da ve bazı Ervam Zubeyd'de mahsur olup kalıp. — Naima».

eryah, A. i. (Hı ile) [Rîh ç.] Yeller, rüzgârlar.

erz, erüz, ürz, A. i. (Ze ile) Pirinç.● «Yevmî sekiz koyun ve on kiyel erz; otuz vakıyye revgan-i sade. — Selânikî».

erzak, A. i. (Ze ile) [Rızık ç.] Yiyecek içecek şeyler.● Erzak-i mukaddere, herkesin Tanrıca takdir buyrulan rızkı.● «Cebren garet ve hasaret ettikleri emval ve erzakın dâvası hususunda hükkâm-i memalik imtina etmeyeler. — Naima».

erzal, A. i. (Ze ile) [Rezil ç.] Reziller.● «Bittab' maarif ehline düşman olur — Erzal-i frumayeye devlet verme. — Nabi».

erzan, F. s. (Ze ile) 1. Ucuz, bol. 2. Lâyık, uygun.● «Padişahımın heybeti gönüllerde rasih ve her şey firavan ve erzan. Böyle vakt-i refahiyet ü zaman. — Naima».

erzanî, F. i. 1. Ucuzluk. 2. Lâyık, uygun görme.● «Sadrazam hazretleriyle buluşmak niyazında olmalarıyla müsaade erzanî görüldü. — Raşit».

erzaniş, F. i. Tanrı için para, mal verme.

erze, A. i. (Bot.) Çam ağacı.

erzel, A. s. [Rezil'den] Daha veya pek alçak. Her şeyin en kötüsü.● Erzel-i nâs, insanların en kötüsü;● erzel-i ömr,● erzel-ül-ömr, yaşlılığın sonraları, bunaklık zamanları.

erzen, F. i. (Ze ile) Darı.● «Vüsat-i saha-i endişemi etsem tarif — Asman hirmen-i nazmımda kalır çun erzen. — İzzet Molla».

erzenin, F. i. Darı ekmeği.● «Nazeninim sen yemezsin erzenin».

es'ab, A. s. (Sat ve ayın ile) [Sa'b'dan] Daha veya pek zor.● ‹Tımışvar'a zahire irsali es'ab-i ahval olmuş iken. — Raşit›.

esabi', A. i. (Sat ve ayın ile) [Isbı' ç.] Parmaklar.● ‹Bugün esabi-i kariînin. — Cenap›.

esabî, A. i. (Sin ve ayın ile) [Üsbu ç.] Haftalar.

esaci, A. i. (Sin ve ayın ile) [Seci' ç.] Seciler. Kafiyeli nesir sözler.

es'ad, A. s. (Sin ve ayın ile) [Said'den] Daha mutlu, bahtiyar.● Es'ad-i leyal, gecenin en uğurlusu, mutlusu.

esaet, A. i. Bk.● İsaet.

esafil, A. i. [Esfel ç.] Pek alçak ve bayağı olanlar.● Esafil-i nâs, halkın en aşağıları.● ‹Esafil nâstan olan Çörçil gibi müttehim. — Akif Pş.›.

esagır, A. i. [Esgar ç.] En küçükler.● Esagır ve ekâbir, en küçüklerle en büyükler.● ‹Çerh-i gaddarın baziçesinden me'mun-ül-hâtır, kavval bilhak olmakla esagır ve ehâbirin ahvaline nâzır idi. — Naima›.

esahh, A. s. (Sat ve ha ile) [Sahih'ten] En veya pek sahih, gerçek.● ‹Vâsıl olunca esahh-i habere — Virdim oldu kütüb-i mutebere. — Hakanî›.

esakıf, A. i. (Sin ve kaf ile) [Eskaf ç.] Hıristiyan rahipleri.● ‹İtilâf-i esakıfe-i zişt-i bed-sirişt ederek. — Sümbülzade›.

esalib, A. i. [Üslup ç.] Üsluplar.● ‹Oyuncaklar sayesinde biraz öğrendiği esalib-i inası mırıldayarak. — Naima›.

esami, A. i. [İsm ç.] İsimler, adlar.● ‹Salavat-i hamse ve cuma eda olunup esami-i samiye-i ashab-i kiram. — Naima›.

esanid, A. i. [İsnad ç.] Bir sözün şahıstan şahsa nakledilmeleri. Nakiller.● ‹Bir nesne ziyade etmeyip ancak esanidini hazf üzre iktisar eylemiştir. — Taş.›.

es'ar, A. i. (Sin ve ayın ile) [Si'r ç.] Eşya narkları; fiatlar.● Galây-i es'ar, fiatların yüksekliği.● ‹Es'ar bir miktar tenzil olundu deyu tahrir eylemiş. — Naima›.

esara, A. i. [Esir ç.] Esirler.● ‹Divan günü hedaya ve esara pişkeş çekilip mevki-i kabulde vaki oldu. — Naima›.

esaret, isaret, A. i. 1. Tutsaklık, esirlik. 2. Kölelik.● Eşaret-i vicdaniyye, vicdan esirliği;● taht-i esaret, esirlik altında;● zincir-i esaret, esirlik zinciri.● ‹İnhina tavk-i esaretten girandır boynuma. — Fikret›.

esarir, A. i. (Sin ile) [Esrar ç.] Avuç ve alındaki, yüzdeki çizgiler.● Esarir-i vechiye, yüz çizgileri.

esas, isas, A. i. (Se ile) Ev eşyası, döşeme.● Esas-i beyt,● esas-i beytiye, ev eşyası.● ‹Huda imarı esasında eyleyip temkin — Esasinde ede izz ü saadet alâyiş. — Şerif›.

esas, A. i. (Sin ile) 1. Temel. 2. Asıl hal. 3. Gerçek. 4. (Kim.) Baz. Pekiştirme için yine temel anlamında olan üss ile kullanılır.● Üss-i esas,● üss-ül-esas, temelin temeli, sağlam temel demektir.● Vaz-i esas, temel atma.● ‹Ben tab'a bunu esas ederdim — Şair olurum kıyas ederdim. — Ziya Pş.›.

esasat, A. i. [Esas ç.] Esaslar.

esasen, A. zf. Esasından, temelinden, aslından.● ‹Reşit Paşa esasen tanzim ve tahkim-i idareye teşebbüs eylediği vakitten. — Kemal›.

esasi, esasiyye, A. s. 1. Asıl ve temele ait, onunla ilgili. 2. (Kim.) Bazal. 3. (Mat.) Temel.● Kanun-i esasi,● teşkilât-i esasiyye, anayasa;● kavaid-i esasiyye, ana kurallar.

esatîn, A. i. (Sin ve tı ile) [Üstüvane ç.] 1. Sütunlar, direkler. 2. Üstüvaneler. Silindirler. 3. Bir topluluğun, bir grubun ileri gelenleri.● Esatin-i ulema, bilginlerin ileri gelenleri.● ‹Üzerine vaz-i selâtin üzre nasb-i esatîn ve amud ve kemerler üzre. — Naima›.

esatir, A. i. [Üsture ç.] İlkçağlardaki insanların tanrıları hakkındaki hikâyeleri. Masal, acaip hikâyeler.● Esatir-i evvelin,● - Yunaniyye, Elen mitolojisi.● ‹Ey cevf-i esatire düşen hâtıra. Namus. — Fikret›.● ‹Benim gibi Boğaziçi'nde esatîr-i evvelîn perilerini. — Cenap›.

esatiz, esatize, A. i. (Sin ve zel ile) [Üstaz ç.] Üstadlar. Öğreticiler.● ‹Meşahîr-i âsar-i esatizede dolaşan. — Uşaklıgil›.

esayide, A. i. [Seyid ç.] Seyitler.

esb, F. i. At.● Esb-i sabareftar, yel gibi seğirten at,● esb-i tâzi, Arap atı. (ç. Esban).● ‹Ol kenduler bir esb-i ejderha-peygere gecim ve bergüstüvan giydirip. — Naima›.

esbab, A. i. [Sebeb ç.] 1. Sebepler. 2. Araçlar, gerekler.● *Esbab-i muhaffife*, (bir suçtan cezayı) hafifletici sebepler;● - *mücbire*, zorlayıcı sebepler;● - *müşeddide*, ağırlatıcı sebepler;● - *nakziye*, bir hükmün daha yüksek mahkemece bozulma sebepleri;● - *temellük*, mülk edinme, mal sahibi olma sebepleri;● *müşebbib-ül-esbab*, sebepleri meydana getiren (Tanrı).● ‹Sene-i sabıkadan ziyade tehiye-i esbab-i harb ü kıtal eylediler. — Raşit›.● ‹Hanesinde bulunan esbab takvim ve hesap olunup üç bin dirheme yetişti. — Taş.›.

esbak, A. i. [Sebak ç.] Önce yapılan işler.

esbak, A. s. [Sabık'tan] Bundan öncekiden eski olan; bir daha önceki. Sabıktan önceki.● ‹Esbak Mısır valisi Mehmet Ali Paşa perverdelerinden. — Ziya Pş.›.

esban, A. i. Kadın başörtüsü, peçe.

esban, F. i. [Esb ç.] Atlar.● ‹Yine esban-i sabareftara süvar. — Raşit›.

esbat, A. i. (Tı ile) [Sıbt ç.] Evlât evlâtları, torunlar. Yakup peygamberin on iki oğlundan meydana gelen Beni İsrail kabileleri.

esbefken, F. s. [Esb-efken] Cenk eri, yiğit.

esbel, A. s. Uzun bıyıklı adam.

esbet, A. s. (Se ve te ile) [Sabit'ten] En iyi meydana çıkmış, sabit olmuş.● ‹Lâkin kavl-i evvel ekser ve esbettir. — Taş.›.

esbran, F. s. [Esb-ran] At süren, at koşturan, at oynatan.

esbsüvar, F. s. [Esb-süvar] Ata binmiş.● ‹Bir şeyh-i kebîr-i celil-ül-mikdar esbsüvar ve ardınca. — Taş.›.

esca', A. i. (Ayın ile) [Seci' ç.] Seciler.● ‹Seragaz ettiği esca-i bülegapesend. — Nergisî›.

esdaf, A. i. [Sedef ç.] Sedefler, inci kabukları.● ‹Emvac-i târını yatırır bahr-i bihaber — Esdaf-i sahile. — Cenap›.

esdal, A. i. [Südl, sidl ç.] 1. Perdeler. 2. İnci gerdanlıklar.

esdika, A. i. Bk.● *Asdika*.

esed, A. i. Aslan.● *Burc-i esed*, on iki burçtan beşincisi, 23 Temmuzda güneş bu burca girer.● *Esedullah*, Halife Ali'nin lakabı, Tanrının aslanı.● ‹Değil burc-i Esed sükkân-i ulvi selc-i beyzadan — Gazanfer şekli tasvir eylemiştir asman üzre. — Ziya Pş.›.

esedî, F. i. Üzerinde aslan resmi bulunan gümüşten Konya Selçuklu parası.● ‹Badeleyvm riyal gelmek mutad olan yerlerden esedî geldikte yüz akçeye ve esedî gelmek resm olan mahallerden para geldikte her yüz yirmi akçe bir esedî olmak üzere alınıp. — Raşit›.

esediyye, A. i. Aslangiller (XIX. yy.).

esef, A. i. Acıma. Elden çıkmış bir şey için yazıklanma.● ‹Verir bu manzara en kayıtsız mizaca esef. — Fikret›.

esefâ!, F. ü. Eyvah! Yazık!

esefhan, F. s. [Esef-han] Esef edici, acıyıp duran.

esefnâk, F. s. [Esef-nak] Acıklı, acı uyandıran.

esel, esele, A. i. (Bot.) Tifa denilen çeşit su-kamışı.

eseliyye, A. i. (Bot.) Fransızcadan *Typhhacées* (sukamışıgiller) karşılığı (XIX. yy.).

esenn, A. s. (Sin ile) [Sinn'den] En yaşlı.● ‹Selâmet Giray esenn ve ihtiyar olmağın hanlık ona tevcih olunup. — Naima›.

eser, A. i. 1. Varlığa delâlet eden şey. Bir insanın meydana getirdiği şey. 2. İş, etki. 3. İz, kalıntı. 4. Hadis, peygamberin söz veya hayatına ait bilgi.● *Eser-i hayat*, yaşama alâmeti;● - *hayr*, hayırlı iş, yapı;● - *mesai*, çalışma eseri. (Ed. Ced.).● *Eser-i bedi'*,● - *hayret*,● - *icad*,● - *telâş*,● - *türaşide*.● ‹Şahsın görünür rütbe-i aklı eserinde. — Ziya Pş.›.

-eser, F. s. ‹İz, alâmet› anlamıyle Ed. Ced. zamanında bazı bileşik sıfatlar yapılmıştır.● *Nese-i hayat-eser*,● *nigâh-i sirişkeser*,● *sirişk-i hayat-eser*,● *şekva-eser*.

esfar, A. i. [Sefer ç.] Seferler. 1. Yolculuklar. 2. Düşmana karşı gidişler.● *Esfar-i bahriye*, deniz seferleri;● - *baide*, uzak yer seferleri (denizcilikte).● ‹Vapurlara atlar, esfar-i bahriyeye çıkarlar. — Cenap›.

esfar, A. i. [Sifr ç.] 1. Kitaplar. 2. Peygamberlerden bazılarının küçük kitapları.

esfel, A. s. [Sâfil'den] Daha veya pek alçak, aşağı.● *Esfel-üs-safilin*, Cehennem'in yedinci ve en alt tabakası;● *derk-i esfel*,● *esfel-i safilin* de denir.● ‹Bir eliyle kendüleri ol cub-i azîmi esfelinden ve bir eliyle vasatından tutup. — Naima›.

esfeliyyet, A. i. Aşağılık.● ‹Şu âlem-i sefaletin güvah-i esfeliyyeti — Siyah bir taş üstünü nişimen ettik intihab. — Fikret›.

F. : 14

esha, A. s. (Hı ile) [Sahi'den] Pek cömert.• ‹Ve nasın ecved ü eshası idi. — Taş.›.

esham, A. i. (He ile) Sehimler, hisseler. (Mat.) Aksiyon.• Esham-i umumiyye, esmah kalemi, Tanzimattan evvel ve Tanzimat'ın ilk zamanları devletçe halka borç karşılığı verilen senetler, bu senetlerin yapıldığı yer.

eshar, A. i. (Ha ile) [Seher ç.] Seherler. Sabah vakitleri.• Nesim-i eshar, sabah vakitleri. esen yel.• ‹Âb ü gül müşk ü gülâb ola, çemen sahnında — Bûy-i hulkiyle güzar etse nesim-i eshar. — Baki›.

eshel, A. s. (Sin ve he ile) [Sehl'den] Daha veya pek kolay. En kolay.• Eshel-i tarik, en kolay yol (kestirme, çıkar yol).• ‹Donanma-yi hümayun sefayiniyle ubur olunmak eshel-i turuk olduğu karardade-i rey-i cümhur olmakla. — Raşit›.

eshiya', A. i. (Sin ve hı ile) [Sahiy ç.] Cömertler.• «Kezalik bezl-i niam ü izhar-i kerem eden eshiya sitayiş-i muhlisîn ile memduh oldukta. — Naima».

esîf, A. s. (Sin ile) Çok esefli, gamlı.

esil, A. s. (Sin ile) 1. Uzun, düz yüzlü adam. 2. Doğru şey.• ‹Şah-rah-i kûy-i meram ve vesile-i esile-i nam ü kâm olduğu. — Sümbülzade›.

es'ile, A. i. [Sual ç.] Sorular.• «Büyük seyyahların nüshalarında böyle bir silsile-i es'ileden başka bir şey yazılı değildir. — Cenap».

esim, A. s. (Se ile) [İsm'den] Günahkâr, suçlu.• ‹Esîm-i muterife merhamet mürüvettir — Karin-i afv olagelmiş hatası insanın. — Ziya Pş.›.

esinne, A. i. [Sin, sinan ç.] 1. Dişler. 2. Mızraklar.• ‹Pâmâl-i emvac-i usfuf ve eclâ-yi eşia-i esinne vü süyuf buyurduklarında. — Ragıp Pş.›.

esir, A. i. (Se ile) Yunanca ‹eter› sözünden. Havadan hafif olan ışık ve ısıyı iletici varsayılan cisim.• «Bildi ki bir külhan-i duzah-meab — Çerh-i esîr ana nazarcu-yi âb. — Nabi›.

esir, A. i. (Sin ile) 1. Tutsak. Savaşta düşman eline düşen. 2. Kul. Para ile satın alınan. 3. Bir şeye tutkun, düşkün.• Esir-i firaş, yatalak, yatağa düşmüş hasta;• esir-i harb, savaş esiri, tutsak.• ‹Esir-i aşkın olduk gerçi kurtulduk esaretten. — Kemal›.

esirane, F. s. ve zf. [Esir-ane] Tutsak, köle ve tutkuna yakışır yolda.

esîrî, esiriye, A. s. (Se ile) [Esir, eter'den] Esirle ilgili, çok hafif, uçacak gibi.• ‹Bu felsefe-i hedayanın daire-i makuliyetten uzakca zarafet-i esîriyesini izah eden. — Uşaklıgil›.

esirî, F. i. (Sin ile) Esirlik. Kulluk. Tutkunluk.

esirre, A. i. [Serir ç.] Serirler, tahtlar.

esis, A. i. 1. Asıl. 2. Karşılık, ivaz.

eskal, A. i. (Se ile) [Sikl ç.] Ağır yükler, ağır şeyler.• Cerr-i eskal, mihanik, makine bilgisi.• ‹Anlar dahi topları sanat-i cerr-i eskal ile çektirip. — Ve birini zinde tutup yirmi dört beygiri eskaliyle bıraktırdılar. — Naima›.• «Bazı cerrar da şair geçinir — Cerr-i eskalde mahir geçinir. — Vehbi›.

eskal, A. i. [Sakil'den] Pek, en çirkin; çok ağır. Sözü, konuşması çekilmez.• ‹Hasm-i eskal geldi bezme gitti artık neşvemiz›.

eskam, A. i. (Sin ile) [Sukm ç.] Marazlar, illetler.• ‹Hiç bir vakit Dedeağaç gibi bir menba-i eskamı merkez-i taksim eylemez. — Kemal».

esken, A. s. Daha sakin, daha yumuşak.

esker, A. s. Sarhoş olan.

eslâf, A. i. [Selef ç.] 1. Geçmişler. 2. Yerlerine geçilmiş kimseler.• ‹Tarikı zuhur ve devlete mütehavvil ve meşihatı hükümet ve saltanata mütebeddil olduğu eslâfta vuku bulmuştur. — Naima».

eslem, A. s. [Salim'den] Daha veya pek sağlam, en sağlam, en doğru.• Eşlem-i tarik, en doğru yol.• «Çok te kâpu eyledim pest ü bülendin âlemin — Bulmadım teslimden gayri tarik-i eslemin. — Nabi›.

esliha, A. i. (Ha ile) [Silâh ç.] Silâhlar. Esliha-i atika, eski islâhlar;• esliha-i cedide, yeni silâhlar;• esliha-i hafife, (tabancâ, tüfek gibi) hafif silâhlar;• esliha-i nariyye, ateşli silâhlar;• esliha-i sakile, (top ve havan gibi) ağır silâhlar.• ‹Bu na-makul kelâmları işittiklerinde cemiyet edip esliha ile gelir. — Naima›.• ‹Gavgaya salalı esliha-i bişumarını. — Beyatlı›.

esma', A. i. (Sin ve ayın ile) [Sem' ç.] Kulaklar. Kulak işitmeleri.• ‹Tantana-i siyasetleri esma'-i nâsta yer etti. — Sadettin›.

esma', A. i. (Sin ve hemze ile) [İsim ç.] İsimler.● Esma-i hüsna,● esma-ül-hüsna, Tanrı adları;● esma-i mübheme, (Gra.) işaret sıfatları.● «Tarikat-i Nakşbendiyeden inayet ve iradet getirmekle evrad ve esmaya meşgul. — Naima».

esmâ', A. s. [Sami'den] Pek yüksek olan.

esmah, A. s. (Sin ve ha ile) Aşırı semih, cömert olan.

esmâk, A. i. [Semek ç.] Balıklar.● Esmak-i azmiyye, kemikli balıklar.

esman, A. i. (Se ile) [Sümn ç.] Tutar.● Esman-i hâsıla, elde edilen tutar.● «Esnaftan alınan eşyanın ecnas ve esmanına dikkat olunup üzerine mutemet olanlardan her birinin. — Raşit».

esmar, A. i. (Se ile) [Semer ç.] Yemişler.● Esmar-i erbaa, dört yemiş, (Eski hekimlikte ilâç yapmada kullanılan: çekirdeksiz hurma, unnap, incir, kuru erik veya kuru üzüm);● - gûnagûn, türlü yemişler.● «Vakt-i sayf idi, engûr-i taze ve sair esmar-i âbdar bîhadd ü blendaze idi. — Naima».

esmar, A. i. (Sin ile) [Simer ç.] 1. Masallar, hikâyeler. 2. Gece sohbetleri.● «Sanayi-i eş'ar ve bedayi-i esmarla. — Lâtifî».

esmen, A. s. [Semen'den] Ziyade değerli, bahası çok olan.

esmer, A. s. Karaya çalan kumral renk.● Esmer-ül-levn, karayağız.● «Senin yerinde olsaydım o hüsn-i esmerle. — Fikret».

esna', A. i. Ara, aralık, sıra.● Esna-yi harb, savaş sırası;● esna-yi mütalaa, okuma sırası.● «Geri avdet ve hareket ve esna-yi rahta. — Raşit».

esnad, A. i. (Sin ile) [Sened ç.] Senetler, hüccetler.

esnaf, A. i. (Sat ile) [Sınıf ç.] 1. Sınıflar. 2. Çeşitler. 3. Gruplar. 4. Dükkâncılar ve işçiler.● «Ve esnaf-i tavaif-i askeriyenin ordu-yi hümayuna iltihakları tâcil. — Raşit».

esnah, A. i. (Sin ile) [Sinh ç.] Her şeyin asılları, kökleri.● Esnah-i rieviyye, akciğer petekleri.

esnam, A. i. (Sat ile) [Sanem ç.] Putlar.● «Ey vaz-i canrübası esnama hasretâver. — Recaizade».

esnan, A. i. (Sin ile) [Sin ç.] 1. Dişler. 2. Yaşlar.● Esnan-i askeriyye, askerlik yaşları;● - katıa, kesici dişler.● «Sırr-i sun' idi ol esnan-i nazif — Hakanî».

esniye, A. i. (Se ile) [Sena ç.] Övmeler.● Esniye-i seniyye, padişahı övmeler.● «Kıl hemen esniye-i padişehi vird-i zeban. — M. Feyzi».● «Lehçe-i esniye tükenmiş. — Cenap».

esr, A. i. (Sin ile) Tutsaklık, esir düşme.● Kayd-i esr, esirlik bağı, esirliğe düşme.● «Üsera-yi islâm silsile-i esrden necat ile. — Raşit».

esra', A. s. (Sin ve ayın ile) [Seri'den] Daha ve pek çabuk.● «Esra-i âvinde. — Sadettin».

esra, A. i. [Esir ç.] Esirler, tutsaklar.

esrar, A. i. [Sırr ç.] Sırlar. Gizlenen ve bilinmeyen şeyler.● «Esna-yi va'zında daima ıstılahat-i sofiyenin gavamız-i esrarından bahs ile. — Raşit».● «Esrar-i hafiye var bilinmez — Etvar-i tasarruf-i Hudada. — Naci».

esrar, A. i. Kenevirden, haşhaştan çıkarılan uyuşturucu çeşitten keyif veren zehir.● «Keyf için esrara olup müptelâ — Etti tamamıyle şuurun heba. — Atayî».

esrarengiz, F. s. [Esrar-engiz] Sırlı. Gizemli.

esrarkeş, F. s. [Esrar-keş] Esrar içen, esrar düşkünü.● «Esrar-i kâinatı esrarkeş ne bilsin. — Naci».

Esrib, A. i. Medine şehri.

essalâ, A. cüm. «Kendine güvenen meydana çıksın» anlamında meydan okuma deyimi.● «Hame-i mâni seririm essalahan-i menar. — Nef'î».

esselâm, A. cüm. «Selâm olsun» anlamında selâmlaşma sözü.● «Esselâm ey server-i evlâd-î Âdem esselâm. — Nabi».

esta', A. s. (Tı ve ayın ile) [Satı'dan] Daha ziyade ve pek ziyade yükselip meydana çıkan.● «Şehab-i sakıptan esra' ve berki- hatıftan esta'. — Naima».

estağfirullah, A. cüm. «Tanrıdan bağış ve yargılama dilerim» anlamında dua olup, ikramlara karşı alçakgönüllülük göstermek için kullanılır; bir şey değil.

estar, A i (Sin ve tı ile) [Satr ç.] Satırlar.

estar, A. i. (Sin ve te ile) 1. Astar. 2. Kap, örtü.● «Siyahi-i târ bast-i estar etmekle. — Sadettin».

ester, F. i. Katır.● «Sipahın hârkeş davarları ve esbab ve zevade çeken üştür ve ester katırları. — Sadettin».

estıha, A. i. (Sin, tı ve ha ile) [Satıh ç.] Satıhlar, yüzeyler.● «Merayanın estıhası muka'ara olsa. — Taş.».

esuf, *A. s. (Sin* ile) Kederli, gamlı olan.

esvab, *A. i. (Se* ile) [Sevb ç.] Giyecek şeyler, esvaplar.● ‹Ve cemi' levazımiyle bir kat esvab-i münasip tertip ile hazır olunmuş. — Naima›.

esvaf, asvaf, *A. i. (Sat* ile) [Sof ç.] Koyun yünleri.

esvak, *A. i. (Sin* ile) [Sûk ç.] Alışveriş yerleri. Pazar yerleri.● ‹Badehu şehir ve diyar ve kusur ve esvak her ne ise ihrak ve tahrib edip. — Naima›.

esvar, *A. i. (Sin* ile) [Sûr ç.] 1. Kaleler. 2. Düğünler ve ziyafetler.● ‹Meni-ül-cenab, refi-ül-esvar. — Taş.›.

esvar, *A. i. (Se* ile) [Sevr ç.] Boğalar.● ‹Ol kızaklara tahmil olunup esvar-i bârdâr koşulup. — Naima›.

esvat, asvat, *A. i. (Sat* ile) [Savt ç.] Sesler.● *Esvat-i hazin,* (içe dokunan) hazin sesler.● ‹Cûlardaki nazende hayalât. — Dağlardaki esvat. — Cenap.›

esved, *A. s. (Sin* ile) [Sevad'dan] Kara. Siyah.● *Esvedeyn,* (iki kara) Yılanla akrep.● ‹Denizin levn-i esvedi içinde. — Uşaklıgil›.

esyaf, *A. i.* [Seyf ç.] Kılıçlar.

Eş'ab, *A. i.* Cimrilikle ün almış bir Arap.● ‹Ve manend-i Eş'ab alude-i tama-i ham. — Sümbülzade›.

eşâfi, *A. i.* [Şıfa ç.] Şifalar.

eşaib, eşayib, *A. i.* [Uşabe ç.] 1. Karışıklar. 2. Cins bozuklukları.

eşaim, *A. i.* [Eş'em ç.] Aşırı uğursuz olanlar.

Eşaire, *A. i.* İmam Ebulhasen-ül-Eş'ari yolunda olan kimseler.● ‹Zira şafiîye usul-i din ve itikadiyat üzre eşaire mezhebindedirler. — Taş.›.

eş'âr, *A. i.* [Şi'r ç.] Şiirler. Manzum yazıcılar.● ‹Bir nice zarftan almak gibidir nice taam — Eylemek halt sözünde diğerin eş'arın. — Nabi›.● ‹O bakış çehre-i eş'arıma sakin sakin. — Fikret›.

eş'ar, *A. i.* [Şa'r ç.] Kıllar.● *Eş'ar-i guddeviyye,* bez tüyler;● *eş'ar-i mumıssa,* emici kıllar.

eş'ar, *A. s.* [Şair'den] Daha ve pek güzel şiir söyleyen.● ‹Hamdilillâh şairan-i dehrin oldum eş'arı. — Nazîm›.

eşbah, *A. i. (Ha* ile) [Şebeh ç.] Vücutlar, görünen şeyler.● ‹Râşedar etti kalb-i eşbahı. — Cenap›.

eşbah, *A. i. (He* ile) [Şibh, şebih ç.] Benzerler. Benzeyenler.● ‹Şive-i zatına eşbah-i âlem gerçi mazhardır. — Sürurî›.

eşbeh, *A. s. (He* ile) [Şebh'ten] 1. Daha ve pek benzeyen. 2. Kabadayı, yiğit.● ‹Sipah taifesi ağalarından ve şairlerden eşbehlerine bir miktar akçe verip. — Naima›.● ‹Fitnecu dilberlerin bî-şüphe sensin eşbehi. — Ragıp Pş.›.

eşca', *A. s. (Ayın* ile) [Şeci'den] Daha ve pek yiğit.● ‹Paşa merhum ak hadımların eşca' ve ekremi hoş-tab ü suhandan idi. — Naima›.

eşcan, *A. i.* [Şecen ç.] Kederler, gamlar.● ‹Meşak-i sefer can-i pür eşcana eser eyledi. — Sadettin›.

eşcar, *A. i.* [Şecer ç.] Ağaçlar.● *Eşçar-i müsmire,* meyva ağaçları.● ‹Libaş-i taze give cümle âdem ü eşcar. — Nabi›.● ‹Bir aks-i mülevvendir anınçün — Arzın bana eşcar ü nebatı. — A. Haşim›.

eşcer, *A. i.* Çok ağaçlı yer.

eşcia, *A. i.* [Şüc'an ç.] Yiğitler.

eşedd, *A. s.* [Şedid'den] Daha veya pek çok şiddetli. Pek sert veya güç.● *Eşedd-i ihtiyaç,* pek kuvvetli ihtiyaç;● *- mücazat,* en sert ceza.● ‹Kardeşim sağ olsun benden ne istersiz deyu eşedd-i imtina ile imtina edip. — Naima›.

eşekk, *A. s.* [Şekk'ten] Aşırı şüpheci.● ‹Tarik-i nazarda zann ü şekk sahibi vehham ü eşekk olmaya. — Kâtip Çelebi›.

eşell, *A. s.* Çolak.● ‹Girih-i gonce-i maksudunu çerh etmedi hall — Pençei mihr-i cihantabı meğer oldu eşell. — Nef'i›.

eş'em, *A. s. (Hemze* ile) Aşırı uğursuz olan. (ç. Eşaim).

eşerr, *A. s.* [Şerir'den] Pek, en şerir, kötü, azılı.

eşfâk, *A. i.* [Şefkat ç.] Acımalar, inayetler. Şefkatler.● *Eşfâk-i şamile,* herkese yayılan şefkatler, acıyıp esirgemeler.● ‹Oğul deyu hemişe pederane eşfâk göstermeğin. — Sadettin›.

eşfak, *A. s.* [Şefik'ten] Daha ve pek şefkatli.● ‹Sen Süleymandan ise eşfaksın — Şüphe yok mazhar-i lütf-i Haksın. — Hakanî›.

eşfar, *A. i.* [Şüfr ç.] Gözkapağının kenarı. Kirpik yerleri.

eşfiye, *A. i.* [Şifa ç.] Şifalar, ilâçlar.

eşgal, *A. i.* [Şugl ç.] İşler, güçler.● *Tatil-i eşgal,* grev karşılığı (XX. yy.).● ‹Elçini bir müddet eğlendirmekten murat bazı eşgalimiz var idi, ol eşgalimizi bertaraf eyledik. — Naima›.

eşgal, *A. s.* [Meşgul'den] Daha veya pek ziyade işi olan.• «Tair-i devlet ki mahbit-i dun-eşgal. — Nef'i».

eşha, [Şehi'den] En veya pek çok sevilen, istekle yenilen.• «Nikab-i berg-i picdie hezaran meyve-i eşha. — Nabi».

eşhad, *A. i.* [Şahid ç.] Şahitler, tanıklar.• «Seni alâ bilir ashab-i şuhud ü eşhad. — Nabi».

eşhas, *A. i.* *(Hı* ve *sat* ile) [Şahıs ç.] Kişiler, kimseler.• *Eşhas-i ma'rufe,* tanınmış, belli kimseler;• - *muzirre,* zararlı, kötü kimseler.• «Şi'ri baziçe-i tıflâne eden eşhasın — Kimisi söz ebsidir kimi baba-yi suhan. — Sümbülzade».

eşheb, *A. s.* Kır (at).• «Eşheb-i ikbaline bir na'l-i zerin aftâb. — Nef'i».

eşhel, *A. s.* 1. Koyun gözlü. 2. Elâ göz.• «Ve gözleri eşhel. — Taş.».

eşher, *A. s.* [Şehir'den] Daha veya pek ünlü.• «Amma bu mertebe cefa ve gayzın eşher-i esbabı bu imiş ki. — Naima».

eşhür, *A. i.* *(He* ile) [Sehr ç.] Aylar.• *Eşhür-ül-hacc, eşhürü malûmat,* Şevvel, zilkade ile zilhicceden on gün ki topu 70 günlük zaman;• *eşhür-ül-hürüm,* zilkade, zilhicce, muharrem, recep ayları, bu aylarda Arap kabîleleri vuruşmayı haram sayardı.

eşi'a, *A. i.* *(Elif, ayın* ve *c* ile) [Şua' ç.] Aydınlıklar.• *Eşi'a-i âlemtab-i aftab,* güneşin âlemi ışıtan aydınlıkları.• «Alınlarında fruzan eşi'a-i hurşit. — Fikret».

eşidda, *A. i.* [Şedid ç.] Şiddetle davrananlar, yiğitler.• «Vezir-i müşarünileyh eşidda-i vüzeradan katl-i kibar ve sigardan bî-mübalât mütehevvir-i bîeman ve seffak-i bî-akran olmakla. — Naima».

eşirra, *A. i.* [Şerir ç.] Çok edepsiz, en kötü kimseler.• «Viraneler 'ey mekmen-i pür-hâb-i esirra. — Fikret».

eşk, *F. i.* *(Kef* ile) Göz yaşı;• *eşk-i revan,* akan gözyaşı;• - *tahassür,* ayrılık, hasret gözyaşı.• «Zapt eyleyebilsin mi gözüm eşk-i revanı. — Fikret».

eşkâl, *A. i.* [Şekl ç.] Şekiller. Biçimler.• *Eşkâl-i hendesiyye,* geometri şekilleri.• «Sildim niçin bilir misin, eşkâl-i sâfını. — Fikret».

eşkâlûd, *F. s.* [Eşk-alûd] Göz yaşlı.• «Hasta bir nağme, bimecal-i suud — Dökülür katre kater eşk-alûd. — Fikret».

eşkar, *A. s.* *(Kaf* ile) Kula veya kızıl saçlı (adam), bu tonda (at).

eşkbar, *F. s.* [Eşk-bâr] Göz yaşı yağdıran, çok ağlayan.• «Eşkbar ettim cihanı çeşm-i giryanımla ben. — Cenap».

eşkefşan, eskfeşan, *F. s.* [Eşk-efşan, feşan] Göz yaşı saçan, çok ağlayan.

eşkel, *A. s.* *(Kef* ile) Aşırı zor olan, çok müşkül.

eşkıya', *A. i.* *(Kaf* ile) [Şaki ç.] Şakiler, azgınlar.• «Leyl ü nehar devr edip gündüzlerde rast geldiği erazil ve eşkıyayı ve duhan cemiyeti edenleri ahz ü katl edip. — Naima».

eşkriz, *F. s.* [Eşk-riz] Gözyaşı döken, ağlayan.• «Bir matemin eşkriz-i ye'si olsun. — Uşaklıgil».

eşkver, *F. s.* [Eşk-ver] Gözyaşı döken, ağlayan.

eşmâ, *A. i.* *(Ayın* ile) [Şem' ç.] Şem'alar, mumlar.• «Meşail ve eşmâ-i mihr iltima' dikip. — Sadettin».

eşmel, *A. s.* [Şamil'den] Pek veya çok şâmil, kaplayan.• Nam kitabından ahsen ü enfa ve eşmel ü ecma yoktur. — Taş.».

eşna', *A. s.* [Şeni'den] Daha veya pek çirkin, iğrenç.• «Ve buna benzer eşna' ve akbah türrehatlar ki hazf olunup. — Naima».

eşneb, *A. i.* Beyaz, inci dişli adam.

eşniyye, üşniyye, *A. i.* Suyosunu.

eşraf, *A. i.* [Şerif ç.] Şeref ve itibar sahipleri. İleri gelenler.• «Hususa eşraf-i tabakat-i nâs olan zümre-i ulemaya takayyüd buyurup. — Naima».

eşrâk, *A. i.* *(Kef* ile) [Şerik ç.] Ortaklar.

eşrar, *A. i.* [Şerir ç.] Şerirler, pek kötü kimseler. Azgınlar.• «İltizam eden eşrarın intişarları. — Sadettin».

eşrat, *A. i.* *(Tı* ile) [Şerat ç.] Nişanlar, alâmetler.• *Eşrat-i saât,* Kıyamet alâmetleri.

eşref, *A. s.* [Şerif'ten] Daha veya pek şerefli.• *Eşref-i mahlûkat,* yaratıkların en şereflisi (insan);• - *saat;• - saât,* (müneccimlere göre) uğurlu saat.• «Sahibet-ül-hayır hazretleri taraf-i eşreflerinden padişah-i âlempenah hazretlerini davet buyurup. — Raşit».

eşria, *A. i.* *(Ayın* ile) [Şira ç.] Yelkenler.

eşribe, eşrübe, *A. i.* [Şerab ç.] 1. İçilecek şeyler. 2. İçilmesi haram olmayan içkiler.• «Et'ıma-i fahire-i lezize ve eşribe-i lâtife eklinden ve şürbünden sonra. — Naima».

eştat, *A. i. (Te* ile) [Şet, şetta ç.] Çeşitli.● ‹Cem-i eştat-i ulûm. — Sadettin›.

eştiyat, *A. i.* Kışlama, kış geçirme.● ‹Ekser-i ispah ve ümreya evtan-i melûfelerinde eştiyata icazet verildi. — Sadettin›.

eştiye, *A. i.* [Şita ç.] Kışlar.

eşüd, *A. i.* Erginlik çağı, 18 ile 30 yaş arası.

eşvâk, *A. i. (Kef* ile) [Şevk ç.] Dikenler.● ‹Eşvâk-i idare arasında kanayan kalbini. — Cenap›.

eşvak, *A. i. (Kaf* ile) [Şevk ç.] Şevkler.● ‹Umman-i sürudunla nihan kaldı nazardan — Sahildeki eşvak-i hakikat. — Cenap›.

eşvat, *A. i. (Tı* ile) [Şavt ç.] Hacı olacakların Kâbe etrafını yedi kere tavafları.

eşya', *A. i.* [Şey, ç.] Şeyler. 1. Döşeme ve daha başka türlü ev öte berisi. 2. Yük.● *Eşyay-i beytiyye,* ev eşyası.● ‹Güneşin şule-i nigâhiyle — Erir elvanı sanki eşyanın. — Fikret›.

eşya', *A. i. (Ayın* ile) [Şia ç.] 1. Bölükler, cemaatler. 2. Yardımcılar, adamlar.● ‹Kaza ve kaderden kuvvet-i maliye ve etba ü eşya'ları sıyanet ve hırasete kadir olur zannederlerdi. — Naima›.

eşyah, *A. i. (Hı* ile) [Şeyh ç.] 1. Şeyhler. 2. Yaşlılar.

eşyeb, *A. s.* [Şeyb'den] Çok ve pek yaşlı. Saçı sakalı ağarmış.

etayib, *A. i.* [Etyab ç.] Seçme ve seçkin şeyler.

etba', *A. i.* [Teb' ç.] Birine bağlı olup her hususta kendinden ayrılmayanlar, uşaklar, hizmetçiler.● ‹Bu halet-i gayr-i memule halkı değil belki kendi etbaını dahi müptelâ-yi hayret eyledi. — Raşit›.

etbak, *A. i.* Bk.● *Atbak.*

etemm, *A. i. (Te* ile) [Tam'dan] Daha veya pek tam, eksiksiz.● ‹Asl-i küll mazhar-i ism-i a'zam — Cümleden oldu meratipte etemm. — Nabi›.

etfal, *A. i. (Tı* ile) [Tıfl ç.] Çocuklar.● *Terbiye-i etfal,* pedagoji.● ‹Dilediklerini kesip ve etfallerin bacağından ikişer pâre edip. — Naima›.● ‹Memleketteki fesad-i ahlâkın menbaı da velilerin terbiye-i etfal hususundaki revişleridir. — Kemal›.

etfaliyyat, *A. i.* Çocuk bilim, *Pédologie.* (XX. yy.).

et'ıme, *A. i. (Ayın* ile) [Taam ç.] Yemekler.● *Et'ıme-i nefise,* çok güzel yemekler;● - *şehiye,* iştah veren yemekler.

etibba', *A. i.* [Tabib ç.] Hekimler, doktorlar.● *Etibbay-i hassa,* saray, padişah doktorları.● ‹Huzzak-i etibbanın kaide-i tıb üzere ettikleri tedabir ve mualece faide vermeyip. — Naima›.

etkaa, *A. s.* [Taki'den] Günahtan çok sıkı çekinen.● ‹Cümleden etkaa idi. — Taş.›.

etkıya, *A. i.* [Taki ç.] Tanrı korkusuyla günahtan kaçınan kimseler.● ‹Etkıya teferrüc-i saray-i cinana gide. — Veysi›.

etlâd, *A. i.* 1. Ev halkı, cariye, kul. 2. Binekler kısmı.

etlâl, *A. i. (Tı* ile) [Talâl ç.] 1. Duvar temelleri. 2. Resimler.● ‹Düştü etlâle karşı girye bana — Ne siyehruz-i rüzgâr oldum ben. — Naci›.

etlas, *A. i.* Atlas.

etnab, *A. i. (Tı* ile) [Tınb ç.] Çadır ipleri.

etrâb, *A. i. (Te* ile) [Tirb ç.] Akran. Bir yaşta olanlar.● ‹Hep şaşıp kalmış iken bahtıma akran, etrab — Âkıbet eyledi devran anı da mahv ü turab. — Kemal›.

etrâb, *A. i. (Tı* ile) [Tarab ç.] Ferahlıklar, sevinçler.

etraf, *A. i. (Tı* ile) [Taraf ç.] Uçlar, yanlar. Üyeler.● ‹Tavaif-i askeriye vaktiyle gelip, erişmek üzere etraf ü eknafa evamir-i aliyye neşr edip. — Raşit›.

etraf, *A. i.* [Türfe ç.] Güzel yemekler, nimetler.

etrah, *A. i. (Te* ile) [Terah ç.] Gamlar, kederler.● ‹Câlib-i etrah ve salib-i efrah iken. — Sadettin›.

Etrak, *A. i.* [Türk ç.] 1. Türkler. 2. Köylüler.● ‹Kazdığı ve ol havali Etrakinden vâfir ırgat cem' edip. — Naima›.

etribe, *A. i.* [Turab ç.] Topraklar.

etrika, *A. i. (Tı* ile) [Tarık ç.] Yollar.

etvak, *A. i.* [Tavk ç.] Bk.● *Atvak.*

etvar, *A. i. (Tı* ile) [Tavr ç.] Haller, davranışlar. Tavırlar.● *Etvar-i nalâyıka,* uygunsuz hareketler, davranışlar.● ‹Patburunzade Mehmet halifenin evza' ü etvarı lâübaliyane ve meşrebi rindane olup. — Raşit›.

etvas, *A. i. (Tı* ile) [Taus ç.] Tavuş kuşları.

etyab, *A. e.* [Tayyib'den] Daha veya en güzel, pek hoş.● ‹Ve etyab-i mevazi-i kişver-i Rum. — Sadettin›.

etyâb, *A. i.* [Tayyıb ç.] Güzel kokulu nesneler.

etyan, *A. i. (Tı* ile) [Tîn ç.] Balçıklar.

eva, *F. i.* Avaz, ses. Ün.

evabid, *A. i.* [Âbide ç] Âbideler, anıtlar.

evah, *F. ün. (Hı* ile) Eyvah, yazık.

evahir, *A. i. (Hı* ile) [Âhir ç.] Sonlar.● ‹Evahir-i ramazanda bayram mevacibi cedit akçe verilip. — Naima›.● ‹Andan sonra gelir evahir — Bu sınıfta şair oldu nadir. — Ziya Pş.›.

evail, *A. i.* [Evvel ç.] Başlamalar. Önler, eskiler.● ‹Asakir-i İslâm ile evail-i fasl-i baharda. — Naima›.● ‹Kendinden mukaddem olan evail görseler acizlerine muterif ve kail olurlardı. — Taş.›.

evali, *A. i.* [Evlâ ç.] Çok uygun olanlar.

evam, *F. i.* Borç.

evamir, *A. i.* [Emr ç.] Emirler, buyruklar.● *Evamir-i aşere,* on emir.● ‹Bezl-i himmet ve gayret etmeleri babında müekked evamir-i aliyye ısdar olundu. — Raşit›.

evan, *A. i.* Vakit, zaman (ç. Avine).● ‹Zira şu perihaneye karşı bu evanda — Ey dürr-i yetim-i sadef-i şefkatim, ey yâr — Sen bir meh-i ziruh gibi yükseliyordun. — Cenap›.

evani, *A. i.* ç. Kaplar. Çay, yemek takımları.● *Evani-i sîm ü zer,* gümüş ve altından takımlar.● ‹Evani-i nuhasiyenin her vekiyyesi üçer paraya. — Raşit›.

evasır, *A. i.* [Asıra ç.] 1. Minnetler, ihsanlar. 2. Akrabalıklar.

evasıt, *A. s.* ve *i. (Sin* ve *tı* ile) [Evsat ç.] Ortalar. Orta zamanlar.● ‹Baki'ye gelince nazmgûyan — Oldu kudema-yi ehl-i irfan — Andan Nabi'ye dek evasıt — Eş'ar henüz değildi sâkıt. — Ziya Pş.›.

evba', *A. i.* [Veba ç.] Vebalar.

evbaş, *A. i.* ç. Aşağı kimseler. Çapkınlar. (ç. Evbaşan).● ‹Kansu Paşa dahi ol evbaşın ellerinde zebun kalıp Yemen kulu paşayı bir ahır içine hapsettiler. — Naima›.● ‹Tavaif-i askerî zabıttan dûr ve evbaşan ve kallâşan rabıttan kalıp. — Naima›.

evc, *A. i.* Bir şeyin üst derecesi.● *Evc-i balâ,* en üst derece.● ‹Germi-i tâb-i havadisten eva evc-i kerem — Saye-i atıfetin üstüne bir hayme yeter. — Nabi›.

evca', *A. i. (Ayın* ile) [Veca' ç.] Ağrılar. Acılar, sızılar.● *Evca-i batn,* karın ağrıları.● ‹Gönlünün bitmiyor mu evcaı?. — Recaizade›.

evcal, *A. i.* [Vecel ç.] Korkular.

evceb, *A. s.* [Vecib'den] Çok vacip.● ‹İnkıyad ve teslim muamelesi ki sizin üzerinize dahi ziyade ehemm ve evceb iken istiğna edip kusur edersiz. — Naima›.

evceh, *A. s. (Ha* ile) Çok lâyık olan.

evcgir, *F. s.* [Evc-gir] En son perdeye yükselmiş.● ‹Ve kendi havass-i etbaı lisanında şikâyet ve feryatları evcgir-i işar iken. — Raşit›.

evcpervaz, *F. s.* Yüksekte uçan.● ‹Tab'ımın ne lâzım bilmek evcpervaz olduğun — Var o nahl-i işvenin seyret serefraz olduğun. — Nabi›.

evdac, *A. i.* [Veced ç.] Boyun atardamarları.● ‹Evdac-i hazırin lerzan olurdu. — Taş.›.

evdiye, *A. i.* [Vâdi ç.] Vâdiler.● ‹Bag-i mezbur a'van-i bedgüman ile naıe-künan evdiye-i hizlâna perişan oldu. — Naima›.

evfa, *A. s.* [Vefa'dan] 1. Pek, çok vefalı. 2. Tam, yeterli.● ‹Akl ü rüşd ü fazailden haiz-i evfa-yi nisabı olduğuna. — Raşit›.

evfak, *A. i.* [Vefik ç.] Dua yazılı muskalar.● ‹Vaz-i evfakta nadire-i âfak idi. — Sadettin›.

evfak, *A. s.* [Vefik'ten] En uygun.● ‹Söz bulmak için mizaca evfak — Söz bulmaya olmamış muvaffak. — Ziya Pş.›.

evfer, *A. s.* [Vâfir'den] Pek çok bol.● ‹Zira anda ihtiyat ekser ve anın hıfzına ihtiyaç evferdir. — Taş.›.

evgad, *A. i.* [Vagd ç.] Ahmak, akılsız kimseler.● ‹Bir gün evgad-i leşkerden bazı cebeciler birkaç dükkânı garet ettiklerinde. — Naima›.

evhad, *A. s. (Ha* ile) [Vahid'den] Tek.

evham, *A. i. (He* ile) [Vehm ç.] Vehimler. Yanılma, korku ve yanılıştan meydana gelenler.● ‹Ey savlet-i evham ile bitab-i tahassüs — Vicdanlara temdid edilen gûş-i tecessus. — Fikret›.

evhaş, *A. s. (Ha* ile) [Vahşî'den] Pek, en vahşî, çok yabanî.

evhen, *A. s. (He* ile) Aşırı zayıf olan. gevşek, dayanıksız.

evidda', *A. i. (Hemze* ile) [Vedid ç.] Ahbaplar, dostlar.● ‹Tevazu' üzere idi daima eviddaya — Muvakkariydi fakat daima eviddanın — Recaizade›.

ev'iye, *A. i.* (*Elif* ve *ayın* ile) [Vea ç.] Damarlar.• *Ev'iye-i haşebiye,* (Bot.) odun damarlar;• - *helozoniyye,* (Bot.) sarmal damarlar;• - *münakkata,* (Bot.) noktalı damarlar;• - *nâkıle,* (Bot.) İletken damarlar;• - *süllemiyye,* (Bot.) basamaklı damarlar.• «Ev'iyesine verdiği dağdağa elemini defi'dir».

evkaf, *A. i.* [Vakf ç.] Vakıflar. Bir şeyi Tanrı için bir şeye bağlamaktır.• *Evkaf-i mazbute,* idaresi Evkâf Nazırlığına bağlı vakıflar;• *evkaf-i münderise,* gelirleri yok olmuş vakıflar.• «Hisar civarında olan emlâk ashabını ve evkaf mütevellilerini müsadere edip — Naima».

evkân; *A. i.* (*Kef* ile) [Vekn ç.] Kuş yuvaları.

evkâr, *A. i.* (*Kef* ile) [Vekr ç.] Kuş yuvaları.• «Ve ervah-i mukaddese-i ebrar ki mürgan-i alîecniha evkâr-i gülistan-i cinandır. — Veysi».

evkat, *A. i.* [Vakt ç.] Vakitler.• *Evkat-i hamse,* beş vakit (namaz);• *imrar-i evkat,* vakit geçirme.• «Altı yedi sene mütena'im olup evkatını fisk ü fücur ile geçirdi. — Naima».

evkatgüzar, *F. i.* [Evkat-güzar] Vakit geçirme.• «Hidemat-i aklâm-i miriyede evkatgüzar olup. — Raşit».

evked, *A. s.* Daha ve pek kuvvetli.• «Ağayi mezbur katl-i padişaha evked-i esbab ve eledd-i hısam makulesi olmağın. — Naima».

evl, *A. i.* Geri dönme.

evlâ, *A. s.* Birinci.• «Tarifine gitmemektir evlâ — Tarife gelir mi hiç Mevlâ. — Naci».

evlâd, *A. i.* [Veled ç.] Çocuklar.• *Evlâd-i fâtihan,* Rumeli zaptında bulunanların soyu;• -*inas,* kız çocuklar;• - *resul,* Muhammed peygamber soyundan olanlar;• - *vatan,* vatan çocukları;• - *zükûr,* erkek çocuklar.• «— Bugün açız yine evlâtlarım, diyordu peder. — Fikret».

evlâdiyyet, *A. i.* Evlâda kalması şartlı evkaf.

evleviyyet, *A. i.* Daha lâyık, üstün;• *Evleviyetle,* (XX. yy.). Fransızcadan «a fortiori» karşılığı; haydi haydi.• «Bu sağ kurtulursa ol vakit evleviyet tarikiyle yine vezir olup. — Naima».

evliter, *F. s.* [Evli-ter] Daha iyi, üstün iyilikte.• «Asr-i ahara tehir evliter görüldü. — Ragıp Pş.».

evliya, *A. i.* [Veli ç.] Büyükler, ulular. 2. Ermişler. 3. Yaşça küçük çocuklardan kanunca tanınan sorumlu kimseler.• *Evliya-yi etfal,* çocuk velileri;• - *sigar,* reşit olmamış çocukların velileri;• - *umur,* iş başındakiler.• «Senden yeter velilere teyid-i iktida — Sen muktedayi âlem eden evliya hakı. — Fuzuli».• «Bu esnada ise evliya-yi umurun merhametleri. — Sekbanbaşı».

Evliyaiyye, *A. i.* Bu din fırkasından olanlar velâyet derecesine varınca her türlü şeriat buyruklarından kendilerini kurtulmuş sayarlar. Evliyayı da peygamberden üstün tutarlar.

evra', *A. s.* (*Ayın* ile) Aşırı olarak günah ve haramdan çekinen.

evrad, *A. i.* [Vird ç.] Kur'an'dan seçilmiş olan ve her vakit okunan bölümler. Her vakit ağızlarda dolaşan sözler.• «Hemen duasını addeyle eşref-i evrad. — Nabi».

evrak, *A. i.* [Varak ç.] 1. Yapraklar. 2. Kâğıtlar. 3. Arşiv.• *Evrak-i halkaviyye,* (Bot.) Halka dizilişi yapraklar;• - *havadis,* gazeteler;• - *müteakıbe* (Bot.) almaşık yapraklar;• *mütekabile,* (Bot.) karşılıklı yapraklar;• - *perişan,* yazılmış dağınık yapraklar, çeşitli konularda yazılmış şeyler.• «Minderde, yerde bir yığın evrak-i târmâr. — Fikret».• «Ahû ile şebperre vü evrak ile ezhar — Nagâh fısıldaştı leb-i âb-i revanla. — Cenap».

evram, *A. i.* [Verem ç.] Veremler, şişler.

evreng, evrenk, *F. i.* Taht.• *Evreng nişin,* tahtta oturan;• *evreng zîb,* tahta süs veren, tahta oturan.• «Evreng-i sipehraveng-i saltanattan. — Kemal».

evride, *A. i.* [Verid ç.] Toplardamarlar.• «Nekl-i dem ameliyatı yapar gibi evride-i millete hissiyat şırınga edilmez. — Cenap».

evsa', *A. s.* (*Sin* ve *ayın* ile) [Vasi'den] Daha geniş.• «Sarıalan'a erdiler ki sahn-i meydan-i felekten evsa' bir ferhunde mertadır. — Lâmiî».

evsaf, *A. i.* (*Sat* ile) [Vasf ç.] Vasıflar, nitelikler.• «Gel ey hasud malik-i kelâm isen — Evsaf-i husrevan-i saadetcenab kıl. — Hayalî».

evsah, *A. i.* (*Sin* ve *hı* ile) [Vesah ç.] Kirler.• «Bir kalın nikab — Örter birer birer — Gündüzün hayatının bütün evsahını. — Fikret».

evsak, A. s. (Se ile) Ziyade sağlam. En çok inanılan.• ‹Ve şol evsak-i isam ki. — Taş.›.

evsan, A. i. (Se ile) [Vesn ç.] Putlar.• ‹Levs-i vücud-i bed-bud-i evsan ve esnamdan tathir ile. — Raşit›.

evsat, A s (Sin ve tı ile) [Vasat'tan] Ortada olan, ortadaki. İkisi ortası.• Evsat-i umur, ikisi ortası işler, ne kolay ne güç;• Magrib-i evsat, Cezayir ve dolayları.• ‹Evsat-i ümeradan bir şahıs biedabane harekete cüret edip. — Sadettin›.

evsat, A. i. [Vasat ç.] Ortalar.

evsiya, A. i. (Sat ile) [Vasi ç.] Vasiler. Yetim çocukların işlerini çevirecek kimseler.• ‹Evliya ve evsıyanın mal-ı yetim hakkındaki tasarrufatı›.

evsal, A. i. 1. Damla damla akan su. 2. Birbirinin ardından sıra ile gelen kimseler.

evşen, A. i. Dalkavuk, yüze gülücü.• ‹Gönül hemen şen olmalı — Diyenler evşen olmalı›.

evtad, A. i. [Veted ç.] Ağaç veya demir kazıklar.• ‹Ordu-yi hümayun havalisinde nasb-i evtad-i karar eyledi. — Raşit›.

evtan, A. i. (Tı ile) [Vatan ç.] Vatanlar.• ‹Ve kabile ve evtanından. — Taş.›.

evtar, A. i. (Te ile) [Veter ç.] Veterler. Kirişler.• Bazan eytar-i şi'ri kırar nahun-i kaza. — Fikret›.

evvel, A. s. ve i. 1. Birinci, ilk. 2. Eski geçmiş. 3. Başlangıç, ilk. Baş.• Evvel ü âhir, eninde sonunda, her zaman;• evvel beevvel, her şeyden önce, ilkin.• ‹Bütün evvel sevenlerin ye'si — Söylüyor bikarar-i hissi. — Cenap›.• ‹Fakat evvel beevvel kavi olalım. — Cenap›.

evvelâ, A. zf. 1. Birinci olarak. 2. En önce, ilkin.• ‹Kıldı azm erbab-i din aldı Ariş'i evvelâ. — Süruri›.

evvelden, A. zf. İlk olarak.• ‹Evvelden zat-ı bîrakibin için — Saniyen sevdiğin habibin için. — Naci›.

evvelî, evveliyye, A. s. [Evvel'den] Birinci dereceye, ilk zamanlara ait. En evvel olan. İptida, ilkleri.• Tahkikat-ı evveliye, ilk ağızda yapılan soruşturmalar.

evvelîn, A. i. [Evvel ç.] İlkler.• Evvelîn ü âhirîn, eskiler ve yeniler.• ‹Hâlâik-i evvelîn ü ahirin. — Veysi›.

evvelîn, F. s. En önce, cümleden önce olan.• ‹Milel-i mütemeddinede evvelîn

paye-i tarikkide olanlar bile. — Kemal›.

evveliyyat, A. i. 1. Bir iş veya olayın ilk kısımları, asıl maddeden evvelkileri. 2. Aklın duraksamadan tasdik edeceği ilk gerçekler.

evvelûn, A. i. [Evvel ç.] İlkler.• ‹Kezalik sabikun ve evvelûn ki Kıbleteyn'e namaz kılanlardır. — Taş.›.

evza', A i (Dat ve ayın ile) [Vazı' ç.] Haller, durumlar.• Evza-i garibe, garip haller.• ‹Halka yavuz görünmek için evza-i garibe edip ehl-i ırzın edna sebep ile ırzını yıkardı. — Naima›.

evzah, A. s. (Dat ve ha ile) [Vazıh'tan] Daha veya pek açık.• ‹Kemal-i akl ü kiyasetine evzah-i delâil oldu. — Naima›.

evzan, A. i. (Ze ile) [Vezn ç.] 1. Vezinler. 2. Tartılar.• Evzan-i aruziye, aruz vezinleri;• - atîka, eski tartılar.• ‹Evzan-i milliye dedikleri heca hesaplarına karşı evzan-i aruzu tercih edişim. — Cenap›.

evzar, A. i. (Ze ile) [Vizr ç.] 1. Günahlar, suçlar. 2. Yükler, ağırlıklar.• ‹Ve ihtiyar-i firar-i kebair-i evzar. — Sadettin›.• ‹Mukaddema vülât-i Mısır tahammül-i evzar edip. — Naima›.

eyâ, F. ü. Ey, hay!

eyadi, A. i. [Yed ç.] Eller.• Eyadi-i nâs, halkın elleri.• ‹Sahaif-i çemen oldu eyadi-i fukara. — Fuzuli›.

eyag, F. i. 1. Ayaklı kadeh. 2. Ayak.• ‹Eyag-i meyden el çek arzu-yi encümenden geç. — Nevres›.

eyalât, A. i. [Eyalet ç.] Eyaletler.• Eyalat-i mumtaze, özel idareli, yarı bağımsız eyaletler.• ‹İstanbul'da ve eyalâtta çıkan gazetelerin cümlesini biliriz. — Kemal›.

eyalet, A. i. Vilâyet. Tanzimat'tan sonra idare kurullarında yenilik yapılıncaya kadar bu kelime kullanılmış, bundan sonra vilâyet sözü bunun yerini almıştır.• ‹Gadr ede reayasına vali-i eyalet — Dünya vü ukbada ne zillet ne rezalet. — Ziya Pş.›.

eyaletgâh, F. i. [Eyalet-gâh] Eyalet merkezi.• ‹Andan eyaletgâhı olan Beyşehri'nde de âram eyledi. — Sadettin›.

eyami, A. i. [Eyyam ç.] Evlenmemiş veya dul kadınlar.• ‹Ve tezvic-i sigar ve eyamiye mütaammid ve mültemes. — Taş.›.

eyamin, *A. i.* [Eymen ç.] Pek hayırlı, uğurlu olanlar.

eyavin, *A. i.* [Eyvan ç.] Eyvanlar. Köşkler.• ‹Eyavin ve kusur-i mezkûre sana muayyen ve mahsus olup. — Nergisî›.

eybes, *A. i.* Aşırı kuru şey.

eydi, *A. i.* [Yed ç.] Eller.• ‹Yüz üç senesinde eydi-i a'dadan ahz olunan. — Raşit›.

eyman, eymün, *A. i.* [Yemin ç.] 1. Yeminler. 2. Sağ eller, sağ taraflar.• *Eyman-i galize,* büyük, kaba yeminler.• ‹İnkâr ve eyman mugallaza ile tahlis-i giriban ettiği. — Naima›.

eymen, *A. s.* [Yümn'den] Daha uğurlu.• *Vâdi-i Eymen,* Musa peygamberin Tur dağında Tanrı tecellisine mazhar olduğu yer.• ‹Eymen-i evkatta taht-i saltanata cülûs buyurdular. — Naima›.• ‹Yâr her vâdide eylerken tecelli, ey, Kelîm — Sen niçin serkeşte-i vâdi-i Eymen'sin henüz. — Naci›.

eymen, *A. s.* Sağ taraftaki.• ‹Sadrazam hazretlerinin canib-i eymenlerinde şeyhülislâm efendi altlarına. — Raşit›.

eyn, *A. i.* ve *zf.* Mantıkta, bir şey veya olayın yerini bildiren *nere, nerede* sözü.• *Eyn-el-meferr,* kaçacak yer yok mu?• ‹Gam olup ol dem herasan deyicek eyn-el-mefer. — Naima›.• ‹Eyn-el-meferr diyen çöle can attı şubesu. — Beyatlı›.

eyser, *A. i.* 1. Sol taraftaki. 2. Pek kolay.

eytam, *A. i.* [Yetim ç.] Yetimler. Babaları ölmüş çocuklar.• ‹Verin şu dullara, yoksul kalan şu eytama. — Fikret›.

eyvah, *F. ü.* Yazık! Eyvah!• ‹Beyhude güzar etmede ömrüm eyvah. — Nahifi›.• ‹Öyle, bir nehr-i muazzam gibi cuş etmişsin — Fakat eyvah, çorak yerde akıp gitmişsin. — Fikret›.

eyvallah, *A. ü. cüm.* Evet, öyle olsun. Teşekkür ederim. Allaha ısmarladık.

eyvan, *F. i.* 1. Köşk. 2. Büyük sofa, divanhane. 3. Kemerli büyük bina.• ‹Ashab-i maarif ve hünermendan meşgul-i nakş ü tezhib-i eyvan idiler. — Naima›.

Eyvan-ı Kisra, *F. i.* Diclê'nin sol kıyısında Medayin şehrinde yıkıntıları bulunan bir saray, Muhammet peygamberin doğduğu gece çatlayıp sakatlanmıştır.

eyyam, *A. i.* [Yevm ç.] Günler.• *Eyyam-i âdiyye,* tatil ve sayılı günlerden başka günler;• - *bahur,* ağustosun pek sıcak olan ilk haftası;• - *resmiyye,* resmî günler;• - *tatiliyye,* tatil, dinlenme günleri;• *eyyam-ül-biyz,* her Arabî ayının 13-15.'inci günleri;• *eyyam-ül-ma'dudat,* • *eyyam-üt-teşrik,* Kurban bayramının ilk üç günü.• ‹Ya Rap eyyamında ümmet-i Muhammedi hoş hal eyle ve birbirimizden hoşnut eyle deyu. — Naima›.• ‹Baharın zir-i minnet-i nevruzu olmaktan — Hararetdide-i eyyam-i bahur olmamız yeydir. — Nabi›.• ‹Eyyam-i salifede Ferdî mahlas bir yeniçeri civan peyda olmuş idi ki — Nergisî›.• ‹Eyyam-i âdiyede kariînin hali. — Cenap›.

eyyede, *A. zf.* ‹Kuvvetlendirsin, sürdürsün› anlamlarında ‹te'yid› sözünden gelme bir kelime olup dua diye kullanılır.• *Eyyedullahü mülkühu,* Tanrı mülkünü sağlam ve sürekli kılsın.

eyyim, *A. ş.* Kuvvetli, güçlü.

Eyyub, *A. i.* 1. İsa'dan 1800 veya 800 yıl önce gelmiş olan İsrail oğulları peygamberlerinden. Kavmini dine çağırdığı zaman kendisine yedi kişi uymuştur. On oğlunu kaybetmiş, malı mülkü elinden çıkmış, korkunç bir hastalığa tutulup etleri çürüyüp kurtlar yemiştir. Yine sabır edip Tanrıya şükretmiştir. Sonunda iyileşip, zenginleşmiş, çocukları da olmuştur. Sabır için örnek tutulur.• ‹Zevkaşina-yi mihnet-i Eyyub edip dili — Can-i sabura havsala-i derd ü dağ ver. — Nailî›. 2. Eyyub Ansarî, Muhammet Peygamber zamanında İstanbul'un ilk kuşatılmasında ölmüş. İstanbul'un fethinden sonra mezarı bulunarak türbe yapılmıştır. İstanbul Haliç'inde ünlü bir semte de adı verilmiştir.

eyyüha, *A. e. (He* ile) ‹Ya, ey› gibi karşıdakilere söz söylerken kullanılır, bazı Arapça takımlara katılır.• *Ya eyyühessaki,* ey içki sunan;• *eyyühelhuzzar,* ey hazır bulunanlar.• ‹Şu intizama bakın siz de eyyühelhuzzar. — Hamdi›.

eyzan, *A. zf.* ‹Yine öyle, öteki gibi, tekrar› anlamıyle geçmiş şeyi, şarkılarda tekrarlanacak mısraları göstermede kullanılır.

ez, *F. e.* Başına eklendiği kelimeyi -den hali'ne getirir.• *Ez an cümle,* o cümleden olarak;• *ez dil ü can,* can ve gönülden;• *ez her cihet,* her bakımdan;• *ez kara,* kazara;• *ez-ser-i nev,* yeni baştan.

eza', A. i. (Ze ve *hemze* ile) İncitme, kırma. İncinme, kırılma.● *Ezay-i derun,* iç incinmesi, sıkıntı.● «Bu sada-yi şagaf, bu nefha-i ruh. — Bir eza var denir hayatında. — Fikret».

ez'af, A. s. (Elif, dat ve *ayın* ile) [Zaif'ten] En, çok zayıf.● *Ez'af-i ibad,*● *ez'af-ül-ibad,* halkın en zayıfı (nefsini küçültmek için bazı kimseler kendilerinden bahsederken kullanılırdı).● «Ol kahhar-i zülcelâl ez'af-i mahlûkatından peşşe-i naçiz nevine. — Veysi».

ez'âf, A. i. (Elif, dat ve *ayın* ile) [Zı'f ç.] İki kat şeyler; katlar.● *Ez'âf-i muzaafa,* kat kat, pek çok.● «Bu tarık ile paşaya verilen malın ez'âfın fukara-yı raiyyetten alırlar idi. — Naima».

ezafîr, A. i. (Elif ve *zı* ile) [Zıfr ç.] Tırnaklar.

ezahîr, A. i. [Zühre ç.] Çiçekler.

ezan, A. i. (Ze ile) Müslümanlara namaz vaktini bildirmek için minarede yüksek sesle okunan kutsal sözler.● *Allahü ekber* (4 defa, Tanrı uludur),● *eşhedü en lâilâhe illallah* (2 defa Tanrı'dan başka yoktur tapacak),● *eşhedü enne Muhammeden resuulullah* (2 defa),● *hayya-lesselât* (2 defa),● *hayya-lel-felâh* (2 defa),● *Allahü ekber* (2 defa, Tanrı uludur),● *lâilâhe illallah* (Tanrıdan başka yoktur tapacak).● «Ezan okunmadı mı dunyadan gidince Bılâl. — Hayalî».

ezanî, A. s. Ezan ile ilgili.● *Ezanî saat,* güneşin battığı zaman 12 olan saat hesabı.

ezarr, Bk.● *Azarr.*

ezbad, A. i. [Zebed ç.] Köpükler.

ezber, F. i. (Ze ile) Kitaba bakmadan okuma ve buna alışma.● «Suhan ol denlû hoş âyende gerektir ki anı — Edine nev-i beşer belki melaik ezber. — Nabi».

ezdad, A i (Dat ve *dal* ile) [Zıd ç.] Karşıtlar, karşı olan şeyler. 2. Ters, aksi.● *Zıddanî lâyectemian,* bir araya gelmesi mümkün olmayan iki karşıt şey;● *cem-i ezdad,* birbirine karşıt şeyleri bir yere toplama.● «Tabiaten büyük bir âlem-i külliyet-i ezdad. — Fikret».

ezel, A. i. Başlangıcı olmayan geçmiş zaman.● *Minel'ezel,* çok eskiden;● *tâ ezel,* ezelden beri.● «Sancak o reng-i âl ile fecr-i ezel gibi. — Fikret».● «Birinde zehr-i hakikat, birinde şehd-i ha-

yal; — Minel'ezel iki peymane-i mukadderden. — Fikret».

ezelî, ezeliyye, A. s. Ezele mensup, ezel ile ilgili. Başlangıcı olmayan.● *İlm-i ezeli,*● *kudret-i ezeliye,* Tanrı bilgisi, Tanrı gücü.● «Vasf-i ezeli beyana sığmaz. — Nabi».● «Hariçte neşve-i ezelisiyle nevbahar. — Fikret».● «İnan Halûk, ezeli bir şifadır aldanmak. — Fikret».

ezeliyyet, A. i. Ezelilik. Başlangıcı olmama.

ezell, A. s. (Zel ile) [Zelil'den] Çok aşağılık.● «Eğerçi zümre-i sipah ezell-i min nakd oldu. — Naima».

ezfar, A. i. Bk.● *Azfar.*

ezfer, A. s. (Ze ile) Güzel kokulu.● «Hoş nükheti bû-yi müşk-i ezfer. — Riyazi».

ezgas, A. i. (Dat, *gayın* ve *se* ile) Karışık şeyler.● *Ezgas ü ahlâm,* karışık düşler. Bk.● *Ahlâm.*

ezhan, A. i. (Ze ve *he* ile) [Zihn'den] Zihinler.● *Ezhân-i nâs,* halkın zihni.● «Bütün ezhana bir kesel veriyor. — Fikret».

ezhâr, A. i. (Ze ve *he* ile) [Zühre ç.] Çiçekler.● *Ezhar-i erbaa,* (Eski hekimlikte ilâç yapmada kullanılan) ebegümeci, hatmi, menekşe gelincik çiçekleri;● *Ezhâr-i rebii,* bahar çiçekleri.● «Bir gün o kuşlar uçtu, o ezharı eyledi — Bir dest-i nazenindeki yelpaze târmâr. — Fikret».

ezhâr, A. i. (Zel ve *Hı* ilc) [Zuhr ç.] Zahireler, gerekliği düşünülerek saklanan şeyler.

ezhed, A. s. (Zel ile) Aşırı zahit.● «Dünyada ezhed-i nâs olup mail-i maaş ü mesken değil idi. — Taş.».

ezher, A. i. Pek beyaz ve parlak.● *Ezber-ül-levn,* parlak yüzlü, ak pak.● «Nazar-rüba mı desem dide-i siyahından — Aman ne tatlı bakış var şu necm-i ezherde. — Fikret».

ezheran, A. i. Ay ile güneş.

ezikka, A. i. [Zokak ç.] Sokaklar.● «Kahvehane ve duhan yasağında bu mertebe teşdid ve devr-i ezikka ve katl-i nüfus ile tehdit buyurdukları. — Naima».

ezille, A. s. [Zelil ç.] Zeliller. Alçaklar.

ezimme, A. i. [Zimam ç.] Yularlar. İdare ipleri.● *Malik-i ezimme-i enam,*● *- kâina,* herkesin, kâinatın idaresine sahip olan (Tanrı).● «Ve ey malik-i ezimme-i enam. — Sinan Pş.».● «Malik-i ezimme-i kâinat celle şanühu. — Nabi».

ez-in canib, *F. zf.* Bu yanda.● «Ez-in canib Türk Mahmut. — Naima».

eziyyet, *A. i.* (*Zel* ile) 1. İncitme. 2. Sıkıntı, zahmet.● «Lâkin bugün hep onlara ait yığın yığın — Endişeler, kederler, eziyetler, iğneler. — Fikret».

ezkâ, *A. s.* (*Zel* ile) Çabuk kavrayışlı.

ezkâ, *A. s.* (*Ze* ile) Çok iyi, aşırı temiz olan.● «Ahlâkları ezkâ-yi ahlâk bulunduğunu. — H. Vehbi».

ezkâr, *A. i.* (*Ze* ve *kef* ile) [Zikr ç.] Anmalar, hatıra getirmeler. 2. Tespihle belli duaları tekrar etmeler.● *Ezkâr-i cemile*, iyi anılmalar.● «Hisar çarhta necm-i pürenvar — Eder Allah yektir diye ezkâr. — Atayî».● «Ey doğruluğun mahmil-i ezkârı minarât. — Fikret».

ezkiya', *A. s.* (*Zel* ile) [Zeki ç.] Keskin zihinliler. Çabuk anlar kimseler.● *Ezkiya-i etfal*, zeki çocuklar.● «Nadiregûyluk meydanında kûy-i müsabakatı ezkiya elinden kapmış idi. — Sadettin».

ezkiya, *A. s.* (*Ze* ile) [Zeki ç.] Sâf, temiz, iyi halli (kimse) ler.● «Mazur ezkiyayi ümmet. — Naci».

ezlâm, *A. i.* (*Ze* ile) [Zelm ç.] Oklar. Uğur denemek için atılan oklar. Fal oku.● «Cehelenin nümune-i ezlâm olan aklâm-i bed-erkamı. — Sadettin».

ezman, *A. i.* [Zaman ç.] Zamanlar.● *Tagayyür-i ezman*, zaman değişmesi.● «Padişah-i gerdun-vekar hazretleri ekser-i ezmanda. — Selânikî».● «Ezmanın tagayyürü ile ahkâmın tagayyürü inkâr olunmaz. — Mec. 390».

ezmine, *A. i.* (*Ze* ile) [Zaman ç.] Zamanlar.● *Ezmine-i cedide*, yeni zamanlar;● - *mutavassıta*, Ortaçağ;● - *müstakbele*, gelecek zamanlar.● «Ben kim mezar-i ezminede bir kitabeyim. — Cenap».

eznab, *A. i.* (*Ze* ile) [Zeneb ç.] Kuyruklar.

ez-nev, *F. s.* Yeniden.

ezraf, *A. s.* Bk.● *Azref.*

ezyal, *A. i.* (*Zel* ile) [Zeyl ç.] 1. Etekler. 2. Artlar, peşten gelenler.● «Ezyal-i tahire-i ashab-i kirama. — Sadettin».● «Cerimenin ezyal-i inayetleriyle mahmı buyurulması. — Kâni».

ezyed, *A. s.* (*Ze* ile) Pek ziyade, en çok.● «İki hayır olan şeyin hayırda ezyed ve eblâğ olanını. — Asım».

F

f, 1. Osmanlı ve Fars abecesinin yirmi üçüncü, Arap abecesinin yirminci harfidir. 2. Ebced hesabında 80 sayısını gösterir. 3. Farsça kelimelerde *f* nin *p* ve *v* ile değişmeleri olur.

fa', *A. i.* «f» harfinin Arapçadaki adı.• *Fa-i sa'fes,* ebced formülündeki *sa'fes* sözündeki; *fa-ül-fiil,* «fiil» sözcüğünde bulunan, yani üç harfli kelimelerin birinci harfleri.• «Fa vü dad ü lâm'a düştü gönlümüz. — Nesimi».

fa'al, *A. s. (Ayın ve ʾlif ile)* [Fiil'den] 1. Çok işleyen. 2. Hiç durmayıp hep harekette bulunan. 3. İş gören, çalışkan. 4. Etkin.• *Fa'al-i lemma yürid,* istediğini işleyen (Tanrı);• *akl-i fa'al,* (Fel.) *Intellect actif* karşılığı (XX. yy.).

faalâne, *F. zf.* [Fa'al-ane] Çalışkancasına çalışır, iş görür yolda, Çok çalışarak.• «Bu bir haftalık sây-i faalâne neticesinde. — Uşaklıgil».

faale, *A. i.* [Fail ç.] 1. Failler. 2. İşleyenler, yapanlar.• «Beş bin benna ve on bin faale kemal-i acele ile binaye mübaşeret. — Sadettin».

faaliyet, [Türkçede kullanılmıştır] 1. Çalışma. 2. Etkinlik.• «Bütün muasır hanımlarımız faaliyet-i beytiyesi. — Cenap».

faci', *A. i. (Ayın ile)* Acıklı.

facia, *A. s.* [Türkçede yapılmıştır] 1. Âfet. Büyük belâ. 2. Acınacak hal. 3. Fransızca *drame* karşılığı olarak (XIX. yy.).• *Facianüvis,* dram yazarı.• «Çünkü o faciayı bir kâtibin karihası veya bir gazetenin sahifesi tamamıyle ihata etmek. — Kemal».

facil, *A. s.* Kumarbaz.

facir, facire, *A. s.* [Fucur'dan] 1. Kadına düşkün erkek, erkeğe düşkün kadın. Günah işleyen. 3. Kötü işlerle vakit geçiren.• «Gaybe imam getir ey mülhid-i facir ki sana — Ahiretten hatt-i ta'lik ile hüccet gelmez. — Sabit».• «Örtün, evet, ey haile... örtün, evet, ey şehr, — Örtün ve müebbet uyu, ey facire-i dehr!... — Fikret».

fagfur, *F. s.* 1. Çin devlet başkanlarının lakabı olarak;• *Fagfur-i Çin.* 2. Çin yapısı işlere de denir:• *Kâse-i fagfur.*• «Hem Hata vü Çin ü Rum'un Kayser ü Fagfuruyun. — Nesimi».• «Kim bu milkin fethini Fagfur ü Hakan etmedi. — Fuzuli».• «Gitti erbab-i nesep etti fürumaya zuhur — Aldı fincan-i Kütahya yerin fağfurun. — Nabi».• «Neş- ve tahsil tetiğin sagar da senden gamlıdır — Bir dokun bin ah isit kâse-i fağfurdan. — Âli».

fagfurî, *F. s.* 1. Çin işi çanak, tabak. 2. Porselen. (Beyaz çiçeklisine *hataî* denirdi).

fahamet, *A. i. (Hı ile)* 1. Büyüklük, ululuk. 2. (Tanzimat'tan sonra)• *Fahametlû,* resmî yazıda sadrazama, Mısır hıdivi ile yabancı prensler, yarı bağımsız emirliklerin başında bulunanlar hakkında kullanılır unvan olmuştu.• *Zat-i fahametpenahî,* sadrazam.

fahavi, Bk.• *Fehva.*

fahhar, *A. s. (Hı ile)* Ziyade övülen.

fahim, fahime, *A. s. (Hı ile)* [Fahm'dan] Ulu, büyük. Resmî yazıda yabancı yedi büyük devlet (düvel-i muazzama) hakkında• *devlet-i fahime,*• *düvel-i fahime* gibi deyim olarak kullanılırdı.

fahimane, *F. zf.* [Fahim-ane]• *Fahamet* unvanı kullanılanlara sıfat olarak söylenir;• *Huzur-i fahimane,*• *zat-i fahimane.*• «Bin yaşa devlet ü ikbal ü fehimanen ile — Mülkü tedvir ederek akl-i hakîmanen ile». — Şinasi».

fâhime, *A. i., s. (He ile)* [Fehm'den] 1. Anlayışlı. 2. Anlayış (XX. yy.).• «Ve tek başına umur-i bedihiyenin hakkı üzere idrakinden âciz bulunan kuva-yi fâhime. — Kemal».

fâhir, fahire, *A. s.* [Fahr'dan] 1. Övünülecek. 2. Parlak, şanlı, güzel.• *Libas-i fâhir,*• *hil'at-i fâhire,*• *daire-i fâhire.* 3. Övünen. (ç. Fevahir).• «Söz bir meta-i fâhir ü kemyabdır velî. — Nef'i».• «Ve baki âyan-i askere hilâ-i fâhire ve duaname irsal buyurdular. — Naima».

fahiş, fahişe, A. s. (Ha ile) [Fuhuş'tan] 1. Ahlâka uymaz, edep ve terbiye dışı. 2. Çok yolsuz, aşırı çirkin veya uygunsuz;• Galat-i fahiş,• hataiyat-i fahişe,• hata-i fahiş,• hataiyat-i fahişe,• hata-i fahiş,• kavl-i fahiş,• kelâm-i fahiş. 3. Pek çok ve fazla şey, insafsızca, aşırı;• fi'l-i fahiş,• fiat-i fahişe,• gabn-i fahiş, (ç. Fevahiş).• «Resm-i kadîme mübayenet-i fahişe ile mugayir tevcihattan. — Naima».

fahişe, A. i. [Fuhuş'tan] 1. Ahlâkdışı ve günah sayılacak münasebette bulunan. 2. Orospu, kahpe.• «Şairiz şeyn verir şanımıza — Giremez fahişe divanımıza. — Nedim».

fahl, A. i. 1. İleri gelen, üstün adam (Bu anlamda ç. fuhul kullanılır). 2. Erkek eş. 3. Aygır.

fahm, A. s. (Hı ile) [Fahamet'ten] Ulu, büyük.

fahm, A. i. (Ha ile) Kömür.• Fahm-i billûrî, elmas;• - nebatî, bitkisel kömür;• - turabî, huy (houille) kömürü;• - hayvanî, Fransızca charbon animal (hayvan kömürü);• hamız-i fahm, karbonik asit;• muhassıl-i fahm, (karbon devri) carbonifère karşılığı.

fahmî, fahmiyye, A. s. [Fahm'dan] 1. Kömür ile ilgili.• Havza-i fahmiyye, kömür havzası. 2. Hekimlik terimleri konurken Carboneux, carbonite, charbonneux karşılığı olarak kullanılmıştır. (XIX. yy.).

fahmiyet, A. i. (Kim.) Karbonat.

fahr, A. i. (Hı ile) 1. Yapılanlar sayılarak övünmek. 2. Övünülecek şey. 3. Övünmeye sebep olacak kimse. 5. Kendisiyle ilgilileri övündürecek kimse.• Fahr-i âlem,• - kâinat, Muhammet peygamber;• fahr-ül-üdeba,• fahr-ül-vüzera.• «Sensin ol fahr-i cihan-i medeniyet ki heman — Ahdini vakt-i saadet bilir ebna-yi zaman. — Şinasi».

fahrî, fahriyye, A. s. 1. (Şeref için) parasız ve yalnız isim olarak verilen, kabul edilen iş, memurluk. 2. Böyle bir iş veya memurluk verilmiş kimse.• Hizmet-i fahriye,• reis-i fahrî,• yaver-i fahrî.

fahriyyat, A. i. [Fahriyye ç.] Fahriyeler (Ed.)

fahriyye, A. i. (Ed.) İslâm edebiyatında şairlerin kendi nitelik ve erdemliklerinden, kahramanlık ve cesurluklarından, cömertliklerinden bahsederek kendilerini övme yolunda yazdıkları nazım. Nef'i fahriyeleriyle ün almıştır.

fahriyyen, A. zf. Fahrî olarak. Hiç karşılıksız, bedava olarak, şan ve şeref için.

fahs, A. i. (Ha ve sat ile) Bir şeyin gerçeğini araştırma.

fahş, A. i. İş veya sözde aşırılık.

fahşa, A. i. 1. Zekât vermede pintilik. 2. Aşırı iş veya söz.• «Hâşâ bu kabîl kelime-i fahşa. — Taş».

fâhte, A. i. Üveyik kuşu.• «Çemen etfalinin uyhuların uçurdu yine — Subhdem gulgule-i fâhte gülbang-i hezar. — Baki».

fahur, A. s. [Fahr'dan] 1. Çok övülen. 2. Kendini çok beğenip kibirlenen.

fahurane, F. s. zf. [Fahur-âne] Övüne övüne. Övünerek.• «Sana baktıkça fahurane parıldar gözler. — Fikret».

fahz, A. i. Uyluk.• Azm-i fahz, uyluk kemiği.• «Eliyle başına ve yüzüne mesh edip fahzına darb eyledi. — Taş».

faide, A. i. 1. Fayda, kâr, kazanç. 2. Faiz. 3. İşe yarama, yararlık. 4. Eski kitaplarda bu adla, söz sırası gelmişken hatırlatılan fıkraların adı.• Bifaide, faydasız;• çifaide, neye yarar, boşuna (ç. Fevaid).• «Cehd eyle hemen gayr eline bakmaya gör kim — Benden sana ne faide senden ne bana var. — Ruhi».• «Altmış kese akçeyi yekâyek faide ile alıp. — Naima».

faidecu, F. s. [Faide-cu] Faydacılık, çıkara bakma. (ç. Faidecuyan).• «Sonraları ise kaideciliğin faidecûluğa galebesi cihetiyle. — Kemal».

faidemend, F. s. [Faide-mend]. Faydalı, yarar, kârlı (ç. Faidemendan).

faih, fayih, A. s. Kendiliğinden dağılan (güzel) koku.• Rayiha-i fayiha, güzel koku. (ç. Fevayih).• «Rayiha-i kerihe fayih olmağın. — Naima».

faik, faika, A. s. [Fevk'ten] 1. Üstün. 2. Başkalarından ileri.• İhtiramat-i faika, üstün saygılar;• faik-ül-akran, akranlarından üstün.• «Hüner akran içinde her cihetten faik olmaktır. — Nev'î».

faikat, A. i. [Faika ç.] Üstünler, ileriler. • «Cevari-i faikat ve ebkâr-i mevzunana talim ederler. — Taş».

faikiyyet, A. i. [Türkçede yapılmıştır] Üstünlük.• Esbab-i faikiyet, üstünlük nedenleri.• «Bugün Avrupa kadınlarının kadınlarımıza sebeb-i faikiyyeti. — Cenap».

fail, faile, A. i. 1. Yapan, işleyen.● Fail-i hayır, hayır işleyen. 2. Etki gösteren, etken. 3. (Gra.) Özne. 4. (Fel.) Fransızcadan agent karşılığı.● Fail-i hakikî, (gerçek yapıcı) Tanrı;● - muhtar, elindelik (aynı zamanda fransızca libre arbitre karşılığı olarak;● faile-i muhtare, (XX. yy.);● - müstakil, kendi yapan;● - müşterek, ortak olarak yapanlardan her biri. (Gra.)● İsm-i fail, naib-i fail, nesne. (ç. Ef'al, fevail).● ‹Şol failin şetaret ile ameline sebep nedir. — Süheylî›.

failiyet, A. i. İşleyicilik. (Fel. ve hekimlik terimi) Activité karşılığı olarak (XIX., XX. yy.).

faiz, A. s. (Ze ile) [Fevz'den] 1. Merama eren. 2. Kurtulan, üstün gelen.● ‹Hacelik şerefine faiz oldular. — Peçoylu›.

faiz, A. s. (Dat ile) [Feyz'den] 1. Taşan, taşkın, dolu.● Faiz-ün-nur, nur taşan. 2. Ödünç verilen para için alınan kâr.● ‹Ol cenab-i faiz-ül-envar ile haşr ü içtima müyesser ola. — Taş.›.● ‹Her biri bir kasaba-i azîmedir şen ve âbadan olup faizlerden senevî beş yüz kese kadar aidi var imiş. — Naima›.

fâka, A. i. Yoksulluk.● Fakr ü fâka, yoksulluk.● ‹Talebeyi almayınca maaşımız müşkül olur fakr ü faka sebebinden alırız dediler. — Naima›.

fakahat, A. i. Fıkıh bilgisinde derinlik.● ‹Ve kemal-i fakahat ile ittisafı olup. — Naima›.

fakat, A. e. Yalnız, ancak, şu kadar var ki...

fakd, A. i. Eksiklik, bulunmama. Fikdan.● ‹Ve kendisi sahra-yi fakd ü hamule firar edip etbaı akabgîran elinde telef oldu. — Naima›.

fâkıa, A. s. Büyük belâ, musibet.● ‹Herkes bu vakıa-i fakıa-i haileden. — Raşit›.

fâkıd, A. s. Bir şeyini kaybetmiş olan. (Fel.) Fransızcadan amnésique fakıdül-hıfz (Belleğini yitirmiş); aphasıqe, fâkıd-ül-kelâm (sözünü yitirmiş) karşılığı.

fakîh, A. i. (Kaf ve he ile) [Fıkıh'tan] Fıkıh bilgini.● ‹Mavera-ün-nehr'de fakîh ve mezheb-i Eba Hanife üzre sahib-ut-tarıkadır. — Taş.›.

fakihe, A. i. (Kef ve he ile) Yemiş.● Fakihet-üş-şita, (kış yemişi) ateş. (ç. Fevakih).

fakir, A. s., i. [Fakr'dan] 4. (Alçak gönüllülükle) Birinci şahıs. 5. Derviş. (ç. Fakîran, fukara).● ‹İşte gani, — Fakir, ona, herkes, onun şeametle tasadduk ettiği ikbale müftekir, müştak. — Fikret›.

fakirane, F. zf. [Fakir-ane] 1. Fakir kimseye yakışır halde. 2. (Nezaket olarak) kendisinden konuşan kimse.

fakirhane, F. i. [Fakir-hane] Söz söyleyen kimsenin evi (alçak gönüllülükle).

fakr, A. i. 1. Yoksulluk. Muhtaçlık. 2. Eksiklik, azlık.● Fakr-i dem,● fakr-üddem, kan zayıflığı.● ‹Ben eminim ki şimdi herkesten — Şimdi o evvelki fakre mahsuben — Gelecek bir hediye-i hürmet. — Fikret›.● ‹Romatizmalı bacılardan, fakrüddemli hanımlardan. — Cenap›.

fâl, A. i. 1. Fal, uğur. 2. Baht ve talihi anlamak için garip yollara baş vurma.● Fâl-i hayır, hayırlı işaret, uğur sayma;● huceste-fâl, mutlu talihi olan.● ‹Deyu lâf ü güzaf erbabı uçurup nice bed nazarlar ve kabih fâller ederlerdi. — Naima›.

fâlic, fâlice, A. i. [Felc'den] Yarı inme. Vücudun yarısını tutmaz hale getiren inme.● ‹Vücudun bir tarafına ârız olan illet-i fâlice kadar ızrar etmekte olduğu. — Kemal›.

falih, A. s. (Ha ile) Felâh bulan. İsteğine erişen.● ‹Salih ve âbid ve falih idi. — Taş.›.

falûz, falûzec, A. i. Palûze.● ‹Yevm-i nevruzda yahut mihrican'da falûzec ihda edip. — Taş.›.

-fam, F. i. 1. Renk. 2. Çeşit, örnek.● ‹Ve biri dahi Kara Sait nam pelıddir ki şakı-i kîr-fam idi. — Naima›.

● firuzefam | nilfam
gülfam | sebzfam
kebudfam | semenfam
lâ'lfam | siyehfam
minafam | zerfam

fani, faniye, A. s. [Fena'dan] 1. Sonu olan. 2. Ölümlü olan, baki olmayan. 3. Çok yaşlı. Âlem-i fani, (ölümlü olan) bu dünya;● pîr-i fani, pek yaşlı olan.● ‹Serdar doksan yaşında bir pîr-i fani ve hasta olmakla. — Naima›.● ‹Berk ü barından biz el çektik bu fâni gülşenin — Meyve-i maksut ister olsun ister olmasın. — Fasih›.

faniyyet, A. i. Fanilik. Ölümlülük.● ‹Sükûn ü hâb: ezelî ihtiyac-i faniyyet. — Fikret›.

fanus, A. i. 1. Işığı rüzgârdan koruyan cam mahfaza. 2. Şişe kapak.● «Dil şem-i ruh-i dilbere pervanedir amma — Avare-i pirahen-i fanus değildir. — Nailî».● «Benzer felek ol çember-i fanus-i hayale — Kim nakş-i temasili seri-ül-cereyandır. — Ziya Pş.».

far, fare, A. i. Sıçan.● İtilâf-i far, (gemilerde) sıçan öldürme,● semmültar, sıçan zehiri, sıçanotu.● «Ve macun-i semmül-fardan. — Nergisi».

faraza, A. zf. Tutalım ki, öyle diyelim ki...● «Cihanda devlet eder aybını âdemin mestur — Günah ederse de faraza -sevaptır derler. — Raşit».

farazî, faraziyye, A. s. 1. Farz ve takdire dayanan. 2. Gerçek ve olmuş olmayıp öyle tutulan, denilen. Fransızcadan hypothétique (varsayımlı) karşılığı olarak kullanılmıştır (XIX. yy.).

faraziye, A. i. Varsayım. İpotez (hypothèse).

faraziyyat, A. i. [Faraziye ç.] Faraziyeler.● «Nasıl denir faraziyat-i sırfaya "Fendir". — Cenap».

fârig, fariga, A. s. [Ferag'dan] 1. Boş. 2. Vazgeçmiş. 3. Rahat, dinç halde. 4. (Hu.) Üzerindeki bir hakkı başkasına bırakan.● Fârig-ul-bal, rahat,● farig-ül-hal, durumu iyi olan. (ç. Farigan, fevarig).● «Ol mikdar akçeyi getir ben tayyib-i hâtırla sadareti sana fârig olurum deyu yemin eyledi. — Naima».

fârih, fârihe, A. s. (He ile) 1. Zeki, becerikli. 2. Yarar, canlı. Güzel, yakışıklı. 4. Haris, yırtıcı.● «Yine feres-i fârihe suvar olup. — Taş.».

fârih, fariha, A. s. (Ha ile) Neşeli, sevinçli.

fârik, farika, A. s. [Fark'tan] 1. Ayıran. 2. Ayırt edilmesine neden olan, alet olan.● Alâmet-i fârika, (trade mark) karşılığı olarak (XX. yy.).● «Muharrirler memleketin mezarr ü menafiini fârık değil. — Cenap».

fâris, A. i., s. 1. Birinci süvari. 2. Usta;● Fâris-i meydan-i fesahat. (ç. Farisan, fevaris).● «Sadrazam Nasuh Paşa ki fâris-i meydan idi ciride çıkıcak. — Naima».

Faris, A. i. İran.● Bahr-i Faris, eski Basra körfezi.● «Koydu âteşkede-i Farise hâk. — Hakanî».

farisan, F. i. [Fâris ç.] 1. Biniciler. 2. Ustalar.● «Ve kırk beş nefer timarlı farisan tâyin olundu. — Raşit».

farisî, farisiyye, A. s. 1. İranla ilgili. 2. Farsça.● «Ahd-i karipte kaide-i Arabiyye ve Farisiyye üzre yapılmış izafetler. — Cenap».

Farisiyyat, A. i. İran edebiyatı.

farîza, A. i. (Dat ile) Farz olan sey. 2. Mirasçılardan her birine düşen pay. 3. Yapılması gerekli olan ödev.● Farîza-i zimmet, boyun borcu. (ç. Feraiz).

fark, ferk, A. i. 1. Ayrılık, benzememek.● Fark-i küllî, çok ayrılık. 2. Ayrıma, iyice görme. Ayrı seç.● Bilâfark, ayırt olmadan.● «Bu dakikayı idrak eden ârifler cem' ü farkın başka başka ahkâmına râm olup. — Naima».

farkad, farkadan, A. i. Kutup bölgesinde iki yıldız.● «Olsun erkânı mürettep ol saadethanenin — Kopmasın bir tası ger kopsa yerinden farkadan. — Nef'i».

farr, farre, A. s. [Firar'dan] Kaçak, kaçıcı.● Talâk-ül-farr, öleceğini kestiren bir kimsenin kadın eşini mirasına konmasın diye boşaması.

fart, A. i. Çok aşırı olma.● Fart-i muhabbet, sevgi aşırılığı;● - semane, şişmanlık aşırılığı;● - zekâ, zekâ aşırılığı.● «Ağa ise hünkârın içeri girmeyeceğini bilir, fart-i hırs ile veliyünniamı kıskanmak gayretine mağlûp olup .— Naima».

faruk, A. s. [Fark'tan] 1. Keskin. 2. Kesip bitirici, sonuca ulaştırıcı. 3. Hakkı, hak olmayandan ayıran. 4. (Ö. i.) ikinci halife Ömer'in lâkabı. Ömer-ül-faruk.● «İslâm-i Faruk-i Arap ikbal-i Perviz-i Acem. — Nef'i».

Faruki, A. s. İkinci Halife Ömer'e mensup. Onun gibi.

farz, A. i. 1. Tutma, sayma, gerçek diye bakma. 2. Esaslı şey. 3. Dinde mutlaka yapılması gereken şey.● Farz-i ayn, her müslümanın tek tek yapması gerekli farz;● - kifaye, şartları haiz olanın yapmaları gerekli, bazı kimselerin yapmalarıyla başka kimselerin de yapmış sayıldıkları farz;● - muhal, olmayacak, olması imkânsız şey;● bilfarz, tutalım ki...● «Zira Hanefiye katında farz-i kifaye ve Şafiîye katında farz-i ayndır. — Taş.».● «Farz oldu bu azmi cezm kılmak. — Fuzuli».

farzen, A. zf. Faraza. Tutalım ki.● «Bilinmiş olsa da farzen hekayik-i eşya — Kalır yine bize metbuumuz hakikatler. — Cenap».

Fas, Fes, *A. i. (Sin* ile) Fas ülkesi.● *Magrib-i Aksâ.*

fas, *A. i.* Nacak, balta.

fasahat, *A. i. (Sat, ha* ve *te* ile) Bir dilin doğru olarak, kolay ve düzgün söylenişi, yazılışı. Yabancı ve az kullanılır kelimeler bulunmaması, bağlaçlarının kurala uygun bulunması başlıca niteliklerdir.● «Kudsizâde ve Sunizade talâkat-i lisan ve fasahat-i beyan ile. — Naima».

fasahatperdaz, *F. s.* [Fasahat-perdaz] Fesahatle lakırdı söyleyen.

fasd. *A. i. (Sin* ve *dal* ile) Kan alma.● «Etıbba gelip kollarından fasd edip mualece kaydında oldular. — Naima».

fâsıl, fâsıla, *A. s.* [Fasl'dan] Ara, kesip ayırıcı. Ayıran, bölen.● *Hatt-i fâsıl,* iki ülke arasındaki sınırları belli eden belirli noktalar. (ç. Fevasıl).● «Anlar dahi müdafaa ve mukabele edip celâli bölüklerin mabeyn-i askereyni fâsıl olan nehre dek sürdüler. — Naima».

fâsıla, *A. i.* 1. Ara, aralık, açık. 2. Ayıran şey, bölme. 3. Bir aralık, virgül karşılığı olarak kullanılmıştır. 4. (Ed.) Nesirde fıkraların, nazımda mısraların sonundaki eşit harfler.● *Fâsıla-i kübra,* üç harekeli bir sakin (...-);● *fâsıla-i suğra,* iki harekeli bir sakin (..-) harfle oluşan parça.● *Fâsıla-i saltanat,* Osmanlı tarihinde Yıldırım Beyazıt'in esir düşmesinden, Çelebi Mehmet'in padişah olmasına kadar geçen zaman;● *bilâ fâsıla,* aralıksız, durmadan. (ç. Fevasıl).● «Eğilip doğrularak fâsılasız — Topluyor kut-i maişet yerden. — Fikret».

fasid, faside, *A. s.* [Fesad'dan] 1. Bozuk, bozulmuş. 2. Bozan, bozucu.● *Fasid-ül-mizac,* bünyesinde bozukluk olan;● *bey-i fasid,* (Hukuk) alım satım şartları eksik olan satım;● *daire-i faside,* (Mantık) Kısır döngü;● *fikr-i fasid,* bozucu fikir, bozuk fikir;● *itikad-i fasid,* bozuk inanç. (ç. Fasidat).● «Zikr olunan efkâr-i fasidenin vehamet-i âkıbetinden gafil bî-akl ü temyiz cahiller. — Naima».● «Meğer ilâca muhtaç faisd-ül-mizaç ola. — Kâtip Çelebi».

fasidat, *A. i.* [Fasid ç.] Bozucular, bozucu şeyler.● «Eğer leyl ü nehar amed ü şüdünde geçse mikdarın — Hayat-i kâinata fasidat eylerdi istilâ. — Nâbi».

fasih, *A. i.* Fasahatle söylenen. 2. Hatasız söz. 3. Fasahatle söylenilen.● «Ve

kimi şiir ve inşaya kadir suhandan ve mütekellim fasih-ül-lisan ve her biri bir hünerde kâmil. — Naima».

fâsih, *(Sin* ve *hı* ile) [Fesh'ten] Bozucu, vazgeçen.● «Ve ukud-i itaat ve inkıyadı fâsih olup. — Sadettin».

fâsik, *A. s.* [Fisk'ten] Günah işlemiş, kabahat yapmış.● *Fâsik-i mahrum,* günah işlemeye hazır, fakat araç bulamayan.● «Sebu-yi meyle ibrik-i vuzu bir hâktir amma — Ne hikmettir bilinmez biri salih biri fasiktir. — Nabi».● «Bekir Subaşı'nın oğlu mezbur Mehmet bir fâsik ve fâcir olup. — Naima».

fasile, *A. i.* 1. Birtakım taife. Grup. 2. (Bot.) Familya.

fasl, *A. i.* 1. Ayrılma, ayrılık. Kesme. Kesin olarak bitirme. 3. Bir kitabın bölümlerinden her biri. 4. Mevsim. 5. Tiyatro eserinin bölümlerinden her biri, perde. 6. Bir defada icra olunan musiki. 7. Çekiştirme, dedikodu.● *Fasl-i müşterek,* (Mat.) Arakesit;● *fasl-ül-hitab.* (Ed.) Başlangıç ile asıl madde arasındaki «amma ba'dün» sözü.● *Asl ü fasl,* temel, kök. (ç. Fevasıl).● «Ol göl Bursa vilâyeti ile Mihalıç ve Kirmastı ve Biga memleketleri mabeynin fast etmiştir. — Naima».

fass, *A. i. (Sat* ile) 1. Yüzük taşı. 2. (Badem gibi) yemişlerin içi. 3. Kemiğin oynak yeri.● «Hatem'in namı kalıp fass-i cihanda bînakş. — Şinasi».

fassad, *A. i.* [Fasd'dan] Kan alan cerrah, hacamatçı.● «Azar verir cane veli nef'i mukarrer — Gûya ki nasihat dilidir nişter-i fassad. — Nabi».

fassal, *A. s.* [Fasl'dan] Dedikoducu, çekiştirici.

fâş, *F. s.* 1. Meydana çıkmış, yayılmış. 2. Açığa vurma, duyurma.● «Benim padişahım bu sırrı zinhar kimseye fâş eylemeyesin dedikte. — Naima».

faşî, faşiye, *F. s. i.* Gizli şey duyulup yayılma.● «Evza-i dilhiraşı meşhud ve fâşi ve bu gûne nice etvar-i nahemvarı naşi olmuş idi. — Sadettin».● «Lûgat-i faşiyye-i meşhure olmak ile. — Taş.».

fat, *A. i.* Ölüm, ecel.

fatanet, *A. i.* Zihin açıklığı. Anlayış, çabuk kavrama.● «Lâkin kuvvet-i tabiat ve hiddet-i zekâ ve fatanetle meleke-i istihraca malik olup. — Naima».

fâtık, fatıka, *A. s. (Te* ve *kaf* ile) [Fetk'-tan] İkiye ayırarak yaran.

F.: 15

fâtın, fatıne, A. s. (Tı ile) [Fıtnat'tan] Zihni açık, uyanık.

fâtır, fatıra, A. s. (Tı ile) Yaradıcı.● Fâtır-üs-semavatü vel-arz, (gökleri ve yerleri yaratan) Tanrı.● Kudret-i fâtıra, Tanrının yaratma kudreti,● sure-i Fâtıra, Kur'an'ın 35. suresi.

fâtih, A. i. (Te ve ha ile) [Feth'ten] Fetheden. Ülke açan, alan.● Fâtih-ül-ebvab, (kısmet kapılarını açan) Tanrı. 2. (Ö. i.) İstanbul'u zapteden II. Mehmet'in lakabı. (ç. Fatihan, fevatih).● «Bir kapıyı bend ederse bin kapı eyler küşad — Hazret-i Allah efendi fâtih-ül-ebvabdır». ·

fâtiha, A. i. 1. Kur'an'ın birinci suresinin adı. (Yirmiden fazla adı vardır.) 2. Başlangıç.● Elfâtiha, fâtiha suresinin okunduğunu, bildirmek. (ç. Fevatih).● «Ruhunu tarih-i mucemdir oku — Fâtiha Osman Efendi ruhuna. — Süruri».

fatihan, F. i. [Fâtih ç.] Fethedenler, fâtihler.● Evlâd-i fatihan, Rumeliye ilk geçenlerin oğulları.● «Seferde nakl-i top hizmeti evlâd-i fatihana mahsus olmakla. — Raşit».

fâtihane, F. zf. Fâtihlere, ülke zaptetmişlere yakışır yolda.● «Mağlûpken ordu, yaslı dururken bütün vatan — · Rüyama girdi, her gece, bir fâtihane zan. — Beyatlı».

fâtik, A. s. (Te ve kef ile) Açıktan açığa öldüren.

fâtin, A. s. (Te ile) [Fitne'den] Fitneci.

·fâtir, A. s. (Te ile) [Fütur'dan] 1. Ilık, soğuyan. 2. Gevşemiş, bıkmış.● «Hâtır-i fâtıra bir sürur sirayet etti ki. — Fuzuli».

fatir, A. i. (Tı ile) Hamur halinde mayasız ekmek.

fatn, A. s. Zeki.● «Fatn-i mütegafil ola, yani hakikatte ehl-i zekâ ve fıtnat iken kendini usret-i gaflette göstere. — Taş.».

fayih, A. i. Bk.● Faih.

faysal, A. i. 1. Karar. Hüküm. Bitirme. 2. Kesmek. Sona ermek.● Faysal-pezir, sona eren.● «Haliyâ bu ahval faysal bulmak için cümlesi Karameydan'a hazır olsun deyu nida ve tembih ettirdi. — Naima».

fazahat, fadahat, A. i. (Dat ve ha ile) Rezalet, ayıp.● Fazahat-i lisaniye, ayıp sayılacak şekilde açık açık söyleme.● «Ve cemiyetin neticesi fazahate çıkıp

paşaya varan mollalar ol gün Ağakapısı'na varmadığına itizar ederken. — Naima».

fazaî, A. s. (Dat ile) Uzay ile ilgili.

fazaih, fazayih, A. i. [Faziha ç.] Rezaletler, edepsizlikler.● «Bize liyakatimiz mertebe arpalık vermeyip bu kadar fazayih eyledin deyu. — Naima».

fazail, A. i. [Fazilet ç.] Faziletler.● Fazail-i asliye, temel faziletler. (XX. yy. da vertus cardinales karşılığı olarak.).● - insaniye, insanlık faziletleri.● «Küçüklükte henüz mail-i fazaildin. — Fikret».

fazazet, A. i. (Zı ile) Kabalık, sertlik. Kötü sözlülük.● «Tabiatı bir miktar gılzet ve fazazet üzre olup. — Naima».

fâzıl, fazıla, fadıl, fadıla, A. s. (Dat ile) Fazilet sahibi, üstün, parlak. (ç. Efazıl, fuzalâ).● «Hususâ riyaziyatta Ali Kuşçu'ya müdani recül-i fâzıl idi. — Naima».● «Zannetmem ki müharrire-i fazılanın maksudu böyle bir iddia olsun. — Cenap».

fâzılât, A. i. [Fazıla ç.] Fazilet sahibi, bilgin kadınlar.● «Mihrünnisa'larımız, Nigâr'larımız, Halide Edip'lerimiz ve emsali fazılatımızla mübahiyiz. — Cenap».

fazih, faziha, A. s. 1. Rezil, rüsva, çirkin. 2. Rezilce.● «Hattâ bu lâtife-i fazihe ile ehl-i divan arasında rüsva olan efendilerin ikisi bile handenâk olup. — Naima».

faziha, A. i. 1. Rezalet. 2. Ayıp. 3. Alçaklık, edepsizlik.

fazihat, A. i. (Dat ve ha ile) Ayıp, rezalet.● «Hiyanet etmiş olup sebeb-i fazihat olur. — Taş.».

fazilet, A. i. 1. Değer. 2. Bilgi, hüner. 3 İyi ahlâk.● «Sorun fazileti tahkir eden esafilden. — Fikret».

fazl, A. i. 1. Artıklık, üstünlük. 2. Kerem. 3. Bilginlere mahsus olgunluk. 4. Olgunluk, bilgi.● «Ey çehre-i fazl ü edeb. ey çehre-i mensi. — Fikret».

fazla, A. i. 1. Artık, ziyade. 2. İri, çok. 3. Gereksiz.

fazlat, A. i. [Fazla ç.] 1. Fazlalar, fazla şeyler. 2. Dışkılar.

febiha, A. zf. «Pekâlâ, öyle olsun, imdi, bu halde» anlamında kullanılır.● «Edayi deyne müsaraat ederse febiha ve illâ yine nükûl sevdasında olursa. — Raşit».

fec, A. i. 1. Çukur. 2. Geçit.

fecaat, [Türkçede yapılmıştır]. Acıklılık.● «Bu azimette bir fecaat var. — Cenap» fecace, A. i. Meyvanın hamlığı.

fecai', fecayi, A. i. [Facia ç.] Facialar. Acıklı, dert verici şeyler.• «Bütün alâm ü fecayile geçen günlerimin. — Fikret».• «Bütün fecayi-i hissiyatını döktü. — Uşaklıgil».

fecar, A. i. Zina, fücur.

fecayi, Bk.• Fecai'.

fecere, A. i. [Facir ç.] 1. Çok günah işlemiş kimseler. 2. Kötü işler yapmış kimseler.• Kefere-i fecere, eski tarihlerin İslâmlardan gayrıları için kullandıkları söz.

feci, fecia, A. s. Acıklı, acı veren.• «Onun da matemi bir dul kadın ki en mübki — Fecialarla geçen bir hayatı nakleyler. — Fikret».• «Bana bidayeten tuhaf... sonra feci geldi. — Cenap».

fecr, A. i. Sabahın çok erken vakti, tan zamanı.• Fecr-i âti, (gelecek zamanın fceri) Ed. 1908 Meşrutiyetinden sonra, Edebiyat-i Cedide'ye benzemek isteyerek Servetifünun dergisinde toplanan yeni bir edebiyat okulu kurmak isteyen gençlerin takındıkları ad;• - kâzib, (yalancı tan) çok erkenden doğu tarafında görülen aydınlık,• salât-i fecr, sabah namazı;• süre-i fecr, Kur'an'ın 89. suresi;• tulû-i fecr, tan atması;• - şimalî, kutup bölgelerinde uzun gece yarılarında görünen çeşitli renkte ışıklar.• «Bir ibtisam-i tevekkül dudağı üstünde — Küşade eyledi bir fecr-i kâzib-i nisyan. — Cenap».• «Sen doğ bize, sen doğ ey fecr-i hakikat. — Fikret».

fecs, A. i. 1. Kibirlenme, ululanma. 2. Kötü yol açma.

fecu', A. s. İnsanı kederlendiren.

fecur, A. s. Günah ve zinaya düşkün.

fecve, A. i. Açıklılık. 2. Avlu.

feda, fida, A. i. 1. Bir şeyin yoluna gitme, kurban olma. 2. Verme, uğruna verme. 3. Gözden çıkarma, kendi yararından vazgeçme.• Feda-yi can, canını verme.• «Evet hakikati hulyaya hep feda ederim. — Fikret».

fedaî, A. s. 1. Her şeyi göze alan. 2. Canını bile esirgemeyen.• «Hasan ilerde giden bir bölük fedaînin. — Fikret».

fedaiyan, F. i. [Fedai ç.] Fedaîler.

fedakâr, F. s. Özel yararlarından geçen, onları bir uğurda gözden çıkaran. (ç. Fedakâran).

fedakâran, F. i. [Fedakâr ç.] Fedakârlar.• Fedakâran-i millet, millet uğruna kendi yararlarından geçen kimseler.

fedakârî, F. i. Fedakârlık.

Fedaviyye, A. i. Bâtınîlerin fedaî takımı. Serdengeçtiler.

feddan, A. i. 1. Bir çift saban öküzü. 2. Bir çift öküzle bir günde sürülebilen toprak. 3. (Arap ülkelerinde kullanılan) dönüm birimi (eski feddan 59,3 ar; feddan-i Mısrî 41,1 ar.).

fedm, A. s. Budala, gabi.

feemma, A. bağ. [Fe-amma] Kaldı ki, gelince.• «Ol havaliyi suhtevattan hâli kıldı feemma kendi bölükbaşları dahi ziyade istilâ edip. — Naima».

fehamet, A. i. (He ile) Anlama. Çabuk kavrama.

fehar, fehare, A. i. (Hı ile) Övünme, iftihar etme.

feharis, A. i. (He ile) [Fihris ç.] Fihristler.

fehaşe, fehaşet, A. i. Kötü olma. Haddi fazla aşma.

fehavi, [Fehva ç.] Anlamlar, kavramlar. • «Buram buram çubuğundan uçan dumanlardan — Doğar fehavi-i eş'arı, irticalîdir. — Fikret».

fehd, A. i. (Zoo.) Pars.• «Saye-i heybet-i şîranesine girse nemel — Fehd ü zi'bin görünür aynına ayn-i su'ban. — Şinasi».

fehham, fehhame, A. s. (He ile) Zeki, çabuk kavrayan.

fehhaş, fahhaş, A. s. (Ha ile) Söz veya davranışında aşırı olan.

fehîm, fehime, A. s. [Fehm'den] Anlayışlı.• «Suhan oldur ki bilâ vasıta-i tab-i selim — Ola makbul-i dil-i nadire-sencani-i fehîm. — Nef'i».

fehm, A. i. Anlayış, anlama.• «Kaziye nice olduğun bilip ocak ağalarının tasallûtunu fehm etmekle naçar hazm ü sükût eyledi. — Naima».

fehmî, fehmiyye, A. s. Anlayış, anlama ile ilgili.

fehmide, F. s. Anlaşılmış (olan).

fehüve, A. ter. (He ile). Bu ise.

fehva', A. i. 1. Anlam. 2. Kavram. 3. Özet, ruh. (ç. Fehavî).• «Bahş eyledi ehl-i acze idrâk — Fehva-yi şerif-i ma-arefnâk. — Ş. Galip».

feillâ, A. zf. Olmazsa, olmadığı halde.

fekahat, A. i. 1. Fakihlik, fıkıh bilgisinde derinlik. 2. Anlayış, kavrayış.

fekâhet, A. i. Güler yüzlü, şakacı olma.

fekar, fikar, R. i. ç. Omurga kemikleri.• Zülfikar, Bedr savaşında düşmandan alınıp Muhammet peygamberin Ali'ye verdiği kılıç.

fekeyfe, A. bağ. [Fe-keyfe] Öyleyse. Nasıl ki. Bu surette.● «Taayyün kenduye münhasır olmadıkça şöhret ile zuhurdan tahazzür ve tevellâ ederler, fekeyfe ki haddini bilmez eşhasın şöhret-i kâzibe ile vüzera ve âyana taklidi. — Naima».

fekk, A. i. 1. Ayırma, açma. 2. Kırma, koparma. 3. Kurtarma 4. (Ana.) Çene kemiği,● Fekk-i âlâ, üst çene;● - esfel, altçene.● «Yoktu rüzgâr, o gün havada bile — Kalmamıştı mecal-i fekk-i dehen — Fikret».

fekkeyn, A. i. (Alt ve üst) İki çene.

fekkî, fekkiyye, A. s. (Ana.) Çeneye mensup, çene ile ilgili.● İzam-i fekkiye,● şıryan-ı fekkî.

felâ, A. zf. O halde, o zaman,● Felâcrem, muhakkak, kuşkusuz.● «Çün tabiat-i vücut mükâfat üzerine mebnidir felâcerem su-i amel mücazatına giriftar olup intikam-i ilâhi zuhur eyledi. — Naima».

felâh, A. i. 1. Kurtuluş. 2. Mutluluk.● Hayyalelfelâh, haydin mutluluk ve kurtuluşa (ezan cümlesi).

felâhan, felâhun, F. i. Taş atma aleti, sapan.● «Bağrına taş bas falâhun gibi ol sergeşte kim — Eyleye senden hazer âşık sipihrin şişesi. — Hayalî».

felâhat, A. i. (Ha ile) Ekincilik, çiftçilik.

felâhat, F. i. Taş atmaya mahsus alet. Sapan.

felâhyab, F. s. [Felâh-yab] Felâh bulan. Kurtuluşa eren.● «Felâhyap olurum belki ben bu hikmetten. — Cenap».

felâk, A. i. 1. Tan zamanı. 2. Falaka, tomruk.● «Ayacıkların felâk-i tedibe geçirip. — Naima».

felâket, A. i. [Türkçede yapılmıştır.] Büyük dert, belâ.

felâketdide, F. s. [Türkçede yapılmıştır.] Dert görmüş, derde uğramış.

felâketgâh, F. i. [Felâket-gâh] Felâket, büyük dert ve belâ yeri.● «Bu ezel meyhanesinin ta ezel mayharesi felâketgâh-i dehrin unmadık âvaresi. — Nergisi».

felâketzede, F. s. [Türkçede yapılmıştır.] Derde uğramış.

felâketzedegân, F. i. [Felâketzede ç.] Derde uğramış kimseler.

felâsife, A. i. [Filesof ç.] Feylesoflar.● Mezahib-i felâsife, feylesofların okulları.● «Vatanlarının meshahîri, felâsifesi, vükelâsı hakkında. — Cenap».

felât, A. i. Çöl, ıssız, şenliksiz yer. (ç. Felevat).

Felatun, A. i. Eski Yunan feylesofu Eflatun.● «Reyine re'y-i Sikender demek endek tarif — Aklına akl-i Felâtun demek endek tarif — Aklına akl-i Felâtun demek edna tâbir. — Nebi».● «Ben Felâtun'u beğenmez idim evvel lâkin — Ediyor şimdi bana hande cihanın delisi. — Nevres».

felc, A. i. Vücudun bir kısmının veya bütünün kımıldamaktan kalması hastalığı, inme.● «Bir eli, bir ayağı hareketten kaldı neuzübillâh-i tealâ felc dedikleri maraz-i azîme müptelâ oldu. — Naima».

felek, A. i. 1. Gök. 2. Zaman. 3. Talih. baht. 4. Dünya. 5. Her gezegenin gök yüzündeki katı.● Felek-ül-âlâ,● felek-ül-eflâk, eski astronominin dokuz gökünden öteki felekleri içine almış olan dokuzuncu felek; sekizincisi on iki burcun bulunduğu● felek-i sâmin, yedincisi● - Zuhal (Saturn); altıncısı● - Müşteri (Jupiter);● beşincisi● - Merih (Mars); dördüncüsü● - Şems (Güneş); üçüncüsü● - Zühre (Venüs, Çobanyıldızı); ikincisi● - Utarid (Merkür); birincisi● - Kamer (Ay); aşağıdan birincidir, bu bakımdan● - esfel de denir,● nüh felek, dokuz felek. (ç. lâk).● «Felekte nur görürsem senin gözündendir. — Fikret».

felekcah, Fr. s. [Felek-cah] Felek rütbeli. Derecesi felek kadar yüksek.● «Çün geldi o şair-i felekcah — Ol şahtan oldu mazerethâh. — Ş. Galip».

felekî, felekiyye, A. s. 1. Felekle ilgili. 2. Astronomi ile uğraşan.

felekiyyat, A. i. Astronomi bilgisi.● «Fenn-i heyet ve ilm-i felekiyyata keşf-i râz eden semadan başka. — Cenap».

felekiyyun, A. i. Astronomi bilginleri.

felekseyr, F. s. [Felek-seyr] Yürüyüş ve davranışı felek gibi çabuk olan.

felekzede, F. s. [Felek-zede] Feleğin zulmüne uğramış, talihsiz.● «Ben âşık-i felekzede kûyunda hâkisar. — Hayali».● «En geri, en felekzede millet kadınlığı — Hemşire-i cehalet edendir. — Fikret».

felevat, A. i. [Felât ç.] Çöller, şenlik olmayan beyaban yerler.

felihaza, A. i. «Ve bu sebepten» demektir.

Felistin, Palestin, Filistin.

felizalik, *A. bağ.* İmdi, şunun için.

fellâh, *A. i.* [Felâhat'ten] 1. Ekinci, çiftçi. 2. Mısır çiftçisi. 3. Kara Arap. (ç. Fellâhan).● «Fellâhlar yedinde dört bin kadar himarı var idi ki. — Naima».

fels, *A. i.* 1. Akçe, para. 2. Balık pulu. (ç. Fulûs).

felsefe, *A. i.* Filozofi.● «Aşkı bendeniz felsefe-i kadîmeyc benzetirim. — Cenap».

felsefî, felsefiye, *A. s.* Felsefe ile ilgili, felsefeden sayılan, felsefece.● *Efkâr-i felsefiye,● fikr-i felsefî,* felsefe fikirleri.● «Bir lisanı en canlı kelimelerinden, dinî, ahlâkî, felsefî tâbirlerinden mahrum edecektir. — Z. Gökalp».

felsefiyat, *A. i.* Felsefe konuları, felsefe.● «Hıfz etmek ile cerbeze-i felsefiyatı — Zannetme ki oldun reh-i tahkikte âkıl. — Sami».

felsî, *A. s.* 1. Para, akçe ile ilgili. 2. Balık pulu ile ilgili. Pul pul.

felz, filz, *A. i.* [Filze ç.] Ciğer parçaları.

fem, *A. i.* Ağız.● *Gonce fem,* gonçe gibi, küçük ağızlı. (ç. Efvah).● «Ah ü hunk esnasında fem ve enflerinden hun revan olup. — Naima».

femmî, *A. s.* Ağızla ilgili.

fen, fenn, *A. i.* Akıl, tecrübe, ispatla meydana gelmiş bilim. (XX. yy.) Bir aralık *technique* karşılığı olarak kullanılmak istenmişse de tutmamıştır.● *İlm ü fen* olarak beraber kullanılırdı. Edebiyat karşıdı olarak da kullanılmıştır.● *Fenn-i harb.● - tedavi, hezarfen.* (ç. Fünun).● «Fenn-i tıbda mahir hükema ile varıp. — Naima».● «Yeniçerilerin fenn-i harbiyle hekimbaşıların fenn-i tıbbı bu mekteplere girmiş olsaydı. — Z. Gökalp».

fena', *A. i.* Yok olma. Süreksizlik.● *Dâr-i fena,● dâr-iil-fena* (fena evi) bu dünya. (Tas.) İnsanın kendinden ve bütün dünya işlerinden vazgeçip birlik denizine dalması,● *fena fillâh.● «Seni isminle sade yâd etmek — Bana ye's-i fena verir. — Fikret».

fenagâh, *F. i.* [Fena-gâh] Fânilik yeri, bu dünya.● «Fenagâh-i muvakkatten geçer her şey zevaliyle. — Cenap».

fenapezir, *F. s.* [Fena-pezir] Yok olabilir, sürekli olmayan.

fend, *F. i.* Yalan, dolan.

feneg, feng, *A. i.* 1. Tarabulus bitkisi. 2. Karsak ve postu.

fennen, *A. zf.* Fen bakımından, fenne uygun olarak.● «Ve iddialarını fennen ispata kadir olurlar. — Kemal».

fennî, fenniyye, *A. s.* Fenne ait, fen ile ilgili.● *Makale-i fenniye,● mebahis-i fenniye,● mecmua-i fenniye,* fen konularını işleyen makale, bahisler, dergi. (As.)● *Kıtaat-i fenniye,* (İstihkâm, Muhabere) fen kıtaları.

fenniyat, *A. i.* (XX. yy.). Fransızcadan *technologie* karşılığı olarak kullanılmaya başlanmıştı.

fer, *F. i.* 1. Parlaklık, aydınlık. 2. Süs.● «Gâh olsa da incilâ kamerden — Gündüzlere dönse tâb ü ferden. — Fikret».

fer', feri, *A. i.* 1. Dal, budak, kol. 2. Bir kökten ayrılan kolların her biri. 3. İkinci derecede olan. 4. Ayrıntı.● *Fer-i fiil,* ortaç (ç. Füru').● «Bediin bir fer'idir ki insicam ve suhulet sanatlarına riayetle hâsıl olur. — Kemal».

ferace, *A. i.* 1. Yabanlık bol cübbe. Sarıklıların giydiği hafif üstlük. 2. Kadınların dışarı çıktıkları zaman giydikleri üstlük.● «Devlet-i Aliye murahhasları sof feraceler ve ruzmerre destarları — Raşit».● «Sabiha Hanım feracesini çıkarmadan yukarıya çıkınca. — Uşaklıgil».

feradis, *A. i.* [Firdevs ç.] 1. Bahçeler. 2. Cennetler.● *Feradis-i cennet,* cennet bahçeleri.

ferag, *A. i.* 1. Vazgeçme, çekilip bırakma. 2. Hiç bir şeyle uğraşmayıp rahat etme, dinlenme. 3. Rahatlık. 4. (Huk.) Üstüne çevirme. Başkasına satılan bir yerin kaydedilmesi.● *Ferag-i bal,* yürek rahatlığı;● *- hâtır,* zihin rahatlığı;● *günc-i ferag, kûşe-i ferag,* rahatlık, dinlenme köşesi.● *Ferag ü intikal,* alım satımda tapu muamelesi.● «Nemçe her veçhile mağlûp iken muharebeden feraga sebep İstanbul'dan vârid olan evamir-i naberca olduğunu. — Naima».

feragat, *A. i.* 1. Vazgeçme. 2. Tokgözlülük gösterme. 3. Rahatlık, dinçlik. 4. Dâva açtıktan sonra dâvacının hakkından vazgeçmesi.● «Üsküdar'dan berisini Osmanlıya feragat ettirmek vardır. — Naima».

ferah, *F. s.* (Elif ve hı ile) 1. Bol, geniş. 2. Neşeli, açık. 3. Gönül şenlendiren. 4. Çok.● *Hesab-i ferah,* geniş tutulan hesap.● «Olur mu âdeme hulya gibi hesab-i ferah. — Ş. Galip».

ferah, A. i. (Ha ile) Sevinme, iç açıklığı.•
«Bu en ferahlı günümdür; ne söylerim,
ne yazar. — Fikret».

ferah, A. i. Piliç veya kuş yavrusu.

ferahan, A. zf. Sevinç ile sevinerek.

ferah astîn, F. s. Cömert, vergili.

ferahaver, F. s. [Ferah-âver] Ferah geti-
rici, sevindirici.

ferahbahş, F. s. [Ferah-bahş] İç açıcı.

ferah dehen, F. s. Boşboğaz, geveze.

ferah dest, F. s. Cömert, zengin, malı çok.

ferahefza, ferahfeza, F. s. [Ferah-efza]
Ferah artırıcı.

ferahem, F. i. (He ile) 1. Toplanma, birik-
me. 2. Topluluk, bir arada olma. 3. Bol-
luk, çokluk.• «Kıldı seni hiçten bir
âdem — Esbab-i tena'umun ferahem.
— Fuzulî».

ferahî, F. i. (Hı ile) Bolluk, genişlik. Be-
reket, ucuzluk.

ferahîz, F. i. Çocuk veya sarhoş gibi sal-
lana sallana yürüme.

ferah kâm, F. s. Zengin olan, itibarlı olan.

ferahnâk, F. s. 1. Sevinçli. 2. Musiki ma-
kamlarından biri.• «Canıma işledi bu
ferahnâk hava. — Şinasi».

ferahor, F. i. Yaraşık, yakışık.• «Herke-
sin ferahor-i istidadına göre. — Ra-
gıp Pş.».

ferahrev, F. s. [Ferah-rev] 1. Acele yürü-
yen .2. Aşırılıkla davranan. 3. İsrafçı.

ferahru, F. s. [Ferah-rû] Güler yüzlü.

ferahsal, F. s. [Ferah-sal] Bereketli yıl.

feraid, A. i. [Feride ç.] Tek bulunan in-
ciler.• «Feraid-i ibarat-i müstaarât. —
Veysi».

feraine, A. i. [Firavun ç.] Firavunlar.•
«Zeban-i siyasetgâh-i feraine-i zulüm-
pîşenin evtar-i çenk-kamet olan a'sab ü
urukum. — Veysi».• «Ehl-i Mısır'ın
sefalet-i meşhuresi hazain-ı Feraine-
nin en dolgun zamanına tesadüf etti. —
Cenap».

feraiş, A. i. [Feriş ç.] 1. Odalık olan ca-
riyeler. 2. Yataklar.• «Deva-yi atıfet
erdi ahar Eyyub'e — Feraiş-i nicre kal-
mışidi bunca yıl bimar. — Ziya Pş.».

feraiz, A. i. [Farize ç.] 1. Farizeler. 2.
(İlm-i feraiz'den) Din bakımından mi-
ras, mirasçılar ve miras paylaşma ko-
nusu olan bilim.• Feraiz-i diniye, di-
nin farzları, Müslümanların Tanrı buy-
ruğu ile yapma zorunda bulundukları
işler;• ashab-i feraiz, mirasçılar.• «İki
nesne vardır ki anda bize galibsin ve
biz sana anlarda münazaa etmeziz. Bi-
ri Kur'anı ve biri feraiz'dir. — Taş.».

ferak, ferk, A. i. Baş. Başın tepe kısmı.

feramin, (Farsça ferman kelimesinin böyle
Arapça çoğul hale konması yanlış sa-
yıldığı halde kullanılmıştır.). Ferman-
lar.

feramuş, F. i. Unutma, hatırdan çıkarma.•
«Şevkınden o rütbe oldu medhuş. —
Arş eyledi sahibin feramuş. — Ş. Ga-
lip».

feramuşî, F. i. Unutma. Hatırından çıkar-
ma.• «Zihiy nisyan ü feramuşî zihiy
hakkımızda hamuşî. — Veysi».

feracîc, A. i. [Ferruc ç.] Piliçler.

feraset, A. i. [Feres'ten] Atçılık. Ata bi-
nicilik.

feraset, firaset, A. i. Hemen anlama, ça-
buk kavrama.• «Senelerce ülfet ve me-
lekeden mütevellit bir ferasetle. —
Uşakligil».

ferasih, A. i. [Fersah ç.] Ferashlar.• «Me-
salik ve emsarın ferasih ve emyal ci-
hetinden kemiyyet ve mikdarı. — Taş.».

feraşe, A. i. 1. (Zoo.) Kelebek, pervane. 2.
Kâbe hizmeti.

feraşet, A. i. Kâbe ve peygamber türbesi
hademeliği, orayı süpürme işi ve sıfatı.
Eskiden bu iş beratla insanlara verilir,
onlar da her yıl oraya para ile birer
vekil gönderirlerdi.• Feraşet-i şerife
vekili, padişahın bu iş için olan vekili
olup ötekilerin başı olurdu.

feraz, firaz, A. i. Bk.• Firaz.

ferazende, F. s. Yükseltici, kaldırıcı.

ferazî, F. i. Yükseklik. Ululuk.

ferbeh, ferbih, F. s. (He ile) Etli, yağlı
semiz.• «Gâvlar ferbeh ve semin. —
Silvan».

ferbehi, ferbihi, F. i. Etlilik, yağlılık. Se-
mizlik.

ferbiyuniyye, A. i. (Bot.) Sütlüğengiller.
Eupharbiacées karşılığı (XIX. yy.).

ferc, A. i. Kadın cinslik âleti.• «Ya Rab
sen bilirsin ki ben kat'a bir ferc-i ha-
rama vaty etmedim. — Taş.».

fercam, F. i. Son, sonuç.• Bedfercam, so-
nu iyi olmayan;• nafercam, faydasız,
yaramaz, uğursuz.• «Ve bu hengâm-i
meymenet-fercamda mekadîr-i ehl-i
daniş. — Raşit».

fercamgâh, F. i. Mezar.

ferce, A. i. Gamsızlık, rahatlık.

ferd, A. i. 1. Bir bütünün her teki. 2. Tek.
Çift olmayan. 3. Eşi bulunmayan. 4.
İnsanların her biri. 5. (Ed.) Mısraları
birbiriyle kafiyeli olmayan tek beyit.
(ç. Efrad).• Ferd-i âferide, hiç kimse;•
ferd-ül-ferd, ikiye bölünmeyen sayı;•

cevher-i ferd, (eski fizikte) varlığın temeli, bölünmez en küçük cisim, molekül;• cüz-i ferd, atom;• receb-ül-ferd Arabî aylardan recep ayı.• «Bildim k' hakîm-i ferd sensin — Dânâ-yi cemî-' derd sensin. — Fuzulî».• «Cevher-i ferd âdemin. kânındadır. — Nesimî».• «Padişahım size müteallik bir sözüm vardır rica ederim ki nüdemadan bir ferd kalmaya ve vâkıf olmaya. — Naima».

ferda, F. i. 1. Yarın. 2. Gelecek zaman. 3. (Mec.) Kıyamet.• «Andan istidlâl mümkün rahat-i ferdayı kim — Kimse vermez kimseye rah-i ademde növbetin. — Nabi».• «Ademe lâyık mı ferdayı feramuş eylemek. — Sünbülzade».

ferdaniyyet, A. i. 1. Teklik. 2. Yalnızlık. 3. Fransızca individualisme (bireycilik) karşılığı olarak (XX. yy.).• «Vâhidsin süradikat-i lem-yezelide ferdaniyyetle, mevsuf. — Sinan Pş.».

ferden, A. zf. Tek olarak.• Ferden ferda, tek tek.• «Birer aşr-i şerif alâtarik-ül-cem' veyahut ferden kıraat ettirip. — Naima».

ferdî, ferdiyye, A. s. 1. Fertle ilgili. 2. Tek şey.

ferdiyyat, A. i. Tek söylenmiş mısra veya beyitler tümü.

ferdiyyet, A. i. 1. Birlik, teklik. 2. Fransızca individualité (bireylik) karşılığı olarak (XX. yy.).• «Genc-i pinhan gibi ta evvelden — Zatı ferdiyyet ile kaim iken. — Hakani».

ferec, A. i. Acı ve kederden sonra gelen sevinç.• «Vakta ki hab-i şuruta vâsıl oldu ferec ve halâs olup ıtlak olundu. — Taş.».• «Bu müzayakadan ferec ve halâsımız min haysi lâyuhtesep mümkündür. — Silvan».

feres, A. i. At.• Islâh-i nesl-i feres, at cinsini ıslah (XX. yy.).• «Vefatından sonra feresi asla alef yemeyip. — Taş.».

fergâh, F. i. Birinin hazır olduğu yer.

ferha, A. i. Bk.• Ferhad.

ferhad, F. s. (Hı ile) Yenen, üstün olan, bir yeri ele geçiren.

Ferhad, A. i. Ferhat ile Şirin hikâyesinin erkek kahramanı. Sevgilisi uğruna dağları devirmekle ün almıştır.• «Ömrün geçirip kûh-i belâda dil-i şeyda — Berhemzen-i Ferhad olayım der. — Ruhi».

ferhal, F. s. Düz, uzun saç.

ferhan, A. s. Sevinçli.• «Kendi de dilküşade vü ferhan. — Recaizade».

Ferhar, F. i. Uzak doğuda bir şehir adı.• «Hasılı esnamdan pâk ettiler Ferhar'ımı — Aldı bir Şah-i cihan gönlüm ile esrarımı. — Hayali».

ferhat, A. i. [Ferah'tan] Rahatlık.• «Müstevcib-i sürur ve ferhat olmakla. — Ragıp Pş.».

ferheng, ferhenk, F. i. 1. Bilgi.• Baferhenk, bilgili. 2. Sözlük.• «Ki ey hulâsa-i mevcud-i sahib-i ferheng. — Hayali».• «Ol serheng-i baferheng dahi. — Sadettin».

ferhunde, F. s. Uğurlu, kutlu.• «Bir böyle dem-i hurrem ü ferhunde hususa. — Nef'i».

ferhundefal, F. s. [Ferhunde-fal] Talihi uğurlu, kutlu.• «Ya Rab olur mu ol dem-i dilsuz kim beni — Ol ravzanın saadeti ferhundefal eder. — Nailî».

ferhundegî, F. i. Uğurluluk, mutluluk.

ferhundepâ, F. s. [Ferhunde-pâ] Ayağı uğurlu.

feri, fer', Bk.• Fer'.

fer'î, A. s. 1. Kökten olmayan, dallara, kollara ait olan. 2. İkinci derecede olan.

ferid, feride, A. s. [Ferd'den] Tek, eşi olmayan.• Ferid-i asr,• - dehr,• - rüzgâr,• - zaman, zamanında eşi bulunmayan, tek;• ferid-üd-dehr, aynı anlamdadır.• «Hakka ki padişah-i cihan silâhşorlukta ferid idi. — Naima».

feride, A. i. Benzeri bulunmayan veya pek az bulunan.

ferih, feriha, A. s. Sevinçli.• «Seninçündür ferihin lâhn-i şevki — Seninçündür garibin ah ü vahı. — Recaizade».

ferik, A. i. 1. İnsan kalabalığı. 2. Büyük bölük. 2. Fırka (tümen) komutanı. Korgeneral.• «Her bir fırkanın bir türlü mezhebi ve bir türlü meşrebi vardır ki ferik-i ahare ol muhalif görünür. — Kâtip Çelebi».• «Ol ferik-i izzet-refikten istimdad. — Sadettin».

ferikan, A. i. [Ferik ç.] Korgeneraller.

ferikayn, A. i. İki taraf, iki fırka.• Tekabül-i ferikayn, iki düşman tarafın karşılaşması.• «Ol gün tekabül-i ferikayn vuku bulup. — Naima».• «Velhasıl tevfik-i hilâf-i ferikayn için. — Naima».

ferise, A. i. Avlanan hayvan.

feriş, A. i. Odalık olan cariye. (ç. Ferais).

ferişteh, firişte, F. i. Melek. (ç. Ferişte-gân).

ferk, farak, A. i. (Kaf ile) Baş. Başın tepe kısmı. Baş üstü.• «Sancak o reng-i âl

ile fecr-i ezel gibi — Ferk-i mehabe-
tinde saçar mevce mevce ferr. — Fik-
ret».

ferk, *A. i. (Ke* ile) Bir nesneyi el ile sür-
tüp oğma.

ferkad, Bk.● *Farkad.*

-fermâ, *F. s.* «Buyuran, hükmeden» anla-
mıyle kelimelere katılır.● *Gıbtaferma,●*
hükümferma,● *fermanferma* (Bk.).

ferman, *F. i.* Buyruk.● *Ferman-i ilâhî.*
Tanrı buyruğu;● - *padişahî,* padişah
buyruğu.● *Emr ü ferman hazret-i men*
lehülemrindir, (emir ve ferman, emir
sahibi kimsenindir, anlamında) vezir ve
müşürlere yazılan yazıların sonunda
yazılırdı. (ç. Feramin).● «Serdar Mu-
rat Paşaya lûhuk ferman oldukta. —
Naima».

fermanber, *F. s.* [Ferman-ber] Verilen
emri yapan.● «Ve hanın hizmetinde ol-
mak üzere inkıyad ve fermanberliği
kabul ettiler. — Naima».

fermanberdar, *F. s.* [Ferman-berdar] Em-
re uyan. Emri yerine getiren.● «Bab-i
Hümayun'dan içeri olan avluya dolup
fermanberdarlıkların ilâm ettiler. —
Naima».

fermandih, *F. s.* [Ferman-dih] Emir ve-
ren, buyuran.● «Muhabbet husrev-i
fermanidh-i şan ü geda ancak — Mü-
sehhar cümle âlem aşka bir sırr-i Huda
ancak. — Baki».

fermandihî, *F. i. s.* 1. Padişahlık. Âmirlik.
2. Padişahlıkla ilgili.

fermanferma, *F. s.* [Ferman-ferma] Bu-
yuruğu geçen, hüküm eden.● «Ve üç
sene sekiz az fermanferma-yi tahtgâh-i
câh-i celâl olduklarından sonra. — Ra-
şit».

fermangüzar, *F. s.* [Ferman-güzar] Buyu-
yurucu, ferman edici.

fermanrev, *F. s.* [Ferman-rev] 1. Emir
buyurucu. 2. Emrin hüküm sürdüğü
yer, ülke.

fermanreva, *F. s.* [Ferman-reva] Emri
yürüyen, hükmü geçer olan.● «Ferman-
reva-yi İran ü Turan olmayı bu bâd-i
naçizden bilesiz deyu yazdı. — Veysi».

fermayiş, *F. i.* 1. Buyurma, emir verme. 2.
Ismarlama, sipariş.● «O yılankavi fer-
mayişi dün ben aldım — Taze sammur
için etrafa haberler saldım. — Vâsıf».

fermude, *F. i.* 1. Buyruk. 2. Emir, irade,
ferman.● «Ber-mucib-i fermude-i sa-
hib-i şer'-i hakikî. — Veysi».

ferr, Bk.● *Fer.*

ferr, *A. i.* Kaçma. Geri çekilme.

ferraş, *A. i.* [Ferş'ten] 1. Hizmet gören.
2. (Yatak, kilim) seren, süpüren.● «Yi-
ne ferraş-i saba sahn-i ribat-i çmene.
— Bakî».

ferraşî, *A. i.* Kâbe süpürücülüğü işi.

ferruc, *A. i.* Piliç. (ç. Feraric).● «Ehl-i
beyt anın için bir ferruc tabh eylemiş-
ler. — Taş.».

ferruh, *F. s. (Hı* ile) Uğurlu, kutlu, mut-
lu.● «Sefer mübarek ola ey vezir-i fer-
ruhdem. — Nef'î».

ferruhfal, *F. s.* Talihi uğurlu, açık.● «Ge-
çen sene hakikaten hümayun ve fer-
ruhfal bir sene. — Cenap».

ferruhi, *F. i.* Uğurluluk. Uğur.

ferruhsiyer, *F. s.* [Ferruh-siyer] Huyu,
ahlâkı uğurlu olan.

ferruhzad, *F. s.* [Ferruh-zad] Doğumu
uğurlu olan.

-fersa, *F. s.* «Eskitici, yıpratıcı, aşındıran,
yoran, tüketen» anlamıyla sözcüklere
katılır.● *Canfersa,●* *hiredfersa,●* *ta-*
hammülfersa,● *takatfersa* (Bk.).●
«Harb ü şecaatte dahi manend-i şîr-i
adufersa ve dilir idi. — Naima».

fersah, *A. i.* Dört saatlik (12000 adımlık)
yol.

fersenk, *F. i.* Fersah.● «Anın beyanından
bu'du nice fersenk olup. — Taş.».

fersude, *F. s.* Eskimiş, aşınmış, yıpran-
mış, örselenmiş, (ç. Fersudegân).● «Yı-
kık duvarlar, fersude binalar, mülevves
sokaklar. — Uşaklıgil».

fersudegî, *F. i.* Eskilik. Yıpranma.

ferş, *A. i.* 1. Döşeme. 2. Yayma, yayılma.
3. Döşek, halı, seccade. Yaygı. 4. Yer-
yüzü.● *Arş ü ferş,* yer ile gök.● «Ger-
dunda ne sakfın gibi bir beyt ola ma-
mur — Cennette ne feşrin gibi bir arş
ola âlâ. — Ahmet Pş.».● «Zemine ferş
ederek bir setire-i asfar. — Cenap».

fertut, fertute, *F. s.* 1. Eski. 2. Pek yaşlı.
Bunak.● «Yanımızda olan bişümar kâr-
güzar dilâverler ile ol koca fertutu
bertaraf eyleyip. — Naima».

fertuti, *F. i.* Bunama, ihtiyarlama.

feruh, *A. s.* Gamsız, kedersiz, neşeli.

ferve, *A. i.* 1. Kürk. 2. Hayvanların de-
ğerli postu.● *Ferve-i beyza,* beyaz kürk
(şeyhülislâmlar giyerdi).● «Damen-i
ferve-i mülûkâneye rûymâl eyledikle-
rinden. — Raşit».

ferver, ferverdin, *F. i.* 1. Mecusilerin melâikesi. 2. Baharın ilk ayı.● «Bağa reşk etse reva ravza-i firdevs-i berin — Ol kadar ziynet ü fer verdi yine ferverdin. — Bakî».

feryad, *F. i.* 1. Bağırma. 2. Ses. 3. Yaygara. 4. Yardıma çağırma. 5. Sızlanma.● «Bu mahalde taife-i mahude defaten feryat edip. — Naima».

feryadbahşa, *F. s.* [Feryad-bahşa] Feryat ettirici.● «Fakat, Allah için kes nevha-i feryadbahşını — Bırak sakin hayalâtımla ben hâtırperişanı. — Fikret».

feryadhân, *F. s.* [Feryad-hân] Yardım isteyen, yardım için bağıran.

feryadkâr, *F. s.* [Feryad-kâr] Feryat eden, bağıran, haykıran.● «Şu şi'r-i feryadkârın mebhut-i hüznü olmuş. — Uşaklıgil».

feryadres, *F. s.* [Feryad-res] Yardıma yetişen, yardımcı.

ferz, *F. i.* Satranç oyununda vezir sayılan taş.

ferzane, *F. s.* 1. Bilgin. 2. Benzerlerinden farklı. (ç. Ferzanegân).● «Nat-i zeminde oldum ferzanesi cihanın — Ferzin olur oyunda süre süre piyade — Hayali».● «Darüşşifa-yi hacle-i vaslın hayal edip — Ferzangânı eyledi aşkın kızıl deli. — Beliğ».

ferzanegî, *F. i.* 1. Bilgi. 2. Üstünlük.● «Rahırani-i mızmar-i iftihar-i ferzanegî ve. — Veysi».

ferzend, *F. i.* Oğul, çocuk. (ç. Ferzandan).● «Bir maderi öldürür içinden — Ferzendine zahm açan bir âfet. — Cenap».● «Sultan Ahmet Han merhumun Sultan Süleyman'ı. — Naima».

ferzendane, *F. zf.* Oğula, çocuğa yakışır yolda.● «Bu sözün isabetini bir kere de zat-i ferzendaneniz ispat etmiş oldunuz. — Cenap».

Fes, *A. i.* Fas ülkesi.● «Zülf ü külâhı verdi halel magrib ü Fes'e. — Nedim».

fe's, *A i* (*Hemze* ve *sin* ile) İki yüzlü balta.● «Serbendizade Küçük Çelebi fe's-i lisanla kesr-i ağraza meşgul olup. — Naima».

fesad, *A. i.* 1. Bozukluk. 2. Karışıklık. 3. Çürüme, çürüklük.● *Fesad-i dimağ,* delilik, (Mec.) delice düşünce;● - *mide,* mide bozukluğu;● *kevn ü fesat,* yaratıkların var olup yok olması;● *âlem-i kevn ü fesat,* (var olup yok olma dünyası) bu dünya;● *erbab-i fesat,* eşkıya. (ç. Fesadat).● «Emval-i sultaniyeye dest-i tasarruf vurup cem-i eşkıya ve gasb ü fesada meşgul oldukta. — Naima».

fesadamiz, *F. s.* [Fesad-amiz] Fesada düşüren, karıştıran. Kargaşa çıkaran.

fesadat, *A. i.* [Fesad ç.] Fesatlar.● «Pes Çomar'ın bazı fesadatı Anadolu'da şuyu bulmuş idi. — Naima».

fesadengiz, *F. s.* [Fesad-engiz] Fesat koparan, karışıklığa yol açan.

fesan, *F. i.* (*Sin* ile) 1. Bileği taşı;● *seng-i fesan-i füsun.*● «Pâre-i elmastır seng-i fesani n'eyler ol — Çerha çekme bir dahi şemşir-i valâ gevheri. — Nef'i».

fesane, *F. i.* Efsane. Masal. Hikâye.● «Fâş oldu çü âleme fesanem — Tedbirime düştü atam anem. — Fuzulî».

fesanesenc, *F. s.* [Fesane-senc] Hikâye, masal tartıcı, işin gerçeğini ayırt edici.● «Gûşzed-i fesanesenc olmuş. — Nergisi».

fesay, *F. s.* Büyücülük yapan.

fesede, *A. i.* [Fâsid ç.] 1. Kalplar, sahteler. 2. Fesatçılar, bozucular.

feseka, *A. i.* [Fasık ç.] Günah işleyenler.● «Paymal-i huyul u cimal-i feseka vü fecere olduğundan maada. — Veysi».

fesanzede, *F. s.* [Fesan-zede] Bilenmiş. Bileği taşına vurulmuş.● «Eder rakiple mecliste yad yârimizi — Eder fesanzede şimşir-i inkisarımızı. — Nabi».

fesh, *A. i.* 1. Bozma. 2. Kaldırma. 3. Hükümsüz bırakma. 4. Yürürlükten çıkarma. 5. Bir mahkeme hükmünün üst bir mahkeme tarafından bozulması.● *Fesh-i nikâh,* (eski) Kadının boşanmak istemesi.

fesih, fesiha, *A. s.* (*Sin* ve *ha* ile) [Füshat'ten] Geniş, açık.

fesl, *A. i.* Nakes, alçak kimse.

fesu, *A. i.* Düğümlü sözü açma.

feşafeş, *F. i.* 1. Okun havada çıkardığı ses. 2. Hışıltı.

feşafeşkâr, *F. s.* [Feşafeş-kâr] Hışırtılı.● «Bir terennüm-i feşafeşkâr ile geçerek. — Uşaklıgil».

-feşan, *F. s.* «Efşan» kısaltılmışı. «Saçan, saçıcı» anlamıyla sözcüklere katılır.● *Hunfeşan,*● *ziyafeşan* (Bk.).

feşar, *F. s.* Sıkıcı, sıkan.● «K'eder engûru şire şireyi sahba feşar âhir. — Talip».

feşfeşe, *F. i.* Hışırtı, hışıltı.● «Bir feşfeşe-i hafiye ile esrar-i leyali taşımaya hazırlanan suların üstünde. — Uşaklıgil».

feşiy, feşy, *A. i.* Duyulup halk arasında yayılma.

feta, *A. i. (Te* ile) 1. Delikanlı, genç. 2. Yiğit. 3. Cömert.• *Lâ feta illâ Ali,* Ali'den başka yiğit yoktur.• «Benzer revişin Hayder'e bir şanlı fetasın. — Naci».

fetail, *A. i.* [Fetile ç.] Fitiller.

fetava, *A. i.* [Fetva ç.] Fetvalar.• «Sirkat-i şi'r edene kat-i zeban lâzımdır — Böyledir şer-i belâgatte fetava-yi suhan. — Sümbülzade».

feterat, *A. i.* [Fetret ç.] Karışık zamanlar.• «Evkat-i feteratta daire-i edepten tecavüz edip. — Sadettin».

feteyan, *A. i.* Bk.• *Fityan.*

feth, *A. i. (Te* ve *ha* ile) 1. Açma. 2. Başlama. 3. Ele geçirme, zaptetme. 4. (Ar. gra.) Harfin *e* (üstün) okunması.• *Feth-i bab,* kapı açma;• - *kelâm,* söze başlama,• - *meyt,* otopsi;• *Ebülfeth,* (fâtihler babası) II. Mehmet'in lakabı;• *sure-i feth,* Kur'an'ın 48. suresi;• *yevm-el-feth,* Mekke'nin zaptedildiği gün. 2. Mahşer günü.• «Feth-i Bağdat'tan beri memalik ve menasıp tasarruf edip vardığı vilâyetlere nizam vermiş müdebbir kulunuzdur. — Naima».• «Hemen kaymakam paşa feth-i kelâm edip. — Raşit».

fetha, *A. i.* 1. Arap abecesinde harfleri *a, e*. okutan işaret.• *Fetha-i hafife* «e» okutanlar;• - *sakıle,* «a» okutanlar. 2. Dilek.

feth', fethiyye, *A. s.* Fetih ile ilgili.

fetihname, *F. i.* [Feth-name] Savaş üsman yurda haber vermek için gönderilen ilân fermanı.• «Ve etraf ve eknaf-i ekalime hükümet eden selâtin-i zevi-l-ihtirama fetihnameler yazıldı. — Selâniki».

fetil, fetile, *A. i.* 1. Fitil. 2. Örgü, bükme.• *Fetile-i hacer,* dağ keteni;• - *giysu,* saç örgüsü.• «Dag-i derun-i a'daya fetile-i zehre-şikaf-i nekbet eylediler. — Kemal».

fetilesuz, *F. s.* [Fetile-suz] Fitil ateş alma, yanma.• «Fetilsuz olalı aşk oldu çerag-i dile — Şirar-i berk-i cünun tâb verdi dag-i dile. — Nevres».

fetk, *A. i. (Kaf* ile) 1. Sökme. 2. Yarma, yarılma.• *Retk ü fetk-i umur,* genel işlerin görülmesi.• «Hâlâ ağalık merkezlerinde istiklâl ile sahib-i fetk ü retk vezir ve müftü ve sair âyanın ekseri ona müntemi. — Naima».

fetk, *A. i. (Kef* ile) Zamanını gözeterek ansızın, açıktan adam öldürme.

fetret, fitret, *A. i. (Te* ile) 1. İki peygamber arasında geçen zaman. 2. Bir hükümetin zayıflığı zamanı.• «Ve mukaddema fetret eyyamında alınan esirleri kıral teftiş edip göndere. — Naima».

fetş, *A. i.* Bir hususu sorup araştırma.

fettah, *A. s.* [Feth'ten] 1. Kapılar açan, açıcı. 2. Kapalı, karışık işleri çözen (Tanrı).

fettak, *A. s. (Te* ve *kef* ile) [Fetk'ten] Çok kimse öldürmüş (adam). Kanlı.• «Katlini ferman edip Kayış Mehmet nam fettak-i ruzgâr ile gönderdi. — Naima».

fettan, *A. s.* [Fitne'den] 1. Fitne koparıcı. kurnaz, karıştırıcı. 2. Gönül alıcı.• *Çeşm-i fettan,• gamze-i fettan.• «*Bundan sonra fettan mütecasirler başların hırkaya çekip. — Naima».

fettaş, *A. s.* [Fetş'ten] Araştırıcı, soruşturucu.

fetva, *A. i.* Bir mesele ve dâva için şeriatın ne dediğini anlatmak üzere müftü tarafından ad söylenmeden (Zeyd. Amr diyerek) yazılan karşılık. Müftü hükümü.• *Bab-i fetva,• daire-i fetva.* Şeyhülislâm kapısı denilen daire.• «Fetva ettirilse asker-i İslâm zayıf iken bir kavi asker yakın olup gelmese görün ne derler. — Naima».• «Bab-i Fetva zi-i nisvanımıza niçin müdahale ediyor? — Cenap».

fetvahane, *F. i.* [Fetva-hane] Şeyhülislâm dairesinde fetva işleriyle uğraşan daire.

fetvapenah, *F. s.* [Fetva-penah] Şeyhülislâm.• «Cenab-i fetvapenaha eziyet ve izdıra etmeğin. — Naima».

fetvapenahî, *F. i.* Şeyhülislâmlık.• «Tesettür-i nisvana ait beyanname-i fetvapenahiye karşı. — Cenap».

fevahîr, *A. i.* [Fahire ç.] Övünülecek şeyler.

fevahiş, *A. i.* [Fahişe ç.] Fahiş şeyler. 2. Orospular.• «Yeni Odalarda risk eder ler ve meclislerine fevahiş getirirler. — Peçoylu».

fevaid, *A. i.* [Faide ç.] Faydalar.• «Ve isr-i şerifine iktifada fevaid-i azime vardır ki. — Naima».

fevaih, fevayih, [Faiha, fayiha ç.] Çiçeklerin ve yemişlerin kokuları.

fevak, *A. i. (Kaf* ile) Üstünlük.

fevakih, *A. i. (Kef* ile) [Fakihe ç.] Yemişler.• «Metalarını hâkpâyine nisar ederlerdi gerek fevakih ve helva ve aş. — Taş».● «Seni taşlamasın dersen fevakih — Bu dem var iş ü nuş et olma valih. — Beliğ».

fevari', A. i. ç. Dağ tepeleri.

fevarid, A. i. ç. Seçme atlar, erkek develer.

fevarig, A. i. [Fârig ç.] Boşta olanlar. İşsizler, gamsızlar.

fevaris, A. i. [Faris ç.] Farisler, biniciler.

fevasıl, A. i. (Sat ile) [Fasıl ç.] Fâsılalar. aralar.● «Araziyi temyiz ü tefrik ve vaz-i alâim ü fevasıl için. — Raşit».

fevaşi, A. i. Yabanî otlayan hayvan sürüsü.

fevat, A. i. Ölüm.● «Ve ekseriya memul hasma fevat gösterirler. — Raşit».

fevatih, A. i. [Fatiha ç.] Fatihalar.

fevayih, Bk.● Fevaih.

fevazıl, A. i. (Dat ile) [Fazl ve fazıla ç.] Fazıllar.

fevc, A. i. Bölük, insan kalabalığı.● «Her taraftan leşker-i zafer eser fevc fevc gelip. — Naima».

fevcafevc, F. s. [Fevc-a-fevc] Akın akın.● «Çiçekler, kuşlar etrafında fevcafevc ü rengârenk. — Fikret».

fevehan, A. i. (Ha ile) [Fevha ç.] 1. Kokular, kokup yayımla. 2. Kan akma.

fevehat, A. i. [Fevha ç.] Kokular.

feveran, A. i. 1. Kaynaşıp fışkırma. 2. Coşma, kabarma. 3. Fırlama.● Feveran-i ab, suyun fışkırması;● - gazap, kızgınlığın patlak vermesi;● - zaman, zamanın taşkınlığı.● «Derun-i havzda istisna' olunan ejder ağzından fevvarevâr feveran ettiğinden gayrı. — Raşit».

fevh, fevha, A. i. Koku.

fevk, A. zf. Üst.● Mafevk, üst, âmir.● «Bir levha-i muhabbet bu ki fevkinde hayalin. — Fikret».

fevkalâde, A. s. [Fevk-el-ade] Olağanın dışında, olağanüstü.● «Başka bir cihanın başka bir tarzda yaradılmış bir mahlûkuna mahsus fevkalâdeliğinde. — Uşaklıgil».

fevkalârz, A. s. [Fevk-el-arz] Bu dünya üstünde. Göklere mahsus.● «Bu sesin tesiri fevkalârz bir şey oldu. — Uşaklıgil».

fevkalbeşer, A. s. [Fevk-el-beşer] İnsanüstü.● «O vakit bir hamel-i fevkalbeşerle. — Uşaklıgil».

fevkalgaye, A. s. [Fevk-el-gaye] Gayenin üstünde; hiç umulmadık, umulanın üstünde.

fevkalhad, A. s. [Fevk-el-hadd] Haddin üstünde, hadden dışarı, pek aşırı.● «Ve Beç mukabelesine gelip etrafın urdular fevkalhad ganaim alıp. — Naima».

fevkalmemul, A. s. [Fevk-el-memul] Umulanın üstünde, umulandan ziyade.● «Tehevvür-i Bahayi hudus edip fevkalmemulü iken müftü oldu. — Naima».

fevkalmutad, A. s. [Fevk-al-mutad] Her zamankinden başka.● «Fevkalmutad meşhudumuz olan her kuvvet. — Kemal».

fevkanî, fevkaniye, A. s. 1. Üst katı olan. Üstteki. 2. (Arap yazısında) Üstte noktası olan harf.● «Sınıfın bir türlü derecat-i fevkaniyesine hasr-i heves etmemişlerdi. — Uşaklıgil».

fevkattabia, fevkattabiiye, A. s. [Fevk-attabia, _tabiiye] Doğaüstü.● «Bu nazarda fevkattabia bir şey-i garip var idi ki. — Uşaklıgil».

fevkıyet, A. i. Üstte olma, yukarda bulunma.● «Rüçhanı ve fevkıyeti gayette zâhirdir. — Lâtifiî».

fevr, A. i. Hemen, birdenbire olma.● Alelfevr, vakit geçirmeden.

fevrî, fevriyye, A. s. Birdenbire gelen zorlu bir duygu etkisiyle düşünülmeden yapılan (hareket) Spontané karşılığı (XX. yy.).● «Bu bid'at ve tekâlifin meali fevrî kavga olacağı müteayyen olup. — Naima».

fevt, A. i. 1. Bir daha bulamayacak şekilde kaybetme, elden kaçırma. 2. Ölüm.● Fevt-i fırsat,● - vakt, fırsatı kaçırma.● «Elverse safa fırsatı fevt eyleme bir dem — Dünya ana değmez ki cefasın çeke âdem. — Ruhî».● «Badehu Selâmet Giray dahi fevt olup yerine. — Naima».

fevvare, A. i. Döner fıskıye. Havuz fıskiyesi.● «Fakat âsabî bir fevvare-i ateşîn gibi daima köpürüyormuş. — Cenap».

fevz, A. i. (Ze ile) 1. Kurtuluş. 2. Üstünlük. 3. Başarı.● «Kuvvetlenir sulh ü salâh — Devlet bulur fevz ü felâh. — Şinasi».

fevza, A. i. (Dat ile) 1. Kargaşalık. 2. (XX. yy.). Anarşizm.

fevzai, A. s. i. Kargaşalıkla ilgili. (XX. yy.). Anarşist.

fey, A. i. 1. Zorla alma. 2. Ganimet, çapul. 3. Bozma. 4. İslâm hükümetine İslâm olmayanların verdikleri vergi. (ç. Füyu).

feyafi, *A. i.* [Feyha ç.] Sahralar, çöller.

feyayih, *A. i.* [Feyha ç.] Boşluklar. Hiçlikler.● «Amma bazıları bu tedbiri tezyif edip ukalâ nice feyayihini buldular. — Naima».

feyezan, *A. i. (Dat* ile) 1. Taşma, çok gelme. 2. Su basma.● *Feyezan-i enhar,*● *- miyah,* nehirlerin, suların taşması.● «Göğsümde muannid bir heyezan-i kahkaha duyarım. — Cenap».

feyfa, *A. i.* Çöl. Düz, büyük sahra.● «Yürü sükûn ile feyfa-yi zindegânide. — Cenap».

feyfaneverd, *F. s.* [Feyfa-neverd] Çöllerde yol alan. Çöl yolcusu.● «Huzur bilmez o feyfaneverd-i sine-harap. — Cenap».

feyh, *A. i.* (Koku) dağılma, yayılma.

feyha, *A. s.* Büyük, geniş olan. Engin.

feylesof, *A. i.* 1. Felsefe ile uğraşan. 2. Dünyayı umur etmez; kalender. 3. İtikatsız.● «Belki kanun-i suhande hall ü akd-i nüktede — Hikmet-i fikr ü hayalin feylesof-i ekberi. — Nef'î».

feyyaz, feyyaze, *A. s. (Dat* ile) 1. Gür, bereketli. 2. Bolluk verici, feyz verici.● *Feyyaz-i mutlak,* Tanrı.● «Müşfik vatan, ey sine-i feyyaz ü mutarra. — Fikret».● «Medeniyetin bizde âsar-i feyyazesini görmek istiyoruz. — Cenap».

feyyil, *A. i.* Zayıf hüküm.

feyz, *A. i. (Dat* ile) 1. Bolluk.● *Feyz ü bereket.* 2. Bağış, ihsan.● *Feyz-i ilâhi.* 3. İlerleme, olgunlaşma 4. Mutluluk. Tanrının verdiği iç saadeti (Tas.).● «Kimseden ümmid-i feyz etmem, dilenmem perr ü bâl. — Fikret».

feyzaver, *F. s.* [Feyz-aver] Feyz getiren.

feyzbahş, *F. s.* [Feyz-bahş] Bereket ve bolluğu meydana getiren.

feyzdar, *A. s.* [Feyz-dar] Gürelmiş, feyizli.

feyznâk, *F. s.* [Feyz-nâk] Feyizli, verimli.

feyzresan, *F. s.* [Feyz-resan] Feyiz veren. Yetiştiren.

feyzyab, *F. s.* [Feyz-yab] 1. Feyiz bulan. 2. Gelişen, bollaşan.● «Dürr olur kataratı fem-i af'ada bile — Feyzyab-i keremi olsa sehab-i nisan. — Şinasi».

-feza, *F. s.* (Ze ile) «Efza»nın kısaltılmışı. «Artıran» anlamıyla kelimelere katılır.● *Canfeza,*● *ferahfeza.*

fezâ, *A. i. (Dat* ile) 1. Geniş alan. 2. Gök cisimleri arasındaki boşluk, uzay;● *fezaneverd,* uzaya giden, orada dolaşan.● «Ol mahalden saray-i hümayun fezâsı görünmekle. — Naima».

feza', *A. i. (Ze* ve *ayın* ile) 1. Korkup kaçma. 2. Dayanamama. 3. Umutsuzluk ve korkuyu belli etme. 4. İnleyip sızlama,● *Ceza ü feza',*● «Kanun üzerine tekaüt alıverelim dedikte feza' ü cezaa başlayıp. — Naima».

fezail, fazail, Bk.● *Fazail.*

fezalik, *A. i.* (Zel ve *kef* ile) [Fezleke ç.] Fezlekler.

fezayende, *F. s.* Çoğaltıcı, artırıcı.

fezayiş, *F. i. (Ze* ile) Bollanma, çoğalma.

fezleke, *A. i.* 1. Öz, özet. 2. Kısa anlatma, anlatım özeti. 3. (Huk.) Sorgu özeti. 4. Kararların kısaca yazılması.

fıdda, *A. i.* Gümüş.● *Da-ül-fıdda,* gümüş ile zehirlenme (Argyrie).● «Yanında olan fıdda ve zehebden ne mikdar var ise.· — Taş.».● «Bazı nukud ve bazı kupa ve kandil makulesi evani-i fıdda idi. — Naima».

fıkara, Bk.● *Fukara.*

fıkarat, *A. i.* [Fıkra ç.] 1. Küçük hikâyeler.● *Fıkarat-i lâtife,* hoş hikâyeler● *- müntahabe,* seçilmiş hikâyeler. 2. Cümleler, paragraflar.● *Fıkarat-i ânife,* yukarıda geçen tümeler. 3. Omurgalılar.● *Fıkarat-i acziye,* sağrı omurları;● *- kataniye,* bel omurları;● *- rakabiye,* boyun omurları;● *- us'usiye,* kuyruk omurları;● *- zahriye,* sırt omurları.

fıkari, fıkariye, *A. s. i.* Omura, omurgaya mensup, onunla ilgili.● *Amud-i fıkari,* omurga;● *fıkariye,* omurgalılar;● *gayr-i fıkariye,* omurgasızlar.

fıkh, *A. i. (Kaf* ve *he* ile) 1. İyice bilmek. 2. Şeriat bilgisi. Şeriat meselelerinin uygulanmış kısmının bilgisi. Kitap, sünnet, icma-i ümmet, kıyas-i fukaha ile şeriat meselelerini çözümleme bilgisi.● *Fıkh-i Hanefî,*● *- Malikî,*● *- Safiî.* «Ulûm beştir, fıkh ki edyan içindir. — Taş.».

fıkhî, fıkhiye, *A. s.* Fıkıh ile ilgili.● *Mesail-i fıkhiye,* ibadetle ilgili, nikâh, muamelât, ukubat (ceza) diye dört bölük.● «Yazılan mebahis ve delâil yerinde cümlesi ilmî ve usulî ve fıkhî olduğu ehline malûmdur. — Kâtip Çelebi».

fıkra, *A. i.* 1. Omur. 2. Bir yazının ayrıca bir konu olabilecek yolda olan ve ondan ayrılmış bulunmuş parçası. 3. Paragraf. 4. (Nasreddin hoca, İncili çavuş hikâyeleri gibi) çok kısa hikâyeler. 5. Kanun maddelerinin paragraflarıın dan herbiri. 6. Küçük hikâye (Edebiyat-i cedide). 7. Yazılmış her hangi bir haber. 8. Fransızcada *chronique* anlamında gündelik olayların kısa olarak ve iyi bir üslupla yazılmış şekilleri.

fırak, *A. i.* [Fırka ç.] 1. Fıkralar, partiler. 2. Dindeki mezhep farkları.• *Fırak-i dalle*, sapıtmış, yoldan çıkmış gruplar (dinde);• *-siyasiye*, politika partileri.• ‹Onun hali böyle olıcak fırak-i celâliyan perişan olup. — Naima›.

fırka, *A. i.* 1. İnsan kalabalığı, grubu. 2. Politika partisi. 3. Asker tümeni.• *Fırka-i askeriye*, tümen;• *- naciye*, Müslüman grubu;• *- siyasiye*, parti.• ‹Mezburun sekbanları atlı ve piyade iki fırka olup. — Naima›.

fırsat, fursat, *A. i.* (*Sat* ile) Uygun zaman ve hal.• ‹Serdar Halep'e gittikte habis fırsat ganimettir şeklinde Ankara'dan Anadolu memleketine göçüp. — Naima›.

fırsatbîn, *F. s.* [Fırsat-bîn] Fırsat gözeten.• ‹Girih-bend-i gayz ü kin ve icra-i garaza fırsatbîn olmuş idi. — Raşit›.

fırsatcu, *F. s.* [Fırsat-cu] Fırsat arayan, fırsat bekleyen.• ‹Çünkü taife-i kızılbaş mürüvvet bilmez bir alay fırsatcu kallâşlardır. — Naima›.

fırsatyab, *F. s.* [Fırsat-yab] Fırsat bulan, eline fırsat geçen.• ‹Bir tarikle fırsatyab-i intikam olup. — Raşit›.• ‹Fırsatyab-i pervaz olan bir hava-yi nermin ve taze. — Uşaklıgil›.

fısk, *A. i.* Bk.• *Fisk*.

fıssik, *A. i.* Her zaman günah işleyen, din buyruklarını yapmayan.• ‹Hubb-i fıssıka ve kazf-i Sıddıka eden. — Sadettin›.

fıtam, *A. i.* (*Tı* ile) Çocuğu sütten kesme (süt zamanı 2 ile 3 yıl arası).• ‹Pistan-i mader-i zekâvetten ve maye-i dâye-i fetanetten fıtam hâsıl edip. — Lamiî›.

fıtnat, *A. i.* (*Tı* ve *te* ile) Zihin açıklığı. Çabuk kavrayış.

fıtr, *A. i.* (*Tı* ile) Oruç açma.• *İyd-i said-i fıtr*, ramazan (şeker) bayramı;• *sadaka-i fıtr*, oruç bozma sadakası (bayramdan önce fıkaraya dağıtılır).• ‹İd-i fıtrdan beri illet-i taun zuhur etmiş idi. — Naima›.

fıtra, *A. i.* ‹Sadaka-i fıtr› da denilen oruç bozma sadakası.

fıtrat, *A. i.* (*Tı* ve *te* ile) 1. Yaradılış. 2. Yaratıcı kuvvet, kudret.• ‹Kenan... bu soluk çehre bu ucube-i fıtrat. — Fikret›.

fıtraten, *A. zf.* Yaradılıştan olarak.• ‹Vesait-i maddiye ve maneviyenin istimaline şer'an ve fıtraten memurdur. — Kemal›.

fıtrî, fıtriyye, *A. s.* Yaradılıştan olan.

fıtriyye, *A. i.* Doğuştancılık;• *nativisme* karşılığı olarak (XX. yy.).

fi', (Türkçede kullanılmıştır) paha, değer, fiyat.• *Fi-aslî*, asıl değer;• *- carî*, geçer değer;• *- kat'i* son fiyat, olacağı.

fi, *A. s.* Katıldığı sözcüklerin sonlarını *i* okutur ve *-de* haline koyar.• *Fi nefs-il-emr*, lâtince *In re* sözü karşılığı (XX. yy.). *Fi*, eskiden tarih konurken yanlarına katılırdı.• *Fi 2 Haziran*. ‹Filanca zamanda› anlamına ‹fi filan tarihinde› denilirdi.• ‹Fi nefsil-emr bi pir-i rueşn-zamir ve nice rüzgâr tecrübe-i umur eylemiş bir merd-i dilir idi. — Naima›.• ‹Hususa fi zamanına irtişadan tahaşi yoktur. — Kâtip Çelebi›.

- *fi-l-asl*   *fi-l-hal*   *fi sebilillâh*
  fi-l-mesel   *fi-l-vaki*   *fi yevmina*
  fi-l-hakika   *fi-mabaad*   *fi zamanina*

fial, *A. i.* (*Ayın* ile) [Fiil ç.] Fiiller, işler.• *Bed-fial*, yaptıkları kötü olan.

fiat, [Türkçede] ‹*Fi*› kelimesinin çoğulu gibi kullanılmıştır. Paha, değer.

ficac, *A. i.* Dağlar arasında geniş yol.

fida, feda, *A. i.* Bk.• *Feda*.

fidye, *A. i.* Birinin esirlik veya belâdan kurtarılması için verilen para, kurtarmalık.• *Fidye-i necat*, can kurtarma akçesi.• ‹Mevcudiyet-i umumiyenin fidye-i necatı olmak üzere. — Cenap›.

fie, *A. i.* Kalabalık, topluluk.• *Fie-i kalile*, az bir insan topluluğu (fenalık için bir araya gelmişlere denirdi).• ‹Mülhak-i fie-i kızılbaş olmak şartıyle ilticalarını kabul haberi geldikte. — Naima›.

figan, *F. i.* Bağırıp çağırma. İnleme. Hayıflanma.• ‹Olunca tıfl-i melekçehre lebküşa-yi figan. — Fikret›.

figanperver, *F. s.* [Figan-perver] Bağırtılı, figan ettirici.• ‹Şikâyet senden, ey mürg-i hevadar ü figan-perver. — Fikret›.

figâr, fikâr, *F. s.* Yaralı.• ‹Mecruh-i hancer-i nigehindir dil-i figâr. — Nailî›.

-fih, *A. e.* ‹Onda, içinde› anlamıyla söze katılır.• *Ma nahnüfih*, konuştuğumuz,•

münaziin fih, hakkında tartışma, çekişme olan, kavgalı;• *mef'uliin fih,* - de hali.

fihal, *A. i.* [Fahl ç.] Üstün kimseler.

fihanı, *A. i.* [Fahm ç.] Ulular, büyükler.• *Vükelâ-i fiham.*• «Bahs etse eder cihanı ilzam. — Bir sözle eder fihamı ifham. — Galip».

fihris, *A. i.* 1. Bir kitabın içindeki maddeleri, konuları gösterir cetvel. 2. Katalog.• «Lemerre'in fihris-i kütübünü. — Uşaklıgil».

fihrist, *F. i.* Kitabın içindekileri gösterir cetvel.• «Re'y-i rezini ve fikr-i metîni fihrist-i mekârim-i ahlâk. — Lâmiî».

fiil, fi'l, *A. i.* İş.• *Fi'l-i hayr,* hayırlı iş;• - *şeni',* çok kötü iş (ırza geçmeler için kullanılırdı).• - *şerr,* kötü iş;• *bilfiil,* sözle değil, işle, işe karışarak. (Gra.) Eylem, oluş, durum gösteren söz.• *Fiil-i cevheri,* imek masdarından yapılan varlık fiili;• - *hikâye,* hikâye birleşik zaman;• - *iane,* karmaşık fiiller yapmak için başka fiillere katılan bilmek, vermek, yazmak gibi yardımcı fiiller;• - *iktidari,* yeterlik fiili;• - *iltizami,* gereklilik kipi;• - *istmrarî,* sürerlik fiili;• - *lâzım,* geçişsiz fiil,• - *malûm,* etken fiil;• *meçhul,* edilgen fiil;• - *mukarebe,* yaklaşma fiili;• - *mutavaat,* özedönüşlü fiil;• - *muzarî,* geniş zaman kipi;• - *müşareket,* isteşlik fiili;• - *müteaddi,* geçişli fiil;• - *rivayet,* rivayet bileşik zamanı;• - *şart,* 1. Şart birleşik zamanı. 2. Dilek-şart kipi;• - *tacili,* tezlik fiili;• - *temenni,* dilek-şart kipi;• *vücubi,* gereklilik kipi. (Arap gra.) kök kelimelerin kalıbı.• *Fa'iil-fiil,* fiil kökündeki birinci harf;• *ayn-ül-fiil,* ikinci harf;• *lâm-ül-fiil,* üçüncü harf.• *Fer'i fiil,* (ism-i fail, ism-i mef'ul, sıfat-i müşebbehe) Ortaç. (Psi.).• *Fiil-i mün'akis,* tepke (*Réflexe* karşılığı. XIX. yy.);• *aks-i fiil* veya *redd-i fiil,* tepki (*réaction* karşılığı, XX. yy.).• «Namus-i din ü devlet ve şan ü şevket-i saltanata muhil ve muzir bir fiil ve vaz' bizden sudur etmedikçe. — Naima».• «Ne dedim tevbeler olsun bu da fi'l-i şerdir — Benim özürüm günehimden iki kat bed-terdir. — Şinasi».

fiilen, *A. zf.* İş olarak, iş halinde. Yaparak, karışarak.• *Fiilen zimedhal,* iş görerek karışmış (kimse).• «Tebdile şayan yer var ise fiilen sâbit olur. — Kemal».

fiilî, fiiliye, *A. s.* 1. Fiil ile ilgili. 2. Gerçekten yapılan, sözde kalmayan. 3. Fransızcadan «actif» karşılığı.• *Cümle-i fiiliye,* yüklemi eylem olan cümle, fiil cümlesi;• *hizmet-i fiiliye,* ilk askerlik ödevi.• «Delail-i fiilyenin ihtimalât-i akliycye ruçhanı müsellem ise. — Kemal».

fiiliyat, *A. i.* İş olarak, gerçekten yapılan şeyler. İşler.• «Bulunacak bir tatbiki çarelerin düşünmektir. — Kemal».

fiiliye, *A. i.* Fransızcada *activisme* karşılığı olarak (etkincilik) Türkçede kullanılır felsefe terimi. (XX. yy.).

-fikâr, figâr, *F. s.* «Yaralı» anlamıyla kelimelere katılır.• *Dilfikâr,* gönlü yaralı (ç. Fikâran).

fikdan, *A. i.* 1. Eksiklik. 2. Bulunmama. 3. Yokluk.• *Fikdan-i irade,* irade yitimi (*Aboulie* karşılığı olarak XIX. yy.);• - *kuva,* Fransızca *adynamie* karşılığı olarak (XX. yy.). Bk.• *Adem,*• *maduniyet.*

-fiken, *F. s.* «Efken» kısaltısı.

fikende, *F. s.* Efkende kısaltısı.

fikr, *A. i.* 1. Fikir, düşünme. 2. Akıl. 3. Oy, istek. 4. Bellek, hâfıza.• *Fikr-i muzmar,* dışarı vurulmamış, gizli fikir;• - *sabit,* saplantı;• - *takib,* peşini bırakmama, sona erdirme.• «Mizacım dürüst ve akl ü fikrimde ihtilâl ve tegayyür yoktur. — Naima».

fikren, *A. zf.* 1. Düşünerek. 2. Belli etmeden içinden düşünme.• «Daima bir yerde bulunduğumuz halde daima halen ve fikren birbirimizden girizan olacağız. — Kemal».

fikret, *A. i.* Düşünme. Düşünceye dalma.• «Penahım, maksadım, meylim, medarım, fikretim, canım. — Nesimi».• «Benzer derinliğin senin a'mak-i fikrete. — Fikret».

fikrî, fikriyye, *A. s.* Fikirle ilgili.• *Hayat-i fikriye,* düşünce hayatı, düşünce âlemi.• «Bütün fütuhat-i fikriyelerini miras bırakıyorlardı. — Cenap».• «Bu içtimaî ikilikler yalnız fikrî faaliyetlere mahsus idi. — Z. Gökalp».

fikriyat, *A. i.* Fikir işleri (XX. yy.).

fil'asl, *A. zf.* Aslında.

filban, *F. i.* [Fil-ban] Fil bakıcısı.• «Dara-haşem Sikender alem ki şah-i Hint — Gümnam-i merzbumu olur filban gibi. — Nailî».

filcümle, A. zf. 1. Sözün kısası, nihayet. 2. Hepsi.● «Sureti filcümle mânidir yüzün — Suret-i biçun ü mevlâdır yüzün. — Nesimi».

filez, A. i. [Felz ç.] Ciğer parçaları.

filhakika, A. zf. Gerçekten, doğrusu.

filhal, A. zf. Şimdi, hemen.● «Getirip filhal zerduzlar ve nessaclar cem' ettirip. — Naima».

filizz, A. i. Erir ham maden. İşlenmemiş maden.

filizzat, A. i. [Filizz ç.] Ham madenler.● Filizzat seb'a, altın gümüş, cıva, bakır, demir, kalay, kurşun filizleri.

filmesel, A. zf. [Fi-l-mesel] Meselâ. Misaldeki gibi.● «Katresi düşse filmesel bağa. — Mihr eder gonce-i gülistanı. — Fehim».

filpaye, F. i. [Fil-pâye] Sütun ayağı.● «Cideran-i erbaası ve tabaka ve filpayeleri ve etraf kubbeleri. — Sadettin».

filze, A. i. (Zel ile) Ciğer parçası.● «Filze-i kebedi ve nevres-i meyve-i nahl-i cesedi olan. — Nergisi».

fimabaid, A. zf. Bundan sonra.● «Mîri mukataat fimabaid sipah ve silihdar zümresine verilsin. — Raşit».

fina, A. i. Avlu, ev dolayı, etraf.● «Cümlesini ifna etmeyince fina-i Mekke'den zail olmayıp badehu Mekke'ye dahil oldu. — Taş.».

firağ, A. i. 1. Bir nesneyi bırakıp vazgeçme. 2. İşi gücü, eziyet ve kederi olmama.

firah, A. i. [Füruh ç.] Piliçler.

firak, A. i. Ayrılık, ayrı düşme.● «Daha bir leyle-i firakın bu — Tuhfe-i iştiyakıdır, düşünün. — Fikret».

firakıye, A. i. Sevgiliden ayrı düşme konusunda yazılan manzume.

firar, A. i. Kaçma, kaçamak, kurtulma.● «Anlar dahi hizmet ile firar ve derun-i kalede karar edicek. — Naima».

firarî, A. s. Kaçak, kaçkın, (ç. Firariyan).● «Mu'zam-i firariyana Bayburt havalisinde bir akabe-i tenkte eriştiklerinde. — Naima».

firaset, feraset, A. i. Bk.● Feraset.

firaş, A. i. Döşek, yatak.● Esirfiraş, yatalak;● hemfiraş, kadın eş;● sahibfiraş, hasta.● «Zavallı hasta zelil-i firaş-i rihlette. — Fikret».

firavan, feravan, F. s. Bol, çok.● «Mal-i eman deyu nükud-i firavanın aldıktan sonra. Naima».

Firavun, A. i. 1. Mısır'ın ilkçağlardaki hükümdarlarına verilen unvan. 2. Ziyade inat ve kibirlilik.● «Baka siz ne oldum zannedersiniz sizin her biriniz bir firavun olup âlemi haraba verdiniz. — Naima».● «Çerh nimet mi verir gavgasız — Hiç Firavun ola mı Musa'sız. — Nabi».

firavuniyyet, A. i. Firavunlaşma, ziyade inat ve kibirlilik.● «Vezir Merre'nin ayağı düz basıp dahi ziyade firavuniyet eder oldu. — Naima».

firaz, feraz, A. i. Yükseklik, çıkış.● Firaz ü neşib, iniş çıkış, engebelik.● «Firaz-i zirve-i sina-yi kahra yükselerek. — Haşim».

-firaz, F. s. «Yükselten» anlamıyla kelimelere katılır. «-efraz» sözünün kısaltılmışıdır;● gerdenfiraz,● serfiraz.

fircar, A. i. Pergel aleti.

firdevs, A. i. 1. Cennette altıncı bahçe. 2. Bahçe.● Firdevs-aşiyan, cennetlik (rahmetli).● «Sermedî bir safa yi ruyetle — Seyr-i firdevs-i mahremiyyet eder. — Fikret».

firhan, A. i. [Füruh ç.] Piliçler.

firib, F. i. Hile, dek, oyun. (Mec.) Oyalama.● «Şeytana sebak veren Kalenderoğlu gibi haramzadeye firib ve hâb-i hargûş verip. — Naima».

-firib, F. s. «Aldatan, kandıran» anlamıyla kelimelere katılır. (ç. Firiban).

  ● avamfirib   eblehfirib   nigehfirib
    dilfirib   nazarfirib   ruhfirib

firibane, F. zf. Aldatır, oyalar yolda.

firibende, F. s. Aldanmış, kapılmış. (ç. Firibendegân).

firibhorde, F. i. [Firib-horde] Hileye aldanmak.● «Olma firibhorde-i ikbal-i ruzgâr — Ey Nailî sakın hele idbarı saht olur. — Nailî».

firifte, F. s. Aldatılmış, kandırılmış. (ç. Firiftegân).● «Onların dilfiribane harekât ve sekenatlarına firifte olup. — Naima».

firistade, F. s. 1. Gönderilmiş. 2. Elçi. (ç Firistadegân).● «Ser-i maktulı firistade-i rikâb-i hümayun. — Raşit».

firistadegân, F. i. [Firistade ç.] 1. Gönderilmişler. 2. Peygamberler.● «Hisse talebi üzre musir olıcak firistadegân-i şahî müracaat edip. — Sadettin».

firiste, F. s. 1. Gönderilmiş. 2. Peygamber.

firistegân, F. i. [Firiste ç.] 1. Gönderilmişler. 2. Peygamberler.

firişte, ferişte, *F. i.* Melek.

firiştegân, *F. i.* [Firişte ç.] Melekler.

firkat, fürkat, *A. i.* Ayrılık.● «Geçip tehaşi-i firkatle hep leyal-i visal. — Fikret».

firkatzede, *F. s.* [Firkat-zede] Ayrılık çeken. Ayrılmış.● «Zavallı firkatzede dehşet ve telâş içinde. — Recaizade».

firsad, *A. i.* 1. Kara dut. Böğürtlen.● «Ey eden câme-i atlasal tefahur gözün aç — Sana atlas görünür berk-i hakir-i firsad. — Nabi».

firuz, *F. s.* 1. Kutlu, mutlu. 2. Üstün gelmiş.● «K'açıldı gül-i hadika-i ruz — Gösterdi güneş cemal-i firuz. — Fuzulî».

firuze, *F. i.* 1. Gök renk. 2. Nişabur'da çıkan gök renkte yüzük taşı.● «İnşa ederdi ruh-i kebuter-misaline — Firuzeler içinde köpükten bir aşiyane. — Cenap».

firuzefam, *F. s.* Gök renkte. Mavi renk.

fisebilillâh, *A. zf.* Tanrı yoluna.● «O mücahit fisebilillâh olan âdil şehin. — Hayali».

fisk, *A. i.* 1. Günah işleme. 2. Dinin yasak ettiği şeyleri yapma.● *Fisk ü fücur.*● «Geh zindika vü küfrüne geh fiskına kail. — Ruhi».

fişnab, *F. i.* Vişne şerbeti.● «Bir buse dirig eyleme mestanelerinden — Saki medet et sun bize bir katre-i fişnab. — Leylâ».

fiskıyye, *A. i.* Suyu yukarı doğru püskürten musluk.

fiten, *A. i.* [Fitne ç.] Fitneler, karışıklıklar.● «Bilâd-i İslâmiyeye teveccüh eden fiten ü şürur def'ine sarf-i himmet olundukça. — Naima».

fitil, fetil, *A. i.* 1. Pamuk ve benzerlerinden bükülüp mum ve kandil ortasına konan uzunca nesne. 2. Bükülmüş, örülmüş nesne. 3. (Tar.) Eskiden tüfek ve topların falyalarına konan kaytan. 4. (Hek.) Merheme bulaştırılıp yaranın içine sokulan uzun tiftik. 5. (Mod.) Kumaşın altına veya kenarına konan kaytan.● «Dil-i agyara korsun dest-i pakinle fitil-i dag — Bu gûne vaz-ı kanun-i cefayı ihtiyar etme. — Naili».

fitne, *A. i.* 1. Azdırma, baştan çıkarma. 2. Karışıklık. 3. Ara bozan. 4. Fitne ve fesat çıkaracak derecede güzel kimse.● *Fitne-i âlem,* herkesi birbirine düşüren güzel;● *ikaz-i fitne,* karışıklık çıkar-

ma.● «Fitneye hüsnün bıraktı âlemi. — Nesimi».● «Anadolu'da ve sair bilâdda fitne ve fesat zuhur edip eşkıya yer yer harekete geldi. — Naima».

fitneamiz, *F. s.* [Fitne-amiz] Karıştırıcı. fesatçı.

fitnecu, *F. s.* [Fitne-cu] Fitne arayan.● «Feğer ol fitnecûyların her biri koynun ve cebin taşla doldurmuşlar imiş. — Naima».● «Elde sagar belde hancer serde sahba sineçak — Fitnecu dilberlerin bîşüphe şensin eşbehi. — Ragıp Pş.».

fitneçeşm, *F. s.* [Fitne-çeşm] Gözleri fitne uyandıran.● «Şu karşıdan gelen dilber begayet gamzekâr ancak — O fitneçeşm aşıkküş keman ebru ancak. — Hayali».

fitneengiz, *F. s.* [Fitne-engiz] Fesat koparan, fesat çıkaran.● «Biri dahi merkum Karayazıcı biraderi fitneengiz Deli Hasan'dır ki. — Naima».

fitneger, *F. s.* [Fitne-ger] Fitneci. (ç. Fitnegeran).● «Her zaman bir fitneger-i biemane. — Nergisi».

fitnekâr, *F. s.* [Fitne-kâr] Fitneci. İşi gücü fesat çıkarmak olan.● «Hussad-i fitnekâra ruhsat verip agraz ile muallel tutulursa. — Naima».

fitrak, *F. i.* At eyerinin terkisi. Terki kaşı.● «İkisi dahi âvize-i fitrak kılındı. — Naima».

fitret, fetret, *A. i.* Karışıklık, aralık.

fityan, feteyan, *A. i.* [Feta ç.] Yiğitler Erler.● «Gani künende-i fityan-i bihanümanım. — Veysi».

fizale, fidale, *A. i.* Bir nesnenin fazlası. artakalanı.● «Fizale-i kirpaş-i muhalleften tedarik-i kefenpâre-i techiz kılınıp. — Veysi».

Frengistan, *F. i.* Batı dünyası.● «İngiltere kralı hod mülûk-i Frengistanın eazımından. — Naima».

fuad, *A. i.* 1. Yürek, kalp, dil, gönül. 2. Anlık.● *Cazib-ül-fuad,* sevimli, yüreği kendine çeken;● *mecruh-ül-fuad,* yüreği yaralı, kırık;● *mesrur-ül-fuad,* gönlü sevinç içinde;● *rüşen-fuad,* aydın yürekli.● «Nice onun gibi rüşvet vermiş mahruk-ül-fuad kimseler ki. — Naima».

fualâ, *A. i.* [Fail ç.] Failler. Yapmışlar. İşlemişler.● «Ol binaya nakl-i ahcar eden fualâ. — Süheylî».

fudalâ, *A. i.* Bk. *Fuzalâ.*

fuhş, *A. i.* 1. İş ve sözde taşkınlık, azgınlık. 2. Edep ve terbiyeye uymaz davranış. 3. Ayıp, zina.● «Ve sarıcaları avratlarımıza teslit ve irtikâb-i fuhş-i azîm ettiler deyu. — Naima».• «Fuhşun çirkâbı içinde yüzdükleri halde. — Uşaklıgil».

fuhşiyyat, A. i. [Fuhş ç.] Ayıp davranışlar.• «Birtakım fırkacılar dahi yeni çıkma bazı fuhşiyatı tâyibe kullandılar. — Kemal».

fuhul, A. i. [Fahl ç.] 1. Benzerlerinden üstünler. 2. Başlar, başkanlar.• *Fuhul-i muhaddisîn,*• *- müfessirin,*• *- şuara,*• *- uleme,* hadisçilerin, tefsircilerin, ozanların, bilginlerin ileri gelenleri.• «Hayret verir âsar-i fuhul-i hükemaya. — Naci».

fukaha, A. i. [Fakîh ç.] Fıkıh bilginleri.• *Fukaha-i Hanefiye,*• *Şafiîye,* Hanefî, Şafiî din bilginleri.• «Fukaha-i Şafiîyeden 504'te vefat eden. — Kâtip Çelebi».

fukara, A. i. [Fakîr ç.] Fakirler, yoksullar.• *Fukara-i sâbirîn,* sabreden, dayanan fakirler.• «Celâliden gözleri korkmuş fukaranın canları sizden ürktü. — Naima».

fukka', A. i. (Kaf ile) Bozacı.• «Bir fukka'dan eyyam-i temmuz-i ciğersuzda bu beyt ile berf istida etmiştir. — Lâtifi».

ful, A. i. Bakla.• *Ful-i Mısri,* nohudu andıran, deve yemi küçük ve kara tane.

fulâd, A. i. [Farsça *pulâd* sözünün Arapça şekli] Çelik.

furuz, A. i. (Dat ile) [Farz ç.] Farzlar.• «Çünkü furuz-i ibâdattan her biri izhar-i fazl ü keramet ettiler. — Veysi».

furza, furzat, A. i. 1. Gedik. 2. Su yolu ağzı. 3. Deniz kıyısında gemi duracak yer.• «Miyan-i sefain-i İslâmiyandan güzeran olup furza-i hisara girmeye fırsat bulup. — Sadettin».

fusaha, A. i. (Sat ve ha ile) [Fasih ç.] Fasih kimseler.• *Fusaha-yi Arab.* Arap fasihleri.• «Endişe ki simsar-i kelâm-i fusahadır. — Nef'î».

fusul, A. i. [Fasıl ç.] Fasıllar, bölükler, kısımlar.• *Fusul-i erbaa,* dört fasıl (mevsim).• «Kılmasın devr-i felek bir dahi icrayi fusul — Ne bahar ü zemistan olsun. — Fuzulî».

fusus, A. i. [Fass ç.] 1. Yüzük taşları, yüzükler. 2. (Badem gibi) Yemiş içleri.

futunet, A. i. (Tı ve te ile) Fetanet, zihin açıklığı.

futur, A. i. ç. (Tı ile) Mantarlar.

fuzalâ, A. i. (Dat ile) [Fadıl, fazıl ç.] Fazıllar, olgun, bilgin, fazilet sahipleri.•

«Birer âli ziyafet edip meclisinde fuzalâ ve urefadan âzave-i kelâma ve tevyin-i bahs ü makale kadir edip ve kâmil kimseleri. — Naima».

fuzuh, fuzuhat, A. i. (Dat ve ha ile) Rezalet, rüsvaylık.

fuzul, A. i. [Fazl ç.] 1. Fazla, gereksiz şey, söz. 2. Haksız, aşkın davranma.• *Fodul.*• «Çorbacılıkları sekizer keseye satarlardı, hazm olunurken böyle fuzulluğa âgaz etmeğin azl olundu. — Naima».

fuzulen, A. zf. 1. Haksız ve izinsiz olarak. 2. Zorbalıkla.• «Bu mertebeden sonra ben sizi fuzulen affe kadir değilim, vali huzurunda sizi destbeste götürürüm. — Naima».

fuzulî, A. s. [Fuzul'den] 1. Boşuna, haksız, yersiz. 2. Boşboğaz. • «Mezkur hadaset-i sinni sebebiyle fuzulî hareket ettiği canib-i saltanata hoş gelmeyip. — Naima » .

füca, fica, A. zf., s. (Hemze ile) Ansızın. Birdenbire. • «Gel var git şuradan deyu füca'en ta'nif ettikte. — Naima».

füccar, A. i. [Facir ç.] Günahkârlar.• «Nevasaz-i mecma-i küffar-i füccar oldukta. — Veysi».

fücce, A. i. İki nesne arasındaki açıklık.

füc'e, A. i. (Hemze ile) Ansızın, birdenbire gelen.

füc'eten, A. zf. Birdenbire ansızın (ölüm). • «Vezir Hamze Paşa biemrillâhi teâlâ füc'eten fevt ve âzim-i dar-i beka olmakla. — Raşit».

fücur A. i. 1. Günah. 2. Zina • «Ol bıraktığı bedbaht kadı ile şehre dahil olduktan birkaç gün sonra izhar-i fücura başlayıp. — Naima».

fühum, A. i. (He ile) [Fehm ç.] Anlamlar, kavramlar. Zihin ile idrakler. • «Hatta cemi ukul-i ukalâ ve fühum-i hukema ve asfiya. — Taş».

füjulide, F. s. Solmuş, berbat olmuş.

fükâhat, A. i. (Kef ve he ile) [Fükâhe ç.] Eğlenceli fıkralar, latifeler.

fükâhe A. i. Latife, eğlenceli söz. • «Mücadele-i kalemiyemizde hisse-i fükâheden başka şayan-i kayd bir netice görmedim. — Cenap».

-füken, fiken, F. s. Bk. • *Fiken.*

fülan, A. i. Falan, filan; • «Ebna-yi zamanın talebi nam ü nişandır — Her biri tasavvurda fülân ibn-i fülândır. Ruhi».

F.: 16

fülfül, A. i. Karabiber. • «Ey hâl pasbanı mısın sen o gerdenin — Kâfur içinde habbe-i fülfül müsün nesin. — Nedim».

fülk, A. i. (Kef ile) 1. Gemi, kayık, filika. 2. Ağırsak. 3. Yuvarlak nesne. 4. Nuh'un gemisi. • «Fülke-i fülk-i felek oldu Sürag-i Bahrî. — Şinasi».

füls, A. i. 1. Bakır para, ufak akçe. • «Geçmiş serir-i meykedeye rind-i badehar — Muhtac-ı füls-i ahmer iken kâmranlanır. — Naili». 2. (Hekimlik) Pul pul düşen kabuk.

fülûl, A. i. [Fel ç.] Kılıç yüzündeki çentikler.

fülus, A. i. [Füls ç.] Bakır paralar • «.Birkaç tane aç ve fitne hudusundan mukaddem fülus-i ahmere muhtaçlar. — Raşit».

fünduk, A. i. [Bunduk, punduk Farsçasının Arapçası]. 1. Fındık. 2. Han. Otel.

fünun, A. i. [Fen ç.] Fenler. Uygulanmış bilimler. • Fünun-i bahriye, denizcilik fenleri, • -harbiye, savaş bilgileri; • -şetta, çeşitli fenler; • Darülfünun, üniversite; • Mecmua-i Fünun, Cemiyet-i ilmiye-i Osmaniye tarafından 1862 de çıkarılan aylık dergi; • zu-fünun, çok şeyler bilen. • «977'de vücuda gelip fünun-i şetta - tahsilinden sonra. — Naima».

fürade, A. i. Yalnızlık. • Alelfürade, yalnız olarak.

fürce, ferce, A. i. 1. Aralık, çatlak. 2. Fırsat. 3. Baskından kurtulmak. • «Gadir-i mezkûrun dağa müntehi başında bir cüz-i fürce olduğunu bilip. — Naima».

fürcevab, F. s. [Fürce-yab] (girmek için) bir yarık, delik bulma. • «İlk metaib ve meşakı fürceyab-i duhul oluyor. — Uşaklıgil».

Fürkan, A. i. Kur'an. • Sure-i Fürkan, Kur'-an'ın 25. suresi. • yevm-el-fürkan, Bedir savaşı.

Fürs, A. ç. i. 1. Fars'lılar. 2. Fars milleti. 3. Eski İran. • «Firdevsi'nin şehrivaran-i Fürsü gezdirdiği cihan-i harikulâdenin. — Cenap».

fürsan, A. i. [Faris ç.] 1. Usta biniciler. 2. Atlılar. • «Abaza tevabii durup fürsan-i Dâr-üs-saltana ile cirit oynayıp. — Naima».

fürsat, A. i. Bk. • Fırsat.

fürsî, A. s. Farslı.

fürsiyyat, A. i. Fars dili kural ve deyimleri bilgisi.

fürsran, F. s. [Fürs-ran] At süren, at koşturan. • «Topçular semtine fürsran oldu. — Naima».

füru, A. s. 1. «Aşağılık» anlamıyle ön ve son ek olarak kullanılır. 2. Eğmek. • «Serini secde-i Baride füru etmeyenin — Kameti piş-i edanide ham olmaz dan'olur. — Nabi».

füru,' A. i. (Ayın ile) [Fer'i ç.] 1. Dallar, budaklar. 2. Bir kökten ayrılan bökükler. 3. Bir atadan gelen çoluk çocuk, torunlar. • «Lâkin herkes ki füru'dan bir mezheb-i muayyene taklid eyleye. — Taş.».

fürüat, A. i. [Furu' ç.] Dallar budaklar. • «Bu füruat-i tahalüf ki şüunatındır. — Asla avdette bu gavga bu keşakeş basılır. — Ragıp Pş.».

fürubürde F. s. [Füru-bürde] aşağı eğilmiş, öne eğilmiş. • «Ey re's-i fürubürde, ki ak pak, fakat iğrenç. — Fikret».

füruc, A. i. [Ferc ç.] Kadınların cinslik organları. • «Nice bin nüfusu katl ve garet-i emval ve füruc-i muharrematı istibahat ettiler. — Naima».

fürud, F. s., i. En alçak, en aşağı (yer). • Murg-i tîz-per fürud ü firazın geçerken istitaat-i bâlinî döker. — Sadettin».

fürug, A. i. İşten kurtulup boş durma.

fürug, F. i. Işık, aydınlık. • «O zi-nikab-i cemalin fürug-i âli gibi — Nigeh-füruz idi envar-i lâle-reng-i şafak. — Fikret».

füruh, A. i. [Ferah ç.] Piliçler.

füruht, F. s. Satım, satış. • Füruht ü hirid, alım satım, ticaret. • Sagir ve kebir parçalar ile kutular tertip edip miskal ile füruht ederler. — Naima».

füruhtar, F. s. Satıcı.

füruhte, F. s. Satılmış.

füruk, A. i. [Fark ç.] Farklar, başkalıklar. • Füruk-i elfaz, lâfız farkları.

fürumande, A. s. Âciz, yorgun, bitkin. • «İstanbul şehrinde fukara ve zuafa ve eytam ü eramil âciz ve fürumande olduklarından. — Raşit».

fürumandegî, F. i. Yorgunluk, bitkinlik.

fürumaye, F. s. Soyu alçak, soysuz. • «Erzal-i frumayeye devlet verme. — Nabi».

fürinihade, F. s. İndirilmiş, çıkarılmış. • «Bıdaa kalmaz idi iftihar-i mahduma — Frunihade olunsa efendizadeliği. — Nabi».

fürus, *A. i. (Sin* ile) [Feres ç.] Atlar.

füruset, fürusiyyet, *A. i.* 1. At yetiştirme. 2. Binicilik bilgisi. • «Bir merd-i bahadir ve fürusiyette emsali nadir kimesne. — Naima».

furusî, *F. s.* Ata iyi binici. • «Bu yolda fürusiler cirit oynayarak. — Naima».

-füruş, *F. s.* «Satan» anlamıyle kelimelere takılır. (ç. Füruşan).

• Azametfüruş
• bâdefüruş
• çafüruş
• hodfüruş
• işvefüruş
• malûmatfüruş
• meyfüruş
• tafrafüruş

füruş, *A. i.* [Ferş ç.] Döşemeler. • «Binayi dilâvizin uruş ve füruşu. — Sadettin».

füruşa, füruşende, *F. s.* Satıcı.

füruter, *F. s. (Te* ile) Çok alçak ve aşağı olan.

füruterîn. *F. s.* En çok alçak ve aşağı olan.

füruz, *A. i. (Dat* ile) [Farz ç.] Farzlar. • «Tedris dahi füruz-i kifayâttan ola. — Taş.».

-füruz, *F. s. (Ze* ile) [Efruz'dan] «Parlatan, nurlandıran» anlamıyle kelimelere eklenir.

• cihanfüruz
• dilfüruz
• hâtırfüruz
• kitifüruz

füruzan, *F. s.* Parlak: • «Alınlarında füruzan eşi'a-i hurşid. — Fikret».

füruzende, *F. s.* Parlatan, aydınlatan : • «Cephesi gülşen-i İslâma füruzende-i din. — Nedim».

füruzide, *F. s.* Ziyalandırılmış, ışıklandırılmış.

füshat, *A. i. (Sin, ha ve te* ile) Genişlik, açıklık. • «Asman füshat-i kebudiyle. — Fikret».

füshatkede, *F. i.* Geniş yer. Alan.

füshatseray, *F. s.* Bütün genişliği kaplayacak büyüklükte saray. • «Bu tenknây-i fâniden füshatsaray-i cavidanîye intikal. — Raşit».

füshatzar, *F. i.* [Füshat-zar] Geniş yer.

füssak, *A. i. (Sin* ile) Fâsikler. Doğru yoldan çıkmış olanlar. • «Dahil-i nâr ve anda füssak ve fuccar ile refik ve câr ola. — Taş.».

füsuk, *A. i.* Fisk, günah.

füsul, *A. i.* [Fesl ç.] Bayağı, âdi kimseler.

füsulet, *A. i.* Bayağı, âdi olma.

füsun, *F. i.* [Efsun hafifi] Büyü. • «Sen hüsn ü füsun ben sana günden güne

meftun. — Fikret».

füsunâlûd, *F. s.* Büyüleyici: • «İstanbul karşımda mütemevviç, füsunalûd sisli ve aydınlık bir hilâl-i mübhem halinde. — Cenap».

füsunger, *F. s.* Afsun yapıcı, büyücü: • «Devatım oldu çeh-i Babil ü sözüm efsun — Füsunger-i kalemim arz kıldı sihr-i halâl. — Hayali».

füsunkâr, *F. s.* [Füsun-kâr] Büyüleyici. • «Tecrid-i hayat eyleyerek, aşk-i füsunkâr — şeklinde bedidar. — Fikret».

füsunperver, *F. s.* [Füsun-perver] Büyüleyici. • Bence hiç şüphe yoktur ki sendendir — Ey güzel çehre-i füsunperver. — Ruhu, ecsada bağlayan teller. — Cenap».

füsunsaz, *F. s.* [Füsun-saz] Büyüleyici. • Başkadır fevz-i hüner kilk-i füsunsazında. — Fikret».

füsus, *F. i.* Yazıklanma, efsus.

füsusa, *A. ün.* Çok yazık, ne yazık • «Füsusa kim cihan-i fitne engiz — Eder bahr-i gami mevchiz. — Atayî».

füsürde, *F. s.* [Efsürde hafifi] Donmuş. • Füsürde-dil, gönlü donmuş. • «Elbette olup füsürde-hâtır — Mânadan olur zebanı fâtır. — Ş. Galip».

füşürde, *F. s.* «Direnen, duran» anlamında olarak. • «Bâd-i bürudet ederdi füsürde bedenlerin — Nâr-i tama' müeddi-i germiyyet olmasa. — Nabi» — «Pa = ayak» kelimesiyle kullanılır. • «Pa fuşürde-i merkez-i hasanet olup. — Ragıp Pş.».

füşüv, *A. i.* Duyulup yayılma. • «Arabiyette bir kıyasa muhalefet veyahut füşuvv-i lûgat anı reddeylemez. — Taş.».

fütade, *F.s. (T* ile) [Üftade hafifi] Düşmüş, düşkün. • «Fıtrat onu eylemiş fütade. — Naci».

fütadegân, *F .s.* [Fütade ç.] 1. Düşmüşler. 2. Düşkünler, tutkunlar. • «Fütadegânına son bir piyale devrinde. — Beyatlı».

füntan, eftan *F. s.* Düşen. düşerek.

fütret, fetret, Bk. • *Fetret.*

füttâk. *A. i.* [Fâtık ç.] Fırsat bulunca adam öldürenler.

fütude, *F. s.* Aldanmış, kanmış.

fütuh, *A. i.* [Feth ç.] 1. Zaferler, fetihler. 2. Kalp yoluyla Tanrı bilgisine ulaşma. 3. Tanrı rahmeti, ahret nimetleri. • «Ve tehniyet-i fütuh-i şevket menus ettiler. — Naima».

fütuhat, [Fütuh ç.] Fetihler. • ‹Ve biz iki yıldır sefer ederiz, bu denlû fütuhat müyesser oldu, min ba'd Asitane'ye gideriz. — Naima›.

fütur, A. i. Gevşeklik, usanç, bezginlik. Bilâfütur, fütursuzca, usanmadan. • ‹Bir ihtisas-i meraretle verirdi nefse futur. — Fikret›.

fütüvvet, A. i. 1. Gençlik, delikanlılık. 2. Cömertlik. 3. Yiğitlik. • Fütüvvetlû, mülâzım (teğmen) ile yüzbaşılar ve bunların karşılığı olarak sivillerde rabia rütbesiyle olan memurların resmî unvanı. • «Serlevha-i defter-i fütüvvet. — Galip».

fütüvvetmend, F. s. Cömertliği, mertliği olan. (ç. Fütuvvetmendan).

fütya, A. i. Fetva. • ‹Ulema-yi selef takallüd-i fütya üzre ictira etmeyi tecviz etmişlerdir. — Taş.›.

füvak, A. i. 1. Hıçkırık. 2. Can çekişme.

füyu', A. i. [Fey ç.] 1. Ganimetler, çapullar.

füyuf, A. i. [Feyf ç.] Susuz çöller.

füyul, A. i. [Fil ç.] Filler.

füyule, A. i. Zihin ve akıl zayıflığı.

füyuz, A. i. (Zı ile) Ölçme.

füyuz, füyuzat, A. i. (Dat ile) [Feyz ç.] Feyzler. manevî telkinler. • ‹Âti, o pürseher — Bir ufk-i muhtecib füyuzata mehd-i nur. — Fikret›.

füyuz, A. i. (Dat ile) [Feyz ç.] 1. Nimetler. İhsanlar. 2. Bolluk, bereket. 3. İlerlemeler, oglunlaşmalar. 4. Mutluluklar. • ‹Hariçte de ibraz-i füyuz eylemiştir. — Cenap›.

füyuzat, A. i. [Fuyuz ç.] Bk. • Füyuz.

füzud, F. s. (Ze ile) [Efzud hafifi] Artıcı.

füzün, F. s. [Efzun hafifi] Çok ziyade. • «Öyle ihsanı füzun lütfu fıravandır kim. — Şinasi».

füzunî, F. i. Artıklık, çoğalma.

füzunter. F. s. Pek çok, pek ziyade.

G

g. 1. Osmanlı ve Fars alfabelerinin 22. Arap alfabesinin 19. harfi olan *gayın* harfi ile Osmanlıca ve Farsça alfabenin 25. harfi olan *kâf* harfinin *ge* sesi veren *kef* harfine *kâf-i Farisî* veya *kâf-i Acemî* denir; *Gâh, germ, gil, gûya, güft.* 2. G harfi ebced hesabında 1000, «kef» harfi de 20 rakamına işarettir.

gabavet, *A. i.* Kalın kafalılık, anlayışsızlık. • «Sadedil tavaşi belâhet ve gabavetinden naşi. — Naima».

gabe, *A. i.* 1. Sık orman. 2. Yırtıcı hayvan yatağı. (c. Gabât). • «Gabe-i kûh-i bekada olur ol dem lerzan. — Şinasi».

gabgab, *A. i.* Çene altı. Çifte gerdan. • «Sak ü sürin ü gabgab ü leb meşerebimcedir. — Nedim».

gabın, *A. s.* [Gabn'dan] Alışverişte aldatan, hileci.

gabi, gabiye, *A. s.* Kalın kafalı. Anlayışsız. Bön. (ç. Agbiya).

gabir, gaabir, *A. i., s.* 1. Kalan. 2. Gelecek zaman. 3. *(Arap gra.)* Gelecek zaman.

gabn, *A. i.* 1. Alışverişte aldatma. 2. Ziyade kazanma. • *Gabn-i fâhiş.* aşırı kâr, faiz alıp aldatma. • «Sakız'a andan Magrib-i zemine gidip . böyle bir gabn mazharı oldular. — Naima».

gabra *A. i.* 1. Yer, toprak. Yer yüzü. 2. *s.* Toprak rengi. • «En sonunda düşünce gabraya. — Cenap».

gad, *A. i.* *(Gayın ile)* Erte, yarın.

gada, *A. i.* Sabah yemeği.

gadat. *A. i.* Sabah. Sabahın erken zamanı. (ç. Gadavat).

gaddar, gaddare, *A. s.* [Gadr'den] 1. Çok gadreden. Zulüm eden. 2. Vefasız. 3. Soyucu, pahacı. • «Ol şehzade-i bigünaha rahm etmeyip nahak yere şehit etmekle gaddarlık ettiler. — Naima».

gaddarane, *F. zf.* Hiç acımadan, haince. • «Meydan mürabahacılara kalarak anların muamelât-i gaddaranesinden ise. — Kemal».

gaddare, *A. i.* (Türkçede yapılmıştır). 1. Uzun kama. 2. İki tarafı keskin kılıç. • «Murassa kılıç ve gaddare ve murassa raht ile eyerli at çekip. — Naima».

gaddarî, *F. i.* Gaddarlık, vefasızlık.

gader, *A. i.* Selden kalan su gölü, gadir.

gadir, *A. s.* [Gadr.den] Gadreden.

gadir, *A. i.* 1. Durgun su. 2. Gölcük. • «Suyu mürur babında mütefekkir olup haramzade gadîr-i mezkûrun dağa müntehi olan başında. — Naima».

gadirî, gadiriyye, *A. s.* Göle ait, gölde biten. • *Fasile-i gadiriye* göl bitkileri.

gadiyye. *A. i.* Sabahın erken vakti; tan atmasıyle güneş doğması arası.

gadr. *A. i.* 1. Vefasızlık. 2. Acımazlık. 3. Haksızlık. • «Mehmet Giray'ın Tohtamış Hana olan gadrinin mücazatı zuhur edip. — Naima».

gadrdide, *F. s.* [Gadr-dide] Gadre uğramış. Haksızlık görmüş. (ç. Gadrdidegan).

gadre, *A. i.* Selden kalan su gölü, gadir.

gadruf, gudruf, Bk. • *Gudruf.*

gadub, gazub, Bk. • *Gazub.*

gaffar, *A. s.* Bağışlaması, ayıpları örtmesi çok olan (Tanrı.) • «Âb-i istiğfar ile pâk etti Gaffar-üz-zünub. — Hayalî».

gafil, gafile, *A. s.* [Gaflet'ten] 1. Habersiz, dikkatsiz. 2. Önceden yapacağını ve başına geleceğini düşünmeyip aldırış etmeyen. (ç. Gafilân). • «Ol gafil-i bibâk dahi otuz bin âdem cem etmek edna himmet ile mümkündür dedi. — Naima».

gafilâne, *F. s., zf.* [Gafil-âne] 1. Gafile yakışır surette. 2. Habersizce. Körü körüne. • «Evet, bırakmayınız, belki bir saadettir — Ki biz ceza diyoruz gafilâne, bilmeyerek. — Fikret».

gafilen, *A. zf.* Gafil olarak, habersizce. • «Kara tarafından gönderilen kalgay Mehmet Giray'a gafilen rast gelip mesaf ettiklerinde. — Naima».

gafir, *A. s.* [Gafr'den] Mağrifet ve şefkat gösterisi. • «Yaş dök Muhibbi şam ü seher ah ü nale ki — Affeyleye günahını tâ gafir-üz-zünub. — Kanunî».

gafir, A. s. Çok sayısız. ● *Cemm-i gafir,* kalabalık, çok kalabalık.

gaflet, A. i. 1. Habersizlik. Boş bulunma. Dalgınlık. 2. Uyku basma. ● *Alel-gafle,* ansızın, habersizce. ● ‹On dört nefer tabl ve âlem sahibi beyzadeler biledir onların hepsinde gaflet buyurulmaya deyu arz etmiş idi. — Naima».

gafleten, A. zf. Ansızın. Habersizce.

gafur, A. s. [Gufran'dan] Acıması, bağışlaması çok olan (Tanrı).

gâh, geh, F. i. Zaman, vakit, an ● *Gâh ü bigâh;* ● *gâh ü nagâh,* vakitli, vakitsiz; ● *nagâh,* ansızın, birdenbire. ● ‹Senden evvel eğer ölürsem ben — Gâh ü bigâh aç bu defteri sen».

gâh, geh, F. zf. Bazı. ● ‹Geh ceng ü gâh sulh ü gehi hubb ü geh nifak. — Ziya Pş.». ● «Yâdınla çeşm-i hasreti yumdukça gâh gâh. — Fikret».

-gâh, -geh, F. e. Zaman veya yer göstererek kelimelere katılır.

- *askergâh*
- *aşubgâh*
- *ciğergâh*
- *cilvegâh*
- *destgâh*
- *seyrangâh*
- *seyrgâh*
- *şebangâh*
- *şikârgâh*
- *karargâh*
- *kârgâh*
- *lengergâh*
- *güzergâh*
- *haymegâh*
- *nazargâh*
- *secdegâh*
- *sehergâh*
- *leşkergâh*
- *namazgâh*
- *tahtgâh*
- *tarabgâh*
- *tecelligâh*
- *temaşagâh*
- *vahelgâh.*

gâhî, gehi, F. zf. Ara sıra, bazı bazı. ● «Âyine ederleriydi gâhi — İrsal-i meselde mihr ü mahi. — Ş. Galip».

gâhvare, gehvare, F. i. Beşik. ● ‹Olurdu kaza-yi nabisaman — Hüsn'e dahi gehvare-cünban — Ş. Galip».

gaî, gaiyye, A. s. Gaye ile ilgili, maksat ve sonuca ait. ● *İllet-i gaiye,* bir işin sonucu, elde edilmeye çalışılan (XX. yy). Fransızca *cause finale* karşılığı.

gaib, gaibe, A. s. [Gaib, gıyab'dan] 1. Hazır bulunmayan, görünmeyen. 2. (Gra.) Üçüncü şahıs, o 3. Kayıp. ● Gaibdeki cifr ile bulunmaz. — Ziya Pş.».

gaibane, F. zf. Görünmeyerek. Görmeyerek. Görünmeyecek şekilde. Yüze karşı olmadan. ● ‹Yüzüne medhedeni sanma dost biri ben isem — Yolunda medhini gör gaibane kim söyler. — Ruhi».

gaile, A. i. 1. Sıkıntı, dert. 2. Sıkıntılı iş. 3. Baş belâsı. 4. Savaş. ● *Gaile-i zaile,* geçen savaş. (ç. Gavail). ● ‹Lisan-i hali olup tercüman-i vicdanı — Diyor ki: Validelik en safalı gailedir. — Fikret».

gair, gaire, A. i. Derin, alçak. ● ‹Ve mekân-ı gair ve mütahaffızdan miyahı emkine-i refiaya nakl ü tahvil. — Taş.».

gaire, A. i. (Tı ile) 1. İnsan pisliği, çıkartı. 2. Çukur yer. ● *Mevadd-i gaita,* insan tersi.

gait, gaita, A. i. (Tı ile) 1. İnsan pisliği, çıkartı. 2. Çukur yer. ● *Mevadd-i gaita,* insan tersi.

gaiyye, A. i. Fransızcadan finalisme (erekçilik, finalizm) karşılığı olarak kullanılmıştır (XX. yy).

galâ,' A. i. Pahalılık. ● *Kaht ü galâ',* kıtlık ve pahalılık. ● «Küffar diyarı kesret-i târac ü garât ile harap ve kendileri kaht ü galâdan âciz ü pürıstırap olmakla — Naima».

galâl, Bk. ● Gılâl.

galat, A. i. (Gayın ve tı ile) 1. Yanlış. 2. (Ed.) Kurala uymayan söz, tamlama, anlatım. 3. (XX. yy. da) Hekimlik terimleri yapılırken bazı «üye gelişmelerinin yaratılıştan başkalığı, bazı aşırı gelişmeleri» anlatmada kullanılmıştır. ● *Galat-i basar,* gözün bazı hallerde aldanması; ● *-fâhiş,* pek belli, kaba yanlış; ● *-his,* duyuştaki aldanış, *-meşhur,* herkesce kullanılması âdet olmuş yanlış kelime veya deyim; ● *-elvan,* Fransızcadan «dyschromatopsie» karşılığı; ● *-ruyet-i,* *-ruyet-i elvan,* renkleri başka renkte görme yanlışı (buna ● *da-i Dalton* da denilmiştir); ● *-tehekkümi,* (Ed.) dil kurallarına aykırı olarak sözcüklerin birtakım değişikliklere uğraması. ● «Görüp aks-i dehanın ruh-i galat-binim — Temaşaya seni bir rahne sandı iştiyakından. — Beliğ».

galatat, A. i. (Tı ve te ile) [Galat ç.] Yanlışlar. ● «Var imiş bizde meğer çok galatat. — Sümbülzade» — «Erbab-i zekâ galatatı bile şayan-i istifade görür. — Cenap».

galebe, A. i. 1. Yenme. 2. Üstün gelme. 3. Bastırma, bozguna uğratma. 4. Önüne geçilmeyen azgınlık. Çokluk, kalabalık. ● ‹İki asırdan beri galebinin hayran-i tabiîsiyiz. — Cenap».

galeyan, A. i. 1. Kaynama. 2. Çalkanma. 3. Coşma. ● *Derece-i galeyan,* ● *nok-*

ta-i galeyan, kaynama derecesi (100 santigrat). • «Ettirir leyle-i ruhumda seherler galeyan. — Fikret».

gali, *A. s.* [Galâ'dan] Pahalı.

galib, galibe, *A. s., i.* [Galebe'den] 1. Yenen, üstün gelen. 2. Daha kuvvetli. • *Düvel-i galibe,* • *fırka-i galibe,* (bir savaşta) üstün gelen devletler, (asker) fırka; • *ihtimal-i galib,* • *zann-i galib,* kuvvetli ihtimal, zan. «Biddefaat üzerine, serdarlar tâyin oldukça gâh galib, gâh mağlup olup. — Naima» • «İpşir Paşa gibi kuvve-i galibe sahibi vezirden. — Naima.» • Gavga-yi sühande galibim ben. — Ş. Galip.».

galiba, *A. zf.* Zannına göre, belki, görünüşe göre.

galibane, *F. zf.* Galip kimseye, üstün gelene yakışır surette. • «Hezar mertebe efzun ü bülent revişler ve galibane cünbüşler göstermeğin. — Raşit».

galibiyyet. *A. i.* Galiplik, üstün gelme. Yenmişlik, • «Her kuvvete ve her galibiyyete yılışan Fransızlardan sonra. — Cenap».

galil, *A. s.* Susamış. • «Lâkin şifa-yi alil ve saky-i galil eylemez. — Taş.»

galiya, galiye, *F. A. i.* 1. Mis ve amber karışığı siyah macun halinde güzel bir koku. 2. Güzel kara renk. (ç. Gavali). • «Hüsn kim galiye vü gazeden imdat ister — İstemez dil anı bir hüsn-i Hudadad ister. — Ş. Yahva».

galiyebar, *F. s.* [Galiye-bâr] Güzel kokulu şey saçan.

galiyedan *F. i.* [Galiye-dan] 1. Galiye kutusu. 2. Güzel koku kabı, mahfazası. • «Devatı galiyedan ü bohur olur kalemi — Benefşe-zâr-i behişte döner sevad-i rakam. — Nef'i».

galiyefam, *F. s.* [Galiye-fâm] Galiye renginde (Güzel kara).

galiyegûn, *F. s.* [Galiye-gûn] Güzel kara renkli.

galiyemisk, *F. i.* Kalemis yağı denen güzel koku.

galiyesâ, *F. s.* 1. Güzel koku hazırlayan. 2. Attar, ıtırıyatçı. • «Şimdi bî galiye bin gaile açmış hakla — Vay eğer galiysa eylece giysularını. — Nevres».

galiz, galiza, *A. s.* (Zı ile) [Gılzat'tan] 1. Kaba. Terbiye dışı. 2. Kalın, sık • *Ebr-i galiz,* kaba, kalın bulut; • *em'ai galiza,* kalın bağırsak; • *eyman-i galiza,* kaba yeminler; *tâbirat-i galiza,* terbiye dışı sözler; *şütum-i galiza,* ka-

ba küfürler. «Sopa ile yumrukla vesait-i galiza ile değil. — Cenap».

gallât, *A. i.* (Te ile) [Galle ç.] 1. Zahireler. 2. Tahıllar. 3. Yiyecek şeyler. «Sevda-yi ihtikâr vuku-i galâ' ile habs-i gallât edenler. — Raşit».

galle, *A. i.* 1. Tahıl, zahire. 2. Ürün. 3. Gelir. *Galle-i vakf,* vakıftan gelen galle (gelir). «Reha eseri zâhir ve galle-i beled vâfir oldu. — Sadettin».

galledan, *F. i.* [Galle-dan] Tahıl ambarı

gallefürüs. *F. i.* [Galle-füruş] Zahireci. (c. Gallefüruşan).

galsama, *A. i.* (Sat ile) 1. Gırtlak. 2. Gırtlağın ağzı. 3. (Bio.) Solungaç. (Suda yaşayan hayvanların solunum aygıtı).

galtan, *F. s.* (Tı veya te ile) 1. Yuvarlanan, tekerlenen. 2. Bulanan, bulanmış. *Ser-i galtan,* yere yuvarlanan kafa, baş (gövdeden koparılmış baş). «Hûn-i cûşan-i şehadet içre ben galtan iken — Sen ederdin hande, kan ağlardı şemşirin senin. — Naci».

galtide, *F. s.* Yuvarlanmış, tekerlenmiş • *Galtide-i hâk-i mezellet,* zillet toprağına yuvarlanmış. • «Bais-i fitne ve fesat olanlardan otuz mikdarı galtide -i rikâb-i hümayun kılınmak üzre. — Raşit».

gam, *A. i.* Kaygı, tasa. • *Bigam, tasasız:* • *def-i gam,* kaygı giderme. • «Ekmekçizade hilâf-i memul matlubundan mahrum gam üzerine gam ve vehm istilâ edip gayretinden hasta oldu. — Naima».

gamabad. *F. s.* [Gam-âbad] Tasası çok yer (dünya).

gamaim, *A. i.* [Gımam ç.] Hayvanların ağızlarına yem yemesin veya ısırmasın diye takılan torbalar veya benzerleri.

gamalûd, *F. s.* [Gam-alûd] Gamlı, tasalı. Kaygı ile karışık. • (ç. Gamalûdegân). • «Hatm eyleyelim gel. şu gamalûde kitabı. — Fikret».

gamam, gamame, *A. i.* Bulut. «Güzer etmektedir ikbal ü rutubet dediğin — Biri hurşid-i zemistan birisi raşh-i gamam. — Nabi».

gamaşina. *F. s.* [Gam-aşina] Tasalı, gamlı. • «Bigâne-i muhabbetin olmaz gamaşina — Ey dag-i derdin eylemeyen merhem-asine. — Nailî».

gamd, *A. i.* 1. Kın. 2. Zarf, mahfaza.

gamdide, *F. s.* [Gam-dide] Gam görmüş, tasalı. (ç. Gamdidegân). • «Her bulut bir haval-i gamdide. — Cenap».

gamfersa, *F. s.* [Gam-fersa] Gam yok eden, gamı dağıtan. • «Rayegân buldu gönül bade-i gamfersayı. — Nergisi».

gamfeza. *F. s.* [Gam-feza] Tasa artırıcı • «Gamfeza-yi âlem oldum hüzn-i vicdanımla ben. — Cenap».

gamgama *A. i.* 1. Haykırma. 2. Savaşçı bağırtısı.

gamgüsar, gamküsar, *F. s.* [Gam-güsar] 1. Tasa gideren (iyi arkadaş). 2. Şarap. (ç. Ganküsaran).

gamhane. *F. s.* [Gam-hane] 1. Tasa yurdu. 2. Dünya. • «Elden komasın câm-i meyi gül gibi bir dem — Her kim ki bu gamhanede dilşad olayım der. — Ruhi».

gamhâr, *F. s.* [Gam-hâr] Tasası olan, kaygı çeken. • «Gönül namında bir gamharımız kalmıştı âlemde — O da vardı ser-i kûy-i dilârada vatan tuttu. — Nabi» • «Bütün mebahis-i ruhun bilinmesi acaba — Verir mi tesliyet bir feylesof-i gamhâra. — Cenap».

gamık *A. s.* [Gamak'tan] Puslu, hafif lekeli. • «Yine billûr gibi saffeti yoktur eczası musmat ve gamıktır. — Naima».

gamîn *F. s.* Tasalı, kaygılı. • «Serpildi muhabbet — Her kalb-i gamîne. — Cenap».

gamız, *A. s.* Anlaşılmaz. karışık, belirsiz. (ç. Gamızat, gavamız).

gamıza, *A. i.* (Dat ile) 1. Anlaşılması güç. kolay anlaşılmaz. 2. Nükte. (ç. Gamızat, gavamız).

gamir, *A. s.* Yıkık dökük. Viran yer.

gamkede. *F. i.* Tasa yeri. tasa evi.

gamkîn, *F. s.* [Gam-kîn] Tasalı, kederli, • «Bütün bir şeb-i takatşikenin — Ta'b-i nekbeti altında ezilmiş, gamkîn — Otururken. — Fikret».

gamperver, *F. s.* [Gam-perver] Tasa veren, gam artıran. (ç. Gamperveran).

gammaz, *A. s.* [Gamz'dan] Herkesin ayıplarını meydana çıkaran, ağzı kara. (ç. Gammazan). • «Nice dil ihtiyariyle sever ol şuh-i tanmazı — Kosa öz haline • ger gamze-i fettan ü gammazı. — Nef'i».

gammazane, *F. zf.* [Gammaz-ane] Ağzı karalara yakışırcasına.

gamnâk, *F. s.* [Gam-nâk] Tasalı, kaygılı. • «Bir câm ile kıl def-i humar-i dil-i gamnâk. — Sami».

gamnisar, *F. s.* [Gam-nisar] Tasalandırıcı, kaygı veren • «Tevhiş edip hayalimi bir leyl-i gamnisar. — Fikret».

gampenah, *F. s.* [Gem-penah] Tasalı yer. Tasanın sığındığı yer. • «Kopup gelir sanırım ruh-i gampenahından. — Fikret» .

gamperver, *F. s.* [Gam-perver] Gam besleyen, gam artıran. (c. Gamperveran). • «O zavallının şi'r-i gamperverinden telezzüz ediyordu. — Uşaklıgil».

gamr, *A. i.* 1. Derinlik. 2. Karanlık. 3. Suyun derinliği.

gamre, *A. i.* Bönlük, anlayışsızlık. Tecrübesizlik.

gâmus, *F. i.* Camus, öküz.

gamz, *A. i.* 1. Gözle işaret, göz kırpma. 2. Kovulama, arabozuculuk etme. • «Ağa-yi mezbur gelip silâhdar paşaya gamz edip. — Naima».

gamze, *A. i.* 1. Göz kırpma, gözle işaret. 2. Naz ile bakma. Gamze-i cellâd. (İnsanı) öldüren nazlı bakış. • «Her mübtelâya hançer-i gamzeyle zahm açar — Kûyunda rast geldim o suha geçende ben. — Beliğ • «Leylâ kulunu eyler ise vaslına mahrem — Ben kailim öldürse de ol gamze-i cellad. — Leylâ».

gamzeda', *F. s.* [Gaz-zeda] 1. Tasalı. kaygılanmış. 2. Gam gideren, kederi defeden. • «Çeşmesârları pür safa ve çemenzarları gamzeda. — Sadettin».

gamzede, *F. s.* [Gam-zede] Gamlı, tasalı. (ç. Gamzedegân). • «Bir fikr-i şiir-i gümşüde, bir fikr-i gamzede. — Cenap».

gamzefiken, *F. s.* [Gamze-fiken] Gamze saçan. • «İnerken arza bu muhiş rida, likayi kamer — Vakur ağaçların üstünden oldu gamzefiken. — Fikret».

-gân, *F. e.* Sonları e olan Farsça kelimelerin çoğul halinde kullanılır.

- azadegân
- bendegân
- dilbestegân
- dildadegân
- feriştegân
- güzestegân
- güzidegân
- hanendegân
- küstegân
- şehzadegân
- üftadegân
- zadegân

ganaim. *A. i.* [Ganimet ç.] • Ganimetler. Düşmandan alınan şeyler. Ganaim-i bahriye, - harbiye, savaş halinde düşmandan deniz ve karada alınan şeyler. • «Mihaliç ve Aydın ve Saruhan illerini yağma ve talan eyleyip ganim-i bişümar ile döndük. — Naima».

ganc, gunc. A. i. 1. Güzellerin nazı. Şuhluk. 2. Kırıtma.

-gâne, F. e. «lik» halinde sıfatlar yapar. • Çihargâne, dörtlük; • dügâne, ikilik (iki rekâtlık sabah namazı).

ganem, A. i. 1. Koyun ve keçi. 2. Koyun. Lâhm-i ganem, koyun eti. (ç. Agnam). • «İmam dahi yedi yıl lâhm-i ganem ekl eylemedi. — Taş».

gani, A. s. 1. Elindekinden fazlasını istemeyen. 2. Zengin. Bol, fazla. 4. Tanrı adlarından olup özel isim yapılır. • Abdülgani. • «Dünyayı gani kâni tehi bahri berr eyler. — Nef'i».

ganim, A. s. Düşmandan doyumluk mal ele geçirmiş. Ganimen, düşmandan eşya ele geçirerek. • «Leh vilâyetine akın etmiş idi, bihadd esir çıkarıp salim ve ganim geldi. — Naima».

ganimen. A. zf. 1. Ganimet almış olarak. 2. Doyumluluklar. • «Piyale Kethüda donanma ile salimen ve ganimen Tersane-i âmireye dahil olmuş idi. — Naima».

ganimet, A. i. Savaşta düşmandan alınan mal. 2. (Mec.) Ele geçmiş, beklenmedik şey. Fırsatı ganimet bilmek, fırsattan faydalanmak elden kaçırmamak; mal-i ganimet, savaşta yenilen müşriklerin alınan mal ve mülkleri. Zor kullanarak ele' geçirilmiş şehirler hakkından zor ve kahır ile alınan şeyler; üsera (savaşçı esirler), seby (sivil esirler), emval-i menkule (taşınabilir mallar), arazi (toprak) diye dört çeşittir. • «İşte fırsat şu yapma sevdadan — Müstefit ol, ki bir ganimettir. — Fikret».

ganimin. A. i. [Ganim ç.] Ganimet almış kimseler.

ganiye, A. s. 1. Zengin (kadın). 2. Çok hoş. 3. Kadın şarkıcı. • «Mutribe-i meclis olan cariye-i ganiyesine. — Veysi».

gannac, A. s. [Ganc, gunc'dan] 1. Fazla oynak, işveli. 2. Çok şuh. • «Reva mı Ekrem unutmak o mihr-i gannacı — Reva da olsa ne mümkün gönülden ihracı. — Recaizade».

gar, A. i. 1. Mağara, in. 2. Defne ağacı Habb-ül-gar, defne tanesi; yâr-i gar, Mekke'den göçtükleri sırada Muhammed peygamberle bir mağarada kalmış bulunan ve ilk halife olan Ebubekir'in lâkabı. • «Ve yol üzerinde bir kûh-sar-i sengîn içinde vaki gar câ-yi teng ü târ olmakla doksan kadar kafir tüfenk ile gar-i mezbur içre karar edip. — Naima».

-gâr, ger, F. s. «Yapan, yapıcı» anlamıyle kelimelere katılır.

• aferidgâr • girdgâr
• amürzgâr • perverdigâr
• hudavendigâr • yadigâr

garabet, A. i. 1. Yabancılık. 2. Tuhaflık. 3. (Ed.) Alışılmamış kelime kullanma. • «Bununla hükümedin isterseniz garabetine. — Fikret».

garabetcu. F s. [Garabet-cû] Tuhaflık, garip şey arayan, böyle şeylere meraklı. (ç. Garabetcuyan).

garabetnüma, F. s. [Garabet-nüma] Garabet gösteren. Garip, tuhaf.

garaib, A. i. [Garibe ç.] 1. Görülmedik, alışılmadık, şaşılacak şeyler. (ç. Garaibat). • «Getirip söylettiler garaibat söyledi. — Naima».

garaibcu, F. s. [Garaib-cû] Garip şeyler arayan, garip şeyler meraklısı. • «Nice garaibcu efkâr ashabının. — Uşaklıgil».

garaibperver, F. s. [Garaib-perver] Garip şeylerden hoşlanan. Çok garip şeyler meydana getiren. • «Oradan bir fikr-i garaibperverin heves-i mecnunane-i tezeyyünü. — Uşaklıgil».

garam, A. i. 1. Aşk derdi. 2. Olağanüstü sevgi. 3. Ziyade düşkünlük. 4. Ölüm. • «Ben isterim ki garamım açınca şehbali. — Fikret».

garamat, A. i. [Garamet ç.] 1. Borçluluklar. 2. Haksız ödemeye zorlamalar. • «Ve İpşir'den zuhur eden cevr ve mazalim ve garamat umum üzre kâğıtta munderiç idi. — Naima».

garamet, A. i. 1. Borç. 2. Borçluluk. 3. Ödenmesi gereken bir şeyi ödemek. 4. Borcu üleştirme. Borcu yükleme. • «Belki garamet-i maliye ile mağdur edilmiş düşmanı kati çok idi. — Naima».

garameten, A. zf. Herkese haklarına göre eşit olarak üleştirerek.

garamiyyat, A. i. Sevgi ile ilgili konular. Fransızcadan Iyrisme karşılığı (XIX. yy.).

garar, gırar, A. i. Harar. Büyük kıldan çuval. • «Tamaha düşüp mal-i ganim doldurmak için boş gararlar ile ekser semerli beygirlere binip. — Naima».

garât, A. i. [Garet ç.] Yağmalar, çapullar. • ‹Atlı ve piyade memlekete dağılıp nehb ü garât hetk-i ırz ü huremat etmişler idi. — Naima›.

garaz, garez, A. i. 1. Niyet, maksat. 2. Kötü niyet. 3. Gizli düşmanlık. Bigaraz, garazsız, gizli bir niyeti olmayan; elgaraz. maksat, niyet oldur ki... li garazin, sebep altında, bile bile. (ç. Ağraz). • ‹Âşıka ancak tasarrufsuz temaşadır garez. — Fuzuli›. • ‹Padişaha hilâf-i inha ile azl ettirdiği zikr olunmuştur. Yine gareze haml-olunmamak için. — Naima›.

garazalûd, F. s. [Garaz-alûd] Garazlı, özel maksatlı.

garazamiz, F. s. [Garaz-amiz] Garaz karışığı. • ‹Hüseyin Beye bazı garazamız ve tamaha mebni şurut ile. — Naima›.

garazkâr, F. s. [Garaz-kâr] 1. Gizli bir düşmanlığı olan. 2. Kötülük isteyen. (ç. Garazkâran). • ‹Böyle garazkârı ne için intihap edip yetiştirmiş diyerek Reşit Paşaya itiraz olunamaz. — Kemal›.

garp, A. i. 1. Batı. 2. Batı yönü, yeri. Garb-i cenubî lodos; -şimalî, karayel. • ‹Eyleye ta husrev-i sahibkıran-i şark ü garb. — Nef'i›.

garben, A zf. Batı yönünden. ‹Zulm-i zulümat-i Nemrud-i merdut rû-yi zemini şarkan ve garben kaplayıp. — Veysi›.

garbî, garbiyye, A. s. Batı yönüne ait, batı ile ilgili. 2. (Ö. i.) Garbiyye, Aşağı Mısır'ın batı bölgesi.

garbiyyun, A. i. 1. Batı halkı. 2. Batıyı özleyenler, batı taraflıları.

garenk, F. i. Çığlık. ‹Aduya nâra çeker görse nizedarların — Ki neyistanda eder şirlerin giriv ü garenk. — Hayalî›.

garet, A. i. 1. Düşman toprağına yağma hücumu. 2. Çapul, yağma. 3. Kapışma, soyma.

garetger, F. i. [Garet-ger] Yağmacı, çapulcu. (ç. Garetgeran). • ‹Tek ü tâz-i gaziyan-i garetger ile. — Sadettin›.

garetgeran, F. i. [Garetger ç.] Yağmacılar. • ‹İki yüz keselikten ziyade altını garetgeran beyninde bahş-i kalenderi oldu. — Naima›.

garetkünan, F. s. Yağmalayarak, yağma ederek • ‹Ve garetkünan Lârende canibine revan olup. — Sadettin›.

gargere, A. i. Gargara. Suyu boğazda oynatma.

garib, A. s. [Garabet'ten] 1. Yabancı. 2. Kimsesiz. 3. Tuhaf, şaşılacak, bambaşka. Dokunaklı. • ‹Efendiler acıyın. ben garibim işte. — Fikret›.

garib, A. s. [Gurub'dan] Gurup eden. • Batan, sönen. ‹Garib güneş, azimete âmâde bir tren. — Fikret›.

gariban, F. i. [Garip ç.] Garip kimseler. • ‹Son faslımızın şam-i garibanında. —. Gül devrini hâtırlatacak câm kalır. — Beyatlı›.

garibane, F. zf. [Garib-ane] Garipçe. Garibe yakışır yolda. • ‹Vaz-i giryan-i garibane kızın bakir ü tam — Ne kadar duygusu kaldıysa tutup mahv edecek. — Fikret›.

garibe, A. i. 1. İşitilmemiş, görülmemiş şey. 2. Tuhaf iş. 3. Olağanüstü olay. (ç. Garaib, garaibat). • ‹Yevm-i nasbında azl ile nefyi garibe-i eyyam oldu. — Raşit›.

garibnüvaz, F. s. [Garib-nüvaz] Kimsesizleri, yabancıları koruyan.

garibüddiyar, A. s. [Garib-üd-diyar] 1. Memleketin yabancısı. 2. Asıl yurdundan uzak. • ‹Meta-i devlete aldanma ki bu kisverde — Hezar hace garibüddiyar ü dâr kalır. — Nailî› • ‹Kendisini şu âlemde garibüddiyar bulmuş gibi. — Uşaklıgil›.

garik, A. s. [Gark'tan] 1. Suda boğulmuş. 2. Bir şeye bol bol kavuşmuş. • ‹Garîk-i lücce-i hayret bu heft girdabın — Ne ka'rına nazar eyler ne destiyar ister. — Nailî›.

garim, A. s. i. 1. Alacaklı 2. (Huk.) Üzerinde borç ve başka haklar bulunan (ç. Gurema). • ‹Eğer kizbim varsa bu Kelâm-i Kadîm bana garîm olsun — Naima›.

gariye, gaariye, A. i. (XIX. yy.). Defnegiller...

garize, A. i. 1. Yaradılıştan olan hal. 2. (XX. yy.). Fransızcadan instinct karşılığı olarak felsefede kullanılmıştır.

garizî, gariziyye, A. s. Yaradılış, garize ile ilgili. (XIX. yy.). Hekimlik terimleri konurken caloricite karşılığı olarak hararet-i gariziyye, (diriksel ısı) denilmiştir. • ‹Sultan-i baharın tabiat-i şerifindeki rutubet-i garizî imtidad-i devran ile âhir olduğu. — Lâ-mii». • «Kendi harareti gariziyesiyle soğuktan korunmaya çalışıyor. — Cenap».

gariziyat, *A. i.* «Fizyoloji» karşılığı (XIX. yy.).

gark, *A. i.* 1. Batma. 2. Boğulma. 3. Bol bol verme veyahut alma. • «Çocuk da, mader-i müşfik de gark-i eşk ü turab. — Fikret».

garka, *A. s.* Suya batmış. • «Hep garka-i belâ görürüm ben hayatımı. —Fikret».

garkab, *F. s.* [Gark-âb] 1. Suya batmış. 2. Boğulmuş. • «Etse Firavun'u Huda böyle havada garkab. — Nef'i».

garkagâh, *F. i.* [Garka-gâh] Tehlikeli, batak yer. • «Ne badbaña ne fülke ne rüzgâra dayan — Bu garkagâhta ancak şinah lâzımdır. — Nailî».

garra, *A. s.* 1. Parlak. 2. Ak. Şeriat-i garra, tuğra-yi garra. • «Mısraını Cevri Çelebi tarih demiştir, hak budur ki tarih-i garradır. — Naima».

garran, *F. s.* 1. Homurdanan, kömürdenen. 2. Kızgınlık ile haykıran.

garrende, gurrende, *F. s.* Kömürdeyip azan yırtıcı hayvan.

gars, *A. i.* (Ağaç, fidan) Dikme. *Gars-i yemîn*, sağ eli ile dikilen fidan, birinin yanından fidanı gibi ayrılmaz kimse.

garz, *A. i.* Batırma. Sokma.

gas, Bk. *Gass.*

gasb, *A. i.* 1. Zorla alma. 2. Üstüne oturma. • «Gasb, bir kimsenin izni olmaksızın malını ahz ü zaptetmektir. Ahz eden kimseye • «gasıb» ve ol mala • «magsub» ve sahibine • «magsub-i minh» denir. — Mec. 881».

gasben, *A. zf.* [Gasb'dan] Zorla alarak. • «Ve gasben memalik-i âlemden sürdüğünüz mevaşi sürülerin. — Naima».

gasevan, *A. i.* 1. Bulantı. 2. Kusma. başlangıcı.

gasıb, *A. s.* (Gayın ve sat ile) [Gasb'dan] 1. Zorla alan. 2. Yağmacı, çapulcu.

gasıbiyyet, *A. i.* Zorla alma. Zorbalık alımı. «Bu müsabaka-i gasıbiyyette hissedar olmamayı her devlet. — Cenap».

gasl, *A. i.* 1. Yıkama, temizleme. 2. Ölünün yıkanması. • «Merhumun gaslleriyçin Üsküdarî Mahmut Efendi dâvet olunup. — Naima».

gass, *A. s. i.* (Gayın ve se ile) 1. İnce. 2. Zavallı. 3. Tatsız, yavan. 4. İncelik.

• *Gass ü semîn.* 1. Zayıf ve semiz. 2. Fakir ve zengin.

gassal, *A. i.* (Gayın ve sin ile) [Gasl'den] Ölü yıkayan adam. «Her ölen gassal elinden geçer. — Cenap».

gassale, *A. i.* 1. Ölü yıkayan kadın. 2. Yıkanacak ilâçlı su. 3. Sabahları içilen şarap. • *Selâse-i gassale*, eski hekimlerin sabahları içilmesini öğütledikleri üç kadeh şarap • «Gassalesi olur ki hâke akıp. — Taş.» • «Gülzara gel selâse-i gasasle nuş edip — Çirkâb-i gamdan eylediği alûde tahir ol. — Beliğ».

gaşeyan, *A. i.* Kendinden geçme. 2. Oğunma.

gaşiye, *A. i.* 1. Örtü, perde. 2. At eyeri örtüsü, haşa. • «Gûya ki saba gaşiye berduş-i hazandır. — Ş. Yahya».

gaşiyedar, *F. s.* [Gaşiye-dar] At takımlarına bakan. At uşağı. • «O şehsüvar ki binse semend-i ikbale — Revadır Âsaf olursa yanınca gaşiyedar. — Nabi».

gaşum, *A. s.* İnatçı. Zalim.

gaşy, *A. i.* 1. Bayılıp yuvarlanma. 2. Bayılıp kendinden geçme. • «Ah, ruhum ben — Bu inceliklerinin karşısında gayş olurum. — Fikret».

gaşyaver, *F. s.* [Gaşy-aver] 1. Bayıltan. 2. Baygınlık veren.

gaşyet, *A. i.* Kendinden geçme. (Hek.) • *Gaşyet-i mevt*, koma hali.

gatarif, gatarife, *A. i.* [Gıtrif ç.] Soydan kişiler. Başkanlar.

gats, *A. i.* 1. Suya daldırma. 2. Bir şeyin içine dalma.

gâv, kâv, *F. s.* 1. Öküz. Sığır. Gâv-i arz, -zemin, yer yüzünü boynuzu üstünde tutan öküz. • «O bir gâv-i düpâdır karayı fark etmez akından. — Beliğ».

gavâ, *A. s.* 1. Yolunu şaşırmış, sapmış. 2. Azgın, yoldan çıkmış olan. • «Sanman bizi kim bestedil-i nefs-i gavâyız — Hâk-i kadem-i al-î abâ Mustafaviyiz. — Ş. Galip».

gavagil, *A. i.* [Gafile ç.] Gaflette olanlar.

gavaib, *A. i.* [Gaibe ç.] Sırr olan şeyler.

gavail, *A. i.* [Gaile ç.] Sıkıntı verici işler, halli zorluk gösteren işler, *Gavail-i dahiliye*, içişlerdeki sıkıntılar. • «Dahilen ve haricen birtakım emvac-i gavail ve müşkilâtın... — Kemal».

gavali, *A. i.* [Galiye ç.] Güzel kokular.

gavamız, A. i. [Gamız ç.] 1. Kolay anlaşılmaz nükteler. 2. Gizli incelikler. • «Ve hall-i gavamızda anı Mevlâna Tusi'den tercih eyler idi. — Sadettin».

gavani, A. i. [Ganiye ç.] 1. Zenginler. 2. Kadın şarkıcılar. • «Hava yani şagaf-i musahabet-i gavani ve rağbet-i şikar ve idman-i şarap ve meyl-i lehv ü istima-i eganidir. — Hümavunname».

gavaşi, A. i. [Gaşiye ç.] 1. Örtüler. 2. Kalbe dolan kuşkular. Endişeler.

gavaya, A. i. [Gaviye ç.] Sapmışlar, sapıtmışlar.

gavayet, A. i. Azgınlık. «Mel'uniyet ile mu'lem ve licam-i küfr ü gavayet ile mülcem olmakla. — Naima».

gâvban, F. i. [Gâv-ban] Sığır çobanı. «Bir gavban bir karye ahalisinin mecmu-i gâvlarını. — Silvan».

gavga, F. i. Kavga: «Pür âteş-i hevl olsa da gavga-i hürriyet. — Kemal».

gavi, A. s. Azgın.

gaviye, A. s. 1. Azgın, sapıtmış. 2. Su çeken deve.

gavr, A. i. 1. Dip, en derin yer. 2. Kök, esas, temel. 3. Derin çukur. • «Önünde bir gece, bir gavr-i lâciverd-i zalâm. — Fikret».

gavs, A. i. (Se ile) 1. Yardım, arka. 2. (Tas.) Azizlerin başlarından olan üç kişiden her biri. Gavs-üll vasılin, gerçeğe, marifete ermiş olan kâmillerin başları, üçler.

gavs, A. i. (Sat ile) 1. Suya dalma. Dalgıçlık. 2. İşe girişme, dibine varma. • «Agvar-i bihar-i efkâra gavs ile. — Nergisi».'

gavt, A. i. 1. Derin çukur. 2. Boşluk, 3. Batma, bir madde içine girme.

gavta, A. i. Toprak üzerindeki çukur, sulak, ağaçlı yer. Gavta-i Şam, Şam düzlüğü, ovası.

gavta, F. i. (Tı ile) Su içindeki derinlik, su çukuru.

gavtabaz, F. s. [Gavta-baz] Dalgıç.

gavtabazî, F. i. [Gavta-bazî] Dalgıçlık.

gavtahâr, gavtahor, F. s. [Gavta-hâr] Batan, dalan. • «Hussam Beyzade gavtahâr-i lücce-i gufran olmağın yerine. — Raşit».

gavun, A. i. [Gavi ç.] Azgınlar, yolunu şaşırmışlar.

gavvas, A. i. (Sat ile) 1. Dalgıç. 2. Ziyade gayretli, çalışkan kimse. (ç. Gav-

vasan). • «Benim ol nadire-gavvas ki olsa ne kadar — Bahr-i endişe amîk ü dürr-i mâna kemyab.—Nef'i» • «Dest-i gavvasan - i insafa bir gün girer çıkar — Bu meseldir ki sen insaniyet et ummana at. — Lebip».

gayahib, A. i. (He ile) [Gayheb ç.] Gece karanlıkları. • «Gayahib-i ibtida' ve zulümat-i şirk ü niza' — Sadettin».

gayat, A. i. [Gaye, gayet ç.] Gayeler. erekler, amaçlar. Ülküler, idealler. Sonuçlar.

gayb, A. i. 1. Hazır olmayan şey gizli, görünmeyen, göz önünde olmayan. 2. Görünmez âlem. • Âlem-i gayb, gözle görünmez şeyler âlemi; • âlim-i gayb, âlim-ülgayb, görünmez şeylerin bilicisi (Tanrı); • hizane-i gayb, Tanrı nimetlerinin gözle görünmeyen hazinesi; • lisan-ül-gayb, Hafız Şirazînin lâkabı; • rical-i gayb, rical-ül gayb, her devirde var olan fakat başkalarınca görülmeyen Tanrı buyruklarına göre insanları idareye çalışan kutsal kimseler. • «Gözüm gayb etti dâmen-i dilâramı. — Fikret».

gaybdan, F. s. [Gayb-dan] Gaybı bilen. «Ey sahib-kıran-i hazret-i sultan-i gaybdan celle celâlehu. — Veysi».

gaybet, A. i. Hazır olmama. Görünmeme. Kaybolma. Gaybet-i efkâr, (XX. yy.) Fransızcadan aidéisme karşılığı. • «Ol gün ki yok idi bende kudret — Kıldın bana gaybetimde şefkat. — Fuzulî». • «Çorlu kadısı Balizade mahdumu havfından durmayıp gaybet eyledi. — Naima».

gaybî, gaybiyye, A. s. 1. Görülmezlikle ilgili. 2. Görünmezlik âlemine mensup. • «Kendi zevaline dahi ilâmet-i gaybiyedendir. — Naima».

gaybubet. A. i. 1. Meydanda bulunmama. 2. Gözle görünmeme. 3. Başka yerde bulunma.

gaye, A. i. 1. Maksat. 2. İş. 3. Sonuç. Gaye-i hayal, «ideal» karşılığı (XIX. yy.); bîgaye, sonsuz; fevk-al-gaye, son derece, umut üstünde. «Öyle bîgaye, biseher, bîhâb, — Daima aynı iltizaz-i şebab. — Fikret».

gayet, A. i. 1. Uc. 2. Son. Bitim. 3. Maksat. 4. Pek çok, nihayet derecede. Gayet-ül-gaye, en son derece; begayet. son derece; bîgayet, sonsuz: • «Ve beytülmal-i müslimîni gayet-ül-gaye sıyanet eylediğimi. — Raşit». • «Verin enînine gayet şu bir yığın beşerin. — Fikret».

gayheb, A. i. Karanlık. (ç. Gayahib).

gaym, A. i. 1. Bulut. 2. Susama. 3. Kin. (ç. Guyum). «O gece havada gaym olmakla. — Naima».

gayn, A. i. Arap elifbesinde «g» harfinin adı. • «Hattâ tamam gayn gibi telaffuz ederdi».

gayr, A. i. Başka. Diğer. (ç. Agyar). • «Eğninde görüp gayrıların atlas ü diba — Gam çekme ki eğnimde benim köhne abâ var. — Ruhi». • «Cehd eyle hemen gayr eline bakmaya gör kim — Benden ne sana faide senden ne bana var. — Ruhi».

gayr, A. e. Başına katıldığı kelimelerin anlamını olumsuzlaştırır. XIX ve XX. yüzyıllarda, Fransızca im-, in-, non edatlı kelimelerin çevrilmesinde çok kullanılmıştır. Bigayrihi, vegayrühüm ve başkaları. Gayr-i menkul, taşınmaz (mal). • «Gayr-i menkul akar denilen hane ve arazi gibi mahall-i ahare nakli mümkün olmayan şeydir. — Mec. -29».

gayran, A. s. 1. Kıskanç. 2. Gayretli, çalışkan.

gayrendiş, F. s. [Gayr-endiş] Başkalarını düşünen.

gayret, A. i. Olağanüstü çalışma. 2. Sabır, dayanma. 3. Kıskanma. 4. Kutsal bilinen bir şeye yabancı karışmasına dayanmama. Gayret-i bâtıla, yararsız uğraşma; -cahiliye, körü körüne uğraşma; -diniye, din uğruna didinme; -İslâmiye, İslâmlık gayreti; sahib-i gayret, gayretli, cesaretli, atılgan. • «Nice defa göçtü kıyas ederlerdi yine gayret ile süvar olup yola girerdi. — Naima» • «Gehi telâtüm-i afkâr-i derd-i zıyk-i maaş — Gehi tezahüm-i ekdar-i gayret-i emsal. — Nedim».

gayretkeş, F. s. [Gayret-keş] Çalışkan. 2. Bir tarafı tutan, taraflı. 3. Hamiyetli. 4. Kıskanç. (ç. Gayretkeşan).

gayretmend, F. s. [Gayret-mend] Gayretli.

gayretşiar, F. s. [Gayret-şiar] Gayretli. • «Asakir-i gayretşiar ferman-i kaza nifaz-i kişveristanî ile. — Kemal».

gayretver, F. s. [Gayret-ver] Gayretli. (ç. Gayretveran).

gayriyyet, A. i. Gayrılık, özgelik. «Mahveyle gönlünden eser-i nakş-i sivâyı — Gayreti bînam ü nişan eyl İlâhi. — Sami».

gays, A. i. (Se ile) Yağmur, rahmet. • «Ra'y ü sakye muhtaç ve anlara ise nüzul-i gaystan gayrı ilâç olmadığı — Taş.».

gayur, A. s. [Gayret'ten] 1. Pek gayretli. 2. Kıskanç. 3. Hamiyetli. 4. Dayanıklı.

gayuran, A. i. [Gayur ç.] Gayurlar, gayretliler.

gayurane, F. zf. [Gayur-ane] Gayur kimseye yakışır surette. Büyük bir çalışma ve çabalama ile.

gayy, A. i. Azgın olup dalâlette bulunma, yolunu sapıtmış olma. • «Kulûb-i âlemiyan berd-i küfr ü dalâletle dembeste iken ve nüfus derd-i gayy ü cehaletle dilhaste iken. — Lâmiî».

Gayya, A. i. Cehennemin beşinci tabakası olan Huteme'nin içindeki korkunç kuyu. (Mec.) Belâlı derin çukur. • «İşte gayya-yi vücut, o zulmet, o batak. — Fikret».

gayz, A. i. (Zı ile) 1. Dargınlık. 2. Kızgınlık. Gayz ü gazab, kızgınlık ve öfke; kâzim-ül-gayz, öfkesini yenen; kâzm i gayz, öfkeyi yenme. • «Tükürür gayz ü tehevvürlerle — Hilkatin çehre-i sâfiyetine. — Fikret».

gayzefşan, F. s. [Gayz-efşan] Öfkeli, öfke saçan. • «Şu ulvi sâi-i bîhâb ü rahat işte gayzefşan. — Fikret».

gaz, Fransızca olan bu kelime ile hekimlik terimleri konulduğu sırada gazi (gazeux), gaziyet, gazi-yüş-şekil gazeiforme); gaz-i mühlik, -münir, -müntin, müvellid-i gaz (gazogene). -mikyas-ı gaz (gazometre) gibi sözler yapılmıştır. (ç. Gazât).

gazâ, A. i. (Gaym ve ze ile) Din uğruna savaş. • «Mukteza-yi akl-i selim üzre hareket edemeyip emr-i gazáda anın dahi vücuhla su-i tedbiri hüveyda oldu. — Naima».

gazab, **gazeb**, A. i. (Gaym ve dat ile) Öfke, kızma, darılma. Mir-i gazab, cellât; pür gazab, çok öfkeli. • «Lütfeyle desem Ruhi-i zâra gazap eyler. — Ruhi». • «Dışarda fırtına gittikçe pürgazab, cuşan. — Fikret».

gazaben, A. zf. Öfke ile.

gazabnâk, F. s. [Gazab-nâk] Öfkeli. «Etraf ve cevnibde olan fikirsizce taze ve gazabnâk ağalar dahi. — Naima».

gazal, A. i. (Ze ile) 1. Ak geyik, ahu. 2. Geyik yavrusu. 3. (Ed.) Güzel göz. 4. Şarkıcı, mızıkacı, Çeşm-i gazal, iri ve

güzel göz. • ‹Çeşm-i gazal-i deşt-i Hu-
ten'dir dü-didesi. — Beliğ›.

gazalân, *F. i.* [Gazal ç.] Ahûlar. ‹Med-
dah olalı çeşm-i gazalânına Bakî — Öğ-
rendi gazel tarzını Rum'un şuarası. —
Bakî›.

gazale, *A. i.* Gazal dişisi. Geyik yavrusu-
nun dişisi. • ‹Mecnun küsüste eylemedi
bî-niyâz iken — Târ-i nigâhı halka-i
çeşm-i gazaleden. — Fuzulî›.

gazanfer, *A. i.* 1. Aslan. 2. (Mec.) Cesa-
retli insan. 3. Hazreti Ali. • ‹O kahra-
man, o gazanfer yürekli efradı. — Fik-
ret›.

gazanferane, *F. zf.* [Gazanfer-ane] Asla-
na yakışır yolda. Aslanca.

gazât, *A. i.* (*Ze* ile) [Gaz ç.] Gazlar.

gazban, *A. s.* (*Dat* ile) Öfkeli. ‹Deyip lâ-
havlegûyan müteellim ve gazban olup.
— Naima›.

gaze, gazze, *F. i.* Kızıl renkte düzgün.
Allık, ruj. • ‹Cemal-i ney-arusan-i mu-
habbet gazesiz kalmaz. — Nabi›. — ‹Ey
gaze-i sahhar-i herempuş! güzelsin —
Lâkin mütegayyir. — Fikret›.

gazel, *A. i.* (Ed.) Konusu daha çok sevgi
ve içki olan, manzume. 2. Tek kişinin
özel ahenkte okuduğu musiki parçası.
• ‹Mürde-dil nazm-i Beliğ ile bulur ta-
ze hayat — Oku bir pâk gazel üstüne
divanından. — Beliğ›.

gazelhan, *F. s.* [Gazel-hân] Gazel oku-
yan. •‹Bülbülaşüftelenip bezme gazel-
hân geldi. — Nedim›.

gazelhanî, *F. i.* 1. Gazel okuyuculuk. So-
lo şarkı söyleme. 2. Gazel yazıcılık. •
‹Agaaz-i gazelhanî ile hame-i cansuz. —
Beliğ›.

gazelliyyat, *A. i.* [Gazel ç.] Gazeller.
• ‹Nedir bu sizdeki aşk-i teceddüd ü
icad? — Ne gördünüz gazeliyattan, ka-
saidden? — Fikret›.

gazelsera, *F. s.* [Gazel-sera] Gazel yazan.
• Bir tek gazel bıraksa yeter bir gazel-
serâ — Her beyti ancak olmalı beytül-
gazel gibi. — Beyatlı›.

gazevat, *A. i.* [Gazve ç.] Gazveler, ga-
zalar. • ‹Bu denlû gazevat edip Engirüs
vilâyetin dâr-i İslâm eyledi. — Selâni-
kî›.

gazi, *A. i., s.* [Gaza'dan] 1. Gaza etmiş,
savaşta bulunmuş kimse. 2. Din uğruna
savaşmış kimse. 3. Üzerinde «Gazi» ya-
zılı altın. (ç. Gaziyan, guzat). • ‹Amma
yeniçeri gazileri saf saf zanuya çöküp.

— Naima› • ‹Bu denlu doyumluk pen-
çe-i gaziyandan reha bulup çıka gide. —
Naima›.

gazir, *A. s.* Bol. Çok. • ‹Ol gadir-i kebir
ki mecmea-i miyah-i gazîr ve medhalin-
den mahreci sağır. — Hümayunname›.

gaziyan, *F. i.* [Gazi ç.] Gaziler. • ‹Tek ü
tâz-i gaziyan-i garetger ile. — Sadet-
tin›.

gazl, *A. i.* (*Ze* ile) 1. (Fitil gibi) İplik eğir-
me, bükme. 2. Bükülen, eğrilen iplik.
• ‹İmamın vâlidi sof gazl edip dükkâ-
nında bey' ederdi. — Taş.›.

Gaznevî, *A. s.* Afganistan'ın Gazne şeh-
rinden olan.

gazub, gadub, *A. s.* (*Dat* ile) [Gazab'-
dan] Öfkeli, kızgın, kükremiş. • ‹Ga-
zub ve mütehevvir ve cebbar ve müte-
kebbir olanlara cûd ü kerem lâzımdır.
— Naima›.

gazve, *A. i.* (*Ze* ile) 1. Arap kabîlelerinin
birbiriyle savaşı. 2. Gaza. 3. Din uğru-
na savaş. • ‹Yevm-i gazve-i Uhud'de.
— Taş.›.

gazz, *A. i.* (*Dat* ile) Gözü bakıştan alı-
koyma. • ‹Ve halkı kelimat-i müessire-
si ile gazz ü kesr ederdi. — Taş.›.

gebr, *A. i.* (*Kef* ile) Ateşe tapan. Zerdüşt
dininde olan. • *Gebr ü tersa,* ateşe tapan
ile hristiyan. • ‹İnan-i ihtiyarını ol
gebr-i bedkirdarın dest-i iktidarına ve-
ricek. — Sadettin›.

gec, kec, *F. s.* Bk. • Kec.

gec, *F. i.* Harç. Kireç. • *Gec ü ahek.* Harç
ve kireç. • ‹Gec ü ahek ve sair havaic
bu veçh üzre cem' olunup. — Sadettin›.

geçrev, *F. s.* [Gec-rev] Eğri giden, terse
dönüş. • ‹Çerh gecrevliği terk ettiyse
kim dinler — Dilberan meyl-i vefa et-
ti desem kim inanır. — Nabi›.

geda, *F. i., s.* 1. Dileci, yoksul. 2. Âşık.
• *Gedagazi,* çengi; • *bay ü geda,* zengin
ile fakir.
‹Ya bister-i kemhada ya viranede can
ver — Çün bay ü geda hâke beraber gi-
recektir. — Ziya Pş.›.

gedaçeşm, *F. s.* [Geda-çeşm] Açgözlü.
Gözü doymaz, hırsı çok.

gedaçeşmane, *F. zf.* [Geda-çeşm-ane]
Açgözlücesine.

gedai, gediva, *F. i.* Dilencilik.

gedavan, *F. i.* [Geda ç.] Dilenciler. • ‹Su-
rette gedayan-i nemed-puş-i melâmet —
Mânada selâtin-i melik-i hayl ü haşem-
dir. — Sami› • ‹Bu gedayan-i irfana
cevap. — Cenap›.

gede, F. i. Bk. ● Kede.

-geh, -gâh, F. e. Katıldığı kelimelerin anlamına zaman ve yer kavramı katar.

geh, F. zf. Bazı, kimi vakit.
● «Geh can düşer piş-i nazargâhına geh dil — Bir kerre nigâh eylemez ol çeşm-i sisey dil. — Beliğ».

gehan, F. i. Zaman. ● Nagehan, ansızın, zamansız.

gehi, F. zf. Ara sıra, bazı bazı. ● «Gehi bir nağme bir feryad-i hiç âbad olur gûya. — Cenap».

gehvare, kehvare, A. i. Beşik. ● «Zevrakçe o bir neşeli gehvare-i sevda. — Fikret».

gehvarenişin, F. s. [Gahvare-nişin] Beşikte yatan.

gejdüm, kejdüm, F. i. Akrep. ● «Taylasanına dolaşma zahidin ey rind olan — Kıl hazer gejdüm sıfattır zehr kuyruğundadır. — Hamdi».

gejdüman, F. i. [Gejdüm ç.] Akrepler. ● «Ve gejdüman-i surezar-i cehennem. — Veysi».

gejdümi, F. s. Akreple ilgili. Akrepçe, akrep gibi. ● «Zamirinde kemîn olan hassiyet-i gejdümi zuhura gelip reayaya zulm ü teaddi ve kul taifesine cevr ü cefa. — Naima».

gelû, F. i. Boğaz. ● «Handei hacaletalûd gelûlarını seddedip taam bile yemediler. — Naima».

gelûgîr, F. s. [Gelû-gir] Boğaz tutan. Boğaz tıkayan. Boğazdan güçle geçen şey. ● «Lokma-i gam ki gelûgir-i melâl oldu bana — Şir-i medar gibi mey şimdi helâl oldu bana. — İzzet B.».

gene, F. i. Hazine. ● «Suhan bir genc-i bîpâyan-i esrar-i ilâhidir. — Nef'i» ● «Hanede genc-i nihandır onlar — Cevher-i ismete kândır onlar. — Vehbi».

gencbahş, F. s. [Genc-bahş] Hazine bağışlayan.

gencdar, F. i. [Genc-dâr] Hazinedar.

Geneevî, F. s. «Gence» şehrinden olan.

gencine, F. i. Hazine. Gömülü hazine. ● «Destres gencineye memuldür viranede. — Beliğ».

gencname, F. i. [Genc-name] Define ile ilgili yazı, kitap.

gencur, gencver, F. i. Hazine bekçisi. ● «Suhan bir genc-i bi-payan-i esrar-i ilâhidir — Ki tab'i nüktedanımdır o gencin şimdi gencuru. — Nef'i».

gende, gendide, kende, F. s. Kokmuş.

gendüm, kendüm, F. i. Buğday, ● kendüm nüma vü cev-fürüş, (buğday gösterip arpa satan) hileci, yüze gülüp adam aldatan.

gendümgûn, F. s. [Gendüm-gûn] Buğday benizli. ● «Gendümgûn ve merbuül-kame idi. — Taş.».

gendümnüma, F. s. Yüze gülüp adam aldatan.

ger, F. e. «Eğer» sözcüğünün kısalmışı. ● «İnsaf ile ger olunsa dikkat — Tamimi değildir acze ruhsat. — Ş. Galip».

-ger, F. s. İsimleri sıfat haline koyar; -ci.
● ahenger ● sitemger
● durger ● yağmager
● garetger ● yekdiğer
● kefesger ● zerger

erg, F. i. Uyuz hastalığı.

gerçi, F. e. [Eğerçi hafifi]Her ne kadar, ise de. ● «Rengin risaledir ezeli gerçi fenn-i hüsn — Bir müntahap sahife yüzün ol risaleden. — Beliğ».

gerd, F. i. 1. Toz, toprak. 2. Dönen, dönücü şey. Tekerlek, fırıldak. 3. Tasa, gam, keder. ● «Rida-yi lûtf ü kerem birle izale-i gerd-i hâk eyledi. — Veysi» ● «Şöyle gerd olmuş Frengistan birikmiş bir yere — Sonra gelmiş gûşe-i ebruda hâl olmuş sana. — Nedim» ● «Gerd-i haşyelle dolar künbend-i varune-i cevv. — Fikret».

-gerd, F. s. «Dönen, dolaşan» anlamıyle kelimelere takılır.

gerdalûd, F. s. [Gerd-alûd] Toza bulanmış, toz toprak içinde.

-gerdan, F. s. «Dönen, dönücü» anlamıyle kelimelere katılır. ● Rugerdan, ● ● sergerdan, Bk. ● «Dedi mihr ü meh değildürür ravazasında ol şehin — Kudsiyan gerdan ederler iki mecmer ruz ü şeb. — Fehim».

gerdaniyye, Müzikte altıncı nota.

-gerde, kerde, F. s. Yapılmış. ● Binagerde, imlâgerde, telifgerde.

gerden, gerdan, F. i. Gerdan, boyun. ● «Nuş-i meyde gerden-i sâfın temaşa eyleyip — Bâde-i gülgûn iner sandım gelû-i şişeden. — Beliğ».

gerdenan, F. i. [gerden ç.] 1. Gerdanlar. 2. Pehlivanlar, yiğitler.

gerden bend, F. s. Boyuna bağlanacak (nesne).

gerden beste, *F. s.* Boynu bağlı, boynundan bağlı olan. ● *Gerden beste-i taat,* itaatle boynunu bağlatmış. (ç. Gerden bestegân). ● ‹Seni dest ve gerden beste selhhane-i duzeha yetirdikte. — Veysi›.

gerdendade, *F. s.* [Gerden-dade] Boyun eğmiş. Teslim olmuş. ● ‹İki asır içinde üç kıtayı kılıçların hükmüne gerdandade etmesi. — Kemal›.

gerdenefraz, gerdenfiraz, *F. s.* [Gerdenefraz ,firaz] Boynunu yükselten. Gururlu, kibirli. ● ‹Gerdenfiraz-i hahişi mürgan-i devletin — Evc-i himemde uçsa dahi yine kaz imiş. — Hoca Neşet›.

gerdenkeş, *F. s.* [Gerden-keş] 1. İnatçı. 2. Asi, ayaklanan. ● ‹Gerdenkeş-i püriddia, giryende-i pür-ibtihal. — Recaizade›.

gerdide, *F. s.* Dönmüş, dolaşmış. ● ‹Eyler kad-i ham-keştemi gerdide çü dolâp — Kühsar-i serimden dökülen cûy-i muhabbet. — Nedim›.

gerdiş girdiş, *F. s.* Dönüş, dolanış. ● *Gerdiş-i devran,* ● *-ecram,* *-eflâk,* *-zaman,* zamanın, yıldızların, feleklerin, dünyanın dönüşü. ● ‹Bir karar üzre değildir gerdiş-i dulâb-i çerh — Bunu hâk-i zillete indirse anı kaldırır. — Riyazi›. ● ‹Gerdiş-i devran şuunatı mükevvindir fakat — Kabza-i Halikte kalmış mihver-i devran esir. — Cenap›.

gerdun, *F. s.* 1. Dönen, dönücü. 2. *i.* Dünya. ● *Gerdun-i dûn,* alçak dünya. ‹Sen ol sadr-i muazzamsın ki kılmağa takrir — Çeker ser safha-i gerduna rah-i kehkeşan ̓mıstar. — Nedim›.

gerdune, *F. i.* Araba. ● *Gerdune-i iclâl,* saltanat arabası. ● ‹Bir bölük dildanenin hava-yi gayretten teşkil ettikleri gerdune-i aşk üzerinde. — Uşaklıgil›.

gerdunhaşem, *F. s.* [Gerdun-haşem] Gerdun gibi, adamları çok olan. ● ‹Asaf-i gerdunhaşem kim câme-i ikbaline — Dest-i eyyam eylemiş mehd ü senadan pud ü târ. — Nedim›.

gerdunhaşmet, *F. s.* [Gerdun-haşmet] Gerdun gibi haşmetli.

gerduniktidar, *F. s.* [Gerdun--iktidar] Kudreti gerdune benzeyen.

gerdunmedar, *F. s.* [Gerdun-medar] Gerdun dayanağı olan. ● ‹Ol kûhsar-i gerdunmedara eyitti. — Lâmiî›.

gerdunvekar, *F. s.* Dünya kadar vekarı olan. ● ‹Kim olup mihman müşerref eyledin kâşanesin — Sen gibi bir asaf-i pür haşmet-i gerdunvekar. — Nedim›.

gerek, *F. i.* Bıldırcın kuşu. ● ‹Varmış mı gerek lâmekâne? — Kemal›.

germ, *F. s.* Sıcak. ● *Germ ü serd* (sıcak, soğuk) acı, tatlı. ● ‹Bülbül seherde germ olıcak ah ü naleden — Tebhaledar olur dehen-i gonce jaleden. — Beliğ›.

germa, *F. i.* Yaz. ● ‹Bulun germabede sermâda germada ser-i mâda. — Şakir›.

germabe, *F. i.* [Germ-abe] Sıcak su hamamı. Kaplıca, ılıca, kaynarca. ● Germabeleri cana safa, cisme şifadır. — Nedim›.

germagerm, *F. s.* 1. Pek kızışmış. 2. Sıcağı sıcağına. ● ‹Şule-i ahımla germagerm iken bazar-i aşk. — Hayali›.

germagermi, *F. i.* Kızışıp çok sıcak olma.

germhane, *F. i.* [Germ-hane] Çiçek seri. Limonluk.

germi, *F. i.* 1. Sıcaklık. 2. Çok gayret. ● ‹Bu şişe parelendi germi-i nâr-i fırakından. — Beliğ›.

germiyet (Türkçede kullanılmıştır). Sıcaklık. Ateşli çalışma. ● ‹Bu şeb revnak feza-yi bezm-i mehtab olmasın ol şuh — Ki germiyette cism-i pâkine tesir eder mehtap. — Beliğ›. ● ‹Bazar-i yağma vü taraca germiyyet verip. — Naima›.

germülfet. *F. s.* [Germ-ülfet] Sıkı fıkı konuşan. ● ‹Demen ol şem-i hüsne gayrılarla germülfettir — Kiminle hemdem olsun n'eylesin müştak-i sohbettir. — Naili›.

Gerşasf, Şerşasp, *F. ö. i.* İran hükümdarlarından.

geşt, *F. s.* 1. Geçme. 2. Gezme. Seyir, dolaşma. ● *Geşt ü güzar,* gezip dolaşma, ● ‹Bir zaman havalarda — Na-şekibane etti geşt güzar. — Cenap›.

-geşte, *F. s.* Dönmüş. ● *Bergeşte,* altüst olmuş, ● *sergeşte,* başı dönmüş.

gevden, *F. s.* Bön, ahmak.

gevher, güher, *F. i.* 1. Cevher. 2. Asıl maya. 3. İnci. 4. Elmas. ● *Bedgevher,* soysuz; ● *pâkgevher,* aslı temiz, soylu. ● ‹Son katre-i gevherle bezenmişti çemenler. — Fikret›.

gevherbahş, *F. s.* [Gevher-bahş] Cevher bağışlayan, aşırı cömert. ● ‹Bahar-i eltaf-i keremdir kef-i gevherbahşı. — Baki›.

gevherbar, *F. s.* [Gevher-bar] Cevher yağdırıcı, cevher saçan. (ç. Gevherbaran). • Çeşm-i gevherbarıma nispet benim Bahr-i Muhit — Tıfldır hâk ile oynar şimdi girdi yaşına. — Hayalî».

gevhercile, *F. s.* Bk. • *Güherçile.*

gevherdar, *F. s.* Mücevherli.

gevherefşan, *F. s.* [Gevher-efşan] Cevher saçan.

gevherfüruş, *F. s.* Mücevher satan. Cevahirci.

gevherî, *F. s. i.* 1. Mücevherle ilgili. 2. Cevahirci.

gevherin, *F. s.* 1. Cevherli. Mücevher gibi. • «Küçük, pür-heves, gevherin katreler. — Fikret».

gevhernisar, *F. s.* [Gevher-nisar] 1. Cevahir serpen. 2. Güzel, düzgün söz söyleyen. • «Germi-i heva-yi isyandan ebr-i gevhernisar-i gufran. — Veysî».

gevhernişan, *F. s.* [Gevher-nişan] Cevahirle işlenmiş.

gevherpaş, *F. s.* [Gevher-paş] 1. Cevher saçan. 2. Çok güzel söz söyleyen. (ç. Gevherpaşan). • «Bahr çalkalandı aşağı yukarı olmadı — Lücce-i tab'-i Havalî'ye bedel gevherpaş. — Hayalî».

gevherriz, *F. s.* [Gevher-riz] Cevahir saçan. 2. Çok güzel söz söyleyen. (ç. Gevherrizan).

gevherşinas, *F. s.* [Gevher-şinas] Mücevherden anlayan. Cevahirci. (ç. Gevherşinasan).

gevhertab, *F. i.* [Gevher-tab] 1. Altın tel ile işlenmiş başörtü. 2. Çok ince tülbent.

gevzen, *F. i.* Geyik. • «Gürbe olmuş idi pelenge hemraz. — Gürk olmuş gevzene demsaz. — Fuzulî».

geysu, gisu, *F. s.* Bk. • *Gisu.*

gez, *F. i.* 1. Uzunluk ölçüsü. 2. Kısa talim oku. 3. Okun çentiği. 4. Nişane. 5. Kudret helvası. 6. Ak-ılgın ağacı. 7. İpek.

-geza, *F. s.* «Isıran, ısırıcı» anlamlarıyle kelimelere ulanır. • *Cangeza*, can ısırıcı, can acıtan, • *lebgeza*, dudak ısıran, şaşkın. • «Ebediyyen soğuyup. en acı, en cengeza — Bir maişet onu vely etti. — Fikret».

gezend, *F. i.* 1. Zarar. 2. Kötülük. • *İsal-i gezend etmek*, zarara sokmak, zarar vermek. • «Küçük valide hâmisi olduğundar gezend eriştirmek müteassir olmakla. — Naima».

gıbb. *A. e. (Gayın ile)* 1. -den sonra 2. i. Gün aşırı. *Humma-yi gıb*, gün aşırı tutan sıtma; • *gıbb-ed-dua*, • *gıbb-eş-şehade* dudan, tanıklıktan sonra; • *gıbb-et-tahkîk*, tahkikten sonra.

gıbta, *A. i. (Gayın ve tı ile)* Başkasının iyi şeyini kendi için de dileme. İmrenme. Ağız suyu akma. • «Gıbta ettim şeref-i taliine Molla'nın. — İzzet Molla».

gıbtaaver, *F. s.* [Gıbta-aver] İmrendiren. (c. Gıbteaveran).

gıbtaferma, *F. s.* [Gıbta-ferma] İmrendirici. • «Olanlar gıbta-ferma meyveçin-i vasıl-i canâna. — Beliğ».

gıbtakeş, *F. s.* [Gıbta-keş] İmrenen. (ç. Gıbtekeşan).

gıbtaresan, *F. s.* [Gebta-resan] Gıbta uyandıran. • «Zemzeme-i emvacına gıbteresan olacak aheng-i hazin ile — Recaizade».

gıda, gıza, *A. i.* 1. Besleyen şey. 2. Yenebilecek kadar şey. 3. Besin. • «Küül için bir hekim gıda, bir diğeri zehir diyor. — Cenap».

gılâf, *A. i.* 1. Kılıf. 2. Kın. • *Gılaf-i harici-i semer*, meyvedışı; gılâf-ül-kalb, dış yürek zarı. • «Her taraftan çalma urma deyub nâra ve hücumlar ile cellât kılıcın gılâfına koyup. — Naima».

gılâl, *A. i.* [Galle ç.] 1. Tahıllar. 2. Gelirler.

gılâz, *A. s. (Gayın ve zı ile)* 1. Kınlar. 2. Kabalar. 3. Bıyığı çıkmamış gençler.

gılazet, *A. i. (Zı ile)* 1. Kalınlık. 2. kabalık.

gıll, *A. i. (Gıll ü gış olarak kullanılır)* Gönül, iç bozukluğu. Gizli düşmanlık.

gılman, *A. i.* [Gulâm ç.] 1. Cennette hizmet gören erler. 2. Yeniçeri ocağına yeni girmiş gençler. 3. Köleler. • *Hur ü gılman*, Cennette hizmet gören dişiler, erler; • *gılman-i hassa*, padişah sarayında hizmet gören yeniler, gençler, • *gılman ü cevari*, köleler ve cariyeler. (ç. Gılmanân). • «Gılman ve cevarisini yağmalayıp fisk ü fücur hususunda kusuur kılmadılar. — Naima». • Yeniçeri ustaları ve gılmanan-i acemiyandan tüvana hidmetkâran. — Selânikî».

gılme, *A. i.* [Gulâm ç.] Genç delikanlılar.

gılmet, gulmet, *A. i.* Şehvet aşırılığı.

gılzat, A. i. (Gayın, zı ve te ile) 1. Kabalık. 2. Kalınlık. • ‹Cehl ü gızatte çürüsün. — Cenap›.

gımd, A. i. 1. Kılıç kını. 2. Bakla ve benzerleri gibi bitkilerin kabuğu.

gına, A. i. 1. Bolluk, zenginlik. 2. Yeter bulma. Tok gözlülük. 3. Bıkma. 4. Şarkı ve türkü söyleme. • «Ve gına bahsini tafsil üzre takrir eyledî. — Katip Çelebi›. • ‹İmam ile din akçedir erbab-i gınada — Namus ü hamiyyet sözü kaldı fukarada. — Ziya Pş.›.

gınaî, A. i. (XX. yy.) Fransızcadan Lyrique (lirik) karşılığı.

gırar, gırare, A. i. Harar. Yünden yapılma büyük çuval. Bk. Garar.

gırar, A. i. Keskin veya sivri aletlerin ağzı.

gırbal, A. i. 1. Kalbur. 2. Elek. «Ve kalyon toptan gırbale dönmüş. — Naima›.

gırbalî, A. s. Kalbur gibi, kalbursu.

gırban, A. i. [Gurab ç.] Kargalar.

gıriv, F. i. 1. Bağırma. 2. Çığlık, çığıltı. • ‹Huruş ü gıriv-i nâs kubbe-i feleğe çıkıp. — Naima›.

gırivan, F. s. Bağırıp çığlık koparan. • «Saltanat tablın kilim altında ol şuh kim çalar — Hay u huy-i na'ra-i kûs-i gırivan istemez. — Hayali›.

gıriz, garize, Bk. • Garize.

gırre, A. s. Boş bir şeye aldanan, övünen. Gururlu, gafil. • ‹Ey gırre-i mest-i pâ-berrikâb olan — Eyle biraz da tuşe tedarik azimete. — Beliğ›.

gış, A. i. Dalavare. Hayınlık. (Gıll ü gış olarak kullanılır).

gışa, A. i. 1. Örtü. 2. Perde. 3. Zar. 4. Zarf, mahfaza. ‹Hâksarın keyfiyet-i halinde ref-i gışa için aşâ hengâmına dek. — Sadettin›.

gışaî, gışaiyye, A. s. Gışa gibi, zar cinsinden..

gışave, A. i. Bk. Gışa.

gışavet, A. i. Körlük yapan zar. Aksu.

gıtâ, A. i. 1. Kap. 2. Örtü. Keşf-i gıta, örtüyü açma.

gıyab, A. i. 1. Hazır olmama. 2. Göz önünde bulunmama. 3. Arka. An gıyabin, an-il-gıyab, kendisi hazır olmadığı halde, arkasından.

gıyaben, A. zf. Hazır bulunmadığı halde. Arkasından.

gıyabî, gıyabiyye, A. s. Arkadan; yüze karşı olmadan. Mahkemeye çıkmadığı

halde kanuna uygun yapılmış işlerle ilgili. • Hükm-i gıyabî.

gıyas, A. i. (e ile) 1. Yardım. 2. s. Yardımcı.

gıyas, A. i. (Sat ile) 1. Suya tamlama. z. Bir şeyin aslına ulaşma.

gıyaz, A. i. (Dat ile) [Gayza ç.] Sulak meşelikler. • ‹Taallüm ve talim-i riyazet için gıyaz ü besatinde. — Taş.›

gıybet, gaybet, A. i. Bir kimseyi arkadan çekiştirme. Yerme, kınama. 2. Kaybolma, meydanda bulunmama. • «Akraba ve müteallikatını ileri çektiğinden gayri a'dası dahi bu aybın gıybetine yol bulmadı. — Peçoylu›.

gıza, gıda, A. i. Bk. • Gıda.

gil, F. i. Balçık. 2. Çamur. 3. Özlü çömlekçi çamuru. • ‹Sen zíynet-i her gil-i zeminsin — Gül gibi lâtif ü nazeninsin. — Fuzulî›.

gile, F. i. Yanıp yakılma. Şikâyet • ‹Ramazanda kim ederdi gile vakt olsa eğer — Azacık sohbete ol mah ile akşamında. — Nedim›.

gilemend, F. s. Şikâyetçi. • «Sanki gilemend ü bezm hamuş. — H. Tarhan›.

Gilşah, A. ö. i. 1. Balçıktan şah (ki balçıktan yapıldığı için Âdem'e lakap olarak söylenir). 2. Farsların masal hükümdarı Keyyumers'in de adı.

gilzar, F. s. [Gil-zar] Çamurlu yer.

-gîn, F. e. İsimleri sıfat yapar.

-gir, F. s. 1. Tutan, tutucu. 2. Yayılan, anlamlarıyle sözcüklere katılır.

- abgir
- âlemgir
- cihangir
- giribangir
- destgir
- dilgir
- kalegir
- kişvergir
- pişgir
- şebgir
- şirgir
- zehgir

-gira, F. s. Tutan, tutucu.

girakir, F. s. Tutan tutana, ana-baba günü.

girami, F. s. Sevilen. Onurlu. • «Evza-i hıyam-i müşkfâmı — Halka şeb-i Kadr tek giramî. — Fuzulî›.

giran, F. s. 1. Ağır, 2. Pis, kötü, kokmuş. 3. Sıkıntılı, usandırıcı. 4. Sert katı. • Gıran bise, pinti; • giran rikâb, azimli; giran saye, güçlü kuvvetli; • rıtl-i giran, büyük ve dolu kadeh. İçilmesi güç kadeh. • ‹Ol rıtl bana giran göründü. — Ş. Galip›.

giranbeha, F. s. [Giran-beha] Pahalı. • «Giranbaha-yi meta-i visal ucuzlandı. — Beliğ›.

giranbar, *F. s.* [Giran-bâr] 1. Ağır yüklü. 2. Yemişi çok ağaç. 3. Gebe. • «Gezmek bu dikenli giranbar-i sefalet. — Fikret».

girancan, *F. s.* [Giran-can] 1. Ağır canlı. 2. Karşısındakini sıkan. San sıkıcı. (ç. Girancanân). • «Ve istima eden girancan sukalayı güle güle öldürür. — Peçoylu». • «Girencanan-i zühd a'mal ile uçmak ümid eyler. — Olur mu makiyana lûtf-i pervazı perr ü bâlin. — Sami».

girancanî. *F. i.* Ağır canlılık, sıkıcılık.

girandest, *F. s.* [Giran-dest] Eli ağır. Yavaş iş görür.

girandestî, *F. i.* Eli ağırlılık, ağır iş yapma.

girangûş, *F. s.* [Giran-gûş] Sağır. Kulağı ağır işiten. (c. Girangûşan).

girangûşî. *F. i.* Sağırlık.

giranhâb, *F. s.* [Giran-hâb] Ağır uykulu. Uykusu ağır. • «Çeşm-i cihan ü cihaniyandan şahs-i giranhâb cman-i girizanî etmegle. — Veysi».

giranhâbi, *F. i.* Uykusu ağır olma. Ağır uykululuk.

giranhârî, *F. i.* Çok yiyicilik. Oburluk.

giranhatır, *F. s.* [Giran-hâtır] 1. Canı sıkılmış. 2. Dargın.

giranî, *F. i.* Ağırlık. Çekilmezlik. • «Mesti-i muhabbette giranî-i ser olmaz. — Pişani-i dil hak ile menus değildir. — Naili».

girankadr, *F. s.* [Giran-kadr] Değeri büyük, çok değerli. • «Miyane-i halkta sebük-kadr olurken cevher-i girankadr-i insanî. — Veysi».

giranhar, giranhor, *F. s.* [Giran-hor] Çok, aşırı yiyici.

giranmaye, *F. s.* [Giran-maye] 1. Mayası ağır, pahalı. 2. Değerli. 3. Paralı, mallı. • «Bahr-i nazm içre bugün dürr-i giranmaye iken — Hâk-i zillete kalıptır nitekim gevher-i kân. — Baki».

giranpüşt, *F. s.* [Giran-püşt] Sırtı sağlam. Çok dayanıklı.

giranrikâbi, *F. i.* Sağlamlık. At üzerinde iyi durma.

giransaye, *F. s.* [Giran-saye] 1. Yüksek derece sahibi.

giransayegî, *F. i.* Yüksek derece sahipliği.

giranser, *F. s.* [Giran-ser] Kibirli. (ç. Giranseran).

giranseyr, *F. s.* [Giran-seyr] Yürüyüşü ağır, ağır yürüyüşlü. (ç. Giranseyran).

giransirişt, *F. s.* [Giran-sirişt] Ağır tabiatlı. Ağır başlı. (ç. Giransiriştan).

giranter, *F. s.* [Giran-ter] Çok ağır, daha ağır. • «Siğlegânın minnetini tahammül cemi' bârdan giranterdir. — Silvan».

girater, *F. s.* [Gira-ter] Kuvvetle kavrayıcı. • «Şiken-i zülfü eder murg-i dili pâbeste — Dahi girater imiş olsa eğer dâm şikest. — Ragıp Pş.».

girayî, *F. i.* Tutuculuk, alıcılık. • «Girayi-i dest-i zafer ü nusrat. — Ragıp Pş.».

gird, *F. i.* 1. Çevre. 2. Dönme. 3. Yuvarlak. • «Gird-i bâd-i râh-i aşksız yoktürür ârâmımız. — Hayalî».

girdab, *F. i.* [Gird-âb] Su çevrintisi. • Girdablar açar önümde bir derin serab. — Fikret». • «At kalbini girdaba, açıl engine ruh ol!. — Beyatlı».

girdagird, *F. s.* Çepçevre. Fırdolayı. • Hırem cem' edip onun girdagirdine urdular. — Hümayunname».

girdalûd, *F. s.* [Gird-alûd] Toz toprak içinde. Toza bulanmış.

girdar, kirdar, *F. i.* İş. 2. Tutuş, gidiş, • Bedgirdar, işi kötü olan.

girdbad, *F. i.* Kasırga. Rüzgâr çevrintisi. • «Bir girdabad-i kafiyedir şi'r-i hâsirim. — Cenap».

girdigâr, kirdigâr, *F. s.* Tanrı. «Lutf-i girdigâr ile. — Naima».

giribangirî, *F. i.* [Giriban-girî] 1. Yakaya yapışma. 2. Tutma, yakalama. • «Düçeşmin Nailî'nin şimdi damanın tutar amma — Giribangiri-i mahşerde ol iki afetin kimdir. — Nailî».

girev, *F. i.* 1. Oyunda bahs tutulan şey. 2. Pey, rehin. • «Bir kadeh bâdeye verdim iki dünyayı girev. — Hayalî»

giriban, *F. i.* Yaka. • Çâk-i giriban, yakapaça yırtma, fazla açıklanma. • «Aşka düştüm can ü dil müft-i civanan oldu hep — Sabr ü takat masraf-i çâk-i giriban oldu hep. — Nedim».

giribançak, *F. s.* [Giriban-çâk] Yakası yırtık. • «Ey periveş dilberim niçin giribancâksın — Özgeler hayran seninçün sen neden gamkinsin. — Fuzuli».

giribangir, *F. s.* [Giriban-gir] 1. Yakaya yapışan. 2. Yakalayan, tutan. • «Bu hale mukarin nagâh şahne-i giribangir-i fena. — Veysi».

giribanî, *F. i.* Gömlek.

grift, *F. i.* 1. Tutma. 2. Yakalama. 3. Bir çeşit ney. • *Ahz ü girift,* yakalayıp tutma. • «Muhalefet göstermekle yüz bulup kâr ü bârı girift olmuş idi. — Naima».

giriftar, *F. s.* 1. Tutulmuş, yakalanmış. 2. Tutkun. • «Zalim bir zulme giriftar olur ahar — Elbette olur ev yıkanın hanesi viran. — Ziya Pş.».

giriftaran, *F. i.* [Giriftar ç.] 1. Yakalanmış olanlar. 2. Tutkunlar. • «Giriftaran-i sakameti zımmen tashih-i evzaa. — Cenap».

giriftare, *F. i.* 1. Tutkunluk. 2. Tutulma.

grifte, *F. s.* 1. Yakalanmış, tutulmuş. 2. (Bir hastalığa) yakalanmış, tutulmus. 3. Tutsak. • *Girifte dem*, kısa **soluklu,** nefes darlığı olan, • **-hatır**, gücenmiş, kırgın; • *-leb*, konuşmaz, dudakları oynamaz, • *-ser*, aklı fikri dağınık, • **-zeban**, dili tutuk kekeme. • «Zavallı şair-i hulya girifte, hayretle — Onun peyinde gezer fikri hep sehabelerde. — Fikret».

giriftegi, *F. i.* 1. Tutkunluk. 2. Tutsaklık. 3. Hastalık hali.

giriftzen, *F. s.* Girift denen çeşit neyi çalan.

girih, *F. i.* 1. Düğüm. 2. Bağ. 3. Buruşuk. • «Zincir-i zülf-i ham-be-ham-ı yâre bestedir — Her bir girifte sad dıl her bir şikende can. — Beliğ».

girihbür, *F. i.* [Girih-bür] (Düğüm kesen) Yankesici.

girihbür, *F. i.* Düğümcü. Bağcı. • «Fermanınızdan hariç işte bulunmazız cevabiyle girihbend-i sükût oldu. — Raşit».

girihgir, *F. s.* [Girih-gir] Düğümlü, düğüm tutan. • «Kim çıkar başa ser-i zulf-i girihgirinle — Yine ol silsile cevrin dil-i divane çeker. — Baki».

girihküşa, *F. s.* Düğüm çözen zorları kolaylaştıran, halleden. • «Girihküşayi mesalih-i mülk ü millet olan. — Müşfik».

girihte, *F. s.* Kaçkın, kaçmış. • «Ya Davut ol kullarım ki benden girihtedir niçin bana göndermezsin? — Veysi».

giriş, *F. i.* Hile. Düzen. Oyun.

girişme, kirişme, *F. i.* 1. Naz, şive, eda. 2. Göz ve kaş ile yapılan işaret.

girive, gerive, *F. i.* 1. Çıkmaz yol. 2. Çok dolaşık yol. 3. Dolaşık geçit. 4. Kayalık uçurum. • «Mümkün müdür ki böyle bir giriye-i bârik ve târîkten. — Veysi».

giriz, güriz, *F. i.* Kaçma. • «Düşmez talih-i müşfike bimardan giriz. — Nailî».

-giriz, *F. s.* «Kaçan, çekinen» anlamıyle sözcüklere katılır. • *Merdümgiriz*, insandan kaçan, adamcıl.

girizan, *F. s.* Kaçan, kaçıcı. Kaçarak. • «Ilgar edip varıp urbanı kırıp Mübarek'i menkûp ve girizan ettikte. — Naima».

girizende, *F. s.* Kaçan, kaçıcı. (ç. Girizendegân).

girizgâh, *F. i.* [Giriz-gâh] 1. Kaçacak yer, kaçamak kapısı. 2. Söze girmeden önce söylenen söz. (Ed.) Kasidelerde nesib yahut teşbib denen tasvir parçasından sonra asıl maksada girmek için söylenen beyit. • «Ve girizgâhı olan Taşeli'ye müteveccih oldu. — Sadettin».

girizpâ, *F. s.* Kaçan, koşan. Kaçmaya hazır. • «Hasm-i girizpâyı ele getirmeyince ârâm etmemek. — Sadettin».

girüdar, *F. i.* [Gir-ü-dar] Savaş. Kavga. • «Ol civanmerdan arsa-i girüdârda kendüleri ihata eden küffâr-i hilekâr üzerine. — Raşit».

giryan, *F. s.* 1. Ağlayan. 2. Ağlayarak. • «İçinde bir derecik, bir şelâle-i giryan. — Fikret».

girye, *F. i.* 1. Ağlama. 2. Göz yaşı. • «Bak ağlıyorum, giryeme bin hande fadadır. — Fikret».

giryebar, *F. s.* [Girye-bar] Göz yaşı döken. • «O zaman sanki arş-i Yezdanı — Görür enzar-i giryebariyle. — Fikret».

giryedar. *F. s.* [Girye-dar] Ağlamış.

giryeefşan, giryefeşan, *F. s.* Göz yaşı saçan, acı acı ağlayan. • «Sen ağla; ben de bütün suzişimle giryefeşan. — Fikret».

giryeengiz, *F. s.* [Girye-engiz] Ağlamağa sebep olan, ağlatacak. • «İsterim bir lisan ki takriri — Şi'r-i nazikterinde üstadın — Giryeengiz olan o tesiri. — Fikret».

giryefeza, *F. s.* [Girye-feza] Ağlama artıran, çok ağlatan. • «Bu iğbirar-i latifin sırayetiyle gönül — Neler tahttur eder neşve-bahş ü giryefeza. — Fikret».

giryehiz, *F. s.* [Girye-hiz] Ağlama çıkaran, ağlamaya yol açan. Ağlatan.

giryekünan, *F. s.* [Girye-künan] Ağlayarak. • «Söner leali-i baran içinde giryekünan. — Fikret».

giryemeşhun, *F. s.* [Girye-meşhun] Göz yaşı ile doldu. • «Nasıl tahammül eder sonra karşısında bunun — Bunun, bu sahne-i pür-ye's ü giryemeşhunun — Biraz hamiyet ü rikkatle sızlayan dil-i pâk. — Fikret».

giryenâk, *F. s.* [Girye-nâk] Ağlayan. • «Şehzadelerin niyaz-ı giryenâk ile gû-şe-i sarayda mezbuhane hareketleri. — Naima».

giryende, *F. s.* Ağlayıcı. • «Bir nağme-i giryende-i sevda — Her neşeli, her nezih hitabın. — Fikret».

giryenikab, *F. s.* [Girye-nikab] Göz yaşı ile örtülü. • «Dolaşıp neşe-i sanatla gülen didelerin — Çehre-i giryenikabında hayat-i beşerin. — Fikret».

giryenüma, *F. s.* [Girye-nüma] Ağlar yüzlü. • «Bakarsınız: Mütefekkir, medîd, giryenüma .— Fikret».

giryenümud, *F. s.* [Girye-nümud] Ağlar gibi. • «Bu yanda camları örten buhar-i berrakın — Kebud-i giryenümudunda bir yığın zerrat — Bir iltima ile titredi. — Fikret».

giryepaş, *F. s.* [Girye-paş] Göz yaşı dökücü.

giryepervend, *F. s.* [Girye-pervend] 1. Ağlama getiren. 2. Ağlatıcı. «Tevafuk etti kırın hal-i giryeperverdi. — Fikret».

gisu, geysu, *F. i.* Saç. Uzun saç. Saç örgüsü. «Sünbülü yâd etmeden gisu-yi canandır sebep. — Fıtnat».

gisudar, *F. s.* [Gisu-dar] Uzun saçlı. *Necm-i gisudar*, kuyrukluyıldız. «Acaba necm-i gisudar-i bahtımız hangi saatta tulû' edip. — Naima».

giş, *F. i.* Samur.

gitî, kitî, *F. i.* Dünya. «Mader-i gîti rahm-i tabiatten ana manend bir tab'i bülend dünyaya getire. — Latifî».

gitiârây, *F. i.* İri yapraklı, kokusu güzel bir çeşit gül.

gitiban, *F. s.* Padişah. Hükümdar.

gitifüruz, *F. s.* [Giti-füruz] Dünyayı nurlandırıcı.

gitineverd, *F. s.* [Giti-neverd] Dünyayı dolaşıp gezen. (ç. Gitineverdan).

gitinümâ, *F. s.* [Giti-nüma] Dünyayı gösterici, gösteren. *Câm-i gitinümâ*, Cemşid'in içinde bütün dünyayı gösteren kadehi.

gitipijuh, *F. s.* [Giti-pijuh] Dünyayı isteyen, padişah.

gitisitan, *F. s.* [Giti-sitan] Cihan alıcı. Dünyayı ele geçiren.

Giv, *F. i., i.* Fars masal kahramanlarından biri. Gyuders'in oğlu. Rüstem'in üvey oğlu. • «Şem-i zemane Süley-

man-i ins ü can ki anın — Kemine kullardır Bicen ü Giv ü Pesenk. — Hayalî».

giyah, kiyah, *F. i.* Ot. «O sararmış giyah, o yapraklar .— Cenap»

giyazar, *F. i.* Otlak.

gizlik, *F. i.* Kesici şeylerin keskin tarafı, ağzı • «Ve gizlik-i tig üe vücudu rakamın şühdu defterinden hakkedip. — Sadettin».

gonce, konca, *F. i.* 1. Açılmamış gül. Tomurcuk. 2. (Mec.) Ağız; sevgilinin ağzı. • *Gonce-dehan gonce-dehen, gonce-leb*, ağzı, dudağı koncaya benzeyen. • «Nâseza gayre nigâh eylediğin az sanır. — Bize cevr eylese ol gonce dehen naz sanır. — Nailî». — • «Ah ben, ben ki henüz gonce iken solmuş gül. — Fikret» — • «Gonce femini bus edeli tıfl-i muhabbet. — Cenap».

goncezar, *F. i.* Goncelik. Gül bahçesi. • «Ermez mi Nailî dem-i subh hidayete — Olmaz mı goncezar-i emel şebnem aşina. — Nailî».

-gû -gûy, *F. s.* • «Diyen, söyleyen» anlamıyle kelimelere katılır.

bezlegû	*rastgû*
hakgû	*suhangû*
nadiregû	*yavegû*

gubar, *A. i.* Toz. *Gubar-i tal'* (Bot.) Pollen. «Gubar-i masivadan pâk edince sahasın ey dil — Harîm-i sineye yârin cefası mihman geldi. — Beliğ».

gubaralûd, *F. s.* [Gubar-alûd] Toza bulanmış, tozlu. • «Ten gubar-alûde dil âvare-i kûy-i belâ — Gird-i râh-i aşkız yokturür ârâmımız. — Hayalî».

gudde, *A. i.* (Bio.) Bez. • *Gudde-i dem'iye* göz yaşı bezi: • *-derakiye*, kalkan bezi; • *-lûabiye*, tükürük bezi; • *-mideviye*, mide bezi; *-nektiye*, koltuk altı bezi; • *sanavberiye*, kozalaksı bez; • *-taht-el-fekkiye*, çene altı bezi; *-taht-el-lisan* dilaltı bezi.

guded, *A. i.* [Gudde ç.] Bezler.

gûdek, *F. i.* Çocuk. • «Okuyan gûdek-i nev-sale eder istilzaz. — Sümbülzade».

gûdekân, *F. i* [Güdek ç.] Çocuklar. • «Mahalle-i tufuliyet sakinlerinden nazı gûdegân-i nareside. — Nabi».

gudruf, gadruf, *A. i.* (Gayın ve dat ile) (Bio.) Kıkırdak. (ç. Gadarif)

gudrufî, *A. s.* Kıkırdakla ilgili, kıkırdağa ait.

guduvv, *A. i.* Sabah, sabah vakti. • *Bilgu-düvvi vel-âsal*, sabah akşam.

gufran, A. i. 1. Tanrı bağışı, acıması. 2. Rahmet. 3. Günahtan geçme. • ‹Bizim küfranımız lağv olduğunda şüphe yok ancak — Anı sen cınbız-i aklâm-i gufranınla kıl ilga. — Nabi›. — «Bu sengzâra yeşil bir sehabe halinde • Yağar yağar mütemadi esîr-i gufranın. — Fikret›.

guful, A. i. (Gayın ile) Dikkatsizlik veya şaşırmadan dolayı işinde kusur etme. Ne olacağını kestirememe. • ‹Sipahiler dahi bunların vehimlerin izale ve gufullerin itale için. — Naima›.

gûh, F. i. 1. Bok. 2. (Hayvan) tersi.

guk, F. s. Kurbağa. • ‹Etraf pürdü nale-i guk ü hezar ile. — Recaizade›.

gul, A. i. (Gayın ve lâm ile) Suçluların bağlandıkları bağ ve demir. (ç. Agval).

gâl, F. s. Bön. Ahmak. • ‹Ve bir gariy hali daha var idi. Halkı teşhiste gayet gûl idi. Faraza gahi oğlun teşhis etmeyip. — Peçoylu›.

gul, A. i. 1. Korkunç hayal. 2. Karakoncolos. • Gul-i beyabani (gulyabani) gullerin en yabanîsi, en irisi • «Ve muhasaraya meşgul guller kalbine ilkayi herasla. — Sadettin».

gulâm, A. i. 1. Erkek çocuk, delikanlı. 2. Köle, kul. • Gulâm-i hanezad, evde yetişmiş köle. (ç. Gılman). • ‹İki hasna kızları tıraş edip heyet-i gulâmda atlara bindirip yine Söğüt Dağına gidip. — Naima›. • ‹Hedaya-yi mergube ve gulâmhâ-yi huri peyker çektiler. — Selânikî› • ‹Dil-i uşşaka bigâne şadî — Gam ü mihnet gulâm-i hanezadı. — Atayî›.

gulâman F. i. [Gulâm ç.] 1. Delikanlılar. 2. Köleler. • ‹Ve peripeyker gulâman ve kaliçe-i mısriler. — Selânikî›.

gulampâre, F. s. Kulampara. Homoseksüel. • ‹Nevcivanlar için avare idi — Yani bir koca gulampare idi. — Vehbî›.

gulâne, F. zf. [Gul-ane] 1. Gullere yakışır surette. 2. Olağanüstü bir çabalama ile. • «Ah, bir sarsar — Anîf sademe-i gulânesiyle bir kuvvet. — Fikret›.

gulât, A. s. [Gali ç.] 1 .Galeyan ediciler. 2. Azgınlar, taşkınlar. 3. Pek ileri varan coşkunlar takımı. • Gulât-i revafız, -şia, azgın ve aşırı rafazı, şiî takımı. • ‹Kur'an mahluk mudur yoksa kadîm midir deyu gulât-i mutezileden bir iki binden hevasına tâbi olmakla. — Veysi›.

gulâz, A. s. (Gayın ve zı ile) Kaba. Kalın. • Eyman-i gulâz, büyük, koyu koyu yeminler. ‹Sizi barıştırmaktır ve sizi tatyib-i hatır etmektir deyu eyman-i gulâz eyledi. — Naima›.

gulfe, gulafe, A. i. Sünnet derisi. • Kımme-i gulfe, sünnet derisinin ucu, tepesi.

gulgul, gulgule, F. i. 1. Gürültü, çığıltı. 2. Çığırışma. 3. Ağzı dar bir kaptan dökülen suyun sesi. • «Bir derin gulgule nazmında huruş-i efkâr. — Fikret».

gulmet, gilmet, A. i. Şehvet azgınlığı.

gulûf, A. i. [Gılaf ç.] Gılaflar, kılıflar.

gulûl, A. i. Hayınlık etme.

gulûme, A. i. Gulâmlık, delikanlılık.

gulüv, A. i. 1. Üşüntü, saldırma. 2. (Ed.) Abartmanın (mübalâğanın) ikinci derecesi, taşkın söz. • Gülüvv-i âm, genel ayaklanma. • ‹Tez katiller bulunsun deyu çağırıştılar ve gülüvv ettiler. — Naima›. • ‹Gulüv vü garabetle eskimiş bazı şivelerinden. — Kemal›.

gumud, A. i. [Gamd ç.] 1. Kılıç kınları. 2. Baklagillerin kabukları.

gumum, A. i. [Gam ç.] Gamlar, kederler. «Ana bir veçhile müsaade olunmak ihtimali yoktur dedikte bu cahiller ziyade gayz ü gumum ile perişan olduklarından. — Naima›.

gumuz, A. i. Sözün karanlık ve karışık olması. • ‹Bilen varsa sensin nasıl nüshayım ben — Bana verdi hayret gumuz-i mealim. — Ziya Pş.›.

-gûn, 1. Renk. 2. Çeşit anlamıyle sözcüklere katılır.
• digergûn • sebgûn
• gûnagûn • şefakgûn
• gülgûn • vajgûn

gûna, gûne, F. i. 1. Türlü, renk renk. 2. Renk.

gûnagûn, F. s. Türlü türlü. • «Nümude her köşesinde ukûs-i gûnagûn — Fikret›.

gunc, ganc, A. i. (Gayın ile) Güzellerin nazı, şivesi. Kırıtma. • Gunc ü delâl. • ‹Sadakat gösterip ol âşıka gunc ü delâl etse. — Hayali».

gûne, F. i. (Kef ile) Türlü. Bk. • Gûna. • ‹Sadr-i divan-i resalete teşrif edip hezar gûne onları dâvet-i din-i Hak edip. — Veysi›.

gunne, A. i. (Gayın ile) Genizden söyleme. Hımhımlama.

gunude, F. s. (Gayın ile) Uyuklamış, uykuya varmış. ● Gunude-i hak-i rahmet. (rahmet toprağında uyumuş) ölmüş, ölü. ● ‹Kalmaz gunude geçtiği yerlerde hiss-i şan. — Fikret›.

gûr, F. i. 1. Yaban eşeği. 2. Mezar. ● Behram, Gûr, eski İran şahlarından. ● ‹Cehd eyle azab-i gûr yığma — Şây eyle meta-i mûr yığma. — Fuzuli›.

gurab, A. i. (Gayın ile) 1. Karga. 2. Kuzgun. ● ‹Tahriş eder sımahımı bin nevha-i gurab. — Fikret›.

gûrabe, F. i. (Kâf ile) Üstü kubbeli mezar.

gurabin, A. i. [Gurab ç.] Kargalar.

gurabülbeyn, A. i. Alakarga.

gurbet, A. i. 1. Yabancı yer. 2. Doğulan yerden başka yer, dış ülke. ● ‹Bu yalnızlık bu bir gurbet ki benzer gurbet-i kabre. — Fikret».

gurbetzede, F. s. [Gurbet-zede] Gurbete düşmüş olan. Memleketinin dışında bulunan.

gure, F. i. Koruk. Ham üzüm. ● ‹Neler görür ser-i gure şarab oluncaya dek. — Ş. Galip›.

gureba, A. i. [Garib ç.]1. Garipler, kimsesizler, memleketin yabancıları. ● Gureba-i Müslimin, Müslüman kimsesizler. 2. (Eski askerlik) Sağ ve sol diye adlanan iki asker birimi, ● gureba-i yemin, ● -yesar. ● ‹Taşradan gelen müsellâh çoban ve mandıracı ve gureba makulesi silâh ile şehirde gezmekten men olundu. — Naima›.

guref, A. i. [Gurfe ç.] 1. Çardaklar. 2. guref, Kur'an'ın 39. suresi. ● ‹Müdevver kubbeli altı odo ve kat ender kat tabakat ü guref-i müteaddide. — Naima›.

gurefat, A. i. [Gurfe ç.] 1. Çardaklar. 2. Cumbalar. ● ‹Gurefat-i istiarat-i zahirede cilve verdi. — Hümayunname›.

gurema, A. i. [Garîm ç.] 1. Alacaklılar. 2. İlk tan zamanı. 3. Çocuk düşürmeye yol açanların vereceği diyet. ● Taksim-i gurema, borçlu malının alacaklılar arasında bölünmesi. ● ‹Her birinden iskât-i gurema için beşer onar kese akçe celb-i rüşvet ettiğinden. — Raşit›.

gurer, A. i. [Gurre ç.] 1. Parlamalar, ışıldamalar. 2. Ay başları. 3. Soydan, önemli kişiler. ● ‹Dürer-i elfaz-i âbdâr gurer-i ibarât-i cevher-nisar. — Taş.».

gurfe, A. i. 1. Çardak. 2. Cumba, balkon. 3. İç oda. 4. Halvet, yalnız kalma. ● ‹Dolap üzerinde bir mahfi gurfede pinhan oldu. — Naima›. ● ‹Cahilin gözünde bir gurfe-i kâşî görünür. — Nailî›.

gûrhane, F. i. [Gûr-hane] Türbe. ● ‹Erdebil gûrhanesinde Şeyh Safi türbesinde dein olundu. — Naima›.

gûristan, F. i. Mezarlık. ● ‹Bu şarabın üzümü gûriştanda hâsıl olmuş.ur. — Süheylî›.

gurran, A. s. Homurdanıcı, kömür Jenici. Öfke ile haykırıcı.

gurre, A. i. 1. Parlaklık, ışıldama. 2. At alnındaki beyaz akıtma. 3. Ayın ilk görünmesi. 4. Arabî ayının ilk günü. ● Gurre-i muharrem, muharremin ilk günü. ● ‹Gurre-i rebi-ül-evvelde sipah Divanda cem' olup. — Naima›.

gurrende, garrende, F. s. 1. Gürleyen. Kızgınlıkla haykıran. 2. Homurdanan, kömürdeyen. ● ‹Derin, gurrende aks-i savletiyle ra'd-i hevl-âvar — Kımıldar bir siyah ejder gibi ağuş bevadide. — Fikret›.

gurub, A. i. (Gayın ile) 1. (Bir gök cisminin) batı tarafından görünmez olması. 2. Batma, görünmez olma. ● ‹Gece erişmekle küffar meşezara girip gurub-i kamer esnasında iki bölük olup. — Naima›.

gurubî, A. i. Gurub ile ilgili. ● Gurubî saat, ‹alaturka saat› da denilen ve güneşin batmış olduğu anda on ikiyi gösteren saat.

gurur, A. i. 1. Boş, beyhude şeye güvenip aldanma. 2. Boş şeylerle övünme. 3. kurulma, kuruntu. ● Dâr-ül-gurur. (gurur evi) bu dünya; ● hâb-i gurur. kendini büyük sayma sanısı. ● ‹Döğüşmek hatadır dedikte sözüne itibar etmediler çünkü gururları kemalde idi. — Naima›.

gurve, A. i. Burun ucundaki kıkırdak.

guses, A. i. (Gaynı ve sat ile) [Gussa ç.] Tasalar, kaygılar.

gusl, A. i. (Gayın ve sin ile) . Şeriate uygun şekilde yıkanma. 2. Yıkama, yıkanma. ● ‹Ol sultanlar makam-i hizmette dururlar ve gusl-i yed lâzım gelse. — Naima›.

guslhane, F. i. [Gusl-hane] Gusülhane. Evlerdeki yıkanma yeri. Banyo.

gusn, *a. i.* Ağaç dalı, budak. • «Sultan Sahinşah'ın gusn-i ravza-i ikbali. — Sadettin».

gusne, *A. i.* Tek dal.

gussa, *A. i.* (*Sati* ile) Tasa, kaygı. • «Bir serv-kaddin bende-i efkendesi olsun — Âlemde o kim gussadan azât olayım der. — Ruhi».

gussanâk, *F. s.* [Gussa-nâk] Tasalı, kaygılı.

gusun, *A. i.* [Gusn ç.] 1. Dallar, budaklar. 2. Filizler. • *Gusun-i ter,* taze, genç dallar: «Sabâ eser, gusun-i ter — Ki murg-i aşka lânedir. — Fikret».

-guş, *F. i.* Kulak. • *Gûş-i can,* can kulağı; • -huş, akıl kulağı (dikkatle dinleme); • *gûş etmek,* dinlemek. • «Ey talib-i tahkik eğer var ise derkin — Gûş et bu sözü kim haber-i bahaberandır. — Ruhi».

gûşab, *F. i.* Pekmez.

gûşdar, *F. s.* [Gûş-dar] Kulak tutan, dikkatle dinleyen. (ç. Gûşdaran). • «Taraf-i saltanattan bir haber zuhuruna gûşdar. — Raşit».

gûşe, *F. i.* Köşe. • *Gûşe-i uzlet,* tenha, ıssız köşe. • «Hoş gûşe-i zevk idi safa ehline âlem — Bir halle sürseydi eğer ömrünü âdem. — Ruhi».

gûşebend, *F. i.* [Gûşe-bend] Ucunu tutan. • «Saba nakd-i hayat-i Hızr'ı etmiş — O zülfün gûşebend-i destmali. —

gûşegir, *F. s.* [Gûşe-gir] Bir köşeye çekilen. (ç. Gûşe-giran): • «Gûşegir-i hicre sem'-i encümen bigânedir. — İsmet».

gûşegüzin, *F. s.* [Gûşe-güzin] Bir köşeyi beğenip seçen. (ç. Gûşegüzinan): • «Fazlı Paşa sarayında gûşegüzin oldu. — Raşit».

gûşenişin, *F. s.* Âlemden kendini çekmiş, köşeye çekilmiş. • «Mürşid-i gûşenişindir hum-i mey ey zahid — Bâtın-i safı onun eyledi hoşhal beni. — Hayali».

gûşiş, *F. i.* 1. Çalışma. 2. Savaş. • «Ne gûşiş ettiğimi bilir Huda-yi alîm. — Nef'i» • «Bütün ümitlerinin zu gûşiş-i mutemadi ile zuhur edeceğine. — Uşaklıgil».

gûşmal, *F. i.* 1. Kulak burma. 2. Terbiye. • «Sermestan-i idareye hakikatin yapıştırdığı gûşmal-i ikazdır. — Cenap».

gûşt, *F. i.* Et.

gûştîn, *F. s.* Etten ibaret.

gûşvar, gûşvare, *F. i.* 1. Küpe. 2. Dikkatle dinlenilen öğüt. • *Gûş-vâre-i felek,* yeni doğmuş ay. • «Gûşvarin ol mehin gören izarında sanır — Su içinde görünür, ıkd-i Süreyya'dan nişan. — İbni Kemal». • «Ol pârelerin eltafını ki bir çift gûşvare idi Taçlı Hanıma vermiş idi. — Sadettin».

gûşzed, *F. s.* [Gûş-zed] 1. Kulağa çarpan. 2. İşidilen. • «Eder mi gûşzed-i rağbet arzumendan — O nameyi ki sitemle meali mâli ola. — Nabi».

guta, gavta, *F. i.* 1. Suya dalma. 2. Suya bir kere dalıp çıkma. • «Uruc et bir nefeste nüh kıbaba — Nedir guta sana birkaç hababe. — Atayî».

gutahar, *F. s.* [Guta-har] Suya dalan. • «Hussam Beyzade gutahar-i lücce-i gufran olmağın yerine. — Raşit».

gutazen, *F. s.* [Guta-zen] (Kendini) Suya vurmuş. • «Dili derya-yi nura gutazen kıl — O şem'a şulesinden pirehen kıl. — Atayî».

guvat, *A. s.* [Gavi ç.] Azgınlar, sapkınlar.

gûy, *F. i.* 1. Top, yuvarlak, tane. 2. Söyleme, konuşma. • *Gûy-i müsabakat,* yarış topu. • «Ve kelle-i muhtellesin gûş-veş kûy-i fenaya galetan etmekle — Sadettin».

gûya, gûyya, *F. s.* 1. Söylenen, söyleyici. 2. Sanki, sözde • *Tuti-i gûya,* (söyleyen tuti) şakrak söyleyen. • «İzarında arak gûya ki şebnemdir gül üstünde. — Beliğ». • «Gehi bir nağme, bir feryad-i hiç-âbad olur gûya. — Cenap».

gûyende, *F. s.* Söylenen. Söyleyici.

gûy-, *F. s.* Söyleme, söyleşi. • *Hoşgûyî,* güzel, düzgün, eğlenceli söyleme.

guyum, *A. i.* [Gaym ç.] Bulutlar: • «Onlar guyumu semaya ref'- eyledikte arzdan bait olup. — Marifatname».

guzat, *A. i.* [Gazi ç.] Gaziler: • «Guzat-i İslâm melâinin ateşbazlıklarına bakmayıp. — Naima».

guze, *F. i.* Koza. Kozalak. Kozak.

guzeger, *F. i.* Çömlekçi, testici.

güdahte, *F. s.* Erimiş: • «Sımahına esrüb-i güdahte ilka olunup. — Nergisî».

-güdaz, *F. s.* 1. Eriten. 2. Yakan. 3. Tüketen anlamlarıyle kelimelere katılır.

• *cangüdaz*   • *tahammülgüdaz*
• *ciğergüdaz*   • *takatgüdaz*

güdaz, *F. i.* Yanma, yakılma. • *Suz ü güdaz,* yanıp yakılma.

güdazende, F. . Yıkıcı şeyler.

güft, guft, F. i. Söz, lâkırdı (Aslında fiil çekimli halidir.) • *Güft ü gû*, dedikodu: • ‹Hal nice olur ihtimaldir ki şöyle ola deyu güft ü şinid ederlerdi. — Naima›. • ‹Değmez gül ü bülbül bıı kadar güft ü şünude. — Nedim›.

güftar, guftar, F. i. 1. Söz, lâkırdı. 2. Şiir. • *Güftara gelmek*, söze başlamak; • *perişan güftar*, sözü dağınık olan sözünde düzen olmayan; • *şeker güftar*, (şeker gibi) tatlı sözlü. • ‹Câme-i gayri bozup entari yapmak gibidir — Nizm-i Türkiye çevirmek Acemin güftarın. — Nabi. • ‹Leb-i can-bahş ile güftara gelse ol Mesihadem. — Beliğ›.

güfte, F. s. 1. Söyleniş. 2. Musikiye uygulanan şarkıların sözleri. • ‹Ebrularıyle hatt-i leb-i yârı seyreden — Hayyam güftesiyle sanır kıt'a-i İmad›.

güftgû, F. i. Dedikodu: • ‹Güftgûy-i arzuhale olamaz mani rakip — Âşık ü maşuk beyninde nigeh mektuptur. — — Fehim›.

güher, F. i. Gevher, cevher: • ‹Bağdat sadeftir güheri durr-i Necef'tir — Yanında anın dürrü güher seng-i hazeftir. — Ruhi›.

güherbar, F. i. [Güher-bar] Cevher yağdırıcı: • ‹Ve kalem-i güherbarı nâzım-i menazım-i milk ü millettir. — Lâmiî›.

gühercile, F. i. Güherçile.

güherfeşan, F. s. [Güher-feşan] Cevher saçan. • ‹Kılmış burevişte nüktedanlık — Gülrizlik ü güherfeşanlık. — Fuzulî›.

güherfürus, F. s. 1. Cevher satan. 2. Mücevherci.

güherpâre, F. s. [Güher-pâre] Elmas parçası.

güherpaş, F. s. Cevahir saçan: • ‹Ruz ü şeb resk-i kef-i ebr-i güher-pâşından — Bahri Sîmab gibi lerze tutar Ummanı. — Beliğ›. • ‹Güherpaşan-i gencine-i ahbar ü siyer. — Veysi›.

güherriz, F. s. [Güher-riz] Cevher dökücü: • ‹Nice derya dimeyim keff-i güherrizine kim. — Baki›.

gül, F. i. 1. Gül çiçeği. 2. Gül ağacı. • ‹Berk-i gül goncede manend-i gülâb hoşbu. — Beliğ›.

gülâb, F. i. Gülsuyu. • ‹İmamın başını zanusuna alıp gül-i ruhsarına gülâb efşan olmuştu. — Veysi›.

gülâbdan, F. i. [Gül-âb-dan] Gülsuyu kabı.

gülabefsanî, F. i. [Gülâb-efşan-] Gülsuyu saçıcılık. • ‹Yine kıl deste alıp kilk-i carî — Gülâbefşanî vü anbernisarî. — Atayî›.

gülbam. F. i. Bk. • *Gülbank*.

gülbank, F. i. 1. Bir ağızdan çıkan ses. 2. Hep birden yüksek ses çıkarma. 3. Bir ağızdan yüksek sesle okunan dualar. 4. Bektaşilerin törenlerinde ulularını anmak için okunan dua. • *Gülbank-i Muhammedi*, ezan. • Yârin görünce kaddini gülbank-i ahtan — Peyveste oldu kubbe-i eflâke velvele. — Beliğ›.

gülbeden, F. s. [Gül-beden] Gül (pembe) bedenli. Bendeni gül gibi pembe olan.

gülberk, F. i. [Gül-berk] Gül yaprağı. • ‹Gülberk-i ârızında gezerken nezareler. — Beliğ›.

gülbeşeker, F. i. 1. Gül reçeli. 2. Gül yaprağından yapılmış tatlı. • ‹En güzel rüyası bir dal yasemin, bir kâse gülbeşeker. — Cenap›.

gülbister, F. s. Gülden yatak. • ‹Çeşm-i sermestin ise hufte-i gülbister-i nâz. — Fehim›.

gülbiz, F. s. [Gül-biz] Gül serpen. • ‹Bad-i gülbiz-i canfezasından — İnkılâp etmek üzere salâha fesat. — Nabi›.

gülbuse, F. s. [Gül-buse] Gül öpüşlü. Öpmesi gül duygusu veren. • ‹Olmaz mı bari ruhsat-i gülbuse-çin-i leb — Gelmiş neval-i lütfunu bekler dehende can. — Beliğ›.

gülbün, F. i. Gül ağacı. Gül fidanı. • ‹Bir ömr-i muhayyel... Hani gülbünler içinde. — Fikret›.

gülcemal, F. s. [Gül-cemal] Gül yüzlü, gül güzelliğinde. • ‹Teneffüsleri birbirinin gülcemallerini soldurur zannolunur. — Kemal›.

gülçehre, F. s. [Gül-çeher] 1. Gül yüzlü. 2. Gül güzelliğinde. • ‹Orasın saki-i gülçehrenin ibramı bilir. — Nedim›.

gülçin, F. s. [Gül-çîn] Gül derici, gül toplayan. • ‹Hâr-i gama rencideliğı vakti değildir. — Nailî›. • ‹Doğup vakti değildir — Bu bağda gülçideliğı guıçın olurken jaleler subh-i baharîden. — Fikret›.

güldan, F. i. 1. Gül mahfazası. 2. Çiçeklik, vazo.

güldehan, güldehen, F. s. [Gül-dehan] Ağzı gül gibi olan, gül ağızlı. • «Leb-i baharda revnak bulan şükûfe-i ter — Bana unutturamaz güldehan-i nâzımızı. — Cenap».

güldeste, F. i. [Gül-deste] 1. Gül demeti, buket. 2. Şiir veya hal tercümesi kitabı. 3. Antoloji. • «Güldeste-i beyanına beğendiği gibi ziynet verebilir. — Kemal».

gülduhte, F. s. [Gül-duhte] Gül işlenmiş. • «Her şemse-i gülduhtesinin berk-i kemini — Suretgede-i Çin'e geçer renk-i hacalet. — Nabi».

gülefşan, F. s. [Gül-efşan] Gül saçan. • «Hürmet sana ey gurre-i garra-yı gülefşan. — Fikret».

gülendam, F. s. [Gül-endam] Gül fidanı gibi ince, nazik, hoş endamlı. • «O rütbe sâftır cism-i billuru o gülendamın — Ki mevc-i bâdeyi tâdad kabildir gelûsunda. — Beliğ».

gülenk, külenk, F. i. Turna kuşu. • «İttifak kenar-i âbda bir gülenk-i kebud renk görüp. —Naima».

gülengübin, F. i. [Gül-engübin] Bal ile gül yaprağı karması tatlı.

gülfam, F. s. [Gül-fam] 1. Gül renginde olan. 2. Pembe. • «Gördüm ki düşer güllere gülizarda şebnem — Ben gönlümü ol arızı gulfama düşürdüm. — Ş. Yahya».

gülfeşan, F. s. [Gül-feşan] Gül saçan, gül dağıtan. • «Gözüm gözlerinde, lebim lü'l-i gülfeşanında. — Fikret».

gülgeşt, F. i. 1. Gül ağacı ile süslü gezinti yeri. 2. Gezinti yeri. 3. Çimen. • «Devr-i gül eyyam-i ayş ü nuş-i sahbadır yine — Mevsim-i gülgeşt-i bağ ü seyr-i sahradır yine. — Baki».

gülgonce, F. i. 1. Gül koncası. 2. Açılmamış gül. • «Gül-gonçe-i feminden lû'lûyi nâb gösterir. — Recaizade».

gülgûn, F. s. [Gül-gûn] 1. Gül renginde. 2. Kırmızı, pembe. 3. Şirin'in atının adı. Şebdiz ile aynı kısrağın tayı idi. • «Geçsin ebedî günlerimiz fâhir ü gülgûn. — Fikret».

gülgûne, F. i. 1. Kadın düzgünü, ruj. 2. Gül renkli. • «Ruhsarı sabah-i îd-i ümmid Gülgûnesi hûn-i çeşm-i hurşid. — Ş. Galip».

gülhiz, F. s. [Gül-hîz] Gül bitiren, gül yetistiren.

gülsitan, gülistan, F. i. Gül bahçesi. • «Bir (Ö. i.) Şirazlı Sadi'nin ünlü kitabının adı. • «Kızarsa gül gül olsa tâb-i meyden rû-yi hunabın — Ruh-i cananı hem gül hem gülistan olduğun görsem. — Nef'î».

gülizar, F. s. [Gül-izar] Gül yanaklı. • «Baharı neyleriz ol gülizarı goncefemin — Gülüp açılması bin nevbahar değmez mi. — Naili».

güllâc, F. i. 1. Bir çeşit tatlı. 2. Hap.

gülnahl, F. i. [Gül-nahl] Gül ağacı. Gül fidanı.

gülnar, F. i. [Gül-nar] Nar çiçeği dalı. • «Bilmez kinedir nihal-i gülnar — Âteş mi bitirdi yoksa gülzar. — Ş. Galip».

gülnarî, F. s. Nar çiçeği renginde.

gülnihal, F. s. [Gül-nihal] Gül fidanı.

gülnikab, F. s. [Gül-nikab] Yüzü gülle örtülü, pembe yüzlü. • «Ey hande-i tulû-i hayâ, bikr-i gülnikab. — Fikret».

gülpirehen, F. s. Gülden gömleği olan. • «Nafeden çâk ola gülpireheni — Göresin nidüğün ol simteni. — Vehbi».

gülpuş, F. s. [Gül-puş] Gül örtülü, pembe yüzlü. • «Lâ'l-i lebi şule-i şekernuş — Gülruhleri nevbahar-i gülpuş. — Ş. Galip».

gülrenk, F. s. [Gül-renk] Pembe. «Gülrenk idi ne görse uyun-i meserretim. — Fikret».

gülriz, F. s. [Gül-riz] Gül serpen. Gül saçan. • «Kılmış bu revişte nüktedanlık — Gülrizlik ü güherfeşanlık. — Fuzuli».

gülrû, F. s. [Gül-rû] Gül yüzlü. Al yanaklı. «Gülrûyu arakefşan olarak. — Cabeca jalesi rizan olarak. — Vehbi» • «Bir heykel-i gülrû dikilir kalp üzerinde. — Cenap».

gülruh, gülruhsar, F. s. [Gül-ruhsar] Gül (al, pembe) yanaklı. • «Ruh-i lebi gevher-i tekellüm — Gülruhleri cennet-i tebessüm. — Ş. Galip».

gülrühan, F. s. [Gül-ruh ç.] Gül yanaklılar. • «Kesret-i uşşaktır arayiş-i bazar-i hüsn — Naharidaran-i hissete gülrühan kail midir. — Nabi».

gülistan, gülsitan, F. i. 1. Gül bahçesi. 2. mevsim-i baharına geldik ki âlemin — Bülbül hamuş havz tehiy gülsitan harap. — İzzet Molla».

Gülşah, F. ö. i. Varaka'nın sevgilisi, masal kadını.

gülşeker, F. i. [Gül-şeker] Gül tatlısı. • «Ol benefşî hat gelir evvelde lâ-l-i dilbere — Kahve der-peydir bezmde âdeta gülşekere. — Nedim».

gülşen, F. i. Gül bahçesi. • *Gülşensaray*, gül bahçesi içindeki saray. • «Görmekteyim o gülşeni kim gark-i âb ü tâb. — Fikret».

gülşengâh, F. i. [Gülşen-gâh] Gül bahçesi. • «Dilde dağ dağ-i hasret suzaşinadır hep — Bu gülşengâh-i aşkın gülleri ateşnümadır hep. — Haşmet».

gülşenseray, F. s. [Gülşen-seray] Bahçe içinde olan saray. • «Ve ne andelib-i natıkasın gülşenseray-i mesacidde makam-i niyaza getirmiş. — Veysi».

gülten, F. s. [Gül-ten] Gül (pembe) vücutlu. • «Âlemde içtima-î meziyyât-i olmaz mı gültenim. — Cenap».

gülû, gelû, F. i. Boğaz. • «Hande-i hacalet olup gülûlarını seddedip taam bile yemediler. — Naima».

gülûbend, F. s. [Gülû-bend] Boyunbağı.

gülûgîr, F. i. s. 1. Boğazda kalan şey. 2. Ahlat armudu. • «Lokma-i gam kı gülûgîr-i elem oldu bana — Şîr-i mader gibi mey şimdi helâl oldu bana. — Avnî».

gülûgüdaz, F. s. [Gülû-güdaz] Boğaz yakıcı, eritici olan.

gülzar, F. i. [Gül-zar] 1. Gül bahçesi, gül tarlası. 2. Çiçek bahçesi. • «Yuf hârına dehrin gül ü gülzarına hem yuf. — Ruhi».

güm, F. s. 1. Kaybolmuş. 2. Başı boş, avare. 3. Şaşırmış • «Ey kalb neden gelir bu kemküm — Merdane sebatın oldu mu güm. — Recaizade».

güman, F. i. Sanma. Sanı. • *Bedgüman*, şüpheci kötü düşünceli. • *bigüman*, kuşkusuz. • «Çarhın sana maksadı yamandır — Zira kati tünd ü bi-amandır — Lûtuf etmesi de veli gümandır. — Ş. Galip».

gümaşte, F. s. Vekil. (ç. Gümaştegân). • «Kürt melûn dahi gümaştelerini ol diyara gönderip. — Naima».

gümgeşte, F. s. [Güm-geşte] Kaybolmuş. • «Güm güm öter asman sedadan — Gümgeşte zemin bu maceradan. — Ş. Galip».

gümkerde, F. s. [Güm-kerde] Kaybolmuş, kaybedilmiş. «Hususa gümkerde rahân-i manend-i arâfiyan. — Sümbülzade».

gümkerdereh, F. s. [Gümgerde-reh] Yolunu kaybetmiş. • «Gümkerderehiz peyrev-i bank-i çaresiz biz — Nabi».

gümnam, F. s. [Güm-nam] Adı batmış. Unutulmuş. • «Bunlar dahi tıfl-i biserencam — Gerdun dolaşır ki ede gümnam. — Ş. Galip».

gümrah, gümreh, F. s. [Güm-rah] yolunu kaybetmiş. Yoldan sapmış. • «Binlerce nazar hep seni takip ile gümrah. — Fikret». • «Bu gümrehin oldu destgiri — Öğretti Suhan'a tarz-i pîri. — Ş. Galip.»

gümrahan, F. i. [Gümrah ç.] Doğru yoldan çıkmış olanlar, yolunu sapıtmış olanlar. • «Ve karargâh-i şah-i gümrahan olan Isfahan'a iki merhale — Raşit».

gümrahî, F. i. Doğru yoldan çıkmış olma. Sapıtma.

gümşüde, F. s. Kaybolmuş. • «İkrara gülûğırlik et gümşüdegânı — Et nam-i hakkı nakş-ı cebin pare-i nan ol. — Nabi».

günah, güneh, F. i. 1. Ahirette cezaya sebep olacak davranış. 2. Suç. *Bigünah*, suçsuz, günahsız. • «Benim devletlû sultanım mazur ola günahımız çoktur harekette kusur edip geç geldik. — Naima».

günahkâr, günehkâr, F. s. Günah işleyen, suçlu. (ç. Günahkâran). • «Seninle terk-i riya denlû güçtür ey vâız — Şaraba tövbe Nedim-i günahkâra göre — Nedim».

günahpişe, F. s. [Günah-pişe] Günah işlemeyi huy edinmiş. (ç. Günahpişegân): • «Ey şefi-i güneh-pişegân-ı dem-i mev'ud. — Sami».

günbed, künbet, F. i. (Kümbet) 1. Kubbe. 2. Tavan. • *Günbed-i âli*, su kabarcığı, *-âzam*, dokuzuncu gök: • *-azrak*, • *-ekvar*, *--hazra*, gökyüzü. • «Sebz ü hurrem bir feza mı her kenar-i cûybar — Ya meyan-i cûda aks-i günbed-i hazra mıdır. — Nef'i».

günbede, künbede, F. i. Kubbe.

günbegün, F. zf. [Gün-be-gün] Günden güne. • «Cefasın günbegün müzdad eder o gamzesi cellâd — Vefadan eylemez mi yad onun hiç kalbi yanmaz mı? — Nevres».

güncayiş, F. i. Sığma, sığışma. • «Ol mezayıkta leşkere güncayiş olmamakla. — Naima».

güncide F. s. Sıkıştırılmış. Sıkışmış.

güncine, F. i. Mahzen. Ambar.

Güncişk, F. i. Serçe kuşu: • «Güncişk-i zarı başe-i perran helâk eder. — Ziya Pş.».

güneh, A. i. Günah: • «Benim özrüm günehimden ikikat betterdir. — Sinasi». — • «Aşk ateşi etmez mi seni Nailîvâ pak — Alude isen gam yeme çirkâb-i günehle. — Nailî».

günehkâr, Bk • Günahkâr.

günehârî, F. i. Günah işleyicilik.

günehpişe, F. s. .Güneh-pişe] Günahkâr, suçlu.

günk, F. s. 1. Dilsiz. 2. Söyleyemez. • «İbarâtının emsalini iraddan günk ü lâl ve âciz ü bimecal olurlar idi. — Taş.».

güraz, F. i. 1. Erkek domuz. 2. Yaban domuzu. • «Nahcirler mevc ururken bir güraz-i nâsaz çıkıp. — Naima».

gürbe, F. i. Kedi. • Sütürgürbe (deve ile kedi) münasebetsiz, anlamsız. • «Bir gürbe güzar eyler ise bir tarafından — Ol semti iner alçağa manende-i mizan. — Nabi»

gürd, F. s. Yiğit. • «Hazer hazer saf-i müjgân-i dilsiyehtir bu — Kafa-yi gamzede bir gürd-i bîsipehtir bu. — Nailî».

gürg, F. i. Kurt. • Gürg-i barandide, (yağmur görmüş kurt), çok şeyler görüp geçirmiş kimse. Eski kurt. • «Bir kûsfendi tû'ma kılar gürg-i canşikâr. — Ziya Pş.».

Gürgân, F. ö. i. İran'ın Kuzey-doğusunda bir il. 2. Aksak Timur'un lâkabı.

gürkzade, F. s. [Gürg-zade] Kurt yavrusu: • «Nefsinde gürkzade ve mârbeçe idi. — Naima».

gürisne, gürsine, F. s. Aç: • «Ve hân-i fazl ü nevali nevalesiyle dil-i gürisnemi doyurdu. — Sadettin».

gürisneçeşm F. s. Açgözlü.

gürisnegân, F. s. [Gürisne ç.] Açlar: • «Gürisnegân-i zindan-i hizlânc ziyafethane-i keremimden. — Veysi».

gürisnegi, F. s. Açlık.

gürisnetab', F. s. [Gürisne-tab'] Dilenci tabiatli, açgözlü. (ç. Gürisnetab'an): • «Davet eylediğin bürehneseran ve gürisne-tab'an. — Veysi».

güruh, F. i. 1. Kalabalık. 2. Topluluk. 3. Bölük. • «Karahisar-i şarkî nam ma-

halle gelip güruh-i mekruh ne canibe gittikleri istifsar olundukta. — Naima».

gürz, F. i. Ağır topuz. Bozdoğan. • Gürz-i giran, iri ağır topuz: • «Sagarları gürz-i kûh-peyker — Sahbaları merk-i dehşetaver. — Ş. Galip».

güsar, küsar, Bk. • Küsar.

güsiste, küsiste, F. s. 1. Kopmuş. 2. Kırılmış. 3. Çözük, sölpük. • Güsiste mihar, (yuları kopmuş) başı boş. Kayıtsız lâübali. • «Taklit ile seccadenişin olmuş oturmuş — Tahkikte ama har be güsiste inandır. Ruhi».

güster, güsterde, Bk. • Küster.

Güstehem, F. ö. i. Eski zamanlarda iki Fars yiğitinin adı. • «Dünyayı hasma tenk eder olursa Sâm ü Güstehem. — Nef'i».

Güşasb, Güştasb, F. ö. i. Fars hükümdarlarından. Hystaspes. • «Rüstem-i neberdâyin-i salifenin ve Güştasb-i ahen-destan-i maziyenin. — Naima».

güvah, F. i. Tanık: • «Şu âlem-i sefaletin güvah-i esfeliyeti — Siyah bir taş üstünü nişimen ettik ittihaz. — Fikret».

güvahî, F. i. Tanıklık.

güvai, F. i. Tanıklık.

güvar, F. i. Sindirim. • Hoşgüvar, sindirimi kolay olan.

güvaran, F. i. [Güvar ç.] Yenip içilenden sindirimi kolay olanlar.

güvarende, F. s. Yenmesi, sindirimi kolay olan.

güvariş, F. i. Mideye kuvvet verme.

güzaf, F. i. 1. Konuşma. 2. Boş lâf. • Lâf ü güzaf, boş lâkırdı, anlamsız söz. • «İşte o kadardır ol hikâyet — Bakisi güzaf-i binihayet. — Ş. Galip».

güzar, F. i. Geçme, geçiş. • «Onun civarından — Güzarı böyle soğuk bir yabancı tavrıyle. — Fikret».

-güzar, F. s. «Yapan, geçiren, ödeyen» anlamlarıyle kelimelere katılır.

• demgüzar   • maslahatgüzar
• haracgüzar   • rehgüzar
• işgüzar   • suhangüzar
• kârgüzar   • şükrgüzar.

güzarende, F. s. Geçiren, geçirici.

güzariş, F. i. (Ze ile) Düş yorumu.

güzariş, F. i. (Zel ile) Geçme. Geçirme. Geçiş: • «Gözler dalar güzariş-i satvetmedarına. — Fikret».

güzarişname, F. i. [Güzariş-name] Düş yorma kitabı.

güzaşte, *F. s.* Geçmiş, geçmiş olan.

-güzer, *F. s.* Bk. ● *Güzar.* «Ediyordum güzer bu mevkiden. — Fikret».

güzeran, *F. i.* Geçme

güzergâh, *F. i.* Geçilen, geçilecek yer. ● «Güzergâh-i hayal-i yâre yapmış sani-i kudret — İki gözlü bir kemer köprüdür kaşım Fırat üzre. — Beliğ».

güzergeh, *F. i.* 1. Geçilen, geçilecek yer. 2. Yol, yol üstü. ● «Dolmuş güzergehinde her gûşe müptelâdan. — Recaizade».

güzername, *F. i.* [Güzer-name] Yol kâğıdı.

güzeşt, *F. i.* Geçme, geçiş. ● *Sergüzeşt* baştan geçen.

güzeşte, *F. s.* 1. Geçmiş. geçen. 2. *i.* Faiz ● *Sâl-i güzeşte*, geçen yıl. ● «Halk-i cihan alâm güzeşteyi feramuş edip. — Râşit».

güzeştegân, *F. i.* [Güzeşte ç.] 1. Geçmişler. 2. Önden gelmişler.

güzid, *F. i.* 1. Yardım. 2. Çare, ilâç.

güzide, *F. s.* (*Ze ile*) 1. Seçilmiş, seçkin. 2. İlâç. ● «Hayal ü his ile mâli güzide bir gazeli. — Fikret».

güzidegân, *F. i.* [Güzide ç.] 1. Seçilmişler, seçkinler. 2. Beğenilmişler.

güzin, *F. s.* 1. Seçilmiş. 2. Seçkin. ● «Yaşlar altında vaku:ane yanan vech-i güzin. — Fikret».

-güzin, *F. s.* «Seçen, seçilmiş, seçkin» anlamlarıyle kelimelere katılır. (ç. Güzinan). ● *Çihar (çâr) yar-i güzin*, Muhammet Peygamberin başlıca dostları Ebubekir. Ömer. Osman. Ali; ● *gûşegüzin-i uzlet*, tenhalık köşesini seçmiş, seçen; ● *vahdetgüzin* tek, yalnız başına kalmayı seçen.

H

â, Arap elifbesinin. *ha, hı, he* harflerini karşılar.

ha, *A. i.* Arap elifbesinin altıncı, Osmanlı ve Fars abecelerinin sekizinci harfidir. Buna *ha-i* mühmele (noktasız ha) yahut *ha-i hutti* de denir; bu harfin adı ve sesi. — Ebcet hesabında 8 sayısını gösterir. — Arap ayları kısaltmasında bazı defa c yerine kullanıldığı olur, cemaziyelâhir ayına işarettir. 2. Arap elifbesinin yedinci, Osmanlı ve Fars abecesinin dokuzuncu harfi olan ve *ha-i mu'ceme* (noktalı ha) yahut ● *ha-i menkute* (noktalı ha) denilen harfin de adı ve sesi. Bu harf ebcet hesabında 600 sayısını gösterir. Yıldız bilgisinde Merih (Mars) yıldızın kısaltılması olarak kullanılır. 3. Arap elifbesinin yirmiyedinci. Osmanlı ve Fars alfabelerinin otuzuncu harfi olan ve ● *ha-i hüvvez* yahut ● *ha-i resmiye* denen harfin adı ve sesi. Bu harf Ebcet hesabında 5 sayısını gösterir.

ha, *F. e. (He ile)* Çoğul edatıdır. ● *Esbha.* atlar, ● *seg-ha,* köpekler. Türkçede, Arap kelimelerinden de bununla çoğul yapılmıştır. ● *Kazaha-yi erbaa,* dört kaza.

-ha, *A. i.* 1. O. 2. Üçüncü tekil şahıs.

-ha, hay, *F. s. (Hı ile)* ‹Çiğneyen› anlamıyle kelimelere katılır. ● *Jajhay,* saçma söyleyen; ● *şekerhây* (şeker çiğneyen) tatlı söyleyen. ● ‹Etti hamyaze-keşan sofi-i halve hayı. — Nergisi›.

hâb, *F. i. (Hı ile)* 1. Uyku. 2. Rüya. 3. Ölüm. ● *Hâb-i adem,* (yokluk) ölüm uykusu. ● *-gaflet,* gaflet uykusu; ● *-giran,* ağır uyku; ● *-hargûş* (tavşan uykusu), hile, düzen; ● *-naz,* naz uykusu, sevgilinin uykusu; ● *âlem-i hâb* (uyku âlemi) rüya; *şekerhâb,* şekerleme (uyku kestirme) ● (Ed. c.) ● *Hab-i girizan,* ● *-hayat,* ● *-mahmur, -nuşin, -taab, -mehcur-i hâb ü rahat, mest-i hâb.* ‹Açtılar didelerin hâb-i ademden ezhar. — Bakî›. ● ‹Hâb-i gafletten uyan cy talib-i dünya-yi dûn — Var ise rahat yeri sandın bu mihnethaneyi. — Bakî›. ● ‹Şeytana sebak veren Kalenderoğlu gibi haramzadeye firib ve hâb-i hargûş verip. — Naima›. ● ‹Zir-i çader-i hab-i giranda mühüfte göricek — Nergisi›. ● ‹Nihal bulanık nigâh-i pürhâbiyle gözlerini açtı. — Uşaklıgil›.

hab, *F. i.* Sıkıntı. üzüntü. Yazıklanma.

aab, habb, *A. i. (Ha ile)* 1. Tane. 2. Yuvarlak ufak şey. 3. Yuvarlak biçimde hazırlanmış ilâç tanesi, hap. 4. Tohum, çekirdek (ç. Hubub). ● ‹Şarab-i dilküşa olmaz ol lâ'l-i canfezadan yek — Müferrih hab bulunmaz hâl rû-yi dilberden yek. — Bakî› ‹Temaşa kıl hatt-i dildarı lâ'l-i pür-nikat üzre — Yapışmış mûya benzer cabeca habbi nebar üzre. — Beliğ›.

habab, hababe, *A. i. (Ha ile)* (Su üzerindeki) kabarcık. ● ‹Habab-i bâde-âsâ gözlerim kaldı mül üstünde. — Beliğ›.

hababib. *A. i. (Ha ile)* [Habibe ç.] Sevgili kadınlar.

hababîr, *A. ç. (Zoo.)* Toy kuşu yavruları.

habaık, *A. i.* [Habike ç.] Hacılar yolu, kehkeşanlar, samanyolları. 2. Çizgiler.

habail, *A. i. (Ha ile)* [Hibale ç.] 1. Tuzaklar. 2. Ağlar. ● *Habail-i mevt, habail-ül-mevt,* ölüm sebepleri, hastalıkları, ● *habail-i şeytan,* ● *habail-üş şeytan,* kadınlar.

habair, *A. i.* [Habari ç.] (Zoo,) Toy kuşları.

habais, *A. i.* (Hı ve se ile) [Habise ç.] Kötülükler. ● *Ümm-ül-habais,* (Kötülüklerin anası) Şarap. ● ‹Hamr ve sair habais-i muharremeyi izhar ve ilân edenleri — Raşit›.

habak, *A. i. (Ha ile)* (Bot.) Yarpuz.

habak, *F. i.* 1. Dört tarafı çevrili yer. 2. Avlu. Ağıl.

babal, *A. i.* 1. Düzensizlik, bozulma. 2. Üzüntü, sıkıntı.

habalâ A. i. [Hubâl ç.] Gebeler.

habaleyat, A. i. [Hublâ'dan] 1. Gebeler. 2. Gebelik bilgisi.

habalûd, F. s. (Hı ile) [Hâb-alûd] 1. Uykusu gelmiş uyuklayan. 2. Uykulu. Dalgın. • ‹Ta kemer-gânına dek gamzes' hâb-alûde — Ta giribanına dek çeşmi şarab-alûde. — Nedim›.

habar, hibar, A. i. Damga. İmza.

habarât, A. i. [Habr ç.] Damgalar. İmzalar.

habarir, A. i. [Hibrir ç.] Dağ çiçeği.

habaset, A. i. (Hı ve se ile). Habislik. kötülük, Alçaklık. • ‹Ramazan âhir olun cabir gece cemmal gezdirmekten ve bu gûna habaset etmekten hali olmalıdır. — Naima›.

habat, A. i. (Ha ve tı ile) Şiş.

hâbâver, F. s. (Hı ile) [Hâb-âver] Uyutucu, uyku verici. • ‹Vatan hikâyesi hâbâver oldu huzzara — Ben ağladım yine tesir-i dasitanımdan. — Naci›.

habaya', A. i. [Habie ç.] Gizli şeyler. Yeraltı hazineleri, defineler. • ‹Haric ezdefter habayadan olmak üzere. — Naima›.

habb, hab, Bk. Hab.

habb, hıbb. A. i. (Deniz) Dalgalanma, kabarma.

habb, hibb, hubb, A. s. Aldatıcı, kurnaz.

habbal, A. s. [Habl'den] İp yapan. Urgan, halat ören veya satan. İpçi, halatçı.

habbar, A. i. 1. Mürekkepçi. 2. Terzi.

habbas, A. i. (Hı ve sin ile) Zindancı.

habbât, A. i. [Habbe ç.] 1. Habbeler. 2. Haplar. • ‹Sakaf-i aşiyaneden habbat-i gendüm cevv-i asmandan şehab-i sakıp gibi rizan oldu. — Hümayunname›.

habbaz, A. i. (Hı ile) [Hubz'dan] Ekmekçi. (ç. Habbazan).

habbazi, A. s. Ekmekçilikle ilgili.

habbe, A. i. (Ha ile) 1. Tane. • Habbe-ı vahide, (tek bir tane) en ufak bir şey, hiç bir şey. • Habbe-i sevda, • habbet-üs-sevda, çöreotu denen tütsü ve nazarlık olarak kullanılan kara tanecikler. (ç. Hubub, hub, hububat) • ‹Asıldı sümbüle manendi sümbülüne gönül — O ben olalı izarında habbetüs-sevda. — Hayali›. • ‹Terbiyet çok kaba kor insanı — Habbeyi kubbe eder bustanı. — Atayî›.

habbeza', A. ün. (Ha ve zel ile) Ne güzel! Ne hoş! • ‹Habbezâ bagçe-i padişah-i rûy-i zemin — Görse Rıdvan eder üstadına yüz bin tahsin. — Nef'i›.

habdade, F. s. [Hab-dade] Uykudaki, uyumuş. • ‹Bu' habdade-i hasret dolaşır futabeduş — Mürdeler seyre gelir duşuna almış kefeni. — Nabi›.

haddari, F. i. (Hı ile) [Hab-dar-i] Uyku, uykuculuk. • ‹Lâtif bir nefes-i habdari içinde. — Uşaklıgil›.

hâbe, hâb, A. i. Günah, Suç.

habe, A. i. Üzüntü. Sıkıntı.

habeb, A. i. Aldatma. Kurnazlık.

habek, A. i. Üzülme. Sıkılma.

habeı, A. i. (Ha ile) Gebe kalma.

habeı, habı, A. i. 1. Delirtme. z. Cin, dev. 3. (XX. yy.) Fransızcadan obsession karşılığı felsefe terimi olarak kullanılmıştır. Takınak, musallat fikir.

haber, A. i. (Hı ile) 1. Bir olayda bulunmayanlara onun hakkında verilen bilgi. 2. Hadis, peygamber sözü. • Hâber-ı mütevatır, bir kalabalık tarafından başka bir kalabalığa söylenerek böylece sürüp gelen; • -meşhur, bir veya birkaç kişiden bir kalabalığa söylenerek böylece süregelen; • -vâhit, ikl evvelkiler derecesine yaygın olarak gelmiş olan; • ba-haber, haberli, bilgisi olan, bî-haber, habersiz bilgisiz. 3. (Gra.) İsim cümlelerinde yüklem. Edat-î haber, (ç. Ahbar). • ‹Nuk devrinden verir bir sual etsen haber. — Fuzuli›.

haber, A. i. Çürüme. Berelenme.

haberdar, F. s. [Haber-dar] Haberi olan. • ‹O yerlerden gelen son yolcu Hâmit, — Haberdar olmaz olmuş maveradan. — Beyatlı›.

habere, A. i. İpek ve yünden giyecek.

haberi, haberiyye, A. s. Haberle ilgili. 2. (Gra.) yüklemle ilgili, yükleme ait.

haberpijuh, F. i. [Haber-pijuh] Haber araştırıcı. Haber almaya uğraşan, haber peşinde. • ‹Muhayyemgâh-i pedişahiye karip oldukları mefad-i elsine-i cevasis-i haperpijuh olıcak. — Nergisi›.

habes, A. i. (Hı ve sen ile) Murdarlaşma. Kötüleşme.

habese, A. i. [Habis ç.] Kötüler, habisler.

Habeş, A. i. s. (Ha ile) 1. Habeşiştan halkından. 2. (Habeş gibi) zeytin renginde. 3. Habeş ülkesi. ● «Şol kara hâlin zenahdanında ey hurşid-i had — Bir Habeştir Mısr zindanında mahbus-i ebed. —. Necati».

habeşe, *A. i.* Habeşli. Habeş ülkesinde olanlar.

habeşî, *A. s.* 1. Habeşli. 2. Çok esmer, zeytin renginde. ● «Böyle olmazdı celi pertev ü âlikevkeb — Asitanında Zühal olmasa abd-i habeşî. — Naima».

habgâh, *F. i.* (*Hı* ile) [Hâb-gâh] Uyku yeri, yatak odası. Yatak. ● «Benziyor hâbgâh-i emvata — Hali sakf-i kiyahbestesinin. — Fikret».

habgeh, *F. i.* [Hâb-geh] Uyku yeri, yatak.

hâbıt, *A. s.* (*He ve tı* ile) [Hübut'tan] 1. Aşağı inen, düşen. 2. (Ed.) ● *Tearic-i hâbıt,* derece derece küçüler. (top, tüfek, süngü, tırnak... gibi). ● «Bazar-i ihtimal-i nâstan sâkıt ve kevкeb-i ikbali hâbıt olup. — Raşit».

habib, *A. s. i.* (*Ha* ile) [Hub'dan] Sevilen, sevgili. ● *Habib-ul-lah.* (Tanrı sevgilisi) Muhammet peygamber. ● *Habib-i Huda.* ● *-kibriya* da aynı anlamdadır. (ç. Ahbab, ahibba). ● «Lâtifim nazikim hûbum habibim turfa mahbubum — Nesimi». ● «Sevdi ol nuru habibim dedi Hak. — Hakkanî».

hâbide, *F. s.* (*Hı* ile) Uykuda, uyumuş. (ç. Hâbidegân). ● «Bu uzak lâne-i şebanede siz — Şimdi hâbide-i sükûnet iken. — Fikret».

habie, *A. i.* Gizli, saklı, görülmeyen şey.

habike, *A. ..* 1. Çizgi. 2. Samanyolu. (ç. Habaik).

habil, *A. i.* Büyücü.

habîl, *A. s.* 1. Tuzak. 2. Yiğit.

Habil, *A. i.* (*He* ile) Âdem peygamberin oğlu, Kabil'in kardeşi.

habile, *A. s.* Gebe, yüklü. (ç. Habele, habilât).

habîn, *A. i.* Zakkum.

habîn, *A. s.* Sıska. İstiska.

hâbir, *A. s.* (*He* ile) Bölerek ayırıp kesen.

habîr, *A. s.* (*Hı* ile) 1. Haberi olan. 2. Bilgin, bilgili. 3. Her şeyin haberlisi (Tanrı). ● «Ahmet Paşa ağaların ve ulemanın cemiyet edeceklerinden habîr olup. — Naima» ● «Buna razı mı olur Rabb-i habir. — Sümbülzade».

habîs, *A. s.* (*Ha ve sin ile*) Tanrı uğruna vakfedilmiş (şey).

habis, haabis, *A. s.* Tutucu, hapsedici.

habis, habise, *A. s.* (*Hı ve se* ile) [Hubs'tan] Kötü. Fesatçı. ● *Ervah-i habise,* kötü ruhlar, cinler. (ç. Hubesa). ● «Bin kadar eşkıya ile Antakya tarafından gelip mülhak oldukta habis kuvvet-i taze buldu. — Naima».

habiye, *A. i.* (*Hı* ile) Saklı, gizli olan nesne. (ç. Habaya).

habl, *A. i.* (*Ha* ile) 1. İp. 2. (Ana., Bot.) İp, iplik gibi bazı organların adı. ● *Habl-ül-meskîn,* sarmaşık, ● habl-ullah, Kur'an; ● *habl-ül-verid,* şahdamarı, ● *habl-i metîn,* (sağlam urgan) İslâmlık, ● -mevhum, olacak gibi görünüp de gittikçe uzaklaşan maksat. (ç. Hubul). ● «Yani habl-ül-verid-i zindegâni kabza-i tasarruftan gidip. — Veysi».

hâbnâk, *F. s.* (*Hı* ile) [Hâb-nâk] Uykusu bastırmış olan.

hâbnuş, *F. s.* Uyumuş, uykuda olan.

habr, *A. i.* 1. Öğretmen. 2. Dine bağlı kimse. 3. İsrail din adamı. 4. Yara, iz. (ç. Ahbar, hubur).

habs, *A. i.* (*Ha ve sin* ile) 1. Bir suçluyu bir yere kapama. 2. Kapalı bir yerde tutma. Salıvermeme. 3. Mal vakfetme. 4. Nefsini tutma. ● «Hem dahi nihan olup ol âfet — Habs oldular anda Aşk ü Gayret. — Ş. Galip».

habshane, *F. i.* [Habs-hane] Hapishane, cezaevi. ● «Habshaneye girdikte bana bir mertebe hüzn-i âzîm târi oldu ki. — Naima».

habt, *A. i.* (*Ha ve tı* ile) 1. Tartışmada karşısındakini susturma. 2. Bozma, hükümden düşürme. 3. İşe yaramaz hale sokma.

habt, *A. i.* (*Hı ve tı* ile) Yanılma, yanlış davranma. ● *Habt ü hata,* ● *habt ü halel,* yanlış, düzensizlik. ● *Habt-i dimağ,* delilik. ● «Mevazi-i binikaye-i habt ü halelin gûşe-i kalem-i ıslahtan mahrum etmeyeler. — Nergisî». ● «Piç ü tâb-i ıstırabınızdan neşeyi iktiza eden habt-i dimagiyeden serzede olan elfaz-i bîreyabıt ve kelimat-i bîzayabıt. — Ragıp Pş.».

hâc, hâcc, *A. i.* (*Ha* ile) Hicaz'a, Mekke'ye gidip hacı olmuş kimse. ● *Elhac,* hacı. ● *Hacc-ül-haremeyn,* Mekke ve Medine'yi ziyaret etmiş kimse. ● «Ve zencirin ucu Ankara şehrinde Hâc Bayram elinde. — Sadettin».

hac, hacc, A. i. Zilhicce ayında Mekke'-de gerekli törenle Kâbe'yi ziyaret ve etrafını dolaşma. ● *Emir-i hac, emir-ül-hac*, sürreyi, karadan giden hacıları Şam yolu ile Hicaza götürüp getirme ile görevli kimse. ● «Mesalik-i hacda olan birkeler tâmirin irade ettiklerinde. — Sadettin».

hâc, A. i. [Hacet ç.] 1. Hacetler. 2. Devedikenleri. Akdikenler.

hâc, A. i. Haç. ● «Küfr-i zülfünü gider kâfirlik etme gözün aç — Kâbe'dir hüsnün reva mıdır dua üstüne hac. — Kanunî».

hacac, hicac, A. i. Gözün ikinci tabakası.

hacalet, A. i. (Hı ve te ile) Utanma. Utanç. ● «Öyle hacalet ve infial âriz olduki tarihe yazılacak nevadir-i ruzigârdan addolunmuştur. — Naima».

hacaletaver, F. s. [Hacalet-âver] Utandırıcı.

hacamat, hicamet, A. i. (Ha ve te ile) Hacamat. Bedenin bir tarafını yarıp üzerine boynuz koyarak kan alma.

hâcât, A. i. [Hacet ç.] Hacetler. Gerekli nesneler. ● *Kadi-il-hacât*, hacetleri yerine getiren (Tanrı). ● «Herkesi atayip ve kulûb-i ehl-i hâcâtı tatrib etmek mülâhazasıyle. — Raşit».

hacb, A. i. Koruma engel olma.

hâcc, A. i. Hicaz'a, Mekke'ye gidip hacı olmuş kimse. *Elhacc*, hacı; *hacc-ül-haremeyn*, Mekke ile Medine'ye giderek hacı olan kimse. ● «Bana birkaç akçe tekaüt ihsan eyle hacc-i şerife varıp. — Naima».

Haccac, A. i. (Ha ve sin ile) Irak valisi olup, Peygamber soyuna ve taraflarına eziyet eden Yusuf bin Sakafî. ● «Haccac-i zalim-i birahm ü bidin. — Veysi».

haccal, A. s. Parıltılı. Gösterişli.

haccam, A. i. Hacamatçı.

haccar, A. s. Taş işçisi, taşçı.

hacce, A. i. Hacı kadın. Hicaz'a gitmiş kadın.

hace, F. i. (Hı ile) 1. Efendi, ağa, sahip. 2. Öğreten, öğretmen. 3. Sarıklı adam, hoca. 4. Tüccar. 5. Ev sahibi. 6. Aile başı. (ç. Hacegân). ● «Benim ol hace-i bahşende ki harc etsem olur — Encüm-i çarhı güher yerine mahzen mahzen. — Nedim» ● «Hacene eyle begayet tâzim — Hakk-i üstad acep emr-i azîm — Sümbülzade».

hace, A. i. Bk. ● *Hacet*. Hacet sözünün Arapça bileşiklerindeki şekli. ● *İnd-el-hace*, ● *led-el-hace*, gerektiği zaman, gerekince.

hace, A. i. (Ana.) Gırtlak.

haceb, A. i. [Hacib ç.] Perdeciler. Kapıcılar.

hacebe, A. i. [Hacib ç.] 1. Perdeciler. 2. Kapıcılar.

hacegân, F. i. [Hace ç.] 1. Hoçalar. 2. Resmî daire memurları (Tanzimattan önce). Beşinci derece (rütbe-i hamisede) memurlar. ● *Hacegân-ı Divan-i Hümayun*, Divan-i Hümayun kalemi memurları, ● «Ve sadreyn efendiler ve hâcegân-i divan defterdar efendi ile. — Raşit».

hacegî, F. i. Hocalık niteliği. 2. Tüccar. ● *Bedesten hacegisi*. Bedesten tüccarlarından her biri. 3. Kayıp. ● «Cümlenin muteber ü asanı — Mansıb-i hacegi-i Divanî. — Nabi».

hacegiyan, F. i. [Hacegî ç.] ● «Atlas-i cahı eyleyip çül-i hazan-i hırs ü âz — Hacegiyan-i himmete cevher-i zat verdiler. — Naili».

hacel, A. i. (Hı ile) Utanma.

hacer, A. i. (Ha ile) Taş. Kaya parçası. Çakıl. *Hacer şecer*, taş ve odun; değersiz, önemsiz. *Hacer-i Esvet* (Kara taş) Kâbe kapısı yanında bulunan ve hacıların öpmeleri hac şartlarından olan taş. «Bilesin ancak eder Rabb-i kebîr — Haceri cevher ü hâki iksir. — Sümbülzade».

hacerat, A. ç. i. Çift taşlar. «Otuz milyon asiyab-i dimağ dönüyor; hacerat-i nebahati hiç bir dane-i müfit ezmeksizin — Cenap».

hacerpare, F. i. [Hacer-pare] Taş parçası. «Başının içinde bir hacerpare sikletiyle duran beyninin. — Uşaklıgil».

hacet, hace, A. i. Bk. *Hace*. 1. İnsanın muhtaç olduğu şey. 2. Gereklik. 3. Maddi, gerekli şey. 4. Muhtaçlık, boynu eğri olma. *Arz-i hacet*, eksiğini, isteğini bildirme; *def-i hacet*, ihtiyacı giderme, gerekli şeyi elde etme; *kaza-i hacet*, aptes bozma. (ç. Hacât, havayic). ● «Zamir-i sâfa esrar-i dili ilâma hacet ne — Olur mir'ata suret mürtesem ressama hacet ne. — Seyit Vehbi».

hacetmend, F. s. [Hacet-mend] İhtiyaçlı, ihtiyacı olan. (ç. Hacetmendan). ●

F. : 18

‹Peyveste-i râh-i divan-i umur-i hacetmendan eyleye. — Nabi›.

hacetreva, *F. s.* [Hacet-reva] İhtiyacı gören, gideren. • «Bugün maksudumuz hâsıldır ey Ruhi bihamdillâh — Mukim-i dergeh-i hacetreva-yi Murtazayız biz. — Ruhi›.

hacı, *A. i.* Hicaz'a gidip hac törenini yapmış kimse. Türkçede bütün Araplara denir. ‹Nur görmüş hacı-veş uşşakı nalân eyledi. — Hayalî›.

hâci, *A. s.* (*He* ile) [Hicv'den] Hicveden. Hiciv yazan. «Kizbin, riyanın, isaetin hâci-i kahkasazı olmak. — Cenap›.

hâcib, *A. i.* (*Ha* ile) [Hicab'dan] 1. Kapıcı, kapıcı başı. 2. Perde, perdeci. 3. Kaş. • *Hacib-i bâr,* Cebrail. • ‹Açtı devletten müfettih bablar — Karşı geldi hâcib ü beyyablar. — Sadettin›.

hacibeyn, *A. i.* İki kaş. • *Beyn-el-hacibeyn,* iki kaş arası.

hacih, *A. i.* (*Ha* ile) Karın gurultusu.

hacil, hacil, *A. s.* (*Ha* ile) Utanmış, utanık. • ‹Siyavüş Paşa mahbeste Emîr Paşayı görüp hacîl olup. — Naima›.

hâcim, *A. s.* (*He* ile) Saldıran, hücum eden.

hacim, *A. s.* (*Ha ile*) Hacamat eden.

hacir, *A. i.* (*Ha* ile) Dik olan nehir kenarı. • ‹İki bahr-i bî-sahildir ki aralarını hacir olan adl-i mahz üzre harekettir ki. — Naima›.

hacir, *A. s.* 1. Göçen, hicret eden. 2. Sayıklayan, sayıklayıcı.

hâcis, hâcise, *A. i.* (*He ile*) Gönüle doğan endişe (ç. Hevacis).

haciyan, *A. i.* [Hacı ç.] Hacılar. Hicaz'a gidenler. • ‹Ve diyar-i şarktan gelen haciyan rah-i Halep ve Şam'dan revan olup. — Naima›.

haciyane, *F. zf.* (*He* ile) [Hicv'den] Hicveder yolda, hicivci yolunda. • «Makaledeki birkaç lâtife-i haciyaneye gelince. — Cenap».

hâciz, *A. s.* (*Ha* ile) [Hacz'den] 1. Haciz eden. 2. Ayıran, bölen.

hacle, *A. i.* (*Ha* ile) Gelin odası. Gerdek.

haclegâh, *F. i.* [Hacle-gâh] Gelin odası. Gerdek odası. • ‹Haclegâh-i hüsnün ol şem-i füruzanın görün. — Nailî›.

haclet, *A. i.* Utanma. • ‹Biçareler maksut ne olduğun fehm edemediler, tekrar haclet yüzünden dua edip. — Naima›.

hacletpezir, *F. s.* Utanma. • ‹Ey tâb-i hüsnün âfet-i niyruy-i aftab. — Nailî›.

hacletâver, *F. s.* [Haclet-âver] Utanç verici, utandırıcı.

hacletengiz, *F. s.* [Haclet-engiz] Utandırıcı.

hacm, *A. i.* (*Ha* ile) Hacım. • «Sıkletin fehm olunur hacm-i kitabından senin›.

hacmen, *A. zf.* Büyüklükçe. cüssece.

hacr, hicr, hücr, *A. i.* (*Ha* ile) 1. Kanun yolu ile birinin kendi malını istediği gibi kullanmaktan (tasarruftan) alıkonması. 2. Kucak. • ‹Varan beylerbeyleri kat'a bir işe müdahale ettirmeyip hacr edip menzilde müflisen alıkoyarlardı. — Naima›.

hacz, *A. i.* (*Ha ve ze* ile) Malı kanuna uygun olarak sattırmayıp alıkoymak. Alacağa karşılık rehin veya bir malın mahkemece zaptını ve satılmasını isteme.

hada', *A. i.* (*Hı* ile) [Hâdi, ç.] Hileciler, dolap kuranlar aldatanlar.

hadai', *A. i.* (*Hı ve ayın* ile) [Hadia ç.] Hileler, dekler, oyunlar.

hadaic, *A. i.* [Hadice ç.] Deve sırtına vurulan yükler.

hadaid, *A. i.* [Hadid, hadide ç.] 1. Demirden yapılma şeyler. 2. Keskin şeyler. Sert şeyler.

hadaidât, *A. i.* [Hadid ç.] Demirden yapılmış şeyler.

hadaik, *A. i.* [Hadika ç.] Bahçeler. • *Hadaik-i hassa,* padişah (saray) bahçeleri.

hadalet, *A. i.* Kol ve baldırı etli olma.

hadaret, *A. i.* Alçak gönüllülük.

hadaret, hazaret, *A. i.* (*Hı ve dat* ile) Yeşillik.

hadaset, *A. i.* (*Ha ve se* ile) 1. Yenilik. 2. Tazelik. • *Hadaset-i sinn,* gençlik. • «Mezbur hadaset-i sinni sebebiyle fuzuli hareket ettiği. — Naima›.

hâdd, hadde, *A. s.* 1. Sivri, ince (uclu). 2. Keskin. 3. Gergin. 4. Azgın. 5. Sert. 6. Ateşli (yara, çıban). 7. Yakıcı. • *Maraz-i hadd,* fenalaşmış hastalık; • *zaviye-i hadde* (Geo.) Dar açı.

hadd, *A. i.* (*Ha ile*) 1. Sınır, kenar. 2. Derece. 3. Gerçek değer. 4. Şeriatçe verilen ceza, dayak. 5. (Man.) Bir önermede konu ile yüklemlerden her biri, terim. 6. (Mat.) Denklem bölümlerinden her biri, terim. (ç. Hudud). • *Hadd-i asgar.* (Man.) Küçük önerme; • *-bülûğ,* ergenlik çağı; • *-ekber* (Man.) büyük önerme; • *-evsat* (Man.) orta terim; • *-evvel* (Mat.) birinci terim; • -*hakiki* (Man.) bir terimin esas tarifi; • -*i'caz*, fasahatin mucize derecesinde olanı. • -*imkân*, olabilirliğin son haddi, olabilirlik; • -kemal, olgunluk hali; • -*kifaye*, yeterlik derecesi; • -*lâfzi*, sözcük anlamı, kelimece tarif, • -*lâyık*, tam derece, tam değer; • -*müşterek*. ortak derece; • -*resmî*, tam tarifi; • -**şer'î** (şeriate uygun verilen) ceza, dayak derecesi; • -*zatında*, aslında, yaratılıştan; • *bi-hadd*, hesapsız, sınırsız, • *fevk-alhadd*, pek çok, aşırı, • *serhadd*, sınır. • «Haddini bilmez bed-ahlâklara mülâyemet ve müdara etmediğiyçün ol makuleler kendüden mahzuz değillerdi. — Naima».

hadd, *A. i.* (*Hı* ile) Yanak, yüz. 2. Yer kazma, yer açma • *Lâle hadd*, lâle (al) yanaklı; • *semen̦ hadd*, yasemin (çok beyaz) yanaklı; • *Hadd-i azra'* (kız yanağı), Kûfe şehri. • «Acep haddin mi bu yahut güneştir — Acep mi dersem alnına mehtab. — Kanuni».

hadd, *A. s.* 1. Gürültü ile yıkılan. 2. Gürültülü bir sesle çağıran.

hadda', *A. s.* (*Hı ve ayın* ile) [Huda'dan] Dalavereci, hileci. • «Bazı turuk-i hiyel ile hadda'-i avam için bazı umura mübaşeret ederler ki. — Taş.».

hadda, *A. i.* Deve sürücüsü. • «Pes halife haddada buyurdular ki. — Süheylî».

haddad, *A. i.* 1. Demirci, demir işleriyle uğraşan kimse. 2. Kapıcı. 3. Zindancı, gardiyan. • «Bildirir haddin sana tenk eyleyip haddad-i çarh. — Nazîm».

haddadî, *F. i.* Demircilik.

haddam, *A. s. ve i.* 1. İşinde becerikli. 2. Hizmetçi.

haddan ,*A. i.* [Hadd'den] iki yanak.

haddas, *A s.* [Hads'ten] Çarçabuk kavrayan, akıllı, becerikli.

hadde, *A. i.* Erimiş madeni döküp ince tel yapmada kullanılan alet. • *Hadde-i tedkik*, inceden inceye gözden geçirme. • «Haddeden geçmiş nezaket yal ü bal olmuş sana — Mey süzülmüş şişeden ruhsar-i âl olmuş sana —. Nedim» • «Ne kadar mesail varsa hadde-i im'anınızdan geçireceksiniz. — Cenap».

Haddehane, *F. i.* [Hadde-hane] Deniz kuvvetine makineci, teknisyen yetiştirmek için (İstanbul'da Kasımpaşa'da) olan okul ve fabrika.

haddeyn, *A. i.* (Mat.) İki hadd, iki terim. • *Zü-l-haddeyn*, iki terimli.

hadeb, *A. i.* 1. Uzun boylu kimse. 2. Akılsız kimse.

hadeb, hadebe, *A. i.* (*Ha* ile) (Anat.. Bot.) Yumru, kambur. (ç. Hidab).

hadebiyyet, *A. i.* Kamburluk.

hadec, *A. i.* (Bot.) Ebucehil karpuzu.

haded, *A. i.* Engel, mani, set.

hadeka, *A. i.* (*Ha* ile) Gözbebeği. (ç. Ahdak, hadekat, hidak).

hadakî, *A. s.* Gözbebeği ile ilgili.

hadem, *A. i.* (*Hı* ile) [Hadim ç.] Hademeler, hizmet edenler. • *Hadem ü haşem* hizmetçiler ile koşuntular, maiyet halkı, (büyük biriyle) birlikte bulunanlar • «Ziruhlar katl ü feda edilerek mevtaya hadem ü haşem tedarik olunurdu. — Cenap».

hademe, *A. i.* (*Hı* ile) [Hadim ç.] 1. Hizmet görenler. 2. Resmî bir dairede hizmet gören kimse (lcr). • *Hademe-i hassa,* • -*sehane,* padişah sarayında görevliler. • «Ne belâdır süfeha-yi hademe — Gönderir âdemi mülk-i ademe. — Sümbülzade».

hadeng, hadenk, *F. i.* Ok. • «Bir hadeng-i cangüdaz-i ahtır sermayesi — Biz bu meydanın nice çapüksüvarın görmüşüz. — Nabi».

hader, *A. i.* (Organlardan birinin) uyuşması. Uyuşma.

hader, *A. i.* 1. (Organ) şişip yumru olma. 2. Şaşı, şaşılık. 3. Eğilme.

hades, *A. i.* (*Ha ve se* ile) 1. Yeni çıkma. Yeni şey. Yeni olma. 2. (Dinde) eskiden olmayıp sonradan görülme. 3. Aptes tazelemeyi gerektiren hal. 4. (Gra.) Fiilin bildirdiği hal (ç. Ahdas, hadesat). • «Ey dehr acep hâdisedir ki hades ettin — Bünyadını ilmin yıkuben hep abes ettin. — Sadettin».

hades, *A. s.* Genç. Taze. (ç. Ahdas, hidsan).

hadesan, *A. i.* Talihsizlik. Kaza.

hadesat, *A. i.* [Hades ç.] Hadesler.

had', *A. s.* (*Hı, dal ve ayın* ile) [Hadia'dan] Hileci, dolapçı. Fena, bozuk.

hadi, hadia, *A. s.* (*Hı ve ayın* ile) 1. Hileci, dolapçı. 2. Fena, bozuk.

hadi, *A. s.* (Bileşik sayılarda) birinci • *Hadi aşr*, on birinci; • *hadi vü işrin*, yirmi birinci.

hadi, *A. i.* (*Ha* ile) Şarkı söyleyerek deve süren kimse.

hadi, *A. i.* (*He* ile) [Hidayet'ten] 1. Hidayete ulaştıran, doğru yol gösteren kimse. 2. Önde giden kimse. 3. Mızrak ucu. • *Hadi-i sebil* Muhammet Peygamber; • *Hadi-üt-tarik*, doğru yol gösterici (Tanrı). (ç. Hevadi, hüdat). • «Hem benim hadi vünafi' hem benim darr ü muzır. — Nesimi» • «Hadi-it-tarik cenabından (Tanrıdan) istidayi tevfik edip. — Sadettin». • «Hadi-i vâhid-i din bedraka-i yakîn — Peyrev-i müçtehidîn hazret-i şeyh-ül-İslâm. — Nef'î».

hadia, A. *i.* (Ustalıklı) Hile, dek, oyun. (ç. Hadayi). • «Salih Paşanın mekr ü hadiasıyle mansıb-i sadaretten dûr. — Naima».

Hadice, A. *ö. i.* Muhammet peygamberin ilk eşi kadın. (Anlamı vakitsiz, erken doğan kadın demektir).

hadid, A. *i.* (Ha ile) 1. Demir. Çelik. 2. Komşu. Bitişik komşu. • *Sure-i hadid.* Kur'an'ın 57. suresi. • «Eşrat-i saat erdi gökler hadid olur. — Beliğ».

hadid, A. *s.* 1. Öfkeli, çok kızar. 2. Keskin. 3. Sert. 4. Akıllı, çabuk kavrar. • *Hadid-ül-basar*, gözü keskin, • *hadid-ül-mizac*, titiz, sert huylu; • *hadid-ün-nazar*, görüşü keskin. • «Komşumuz Bahsizade gibi hadid-üi-lisan adamın ta'n ü levmine bizi mazhar eylemen demekle. — Naima».

hadidî, hadidiye, A. *s.* [Hadid'den] Demirle ilgili. Demirden. Demir karışığı. • *Hutut-i hadidiye*, demiryolları; • *mürekkebat-i hadidiyye*, demir karışıkları.

hadife, A. *i.* Halktan bir kısım.

hadika, A. *i.* (Ha ve kaf ile) Ağaçlı bahçe. (ç. Hadaik). • «Bir beyaz rişe-i cenah-i melek, — Gibi kar — Seni solgun hadikalarda arar. — Cenap».

hâdil, A. *s.* [Hadl'den] Aşağıya sarkıtılmış.

hâdim, A. *s.* (Hı ile) [Hidmet'ten] 1. Hizmet gören. 2. Hadım, harem ağası. • *Hâdim-ül-haremeyn-üş-şerifeyn*, (Mekke ve Medine gibi kutsal iki yerin hizmetçisi) Osmanlı padişahlarının lakabı. (ç. Hadem, hademe, huddam). • «Öldü çün hâdim-i enva-i ulûm — Sen de et himmet ana ey mahdum. — Sümbülzade».

hâdim, A. *s.* (He ile) [Hedm'den] Yıkan, yıkıcı. Kırıp geçiren. • *Hâdim-ül-lezzat* (tatları yok eden) ölüm,, ölüm melâikesi, Azrail. • «Ve bezm-i dem-i yâpsinde saki-i hadimüllezzat izaka-i çaşni-i nagüvar-i sekerat ettikte. — Nergisi».

hâdime, A. *s.* (Hı ile) [Hâdim'den] Kadın hizmetçi .

hadin, A. *i.* 1. Dost. 2. Yol arkadaşı. 3. Yaşdaş. (ç. Ahdan, hudena).

hâdir, A. *s.* Organlardan birisi şişip yumrulanan. (ç. Hadere).

hâdir, A. *s.* Uyuşuk, gevşek, tembel.

hadir, A. *s.* Uyuşukluk. Duymaz olmuş. Donuk göz).

hâdir, A. *s.* Öten (güvercin).

hâdis, hâdise, A. *s.* (Ha ve se ile) [Hudus'tan] Yeni çıkan. Eskiden olmayıp, sonradan olan • *İhtilâf-i hâdis*, meydana çıkan anlaşmazlık; • *münakaşat-i hâdise*, meydana çıkan tartışmalar.

hadis, A. *i.* 1. Fıkra, hikâye, haber. 2. Muhammet Peygamberin sözleri veya yaptığı iş, davranış. • *Hâdis-i kudsi*, • *-nebevî*, Muhammet Peygamber hadisi. • «Hâkten kaldır eyâ dâver-i dinperver kim — Nushadır cümle serâpây-i hadis u Kur'an. — Bakî».

hadisat, A. *i.* [Hâdise ç.] Hâdiseler, olaylar. Yeniden yeniye olan şeyler. • «Hikmet tekabül üzredir ahkâm-i hadisat — Elbet eder vera-yi safadan keder zuhur. — Hersekli».

hâdise, A. *i.* Olay. Meydana çıkan hal. (ç. Hadisat, havadis). • «Marîz-ül-asab çocuklara mahsus bir hâdise-i garibe ile bu yalanı keşfetti. — Uşaklıgil».

hâdisiyye, A *.i.* Fransızcadan *phénoménisme* karşılığı felsefe terimi olarak yapılmıştır, fenomenizm (XX. yy.).

hadiye, A. *i.* 1. Asâ. 2. Su içinden sivrilip çıkmış kaya.

hadnaşinas, F. *s.* [Had-na-şinas] Kendini bilmez. • «Korkağı biraz koltukla: Cesur olamaz hadnaşinas olur. — Cenap».

hadra, hazra, A. *i.* 1. Bitki, yeşillik. 2. Gök yüzü. 3. Husrev Perviz'in sekiz hazinesinden birinin adı. (ç. Hadravat, hazravat).

hadra, hazra, A. *s. i.* 1. Yeşil. 2. Taze. • *Hazra-i dimen*, soysuz güzel (kadın), • *Ceziret-ül-hadra* Fas'taki Elcezire. • «Hava arais-i gülzara oldu çehreküşa — Bahar gülşene giydirdi hulle-i hadra. — Fuzulî».

hads, A. *i.* (Ha ve sin ile) 1. Zan, tahmin. 2. (XX. yy.). Fransızcadan *intuition* karşılığı olarak kullanılmaya baş

lanmıştır. Sezgi, seziş. Entüisyon. •
«Ümera ve mülûk hads ü tecarib ve
re'y-i saib ile bilip. — Taş.».

hadsî, A. s. 1. Zan ve tahminle ilgili. 2.
Sezgili.

hadsiyyat, A. i. Zanlar, tahminler.

hadşe, A. i. (Hı ile) Tırmalama. Kocun-
ma. «Verirdi aşkıma bir hadşe-i me-
lâlâver. — Fikret».

hadşeaver, F. s. [Hadşe-aver] Kocundu-
rucu. «Timsal-i hadşe-âveridir mevti-i
hâilin. — Fikret».

hadşenisar F. s. [Hadşe-nisar] Kocun-
duran, vesvese saçan. «Merkûz idi lev-
lin nazar-i hadşe-nisare — Âfak-i şü-
hude. — Fikret».

hadşeres, F. s. Tırmalavan. Huzursuzluk
veren. «Adam azlığı hayırhahan-i va-
tana o kar hadşeres-i efkâr oluyor. —
Kemal».

hadşinas, F. s. [Had-şinas] Haddini bi-
len. «Bu halini hakiki bir hadşinaslığa
haml ile memnun olarak. — A. Mitat».

hadur, A. i. (Ha ile) Kulak küpesi.

hafâ, A. i. (Hı ile) 1. Yokluk, görünmez-
lik. 2. Gizlilik. «Ormanların sine-i ha-
fâsından gelen enfas-i sakite-i sevda.
— Uşaklıgil».

hafagâh, F. i. [Hafâ-gâh] Gizlenme ye-
ri. «Oooh, gel gel, bu hafagâha beraber
girelim — Orda sensiz geçecek günleri
tazmin edelim. — Fikret».

hafair, A. i. (Ha ile) [Hafire ç.] Çukur-
lar.

hafakan, A. i. (Hı ile) Yürek oynaması.
Çırpıntı. «Padişah-i âlempenah mukad-
dema hapishanede bîm-i can ile hafa-
kan ve seher ve bazı sevdayî illetine
müptelâ oldu. — Naima.».

hafât, A. i. [Hafe ç.] Kıyılar, kenarlar.

hafayâ, A. s. (Hı ile) [Hafi, hafiye ç.]
Gizlilikler. Hafaya-yi umur, işlerin giz-
li tarafları. «Nice hidmette olup müs-
tahdem — Eyledim fehm-i hafaya-yi
ümem. — Sümbülzade».

hafaza, A. i. [Hafız ç.] 1. Hafızlar. 2. Bek-
çiler. 3. İnsanın yaptıklarını yazan me-
lekler. Bunlara kiramen kâtibin de de-
nir. Bab-ül-hafaza, en aşağı kat Cen-
net. «Ve hafaza-i kaleyi istikbal. —
Sadettin».

hafazanallah, «Tanrı bizi korusun» anla-
mında dua.

hafe, A. i. (Ha ile) Kıyı, kenar. (ç. Ha-
fât).

haff, A. i. (Hı ile) Ayakkabı.

haffaf, A. s. Ayakkabı. Kavaf. • «Suk-i
haffaftan ettikçe güzer — Kınalı bir
topuğa etse nazar. — Vehbi».

hâfık, A. s. Titrek, titreyen. • «Bed ü zu-
hurları kulûb-i hâfıka-i a'daya ru'b-
engiz olmakla. — Ragıp Pş.».

hâfık, A. i. (Hı ile) Batı veya doğu yön.
Dört ana yönden biri. (ç. Havafık).

hâfıkan, hâfıkayn, A. i. Doğu ve batı ta-
rafları. • «Revzat-ül-Hüseyn fi hulâ-
satil ahbar-ül-hafıkayn. — Naima».

hafız, hafıza, A. i. s. (Ha ve zi ile) [Hıfz'-
dan] 1. Koruyan, koruyucu. 2. Bekçi,
nöbetçi. 3. Kur'anı ezberden okuyan. •
Hafız-i hakikî. • -mutlak, Tanrı; • ha-
fız-i kütüb, kütüphane memuru. (Ö. i.)
Hafız-i Şirazî. (ç. Hafaza, hafızun, huf-
faz). • «Hafız-i eş'ar hafız-i rind olur.
— Naci».

hafız, A. s. (Hı ve dat ile) 1. Bastırıcı,
aşağı indirici. 2. Rahatta olan. 3. Kah-
redici olan.

hâfıza, A. i. 1. Kur'an'ı ezberlemiş kadın.
2. İnsanda hatırlama yetisi. Bellek. •
Hafıza-i enam, halkın hâfızası; • ha-
fızapira, hâfızayı süsleyen, beğenilerek
ezberlenen. • «Sorayım söylediğin söz-
leri ashabından — Anların hıfzına
vakfeyleyeyim hâfızamı. — Naci».

hafi, A. s. (Hı ile) [Hafa'dan] Gizli. •
Hafi vü celi, gizli ve aşikâr. (ç. Hafa-
ya). • «Hafi bir memnuniyeti derece-i
kâfiyede saklayamayan. — Uşaklıgil».

hafid, A. i. (Ha ile) Torun. (ç. Ahfad)

hadifane, F. zf. Torunlara yakışır yolda.
• «Mizaha meylim de zat-i hafidane-
nizi memnun etmiyor. — Cenap».

hafide, A. i. (Ha ile) Kız torun.

hafif, hafife, A. s. (Hı ile) [Hiffet'ten]
Ağır olmayan. Hafif. Yeyni. • Hafif-
meşreb, hoppa.

hâfil, A. s. 1. Yalınayak koşan. 2. Ziya-
de ikramcı.

hâfil, A. s. (Ha ile) Bol veya dolu nes-
ne. • «Bunda bir kitab-i hâfil ve ca-
mi' ve şamil tasnif edip. — Taş.».

hâfir, A. i. s. (Ha ile) 1. Yeri kazan hay-
vanın tırnağı (ç. Hafırat) • Ben anı
hâfir-i dabbe ile vaty eyleyem yani
atın ayağı ile basıp geçem. — Taş.».

hafir, hafire, A. i. Kazılmış yer. Çukur.
(ç. Hafair).

hafiyyat, A. i. [Hafiyye ç.] Gizli işler,
sırlar. • Hafiyyat-i umur, işlerin gizli
tarafları; • âlim-ül-hafiyyat, gizli iş-

leri bilen (Tanrı). • «Çün ricalullah hafiyyat-i umurdan agâh oldukları mukarrerdir. — Sadettin.»

hafiyye, A. i. s. (Hı ile) 1. Gizli. Suret-i hafiyyede, gizli olarak; • umur-i hafiyye, gizli işler. 2. Gizli araştırma işinde kullanılan kimse. 3. Bir kimseye zarar verecek şekilde haberler veren kimse. • «Cenab-i Rabb-ül âlemîn hazeretlerinin hikem-i hafiyyesine akıl erişmez, efendisinin âr eylediği efsungerlik ol fakire sebeb-i maye-i izzet olup. — Naima».

hafiyyen, A. zf. Gizli olarak, gizliden.

hafiyyeten, A. zf. Gizlice. • «Nasuhpaşazade canibine hafiyyeten haber gönderip. — Naima».

hafiz, A. s. Ziyade ve çok koruyucu, en esirgeyici. (Tanrı sıfatlarından).

hafr, A. i. (Ha ile) Toprağı kazma. • «Kenar-i cûy-i firavanda hafr-i çah abes. — Sami».

hafre, hufre, A. i. Kazılmış çukur.

hafriyat, A. i. Kazma işleri. Kazı. «Ve daire-i mahsusanın hafriyat-i esasiyesine nezaret etmekte. — Recaizade».

hafta, hefte, F. i. (He ile) Hafta. Yedi günlük zaman. • «Halkı bir hafta mukaddem habîr etmekle. — Raşit».

haftan, F. i. (Hı ile) Kaftan.

hagine, F. i. Tavada pişmiş yumurta, kaygana.

-hah, F. s. (Hı ve he ile) «İsteyen, ister» anlamıyle kelimelere takılır. • Bedhah, • hayırhah, • nikhâh. «Rümuz-i hikmeti neyler beyan meratib ile — Cemi' hal-i beşer hâh fakr ü gına. — Fuzuli».

hâhân, F. s. İstekli. • «Evlâtların teslime ragıp ü hâhân olup. — Sadettin».

haher, F. i. (Hı ve he ile) Kız kardeş. • «Haher, uyu artık eyle âram — El işleri çokçadır bu akşam. — Naci».

hahiş, F. i. (Hı ile) İstek. • «Pervaneye sorma hahişinden — Sevdasını anla suzişinden. — Ş. Galip».

hahişger, F. s. İstekli. • «Hahışger isen de bi-zeban ol. — Ş. Galip».

hahişgeran, F. i. [Hahişger ç.] İstekliler. • «Fakr ü rızada hüsn-i sülûk-i Muhammedî — Hahişgeran-i devleti hamuş ü lâl eyler. — Nailî» — • «Medar-i temyiz ve teşhis olmak üzere hahişgeran-i izdivacın. — Cenap».

hahişgeri, F. i. İsteklilik.

hah nahah, F. zf. İster istemez. • «Rey eylediler ki bu iki mah — Birbirinin ola hah nahah. — Ş. Galip».

haib, hayib, A. i. (Hı ile) [Haybet'ten] İsteğine kavuşamayan. İsteği olmayan. • Haib ü hâsir, hiç bir şey elde edemeyen. • Bi-zâfer haib ve aib olmuş. — Naima».

haib, A. s. (He ile) [Heybet'ten] Korkan. Utangaç.

haib, A. s. (Ha ile) Suçlu, günahı olan.

haiben, A. zf. İstediğine ulaşmayarak. «Cenk için kaçmazız diye ol eşkıyaya haber göndericek mütesellim dahi halben Kalenderoğluna muavedetle. — Naima».

haic, A. s. (Ha ile) Bulunmayan gerekli olan nesne. (ç. Havaic).

haic, hayic, A. s. (He ile) Coşkun. «Engürüs askerinin seyl-i hayic ve bahr-i mayic gibi. — Sadettin».

haid, A. s. (He ve dal ile) Pişman olup tövbe eden.

haid, hayid, A. s. Dönücü. Sapıcı.

haidgâh, F. i. 1. Menzil, konak. 2. Konacak yer.

haif, A. s. (Hı ile) [Havf'tan] Korkak.

haif, A. s. Haksızlık ve zulüm eden. • Elhainü haif, hain (kimse) zulüm eder.

hail, A. s. (Ha ile) [Havl'den] İki şey arasında bulunup birinden ötekinin buluşmasına, görünmesine engel olan (XIX. yy.). Ekran. • «Hail enîn-i kalbe ciğergâh bir taab. — Fikret».

hail, haile, A. s. (He ile) [Hevl'den] Korkunç • «Sen ey sefalet-i meş'ume, ey şeb-i hail — Soğuk soğuk haykırıyorsun. — Fikret».

haile, A. i. (XIX. yy. sonları) Tragédie karşılığı olarak kullanılmıştır. • «Örtün evet, ey haile... örtün, evet, ey şehr. — Fikret».

haim, havim, A. s. 1. Şaşkın, hayrette. 2. Sevgi ile şaşkına dönmüş.

hain, A. i. [Hıyanet'ten] Hıyanet eden. • «Bir an didiklemeden o hain yorulmadı. — Fikret».

hainane, F. zf. Hain olana yakışır surette.

hair, A. s. (Ha ile) [Hayret'ten] Şaşırmış. • «Selâmına nail oldukta taaccübü tezayüt etmesiyle mütefekkir ve hair olmasına mukabeleten. — Ata».

hait, *A. i. (Ha ve tı* ile) 1. Duvar. 2. Tahta perde. (ç. Hîtan). • «Bu köhne haitin arasından çıkıp müdam — İnsanda vehm ü vahşeti müzdat eden hevam. — Naci».

haiz, *A. s. (Ha ve ze* ile) 1. Malik, sahip. 2. Taşıyan. 3. -de olan, -li. • «Dersen olayım kemali haiz — Tayzi-i zamanı görme caiz. — Naci».

haiz, *A. s. (Ha ve dat* ile) Aybaşısı olan. Hayız halinde bulunan • «Lâkin cünüp ve haiz olanlara Musaf'a nazar etmek caiz değil. — Taş.» • «Bu ekmeği yuğuran cariye haize imiş. — Süheyli».

hak, *A. i. (Ha ve kaf* ile) Bir şeyin ortası. • «Hak-i vasat-i şehirde. — Nergisi».

Hak, Hakk, *A. i.* Tanrı. • «Hak bu sırrı Ahmed'e keşfeyledi — Şol sebepten Ahmed'e ümmî dedi. — Nesimî» — «Hakteâlâ azamet âleminin padişehi. — Şinasi».

hak, hakk, *A. i.* 1. Doğruluk. 2. Doğru, gerçek şey. 2. Adalet, insaf. 3. Bir kimseye ait şey, alacak. 4. Bir iş karşılığı verilen şey. 5. Pay.

hâk, *F. i. (Hı ve kef* ile) Toprak. • *Hâk-i kadem,* ayak toprağı, • *-pâk,* temiz toprak. • «Gerçi şah-i mülk-i aşkım dûd-i ahımdır alem — Bir gedayım kûy-i dilberde yüzüm hâk-i kadem — İbni Kemal».

hakaik, *A. i. (Ha ve kaf* ile) [Hakikat ç.] Gerçekler. • «Evet bu dâr-i hakayıkta her eser mutlak — Şikâr-i nahun-i tenkid olur. — Fikret».

hakan, *(Hı* ile) Türkçe «Kağan» sözünün Arapçalaştırılması olan bu sözün yine Arap kuralına göre • *havakin* Farsça da • *hakanıyan* diye de çoğulu yapılmıştır. • «Hakan-i Osmanî neseb kim münderiç zatında hep — İslâm-i Faruk-i Arap ikbal-i Perviz-i Acem. — Nef'î».

hakanî, hakaniye, *A. s.* Hakan ile ilgili. Hakana mensup. • *Defter-i hakanî,* bütün mülklerin yazılı olduğu defter. Bu defteri tutan daire; • *hudud-i hakanî,* Osmanlı İmparatorluğu sınırı; • *kûs-i hakanî,* deve üzerinde taşınan kûs denen büyük davulların en büyüğü.

hakaret, *A. i. (Ha, kaf ve te* ile) Saygı göstermeme. Alçak görme. Aşağılama. • «Hep şerm ü hakaret dolaşırdı üzerinde — Bir gonce açılmazdı zemin-i güzerinde. — Fikret».

hakbin, *F. s.* [Hak-bin] Hak görücü, hak verici. • «Her sücudunda çeşm-i hakbini — Sıyırıp perde perde zulmetini — Sermedî bir safay-i ruyetle — Seyr-i firdevs-i mahremiyet eder. — Fikret».

hakcu, *F. s.* [Hak-cu] Hak arayan doğrucu. • «Âdil olalım, hakcu olalım. — Cenap».

hâkbus, *F. s. i.* [Hâk-bus] Yer öpme. Büyük bir kimsenin ayaklarına varıp öpme. • «Recep Paşayı içeri saraya dâvet etti. Tahiyyat ve selâm ile hâkbus ettikte — Gel beri topal zorba başı diye hitap etti. — Naima».

hâkdan, *F. i.* Toprak. • *Hâkdan-i fena* (fâni toprak) bu dünya. • «Çık çık ki bu hâkdan tenktir. — Naci».

hâkdanî *F. s.* Toprakla ilgili. • «Etmiş ten-i zârı hâkdanî — Kılmış dil-i pâki asmanî. — Naci».

hâkder, *F. i.* Dünya

hakem, *A. i. (Ha* ile) İki tarafın kendi istekleriyle hâkim tuttukları kimse.

hakeza, *A. zf. (He ve zel* ile) Bunun gibi, yine. Böylece. Bu suretle.

hakgû, *F. s.* [Hak-gû] Doğru söyleyen. • «Hakgûluğa vardır intisabım. — Naci».

hakgüzar, *F. s.* [Hak-güzar] Hakkı ödeyen, haktan ayrılmayan.

hâki, *F. s. (Hı* ile) 1. Toprakla ilgili, toprağa ait. 2. Toprak rengi, boz • «Hâkilere bahş eyleyerek hâk-i siyahı — Duşunda beyaz bir bulutun göklere âzim. — Fikret».

haki, *A. s. (Ha* ile) [Hikâye'den] Anlatan, hikâye eden • «Sukut-i fikrini hâkidir en güzel eseri. — Fikret».

hakid, *A. i. (Ha ve kaf* ile) [Hıkd ç.] Garazlar, kinler.

hakik, *A. s.* Haklı, lâyık. • «Fahr-i âlem ki anın medhin ederim şeb ü ruz — Suhanım midhatine olsa sezavar ü hakîk. — Nazîm».

hakikat, *A. i.* Gerçek (Ed. ce.) • *Hakikat-i aşk,* • *-ferda,* • *-hal,* • *-hayat,* • *müthişe;* • *adem-i hakikat,* • *ayat-i hakikat,* • *fecr-i hakikat,* • *mihr-i hakikat,* • *reng-i hakikat,* • *sahn-i hakikat,* • *sima-yi hakikat,* • *zehr-i hakikat.*

• «Ne şeriat ne tarikat anlar — Ne mecaz ü ne hakikat anlar. — Sümbülzade» • «Evet hakikatı hulyaya ben feda ederim. — Fikret».

hakikatbin, F. s. [Hakikat-bîn] Gerçek, doğru görüşlü. • «Felâtun-i hakikatbine nakl-i macera olmaz. — Fennî».

hakikaten, A. zf. Doğrusu, gerçekten.

hakikatgû, F. s. [Hakikat-gû] Doğrucu. Doğru sözlü.

hakikatperest, F. s. [Hakikat-perest] Gerçek-sever. • «Terk-i hakikat eden olmaz mı pest — Olmayan insan mı hakikatperest. — Naci».

hakikatşinas, F. s. [Hakikat-şinas] Gerçeği bilen, anlayan.

hakikî, hakikiyye, A. s. 1. Gerçek, sahici. 2. Asıl, tam. 3. Candan. 4. Olmuş. (XI-X. yy. sonları) Fransızcadan réaliste karşılığı olarak kullanılmıştır. • «İşte hürriyet-i hakikiye. — Fikret».

hakikiyyun, A. i. (XIX. yy. sonları) Fransızcadan les réalistes karşılığı olarak kullanılmıştır.

hakîm, A. i. (Ha ve hef ile) 1. (Her şeyde üstün tedbirli) Tanrı. 2. Çok bilgili. 3. Feylesof. 4. Hekim, doktor. • Hakîm-i mutlak, Tanrı; • emr-i hakîm, Tanrı buyruğu; • kitab-ı hakîm. Kuran (ç. Hükema). • «Var imiş ruz-i kıyamet kılma inkâr ey hakîm. — Fuzulî» • «Hikmet görerek hakîm olur dil. — Naci» • «Nafi olmaz maraz-i aşka müdavat-i hakîm. — Nabi».

hâkim, A. i. (Ha ve kef ile) 1. Yargıç. 2. Kanun uygulayan kimse. 3. Şeriat işlerini yürüten, hükümlerini uygulayan kimse. 4. Vali. 5. Hükümdar. 6. (s.) Hükmeden, buyuran. 2. Üstte olan. 8. En belli. • Hâkim-i hakikî. • -mutlak, • -lemyezel, Tanrı; • -örf, (bir bölgenin) kadısı; • -vakt, hükümdar; • ahkem-ül-hakimîn, • hayr-ül-hakimîn, Tanrı. (ç. Hakimun, hakeme, hükkâm) • «Lâkin vicdan — O büyük hâkim o kanun-i mübin — Veriyor hükmünü, lânet nefrin. — Fikret». — • «Sultanım sen ne dersin, kadı bası kesilir mi ol hâkim-üş-şer'dir. — Naima».

hakiman, F. i. [Hakîm ç.] Çok bilgili kimseler. • «Çünkü hakîman serçeşmeye vâsıl oldular. — Silvan».

hakîmane, F. s., zf. Hakîm, feylesof kimseye yakışır halde. Hakîmce. • «Kerîm-üt-tab' ve halim-ün-nefs müdebbir hakîmane hükûmette mahir. — Naima».

hakîmane, F. zf. Hükmederek. Âmircesine.

hâkime, A. s., i. «Hâkim» sözünün müennes şekli. • Hayet-i hâkime, yargıçlar kurulu; evsaf-i hâkime, belirli nitelikler. «O büyük yalının yegâne hâkimesi olmak. — Uşaklıgil» — Şarkın ezelî hâkime-i cazibedarı. — Fikret».

hakimiyyet, A. i. 1. Hâkimlik. 2. Âmirlik. 3. Üstünlük.

hakîr, A. s. 1. Küçük, önemsiz. 2. Değersiz. Âdi, bayağı. • «Lîk bir bende-i hakîrim ben — Amelim ehl-i hayra hayr-i dua. — Fuzulî» • «Ümit, neşe, muhabbet, visal, ayş ü tarab — Ki en hakîri olur ihtizaz-i ruha sebeb. — Fikret».

hakirane, F. zf. (Alçak gönüllülükle) kendinden bahsederken kullanılır.

hakister, F. i. Kül. • • «Sürme-i çeşm eylemişler şem'ler hakisterim. — Fuzulî» • «Ah ü vah eyleyerek şam ü seher — Dil-i pürateş olup hakister. — Fazıl».

hâkiyan, F. i. [Hâki ç.] Topraktan yaratıklar, ölümlü kimseler. İnsanlar.

hakk, A. i. 1. Kazıma, silme. 2. Oyma, kazma. • «Elde minkaş-i hasret ü hulya — Kâğıt üstünde, mest ü müstesna — Bir kadın kalbi hakkeder giderim. — Fikret» • «Kenduyu kefaletten hakk ve izhar-i beraet etmekle. — Naima».

hakka, F. ü. Doğrusu, gerçekten. • Hakka ki, doğrusu bu ki. • «Söz olmaz hüsnüne gelmez nazirin âleme hâkka. — Nedim». • «Âsar-i keremleriyle hakka — İnkârı küfürdür oldu mihya» • «Hakkaa ki acîb bir eserdir — Erbabı yanında muteberdir. — Ş. Galip».

hâkka, A. i. 1. Gerçek. 2. Kıyamet günü. • Sure-i hâkka, Kur'an'ın 69. suresi.

hakkâk, A. i. [Hakk'ten] Kazarak yazan. Mühürcü. • «Derun-i pür-heves mecmua-i hakkâke dönmüştür. — Nabi».

hakkaniyet, A. i. Hakka uygun iş yapma. Doğruluk, adalet. • «Adl ü hakkaniyet üzere sülûkü. — Naima».

hâknişin, F. s. [Hâk-nişin] Zavallı, fakir.

hâkpâ, hâkpây, F. i. Ayağın toprağı, tozu. Ayağın bastığı toprak. (Alçak gönüllülük, karşısındakini yüceltmek için kendinden söz ederken • hakpayınız, hakpâyleri demek bir incelik formülüydü). • «Yüz sürmeye geldi hâkpaye — Davetli bulundular alaya. — Ş. Galip».

hakperest, F. s. [Hak-perest] 1. Hakka tapan. 2. Doğruyu çok seven. • «Hakperestim arz-i ihlâs ettiğim dergâh bir. — Naci».

hâkrah, F. i. [Hâk-rah] Yol toprağı.

hâkrub, F. i. [Hâk-rub] Süpürge. • «Hakrub-i bârgâhı şehper-i kerrubiyan — Hâdim-i dergâhı Ruh-ül-Kuds'tür leyl ü nehar. — Nazîm».

hâksar, F. s. [Hâk-sar] 1. Toprakla beraber. 2. Ufak, önemsiz, zavallı, bayağı. • «Kadrini inkâr eden iki cihanda hâksâr. — Nazîm».

hakşinas, F. s. [Hak-şinas] Doğruyu, hakkı tanır. Hak tanır.

hakud, A. s. (Ha ile) Çok kinci. • «Her halde kenduye sükût ve hakud muamelesin ederlerdi. — Naima».

hâl, F. i. (Hı ile) Vucüttaki benek. Ben •Hâl-i müşkîn, • -siyah, mis kokulu, kara ben. • «Perişan hâlin oldum sormadın hal-i perişanım. — Fuzulî».

hâl, A. i. (Hı ile) Babanın kardesi. Hala.

hal, A. i. (Ha ile) 1. Durum. 2. Oluş, bulunuş. 3. Şimdiki zaman. 4. Güc, kudret. 5. (Tas.) Sofilerin geçici coşkunlukları. 6. Cezbe, baygınlık, coşkunluk. 7. (Gra.) İsimlerin girdiği kılıklardan her biri. • Hal-i hazır, şimdiki durum; • -ihtizar (can çekişme) ölüm hali; • -intizar, bekleme hali; • -medeni sosyal durum. • «Meşayih-i nakşbendiye kibarından ehl-i hal bir merd-i sahib-kemal. — Naima». • «Hal sahipleri killet üzere — Hükm-i mâdunda nedret üzere. — Sümbülzade» • «Şükr etti görüp sebu o hali — Hiç secdeden olmaz idi hali. — Ş. Galip».

hal, hall, Bk. • Hall.

hal', A. i. (Hı ve ayın ilei) 1. Soyma. 2. Boşanma. 3. Tahttan indirme. • «Vech-i mezkûr üzere Sultan Mustafa hal' olundu. — Naima» • «Eşkıya sarayın ferş ve bısatını hal' etmek değil pencere demirlerin ve mahzen kapıların ve hamam kurşunların kal' eylediler. — Raşit».

hâlâ, A. zf. (He ile) 1. Bu zamana kadar. 2. Henüz.

halâ, A. i. (Hı ile) 1. Boşluk. • «Bahar gülşeni ezhar ile kılıp memlû — Ya-

kînim oldu ki mümkün değil vücud-i halâ. — Fuzulî».

halâat, A. i. Küstahlık, sıyrıklık.

halab, F. i. Çamur, çamurlu yer.

halâca, F. i. Aptesane.

halâfat, A. i. Budalalık.

halahil, A. i. (Hı ve he ile) [Halhal ç.] Halhaller. Ayak bilezikleri.

halâib, A. i. [Halbe ç.] Yarışa getirilen atlar.

halaif, A. i. [Halife ç.] Halifeler.

halaik, A. i. (Hı ile) [Halk, halika ç.] Yaratıklar. • «Şefaat eyle oruz-i belâda bendene kim — Halaikı behemaguş eder zebane dûd. — Sabit».

halail, A. i. [Halile ç.] (Kadın) eşler.

halâiyyun, A. i. (Fel.) Fransızcadan Vacuistes (Boşlukçular) karşılığı (XX. yy.).

halâk, A. i. Pay. Hisse. Nasip.

halak, A. i. Paçavra. Eski şey. Yıpranmış.

halak, A. i. [Halka ç.] Halkalar.

halaka, A. i. [Hâlık ç.] Berberler.

halakat, A. i. (Hı ile) 1. Düzlük, pürüzsüzlük. 2. Güzel huyluluk.

halakat, A. i. [Halka ç.] Halkalar.

halaki, A. i. Paçavracı.

halakîm, A. i. [Hulkum ç.] Boğazlar.

halâl, A. i. (Ha ile) Helâl.

halâl, A. i. (He ile) Dostluk.

halâl, A. i. İki nesne arası açık olma.

halâle, F. i. Kadın eş.

halâlet, hilâlet, hulâlet, A. i. Dostluk. Arkadaşlık.

halâlkâr, F. i. Helâl yiyen kimse. Malına haram karıştırmamış kimse.

halâlî, F. i. Helâl.

halâlî, A. s. Helâl ile ilgili. Helâl olan.

halâl nemek, F. s. Tuz hakkı bilen. Sadık.

halâlûş, F. i. Gürültü. Hırgür.

halâlzade, F. i. [Halâl-zade] Evli erkekle kadından doğma.

halâs, A. i. (Hı ile) Kurtulma. Kurtuluş. • «O mai şey seni yuttukça haykırır, bağırır — Fakat halâs olamazsın. — Fikret».

halâsdide, F. s. [Halas-dide] Kurtulmuş. • «Cinayetin yegâne halâsdidesi orada hâlâ korkudan titreyerek duruyordu. — Uşaklıgil».

halâskâr, F. s. [Halâs-kâr] Kurt arıcı.

halâşe, F. i. Sap, saman.

halât, A. i. [Halet ç.] 1. Haller, durumlar. 2. Sofilerin uğradıkları coşkunluk ve baygınlık halleri. • ‹Sokaklarda avrat ve oğlana taarruz etmek misillû nice halât-i fadıhaları oldu ki. — Naima›. • ‹Yeter hikâyę-i hâlât-i Şems ü Mevlâna — Ne rütbe mihr-i dırahşan olur gönül gönüle. — Beyatlı›.

halât, A. i. (He ile) [Hale ç.] Haleler.

halavet, A. i. (Ha ile) Tat. Tatlılık. • ‹Mezak-i telhe verdi yad-i lâlin bir halâvet kim — Gamınla içtiğim bin kâse zehrabı unutturdu. — Nailî›. • ‹Ben ağlasam, sen ağlasan, ahenler ağlasa — Ben serbeşer seninle halâvetle ağlasam. — Cenap›.

halavetbahş. F. s. [Halâvet-bahş] Tatlılandırıcı. • ‹Şayan-i nigâh-i iltifat ve tab-i halâvetbahşları. — Nabi›.

halâvetyab, F. s. [Halâvet-yab] Tat alan, tadına varan. • ‹Halâvetyab oіur mu nimet-i elvan-i dünyadan — Dehenşûy olmayanlar bus-i dâman-i müdaradan. — Ragıp Pş.›.

halb, A. i. Süt sağma.

halb, A. i. Keskin bir şeyle kesme.

halba, A. s. (Hı ile) Çıngın, deli.

halbe, A. i. Yarış veya yardım için toplanan bir atlılar grubu. • ‹Çek dizgini hemvare değil arsa-i nahvet — Bu halbede çok fâris-i hodray dayandı. — Ragıp Pş.›.

hald, A. i. (Hı ile) Süreklilik.

hâldar, F. s. (Hı ile) [Hâl-dar] Beni olan, benli.

hale, A. i. (He ile) Ay ağılı. Ayla. • ‹Fark yerden göğe dek ulvi ile süflinin — Halka-i haleye girdap beraber gelemez. — Nabi›. • ‹Beyaz örtünün üzerinde bir hale-i zerendud teşkil eden saçlarının. — Uşaklıgil›.

hale, F. i. Üvendire, kürek.

hale, A. i. (Hı ile) Arapçada ‹teyze› dediğimiz, annenin kız kardeşi; Türkçede hala, babanın kız kardeşi.

hale, A. i. (Ha ile) Pamuk dövme.

halebe, A. i. [Hâlip ç.] Kandıranlar. Aldatanlar.

halebe, A. i. [Halib ç.] Süt sağmalar.

Halebî, A. s. Halep kentli olan.

halecan, A. i. Titreme. Çarpınma. ‹Denizde solgun, ezik bir bakiye-i halecan. — Fikret›.

haled, hald, A. i. (Hı ile) Yürek. Kalp. • ‹Ve fıkara-yi beled haledlerinden fıkdan gamını seleb ederler idi. — Sadettin›.

haledar, F. s. [Hale-dar] Hale turan, halelenmiş.

halef, A. i. 1. Sonradan gelen. 2. (Birinin) Yerini tutan. 3. Oğul. • Halef ü selef. 1. Sonra olanlar, bir önceki. 2. Baba ile oğul; • hayr-ül-halef, babasını hayırla andıracak evlât; • nâhalef hayırsız evlât. • ‹Ferzendsiz âdemi teleftir — Baki eden âdemi haleftir. — Fuzulî›. • ‹Böyle bir hayrülhalef sahibine göre ne büyük şereftir ki. — Kemal›.

halefen, A. zf. Arkadan gelerek. • Halef bâde halef, birçok haleflerden sonra.

halefî, A. s. Haleflikle ilgili.

halefiyyet, A. i. Sonra olmuşluk. Birinin yerine geçmiş olma.

halel, A. i. (Hı ile) 1. Alçaklık, boşluk. 2. Bozukluk, fesat. • ‹Olmasın lîk akidende halel. — Sümbülzade›.

haleldar, F. s. [Halel-dar] Bozma. Bozulma.

halelpezir, F. s. [Halel-pezir] Bozma, bozulucu. • ‹Ekrem, cihan yıkılsa da etmez halelpezir — Etvar ü meşrebimce olan ıttıradımı. — Recaizade›.

halen, A. zf. (Ha ile) Şimdi. Şimdilik. Daha, henüz.

halenciye, A. i. (Bot.) XX. yy. Fransızcadan éricacées karşılığı yapılmıştır. Fundagiller.

halet, A. i. (ha ile) 1. Hal. 2. Takdir. 3. Olmanın veya bulunmanın türlüsü. Psikoloji terimlerinde Fransızcadan état sözü karşılığı kullanılmıştır. • Halet-i Ademiye (état négatif), • -infialiye (-affectif), • -kaviye (-fort), • -mekâniye (-spatial), • -mütezekkere (-remememoré); • -teemmüliye (-reflexif), • -vücudiye (-pozitif), • -zaife (-faible), • -zamaniye (-temporel). • Halet-i cerr, (Arap gra.) kelimenin refi ve r.asb hali, • -gasy, baygınlık, kendini kaybetme hali, • -nez', yaşamanın ölümle bitme sırası, can çekişme; • -ruhiye, (XX. yy.) Fransızcadan état d'âme karşılığı olarak, ruhsal durum; • -şuuriye, şuur hali, • elhaletü hazihi, şimdiki halde. (ç. Hâlât). • ‹Halet-i vecd ü sema' emr-i nihan — Yine anlar anı sahib-i vicdan. — Sümbülzade› • ‹Ben de ol halet ile hayranım — Gâh handan ü gehi giryanım — Fazıl› • ‹Sevda... bu ne halettir. ilâhi ne safadır. — Fikret›.

haletefza, F. s. [Halet-efza] İnsanı çoş-turan, halden hale koyan • «Nezaket-le edip haletefza olsun diye ima. — İzzet Molla».

haletengiz, F. s. İnsanı türlü hallere ko-yan durum. • «Zikirleri haletengiz-i ehl-i irfandır. — Sadettin».

halevâr, F. s. [Hale-vâr] Hale gibi. • Dergâh-i cihanpenah kulları ile paşa-yı halevâr ihata ettiler. — Sadettin».

halevat, A. i. [Halâ ç.] 1. Boşluklar. 2. Halevetler, yalnız başına bulunulacak yerler. • «Ve timsal-i halevat-i keşf ü şühud oldu. — Sadettin».

halezon, A. i. Kabuklu sümüklü böcek. Sümüklüböcek kabuğu. (Geo.) Helis.

halezonî, A. s. Halezonla ilgili. Helisel.

half, A. s. (Hı ile) Art, arka. Sonradan gelen. • Half tarikiyle (Fel.) Fransız-cadan a contrario karşılığı. (XX. yy.).

half, A. i. (Ha ile) Ant. Yemin.

halfa, A. i. Uzun ve kalın bir çeşit ot, liflerinden ipek taklidi şeyler dokunur.

halfe, A. i. Ant içme.

halfî, A. s. [Half'ten] Arka. Arkaya ait ve onunla ilgili.

halhal, A. i. (Hı ile) Arap kadınlarının ayaklarına taktıkları bilezik. • «Nice derya ser-i emvacı ermiş evc-i eflâke — Ki her girdabı bir halhal-i sâk-i arş-i rahmandır. — Riyazî».

halhale, A. i. Esneklik.

hâli, hâlive, A. s. Boş. Issız. • Arazi-i ha-liye, • evkat-i haliye, • eyyam-i ha-liye, boş topraklar, boş vakitler, boş (işsiz) günler. • «Etraf-i memleketi hali bulıcak evbaş-i reayayı kendune nefer edinip. — Naima».

hali, haliye, A. i. (Ha ile) [Hal'den] Şim-diki, Fransızcadan actuel karşılığı.

hali, A. s. Kendini süsleyen, süslenen.

hâli, hâlia, A. s. (Hı ve ayın ile) Boşan-mış erkek, kadın.

hali', A. i. 1. Soyma. 2. Vücudun bir ta-rafına olan inme. 3. Evlâdı tanımama. evlâtlıktan çıkarma. 4. (Bir hükümda-rı) tahttan indirme.

hali', A. s. (Hı ve ayın ile) 1. Soyulmuş. 2. Kovulmuş. • Hali-üz-izar, (yüzü) sıyrık, çapkın, edepsiz. Serseri. • «Bu hali'-ül-izar taze Paris istihkâmları arasında maayibini sürükleyen Fransız alüftelerini ihtar etmiyor muydu? — Cenap».

hâlib, A. s. (Hı ile) Aldatan, kandıran.

halib, A. i. 1. Süt, taze süt. 2. (Ana.) Si-dik borusu.

hâlib, A. i. s. (Ha ile) Pamuk eğiren.

hâlic, hâlice, A. s. i. Sarsma. Oynatma.

halic, A. i. 1. Koy, körfez. 2. Boğaz, ka-nal. • Halic-i Bahr-i Sefid, Çanakka-le; • -Bahr-i Siyah, Boğaziçi; • -Der-saadet, İstanbul Haliç'i.

halid, halide, A. s. (Hı ile) Sürekli Sü-rüpgiden. (ç. Halidat).

hâldar, F. s. [Hâl-dar] Benli, beni olan.

halidat, A. i. [Halide ç.] Sürüp gidenler. • Cezair-i Halidat, Kanarya adaları.

halîde, F. s. Batmış. Saplanmış. • «Pey-kân-i navek-i müje cana halidedir — Mecruh-i hancer-i nigehindir dil-i fi-kâr. — Nailî. • «Bir rütbe ederdi nerm reftar — Olmazdı halîde hâr. — Ş. Galip».

hâlif, A. s. (Ha ile) Ant içen.

halif, A. s. 1. Peşten gelen. 2. Birinin ye-rine geçen. 3. Bozulmuş, çürümüş.

halif, A. i. 1. Birleşen kimseler. 2. Bir-leşmiş olan kimse.

halife, A. s. Sonradan, arkadan gelen. Birinin yerine geçen (ç. Hulefa).

halife, A. i. 1. Birinin yerine geçen adam. 2. Muhammet peygamberin yerine ve-kili olarak geçen adam. İslâmların din başkanı. 3. Resmî daire kalemlerinde başın ikincisi. 4. (Kalfa). Ustanın ikin-cisi. «Sen halifesin sana muhalefet edenler âsiler ve bağilerdir katilleri ya-ciptir. — Naima» • «Mustafa halife ki Mevkufat Kaleminin baş halifesidir. — Naima» • «Yegâne sıhr-i güzin-i halifet-ül-İslâm — Vezir-i azam ü ek-rem pâktibar. — Nedim».

hâlik, A. i., s. (Hı ve kaf ile) Yaratıcı, Tanrı. • «Kılar yetimi için Halikınden istimdat. — Fikret».

halik, A s. (He ve kef ile) [Helâk'tan] Helâk olan. Ölebilen. Ölmüş. • Turab-i hâlik, beyaz arsenik. • «Ruhu bazu-yi bâd-i hâlikte. — Cenap».

halik, A. i. s. (Ha ile) Berber.

halîk, A. s. Tıraş edilmiş. • «Şecaatte bi-hemta halîk-il-lihye tavil-üş-şevarib. — Naima».

halıka, A. i. s. 1. Berber. 2. Kıtlık. 3. Düzensizlik, karışıklık.

halil, halile, A. i. (Ha ile) Nikâhlı kadın, veya erkek eş. • «Kaya sultanın ha-lil-i celili Melek Ahmet Paşayı. — Nai-ma».

halil, halile, *A. s. (Hı* ile) İçten dost. •
Halil-ul-lah, İbrahim peygamber; •
Halil-ürrahman. İbrahim peygamber
veya onun mezarının bulunduğu yer
(ç. Ahillâ). • ‹Ateszen-i gülşen-i Ha-
lil'im — Ârayiş-i Eymen-i Kelim'im.
— Fehim›.

halim, *A. s.* [Hilm'den] Huyu yavaş, yu-
muşak. • ‹Allaha sığın şahs-i halîmin
gazabından. — Ziya Pş.›.

halis, halîse, *A. s. (Hı* ve *sat* ile) 1. Ka-
rışık olmayan, katıksız. 2. Temiz, arı.
3. Duru. 4. Gerçek. • *Halis-üd-dem,*
arı kan, kanı karışmamış. • ‹Halis-ül
-ayar akçe isteriz diye cemiyet etti-
ler. — Naima› • ‹Âşık-i namurat bi-
rader-i halis-ül-fuadın. — Nergisi›.

halisane, *F. s.* Katıksız olarak. Yürekten
Yürek temizliği. • ‹Halisane târiz
dünyada herkesin hakkıdır. — Kemal›.

halisiyyet, *A. i.* Halislik, temizlik, sâf-
lık.

hâlistan, *F. i.* Birkaç benin bulunduğu
vücut bölgesi.

halit, *A. i. (Hı* ve *tı* ile) Ortak. (Fıkh)
Su yolunda ortak olan. .

halîta, *A. i.* 1. İki şeyden, iki maddeden
meydana gelmiş madde. 2. (Kim.) Alı-
şım. • ‹Bize şark medeniyetiyle garp
medeniyetinin terkibinden bir irfan
halitası yapmak istemeleriydi. — Z.
Gökalp›.

hâliya, *A. zf.* Şimdiki zamanda. • ‹Hâliya
Frengistana firar eden Maanoğlunun
vilâyetlerini. — Naima›.

haliyen, *A. zf.* [Hâli'den] Boş olarak.

Haliyye, *A. i. (Ha* ile) İbadette raks, se-
ma, el ele vurmayı helâl sayan bir
tarikat. • ‹Fırak-i dalledendir. Sema
ve raks ile el ele çalmak helâldir, ol
hînde bihuş olup şeyhimizden bize ha-
let geldi dedikleri delâldir. — Mari-
fetname›.

halk, *A. i. (Hı* ve *kaf* le) 1. Yaratma. 2.
İcat. 3. İnsanlar. 4. İnsanlardan bir
bölüm. • ‹Halka bin türlü külâh et-
mişler. — Sümbülzade›.

halk, *A. i. (Ha* ile) 1. Boğaz. • *Huruf-i
halk,* • *huruf-ül-halk* (Arap elifbesin-
de) boğazdan söylenen harfler (ha, hı,
ayın, gayın, he).

halka, *A. i. (Ha* ile) Halka. Ortası boş
teker. • *Halka begûş,* (kulağı küpeli)
köle; • *halka-i âbgûn,* gökyüzü; •

-tesbih, dua eden halk çevresi; • *-tes-
lim,* dervişlerin boyun eğme işareti
olarak üzerlerinde taşıdıkları halka; •
-zikr, Tanrı adlarını söyleyerek ibadet
edenlerin meydana getirdikleri daire.
• ‹Gulâm-i halka-begûşudürür felekte
hilâl. — Hayalî› • ‹Gerçi biz rind-i
kalenderlikle şöhret vermişiz. — Hal-
ka-dergûşuz ubudiyetle hüccet vermi-
şiz. — Nabi› • ‹Ve hibale-i hilesi hal-
kına halka-i dâim-i belâ olup. — Hü-
mayunname› — • ‹Ve zimam-i inkı-
yad-i askeri hah ü nahah halka-i bab-i
emr ü fermana rabt edip. — Raşit›.

halkabegûş, *F. s.* [Halka-be-gûş] (Kula-
ğı küpeli) köle, kul. (ç. Halkabegûşan).
• ‹Halkabegûşan-i atebe-i iclâlleri
olan vüzeray-i izam-i Efrasiyab-ihti-
şamlarından. — Raşit›.

halkabend, *F. s.* 1. [Halka-bend] Topla-
ma, çepeçevre oturma. • ‹Halkabend-i
cemiyet-i müstemendane olup. — Ner-
gisi›.

halkadar, *F. s.* [Halka-dâr] Halkası olan.
Halka biçiminde (şey). • ‹Nedir o
silsile-i halkadar rûyunda — Behişt
içinde olur alet-i azap garip. — Nabi›.

halkâri, *F. i.* İnce tel işleme. • ‹Eyvan-i
sükufu âb-i zer-i lâcivert ile münak-
kaş hurda halkâri. — Naima›.

halkaveş, *F. s.* [Halka-veş] Halka gibi.
• ‹Zib-i gûş etmeye avaz-i cusun —
Bab-i erbab-i kerem halkaveş açnış
gûşun. — Nabi›.

halkavî, *A. s.* Halka biçiminde, halka gi-
bi olan.

halkaviye, *A. i.* (XX. yy.) Fransızcadan
oenothéracées, karşılığı botanik terimi
olarak yapılmıştır, küpeçiçeğigiller. (Bu
terim XIX. yy. da zoolojideki *annele-
és* sözü için kullanılmıştır, halkalılar).

halkî, *A. s.* Boğazla ilgili, boğaza ait.

halkıyat, *A. i.* ‹Folklor-Halk bilgisi› ola-
rak kullanılmıştır (XX. yy.) • ‹Maa-
rifimizi halkıyat, medresiyat, mekte-
biyat diye üçe ayırabiliriz. — Z. Gökalp›.

halkıyet, *A. i.* Boğazlık.

hall, *A. i. (Ha* ile) 1. Çözme. 2. Karışık
bir işi sona erdirme. 3. Şüphe edilme-
yecek şekilde açıklama. 3. Eritme. •
Hall ü akd, idare (etme), • *hal ü fasl,*
açıklayarak sona erdirme. • ‹Âkıl ki-
tab-i aklı halleylemekte gafil. — Na-
bi›. • ‹Âlem-i maişette sen ne yapabi-
leceksin? İşte bugün bunu halle ça-
lışacağım. — Cenap›.

hall, A. i. (Hı ile) Sirke. • «Bize ful ile bir miktar hall ve ekmek al getir dedi. — Süheylî».

hallâb, A. s. Hileci, çok yalancı.

hallac, A. i. Pamuk atan, yatak yorgan atan kimse. • Hallac-i Mansur; 922 yılında darağacına asılarak öldürülen ünlü sofi. Divan edebiyatında adı çok geçer. • «Penbe-i gaflet kulağından çıkardı nasihin — Bir dem içirse Enelhak câmını Hallac ana. — Hayalî».

hallacî, hallaciyye, A. s. i. 1. Hallaçlıkla ilgili. 2. Hallac-i Mansur tarikatı.

hallâf, A. s. (Hı ile) Sözünde durmayan.

hallâf, A. i. Çok ant içen kimse. • «Böyle nahak yere dâva gören mahkemenin — Kadi vü muhzir ü hallâfına mahlûfuna yuf. — Ayni».

hallak, A. i. (Ha ile) Tıraş yapan kimse. Berber. • «Dellâk ve hallâk bir bölük rezele-i sukadır. — Şefikname».

hallak, A. i. (Hı ile) Durmadan yaratan. Tanrı. • Hallâk-i maani, • hallâkülmani, Fars şairlerinden İsfahanlı Kemal'in lâkabı. • «Hamd o Hallaka ki kıldı ihsan — Bir avuç toprağa şekl-i insan. — Sümbülzade» • «Kemal-i İsfahanî gerçi hallak-i maanidir — Kelâmın ruh-i mahz etmekte anın canı yok canı. — Hayalî».

hallâl, A. s. Halledici, sona erdirici. • Hallâl-i müşkilât, zorlukları sona erdiren. • «Hazret-i Hallâl-i mudilât muin-i irfânınız olsun. — Cenap».

hallâl, A. i. (Hı ile) Sirke yapan kimse.

hallâs, A. i. Çok tutan, yakalayan kimse.

hallât, A. i. Halk içerisinde dedikodu yapan yersiz sözler uyduran kimse. • «Esrar-i melâhimden gafil bazı hallât bu alâmet taun ziyadeliğine delildir, bazılar dahi indifaına değildir dediler. — Naima».

hallede, A. f. «Tanrı baki etsin» anlamında dua olarak kullanılır. • Halledallahü mülkehü ebeda, Tanrı mülkünü ebedi kılsın» • «Andan asudedir gani vü geda — Halledallahu mülkehü ebeda. — Fuzulî».

hallî, halliye, A. i. Sirke ile ilgili. Fransızcadan acéteux acétique karşılığı. Deva-yi hallî, edviye-i halliye, «acétolées» karşılığı (XIX.).

hallî, A. s. (Hı ile) 1. Gailesiz, kayıtsız. 2. Evlenmemiş, ergen (adam).

halliyat, A. i. [Halliye ç.] Bekâr kadınlar.

halliyet, A. i. (XIX. yy.). Kimya terimi olarak Fransızcadan acétate karşılığı.

halt, A. i. 1. Karıştırma. 2. Münasebetsiz söz söyleme. • «Kadıya vardıklarında bunlar halta başlayıp. — Naima».

haltıyat, A. i. Münasebetsiz sözler. • «Rumeli sizin diye beri canibe haltıyata müteallik ahbar gelmegle. — Naima».

halûk, A. s. İyi huylu. Herkesle geçinir olan. • «Halikin sevdiğidir şahs-i halûk — Ana etmez mi muhabbet mahlûk. — Sümbülzade».

halv, hulv, Bk. • Hulv.

halva, A. i. Helva. • «Halvacı dükkânında piyazın yeri yoktur.».

halvaî, A. i. (Ha ile) Helvacı.

halvan, A. i. Tatlı olma.

halvet, A. i. 1. Tenhaya çekilme. 2. Tenha yer. 3. İbadet için tenha hücre. 4. Hamamlarda tek kurnalı bölme. 5. Çok sıcak yer. • «Yar ile halvet-i has eylemeye kesrette — Her nefeste yürü nehy-i sefat-i gyr eyle. — Hayalî». • «Valide sultan mezbur Kasmı Ağayı çağırıp halvet edip. — Naima» • «O peri halvete girse uryan — Bayılır üstüne görse insan. — Vehbi».

halvetgâh, halvetgeh, F. i. [Halvet-gâh] Tenha kalma yeri. Gizli görüşülecek yer. • «Hüsn ü âniyle o rabbati cemal — Zeyb-i halvetgah-i aguş-i visal. — Vehbi».

halvetgüzin, F. s. [Halvet güzin] Halvete, tenha bir yere çekilmiş (kimse).

halvethane, F. i. [Halvet-hane] Özel konuşma yeri. • «Kasım Ağayı halvethanesine çağırıp. — Naima».

Halvetî, Halvetiye, A. s. 1. Halvetle ilgili. 2. İbadet ve törenlerini tenhada yapan bir tarikat. 3. Halvetiye tarikatından olan kimse • «Cumhur-i Halvetiye ve Mevleviye ve makbere bekçileri kenduye düşman olmuş idi. — Kâtip Çelebi».

halvetnişin, F. s. [Halvet-nişin] Halvete, bir kenara çekilip oturan (kimse). • «Bir çukur peyda edip içinde halvetnişin olduk. — Sadettin».

halvetsaray, F. i. [Halvet-saray] Bir hükümdarın özel dairesi. • «Sultan-i hayal-i lâl-i nâbın nüzul-i iclâl buyurmak için halvetsaray-i canı tahliye kılmıştır. — Veysi».

hâm, *F. s.* 1. Pişmemiş, çiğ. 2. Olmamış. • *Hayal-i hâm,* • **ümid-i hâm,** olmayacak (boş) hayal, ümit. • ‹Edebiyat, dedi, ne hâm hulya. — Cenap›.

ham, *F. i.* 1. Kat, büklüm. 2. Kemer, yay. • ‹Ham-i kemend ile boğup gasl ü tekfin. — Naima›.

ham, *F. s.* Bükülmüş, kemerli. İki kat. • ‹Kadd-i ham-geşteleri hakîr — Çün kemnadır sebeb-i kuvvet-i tîr. — Sümbülzade›.

hamaid, *A. i.* [Hamde ç.] Övülmeye değer haller.

hamail, *A. i.* 1. Omuzundan çapraz asılan bağ. 2. Muska, tılsım.

hamaim, hamayim, *A. i.* [Hamame ç.] Güvercinler.

hamakat, *A. i.* Beyinsizlik. Anlamamak hali. Ahmaklık. • ‹En bayağı lâkırdıları biz azamet-i âlimane ile ortaya at... Bu bir eser-i hamakattir mi diyeceksin. — Cenap›.

hamam, hammam, Bk. • *Hammam.*

hamam, hamame, *A. i.* Güvercin. • ‹Hamam-i akl ermez şahbaz-i fikretine — Hüma kuşu ile beraber hiç ola mı usfur. — Hayalî›.

hamamçe, *F. i.* Küçük hamam. • ‹Ve bir kâşi kitabhane ve bir hamamçe. — Nergisi›.

Hâmân, *A. i. (He* ile) Musa peygamber zamanındaki Mısır Firavun'un veziri.

hamaset, *A. i.* Yaradılıştan olan cesaret. Yiğitlik. • ‹Hamiyet ve hamasetin yuğurduğu bu âbidat-i zihayatı. — Cenap›.

hamasî, *A. s. (Sin* ile) Hamasetle ilgili. (XIX. yy. sonları) Fransızcadan *épique* karşılığı.

hamasiyet, *A. i.* Yiğitliğe ait yazıların hepsi.

hambeham, *F. zf. (Hı* ile) Büklüm büklüm. • ‹Ey zülf-i hambeham dökülüp sinem üstüne — Zinciri pâ-yi ömr-i şitabamın ol benim. — Nedim›.

hamd, *A. i.* Tanrının ululuğunu söyleyerek teşekkür için övme. • *Elhamdülillâh,* Tanrıya şükrolsun; • *Elhamd cüzü,* elifbeden sonra okunan ve kısa namaz sureleri bulunan okuma kitabı; • *bihamdihi tâla,* • *bihamdillâh,* Tanrının inayetiyle; • *liva-ilhamd,* Muhammed peygamberin bayrağı. • ‹Hublar sevdasıdır âlemde mahbub-ülkulûb — Hamdi lillâh kim nasibim oldu bu sevda-yi hûb. — Hayalî›.

hamdele, *A. i.* ‹Elhamdülillâh› sözünün adı ve bu sözün söylenmesi.

hamdest, *F. s.* [Ham-dest] Eli işe yakışmayan.

hame, *F. i. (Hı* ile) Kalem. • *Hame-i ezel,* Tanrı'nın kaderleri tesbit ettiği kalem. • ‹Ol an alıp eline hame — Yazdı o da bir cevapname. — Ş. Galip› • ‹İzzet kümeyt-i hameye mağrur olan çıkar — Sürdünse esb-i hameyi meydan tükenmedi. — İzzet Molla›.

hame, *A. i. (He* ile) 1. Başın üstü. 2. Kafatası, tepe.

hamegüzar, *F. s.* [Hame-güzar] Kalemle yazılmış.

Hamel, *A. i.* Kuzu burcu. Güneş Mart ayında bu burca girer. • ‹Bu cebel-i bîbedel ki burc-i asümanî gibi merta-i Cedi ve Hameldir. — Lâmii›.

hamel, *A. i. (Ha* ile) Kuzu.

hamelât, *A. i.* [Hamle ç.] Saldırmalar Hamleler. • ‹Hamelât-i hariciye ile mukateleye bibakâne ikdam sadadında. — Naima›.

hamele, *A. i.* [Hamil ç.] Yüklenmişler, yüklenenler. • *Hamele-i Arş,* Arş-ı ense köklerinde taşıyan İsrafil, Cebrail, Mikâil, Azrail adlarında dört büyük melek, • *-huccet,* yazı, kayıt melekleri, • *-Kur'an,* hâfızlar • ‹Sair mevakiinde dahi hamele-i Kur'an'a katil şayi'. — Taş.›.

hamepirâ, *F. s.* [Hame-pira] Başı süsleyen, baş üstünde yeri olan.

hameran, *F. s.* [Hame-ran] Kalem süren, kalem oynatan.

hamhame, *A. i.* Burundan söyleme. Hımhımlık.

hâmız, *A. s.* 1. Ekşi, ekşimtrak. 2. Ekşilik yapan madde. 3. (Kim.) XIX. yy. da hekimlik terimleri konulurken Fransızcadan *acide* ve bileşikleri bununla karşılanmıştır. Bu sözden • *hamızat,* • *hamız,* • *hamızî,* • *tahammuz,* türevleri yapıldığı gibi Frenkçe kelimelerle *Hâmız-i klor-i karbon* gibi tamlamalar da yapılmıştır. (ç. Hamızat, havamız). • ‹Ekşisu dedikleri ayn-i hâmızı anda temaşa edip. — Naima› • ‹Âtıl ve bitesir üç cümle-i hamızasından boza gibi kabararak taşkınlıklar gösteren. — Cenap›.

hamızat, *A. i.* [Hamız ç.] Asitler. • *Hamızat-i sahmiye,* yağ asitleri.

hamızıyet, A. i. [Hamız'dan] Ekşilik (XIX. yy.).

hamî, F. i. (He ile) Eğrilik, çarpıklık.

hâmî, F. i. (Hı ile) Hamlık, çiylik.

Hami, A. i. Ham neslinden. Onunla ilgili. • «Evet şecere-i Osmaniye İrana, Turan'a tabakat-i Hamiye ve Samiyeye kök salmış. — Cenap».

hâmi, hamiye, A. i. s. 1. Koruyan, koruyucu. 2. Arka çıkan, sahip çıkan. «O zaman, ey ebedî hâmi-i şan-i akvam. — Fikret».

hâmid, A. s. [Hamd'den] Hamd ve şükreden. «Felekler âyet-i sun' ile hâmid — Zemin seccade-i âb üzre sacid. — Atayî».

hamid, A. s. (Hı ile) Cansız, idraksiz.

hamîd, A. s. [Hamd'den] Övülmeye değer. (Tanrı sıfatlarındandır). Evsaf-i hamide, övülmeye değer nitelikler. • «Bu sıfat-i hamide ve etvar-i pesendide ile. — Sadettin».

hamide, F. s. Eğrilmiş, bükülmüş. Kambur. Kemerli. Hamide kamet, iki büklüm. • «Veli ben olmuş idim târ-i naleye demsaz — Hamide kaddim ile inlemekte niteki cenk. — Hayalî».

hâmil, A. s. 1. Yüklü, yüklenmiş. 2. Taşıyan. 3. Üzerinde olan. Sahip. Hamil-i vahy, (peygamberlere haber ulaştıran) Cebrail. • «Kâmis-i Yusuf'ü hâmil, mübeşşir ü şadan — Yürür şitap ile. — Fikret».

hamil, A. s. (Hı ile) Adsız, izsiz.

hamile, A. i. (Ha ile) Kılıç askısı.

hamile, A. s. Gebe (kadın). «Meryem-i fikrim olup hamile-i feyz-i Huda — Doğru gehvare-i tab'ımda Mesih-i mâna. — Nazım».

hamilen, A. zf. Taşıyarak. Üstünde olduğu halde «Bu nazenini hamilen. — Recaizade».

hamîm, A. i. s. Sıcak (su.) «Geçirir kâinat baygınlık — Sanki mest-i hamîm-i nîrandır. — Fikret».

hamin, A. i. (Hı ile) Adsız, nişansız.

hamîr, hamîre, A. i. . (Hı ile) Hamur, maya. «Vücudun kim hamir-i mayesi ,hâk-i vatandandır. — Kemal — «Bir hamire-i gayr-i muayyene-i elvan haline geliyormuş gibi oluyordu. — Uşaklıgil».

hamîs, A. i. (Hı ile) Perşembe günü. • «Vezir-i âzam Mehmet Paşa ile hamîs günü kendi bizzat sell-i seyf edip. — Naima».

hâmis, A. s. Beşinci.

hâmise, A. i. Beşinci rütbe. Sivil memurların ilk rütbeleri.

hamisen, A. zf. Beşinci olarak. «Hamisen kıymet-i zekâiye itibariyle büyük zenginler. — Cenap».

hamiş, A. i. Kitabın kenarına yazılan açıklama . Mektubun yanına katılan ek.

hamiyye, A. i. «Hamiyet» sözünün Arapça tamlmaalardaki şekli.

hamiyyet, A. i. İnsanın yurdunu, aile ve yakınlarını koruma gayreti. Hamiyet. • Hamiyyet-i cahiliye, hakikate karşı harcanan emek. (Bir aralık taassup ile dilimize çevrilen fanatisme karşılığı olarak ileri sürülmüşse de kullanılmamıştır.)

hamiyetmend, F. s. [Hamiyet-mend)] Hamiyetli, hamiyeti olan. (ç. Hamiyetmendan).

hamka', A. s. Akılsız, bön (kadın).

haml, A. i. 1. Yük. 2. Yükleme, yüklenme; vaz-i haml, doğurma. • «Ben Muhammed'den bir haml-i baîr mesail ve nevadir kitabet eyledim. — Taş.».

hamlâs, A. i. 1. Kuyumcu körüğü. 2. (Kim.) Üfleç.

hamle, A. i. 1. Atılmış, atılış. 2. Saldırma hücum.

hamliye. A. s. [Haml'den] (Ban.) (Man.) Yüklemli.

hammal, A. i. [Haml'den] Para karşılığı yük taşıyan adam. Hamal. • «Olur nef'i fuzun bârı giran oldukça hammalın. — Sami» • «Yük değildir kendine sırtında hammalın semer. — Sururî».

hammam, A. i. Yıkanacak yer. Hamam. • «Sıcağı geçti malûm olıcak hammamın. — Beliğ».

hammamiye, A. i. (Zoo.) Güvercinler.

hammamiyye, A. i. (Ed.) Divan edebiyatında şairin hamamla ilgili olarak yazdığı manzume türü.

hammar, A. i. [Hamr'den] 1. Şarap yapan veya satan. Meyhaneci. 2. (Tas.) Mânevi kılavuz, mürşit. • «Selsebilin hamriyim hammariyim mahmuruyum. — Nesimi». — «Bir iki mutekif-i hane-i hammarız biz. — Ruhi».

hamme, A. i. Zararlı böcek. (ç. Hevam).

hamr, A. i. (Hı ile) Şarap. • «Her ayş ki mevkuf ola keyfiyyet-i hamra — Ayyaşına yuf hamrına hammarına hem yuf — Ruhi».

hamrâ, *A. s.* Kırmızı. • *El-hamrâ.* İspanya'da Gırnata şehrinde Araplardan kalma ünlü saray. Gonce-i gülzarı seyret lâle-i hamrâya bak. — Bakî». • «Feyz-i ruhsarına oldu verd-i hamrâ gark-i nur. — Cenap».

hamrî, *A. s.* Şarapla ilgili. Şaraba ait.

hamriyye. *A. i.* (Ed.) Şarap hakkında yazılmış övmeler. • «Okundukca hamriyyeler gâh gâh — Ederdik hum-i bâde içre şinah. — İzzet Molla».

hamse, *A. s. i. (Hı ve sin* ile) 1. Beş. 2. (Ed.) beş ayrı kitaptan meydana getirilmiş eser. • *Bilâd-i hamse,* • *evkati hamse,* • *havas-î hamse,* beş şehir, beş vakit (namaz), beş duygu. • «Görmüş anı sonradan — Atayi — Hamse yazıp etmiş iddiayı. — Ziya Pş.» • «Kıtat-i hamseyi dolaştı. — Cenap».

hamsin, *A. s. i.* 1. Elli. 2. Erbainden (karakış) sonra gelen elli günlük kış. • «Nahak yere zulmen katl eyledi sinni hamsine karib idi. — Naima».

hamul, *A. s.* [Haml'den] Çok dayanıklı, dayanan, şaka kaldırır, sabırlı. • «Bizden ne istersiniz biz gûşe-i hamulde kendi halimize meşgul iken. — Naima».

hamule, *A. i.* Yük. Gemi yükü. «Yarınki hamule-i matbuatı bugünden bilmek. — Cenap».

hamuliyet, *A. i.* Hamul olma. Dayanma, sabırlılık. Hoşgörürlük, *tolérance* karşılığı. • «İngiliz parlâmentosunun emsaline sebeb-i faikiyeti âzasının hamuliyet-i fevkalâdesinden başka bir şey midir. — Cenap».

hâmun, *F. i. (He* ile) Geniş, ıssız ova, bozkır. • *Hamun neverd,* kırda, ovada gezen yolcu. • «Ahterle döşenme sahn-ni hâmun — Elmas çakıl taşından efzun. — S. Galip».

hâmuş, hamuş, *F. s.* Susan, susmuş. Sessiz. «Sanki leylin zılâl-i hâmuşu — Canlanır piş-i irtiabımda. — Fikret». • «Murg-i elhan hamuş ü şekerandır. — Cenap».

hamuşane, *F. zf.* Sessizce, sesizliği andırır yolda. • «Bazan kocaman bir kelebektir ki müzehhep — Pervaz-i hamuşanesi birlikte sürükler — Enzar-i temaşanızı. — Fikret».

hâmuşan, *F. i.* [Hâmuş ç.] Sessizler, susmuşlar. • *Vâdi- hâmuşan,* mezarlık.

hâmuşi, *F. i.* 1. Susma. 2. Ölüm. • «Gehi bir ra'd-i hâmuşî ile titrer bütün eş-

ya. — Cenap» • «Leyal-i âşıkıyyetin — Hümuşi-i müvekkebi — İner sımah-i ruhuma. — Cenap».

hamyaz, *F. i. (Hı ve ze* ile) Esnemek.

hamyaze, *A. i.* 1. Esneme. 2. Kötü davranış. • «Sabırsızlıkla saât-i hamyazenin inkızasını bekler. — Cenap».

hamyazebahş, hamyazebahşa, *F. s.* Esneme getiren. Esnettiren.. • «Gazetelerde gulgulenüma ve ağızlarda hamyazebahşa bir fikir. — Cenap».

hamyazekeş, *F. s.* [Hamyaze-keş] Esneyen. 2. İnsanın içini sıkan.

hamz, *A. i.* Ekşilik. (Bk. • *Humz).*

hamzede, *F. s. (Hı* ile) Bükülmüş, eğrilmiş. • «Hep bilirsiniz kadd-i rastımı hame gibi — Etti engüşt gibi hamzede bâr-i tahrir. — Nabi».

han, *F. i.* Han, hakan, hükümdar. (ç. Hanan).

han, *A. i.* 1. Han, kervansaray. 2. Dükkân. 3. Meyhane. (ç. Hanâf).

hân, *F. i.* 1. Sofra. 2. Yemek. 3. Aşçı dükkânı. • *Hân-i yağma,* yoksullara, açlara dağıtılan genel yemek. • «Cihanda kimde nedersin ümid hân-i kerem — Bu tabhanede ikram-i zayf bilmezler. — Nailî» • «Mutad-i kadim üzre otak-i âsafeneleri pişgâhında hân-i yağma tertip ve tehiyesine istical. — Raşit».

-han, *F. s.* «Okuyan, okuyucu» anlamıyle kelimelere eklenir. • *Duahân, ebcedhân,* • *gazelhân,* • *mevlidhân,* dua, ebcet, gazel, mevlût okuyan.

hanabile, *A. i.* [Hanbelî ç.] Hanbeiller. • «Hattâ eşaireden bazı ashab-i taassup hanabileyi ikfar ve bazı hanabile eşaireyi ikfar ederler. — Taş».

hanacir, *A. i.* [Hancer ç.] Hançerler.

hanacir, *A. i.* [Hançere ç.] Gırtlaklar. • «Hanacir-i hanacir makarr ile — Nergisi».

hanadık, *A. i.* [Handek ç.] Hendekler.

hanafis, *A. i.* [Hunefsa ç.] Mayıs böcekleri.

hanak, hank, *A. i. (Ha* ile) Darılmak, kızmak.

hanan, *A. i.* Yürek inceliği, acıma.

hanât, *A. i.* [Han ç.] Dükkânlar. Meyhaneler.

hanazıl, *A. i.* [Hanzal ç.] (Bot.) Ebücehil karpuzları.

hanazir *A. i.* [Hınzır ç.] Domuzlar. • «Nısfılleyleden evvel gelen hanazir fitilleri yanar karavul askerine sataşıp. — Naima».

hanbelî, *A. s.* İslâmlardan ehl-i sünnetin dört mezhebinden biri olan ve imamları Hanbel bulunan tarikatten bir kimse.

hancer, *A. i.* Ucu sivri, iki tarafı keskin kamayı andırır bıçak, hançer. • «Gördüm elinde hançer-i uryanın ol mehin — Bir âb-i saftır ki kemerden zuhur eder. — Nabi» — «Bir yağız çehre, çatılmış iki hançer kaşlar. — Fikret».

hancere, *A. i.* Gırtlak. • «Hancerenin gılâfı aduv hanceresi ve düşman cesedine açtığı zahmlar merk pençeresi olup. — Sadettin».

hancerî, hanceriye, *A. s.* Gırtlağa ait, • *Huruf-i hançeriye,* gırtlaktan çıkarılan harfler (e, ha, hı, ayın, gayın, he).

hânce, *F. i.* Küçük sofra, küçük sini. • *Hânce-i zer,* güneş. • «Bir havz idi hance-i mey-i nâb — Nergis leb-i havza câm-i zet-tâb. — Ş. Galip».

hanceriye, *A. i.* Fransızcadan botanik terimi olan *tropéolées,* karşılığı yapılmıştır (XIX. yy.) lâtin çiçekleri.

handâhand, *F. s.* [Hand-a-hand] Çok, sürekli gülme, güle güle, çok gülünen yer. • «Ta o semalara, o telâtümgâh-i handahand-i envara doğru. — Uşaklıgil».

handan, *F. s.* Gülen, neşeli, sevinçli. • Sevdi gönlüm bag-i hüsnün gül-i handanını — İnletir bâr-i belâda bülbül-i nalânını. — Hayali» • «Döker dudaklarının ihtizaz-i handanı — Zemin-i sanata, bir ince nükte bâranı. — Fikret».

hande, *F. i.* 1. Gülme. 2. Eğlenme. 3. Açılma. • *Hande-i afitab,* güneşin doğması; • *-cam,* içki kadehi doldurulurken olan parlaklık; • *-gül,* gülün açması; • *-zemin,* (baharda) toprağın yeşillenmesi. • «Kılma noksan-i vücude hande — Yoksa mâyub olursun sen de, — Sümbülzade». • «Bak ağlıyorum, giryeme bin hande fedadır. — Fikret». (Ed. ce.) • *Hande-i inbisat,* • *-istihfaf,* • *-kebud,* • *-mânidar.* • *-müzehher,* • *perişan,* • *-safa,* • *-şârık,* • *-şebab,* • *-tezyif,* • *-zehrîn,* • *-zerrîn,* • *aks-i hande-i şevk,* • *çin-i hande,* • *manâ-yi hande,* • *reng-i hande,* • *şule-i hande.*

handebahş, *F. s.* [Hande-bahş] Gülümsetecek. • «Birinci mektuba bile handebahş-i.

handebar, *F. s.* [Hande-bâr] Güldürücü. hayret olmaya şayan olan. — Recaizade».

handeferma, *F. s.* [Hande-ferma] Güldüren, gülme getiren.

handefeşan, *F. s.* [Hande-feşan] Güldürücü.

handefşan, *F. s.* [Hande-feşan] Gülümsemeler saçan, gülüp duran. «Olur telâ'lü-i bâran içinde handefeşan. — Fikret».

handefeza, *F. s.* [Hande-feza] Gülme artıran, güldüren.

handek, *A. i.* 1. Kale etrafına açılan uzun çukur. Siper. 2. Uzun çukur. 3. (Birçok ölü atılmak için açılmış) geniş mezar. 4. Hendek. *Gaza-i Hendek,* Muhammet peygamberin hicretin 5. yılında Medine'de yaptığı savaş. «Ve ekser leb-i handek seng-i türasidedir. — Naima».

handekâr, *F. s.* [Hande-kâr] Gülen, gülücü. • «Gönüllüler yola doğruldu, handekâr-i ümit. — Fikret».

handekünan, *F. zf.* [Hande-künan] Gülerek. Güle güle. «Derviş başın aşağa salıp handekünan başın kaldırıp.. — Naima».

handemeşhun, *F. s.* [Hande-meshun] Hep gülen, çok gülen. «Zarif bir sözü, bir nev şüküfte mazmunu — Yerinden oynatır evvan-i hande-meşhunu. — Fikret».

handemutad, *F. s.* [Hande-mutad] Her vakit gülen, gülme huyunda olan. «Latif lükneti bu tıfl-i handemutadın — Verir lisanına pek tatlı bir eda-yi vakur. — Fikret».

handenâk, *F. s.* [Hande-nâk] Gülümser. gülen. «Rüsvay olan efendilerin ikisi bile handenâk olup. — Naima».

handenüma, *F. s.* [Hande-nüma] Gülen. «Güneş de, şimdi açılmış ufukta handenüma — Eder gibiydi uzaktan benimle istihza. — Fikret».

handeris, *A. i.* Şarap: yıllanmış şarap. «Nice bedmest handeris-i haylâ ile... — Sadettin».

handeriz, *F. s.* [Hande-riz] Gülüp duran. «O dem kadının doldu gözleri, — Zevcin de hande-riz-i gurur oldu gözleri. — Fikret».

handezad, *F. s.* [Hande-zad] 1. Gülümseten, sevinçle güldüren. 2. Gülümsemeden doğan. ● «Ey fecr-i handezad-i hayat. — Fikret».

handezen, *F. s.* [Hande-zen] Gülen. «Baktım o cebhe-i seherin inkişafına — Bir levha seyr eder gibi lâkayd ü handezen. — Fikret».

hane, *F. i.* 1. Ev. 2. Bir bütünün küçük parçalarından her biri. 3. (Mat.) Basamak.

-hane, *F. s.* «Hane» sözü isimlere katılarak isim takımları meydana getirir. Bununla Türkçede çeşitli dillerden bir çok kelimeler yapılmıştır.

apteshane	kuşhane
aşhane	kütüphane
balıkhane	menzilhane
baruthane	meyhane
batakhane	miskinhane
basmahane	mühendishane
bozahane	nezarethane
cambazhane	nümunehane
cebehane	nüzulhane
çayhane	pastahane
çilehane	patrikhane
darphane	postahane
demirhane	rasathane
divanhane	resimhane
eczahane	rezalethane
feshane	sabunhane
fotoğrafhane	salhane
gusülhane	sefarethane
gülhane	simkeşhane
haddehane	tabakhane
hapishane	talimhane
hastahane	tebhirhane
hayalhane	telgrafhane
helvahane	tenbelhane
ıslâhhane	terzihane
idarehane	tevkifhane
imalâthane	tıbhane
imarethane	ticarethane
ipekhane	timarhane
iplikhane	tiyatrohane
kahvehane	tophane
kıraathane	yağhane
kayıkhane	yatakhane
kimyahane	yazıhane
kitaphane	yemekhane
konsoloshane	

hanebeduş, *F. s.* [Hane-be-duş] Evi sırtında. (ç. **Hanebeduşan**). «Kande konardı hanebeduşan-i kûy-i gam. — Vakf etmemiş rıbat-i harabatı Cem abes. — Nabi»

haneberduş, *F. s.* [Hane-ber-duş] Evi omuzunda. Serseri, yersiz, yurtsuz. «Bazı adamlara haneberduş derler; benim kalbime de sevdaberduş demeli. — Cenap».

hanedan, *F. i.* Kökten büyük aile. Ocak. «Bu hanedanın hulûs ile hidematın kimesne etmiş değildir. — Naima».

hanefî, hanefiyye, *A. i.* İmamı Âzam ebu Hanife mezhebinde olan kimse. O mezheple ilgili olan. «Lâkin hanefiyye dahi onunla müteneffi olurlar. — Taş.». — «Ol yetişir sana tarik-i hanefi — Verdi ol mezhebe Allah şerefi. — Sümbülzade».

hanegî, *F. s.* Eve mensup. Evin adamı.

haneharab, *F. s.* [Hane-harab] Evi harap ve viran olan, olması gereken. «Yani ol haneharab-i devran — Etti çok beyt-i kâret viran. — Vehbi».

hanek, *A. i.* Ağız tavanı. Damak.

haneki, hanekiye, *A. s.* Damakla ilgili. Damak -i.

hanekah, hankah, Bk. *Hankah.*

hanende, *F. s. i.* Şarkı söyleyen. «Hanende-i gülistan idin sen — Vecd-âver-i âşıkan idin sen. — Naci».

hanendegî, *F. i.* Hanendelik. Şarkı söyleyicilik.

hanenişin, *F. s.* [Hane-nişin] Evcil. «Öyle günde müttehemler gibi hanenişin ve muhtefi olmayı reva görmeyip. — Naima».

haneperver, *F. s.* [Hane-perver] Evde yetişme.

hanesuz, *F. s.* [Hane-suz] Ev yakıcı, çapkın olan.

haneşiye, *A. i.* (Zoo.) XIX. yy. Fransızcadan *ophidiens* karşılığı olarak yapılmıştır.

hanevade, hanüvade, *F. s.* Ev. Ev halkı. «Sülâle-i şeref hanevade-i sıddık. — Nabi».

hanezad, *F. s.* [Hane-zad] Köle veya cariyenin evde doğmuş çocuğu.

hânık, *A. s.* [Hunk'tan] Boğan. (Bot.) *Hânık-un-nemr,* kurtboğan otu, -üzzi'b, kurt boğan otu.

hanî, *F. s. i.* Hanlık veya beyliğe ait. Hanlık.

hani', *A. s.* Suçlu olan, facir.

hânif, *A. s.* 1. Küsmüş, dargın. 2. Gururlu.

hanîf, *A. i.* 1. Tanrı birliğine inanan. 2. Muhammet peygamber zamanından önce tek Tanrıya inanan. «Âyin-i din-i hanîf ve revanak-i şer'-i şerif. — Saadettin».

hanîn, *A. i. (Ha* ile) 1. Fazla istekten inleme. Sızlama. 2. İstek.

hânis, *A. s. (Ha ve, se* ile) Andını bozan. Yemininde, sözünde durmayan.

haniye, *A. i.* Şarap.

hank, *A. i. (Hı* ile) Boğazını sıkarak boğma. «Canibgirlerinden bir avratki valide sultana mezburun ahvalini ilâm eder müsahibelerinden idi hank olundu. — Naima».

Hank, *A. i. (Ha* ile) Darılma, öfkelenme.

hankah, hanekah, *A. i. (Hı* ile) Tekke. (n. havanık). • «Sürud ü nevha-i şevkındır ancak — Eden lebriz deyr ü hankahı — Recaizade».

hankan, *A. zf.* Boğazını sıkarak, boğmak suretiyle. • «Hankan şehid-i kemend-i gadr edip... — Naima».

hannan, *A. s.* Çok acıyışı olan (Tanrı sıfatlarındandır.)

hannas, *A. i.* Şeytan. • «Cami-i mahudun kennası olan tilmiz-i hannas. — Şefikname».

hânsalar, *F. s. (Hı* ile) 1. Sofracı. 2. Kilerci.

hanuman, *F. i.* Ev, bark. Ocak. • «Ey aşk yakarsan işte canım — Yak derdim olaydı hanumanım. — Naci».

hanumansûz, *F. s.* [Hanuman-sûz] Ev bark yakan, kül eden. *Harik-i hanumansuz,* evi kül eden yangın. • «Âşık bana aşk-i hanumansûz. — Naci».

hanut, *A. i. (Hı* ile) 1. Dükkân. 2. Meyhane.

hanut, *A. i. (Ha* ile) Ölü kefenine serpilen koku.

hanzal, *A. i. (Ha ve zı* ile) Ebucehilkarpuzu. Acıhıyar. İthıyarı. • «Tohm-i hanzaldan neyşeker umasın. — Hümayunname».

hâr, *A. i. (He* ile) Yıkılmaya yüz tutmuş yapı. 2. Zayıf, güçsüz, sakat. insan.

hâr, *F. i. (Hı* ile) Diken. *Hâr ü has,* çalı çırpı, çerçöp. • «Bağban bir gül için bin bâra hidmekâr olur».

har, *F. i. (Hı ve re* ile) Eşek. *Har-i İsa,* İsa Peygamberin eşeği.

har, hor, *A. s.* Aşağı, bayağı. • «Bir çürük meyve kadar hâr ü mülevves bitecek. — Fikret».

-hâr, -hor, *F. s.* «Yiyen, yiyici» anlamlarıyle kelimelere katılır. *Merdümhâr,* yamyam; *meyhâr, meyhor,* içki içen; *şîrhâr,* süt içen (küçük çocuk).

hâr, harr, Bk' *Harr.*

hârâ, *F. i. (Hı* ile) 1. Pek sert taş, kaya granit. 2. Üzeri menevişli kumaş. • «Huda kadirdir eyler seng-i hârâdan güher peyda. — Ziya Pş.». — • «Nur-i mevvac-i maani mi sözümde berk uran — Ya libası nazmının bir âteşin hârâ mıdır. — Nef'i».

harab, *A. s.* 1. Viran. 2. Issız. 3. Yıkık. • «Hicrinle ciğer kebab ey dost. — Gel gel ki gönül harab ey dost. — Ş. Galip». • «Teklif-i malâyutak ile harab ve perişan olup ziraat ve harasete kudretimiz kalmadı deyu. — Naima».

harabât, *A. i.* [Harabe ç.] Yıkıklar.

harabat, *A. i.* Meyhane. • «Her münkir-i keyfiyet-i erbab-i harabat — Öz aklı ile hakkı diler kim bula heyhat. — Ruhi» — • «Harabatı görenler her biri bir haletin söyler — Letafet nakl eder rindan ü zâhit sıkletin söyler. — Ragıp Pş.».

harabatî, *F. i.* 1. Dağınık. Perişan. 2. İçkiye düşkün, harabat insanı (ç. Harabatiyan). • «Ne harabi ne harabatiyim — Kökü mazide olan âtiyim. — Beyatlı».

harabe, *A. i.* Bir şehir veya ev yıkıntısı. (ç. Harabat).

harabenişin, *F. i.* [Harabe-nişin] Viranede oturan, harap yerlerde oturan.

harabezar *F. i.* [Harabe-zar] Viran yer. Viranelik.

harabî, *F. i.* Haraplık. Yıkıklık. • «Her gün çehresinde tamir olunacak bir fazla eser-i harabî. — Uşaklıgil».

harabiyyet, *A. i.* Viranlık. Haraplık.

harabkârî, *F. i.* Haraplık. • Harabkâri-i zünnariyan-i âlem-i dil — O nazenin büt-i bigâne aşınadandır. — Nailî».

harac, *A. i.* 1. Vergi. 2. Zor altında alınan para 3.. Düşman ülkelerinden zaptedilenler halkından olup kendiliğinden müslüman olanlara bırakılan topraklar için (arazi-i haraciye) ödedikleri para. *Harac-i rüus,* insanlar için ödenen. 4. Hasılâttan veya toprağın kendisinden kesilen belli vergi. *Harac-i mukaseme,* toprağa ekilen üründen alınan üşürün yarısı kadar kısım. *Harac-i muvazzaf,* üşür alınamayan toprak için alınan yıllık belli para. • «Onbeş bin altın Erdel haracını getirdi. — Naima».

haracgüzar, *F. s.* [Harac-güzar] Harac veren. Haraca kesilmiş. • ‹Bizde de akvam-i mağlûbe ancak haracgüzarımız olmuşlar. — Cenap›.

harahir, *A. i. (Hi* ve *hı* ile) [Harhara ç.] Hırıltılar.

haraid, *A. i. (Hı* ve *hemze* ile) [Haride ç.] 1. Delinmemiş inciler. 2. Kız olan kızlar.

harait, *A. i. (Hı* ve *tı* ile) [Harita ç.] Haritalar. • ‹Avrupa, Asya ve Afrika kıtalarının harait-i müçtemiasına. — A. Mitat›.

haram, *A. s. i.* Dinin yasak ettiği şey. Yasak yer. *Belde-i haram,* Mekke şehri ile dolayları (müslümanlardan başkasına yasak bölge); *beyt-i haram,* Mekke'deki Kâbe; *mescid-i haram,* Kâbe'deki cami; *şehr-i haram,* haram ayı (İslâmlıktan evvelki zamanda Arapların birbiriyle savaşı yasak olan ay, muharrem ayı). • «Çemende nasezalarla o şuhun — Haram olsun hiram-i nazı bensiz. —Neylî›.

harami, *A. s. i.* Yol kesen.. Haydut. • ‹Birkaç kallâp ve birkaç harami tutulmuş getirdiler. —Naima›. — • ‹Yarin almış yolun haramiler — Yine bend oldu şahrah sana. — İzzet Molla›.

haramkâr, *F. s.* [Haram-kâr] Zina yapan, kanunsuz birleşme yapan.

haramzade, *F. i. s.* Piç. • ‹Reme-i kûsfende giren aç kurt gibi haramzadelere kılıç koydular. — Naima›.

harar, *A. i.* Hür ve azad olma. Esir olmama.

hararet, *A. i.* Sıcaklık. Ateş. *Hararet-i gariziye,* diriksel ısı.

haraset, heraset, *A. i. (Ha* ve *se* ile) Ekincilik, çiftçilik. • «Vilâyetlerinden dahi bilkülliye ziraat ve haraset bertaraf olup. — Raşit›.

haraş, *F. i.* Hava gücüyle işletilen değirmen.

haraşif, *A. i. (Ha* ile) [Harşef ç.] Balık pulunu andırır katmerli yapraklar.

haratim, *A. i.* [Hurtum ç.] Hortumlar.

hâraver, *F. s. i.* 1. Dikenli, iğneli olan. 2. Dikenli çalı.

harazat, *A. i.* Bir hastalığın sürekli olması, yerleşmesi.

harb, *A. i.* Savaş. Cenk. *Bilâharb,* savaş etmeden, savaş açmadan; *divan-i harb* harb divanı, askerî mahkeme; *erkân-i harb,* kurmay; *fenn-i harb,* savaş bilgisi; *ilân-i harb,* savaş açma; *meydan-i*

harb, savaş meydanı *yaver-i harb,* büyük komutan emir subayı; *dar-ül-harb,* savaş yeri, İslâm elinde olmayan yerler.

harba, *A. i. (Ha* ile) Güneş ışığının bulutlara vurması.

harban, *F. i. (Hı* ile) Eşekçi.

harbak, *A. i.* Biri kara çöpleme, öteki ak çöpleme adında iki çeşit zehirli otuı. adı.

harbcu, *F. s.* [Harb-cu] Savaş arayan. Kavga çıkarmaya istekli.

harbe, *A. i. (Ha* ile) Kısa mızrak süngü. • ‹Halkı gâhi haracı harbe ucuyle verip ve gâh isyan ettikleri sebepten — Naima›.

harben, *A. zf.* Savaş ederek.

harbende, *F. i.* Eşek ve katır gibi yük hayvanları sürücüsü, onlara bakan.

harbgâh, *F. i.* [Harb-gâh] Savaş yeri. • ‹Sahra-yi Merc-i Dabık ki harbgâh-i sultan Selim merhumdur. — Naima».

harbi, *A. i.* Düşman. (Arada barış anlaşması olmayan) İslâm olmayan kimse. • «Korsanlığa gönderildikte ki harbî ve muahit ve belki Müslüman gemileri bile ellerine girse sarılıp alırlardı. — Naima›.

harbî, harbiyye, *A. s.* Savaş ile ilgili. *Erkân-i harbiyye-i umumiyye,* Genel Kurmay; *fünun-i harbiye,* savaş bilgileri; *Mekteb-i Harbiye,* Harp Okulu. • ‹Mekteb-i Harbiye'de okunan fünundan dahi. — Kemal›.

harbiyun, [Harbî ç.] Savaş taraflıları. • ‹Ne nisaiyundan, ne sulhiyundan, ne harbiyundan, ne maddiyundan, ne mâneviyundanım. —Cenap›.

harbüz, harbüze, *F. i. (Hı* ve *ze* ile) Karpuz. • «Nümudar-i harbüze-i Bu Cehl olan kelle-i bi-devleti... — Nergisi›.

harc, *A. i. (Hı* ile) 1. Sarf. Gider. 2. Bir iş için kullanılan maddeler. 3. Güç, kuvvet. *Harc-i âlem,* her keseye elverişli, herkesin yapabildiği. • «Yoluna harc edeyim nakd-i hayat elde iken — Ki geçer fırsat ömr-i güzeran girmez ele. — Ebüssuut›.

harçenk, *F. i. (Hı* ile) Yengeç. • ‹Bulsa ger terbiye-i madiletin âteş ü âb — Bir olur tab-i semenderle mizac-i harçenk. — Nef'i›.

harçide, *F. s.* [Har-çide, Diken toplayan. • ‹Ol gonceden dermedeyiz gayrı Ruhiyâ —Bu gülşen-i zamanede biz harçideyiz. — Ruhi›.

harçine, harçini, F. i. Eskiden ayna yapmada kullanılan madde.

hardar, F. i. [Hâr-dâr] Dikenli. Zorluk bulunan.

hardel, A. i. Hardal. • «Şol kadar eyledi pervaz dil-i murg bülend — Gözüne dane-i hardalca gelir âlem-i cev. — Hayali».

hardeşti, F. i. [Har-deşti] Yaban eşeği.

hâre, F. i. Yiyecek, yiyinti.

hâre, F. i. 1. Sert taş, kaya. 2. Meneviş. Menevişli kumaş. • «Eğer sengi hâre gibi hâre bir zerresin işitse tesirinden pâre pâre olurdu. — Hümayunname» — • «Bütün kenarları hâre-i müzeyyen üç büyük aveng-i büyut. — Cenap».

harekât, A. i. [Hareke, hareket ç.] 1. Kımıldanmalar, deprenmeler. 2. İş işlemeler. 3. Davranışlar. .Harekât ü sekenat, 1. Davranışlar. 2. Bir hecenin hareketli veya sakin oluş durumu; harekât-i harbiye, savaş hareketleri; -müştereke, birlik, ortak davranışlar; -napesendane, beğenilmez davranışlar; -selâse, hecelerin (a, i, o) üç türlü seslendirilişi.

hareke, A. i. Sesli harfi olmayan Arap harflerinin ne türlü okunacağını gösteren üstün (fetha), esre (kesre), ötre (zamme) işaretleri, ve sesleri. (ç. Harekât).

hareket, A. i.. 1. Kımıldanma. 2. Davranış. 3. Yola çıkma, kalkma. 4. Medreselilerin derecesi. Hareket-i arz, deprem.

harekî, A. s. Hareketle ilgili. (XX. yy.) cinéique karşılığı, kinetik; hasse-i harekiye, Fr. (XX. yy.) cinétique karşılığı.

harekiyat, A. i. (Fiz). Cinémtique karşılığı, kenamitik.

harem, A. i. 1. Herkese açık olmayan yer. 2. İslâm evlerinde kadınların bulunduğu bölüm, daire. 3. Kadın eş. 4. Mekke'de belli bazı mevki. Harem-i hümayun, padişah sarayında kadınlar dairesi; -resulullah, Medine şehri dolayları, -şerif (müdürü), (eskiden) Medinede Muhammet Peygamber türbesine bakan, idare eden kimse, şeyh-ül-harem, Medine şehri ve dolaylarının muhafızı. Osmanlı İmparatorluğunda). • «Elliden sonra ehl-i sefer — Haremiyle Haleb ü Şam'a gider. — Nabi» — • «Cami haremi malâmal olup. — Naima» — • «Ne vakte kadar erkekler haremini dövecek? — Kemal».

Hareman, A. i. Mekke ile Medine.

haremeyn, A. i. Kutsal olan Mekke ve Medine şehirleri. Hadim-i haremeyn-i serifeyn, (kutsal Haremeyn'in hizmetkârı) Osmanlı padişahlarının lakaplarından; haremeyn payesi, eski sarıklı hâkim sınıfının ileri rütbelerinden biri. • «Haremeyn-i muhteremyn'de nice hayrat ve eser etmişlerdir ki — Naima».

haremgâh, F. i. [Harem-gâh] Harem dairesi. • «Kendi haremi anda olmamakla Ahmet Paşayı kendi haremgâhına gönderip. — Naima».

haremsaray, F. i. 1. Harem dairesi. 2. Cami içi. • «Mektep o haremsera-yi vahdet — Cem' oldular anda hicr ü vuslat. — Ş. Galip».

harendaz, F. i. Kirpi.

hares, A. i. (Hı ve sin ile) Dilsizlik.

harez, A. i. (Hı ve ze ile) Boncuk. (ç. Harezat). • «Müddehhar ve mahzun olan harezat-i elfaz-i bi-intizam. — Taş.»

harf, A. i. (Ha ile) 1. Bir alfabeyi meydana getiren ve okuyup yazmaya alet olan işaretlerin her biri. 2. (Mec.) Söz, işaret. • «Miyan-i bezme bir harf-i şuh atar aradan. — Fikret».

harfaşina, F. s. [Harf-aşina] 1. Alfabeyi öğrenmiş. 2. Söz anlar.

harfendaz, F. s. [harf-endaz] 1. Dokunaklı söz söyleyen. 2. Söz atan. Takılan. • «Her birine hasbihallerine müteallik harfendazlıkta kusur etmeyip. — Naima» — • «Veya karşısına çıkan bir kadına harfendazlıkta bulunursa. — Recaizade».

harfendazî, F. i. Kinayecilik. Harf atma.

harfgîr, F. s. [Harf-gîr] Her işte ayıp arayan. • «Harfgir olma, zarafet satma. — Sümbülzade».

harfgirî, F. i. Dedikoduculuk.

hargâh, hargeh, F. i. [Har-gâh] Büyüklerin çadırı. • «Hargehleri dûd-i ah-i hirman — Sohbetleri ney gibi hep efgan. — Ş. Galip» — • «Tahsil-i can ümidiyle bâr übengâh ve hayme vü hargâhın bırakıp... — Naima».

hargele, F. i. 1. Hergele. 2. Binek ve taşıta alışmamış hayvan. 3. Eşek sürüsü. 4. Mec.) İşsiz gücsüz takımı.

hargûş, F. i. Tavşan. Hâb-i harguşi, tavşan uykusu; hafif uyku. • «Hargûş gibi gözü açık uykuya varmış. — Necatî».

harhar, *F. s.* 1. Sürekli kaşıntı. 2. Sürekli istek. 3. Merak, üzüntü, dargınlık. • «Ey Halık-i girdâr ta key — Bu mihnet-i hârhâr ta key. — Ş. Galip».

harhara, *A. i.* Sürekli hırıltı. • «İnler çıkıyormuş gibi a'mak-ı zeminden — Her saati bir harhara-i muhtaziranen. — Fikret».

harharakâr, *F. s.* Sürekli hırıltı. • «Hep o feryad-i harharakâr ile bana bakarak. — Uşaklıgil».

hârî, *F. i.* (*Hı* ile) Horluk. Aşağılık. • «Libas-i hayattan âri ve bister-i istirahatin zemin-i zill ü hâri ettiler. — Sadettin».

hârib, *A. s.* (*He* ile) (Korkudan) kaçan. • «Biraderinden müteneffir ve hâriblerdir. —Sadettin».

harib, *A. s.* 1. Malı alınmış, fakir olmuş kimse. 2. Otu gitmiş yer.

hârib, *A. s.* [Harab'dan] 1. Yıkan, harap eden. 2. Çalan.

haribe, *A. i.* Bir kimsenin geçineceği şey. (ç. Haraib).

haric, *A. i.* 1. Dış, dışarı. 2. Görünen dünya. 3. Dışarı çıkan, dışarıda dışta. 4. Hiç ilgisi olmayan kimse. *Haric an-il-merkez* (Geo.) dış merkezli; *haric ez memleket,* gerçekten oturduğu yerin değil, kendi memleketi halkından sayılan (dış işleri memurları gibi); *haric-i kısmet,* (Mat.) bölüm; *hareket-i haric, ibtida-i haric,* medrese yolunda ilk rütbeler.

haric, *A. s.* Suçlu, günah işlemiş.

haric, *A. s.* Dar. Kuşatılmış.

haricen, *A. zf.* Dıştan, dışarıdan. *Haricen mümas daire* (Geo.) dış daire; *haricen mersum mudalla* (Geo.) dış ters (açı). • «Haricen ve dahilen devletin birçok menafiini göz göre feda eylediklerini. — Kemal».

haricî, *A. s.* 1. Dışa ait. Dış ile ilgili. 2. Halife Ali'ye karşı ayaklananlar mezhebinde olan (ç. Havaric). • «Bizim de siyaset-i hariciye ve siyaset-i dahiliyemiz var. — Cenap» — • «Münkir haricinin paslı canına — Kantarlı küfürler atanlardanız. — Ruhullah».

hariciye, *A. i.* 1. Bir ülkenin yabancı devletlerle olan mânasebetini düzenleyen daire. Dışişleri. 2. Dış hastalıkları, ameliyat işleriyle uğraşan hekimlik bölümü. • «O hariciye Nezaretine intisap edecek. — Uşaklıgil».

hârid, *A. s.* Öfkeli, kızgın.

harîd, *A. s.* Tek.

harid, haride, *A. s. i.* (*Hı* ile) 1. Kız olan kız. 2. Delinmemiş inci. (ç. Haraid).

harid, *F. s.* (*Hı* ile) Satın alma.

harid, *A. s.* (*Ha* ile) Yalnız, tenha olan.

haridar, *F. i.* Satın alıcı, müşteri. • «Ol matama bu bazarın haridar olmadı. — Hayalî» — • Zıkıymet olunca n'idelim câh ü celâli — Yuf anı satan dûna haridarına hem yuf. — Ruhi».

haride, *F. s.* Yemiş devşiren, derleyen.

harif, *A. i.* Güz zamanı, sonbahar. • «Hem rebiem hem harifem hem benim sayf ü şita. — Nesimi».

harîf, *A. i.* [Hirfet'ten] 1. İş, sanat arkadaşı. 2. Eğlenti arkadaşı. (ç. Harifan). • «Yine her kûşe cemiyetgeh-i bezm-i harifandır. — Riyazi».

harifane, *F. zf.* Ortaklaşa.

harife, *A. i.* Ev için güz hazırlığı.

harifî, *A. s.* Güz ile ilgili.

hârik, *A. s.* (*Hı* ile) Yırtan, yaran. Üstün. • *Hârık-i âde*, *hârık-ul-âde*, hiç görülmemiş, çok şaşılacak, olağanüstü.

hârik, *A. s.* (*Ha* ve *kaf* ile) Yakan, yakıcı.

harik, *A. i.* Yapının tutuşup yanması, yangın. • «Bir harik-i vicdaninin cilâyi iltihabi idi. — Cenap».

harik, *A. i.* (*Hı* ile) Derin olmayan su arkı; çayırlı düz aralık yer.

harik, *A. s.* Cins güçsüzlüğü olan. Beli zayıf.

harika, *A. i.* 1. Lâpa. 2. Acı, sızı.

harika, *A. i.* Âdet ve tabiat dışında olan şey. (ç. Havarik). • «Beş gündür memleketimizin duvarları arasında bir hârika-i tabiat yaşıyor. — Cenap».

hârika, *A. i.* Ateş.

harikat, *A. i.* [Harika ç.] Harikalar, şaşılıp kalınacak şeyler. • «Sanki cidden o harikat-i ukul — Geliyormuş bütün vücuda gibi — Titriyordum. — Fikret».

hârikavî, *A. s.* Hârika çeşidinden, harika gibi.

harikulâde, *A. s.* Olağanüstü. Görülmemiş. • «Zaten memleketimiz harikulâde ahvalin cilvegâhıdır. — Cenap».

harikzede, *F. s.* [Harik-zede] Yangına uğramış. Malı mülkü yanmış. (ç. Harikzedegân).

harîm, *A. i.* 1. Herkesin giremeyeceği yer. 2. Harem dairesi. 3. Eş. Dost. • «Düşmanı vatanın harîm-i ismetinde boğacağız. — Atatürk».

harir, *A. i.* İpek. • *Dud-i harir*, ipekböceği; • *şarab-i harir*, dut şurubu. • «Yeşil, mai, sarı ve al harir tufanları serpilmiş idi. — Uşaklıgil».

hariri, *A. s.* 1. İpekten yapılma. 2. İpek gibi yumuşak. • «O rengârenk hariri göğüslerinden. — Uşaklıgil».

hâris, *A. s.* (*Ha* ve *se* ile) [Hars'tan] Eken. Ekinci. Çiftçi.

hâris, *A. s. i.* (*Ha* ve *sin* ile) [Hiraset'ten] 1. Bekleyen. 2. Bekçi (ç. Hârisan) • «Koca bir kavmin olur hâris-i istiklâli. — Fikret».

haris, *A. s.* [Hırs'tan] 1. Çok pinti. 2. Çok istekli. 3. Bir şeye fazlasıyle düşkün. • «En harr, en harîs buselerin altında. — Uşaklıgil».

haristan, *F. i.* [Haristan] Dikenlik. Dikenli yer.

hâriş, *F. i.* (*Hı* ile) Kaşıma, kaşınma.

harita, *A. i.* Harta, harita, • *Harita-i âlem*, dünya haritası, dünya. (ç. Harait).

hariy, *A. s.* (*Ha* ile) Lâyık, uygun.

hark, *A. i.* (*Hı* ile) Yarma, yırtma. • «Namus-i şer-i şerifi hark etmek dünya ve ahirette bais-i kahr ü nekâl. — Naima».

hark, *A. i.* Yakma. • «Ateşe yansa cihan hark olmaz — Kopsa tufan suya da gark olmaz. — Sümbülzade».

hark, harkat, *A. i.* Yanma. Yangı. • «Azl olmak harkatiyle Hoca Efendiye vardı. — Naima».

harkafa, *A. i.* (Ana.) Kalça kemiği.

hârkeş, *F. s.* (*Hı* ile) [Har-keş] Yoksulluktan evine diken ve çalı taşıyan.

harküre, *F. i.* [Har-küre] Eşek yavrusu, sıpa.

harmahi, *F. i.* 1. Balık kılçığı. 2. Kılıç balığı.

harman, Bk. • *Hirmen*.

harmeniş, *F. s.* [Har-meniş] Eşek tabiatlı. • «Harmenişlerdir eden şairi bedgû ancak — Kendi halindedir anın işitilmiş mi sesi. — İzzet Molla».

harmuş, *F. i.* (*Hı* ile) Sıçan. Fare.

harmühre, *F. i.* Katırboncuğu. • «Lîk harmühre kadar kıymetini bilmezler. — Nef'i».

harpüşte, *F. i.* Balık sırtı şeklinde çatı.

harr, *A. i.* (*Ha* ile) Hararet, sıcaklık. • «Yirmi gün su içmeyip galebe-i harr-i ateş halini müşevveş edip. — Sadettin».

harr, harre, *A. s.* (*Ha* ile) 1. Sıcak. Çok sıcak. 2. Ateşli, hararetli. • *Deva-i harr*, sıcaklık veren ilâç, • *bilâd-i harre*, sıcak şehirler (bölgeler); • *ekalim-i harrer*, tropikal bölgeler; • *mıntaka-i harre* (Coğ.) ısı kuşak. • «Ve eyyam-i harre olmağın. — Selânikî». — • «Eda-yi harr ü şebabınla pürhareret-i ruh — Bütün gönülleri meşhur-i iştiyakın eder. — Fikret».

harrak, *A. s.* (*Ha* ile) Kundakçı, yangıncı.

harraka, *A. i.* (*Ha* ile) Gemileri ve şehirleri ateşe vermekte kullanılan yangın gemisi.

harras, *A. i.* (*Hı* ve *se* ile) [Hars'tan] Çiftçi.

harrat, *A. i.* (*Hı* ile) Çıkrıkçı.

harraz, *A. s.* (*Dad* ile) Kireççi, kireçtaşı yakan.

harrub, harnub, *A. i.* (*Hı* ile) Keçiboynuzu.

hars, *A. i.* (*Ha* ve *se* ile) 1. Tarla sürme. • «Gece ile benim bağıma girdiler. İçinde harsı yiyip helâk eylediler ve hars dediği üzüm asmaları idi. — Süheyli». 2. Sürülmeye hazırlanmış tarla. 3. (XX. yy.) Fransızcadan *culture* karşılığı olarak, kültür. • «Bu rabıta terbiyede, harsta, yani duygularda iştirâktir. — Z. Gökalp».

harseng, *F. i.* İri kaya. • «Ve asker-i zafer rehgüzerinde harseng olduğun. — Sadettin».

harsî, *A. s.* Hars ile, kültür ile ilgili. • «İlk sebebin siyasi olmayıp harsî olduğunu görürüz. — Z. Gökalp».

harş, *A. i.* Tırmalama, tırnak ile kazıma.

harşef, *A. i.* (*Ha* ile) 1. Balık pulu. 2. Enginar.

haruk, *A. i.* (*Ha* ile) Kav.

harun, *A. s.* İleri sürülünce geri giden (hayvan).

Harun, *A. i.* (*He* ile) 1. Musa Peygamberin büyük kardeşi (Aron). 2. Bağdat halifelerinden Harunürreşit.

harur, *A. i.* 1. Sıcaklık. 2. Sıcak yel. 3. (XX. yy.) Fransızcadan *calorifique* karşılığı.

haruri, haruriye, *A. s.* Hararetle ilgili, hararete ait, ısıl.

harut, *A. s.* (*Hı* ile) Zapt olunmaz (beygir).

Harut, *A. i.* (*He* ile) Arkadaşı Marut ile ün almış bir melek. Büyü ile uğraşırlardı, bu yüzden kıyamete kadar kalmak üzere Babil'de bir kuyuya hapsedilmişlerdir. • «Nice yıl istese sihr öğretir Harut'e endişem. — Nef'i».

harutî, *F. i. s.* 1. Harut'un işi, büyücülük. 2. Harut yolunda olan, büyücü.

Harutsitan, *F. i.* [Harut-sitan] Harut ili, büyücü ülkesi. • ‹Safha bir lâhzada Harutsitan oldu yine — Turfa efsun okudu bu kalem-i cadu-fen. — Nedim›.

harvar, *F. i.* Bir eşek yükü ağırlık. • ‹Develerin zahireleri yenip harvarına zümrüt taşları yükletip... — Naima›.

harz, *A. i. (Ha* ve *ze* ile) Korunma.

hârzâr, *A. i.* [Hâr-zâr] Dikenlik. Dikeni çok yer.

Harzem, *A. i.* Hazer denizinin doğu yönü; Hıyve tarafı.

has, *A. i.* Çöp, süprüntü. Yonga. • *Has ü hâşak;* çerçöp; • *hâr ü hâs,* çalı çırpı. • ‹Mesken ey bülbül geh şah-i güldür geh kafes — Nice âşıksın ki ahından tutuşmaz har ü hâs. — Fuzuli›.

has, hass, Bk. • *Hass.*

hasad, *A. i.* 1. Ekin biçme. 2. Ekin biçme vakti. (ç. Hasaid.)

hasadet, *A. i.* 1. Kadının nefsine hâkim olması. 2. Haset etme. 3. Kıskanma.

hasafet, *A. i.* Sağlam fikir. Doğru oy. • ‹Hakikaten keramet denilebilecek hasafet ve fetanete malik. — Kemal›.

hasail, *A. i.* [Haslet ç.] Hasletler. • ‹Ol pîr-i hamidet-ül hasail. — Fuzulî›.

hasais, *A. i. (Hı* ve *sin* ile) [Hasise ç.] Kötü huylar. • ‹Emsar-i Müslimînde hasais-i küfrün izhar ve ilânı caiz olmadığına binaen. — Raşit›.

hasais, *A. i.* [Hasisa ç.] Hasiseler. Nitelikler.

hasaket, *A. i.* Yürekte olan gizli kin ve düşmanlık.

hasan, *A. i.* İyilik etme. İyi davranmak.

hasanet, *A. i. (Ha, sat* ve *te* ile) 1. Kadının nefsine hâkim olması. 2. Bir yerin kendiliğinden veya yapılarak, kuvvetli dayanıklı olması. • ‹Bunun hasaneti saray-i hümayun kadar olmaya. — Naima›.

hasar, hasaret, *A. i. (Hı* ve *sin* ile) Ziyan, zarar. (ç. Hasarât). • ‹Uğrattı felek hasara nagâh — Amma ne hasar neuzibillâh. — Nevres› • ‹Devvab ve mevaşiyi sürüp hasaret ederek. — Naima›. • ‹Harbin manzarası kadar çirkin, hasarât-i iktisadiyesi o kadar aşikârdır ki. — Cenap›.

hasardide, *F. s.* [Hasar-dide] arara uğramış, ziyan çekmiş.

hasaret, Bk. • *Hasar.*

hasaset, *A. i. (Hı, sin* ve *te* ile) Pintilik, cimrilik.

hasat, *A. i. (Ha* ve *te* ile) 1. Küçük taş parçası. 2. Çakıl.

hasbe, *A. zf.* ‹Dolayı, cihetiyle, ötürü› anlamı katarak kelimelerin başlarına getirilir. • *Hasbe-l beşeriye,* insanlık yüzünden; • *hasbe-l-emr,* emre uyarak, emir dolayısıyle; • *hasbe-l-hal,* durum dolayısıyle; • *hasbe-l-hamiyye,* hamiyet yüzünden; • *hasbe-l-icap,* durum dolayısıyle; • *hasbe-l-iktiza* gerektiğinden ötürü; • *hasbe-l imkân,* mümkün olduğu kadar; *hasbe-l-kader,* kaderden; • *hasbe-l-lüzum,* gerektiği için, gerektiğinden ötürü; • *hasbe-l-memuriye,* memuriyet dolayısıyle. (*bi* edatı katıldığı zaman • *bihasebi* okunur; • *bihaseb--il-istitaa,* kudret dolayısıyle, kudreti yüzünden gibi).•‹Nizam-i devlete sarf-i makdur dâvasiyle hasbelimkân, kavanin riayetine ne, aziş etti. — Naima›. • ‹Hasbelkader siyasetin bu şubesine düşüren. — Cenap›. • ‹Ol gece subaşı hasbelemr alıp zindana götürüp. — Naima› • ‹Hasbezzahir, ne cemiyete, ne de failin şahsına muzir görülmez. — Cenap›.

hasbe, hisbe, *A. i.* Ecir, sevap. Dince mükâfat. Karşılık beklemeyerek davranış. • ‹Hususa bu gibi daavi-i hasbede şevaib-i şüphe ve garazdan salim olup olmadığı. — Raşit›.

hasbe, *A. i. (Ha* ve *sat* ile) Kızamık.

hasbelâde, *A. zf.* [Hasbe-l-ade] Gelenek olduğundan. • ‹Bahs-i carisini hasbelâde — Gûş edip coştu Suyolcuzade.— Vehbi›.

hasbeten lillâh, *A. cüm.* ‹Tanrı için, Tanrı rızası için› anlamında cümle. • ‹Hasbetenlillâh tımarcılık ediyorum diyen sözler. — Cenap›

hasbî, *A. s.* Karşılıksız. Tanrı için. • ‹Ol mahpereyi severiz aşk-i pâkle — Hasbicedir muhabbetimiz hep Huda bilir. — Ruhi›.

hasbihal, Derdini yanma, içindekileri söyleme. • ‹Gazelde söyleyelim bari hasbihalimizi. — Vehbi›.

haseb, hasb, *A. i.* Miktar. Arapça tamlama halinde • *hasbe-* (Bak.) şeklinde kullanılır. • ‹Vey ahat meratib ile cehlinin kuvveti veya zaafı hasebince. — Taş.›.

haseb, *A. i. (Ha* ve *sin* ile) Soyluluk. Asillik.

hasebiyet, *A. i.* [Haseb'den] 1. Hısım akrabalık. 2. Hısım akraba gayreti. •

«Hâlâ tarafiyyet, hasebiyet, nesebiyet. — Fikret».

hased, A. s. Başkasının iyi hallerini kıskanma. • «Havass-i mukarribîn ile vükelâ-yi devlet arasında her zaman cari olan hased ve münafesat kapıları açılıp. —Naima».

hasede, A. s. [Hâsid ç.] Hasetçiler.

hasef, A. i. (Hı ve sin ile) Toprağa batma, yere geçme. • «Zemin-i kale hasef tarikiyle gaytahor-i derun-i âb oldu. — Raşit».

hasel, A. i. (Ha ve sin ile) Rezil eylemek.

hasele, A. i. Karnın göbek ile kasık arası bölgesi.

hasen, hasene, A. s. Güzel. İyi. Hoş. • Âmal-i hasene, güzel işler; vech-i hasen, güzel yüz. • «Mütekabilen biri diğerinde niyat-i haseneden bir zerre bulunmadığına iman edecektir. — Cenap».

hasenat, A. s. [Hasene ç.] İyiler, güzeller, hoşlar. • Sahib-ül-hasenat, güzel şeyler kurumuş olan. • «O mecari-i hasanata avuç avuç dolar saçıyor. — Cenap».

hasene, A. s. Bak. • Hasen.

haseneyn, A. i. İki Hasan (Hasan ile Hüseyin).

hasıb, A. i. (Ha ve sat ile) Şiddetli rüzgâr.

hâsıd, A. s. (Ha ve sat ile) [Hasad'dan] Orakçı.

hâsıl, A. i. s. (Ha ve sat ile) [Husul'den] 1. Meydana gelen. 2. Elde edilenlerin hepsi. • Hasılât-i gayr-i sâfiye, gelirin hepsi; • hasılât-i sâfiye, harcamalar çıkartıldıktan sonra kalan kazanç.

hâsım, A. s. Düşmanlık gösteren. • «Mahfi olan gaddareyi hasım-i hayat bahşasına havale ettiyse de. — Y. Kâmil Pş.».

hasına, A. s. (Ha ve sat ile) Temiz, iffetli (kadın). (ç. Hasınat).

hâsır, A. s. [Hasr'dan] Etrafı kuşatan, muhasara eden.

hasi, A. s. (Hı ile) Herkesin yanından sürülüp kovulan.

hasib, A. s. (Ha ve sin ile) Hesap edici.

hâsîb, A. s. Kendisinde değer olan. • «Ve şekl ü şemail ve lehçe-i güftarından hasîb ve nesîb olmanı teferrüs eylemiştim. — Silvan».

hâsid, A. s. (Ha ve sin ile) [Hased'den] Kıskanan, kıskanıcı. Göz koyan. (ç. Hasede, husad). • «Az belâ sanma

efendi hasedi. — Mahveder hâsidi kendi hasedi. — Naci».

hasif, A. i. (Ha ve sin ile) Hoşlanmama.

hâsif, A. s. [Husuf'tan] Batan, gölgelenen.

hâsim, A. s. (Ha ve sin ile) İşi bitiren, meseleyi kesip atan.

hasîm, A. s. (Hı ve sad ile) Düşman, husumet eden.

hasîn, A. s. [Hısn'dan] Sağlam. İyi korunan. • «Sepet ve heybeleri kemal-i mertebe metîn ve hasîn düzdüler. — Naima».

hâsir, A. s. (Ha ve sin ile) [Hasret'ten] İstediğine kavuşamayan. Hasret çeken. (ç. Hasirîn). • «Melâin-i hâsirîn fırsat ganimettir deyu. — Raşit».

hâsir, A. s. (Hı ve sin ile) [Hasar'dan] Zarara uğrayan. (ç. Hasiran, hasirun).

hasîr, A. s. (Ha ve sat ile) Hasır. • «Olduksa bineva hele me'mun-i âfetiz — Yoktur yanarsa âlem içinde hasırımız. — Ragıp Pş.».

hasis, hasise, A. s. [Hisset'ten] 1. Cimri, pinti. 2. Ufak, değersiz, âdi. • «Hasis ve deni-üt-tabı' olup. — Naima». • «Bize kalırsa bu etvar-i hasideden (...) hâsıl olacak nefret-i ammeye misal... — Kemal». • «Devr-i istibdatta gazetecilik kadar tehlikeli, o kadar müstakkar ve hasis bir meslek olmadığı halde. — Cenap».

hasisa, A. i. (Hı ve sat ile) Bir şeye mahsus hal. (XX. yy.) Seciye ile birlikte caractère karşılığı olarak kullanılmıştır.

hasîse, A. i. (Hı ve sin ile) 1. Kötü huy. 2. Alçak tabiat. (ç. Hasais).

hasiy, A. s. 1. Erkekliği giderilmiş (adam). Hadım edilmiş. 2. İğdiş, burulmuş (hayvan.)

hask, hasket, A. s. (Ha, sin ve kef ile) Yürekte gizli düşmanlık, hınç.

haşlet, A. i. (Hı, sat ve te ile) Tabiat, huy.

hasm, A. i. (Ha ve sin ile) 1. Kesme. 2. Sona erdirme.

hasm, A. i. (Hı ve sat ile) 1. Düşman. 2. Karşı taraf. • «Her hasmı ki tigim etti berbad — Ben mersiyesini ettim inşad. — G. Galip».

hasmane, F. zf. Düşmanca. • «Kemal-i ısrar ve inat ile devam eden tecavüzat-i hasmanesine. — Uşaklıgil».

hasnâ, A. s. (Ha ve sin ile) Güzel kadın.

haspus, F. s. [Has-puş] Toz toprakla kaplı. • «Haspuş kalıp çeşme-i hayvan unutulmuş. — Nabi».

hasr, A. i. Sıkıştırma, bir çember içine alma. 2. Yalnız bir şeye kullanma. 3. Belli etme .

hasren, A. zf. 1. Çemberleyerek, etrafını çevirerek, kuşatarak. 2. Yalnızca sade onun için. • «Fuat Paşa vefat eyledikten sonra zimam-i idare hasren Âli Paşa yed-i istibdadına geçip. — Kemal».

hasret, A. i. 1. Ele geçmeyen veya kaçırılan bir şey için yazıklanma. 2. Göreceği gelme. • «Hasretle eylerim seher-i mevte intizar. — Fikret».

hasretgüdaz, F. s. Hasretle yanan. • «Gibi zevat hep gazeteciliğin hasretgüdazı idiler. — Cenap».

hasretkeş, F. s. (Ha ve sin ile) [Hasretkeş] Hasret çeken, özlemiş. • «Bunda hasretkeş olur zevk-i cünuna kuşlar. — Naci».

hasretzede, F. i. [Hasret-zede] Hasrete uğramış. Yokluk ve istek düşkünü.

hass, A. i. (Ha ve se ile) Teşvik, kışkırtma. Dürtmek, yüreklendirmek. • «Na-razen-i hass ü tahrız oldu. — Nergisi».

hass, A. i. s. 1. Seçkin ve ileri kimselerin meydana getirdiği topluluk. 2. Özel, hususî. 3. Katıksız, halis. • Hass ü âm, herkes; • hass-iil-hass, en has, özel; • isim-i hass, özel isim, (ç. Havas). • «Cinci lâkabıyle meşhur-i enam ve asitane-i devleti merci-i hass ü amm oldu. — Naima» • «Çün Züleyha Yusuf aleyhisselâm ile teferrüc-i ziynet-sera-yi hass-ül hass eyledi. — Veysi».

hass, hasse, (Ha ve sin ile) [Hiss'ten] Hisseden. Duyan.

hassa, A. i. (Ha ve sat ile) Bir kimse veya şeye mahsus olan hal. (ç. Havas).

hassab, A. i. Hesapçı, hesap eden. • «Nukud ve esbab-i bihisab kalem-i tünd rakam-i hassab-i hendese intisab ile. — Sadettin».

hassad, A. s. (Ha ve sat ile) Ekin biçici. orakçı.

Hassan, A. i. Muhammed Peygamberi öven şairlerden bazılarının lâkabı. • Hassan-ül-Acem Fars şairi Hakanî. • «Eşiğin Kâbe-i hacât-i âlem — Hayali Kâbe'de Hassan'a benzer. — Hayalî».

hassan, A. s. (Ha ve sin ile) Pek güzel olan. • «Anı gılman-i hassan ve civanan-i hubrûyana veyahut. — Taş.».

hassas, A. s. [Hiss'ten] Duygulu. Hisli.

hassasiyet, A. i. Hislilik. Duyarlık. • «Asıl nokta-i marizayı bütün hassasiyet-i malikesiyle meydana çıkarmış idim. — Uşaklıgil».

hassaten, A. zf. Bilhassa. Hele, yalnız. • «Ve yine dördüncü günü zümre-i ulemaya hassaten ziyafet. — Naima».

hasse, A. i. [Hiss'den] Canlılardaki duygu hassası. Duyu. • Hasse-i selime, (XX. yy.) Fransızcadan bon sens karşılığı, sağduyu; • Kuva-yi hasse, kuvve-i hasse, duyu kuvvetleri.

hassiyet, A. i. (Hı, sat ve te ile(Bir şeye mahsus olan kuvvet. • «Zamirinde kemin olan hassiyet-i gejdümî zuhura gelip. — Naima». • «Şu kadar var ki âdem başka sıfatta, başka hassiyette yaratılmış. — Kemal».

hassiyyet, A. i. (Ha, sin ve te ile) Duygululuk..

hâste, F. i. (Hı, sin ve te ile) İstenilmiş. İstenilen.

hâste, F. s. 1. Kalkmış. 2. Uzanmış. • Berhaste, ayaklanmış. • nevhaste, yeni yetme.

haste, F. s. (Hı, sin ve te ile) Sağlığı yerinde olmayan. Hasta. • «O kalb i haste, o bir billûrparedir ki. — Uşaklıgil».

hastegân, F. i. [Haste ç.] Hastalar. • «Hastegân-i la'line mey şerbet canbahş ise — Taab'ı bımaran-i hâhe hab-i afyondur duşen. — Nabi».

hastegi, F. i. Hastalık.

Hastehane, F. i. [Haste-hane] Hastane.

hâstkâr, F. s. İsteyen, isteyici. (ç. Hastkâran). • «Eylerse hastkâr-i lebin secde-i niyaz — Etmek gerek çekide-i yakuttan vuzu. — Nabi».

hasud, A. s. [Hased'den] Çok haset eden, kıskanan. • «Bigünları remy etmek hasud ve fettanların de'b-i dirînesidir — Naima».

hasudane, F. zf. Kıskanarak, haset ederek. • «Bu yolda avaze-i hasudaneye tesadüf ediyor. — Uşaklıgil».

hasve, A. i. Azar azar, yudum yudum içme. • «Eline kahve fincanı verdiklerinde iki hasve kahve çekip. — Naima».

hâşâ, A. ü. «Tanrı korusun, olmaya ki» anlamlarında berileme sözü. • «Yoluma can terkin etmezsin dedi hâşâ dedim. — Hayalî» • «Hâşa ki bu endişede Nef'i zarar eyler. — Nef'i».

haşahiş, *A. i.* [Haşhaş ç.] Haşhaşlar.

haşaiş, *A. i.* [Haşiş ç.] Hint kenevirleri.

haşaiş, haşayiş, *A. i. ç. (Ha* ile) [Haşiş ç.] 1. Taze ve kuru ot. 2. Saman. Çayır bitkisi. • «Haşayişi tasvir-i rumi-i bedi ile tasvir eylemiştir. — Taş.».

haşâk, *F. i.* Çerçöp. Yonga. • «Hemişe saha-i hayatları alâyiş-i haşâk-i gumumdan pâk. — Kânî».

haşaşe, *A. i.* 1. Parça, kalıntı. 2. Büyük bir kimsenin hayatının son demi. «Başın muzayaka ve imtina suretinde yemin ve şimale zaaf-i tamam ile tahrik edip hemen haşaşe kalmıştı. — Naima».

hâşcu, *F. s.* [âş-cû] Kavgacı, kavga arayan.

haşeb, *A. i.* 1. Ağacın odun kısmı. 2. Kereste.

haşebe, *A. i.* Kalın, kuru ağaç. • «Kenduye yedi sekiz kimesne güçle bir azîm haşebe getirdiler ki. — Naima».

haşebî, haşebiye, *A. s.* Odun yapısında, odun gibi, odun cinsinden. (Coğ.) Ağaçsıl.

haşebiyyet, *A. i.* Odun niteliği, odunluk.

haşebpare, *F. i.* [Haşeb-pâre] Ağaç, tahta parçası.

haşefe, *A. i. (Ha* ile) 1. Erkeklik organının tepesi. 2. (Bot.) Başçık.

haşel, *A. i.* Âdilik, bayağılık.

haşelillâh, *A. i. cüm.* «Tanrı korusun» ve «hâşâ» anlamlarında cümle. • «Haşe lillâh nedir ol kavl-i sahif — Diyeler sakıt olurmuş telif. — Sümbülzade».

haşem, *A. ç. i.* Bir kimsenin adamları. • *Hadem ü haşem*, hizmetkârlar ve maiyet halkı. (ç. Ahşam). • «Ahmal ü eşkalin ekserisin anda koyup hadem ü haşemden kenduye mahrem olan. — Hümayunname».

haşerat, *A. i.* [Haşere ç.] Böcek ve yılan gibi küçük hayvanlar. • «Şimdi kumlarda bir yığın haşerat — Nice bin engerek, çıyan, akrep. — Fikret».

haşere, *A. i.* (Örümcek, karınca gibi) Küçük böcek.

haşeyan, *F. i.* Korkma. Korku.

haşhaş, *A. i.* Afyon çıkarılan bitki. • «Sipihr-i pür-kevakipten değil derde deva mümkün — Hayal etme vere tiryak-i zehr-i gam haşhaşı — Fuzulî».

haşhaşiyye, *A. s.* Haşhaş ile ilgili, haşhaş cinsinden. • *Fasile-i haşhaşiye*, gelincikgiller.

hâşi', *A. s. (Hı* ve *ayın* ile) [Huşu'dan] Alçak gönüllü.

haşi, *A. s. (Hı* ile) Korkudan savaşan.

haşiane, *F. zf.* Alçak gönüllüye yakışır şekilde.

haşiîn, *A. i.* [Hâşi' ç.] Alçak gönüllüler.

haşin, *A. s.* [Huşunet'ten] Sert, katı. Kaba. • «Gittikçe mâna-yi haşîni teeyyüt eden lerzişlerle. — Uşaklıgil.»

haşin, haşine, *A. s. (Hı* ile) Kaba, sert. • «Ol haşin abaları göricek eyitti. — Sadettin». • «Siyab-i aşhine giyip elbise-i haşineden içtinap eyler idi. — Sadettin».

hâşir, *A. s.* [Haşr'den] Toplayan, toplayıcı.

haşis, *A. i.* 1. Kuru ot. • «Ve her haşiş-i hasisten cûya-yi medet ve ümidvar-i derman olurlar. — Nergisi». 2. Hint keneviri. (Esrar çıkarılır).

haşise, *A. i.* Kuru ot.

haşişi, haşişiye, *A. s.* Kuru otla ilgili.

haşiye, *A. i.* 1. Kumaş kenarı, pervaz. 2. Kenar, sahife kenarındaki boşluk. 3. Bir kâğıt veya kitap kenarına yazılan ve içerdeki bir şeyi açıklayan not. 4. Bir metin veya şerhin karışık yerlerini açıklayan kitap. 5. Aşağı tabaka insanı. (ç. Havaşi).

haşmet, *A. i.* (Adamlarının çokluğundan ileri gelme) Ulukul, büyüklük gösterisi. • *Haşmetmeab*, Osmanlı İmparatorluğunun yabancı ülkeler hükümdarlarına olan yazılarındaki hitap (XIX. yy.). • «En gırra tac-i haşmeti sarsar takarrubun. — Fikret».

haşr, *A. i.* 1. Toplanma. Bir yere biriktirme. 2. Kıyamet gününde ölülerin dirilip yaptıklarının hesabı görülmek için bir yere toplanmaları. • *Haşr ender haşr*, kıyamet günü toplanıp dağılma, • *sure-i haşr*, Kur'anın 59. suresi; • *yevm-ül-haşr*, mahşerde dirilme günü. • «Pürzemzeme bir bahar-ı vuslât — Eylerdi önümde haşr-i ezhar. — Fikret». • «Geceler — Tulû-i haşre kadar sürmez. — Fikret».

haşşaş, *A. s.* 1. Esrarkeş. 2. Uyuşturucu şeyler kullanan.

haşv, *A. i.* 1. Fazla, gereksiz söz. 2. (Ed.) Dolma, doldurmaca söz. Eskiden *haşv-i melih*, *haşv-i müfsit* diye birincisi pek o kadar kötü olmayan iki çeşit haşiv sayılırdı.

haşviyyat, *A. i.* [Haşv ç.] Haşivler, doldurmalar. • Bunların münderecatı 'Tarih' ten ziyade züyuf ve haşviyattır. — Cenap».

haşyan, A. i. Korku. Korkma.

haşye, haşyet, Korku. • Haşyet-ul-lah. Tanrı korkusu. • «Küçük bir eser-i telâş, ufak bir sayha-i haşyet uyandırmayarak. — Uşaklıgil».

hat, F. i. (Hı ve tı ile) Genç kimsede görünen ilk ince tüy. • «Ey hatın Hızr, âb-i hayvandır sözün — Söyle ey can söyle kim candır sözün. — Nesimi».

hat, hatt, Bk. • Hatt.

Hata, hıta. A. i. Çin'in kuzeyine rastlayan ve Ortaasya'da bulunan mis keçileri dolayısıyle eski edebiyatımızda adı çok geçen ülke. • «Saye-i zülfü düştüğü yerleri Nailî gören — Fark edemez diyar-i Çin memleket-i Hıta mıdır. — Nailî».

hata, A. i. 1. Yanlış. Yanlışlık. Yanılma. 2. Suç, günah. • «Pek hatadır ana avrat sövme — Darılırsan kapıdan sür dövme. — Sümbülzade».

hatab, A. i. Odun. (ç. Ahtab). • «Ol duzahileri keştileri ile hatab-i cehennem eyledi. — Sadettin».

hatabahş, F. s. [Hata-bahş] Yanlışı bağışlayan, hoş gören.

hataen, A. zf. Yanlışlıkla, yanlış olarak. • «Çatalların tabaklara hataen dokunmasından hâsıl olan — Recaizade».

hatair, A. i. [Hatire ç.] Bahçeler. • «Bu esnada padişah İstanbul'da olan saray-i ziba ve hatair-i rânalarda meşgul-i seyr ü temaşa oldular. — Naima».

hataiyat, A. i. [Hata ç.] Yanlışlar, yanlışlıklar.

hatakâr, F. s. [Hata-kâr] Kabahatli, suç işlemiş.

hatal, A. i. (Hı ve tı ile) Hafif düşünce. • «Akide ve kavl-i amedle afât-i kadihadan necat ve hata vü hataldan tecavüz ile. — Taş.».

hatapuş, F. s. [Hata-puş] Olan kusurları örten, görmezlikten gelen. • «Ağla Muhibbi ağla andıkça her günahın. — Ola ki ol hatapuş ede sana inayet. — Kanuni».

hatar, A. i. (Ha ve tı ile) Tehlike, emniyetsizlik. • «Yoktur anda hatar-i mahv ü telef. — Sümbülzade».

hatarat, A. i. [Hatar ç.] Tehlikeler.

hatare, A. i. Akla, fikre gelen suret, hayal.

hatargâh, A. i. [Hatar-gâh] Tehlike yeri. Tehlikeli yer. • «Mülkün içinde dev-

leti hatargâh-i inkıraza düşürecek bir ateş-i fesat iştiale başlamıştı. — Kemal».

hatarnâk, F. s. [Hatar-nâk] Korkulu, korkunç. Emin değil. • «Ol câ-yi hatarnâkte şehzadenin ahzine. — Sadettin».

hatatif, A. i. [Huttaf ç.] Kırlangıçlar.

hatavat, A. i. [Hatve ç.] Adımlar. • «Bunlar hep düşündürecek ve bahusus ağlatacak hatavat-i terakkidendirler. — Cenap».

hataver, F. i. [Hat-âver] Yanakları tüylenmeye başlamış gen;. • «Siyeh kalem yaraşır şahname-i hüsne — Hataver olmasa mecliste taze bakmazlar. — Nailî» • «O bıyıklansa hataver derler — Ne hata müşke de benzer derler. — Vehbi».

hataya, A. i. [Hatia ç.] Yanlışlar. Yanlışlıklar. • «Harpten sonra bütün hataya-yi sabıkamızı tamir. — Cenap».

hatb, A. i. (Hı ile) İş. (ç. Hutûb).

Hatem, A. i. Arapların Tayy kabilesinden cömertliğiyle dillere destan bir emir. Hatem Tay. • «Bermeki mevhibe düstur-i mükerrem ki durur — Rehgüzarında niyaz ile nice Hatem'ler. — Nabi».

hatem, A. i. 1. Mühür. Üstünde yazı olan ve mühür gibi kullanılan yüzük. 2. Son. En son. • Hatem-ül-enbiya. Peygamberlerin en sonu (Muhammet Peygamber). • «Siyavüş Paşa dahi vezir-i âzam ve sahib-i hâtem olmak hasebiyle. — Naima». • «Namus-i hâtem-i vekâletinizi muhafaza için gerektir ki. — Naima». • «O tebessüm-i istihfaf donmuş, orada yapışmış bir hatem-i mağlûbiyet şeklinde. — Uşaklıgil».

hatemane, F. zf. [Hatem-ane] Hatem'e yakışır yolda. Çok cömertlikle. • «Ve badehu merdane ve hatemane hareket ile on iki bin kadar sipahi anı kendulere serçeşme bilip. — Naima».

hatemat, A. i. [Hatm ç.] Hatim indirenler. Kur'an'ın baştan aşağı okumalar. • «Âsar-i sadakat ve envar-i hatemat ile. — Sadettin».

hateme, A. ün. Tanrı sona erdirsin.

hatemat, A. i. Kitabın sonu olan kelâm.

hatemî, A. s. 1. Mühürle ilgili. 2. Mühür yapan.

Hatemi, A. s. 1. Hatem'le ilgili. 2. Cömertlik.

hatene, *A. i.* (*Hı* ve *te* ile) Kaynana.

hatf, *A. i.* Ölüm. • *Hatf-i enfihi*, (rahat döşeğinde) tabiî ölüm. • ‹Hattâ bundan akdem hatf-i enfihi vefat eden baş ağası. —Naima›.

hatf, *A. i.* Kapma. 2. Şimşek gibi göz kamaştırma. • ‹Hatf ediyor enzar-i hevesdar-i garamı. — Fikret›.

hâtıb, *A. s.* (*Hı* ve *tı* ile) [Hitab'dan] Lakırdı edici, söz söyleyen.

hâtıb, *A. s.* (*Ha* ve *tı* ile) [Hatab'den] Odun toplayan, odun devşiren.

hâtıf, *A. s.* 1. Kapıp götürücü. 2. Kamaştıran, kamaştırıcı. • *Berk-i hâtıf.* • ‹Berk-i hâtıf sanma olmuştur Selim-i evvelin — Dest-i pür zorunda şemşir-i celâdet münceli. — Naci›.

hâtıl, *A. s.* 1. Durmadan akan (yağmur). 2. Yorgun. Dingin. • ‹Nakib efendi hod cism-i nâhil ve def-i hâtıl sahibi. — Naima›.

hatım, *A. s.* (*Ha* ile) Ufalayan, kıran.

hâtır, *A. i.* [Hutur'dan] 1. İnsanın düşünme ve akılda tutma gücü. 2. Zihin. 3. Gönül. 4. Saygı. 5. Keyif. • *Cebr-i hatır.* kalbi kırılmış birinin hatırını, gönlünü alma, • *kesr-i hatır*, birinin hatırını kırma; • *mecbur-ül-hatır*, gönlünü alma; • *mutayyebülhatır* gönlünü etme, memnun bırakma. • ‹İltifat ile mecburülhatır etmektir. — Naima›. • ‹Liyakat dedikleri padişahların ve vüzeranın nazar-i himmetleridir. Kesr-i hâtır makul değildir — Naima›.

hâtıra, *A. i.* [Hutur'dan] Zihinde kalan şey.

hâtıraşüfte, *F. s.* Gönlü perişan olan.

hâtırat, *A. i.* [Hâtıra ç.] Hatırlanan şeyler. (Ed. Ced.)

Hâtırât-i âşikâne,   *girdab-i hâtırat,*
-aşk,   *mahfaza-i hâtırat,*
-cidal,   *mezhere-i hâtırat,*
-hikâyât,   *nigâh-i hâtırat,*
âfâk-i hâtırat,   *silsile-i hâtırat.*
ezhar-i hâtırat,

hâtırâzâr, *F. s.* [Hatır-azar] Gönül kırıcı.

hâtırazari, *F. i.* [Hâtır-azarî] Gönül kırıcılık.

hâtırcû, *F. s.* Gönül alıcı. • ‹Vezir dahi iç halkının hatırculuğuna binaen. — Naima›.

hâtırdaşt, *F. i.* [Hâtır-daşt] Akılda bulunma. • ‹Ceraim-i sabıkası hatırdaşt-i padişahi olmağın. — Naima›.

hâtırhâh, *F. s.* Gönül isteği.

hâtırküsar, *F. s.* Gönle ferah verici.

hâtırküşa, *F. s.* [Hâtır-küşa] Gönül açıcı. Ferahlatıcı. • ‹Bu kelimat-i pür sürur ve hâtırküşa ile dahi — Raşit›.

hâtırmande, *F. s.* [Hâtır-mande] Hatırı kalmış, gücenmiş. • ‹Metalib-i gayr-i münasiplerine müsaade olunmamakla hâtırmandeliklerine binaen bu makule isnatlara cüret edip. — Naima›.

hâtırmandegî, *F. i.* Hatırı kalmış olma.

hâtırnevaz, *F. s.* [Hatır-nevaz] Gönül okşayıcı, okşayan. • ‹İhda etmek suretiyle ibraz buyurduğunuz hatırnevazlığın hakikaten. — Cenap›.

hâtırnevazi, *F. i.* Hatırnevazlık, hatır sorma, gönül alma. • ‹Biz hod kel-evvel duada ve kerem-i hatırnevazilerini ricadayız. — Veysi›.

hâtırnişan, *F. s.* [Hâtır-nişan] Hatırda kalan, hatırlanan. Unutulmayan.

hâtırnişin, *F. s.* Hatırda, gönülde kalmış olan.

hâtırsaz, *F. s.* [Hâtır-saz] Gönül yapıcı, hoşnut edici olan.

hâtırşiken, *F. s.* [Hâtır-şiken] Gönül kırıcı. (ç. Hâtırşikenan). • ‹Mail değiliz kimsenin âzarına amma — Hâtırşiken-i zahid-i peymane şikestiz. — Ruhi›.

hâtırşinas, *F. s.* [Hâtır-şinas] Hatıra saygı gösteren. Hatır kırmayan.

hâtırzad, *F. s.* [Hatır-zad] Akla gelen. Hatıra doğan. • ‹Ve asâr-i bi-manendi hâtırzad-i fakirane. — Nergisi›.

hati, *A. s.* (*Hı* ve *tı* ile) [Hata'dan] 1. Hata eden. 2. Yanlış iş işleyen.

hatia, *A. i.* 1. Yanlış. 2. Suç. (ç. Hataya, hataiyat).

hatib, *A. i.* 1. Camide hutbe okuyan kimse. 2. Bir topluluğa karşı güzel olarak söz söyleyen kimse. (ç. Hutbede). • ‹Feth-i dehan eden bir hatibi hürmetle dinlerim. — Cenap›.

hatibane, *F. zf.* Hatiplere, güzel söz söyleyenlere yakışır surette. Nutuk söylercesine.

hâtif, *A. s.* Görünmeden seslenen melek. Avaz edici, seslenici. • *Hâtif-i gayb*, görünmez öğütçü, yahut vicdan. • ‹Hatif-i gayb dedi sem'ime can gözün uyar. — Hayalî› ‹Hâtif inerek seherde meyhanemize. — Seslendi harabati-i divanemize. — Beyatlı›.

hâtifane, *F. zf.* Hatife yakışır surette.

hatifî, *A. s.* Hatifle ilgili.

hâtim, *A. s.* [Hatm'den] 1. Mühür basan, mühürleyen. 2. Bitiren, sona erdiren.

hatime, A. i. 1. Son. 2. Sonsöz. • *Hüsn-i hatime,* iyi olarak sona erme (en çok ölüler için kullanılırdı). • «Ruzname-i hayatı temgapezir-i hüsn-i hatime olmuş bir adam. — Nergisî» • «Bu muhavere artık karîn-i hatime olmuş idi. — Uşaklıgil».

hatimekeş, F. s. [Hatime-keş] Sonu çekici. Bitiren.

hatîr, A. s. 1. Ünlü. 2. Yüce. Ulu. 3. Korkulu. • «Şah-i âlicahın hâtır-i hatîrini müsalâha canibine imale edicek — Sadettin».

hatire, A. i. Etrafı parmaklık veya duvarla çevirli mezar anlamına olan • *hazîre* kelimesi yerine kullanılmıştır.

hatire, A. i. Bahçe. • «Kâğıthane'de bina ettiği hatire-i dilâra ve kasr-ı zibasına padişah hazretleri rakam-i ihtisas çekti. — Naima».

hatl, A. i. (Hı ve te ile) Birini aldatma.

hatm, A. i. (Ha ve te ile) Buyurma, emretme.• «Bu bapta hatm edip kelâmı. — Fuzulî».

hatm, A. i. (Ha ve tı ile) Ufalama. Kırma.

hatl, A. i. (Hı ve te ile) Birini aldatma.

hatm, A. i. (Hı ve te ile) 1. Mühür. Mühürleme 2. Kur'an'ı baştan sona ezberden okuma. 3. Bitirme. • «Ve ihraz-i hatm ü imza teyessüründen kat-i nazar. — Nergisî».

hatme, A. i. (Bir kere) Hatim indirme. Kur'an'ı ezberden okuma. (ç. Hatemat).

hatşinas, F. i. [Hatt-şinas] Yazıdan anlar bilirkişi. Yazı uzmanı.

hatmi, A. i. Hatmi (çiçeği).

hatt, A. i. (Hı ve tı ile) 1. Çizgi. 2. Satır. 3. Yol. 4. Yazı. 5. Padişah yazısı. Padişah buyruğu. 6. Sıra, saf. 7. Gemiler için hareket yönü olarak belirtilen kıyılar. 8. (Geo.) Yalnız uzunluğu olan boyut. 9. Gençlerde yeni çıkmaya başlamış bıyık veya sakal. 10. Ölçülerden parmağın on ikide biri. • *Hatt-i balâ* (Coğ.) doruk çizgisi; • -*dest,* el yazısı, • -*hareket,* davranış, davranma yolu; • -*hümayun,* padişah yazısı, buyuruğu; • -*içtima-i miyah,* suları bir yöne akan tepelerin meydana getirdikleri çizgi; • -*imtiyaz* (XIX. yy.) Sırbistan, Romanya gibi beylik olan yerler sınırı; • -*istiva,* ekvator; • -*mîhî,* • -*mismari,* çivi yazısı; -*müdafaa,* (As.) savunma hattı; • -*muvazi,* (Geo.) Paralel çizgi; • -*münha-*

ni, (Geo.) kırık çizgi; • -*müstakim* (Geo.) doğru çizgi; • -*nev,* • -*nevhî* . • -*nevin,* yeni yeni çıkmaya başlamış sakal; • -*nısf-un-nahar,* meridyen; • -*sebz,* yeni çıkmaya başlamış yüz tüyleri; • -*taksim-i miyah* (Coğ.) su bölümü çizgisi, su çatı; • -*ufkî* (Geo.) yatay; • -*vâsıt,* Kenarortay, • -*zemin* (Geo.) yer ekseni. • «Davi-i ihya eder lâ'l-i lebin İsa ile — Cünd-i Firavn oldu hattın ceng eder Musa ile — Hayalî» — Cürümleri affolunup kethüdası hatt-i eman ile kenduye gönderilip. — Naima» • «Hatt-i sebz olduğuna hüsn feza-yi huban gösterir sahn-i çemende hatt-i sebz leb-i cu. — Nabi». • «Hatt-i ricatı muhataralı bir muhasara hücumu. — Cenap». • «Fırın gibi, bad-i semum gibi, hatt-i istiva gibi, cehennem gibi ateşîn. — Cenap».

hatt, A. i. (Ha ile) 1. Aşağı inme, indirme. 2. Oyunda taş çıkarma. • «Derun-i Saray-i Edirne'ye hatt-i mevkib-i iclâl buyuruldu. — Raşit».

hattâ, A. zf., bağ. Ve dahi, bile bir de. gibi. • «Varsa hattâ beşerde bir vicdan. — Ya gümüştendir o, ya altından! — Fikret».

hattab, A. i. (Ha ve tı ile) Oduncu.

hattaf, A. s. (Hı ve tı ile) 1. Kapıcı, kapıp zaptedici. 2. Şeytan.

hattan, A. i. (Hı ve te ile) Sünnetçi.

hattat, A. i. Güzel yazı yazan.

hattaver, F. s. [Hatt-âver] Sakalı yeni çıkmaya başlamış (genç). • «Emdir leb-i hatt-âverin ey sâki sun şarap — Ol lâ'lfâm zümürrud nigâh ile. — Nedim».

hattşinas, F. s. [Hatt-şinas] Yazıdan anlayan. Yazı bilirkişisi. • «Hattşinaslara gösterip mazmununa ıttıla' bulıcak. — Sadettin».

hatun, F. i. (Ha ve te ile) Kadın, bayan.

hatve, A. i. Adım. • «İnsaniyet her hatve-i terakkiyi bir kadın koluna dayanarak atmıştır.— Cenap».

hatveendaz. F. s. [Hatve-endaz] Adım atan. • «Lâkin esb-i merkumun hatve-endaz olması şöyle dursun. — Kâni».

hatvezen, F. s. [Hatve-zen] Adım basma. ayak basma. • «Düşman-i din her ne mahalle hatvezen-i hücum oldular ise. — Raşit».

havâfi, *A. i.* Gizli olan şeyler.

hava, heva, *A. i.* (He ile) 1. Hava. Dünyayı çeviren gaz tabakası. 2. İklim. 3. Rüzgâr. ● *Âb ü hava*, iklim; ● *küre-i hava*, atmosfer; ● *tebdil-i hava*, hava tebdili; yer değiştirme. (Ed. Ced.):

Hava-yi ârâmiş.	-müskîn,
-bahar,	-nefaset,
-hayat,	-raks,
-mazlumiyet.	-rakik,
-muattar,	-ratib,
-mugaşşi,	-rayihadar,
-muhabbet.	-sevda,

● «Âdemin canlar katar âb ü havası canına. — Nedim».

havacib, *A. i.* [Haçib ç.] Perdeler.

havadar, *F. s.* [Hava-dar] Havası bol. Hava alır.

havadis, *A. i.* [Hâdise ç.] 1. Olaylar, yeni olaylar. 2. Fenaca haberler. ● *Evrak-i havadis* gazeteler; ● *havadis-i yevmiye*, günlük haberler. (ç. Havadisat). ● «Ger kılsa telef anı havadis — Yok bir halefi ola vâris. — Fuzulî» ● «Zelzele ve kasırga gibi tabiatın havadis-i azimesi. — Cenap».

havafir, *A. i.* [Hafir ç.] (Atlarınki gibi) Tırnak kaplı ayaklar.

havaî, havaiye, *A. s.* Hava ile ilgili. havada: *ahval-i havaiye*, meteoroloji haberleri; *hatt-i havaî*. havadan çekilen tel.

havakin, *A. i.* (Ha ile) [Hakan ç.] Hakanlar. ● «Lâkin sultan-i havakîn âyin-i selâtin üzre. — Sadettin».

havalât, *A. i.* [Havale ç.] 1. Havaleler. 2. Siparişler. ● «Ol havalâttır biz ona nakit akçe nereden tedarik edelim. — Naima».

havale, *A. i.* 1. Birinin üstüne bırakma. 2. Saldırma. 3. Hâkim olma. 4. Tepeden bakma. 5. Bir işi başkasına yaptırma. 6. Bir parayı başkasına ödetme. ● «Kârasınalığından emin olmakla beraber müdür bu iddiasına havale-i emniyet edemedi. — Cenap».

havalename, *F. i.* [Havale-name] Posta ile gönderilen para kâğıdı.

havali, *A. i.* 1. Etraf, civar. 2. Dolay, yöre. 3. (jeo.) Bölge. ● «Eşkıya-yi Arabın ref'-i şerr ü şuru için — Olıcak hârgeh efraz-i havali-i Hama. — Nabi».

Havamız, *A. i.* [Hamız ç.] Hamızlar, asitler, ekşiler. (XIX. yy.).

havamil, *A. i.* [Hamile ç.] Gebe kadınlar. ● «Ve nice havamil havf-i tâzir ile iskat-i cenîn eylediği. — Raşit».

havamis, *A. i.* (He ile) [Hamiş ç.] Kitabın, mektubun kenarları. ● «Havamiş-i kütüpte tahrirat makulesi âsarı. — Taş.».

havan, *F. i.* Havan.

havânık, *A. i.* [Hankah ç.] Tekkeler. ● «Ve havernakları havânık-i ehl-i taât olup — Sadettin».

havanit, *A. i.* [Hanut ç.] 1. Dükkânlar. 2. Meyhaneler. ● «Ve etrafında olan havanit ve dekkân ve ebniye-i latife ve dilnişin. — Naima».

havarık, *A. s. i.* [Hârık, harika ç.] Harikalar. *Havarik-i âde*, olağanüstü olaylar.

havari, *A. i.* 1. Yardımcı. 2. Peygamberlerin fikirlerini yaymaya yardımları dokunan kimselerden her biri. İsa Peygamberin on iki yardımcısından beheri. (ç. Havariyyun).

havari, *A. i.* «Huri» çoğulu olarak kullanılmıştır. ● «Gılman ve cevari-i havari misal. — Sadettin».

havaric, *A. i. s.* [Hariç, harice ç.] Halife Ali'ye karşı gelen din fırkaları insanları. ● «Revafızla havaric mün'adim oldu zamanında. — Hayalî».

havariyyun, *A. i.* [Havari ç.] Havariler. İsa Peygamberin on iki kişi olan yardımcısı, İncil'in çeşitli nüshalarını yaymışlar ve propaganda yapmışlardır.

Havarnak, Havernak, *A. i.* Mimar Sinan tarafından Fırat'ın Hira yakınlarında yapılmış ünlü köşk.

havas, havass, *A. i.* (Ha ve sin ile) [Hasse ç.] Hasseler, duygular. ● *Havas-i hamse-i bâtına*, (içteki beş duygu). Hiss-i müşterek, hayal, vehm hâfıza, mutasarrıfa; ● *havas-i hamse-i zâhire*. (dıştaki beş duygu) görme, işitme, tatma, koklama, dokunma. ● «Ses, renk, rayıha, her şey havasım üzerinden zevk vererek. — Cenap».

havasıb, *A. i.* [Hâsıb ç.] Şiddetli rüzgârlar.

havasıl, *A. i.* [Havasala ç.] 1. Kursaklar. 2. Mideler. 3. (Bio.) Leğenler. ● «Cümlesi havasıl-i şereh-aludlerin nefais-i et'ımadan hisseder. — Nergisî».

havass, *A. i.* (Hı ve sat ile) [Has, hassa ç.] 1. Nitelikler, keyfiyetler. 2. İlerlemiş, ileri kimseler. 3. Okumuşlar, bilginler. 4. Padişaha ayrılmış gelir kaynakları. 5. Harflerden ve bazı başka şeylerden ahkâm çıkarma ustalığı, bu iş için okunan dualar. • *Havas ü avam*, ileri gelenler ve halk (herkes); • *ehl-i havass*, büyücüler. • ‹Bazı havass ü mahrem ve havaşi vü haşem ile rah-i Serendib'e teveccüh etti. — Hümayunname›.

havas, havasi, *A. i.* [Haşiye ç.] 1. Haşiyeler. 2. Kuyruklar. 3. Sonralar, maiyet adamları. • ‹Şüruh ve havaşi yazmışlardır. — Taş.› ‹Saraya vardıkça zorba başıların eşbehlerinden vâfir etba ve havaş ile gidermiş. — Naima› Dahi nice tevabi ve havaşi husuliyle istiklâl peyda etmişti. — Naima›.

havatır, *A. i.* [Hâtır, hâtıra ç.] Fikirler, düşünceler. • *Havatır-i nefsaniye*, nefis düşünceleri (tutkunun et düşkünlüğü); • *-rabbaniye*, Tanrısal ilhamlar, telkinleri. • ‹Zamir-i münirinize lâyık olan havatır cümle ilham-i rabbanidir. — Naima›. • ‹Zihinde bir sual bütün havatır-i puşideyi trımalaya tırmalaya. —Uşaklıgil›.

havatim, *A. i.* [Hatem ç.] 1. Mühürler. 2. Sonlar, âkıbetler. • ‹Mebadi-i ef'alden havatim-i ahvali bilip. — Naima›.

havatin, *A. i.* [Hatun ç.] Hatunlar, kadınlar.

havayic, havaic, *A. i.* [Hacet ç.] İhtiyaçlar, gerekli şeyler. • *Havayic-i zaruriye*, mutlaka giderilecek ihtiyaçlar. • ‹Nihayet müptelâya havayic-i asliyeden olur, zararına nazar eylemez. — Kâtip Çelebi›.

havelân, *A. i.* 1. Dönme, dolaşma. 2. Değişme. • ‹Ve nice havl bu ahval ile havelan eyler idi. — Sadettin›.

haven, *F. i.* Havan. • ‹Zer-i haven-i felekte Mesiha devamızı. — Nabi›.

havene, *A. i.* [Hain ç.] Hayınlar. • ‹Mal-i mîri mütegallibe ve hevene yağmasına gidip. — Naima›.

haver, *F. i.* Doğu yönü. Doğu. • ‹Var ümidim ta bu derya üzre kest-i hilâl — Gâh seyr-i haver eyler gâh geşt-i bahter. — Fuzulî›.

haveran, *F. i.* Doğu ile batı.

haverî *F. s.* Doğu ve batı ile ilgili.

Havernak, *A. F. i.* Sinnimar adında bir mimarın Irak'ta Kûfe (veya Hîra) dolaylarında yaptığı köşk. Bk. • *Havarnak.*

havf, *A. i.* Korku. (XIX. yy.) Hekimlik terimleri için *phobie* karşılığı olarak kullanılmıştır. • *havf-i füshat*, (XX. yy.) Fransızcadan *agoraphobie*, meydan korkusu; • *-mehat*, Fransızcadan *claustrophobie* karşılığı, kapalı yer korkusu. • *Havf-i müteaddi*, birinin haksız olarak kendi canına veya malına el uzatma duygusundan ileri gelen korku. (Zihni Ef.). • ‹Bin havf ile geçti Aşk o rahı — Çün yoktu elinde fig-i ahı. — Ş. Galip›.

havfen, *A. zf.* Korkudan, korkarak. • *Havfen min Allah*, Tanrıdan korkarak.

havfnâk, *F. s.* [Havf-nâk] Korkulu. Korkutan. • ‹Saraya vardığında tezkireci Ahmet Efendiyi içerden mer'ub ve havfnâk çıkar gördüm. — Naima›.

havi, *A. s.* (*Ha* ile) İçine alan. Kaplayan.

havi, *A. s.* (*Hı* ile) Issız, şenliksiz yer.

haviye, *A. s.* 1. Issız yer. 2. Boş çöl.

haviyan, *F. i.* [Havi ç.] Havi olanlar. • ‹Raviyan-i ahbar ve haviyan-i âsar olan ashab-i irfan. — Sadettin›.

Haviye, *A. i.* Cehennem tabakalarının yedincisi, en şiddetlisi. • ‹Nişane-i tob ve tarih-i Haviye-i hevan ü hub olup. — Sadettin›.

havkale, *A. i.* ‹Lâhavle› sözünü söyleme.

havl, *A. i.* 1. Yıl. 2. Çevre. 3. Güç, kuvvet. • ‹Havlinde gülümser bütün âmal-i şebabet. — Cenap›.

havlaka, *A. i.* ‹Havkale› gibi, lâhavle sözünü tekrarlama.

havme, *A. i.* (*Ha* ile) Bir nesnenin can alacak noktası. • ‹Havme-i hükümetinde olan memlekete dühul ettik. — Sadettin›.

havra', *A. i.* Gözü iri, karası pek kara, akı pek ak kız. • ‹Bunu tahkik bil o resk-i süruş — Oldu havara' gibi hem sündüspuş. — Hakani›.

havsala, *A. i.* 1. Kuş kursağı. 2. Mide. 3. (Mec.) Alış gücü. 4. (Bio) Leğen. • ‹Her ehad havsalası mikdarı. — Hümayunname›. • ‹Derdimiz havsala-i hameye sığmaz Nabi — Anı vabeste-i hengâm-i mülâkat edelim. — Nabi›. • ‹Lâkin havsalası gayet tenk idi. — Naima›.

havsalasız, *F. s.* [Havasala-suz] Sabrı, dayanıklığı darmadağın eden. • ‹Bu maide-i telh-i havsalasuzu hazm edip... — Naima›.

Havva, *A. i.* Âdem Peygamberin eşi. İnsan cinsinin anası. • ‹Benat-i Havva hakkında. — Cenap›.

havvan, *A. s.* Çok, aşırı hain olan.

havz, *A. i.* Özel olarak yapılmış su çukukuru, havuz (ç. Hıyaz). • «Seyr eyledim eşkâl-i hayatı — Ben havz-i hayalin sularında. — A. Haşim».

havz, *A. i.* (*Hı* ve *dat* ile) 1. Suya girme. 2. Sakınılacak bir işe girişme. 3. Girme, başlama. • «Bahse havz ü iştigal eyleseler. — Taş.».

havza, havze, *A. i.* 1. Bir şeyin çevresi içinde olan. 2. Sınır içi. • «Olsun tuyur-i ruhumuza havza-i turab — Bir lâne-i şagaf. — Cenap».

havze, *A. i.* Bir hükümdarın idaresi altındaki ülkelerin bütünü. • «Yirmi yükten ziyade meblâğa nail ve kesesi havzesine bu kadar akçe dahil olurken. — Naima».

hay, hayy, Bk. • *Hayy.*

hayâ, *A. i.* 1. Utanma. 2. Tanrı korkusu ile günahtan kaçınma. 3. Namus, edep. • «Birisi bahr-i atâdır birisi kulzüm-i sâd —Birisi kân-i hayâdır birisi genc-i seha. — Nazîm».

hayadid, (Türkçede yapılmıştır). [Haydut ç.] Haydutlar.

hayahay, hayahuy, *F. i.* Büyük ses ve hareket gürültüsü. • «Taraf-i müşrikinde feryad-i hayahuy ü vaveylâ... — Nergisi» • «Etrafında kopan heyahay-i tehekkümü dinleyiniz. — Cenap».

hayal, *A. i.* 1. Bir şeyin zihinde cisimlenen sureti 2.. Aslı esası olmadan zihinde kurulan şey. 3. Gölgeli görünen şey. 4. Sanı. 5. Karagöz oyunu. • *Hayal-i hâb*, rüya; • *-zıl*, gölge, [Karagöz] oyunu. (Ed. ce.) :

Hayal-i bedbaht,	*ihtizaz-i hayal,*
-dilber,	*inkıraz-i hayal,*
-hodgâm,	*inkisar-i hayal,*
-hâb-alûd,	*nümude-i hayal,*
-perran,	*per-i hayal,*
-ruyet,	*peri-i hayal,*
-saadet,	*refref-i hayal,*
-sevda,	*rikkat-i hayal,*
-şefkat,	*sem-i hayal,*
-âlem-i hayal,	*serab-i hayal,*
atf-i hayal,	*sirace-i hayal,*
bazice-i hayal,	*şehd-i hayal,*
feza-yi hayal,	*tantana-i hayal,*
gark-i hayal,	*ufk-i hayal,*
gaye-i hayal,	*ulüvv-i hayal,*
hâdise-i hayal,	*zirve-i hayal.*
ihtişam-i hayal,	

hayalât, *A. i.* [Hayal ç.] Hayaller.

Hayalen, *A. zf.* Hayal cihetiyle. Hayalde olarak. • «Ve gûya hayalen onlara karşı irtikâp olunmuş bir kabahati. — Uşaklıgil».

hayalet, *A. i.* 1. Aslı olmadığı halde gözünde cisimlendiği sanılan suret. 2. Karaltı. • «Geçer boş sokaktan hayalet gibi. — Şitaben ü puşide-ser bir sabi. — Fikret».

hayalhane, *F. i.* [Hayal-hane] Vehim. kuruntu yetisi. • «Hayalhanesinde o kadar büyüyen kılıç. — Uşaklıgil».

hayalhıraş, *F. s.* [Hayal-hıraş] Hayali parçalayan. • «Galiba hayalhıraş mevizalarımla. — Cenap».

hayalî, *A. s.* 1. Hayal ile ilgili. 2. Karagöz oynatan. (XIX. yy. sonlarında Fransızcadan *romantique* sözü bununla karşılanmıştır). • «Bir ömr-i hayalî... hani gülbünler içinde — Bir kuşcağızın ömr-i baharîsi kadar hoş. — Fikret» • «O muğlâkat-i hayaliyeden ne anlaşılır. — Fikret».

hayaliyyun, *A. i.* [Hayalî ç.] XIX. yy. sonlarında *les romantiques* (romantik şairler, yazarlar) sözü karşılığı olarak kullanılmıştır.

hayalperest, *F. s.* [Hayal-perest] Hayalci, hayal kuran, dalgın.

hayalperver, *F. s.* [Hayal-perver] Hayale düşkün.

hayat, *A. i.* 1. Dirilik, canlılık. 2. Sağlık. 3. Yaşayış, *Hayat-î baki, -canid,* (ölmez, sürekli hayat) ahretteki hayat: *-müstear,* (ödünç hayat) bu dünya hayatı. (Ed. Ce.):

Hayat-i aile,	*-matbuat,*
-âşıkane,	*-maziye,*
-aşk,	*-mel'une,*
-beşer,	*-memleket,*
-beynelmilel,	*-mesuliyet,*
-câriye,	*-muhayyel,*
-gaflet,	*-murane,*
-garam,	*-mürde,*
-gayz,	*-müstakbele,*
-güzeşte,	*-müştereke,*
-hakikiye,	*-muttaride,*
-hata,	*-pürcûş,*
-husran,	*-refakat,*
-hususiye,	*-resmiye,*
-ihtiras,	*-saffet,*
-işkence,	*-sevda,*
-izdivaç,	*-seyran,*
-kibarane,	*-şiir,*
-mahsusa,	*-zail,*

-zevk,
-zillet,
âkibet-i hayat
âlem-i hayat,
âlem-i hayat,
buhar-i hayat,
devre-i hayat,
eb'ad-i hayat,
ekdar-i hayat,
enin-i hayat.
esrar-i hayat,
eşkâl-i hayat,
fütur-i hayat,
gam-i hayat,
gıda-yi hayat,
günah-i hayat.
hâb-i hayat,
hâtıra-i hayat,
hava-yi hayat,
kalb-i hayat,
levs-i hayat,
maayib-i hayat.

menşe-i hayat,
meskenet-i hayat,
mest-i hayat,
neşet-i hayat,
neşve-i hayat,
nüsha-i hayat,
raşe-i hayat,
refik-i hayat,
saadet-i hayat,
saiyan-i hayat,
sual-i hayat,
sürud-i hayat.
şa'şaa-i hayat,
şi'r-i hayat,
târ-i hayat,
târih-i hayat,
ufk-i hayat,
vakf-i hayat,
veche-i hayat,
veda-i hayat,
vukuat-i hayat.

hayatbahş, F. s. [Hayat-bahş] Hayat veren, hayat verici; iç açıcı. • «Hususa keyf erbabı keyiflerini takviyet eder hayatbahş bir halet olmakla bir fincan uğruna. — Kâtip Çelebi».

hayatengiz, F. s. [Hayat-engiz] Yaşatan, yaşamaya zorlayan.

hayatfeza, F. s. [Hayat-feza] Hayat artırıcı, canlandıran.

hayatî, hayatiye, A. s. Yaşamaya, hayata ait. Hayatla ilgili. • «Bu hâdise-i hayatiye çocuğun ifadesinden, vukufundan hariç bir şeydir ki. — Uşaklıgil».

hayatiyat, A. i. (XIX. yy.) Fransızcadan biologie kelimesini karşılamak için yapılmıştır. • «Riyaziyat, tabiiyat, hayatiyat, ruhiyat... gibi müsbet ilimler. — Z. Gökalp».

hayatiyet, A. i. Canlılık.

hayatiyyun, A. i. Biyoloji bilginleri.

haybet, A. i. İsteğe erememe. Ümit kırıklığı. • «Pâmal-i haybet eyleme ümmidvarını. — Naci».

haybetzede, F. s. [Haybet-zede] Ümidi kırılmış. İsteğini elde edememiş.

haydariye, A. i. Hırka altındaki kolsuz ve kısa giyecek.

Hayder, A. i. 1. Asıl anlamı «aslan» olan bu kelime halife Ali'nin lakabı olmuştur. 2. Hayder (Mec.) Yürekli yiğit. • Hayder-i kerrar, döne döne saldıran.

hayderane, F. zf. Aslan gibi, aslanca. Halife Ali'ye yakışırcasına.

hâye, F. i. 1. Haya. 2. Yumurta.

hayelân, A. i. (Hı ile) Sanma, vehm etme.

hayevan, A. i. Bk. • Hayvan.

hayevî, A. s. 1. Yılanlara ait. Yılanlarla ilgili. 2. Fransızcadan vital sözüne felsefe terimi karşılığı olarak kullanılmıştır. Canlı, dirimsel. • Efail-i hayeviye, • hasse-i hayeviye, • icab-i hayevi.

hayaviyye, A. i. Fransızcadan vitalisme felsefe terimine karşılık yapılmıştır. (XX. yy.).

hayf, A. i. (Hı ile) Haksızlık. Zulüm. • «Kederoğlu'nun hayfını almak için mîr-i mezkûru cezaen katlettiği makul diyecek bir iştir. — Naima».

hayf, hayfâ, F. ün. (Ha. ile) Yazık. • «O sayede bir mertebeye kadar yetişmiş ise de hayfâ ki ondan sonra. — Kemal».

hayırhah, F. s. [Hayır-hah] Hayır isteyen, iyilik dileyen.

hayırhahane, F. zf. [Hayır-hah-ane] İyilik dileyerek. • «İhtar-i icbar-gûne-i hayırhahanesi üzerine. — Recaizade».

hayic, haic, Bk. • Haic.

hâyide, F. s. 1. Ağız ile çiğnenmiş. 2. Bayat. • «En hayide cümlelerden birini. — Cenap».

hayidegû, F. s. [Hayide-gû] Bayağı söz söyleyen.

hayl, A. i. (Hı ile) 1. At sürüsü. 2. Atlı sürüsü. (ç. Ahyal, huyul). • «Ve hayl ü haremi ile sipah-i İslâma mülhak oldu. — Sadettin».

haylâ, A. i. (Hı ile) Kendini beğenmişlik. Büyük görme. • «Ol ferkad-i serderhevanın sütun-i kubbe-i haylâ olan gerden-i rüunet-intimaların. — Nergisî».

hayli, F. s. Hayli, epey. • «Musavvirler yazıp Ferhat'ı kûh-i Bistun üzre — Verip destine tîşe hayli üstadane yazmışlar. — Nef'î».

haylûle, haylület, A. i. (Ha ile) Araya girme. • «Âftab-i âlemtab haylûle-i kamer ile küsuf pençesinde bîtab olup. — Sadettin».

haylület, A. i. (Hı ile) 1. Sanma, korkma. 2. Kibirlenme, gurur.

hayme, A. i. Çadır. • «Halkla ülfetimiz hususuna sâyedeyin ve badehu haymenize varayın. — Naima».

haymegâh, F. i. [Hayme-gâh] Çadır kurulmuş yer. Çadır yeri.

haymenişin, F. s. [Hayme-nişin] Çadırda oturan. Göçebe. • «Sûr-i İstanbul'a duhulden imtina edip — Çırpıcı çayırında kenduye tâbi levendat taifesiyle haymenişin ve. — Raşit».

hayr, *A. i.* 1. İyilik. 2. İyi iş. 3. Fayda. • «Kanlarla bir cinayete pek benzeyen bu iş — Bir hayr olurdu, misli asırlarca geçmemiş. — Fikret».

hayr, *A. s.* 1. İyi. 2. Faydalı, yarar. • *Hayr-ül-vera*, halkın hayırlısı. Muhammed Peygamber. • «Çünkü cenab-i hayr-ülvera talebkâri-i visal Kâbe-i ulya ile. — Naima».

hayran, *A. s.* 1. Şaşakalmış. 2. Şaşkın. • «Bir nazar-i hayran ile bir çehre-i sakin. —Fikret».

hayranî, *F. i.* Şaşkınlık.

hayrat, *A. i. ç.* Sevap için yapılmış şeyler. İyi şeyler. • *Sahib-ül-hayrat vel-hasenat*, sevap işler ve güzel şeyler sahibi. • «Ruh-i pürtüfutuhların şad ve hatemat-i mükerrere ve hayrat-i mukarrere ile. — Sadettin».

hayrendiş, *F. s.* [Hayr-endiş] İyilik düşünen. • «Çün Mehmet Paşa bir âkıl ve hayrendiş âdem idi. —Naima».

hayret, *A. i.* (*Ha* ile) Şaşkınlık. Şaşakalma. • *Bahr-i hayret*, • *vâdi-i hayret* ziyade şaşırma. • «Kaldı orda esir-i hayret — Ne tâb-i güzer ne fikr-i avdet. — Ş. Galip».
(Ed. Ced.) :

Beyan-i hayret,   *nida-yi hayret,*
eser-i hayret,   *sayha-i hayret,*
garka-i hayret,   *ukûs hayret,*
heykel-i hayret,   *vakfe-i hayret.*
kelime-i hayret,

hayret, *A. i.* (*Hı* ile) Hayrat, insanın ruhuna yarayıcı iş.

hayretbahş, *F. s.* [Hayret-bahş] Şaşırtan. Şaşırtıp bırakan.

hayretefza, *F. s.* [Hayret-efza] Hayret veren, hayreti artıran. • «Rumeli emîr-ül-ümerası ettiği hayret-efza-yi cihaniyan olmuş idi. — Naima».

hayretengiz, *F. s.* [Hayret-engiz] Hayret veren. Hayret içinde bırakan.

hayretfeza, *F. s.* [Hayret-feza] Hayret veren, şaşırtan.

hayretzâ, *F. s.* [Hayret-zâ] Şaşkınlık veren. Hayret doğuran. • «Bu da bir ibtilâ-yi hayretzâ — Dil cihandan vefa umar hâlâ. — Naci».

hayretzede, *F. s.* [Hayret-zede] Şaşakalmış. • «Hayretzede olmasın mı âdem. — Naci».

hayrhah, *F. s.* [Hayr-hâh] İyilik isteyen. (ç. Hayrhâhân). • «Şeyhülislâmımız hod eba an ceddin hayrhâh-i devlet olup. — Naima». • «Umumen hayrhahan-i ukalâ tarafından teessüf olunmakta idi. — Kemal».

hayrhahane, *F. zf.* İyilik ister kimseye yakışır yolda. • «Hasan gördü ki hayrhahane nasihattı. — Naima».

hayırhahi, *F. i.* Hayır istemek. • «Şime-i kerime-i hayrhahî ve bîgarazî ile mevsuf olan. — Kemal».

hayrî, hayriye *A. s.* İyilikle ilgili. Uğur ve kutluluğa ait. • «O misillû mevzuat-i hayriyenin fâtiha-i zuhru olmakla. — Kemal».

hayriyet, *A. i.* Hayırlılık. Hayırlı olma. • «Her vaktin bazı umura nisbet-i hassası vardır hayriyet ile ve bazına şerriyet ile. — Taş.».

hays, *A. i.* (*Se* ile) Saygı. İlgi.

haysiyet, (*Ha* ve *se* ile) Değer, itibar. Onur. Şeref.

haysum, *A. i.* Geniz.

hayşumî, *A. s.* Genizden gelen.

hayt, *A. i.* 1. İplik. İplik teli. Tire. 2. (Ana.) Tel gibi olan organ. • *Hayt-ür-rakabe*, murdar ilik; • *hayt-üş-şua*, güneşin tel tel görülen ışığı; • *hayt-i ebyaz*, tan attığı zaman görülen tel tel iplik gibi beyazlık; • *hayt-i esved*, güneş battıktan sonra ufukta görülen karanlık. (ç. Ahyat, hayut). • «Kütüb-i tıbbiyede hayt-i ercuyan dedikleri iplik riştesi ki. — Naima».

hayta, *A. i.* 1. İp, urgan. 2. Kazık. • *Hayta-i hayme*, çadır kazığı. • «Çünki daire-i edepten hariç ve hayta-i itidalden birun harekete cesaret edenler. — Naima».

haytiye, *A. i.* (Zoo.) İpsiler.

hayvan, *A. i.* 1. Dirilik. 2. Sağlık. 3. Canlı şey. 4. İnsanla beraber bütün canlılar.

hayvanat, hayevanat. *A. i.* [Hayvan ç.] Hayvanlar. • «Bazı hayvanatı bir itaat-i ehliye altına almışlar. — Cenap».

hayvanî, hayvaniyye, *A. s.* Hayvanla ilgili. Canlıya ait. • «İşte Asya-yi cenubinin bu servet-i mahufe-i nebatiyye ve hayvaniyye ile meşhun. — Cenap».

hayvaniyyet, *A. i.* Hayvanlık. • «Kendimde hayvaniyyet galebesin fehm edip. — Sadettin».

hayy, *A. s.* 1. Diri. Sağ. Canlı. 2. Tanrı sıfatlarındandır. • «Sad şükr ola hayy-i lâyemuta — Kim erdi söz âlem-i sükûta. — Ş. Galip».

hayya, A. ü. Gel! Çabuk ol! • Hayyak-Allah, Tanrı ömrünü uzun etsin. • «Hayya-es-selâh kaleme gelir bir cürüm ispat etsinler. —Naima».

hayyak, A. i. (Ha ile) Çulhacılık, bez çlokuma işi.

hayyal, A. s. i. [Hayl'den] At yetiştirici. At terbiyecisi. • «Ol hayyal esb-i mahudu eğerletip binip. — Naima».

Hayyam, A. i. «Çadırcı» anlamında olan bu söz İran'ın ünlü şairlerinden Ömer Hayyam'ın adıdır.

hayyat, A. i. [Hayye ç.] Yılanlar.

hayyat, A. i. Dikici, terzi. • «Hâşâ sebb-i nebi eden bir hayyat zimmi fetva ile Parmakkapı'da salb olundu. — Naima».

hayye, A. i. Yılan. • «Aleni salmakta bir mani görür ise hayye gibi haşâk-i mezellette saklanarak. — Kemal».

hayyen, A. zf. Diri, canlı olarak. Hayyen meyyiten, ölü veya diri. • Bahayi Efendi der idi ki hemen hayyen defn olundu. — Naima».

hayyir, A. s. Her zaman iyilik eden. Çok hayırlı.

hayyiz, A. i. Yer, yön. Meydan. (Fel.) Uzam.

hayz, A. i. Kadınların aybaşısı. • «Pes cenabet ve hayzla murdar olanlara haram idüğü aşikârdır. — Taş.».

haz, F. i. (Hı ve ze ile) Kürk, astar kürk. • «Ve mukaddema bezzaz olup bey-i haz ederdi. — Taş.».

haz, A. i. Bk. Hazz.

haza, A. i. Sarkık olma.

hazâbî, A. i. [Hizba ç.] Bk. • hizba.

haza, A. zm. (He ve zel ile) Bu, şu. • Fiyevmina haza, bugünkü günde; • ilâ yevmina haza, günümüze kadar, hâlâ, • lihaza, bunun için; • maghaza, bununla beraber.

haza, A. i. (Hı, ze ve ayın ile) Kesme. Ameliyat.

hazain, A. i. [Hazine, hizane ç.] Hazneler. • Hazain-i medfune, gömülü hazneler. • «Cihan netice-i cûd-i hazain rahmet. — Nabi».

hazair, A. i. (Ha ve zı ile) [Hazire ç.] Mezarlıklar.

hazaka, A. i. Kalabalık. Yığın.

hazakat, A. i. Ustalık. Hekim ve sanatçı ustalığı. • «Nakabil-i tedavi hastalıkları sihr-i hazakatiyle defedeceğini vadeden şarlatandan. — Cenap».

hazamet, A. i. Bk. • Hazm. • «Ve temşiyet-i umurda hüsn-i içtihat ve hazameti olmak hasebiyle. — Raşit».

hazan, F. i. (Hı ve ze ile) Güz. Sonbahar. Bâd-i hazan, güz rüzgârı. • «Hazana muntazırım ömrümün baharında. — Naci».

(Ed. Ce.) :
Bâd-i hazan,   lika-yi hazan,
cevf-i hazan,   mezhere-i hazan,
çehre-i hazan,   nahl-i hazan,
dest-i hazan,   sürud-i hazan, e
girye-i yetime-i hazan, vakf-i hazan,

hazandide. F. s. [Hazan-dide] Hazan görmüş, solup sararmış. • «Ninem, ninem... bu hazandide zıll-i berzede-ruh. — Fikret».

hazane, kızane, Bk. • Hızane.

hazanî, F. s. Güz mevsimine ait, güz ile ilgili. • «Tekattur etmeli âvare, mest ü lerzende — Bir ibtikâ-yi hazanisi aşk-i sahharın. — Fikret».

hazanistan, F. i. Hazan görmüş, solup sararmış yer. • «Ben açılmam cinana dönse cihan — Gülistan-i derun hazanistan. — Naci».

hazanlika, F. s. [Hazan-lika] Hazan yüzlü, soluk yüzlü. • «Ey benim ey hazanlika güzelim. — Cenap».

hazannüma, F. s. [Hazan-nüma] Sonbahar görünüşlü. Hüzün verici. • «Bilmem niçin, yakıştırıyordum hazannüma — Bir çin-i infiali cebin-i bülendine. —Fikret».

hazanreside, F. s. [Hazan-reside] Hazan ermiş, solup sararmış. • «Hazanreside çemen sanki sütre-i zerdir — Mezar-i yâre bu bir kabze hâk-i muhtereme. — Fikret».

hazar, A. i. (Ha ve dad ile) 1. Köy veya kasabada yaşayanların hali. 2. Barış, rahat zamanı. Hazar ve Sefer, 1. Evde oturma ve yolculuk. 2. Barış zamanı ve savaş zamanı.

hazar, A. zf. Bk. Mâhazar.

hazarî, A. s. 1. Köy, kasabada yaşayanların hayatına ait. Kuvve-i hazariye, barış zamanındaki asker gücü. • «Her bedevî kerrecülü hazarî Kahire-i Mısır'a gelip... — Naima».

hazef, A. i. Topraktan yapılma çanak, çömlek gibi şey. • «Nedir bu taş diye sordun o tombul ellerinin — Uzattığı hazef-i pür gubarı göstererek — Fikret».

hazafiyye, A. i. 1. Çanak, çömlek gibi topraktan şeyler. 2. Bunları yapma sanatı. 3. Fransızcadan *céramique* karşılığı. Seramik.

hazefpâre, F. s. [Hazef-pâre] Çanak çömlek kırıntısı. Ufak parça. • «Kân-i endişe hazefpâreleridir Ekrem — Bu güherler ki sana her biri yekdane gelir. — Recaizade».

hazefrize, F. s. [Hazef-rize] Çanak çömlek kırıntısı, parçası. ,

hazelât, A. i. [Hazele ç.] Alçak, bayağı kimseler. • «Kafadar sandığı hazelâtın muratlarına müsaadede bulunmakla... — Naima».

hazele, A. i. (Hı ve zel ile) [Hâzil ç.] Yüzsüzler, sıyrıklar. Arkadaşlarını tehlikede bırakıp kaçanlar, alçaklar. (ç. Hazelât). • «Ol dahi türedi taifesinden birkaç bin hazeleyi başına devşirip. — Raşit».

hazen, hüzn, A. i. Tasa. Kaygı, keder. *Âm-ül-hazen* (tasa yılı) Muhammet Peygamber'in eşi Hatice ile amcası Ebutalib'in öldüğü yıl; *beyt-ül-hazen*, gam, üzüntü.

hâzen, hâzene, F. i. Baldız.

hazer, A. i. Sakınma, çekinme. *Elhazer!*, sakın! • «Ol safder-i düşmanküş-i nazmım ki hususa — Şemşir-i zebanımdan ehibba hazer eyler. — Nef'i» • «Bakınırdım hazerle dört yanıma. — Fikret».

hazerat, A. i. (Ha, dat ve te ile) [Hazret c.] Hazeretler. • *Hazerat-i hams*, (Tas.) tecellinin beş derecesinin basamakları; • *cimme-i isnaaşer hazeratı*, on iki imam hazretleri; • *sıbteyn-i ekremcyn hazeratı*, peygamber soyundan olan iki torun hazretleri; • *vüzera-i izam hazeratı*, ulu vezirler hazretleri.

hazf. A. i. (Ha ve zel ile) Aradan kaldırma. giderme. Silme.

hâzı'. A. s. (Hı, dat ve ayın ile) [Huzu'-dan] Alçak gönüllülük gösteren.

hâzık. A. i. (Ha, zel ve kaf ile) Keskin. 2. Usta. 3. Usta, keskin hekim. (ç. Huzzak). • «Sen hekim-i hâzıksın anın zararın defedersin — Naima».

hazıkane, F. zf Ustalıkla. Ustacasına.

hazıkıyyet, A. i. Hazıklık. Ustalık.

hâzım, A. s. (He ve dat ile) Sindiren, sindirici.

hâzına, A. i. (Ha ve dat ile) Emzirici. Sütana.

hâzır, hazıra, A. s. (Ha ve dat ile) [Huzur'dan] 1. Hazır. 2. Konuşulan yerde bulunan. 3. Elde bulunan. 4. Her şeyi tamamlanmış olan. • *Hazır bil-meclis*, toplantıda bulunan, • *hazır ü nazır*, her yerde bulunan ve gören (Tanrı); • *hazır cevab*, her söze hemen uygun karşılık veren; • *ahval-i hazıra*, şimdiki durum; • *asr-i hazır*, yeni çağlar; • *emr-i hazır*, emir kipi. • «Madam ki dilber anda hazır — Mevkidedir ahsenülmenazır. — Naci». • «Ayet-i secde geldi hazır olun. — Vahîd». • «Bir suale yer komaz ol gamze-i hazırcevap. — Nef'i».

hazıra, A. i. s. (Ha ve dat ile) 1. Şehirli. 2. Bir yere yerleşmiş. • «Muharebat ve müşaceret üzere rüzgâr geçiren hazıra ve badiye urbanı ki ... — Naima».

hazırbaş, F. s. ün. [Hazır-baş] 1. Hazırlanmış. 2. Hazır ol komutu. • «Bu halka olup görünen felek değil — Bir ejderhaymış ol yedi başlı hazırbaş. — Necati».

hâzirîn, hazırun, A. i. [Hazır ç.] Hazır olanlar. Bulunanlar. • «Hazırîn ile nefretkünap kalkıp. — Naima».

hazika, A. i. (Ha ve zel ile) Ustalık.

hâzıl, A. s. (Hı ve zel ile), Arkadaşlarını tehlikede koyup kaçan, alçak. (ç. Mazelât, hazele).

hâzim, A. s. (Ha ve ze ile) [Hazm'dan] Basiretli, geleceğe tedbir alan, öngören. İşinde gözü açık.

hazim, A. s. (Ha ve zel ile) Keskin.

hâzim, A. s. (He ve ze ile) [Hezimet'ten] Bozucu, bozan. • «Leşker-i küffarı hâzim olmaya âzim olasız. — Sadettin».

hazime, A. i. (He ve ze ile) Belâ, âfet. Bekçi. • «Namını nazm-i bülendimle çıkardım feleğe — Ede tâ hâzin-i esrar-i kaza nakşi hîtam. — Nef'i».

hazin, A. s. [Hüzn'den] Üzüntülü, hüzünlü. • «Menazırımda hazin bir hayal ararım. — Fikret».

hazine, A. i. 1. Hazne. 2. Akça saklanan yer. 3. Değerli şeyler saklanan yer. 4 Su biriktirilen yer. 5. Yere gömülmüş mal. 6. 16.000 kuruş tutarı. 7. Maliye veznesi, devlet parasının biriktiği yer. • *Hazine-i evrak*, arşiv; • *-hassa*, padişahın özel serveti; • *-maliye*, devlet hazinesi, maliye idaresi. • «Birer kayıktan ibaret bütün hazineleri. — Fikret».

hazinedar, *F. i.* Haznedar, değerli eşya ile para koruyucusu; idarecisi. • «Canı hazinedar-ı cinan yani Rıdvan'a teslim eyledi — Veysî».

haziran, *A. i.* Haziran.

hazîre, *A. i.* Etrafı duvar veya çitle çevrili mezar. • «Gel sevgilim seninle bu hazîreden — Bir lâhzacık firar edelim. — Fikret».

haziz, *A. i.* 1. En aşağıda, alttaki mevki. 2. (Ast.) Bir gezegenin güneşten en uzak bulunduğu mevki. Ay, güneş ve gezegenlerin en yakın oldukları mevki. • *Haziz-i mezellet,* zilletin en aşağı noktası. • «Ben haziz-i hâkdeyim sen evc-i istiğnadasın. — Nailî».

hazm, *A. i.* (*Ha* ve *ze* ile) 1. Sağlam ve doğru oy ve istek. 2. Kesin karar. 3. Sağlam kazığa bağlama. • «Vezir-i müşarünileyhin uhde-i hazm ü siyasetine tahmil. — Raşit».

hazm, *A. i.* (*He* ve *dat* ile) 1. Sindirme. 2. (Bio.) Sindirim. • «Bundan sonra bir veçhile hazmları kabil olmayacak evzaa başladılar. — Naima». • «Sârban-i vakt isen hazm eyle zira vakt olur — Bir topal merkep belâsiyle katar elden gider. — Ziya pş.»

hazra, hadra, Bk. • *Hadra.*

hazret, *A. i.* [Huzur'dan] 1. Ön. 2. Övme ve büyütme, ululanma için kullanılır; • *Hazret-i Allah;* • *Hazret-i Muhammet;* • *Hazret-i Ali.* 3. (Tas.) Tecellinin beş derecesinden her biri. (ç. Hazerat). • «Sen elem çekme gönül hazret-i Allah yapar. — Kâni».

hazuf, *A. s.* (*Ha* ile) Giderilmiş, kaldırılmış.

hazul, *A. i.* (*Hı* ve *ze* ile) 1.Hazele, dostunu bırakıp yardım etmeyenler. 2. Bozgunlar, kaçaklar.

hazur, *A. s.* [Hazer'den] Çok çekingen, çok dikkatli. • «Hattâ zevat-i hazur olan zenan-i mestur dahi çıktılar. — Taş.»

hazz, *A. i.* (*Ha* ve *zı* ile) 1. Pay, nasip. 2. Hoşlanma. 3. Sevinme. (ç. Huzuz, huzuzat). • «Kişi gurbet diyarında edermiş âşinadan hazz. — Baki».

(Ed. Ced.) :   -inbisat,
Hazz-i amik,   -itminan,
-bahar,   -saadet,
-dilküşa,   -terennüm,
-garip,   -tesliyet.

hazza, *A. i.* (*Ha* ve *ze* ile) Müneccim.

hazzaf, *A. i.* (*He* ve *ze* ile) Çömlekçi. Testici. • «Lâ'l-i yâr-i dilbere ol dem meğer erer elim — Gûze ede toprağından ya kadeh hazzaf ana. — Kanunî».

heba, *A. i.* 1. İnce toz. 2. Harcama. Bol harcama. 3. Boş, nafile. • *Hebaen mensura,* boşuna harcanmış, yok edilmiş. • «Hübub-i nesim-i saba ile intişar bulan heba gibi. — Sadettin».

Hebenneka *A. i.* Ahmaklığıyle ün almış Yezid adlı bir Arabın lakabı.

heca, *A. i.* (*He* ile) 1. Harflerin sesi. 2. Bir kelimeyi meydana getiren harflerin teker teker seslendirilmesi. 3. Ağzın bir hareketiyle söylenen söz. 4. Bir kimseyi nazım veya nesir ile yerme. • *Huruf-i heca.* 1. Elifbe (alfabe) sırasına göre dizilmiş harfler. 2. Kelimelerdeki harfleri seslendiren (elif, vav, he, ye) harfler.

hecagû, *F. s.* [Heca-gû] 1. Yeren, yergici. 2. Hiciv yazan. Hicveden .

hecaî, *F. s.* [Heca'dan] Hece ile ilgili. *Vezn-i hecaî,* hece vezni parmak hesabı. • «Türkçeye vezn-i hecaîden başka bir ahenk olamaz. — Uşaklıgıl».

hecaya, *A. i.* [Hece ç.] Heceler. • «Hecaya-yi memdudeden Türkçe mahrum olduğu için. — Uşaklıgil».

heccav, *A .s.* Çok hicveden. Hep yeren.

hecemat, *A. ç. i.* Hücumlar, saldırmalar. • «Uzun bir silsile-i hecemata mukavemet etti. — Cenap».

heceme, hacme, *A. s.* Şiddet. • «Yeniçeri serdengeçtileri kefere üzerine heceme-i tedmir saldılar. — Raşit».

hecin, *A. i.* Çok dayanıklı, hızlı yürür. koşucu deve.

hecîr, *A. i.* (*He* ile) Öğle üstü sıcağı. • «Ve hecîr u esharda zıllı kaim. — Taş.»

hecme, hecmee, *A. s.* Şiddet.

hecr, hicr, Bk. • *Hicr.*

hecv, hicv, Bk. • *Hicv.*

hedaya, *A. i.* [Hediyye ç.] Hediyeler, armağanlar, bahşışlar. • «Birkaç günden sonra ağır hedaya ile Padişaha buluşturup. — Naima».

hedd, *A. i.* (*He* ile) Binayı gürültü ile yıkıp göçerme. • «Levazım-i nahr-ü heddi müraat buyurup... — Naima».

hedde, heddet, *A. i.* Gümbürtü, büyük gürültü. • «Nagâh bir heddet-i azim peyda oldu, züyuf olduğu ev yıkıldı. — Süheylî».

hedeb, *A. i.* (*He* ile) Kirpik. Bk. • *Hüdüb.*

hedef, *A. i.* (*He* ile) 1. Nişan noktası. amaç. 2. (Mec.) Varılmak istenen nokta. Maksat, istek, niyet. ● *Hedef-i âmal*, ulaşmak istenilen nokta. (ç. Ehdaf).

heder, *A. i.* 1. Boş yerc harcanma. 2. Ziyan olma. 3. Faydasız ölme. ● «Hayvanatın kendiliğinden olarak cinayet ve mazarratı hederdir. — Mec. 94».

hedhede, *A. i.* Kuş (veya deve) sesi. Ötme. Bağırma. ● «Hedhede perdaz-i dua buyurmak üzere. — Ragıp Pş.».

hediyye, *A. i.* Armağan, bahşiş (ç. Hedaya).

hediyyeten, *A. zf.* Armağan olarak. Peşkeş.

hedm, *A. i. (He* ile) Yıkma.

hefevat, *A. i* [Hefve ç.] Sürçmeler, kaymalar. Yanılmalar. ● «Hefevat ve masiden zâhir ü bâtını mahfuz ve mahrus... — Nergisi».

heft, *F. s. i. (He* ile) Yedi. ● *Heft âbâ* (yedi baba) yedi âlem; ● *-ahter*, ● *-ayine*, ● *-banu*, yedi gezegen; ● *-asman*, yedi kat gök; ● *-dane*, aşure pişirmede kullanılan yedi tahıl çeşidi; ● *-devr*, yaradılıştan kıyamet gününe kadar olan yedi devir; ● *-ejdeha*, yedi gezegen, ● *-evlan* (yedi renk) İsa'ya gönderildiği söylenen yedi çeşit yemek, türlü (yemek); ● *-endanı*, (baş, göğüs, karın, 2 el, 2 ayak) yedi üye; ● *-hun*, Cehennemin 7 tabakası; ● *-ıklim*, Batlamyos'un ayırdığı dünyanın yedi bölgesi; ● *-kalem*, yedi yazı çeşidi; ● *-merd*, merdan, kutup, gavs, ahvar, evtad, abdal, yediler; ● *-meyve*, (kuşüzümü, üzüm, incir, kayısı, şeftali, hurma, erik) yedi meyve; ● *-muhit*, (Pasifik, Atlantik, Akdeniz, Karadeniz, Tabariye, Hazer, Aral denizleri) yedi büyük deniz, ● *-ser*, yedi başlı; ● *-tenan*, ashab-i kehf. ● «Ne şeh şehinşeh-i sahibkıran-i heft iklim. — Nef'i» ● «Yıkma gönlün tahtgâhi mulk-i heft iklim iken — Görme tahribe seza şayeste-i termim iken. — Nabi». ● «Ya Mikado kendi ejderine güvenerek bu ejder-i heftserin safir-i emrine kulak asmayacak olursa. — Cenap».

heftad, *F. s. i.* Yetmiş. ● *Heftad ü dü şah*, (yetmiş iki dal) insan ırkının 72 dalı yahut İslâmlıktan gayrı 72 mezhep. ● «Dilâver Ağa nam tavaşi ki bir aga-yi heftad saledir. — Naima».

hefte, *F. i.* Hafta. Yedi günlük zaman.

heftevrenk, *F. i.* [Heft-evrenk] Büyük ve küçük Ayı yıldızlarını meydana getiren yedi yıldız. ● «Çün oldu Yusuf-i mihr inmekânı çah n'ola — Olursa gözyaşı Yakub-i çarha heftevrenk. — Hayalî».

heftgâne, *F. s.* [Heft-gâne] Yedi tanc, yedi türlü olan. ● «Kalyonlardan biri Karacchennem demekle meşhurdur, derecat-i heftgânesi maden-i şerr ü şûr kale manendi azîm bir gemi idi. — Naima».

heftüm, heftümin, *F. s.* Yedinci. ● «Balâ-yi çerh-i heftüme Keyvan-i köhnc sâl. — Baki» ● «Hâcibdür ruz ü şeb hinduyi heftümin. — Hayalî».

heftvane, *F. i.* Aşure.

hefv, hefvan, *A. i.* Sürçüp kayma.

hefye, *A. i. (He* ile) 1. Ayak kayıp sürçme. 2. Yanılma, yanlışlık. 3. Günah. (ç. Hefevat).

hej, heşt, *S. s.* Sekiz. ● *Hej-deh*, on sekiz.

hejdeh-hezar, *F. s.* On sekiz bin. ● «Âlem-i hej-deh hezar olud dü harf ilc bedid. — Nazîm.»

hekik, *A. i. (He* ile) Kadın tabiatlı erkek.

helâhil, *A. i. (He* ile) Öldürücü zehir. İlâcı olmayan zehir. ● «Ol sahil-i pür helâhilin şemmiyet-i mâr vc vehamet-i havası hasebiyle. — Naima».

helâhilriz, *F. s.* [Helahil-riz] Öldürücü zehir saçan. ● «Anakib-i helâhilriz gibi. — Şefikname».

helâk, *A. i. (He* ve *kef* ile) 1. Ölme. 2. Geberme. 3. Harcanma, çok yorulma. ● «Gösterir asmanı hâke düşer — Emel-i arş ile helâke düşer. — Cenap».

helâl, *A. i. (Ha* ile) 1. Din bakımından günah olmayan şey. 2. Yasak olmayan şey. 3. Nikâhlı eş.

helâlzade, *F. s.* [Helâl-zade] Doğru, temiz (insan).

helehil, *A. i. (He* ile) Öldürücü zehir. ● «Eşyada niçin buldu helehil? — İcat neden kılındı menhil? — Recaizade».

helezon, halezon, *A. i. (Ha* ve *ze* ile) 1. Sümüklüböcek kabuğu. 2. (Geo.) Helis. 3. (Ana.) Salyangoz.

helezonî, *A. s.* 1. (Fiz.) Sarmal. 2. (Geo.) Helisel.

helile, *F. i. (He* ile) Halilc. Tohumları hekimlikte kullanılan bitki.

helümme cerra, *A. s. (He* ile) «Var kıyas et» anlamına ve çoğu defa «ve...» ile kullanılır.

helyun, hilyevn, *A. i.* Kuşkonmaz (bitkisi).

hem, hemm, *A. i. (He* ile) 1. Zor iş. 2. Tasa kaygı ç.Hümum).

hem, *F. s.* Farsça ve Arapça kelimelerin başına eklenir bir örnek. Katıldığı kelimelere «beraberlik, ortaklık» anlamı verir.

hemağuş, *F. s.* [Hem-ağuş] Kucak kucağa. Sarmaş dolaş. • «Nik ü bedi edelim feramuş — Can ile helâk ola hemağuş. — Ş. Galip».

hemahenk, *F. s.* [Hem-ahenk] Uygun. Denk. • «Baştan çıkarıp o câm-i gülrenk — Mansura ede bizi hem-ahenk. — Ş. Galip».

hemahim, *A. i.* [Hemhame ç.] Dertler. Üzülmeler.

hemaim, *A. i.* [Himet ç.] Amaç olan uğraşmalar. •

hemal, hümal, *A. i.* Ortak. Es. • *Bihemal*, eşsiz; • *gerdunheml*, çok kudretli. • «Adil-i Sam-i saf-âra hemal-i Rüstem-i Zal. — Ruhi».

hemanâ, *F. e.* Sanki. • «Felek imşeb hilâ-i hale-pirayı edip derdest — Hemanâ ol dervişe tutmuş bir kemer keşkûl. — Kâni».

hemandem, *F. zf.* Hemen. Çabuk, o ande.

hemangâh, *F. zf.* O anda, hemen.

hemaramiş, *F. s.* [Hem-âramiş] Birlikte dinlenen, soluk alan. • «Her yer bu sükûnetle hem-âramiş-i cennet. — Fikret».

hemare, *F. i.* (*He* ile) Her zaman. Hep. • «Hemare zat-i tahir-ün neseb-i Farabi hasebleri... — Aziz».

hemasl, *F. s.* [Hem-asl] Aynı asıldan.

hemasr *F. i.* [Hem-asr] Çağdaş.

hemaşiyan, *F. s.* [Hem-aşiyan] Aynı yuvada.

hemavaz, *F. s.* [Hem-avaz] Aynı sesi çıkaran. Sesleri birbirine uygun. Arkadaş.

hemaver, *F. s.* [Hem-aver] Arkadaş. Kapı yoldaşı.

hemaverd, *F. s.* [Hem-averd] Savaşta akran ve eş olan.

hemayar, *F. s.* [Hem-ayar] Denk. Eşit.

hembar, *F. s.* [Hem-bar] Aynı yükü yüklenmiş olan.

hembaz, *F. s.* [Hem-baz] 1. Beraber oynayan. 2. Ortak.

hembeha, *F. s.* [Hem-beha] Aynı değerde. • «Artık o sehaib-i saire ile hembaha ile menba-i berekettir. — Cenap».

hembezm, *F. s.* [Hem-bezm] Meclis (içki) arkadaşı. • «Onların yarım saat hem-

bezm-i aşk ü saadetleri olduktan sonra. —Uşaklıgil».

hembu, *F. s.* [Hem-bu] Kokuları bir olan. • «Nafe-i müşg-i Huten zülfüne olmaz hembu. — Rüştü».

hemcây, *F. s.* [Hem-cây] Hemşeri.

hemcenah, *F. s.* [Hem-cenah] 1. Eşit. 2. Denk. • «Himmetim bâzına hiç bir murg olmaz hemcenah — Çünki pervaz edemez şehbazla her bir gurab. — Kanunî».

hemcenb, *F. s.* [Hem-cenb] 1. Akran. 2. Arkadaş.

hemcereyan, *F. s.* [Hem-cereyan] Aynı akışta olan. Birlikte akan. • «Ey şi'r-i terin eşkim ile hemcereyan ol. — Naci».

hemcins, *F. i. s.* [Hem-cins] Aynı cinsten. Bir soydan olan. • «Başımızı çevirince hemcinslerimizin elvah-i ıstırabını göreceğiz. — Cenap».

hemcivar, *F. s.* [Hem-civar] Aynı civarda bulunan komşu. Bitişik komşu. • «Veyahut hemcivar veya akaribimizden filân kimse sefere giderdi. — Nabi».

hemcivari, *F. i.* Komşuluk.

hemcü, hemcün, *Fr.* [Hem-çü] (Onun) gibi. • «Aşk eyledi dürr-i eşki rizan — Sözü söyledi hemçü dürr-i galtan. — Ş. Galip». • «Pençe-i mihr açtı hemçün-i şane zülf-i sünbülü. — Nedim».

hemcünan, hemçünin, *F. zf.* [Hem-çünan] Böylece.

hemdem, *F. s. i.* [Hem-dem] Sıkı fıkı arkadaş. • «Refikim hemdemim ömrün derde dermanım. — Nesimi». • «Gönül gam günlerin tenha geçirme iste bir hemdem. — Fuzulî».

hemdemi, *F. i.* Sıkı fıkı arkadaşlık.

hemderd, *F. s.* [Hem-derd] Dert ortağı. • «Derd çok hemderd yok, düşman kavitali zebun. — Fuzulî».

hemdest, *F. i. s.* [Hem-dest] 1. El ele veren. 2. Güç ve kuvveti bir olan. 3. Ortak (ç. Hemdestan). • «Suret-i ceza ve mükâfatın bagy ü sakavette yine kendü ile hemdest-i muahede olan eşkıyadan müşahede eyledi. — Raşit».

hemdestan, *F. i.* [Hemdest ç.] 1. Aynı sözleri söyleyenler, ağızbirliği yapmış olanlar. 2. (Bir işte) yardımcı olanlar. • «Kireççibaşı ve sair hemdestanlara eman verilmeyip haklarından gelindi. — Naima».

hemdstî, *F. i.* Ortaklık. Birlik. • «Yeniçeri kolu ve Rumeli kolunun hemdesti-i sây ü ihtimamlarıyle. — Raşit».

hemdiğer, *F. s.* [Hem-diğer] Her birinin öteki.

hemdih, *F. i.* [Hem-dih] Aynı köy köylüsü.

hemdil, *F. s.* Düşünce ve yürekleri bir olan.

heme, *F. i. s.* Bütün. Hep. • «Âlem heme derd-i aşk-i ülfet — Keder ü elem-i nühuset. — Ş. Galip».

hemec, *A. i.* Şaşkın, çulpa. «Vezir-i âzam hemec ve mürteşi olup. — Naima».

hemeze, *A. i.* Kuruntu. (ç. Hemezat)

hemfikir, *F. s.* [Hem-fikir] Aynı fikirde olan. Kafadar.

hemfiraş, *F. i.* [Hem-firaş] Yatak arkadaşı.

hemhâb, *F. s.* [Hem-hâb] 1. Beraber uyuyan. Yatak arkadaşı. 2. Eş. • «Tenhalığa mı getirmedin tâb — Kim eyledin arzuyi hemhâb. — Fuzulî».

hemhabe, *F. s.* [Hem-habe] Yatak, oda arkadaşı. • «Kani o dem ki enis-i firaş-i vuslat idim — O mahrû ile hemhabe-i feragat idim. — Nevres».

hemhâh, *F. i. s.* [Hem-hâh] İstekleri bir. Aynı istekte olan.

hemhal, *F. i. s.* [Hem-hal] Bir halde olan, bir halli. Halleri birbirine benzeyen. • «Dışı hemreng-i iğbirarımdır — İçi hemhal-i kalb-i zârımdır. — Fikret».

hemhalet, *F. i. s.* [Hem-halet] Aynı durumda. • «Nakşi felek-ül-büruca hemta — Hemhalet-i hücre-i Züleyha. — Ş. Galip».

hemhane, *F. s.* [Hem-hane] 1. Aynı evde oturan.' 2. Arkadaş. • «Çektiğim derdi ne hemhane ne hem-rah bilir — Aşıkım hal-i dil-i zârımı Allah bilir. — Nef'î».

hemheme, *A. i.* Deve sesi. • «Develerin hemheme-i nakaratı arasında. — Cenap».

hemhudud *F. s.* [Hem-hudud] Sınırları yan yana olan. • «Eğer hemhudud olduğumuz bütün hükümler. — Cenap».

hemhuy, *F. s.* [Hem-huy] Aynı huyda, tabiatları bir.

hemîn, *F. zm.* Her zaman, her vakit. Tıpkı bu olan. • «Mahbuba hemîn vefa gerektir. — Ş. Galip».

hem'inan, *F. i. s.* [Hem-inan] 1. Birlikte hayvan yürütenlerin her biri. 2. At başı beraber. • «Sürat-i seyrinden azhardır ki rahş-i himmetim — Hem inan-i sabıkun olmak temennasındadır. — Naci».

hemişe, *F. zf.* Her zaman Her vakit. • «Hemişe dilber-i mevzun hirama meyl eyler — Belâya uğramışız tab-i şairane ile. — Neyli».

hemk, *A. i.* Davranma: Uğraşıp alışma.

hemkadd, *F. s.* [Hem-kad] Bir boyda olan.

hemkadeh, *F. i. s.* [Hem-kadeh] İçki arkadaşı. Sıkı fıkı dost. • «Sipahiliği hengâmında kendu ile hemkadeh olan Zübde Bey, Baki Paşaya ve Mirem Çelebi... — Naima».

hemkadem, *F. i.* [Hem-kadem] Kudret ve mevkice aynı olan, arkadaş. Ayaktaş.

hemkadr, *F. s.* [Hem-kadr] 1. Sayılmakta aynı derecede olan. 2. Değerleri eşit olan.

hemkamet, *F. s.* [Hem-kamet] Aynı boyda. • «Yeknasak dizilmiş hemkamet hanelerin zevk-i selime mutabakatı. — Cenap».

hemkâr, *F. i.* [Hem-kâr] Aynı işte olan. Aynı işi işleyen.

hemkâse, *F. s.* [Hem-kâse] Aynı kâseyi kullanan, içki arkadaşı. Arkadaş. • «Hemkâse-i erbab-i diliz arbedemiz yok — Meyhanedeyiz gerçi velî aşk ile mestiz. — Ruhi».

hemkıran, *F. i.* [Hem-kıran] Talihleri bir olan.

hemkiş, *F. i.* [Hem-kiş] Bir din ve mezhepte olan.

hemkitab, *F. i.* [Hem-kitab] 1. Aynı dersi gören öğrenci. 2. Din arkadaşı, aynı dinde olan.

hemkudret, *F. i.* [Hem-kudret] Birçok organların aynı görev için birleşmeleri. Görevdeşlik.

hemkün, *F. i.* [Hem-kün] İş arkadaşı, aynı işte işleyen.

hemm, hem, Bk. • *Hemi*

hemmeşreb *F. s.* [Hem-meşreb] Huyları uygun, kafadar. • «Ve Yaycı Hasan nam bir zorba ki onunla hemmeşrep ve hemdem olup. — Naima».

hemmezheb, *F. s.* Aynı din ve mezhepte olan. Din kardeşi.

hemnam, *F. s. i.* [Hem-nam] Adaş.

hemneberd *F. i.* [Hem-neberd] 1. Savaş arkadaşı. 2. Rakîp.

hemnefes, *F. s.* [Hem-nefes] Sıkı fıkı arkadaş. • «Gamında hemnefes oldu figan ü nale bana — Kim ola merhamet etmez bakıp bu hale bana. — Hayali».

hemnesl, F. i. [Hem-nesl] 1. Aynı soydan. Aynı milletten. 2. Yaştaş.

hemnişin, F. s. [Hem-nişin] 1. Beraber oturup kalkan. 2. Arkadaş. • «İster mem öyle hemnişini ki eder — Yâd oldukça bâde istigfar. — Naci».

hempâ, F. i. 1. Ayakdaş. Arkadaş. 2. (Kötülükte) arkadaş, hempa. • «Düşer mi hiç ona hempâ oluş bu ferututa. — Fikret».

hempaye, F. s. [Hem-paye] Aynı rütbede. Eşit.

hempişe, F. i. [Hem-pişe] Aynı sanatta olan. Aynı işi yapan.

hemrah, hemreh, F. i. [Hem-rah] Yol arkadaşı. Yoldaş. • «Hemrahım idin bu yolda ey mah — Hemrahı koyup gider mi hemrah. — Fuzulî» • «Hemrahım olsun bir garip melâl — Anı tarif bence emr-i muhal. — Naci».

hemrahî, F. i. Yol arkadaşlığı. Yoldaşlık.

hemraz, F. i. Dost, sıkı fıkı arkadaş. Sırlarını bilen arkadaş. • «Sofu Mehmet Paşanın muin ve hemrazı Aziz Efendi ile... — Naima».

hemrazî, F. i. Dostluk, arkadaşlık.

hemreh, F. i. Bk. • Hemrah.

hemrenk, F. i. s. 1. Aynı renkte olan. 2. Huyları bir olan. • «Dışı hemreng-i iğbirarımdır. — Fikret».

hemrev, F. s. Birlikte giden. Yol arkadaşı.

hemrey, F. i. [Hem-rey] Aynı sözde, aynı fikirde olan. Oydaş.

hemrikâb, A. i. 1. Rikâp rikâba. Eşit. 2. Üzengi üzengiye atla giden. • «Arzı beş altı hemrikâb reftar edecek kadardır. — Naima».

hemriş, F. s. i. [Hem-riş] 1. Sakalları bir örnek olan. 2. Bacanak (iki kız kardeşi alan erkekler).

hemrütbe, F. i. Aynı rütbede olan. Eşit.

hems, A. i. Hafif, gizli ses. • «Cehr ve hems ve şiddet ve bunların emsali gibi. — Taş.».

hemsal, F. i. s. [Hem-sal] Aynı yaşta. Yaşıt.

hemsaye, F. i. Komşu. • «Bir gün cüftüne horoz ile hemsaye olmanın mahzuratın. — Silvan» • «Yeşil bir ormana hemseye bir küçük belde. — Fikret».

hemsayegi, F. i. Komşuluk.

hemsaz, F. s. i. 1. Uygun, uygunluk. 2. Arkadaş, arkadaşlık.

hemsebak, F. i. [Hem-sebak] Ders arkadaşı. Birlikte ders çalışan.

hemsefer, F. i. [Hem-sefer] Birlikte yolculuk eden. Yol arkadaşı. (ç. Hemseferan) • Hemseferan-i cahil, (cahil yoldaşlar) Vücut ile ruh. • «Çünkim Hayalî ey meh derdinle hemseferdir — Hiç ihtiyaç çekmez ol merd-i rahzada. — Hayali».

hemser, F. i. [Hem-ser] 1. Arkadaş. 2. Erkek ve kadın eşten her biri.

hemserî, F. i. [Hem-seri] Karı-kocalık.

hemsıfat, F. s. [Hem-sıfat] Aynı nitelikte olan.

hemsifal, F. s. [Hem-sifal] (Horlukla) Aynı kaptan yiyen, içen. • «Sabıkaa kendu ile hemsifal olan kilâptan olup. — Naima».

hemsin, F. i. [Hem-sin] Yaşıt.

hemsohbet, F. i. [Hem-sohbet] Birbiriyle konuşan. Arkadaş. ç. Hemsohbetan). • «Mü'min ü küffar ile hemsohbet ü hemhanedir. — Hayalî». • «Ve her biri hemsohbetan-i kurb ile. — Nergisî».

hemsufra, F. s. [Hem-sufra] Sofra arkadaşı.

hemsüvar, F. i. [Hem-süvar] Birlikte ata binmiş, yol arkadaşı. • «Ben dahi seninle hemsüvarım — Kühsar-i belâda yâr-i garım. — Ş. Galip».

hemşehri, F. i. [Hem-şehri] Aynı şehir halkından olan. 2. Yurttaş. • «Ne kadar hemşehrim varsa hepsi benim gibi. — Cenap».

hemşer, F. s. [Hem-şer] Kötülükte eşit.

hemşevher, F. i. [Hem-şehver] Kocaları bir ortak kadın.

hemşire, F. i. [Hem-şire] Kız kardeş. • «Şive-i güftarı hemşiren mi öğretti sana — Her sözün şirin-zebanım canıma can oldu hep. — Nedim».

hemşirezade, F. i. Yeğen. Kız kardeş çocuğu.

hemtâ, F. i. [Hem-tâ] Eşit, aynı derecede, eş. • Bihemta, eşsiz, benzersiz. • «Bir taht-i münevver oldu peyda — Ol pîr ile aşk oturdu hemtâ. — Ş. Galip».

hemvar, F. s. 1. Düz. 2. Uygun. 3. Daima. • Nahemvar çarpık, eğri. Doğru değil. • «Bir celis-i hemvar girdara malik olmadım. — Nergisî».

hemvare, F. zf. Her zaman. • «Sensin ol ruh-i musavvir ki olur hemvare — Yâd-i mecmua-i hüsnünle perişan diller. — Nailî».

hemvarî, F. i. Düz olma, düzlük.

hemyan, *F. i.* 1. Heybe, dağarcık, çanta. 2. Akma. • ‹Tüfenk veznelerin ve cep ve hemyanların inci ve fıdda ve zehep ile doldururlar. — Naima›.

hemyançe, *F. i.* Kese, küçük torba.

hemz, *A. i.* 1. (Parmaklarla) Sıkma. 2. Dürtme. 3. Isırma. 5. Yere çalma.

hemzad, *F. i.* (*He* ve *ze* ile) [Hem-zad] 1. İkiz. 2. Yaştaş. • ‹Bugün hemzad-i Ferhad'ım ciğer hunabıdır zâdım — O şîr-i bişe-i aşkın benim süt bir karındaşı. — Hayalî›.

hemzanu, *F. s. i.* [Hem-zanu] 1. Yanyana oturan. 2. Diz dize oturan, konuşan. • ‹Elinden yapışıp otağa götürdü ve hemzanu oturup Hoş geldiniz oğul deyicek. — Naima›.

hemze, *A. i.* Arapça'da elifin adı. 2. ‹Elif, vav, ye, he› harflerinin üzerine konan işaret.

hemzeban, *F. s. i.* [Hem-zeban] 1. Aynı dili kullanan. 2. Birbirinin dilinden anlayan. 3. Ağzı bir olanlar. • ‹Ne sebep ile onlara hemzeban olup aslı yok yere sipah zümresini kendine düşman edersiz. — Naima›.

hemzeman, *F. i. s.* [Hem-zeman] 1. Çağdaş. 2. Aynı zamanda işleyen. 3. Eşitzaman, zamandaş.

hencar, *F. i.* Bir işte doğru ve düzgün yol. Kural, usul, kaide. • *Nabehencar,* yolsuz, doğru değil. • ‹Karar ve efkârları bu hencar üzere oldu ki... — Sadettin›.

hendek, handek, Bk. • *Handek.*

hendese, *A. i.* Geometri. • *Usul-i hendese,* geometri kitabı. • ‹Mademki deniz ruhuna sır verdi sesinden — Gel kurtul, o dar varlığın hendesesinden. — Beyatlı›.

Hendesehane, *F. i.* [Hendese-hane] Tanzimat'tan biraz önce açılan mühendis okulu.

hendesî, hendesiye, *A. s.* Geometri ile ilgili, geometriye ait. Geometrik.

hengâm, *F. i.* 1. Çağ, zaman, devir. 2. Mevsim. • *Bîhengâm,* • *nabehengâm,* vakitsiz, mevsimsiz. • ‹Gün gibi hengâm-i rezm içre alıp tiğin ele — Zulmet-i şeb gibi â'day girizan eyledi. — Hayalî›.

hengâme, *F. i.* 1. Savaş, savaş yeri. 2. Kavga, gürültü. • *Hengâmegâh,* toplantı ve gürültü vakti. • *Hengamegir,* kavgacı, gürültücü, • *hengâmegiri,*

kavgacılık; *hengâmî,* bir mevsim yaşayan yaratık. • ‹Bir neşeli hengâmede, çepeçevre yamaçlar. — Beyatlı›.

hengâmegîr, *F. s.* Cambaz, oyunbaz, gürültücü, kavgacı olan. (ç. Hengamegiran). • ‹Tekke kurup hengâmegirlik şartı olan hay ü huyu alet-i cemiyet ve medar-i maaş ve rükn-i intiaş kılıp — Kâtip Çelebi› • Hemnişin olduğum hengamegiran tahtelkale-i hüzn ü gamdan. — Nergisî›.

hengâmegirî, *F. i.* Hayhuy, gürültü, şamata. Kavgacılık.

hengâmî, *F. i.* Bir mevsim yaşayan yaratık.

henüz, *F. zf.* Henüz, şimdiye kadar. Hâlâ. • ‹Pîş-i çeşmindedir ol cünd-i cihangir henüz. — Naci›.

her, *F. s.* Hep, bütün. • *Herşehrî,* (XX. yy.) Fransızca *cosmopolite* karşılığı.

heras, hiras. Bk. • *Hiras.*

herayine, *F. zf.* [Her-ayine] Mutlaka. Her halde. Elbette. • ‹Herayine mülk-i melekûttan münfek olmaz. — Fuzulî›.

herb, hereb, Bk. • *Hereb.*

herbar, *F. zf.* [Her-bar] Her defa. Her vakit. • ‹Herbâr şaykalar ile Kazak taifesin Karadeniz'e gönderip. — Naima›.

herc, *A. i.* Karışıklık. • *Hercmerc,* • *herc ü merc,* karmakarışık, alt-üst, darmadağın, allak bullak. • ‹Artık bir hercümerc içinde müzdahim perişan bir cereyan ile zihnini dolduran... — Uşaklıgil›.

hercai, hercayi, *F. s.* Her yerde bulunur, serseri. Çul tutmaz, derbeder. Gelgeç, yanardöner. • *Hercayi menekşe,* üç renkli menekşe. • ‹Eyleme kendini pek hercayi. — Sümbülzade›.

herçend, *F. s.* [Her-çend] Her ne zaman. • ‹Herçend ki teskin ve itfasına ikdam ile sây ihtimam olundu mümkün olmayıp. — Raşit›.

herçibâdabad, *F. zf.* [Her-çi-bad-abad] Ne olursa olsun. İster istemez.

herd, *A. i.* 1. Bir şeyi yırtıp parçalama. 2. Bir kimsenin onuruna dokunma.

herdem, *F. zf.* [Her-dem] Her vakit. Hep • *Herdem taze,* parlaklığını, tazeliğini hiç yitirmeyen.

hereb, herb *A. i.* (*He* ile) 1. Kaçma, kapağı atma. 2. Şiddetli üzüntü. • ‹Ama zecr de ol emirde taleb-i hereb ü ihcamdır. — Taş.›.

hereban, A. i. Korkup kaçma.

herem, F. i. 1. İhtiyarlama, kocama. Zayıf düşme. 2. Mısır Ehramlarından biri. • Hengâm-i herem ihtiyarlık zamanı. • «Hengâm-i heremde söylemiştir — Pîr olduğu demde söylemiştir. — Ziya Pş.».

heremdide, F. s. [Herem-dide] Kocalmış, zayıflamış. • «Üstündeki fersude, heremdide ocaktan — Yükselmede bir înce duman, mail ü memdud. — Fikret».

heremî, A. s. Ehram. Piramit ile ilgili. Ona, benzer.

heremreside, F. s. [Herem-reside] İhtiyarlığa ulaşmış, kocalmış. • «Okur neşide-i derd-i heremresindesini. — Fikret».

hergâh, F. zf. [Her-gâh] zaman zaman.

hergiz, F. zf. Hiç bir vakit, hiç bir suretle. Asla. • «Padişah olur ki hergiz zatına ermez zeval. — Cenap».

herheft, F. i. [Her-heft] Kadınların süslerinde kullandığı yedi şey. Kına, çivit, lâl (allık), üstübeç, altın varak, mis.

herim, A. s. Ziyade ihtiyar veya çökmüş.

herir, herr A. i. Köpek hırlaması, uluma. • «Kilâb-i av'ave-zenin her biri agaz-i herir ve nebah-i şürür ü fiten kıldılar. — Nergisi».

herise, A. i. (He ve sin ile) Keşkek.

herkele, hirkele, hurekile, A. s. İnce, zarif, hoş.

herkele, A. i. Hoşluk, incelik.

herr, A. i. Bk. • Herir.

hers, F. i. 1. Raf kenarı tahtası. 2. Mersin ağacı.

herseme, A. i. 1. Burun. 2. Aslan.

hert, A. i. Yırtma. Dürtme.

hert, A. i. Dokunaklı söyleme.

herv, A. i. Sopalama. Dövme. Pişirme.

hervele, A. i. Lenk (at yürüyüşü) yürüyüş.

hervelenüma, F. s. [Hervele-nüma] Lenk yürüyüşlü. • «Kıfar-i ızrarda hervelenüma olan. — Şefikname».

herze, F. i. (He ve ze ile) Boş lâkırdı. Saçma sapan söz. (ç. Herzevat). • «Kelb rafaziler herzelerin yemiş deyip cenge başlayıp. — Naima».

herzegû, F. s. [Herze-gû] Saçma sapan söz söyleyen.

herzegûyî, F. i. Herze söyleyicilik.

herzehâr, F. s. [Herze-hâr ç.] Saçma söyleyen.

herzehâran, F. s. [Herzehâr ç.] Saçma sapan söz söyleyenler. • «Herzeharân-i bed-fialden tehaşi etmeyip... — Nergisi».

herzehayan F. s. ç. [Herze-ha-yan] Boş lakırdı söyleyenler. • «Herzehayan-i tama'kârdan biri. — Nergisi».

herzehâyi, F. i. [Herze-hâyi] Herze söyleme. Saçma sapan söyleme. • «Gel dua eyle yeter biedbane tasdi — Sıkleti ko nice bir yave vü herzehayî. — Nergisi».

herzekâr, F. s. [Herze-kâr] Boş ve beyhude işleyen Abuksabuk konuşan. • «Ol melâin-i bed-âyin herzekârların hükmün verip. — Nergisi».

herzekârî, F. i. Abuk sabuk konuşma. • «Yine mutadı üzre agaz-i herzekâri eder deyü. — Nergisi».

herzepâş, F. s. [Herze-pâş] Saçma sapan söz söyleyen. • «Lisan-i bed-fercamın dehan-i herzepâşını sedd. — Nergisi».

herzevat, F. i. [Herze ç.] Saçma sapan sözler. • «Bu makule herzevatı keşf edip... — Naima».

herzevekil, F. s. Saçma sapan söyleyen, her işe karışan, boşboğaz. Herzevekil-i kâinat, boşboğazlıkla ün almış. • «Bir herzevekili dinlemekten — Tenha oturuş değil mi evlâ. — Naci».

hesab, hisab A. i. 1. Sayma. 2. Sayı. 3. Sayı bilgisi, aritmetik. • Hesab-i amelî, pratik hesap; • -asgar-i namütenahi, infinitezimal hesap; • -cümel, ebced, ebced hesabı; • -ihtimalî, ihtimaller hesabı; • -nazarî, teorik hesap; -tefazuli, diferansiyel hesap; • -temami, integral hesap; • -zihnî, zihin hesabı; • alelhesap, hesaba tutarak, avans olarak; • bihesap, hesapsız sayısız, pek; çok; • ilm-i hesap aritmetik bilgisi; • indelhesap, hesap sonunda, hesap edilerek. • «Yeryüzünde her şey hesab-i ihtimali muadelesi. — Cenap».

hesabî, A. s. 1. Hesapla ilgili, hesap işi. 2. Hesabını bilir, idareli.

hestî, F. i. 1. Varlık. 2. Vücut. • «Peyveste yanında câm-i serşar — Ansız çekilir mi derd-i hestî».

heşş, A. i. 1. Yumuşaklık. 2. Açık, şen (yüzlü). • «Hacerin eczası mülâyım heşş ve cismi hafiftir. — Naima».

heşt, F. s. i. (He ve te ile) Sekiz. • Heşt behişt, Kur'anda adı geçen sekiz cennet (Huld, Dâr-üs-selâm, Dâr-ül-karar, Cennet-ül-adn, Cennet-ül-me'va, Cennet-ün-naim, İlliyîn, Firdevs). • «Ven andelib-i ruhu gülkeşt-i behişte gitti. — Veysi».

heştad, F. s. i. (He ve te ile) Seksen.

heştüm, heştümin, F. s. Sekizinci.

hetf, A. i. (He ve te ile) Seslenme. Çağırma.

hetk, A. i. 1. Yırtma, yarma. 2. • Hetk-i hicab-i ismet, • -perde-i ırz, namus perdesini yırtmak, ırza saldırmak. • hetk-i ırz, dühul ile nefsani hazların yatıştırılması, ırza geçme. • «Hürmet-i mülûkâneyi hetk eyledi. — Naima».

hetr, A. i. 1. Fena sözlerle birini kötüleme. 2. Bunama. 3. Sersemleme.

hettak, A. s. Yırtıp parçalayan. • «Ve enva-i hasarat ile velvele salmış güruh-i hettâk ve reffak idiler. — Naima».

heva, A. i. 1. Hoşlanma. 2. Düşkünlük, tutkunluk. 3. Sevgi, sevda. • Hava vü heves, tutkular, gelip geçici istekler, et arzuları; ehl-i hev, hırs sahipleri, nefsine düşkünler. (ç. Ehva) • «Efendîtâ'n edenin aklı var mı Mecnun'a — Güruh-i ehl-i heva içre bir mi bin deli var. — Ragıp Pş.».

heva, hava Bk. Hava.

hevacis, A. i. [Hacise ç.] Yürekte peyda olan kötü düşünceler, kuruntular. • «Tekmil-i tarikat şeriate ittiba ve hevacis-i nefsaniyeden inkıta ile olur. — Sadettin».

hevadar, F. s. 1. Âşık, tutkun. 2. Kafadar. 3. Açık, rüzgârlı. • «Silâhdar paşa, hevadarlarıyle müttefikan kendiyu teb'it edip Budin canibine göndermeye sebep oldular — Naima».

hevadic, A. i. [Hevdec ç.] Kadın binekleri için mahfeler.

hevahâh, F. i. [Heva-hâh] Sevgili. Yâr. Dost. • «Casus-i kazadan oldu agâh — Kim Hüsn ile Aşk'tır hevahâh. — Ş. Galip».

hevaî, A. s. 1. Heva ile tutkunluk, nefse düşkünlük ile ilgili. 2. Nefsine düşkün, ciddî şeylerle ilgisiz. • Hevai meşrep, gelgeç huylu.

hevaiyat, A. i. [Hevai ç.] Ciddî olmayan, gelip geçici şeyler.

hevam, A. i. [Hamme ç.] Zararlı böcekler (pire, tahtakurusu vb.) • Hevam-i cerebî uyuzböceği; • -el-avam kelhevam, halk böcekler gibidir. • «Güneşli sath-i sükûn-perverinde bir

havuzun — Uçan hevam-i heveskârı andırır fikrim. — Fikret».

hevamiş, A. i. (He ile) [Hamiş ç.] Ekler. Çıkıntılar, notlar. • «Bazı hevamiş-i kütüpte. —Taş.».

hevan, A. i. Aşağılık. Horluk, zelil olma. • «Hâk-i mezellet ü hevan içre, nihan edin. — Sadettin».

hevaperest, F. s. [Heva-perest] Nefis isteklerine düşkün. Sefih. • «Bu tekebbür ve tecebbür ile hevaperest zorbaların bir sözün iki etmeyip. — Naima».

hevaperestî F. i. Nefis isteklerine düşkünlük. • «Erkeklerde ufak bir hevaperestî, kavaidi pek muvafık olmayan. — Uşaklıgil».

hevazede, F. s. Kendi sevdalarına kapılan. • «Ye buse-i dehenindir ye piçiş-i zülfün — Dil-i hevazedenin arzların biliriz. — Nabi».

hevdec, A. i. Deve üstünde kadınların binmesi için üstü kubbeli mahfe (ç. Hevadic). • «Hevdec-i naz içinde bânular — Cümle zühre-cebîn ü mehrular. — Necati».

heves, A. i. 1. İstek. 2. Gelip geçici istek. 3. Akıllı harcı olmayan istek. 4. Zevk. eğlence. • Nevheves (yeni hevesli) yeni başlayan, yeni alışan. • «Binlerce emel, heves, beraber. — Fikret».

hevesat, A. i. [Heves ç.] Hevesler. • Hevesat-i nefsaniye, nefis düşkünlükleri. • «Ey nağme-i rengîni rübab-i hevesatın. — Fikret».

hevesdar, F. i. [Heves-dar] Hevesli, hevese bağlı. • «Berk-i hıramı — Hatf eyliyor enzar-i hevesdar-i garamı. — Fikret».

hevesgüzarane, F. s. [Heves-güzar-ane] Keyfe bağlı, nizamsız vakit geçirircesine. • «Uzun saatlerini kadınlar bin türlü mesai-i hevesgüzarane ile imrar ediyorlardı. — Cenap».

heveskâr, F. s. [Heves-kâr] Bir şeyi esaslı olarak değil de geçici olarak iş edinen. Fransızcadan amateur karşılığı (XX. yy.) (ç. Heveskâran). • «Biraz muvafakata heveskâr görünen bu çehreyi. — Uşaklıgil».

heveskârane, F. zf. Heveskârca. Heveskâra uygun yolda.

heveskârî, F. i. Heveskârlık.

hevesnâk, F. s. [Heves-nâk] Heves edici, hevesli. • «Yâr olmuş idi buna hevesnâk — Biçareye ejder oldu tirvak. — Ş. Galip».

hevesperver, *F. s.* [Heves-perver] Hevesli.

hevesperverane, *F. zf.* Hevesliye yakışır yolda. • «Değil garam-i hevesperverane mutadım. — Fikret».

hevesrüba, *F. s.* [Heves-rüba] ´Heves uyandırıcı. • «Ya bir kahkaha-i hayretârâ veya daha büyük bir kizbi-i hevesrüba ile mukabele edilirdi. — Recaizade».

hevl, *A. i.* 1. Korku. 2. Korkma, ürkme. *Ebülhevl* (korku babası) Sfenks. (ç. Ehval). • «Ve bakıyet-üs-süyuf olanları hevl-i can ile deryaya düşüp. — Naima».

hevlâver, *F. s.* [Hevl-âver] Korku uyandıran. • «Derin gurrende aks-i savletiyle ra'd-i hevlâver — Kımıldar bir siyah ejder gibi aguş-i bevadide. — Fikret».

hevlengiz, *F. s.* [Hevl-engiz] Korkunç. • «Siyavüş Paşa zu varta-i hevlengizde necat için. — Raşit».

hevlnâk, *F. s.* [Hevl-nâk] Korkunç, korkulu. • «Feth-i Revan akîbinde zuhur eden vaka-i hevlnâk ki şehzadeler hususudur. — Naima».

hevn, *A. i.* 1. Kolaylık. 2. Ufak şey, önemsizlik.

heyahay, hayahay, *F. i.* ´Acıklıların bağırtısı. • «Serbeser ra'd-i hayahay-i velehzâ-yi sufuf. — Fikret».

heyakil, *A. i.* [Heykel ç.] Heykeller. • «Ol mâbed-i âliden heyakil-i günagûn ve sada-yi nakus erganunu izale ile... — Kemal».

hey'at, *A. i.* [Heyet ç.] Heyetler. • «Behlûl hakkında bu hissini bir gün onun hey'at-i safaretten birine intisap. — Uşaklıgil».

heyban, *A. i.* 1. Korkunç. Korku veren. 2. Çok utangaç.

heybet, *A. i.* 1. Ululuk. 2. Korkunçluk. 3. Korku uyandıran hal, durum. • «Bir tozlu ve heybetli kesafet ki nazarlar — Dikkatle nüfuz eyleyemez gayrine, korkar. — Fikret».

heyc, *A. s. s.* 1. Tozlu, rüzgârlı (gün). 2. Savaş kopma. 3. Sıkılma, depreşme. 4. Ot kuruma. • «Hak. tealâ size arzı firaş ve semayı bina eyledi demekten meram heyc-i arz ile beden-i insana temsildir. — Taş.».

heyca, *A. i.* Gürültü, kavga, dövüş. • *Heycazar,* • *arsa-i heyca,* • *meydan-i*

heyca, savaş yeri. • «Aks-i âvaze-i heyca gibi eyler izhar — Bir derin gulgule nazmında huruş-i efkâr. — Fikret».

heycagâh, *F. i.* [Heyca-gâh] Savaş yeri. • «Mübarızan-i heyecagâh-i fesahat olan... — Nergisi».

heyecan, *A. i.* 1. Tozmak, tozumak. 2. Coşma, coşkunluk. 3. İçte olan telâş ve hareket. • «Bir sada, bir sada ki ra'd-efşan — Veriyor hâke bir lerziş-i heyecan. — Fikret».

heyelân, *A. i.* Toprak kayma. Kayşa.

hey'et, *A. i.* 1. Şekil, suret. 2. Görünüş. 3. Kılık. 4. Hal, durum. 5. Bir bütün meydana getirenlerin hepsi, kurul. 6. Birkaç kişiden meydana gelen kurul. • *Heyet-i âyan,* Bk. • *Âyan,* • *-ihtiyariye,* ihtiyar heyeti; • *-mahsusa,* bir iş için özel olarak meydana getirilen kurul; • *-umumiye,* genel kurul; • *-vekile,* • *-vükelâ,* Kabine; • *-ilm-i heyet,* astronomi. • «Bin heyete birden giriyor. — Fikret».

heyetşinas, *F. i.* [Heyet-şinas] Astronomi bilgini. • «Arz dönüyor diyen bir heyetşinasa papaslar ne işkenceler neler ettiler. — Cenap».

heyhat, *A. ün.* (*He* ve *te* ile) Kaybedilen bir şeye acınma, yazıklanmayı bildirir. • «Mavera-yi suretim fehm eylemek heyhattır. — Hayalî» • «Ölür şu manazır, donar şu ırmaklar — Donar fakat heyhat, — İçin için yine hepsinde bir melâl ağlar. — Fikret».

heyhey, *F. i.* Bir meclis sonunda içilen içki dolu kadeh.

hey'î *F. i.* Madde. Varlık.

heykel, *A. i.* 1. Çok iri şey. 2. Büyük tapınak. 3. Statü. • Bu muhiş müfteris hengâme-i zulmette bir heykel — Bakar lâkayd ü ulvi, bir sütun-i ahen üstünden. — Fikret».

heykeltıraş, *F. i.* [Heykel-tıraş] Heykel yapan. Heykelci. • «Mahir bir ressam, muktedir bir heykeltraş, şayan-ı dikkat bir muharrirdir. — Cenap».

heyman, *A. i.* Şaşırıp kalma. • «Müstağrak-i umman-i heyman oldular. — Esat».

heyn, heyyin, *A. s.* Kolay. Rahat. • «Mazarratlarının def'i keyyindir. — Sadettin».

heyulâ, *A. i.* 1. Madde. 2. (Eski felsefe) Bütün cisimlerin ilk maddesi diye varsayılan madde. Kendisini şekil ve sureti olmayan fakat her şekil ve suret sahibi olanın muhtaç bulunduğu. 3. Zihinde tasavvur olunan şekil. Asıl tasvir. 4. (Tas.). ● *Ruh-i âzam*, Tabiatın tümü. 5. Eşyanın gerçek olan kısmı. 6. Önemsiz, ufak şey ● «Beşir orada dirilmiş bir heyulâ heyetinde duruyor. — Uşaklıgil».

heyulâni, heyyulâni, *A. s.* Heyulâya ait, maddî olan.

heyulâniyyun, *A. i.* Maddeciler.

heyza, *A. i.* (*He* ve *dat* ile) 1. Şiddetli kusma. 2. Kolera.

heyzüm, **hize** Bk. *Hize*.

hez', *A. i.* (*He* ve *ze* ile) Zevklenme, latife söyleme.

heza', *A. s.* Hezeyan söyleyen, sözleri dağınık olan.

hezabir, *A. i.* [Hizebr ç.] Aslanlar. Yiğitler.

hezar, *F. s.* (*He* ve *ze* ile) 1. Bin. 2. Pek çok. ● «Hezar yemin ettiler, itimat etmeyip taşra çıkmadı. — Naima».

hezar, *F. i.* (*He* ve *ze* ile) Bülbül. ● «Öter hezar-i nağmeger — Ki şevkı bîbahanedir. — Fikret».

hezaran, *F. i.* [Hezar ç.] 1. Binler. 2. Bülbüller. ● «Hezaran olsa gül bir bülbül-i şeyda yerin tutmaz — Ragıp Pş.» ● «Gönül güller açtıkça hezaran ağlasın gülsün. — Cevdet Pş.». ● Zehi mübdi ki bîreng-i amadan eylemiş tasvir — Hezaran çehre-i nigin hezaran dide-i bina. —Nabi».

hezaraşina, *F. s.* [Hezar-aşina] Tanıdığı çok olan. ● «Ol tıfl-i nevzuhur-i hezar aşinayı gör. — Nailî». ● «Hezaraşinalıkla melûf bir kadının. — Kemal».

hezarfen, *F. s.* [Hezar-fen] Çok bilen. Elinden birçok iş gelen.

hezarmih, *F. s. s.* [Hezar-mih] 1. Gökyüzü. 2. Çok süslü. 3. Çok yamalı (derviş hırkası).

hezarpâ, *F. i.* [Hezar-pâ] Kırkayak.

hezarpare, *F. s.* [Hezar-pâre] 1. Bir parça.

hezb, *A. i.* (*He* ve *zel* ile) Artırma, temizleme.

hezec, *A. i.* Canlı, neşeli şarkı. ● *Bahr-i hezec*, asıl vezni mefâilün (.— — —) olan aruz vezni takımı.

hezeyan, *A. i.* 1. Sayıklama. 2. Saçma sapan söyleme. ● *Hezeyan-i mürteiş.* (XIX. yy.) Sarhoşluktan ileri gelme

titreme illeti, kızartı. ● «Kenduyi vâkıf-i ahval sanır — Hezeyanın işitenler usanır. — Sümbülzade».

hezeyanat, *A. i.* [Hezeyan ç.] Hezeyanlar. Saçma, mânasız sözler. ● «Bunda öldür demesi hezeyanat-i cahilâneden addolundu.— Naima».

hezeyanpaş, *F. s.* [Hezeyan-paş] Saçma sapan sözler söyleyen. ● «Hezeyanpâş-i gıybet oldukça. — Nergisi».

hezimet, *A. i.* Bozgunluk. Sındırgı. ● «Beç tarafından vuku bulan hezimet ve inkisara Ayamavro maddesi dahi ilâve-i alâm ü ekdar olup. — Raşit».

hezzar, *A. s.* (*He* ve *zel* ile) Her vakit hezeyan eden.

hezl, hezel, *A. i.* Şaka. Latife. ● «Ehl-i câhı oturup hezl eyler — Kimini nasb ü kimin azleyler. — Sümbülzade».

hezlâmiz, *F. s.* [Hezl-âmiz] Şakadan. Şaka ile karışık.

hezlgû, *F. s.* [Hezl-gû] Hezelci. Şakacı. ● «Ve tuti-i hezlgûyun gınasına şifte olup. — Lâmii».

hezliyyat, *A. i.* [Hezeliyye ç.] Şakalar, latifeler.

hezm, *A. i.* 1. Sıkma. Sıkıştırma. 2. Bozma, bozguna uğratma. ● «Tig ü nîzesi ile hezm ettikte. — Sadettin».

hı, Bk. ● *Ha.*

hıba', *A. i.* Çadır, oba. (ç. Ahbiye).

hıbazet, *A. i.* (*Hı* ve *ze* ile) Ekmekçilik. Ekmek yapma işi.

hıbset, *A. i.* (*Hı* ve *se* ile) Şeytanlık, habislik.

hıda, *A. i.* (*Hı* ve *dal* ile) Hile, aldatma. ● «Bazı turuk-i hiyel ile hıda'i avam için bazı umura mübaşeret. — Taş.».

hıdab, hızab, *A. i.* (*Hı* ve *dad* ile) 1. Boya. 2. Kınalama. ● «Elfaza yeni bir hıdab vermiş — Bir kat daha âb ü tâb vermiş. — Ziya Pş.».

hidiv, hidivane, *F. s. zf.* Bir vezire yakışır yolda.

hıdivî, *A. s.* Bir vezirle veya Mısır valisî ile ilgili, ona mensup.

hıdivane, *A. i.* Mısır valiliği.

hıdn, *A. i.* (*Hı* ile) 1. Dost, arkadaş. 2. Kız olan kız. (ç. Ahdan).

hıfz, *A. i.* 1. Saklama, koruma. 2. Ezberleme, hatırda tutma. ● *Hıfz-i Kur'an.* Kur'anı ezberleme; *-sıhhat*, sağlık koruma bilgisi; ● *taht-el-hıfz*, muhafaza altında, polis veya jandarma ile. ● «Bağrı yağı erimezdi eser-i tâbından — Nur-i hıfzından eğer şule-i şem' alsa ziya. — Nazîm».

hıkd, A. i. (Ha ile) Kin tutma. Fena niyet besleme. • ‹Hıkd-i eşrara mülâzım olmakmış. — Fuzulî›.

hıli, A. i. (Ha ile) Değerli taşlardan yapılma süs eşyası. (ç. Huliy, huliyat).

hılt, A. i. (Hı ve tı ile) 1. Bir karışımdaki parçalardan her biri. 2. Eski hekimliğin insan bedeninde dem, balgam, safra, sevda olarak varsaydığı dört unsurdan her biri. • Hılt-i mahmud, bedenin rahat ve tabiî halde oluşu; • -redi, bedenin rahatsız haline sebep olan hılt. (ç. Ahlât).

hıltî, A. s. Dört hılttan biriyle ilgili.

hıltiyyun, A. i. s. Ahlata çok önem verip hastalık ve sağlığın onlarla ilgisine inanan ve o yolda bakım yapan hekimler ile onların yolunu anlatan. Fransızca humorisme ve humoriste sözlerinin karşılığı (XX. yy.).

hıma, A. i. (Ha ile) 1. Biri için verilen kurtulmalık. 2. Herkese açık olmayan, özel yer. • ‹Valide hazretleri dahi Murat Ağayı hıma-yi himayete kabul edip. — Naima›.

hına, hınna, A. i. (Ha ile) Kına. • ‹Engüşt-i sefidi şem'-i kâfur — Gülberk-i hınası gonce-i nur. — Ş. Galip›.

hınas, A. i. (Hı ile) [Hunsa ç.] Kendisinde hem erkek hem dişilik olanlar.

hınat, A. i. [Hınta ç.] Buğdaylar.

hınatet, A. i. (Hı, tı ve te ile) Buğday satıcılığı.

hınsır, hınsar, A. i. (Hı ve sad ile) Serçe parmak. • ‹Bazı evkatta engüşter-i hınsır-i saadetlerinde istimal kılınan... — Naima›.

hınsîr, A. s. (Hı ve sin ile) Bayağı yaradılışlı. Soysuz.

hınta, A. i. (Hı ile) Buğday. • ‹Sevahilde küffara hınta bey' ederlerdi. — Naima›.

hınya, F. i. Şarkı, türkü söyleme.

hınyager, F. i. Şarkıcı. (ç. Hınyageran).

hınzîr, A. i. (Hı ile) 1. Domuz. 2. Pis ve katı yürekli kimse. • Lâhm-i hınzir, domuz eti, • şahm-i hınzir, domuz yağı. • ‹Badehu doi olan hınzir mürd oldukta. — Naima›.

hınzire, A. i. 1. Dişi domuz. 2. Domuz karı.

hıred, F. i. (Hı ile) 1. Akıl. 2. Anlama. • ‹Erbab-i hıred zerre kadar mutekit olmaz — Ol mürşide kim mutekad-i bîhıredandır. — Ruhi›. • ‹Bizimle ey

hired âmadesin vedaa yine — Kudum-i kafile-i nevbaharı biz biliriz. — Nabi›.

hıredamuz, F. s. [Hıred-amuz] Belletici, öğretmen.

hıredasub, F. s. [Hıred-aşub] Akıl dağıtıcı. • ‹Lâkin bakılsa enhıredasub ziynetin — Kızlıktır, ol hicab ki hüsnün safasıdır. — Fikret›.

hıredfersa, F. s. [Hıred-fersa] Akıl dayanmayan, akıl yoran. Çok zor.

hıredmend, F. s. [Hıred-mend] Akıllı, anlayışlı. (ç. Hıredmendan). • Düştüm belâ-yi aşka hıredmend-i asr iken — İl şimdi benden aldığı pendi bana verir. — Fuzulî›. • ‹K'ey talib-i Hüsn olan hıredmend — Gûsunda durursa gevher-i pend. — Ş. Galip›.

hıredmendan, F. i. [Hıredmend ç.] Akıllılar.

hıredmendane, F. s. zf. Akıllıca.

hıredmendî F. i. Akıllılık.

hıredsuz, F. s. [Hıred-suz] Akıl yakıcı, şaşırtıcı.

hırıd, harid, Bk. • Harid.

hırıdar, F. s. İstekli alıcı. Müşteri. Bk. • Haridar. • Her sifle hırıdar-i leal-i Aden olmaz. — Nabi›.

hıride, F. s. Satın alınmış. Satın alınan.

hıristiyanî, A. s. Hıristiyanlığa ait. Hıristiyanlıkla ilgili.

hırka, A. s. Hırka. Üste giyilen şey. • Hırka-i iradet. • -teberrük, bir kimsenin dervişliğe ilk girişinde giydiği hırka; • -eşrif, Muhammet Peygamberin hırkası; (Ö.i.) Muhammet Peygamberin hırkasının bulunduğu cami. İstanbul'da Fatih dolaylarında bu adla anılan semt. • ‹Hırka vü taç giyenler çoktur — Lîk bir mürşid-i kâmil yoktur. — Sümbülzade›.

hırkapuş, F. s. [Hırka-puş] 1. Hırka giyen. 2. Derviş. • ‹Hırka puş-i aşk ü sevdayım giyinmem câme ben. — Niyazi›.

hırkapuşan, F. i. [Hırka-puş ç.] Hırka giyenler, dervişler. • Hele birden değil inkâra seza — Hırkapuşan-i reh-i fakr ü fena. — Nabi›.

hırman, A. i. (Ha ile) Mahrumluk. Bir şeyi elde edememe. • ‹Ederler hirmenimden nurlar hırman ile avdet. — Beliğ›.

hırs, A. i. (Ha ve sat ile) 1. Tamah. 2. Ziyade isteme. 3. Açıkgözlülük. 4. Öfke, kızgınlık. • Bir zerrecik hayat-i mecal... işte bu en büyük — Maksud-i ruhu, işte bütün hırs ü hasreti. — Fikret».

hırs, _F. i._ _(Hı ve sin ile)_ Ayı. • «Bir horos-i haris ve tamahkâr dirahtan-i bârveri bişyar bir mişazarı. — Silvan».

hırsbece, _F. i._ _(Hı ve sin ile)_ Ayı yavrusu. • «İki tane hırsbeçeyi şikâr edip. — Süheylî».

hırsek, _F. i._ Ayı yavrusu.

hırt, hart, _A. i._ _(Ha ve tı ile)_ 1. Kesilmiş süt. 2. Erkek keklik. 3. (Dalları sert dikenki o ağaç kabuğu) soyma. • Birine mess-i harir ü birine hırt-i kated. — Nabi».

hırz, _A. i._ _(Ha ve ze ile)_ 1. Sığınak. 2. Kötülükten korunmak için kullanılan muska. Nazar boncuğu. 3. Tılsım. _Hırz-i can_, canı gibi saklama. • «Bu namemi sakla hırz-i can et — Bu ahdi ki eyledin emanet. — Ş. Galip».

hısa', _A. i._ _(Hı, sad ve hemze ile)_ İğdiş etme. Hadım etme.

hısam, _A. i._ [Hasım ç.] Düşmanlar. • «Şimşir-nüma-yi hısam olduğu. — Naima».

hısam, _A. i._ _(Hı ve sad ile)_ Çekinme, uğraşma. Kavgalaşma. • «Ahadühüma biddef'a havale-i seyf-i hısam eylediği sırada. — Y. Kâmil Pş.».

hısan, _A. i._ _(Hı ve sad ile)_ Aygır.

hısas, hıses, _A. i._ Hisseler, playlar. • «Kısas-i pür-hısaslarından. — Sadettin».

hısb, _A. i._ _(Hı ve sad ile)_ Bolluk, ucuzluk. • «Orduda ziyade hısb ve ucuzluk hâsıl oldu. — Naima».

hısn, _A. i._ 1. Sağlam, sarp yer. 2. Kale. • «Ve Varat kalesini muhasara ve tazyik etmeğin öyle bir hısn-i hasîn... — Raşit».

hıssan, hussan, _A. i._ _(Hı ve sat ile)_ [Hassa ç.] Haslar, özeller.

hîş, hısavend, _F. i._ Akraba. • «Var ise hîş ü tebarın sair — Olma çok dairesinde dair. — Sümbülzade».

hîşan, _F. i._ [Hiş ç.] Akrabalar.

hışf, _A. i._ Geyik yavrusu. • «Ben dâmımı kurmuş müterakkıp iken bu gazal ile bir hışf geldiler. — Süheylî».

hışm, _F. i._ Öfke. Kızgınlık, hiddet. • «Ateş-i hışm-i sultani alevhîz olmakla — Naima».

hışmalud, _F. s._ [Hışm-alud] Darılmış, dargın. Öfkeli.

hışmnâk, _F. s._ [Hışm-nâk] Öfkeli, kızgın.

hışt, _F. i._ _(Hı ve te ile)_ 1. Keıpiş, tuğla. 2. Kalın, kısa harbi. El mızrağı. • «On

iki ayı bilen hışt-i mah ü mihri taşır — Saray-i kadrini yapmaya çarh olup müzdur. — Hayali».

hıştzen, _F. s._ _(Hı, te ve ze ile)_ [Hışt-zen] Kerpiç kesen. Tuğlacı. • «Ve sahil-i Nilde hıştzen olup onunla kut-i yevmiyesini tahsil ve taayyüs ederdi. — Silvan».

Hıta, _F. i._ Bk. • _Hata._

hıtam, _A. i._ Yular. • «Levme-i lâimden hazer ve hıtam-i dünya için mudara irtikâb etmez bir merd-i mutasallib. — Naima».

hıtbe, _A. i._ _(Hı ve tı ile)_ Okunmuş ,evlenme için istenilmiş kız veya kadın.

hıtta, _A. i._ Memleket, kıta, ülke. • «Hıtta-i eyaleti zindanlarında mahbus yirmi sekiz bin mazlum. — Veysi».

hıyaban, _A. i._ İki tarafı ağaçlı yol. Bulvar. • «Yine seyr eyle nahlistan-i dûradûr-i mânayı — Gülistan der gülistandır hıyaban der hıyabandır. — Riyazî».

hıyam, _A. i._ [Hayme ç.] Haymeler, çadırlar. • «Andan göçüp Gelibolu sahrasında darb-i hıyam ve nüzul ettiler. — Naima».

hıyanet, _A. i._ Kendine olan inanı güveni kötüye kullanma. Sözünü tutmayıp oyun etme. Hainlik. • «Cümlesi ehl-i hıyanet diyerek — Kendisin sahibemanet diyerek — Sümbülzade».

hıyanetkâr, _F. s._ Hıyanet eden; hayın.

hıyanetkârane, _F. s. zf._ Haince. Hainin yapacağı şekilde.

hıyar, _A. i._ 1. İşi yapıp yapmamada serbestlik. 2. (Hayır ç.) Hayırlar; iyi, güzel işleri çok (kimse). (ç. Hıyarât) • «Hıyar, muhayyerlik demektir. — Mec. 116» • «Ol şerif-i namdar ki hıyar-i şürefadan olmak üzere ehl-i Mekke ona esna-güzar idiler. — Naima».

hıyat, _A. i._ _(Hı ve tı ile)_ 1. İbrişim. 2. İğne. • «Ufkumuzdâ ziya-yi şemsin hıyat-i zerrin-fâmiyle müzeyyen bir çetr-i havaî açıldı. — Kemal».

hıyatet, _A. i._ Dikişçilik, terzilik. • «Ve dahi ol hıyatet-i siyab edip. — Taş.».

hıyatethane, _F. i._ [Hıyatet-hane] Terzi, dikiş evi. • «Ve her hil'at ki insan giyer hıyatethane-i ezelde biçilmiştir. — Sinan Pş.».

hıyaz, _A. i._ [Havuz ç.] Havuzlar. • «Ser-i dırahata müstzen, hıyaz-i bağa bergriz. — Recaizade».

hıyem, A. i. [Hayme ç.] Haymeler; çadırlar. • Görmedi mislini çerh eyliyeli nasb-i hıyem. — Nabi».

hıyere, A. i. (Hı ve ye ile) Beğenip alma. s. Beğenilmiş, seçilmiş.

hıyre, hîre, 1. Kamaşmış. 2. Donuk, fersîz. • «Gazada şule-i şimşirini tasavvur eden — Bunlar nigâhını hıyre hayalini mahrur. — Nabi».

hırebahş, F. s. Göz kamaştırıcı. • «Bir irtifa-i münevver, hıyrebahş-i uyun bir irtifa-i fevkalâde alır. — Cenap».

hıyreçeşm, F. s. [Hıyre-çeşm] Kamaşık gözlü. Şaşkın. Utanmaz.

hıyredest, F. s. [Hıyre-dest] Sakar, çapaçul.

hıyrerey, F. s. [Hıyre-rey] Kötü oylu.

hıyresaz, F. s. [Hıyre-saz] Göz kamaştıran. • «Ebruları hıyresaz-i ifham — Müjgânları nizebaz-i evham. — Ş. Galip».

hıyreser, F. s. [Hıyre-ser] Sersem, alık.

hızane, A. i. Hazne, hazine. (ç. Hazain). • «Lebriz-i gevher olmasa gönlüm hızanesi — Dökmezdi böyle çeşm-i terim inci tanesi. — Naci».

hızanegâh, F. i. [Hızane-gâh] Hazne yeri. • «Hızanegâha karip mahalle nasb-i râyatı mâkûse kıldıkları. — Sadettin».

hızanet, A. i. (Ha ve dat ile) Sütanalık. Tayalık.

hızanet, A. i. (Hı, ze ve te ile) Haznedarlık.

hızaz, A. i. (Hı ve dat ile) Yazı mürekkebi.

hızb, A. i. 1. Takım. 2. Birkaç kişilik arkadaş takımı. 3. Kur'an'ın altıda bir bölüğü (ç. Ahzab). • «Kalenderoğlu'nun hızb-i hâsirine mulhak. — Naima».

Hızr, A. i. Hızır. İçenlere ölmezlik veren abıhayatı içmiş olan peygamber. • Ab-i hayat, • rah-i zulmet sözleriyle adı manzumelerde çok geçer. 5. Mayıs = 23 Nisan günü adına hıdrellez töreni yapılır. • «Hızr-ı bulsak reh-i zulmette külâhın kaparız. — İzzet Molla».

hiba, A. i. Keçe veya abadan göçebe çadırı. (ç. Ahbiye). • «Ve ehl-i hiba ve bevadının ekser-i maaşı elban-i naka. — Taş.».

hiba, A. i. 1. Bahşiş; vergi. 2. Dul kadına kocasından kalan pay.

hibab, A. i. [Habb ç.] 1. Haplar. 2. Taneler. 3. Tohumlar, çekirdekler.

hibal, A. i. (Ha ile) [Habl ç.] 1. İpler. Urganlar. 2. Bağlar, bağıntılar. • «Amurye nam mahalde hall-i ukud-i hibal-i eşkaal münasip görüldü. — Nergisi».

hibale, A. i. (Ha ile) 1. Ağ, tuzak. 2. Kement, bağ. • Hibale-i izdivaç, evlenme bağı, • hibale-i telbisat, gizli kapaklı tuzak. (ç. Habail).

hibat, A. i. (He ve te ile) [Hibe ç.] Hibeler, bağışlar.

hibazet, A. i. (Hı ve ze ile) Ekmekçilik.

hibb, A. i. 1. Sevgi. 2. Sevgili. 3. Yol arkadaşı.

hibban, A. i. [Hibb ç.] Sevgililer.

hibbe, A. i. Paçavra, kesik parça.

hibe, A. i. Bağışlama. Bağışlanan şey. Bahşiş. • «Evveli sây ü sonu mevhibedir — Kuluna canib-i Haktan hibedir. — Sümbülzade».

hibeb, A. i. [Hibbe ç.] Paçavralar, kesik parçalar.

hiber, hiberat, A. i. [Hibere, habere ç] Alaca bezler, yemeniler.

hibere, A. i. Alaca bez yemeni.

hibr, habr, A. i. 1. Öğretmen, hoca. 2. Mürekkep. 3. Yahudi bilgini. (ç. Ahbar, hubur). • «Âlim-i muhakkik ve hibr-i müdekkiktir ve nice tesanif-i muteberesi vardır. — Taş.».

hibre, A. i. 1. Bilgi. 2. Haber. 3. Deneme. • Ehl-i hibre, bilirkişi.

hibret, A. i. 1. Bir iş hakkında tam bilgi. 2. İşin aslına erme. • «Sair tüccara sermaye-i ibret ve vesile-i tenebbüh ü hibret olsun. — Sadettin».

hibt, A. i. 1. Aşağı indirme. 2. Aşağı inme.

hica, A. i. (He ile) Hicvetme, yerme.

hicab, A. i. 1. Perde, örtü. 2. Engel, ayıran perde. 3. (Tas.) Tanrı sevgisinde yahut bilgisinde insana engel olan bağ. 4. Utanma, sıkılma. Utanma perdesi. • Hicab-i haciz, • hicab-ül-cevf, • hicab-ül-kebe, diyafram; • hicab-ül-kalb, perikardiom; • hicab-i mustabtın, plevra. (ç. Hucüb). • «Mihman mı gelir hane-i nâpâke hicab et. — Nabi».

hicabat, A. i. (Ha ile) [Hicab ç] Tılsımlar, şirinlik muskaları.

hicabet, A. i. 1. Kapıcılık, perdecilik. 2. Mabeyincilik, saray adamlığı. 3. Mekkede Kâbe perdeciliği (babadan oğula kalır).

hicabî, hicabiyye, A. s. Zorla, perde ile ilgili.

hicac, A. i. (Ha ile) Hüccetle çekişme.

hical, A. i. [Hecl ç.] Uçurumlar.

hical, A. i. [Hacle ç] Hacleler. Gerdek odaları. • Rabbat-ül-hical, gelinler. • ‹Zihi meşşata-i ziynetefza-yi tab-i nazmârâ — Arus-i bikr-i fikrim reşk-i rabbat-ül-hical eyler. — Neylî›.

hicam, A. i. (Hayvan için) ağızlık.

hicamet, Bk. • Hacamet.

hican, A. i. (He ile) [Hecne ç.] Hecin develeri.

hicar, hicare A. i. [Hacer ç.] Taşlar.

Hicaz, A. i. Arap yarımadasında Mekke ile Medine şehirlerinin bulunduğu bölge. 2. Acem musikisinin on iki makamından ikincisi. • ‹Hicaz'ım Kâbe vü Tur'um behiştim hur ü Rıdvan'ım. — Nesimi›.

hicazî, A. s. 1. Hicazlı. 2. Hicaz ile ilgili.

hicazkâr, F. i. Musiki makamı. • «Elini yanağına dayıyarak, suratını ekşiterek hicazkâr perdesinde gazelseralık edenler kadar. — Uşaklıgil›.

hicce, hacce, A. i. Bir defa hacca gitme. • Hiccet-ül-veda, Muhammet Peygamberin Mekkede son hacc (ertesi yıl ölmüştü). • Zilhicce, Arabi aylardan sonuncu ay, hacılık ayı.

hicr, hecr, A. i. (He ile) 1. Sevilen bir şeyden ayrılık. 2. Sayıklama, saçmalama .3. Bırakma. • ‹Bükâ-yi hicr ile saat-i leyl eder de mürur. — Fikret›.

hicran, A. i. 1. Ayrılık. 2. Unutulmaz acı. • ‹Hicran biter mi? Girye-i hicran diner mi hiç? — Fikret›.

hicranmeal, F. s. [Hicran-meal] Hicran bildiren. Hicran anlatan. • ‹Donuk ziyalı nücumıyle asüman her şeb. — Döker bu levha-i hicranmeale girye-i nur. — Fikret›.

hicranzede, F. s. [Hicran-zede] Hicranlı. Hicrana uğramış. • ‹Ey mader-i hicranzede, ey mader-i muğber. — Fikret›.

hicret, A. i. 1. Ayrılma. 2. Kendi yurdunu bırakma. 3. Göçme. • Hicret-i nebeviyye, Muhammet Peygamberin Mekke'den Medine'ye göçmesi. Hicret tarihinin başı olmuştur ki 15 Temmuz 622 tarihine raslar.

hicrî, hicriye, A. s. 1. Göçmenlikle ilgili. 2. Hicret zamanında başlayan tarihle ilgili, ondan her hangi bir yıl. • Sene-i hicriye, • tarih-i hicrî, Hicret yılından başlayan tarih.

hicv, hecv, A. i. Hiciv. Nazım veya nesir olarak birini yerme. • ‹Tehevvür yerine tehzil, diş gıcırtısı yerine kahkaha, hicv yerine alay kaim oldu. — Cenap›.

hicvî, A. s. (He ile) Yergi manzumelerine ait, olanlarla ilgili.

hicviyyat, A. i. [Hicviye ç.] Hicivler. • ‹Nef'i'yi getirip bazı hicviyyatın istima' ederdi. — Naima›.

hicviyye, A. i. (Ed.) Konusu birini yerme olan manzume. • ‹Fakat ne kaside, ne hicviyye bir izah-i ciddî olamaz. — Cenap›.

hiç, F. i. (He ile) 1. Yok olan. 2. Yok denecek kadar az olan, önemsiz. • ‹Nüshan maraz-i aşka füsun eylemedi hiç — Ey şeyh-i kerametfürüş ez de suyun iç›.

hiçahiç, F. s. [Hiç-a-hiç] Hiçin hiçi. Hiç yok. Bomboş. • ‹Hemen bir samt-i hiçahiç olur peyda vü napeyda. — Cenap›.

hiçî, F. i. 1. Hiçlik. Yokluk. 2. Boşluk. • ‹Bütün boşluk döner bir hiç-i muhiş civarımda. — Fikret› • ‹Bu kadar hiçîsiyle beraber her sahib-i meziyete düşman. — Uşaklıgil›.

hiçkes, F. s. [Hiç-kes] Hiç kimse. ‹Hiçkes hiçkese gezend etmezler idi ama. — Naima›.

hiçkesan, F. i. [Hiç-kes ç.] Hiç bir kimse. • ‹Şiar- hiçkesandır rıza-yi naçarî — Hilâf-i meşreb-i himmet şekûru neyler ki. — Nailî›.

hida' A. i. (Hı ve ayın ile) Aldatma, hile, kurnazlık, oyun, düzen.

hidab, A. i. (Ha ve dal ile) [Hadeb ç.] Yüksek ve yumru şeyler.

hidab, hizab, A. i. (Hı ve dat ile) Boya. Renk. • ‹Çü bû-yi gonce hezarüşinalığı terk et — Misal-i renk nihan ol gül-i hidab içre. — Nedim›.

hidabalûd, F. s. Renkli, renk renk. • ‹Sen dil-i rişini hunab ede gör — Zâhid-i hâma gerek rîş-i hidabalûde. — Nedim›.

hidac, A. s. (İbadette) eksik, noksan.

hidace, A. i. Deve sırtına vurulan yük.

hidad, A. i. Eşinden ayrılan kadının matem tutup süsten vazgeçmesi.

hidadet, A. i. Demircilik.

hidak, A. i. [Hadeka ç.] Gözbebekleri.

hidal, A. i. [Hadle, hadlâ ç] Üyeleri semiz kadınlar.

hidam, A. i. [Hademet ç.] 1. Halhaller, ayak-bilezikleri. 2. Ayak köstekleri. 3. Hademeler.

hidan, A. i. (Hı ile) Dostluk.

hidan, A. s. (He ile) Ahmak. Çekilmez (Kimse).

hidas, A. i. (Ha ve sin ile) Son, bitim.

hidaş, A. i. Tırmalama.

hidaye, A. i. (Ha ve dal ile) Çaylak.

hidayet, A. i. (He ile) 1. Yol gösterme. 2. Doğru yolu arama. 3. Doğru yola girme. 4. Tanrı tarafından birinin kalbine ilham olunan doğru yol aramak isteği. • ‹Nagâh deriçe-i gaybden nara-i hidayet salıp. — Veysi›.

hiddet, A. i. (Ha ile) 1. Keskinlik. 2. Şiddet. 3. Öfke. • Hiddet-i basar, göz keskinliği; • -havass, (Fel.) Fransızcadan acuité des sens karşılığı (XX. yy.) duyuların kesinliği; • -zekâ, zekâ keskinliği. • ‹Gösterdi zevce oğlunu hiddetli zevcine. — Fikret›. • «Yürür, fakat suların böyle kahr-i hiddetine — Nasıl tahammül eder eski, hasta bir tekne. — Fikret›.

hidem, A. i. (Hı ile) [Hidmet ç.] Hizmetler.

hidemât, A. i. [Hidmet ç.] Hizmetler. • ‹Azak seferlerinde ve akınlarında ve Mansur oymağı istisalinde hidemat-i pesendide zuhura getirdi. — Naima›.

hidmet, A. i. 1. İş. 2. Birinin işini görme. 3. Görev. Hizmet. • ‹Kıldılar o şaha cümle hidmet. — Ş. Galip›.

hidmetgüzâr, F. s. [Hidmet-güzar] Hizmetle uğraşan.

hidmetkâr F. i. [Hedmet-kâr] Hizmet gören. Hizmetçi. • «Hasan Efendi Kara Mustafa Paşanın avene ve ansarından ve mutemed hidmedkârlarından olup. — Naima›.

hidmetkâri, F. i. Hizmetkârlık.

hif, hife, A. i. (Hı ile) Korku. Ürküntü.

hiffet, A. i. (Hı ile) Hafiflik. • ‹Çün padişah-i fena-meşrep az zamanda hiffet-i akl ile meşhur olup. — Naima›.

hîk, F. i. (Hı ve kaf ile) Tulum. • Hîk-i şarap, şarap tulumu

hikâyat, A. i. [Hikâyet ç.] Hikâyeler. • ‹Eğer hikâyet-i dil naşadı baştan başlasam ömr-i cihan ana kifayet etmez. — Kâni›:

hikâye, A. i. (Ha ve kaf ile) 1. Anlatma. 2. Hikâye.

hikâyenüvis, F. s. i. [Hikâye-nüvis] 1. Hikâye yazan. 2. Hikâyeci.

hikâyeperdaz, F. i. s. [Hikâye-perdaz] Hikâye söyleyen. Hikâyeci. • ‹Lâzime-i kıssehan-i zeban-i hikâyeperdaz olduğu gibi. — Nergisî›.

hikâyet, A. i. Hikâye. • ‹Dinle neyden kim hikâyet etmede. — Ayrılıklardan şikâyet etmede. — Nahifî›.

hikem, A. i. [Hikmet ç.] Hikmetler. • «Zatıdır mahasal-i nüsha-i esrar-i hikem. — Nabi›.

hikemî, hikemiyye, A. s. Hikmetle ilgili. • ‹Kudema-yi felâsifenin efkât-i hikemiyesini ki heyulâ-yi irfan tarifine sadıktır. — Kemal›.

hikemiyyat, A. i. Hikmetli sözler.

hikke, A. i. (Ha ve kaf ile) Kaşıntı. • «Miyah-i harresi dâfi-i hikke ve cereb. — Sadettin›.

hikmet, A. i. 1. Felsefe. 2. Gizli, bilinmeyen nokta. 3. Neden. 4. Gerçeğe, ahlâka ait kısa söz. • Hikmet-i ameliyye, pratik bilgi; • -hükûmet, hükümet idaresi şartları, hükümetin akıl ermeyen işleri; • -ilâhiyye (ancak) Tanrının bileceği iş; • -tabiiye, fizik bilgisi. • ‹Halin kime açsan sana der hikmeti vardır — Öldürdü bu hikmet bizi ah bilinmez mi bu hikmet. — Ruhi› • «Hikmet-i Halıkı bilmez mahluk. — Sümbülzade›.

hikmetamiz, F. s. [Hikmet-amiz] Hikmetle karışık. Hikmetli.

hikmetamuz F. s. [Hikmet-amuz] Hikmet öğretici. Hikmetli. • ‹Hep bu mânayı bilir ehl-i kabul. — Hikmetamuz idi evza-i resul. — Hakanî›.

hikmeten, A. zf. Hikmet bakımından. • ‹Vatan hususunda hikmeten vuku bulacak muahazatın reddi pek güç bir şey değildir. — Kemal›.

hikmetfüruş, F. s. [Hikmet-füruş] Hikmet satan. Hikmetli bir şey söylediğini sanan.

hikmetşinas, F. i. Fizik bilgini.

hilâ', A. i. (Hı ve ayın ile) [Hil'at ç.] Üst giyimleri. • «Divan-i âliye arz ettikte hilâ-i fâhire ile iltifata mazhar buyuruldu. — Naima›.

hilâf, A. i. (Hı ile) Karşı. Karşıt. • Hilâf-i âde, (Fel.) Fransızca'dan anomalie karşılığı (XX. yy.); • -hakikat, gerçeğe karşıt, gerçeğe uymayan; ilm-i hilâf ü cedel, tartışma yollarını öğreten bilgi. • ‹Visalmend-i visal ol ko şermi ey Nabi — Ne var temenni-i

vuslat hilâf-i ade değil. — Nabi». •
«Hilâf-i tıynetimdir tab-i ahibbaya ke-
der vermek. — Ragıp Pş.».
hilâfen, A. zf. Tersine. Aksine.
hilâfet, A. i. 1. Birinin yerini tutma. 2.
Peygambere vekil olarak İslâmları ve
İslâmlığı koruma ödevi. 3. Halifelik
zamanı ve hüküm sürdüğü çevre. •
Dâr-ül-hilâfe, İstanbul. • «Hem hilâ-
fet hükmünü hem saltanat fermanını
— Bundan etmiş âleme câri mürur-i
rüzgâr. — Fuzulî».
hilâfi, hilâfiye, A. s. Hilâf sistemiyle, po-
lemikle ilgili. • «Bu makule mesail-i
hilâfiyeyi pâbend-i ahmakan edip. —
Kâtip Çelebi».
hilâfgir, F. s. [Hilâf-gîr] Karşıt olan.
Karşı fikirde bulunan. (ç. Hilâfgiran).
• «Günaha-i taksir ve töhmet-i su-i
tedbir ile taraf-i hilâgîrandan ikdam
ve. — Raşit». • «Esna-yi cenkte bir-
birine hilâfgîr olup. — Raşit».
hilâfgîri, F. i. Karşı tarafı tutma. Karşıt
olma.
hilâfiyyat, A. i. Polemik bilgisi.
hilak, A. i. (Ha ile) Tıraş edilmiş veya
edilecek saç veya sakal.
hilâl, A. i. 1. Ara, aralık. 2. Sıra, esna. 3.
Diş karıştıracağı, kürdan. • Hilâl-i
şevvalde, şevval ayı sırasında. • «Ki
o elkab hilâlindedir ism-i âzam. —
Nabi» • «Ol sevahilde vâki cibal-i me-
nia hilâlinde. — Naima».
hilal, A. i. 1. Yeni ay. 2. Kaş. • Hilâl-i
ahmer, Kızılay. • -ahzar, Yeşilay. •
«Hilâl-i iydi şehr içre ne görmüş var
ne tutmuş var. — Yahya».
hilâlî, A. s. Hilâl ile, yeni ay ile ilgili.
hilâsî, A. s. Melez.
hil'at, A. i. Padişah veya vezir tarafın-
dan verilen ağır kaftan. • Hil'at-i fâ-
hire, çok ağır değerde kaftan. (ç. Hi-
lâ'). • «Hazırîne birer hil'at-i fâhire
inayet buyurulup. — Naima».
hil'atduz, F. s. i. [Hil'at-duz] Hil'at bi-
çen, kaftan diken. Terzi. • «Zihi hay-
yat-i hilatduz-i bazar-i hakayık kim
— Kadd-i mânayı etmiş câme-i terkip
ile ber-pâ. — Nabi».
hilb, A. i. 1. Tırnak. 2. Kuş pençesi. (ç.
Ahlâb).
hile, A. i. 1. Aldatacak tertip. Düzen. 2.
Sahtecilik, oyun, dolap. • Hile-i şer'iye,
dine ait bir işte kaçamak noktası. • «Ve
bu hile-i şer'iye ol zamanda olur ki. —
Kâtip Çelebi».

hilebaz, F. i. [Hile-baz] Hileci. • «Bir hi-
lebaz asılacak Arap vardır hile ve kizb
ile âlemi haklayıp ortalığı kuruttu. —
Naima».
hilefürüş, F. s. [Hile-fürüş] Hileci, hile
alışığı.
hilegüzar, F. s. [Hile-güzar] Hileci. •
«Yoğiken tilki gibi hilegüzar — Yine
postu soyulur âhir-i kâr. — Sümbül-
zade».
hilekâr, F. s. [Hile-kâr] Hileci. • «Lâkin
gayet hilekâr ve bivefa ve gaddar ve
mekkâr olup fırsatı düştükte. — Nai-
ma».
hilekârî, F. i. Hilecilik. • «Şaibe-i hile-
kârî ve dagalperdaziden berî selâm-i
dostane. — Kâni».
hileperdaz, F. s. [Hile-perdaz] Hileci. •
«Olmuşuz bir hileperdazın esir-i mek-
ri kim — Sufra-i eflâkten nân-i nü-
cuumu çaldırır. — Nabi».
hilesaz, F. i. Hileci, hileye alışık.
hilenâk, F. s. Hileci. • «Halen doksan ya-
şında başı ve elleri raşenâk bir kâfir-i
hilenâk elçi olmak üzre. — Naima».
hilf, A. i. (Ha ile) 1. Yardımlaşma. 2.
Sözleşme.
hilkat, A. i. 1. Yaratma, yaratış. 2. Yara-
dılıştaki hal. tabiat. • «İktiza etti mü-
nezzeh zatı — Sebeb-i hilkat-i mevcu-
datı. — Hakanî».
hilkaten, A. zf. Yaradılıştan. • «Ârız ol-
muş bir salâhiyet değil her ferdin hil-
katen malik olduğu istiklâl. — Kemal».
hilkî, hılkıyye, A. s. (Hı ile) 1. Yaradı-
lıştan. 2. Doğuştan.
hılkıyyet, A. i. Bir hal veya huyun ya-
radılıştan olması.
hill, A. s. 1. Helâl. 2. Şeriatçe yapılma-
sına izin verilmiş. 3. Mekke'de Harem
sınırı dışındaki yer. • «Ulemayi İslâm
hâşâ küfrüme hükm edip hill-i katli-
me fetva verirler. — Sadettin».
hille, A. i. (Ha ile) Durak.
hillet, A. i. (Ha ile) Vücut kırıklığı, ezik-
lik.
hilm, A. i. 1. Tabiat, huy yavaşlığı. 2.
Yumuşaklık. Sabır. • «Biri sıdk ile bi-
ri ilm ile ferd-i yektadır. — Hakanî».
hilmiyyet, A. i. (Ha ile) Yavaşlık, yumu-
şaklık.
hilye, A. i. 1. Süs, cevher. 2. Güzel sıfat-
lar. 3. Fizik görünüş. 4. (Ed.) Peygam-
berin kutsal niteliklerini, fizik duru-
munu anlatan yazı. • «Biçareyi Ro-

dos'ta boğup hilye-i hayattan âri ve şerr ü tasallutundan âlemi beri edip. — Naima».

himam, hümam, A. s. i. Bk. • *Hümam.*

himar, A. i. Eşek. • «İbnülhimar dedikleri' himar oğlu himarın nifakıyle Piyale Paşa mukteza-yı sernüviştine uğradı. — Naima».

himari, A. s. 1. Eşek ile ilgili. 2. Eşek gibi. • *Hilm-i himarî,* eşek yumuşaklığı. • «Gerçi hilm oldu pesendide-nüma — Olmaya hilm-i himarî amma — Sümbülzade». ·

himaye, A. i. (Ha ile) Koruma.

himayet, A. i. Koruma. • «Min ba'd sultan-i Bahar'dan ummid-i inayet etmek bîmahal ve rica-yi himayet eylemek olmaz emeldir. — Lâmiî».

hime, F. i. Odun. • «Lezzet-i suziş ile hime-i nâsuhteye — Terbiyethane-i külhanda eder gül hande. — Nabi».

himem, A. i. (He ile) [Himmet ç.] Himmetler. • «Bahşiş amuz-i himem havsala suz-i hisset. — Nef'i».

himemat, A. i. [Himmet ç.] Himmetler. • «Fukaraperver cemiyetlerinin himemâtı devede kulak nevinden bile değil de. — Cenap».

himl, A. i. (Ha ile) Yük. • «Mihman olson çekilmez imtinan-i mizban — Mahv olurdu himl-i minnet çekse çarh çenberi. — Nazîm».

himmet, A. i. (He ile) 1. Çalışma. Çabalama. 2. Ermiş kimse etkisi. • «Dem-i Mesih'te netsek rica-yi himmet der — Bu deyr-i köhnede biz de duaya muhtacız. — Ragıp Pş.».

himye, A. i. (Ha ile) 1. Perhiz. 2. (Hasta için) Rejim. • «Himye hakkında dedi re's-i devâ. — Nabi».

Himver, A. i. Yemen'de bir şehir adı.

Himyerî, A. s. Himyerli. Himyerliler gayet kısa konuştukları için ün almışlardır. • «Sa'b ibni-i Haris'ün Rayis'tir mülûk-i kabîle-i Himyeridendir. — Naima».

himyevî, A. s. Perhiz ile ilgili.

hîn, A. i. 1. An. 2. Bir zaman parçası. 3 Vakit. 4. Sıra (ç. Ahyan). • *Hin-i hacette,* gerektiği zamanda. • «Miyan-i mareke-i harbden hareb ettiği hînde hemrahı olan hâdim-i mahsusu. — Sadettin».

hinas, A. i. (Hı ile) [Hunsa ç.] Kendisinde hem erkeklik, hem dişilik olanlar.

hinayet, A. i. (Ha ile) Eğrilik, çarpıklık.

Hind, A. i. 1. Bir kadın adı olup, fetvalar ve şeriat işlerinde soyut olarak kadından bahsedildiği zaman çok geçer. 2. Hindistan. • *Derya-yi Hind,* Hint Okyanusu. • «Yahut beni vilâyet-i Hind'e revane kıl. — Hayali».

hindî, A. s. 1. Hintli. 2. Hindistan veya Hintliler ile ilgili. • «Bir hindî hâcedir ki diler cevherin sata. — Hayalî» • «Ne ezhar-i bahride, ne mürgan-i hindîde görülmek ihtimali vardır. — Kemal».

hindiba', A. i. Hindiba. • «Gönül şifa vü maraz kimden olduğun bilmiş — Ne hindiba' taleb eyler, ne raziyane arar. — Hami».

Hindu, F. s. 1. Hintli. 2. Satürn. 3. Vücuttaki ben. Benek. • «Hâl-i Hindusu eder anda şira-yi cevher — Sahil-i la'lile bak bender-i Bangale gibi. — İzzet Molla».

hinduvane, F. i. (He ile) Karpuz.

hinen, A. zf. Arada sırada, bazı bazı.

hinet, A. i. (He ile) Vekar, onur. • «Ehl-i vekar ü heybet ve sahib-i tevazu-i mufrit ve ittisaf ü hinet idi. — Taş.».

hink, F. i. (Hı ve kaf ile) Kır veya ak at. • «Anı geçirdi eblâk-i eyyam-i fitnecûy — Olmasa hink-i devlete ger taziyane tiğ. — Hayali».

hins, A. i. (Ha ve se ile) Yeminini bozup altından çıkmama. • «İki yeminde bile bayir olup hinsten halâs oldu. — Taş.».

hiram, F. i. (Hı ile) 1. Sallanma. 2. Salınarak yürüme. • «Görsün nihal-i serv-i sanevber hiramını. — Baki».

Hiram, A. ö. i. (He ile) Mısırdaki piramit.

hiraman, F. s. Salınarak, naz ve eda ile yürüyen. • «Ah eylediğim serv-i hıramanın içindir. — Fuzuli».

hiramende, F. s. Hoş ve eda ile yürüyen.

hiras, heras, F. i. Korkma. Korku. • «Ekser-i nâs istilâ-yı dehşet-i bîm ü hiras ile cevami ve mesacide şitap. — Raşit».

hirasan, F. s. (He ile) Korkarak. • «Hirasan olmasa gülden dil-i naşadın ey bülbül — Neler eylerdi hâra ah-i ateşzadın ey bülbül. — Bahayî».

hiraset, A. i. (Sin ile) 1. Saklama. 2. Koruma, bekleme. • «Hiraset-i serhat için mütat şehirden tüfenk endaz talep edip. — Naima».

hiraset, *A. i. (Ha* ve *se* ile) Ekincilik. • «Teklif-i malâyutak ile harap ve perişan olup ziraat ve hirasete kudretimiz kalmadı deyu. — Naima».

hiraş, *F. s. (Hı* ile) Tırmalayan. • *Dil-hiraş, samia-hiraş,* gönül, kulak tırmalayan. • «Zebanım bir mücevher tig-i bürrandır ki hemyare — Hiraş eyler hayali sinelerde zahm-i nasuru. — Nef'î».

hiraş, *A. i. (He* ile) Köpekleri veya halkı birbirine düşürme.

hiraye, *A. i. (He* ile) 1. Asâ. 2. Baston.

hirba', *A. i.* 1. Bukalemun. 2. Güneşin buluta vurduğu zaman olan renkler. • «Tehamc'de sah-i dırahtanda tavattun eder bir hirba' olaydım. — Silvan».

hîre, *F. s.* 1. Kamaşık, donuk. 2. Uyuşuk, bunamış, 3. Şaşmış, hayran. 4. Edepsiz, küstah. 5. Saçma, anlamsız, boş. 6. Kavgacı, inatçı. 7. Yiğit, gözü pek. • «Gazada şule-i şemşirini tasavvur eden — Bulur nigâhını hîre hayalini mahrur — Nabi».

hirebahş, *F. s.* [Hîre-bahş] 1. Kamaştıran. 2. Şaşırtan, akıl durduran.

hîredest, *F. s.* [Hîre-dest] İnatçı. Dikbaşlı.

hiref, *A. i.* [Hırfet ç.] Sanatlar. • «Hususa ehl-i hirefe ziyade salgınlar salınıp. — Naima».

hîregî, *F. i.* 1. Şaşkınlık. Karanlık. 2. Bunamışlık.

hîreküş, *F. s.* [Hîre-küş] 1. Haksız adam öldüren. 2. Sevilen, sevgili.

hirepâ, *F. s.* [Hîre-pâ] Adımını şaşırma. • «Ne hîrepâ-yi şevk ol ey rehneverd-i himmet — Ne damen-i heveste gerd-i şitap göster. — Nailî».

hirfet, *A. i.* 1. Sanat. 2. Kazanç. 3. Esnaf işi. (ç. Hiref). • «Her biri bir hirfet ihtiyar edip. — Hümayunname».

hirmen, *F. s.* Harman. • «Bir hirmen-i nur olup nüh eflâk — Hurşidi kapattı pertev-i hâk. — Ş. Galip».

hirmengâh, *F. i.* Harman yeri.

hirmen suhte, *F. s.* Harmanı yanmış, iflâs etmiş.

hirran, *A. i. (Hı* ile) İtaatli. Baş eğmiş.

hirre, *A. i.* Dişi kedi. (ç. Hürer).

his, hiss, *A. i.* Duygu. Candan duyma. • *Hiss-i bâtın,* zihin yetisi; • *-hal,* hal duyusu, (Fr. *Cenesthesie oenethesie* karşılığı XX. yy.); • *-kabl-el-vuku,* önsezi; • *-müşterek,* ortak duyum (Fr. *sensation commun* karşılığı XX. yy.); • *-selim,* sağduyu (Fr. *bon sens* karşı-

lığı, XX. yy.). • «En âli — Yaşayanlar bile hissetmede en mustahakar — Yaşayanlar gibidir. — Fikret».

(Ed. Ce.). :
Hiss-i beka,
-felâh,
-firak,
-hakk ü halâs,
-hased,
-haşyet,
-hiras,
-husumet,
-ıstırap,
-ihtiraz,
-istihkar,
-isyan,

-keşf,
-merhamet,
-mukaddem,
-mübaadet,
-nihan,
-şan,
-tabiî,
-takdir,
-tecessüs,
-übüvvet,
-vuku,
-zelil.

hisab, hesab, Bk. • *Hesab.*

hisal, *A. i. (Hı* ve *sat* ile) [Haslet ç.] Hasletler, huylar. • «Her zaman ben senin hisalinden — Senin esrar-i naz-i bâlinden — Bir lisan-i hevesle bahsederim. — Cenap».

hisar, *A. i.* [Hasr'dan] 1. Kuşatma, etrafını alma. 2. Etrafı istihkâmlı kale. • «Bezl-i makdur edip bu hisar-i refii çevirdiler. — Naima».

hisas, hises, *A. i. (Ha* ve *sad* ile) [Hisse ç.] Hisseler, paylar.

hisban, *A. i.* 1. Hesap etme. 2. Ukubet, ceza. 3. Şüphe. • «Hemheme-i hisban ve vesvese-i şeytandır ki. — Taş.».

hisbaniyye, *A. i.* (XX. yy.) Fransızcadan *Scepticisme* karşılığı. Şüphecilik.

hiss, his, *A. i.* Bk. *His.*

hisse, *A. i. (Ha* ve *sad* ile) Pay. Kısmet. Kazanç. • *Hisse-i şayia,* ortak bir malda hissesi olanların o malın her parçasından düşen hisseleri: • «Mal-i müşterekin her cüz'üne sarî ve şamil olan sehmidir. — Mec. 139» • «Beklediği şeylerden hiç birini getirmiyordu veyahut bunlardan o kadar az bir hisse getiriyordu ki. — Uşaklıgil».

hisseçîn, *F. i.* [Hisse-çin] Pay alma. • «Hiç bir eğlence yeri yoktu ki Behlûl oradan hisseçîn-i zevk olmasın. — Uşaklıgil».

hissedar, *F. s.* [Hisse-dar] 1. Aksiyon sahibi. 2. Pay almış. • «Bu tâkiplerden hissedar olmayacak kadar çocuk zannederdi. — Uşaklıgil».

hissemend, *F. s.* [Hisse-mend] 1. Hissesi olan. 2. Pay alan. 3. İbret alan. • «Kati vâfir tuhaf ü nevadirattan hissemend olmuşlar. — Naima».

hissen, A. zf. Duyguca, duygulanarak. • «Yani hissen değil hayalimle — Sana arz-i muhabbet eyliyorum. — Fikret».

hisseyab, F. s. [Hisse-yab] Hisse bulan. • ‹O deraguşların heyecanlarından hisseyap olmayarak. — Uşaklıgil›.

hisset, A. i. (Hı ve sin ile) Hasislik. Pintilik. • «Bahşiş-amuz-i himem havsalasuz-i hisset — Kise-perdaz-i kerem kafile-salâr-i kiram. — Nef'i› • ‹Gizlice irae-i hisset eden topraktan. — Uşaklıgil›.

hissî, hissiye, A. s. Duygu ile ilgili. • «Bunun mahiyet-i esasını düşünmeksizin sırf hissî, sırf asabî bir eza duymuş idi. — Uşaklıgil›.

hissiyat, A. i. ç. Duygu yetileri. Duygular. • ‹İsyan-i hissiyatını ezmek için zaif kalbinde. — Uşaklıgil›.

hissiyatperver, F. s. [Hissiyat-perver] Hisli, duygulu. • «Hakcû olalım, hissiyatperver olalım, şair olalım. — Cenap».

hissiyet, A. i. Duyarlık. Duygulu olma. • ‹Bir çocuk gibi hissiyet-i mufrite içinde imiş. — Cenap».

hişavend, F. i. Akraba.

hişan, F. i. [Hîş ç.] Akrabalar.

hîsavend, F. i. Akraba.

hitab, A. i. (Hı ve tı ile) 1. Birine söz söyleme. Sözü biri üzerine çevirme. 2. Bir topluluğa söyleme. • Hitab-i izzet Tanrı sözü; • fasl-ül-hitab, bir kitabın başında besmele ve dualardan sonra amma badün sözüyle asıl maksada giriş. • ‹Kendisine hitab olunurken boş gözlerle bakar. — Uşaklıgil›.

hitabe, A. i. Düzgün söz söyleme. Nutuk verme. • «Behlûl'ün kendisine bu hitabesini işitmiş gibiydi. — Uşaklıgil».

hitaben, A. zf. (Ona) Söyleyerek. • hitaben ve kitaben, söz veya yazı olarak. • ‹Bizim tarafımızdan kitaben ve hitaben bir hareket sudur etti ise söyle utanalım. — Naima».

hitabet, A. i. (Hı, tı ve te ile) 1. Camide Cuma günleri hutbe okuma. 2. Güzel ve düzgün söz söyleme. • «Pür cür'et ü nahvet — Eylerdi hitabet. — Fikret».

hitam, A. i. (Hı ve te ile) Son. Bitim. • ‹Her şey hitam-i haile-i berfe muntazır. — Fikret».

hitampezir, F. s. [Hitam-pezir] Biten, sona eren.

hitan, A. i. (Hı ve te ile) Sünnet.

hîtan, A. i. (Ha ve tı ile) [Hait ç.] Duvarlar. • «Hait; duvar, tahta perde ve çit demektir. Cem'i hîtan gelir. — Mec. 1047».

hitanet, A. i. Sünnetçilik.

hitar, A. i. (Hı ve tı ile) [Hatar ç.] Tehlikeler.

hitbe, A. i. (Hı ve tı ile) Evlenmek için istenen kız.

hîtet, A. i. (Hı ile) Tanrı korumasına bırakma.

hiyab, hiyabet, A. i. Hı ile) 1. Günah, su, kusur. 2. Kötü bir durum başlangıcı. Yokluk.

hiyac, A. i. 1. Ot kuruması. 2. Savaş olma. 3. İç sıkılma.

hiyaket A. i. (Ha ve kaf ile) Bez dokuma sanatı.

hiyal, A. i. 1. Kısır hayvan. 2. Yan. Yön. • «Hibal-i tavile-i arzusun ol sertavile hiyaline akd etmiş idi. — Sadettin».

hiyam, A. i. [Hayme ç.] Çadırlar. • ‹Haşredek ta ki ola beste-i evtad-i hulûd — Saha-i dehrde etnab-i hiyam-i devlet. — Münif».

hiyam, A. i. [Himan ç.] Susuz kişiler.

hiyan, A. i. (Ha ile) Devre, zaman.

hiyaset, A. i. Dikmek.

hiyat, A. i. [Hâit ç.] Perdeler, engeller.

hiyat, hiyatat, A. i. Bir şeyin etrafını çevirme.

hiyaz, A. i. [Hayz ç.] (Kadınlarda) Aybaşılar.

hiyaz, A. i. (Ha ve dal ile) [Havz ç.] Havuzlar.

hiyazet, A. i. 1. Bir araya toplama. 2. Kendisinin malı etme.

hiye, A. zm. (He ile) O (kadın).

hiyef, A. i. [Haife ç.] 1. Bölgeler. 2. Korkular. 3. Gizli olan şeyler.

hiyel, A. i. [Hile ç.] 1. Hileler. 2. Dalavereler. • İlm-ül-hiyel, mekanik bilgisi; • letaif-ül-hiyel, kurnazca oyunlar, hileler; • ‹Cümle erbab-i hiyel müdbir olur — Hilesi pek çoğa sürmez duyulur. — Sümbülzade›.

hiyelâ, A. i. Kendini beğenmişlik. Kibir, gurur, azamet. • ‹Nice bed mest handeris-i hiyelâ ile. — Nergisi›.

hiyem, A. i. [Hayme ç] Çadırlar. • «Görmedi mislini çerh eyleyeli nasb-i hiyem. — Nabi».

-hîz, F. s. ‹Kalkan, ayaklanan» anlamıyle kelimelere ulanır. • Seherhîz, erken kalkan.

hiz, *F. s. i.* (*Hı ve ze* ile) Puşt.

hiz, *F. i.* Coşkunluk. Dalgalanma. • «Merkez-i rekîz-i hizide dairebend-i cemiyet olup. — Nergisi».

hîza, *A. i.* (*Ha ve zel* ile) Hiza. Sıra.

hizab, *F. i.* (*Hı ve ze* ile) Dalga.

hizam, *A. i.* (*Ha ve ze* ile) Bebekleri beşikte bağladıkları kolan, çocuk bağırdağı. • «Zimam-i nehy-i münker ve hizam-i emr-i maruften iba ederler. — Hümayunname».

hizan, *F. s.* Kalkan, kalkarak. • *Üftan ü hizan*, düşe kalka. • «Yine bâd-i sabâ üftan ühizan erdi gülzara — Dem-i İsiyeş ihya kıldı ezhar ü eşçarı. — Nef'i».

hizb, hızb, Bk. • *Hızb*.

hizber, hizebr, *F. i.* 1. Aslan. 2. Yürekli adam. • «Hizber-i bişe-i din safder-i gazanfer-i cenk. — Hayalî».

hizem, *F. i.* (*He ve ze* ile) Odun. • «Ve Hammalet-ül-Hateb-vâr hizem cem' edip. Hümayunname».

hizî, *F. i.* Puşluk, İbnelik.

hiziy, haziy, *A. i.* Rezil ve kepaze olma. • *Hazi vü hızlân.* • «Can atmak dâiyesiyle pey-siper-i vâdi-i hizi vü hizlân olmuşlardır. — Ragıp Pş.».

hizlân, *A. i.* (*Hı ve zel* ile) 1. Yardımsızlıktan zayıf kalma. 2. Yorgunluk, düşkünlük. • «Ol fie-i pûr-seyyienin hizlânına müteallik olmakla. — Nergisi». • «Setr için eylediği hizlânı — Hacı Bektaş'a eder bühtanı. — Sümbülzade».

hizmet, Bk. • *Hidmet*.

hoca, bk. • *Hace*.

hod, *F. i.* Kendi. • *Hodbehod*, kendi kendine. • «Tavazu meşreb-i memduhtur erbab-i rifatte — Fakir eylerse arz-i meskenet hod kendi halidir. — Ziya Pş.». • «Hodbehod giryanlığa gamdan nisabım var benim. — Recaizade».

hodârâ, *F. s.* [Hod-ârâ] 1. Kendini süsleyen. 2. Övünüp duran.

hodbin, *F. s.* [Hod-bin] Yalnız kendini gören. Kibirli, gururlu. Bencil. • «Geçen zamanlarımın ey hayal-i hodbini. — Fikret».

hodbinî, *F. i.* Bencillik. • «Bu adamda hodbinlik, hodfüruşluk ve hodreylik ve hodpesendlik müçtemidir. — Pecoylu».

hodfüruş, *F. s.* [Hod-füruş] Kendini satan, övüngen. (ç. Hodfüruşan). • «Hodfüruşana müdara çekilir dert değil. — Naci».

hodgâm, hodkâm, *F. s.* Kendi isteğinden başkasını düşünmeyen, bencil. • «Yeter, yeter bize aşkın hayal-i hodkâmı. — Fikret».

hodi, *F. i.* Benlik. Kendilik.

hodkâmane, *F. zf.* Bencillere yakışır yolda. • «Kalb-i medeniyet tevilât-i hodkâmane ile memlû. — Cenap».

hodkâmî, *F. i.* Bencillik. • «Bir tesir-i nahoş hâsıl ederdi; belki bir hiss-i hodkâmî. — Uşaklıgil».

hodnüma, *F. s.* [Hod-nüma] Kendisini gösteren, öven. • «Hodnümalık suretin sende görür çeşm-i cihan. — Hayalî».

hodperest, *F. s.* [Hod-perest] Kendine tapan, kendini beğenmiş. • «Hayf sad hayf ki hodperest ve şarab-i gafletle mest olmuşum. — Y. Kâmil Pş.».

hodpesend, *F. s.* [Hod-pesend] Kendini beğenmiş, gururlu. • «Her hodpesend serkeşin ecza-yi cismidir — Her zerre-i hâki bu köhne neşimenin. — Nabi».

hodpesendî, *F. i.* Kendini beğenmişlik. • «Şerm-i nadanî olurdu muris-i nakd-i helâk. — Hodpesendî tesliyet-bahşa-yi cühhal olmasa. — Nabi».

hodreviş, *F. s.* Kendi bildiğine iş işleyen.

hodrey, *F. s.* [Hod-rey] Kendi kafasına giden, inatçı. • «Çün Hüsrev Paşa hodbin ve hodrey kimesne idi. Umur-i tecrübeye rağbet etmeyip tevarih görmemiş, selef ahvalini tetebbu' etmemiş, kendi bildiğine gider adamidi. — Naima».

hodru, *F. s.* (Kendi kendine biten bitki), yabanî. • «Nercis-i bagî değildir gül-i hodruy-i dagidir. — Şefikname şer.».

hodser, *F. s.* [Hod-ser] Dik başlı, bildiğine gider, inatçı.

hokka, hukka, *A. i.* 1. Küçük yuvarlak kutu. 2. Mürekkep konan küçük kap. • *Hokka-i dehen*, • *hokka-i mina*.

hokkabaz, *F. i.* [Hokka-baz] 1. Hokkabaz. 2. Oyuncu, hileci. • «Meh ile mihr, çapük-dest bir iki hokkabaz ancak. — Hayalî».

hor, hâr, *F. s.* Değersiz, önemsiz. Ufak. Bayağı, âdi. • «Üsküdar hanlarında hor ve zelil bunca zaman bekleyip Naima».

hor, har, *F. i.* 1. Güneş. 2. Işık.

-hor, -har, *F. s.* «Yiyen, yiyici» anlamıyle kelimelere katılır. • *Meyhor*, • *mirashor*.

Horasan, Hurasan, *F. i.* İran ile Afganistan arasında bir bölge. • «Abâ var, post var, meydanda er yok — Horasan ellerinden bir haber yok. — Beyatlı».

hord, *F. i.* Yiyecek, yiyinti. • *Hord ü hâb,* yiyecek ve uyku, (kinaye olarak) gayretsiz, tembel. • «Firib-i hord-i serab-i ümit olup etme — Gubar-i dergeh-i erbab-i câhı nasiyesud. — Sabit». • «Haram eyledi hord ü hâbı — Dahi bıraktırdı elden kitabı. — Nabi».

horde, *F. s.* «Yemiş, yenilmiş» anlamıyle birleşik kelimeler meydana getirir; • *Danehorde,* kurşun yemiş; *sâlhorde,* yıl yemiş, kocamış, yaşlı; • *taamhorde,* yemek yemiş.

hordengâh, *F. i.* [Horden-gâh] Yemek odası.

hordeni, hurdeni, *F. i.* Yiyecek şey. Yiyinti.

horende, *F. s.* Horanta. Bir kimsenin beslediği insan. Boğaz.

horos, *F. i.* (*Hı* ve *sin* ile) Horoz.

horşid, hurşit, *F. i.* (*Hı* ile) Güneş. • «Olup horşid ü mehten mührekeş evrak-i eflâke — Hutut-i ruz ü şebden nüsha-i sun' eylemiş inşa. — Nabi».

hortum, *A. i.* 1. Hortum. 2. Fil burnu.

hoş, *F. s. zf.* (*Hı* ile) 1. Güzel. 2. İyi 3. Tatlı. • «Erzurum'dan gelen baş ise soyulmuş olmakla bir hoş teşhis olunmazdı. — Naima». • «Hoş geçen her dem-i sevda ebediyyet sayılır. — Fikret».

hoşâ, *F. ün.* Ne iyi! Ne güzel! • «Hoşâ ey burc-i izz ü devletin hurşid-i tâbânı — Yine lütfunla pür-nur eyledin çeşm-i dil ü canı. — Nedim».

hoşab, *F. i.* [Hoş-âb] 1. Hoşaf. 2. (İnci ve benzerleri değerli taşların) iyi suyu (berraklığı, parlaklığı). • «Çorba nuş eyleyecek yerde hoşab ister. — Havayî» • «Bir kulzüm-i nur-i sürh güzar — Lü'lü-yi hoşabı lâl-i şehvar. — Ş. Galip».

hoşalef, *F. s.* [Hoş-alef] Haram, helâl demeden her şeyi yiyen.

hoşamed, *F. i.* [Hoş-amed] İyi karşılanma. Karşılama iltifatı. • «Deyü şaha hoşamed söylemiş. —Sadettin».

hoşamedgû, *F. s.* Karşılayan, karşılayıcı, (Mec.) Yüze gülen, dalkavuk. (ç. Huşamedgûyan). • «Padişahımız bu diyarın ahvalini bilmez yanında olan hoşamedgûylar sözünü ısga eder. — Naima».

hoşamedgûyi *F, i.* 1. Karşıcılık. 2. (Mec.) Yüze gülücülük, dalkavukluk.

hoşamedî, *F. i.* Karşılama töreni. • *Beyan-i hoşamedî,* safa geldin deme. • «Evvelâ kaide-i hoşamedî icra badehu. — Naima».

hoşane, *F. s.* (*Hı* ile) Güzel.

hoşavaz, *F. s.* [Hoş-avaz] Sesi güzel.

hoşayende, *F. s.* [Hoş-ayende] Hoşa gider, beğenilir. (ç. Hoşayendegân). • «Selâmet-i elfazı hoşayende ve uzubet-i maanisi safa-efzayende ola. — Lân iî». • Bir bulut parçasının kenarına hoşayende rişeler tâlik ediyordu. — Uşaklıgil».

hoşbin, *F. i.* [Hoş-bin] Hoş görür. İyimser. • «Kalbinde uyanmış olan hiss-i hoşbini muhtel olmuş buldu. — Uşaklıgil».

hoşbû, *F. s.* [Hoş-bû] Güzel kokan, iyi kokulu. • «Bir rütbe havası sâf ü dilcu — Bülbülleri gonce gibi hoşbu. — Ş. Galip». • «Ey bâd-i muattar ki semadan getirirsin — Her zühreye bir nefha-i hoşbu. — Cenap».

hoşbuyi, *F. i.* İyi kokma, güzel kokma.

hoşdem, *F. s.* [Hoş-dem] 1. İyi arkadaş. 2. Hali ve geçimi yerinde olan. • «Dilşadlara enis ü hoşdem — Bimarlara libas-i matem. — Ş. Galip».

hoşdil, *F. s.* [Hoş-dil] Gönlü hoş, halinden memnun, razı. • «Hoş eda hoşdil ü hoş-rûy olagör. — Sümbülzade».

hoşe, huşe, *F. i.* Başak.

hoşeda, *F. s.* [Hoş-eda] Davranışı hoş, güzel. • «Nağme-serayân-i hoşeda inşad-i sakiname-i şahî ve husrevî ile. — Şefikname».

hoşelhan, *F. s.* [Hoş-elhan] Güzel ve tatlı okuyan. Güzel makamlı. • «Mevlithanlar içinde bülbül-i hoşelhan mesabesinde olan Tarakçızade Mahmut Çelebi. — Naima».

hoşendam, *F. s.* [Hoş-endam] Boyu bosu güzel.

hoşgû, *F. s.* [Hoş-gû] Tatlı dilli, iyi söz söyleyen. • «Mizacgirlik kaidesince vâfir hoşgûyluklar eyledi. — Naima».

hoşgüvar, *F. s.* [Hoş-güvar] Tatlı. Sindirimi kolay. • «Eyler küşade şebistan-i nazını — Bir semt-i hoşgüvar. — Cenap».

hoşgüzeşte, *F. s.* [Hoş-güzeşte] Hoş geçmiş tatlı zaman. • «Yâdınla çeşm-i hasreti yumdukça gâh gâh — Ey an-i hoşgüzeşte, gülümser durursun, ah. — Fikret».

hoşhal, *F. s.* [Hoş-hal] Hali vakti iyi. Geçimi yolunda. ● «Âlem hoşhal ve müreffehülbal olmakla. — Naima».

hoşheva, *F. s.* [Hoş-heva] Havası tatlı, iyi. ● «Hoşhevalık ile şöhrette iken âlem-i âb — Bulmadım saffetini düşmedi hemsaz bana. — Ragıp Pş.».

hoşhiram, *F. s.* [Hoş-hiram] Yürüyüşü güzel. ● «Oldum ben o hoşhirama mail — Tavusa tutar mıyım mümasil. — Naci».

hoşhu, *F. s.* [Hoş-hu] Huyu hoş olan. ● «Görmedi sana muadil dide-i baht-i Halep — Fazıl-i hoşhuy düstur-i suhandan elveda. — Nabi».

hoşkadem, *F. s.* [Hoş-kadem] Ayağı uğurlu. Meymenetli.

hoşkalem, *F. s.* [Hoş-kalem] 1. İyi yazan, kâtip. 2. Hileci.

hoşkâm, *F. s.* [Hoş-kâm] İsteklerine ulaşmış, rahat, memnun. ● «Vermez dil-i şebhîzime ârâm — Etmez beni hoşkâm — Cenap».

hoşmanzar, *F. s.* [Hoş-manzar] 1. Göze güzel görünen. 2. Güzel yüzlü.

hoşmeniş, *F. s.* [Hoş-meniş] İyi yaradılışlı.

hoşmeşreb, *F. s.* [Hoş-meşreb] Huyu tatlı, sevimli. ● «Şair deme ehl-i dil demektir — Hoş-meşreb ü mutedil demektir. — Ş. Galip».

hoşmeze, *F. s. i.* [Hoş-meze] Tadımı iyi yiyecek. ● «Her biri nakl-i hikâyât-i hoşmeze-i hatırnişanların. — Nergisi».

hoşneva, *F. s.* [Hoş-neva] Güzel sesli. ● «Bülbül hoşenva-yi âşıkane. — Nergisi».

hoşnihad, *F. s.* [Hoş-nihad] İyi huylu, iyi yaradılışlı.

hoşnişin, *F. s.* [Hoş-nişin] 1. Rahat yerleşmiş. 2. Göçebe. (ç. Hoşnişinan). ● «Geh bir leb-i cûda hoşnişinim. — Naci».

hoşnud, *F. s.* Sevinme. Halini iyi bulma. Razı olma. ● «Bir gaza ettin ki hoşnud eyledin peygamberi. — Nef'i».

hoşnudî, *F. i.* Hoşnut olma. Razılık. Memnunluk, sevinme.

hoşnudiyet, *A. i.* Hoşnut olma.

hoşnüma, *F. s.* [Hoş-nüma] Hoş ve iyi gösteren, böyle görünen. ● «Dane-i dürr gibi rûyunda teri — Hoşnüma eyler idi ol güheri. — Hakanî».

hoşreftar, *F. s.* [Hoş-reftar] İyi, güzel yürüyüşlü. Yürüyüşü güzel olan.

hoşruy, *F. s.* [Hoş-ruy] Sevimli, tatlı yüzlü. ● «Hoş-eda hoş-dil ü hoş-rûy olagör. — Sümbülzade».

hoşsohbet, *F. s.* [Hoş-sohbet] Konuşması sı hoşa giden. ● «Hoşsohbetiz ki yâr olıcak âleme bizi. — Hayalî».

hoştab', *F. s.* [Hoş-tab] Tabiatı hoş olan. Huyu iyi olan.

hoştâbir, *F. s.* [Hoş-tâbir] Tabirleri tatlı. ● «Lütf-i mutad ile ol şair-i hoştâbirin — Şahidi- nazmına ver hüsn-i beyan hoş geldin. — Naili».

hoşter, *F. s.* [Hoş-ter] Daha, çok hoş. ● «Sonra birçok manazır-i hoşter. — Fikret».

hu', *A. ün.* (He ile) Sığınmak, yakarmak anlamındadır. *A. zm.* O (Tanrı). ● «Ömrün efzun ola bir hu çekelim — Edelim sonra duayı tasmim. — Nef'i».

hu, huy, *F. i.* Bk. ● *Huy.*

hub, *F. s.* (Hı ile) Güzel, hoş iyi. ● «Şol kadar hub idi ol enf-i münif — Edemez ehl-i maarif tarif. — Hakanî».

hub, *A. i.* (Ha ile) Gürah. ● «Nişane-i tob ve tarih-i Haviye-i hevan ü hub olup. — Sadettin».

Hubahib, *A. i.* Pintilikle ün almış bir kimse olup misafire çok zayıf ateş yakardı; ● *nâr-i Hubahib* veya ● *nâr-ül-Hübahib* sözü mesel olmuştur.

huban, *F. i.* (Hı ile) [Hub ç.] Kadın ve erkek güzeller. ● *Huban-i Dımışk,* Şam güzelleri; ● *zümre-i huban,* güzeller takımı. ● «Niçin ümmidvar-i vuslata azürdedir huban — Yine küstah eden biçareyi fart-i muhabbettir. — Naili ● «Aldılar aklım perirûlar perişan ettiler. — Bir yere gelmez meğer cemi'yet-i huban ola '.— Beyani».

hubb, *A. i.* Sevgi, bağlılık. ● *Hubb-i cah,* mevki, rütbe sevgisi; ● *-din,* din sevgisi; ● *-nefs,* nefsini sevme; ● *-vatan,* yurt sevgisi; *hubb-ül-gayr,* özgecilik (altruisme). ● «Hubb-i câha düşen erbab-i mihen — Kenduye hazır eder çok şeyn. — Sümbülzade». ● «Müşafehat-i hubb ü dâd. — Cenap». ● «Zenginler mübalağalı bir hubb-i nefse müptelâdırlar. — Cenap».

hubbaz, *A. i.* Ebegümeci.

hubbaziye, *A. i.* (Bot.) Ebegümecigiller.

hubesa, *A. i.* (Hı ve se ile) [Habis ç.] Habisler.

hubeyb, hubeybe, (Hab sözünden Türkçeçe yapılmıştır). Küçük tane. Tanecik.

hubeybat, (Türkçede, Hubeyb ç.) Küçük tanecikler. • *Hubeybat-i mülevvene.* (Bot.) Kromoplast.

hubeybî, (Türkçede.) Tanecikli.

hubi, *F. i.* Güzellik. • ‹Behcet-i rûyu ve hubî-i sadası nihayette idi. — Taş.›.

hublâ, *A. s.* Gebe. • «Günde bin şey doğurur leyle-i hublâ-yi adem. — Akif Pş.›.

hubr, *A. i. (Hı* ile) 1. Bilgi, bilme. 2. Deneme, sınama. • ‹Ol makule nüshaya itimatta hubr ü beis' yoktur. — Taş.›.

hubru, *F. s.* [Hub-rû] 1. Güzel yüzlü. Yüzü güzel. 2. Gülçehre, pembe yüzlü. (ç. Hubruyan).

hubrûyan, *F. i.* [Hubrû ç.] Güzel yüzlüler. • «Eğerçi vaz-i sengin-i hubruyana sezadır amma — Verir hüsn vaz-i lâübaliler sefahetler. — Nabi».

hubs, *A. i.* 1. Kötülük. 2. Fenalık. 3. Murdarlık, pislik. • ‹Şahingiray dahi hubs-i derunisini izhar. — Naima›.

hubter, *F. s.* [Hub-ter] Pek güzel.

hubterin, *F. s.* En güzel.

hubub, *A. i. (Ha* ile) [Habb ç.] Tahıl taneleri. • ‹Ol hubub-i mecureden masnu' bir ragif-i — Taş.›.

hububat, *A. i.* Taneli kuru şeyler. Buğday, arpa, çavdar... gibi taneli bitkiler. Tahıl. • «Hatta mücellâ taşlar arasında hububatı ezerek kaba bir ekmek bile imal edebiliyorlardı. — Cenap›.

hubul, *A. i.* [Habl ç.] İpler.

hubur, *A. i.* [Haber ç.] Haberler.

hubur, *A. i.* Ziyade sevinme. Sevinç. Gönül ferahlığı. • ‹Görüp mehabet ile rüstemane etvarın — Olur tabiat-i tevfik neşveyab-i hubur. — Nabi›.

hubut, Bk. • *Hübut.*

hubut, *A. i.* Boş, işe yaramaz olma.

hubüb, *A. i.* [Hubub ç.] Kabarcıklar.

hubz, *A. i. (Hı* ve *ze* ile) Ekmek. • ‹Anın hubzu meşvi yani nanı puhta vü hazırdır. — Ta.ş›.

hue, *F. i. (Hı* ile) Kuş tacı. İbik.

huccab, *A. i. (Ha* ile) [Hacib ç.] Perdeciler. Kapıcılar.

huccac, *A. i.* [Hac ç.] Hacılar. Hacılık yolculuğunu yapmış olanlar. • Hacc-i şerife âzim olan Bosna huccacını vurup. — Naima›.

huccet, hüccet, *A. i.* 1. Kanıt. 2. (Eski) Şeriat muhakemesinden verilen bir hak veya bir sahiplik gösteren resmî belge. 3. Seçkin bilginlere verilen un-

van. • *Hüccet-ül-İslâm,* İmam Gazali. • ‹Gaybe iman getir ey mülhid-i fâcir ki sana —Ahiretten hatt-i talik ile huccet gelmez. — Sabit›.

hucec, *A. i.* [Huccec ç.] Huccetler. • *Hucec-i hattiye* (yazılı huccetler) padişah beratları, Defterhane kayıtları, mahkeme sicilleri. • «Müttehem edip hucec-i mercuha ile iraka-i demi halline hükmettirdi. — Naima».

hucerat, *A. i.* [Hucre ç.] 1. Odalar, odacıklar. 2. Sürü konulan yerler. • *Sure-i hucerat,* Kur'anın. 4. suresi. • *Hucerat-i tenasüliye,* germen. • ‹Ve talebe için hucerat bina olunup. — Sadettin». • ‹Eğer âlem-i cismimizde muharebe-i hucerat ve küreyvat inkıta etse. — Cenap».

huceste, *F. s.* Uğurlu, kutlu. • *Hucestefal,* falı uğurlu; • *-hisal,* tabiatı uğurlu (iyi), • *-mâna,* mânası uğurlu; *-rey,* fikri uğurlu (isabetli). • «Berat-i saadet âyat ki menşur-i ikballeri gibi huceste-fâl idi. — Sadettin».

huceyrat, *A. i.* [Huceyre ç.] Gözenekler.

huceyre, *A. i.* Pek küçük hücre. • ‹Aileyi zümreler bu uzviyetin huceyreleri. — Z. Gökalp».

hucr, hacr, hıcr, *A. i.* Kucak.

hucre, *A. i.* 1. Oda, odacık. • *Hucre-i iştigal,* • *hucre-i mesai,* çalışma odası. 2. (Bio) Hücre. • ‹Vücudumuz hücrelerin, küreyvelerin, zerrelerin mücadelegâhı değil midir? — Cenap». • ‹İşte hücre-i iştigalim dedi. — Uşaklıgil». • ‹Küçücük hücre-i mesaisine taşıdı. — Uşaklıgil».

hucrevî, hucreviyye, *A. s.* Hucre ile ilgili. Hücresel.

hucüb, *A. i.* [Hicab ç.] Perdeler. • «Muhabbet-i dünya kulûbe müstevli ve hucüb-i şükûk ü zunun müterakim olmakla. — Naima».

hud, *F. i. (Hı* ile) Zırhtan başlık. Miğfer. • *Hud-i horos,* horoz ibiği: ‹Hun-i guzat ile rû-yi zemin âl ve hud ü miğfer ile mareke-i kıtal malâmal olmuş idi. — Sadettin».

hud, *A. i. (Hı* ile) [Havd ç.] Düzgün vücutlu güzeller.

Hud, *A. i. (He* ile) Âd kavmine gönderilen peygamber.

Huda, *F. i.* Tanrı. • Sabr eyle sen biraz etme efgan — Neyler bakalım Huda-yı zişan. — Ş. Galip».

hud'a, *A. i.* Aldatma, düzen, dek. Oyun, dalavere. Hile. • ‹Bire ak sakalı kana bulanası zalim, ümmet-i Muhammede bu eylediğin mekr ü hud'a nedir? — Naima›.

hudadad, *F. s.* [Huda-dâd] Tanrı vergisi. • ‹Hüsn kim gaaliye vü gazeden imdat ister — İstemez dil anı bir hüsn-i huda-dad ister. — Ş. Galip›.

hud'afüruş, *F. s.* [Hud'a-füruş] Münafık, ikiyüzlü.

hud'ager, *F. s.* [Hud'a-ger] Hileci. Düzenci (ç. Hud'ageran). • ‹Dest-i fitnebiz-i hud'ageran-i zemane ki. — Nergisi›.

hud'akâr, *F. s.* [Hud'a-kâr] Oyuncu, dekçi, hileci, düzenbaz. • ‹Hud'akâr kız beni aldattı. — Mitat›.

Hudanegerde, *F. s.* Tanrı göstermesin. • ‹Yâre dokunur Hudangerde — Bâlin ne sürünürsün öyle yerde? — Naci›.

hudaret, *A. i.* (*Hı* ve *dat* ile) 1. Yeşillik. 2. İç açıcılık.

hudaşinas, *F. i.* [Huda-şinas] Tanrıyı bilen, Müslüman olan.

hudavend, *F. i.* 1. Sahip, efendi. 2. Zengin kimse. 3. Tanrı. (ç. Hudavendan); • ‹Ol hudavend-i hudavendan-i fazl ü câh kim — İlm ü irfan ile olmuş izz ü devlet tev'eman. — Naf'i›. • ‹En şa'şaalı feyzi Hudavend-i hakîmin. — Naci›.

hudavendî, *F. i.* 1. Sahiplik, efendilik. 2. Tanrılık. • ‹Nimet-i lika ile sîrab kılsa mevhibe-i hudavendîden bait midir. — Veysi›.

hudavendigâr, *F. i.* 1. Hudavend, sahip, efendi. 2. Osmanlı padişahlarından I. Murat'ın lâkabı. 3. Bursa ilinin eski adı. • ‹Varup istifa künan pây-i Hudavendigâra yüz sürdükte. — Naima›.

hudaver, *F. i.* 1. Sahip, malik. 2. Bey, hâkim.

Huday, *F. i.* (*Hı* ve *dal* ile) Huda, Tanrı.

Hudayâ!, *F. ün.* Ey Tanrı!

hudayegân, *F. i.* Büyük bir efendi, yahut hükümdar; Tanrı. • ‹Hudayegân-i muazzam şehinşah-i âlem. — Nabi›.

hudayî, *A. s.* Tanrı yarattığı, tabiattan olan. • *Hudayî nâbit*, kendiliğinden biten bitki, yabanî, kırçiçeği. • ‹Görmemiştir rasad-engiz-i kader — Gözleri gibi hudayî gözler. — Hakani›.

huddam, *A. i.* [Hadim ç.] 1. Hizmet edenler. Hademeler. Hizmetçiler. 2. Cinci hocaların toplayıp kendilerine iş gördürdükleri cinler. • ‹Etme huddâmı umura mahrem — Ayrılır da yapışır düşmene hem. — Sümbülzade›. — ‹Etme davet yanına şeytanı — Sanma huddamın olur rahmanı. — Sümbülzade›.

hudret, huzret, *A. i.* (*Hı* ve *dat* ile) Yeşillik. • ‹Saidî zümrüdün rengi hudre-ti reyhanî ile safret-i halise-i zehebden mümteziç. — Naima›.

hudu, huzu, *A. i.* (*Hı* ve *dat* ile) Boyun eğme, eğilme.

hudud, *A. i.* (*Ha* ve *dal* ile) [Had ç.] 1. Engeller. 2. Yasaklar. 3. Şeriatçe verilen dayak cezaları. 4. Uclar, sonlar. 5. Sınır. 6. Nokta, derece, devirler. 7. Taraflar. • ‹Sema kadar açık olsun hudud-i zevk ü emel. — Fikret›.

hudur, *A. i.* (*Ha* ve *dal* ile) İnme.

hudus, *A. s.* Sonradan olma. Yeni çıkma. • ‹Asr-i nebeviden bu ane gelince misli huduse etmeyen vaka-i mezbure. — Naima›.

hufer, *A. i.* (*Ha* ile) [Hufre ç.] Kazılmış çukurlar.

huff, *A. i.* 1. Ayakkabı. 2. Deve tabanı. 3. Deve. • *Huff ü hafir,* deve ve at. • ‹Huffundan bir sikkîn çıkarıp. — Taş.›.

huffaş, *A. i.* (Zoo.) Yarasa. Gecekuşu. (ç. Hafafiş). • ‹Verir emvata ihya bâde gûya kim çıkıp günden — Salar feyz-i Mesiha bâdeye humhane huffaşı. — Fuzulî›. • ‹Rencide olur dide-i huffaş ziyadan. — Ziya Pş.›.

huffaşe, *A. i.* Yarasa.

huffaz, *A. i.* (*Ha* ve *zı* ile) [Hafız ç.] Hafızlar. • ‹Her cuma gecesi on iki huffaz cem' edip birer aşr-i şerif kıraat ettirip. — Naima›.

huffeyn, *A. i.* (*Hı* ile) İki çizme. • ‹Ve huffeyn üzerine mesh edesin. — Taş.›.

hufre, hafre, *A. i.* (*Ha* ile) Kazılmış çukur. • ‹Bir hufre-i sükûnuna at leyl-i kalbinin. — Fikret›.

hufte, *F. s.* Yatıp uyumuş. Durgun. (ç. Huftegân). • ‹Teşkil eder siyehkede-i şebde bahr u berr — Bir bufte aile. — Cenap›.

huftegî, *F. i.* (*Hı* ve *te* ile) Yatıp uyuma.

hufye, *A. i.* (*Hı* ile) Gizlenme, saklanma.

hûger, *F. s.* (*Hı* ve *kef* ile) [Hû-ger] Huy edinmiş, huy tutmuş. • ‹Ol naz ü naima hûger şehzade. — Sadettin›.

huk, *F. i.* (*Hı* ve *kef* ile) Domuz. • ‹Bir kızılbaş-i hûk savaş erişip. — Naima›.

hûkban, F. i. Domuz çobanı. Domuz bekçisi.

hukerde, F. s. (Hı ve kef ile) [Hu-kerde] Terlemiş.

hukne, hokne, A. i. Tenkıye âleti. Şırınga. • ‹Hukne-i leyyinenin nef'i kesîr — İlel-i mideyi def'a iksîr. — Nabi›.

hukud, A. i. (Ha ve kaf ile) [Hıkd ç.] Garazlar, kinler.

hukuk, A. i. [Hak ç.] 1. Haklar. 2. Gerçekler. 3. Kanunların verdiği haklar. • Hukuk-i cezaiye, ceza hukuku; • -düvel, devletler hukuku; • -ibad, insan hukuku; • -kadime, eskiden beri olan tanışlık; • -medeniye, medenî hukuk; • -mevzua, konulmuş kanunların meydana getirdiği hukuk; ; • -siyasiye, memleket idaresini, halkın haklarını bildiren hükümlerin tümü; • -şahsiye, şahsın hukuku, • -tabiiye, yaradılıştan insanların sahip oldukları hukuk; • ilm-i hukuk, hukuk bilgisi; • ‹Ol hukuk-i güzeşteyi riayette musamaha. — Nergisi›. • «Kaç kereler kocasının hukukuna karşı böyle kapanan kapı. — Uşaklıgil›.

hukukan, A. zf. Hukuk bakımından, • ‹Hukukan bir çobandan farkı yoktur bir şehinşahın. — ‚Eşref›.

hukukî, hukukiyye, A. s. Hukukla ilgili. Hukuk işleriyle uğraşan. • Mahkeme-i hukukiye, Hukuk mahkemesi. • ‹Siyasî, dinî, ahlâkî, hukukî, bediî... hayatların hepsine gençlik, samimîlik ve taravet geldi. — Z. Gökalp›.

hukukiyat, A. i. (XX. yy.) Hukuk bilgisi bahisleri. Hukuk bilgisi.

hulâ, A. i. (Hı ve ayın ile) Çalınma, çarpılma denilen illet.

hulabes, A. i. (Ha ile) 1. Aslan. 2. Saygı değer kimse.

hulâhil, A. i. (Ha ile) Yaradılıştan yiğit, ulu kimse.

hulâsa, A. i. 1. Öz. 2. Özet. 3. İlâç olarak çıkarılmış öz. • Hülâsa-i kelâm, sözün özü. Lafın kısası; • hulâsat-ül-hulâsa, sözün sonucu. • «Kalem baharı bu tasvir-i sade-nakşiyle — Hulâsa etmek ister. — Fikret›.

hulâsaten, A. zf. Hulâsa olarak. Kısaca.

huld, A. i. 1. Sürüp giden, sonu olmayan varlık. Tükenmeme. Bakilik. 2. Cennet. • Dar-ül-huld, • huld-i berin, cennet. • ‹Nur-i affi meclis-i rahat-füruz-i ehl-i huld. — Nazîm›.

huldzar, F. i. [Huld-zar] Cennet. • ‹Onunla sâir olur huld-zâr-i lâhutu. — Fikret›. • «Şair neşimeninde eder seyr-i huldzar. — Fikret›.

hulefa, A. i. (Hı ile) [Halife ç.] 1. Halifeler. 2. Bir resmî dairede kalem âmirinin çalıştırdığı kimseler. • Hulefa-i raşidîn, ilk dört halife: Ebubekir, Ömer, Osman, Ali. • ‹Fehevası üzere Hulefa-i raşidîn hususa. — Naima›.

hulefa, A. i. (Ha ile) Halifeler. Andlaşmış kimseler.

hulel, A. i. [Hulle ç.] Elbiseler. • ‹Ve arais-i ebkâr-i maanisi hulel-i ibarat-i fasiha-i lâtife ile tahliye ve tezyin. — Nergisi›.

hulema, A. i. [Halim ç.] Halimler.

hulesan, A. i. (Hı ile) [Hıls ç.] Dostlar.

huleyme, (Türkçede yapılmıştır.) 1. Memecik. 2. Deride ve en çok dil üzerinde olan küçük kabarcık. (ç. Huleymat).

hulf, A. i. (Hı ile) Sözde durmama, sözünü tutmama. Aksine gitme, karşıt olma. • ‹Va'd-i arkub değildir mergub — Sonra tenfil ile olursun mahcub. — Sümbülzade›.

hulfe, hulfet, A. i. (Hı ile) Bunama.

huli, hulli, Bk. Hulli.

huli, A. i. (Hı ve ayın ile) Karısını boşama.

huliy, A. i. (Ha ile) [Hıli ç.] Değerli taşlardan yapılma süs eşyaları.

hulk, A. i. 1. Yaradılıştan olan huy. 2. Manevî nitelik, iyi veya kötü huy. 3. Yaradılıştan olan tabiat veya karakter. • Hüsn-i hulk, iyi huy; huy veya karakter iyiliği. (ç. Ahlâk). • «Açılsa her nerde bahs-i hulk ü etvarı — Hulûs-i kalb ile herkes sena-güzarı idi. — Recaizade›.

hulkan, A. zf. Ahlâk veya tabiatça.

hulkiyet, A. i. (Türkçede XX. yy.) Fransızcadan moralisme karşılığı. Törecilik, moralizm.

hulkum, A. i. (Ha ile) Boğaz.

hullân, A. i. [Halil ç.] Dostlar. • «Bazı hullâni vefa ihvan-i safa ile. — Lâmii›.

hulle, A. i. 1. Cennet elbisesi. 2. Bir kısmı belden aşağı, bir kısmı belden yukarı elbise. 3. Üç kere boşanmış bir kadının tekrar alınabilmesi için başkasına bir günlük nikâh edilmesi. • Hulle-i Âdem, (Âdem Peygamberin elbisesi. İncir yaprağı. (ç. Hullel).

«Hulle-puşan-i tebaşir-i duhul-i firdevs. — Tâcdarani hilâfet o mukarripler için. — Haşmet».

hulleb, *A. i. (Hı* ile) Yağmursuz geçen kara bulut ve şimşek. • «Ve bürukun kangısı hulleb. — Taş.»

hullebaf, *F. i.* [Hulle-baf] Terzi. • «Gûne gûne hullebâf kârgâh-i feyzdir — Bikr-i endişem kabul etmez cihaz-i mustear. — Nazîm».

hullet, *A. i. (Ha* ile) 1. Giyecek. 2. Kadının üç boşama sonunda varıp boşandığı erkek eş.

hullet, *A. i. (Hı* ile) Dostluk. Arkadaşlık. • «Ama Silâhdar Paşa makam-i hullet ve izz ü mahremiyyet sahibi olmakla. — Naima».

hulm, hulum, *A. i. (Ha* ile) Rüya, düş azma. (ç. Ahlâm).

hulûc, *A. i. (Hı* ile) Rahatsız olma. Dövünme, çırpınma.

hulûd, A. i. Bakilik. Ölmezlik. Kalıp durma. • *Yevm-i hulûd,* kıyamet günü. • «Meram ü maksad-i âlem penahgâh-i ümem — Ümid-i ruz-i nedem mülteca-yi yevm-i hulûd. — Sabit».

hulûl, *A. i.* 1. Konma. 2. Girme. 3. Gelip çatma. 4. Geçişme. 5. Tenasühe inananlarca bir ruhun bir güzel cisme girmesi. • «Ne zaman zerd ü muhtazır eylûl — Etse giryan bulutlarıyle hulûl. — Fikret».

hulûliyye, *A. s. i.* Tanrı'nın cisimleşmesi, yani ölümlü cisimlere geçmesi inancında bulunma. Bu yolda inanan kimse.

hulûm, *A. i.* Hilm, huy yavaşlığı.

hulûm, *A. i.* 1. Halislik. Sâflık. Doğruluk. 2. Samimilik. 3. Yaltaklanma. • *Hulûs-i bal,* • *-kalb,* kalb arılığı, samimilik; • *arz-i hulûs,* samimilik gösterme. • «Garaz arz-i hulûs ü bezl-i makdur etmedir yoksa — Olur hakk üzre medhine zeban-i natıka ebkem. — Nef'i».

hulûsiyyet, *A. i. (Hı* ile) Halis dostluk.

hulûskâr, *F. s.* [Hulûs-kâr] 1. Samimi dost. 2. İki yüzlü, ricayı kimse.

hulûskârane, *F. zf.* Hulûskâr birine yakışacak gibi. Dostça.

hulûskârî, *F. i.* Halis dostluk.

hulûsname, *F. i.* [Hulûs-name] Sadece ilgi ve bağlılığı göstermek için sunulan mektup.

hulûv, *A. i.* Boşluk. • «Ulema-yı kelâm hod kendüler kelâmda bu iki âfetten hulûvvü şart eylemişlerdir. — Taş.».

hulv, *A. s.* 1. Tatlı. 2. Hoş, güzel. • «Yani bu belde bize hulv oldu demektir. — Taş.».

hulvan, *A. i. (Ha* ile) Ücret. • *Hulvan-i kâhin,* falcı ücreti, fıkıhta batıl dâvalardandır.

hulviyyat, *A. i.* [Hulv, hulvi ç.] Tatlı şeyler. Hoş şeyler.

hulya, *A. i. (Hı* ile) 1. Kuruntu. Kurgu. Fikir. 2. Dört hılttan sevda.

hulyaamiz, *F. s.* [Hulya-amiz] Hulyayı uyandıran, hayale sürükleyen.

hulyadar, *F. s.* [Hulya-amiz] Hulya gibi. • «Müşa'şa', hulyadar âlemlerinden. — Uşaklıgil».

hum, *F. i.* Geniş küp. • *Hum-i husraveni,* çok büyük küp. • «Oldu bu meyhanede humlar tehiy ben nimmest. — Hayalî».

humaka, *A. i. (Ha* ile) [Ahmak ç.] Ahmaklar.

humar, *A. i. (Hı* ile) 1. İçki içtikten sonra gelen başağrısı. Sersemlik. 2. Burundan gelme. 3. Acısını çekme. • «Can teşne kalıp humar geçti. — Ş. Galip».

humaralûd, *F. s.* [Humar-alûd] 1. Şaşkın, kendini toplayamamış. 2. Süzgün, baygın (göz). • «İlâç olmaz humaralûde-i idbare meylerle. — Nedim».

humasî, *A. i. (Hı* ile) Arapçada beş harfli kelime kökü. Beşizli.

humat, *A. i. (Hı* ve *te* ile) [Hâmi ç.] Kuruyucular. • «Zira eimme-i müçtehidîn ve humat-i şer'ü din. — Taş.».

humavî, *A. s.* Humma, ateş, sıtma ile ilgili.

humayz, *A. i.* (Kim.) Şurak. Ekşirek, mayhoş.

humbara, *F. i.* Kumbara. • «Her çend ki top ve tüfek ve humbara ve senk ile asker-i mansurun handekten sürmeye ikdam ettiler. — Naima».

humçe, *F. i. (Hı* ile) Küçük küp.

humeyra, *A. i.* Sertlik. Şiddet. Ateşlilik. • «Humeyya âdemi mahmi edemez. — Âkıl ol tehlikeli raha gidemez. — Vehbi».

humhane, *F. i.* [Hum-hane] 1. Şarap küplerinin konduğu yer. 2. Meyhane. 3. (Tas.) Âşığın kalbi. • «Dönsün yine peymaneler olsun tehi humhaneler — Raks eylesin mestaneler mutripler ettikçe nagam. — Nef'i».

humk, *A. i.* Ahmaklık. Aptallık. • *Humk-i himarî,* eşekçe aptallık. • «Lâkin Arap taifesinde evvelki gibi humk-i bedavet kalmamıştır. — Naima> • ‹Bu humk-i himarîyi ko dünyada Belig — Bâr-i gamı hep sen mi kaldın çekecek. — Belig›.

humma, *A. i.* 1. Ateşli hastalık. 2. Nöbet. 3. Sıtma. • ‹Humma-yi muhrikaya müptelâ olup. — Naima› • ‹Çarşamba günü cüz'ice humma badehu süal ile. — Naima›.

hummaz, *A. i. (Hı ve dat ile)* Kuzukulağı bitkisi.

hummeyat, *A. i.* [Humma ç.] Sıtmalar. • ‹Sinevat-i hummeyyat ile. — Şefik›.

humran, *A. i.* [Ahmer ç.] Kırmızılar.

humret, *A. i. (Ha ile)* Kırmızılık. Kızıllık.

hums, *A. i. (Hı ve sin ile)* Beşte bir (ç. Ahmas). • ‹Rub-i meskûnun hums-i mâmuru denilmeye şayan Avrupa kıtasında. — Kemal›.

humud, *A. i. (Hı ile)* (Ateş) Sönmeye başlama. Alev basılma. • ‹Guzatın şule-i sevk ü talepleri humuda yüz tutup. — Sadettin›.

humul, *A. i. (Hı ile)* (Bir kimsenin) adı sanı batma; ünü kaybolma. • ‹Ve kendisi sahra-yi fakd ü humula firar edip. — Naima›.

humul, *A. i. (Ha ile)* [Haml ç.] Yükler.

humur, *A. i. (Hı ile)* [Hamr ç.] Şaraplar.

humuza, *A. i. (Ha ve dat ile)* Ekşilik. • *Müvellid-ül-humuza,* oksijen.

humuzet, *A. i.* Ekşilik.

hûn, *F. i. (Hı ile)* 1. Kan. 2. Öldürme. 3. Öç. • *Hun-i câm,* • *-kebuter* (güvercin. kanı), *-şişe,* • *-tâk,* şarap; • *-Siyavüşan,* kardeş kanı.

hunab, hunabe, *F. i.* [Hun-ab] Kanlı göz yaşı. • ‹Her bâde ki sensiz içerim bezm-i belâda — Hunab olur elbette akar didelerimden. — Fuzuli›.

hunalûd, *F. s.* [Hun-alûd] Kana bulaşmış kanlı. • ‹Gözde hunalûd peykânın hayaliyle hişum — Her biri gûya ki bir berk-i gül-i terdir bana. — Fuzuli›. • ‹Ağır ağır yürüyor bir hayal-i hunalûd. — Fikret›.

hunaşam, *F. s.* [Hun-âşam] Kan içici. Zalim. • ‹Nice şimşir o bir gamzei dilkeştir kim — Bir dem ârâm edemez olmayıcak hunâsâm. — Cevri›.

hunbaha, *F. i.* Kan pahası. Diyet. • ‹Gırre-i cah ol kadar sultan-i gül kim kor-

karım — Hardan bülbüller ister hunbaha nevruzdur. — Nailî›.

hunbar, *F. s.* [Hun-bar] Kan yağdıran, kan saçan. • *Dide-i hunbar,* kan saçan göz, kan ağlayan. • ‹Elde kılıç aftab-i hunbar — Eyler şühedayı gark-i envar. — Ş. Galip›.

hunçekân, *F. s.* [Hun-çekân] Kan damlayan, kan akan. • *Ecfan-i hunçekân,* kan akan gözevleri (gözler). • ‹Döküp zaman zaman ecfan-i hunçekanından. — Fikret›.

hunefa, *A. i. (Ha ile)* [Hanîf ç.] 1. Tanrı birliğine inananlar. 2. Muhammet Peygamber zamanından önce tek Tanrıya inananlar.

hunefsa, *A. i. (Hı ve sin ile)* Bokböceği, mayısböceği. (ç. Hanafis).

hunefşan, *F. s.* [Hun-efşan] Kan saçan. • ‹Didelerdir zâhir ü bâtın cemalin seyrine — Dilde zahm-i nevk-i tîrin tende dag-i hunfeşan. — Nef'i›.

hunhah, *F. s.* [Hun-hah] Kan isteyen, öç alıcı.

hunhar, *F. s.* [Hun-hâr] Kan içen, zalim. • ‹Dem urmada merhametten amma — Yanında rahîm gerek hunhar. — Naci›.

hunharane, *F. zf.* Zalimce.

hunî, *F. s.* Kanlı. Kan dökmeye alışık. • ‹Husrev Paşa bir hunî devletlidir, şayet sana kıyar. — Naima›.

hunîn, *F. s.* Kanlı. Katil. • ‹Akşamdı, karşı dağların üstünden aftâb — Hunîn kefenleriyle inerken mezarına. — Fikret›.

hunkâr, *F. i.* Padişah. • *Molla hunkâr,* Mevlâna'nın lâkabı.

hunnak, hunak, *A. i.* Bademciklerin yangısı. • ‹Cuma günü Bahai Efendi illet-i hunnaktan vefat edip. — Naima›.

hunpaş, *F. s.* [Hun-paş] Kan saçan, kan döken. • ‹Amma yine kendi gerdanlarına zeria-hiraş-i hunpaş olur. — Naima›.

hunriz, *F. s.* [Hun-riz] Kan döken, kan dökücü. Zalim. • ‹Askerler serdarın hunrizliğinden yine cemiyet edip. — Naima›.

hunsa, *A. s.* Kendisinde hem erkeklik, hem dişilik olan. (ç. Hınas). • ‹Tevabiinden Eyyubî Eminzade Mehmet Ağası ve hunsa şekil Sinan Çelebisi. — Naima›.

hunük, *F. ün.* Ne mutlu! Yaşa!

hunyaker, *F. s.* Şarkıcı. ● *Zühre-i hunyager*, Zühre (Venüs) yıldızı. ● «Ve ühre-i hunyager terennümatından istifade ederdi. — Silvan».

hur, hor, *F. i.* (*Hı* ile) Güneş.

hur, *A. i.* (*Ha* ile) [Hura ç.] 1. Gözünün akı karasından çok olan iri gözlüler. 2. Cennetlik olanlara vadedilmiş güzel kızlar. ● *Hur-i Cenan*, Cennet kızları. (ç. Huriyan). ● «Öyle cananı eden munis-i can — Dâr-i dünyada bulur hur-i cenan. — Vehbi». ● «Vakta ki ne gördü Aşk-i pür-şûr — Ol bağa erişti bir bölük hur. — Ş. Galip».

hura, *A. s.* İri gözlü kadın. (ç. Hur). ● «Kevser ü hura muradı zahidin — Fikr-i âşık şahid ü âb-i ineb. — Kanuni».

hurace, hurace, *A. i.* (*Hı* ile) (Hek.) 1. İrinlenme. 2. Çıban.

hurafat, *A. i.* [Hurafe ç.] Hurafeler. ● «Ol hurafat ü ekâzibin def'ine kıyam: — Taş.».

hurafe, *A. i.* (*Hı* ile) 1. Dine karışmış garip hikâye, masal. 2. Mânasız lâkırdı, lâklâka.

huran, *F. i.* [Hur ç.] İri akgözlü cennet kızları. ● «Sahbası sirişk-i çeşm-i huran. — Ş. Galip».

huraşe, *A. i.* Küçük, ufak parça. Kırıntı. ● «Bi-mucib ü iktiza huraşe seng-i endaz-i eziyet oldular. — Naima».

hurc, *A. i.* (*Hı* ile) Meşinden yapılma büyük heybe.

hurd, *F. s.* (*Hı* ile) 1. Ufak, küçük. 2. Kırık. 3. Önemsiz. ● «Magz ü üstuhvanın hudr ü hamir edicek. — Nergisi».

hurde, *F. i.* 1. Ufak şey. 2. İnce anlam. ● «Eğerçi ol hurde ve zaif ve hasmı büzürk ve kavi dahi olursa. — Hümayunname».

hurde, *F. s.* 1. Ufak, küçük. 2. İnce, kırıntı. 3. Önemsiz.

hurdebin, *F. s. i.* Küçük ve ince şeyleri görebilen. 1. Keskin gözlü. 2. Mikroskop. (ç. Hurdebinan). ● «Durbin gibi uzağı ve hurdebin gibi cüz'iyyatı görmekten. — A. Mitat». ● «Hurdebinan-i habaya-yi umura besdir. — Münif».

hurdebinî, hurdebiniye, (Türkçede yapılmıştır). Mikroskopla görülebilir, mikroskopik.

hurdedan, *F. s.* [Hurde-dan] İnce şeyleri bilen. ● «Ağzın hadisine açmaz zer-

rece dehan — Esrar-i tab'a vâkıf olan tab-i hurdedan. — Fuzuli».

hurdefüruş, *F. s.* [Hurde-füruş] Ufak tefek satan. Az şey bildiği halde yüksekten atan.

hurdegîr, *F. s.* İnceden inceye yoklayan, meraklı. Sözde kusur ve ayıp arayan.

hurdegirî, *F. i.* Sözde kusur ve ayıp arayıcılık. ● «Birkaç kasd-i nezaketnümundan gayrı silsal-i tâbirde bir rütbe hurdegirî kimseyi tekdir edna hâtır-i kayd-i fakir olmamıştır. — Salim».

hurdehaş, *F. s.* [Hurde-haş] Kırık dökük, paramparça. ● «Sine-i celâdetine toplayarak sıkacak, ezecek, hurdehaş edecek sanıyordu. — Uşaklıgil».

hurdekâr, *F. s.* [Hurde-kâr] 1. İnce işler işleyen. 2. İşlerin ince taraflarını bilen.

hurdesal, *F. s.* [Hurde-sal] Yaşı küçük. ● «Huban visale kail olur hurdesal iken — Eyler kametini meh hilâl iken. — Nabi».

hurdeşinas, *F. s.* Dikkat sahibi, ince şeyleri anlayan. ● «Ey hurde-şinas-i mâni-i pâk — Gûş et ki ne der bu kilk-i çalâk. — Ş. Galip».

hurdevat, *F. i.* Öteberi. Kırık dökük. Hırdavat.

hurdi, *A. i.* (*Ha* ile) Hasırotu, kamış.

hurdsal, hurdesal, *F. s.* [Hurd-sal] Genç. Küçük yaşta. ● «Henüz derece-i bülûğa erişmeyip hurdesal idi. — Süheyli».

huri, *F. i.* 1. Cennet kızı. 2. Sevgili. (ç. Huriyan).

huriveş, *F. s.* [Huri-veş] Huri gibi. ● «Yani bir huriveşin hüsnüne hayransın yine. — Hayali».

Huriyye, *A. i.* Coşkunluk demlerinde hurilerle buluştukları inancında bulunan bir tarikat.

hurkat, *A. i.* Yanıklık. ● «Firkatı şah-i âlicah derununun sebeb-i hurkati oldu. — Sadettin».

hurlika, *F. s.* [Hur-lika] Peri yüzlü. Güzel.

hurma, *F. i.* Hurma.

hurmat, huremat, hurümat, *A. i.* [Hürme, haram ç.] Haram, dince yasak edilen şeyler. ● «Nehb ü garet ve hetk-i ırz ü hürmet etmişler idi. — Naima».

hurpeyker, *F. s.* [Hur-peyker] Huri yüzlü.

hurras, *A. i.* (*Ha* ile) [Hâris ç.] Bekçiler, nöbetçiler. ● «Gayrı dervazelerde hurras bile koymaktan feragat eyledi. — Naima».

hurrem, *F. s.* 1. Taze. 2. Yeşil. 3. Sevinçli. 4. Gönül açıcı. • ‹Bir menba-i şule-i safasın — Eyler şevkın cihanı hurrem. — Fikret›.

hurremgâh, *F. i.* [Hurrem-gâh] Açıklık yer.

hursend, hursende, *F. s.* (Hı ve sin ile) 1. Doymuş. 2. Tok gözlü, memnun. • ‹Mecnun-veş olurdu ol hıremend — Bir sade nezzare ile hursend. — Ş. Galip›.

hursendî, *F. s.* Göz tokluğu, tokgözlülük.

hurşid, horşid, *F. i.* Güneş. • Sir ü Hurşid, (Aslan ve Güneş) İran arması; İran'ın bir nişanı. • ‹Biraz bu leyle-i sermaye şule-i hurşid. — Fikret›.

hurtum, *A. i.* 1. Fil burnu. 2. Hortum. (ç. Haratim).

hurub, *A. i.* [Harb ç.] Harpler, savaşlar. • ‹Beyan olunan huruba huzurdan terahi ettiğine binaen. — Naima».

huruc, *A. i.* 1. Dışarı çıkma. 2. Ayaklanma, isyan. • Huruc alessultan, padişaha karşı ayaklanma; • sahib-huruc, büyük kahraman; • yerm-el-huruc, kıyamet günü. • ‹Biz huruç mu ettik ki üzerimize bölükler tâyin olunur. — Naima». • «Pes bundan sonra Gürcü Nebi huruc alessultan edip. — Naima».

huruf, *A. i.* [Harf ç.] Harfler. • Huruf-i âliyat, Tanrı maksadının sırlarında gizli olan maddeler; • -hecaî, 1. Elifbe harfleri. 2. Elif, vav, he, ye, harfleri, • -imlâ, a, e, i, o, ü, harfleri; • -kameriye, kendinden önce gelen el harf-i tarifinin l harfi okunan harfler (e, b, c, g, h, f, k, m, v, y); • -mankuta, -muceme, Arap elifbesindeki noktalı harfler; -munfasıla, (Arap alfabesinde) kendinden sonra gelen harflere bitişen harfler; • -şemsiye, kendinden önce gelen el harf-i tarifinin l harfi okunmayan harfler (d, l, n, r, s, ş, t, z); • ilm-i huruf, harflerden mâna çıkarıp yorumlama bilgisi (ç.. Hurufat).

hurufat, *A. i.* [Huruf ç.] Harfler.

hurufî, *A. s.* Huruf bilgisiyle ilgili olan. (Tas.) Tanrı'nın kelâm suretinde tecellisine ve harflerle belirtilmesine inanan.

huruk, *A. i.* (Hı ve kaf ile) [Hark ç.] Delikler. • ‹Anınla siyabının hurukunu a'yen-i nâstan setreyle. — Taş.›.

hurur, *A. i.* (Ha ile) Sıcaklık.

hururet, *A. i.* (Ha ile) Sıcaklık.

hururiyet, *A. i.* (Ha ile) Serbestlik.

huruş, *F. s.* Şamata, bağırma. Gürültü, telâş, • Cuş ü huruş, coşma ve patırtı. • ‹Huruşa başladı bir nehr-i âteşinceryàn. — Fikret›.

huruşan, *F. s. zf.* Bağırıp gürültü eden, gürültü ederek. Coşan, ağlayan. • «O tekaza-yi huruşanla o çığlıklarda — Dalgalar bir canavar sanki kudurmuş, çılgın. — Fikret».

huruz, *A. i.* (Ha ve dat ile) Hastalıktan zayıflama.

hurzad, *F. s.* [Hur-zad] Huriden doğmuş olan.

huruzet, *A. i.* (Ha ve dat ile) 1. Fesat ve rezalet. 2. Halk arasında itibarı düşük olma.

hus, *A. i.* 1. Eğreltiotu. 2. Hurma yaprağı. • ‹Ve iki tane hustan zenbil ördü. — Süheyli›.

hus, *A. s.* [Ahvas, huss ç.] Şaşı gözlüler.

husaf, *A. i.* Ekin biçme.

husake, *A. i.* Yürekte saklı kin. Düşmanlık.

husale, *A. i.* Kırıntı. Ufalanmış nesne.

husam, *A. i.* (Ha ve sin ile) Keskin kılıç.

husban, *A. i.* (Ha ve sin ile) 1. Hesap etme. 2. Ceza, karşılık.

husema, *A. i.* [Hasm ç.] Düşmanlar. • «Bu kadar gurur ve istikbar ile hücum-i husema muzayakasından naçâr. — Naima».

husman, *A. i.* (Hı vesat ile) [Hasm ç.] Hasımlar. Düşmanlar.

husr, *A. i.* (Hı ve sin ile) Zarar, ele avuca birşey girmeme. • Husr-üd-dünya velahire, dünyada ve ahrette zararlı; hiçbir şey elde edememiş.

husran, *A. i.* 1. Ziyan, zarar, kayıp. 2. Sapıtkanlık, azgınlık. • «Dostu ger masiyet kılsa olur gufran-pezir — Düşmanı bin taat etse mucib-i husran olur. — Fuzulî».

husrev, hoşrev, 1. Hükümdar. 2. Güneş. 3. (Ö. i.) İran hükümeti kurucusu Cyrus ile, Muhammet Peygamber zamanında yaşamış iki Sasani hükümdarın adları. Keyhusrev de denir. • Husrevperest, hükümdarı seven. • ‹Ey husrev-i Cemkevkebe-i memleket-arâ — Kim saltanatın âlemi pür-zîb ü fer eyler. — Nef'i».

husrevan, *F. i.* [Husrev ç.] Hükümdarlar.

husrevane, *F. zf.* Hükümdarlarca, hükümdara yakışır yolda. • «Kaimen el kavuşturup muhatabat-i husrevaneye mazhar olduktan sonra. — Naima».

husrevanî, *F. s,* 1. Hükümdara lâyık. 2. Çok iyi, alâ, birinci derece. 3. Bir çeşit şarap; • *Hum-i husrevanî,* çok büyük şarap küpü. • «Ebniye-i lâtife ve dilnişin birer yadigâr-i sultani ve âsar-i hasene-i husrevanidir. — Naima».

husrevî, *F. s. i.* (*Hı* ve *sin* ile) 1. Padişahla ilgili. 2. Padişahlık.

hussad, *A. s.* [Hasid ç.] Hasetçiler. • «Hussad-i fitnekâra ruhsat verilip agraz ile muallel sözlerine gûş-i kabul tutulursa. — Naima».

hussar, *A. i.* (*Ha* ve *sin* ile) [Hâsir ç.] 1. Çıplak ve silâhsız olanlar. 2. Hasret çekenler.

hussar, *A. i.* (*Ha* ve *sat* ile) [Hâsır ç.] Bir yeri muhasara edenler. Bir yeri kuşatanlar.

husuf, *A. i.* (*He* ve *sin* ile) Ay tutulması. *Husuf-i cüz'i* ayın bir bölümünün tutulması; *-küllî,* ayın bütününün tutulması. • «Sabaha karip husuf-i küllî vaki oldu. — Naima».

husul, *A. i.* 1. Vücuda gelme. 2. Meydana çıkma. 3. Peyda olma. Ürem. Türeme. • «Husule geldi bu tıflane, şairane emel. — Fikret».

husum, *A. i.* (*Ha* ve *sin* ile) Uğursuzluk.

husum, *A. i.* (*Hı* ve *sat* ile) [Hasım ç.] Düşmanlar. • «Harem-i has'ta husumu çok olmakla. — Naima».

husumet, *A i.* 1. Düşmanlık. 2. Davacılık. 3. Karşıtlık. 4. Kıskançlık. • «Vekil-üs-saltana ile mürafaa suretinde husumet edip böyle cemiyet ile gelmek ve ona müsaade olunmak abıru-yi saltanata nakîsadır. — Naima».

husun, *A. i.* (*Hı* ve *sat* ile) [Hısn ç.] Kaleler. • «Nice nice husun ve kılâ' yed-i İslâmdan nez' ü kal' olunup. — Raşit».

husur, *A. i.* (*Ha* ve *sat* ile) 1. Aşırı cimri. 2. Çocuğu olmayan güçsüz kimse.

husur, *A. i.* (*Ha* ve *sin* ile) 1. Yorulma. 2. İncinme.

husus, *A. i.* (*Hi* ve *sat* ile) 1. Bakım. 2. İş. 3. Konu. 4. Sorum. 5. Şekil. 6. Yön. 7. Yol. 8. Birinin özel bir şeyi olma. 9. Hâkim huzuruna gidemeyecek durumda birinin yanına hâkimce gönderilen kimse. *Alelhusus, bahusus,* başkaca, ayrıca.

hususa, hususan, *A. zf.* Başkaca, ayrıca.

hususat, *A. i.* [Husus ç.] İşler. Maddeler, meseleler. • «Eskilerden geride idiler, fakat hususat-i sairede. — Cenap».

hususî, hususiyye, *A. s.* Bir kimsenin, bir şey veya heyetin olan. Herkesin olmayan, genel olmayan. *İmtihan-i hususî,* yıl içinde yapılan yoklama; *kâtib-i hususî,* özel kâtip; *mekâtib-i hususiye,* özel okullar; *suret-i hususiyede,* özel olarak.

hususiyyat, *A. i.* [Hususî ç.] Bir kimsenin özel hayatına ait şeyler.

hususiyyet, *A. i.* 1. Özellik. 2. Bir kimseye özel bağlılık.

husye, *A. i.* (*Hı* ve *sat* ile) Haya. Yumurtalık.

huş, *F. i.* (*He* ile) Akıl. • *Guş-i huş,* (akıl kulağı) anlayış; • *bahuş,* akıllı; *bîhuş.* 1. Baygın. 2. Akılsız, ahmak. • «Huşum kederamiz -i cünun eyleme ya Rab — Nabi» • «Var ara bir müşteri-i mürde-huş — Aldatamazsın beni hikmetfüruş. — Naci».

huşbân, *A. i.* (*Hı* ile) [Haşeb ç.] Keresteler.

huşber, *F. s.* (*He* ile) [Huş-ber] Akıl giderici, akıl alan. • «Tealâllah ne hüsn-i huşberdir kim gören âşık — Misal-i suret-i divar hayran gösterir kendin. — Nabi».

huşe, hoşe, *F. i.* (*Hı* ile) Başak. Başak demeti. • «Tekatur eylemedikçe sirişk-i dide-i tâk — Olur mu bağ-i temennada huşe-i engûr — Nabi». • «Ey huşeler yetiştirici hâki feyznâk. — Naci».

huşeçîn, *F. s.* [Huşe-çin] 1. Başakçı. 2. Tarlanın kalmış başaklarını toplayan fakir. • «Gezinir tarlada bir köylü kadın — Huşecîn olmaya çıkmış, belli. — Fikret».

huşk, hoşk, *F. s.* (*Hı* ve *kef* ile) 1. Kuru. 2. İşe yaramaz. 3. Kaba, soğuk. • *Huşk ü ter,* kuru ve sulu, iyi ve kötü, kara ve deniz. • «Edip amihte huşk ü ter germ ü serdi — Çar üstüne yapmış bu binayı üstad. — Nabi».

huşkî, *F. i.* Kuruluk.

huşknüma, *F. s.* [Huşk-nüma] Kuru görünen. • «Bihude etme ehl-i riyadan ümmid-i elezz — Etmez dıraht-i huşknümadan semer zuhur. — Sami».

huşmend, F. s. [Huş-mend] Akıllı, aklı başında. (ç. Huşmendan). • ‹Ve kapı halkının her bölüğünden âdab-i hidmete vukufu olan huşmendler intihap olunup. — Sadettin›.

huşmendan, F. i. [Huş-mend ç.] Aklı başında kimseler. • ‹Ancak bu kadar mümkündür deyu huşmendan-i erbab-i divan tahsin ü aferin dediler. — Selâniki›.

huşu', A. i. Aşağıdan alma, alçak gönüllülük etme. Tanrıya karşı boyun eğme, yüreği korku içinde bulunma. • ‹Muttasıl zikr eder, ibadet eder — Bir huşu' ü hulûs ü hürmetle. — Fikret›.

huşunet, A. i. 1. Sertlik. 2. Kabalık. 3. Katılık. • ‹Ancak meşreplerine salabet-i tekva ve huşunet-i hakkaniyet galip olmakla. — Naima›.

huşunetamiz, F. s. [Huşunet-amiz] Sertlikle. • ‹Huşunetamiz muamele edip beyinlerinde tenafür kemalde idi. — Naima›.

huşyar, F. s. (He ile) Ayık. Akıllı. Aklı başında. • ‹Öyle mest et bizi ey saki-i ruhefza kim — Huşyar olmayalım subh-i kıyamette bile. —Avni›.

hut, A. i. 1. Büyük balık. 2. Balık burcu. Güneş şubat ayında bu burca girer. Sahib-ül-hut, (balık adam) Yunus Peygamber. • ‹Bu bapta manend-i hut sükûta hercümerc-i âleme sebep olduğu lâ-reyptir. — Naima›.

hutam, A. i. Kuru ot parçaları, çerçöp. Hutam-i dünya, hutam-üd-dünya, bu dünyanın boş, geçici malı mülkü.

hutbe, A. i. 1. Cuma namazlarında hatiplerin okudukları Arapça dua ve öğütler. 2. Kitapların başındaki süslü nesir başlangıç. 3. Kız isteme, dünürlük. Sikke ve hutbe, (para kesme ve hutbe okutma) Bağımsızlık işareti. • ‹Bu hutbe sanki bir âvaze-i semavîdi. — Fikret›. • ‹Ve Katırcıoğlu Lârende'den bir mahlûle mütemevvile saraylıyı bazı etbaına hutbe. edip. — Naima›.

huteb, A. i. (Hı ve tı ile) [Hutbe ç.] Hutbeler. • ‹Eyyam-i cumaatte huteb-i beliga inşad edip okurlar idi. — Sadettin› • ‹Ve niçe huteb-i tavileyi bigayr-i râ inşa ederdi. — Taş.›.

huteba, A. i. (Hı ve tı ile) [Hatib ç.] Hatipler.

Huteme, A. ö. i. Cehennemin beşinci katı. İnatçı Yahudiler yeri. Gayya kuyusu bu tabakadadır.

Huten, F. i. Çin ile Türkistan arasında bir bölge. Ahûları ve miski ile ünlü idi.

hutevat, A. i. [Hutve ç.] Şeytanın aldatmaları.

hutn, A. i. (Hı ve te ile) Sünnet etme.

hutub, A. i. [Hatb ç.] İşler. Sorunlar. • ‹Umur-i kârhane-i âlem ve hutub-i kâffe-i beni âdem. — L. İ.›.

hutuf, A. i. [Hatf ç.] Ölümler. • ‹Ve benadık-i hutuf ve bevarık-i süyuf ile. — Naima›.

hutun, hutunet. A. i. (Hı ve te ile) 1. Damat olma. 2. Evlenme.

hutur, A. s. (Hı ve te. ile) Hileci.

hutur, A. i. (Hı ve tı ile) Akla gelme. Hatırlama. • ‹Her ne ki eylerse hâtıra hutur — Anda alâsının alâsı olur. — Nabi›.

hutut, A. i. (Hı ve tı ile) [Hat ç.] 1. Çizgiler. 2. Yazılar. 3. Yollar. • ‹Olup hurşid ü mehden muhrekeş evrak-i eflake — Hutut-i ruz u şebden nusha-i sun' eylemiş inşa. — Nabi›.

hutüb, A. i. [Hateb ç.] Yapılacak işler.

huvaysal, A. i. (Ha ve sat ile) Deri altında içi su dolu kabarcık. Deri yangısı sonunda çıkan küçük kabarcık (ç. Huvaysalât).

huveyn, A. i. (Hı ile) (Gözle görünmez küçüklükte) Hayvancık. (ç. Huveynat).

huy, hu, F. i. (Hı ile) 1. Tabiat, huy, âdet. 2. Kötü alışma, fena alışkanlık.

bed-huy,   nik-huy,
dürüst-huy,   pakize-huy,
divane-huy,   sitize-huy,
hoş-huy,   tünd-huy.
melek-huy,

huy, hoy, F. i. (Hı ile) Ter.

huyefşan, F. s. [Huy-efşan] Ter saçan, terleyen. • ‹Mey iç ki rûy-i âlin olsun yine huyefşan. — Vecdi›.

huykerde, F. s. 1. Alışmış, âdet edinmiş. 2. Terlemiş.

huyul, A. i. [Hayl ç.] 1. Atlar. 2. Atlı takımlar. 3. Kötüler kalabalığı. • ‹Telâki-i sufuf hengâmında senabik-i huyul-i ashab-i suyuftan tesaud eden. — Sadettin›.

huyur, A. i. (Hı ile) [Hayır ç.] Hayırlar, iyi şeyler.

huyut, A. i (Hı ve tı ile) [Hayt ç.] İpler, iplikler.

huz, A. f. [Ahz'den] Emir kipi. al. • *Huz ma safa da' ma keder*, hoşuna gideni al, gitmeyeni bırak.

huzaret, hudaret, A. i. *(Hı ve dat ile)* Yeşil olma. Yeşillik.

huzme, A. i. Demet. • «Huzmeleri der-i suraha idhal. — Silvan».

huzret, hudret, A. i. *(Hı ve dat ile)* Yeşil renk olma.

huzu, hudu', A. i. *(Hı, dat ve ayın ile)* Alçak gönüllü olma, uyma.

huzur, A. i. 1. Hazır olma, hazır bulunma. 2. Ön. Büyük kimselerin yanı. 3. Rahat. 4. (Tas.) Rahatlık, eminlik derecesi. • *Huzur ü asayiş*, • *huzur ü sükûn*, rahatlık ve eminlik; • *huzur-i kalb*, iç rahatı; • *-küllî*, (XX. yy.) Fransızcadan *omniprésence* (Tanrının her yerde hazır olması) karşılığı; • *hakk-i huzur*, bir toplantıda bulunma karşılığı verilen para. • «Bunca vakıatı biesriha hıfz ettiğinden bildim ki bu cem ü huzur mahza meclis-i pürnurları eseridir. — Sadettin».

huzuraver, F. s. [Huzur-âver] Rahatlandırıcı.

huzuz, A. i. *(Ha ve zı ile)* [Haz ç.] Hazlar. • «İstîfa-yi huzuz ve lezzata müeddi teayyün ve istiklâle müteallik. — Naima».

huzuzat, A. i. [Huzuz ç.] Hazlar. • «Milyonlar sayesinde bitmez tükenmez huzuzat mev'uddur. — Cenap».

huzzak, A. i. [Hazıkk ç.] (İşlerinde) Usta bilgin, keskin kimseler. • «Huzzak-i etibbanın müdavat ve tedbirleri kat'a kârgir-i tesir olmayıp. — Raşit».

huzzar, A. i. [Hazır ç.] Hazır olanlar. Bulunanlar, seyredenler. • «Tiyatrolarda perde açılmasını bekleyen huzzarların halini andırır. — Cenap».

Hübel, A. i. Kureyşlerin en büyük putunun adı.

hübub, A. i. *(He ile)* 1. Esme. 2. Üfürme. Üfleme. • «Bekler hübub için o seherhîz olan saba — Bir hıramını. — Fikret».

hübut, A. i. *(He ve tı ile)* 1. Aşağı inme. 2. Düşme. 3. Uyuşma. • *Hübut-i Âdem*, Âdem Peygamberin gökten yere inmesi; • *-kuva*, hayat kuvvetlerinin ateşli hastalıklarla çok azalmış olması. • «Bu vakadan sonra Gürcü Paşanın keykeb-i ikbali hübut edip. — Naima».

hücnet, A. i. 1. Soysuzluk, karışıklık. 2. Bayağılık, aşağılık. 3. Kötü davranış. 4. Söz ve dil aybı, yanlışı. • «Zaruret hasebiyle hücnetinden iğmaz. — Raşit». • «Sefk-i dem etmenin ne lezzeti var — Hüsn-i âmizişin ne hücneti var. —Naci».

hücu', hücud, A. i. *(He ve ayın ile)* Az uyuma, uykusuzluk. • «Galebe-i cû' ve killet-i hucu' ile maraz-i sari olmağın. — Sadettin».

hücum, A. i. Saldırma, saldırış. Ansızın bastırma. • «Havf-i hücumu tefrika-i hanman verir. — Nef'i».

hüda, A. i. Hidayet. Doğru yola kılavuzluk etme. Doğru yolu gösterme, doğru yola gitme. • «Nazm-i Kur'an gibi ey encüm-i rahşan-i hüda — Sizi üstad-i felek etmedi tanzîr henüz. — Naci».

hüdam, A. i. Deniz tutma.

hüdat, A. i. *(He ile)* [Hâdi ç.] Doğru yol göstericiler. • « Anlar eimme-i a'lâm ve hüdat-i avam ü havastırlar. — Taş.».

hüdhüd, A. i. (Zoo.) Çavuşkuşu. Süleyman Peygamber ile Saba kraliçesi Belkis arasında haber getirip götüren kuş. (ç. Hedahid). • «Ey name-res mah-likadan mı gelirsin — Ey hüdhüd-i ümmid Seba'dan mı gelirsin. — Nabi».

hüdüb, hedeb, A. i. 1. Kirpik. 2. (Bot.) Kirpik. (ç. Ehdab.)

hükema, A. i. *(Ha ile)* [Hakîm ç.] 1. Hakîmler. 2. Feylesoflar. Bilim adamları. (Çok defa *ulema* sınıfından gayri bilginler için kullanılırdı). • «Gizlidir hikmeti- Rabb-i müteal — Hükema sözleridir vehm ü hayal. — Sümbülzade». • «Fenn-i tıpta mahir hükema ile varıp. — Naima».

hükkâm, A. i. [Hâkim ç.] Hâkimler, yargıçlar. 2. İleri gelen idareciler. • *Hükkâm ü zâbitan*, sivil ve asker hükümet memurları. • «Hükkâm-i Mısır'a elzem olan semt-i müdaraya gitmedi. — Naima».

hükm, A. i. 1. Hüküm, yargı. 2. Buyruk, emir. 3. Karar. 4. Kuvvet. • *Hükm-i âdil*, adalet üzere verilmiş hüküm; • *-gıyabî*, (suçlunun bulunmamasından) arkadan verilen hüküm; • *-Karakuşî*, (Karakuş hükmü) akıldışı, hiç hesaba kitaba gelmeyen hüküm; • *-nizamî*, şeriat hükümleri dışında kalmış işler için nizamiye mahkemelerince verilmiş hüküm; • -şer'î, şeriat kurallarına göre verilmiş hüküm.

hükmen, A. zf. Hüküm cihetinden, hükmünde, derecesinde olan.

hükümdar, F. i. Hüküm ve emir sahibi kimse. Padişah, Şah, vb... (ç. Hükümdaran). • «Bir hükümdar huzurunda nüdemanın aldığı evzaı. — Cenap».

hükümdarane, F. zf. Hükümdarca. Hükümdara yakışır yolda.

hükümdarî, F. i. s. Hükümdarlık. Hükümet. Ülke.

hükûmet, A. i. Hükümet. • Hükûmet-i âdile, adaletli hükümet; • -amme, • -acam, demokrat hükümet; • -cumhuriye, cumhuriyet hükümeti; • -meşruta, meşrutiyetle idare olunan hükümet; • -müstebidde, istibdatla idare olunan hükümet, • -ruhaniye, • -rühbaniye, teokrasi idaresi; • -sabıka, idarenin daha önce başında bulunan (lar); -zalime, zalimlikle idare olunan hükümet.

hükûmetgâh, F. i. İdare merkezi. • «Ümera-yi aktar dahi hükûmetgâhlarına rücu ettiler. — Sadettin».

hükümferma, F. s. [Hüküm-ferma] Hüküm süren.

hükümname, F. s. [Hüküm-name] İçinde yapılması kesin olarak bulunan yazı.

hükümran, F. s. [Hüküm-ran] Hüküm yürütülen. Hükümdar.

hükümranî, F. s. i. 1. Hükümdarlık. 2. Hükümdar.

hülâm, A. i. (He ile) Balık tutkalı, paça suyu gibi donan şeylerin hali; jelâtin.

hülâmi, hülâmiye, A. s. Tutkalsı. Jâlâtinli veya albüminli.

hülk, A. i. (He ile) Ölüm. Yokluk. • «Fülk-i vücudu garîk-i derya-yi hülk oldu. — Sadettin».

hüm, A. zm. Üçüncü şahıs, çoğul zamiri.

hüma, F. i. (He ile) 1. Cennetkuşu. 2. (Mec.) Saadet, kutluluk. • Hüma-yi beyza-i din, Muhammet Peygamber; • -ikbal, yüksek, gayet iyi talih, uğur; • -lâ-mekân (mekânsız hüma) Tanrı. • «Hüma dedikleri bâmında mürg-i dest-âmuz. — Nabi».

hüma, A. z. İki kişiyi gösterir.

hümal, hemal, Bk. • Hemal.

hümam, A. i. Himmet sahibi. Bir işe iyice sarılıp çabalayan.

hümapâye, F. s. [Hüma-pâye] Çok yüksek dereceli.

hümapervaz, F. s. [Hüma-pervaz] yüksekte uçan, yüksekten konuşan.

hümasaye, F. s. [Hüma-saye] İyiliklerinin gölgesi âleme yayılmış. • «Nice şeh husrev-i Cemşid-fer ü Dârâ-der — Çarhpervaz ü hümasaye vü tuti-güftar. — Hayalî».

hümayun, F. s. 1. Kutlu, kutsal. 2. Padişaha ait. • Alem-i hümayun, padişah bayrağı; • hatt-i hümayun, padişah yazısı (buyuruğu); • ordu-yi hümayun, padişah sarayı.

hümud, A. i. (Hı ile) 1. Ateşin basılması. Sönme. 2. Düşme, zayıflama.

hümum, A. i. [Hem ç.] Tasalar, kaygılar. • «İstanbul'da kesret-i hümumdan mizacı cüz'ice munharif olup. — Naima».

hüner, F. i. 1. Bilme, biliş. 2. Ustalık. El ustalığı, el beceriği. 4. Sanat. • Erbab-i hüner, hüner sahipleri. • «Bi mahal fıkraya agaz eyler — Zanneder kim hüner ibraz eyler. — Sümbülzade».

hünermend, F. s. Hüner sahibi, usta. (ç. Hünermendan).

hünermendî, F. s. Ustalık. Hünerlilik.

hünerperver, F. s. [Hüner-perver] Hüneri seven, hüner koruyan. (ç. Hünerperveran).

hünerperverî, F. i. Hünerlilik, ustalık.

hünerver, F. s. Usta. (ç. Hünerveran).

hünerverî, F. i. Ustalık.

Hünud, A. i. [Hindu ç.] Hintliler. • «İzzet gelir mi saye-i mollayi Rumda — Bu nazmımın Hünud ü Acemden naziresi. — İzzet Molla». • «Ve etvar-i Hünudu müşahede ile. — Silvan».

hür, hürr, A. s. (Ha ile) 1. Serbest. 2. Köle veya esir olmayan. 3. Kölelik veya esirlikten kurtulmuş. (ç. Ahrar).

hürmet, A. i. 1. Onur, şeref, haysiyet. 2. Saygı, sayma. 3. Haram olma. • «Hürmetin inkâr edenler âlemde hürmet bulmasın. — Nef'i» • «Hürmet ve kerahet ile hükm olunan emirde ısrar mübahtır diye fetva verilip. — Kâtip Çelebi».

hürmeten, A. zf. Saygı olarak.

Hürmüz, Hürmüzd, F. i. 1. Zerdüştlerin hayır tanrısı. 2. Eski İran takviminde güneş yılının ilk günü. 3. Jüpiter (Müşteri) Yıldızının adı.

hürr, hür, Bk. *Hür.*

hürre, *A. i. s.* Cariye veya tutsak olmayan kadın. • «Her kaçan ki bir cariye iştira eylese anı tezevvüç eylerdi, caiz ki hürre ola derdi. — Taş.».

hürriyet, *A. i.* 1. Serbestlik, serbest olma. 2. Azatlık. 3. Yapabilme. Davranabilme. *Hürriyet-i bedeniyye, -mâneviyye, -medeniyye, -siyasiyye, -tabiiyye, -tekemmül* (XX. yy.).

Hüseyn, Hoseyn, *F. i.* 1. Küçük sevgili anlamına. 2. Halife Ali'nin iki oğlundan küçüğü, Muhammet Peygamber'in torunu, *Meşhed-i Hüseyn,* Kerbelâ'da Hüseyn'in türbesi, Şiîlerce büyük bir ziyaret yeri.

hüseynî, hüseyniye, *A. s.* 1. Hüseyin ile ilgili. Muhammet Peygamberin torunu Hüseyn'in çocukları. 2. Bir müzik makamı. • «Çıkarak gam hüseyniye gehi şehnaza — Âkıbet etti karar o ramişker-i hüsn. — Nabi».

hüsn, *A. i.* 1. Güzellik. 2. İyilik. 3. Tamlık. Olgunluk. 4. Düzen, düzgünlük. *Hüsn ü ân,* güzellik; *hüsn ü aşk,* güzellik ve sevgi. (Ö. i.) Şeyh Galip'in ünlü manzum hikâyesi; *hüsn ü kubh,* güzellik ve çirkinlik, *hüsn-i âdab,* güzel terbiye, görgü; *-ahlâk,* huy güzelliği; *-beyan* (Ed.) iyi, yolunda anlatış; *-hal,* iyi davranış, iyi gidiş; *-hareket,* iyi muamelede bulunma; *-hat,* iyi yazı, *-hitam,* iyi sona erme; *-idare* iyi idare; *-iptida* (Ed.) yazıya iyi başlama; *-kabul,* iyi karşılama; *-imtizaç,* iyi geçinme; *-mânevi,* iç güzelliği; *-muaşeret,* iyi geçim; *-muamele* güzel davranma, iyi muamele etme; *-nazar,* iyi gözle görme; *-niyet,* iyi niyet; *-suret,* iyi bir surette; *-surî,* görünüşteki güzellik; *-şöhret,* ün güzelliği; *-tabiat,* zevk güzelliği; *-tâbir,* soğuk veya kötü bir şeyi uygun bir suretle anlatma; *-tahallûs, -talil,* (Ed.) iyi, uygun bir sebep bulma; *-teveccüh,* sevgi ile karışık beğenme; *-telâkki,* iyiye alma, iyiye çekme; *-tedbir,* yerinde ve yolunda tedbir; *-zan,* iyi fikir besleme, • «Ben bugün bir nevbahar-i hüsn ü ân seyreyledim — Tarf-i destarında sünbül gibi mular yar idi. — Nedim» «Hüsn-i âbab ile şöyle suhani — Boşboğazlık ile açma deheni. — Sümbülzade». • «Gerçi hoştur biliriz rabt-i kelâm — Lâfz û mânada ola hüsn-i nizam. — Sümbülzade». • «Kalb-i devrişe do-kunma hazer et — Fıkaradır deyu hüsn-i nazar et. — Sümbülzade» • «Sadrazam Mehmet Paşa ise sehrî ve merd-i müteenni ve müdarî olmağın hüsn-i telâkki ile cevap verip. — Naima» • «Bu işin hüsn-i suret bulmasını yine onun gerden-i iktidarına tahmil eyleye ki. — Naşit». • «Hamdullah Suphi Bey gibi hüsn-i niyet ve nezahet sahibi meslekdaşlarım. — Cenap».

hüsna, *A. s.* [Ahsen'den] Daha güzel, pek güzel; *Esma-i hüsna,* Tanrı adları.

hüsnaver, *F. s.* [Hüsn-aver] Güzellik artırıcı.

hüsndar, *F. s.* Güzel. • «Tercih olunacak derecede hüsndar değil lâkin — Silvan».

hüsni, hüsniye, *A. s.* Güzelliğe ait, onunla ilgili.

hüsniyyat, *A. i.* [Hüsni ç.] Güzel, hayırlı işler. • «Padişaha geçip hüsniyatını dahi kabîh etmişler idi. — Naima».

hüsyar, Bk. *Husyar.*

hütaf, *A. i.* (He ve te ile) Seslenme. Çağırma.

hütame, *A. i.* (He ve te ile) Kırıntı. Kesinti.

hütr, *A. s.* Yaşlılıktan gelme akıl zayıflığı. Bunama.

hüttak, *A. i.* (He, te ve kef ile) [Hâtik ç.] 1. Yırtanlar. 2. Bozanlar.

hütl, hetl, *A. i.* Yağmur çok yağma.

hütun, hetn, *A. i.* Yağmur çok yağma.

hüve, *A. zm.* (He ile) Üçüncü tekil şahıs zamiri. 1. O (şey). Tanrı. 3. Lâfı edilen kişi. • *Hüvelbaki,* baki kalan Tanrıdır. • «Nüvişte cephe-i hüznünde bir *hüvelbaki* — Bu ihtiyaç-i fenanın şu taş nişanesidir. — Fikret».

hüveyda, *F. s.* Meydanda. Açık, belli. • «Envar-i zafer hüveyda ve kevkeb-i âda nâ-peyda olduğu müşahade müyasser olmayıp... — Naima».

hüveyza, *A. i.* (He ve dat ile) İç sürgünü. (Hek.) Kolerayı andırır ishal, kolerin.

hüviyyet, *A. i.* 1. Asıl, kök. 2. Bir adamın aranılan veya olmak iddiasında bulunulduğu kimse olması. • «Nazarlarım seni maziye çekmek ister; sen — Bütün hüviyyet ü uzviyyetinle âtisin. — Fikret».

hüyam, *A. i.* (He ile) Azgınlık. • *Hüyam-i rahm,* kadınlarda şehvet azgınlığı, *nymphomanie.*

hüyyam, *A. i.* [Hâim ç.] Sevgiden şaşırmışlar.

hüzal, *A. i. (He* ve *ze* ile) 1. Arıklık, cılızlık. 2. Bitkinlik, ağırlık. • «Hazan, yine sen, ey remide fasl-i hüzal. — Fikret».

hüzem, *A. i. (Ha* ve *ze* ile) [Huzme ç.] Demetler, kangallar, salkımlar, hevengler.

hüzem, hüzzem, *A. i. (Ha* ve *ze* ile) [Hâzim ç.] İşlerini görmekte her vakit akıllı davranan, sağlam kazığa bağlayanlar.

hüzema, *A. i. (Ha* ve *ze* ile) [Hazîm ç.] Aşırı tedbirli kimseler.

hüzn, *A. i.* Tasa, kaygı, gam.

hüznalûd, *F. s.* [Hüzn-alûd] Hüzünlü, hüzünle karışık. • «Her manzara-i îd bana biraz hüznalûd göründü. — Cenap».

hüznaver, *F. s.* [Hüzn-aver] Tasalandırıcı, hüzün veren.

hüznefza, *F. s.* [Hüzn-efza] Tasa artıran.

hüznengiz, *F. s.* [Hüzn-engiz] Tasa veren.

hüzüm, *A. i. (Ha* ve *ze* ile) [Hizam ç.] 1. Kolanlar, bağlar. 2. Çocuk bağırdağı.

hüzzam, *i.* Bir müzik makamı.

hüzzem, *A. i. (Ha* ve *ze* ile) [Hâzim ç.] İşlerini görmekte her vakit akıllı davranıp sağ kazığa bağlayanlar.

ı, Elif ve ayın harfleriyle başlayan kelimelerden eserleri (ı okunuşluların) sert olanların sesini verir.

ıbt, *A. i. (Elif ve tı* ile) (Ana.) Koltuk altı.

ıbta, *A. i. (Tı* ile) Yavaşlatma. Geciktirme.

ıbtiyye, *A. s.* (Ana.) Koltuğa ait, koltuk altı ile ilgili.

ıdaa, ızaa, *A. i.* Bk. • *Izaa..*

ıdhak, *A. i. (Dat* ve *kef* ile) [Dıhk'ten] Güldürme, güldürülme.

ıdlâl, *A. i.* [Dalâl'den] Doğru yoldan şaşırtma. Azdırma. • *Grive-i ıdlâl,* sapıtkanlığın çıkmaz yolu. • «Sensin eden ıdlâl nice ehl-i tarıkı — Sensin eden ihda nice güm-keşte-i rahı. — Ziya Pş.».

ıdlâliyyat, *A. i.* Azdıracak, iman bozacak bahisler ve fikirler.

ıhn, *A. i. (Ayın* ve *he* ile) Boyalı sof (kumaş). • *Ihn-i menfuş,* didilmiş kumaş. • «İhn-i menfuş gibi muhalhel ettiler. — Sadettin».

ik'ad, *A. i.* [Kuud'dan] 1. Oturtma. 2. Yüksek bir yere çıkarma. • «Yârı sahn-i suffa-i gülzara ik'ad eyledim. — Naci».

ıkal, *A. i. (Ayın* ve *kaf* ile) Bağ. Ayak kösteği. • «Pâ-yi azmine ıkal-i sekte-i tevakkuf vurup. — Naima».

ıkaniyye, *A. i.* «Nassiye» ile birlikte Fransızcadan *dogmatisme* (dogmatizm, inakçılık) karşılığı (XX. yy.).

ık'ar, *A. i. (Kaf* ve *ayın* ile) [Ka'r'dan] Derinleştirme.

ıkbah, *A. i. (Kaf* ve *ha* ile) [Kubh'tan] Fena, çirkin halde bulunma. 2. Kötülük işleme.

ıkbar, *A. i.* [Kabr'den] Mezara koyma.

ıkbaz, *A. i.* [Kabz'dan] Aldırma, tutturma.

ıkd, *A. i. (Ayın* ve *kaf* ile) 1. Gerdanlık. 2. Dizilmiş şey. 3. Mücevher dizisi. (ç. Ukud). • «Lâ'l ü dürü gösterdi her dem — Evrak-i gül içre ıkd-i şebnem. — Fuzulî».

ıkfal, *A. i.* [Kufl'dan] Kilitleme.

ıklid, *A. i.* Anahtar. (ç. Akalid, mekalid).

iklim, *A. i.* 1. İklim. 2. (Eski coğrafyada) Ekvatör'den başlayarak kuzeye doğru dünyanın bölünmüş olduğu yedi parçadan her biri: • *İklim-i evvel,* • *-sani.* 3. Memleket, diyar ülke. • *İklim-i Fas,* • *-Habeş,* • *-Rum.* • *Heft iklim,* yedi iklim (ç. Ekalim). • «Fars iklimine düşmüş Şiraz — Ana mensup o zeban-i mümtaz. — Sümbülzade».

ıkna', *A. i. (Kaf* ve *ayın* ile) [Kanaat'ten] 1. Kanaat ettirme. 2. Kandırma, razı etme.

ıknaiyyat, *A. i.* Kandırmak, kandırılmak için söylenmiş sözler.

ıkta', *A. i.* [Kat'tan] 1. Padişahın bir miktar toprağı birine mülk olarak (temliken ıkta) veya gelirinden faydalanmak üzere (istiglâlen ıkta) vermesi. 2. Haraç topraklarından bir kısmının *mukataa* yoluyle birine verilmesi. 3. Kanıtla susturma. 4. Kanıtı kalmayıp susma. • «Herkese kendi miktarınca temlik ve ıkta buyurup. — Sadettin».

ıktaat, *A. i.* [Ikta ç.] Mukataa yoluyla verilenler. • «Kemakân ıktaatın padişah canibinden rica edip. — Naima».

ıktida, *A. i.* Uyma. Örnek tutma. Ardından gitme. • «Makasid-i fukaha ıktida-yi hükm ala. — Nabi» • «Seyr eyle ıktidasın imama cemaatin. — Nabi».

ıktidaen, *A. zf.* Uyarak.

ıktidam, *A. i.* [İkdam'dan] İlerlemek, ilerletmek.

ıktifa, *A. i.* [Kafa'dan] Arkasından gitme. Ardına düşme. • «Iktifa eylediler meslek-i Aşık Ömer'e — Aşk ü şevk ile nice kafiye-cûya-yi suhan. — Sümbülzade».

ıktifaen, *A. zf.* Örnek tutarak, izinden yürüyerek. • «Melhuzat-i gayre ıktifaen bir emri canib-i padişaha ilka etmeyenler. — Naima».

ıktiham, A. i. Hiç düşünmeden saldırma. Bir şeyi küçük görme. • «Üzerlerine hücum ve ıktiham edecekleri ihtimalin vermezler idi. — Naima».

ıktilâ', A. i. (Te ve ayın ile) [Kal'den] Kopma; koparma.

ıktina, A. i. 1. Çalışıp kazanma. 2. İş tutma. 3. Artırıp biriktirme, yığma. • «Valide kethüdaları dahi emval-i bihad ıktina' edip. — Naima».

ıktinas, A. i. (Tuzak kurarak) Avlanma. • «Şöyle ki her biri ıktinas-i şevarid-i kazaya ile. — Şefikname».

ıktira', A. i. (Hemze ile) Araştıma, arkasını bırakmama.

ıktira', A. i. (Ayı nile) Kur'a atma; ad çekme.

ıktirab, A. i. [Kurab'dan] Yaklaşma, yanaşma.

ıktirab, A. i. (Te ve ha ile) [Kariha'dan] Hatıra geliverip, içe doğup söyleme. • «Bir mikdar kiyah-i ömr-efza irsalini iktirah eylediler. — Silvan».

ıktiran, A. i. [Karin'den] 1. Yaklaşma. Yanına gelme. 2. (Ast.) İki gezegenin aynı burçta bulunmaları. • «İktiran etmiş rakîb-i nahs o nazik meşrebe. — Vâsıf».

ıktiraz, A. i. [Karz'dan] Borç alma. • «Bir bazirgândan dahi altmış bin flori ıktiraz ve kabz olmuş idi. — Naima».

ıktisam, A. i. (Sin ile) [Kısm'dan] Paylaşma, bölüşme.

ıktisar, A. i. (Sat ile) [Kasr'dan] Kısa kesme. • «Bir kitab-i müstakıl olmaya mütahammildir lâkin ıktisar olundu. — Naima».

ıktisar, A. i. (Sin ile) Zorlama.

ıktisas, A. i. 1. İzine düşme. Ardınca gitme. 2. Kısas etme veya kısas isteme. 3. Kıssa, hikâye söyleme.

ıktilaf, A. i. (Te ve tı ile) (Meyve) Toplama, devşirme, derme. • «Münderecatı âsar-i selef ve haleften ıktitaf olunduğu için. — M. Ata».

ıktital, A. i. (Katl'den) Vuruşma, kırışma.

ıkyitad, A. i. (Hayvanı) yeğme. Tutup götürme.

ıktiyat, A. i. Beslenme. • «Bünyad-i iddihar-i iktiyat eyledi. — Sadettin».

ıktizaz, A. i. (Dat ile) Kızlık bozma. Irza geçme. • «Kura ve kasabat ahalilerinin emvallerini garet ve hasaret ve iktizaz-i ebkâr ve hetk-i â'raz. — Naima».

Imran„ A. ö. i. (Ayın ile) Peygamber İsa'nın annesi olan Meryem'in babası. • Âl-i Imran, Imran'ın çocukları; Musa ile Harun veya Meryem ile İsa. • Sure-i âl-i Imran, Kur'an'ın 30. suresi. • «Zihi sultan ki Musi bin Imran — Asâsıyle der-i fazlında derban. — Yahya B.».

ınnîn, A. s. (Ayın ile) [Ananet'ten] Kısır. Güçsüz. • «Denildi ki Züleyha'nın zevci âciz idi, ınnin idi. — Sırrı Pş.».

ırafet, A. i. (Ayın ile) Kayıptan haber vericilik. • «Pes Reşit feraseti ve ırafet-i a'mayı kemal-i istihsan ile. — Taş.».

Irak, A. i. (Ayın ile) Dicle nehrinden aşağı Basra'ya kadar Şat Suyu'nun iki yanı. Bunum Bağdat tarafına • Irak-i Arap, İran tarafına da • Irak-i Acem, her ikisine de • Irakeyn denir.

ırakî, ırakiyye, A. s. Irak hakkında. Irak ile ilgili, Irak'a ait olan.

ırda', A. i. (Dat ve ayın ile) [Rıda'dan] Süt emzirme. • «Yahut gehvare-i tasavvurda ırda' eylemekte olduğumuz ferzend-i arzu. — Şefikname».

ırk, A. i. (Ayın ile) 1. Kök. Asıl. 2. Damar. 3. Kuşak, nesil. • Irk-i ahmer, • -asfar, • -ebyaz, • -esved, kırmızı, sarı, beyaz, kara ırk; • ırk-un nisa, kalça kemiği hastalığı, siyatik; ırk-us-sus, meyan kökü; ırk-üz-zeheb, altın kökü. (ç. Uruk). • «Eşkıya-yi dinin ırkını her canibten kat' edip. — Süheyli». • «Ocak ağalarının serfirazı ü ta'nif ü tahkirde mubalağa edip. — Naima».

ırkî, ırkiyye, A. s. Irka ait, ırkla ilgili.

ırkıyyat, A. i. (XX. yy.) Ethnologie karşılığı, etnoloji.

ırz, A. i. (Ayın ile) 1. Irz. 2. Namus. 3. Perde. 4. Temizlik (Çok defa eşanlamıyle beraber • ırz ü namus olarak kullanılır). • Ehl-i ırz namuslu kimseler; • hetk-i ırz, namus perdesini yırtma, namusa dokunma. (ç. A'raz). • «Irz ehli olan meclis-i meydan eder i'raz. — Remzi Baba» • «Erbab-i ırzı hapis ve der-zencir ve belki darb ü ta'nif ü tahkirde mübalağa edip. — Naima» • «Beş altı yüz kese arz eyledim mührü alsam gerektir deyu ırz-i devleti teşhir eyledi. — Naima».

ıs'ab, A. i. (Sat ve ayın ile) [Sa'b'dan] Güçleştirme. Zora salma.

ısabe, A. i. (Ayın ve sat ile) 1. Topluluk. Cemaat. 2. Sarık, baş sargısı. (ç. Asaib). • «Selefte geçen ısabeye tevavvuk ile. — Taş.».

ıs'ad, A. i. (Sat ve ayın ile) [Suud'dan] Yukarı çıkarma, yükseltme.

ısaga, A. i. 1. Kalıba dökme. 2. Kuyumculuk etme.

ısar, A. i. (Ayın ve se ile) 1. Tuzak. 2. Sıkıntı nedeni. • «Ve sual-i hibe-i sâr ve rica-yi ikale-i ısar semtine yüz döndürdü. — Sadettin».

ısbı', A. i. (Elif, sat ve ayın ile) 1. Parmak. 2. Üç santim kadar boyda ölçü. (ç. Esabî).

ısda', A. i. [Sada'dan] Yankı.

ısdar, A. i. [Sudur'dan]. 1. Çıkarma, çıkarılma. 2. Döndürme. • «Def'aten hariç müderrisi olmak için ısdar-i ferman buyurduklarında. — Naima».

ısfirar, A. i. [Safret'ten] Sararma. • İsfirar-i ayn, • -evrak, • -sima, gözün, yaprakların, yüzün sararması. • «İki serv-i siyaha son lemeat — Sükûn içinde verirken ısfirar-i memat. — Fikret».

ısga', A. i. (Hemze ile) Dinlenme. Kulak verme. • «Özür dileyip tahlis-i cana çalıştıkta kat'a ışga olunmayıp tez boğun deyu. — Naima».

ısgar, A. i. [Sagır'den] Küçültme. Küçük, önemsiz görme.

ıshar, A. i. (Sat ve he ile) [Sıhriyet'ten] Damat olma. Damat edinme.

ıskat, A. i. [Sukut'tan] 1. Düşürme. 2. Yok etme, silme. 3. Hükümsüz bırakma. 4. Düşürülme. 5. Ölünün azaplarının bağışlanması için dağıtılan sadaka. • Iskat-i cenîn, ana karnındaki çocuğu düşürme.

ıslah, A. i. [Sulh'tan] 1. İyileştirme, düzeltme. 2. Eksikleri tamamlama, fenalığı giderip iyileştirme. • Islâh-i hal, durumu düzeltme; • -zat-ül-beyn, barıştırma, aralarını bulma. • «Gelmeyince elden ıslahı varıp üzme yürek. — Ziya Pş.».

ıslahat, A. i. [Islah ç.] Düzeltmeler. İyileştirmeler, yoluna koymalar. • Islahat-i askeriyye, askerlikte yapılan düzeltmeler, yenilikler • -cedide, yeni düzeltmeler, düzenler; • -maliyye, • -mülkiyye, maliyede, idarede yapılan yenilikler, düzeltmeler.

ıslahî, ıslahiyye, A. s. İyileştirmeye, düzeltmeye dair, düzeltme ile ilgili. • Tedabir-i ıslahiyye, düzeltme önlemleri.

ısrar, A. i. Ayak direyip durma. Bir fikir veya dâvada direnip dönmeme. • «Etmeyip re'y-i hatada ısrar — Avdet et rah-i savaba tekrar. — Sümbülzade».

ıstabl, A. i. Ahır. • Istabl-i âmire, padişah sarayı ahırı; • ıstabl-i mire pâyesi, aşağı bir rütbe. • «Yine ıstabl-i şehinşah-i cihan-arâda — Ki ne atlar bulunur birbirinden âlâ. — Nef'i».

ıstaflîn, A. i. Havuç.

ıstıbab, A. i. 1. Dökülme. 2. Damarlardan kan fışkırma.

ıstıbar, A. i. [Sabr'dan] Dişini sıkıp dayanma. • «Düşvardır ıstıbar hicranınıza. — Naci» • «Taraf-i müşrikînden eser-i tesebbüt ve ıstıbar nümayan ola. — Nergisi».

ıstıca, ıztıca', A. i. 1. Yan üstüne yatmak. 2. Namazda, secde ederken koltukları sıkıp göğüsü yere değdirmek. • «Mekânında bir zaman ıstıca' edip şiddet-i gazab ve hevl-i vakıadan meşgul-i asayiş oldu. — Naima».

ıstıfa', A. i. 1. Seçme. 2. Bir şeyin halis ve temizini seçip ayırma. 3. Ayıklama, ayıklanma. Sélection karşılığı (XIX. yy.).

ıstıfaf, A. i. Saf bağlama, sarılma.

ıstılah, A. i. 1. Bir bilim veya sanata mahsus kelime. 2. Genel bilinen anlamından başka özel bir anlamda kullanılan kelime. 3. Herkesin anlamadığı, konuşmada kullanılmaz, garip ve karışık kelime. 4. Terim. 5. • «Bir lâfzı lûgat mânasından çıkararak başka bir mânaya tahsis etmek». • «Anların ıstılahında köseler şavkadan ve Kazaktan ibaret olmağın. — Naima».

ıstılahat, A. i. [Istılah ç.] Terimler. • «Lûtfünün kadrini bilmek içindir mutlak — Istılahat-i fünun içre bulunmak eb'ad. — Nabi».

ıstılahî, ıstılahiyye, A. s. Bilim veya sanata mahsus kelimelere ait veya onlarla ilgili. • Mâna-yi ıstılahî, terim anlamı; • tâbirat-i ıstılahiyye, terim olarak kullanılan deyimler.

ıstılahperdaz, F. s. [Istılah-perdaz] Herkesin anlayamıyacağı garip ve karışık kelimeler kullanan, «ıstılah paralayan».

ıstına', A. i. (Sat, tı ve ayın ile) Adam seçmek. • «Bunca uşşakın içinden eyle âşık ıstına'».

ıstırâb, ıstırâb, *A. i,* [Darb'dan] Sıkıntı, büyük üzüntü. • ‹Aldığı akçeleri ashabına red için hükmettikte mahdum agaz-i ıstırab edip. — Naima›.
(Ed. Ce.) :

Istırab-i cismanî, ifade-i ıstırab,
-ruh, mahşer-i ıstırab,
-sekr, mahşer-i ıstırab,
cürha-i istırab, nokta-i ıstırab,
devre-i ıztırab, sayha-i ıstırab,
enin-i ıstırab, şahka-i ıstırab,
eşkâbe-i ıstırab, tenvim-i ıstırab, ·
feveran-i ıstırab, zehr-i hand-i ıstırab.

ıstırabaver, *F. s.* [Istırab-âver] Sıkıntı getiren. • ‹Istırapaver-i envar-i ruhundür nigehin — Bahr-i Umman ile amiziş eden cuy gibi. — Nailî›.

ıstırabat, *A. i.* [Istırab ç.] Sıkıntılar, üzüntüler. • ‚Istırabat-i kalbiyye, gönül üzüntüleri.

ıstıram, *A. i.* (Dat ve tı ile) Tutuşup alevlenme.

ıstırar, ıztırar, *A. i.* [Zaruret'ten] 1. Çaresizlik, zorla olan hâl. 2. Yasak olan bir şeyi işleme zorunda kalma. • ‹Sende olmaz hırs ü az-i ıstırar›.

ıstırarî, ıztırarî, ıstırariyye, *A. s.* Zor ile olan. Elinde olmadan yaptırılan, yapılan.

ıstıyad, *A. i.* (Sat ve tı ile) [Sayd'dan] Avalma, ava gitme.

ıstıyaf, *A. i.* (Sat ve tı ile) Yazlıkta oturma.

ışk, aşk, *F. i.* Bk. • Aşk.

ıt'am, *A. i.* [Taam'dan] Yemek yedirme. • It'am-i muhtacin, yoksullara yemek yedirme, doyurma. • ‹Ol dahi bezl-i infak ü ıt'am ve in'amda mübalâğa edip. — Naima›.

ıtaş, *A. i.* [Atşan ç.] Susamışlar. Bk. • Utaş. • ‹Irva-yi ıtaşı rayegândır. — İ'cazı müşar bil-benandır. — Ş. Galip›.

ıtbak, *A. i.* (Tı ile) 1. Kapma, örtme. 2. Birliğe ulaşma. • ‹Hangi ilm (üzerinde)˙ ulema-yi âfâk hüsnüne icma ve ıtbak etmiş ola. — Taş.›.

ıtık, ıtk, *A. i.* (Ayın, te ve kaf ile) 1. Kul azat alma. 2. Azatlık. • ‹Hayat rıkk ve memat ıtktır. — Taş.›.

ıtıkname, *A. i.* [Itk-name] Azat kağıdı. • ‹Bir ıtıknamedir insana senin kanunun. — Şinasi›.

ıtırsa, *F. s.* (Ayın, tı ve sin ile) Güzel kokulu. • ‹Esti can bağına bâd-i Itırsa-yi Edirme. — Hümayunname.

ıtla', *A. i.* (Tı ve hemze ile) Üzerine sürme, bulaştırma.

ıtla', *A. i.* (Tı ve ayın ile) 1. Bildirme, haberli etme. 2. Ufuktan doğma.

ıtlab, *A. i.* (Tı ile) İsteme. İsteme zorunda bırakma.

ıtlak, *A. i.* [Talk'tan] 1. Salıverme, koyverme. 2. Bağışlama, cezadan kurtarma. 3. (Koca, karısını) boşama. 4. Genleştirme. 5. Adlandırma. • ‹Ve Hüseyin Efendi'yi musadere ile tedip ve ıtlak eyledi. — Naima›. • Alelıtlak genel olarak; • ıtlak-i inan, dizgini bırakma, yönelme; • -lisan, ağzına geleni söyleme; • -yed, bağış yapma, hayır işleme.

ıtlal, *A. i.* (Elif ve tı ile) 1. Kan dökmek, kan dökülmek. 2. Bir şey üzerine yüklenmek.

ıtma', *A. i.* [Tama'dan] Tamaha düşürme, hırs uyandırma. • ‹Cami-i şerifin ferraşını nice vâd ü vaîd ile ıtma ve idlal edip. — Şefikname.

ıtmaiyyat, *A. i.* (Elif, tı, ayın ve te ile) Tamaha düşürmek, hırs uyandırmak için söylenen sözler.

ıtnab, *A. i.* Sözü ip gibi çekip uzatma. Fazla sözlerle konuyu uzatma. • Itnab-i mümill, usanç verecek uzatma. • ‹Dürr-i meknun ise de nazmın eğer ey Nef'i — Düşürür yine kesada anı ziyb-i ıtnab. — Nef'i›. • ‹Ne kadar çok söylese bir ıtnab-i mümil olmaz. — Cenap›. • ‹Gençlere mahsus ıtnab-i kelâmı kaybetmiş. — Uşaklıgil›.

ıtnabe, *A. i.* Gölgelik.

ıtnan, *A. i.* (Tı ile) Ses çıkarttırma, öttürme.

ıtr, *A. i.* (Ayın ve tı ile) 1. Sürünmede kullanılan güzel kokulu yağ. 2. Itır bitkisi. • ‹Bir mendilin içinde kalan ıtr-i yadigâr. — Cenap›.

ıtra', *A. i.* (Elif, te ve hemze ile) [Taravet'ten] Övmede aşırılık. • ‹Bahs ü evsafında ıtra tesin ehl-i içtihad. — Sururi›.

ıtrab, *A. i.* [Tarab'dan] Şevklendirme, şevke getirme. • ‹Mutrib, bizi ıtrab et — Nağmenle safayab et. — Naci›.

ıtraf, *A. i* (Tı ile) Armağan verme.

ıtrah, *A. i.* [Tarh'tan] Çıkarma • ‹Niçin silâhdarım canibini ıtrah edip umuru ana da yazmazsın? — Naima›.

ıtrengiz, *F. s.* [Itr-engiz] Güzel kokulu. • ‹Yolun düşse diyar-i Basra'ya ey bâd-i itengiz. — Ruhi›.

ıtrî, ıtriyye, *A. s.* Kokulu. ● *Mevadd-i ıtriyye,* kokulu maddeler.

ıtriyyat, *A. i.* Güzel kokulu ruhlar ve yağlar.

ıtrnâk, *F. s.* [Itr-nâk] Güzel kokulu.

ıttılâ, *A. i. (Tı* ve *hemze* ile) [Tılâ'dan] 1. Sürünme, bulanma. 2. Kokulu şey sürünme.

ıttıla', *A. i. (Tı* ve *ayın* ile) [Tulû'dan] Haberi olma, bilgisi bulunma. ● «Adamlar irsal olunup tahsil-i ıttıla badehu defiyçin hükkâm-i memalik üzerine havale olunup. — Naima».

ıttılaât, *A. i. (Tı* ve *ayın* ile) [Ittıla ç.] Haberler. ● «Vukuf ve malumatından ve tarih-i selefteki ıttılaatından mustefit olmakla. — Kâtip Çelebi».

ıttılab, *A. i. (Tı* ile) [Taleb'den] İsteme.

ıttılak, *A. i. (Tı* ile) Ferahlama, tasası dağılma.

ıttırad, *A. i.* [Tard'dan] 1. Birbirine uyup gitmek. Biteviye, bidüziye. 2. (Mus.) Ritm. ● *Ittıraden lil-bab,,* kural bozulmamak, usule uymak için. ● «Olur kat kat isabet fikr olunca ıttırad üzere. — Nef'i». /

ıtval, *A. in. (Tı* ile) [Tul'den] Uzatma, uzun etme.

ıyade, ıyadet, *A. i. (Ayın* ile) Hatır sorma, gidip görme. ● «İyadesi için bizzat canib-i saltanatmeabları. — Naima.» ● «Müdebbir hayrhâhları iyadete varılmayı münasip görmeyerek. — Naima».

ıyar, Bk. *Ayar.*

ıyaz, *A. i. (Ayın* ve *zel* ile) Sığınma. ● *Iyazen billah,* Tanrıya sığınarak.

ıyr, *A. i. (Ayın* ile) 1. Yiyecek getiren (deve, eşek gibi) hayvan. 2. Her çeşit kafile. (ç. İyerat). ● «Buldukları küffarı ıyr-i Sair'e mülhak ettiler. — Sadettin».

ızmam, *A. i. (Dat* ile) [Zamm'dan] Katma, üzerine koma.

ızmar, *A. i. (Dat* ile) Gizleme, saklama. ● «Ol reyi ki etmiş idi ızmar — Hüddam ü havassa etti izhar. — Nabi».

ızraf, *A. i. (Zı* ile) [arf'tan] Zarfa koyma. Zarflama.

ızram, *A. i. (Dat* ile) Tutuşturma, alevlendirme. ● «Karaman bedpeymanlarının ızram ettikleri fitn eve kîne nairesin. — Sadettin».

ızrar, *A. i.* [Zarar'dan] Zarara ugratma. Zarar verme. ● «Ayakları taşradan kesilip ve ifsad ve ızrardan inkıtaları için. — Naima».

i

i, Elif veya ayın harfleriyle başlayan keli-melerden sesleri (i okunuşlu) hafif olanların sesini verir.

iade, A. i. [Avd'den] 1. Geri çevirme, geri döndürme. 2. Bir daha yapma. 3. Eski haline getirme. 4. Karşılık yap-ma. • İade-i afiyet, (hastalıktan) iyi-leşme; • -itibar, (iflâstan) kurtulma; • -muhakeme, yeniden muhakeme; • -mücrimîn, (devletler arası) suçlula-rın asıl memleketine verilmesi; • -sıh-hat, hastalığı geçirme; • -ziyaret, kar-şılık ziyarete gitme; • iadeli taahhüt-lü, postada alındı kâğıdının getirilmesi şartıyle taahhütlü. • «Kabil midir iadesi, bilmem, visalinin? — Fikret». • «Hastaneden tamamen iade-i sıhhat etmiş olarak. — Uşaklıgil».

iadeten, A. zf. Geri çevirmek üzere.

iale, A. i. Çoluk çocuğunun nafakasını tedarikleme. • «Ettik sizi sây ile iale — Tenbelliğe etmedik ihale. — Naci».

ianat, A. i. [İane ç.] İaneler.

iane, A. i. [Avn'den] 1. Yardım için top-lanan yardım parası.

ianet, A. i. [Avn'den] Yardım. • «Zayidir ey sipihr-i sitemger ianetin — Yoktur benimle davi-i nazm ü makal eder. — ilî» • «Ve onların ianetiyle Nogay oy-maklarını ve alelhusus Mansurîleri ze-bun etmişler idi. — Naima». • «Hayır ianeti yoktur tefekkürün bunda. — Fikret».

ianeten, A. zf. Yardım olmak üzre.

iare, A. i. Ödünç verme. (ç. İarât).

iareten, A. f. Ödünç olarak.

iaşe, A. i. (Elif ve ayın ile) [Ayş'ten] Yaşatma. Geçindirme. Besleme.

iaza, A. i. (Ayın ve dad ile) Sığınma.

iaze, A. i. (Ayın ve ze ile) Muhtaç olma, fakir düşme.

iba', A. i. Bir işten çekinme, razı olma-ma. • «Şeyhülislâm Bahayi Efendiye silsileye müteallik bazı umur teklif edip molla iba etmeğin mabeynde nev şe-kerâb hudus edip. — Naima».

ibaat, A. i. (Elif ve ayın ile) [Bey'den] Satma. Satılığa çıkarma.

ibabe, A. i. Yol.

ib'ad, A. i. [Bu'd'den] Uzaklaştırma. • «Bütün emelleri gönlünden eylemiş ib'-ad. — Fikret».

ibad, A. i. (Ayın ile) [Abd ç.] 1. Kullar. 2. İbadet edenler. • İbadullah, Tanrı kulları, insanlar. • «Ey masdar-i ma-siva olan Rabb-i ibad. — Naci». • «Mo-ra'ya varınca olan bilâd sükkâni ve sair ibadullahın çektikleri mihnet ve eziyet tâbir olunmazdı. — Naima».

ibadat, A. i. (Ayın ile) [İbadet ç.] İba-detler. • «Zahir ü bâtının eser-i haş-yet-i Hak — Mazhar-i sırr-i ibadat-i Cüneyd ü Zünnun. — Nailî» • «Salah ve ibadâta müdavim idi. — Naima».

ibadet, A. i. (Ayın ve te ile) Tanrı buy-ruklarını yerine getirme. Tapma, ta-pınma. • «Hamuş hamuş eyler ibadet. — Fikret».

ibadetgâh, F. i. [İbadet-gâh] İbadet yeri. Tapınak. • «Arap Camii denmekle mütearef olan ibadetgâh-i şerife tar-hendaz-i imaret oldukları. — Nergisi».

ibadethane, F. i. [İbadet-hane] İbadet evi. Tapınak.

ibadetkâr, F. s. [İbadet-kâr] İbadetini yapan. İbadete düşkün.

ibahat, ibahe, A. i. Bir şeyin haramlığı-nın kaldırılarak yapılıp yapılmaması-nın serbest bırakılması. Mubah görün-me. • «İbahe-i muharremat eden mül-hide büyük demek hatadır. — Naima» • «Bizi tekfir ve demimizi ibaha etme-nin veçhi nedir malûmat edinmek için gelmiş idik. — Naima». • «Ahlâk-i si-yasiye kuvvetin ibaha-i icraatıdır. — Cenap».

ibahî, A. s. (Elif ve ha ile) Her şeyi mu-bah sayan.

ibahiyye, A. i. İnsanın nefse hâkim ol-masından dolayı her şeyi mübah sayan tarikat. İbahiyyun, İbahiyye mezhe-binde olanlar. Esası Mezdek'ten gelir; Hasan Sabbah da bu tarikatten idi.

ibak, ibakat, *A. i.* (Bir kölenin) sahibinden kaçması.

ibale, ibalet, *A. i.* 1. Hayvan sürme, bakma. 2. Kuyu bileziği.

ibar, *A. i.* [İbre' ç.] İbreler, iğneler.

ibar, *A. i.* 1. Bitkilerde dişi ve erkek organları geliştirme. 2. Köpeğe ekmek arasında iğne yutturma.

ibarât, *A. i. (Ayın ile)* [İbare ç.] İbareler. • «Elsine-i muhtelifeden iktıraf-i ezhar-i ibarât-i bergüzide-i bülegapesend ile. — Nergisi».

ibare, *A. i. (Ayın ile)* 1. Cümle. 2. Paragraf. 3. Bir metinden çıkarılmış birkaç satır. • *Türki-yül-ibare.* Türkçe yazılmış.

ibaret, *A. i.* 1. (Bir şeylerden) meydana gelmiş. 2. Bir şeyin aynı; başkası değil. 3. İbare. • «Ola suhanda hususa benim gibi kâmil — Ki bir ibaretinin yok edada noksanı. — Nef'i» • «Bizzat takayyür buyurursunuz dediğinde bu ibaret ile cevap verip dedi ki. — Naima» • «Ötekiler hep birer yığın oyuncaktan ibaret kalacaktı. — Uşaklıgil».

ib'as, *A. i.* Gönderme.

ibat, *A. i.* [İbt'tan] Koltuğa alınan şey.

ibate, *A. i.* Barındırma. Gece alıkoyma. *İbate ve iaşe,* yatırma ve besleme.

ibban, *A. i.* Uygun zaman. Uygun vakit,

ibcal, *A. i.* Ağırlama, ululama. • «Erbab-i belâgat lisanımızda «icazperver» likle mazhar-i ibcal olurlar. — Recaizade».

ibda', *A. i.* Örneksiz bir şey meydana getirme, yaratma. • «Bir mübdi'sin ki adem hazane-i ibdaındır. — Sinan Pş.».

ibda, *A. i.* Meydana getirme. • «Ve itaat rüsmun ibda ve daraat şeraitin eda eyledi. — Sadettin».

ibdaiyye, *A. i.* Fransızcadan *créationisme* teorisine karşılık olmak üzere yapılmıştır, yaradılış doktrini (XX. yy.).

ibdakâr, *F. s.* [İbda-kâr] Yaratıcı. • «Yeni hayat ibdakâr kudretini her tarafa tevcih ederek. — Ziya Gökalp».

ibdal, *A. i.* Birinin yerine diğerini getirme. Değiştirme.

iber, *A. i. (Ayın ile)* [İbret ç.] İbretler.

ibgaz, *A. i.* [Bugz'den] Sevmeme, hoşlanmama.

ibha, ibhi, *A. i. (He ile)* 1. Evi boşaltma. 2. Bir kabı boşaltma. 3. Güzel yüzlü olma. • «Hikmet kelâmını ki cevahir-i

zevahirden isna ve gurr-i dürerden ibhadır tazyi etmek hıred erbabına gayr-i münasiptir. — Lâmii».

ibhac, *A. i.* Sevindirme. Sevindirilme. • «Eda-yi cizye ve harac ile ibhac etmeğin. — Sadettin».

ibhal, *A. i.* Salıverme, boşlama. Koyverme.

ibham, *A. i. (He ile)* Başparmak. (ç. Ebahim) • «Onların ok atmakta maharetlerin görüp buyurdu ki cümlesinin ibhamların kat'edeler ta ki ok atmaya iktidarları kalmaya. — Naima».

ibham, *A. i. (He ile)* Belli etmeme, kapalı bırakma. (ç. İbhamat).

ibil, ibi, *A. i.* Deve, deve sürüsü.

ibkâ, *A. i.* Ağlatma.

ibka, *A. i.* 1. Sürekli kılma. 2. Yerinde bırakma. • *İkba-yi nam,* ad bırakma. • «Derya seferinde bulunan paşalarla ve ağalar ve sair rüesanın mansıplarını ibka ve mukarrer rica etmeğin. — Naima».

iblâğ, *A. i.* 1. Vardırma. 2. Eriştirme. 3. Ulaştırma. 4. Gönderme. • «Anlar dahi han huzuruna varıp iblâğ-i peyam-i itab-encam ettiklerinde. — Naima». • «İnegöl hisarını muhasara için iblağ etti. — Sadettin».

ibli, *A. i.* Deveci.

iblim, *A. i.* 1. Bal. 2. Amber.

iblis, *A. i.* Şeytan. (ç. Ebalis, ebalise). • «İhsanın kör dilenci iblis — Kışmir başısı Aristatalis. — Ş. Galip».

iblisane, ibliskârane, *F. zf.* [İbliskârane] Şeytana lâyık. Şeytanca.

ibn, *A. i.* Oğul. • *İbn arz,* gurbette bulunan, yolcu; • *ibn-i harem,* piç; • *ibn-is-sebil,* yolcu; • *ibn-il-vakit, (ibn vakt)* vaktin uyarına giden, zamana uyan. (ç. Beni, ebna). • «Her biri tasavvurda filân ibn-i filândır. — Ruhi» • «Vehbiyâ yâre rica eylemeziz nâbercâ — İbn-i vaktiz biliriz vaktini biz ibramın. — Vehbi».

ibra', *A. i.* [Ber'den] 1. Borçtan kurtulma. 2. Beraet etme, temize çıkarılma. 3. Hastayı iyi etme. • «Haberim yoktur kizb-i sarihtir deyip ibra-i zimmet için yeman-i gulaza başladı. — Naima».

ibrad, *A. i. (Elif ile)* Soğutma.

ibram, *A. i.* Usandırıncaya kadar üste düşme. Zorlama. (ç. İbramat). • «Elbette üzerine asker tâyin olunup hakkından gelinsin deyu ibram etmeleriyle. — Naima› • ‹Mlle de Courton'un ibramatına rağmen Ada'ya gelmemek için inat etmiş idi. — Uşaklıgil›.

ibraname, F. i. [İbra-name] Arada alacak verecek kalmadığını gösteren kâğıt.

ibranî, A. s. i. İsrail oğullarından olan. İsrail oğullarıyle ilgili.

ibraz, A. i. (Elif ve ze ile) [Büruz'dan] Meydana çıkarma, gösterme. • ‹Fahr-i Acemaneden masundur — İbraz-i hakikat etmek ister. — Naci›.

ibre, A. i. İğne.

ibret, A. i. (Ayın ile) Bir şeyden çekinmek için ders alıp göz açacak olay. Böyle bir olaydan ders alma. • İbret-i âlem için âleme, herkese gözdağı, ibret olsun diye. • ‹Şu servler mütehaşi birer telâkatle — Okur geçenlere ait menakıb-i ibret›. — Fikret›.

ibretamiz, F. s. [İbret-amiz] İbret verici. • ‹Gûşzed-i zihn-i fesane-senc olan nevadir-i esmar-i ibretamiz ve hatarengiz. — Nergisi›.

ibretbahş, F. s. [İbret-bahş] İbret veren.

ibretbîn, F. s. [İbret-bin] İbret almış. • ‹Mebadi-i evvel ve tertib-i teselsülü layacağız. — Kemal›.

ibretbinane, F. zf. İbret alarak. Akıllıca. • ‹Mebadi-i evvel ve tertib-i teselsülü bulmağa ibretbinane çalışarak. — Kemal›.

ibreten, A. zf. İbret olsun diye. • İbreten-lis-saîrin, başkalarına ibret olsun diye.

ibretnüma, F. s. [İbret-nüma] İbret alınan, ibret gösteren. • ‹Vekayi ve ahval-i beşeriyetin birer mir'at-i ibretnümasıdır. — Recaizade›.

ibrevî, ibreviyye, A. s. İğne gibi.

ibreviyye, A. s. i. (Bot.) Sardunyagiller.

ibrî, ibriyye, A. s. (Ayın ile) İbranî, yahudi. • ‹Erfa-i şeair-i İbriyye ve revnak-i efruz-i mahasin-i millet-i Museviyye olan. — Kâni›.

ibrî, A. s. (Elif ile) 1. İğnesi olan 2. (i.) İğneliler, styloide karşılığı.

ibrik, A. i. Emzikli su kabı. İbrik, bardak. • İbrik-i mey, şarap kabı. (ç. Ebarıka, ebrîk). • ‹Sebu-yi meyle ibrik-i vuzu' bir hâktir amma— Ne hikmettir bilinmez biri salih biri fâsıktır. — Nabi›.

ibriktar, F. i. [İbrik-dâr] El ve yüz yıkanacak zaman ibrikle su döken kimse.

ibriz, ibrizî, A. s. (Ze ile) Katıksız, sâf (altın).

ibsar, A. i. Dikkatle bakmak. Fransızcadan vision karşılığı (XX. yy.).

ibsarî, A. s. Dikkatle bakma ile ilgili. Franszcadan visuel karşılığı (XX. yy.).

ibşar, A. i. [Beşr'den] Muştulama. Müjde verme. (ç. İbşarat). • ‹Nevruz âsâ serşar-i ibşar edip. — Esat Ef.›.

ibt ıbt, Bak. • ıbt.

ibta, A. i. (Tı ile) [Batiy'den] Ağır davranın a. Gecikme, geciktirme.

ibtal, A. i. Boş, hükümsüz bırakma. Bozma. • ‹Bihter silâhı ibtal edememeye o silâha malik olandan kurtulmak suretiyle çaresaz olmayı. — Uşaklıgil›.

ibtaliyyat, A. i. Boş bir işe yaramaz sözler.

ibtar, A. i. Esirgeme. Kısırganma.

ibtat, A. s. (Te ve t ile) Kesme. Bitirme. Sona erdirme.

ibtida., A. i. (Hemze ile) [Bed'den] 1. Başlama. 2. Başlangıç. 3. İlkin, en önce. • ‹Hısn-i mezburu ki vardı ibtida aldı vezir. — Süruri›.

ibtida', A. i. (Ayın ile) [Beğenilmeyecek şekilde) Yeniden bir şey meydana getirme. • ‹Bazı bedhâhye tamma' kısmının ibtidaı mucibince. — Naima›.

ibtidaen, A. zf. Başlangıçta, başlangıç olarak. İlkin.

ibtidaî, ibtidaiye, A. F. i. s. 1. İlk ile ilgili. İlke mensup. 2. İlk derecede. 3. Ham, işlenmemiş. 4. İlkel. • Madde-i ibtidaiye, hammadde, • mekteb-i ibtidaî, ilkokul, • tedrisat-i ibtidaiyye, ilköğretim. • ‹Nüzul-i ayât iki kısımdır, bir kısmı ibtidai olandır. — Taş.›

ibtidaiyyat, A. i. Bir bilgi dalının ilk sade kısımları. Başlangıçlar.

ibtidar, A. i. Bir işe çabuklukla başlama. • ‹Tab'ında bir neşat-i garip eyler ibtidar. — Fikret›.

ibtiga, A. i. Candan isteme. İmrenip isteme.

ibtihac, A. i. (He ile) Sevinme. İç açıklığı. • ‹Pîşinde ettiler beşiğin, garik-i ibtihaç — Bir buse-i medid ile tecdid-i izdivaç. — Fikret›.

ibtihal, A. i. Bütün varlığıyle yalvarıp yakarma. • ‹Saklıyor çehre-i cemavatı — Beşerin çeşm-i ibtihalinden. — Fikret›.

ibtihas, A. i. (Te, ha ve se ile) Mübahase etme, tartışma.

ibtikâ, *A. i. (Te* ve *kef* ile) Ağlama. • ‹Bir ibtikâ-yi hazanisi aşk-i sahharın. — Fikret›.

ibtikâr, *A. i.* 1. Sabahleyin erken kalkma. 2. Başlangıca yetişme. 3. Acele etme. 4. Her şeyin turfandasını yeme.

ibtilâ, *A. i.* (İyi veya kötü bir şeye) düşkün olma. Düşkünlük. • ‹Onun babasına bir ibtilâsı, bir meftuniyeti vardı ki. — Uşaklıgil›.

ibtilâ, *A. i. (Ayın* ile) [Bel'den] 1. Zorlukla yutma. 2. Gelini gerdeğe koyma. • ‹Şaim dişleri içinde bakiye-i taamı ibtilâ' eylemek meselesini. — Taş.›.

ibtilâc, *A. i.* Görünme. Meydana çıkma.

ibtilâl, *A. i.* Bir şey yaş olma. Islanma.

ibtina, *A. i.* [Bina'dan] 1. Bir konuda bir şeye dayanma. 2. (Bir konuyu) bir şey üstüne kurma. 3. Yapı yapma.

ibtinaen, *A. zf.* Dayanarak.

ibtisam, *A. i.* İncelik ve güzellikle gülme. (ç. İbtisamat). • ‹Dudaklarında gülerken bir ibtisam-i nihan. — Fikret› — ‹Lemean eden ibtisamat-i letafete. — Recaizade›.

ibtisar, *A. i.* [Basar'dan] Can gözüyle görme. • ‹Fakrimle ben de zair-i ziibtisar idim. — Recaizade›.

ibtiya', *A. i. (Te* ve *ayın* ile) Satın alma.

ibtizal, *A. i. (Zel* ile) 1. Yıpranma. 2. Hep kullanılma. 3. Kuvvetini kaybetme. 4. Ucuzlama. • ‹Ârifleri mezemmet eder ehl-i ibtizal. — Âli›.

ibzal, *A. i.* Esirgemeyip bol harcama ve kullanma. • ‹Safha-i şi'rime ibzal-i nigâh eyler iken. — Fikret›.

ibzalkârane, *F. zf.* Bol olarak, bol bol. • ‹Yavaş yavaş miyarını kaybederek ibzalkârane sürülmüş kırmızı boyalar altında. — Uşaklıgil.

îca', *A. i. (Ayın* ile) [Veca'dan] Ağrıtma.

icaa, *A. i.* [Cu'dan] Acıktırma. Açlık çektirme.

i'cab, *A. i. (Elif* ve *ayın* ile) [Ucb'den] 1. Şaşırtma. Şaşırmaya yol açma. 2. Kendini beğenmişlik. 3. Şaşırtıp, gururlandırma. • ‹Ol tarz-ı acemdir olmaz i'cab. — Rindan-ı Acem gözetmez adab. — Ş. Galip› • ‹Ebna-yi cinsinden kimsenin nik-nâm ile mahmud-üz-zikr olmasına kaail değil ve i'cab-ı nefs ile hod-hal ve hezzal bir merd-i fazıl olduğu. — Naima›.

icab, *A. i.* [Vücub'dan] 1. Gerek, lüzum. 2. (Huk.) Bir sözleşme için ilk söyle-

nen söz. 3. (Man.) Olumlama, olumlu halde bulunma. • ‹Bu bazar-i fenada şart-i icab ü kabul olmaz. —Avni›.

icabât, *A. i.* [İcab ç.] İcaplar. Gerekler. • ‹Bunu da zarafet icabatından bildiği için yapar. — Recaizade›.

icabet, *A. i.* Kabul etme. Kabul edilme. Razı olma, uyma. • *Ümmet-i icabet,* İslâmlar. • ‹Harem-i hümayun tarafından rica olunup molla icabet etmeğin. — Naima›.

icabetgâh, *A. i.* [İcabet-gâh] Kabul etme yeri. • *İcabetgâh-i ilâhi,* Tanrı'nın duaları kabul ettiği yer. • ‹İcabetgâh-i rebubiyete muhtelif-ül-elfaz dualar çıksın.— Cenap›.

icabiyye, *A. i.* Fransızca *déterminisme* (gerekircilik) karşılığı (XX. yy.).

icad, *A. i.* 1. Vücuda getirme. Yoktan var etme. 2. Yeniden bir şey çıkarma. • *Âlem-i icad,* icat âlemi, bütün yaratılmışlar; • *ney-icad,* yeni ortaya çıkmış. • ‹Bediazâr-i tecellisi nur-i icadın. — Fikret›.

icade, icadet, *A. i.* 1. İyi etme, iyi görme, iyi işleme. 2. Cömertlikle bir şey verme. 3. At yürük olma. 4. Güzel at sahibi olma. 5. Cömert çocuğu olma. 6. Geçer akçe verme. • ‹Medrese hüceratının birinde sakin olup iade ve icadeye meşgul oldu. —Sadettin›.

icadkerde, *F. s.* [İcad-kerde] icat edilmiş, yeni ortaya konulmuş.

i'cal, *A. i. (Elif* ve *ayın* ile) 1. Öne geçme. 2. Çabuk yaptırma.

icale, *A. i.* Dolaştırma. Dolaştırılma. *İcale-i fikr, -kalem,* fikir, kalem dolaştırma; fikir, kalem o yollarda gezme. • ‹Her kârı erbabına icale ve tefviz ettiği misillû. — Cevdet Pş.›.

icalet, ucalet, *A. i.* 1. Acele ile, hemen yapılan iş. 2. Fransızcadan *manuel* karşılığı, el kitabı (XIX. yy.).

i'cam, *A. i.* Yazıya, harflere nokta koyma. • ‹Sadr-ı evvelde şekl ü icam şimdi olana mugayir idi. — Taş.›.

icam, *A. i.* [Eceme ç.] Sık ağaçlık yerler. Aslan yatakları.

icar, *A. i.* 1. Kiraya verme, kiraya verilme. 2. Kira parası.

icarât, *A. i.* [İcare ç.] Kiralar, gelirler.

icare, icaret, *A. i.* 1. İrat, gelir. 2. Kira. 3. Ücret. 4. Fayda karşılığı alınan bedel. • *Kitab-ül-icare,* Mecelle'nin konusu kira ve kiralama olan bölümü. • ‹İcare, menfaat-i malûmeyi ivaz-i ma-

F. : 23

lûm mukabelesinde bey' etmek demektir. — Mec. 405». • «Küffar icaresinde olan İngiliz gemileri. — Naima».

icareteyn, A. i. Hem hemen alınan hem ilerde alınacak olan vakıf bina kirası.

i'caz, A. i. 1. Âciz kılma, şaşırtma. 2. Mucize sayılacak kuvvette düzgün söyleme. 3. Eşini yapmada herkesi acze düşüren. • Hadd-i i'caz, • mertebe-i i'caz, güzel söylemenin son derecesi. • «Anı cem eylemiş işte Vessaf — Tarz-i i'cazda hakk-el-insaf. — Sümbülzade».

îcaz, A. i. Sözü kısa söyleme. • İcaz-i muhil, (Ed.) Anlamı bozacak şekilde sözü kısaltma; • alâ vech-il-icaz, icaz yoluyle, kısaca. • «Hüsn-i tahrirde îcazı mertebe-i i'caza vâsıl iken. — Taş.».

icazet, A. i. 1. İzin. 2. Diploma. 3. Olur deme. • «Ve dört seneden beri zahmet çeken askere icazet verile deyu ferman olunmakla. — Naima».

icazetname, F. i. [İcazet-name] 1. Medresede okuyanlarla yazı öğrenenlere verilen öğrenim belgesi. 2. İzin kâğıdı. • «Kethüdası Hacı Oruçzade yediyle bir icazetname alıp. — Naima».

i'cazkâr, F. s. [İcaz-kâr] Herkesin yapamayacağı yolda eser meydana getiren. (ç. i'cazkâran).

i'cazkârane, F. zf. Herkesi yarışmada âciz bırakacak yolda.

i'caznüma, F. s. [İcaz-nüma] Mucizeyi andırır yolda eser yapan, ustalık gösteren. • «Hasta-i nâtıkaya ruh-fezadır hâmem — Zat-i İsa gibi icaznümadır hâmem. — Reşit Pş.».

icbar, A. i. Zorlama. • İcbar-i nefs, kendini zorlama, zorla kendini tutma. • «Beraber gelmeye icbar ederek sürükledi. — Uşaklıgil».

icfar, A. i. Alışkanlıktan vazgeçme.

ichad, A. i. (He ile) 1. Gayret etme. 2. Eziyet çekme. • «Kale-i Tebriz teshirine sak-i ichadını teşmir. — Naima».

ichaf, Ä. i. (Ha ile) Zulm etmek.

ichar, A. i. (He ile) [Cehr'den] 1. Meydana koyma. 2. Sesini çıkararak okuma.

icl, A. i. Boyun tutukluğu.

iclâ, A. i. [Cilâ'dan] 1. Cilâlama, parlatma. 2. Evinden barkından ayırma. 3. Sürme, sürgün etme. • İclâ-yi vatan, yerinden yurdundan sürgün etme, başka tarafa göçtürme; • nefy ü iclâ, sürgün etme. • «Mübarek dedikleri na-mübarek kendi etbaiyle tard ve iclâ olunmuştur. — Naima».

iclâl, A. i. [Celâl'den] 1. Büyütme, ağırlama. İkram. 2. Büyüklük, ululuk. • «Nicemüddet kemal-i istiklâl ü satvet ve iclâl ile hükûmet edip. — Naima».

iclâs, A. i. [Cülûs'tan] Oturma. Tahta çıkartma. • «Yârı sahn-i suffa-i gülzara iclâs eyledim. — Naci».

icle, A. i. Buzağı.

icma', A. i. [Cem'den] Dağınık şeyleri toplama, bir araya getirme. • İcma-i ümmet, (içtihat devrinde) imamlarla fakihlerin ve ileri gelenlerin din konulu bir işte birlik olmaları, söz birliği. • «Âyetle, hikmetle, icma' ile, tecrübeyle, ibretle mübeyyindir ki. — Kemal».

icmaen, A. zf. İcma-i ümmet yoluyle.

icmal, A. i. 1. Ayrıntı ve uzantılara girmeden toptan söyleme. 2. Uzun ve karışık bir hesabın özü, özeti. 3. Birçok bahisleri özetleme. 4. (Mat.) Dört işlemden toplam. (ç. İcmalât). • Alâ vech-il-icmal, • ber vech-i icmal, kısaca, icmal yoluyle. • «Bağdat seferi hususunda vaki-i hal icmal üzere nakl ü beyan olundu. — Naima» • «Hazırladığı icmalât-i hesabiye üzerine. — Uşaklıgil».

icmalen, A. zf. Kısaltarak, kısaca.

icmali, icmaliyye, A. s. Toplu, kısa • «Edille-i icmaliye-i yakîniyesinden istinbat ile bilinir. — Taş.».

icmam, A. i. 1. Atı soluklandırma, dinlendirme. 2. Biriktirme. • «Nice piyade süvar-i merkeb-i na'ş olup nice süvar sahra-yi ademe icmam-i semend ü rahş oldu. — Nergisi».

icra, A. i. [Cereyan'dan] 1. Akıtma. 2. Düşünce halindeki bir şeyi ortaya koyma, uygulama. 3. Bir notayı çalarak gösterme. 4. Yapma. • «Kıldı icra âleme sultan Selim âb-i hayat. — Sururi» «Âdem ona derler ki garazdan ola salim — Nefsinde dahi eyleye icra-yi adalet. — Zıya Pş.».

icraat, A. i. [İcra ç.] 1. Yapılan işler. 2. Uygulanan şeyler. • «Kuva-i devlete can verdi icraatı peyderpey. — Zıya Pş.». • «İcraat-i haliyenin mahkeme-i temyizi istikbaldir. — Cenap».

icrar, A. i. Erteleme. Vakit verme.

ictiba, A. i. (Te ile) [Cibayyet'ten] 1. Toplama. 2. Seçme.

ictihad, A. i. (He ile) [Cehd'den] 1. Güç yettiği kadar çalışma. 2. Din imamlarının ayet, hadis, kıyas ile şeriat işlerini belirtmede olan çalışmaları. 3. Bir iş hakkında bir kimsenin fikri. 4. (Sos.) İnan. • ‹Filân nasıl düşünür. — Nasıl yazar, nasıl icmal ü ictihat eyler. — Bütün bu şeyleri tekrar ederdi. — Fikret›.

ictihadat, *A. i.* [İctihad ç.] İçtihatlar.

ictihadî, ictihadiye, *A. s.* İçtihat ile ilgili. • ‹Mesail-i ictihadiyede bir tarafı tutan ikfar olunmaz. — Kâtip Çelebi›.

ictima, *A. i.* [Cem'den] 1. Toplanma, bir araya gelme. 2. Toplanma, toplantı. 3. Birikme, yığılma. 4. (Ast.) Kavuşum. • ‹Bir meclis-i muhtasarda birkaç kere içtima ile alelâcele her şey yapılıp. — Reşit Pş.›.

ictimaat, *A. i.* [İctima ç.] Toplanmalar, toplantılar. • ‹Siyasiyat ve temeddün cihetinden olan ictimaat ve anların ahvali ki. — Taş.›.

ictimaî, ictimaiye, *A. s.* Toplumsal. Sosyal (XIX. yy. sonu). • ‹Halk mütehayyir olup akide-i muhabbet-i içtimaiyeye fesat târi oldu. — Naima›.

ictimaiyyat, *A. s.* (XX. yy.) Sosyoloji.

ictina, *A. i.* Ağaçtan yemiş devşirme. • ‹Arz etme bi-mülâhaza halka kelâmını — Nâpuhte ictina olunan bâr sâht olur. — Nüzhet›.

ictinab, *A. i.* Sakınma, çekinme. • ‹Hizmet teklif olunsa iba ve ictinab ederler deyu telhis ettikte. — Naima›.

ictinah, *A. i.* (Ha ile) 1. Bir yana eğilme. 2. Sadece eğilme. 3. (Hayvan) bir tarafa meyilli koşma.

ictira', *A. i.* [Cüret'ten] Yeltenme, cesaret etme. • ‹Her tavrına iktifa ne lâzım — Caizse de ictira ne lâzım. — Ş. Galip›.

ictira', *A. i.* (Ayın ile) [Cur'a'dan] 1. Soluk almadan suyu birden içme. 2. Bir tutuşta ağacı kırma.

ictirah, *A. i.* El emeğiyle geçinme.

ictiram, *A. i.* 1. Günah etme. 2. Suç işleme.

ictiran, *A. i.* Harman yeri yapma.

ictirar, *A. i.* 1. Beri çekme. 2. Geviş getirme.

ictisar, *A. i.* [Cesaret'ten] Korkmayıp atılma. Cesaretlenme. (Türkçede kullanılmıştır). • ‹Her vakit bir suretle tasdi' ederek arz ü iş'ara ictisar eylediğim veçh ile. — Fuat Pş.›.

ictisas, *A. i.* (Sin ile) Hayvanın ağzı ile araştırmak otlaması.

ictisas, *A. i.* (Sat ile) Evleri yakın olmakla bir arada olma.

ictişa', (Hemze ile) Yer uygun olmama.

ictiva', *A. i.* İğrenme.

ictivar, *A. i.* [Civar'dan] Komşulaşma.

ictiyab, *A. i.* 1. Yırtma. 2. Gömlek giyme. 3. Kuyu kazma.

ictiyaf, *A. i.* 1. Pek kokma. 2. İçine girme.

ictiyah, *A. i.* (Ha ile) Öldürme.

ictiyal, *A. i.* Doğru yoldan döndürme.

ictiyas, *A. i.* (Sin ile) Yağma için dolanma.

ictizab, *A. i.* [Cezb'den] 1. Çekip uzatma. 2. Etrafına toplama. • ‹Bir mansıba tetavul-i eydi ile heyet-i ictizab-i zübab-i civa' zâhir olmağın. — Naima›.

iczal, *A. i.* (Zel ile) Birini sevindirme.

iczal, *A. i.* (Ze ile) Semerin deve boynunu yara etmesi.

iczam, *A. i.* (Zel ile) 1. El kesme. 2. Hızlı yürüme.

îd, iyd, *A. i.* (Ayın ile) Bayram • İd-i adha, Kurban bayramı; • -fıtır, ramazan (şeker) bayramı. • -millî, ulusal bayram. (ç. A'yad). • ‹Karadenize çıkıp Varna'ya vardıkta îd-i adha olup. — Naima›.

îda, *A. i.* [Vedia'dan] Kendi malının korunmasını başka birine verme. • ‹Astane'ye getirilip hazineye îda' olundu. — Naima›.

idad, *A. i.* (Ayın ile) Sayma, hesap etme. • ‹Defterdarlığına vezaret zam ettirip idad-i vüzera-yi izamdan olmuş idi. — Naima›.

i'dad, *A. i.* (Elif ve ayın ile) [Add'den] 1. Hazırlama. 2. Geliştirme. • ‹Meskenet hil'atin eyle i'dad — Ol mülâyimdil ü derviş-nihad. — Nabi›.

i'dadî, idadiye, *A. s.* 1. Hazırlama yeri. 2. Hazırlanmaya mahsus. • Mekteb-i idadi, (rüştiye denen ortaokullardan sonra olan) yüksek okullara hazırlayıcı okul. • ‹Çocuğu sünuf-i idadiyeye ihzar lâzım. — Uşaklıgil›.

idale, *A. i.* Bir şey elden ele geçme, geçirilme.

i'dam, *A. i.* [Adem'den] Yok etme, öldürme, vücudunu kaldırma. • İdam-i nefs, kendini öldürme, intihar. • ‹Nabekâr Abaza bana ne işleyip vücudumu i'dama kasd eylediğini gördüm. — Naima›.

idam, *A. i.* Katık. Ekmekle beraber yenen şey. • Nan ü idam, ekmek ile katık.

idame, *A. i.* [Devam'dan] Sürdürme, devam ettirme. • ‹İstikbalde âbâ ü ecdadının şöhret-i hamiyetini idame edecek evlâdı dünyaya geliyor. — Kemal›.

idamet, A. i. [Devam'dan] Sürdürme, devam ettirme. • ‹İdamet-i izkâr ü cemaât olunur. — Sadettin›.

idan, A. i. (Ayın ile) [Ud ç.] Ödağaçları.

idane, A. i. [Deyn'den] Borç. Ödünç.

idaneten, A. zf. Borç olarak.

idare, A. i. [Devr'den] 1. Çevirme, döndürme. 2. Kullanma, becerme. 3. Tutum, iyi harcama. 4. Yetme. Yeter olma. 5. Bir memleket işlerinin çevrilmesi. 6. Bir çevirmede iş görenlerin hepsi. 7. Bir çevirmenin iş gördüğü yer. • İdare-i akdah, (şerefe) kadeh kaldırma, içme; • -askeriye, asker işleriyle uğraşan idare; askerce yönetim; • -maslahat, işi şöyle böyle, bugünlük görme; • -Mahsusa, (ilk adı • İdare-i Aziziye olan) Devlet Vapur İşletme idaresi (sonra adı •Seyr-i sefain olmuştur); • -meşruta, meşrutiyetle idare, meşrutiyet idaresi; • -mutlaka bir hükümdarla idare; -müstebidde, istibdat idaresi; -örfiye, sıkıyönetim; -umur, işlerin görülmesi; -ilm-i idare, idare bilgisi; • meclisi idare, (eskiden) ahali tarafından seçilme vilâyet meclisi. • ‹Lâkayt kalmamaktan, kendisini idare edememekten korktu. — Uşaklıgil›.

idarehane, F. i. [İdare-hane] Bir işi idare edenlerin bulunduğu yapı.

idareten, A. zf. İdare için; kanun ile değil, işin gelişine göre yaparak. • «Halkın tekrar tecemmuuna kadar idareten söndürülen gazleri yakıyordu. — Uşaklıgil».

idarî, A. F. s. İdare ile ilgili 2. Yönetim bakımından.

idbar, A. i. 1. Talih yüz çevirme. 2. Kutsuzluk. Düşkünlük. 3. İşler tersine gitme. • İkbal ü idbar, kutluluk, kutsuzluk, talih ile talihsizlik. • ‹Gör Fuzuli'nin ruh-i zerdinde eşk-i âlini — Perde-i idbar tutmuş suret-i ikbalini. — Fuzuli›. • ‹Ârif kim ola müdbir ü nadan ola mukbil — İkbaline yuf âlemin idbarına hem yuf. -— Ruhi›.

idde, A. i. (Ayın ile) Zaman, müddet. • «İdde vü atat ile bir bendelerini tâyin edegelmeleriyle. — Ragıp Pş.».

iddet, A. i. (Ayın ile) 1. Kocadan ayrılan kadının tekrar başkasıyle evlenmek için kanun bakımından bekleme zorunda olduğu zaman. 2. Sayma.

iddia, A. i. [Dâva'dan] 1. Davaya kalkışma. 2. Haksız bir fikirde direnme. 3.

İnat. • ‹İddiayı bırakıp ahir-i kâr. — Sümbülzade›.

iddiaî, iddiaiyyât, A. i. İddia ile ilgili boş söz. Kanıtsız ve tanıtsız sözler.

iddiam, A. i. (Ayın ve mim ile) [Diam'-dan] Payanda dayamak.

iddihal, A. i. İçeri girme.

iddihan, A. i. (He ile) [Dühn'den] Yağlanma, yağ sürünme. • ‹Teberrüken dühn-i ban ile iddihan edip. — Taş.›.

iddihar, A. i. 1. Toplama, biriktirme, yığma. 2. Tahılı kıtlıkta pahalı satmak için toplama. • «Hak verip vasi' olursa halin — İddihar eyle biraz emvalin. — Nabi».

iddimac, A. i. Bir şeyin içine iyice girme, yerleşme.

iddira', A. i. 1. Anlama, kavrama. 2. Hile ile aldatma. 3. (Kadın) Saçını tarayıp salıverme.

iddirak, A. i. Akıl etme, anlama. İdrak etme.

iddiyan, A. i. Deyne, borca girme. Borçlanma.

idgâh, idgeh, F. i. [İd-gâh] Bayram yeri. • ‹Safa ise garazın idgâha gel ki sana — Cemal arz ede her kûşe bin meh ü hurşid. — Ruhi›.

idgam, A. i. (Arap gra.) Birbirine benzeyen iki harfi tek yazıp şedde ile (iki tane gibi) okuma.

idhal, A. i. [Duhul'den] 1. İçeri koyma, içeri sokma. 2. Yabancı memleket eşyası getirme. • ‹Dehr-i dûnperver tarıka-i celile-i kazaya idhal etmekle. — Nergisi›.

idhalât, A. i. [İdhal ç.] Bir memlekete yabancı memleketlerden getirilen eşya.

idhan, A. i. (Hı ile) [Duhan'dan] Tütme. Yanarak dumanı çıkma.

idhan, A. i. (He ile) [Dühn'den] 1. Yağlama. Yağ sürme. 2. Yüze gülme.

idhar, A. i. (Hı ile) Horlama, aşağılatma.

îdiyye, A. i. (Ayın ile) 1. Bayramlık. 2. (Ed.) Bayram dolayısıyle yazılmış kaside. Bayram kutlaması. • «Kandiye ve etrafına iktiza eden idiyye kıraat olunduktan sonra. — Naima».

idkak, A. i. [Dekik'ten] Ufalatma, ezme. Un ufak etme.

idlâ', A. i. Delil gösterme.

idlâl, A. i. Naz etme. Aşırı nazlanma.

idma', A. i. [Dima'dan] Kanatma.

idma', A. i. (Ayın ile) Doldurma.

idmac, A. i. Bir şeyi bir şeyin içine koyma. Arasına sıkıştırma.

idman, *A. i.* 1. Alışkanlık olması için bir şeyin birçok tekrarı. 2. Alıştırma. 3 Jimnastik. Beden eğitimi. • «Zevki var ehl-i dil tab'a sitem eylemeden — Çare ne devr edeli böyledir idman-i felek. — Nef'i».

idna', *A. i.* 1. Fena bir şey yapma. 2. Yakın olma. 3. Sıkıntıda olma.

idra', *A. i.* Bildirme.

idrac, *A. i.* [Derc'den] 1. Bir yazıyı bir yere koydurma. 2. (Fel.) Altlama, altlanma, Fransızcadan *subsomption* ile *subsumer* karşılığı (XX. yy.). • «Zümre-i hâcegâna idrac ile ihya buyrulmaklığın hususunda. — Sümbülzade».

idrak, *A. i.* [Derk'ten] 1. Anlayış. Akıl erdirme. 2. Yetişme, erişme. 3. Olgunlaşma. Çağını bulma. 4. (Fel.) Algı. • *İdrak-i dakik*, tamalgı. • *İdrak-i bâtın*, • *-def'i*, • *-haric*, • *-kismî*, • *-meksub*, • *-muhtelif*, • *-tabii* (XX. yy.). • «Hakikat zâhir olmaz dide-i idrake bir zerre. — Fikret». • «Her nevi şuun-i yevmiyenin mir'at-i idraki, yirmi dört saatin hatıra-i tarihiyesidir. — Cenap».

idrakât, *A. i.* [İdrak ç.] Anlayışlar, kavrayışlar.

idrakiyye, *A. i.* Fransızcadan *conceptionnisme* ve *perceptinnisme* karşılığı (XX. yy.).

idrar, (Türkçede kullanılmıştır). Sidik. • «Belki zabt-i idrara bile tâbâver olamayarak biihtiyar çakşırım ıslanacak idi. — Kâni».

idrarat, *A. i.* (Dal ile) [İdrar ç.] Her zaman verilen maaşlar. • «Beher sal nafaka ve câme ve idrarat kendi emval ve müteveccihatından bezl ederdi. — Naima».

ifa', *A. i.* [Vefa'dan] 1. Ödeme, yerine getirme. 2. Bir işi yapma. 3. İş görme. • *İfay-i vazife*, ödevini yapma. • «Bu vazifeyi o, bizzat ifa edecekti. — Uşaklıgil».

ifad, *A. i.* Birini elçilikle gönderme.

ifadat, *A. i.* [İfade ç.] İfadeler. • «Âsar-i mevcudedinin ifadat-i tabiiye letafetine malik olanlardan. — Kemal».

ifade, *A. i.* 1. Anlatma. 2. Anlatım. Anlatış. 3. Faydalandırma. 4. Elemek. • *İfade-i cebriye*, cebirsel ifade; • *-meram*, kitapların ne için yazıldığı açıklanan önsözü; • *ifade vü istifade*, anlatma (öğretme) ve faydalanma. • «Sekiz yıl ol medresede ifadeye meşgul oldu. — Sadettin». • «Rümuz ve

şümuliyle telhis ve icmal eder bir vüs'at-i ifadeye maliktir. — Uşaklıgil».

ifadi, ifadiye, *A. s.* İfade ile ilgili, anlatım, -i. • «Makalât-i münteşirdeki şedaid-i ifadiye başa bakıldı. — Cenap».

ifahat, *A. i.* (Ha ile) Kaynatma, akıtma, serinletme.

ifakat, *A. i.* Hastalıktan kalkma. iyileşme. • «Müphem bir tebessümle gûya zaif bir ümid-i ifakat bırakarak. — Uşaklıgil».

ifakatyab, *F. s.* [İfakat-yab] İfakat bulucu. İyileşen.

ifate, *A. i.* [Fevt'ten] Yitirme. Elden kaçırma. • *İfate-i fırsat*, fırsatı kaçırma; *-vakt*, vakit kaybetme.

ifaza, *A. i.* (Dat ile) [Feyz'den] 1. Feyizlendirme, feyz ve nur verme. 2. Kabı taşıncaya kadar doldurma. • «Onun ifaza-i şevkiyle şair olmuştum. — Fikret».

ifaze, *A. i.* (Ze ile) Merama ulaştırma.

ifca', *A. i.* Geçimini genişletme.

ifda', *A. i.* Fidye kabul etme.

ifdah, ifzah, *A. i.* [Fadih'ten] Kötülüğü açığa vurma. • «Diye ifdah-i mafizzamir dahi eyledi. — Naima».

ifdal, ifzal, *A. i.* (Dat ile) [Fadl, fazl'den] Fazıllandırma. Lütuf ve bağış. • «Senden rica-i in'am ve ifdal ederim. — Taş.».

iffet, *A. i.* (Ayın ve te ile) 1. Namus. 2. Temizlik. • *İffetlû*, kadınlara yazılan mektup hitabı. • «Halbuki herkes bu kızın iffetinden bahsediyordu. — Uşaklıgil».

iffetfürüş, *F. s.* [İffet-füruş] Namus taslayan, namus ve temizlikten söz eden

ifham, *A. i.* (Ha ile) [Fuhum'dan] Susturma, ağız açtırmama. • «Tartışmada karşılık vermeyecek hale koyma. • «Bahsetse eder cihanı ilzam — Bir sözle eder fihamı ifham. — Ş. Galip».

ifham, *A. i.* (He ile) [Fehm'den] Anlatma, bildirme. • «Sana ettim bu kadarca ifham — Kıl tevarihe nazar anla tamam. — Sümbülzade».

ifhar, *A. i.* [Fahr'den] Şereflendirme. Üstün etme. • «Misli vardır kavlini elbette inkâr eylerim —Sevdiğim mahbube-i rânayı ifhar eylerim».

ifhaş, *A. i.* (Ha ile) [Fuhuş'tan] Kötü ve fena söyleme.

ifk, *A. i.* Olmamış bir şeyi bir kimse için yaptı deme. İftira.

ifka', *A. i. (Ayın* ile) Fakir ve kötü durumda bulunma.

ifkad, *A. i.* Kaybettirme.

ifkah, *A. i. (He* ile) Öğretme.

ifkal, *A. i.* Tarla verimli olma.

ifkar, *A. i.* 1. Fakir düşürme. 2. Hayvanı kiraya verme.

iflâ', *A. i.* 1. Yabana kaçma. 2. Memeden kesme.

iflâh, *A. i.,(Ha* ile) 1. Kutlu olma, başarılı olma. 2. (Kötü bir durumdan) kurtulup iyileşme.

iflâs, *A. i.* [Füls'ten] Tüccarın ödeyemeyecek duruma düşmesi. Top atma. • ‹Bil hesabın çeker de taab — Kim tagarrur olur iflâsa sebeb. — Sümbülzade›.

iflât, *A. i.* Bağ veya kementten boşanıp kaçma.

ifna, *A. i.* [Fena'dan] Yok etme. Tüketme. • ‹Kaçıp‹ sümum-i sefalet onun civarından — Gelir bu aile-i bigünahı ifnaya. — Fikret›.

ifrad, *A. i.* 1. Ayırma. 2. Elçi gönderme

ifrağ, *A. i.* [Ferağ'dan] 1. Kalıba dökme. 2. Bir biçime sokma. Şekil verme. 3. (Bio.) Boşaltım. • ‹Kangı yere etse lem'a ifrağ — Ol lem'a olurdu bir yanardağ. — Ziya Pş.›.

ifrah, *A. i. (Ha* ile) [Ferah'tan] 1. Ferahlandırma. 2. Sevindirme. • ‹Mezid-i irtiyah ve zeria-i tezauf-i ifrah oldu. — Sadettin›.

ifrah, *A. i. (Hı* ile) 1. Şüpheyi giderme. 2. Belirsiz bir şeyi belirtme. 3. Tohum yeşerme. 4. Kuş yavru çıkarma. • ‹Terbiye-i ifrah-i fiten ettiği müteayyen olıcak. — Sadettin›.

ifras, *A. i. (Sat* ile) Fırsat ele geçme.

ifraş, *A. i.* 1. Serip döşetme. 2. Çekiştirme, zemmetme.

ifrat, *A. i.* [Fart'tan] 1. Pek ileri varma. 2. Aşırı gitme. • *İfrat-i his* (XIX. yy.). Fransızcadan *hyperesthésie* karşılığı, aşırıduyu; • *ifrat ü tefrit,* birbirine tam karşıt içi uç. • ‹Peder ü madere tâzim eyle — Yani ifrat tekrim eyle. — Sümbülzade›.

ifratkâr, *F. s.* [İfrat-kâr] Aşırı davranan.

ifratkârane, *F. zf.* [İfrat-kâr-ane] Aşırı surette. Aşırı davranarak. • ‹Mizacındaki itidal sebebiyle temayülât-i ifratkâranenin hemen hepsinden vareste bulunan. — Recaizade›.

ifraz, *A. i. (Ze* ile) 1. Bir bütünden bir parça ayırma. 2. (Bio.) Bir yaradan akan şey veya bir şey akma, salgı.

ifraz, *A. i. (Dat* ile) Verme. Fırsat verme.

ifrazat, *A. i. (Ze* ile) [İfraz ç.] Vücuttan çıkan, akan, kan, cerahat... gibi şeyler. Salgılar.

ifrit, *A. i. (Ayın* ve *te* ile) Cinlerin zararı dokunan ve korkunç cinsi. (ç. Afarit).

ifsad, *A. i.* [Fesad'dan] 1. Bozma. 2. Düzensizlik yaratma. Kargaşalık çıkarma. (ç. İfsadat). • ‹Rühbanlara mektup ve haberler gönderip ifsad ü ıdlâlden hâli olmamalarıyle ayakları taşradan kesilip. — Naima›.

ifsah, *A. i. (Sat* ve *ha* ile) [Fasahat'ten] 1. Fasahatle söyleme. 2. Açıkça ve düzgün olarak bildirme. • ‹Padişah hazretleri meclisinde dahi bu vechile ifsah olunmuş idi. — Naima›.

ifsah, *A. i.* [Füshat'ten] Açma. Genişletme.

ifsah, *A. i. (Sin* ve *hı* ile) [Fesh'ten] Unutma. Aklından çıkarma.

ifsam, *A. i. (Sat* ile) 1. Yağmur açılma. 2. Hastanın ateşinin düşmesi. 3. Kesilip bitme.

ifşa, *A. i.* Meydana çıkarma, açığa vurma. 2. Gizli bir şeyi yaymaya. • *İfşa-yı râz,* sırrını söyleme. • ‹Eylemem mazmununa Cibril'i mahrem Nailî — Gamzeler kim fitneden ifşa-i râz eyler bana. — Nailî›. • ‹Lâkin yine Hüsn-i âlemarâ — Etmezdi bu macerayı ifşa. — Ş. Galip›.

ifta, *A. i. (Te* ile [Fetva'dan] Fetva verme. Fetva ile bir işi sona erdirme. • *Hizmet-i ifta;* • *makam-i ifta,* • *mansıb-i ifta,* • *mesned-i ifta,* şeyhülislâmlık. • ‹Bundan sonra nice zaman mansıb-i ifta Hocazade'lerden cüda olmadı. — Naima›. • ‹Kuva-yi hükûmet ifta ve kaza ve icra veya tâbir-i aharla teşri ve hüküm ve tenfiz şubelerine. — Kemal›.

iftah, *A. i. (Ha* ile) [Feth'ten] Açma.

iftah, *A. i. (Hı* ile) 1. Seğirtme. 2. Sık nefes alma, hışlama.

iftan, *A. i. (Te* ile) 1. Fitneye düşürme. 2. Ayartma.

iftar, *A. i. (Tı* ile) [Fıtr'den] 1. Oruçlu olanın oruç açması. 2. Orucun sona erdiği zaman. 3. Oruç açıldıktan sonra yenen yemek. • ‹Ramazan-i şerif gecesi olmağın ibram-i ma lâkelâm ile Süleyman Paşayı li-ecl-iftar tevkif etmiş idi. — Naima›.

iftariyye, A. i. İftarlık. İftar için özel olarak hazırlanmış şey.

iftial, A. i. (Ayın ile) 1. İş edinme, kendiliğinden yapma. 2. (Arap. Gra.) Beş harfli kelimelerin birinci babı, iftial babı.

iftial, A. i. (Hemze ile) Fal tutma.

iftida', A. i. (Dal ve hemze ile) [Fidye'den] Kurtulmalık vererek tutsaklıktan kurtulma.

iftidah, iftizah, A. i. (Te ve dat ile) [Fadahat, fazahat'ten] 1. Kırma, kırıp ufaltma. 2. Rezil olma maskaraya dönme. • ‹Lâkin iftidah hayfından baş gösterdiler. — Naima›.

iftiham, A. i. (Te ve he ile) [Fehm'den] Anlama, kavrama.

iftihar, A. i. [Fahr'den] 1. Haklı olarak övünme. Koltuk kabartma. 2. Şeref, şan. • İftihar-ül-ulema, • iftihar-ül-emasil vel akran, âlimlerin (sarıklıların) şanına sebep olan, benzer ve eşitlerinin övünmelerine sebep olan (sarıklılar için kullanılır resmî deyim idi); • maaliftihar, iftihar duyarak; • mabihiliftihar, iftihar sebebi; • nişan-i iftihar, II. Mahmut tarafından çıkarılmış nişan; • iftihar madalyası (yahut sanayi madalyası) II. Abdülhamit zamanında çıkarılmış madalya. • ‹Konya'ya gelip hal'i padişaha mani oldum deyü iftihar ve mübahat ederdi. — Naima›.

iftihas, (Te, ha ve sat ile) İçyüzünü iyice araştırma.

iftikad, A. i. Arayıp sorma.

iftikâk, A. i. (Kef vekef ile) [Fek'den] Rehin kurtulma. Rehinden çıkarma.

iftikâl, A. i. Çok çalışma, aşırı uğraşma.

iftikar, A. i. [Fakr'den] 1. Büyük ihtiyaç. Çok ihtiyacı olma. 2. Fakirliği, yoksulluğu belli etme, gösterme. • ‹Yürüyüşünde, gezişinde muavenete iftikar eden bir vaz-i bimecalâne. — Uşaklıgil›.

iftikâriyye, A. i. [Fikr'den] Fransızcadan idéalisme karşılığı olarak yaplımıştır. • İftikâriye-i tarihiyye, bu da idéalisme historique karşılığı (XX. yy.).

iftilâ', A. i. (Te ve ayın ile) Otlama.

iftilât, A. i. 1. Hatıra gelivererek şiir veya söz söyleme. 2. Ansızın bir işe girişme.

iftinan, A. i. Türlü türlü söz söylemeye başlama.

iftira', A. i. (Ayın ile) Kızlığı bozma.

iftira, A. i. Birine yalandan bir suç yükleme. • ‹Kadı gazaba gelip Çelebi me'bunlar kendi aybını halka isnad ve iftira ile teberri izhar etmek olagelmiştir. — Naima›.

iftirak, A. i. [Fark'tan] 1. Ayrılma. 2. Dağılma, perişan olma. • ‹Beyinlerinde elbiselerinden görünen bir iftirak hâsıl oluyordu. — Uşaklıgil›.

iftiras, A. i. (Sin ile) 1. Zorla yere yatırma, yıkma. 2. Yırtıcı hayvan yakalama, avlama.

iftiras, A. i. (Fe ve sat ile) Fırsat bulma.

iftiraş, A. i. (Fe ve sin ile) 1. Yayılıp düşme. 2. İzine uyma. 3. Namusa dokunur söz söyleme.

iftiraz, A. i. (Dat ile) Farz kılma, vacip kılma.

iftisad, A. i. (Sat ile) Fasd etme, kan alma.

iftisal, A. i. (Sat ile) 1. Sütten kesme. 2. Fidanı başka yere dikme.

iftisas, A. i. (Sat ile) Ayırma.

iftitah, A. i. [Fcth'ten] 1. Açma. 2. Başlama. • ‹Çünkü atâya-yi tabiatın en revnaklısı olan nazar lemha-i iftitahında hâk-i vatana taallûk eder. — Kemal›.

iftitahî, iftitahiye, A. s. Açma, başlama ile ilgili. • Nutk-i iftitahî açış nutku. • ‹Hüseyin Nazmi bir makale-i iftitahiye ile. — Uşaklıgil›.

iftitan, A. i. [Fitne'den] Fitneye uğrama. • ‹Madde-i mirac mucib-i iftitan olduğu gibi. — M. Asım›.

iftiyat, A. i. 1. Bir şey kaybolup gitme. 2. Düşünmeden bir işe başlama.

iftiyak, A. i. Fakirleşme.

iftizaz, A. i. 1. Kızın kızlığını bozma. 2. Dul kadının iddetten çıkması. • ‹Emvallerini garet ve hasaret ve iftizaz-i ebkâr ve hetk-i a'raz. — Naima›.

igare, A. i. 1. Gece baskını yapma. 2. Çapul etme. • ‹Görünürde hilâl-i dendan-i igare olmağa salih bir kiyah-i huşk kalmamakla. — Şefikname›.

igase, A. i. (Se ile) Yardım etme. ‹İane-i reaya ve igase-i beraya etmekle. — Sadettin›.

igbirar, A. i. [Gubar'dan] 1. Tozlanma, toz konma. 2. Gücenme, kırılma. • ‹Hep servler vurur nazar-i iğbirarıma. — Taşlar soğuk soğuk dikilir rehgüzarıma. — Fikret›.

igfal, A. i. [Gaflet'ten] 1. Yanıltıp yanlış iş yaptırma. 2. Aldatma, aldatılma. • «İnkâr olunamayacak berahin karşısında artık igfal-i nefse muvaffak olamayınca. — Uşaklıgil».

igfalât, A. i. [İğfal ç.] Aldatmalar, aldatışlar. • Bu hakikatten ayrılarak tekrar vehm-i şebabının hazz-i igfalâtına avdet ederdi. — Uşaklıgil».

igfaliyyat, A. i. Yanıltıp aldatmak için söylenen sözler.

iglâ, A. i. [Galâ'dan] Fiyat yükseltme, rahatlandırma.

iglâf, A. i. [Gılâf'tan] (Silâhı Kına, kılıfa koyma.

iglâk, A. i. 1. Kapama. Kitleme. 2. (Ed.) Sözü karışık ve anlaşılmaz surette söyleme. • «(Eserlerinin) cümlesinde remz ü iğlâk semtini ihtiyar. — Taş.». • «Sûr-i Kostantıniyye'nin kapıları iğlâk olmağın. — Naima».

iglât, A. i. (Tı ile) [Galat'tan] Yanlışa götürme.

iglâz, A. i. (Zı ile) [Galiz'den] Kaba, fena söyleme. • «Elbette et bulunmağa muhtaçtır diye iglâz-ı kelâm eyledi. — Naima».

igma, A. i. Bayılma. • «Ol halde igma hâsıl olmuş. —Taş.»

igmad, A. i. 1. Kınına, kılıfına koyma. 2. Birçok şeyleri bir yere tıkma.

igmam, A. i. 1. Gamlandırma, acılandırma. 2. Hava fazla sıcak ve bulutlu olma.

igmaz, A. i. (Ze ile) 1. Gammazlama. 2. Ayıplama. 3. Tahkir etme.

igmaz, A. i. (Dat ile) Göz yumma. Görmemezlikten gelme. • «Amma vezir ile ittifak ve ittihat üzere olmağın iğmaz-i ayn kılınırdı. — Naima».

igna, A. i. [Gına'dan] 1. Zenginleştirme. 2. Muhtaç bırakmama. • «Edip yerli yerince kârgâh-i tertip — Kimin etmiş geda-yi kâse derkef kimisin igna. Nabi». • «İhsanlar edip raiyet fukarasın igna kıldılar. — Naima».

igra, A. i. 1. Rağbetlendirme. 2. Hırsını uyandırma. 3. Sıkı olarak teşvik etme. • «Murat Ağa alâ-ragm-il-husad padişah-i cihan ve Valide Sultan hazretlerine iğra etmekle. — Naima».

igrab, A. i. 1. Uzak yerlere yolculuk etme. 2. Batı tarafına gitme.

igrak, A. i. Güzel ve yüksek sesle sarkı söyleme.

igrak, A. i. 1. Suya boğma. 2. (Ed.) Akılca olabilecek gibi görülen, fakat olması imkânsız bulunan büyültme. • «Etmiş ömrün o sahib-i lâf — İğrak ü mübalâgayla itlâf. — Ziya Pş.».

igrakat, A. i. (Gayın, kaf ve te ile) [İğrak ç.] (Ed.) İgraklar, aşırı büyültmeler.

igrakiyat, A. i. Aşırı büyültmelerle söylenen sözler.

igram, A. i. Borç ödeme.

igrar, A. i. Batırma • «Bir kavmı hayalât arkasından koşturacak kadar bir şey igrar etmez. — S. Nazif».

igras, A. i. (Sin ile) Toprağa dikme, dikilme. Ağaç dikme.

igraz, A. i. (Ze ile) Yerleştirmek, dikmek. • «Hemen saadet ile azim-i Sıfahan ol — Kurup memalik-i şarka otag-i igrazı. — Nailî».

igrik, A. i. Gözyaşı. • «Kendi elleriyle bağa ve ayakları ile ağa uğrayıp igrik deryasına garîk oldular. — Sadettin».

İgrikî, A. s. Yunanca, Grekçe. «Ve kitab-i mezbur kalem-i İgrikî ile mektup idi ki Yunan-i kadîmdir. — Taş.»

igsa, A. i. Örtme, bürüme.

igtida, igtiza, A. i. [Gıda'dan] Gıdalanma, beslenme.

igtimad, A. i. [Gımd'dan] Kılıç kına girme.

igtimam, A. i. [Gam'dan] Gamlanma, kederlenme.

igtimas, A. i. (Sat ile) 1. Hor ve hakir görme. 2. Nankörlük.

igtimaz, A. i. (Dat ile) Uyuma, göz kapama.

igtimaz, A. i. (Ze ile) Birini çekiştirme.

igtina, A. i. [Gına'dan] Zenginleşme Zengin olma. • «Kendilerine sebeb-i igtina-i emval ve neyl-i muradat tasavvur etmekle. — Naima».

igtinam, A. i. 1. Yağma ve çapul etme. 2. Zahmetsiz bir kazanç sayma. • İgtinam-i fırsat, fırsatı yakalama, kaçırmama. • «Kızılbaştan igtinam olunan eşyadan birkaç at ve tuhef makulesinden. — Naima».

igtirab, A. i. [Gurbet'ten] Gurbete çıkma. • «Lâkin bu iktirab olacaktır sebep yine — Vâdi-i hicre avdet için igtirabıma. — Recaizade».

igtiraf, A. i. Eliyle su alma. Avuçla su içme. • «Efazıl-i eknaf çeşmesâr-i ulûmundan igtiraf edrlerdi. — Sadettin».

igtirak, A. i. [Gark'tan] 1. Suya batma. 2. Soluğu kuvvetle içe çekme. • «Gâh havf-i ihtirak ü gâh hevl-i igtirak — Mihnet-i vapur kalmaz renc-i rüstahizden. — E. Muhlis Pş.».

igtiram, A. i. (Gayın ve te ile) 1. Borç, diyet. 2. Cerime verme.

igtirar, A. i. [Gurur'dan] 1. Gururlanma, güvenilmeyecek şeye güvenme. 2. Aldanma. 3. Gaflette olma.

igtisab, A. i. (Gayın, te ve sat ile) [Gasb'den] Zor ile alma.

igtisal, A. i. [Gasl'den] Yıkanmak. • «İki emre birden edip imtisal — Hemen iptida eyledim igtisal. — İzzet Molla».

igtisas, A. i. [Gış'tan] 1. Karışıklık. 2. Duruluğu, arılığı kaybolma, bozulma.

igtisasat, A. i. [İgtişaş ç.] Bozukluklar, karışıklıklar. • «İmha-yi igtişaşat-i dahiliye. — — Vehbi».

igtiyab, A. i. [Gıyab'dan] Arkadan yerme.

igtiyal, A. i. Baskın yapıp öldürme. • «İgtiyal yani hud'a ile katlolunmasına sebep. — Silvan».

igtiyar, A. i. 1. Faydalanma. 2. Azık edinme.

igtiyaz, A. i. (Zı ile) 1. Gazaba gelme. 2. Öfkelenme.

igtiza, Bk. • İgtida

igtizab, A. i. (Dat ile) 1. Gazaba gelme. 2. Gücenme.

igtizal, A. i. (Ze ile) İplik eğirme.

igva, A. i. [Gav'den] 1. Yolu şaşırtma. 2. Baştan çıkarma, azdırma. • «Ve bu gûne igva ile tahrik ve ifsid etmekle. — Naima».

igza, A. i. (Gayın ve ze ile) [Gaza'dan] Gaza ettirme. Savaştırma.

igzab, A. i. (Dat ile) [Gazab'dan] Gazaba getirme. Kızdırma. • «Cenab-i padişah-i âlempenahiyi igzab edecek bazı güzeşte zellâtın tezkir edip. — Naima».

ihab, A. i. (He ile) Bağışlama.

ithaf, A. i. (Elif, ye ve ha ile) Korkutma. • «Tev'id ve îhaf bilkatl eyleyip. — Silvan».

ihafe, A. i. (Hı ile) [Havf'tan] Korkutma. • «Reayasını ihafe ile bir mikdar şeylerini almak zannetden kabadayılar deliklere sokulup. — Sekbanbaşı».

ihake, A. i. 1. Etkilenme. 2. Kesme.

ihale, A. i. [Havl'den] 1. Bir işi birinin üzerine bırakmak. 2. Artırma veya eksiltme işinde istekliye bırakma. (ç. İha-

lât). • «Ve muhasebesi yazılıp ol akçe Arnavut üzerine ihale olundu. — Naima».

ihaleten, A. zf. İhale yoluyle. Üzerine bırakılarak.

iham, A. i. (He ile) [Vehm'den] 1. Vehme düşürme. 2. (Ed.) İkiz anlamlı sözlerden en az kullanılan anlamı bilerek kullanma. • İham-i kabîh, edep ve terbiye dışı anlamı bilerek kullanma. (ç. İhamat). • «Miyan-i güftgûda bedmeniş iham eder kubhun. — Ragıp Pş.» • «Tatlı sert, dokunaklı, telmihli, ihamlı cümleler varsa. — Cenap».

ihan, A. i. [İhanet ç.] Kızgınlıklar, dargınlıklar.

ihan, A. i. (He ile) [Vehn'den] Bir kimseyi zayıf, kuvvetsiz tutma. Güçsüzlendirme.

ihanet, A. i. (Ha ile) Öldürme.

ihanet, A. i. [Hevn'den] 1. Haksızlık. 2. Hayınlık. • «Vezir namına bir adam iken hakkında vuku bulan ihanet ki şer'an ve aklen mustakbah idi. — Naima».

ihanet, A. i. (Hı ile) Hayın olma. Hayınlık etme.

ihata, A. i. (Ha ile) 1. Kuşatma, etrafını çevirme. 2. Geniş bilgi, tam bilgi, tam kavrayış. • «Şehre hücum edip girdiler Husrev Paşa sarayını ihata ettiler. — Naima».

ihatavi, A. s. zf. [İhata'dan] İhata edecek şekilde. Kaplayıp içine alacak yolda • «Merkezî bir ihtisas dairesine mensup olup ihatavi bir ihsaiyet teşkilâtı. — Z. Gökalp».

ihba, A. i. [Haba'dan 1. Örtüp gizleme. 2. Örtüp ateşini bastırma.

ihbal, A. i. (Ha ile) 1. Gebe koyma. 2. Çiçekler dökülüp meyve tutma.

ihbal, A. i. (He ile) Eğreti hayvan verme.

ihbar, A. i. (Hı ile) [Haber'den] Haber verme. Bildirme, anlatma. (ç. İhbarat). • «Ahbar-i resulü ihbar ettikte. — Sadettin».

ihbarat A. i. ç. [İhbar ç.] Haberler. • «Bu kabl-el-vuku ihbaratın kısmı azamı. — Cenap».

ihbarî, ihbariye, A. s. 1. (Gra.) Bir olay haber veren eylem kipleri ile bu kiplerden yapılma tümceler; basit zaman. 2. Haber verme işi: • «Vazife-i ihbariye pek nâkıs bir surette ifa olunuyor. — Cenap».

ihbariyye, A. i. Kaçak eşyanın habercilerine verilen para.

ihbarname, *F. i.* [İhbar-name] Haber verme kâğıdı. Yazı ile bir haber verme.

ihbas, *A. i. (Hı ile)* Eteğine bir şey gizleme.

ihbas, *A. i. (Ha ile)* Vakfetme.

ihbat, *A. i. (Hı ve te ile)* koşuşturma.

ihbat, *A. i. (Ha ve tı ile)* Battal ve geçmez hale koyma.

ihcac, *A. i. (Ha ile)* Kendi yerine başkasını hacı olmaya gönderme.

ihcal, *A. i.* [Hacl'den] Utandırma.

ihcam, *A. i.* Bir şeyden korkarak vazgeçme. Dönme. • ‹Husus-i mezkûrdan feragat ve ihcam etmekte iken. — Cevdet Pş.›.

ihda, *A. i. (Ha ile)* Bir. (1).

ihda, *A. i. (He ile)* [Hidayet'ten] Doğru yola götürme. • ‹Sensin eden ihda nice gümkeşte-i rahı. — Ziya Pş.›.

ihda', *A. i.* [Hediye'den] 1. Hediye verme. 2. Hediye gönderme. • «Bir tîg-i mücevher etti ihda. — Ş. Galip›.

ihda. ihza, *A. i. (Hı ve dad ile)* Alçak gönüllülüğe zorlama.

ihdad, *A. i. (Ha ve dal ile)* Keskinleştirme.

ihdad, *A. i.* (Hek.) Gövdenin derisi şişme.

ihdaf, *A. i.* Karşısında dikilip durma. Hedef olma.

ihdaiyye, *A. i. (He ve dal ile)* Hediye etme yazısı.

ihdar, *A. i. (Hı ve dal ile)* [Hadr'den] 1. Uyuşturma. 2. Genç kız yaşmaklanıp feracelenme .

ihdar, *A. i. (He ve dal ile)* [Heder'den] 1. Battal etme. 2. Boşa harcama.

ihdas, *A. i. (Ha ve se ile)* [Hades'ten] 1. Meydana getirme. 2. Peydah etme. • ‹Müceddeden ihdas ve i cad eylediği saray-i şeddadi-bünyaddan ihracı ferman olunup. — Naima›.

ihfa, *A. i. (Hı ile)* [Hafi'den] Gizleme. Saklama. • ‹Padişahım on iki bin kuruş arz ettiler deyup maadasını ihfa eyledi. — Naima›.

ihkab, *A. i. (Ha ile)* Arkası kesilme.

ihkad, *A. i. (Ha ile)* Başkasından kin ve garaz uyandırma.

ihkak, *A. i.* [Hak'tan] Hakkı yerine getirme. • «Evlât ve a'kabına ukubet lâzım olmaz diyip mezburun hakkı ihkak olunmasını iltimas etmiş idi. — Naima›.

ihkâm. *A. i.* [Tahkim'den] Sağlamlama. • ‹Kâbe-i mükerremenin mütehallil olan erkânın ihkâm için. — Naima›.

ihkar, *A. i.* Rezil rüsva etme.

ihlâ', *A. i.* [Huly'den] Tatlılandırma.

ihlâ', *A. i.* [Halâ'dan] Boşaltma.

ihlâf, *A. i.* Yemin ettirme.

ihlâk, *A. i. (He ile)* [Helâk'tan] 1. Harcama, tüketme. 2. Yok etme, öldürme. • ‹Hafaza-i bab ihlâkine şitab ettiler. — Sadettin›.

ihlâl, *A. i. (Hı ile)* [Halel'den] Bozma. Sakatlama. • «Anda iblisin ne hacet mekrine ihlâline. — Nabi›.

ihlâl, *A. i.* [Mahal'den] Yer belli etme. Fransızcadan *localisation* sözüne karşılık olarak, yerleştirme (XX. yy.).

ihlâs, *A. i. (Sat ile)* [Hulûs'tan] 1. Doğru, temiz sevgi. 2. İçten gelen bağlılık. • *Sure-i ihlâs*, ‹Kul hüvallahi ehadd...› suresi. • ‹Garaz ihlâsımı sıdk ile hâkpâye inhadır. — Nef'i›.

ihlâs, *A. i. (Sin ile)* 1. Müşteriyi aldatma. 2. İflâs etme.

ihlâsperver, *F. s.* [İhlâs-perver] İhlâs sahibi.

ihlil, *A. i.* (Ana.) Erkeklik organın deliği.

ihmad, *A. i. (Hı ve dal ile)* Alevi bastırma. • «Sertaser ihmad ü ıtfa. — Esat Ef.›.

ihmâk, *A. i. (He ve kef ile* 1. Darıltma, öfkelendirme. 2. Aşırı çalıştırma.

ihmal, *A. i. (Ha ile)* [Haml'den] Bir şey yükletme.

ihmal, *A. i. (He ile)* 1. Önem vermeme. 2. Üste düşeni yapmama. • ‹Lâkin ihmal ve tekâsül ettikleri mukarrerdir deyu serdar-i gazi. —Naima›.

ihmam, *A. i.* 1. Mahzun etme. 2. Yaşlandırma.

ihmar, *A. i. (Hı ile)* Örtme, gözleme.

ihmîrar, *A. i.* Aşırı kızarma. • «Reng-i şafak değildir her subh olan nümayan — Aksetmiş erguvanın âfâka ihmîrarı›.

ihmirar, *A. i.* [Hamr'den] Kızarma, kızıllık. • ‹Henüz doğan güneşin ihmirar-i uryanı. — Fikret›.

ihnak, *A. i.(Ha ile)* Aşırı öfkelendirmek. 2. Aşırı kin tutma.

ihnak, *A. i. (Hı ile)* [Hunk'tan] Boğma.

ihrab, *A. i. (Ha ile)* Savaşa sürükleme.

ihrab, *A. i. (Hı ile)* Harap etme, perişan kılma.

ihrab, *A. i. (He ile)* 1. Çalışma, didinme. 2. Kaçma zorunda bırakma.

ihrac. *A. i. (Hı ile)* [Huruc'dan] 1. Dışarı atma, çıkarma. 2. Bir şey veya yerden çıkararak elde etme. 3. Fazla nesneyi dış ülkelere gönderme. • «Şerian donanmanın ihracına ihtimam olunup. — Naima».

ihracat, *A. i.* [İhrac ç.] Bir memleketin tarım ürünleri veya sanayi eserlerinin fazlasını başka ülkelere satma.

ihrak, *A. i. (Ha* ile) [Hark'tan] 1. Yakma. 2. Ateşe atma. 3. Yangın. • *İhrak bin-nâr,* insanı diri diri atese atıp yakma. • «İhrak-i kebirin vukuu dahi karîb-ül-ahd olmağın. — Naima». • «Bademli Hüseyin nam zorbayı hanesiyle bile ihrakbin-nar edip intikam almış idi. — Naima».

ihrak, *A. i. (He* ile) Dökmek. Akıtmak. • «Cellât gelip hûn-i na-hakkını ihrak eyledi. — Naima».

ihrak, *A. i. (Hı* ile) Hayran etme.

ihram, *A. i.* [Harem'den] 1. Hacıların giydikleri dikişsiz elbise. 2. Arapların büründükleri büyük yün çarşaf. 3. Yere veya sedire serilen yün yaygı. • «Tavaf-i kâbe-i dergâhın etmedir niyyet — Hemen ki ruhsatın oldu kuşandım ihramı. — Nef'i» • «Gitse erbab-i harabat hakikat hacca — Rişte-i penbe-i minadan olur ihramı. — Nabi».

ihraz, *A. i.* [Hırz'dan] Bir şey kazanma. Elde etme. Mânevi şerefe ulaşma. • «Gaza mübarek ola ey şehinşeh-i gazi — Ki âlemin sana tefviz olundu ihrazı. — Nailî». • «Nihayet o ihraz-i hak ve zafer etmiş oluyordu. — Uşaklıgil».

ihsa', *A. i.* [Hasi'den] Sayma. • *Nakabil-i ihsa,* sayılamaz. • «Yoktur şuarasına hususa — İmkân-i hudud-i add ü ihsa. — Ziya Pş.».

ihsad, *A. i.* (Ekin) biçme, biçtirme.

ihsai, ihsaiye, *A. s. (Ha* ve *sat* ile) Sayım ile ilgili. • «Muhtaç bulunduğumuz ihsai rakamlara ehemmiyet verir. — Z. Gökalp».

ihsaiyyat, *A. i.* Fransızcadan *Statistique* karşılığı olarak kullanılmaya başlanmıştır, istatistik (XX. yy.). • «Muzır veya faydalı oldukları da ancak böyle esaslı ihsaiyat defterlerinin ihzarından sonra. — Z. Gökalp».

ihsan, *A. i. (Ha* ve *sin* ile) [Hasen'den] 1. İyilik etme. 2. Bağış, bağışlanan şey. 3. Lütuf, iyilik. • *İhsan alel ihsan,* ihsan üstüne ihsan, katmerli bağış; • *el ihsan bittemam,* bir şey verilince tamamıyle verilmeli. (ç. İhsanât). • «Bulabilsem o serseriyi bugün — Bir avuç altın eyleyip ihsan — Haydi git, der-

dim, elverir husran. — Fikret» • «Destbusundan garaz bilsem nedir men'eylemek — Galiba Ruhi-i şeyda kabil-i ihsan değil. — Ruhi».

ihsan, *A. i. (Ha* ve *sat* ile) [Hısn'dan] 1. Sağlamlaştırma. Bir yeri istihkâmlama. 2. Evlenme.

ihsandide, *F. s.* [İhsan-dide] İhsan görmüş, bağış almış. Minneti olan. (ç. İhsandidegân). • «Başı Bab-i Hümayun'da bir gün durup badehu ihsandideleri alıp — Naima». • «Var yeri dolduysa medhinle cihan — Menkıbethândır ihsandidegân. — Naci».

ihsar, *A. i. (Ha* ve *sin* ile) [Hasr'dan] Kısa olma. Kısaltma. 2. Sıkıştırma.

ihsas, *A. i. (Ha* ve *sin* ile) [His'ten] 1. Duyma. 2. Duyurulma. Başkasına üstü kapalı anlatma. 3. (Psi.) Duyum. Fransızcadan *double sensation* sözü • *ihsas-i muzaaf* ve *pseuid-sensation.* (XX. yy.). (ç. İhsasat). • «Bir vicdan — Bana ihsas ediyor işte bitip gettiğimi. — Fikret».

ihsas, *A. i. (Ha* ve *sat* ile) [Hisse'den] Pay verme, hisse ayırma.

ihsas, *A. i. (Hı* ve *sin* ile) 1. Aşağılık iş işleme. 2. Cimrilik, nekeslik.

ihsasat, *A. i.* [İhsas ç.] Duyurmalar, duyuruşlar.

ihsasî, ihsasiyye, *A. s.* (Psi.) Duyumsal.

ihşa', *A. i. (Hı* ve *ayın* ile) Alçak gönüllülüğe zorlama.

ihşad, *A. i. (Ha, şin* ve *dal* ile) (Halk) birikme. Toplanma.

ihşam, *A. i.* Utandırma.

ihta', *A. i. (Hı, tı* ve *hemze* ile) 1. Yanıltmak, yanıltılmak. 2. Yanılma.

ihtar, *A. i.* [Hutur'dan] 1. Hatırlama. 2. Dikkati çekme. ç. İhtarat). • «Saadet-i hayatı bir genç kızın elinde aramak zamanını ihtar ederdi. — Uşaklıgil».

ihtarat, *A. i.* [İhtar ç.] İhtarlar. • «Arz olunan ihtarat-i hayırhâhaneyi yalnız memleketin geleneğine mugayir diyerek. — Kemal».

ihtisas, *A. i.* [Husus'tan] 1. Bir kimsenin bir şeyle uğraşıp durması. 2. Onda derinleşmesi. Uzmanlık. 3. Bir adama ziyade bağlılık. • «Benlikten o bendeyi halâs et — Şayeste-i bezm-i ihtisas et. — Ziya Pş.».

ihtiba', *A. i. (Hı, te* ve *hemze* ile) [Haba'dan] İyice saklayıp gizleme.

ihtibak, *A. i.* Kumaş dokuma, bez örme. • «Diye nazm olunmuş iken sanat-i ihtibake riayet olunmuş. — Peçoylu».

ihtibal, A. i. [Habl'den] İpten ağ ile tuzak yapma.

ihtibar, A. i. [Haber'den] 1. Bir kimseyi anlamak için sınama. 2. Bir kimseyi deneme. • «Ef'al ü akvallerin tecessüs ve ihtibar ederdi. — Naima».

ihtibarî, A. s. Deneyip yoklamaya ait, onunla ilgili anlamına olarak • tedribî, • tecrübî sözleriyle beraber. Fransızcadan emprique felsefe terimine karşılık yapılmıştır, görgül, ampirik (XX. yy.).

ihtibariyye, A. i. Deneyip yoklayıcı anlamında olarak; • tedribiyye, • tecrübiyye sözleriyle beraber Fransızcadan empirisme felsefe terimine karşılık olarak yapılmıştır, görgücülük, ampirizm (XX. yy.).

ihtibas, A. i. (Ha, te ve sın ile) [Habs'ten] 1. Tutulma, tutukluk. 2. Kapanıp kalmak. (XIX. yy.). Hekimlik terimlerinde kullanılan bu söz, • İhtibas-i bevl, sidik tutukluğu; • -nefes, soluk alamamak. 3. XX. yy. da Fransızcadan refoulement felsefe terimínin karşılığı olarak kullanılmıştır; itilme, itilmek. (ç. İhtibasat).

ihtica', A. i. (He ile) Karşılıklı birbirini hicvetme, hicivleşme, yerişme.

ihticab, A. i. [Hicab'dan] 1. Örtünme. 2. Saklanma. 3. Gizlenme. • «Ses almayayım mı daha nağme-i rebabından — Teyahhuş eyliyorum hal-i ihticabından. — Recaizade».

ihticac, A. i. [Hücce'ten] Tanıt ve kanıt gösterme. (ç. İhticacât). • «Mısraı gibi eş'ar ile ihticac acemiliktir. — Akiş Pş.».

ihticam, A. i. [Hacemet'ten] Hacamat olma, kan aldırma.

ihtida, A. i. (Hı ve te ile) [Hud'a'dan] Oyun etme. Hilecilik.

ihtida', A. i. (He ve te ile) [Hidayet'ten] 1. Doğru yola girme. 2. İslâmlığı kabul etme. • «Mükevvenata lüzum-i nübüvvetin sabit — Bu bir lüzum ki andadır ihtida-yi vücut. — Nevres».

ihtidad, A. i. (Ha, te ve dal ile) Keskinleştirme. Aşırı öfkelenme.

ihtifa, A. i. [Hafi'den] Gizlenme. Saklanma. • «Tağyir-i şekl eyleyip bir veçhile ihtifa eyledi ki gûya gaiplere karıştı. — Naima».

ihtifal, A. i. Büyük bir alay ile tören yapma. (ç. İhtifalât). • «İhtifalât-ı lâyika ile kütüphanelerimize defn etmeliyiz. —‚ Cenap».

ihtifar, A. i. [Hafr'dan] Kazmak. • «Bir surah-i latif ihtifar etmeye karar ver ki. — Silvan».

ihtifaz, A. i. (Hı ve dat ile) (Bastırarak) aşağılatma.

ihtifaz, A. i. (Ha ve zı ile) Kendini sakınma.

ihtikak, A. i. (Ha ile) Hakkını isteme Çekişme.

ihtikâk, A. i. (Ha ile) [Hikke'den] Sürtünüp kaşınma.

ihtikan, A. i. (Ha, te ve kaf ile) [Hokne'den] 1. Tenkiye veya sırınga kullanma. 2. Kanın bir yere toplanması, kan birikmesi.

ihtikar, A. i. [Hakaret'ten] 1. Hakarete katlanma. 2. Hakaretle bakma. Göz tutmama.

ihtikâr, A. i. (Ha ,te ve kâf ile) Madrabazlık, vurgunculuk. Bir malı değerinden çoğa satma. • «İhtikârın sonu iflâsa çıkar — Yapar evvel bir evi sonra yıkar. — Nabi».

ihtilâ', A. i. (Hı, lâm ve hemze ile) Tenha yere, halvete çekilme.

ihtilâ', A. i. (Hı, te ve hemze ile) Taze ot koparma, biçme.

ihtilâ', A. i. (He, te ve ayın ile) Kadın nikâhından vazgeçip boşanma.

ihtilâb, A. i. (Hı ile) Aldatma, aldatılma.

ihtilâb, A. i. (Ha ile) Süt sağma.

ihtilâc, A. i. 1. Çarpınma, çarpıntı. 2. Seğirme. (ç. İhtilâcat). • «Düşer de bir varak miyane-i sükûnuna. — Hemen kalırdı cîn-i ihtilâç içinde sath-i âb. — Fikret».

ihtilâf, A. i. (Hı ve te ile) [Hulf'ten] Uymayış. Uyuşmama. • «Sinirlerin hükm-i ihtilâfiyle bittabi hâsıl olan bu iftiraka. — Uşaklıgil».

ihtilâfat, A. i. [İhtilâf ç.] Uyuşmazlıklar.

ihtilâk, A. i. (Hı ve kaf ile) Huy ve hulk edinme.

ihtilak, A. i. (Ha ile) Tıraş etme, edilme.

ihtilak, A. i. (Hı ile) Yalan uydurma.

ihtilâl, A. i. [Halel'den] 1. Bozulma, bozuluk. 2. Karışıklık, düzensizlik. (ç. İhtilâlât). • «Evkat-i ihtilâlde takke kapanlar aldıklarını süpürdüler. — Naima».

ihtilâlât, A. i. [İhtilâl ç.] İhtilâller. • «Asırlarca süren ihtilâlât-i dahiliyenin sokak ortalarında, dağ başlarında bıraktığı emvattan. — Kemal».

ihtilâm, *A. i.* [Hulm'den] 1. Düş azma. 2. Ergen olma.

ihtilâs, *A. i.* (*Hı, te* ve *sin* ile) 1. Usulca ve el çabukluğu ile aşırma. 2. Çalma, hırsızlama. (ç. İhtilâsat). ● «Banka kasadarlarından, kâtiplerinden milyonlar ihtilâs edenler. — Cenap».

ihtilât, *A. i.* (*Hı, te* ve *tı* ile) [Halt'dan] Karışma, Karışıp görüşme. Birlikte bulunup konuşma. (ç. İhtilâtat). ● «Enderun halkı ile kadîmî ihtilâtına mağrurken. — Naima».

ihtilâtgâh, *F. i.* [İhtilât-gâh] İhtilât yeri. ● «Leyl bir inbisatgâh-i sükûn — Ruz bir ihtilâtgâh i şuun. — Naci».

ihtima, *A. i.* [Himye'den] Perhiz etme. ● «Ve temettüat-i dünyeviyyeden bilkülliyye ihtima etmişlerdir. — Sadettin».

ihtimal, *A. i.* [Haml'den] 1. Yüklenme. 2. Mümkün olma. Akla yakın olma. «Canımın cism ile zevk-i ittisalı kalmadı — Ah kim sensiz dirilmek ihtimali kalmadı. — Fuzulî». ● «Bu bir gidiş ki onun ihtimal-i avdeti yok. — Ziya Pş.».

ihtimalât, *A. i.* [İhtimal ç.] İhtimaller. ● «Netayic-i efkârını ihtimalâtı ile maruz-i cenab-i sultan ederler. — Naima».

ihtimaliyye, *A. i.* Fransızcadan *probabilisme* teriminin karşılığı olarak, olasrcılık (XX. yy.).

ihtimam, *A. i.* [Himmet'ten] Ziyade dikkatle çalışma. Önemle inceleme. (ç. İhtimamat). ● «Sen bu mecnunane fikre verme asla ihtimam. — Ziya Pş.».

ihtimar, *A. i.* [Hamr'dan] Mayalanıp kaynama. Ekşiyip mayalanma. ● «Her nevi maye-i kin ünifak için bir meydan-i ihtimar hazırladılar. — Cenap».

ihtinak, *A. i.* (*Hı* ve *kaf* ile) [Hunk'tan] Boğazın sıkılıp tıkanması yüzünden nefes alamama. Boğulma. ● *İhtinak-i rahm*, Fransızcadan *hystérie* karşılığı, isteri. ● «Mahafil-i zekâ dantele kordelâ ve ihtinak-i rahm ile dolacak. — Cenap».

ihtira', *A. i.* (*Hı, te* ve *ayın* ile) 1. Benzeri görülmemiş bir şey icat etme. 2. Asılsız bir şey uydurup gerçek gibi gösterme. (ç. İhtiraat). ● «Cemşid görse bezm-i erazilde bâdeyi —Bişekk teessüf eyler idi ihtiraına. — Nabi».

ihtirab, *A. i.* (*Ha* ve *te* ile) Savaşma.

ihtiraf, *A. i.* (*Ha* ve *te* ile) Usta olma.

ihtirak, *A. i.* (*Ha* ve *kaf* ile) [Hark'tan] 1. Yanma, tutuşma. Yanıp kül olma. 2. (Ast.) Bir gezegenin güneşe yaklaşması, güneşle aynı burça bulunması. ● «Evail-i cemaziyelulâda ihtirak-i Zuhal vaki olup Mirrih ve Utarit dahi mukarin idiler. — Naima». ● «Ahımdan asmana düşer havf-i ihtirak. — Ziya Pş.».

ihtiram, *A. i.* (*Hı* ve *te* ile) 1. Eksilme, kesilme. 2. Birini öldürme, yok etme. ● «Eğer zıyk-i vakt ve ihtiram-i mevt ile fırsat fevt olmaktan havf. — Taş.».

ihtiram, *A. i.* (*Ha* ve *te* ile) [Hürmet'ten] Saygı. ● *Vacib-ül-ihtiram*, saygı değer. ● «Bir incizab-i ruh ile, pür-şevk ü ihtiram. — Fikret».

ihtiramat, *A. i.* [İhtiram ç.] Saygılar ● *İhtiramat-i faika*, üstün saygılar.

ihtiramkâr, *A. s.* [İhtiram-kâr] Saygı gösterici, saygılı. ● «Garbî Avrupa'nın cenup cihetinde ihtiramkâr aşk (şövalye aşkı) vücuda geldi. — Z. Gökalp».

ihtiras, *A. i.* (*Ha* ve *sat* ile) [Hırs'tan] Şiddetli istek. Bir şeyin olmasına şiddetle çalışma. (ç. İhtirasat).

ihtiras, *A. i.* (*Ha, te* ve *sin* ile) [Hiraset'ten] Korunma, kaçınma. Kendini gözetme. ● «Ehl-i Üsküp ve sair nevahi halkı ihtirasa meşgul oldular. — Naima».

ihtiras, *A. i.* (*Ha* ve *sa* ile) Ekme.

ihtirasat, *A. i.* [İhtiras ç.] Şiddetli istekler, tutkular. ● «engin bir lehçe-i sevda kadar ihtirasat ve aşka tercüman olacak. — Uşaklıgil».

ihtirasî, *A. i.* Korunma. Kendini gözetme. ● «Murtaza Paşa merasim-i ihtiyat ve ihtirasiye riayet edip. — Naima».

ihtiraz, *A. i.* (*Ha, te* ve *ze* ile) [Hırz'dan] Sakınma, çekinme. ● «Sevişmemekse bu, sevmekten ihtiraz edelim. — Fikret».

ihtirazen, *A. zf.* Çekinerek. ● «Ağlamaktan ihtirazen bir söz bile söyleyemeyerek. — Uşaklıgil».

ihtirazî, *A. s.* Çekinme ile ilgili. Çekinmeye ait ● *Kayd-i ihtiarazî* ilerisi için katılan bir kayıt.

ihtisab, *A. i.* (*Ha* ve *sin* ile) [Hesab, hisab'dan] 1. Hesap sorma. 2. Ceza. 3. Eskiden belediye işlerine bakan memurun işi ve dairesi. 4. İhtisap dairesinin aldığı vergi. ● «Rüzgâr ihtisab-i adli ile — Ol kadar refi-i menahidir. — Nef'i».

ihtisabiyye, *A. i.* İhtisap (belediye) vergisi.

ihtisam, *A. i.* (*Hı* ve *sat* ile) Karşılıklı düşmanlık etme.

ihtisar, *A. i.* [Hasr'dan] 1. Sözün kısaltılması. İşe yaramaz ayrıntıların çıkarılması. 2. (Mat.) Sadeleştirme. • *Alâ tarik-il-ihtisar,* kısaltma yoluyle. (ç. İhtisarat). • «Nev-i yeter uzatma sözü eyle ihtisar. — Nev'i».

ihtisas, *A. i.* (*Ha, te* ve *sin* ile) [Hiss'ten] Hissetme. Duygulanma. Fransızcadan *sensation* kelimesine karşılık olarak kural dışı yapılmış ve çok kullanılmış bir sözdür; sonraları *sentiment* sözüne karşılık tutulmuş ve • *ihtisas-i def'i,* • *-fide,* • *-hüsn,* • *-kerih,* • *-leziz,* • *-menfaat,* • *-mükellefiyet,* • *-tedeyyün,* • *-teklif,* • *-vacib,* • *-vazife,* • *-zevk* gibi tamlamalar meydana getirilmiştir; duygu. (ç. İhtisasat). • «O çünkü pek müellim — Bir ihtisas olacak; tahammül eyleyemem. — Fikret».

ihtisasat, *A. i.* [İhtisas ç.] Hissetmeler, duygulanmalar. • «İhtisasat-i şebabının neşve-i nevpeydasını. — Uşaklıgil».

ihtişa', *A. i.* (*Ha* ve *hemze* ile) 1. Döşek ve yastık gibi şey edinme. 2. Tam olarak dolma. 3. Bez tutunma.

ihtişad, *A. i.* (*Ha* ve *te* ile) Birikme. Toplanma. • «Askerini ihtişad ettirerek. — H. Vehbi».

ihtişam, *A. i.* [Haşmet'ten] Etrafında insan ve taraflı çokluğu. Gürültülü gösteriş. • «Mehmet Çelebi merasim-i amiyane ile ihtişama mail ve yetmiş seksen at ve otuz kırk nevcivan hizmetkâr sahibi idi. — Naima».

ihtitab, *A. i.* (*Hı, te* ve *tı* ile) [Hutbe'den] Nikâhla kız isteme.

ihtitab, *A. i.* (*Ha, te* ve *tı* ile) [Hatab'dan] Odun biriktirme. Odun kesme.

ihtitaf, *A. i.* (*Hı, te* ve *tı* ile) [Hatf'tan] 1. Kapıp götürme. 2. Göz kamaştırma.

ihtital, *A. i.* (*Hı, te* ve *te* ile) Gizli söylenen sözü dinleme. Kulak kabartma.

ihtitam, *A. i.* (*Hı* ve *te* ile) [Hitam'dan] İş bitme. Sona erme. • «Ve rahat ile ihtitamını mukadder eyleye. — Naima».

ihtitan, *A. i.* (*Hı* ve *te* ile) [Hitan'dan] Sünnet olma. • «Saadetlû padişahı ihtitan etmekle. — Peçoylu».

ihtitat, *A. i.* (*Ha, te* ve *tı* ile) Yukardan aşağı indirme

ihtiva, *A. i.* İçine alma. • «Seylâbelerle şerhalanır sine-i cibal — Her şerha bir bahar-i hayat ihtiva eder. — Fikret».

ihtiyac, *A. i.* (*Ha* ve *te* ile) 1. Gereklilik. 2. Yokluk, yoksulluk. 3. Çaresiz kalıp isteme. • «Yakında birinin bulunmasına ihtiyaç duyarak. — Uşaklıgil». (Ed. C.) :

İhtiyac-i azîm,   *-sükût,*
-ruh,   *-tefekkür,*
-sevda,   *-zarafet.*

ihtiyacat, *A. i.* [İhiyac ç.] İhtiyaçlar. Mutlaka gerekli şeyler. • «Ruhunun ihtiyacat-i sevdasını tutuşturmuş idi — Uşaklıgil».

ihtiyal, *A. i.* (*Ha* ve *te* ile) [Hile'den] Hile etme. Düzen. • «Göstermişti meşrebim ayinesi nakş-i riya — Ana aks-âver değildi ihtiyalin sureti. — Nevres».

ihtiyal, *A. i.* (*Hı* ile) Kibirlenme. Gururlanma, ululanma.

ihtiyalât, *A. i.* [İhtiyat ç.] Düzenler, dolaplar. • «Bütün bu ihtiyalât-i cinaiye. — Cenap».

ihtiyan, *A. i.* (*Hı* ile) 1. Sözde durmama. 2. Emanete hayınlık etme.

ihtiyar, *A. i.* (*Hı* ve *te* ile) 1. Seçme. 2. Katlanma, kabul etme. 3. Kendi isteğiyle davranma. 4. Yaşlı, kocamış. 5. (Fel.) Erkinlik. • «Çoktur egerçi derd ü belâsı muhabbetin — Amma ne çare elde değil ihtiyarımız. — Ruhi» • «Peyker'i altı çocukla, otuz yaşında ihtiyar olmuş, kocasından ayrılmış. — Uşaklıgil».

ihtiyarat, *A. i.* [İhtiyar ç.] Takvimlerde gösterilen filân gün filân işi yapmalı veya yapmamalı gibi hükümler.

ihtiyarî, ihtiyariyye, *A. s.* Zorla olmayan, insanın isteğine bırakılmış.

ihtiyariyyat, *A. i.* (*Hı, te* ve *te* ile) İnsanın yapmak elinde olan şeyler.

ihtiyat, *A. i.* İleriyi düşünme. İlerisini düşünerek davranma. • «Fakat kızlarına karşı bukadarcık bir ihtiyat-i lisana lüzum gördü. — Uşaklıgil».

ihtiyaten, *A. zf.* İhtiyat ederek, ilerisini düşünerek.

ihtiyatî, ihtiyatiyye, *A. s.* İhtiyatla, gelecek zamanla ilgili.

ihtiyaz, *A. i.* (*Ha* ile) Toplama, toplam yapma.

ihtiza', *A. i.* (*Hı, te, dat* ve *ayın* ile) Alçak gönüllülük etme.

ihtizar, A. i. (Ha ve zel ile) Hazer etme, sakınma, korunma.

ihtizar, A. i. [Huzur'dan] 1. Huzura çıkma. 2. Ölüme hazır olma. Can çekişme. • ‹Gel bugün de, sükût ile güzelim — İhtizar-i hazanı seyredelim. — Cenap›.

ihtizaz, A. i. (Ha, te ve zı ile) Hazzetme, ferah, sevinç.

ihtizaz, A. i. (He, te ve ze ile) Titreme. Deprenme. (ç. İhtizazat). • ‹Dudaklarında ufak bir ihtizaz vardı. — Uşaklıgil›.

(Ed. Ce.) :

İhtizaz-i asabî, -nevhat,
-harir, -rikkat.
-hayal,

ihvan, A. i. [Ah ç.] 1. Candan dostlar. 2. Bir tarikat, bir mezhep arkadaşları. • İhvan-üs-sefa, gizli bir şii tarikatı. • ‹Gittikçe dervişan ve ihvanı çoğaltarak. — Naima›. • ‹O yanda kafile-i müjde-âver-i ihvan — Kamîs-i Yusuf'u hâmil mübeşşir üşad. — Fikret›.

ihvaniyat, A. i. (Hı ile) Arkadas, eş dost mektupları.

ihve, A. i. [Ah ç.] Arkadaşlar. Kardeşler. • ‹Oğlum İbrahim vâlidi mesnedinde mukim olup sair ihvesi ona münkad oldular. — Sadettin›.

ihya', A. i. [Hayat'tan] 1. Diriltme, canlandırma. 2. Toprağı taze can verircesine şenlendirme. 3. Yeniden kuvvetlendirme. 4. Uyandırma. Canlandırma. 5. Sabaha kadar Tanrıya ibadet etme. İhya-yi mevat, işlenmemiş toprağı işleme, tarla açma, toprağı uyandırma. • ‹İhya', imar demektir ki araziyi ziraate salih kılmaktır. —Mec. 1051›. • ‹İltifatınla bu dili- mürdeyi ettin ihya. — Nef'i›. • ‹Feyz-i nazarın kılar, müsellem — İhya bu harabezarı her dem. — Fikret›.

ihyakerde, F. s. [İhya-kerde] Meydana getirilmiş, yaptırılmış.

ihvanen, ehyanen, A. i. Arada, sırada.

ihza', A. i. (Hı ve ze ile) Rezil ve rüsva etme.

ihzar, A. i. [Huzur'dan] Huzura getirme, hazır etme. • ‹Başka yerde eylemiş ihzar — Ana mahsus taze bir gülşen. — Cenap›.

ihzarat, A. i. [İhzar ç.] Hazırlanmalar, hazırlıklar.

ihzaz, A. i. (Ha ve zı ile) Mutlulanma. Rahatlama.

ika', A. i. (Kaf ve ayın ile) [Vuku'dan] 1. Yapma, yaptırma, oldurma. 2. Düşürme. (ç. İkâat). • ‹Anınla usu-li negam ve ikaat ve keyfiyat-i telif-i lühun malûm olur. — Taş.›. • ‹Hafif bir fi'l-i cinayet ika' edercesine. — Uşaklıgil›.

i'kab, A. i. 1. Bir kimseden sonra gelme. 2. Ceza verme, azap çektirme. • ‹Vezir kendüye gazap ve i'kap ve izalesini murat edip. — Naima›.

ikab, A. i. (Ayın ile) Azap, eziyet. «O kişi çekmeye bilcümle azap — Ne bu dünyada ne ukbada ikab. — Hakani›.

ik'ad, ık'ad, A. i. [Kuud'dan] 1. Oturtma. 2. Bir hükümdar resmi olarak tahta çıkarılma, tahta oturma.

i'kad, A. i. Bağlama, düğümleme.

ikad, A. i. Ateş yakma. ‹Nice kabil ki beni cehennem ede îkad. — Nabi›.

ikâd, A. i. Sağlamlama, kuvvetlendirme.

ikaf, A. i. [Vakf'tan] 1. Malını vakıf şekline koyma. Vakfetme. 2. Bir işten vazgeçme. 3. Durdurma ve alıkoyma. • ‹Bir mahfuz mahalle vaz' ve şitab ile kafasından reside ve ikaf ve yine gelip ateşi alıp. — Silvan›.

ikâhe, A. i. (Ha ile) Düşmana üstün gelme.

ikale, A. i. Pazarlığı bozma.

ikame, A. i. [Kıyam'dan] 1. Oturma. 2. Kaldırma. Ayakta durdurma. 3. Meydana konma. • ‹Sun'i kelimeler ikamesine çalıştığı. — Z. Gökalp›.

ikamet, A. i. [Kıyam'dan] 1. Oturma. 2. Namaz kılınacağı zaman müezzinin cami içinde ayağa kalkma çağrısı.

ikametgâh, F. i. [İkametgâh] Oturacak yer. Oturulan yer.

ikan, A. i. [Yakîn'den] Sağlam biliş. • ‹Mülke vaz ettiği kanunu göreydi andan — Bu Ali eyler idi kesb-i Şifayı ikan. — Şinasi›.

i'kar, A. i. (Elif ve ayın ile) Kadının dölyatağını sakatlama.

i'kar, A. i. (Elif ve kaf ile) 1. Tortulandırma, bulandırma. 2. Gece karanlığı.

ikaz, A. i. [Yakaz'dan] 1. Uyandırma. 2. Gözünü açtırma, aklını başına toplatma. • ‹Sekbanbaşı Mahmut Ağa ile müttefikan daima ikaz-i fitneye sây ve. — Naima›. • ‹Mağlubiyet bile bir taziyane-i ikaz ve bir mukaddeme-i futuhat oluyor. — Cenap›.

ikbab, *A. i.* 1. Yüz üstüne düşme, kapanma. 2. Bir şeyin üstüne fazla düşme. Olmasına aşırı çalışma. • «Bu kadar müddet muhassarasına sây ü ikbab ve zahair ve mühimmat-i bîşümar sarf. — Raşit».

ikbah, Bk. • *Ikbah.*

ikbal, *A. i.* [Kabul'den] 1. Talih düzgünlüğü. 2. İşlerin doğru gitmesi. Halin iyi olması. 3. Birine doğru dönme. 4. İsteme. • «Gam günü üstümde senden özge yok ey dud-i ah — Lütf kıl benden götürme saye-i ikmalimi. — Fuzuli». • «Ben Mansur'um ve ismim Mübarek'tir Hak tealâ kıbelinden ikbal ettim. — Taş.» • «Âmalimiz efkârımız ikbal-i vatandır. — Kemal».

ikbalcu, *F. s.* [İkbal-cû] İlerleme ve büyüklük arayan. Onların peşinde olan.

ikbalperest, *F. s.* [İkbal-perest] İkbale çok düşkün.

ikbar, *A. i. (Kef ve be ile)* Ulu görme. Ulu görülme.

ikda', *A. i. (Kef, dal ve hemze ile)* İhsanı pek az olma. Hasislik gösterme.

ikdam, *A. i.* [Kadem'den] 1. İlerleme, ilerlemeye çalışma. 2. Sürekli çalışma. (ç. İkdamat). • «Vakt erdi ki ayş ehli edip işrete ikdam —Câm-i mey-i nab ile felekten alalar kâm. — Ruhi». • «Burc ü bârudan tekrar cenge ikdam gösterdiler. — Naima».

ikdar, *A. i.* [Kudret'ten] 1. Kudret verme, güç kazandırma. 2. Geçimini sağlama. • «Müşkül amma ki beşerde bu hisal — Meğer ikdar ede Rabb-i müteal. — Sümbülzade».

ikfal, *A. i. (Kef ile)* Kefil gösterme.

ikfar, *A. i. (Kef ile)* [Küfr'den] Bir kimse için Kâfirdir deme. • «Katl-i nefs edenleri ikfar eylemez idi. — Taş.».

iklil, *A. i. (Kef ile)* Taç. • «Gök olur bir büyük iklil-i münir — Yer olur bir bağçe-i ezhar-i beşer. — Cenap».

ikmal, *A. i.* [Kemal'den] Kemale erdirme. Tamamlama, bitirme. • «Firdevs Hanım sözünü ikmal etmeden evvel biraz tevakkuf etti. — Uşaklıgil».

ikmam, *A. i.* 1. Elbiseye yen yapma. 2. Ağaç tomurcuklanma.

ikna, Bk. • *İkna'.*

ikra', *A. i.* Kiraya verme.

ikrab, *A. i.* Kederlendirme.

ikrah, *A. i.* [Kirh'ten] 1. Zorla bir iş yaptırma. 2. İğrenme. Tiksinme. • «Gez

nice gün benimle hemrah — İnsan deyip etme benden ikrah. — Fuzulî». • «Nicesi razı değil câhından — İnler ağlar çoğu ikrahından. — Nabi».

ikrahen, *A. zf.* Kendisi istemediği halde. Zorla.

ikram, *A. i.* [Kerem'den] 1. Ağırlama. Saygı gösterme. 2. İltifat için bir şeyler verme. 3. Bağış. 4. Hesap dışı verilen şey veya yapılan indirme. • «Ahmet Paşanın bu himeti meşkûr olup nevaziş ve ikram-i padişahiye mazhar oldu. — Naima».

ikramen, *A. zf.* İkram olarak. • «Paşa dahi ikramen yüz altın ve yüz koyun ve kayd-i hayatla Trablus serdarlığın verdi. — Naima».

ikramiyye, *A. i.* 1. Bağışlar. Bahşişler. 2. Hesap dışı verilen para. 3. Piyangoda çıkan nesne.

ikrar, *A. i.* [Karar'dan] 1. Kararlaştırma. 2. Dil ile söyleme. 3. Kabul etme. 4. Saklamayıp açıktan söyleme. • «Akçe canlı deni adam olmakla malını ikrar etmediğiyçün hapishanede işkence olunup. — Naima».

ikraz, *A. i.* [Karz'dan] Borç verme. Ödünç verme. (ç. İkrazat). • «Hem haftaya babasından para geliyordu, birinci defa olarak bu sefer Nihal'e o ikraz edecekti. — Uşaklıgil».

iksa', *A. i.* [Kisvet'ten] Giydirme. Elbise verme. • «Ede hayyat-i kudret câme-i dilhâhını iksa. — Nabi».

iksad, *A. i.* [Kesad'dan] Kesada düşürme. Kesatlandırma.

iksal, *A. i. (Sin ile)* [Kesel'den] Bezginlik ve bıkkınlık verme.

iksar, *A. i.* [Kesret'ten] 1. Çoğaltma. 2. Artırma. • *İksar-i kelâm,* çok söyleme, sözü uzatma. • «Ben işitirdim ki ana duayı iksar ve sena-i bişümar edersiz. — Taş.».

iksir, *A. i.* 1. Eskiden kimyacıların olağanüstü etkili kuvvette var saydıkları cisim. 2. Etkili yarar şurup. 3. Bir şeyin olmasına sebep olan en önemli madde. • «Birden beyninin üzerine gûya uyuşturucu bir iksir döküldü. — Uşaklıgil» • «Ali'den doldurup iksir-i ilham. — Beyatlı».

iktab, *A. i.* [Ketb'den] Yazdırma.

iktam, *A. i. (Kef ve te ile)* Gizleme, saklama.

iktibas, *A. i. (Kaf, te ve sin ile)* 1. Ödünç alma. 2. Bir fıkra veya sözü olduğu gibi veya anlamını aktarma. (ç. İktibasat). • «Ben sönük bir zerreyim sen afitabımsın benim — İktibas-i nur eder gönlüm cemalinden senin».

iktida, Bk. • *İktıda.*

iktidar, *A. i.* [Kudret'ten] Güc yetme, yapabilme. Fransızcadan *potentiel* sözü • *iktidar-i kâmin* (gizli güc) olarak çevrilmiştir. (XX. yy.). • «Nasıl firakını tasvire iktidarım olur. — Fikret».

iktidarî, *A. s.* Güc ve iktidar ile ilgili. *Fiil-i iktidarî,* yeterlik fiili.

iktifa, *A. i. (Kef ve te ile)* [Kifayet'ten] Yetinme. Yeter bulma. Fazla istememe.

iktifa, Bk. • *İktifa.*

iktihal, *A. i.* Sürme çekme. • «Buldu çeşm-i mülk hâk-i makdeminden iktihal. — Fuzulî». • «Hâk-i der-i refiin ile etse iktihal — Çeşmani mura şa'-şaa-i ferkaden verir. — Nedim».

iktihal, *A. i. (He ile)* Yaşlılanma. Kır saçlı ve sakallı olma.

iktiham, Bk. • *İktiham.*

iktina', *A. i. (Kef, te ve hemze ile)* 1. Künyelenme. 2. Anlaşılmayacak şekilde söyleme. • «Benden sonra bir kimse benim künniyetim ile iktina' eyleyemez. — Taş.».

iktinaf, *A. i.* Çevresini kuşatma.

iktinah, *A. i.* [Künh'ten] Bir işi kökten anlama. Gerçeği anlama. (ç. İktinahat). • «Bu kör zalâm-i deha-perverinde bir garin — Büyük hakikati yıllarca iktinah ederek. — Fikret».

iktinan, *A. i.* Gizlenip saklanma. Örtme, gizleme.

iktira, *A. i.* [Kira'dan] Kiralama.

iktirab, *A. i.* Tasalı olma. Korku (ç. İktirabat). • «Dinle şekva-yi ruh-i mecruhu — Fakat incinme iktirabımdan. — Fikret».

iktiran, Bk. • *İktiran.*

iktisa, *A. i.* [Kisvet'ten] Giyme, giyinme. • «Birkaç gün muharebe için iktisa-yi cevaşin ve duru' eylediler. — Raşit».

iktisab, *A. i.* [Kesb'den] Kazanma, edinme. (ç. İktisabat). • «Necm-i baht-i kâinat Es'ad Efendi kim eder — Sa'd-i ekber hâk-i pâyinden saadet iktisab — Nef'i».

iktisad, *A. i.* [Kasd'den] 1. Aşırı davranmama. 2. Tutma, tutam. 3. Biriktirme. Artırma, esirgeme. 4. Ekonomi. • «İktisad üzere gerek yani seha — Olmayan vâsıl-i tavr-ı şüfeha. — Sümbülzade».

iktisadî, iktisadiye, *A. s.* Tutumla ilgili, ekonomik.

iktisadiyat, *A. i.* Tutum, iktisat bilgisi. İktisatla ilgili şeyler.

iktisam, Bk. • *İktisam.*

iktisar, *A. i. (Sin ile)* [Kesr'den] Kırma, paralama.

iktisar, Bk. • *İktisar.*

iktisas, Bk. • *İktisas.*

iktitab, *A. i.* Yazı yazma, yazdırma. 2. Adını deftere yazdırma.

iktitaf, *A. i.* Bk. • *İktitaf.* 1. Devşirme, derme. 2. Bir uğraşma sonucundan faydalanma. (ç. İktitafât).

iktitafiyye, *A. i.* Fransızcadan *éclectisme* felsefe yolunun karşılığı olarak kullanılmıştır, seçmecilik (XX. yy.).

iktitam, *A. i.* [Ketm'den] 1. Gizleme. 2. Sararma.

iktiyal, *A. i.* Kile ile ölçme.

iktiza, *A. i.* [Kaza'dan] 1. Lâzım gelme. Gerekme. 2. İşe yarama, yararlık. • «Amma ki u asrın iktizası —Etmiş anı yave müptelâsı. — Ziya Pş.».

i'lâ, *A. i.* [Ulüv'den] 1. Yükseltme. Yüceltme. Yukarı kaldırma. 2. Bir şeyin ününü artırma. • *İlâ-yi kelimetullah,* İslâmlığı yükseltme; • *-liva,* bayrağı yükseltme. • «Öyle bir mecarayi istikbal tâyin etmeliydi ki onu tenzil değil i'lâ etsin. — Uşaklıgil».

ilâ, *A. i. e.* «-ye, -ye kadar» anlamıyle Arapça kelimelere katılır. • «İlâ vaktinahaza cezire-i Mora'da. — Raşit». • «Ol zamandan ilâ hazelyevm ol hal üzre müstemer. — Taş.». • «Orduların ordularla şanlı şerefli boğuşmasını ilâmaşaallah temaşaya mahkûmuz. — Cenap».

ilâ', *A. i.* Sıkıntı ve derde uğrama.

ilâ' *A. i. (Lâm ve hemze ile)* 1. Yemin etme. 2. Erkek eşin karısına yanaşmaması için yemin etmesi.

ilâc, *A. i. (Elif ile)* İçeri koyma. Sokma.

ilâc, *A. i.* İlâç. • «Hastalığın kaabil-i ilâc mıdır değil midir? — Naima».

ilâcpezir, *F. i.* İlâç kabul eder. • «Reisületibba Kaysunizade bihasebittıb ilâcpezir olmaz diye yeis haberin vermekle. — Selânikî».

ilâd, *A. i.* [Velâdet'ten] 1. Doğurma. 2. Doğurtma.

i'lâf, *A. i.* [Alef'ten] Hayvana yem verme.

ilâf, *A. i.* [Ülfet'ten] Alıştırma. Ülfet etme.

ilâh, *A. i.* Tanrı. (ç. Alihe) • «Sema-yi aşk ilâhı mıdır o çeşm-i kebud. — Recaizade».

ilâhe, A. i. Kadın tanrı. (ç. Alihat).

ilâhi, ilâhiyye, A. s. Tanrıya mensup. Tanrı ile ilgili. Tanrısal. • İlm-i ilâhî, Fransızcadan téodicée karşılığı (XX. yy.). • ‹Biz ibadet-i ilâhiyye bedel pederimize isyan mı göstereceğiz? — Kemal›.

ilâhi, A. ün. Tanrım! Ey Tanrı. • ‹Yarab bu ne hikmettir, ilâhi bu ne halet. — Ziya Pş.›.

ilâhiyyat, A. i. Felsefenin Tanrıdan ve Tanrı ile ilgili konulardan bahseden bölümü, théologie.

ilâhiyye, A. i. Fransızcadan déisme, théisme karşılığı olarak yapılmıştır, yaradancılık, tanrıcılık, deizm (XX. yy.).

ilâhiyyun, A. i. 1. Tanrı varlığına inanan filezoflar. 2. Felsefenin Tanrı konularıyle uğraşan kimseler.

i'lâk, A. i. [Alak'tan] Sülük yapıştırma.

ilâl, A. i. 1. (Arap. gra.) İllet harfleri denen ve kelime içinde bulunan elif, vav, ye harfli bir fiilin asıl şekliyle aldığı şekle nasıl girdiğini kurala uygulama. 2. (Man.) Nedenleme.

i'lâm, A. i. [İlm'den] 1. Bildirme, anlatma. 2. (Hu.) İlâm. (ç. İlâmat). • ‹Birkaç pesmandeler geriye can atıp i'lâm-i hal ettiklerinde. — Naima›.

ilâm' A. i. [Elem'den] 1. Acıklandırma. Elem verme. 2. Düğün yemeği. • «Ol seyyid-i sahih-ün-nesebi ilâm ederler. — Esat Ef.›.

ilân, A. i. [Alen'den] 1. Meydana çıkarma, belli etme. 2. Yayma. 3. Yaymak için gazetelere yazma. 4. Gazetelerde bu yolda yazılmış yazı. • İlân-ı harb, savaş açma; • -iflâs, tüccarın işinde güçsüzlüğünü resmî olarak söylemesi. (ç. İlânat). • ‹İlân ediyor aşkını her nağme sesinde. — Fikret› • ‹İlânın kuvve-i iğfaliyesine nihayet yoktur. — Cenap›.

ilânat, A. i. [İlân ç.] İlânlar. • ‹Hattâ ilânat sahifesinin müdavim kariîni bile görülmüştür. — Cenap›.

ilânen, A. zf. İlân yoluyle.

ilâvat, A. i. (Ayın ile) [İlâve ç.] İlâveler. Ekler, katmalar.

ilâve, A. i. (Ayın ile) 1. Katma. 2. Artırma. 3. Bir gazetenin asıl sayısından başka çıkardığı nüsha. (ç. İlâvat). • «Parlayan ayı göstererek ilâve etti. — Uşaklıgil›.

ilâveten, A. zf. (Ayın ile) Artırarak, katarak.

ilbas, A. i. [Lebs'ten] Giydirme. • «Padişah-i âlempenah kendiye Beyşehri sancağın ihsan edip hil'at ilbas ve on sekiz âdemisine. — Naima›.

ilca'. A. i. 1. Zorlama. Zorda bırakma. 2. (Psi.) İçtepi. • ‹Bu usretle de intikam ve infial gibi ilcaat-i nefsaniyeye mağlûbiyetten. — Vehbi›.

ilcaat, A. i. [İlca ç.] Zorlamalar. ‹Ya zamanımızın bütün âlem-i insaniyeti esir-i iştigal eden ilcaatını mı düşünmeyelim? — Kemal›.

ilcac, A. i. Feryat etme.

ilcam, A. i. Gem takma. Gem takılma.

ilel, A. i. (Ayın ile) [İllet ç.] İlletler. Hastalık, sakatlık. • İlel ü emraz, hastalıklar ve sakatlıklar. • İlel-i muhtelife, türlü illetler; • ilel-i sariye, • bulaşıcı hastalıklar. • ‹Cevher-i tig ile bîvahime ıslah-i mizaç — Şerbet-i lutf ile bîçun ü çera def-i ilel. — Nailî›. • «Bu yolda, bir taraftan bir tarafa yalnız ilel-i sariye mi taşınılacak. — Kemal›.

ilele'an A. zf. Bu ane kadar. Şimdiye kadar hâlâ.

ilelebed, A. zf. Ebede kadar, sonsuz olarak. • ‹İlelebed onu sevmek, ilelebed, müellim — Fakat hayat-efza — Bir iptilâ ile sevmekti emelim. — Fikret›.

ileyh, A. zm. Ona. • Meful-ün-ileyh, ismin -e hali; • muzaf-un-ileyh, isim tamlamalarında belirten.

ileyha, A. zm. (kadın) ona.

ilga, A. i. [Lagv'den] Kaldırma, bozma. Hükümsüz bırakma, yürürlükten kaldırma. • ‹Bizim küfranımız lagv olduğuna şüphe yok ancak — Anı sen cünbiş-i aklâm-i gufranınla kıl ilga. — Nabi›.

ilgaz, A. i. [Lûgaz'den] Sözde maksadı gizleme.

ilha, A. i. (He ile) Eğlendirme, oyunla vakit geçirtme.

ilhab, A. i. (He ile) Alevlendirme.

ilhac, A. i. (Ha ile) Zor durumda bırakma.

ilhad, A. i. (He ile) Zulüm, eziyet etme.

ilhad, A. i. 1. Gerçek inançtan cayma. 2. Tanrı varlığına, birliğine inanmama. 3. Dinsizlik. 4. (Fel.) Fransızca athéisme karşılığı. Tanrı tanımazlık (XX. yy.). • «Vayedar olsa eğer atıfet-i feyzinden — Olur ârayiş-i seccade cebîn-i ilhad. — Nabi».

ilhah, *A. i.* Bir şeyin kabulü için son derece direnme. Üste düşme. Sıkma, zorlama. (ç. İlhahat). • ‹Sonra kaptan tarafından ilhah ve beri tarafından ibram güne haber varmakla. — Naima›.

ilhak, *A. i.* Katma. Katıştırma. • *Redd-i İlhak,* Birinci Dünya savaşı mütarekesinde memleketin bölünmesini kabul etmeyenlerin kurdukları bir dernek adı. • ‹Yenbu'dan hareket edecek kafileye ilhakı Cidde valisine inha kılınmış olduğundan. — Raşit Pş.›.

ilham, *A. i.* 1. Tanrının insan yüreğine bir şey telkini. 2. Telkin olunan şey. 3. Yüreğe doğan şey. Yüreğe doğma. (ç. İlhamat). • ‹Şair bütün bu şeylere atf-i hayal ile — Eyler vürud-i refref-i ilhama intizar. — Fikret›. • ‹Dünkü reyb-el-menünün telkin veya ilham ettiği efkâr ve hissiyatı. — Cenap›.

ilham, *A. i.* (*Ha* ile) Küfr ederek onur kırma.

ilhamat, *A. i.* [İlham ç.] 1. İlhamlar. 2. (Yüreğe) esintiler. • ‹Zamir- isafa-pezire mevrid-i ilhamat olan evkat-i müstabede. — Sadettin›.

ilhamiyye, *A. i.* Kur'an, hadis, fıkıhtan çok ilham eseri olan kitaplara önem veren bir tarikat.

ilhaz, *A. i.* (*Ha* ve *zı* ile) Yan bakışla bakma.

ilka', *A. i.* 1. Koma, bırakma. 2. Atma, terk. • ‹Tavaifi Tatar ile han beynine ilkayi şikak etmekle. — Naima›. • ‹Vera-yi kafesten umur-i Divaniyeye ilka-i sem'i hümayun buyurup. — Koçu Bey›.

ilkaat, *A. i.* [İlka ç.] Zararlı sözlerle zihin çevirme. Baştan çıkarma, bozma.

ilkah, *A. i.* (Bio.) Döllenme. Dölleme. (ç. İlkahat).

ilkam, *A. i.* Boğazından aşağı etme. Yutturma.

ilkan, *A. i.* Çabuk ezberleme.

illâ, *A. e.* 1. -den başka, meğer. 2. Aksi halde. 3. İlle, mutlaka. • ‹Kim bu nizamı vermedi âlem-serayına — İllâ·ki yümn-i devle-ti cihan-sitan. — Baki›.

illet, *A. i.* (*Ayın* ile) 1. Hastalık. 2. Sakatlık. 3. Her vakit tepen hastalık. 4. Neden, bir şeyin nedeni. 5. Niyet, amaç. 6. (Man.) Neden. 7. (Arap. gra.) Bir sözcüğün asıl harfleri arasında huruf-i illetten biri bulunması. • *Huruf-i illet,* elif, vav, ye harfleri; • *illet-i gaiye,* amaç, ideal. (ç. İlel). • ‹Ve yürek

sıkılmasına ve sevdayî illete müptelâ olduklarından. — Naima› • ‹Maişet-i içtimaiyenin illeti-i gaiyesi taarruzdan masun olmak. — Kemal›.

illi, *A. s.* Neden ile ilgili. Sebebe ait.

illiyet, *A. i.* Nedensellik.

illiyyin, illiyyun, *A. i.* (*Ayın* ile) Gökyüzünün ve cennetin en yüksek tabakası. • ‹Tar ü pudi- suhenim eyledi nessac-i kader — Tutuk-i perdegiyan-i harem-i illiyyin. — Nailî›. • ‹Fahr ile seyr eyliyor a'lâ-yi illiyyin seni. — Naci›.

ilm, *A. i.* (*Ayın* ile) 1. Bilme, biliş, 2. Okumakla elde edilen bilgi. 3. Nazarî bilgi. • *İlm-i ahlâk,* ahlâk bilgisi; • *-ahval-i cev,* meteoroloji; • *-arz* (ilm-ül-arz), jeoloji; • *-beden* (ilm-ül-ebdan), hekimlik bilgisi; • *-emarz* (ilm-ül-emraz), patoloji, • *-ensac,* (ilm-ül-ensac), dokubilim; • *-ezeli,* öncebilim (préscience); • *-heyet,* astronomi; • *-içtimaî,* cemiyet bilgisi; • *-iktisad,* ekonomi politik; *-ilâhî,* teodise (Théodisée), • *-kıhf,* frenoloji; • *-müstahasat,* paleontoloji; • *-nebatat,* botanik; • *-ruh (ilm-ür-ruh),* psikoloji; • *-savt,* akustik; • *-secaya,* (éhologie), etoloji; • *-terbiye-i etfal,* pedagoji; • *-vezaif,* deontoloji. (ç. Ulûm). • ‹Devam-i afiyetimizi hıfzıssıhhadan ziyade ilm-i etdaviden bekliyoruz: — • ‹İlm-ül-arzdan arzın kürriyeti ispat edilecek. — Uşaklıgil›.

ilma', *A. i.* 1. Parlatma. 2. İşaret etme. • ‹Mükellefat-i mantıkıyye ve tabiiyyesinde agrazını izhar ve ilma eyleyip.— Taş.›.

ilma', *A. i.* (*Hemze* ile) Çalma, hırsızlama.

ilmah, *A. i.* Hemen gösterip çabucak yok etme.

ilmam, *A. i.* 1. Küçük günah işleme. 2. İki şey birbirine yaklaşma. • ‹Selh ü ilmam ü tevarüd diye sonra çalışır — Aybını setre nice düzd-i tuvana-yi suhan. — Sümbülzade›.

ilmî, ilmiyye, *A. s.* İlimle ilgili. • ‹Birtakım hakayık-i ilmiyye vardır ki dünyanın hiç bir tarafında değişmez. — Kemal›.

ilmihal, *A. i.* [İlm-i hal] Din kurallarını öğretmek için yazılmış kitap.

ilmiyyat, *A. i.* (XX. yy.) da Fransızcadan *épistémologie* karşılığı olarak kullanılmıştır, epistemoloji, bilgi kuramı.

ilmiyye, A. i. Fıkıh ve şeriat işleriyle uğraşan sarıklı sınıfı ve onların meslekleri.

ilsa', A. i. (Sin ve ayın ile) Fesat çıkarıp birbirine düşürme.

ilsak, A. i. [Lusuk'tan] Bitiştirme. Kavuşturma.

iltibas, A. i. [Lebs'ten] Çok benzeyen iki şey arasında ayırma şaşırtmacı. (ç. İltibasat): ● ‹Galebe-i nevm ü na's üzere iken kari hitap edip iltibas oldukta derhal onu redde iştigal eder idi. — Taş.›.

iltica, A. i. Koşup, kaçıp birine sığınma. ● ‹Kim ki Allahtan iba eyler — Başka dergâha iltica eyler. — Fuzulî›.

ilticac, F. i. Karışık olma.

ilticagâh, F. i. [İltica-gâh] sığınılacak yer veya kimse.

iltidam, A. i. Acığı olma, ellerini göğsüne vurma.

iltifaf, A. i. Bürünme.

iltifat, A. i. 1. Yüz çevirip bakma. 2. Dikkat. 3. Hatır sorma, gönül alma. 4. (Ed.) Sözü başka bir şahsa çevirme. ● ‹İlelebed beni tıflâne şad-kâm edecek — Bir iltifat-i kaderdir. — Fikret›.

iltifatname, F. i. Bir büyüğün övmesi, beğenmesi. ● ‹Dördüncü günde iltifatname ve murassa' seyf ve hil'at ile gönderdi. — Naima›.

iltifatperver, F. s. [İltifat-perver] İltifat eden. ● ‹Bak şu zevrakçe-i dilâramın — Cünbiş-i iltifat perverine. — Fikret›.

iltiha', A. i. (Ha ile) [Lihye'den] 1. Sakal salıverme. 2. Kabuk soyma.

iltiha', A. i. (He ile) Oynama, eğlenme.

iltihab, A. i. (Te ve he ile) [Leheb'den] 1. Alevlenme, tutuşma. 2. (Bir organda olan) yangı. (ç. İltihabat). ● ‹A-yaklarında cüruh-i pür iltihab-i hayat. — Cenap›.

iltihaf, A. i. (Te ve ha ile) [Lihaf'tan] Sarılıp bürünme. Örtünme.

iltihak, A. i. (Te, ha ve kaf ile) [Luhk'-tan] Katılma, karışma. ● ‹Bekleyen zümrelere selâmlar tevzi ederek nihayet bir tanesine iltihak eden. — Uşaklıgil›.

iltiham, A. i. (Ha ile) 1. (Yara) iyi olma. Kapanma. 2. Savaş kızışma. ● ‹Ol mareke-i iltihamda gümnam oldu. — Sadettin›.

iltihas, A. i. (Ha ve sad ile) Zorlama.

iltika, A. i. [Lika'dan] Birleşme. Kavuşma. ● ‹Amm hin-i iltikada. — Kemal›.

iltika, A. i. Renk değiştirme. Beniz atma.

iltikam, A. i. [Lokma'dan] Lokma etme. Yutma. ● «Ve malını iltikama fırsat ararlardı. —Naima› ● ‹Manend-i div beççelerin iltikam eder. — Ziya Pş.›.

iltikat, A. i. [Lakat'tan] Devşirip toplama. Kitaplardan toplama. (ç. İltikatat). ● ‹Ertuğrul Gazinin neseb ve hasebi hakkında iltikat edebildiğimiz malûmat. — Hamit Vehbi›.

iltima', A. i. [Lem'den] Parıldama. (ç. İltimaat). ● «Meşçerin sîne-i sükûnunda — Münteşir iltima-i sâf-i kamer. — Fikret›. ● ‹Azîm bir gümüş tabak iltimaiyle parıldayan denize. — Uşaklıgil›.

iltima', A. i. 1. Renk değişme. 2. Özelleşme.

iltimah, A. i. [Lemh'tan] (Bir şeye) şaşkın şaşkın bakınma, alınma.

iltimam, A. i. Konup durma. Konma. ‹Bûm etti bâm-i kasra iltimam›.

iltimas, A. i. [Lems'ten] 1. Tutunma. 2. Tutma. 3. Yapılmasını isteme (ç. İltimasat). ● ‹Abaza cürmünü itiraf ve af iltimas etmeğin. — Naima›.

iltimaskerde, F. s. [İltimas-kerde] İltimas edilen, yapılması istenilen.

iltisak, A. i. (Te, sat ve kaf ile) [Lüsuk'-tan] 1. Yapışma, kavuşma, birleşme, bitişme. 2. (Bio.) İki ayrı organın birbirine yapışması. (ç. İltisakat). ● «Ya bir kere Rumeli demiryolu Avrupa hatlarıyle iltisak eder ve. — Kemal›.

iltisakî, iltisakiye, A. s. 1. İltisakla ilgili. 2. Köklere birçok ekler ulanarak türlü ilgiler meydana getiren kelime şekilleri kurulan (dil).

iltisam, A. i. (Se ile) 1. Öpme. 2. Tutma, tutunma, örtünme. ● ‹Enamil-i sultan-i âdili şifah-i ikram ile takbil ve iltisamdan sonra. — Sadettin›.

iltiva, A. i. 1. Sarılma. Sarılıp dolaşma. 2. Eğirme. Büklüm büklüm olma. 3. Eğri durma, dalgalanma. 4. (Fiz.) Burulma. 5. (Jeo.) Kıvrılma. (ç. İltivaat). ● ‹Zir-i liva-yi bagy-iltivalarında. — Şefikname›.

iltiya, A. i. Dertlenme. İç sıkıntısı çekme.

iltiyah, A. i. (Ha ile) Susma.

iltiyah, A. i. (Hı ile) 1. Karışmak. 2. Mayalaşmak.

iltiyak, A. i. Sıkı fıkı dost olma.

iltiyam, *A. i.* Yara kapanıp unulma. • «Türkman çözülüp gitmesi yamandır, cem ü iltiyamlarına derman yok. — Naima». • «Korkunç karha-i maliyeyi binnisbe pek kısa bir müddette mertebe-i iltiyama getirdiği halde. — Cenap».

iltizak, *A. i. (Ze* ile) Yapışma.

iltizam, *A. i.* [Lüzum'dan] 1. Kendi için gerekli sayma. 2. Birinin tarafını tutma. 3. Gerektirme. 4. Devlet gelirlerinden birinin toplanmasını üste alma. • *İltizam-i ma-lâ yülzem,* boşuna zahmet, gereksiz şeyle uğraşma; • *bil-iltizam,* iş edinerek, mahsus, isteye isteye. (ç. İltizamat). • «Can verip etmişler ahlâfın rahatın iltizam. — Ziya Pş.». • «Amma herkes hanesinde ne işlerse işler, hükkâm ol zaman dahl ü taarruz ederse iltizam-i malâyülzem etmiş olur. — Kâtip Çelebi».

iltizamî, iltizamiye, *A. s.* İsteyerek, bilerek yapılan.

iltizaz, *A. i.* [Lezzet'ten] Hoş bulma, lezzet duyma. (ç. İltizazat). • «Daima aynı iltizaz-i şebab. — Fikret».

ilye, *A. i.* Sağrı butu. But.

ilyeteyn, *A. i.* Sağ ve sol but. Kaba etler.

ilevi, *A. s.* Butla ilgili.

ilzak, *A. i.* [Lazk'tan] Yapıştırma.

ilzam, *A. i.* Cevap veremez hale getirme. Susturma. (ç. İlzamiyat). • «Fehvasınca hasmı ilzam babında mahir olup. — Kâtip Çelebi».

ilzamiyat, *A. i.* Susturmak, susturulmak için söylenen sözler.

ima, *A. i.* 1. İşaret. 2. İşaretle, açıktan olmayarak anlatma. • «Kaç kereler Bihter bunu ihtiyar kıza ima etmiş idi. — Uşaklıgil».

ima', *A. i.* [Emeh ç.] Cariyeler. «İraka-i dima' ve nehb-i abîd ü ima' âdet-i dalâlet-nümaları olup, — Sadettin».

imad, *A. i. (Ayın* ile(Direk. Kolon. *İmadüd-din,* dinin direği; *zat-ül-imad,* direkli. (ç. A'mide).

imad, *A. i.* Direk dikme.

i'mal, *A. i.* [Amel'den] 1. Yapma. 2. İşleme. 3. Kullanma. Meydana getirme. • «Sükûn-i aileyi ihlâl edecek desayis i'mal eder bir muzif misafir. — Uşaklıgil».

imalât, *A. i.* [İ'mal ç.] Bir fabrika veya ülkenin sanayie ait yaptıkları, işleri.

imale, imalet, *A. i.* [Meyl'den] 1. Bir tarafa eğme, yatırma. 2. (Ed.) Vezne uydurmak için kelimeyi uzun söyleme. (ç. İmalât). • «Lâyık mıdır insan olana vakt-i kazada — Hak zâhir iken bâtıl için hükmü imalet. — Ziya Pş.». • «Herkes sermaye-i tecessüsünü istediği cihete sarf ve imalde serbestir. — Cenap».

imalgâh, *F. i.* [İ'mal-gâh] Atelye, fabrika. • Bir demir imalgâhında işçi. — Uşaklıgil».

imam, *A. i.* 1. Namazda kendisine uyulan kimse. 2. Önde bulunan kimse. 3. Mezhep bahislerinde uyulan kimse. 4. Şeriat bahislerinde oy sahibi olan kimse. 5. Bir ilim veya fende sözü senet tutulacak kimse. 6. Halife olan kimse. (ç. Eimme). • «Meselâ kendi mahalle imamı iken oğlu tabip olmak isterse. — Kemal».

imame, *A. i.* Tesbih, çubuk başlarına takılan çoğu kehribardan olan başlık. • «Hatem ve küpe ve tesbih ve imame ve bu makule müferrak kıtalardan. — Naima».

imame, amame, *A. i. (Ayın* ile) Sarık.

imamet, *A. i.* 1. İmamlık. 2. Mezhep ve bilgi işlerinde imam unvanı. 3. Halifelik. • «Sarhoş bir fahişe-i rüzgâra imamet ettirdi. — Veysi».

iman, *A. i.* [Emn'den] 1. İnanma, inanç. 2. İslâmlığı kabul etme. • «Kansı büttür bilmezem imanımı garet kılan — Bende iman yok ki sen aldın diyen imanımı. — Fuzulî». • «İman ile din akçedir erbab-i gınada. — Ziya Pş.».

im'an, *A. i.* [Maan'dan] 1. Bir şeyde pek ileri varma. 2. İnceden inceye bakma, inceleme. • «Oku üslûb-i hakîm üzre hemen — Fenn-i teşriha da eyle im'an. — Sümbülzade».

imaniyye, *A. i.* Fransızcadan *fidéisme* felsefe terimine karşılık olarak yapılmıştır, imancılık fideizm (XX. yy.).

i'mar, *A. i. (Elif* ve *ayın* ile) [Umran'dan] Şenlendirme. Bayındırma. (ç. İ'marât). • «Demiryollarla i'mar eyledi emsar ü büldanı. — Ziya Pş.».

imarât, *A. i. (Ayın* ile) [İmaret ç.] İmaretler, genel aşevleri.

imare, *A. i. (Elif* ile) 1. Âmirlik. 2. Emirlik.

imaret, *A. i. (Ayın* ile) Bayındırlık. 2. Fakirlere, medrese öğrencilerine ekmek, yemek dağıtılan yer. ç. Amayir, imarat). • «Ve bustan-i deyre nigeran ve imarat ve nefasetini müşahede edip. —

Silvan». • «Ve memuriyetler kâr-naşi-
nasana münhasır imaret imiş. — Ke-
mal».

imata, *A. i.* Uzaklaştırma. Uzaklaştırılma.
• «Rah-i dinden izasını imata edip. —
Sadettin».

imate, *A. i.* (*Te* ile) [Mevt'ten] 1. Ölüm
haline koma. 2. Öldürme, öldürülme. •
«Böyle şeyler tahririyle imate-i zama-
na mecbur oluyorum. — Recaizade».

imdad, *A. i.* [Meded'den] 1. Yardım. 2.
Yardıma gönderilen kuvvet. • «Vera-
dan gelip çatt iimdad-i bâd — Deniz
cuşa geldi olup kalbi şad. — İzzet Mol-
la».

imha, *A. i.* (*Ha* ile) [Mahv'den] Yok et-
me. • «Şimdi iska ve ihya ettikleri bi-
lâdı biraz sonra tahrip ve imha eder-
ler. — Cenap».

imhal, *A. i.* (*He* ile) [Mehl'den] Mühlet
verme. Bir müddet daha sonraya bı-
rakma. • *Bilâ mihal,* hiç vakit geçir-
meden. • «Vusul buldukta kenduyu bi-
lâ-imhal katl edersin deyu. — Naima».

imkân, *A. i.* [Mekânet'ten] Olabilecek du-
rumda bulunma. Olabilirlik. • *Adem-i
imkân,* olamazlık; • *adîm-ül-imkân,*
olamaz. • «Ah olaydı yaşatmak imkâ-
nı — Geçen ikbal-i ömrün. — Fikret».

imlâ, *A. i.* [Melâ'dan] Doldurma. «Ve o-
nun yerine artık gayr-i kaabil-i imlâ
bir uçurumun boşlukları açılacak. —
Uşaklıgil».

imlâ, *A. i.* [İmlâl'den] 1. Başkasına söyle-
yip yazdırma. 2. Bir dilin kelimelerini,
ibaresini doğru yazmak bilgisi. Yazım.
• «Söz yok ol gonce-dehen vasfına im-
lâ sığmaz — Teng olur cay-i suhan lâf-
zına mâna sığmaz. — Nailî». • «Çekip
müsvedde-i gaybı beyaza eylemiş im-
lâ. — Nabi». • «Eski bir cerideden im-
lâ yazdırılacak. — Uşaklıgil».

imlak, *A. i.* Çok fakir düşme. • «Calib-i
erzak ve salib-i haşyet-i imlak adde-
derek. — Sümbülzade».

imlâk, *A. i.* (*Kef* ile) Mülk sahibi olma.

imlâl, *A. i.* [Melâl'den] Usandırma, Usan-
dırılma.

imrar, *A. i.* [Mürur'dan] Geçirme.

imree, *A. i.* Kadın. (ç. Nisa, nisvan) •
«Her ferd-i recül hattâ füssak-i her
imreeden. — Taş.».

imruz, *F. s.* Bugün. • «Olaydı atıfeti şerh-
saz-i nüsha-i cûd — Verirdi vade-i im-
ruz lâfz-i ferdaya. — Fehim».

imsa', *A. i.* (*Sin* ile) Akşam vakti, ak-
şamlık.

imsak, *A. i.* [Misk'ten] 1. Bir şeyden el
çekme, perhiz. 2. Belirli vaktinde oru-
ca başlama. Oruç başlama zamanı. 3.
Yemez içmez adamın hali, cimrilik. •
«İmsak-i dehr kıldı tehi ceyb-i him-
meti — Ruy-i meta-i kişver-i daniş
görülmedi. — Nailî». • «Bu eseri tü-
raşideyi darlaştıran imsak-i tuhutu af-
fettirecek. — Uşaklıgil».

imsakiye, *A. i.* Oruç açmak saatlarini gös-
teren liste. • «Birçok arsızlar ellerine
ya bir imsakiye, ya bir «Makamın
cennet ola» kâğıdı alıp. — Kemal».

imsas, *A. i.* [Mass'tan] Emdirme. Emdi-
rilme.

imsas, *A. i.* (*Sin* ile) Değdirme, dokundur-
ma.

imşeb, *F. s.* Bu gece.

imtidat, *A. i.* [Medd'den] 1. Uzama. 2. U-
zun sürme. 3. Uzayıp gitme. 4. (Geo.)
Uzam. • «Bu imtidad-i cevre bahtın
şitabı var — Mihnet medar olan fele-
ğe intisabı var. — Nedim». • «Bakar-
sın müşteki ani- visalin imtidadından.
— Fikret».

imtidah, *A. i.* (*Ha* ile) [Medh'ten] Övmek.

imtidah, *A. i.* (*Hı* ile) Taşma, aşma.

imtiha', *A. i.* [Mahv'den] Mahv olma, yok
olma, kaybolma.

imtihak, *A. i.* (*Ha* ile) Bozulma.

imtihan, *A. i.* [Mihan'dan] 1. Deneme, Sı-
nama. 2. Okullarda öğrencilere sınıf
geçme için sorulan sualler. (ç. İmti-
hanat). • «Hem rütbelerince âcizane
— Çektim şuarayı imtihana. — Ziya
Pş.». • «Kapıcıbaşı ahcale vâkıf ol-
makla imtihanata vaz eyledi. — Nai-
ma».

imtihaz, *A. i.* (*Ha* ve *dad* ile) Arılanma,
durulanma.

imtikâr, *A. i.* [Mekr'den] Aldanma. Oyu-
na kanma.

imtilâ, *A. i.* [Melâ'dan] 1. Dolma. 2. Dol-
gunluk. 3. Kan toplama, kan durma.
• «Ehl-i şikem telâşhari-i vak-i hân
iken — Tedbir-i def-i gaile-i imtilâ ga-
lat. — Nabi».

imtilâl, *A. i.* Bir millete karışma, millet-
lenme.

imtina', *A. i.* [Men'den] 1. Çekinme, yap-
mama. 2. Olmayış. İmkânsızlık. • «Ni-
hal artık daha ziyade gitmekten imti-
na ediyordu. — Uşaklıgil».

imtinan, *A. i.* [Minn'den] Başa kakma,
minnet. • «Ahenden olsa da feleğin
çek kemanını — Çekme siflelerin im-
tinanı. —Ragıp Pş.».

imtira', *A. i.* (*Te* ile) 1. Çıkarma, dışarı etme. 2. Kuşkulanma.

imtisal, *A. i.* [Misl'den] 1. Bir örneğe göre davranma. 2. Alınan emre tam uyarak davranma. ● «Tefviz edip umurunu âkıl meşiyyete — Ferman-i Halik-ül beşere imtisal eder. — Nailî». ● «Sen içinde muktezayi asra eyle imtisal. — Ziya Pş.».

imtisalen, *A. zf.* Uyarak, bağlı olarak.

imtisas, *A. i.* [Mass'tan] 1. Emme, emerek çekme. 2. (Bio.) Soğurma, emilme. (ç. İmtisasat). ● «Gözleri gülüyor gibi gördüğü bu yazılara imtisas ederek. — Uşaklıgil».

imtiyaz, *A. i.* 1. Başkalarından ayrılma. Farklı olma. 2. Ayrıcalık. 3. Bir işi başkaları yapmamak üzere bir kimse veya kurula verme. 4. Resmî izin, özel izin. ● «Aldıkları beğendikleri şevlere bir imtiyaz-i mahsus verilirdi. — Uşaklıgil».

imtiyazat, *A. i.* [İmtiyaz ç.] İmtiyazlar. İzinler. ● *İmtiyazat-i ecnebiye,* kapitülasyonlar.

imtizac, *A. i.* [Mezc'den] 1. Karışabilme. 2. Birbirini tutma, uygunluk. 3. İyi geçinme. Uyuşma. 4. (Kim.) Kaynaşma. ● «Hünerdir imtizac-i ehl-i irfana sebep zira — Dü mevzun mısraa ülfet veren her yerde mazmundur. — Beliğ». ● «Bu incelikler renklerin mübhemiyetiyle imtizac ederek. — Uşaklıgil».

imza, *A. i.* Bir şeyin altına ismini yazma. ● «Bir ittifaknamenin imzası teati edilmiş oldu. — Uşaklıgil».

in, *F. s.* Bu. ● *İn ü ân,* şu bu. ● «Fârig-i in ü an ü bud-nebud. — Recaizade».

ina', *A. i.* Kap. Sahan, tencere gibi şey. (ç. Evani). ● «Cür'a-i feyz döke arza ina-i hurşid. — Hayalî».

ina' *A. i.* Uzaklaştırma.

i'na, *A. i.* Zahmete uğrama.

ina', *A. i.* 1. Geciktirme. 2. Zayıf düşürme.

ina', *A. i.* 1. Yemiş devşirme vakti gelme.

inabe, inabet, *A. i.* 1. Günahlardan tövbe edip Hakka dönme. 2. Bir mürşide baş vurup tarikate girme. 3. Bir kimseyi başka birinin yerine geçirme. ● «Süphanallah ol kadar inabet ve perhiz edip daima istiazeye meşgul idik. — Naima».

i'nac, *A. i.* 1. Hayvanı kıç ayağına çökertmek. 2. Omurga kemiği ağrıma.

inac, *A. i.* 1. Sonraya bırakma. 2. Üşenme.

inad, *A. i.* (*Ayın* ile) Ayak direme. Sözünden vaz geçme. ● «Etmez suhande kadrimi müddei ikrar — Akl-i selimi yok değil amma inadı var. — S. Vehbi». ● «Bütün ısrarlar onun inadına karşı bitesir kalıyordu. — Uşaklıgil».

i'nad, *A. i.* (*Ayın* ile) 1. Dinmeden akma. 2. Çekişme.

inaden, *A. zf.* İnat olsun diye. ● «Kuvve-i maliye sahibi vücuh-i âyandan olmakla inaden kazasker efendiye bin altın gönderip. — Naima».

inadiyye, *A. i.* *Ayın* ile) (Fel.) Hakayık-i eşyayı inkâr edenler.

i'naf, *A. i.* Sertlik etme.

inaha, *A. i.* Deve çökertmek. ● «Naka-i kusva bilâ inaha vü işare kürsi-i çârpâyi vücudun —. Naima».

inak, *A. i.* (*Ayın* ile) Birbirinin boynuna sarılma. ● «Gencine-i merdüm firib-i inakından kufl-i muhalefeti berdaşte etmekle. — Nergisi».

inale, *A. i.* 1. İhsanda bulunma. 2. Yemin.

in'am, *A. i.* (*Elif* ve *ayın* ile) [Nimet'ten] Nimet verme. İyilik etme. (ç. İn'amât). ● «Şaha dost olanlar filân mahalle gelip in'am aldılar. — Naima» ● «Ve askere in'amât ve terakkiler ile riayet olundu. — Naima».

iname, *A. i.* 1. Uyutma. 2. Kıtlık.

in'amperveri, *F. i.* Nimet vericilik. ● «Bu gebe kedi tesadüfün lûtf-i in'amperverisine havale edilmiş idi. — Uşaklıgil».

i'nan, *A. i.* (*Elif* ve *ayın* ile) Büyü ile bağlanma.

inan, *A. i.* (*Ayın* ile) 1. Dizgin. İdare, yürütme; *Atf-i inan,* bir tarafa yönelme; ● *hem inan, inan ber inan,* at başı beraber. (ç. Ainne). ● «Çek inan-i rahş-i kilki geçmesin i'cazı da — Arsa-i mânada Neylî hem-inan lâzım sana. — Neylî». ● «İlyas Paşa Niğde yolundan inan çevirip. — Naima».

inangerdan, *F. s.* [İnan-gerdan] Dizgin çevirme. Geri dönme. ● «Çarhacılar hücum edip Katırcıoğlu inangerdan oldukta. — Naima».

inangir, *F. s.* [İnan-gir] Dizgin tutma. Dizgin yakalama. ● «Vezir divana giderken yolunu alıp dâd ü bîdad ve feryat ile inangir oldular. —Naima».

inankeş, *F. s.* [İnan-keş] Dizgin çeken. Hesaplı giden.

inanriz, *F. s.* [İnan-riz] Dizgin bırakmış koşturucu.

inantab, *F. s.* [İnan-tab] Dizgin çevirip dönen. • «Ama Celâlî çok olmağın Tekeli Paşa rufekasiyle inantab Ankara'ya girip. — Naima».

inare, *A. i.* [Nur'dan] Nurlandırma. Aydınlatma. • «Cafer kethüdayı bir mikdar sekban ile inare-i fitne için göndermiş idi. — Naima».

inas, *A. i.* [Ünsa ç.] Kadınlar, kızlar.

inas, *A. i.* [Üns'ten] Alıştırma. 2. Görme, bilme.

i'nat, *A. i.* *(Ayın ve te ile)* 1. Zahmete uğratma, uğratılma. 2. Mukayyet kafiye ve mukayyet seci sanatı.

inayât, *A. i.* *(Ayın ve te ile)* [İnayet ç.] İnayetler, iyilikler.

inayet, *A. i.* 1. Dikkat, gayret. 2. Lütuf, iyilik. • *İnayet-i rabbaniyye,* Fransızcadan *providentilisme* mesleğinin karşılığı olarak, kayracılık (XX. yy.). • «Hakkın âsar-i inayetleridir ey derviş — Fayz kim zahir olur Edhem ü Bektaşından. — Hayalî». • «Hal müşkül olurdu, ama inayet-i Hakla mündefi olup. — Naima».

inayetkâr, *F. s.* [İnayet-kâr] Yardım ve iyilik eden.

inba, *A. i.* Haber verme. • «Nisbet ve mukayese olunmayacak bir surette olmak üzere kayd ü inba ediyorlar. — H. Vehbi».

inbac, *A. i.* Münasebetsiz konuşma, halt etme.

inbah, *A. i.* *(He ile)* 1. Uyandırma, uyarma. 2. Kımıldatma, harekete getirme.

inbat, *A. i.* [Nebat'tan] (Bitki) Biriktirme, bitmesini sağlama.

inbat, *A. i.* *(Tı ile)* Su arama. «İlm-i inbat-i miyâh bir ilimdir ki anınla hâk içinde kemîn olan âbı. — Taş.»

inbias, *A. i.* *(Be, ayın ve se ile)* [Bis'et'ten] 1. Gönderme. 2. İleri gelme, meydana çıkma. • Bu baptaki sözleri evham-i tarihiyeye tebaiyetten inbias etmiş şeylerdir. — H. Vehbi».

inbiga, *A. i.* Liyakat, beğenilme.

inbik, *A. i.* İmbik. • «İstibka-yi nev-i insan için mecra-yi inbik-i sulb-i pederden rizan olan. — Veysi». • «Terayişi arak-i verd-i afitab ile çarh — Misal-i şişe-i inbik-i pürgülâp olmuş. — Nailî».

inbikâ, *A. i.* [Büka'dan] Ağlama.

inbisat, *A. i.* [Bast'tan] 1. Yayılma, açılma. 2. İç açılma, ferahlama. 3. (Fiz.) Genleme. • «Eyyami inbisat iledir lezzet-i hayat — Tufan-i gamda âdeme lâzım mı ömr-i Nuh. — Esat».

inbiya', *A. i.* *(Ayın ile)* [Bey'den] Sürämü olup satılma.

inca', *A. i.* *(Hemze ile)* [Neci'den] Kurtarma, kurtarılma.

incah, *A. i.* *(Ha ile)* İşi tamamlama. İsteğe erme. • «Anı dahi incahi meram ile mesrur-ül-bâl eyledi. — Nergisi».

incal, *A. i.* Davarı yeşilliğe salma.

incam, *A. i.* 1. Meydana çıkarma. 2. Yağmur, soğuk dinme.

incas, *A. i.* *(Sin ile)* [Necs'ten] Pisleme.

incaz, *A. i.* *(Ze ile)* Yerine getirme. • *İncaz-i vaad,* sözünü yerine getirme. • «Vâd-i lûtf eyler isen az eyle — Lîk mev'udunu incaz eyle. — Sümbülzade».

İncil, *A. i.* İsa Peygamberin kutsal kitabı. (ç .Enacil). • «Yok bana ol sanemin rahmi bihakk-i İncil. — Şinasi».

incilâ, *A. i.* [Cilâ'dan] 1. Parlama, cilâlanma. 2. Görünme, belli olma. • «Gâh alsa da incilâ kamerden. — Fikret».

incilâ', *A. i.* *(Ayın ile)* Açılma.

incilâb, *A. i.* [Celb'den] 1. Sürülüp götürülme. 2. Çağrılma üzerine gönderilme.

incimad, *A. i.* Donma. • «Şu incimad-i ateşîn ki yaktı ruh-i gülşeni. — Fikret».

incir, encir, *F. i.* İncir. «Dikildi bağ-i cihanda ocağıma incir. — Şinasi».

incirad, *A. i.* Soyunma.

incirar, *A. i.* Çekilme. Çekilip bir sona erme. • *İncirar-i kelâm,* söz gelişi. • «Bazı menâkıb-i cemileleri incirar-i kelâmla zikr olunup. —Sadettin».

inciza, *A. i.* *(Ze ve ayın ile)* 1. İp kopma. 2. Değnek kırılma.

incizab, *A. i.* [Cezb'den] 1. Çekme, çekilme. 2. Gök cisimlerinin birbirini çekmeleri. • «Bir incizab-i ruh ile pür şevk ü ihtiram. — Fikret».

incizam, *A. i.* *(Zel ile)* Kesilme.

ind, *A. i.* *(Ayın ile)* 1. Yan taraf. 2. Yön. 3. Kat.

ind, *A. zm.* 1. Yanında, göre, fikrince. 2. Olunca, olduğu halde. • *İnd-allah,* Tanrı yanında; • *ind-el ba'z* bazılarınca; • *indel-hace,* ihtiyaç olunca, gerekince; • *ind-et-tahkik,* sonunda... Yeri malûm olduğundan indeliktıza kendini buldurmak. — Recaizade» «Her geçen erkek indelhace beni müdafaa edecek bir kahramandır. — Cenap».

inda', *A. i.* *(Dal ve hamze ile)* Cömertlik etme.

indab, A. i. [Nedbe'den] Yara iyileşip kabuk bağlama.

indi, indiye, A. s. (Ayın ile) Bir kimsenin kendi kurduğu, kendi yargısı.

indifa, A. i. [Def'den] 1. Ortadan kalkma. 2. Yer yer baş gösterme. 3. (Jeo.) Püskürtme. (ç. İndifaat). • Ortalığa müstevli olan karışıklık izale ve indifaiyle asayişin zuhuruna intizar. — H. Vehbi».

indifaî, A. i. Püskürtme ile ilgili.

indifak, A. i. (Su) birdenbire dökülme.

indihaş, A. i. Çok korkma. • «Pâ-yi sebatlarıma indihaş ve dest-i cesaretlerine irtiaş hâsıl olup. — Naima».

indimac, A. i. Birbirine geçme. Kilitlenme.

indimal, A. i. Yara iyi olma, kapanma.

indira', A. i. (Hemze ile) (Su) dağılıp yayılma.

indira', A. i. (Ayın ile) 1. Öne geçme. 2. Bir işe girişme. 3. Buluttan kurtulma.

indirac, A. i. [Derc'den] İçine koyma arasına sıkıştırma. • «Amma anlar ki iştikakın ilmi- sarfta indiracını tevehhüm eylemişlerdir. — Taş.».

indiras, A. i. Kökten yıkılma. Adı, izi silinme. • «Timurlenk'in seyl-ül-arem-i mühacematiyle rehîni indiras olan. — H. Vehbi».

indisas, A. i. (Sin ve sin ile) Toprak altına gömme.

indiyal, A. i. İçin ziyade sürmesi. Çok ishal olma.

indiyyat, A. i. (Ayın ile) Birinin kendince uydurduğu şeyler. Kuruntular.

ineb, A. i. (Ayın ile) Üzüm. • İneb-i kelb, (Bot.) Köpeküzümü. • «Kevser ü hura muradı zahidin — Fikr-i âşık şahid ü âbi ineb. — Kanunî».

inebe, A. i. Üzüm tanesi.

inebî, A. s. Üzüm biçiminde.

infak, A. i. [Nafaka'dan] Nafaka verip geçindirme. Besleme. • İnfak-i muhtacîn, muhtaçları, yoksulları besleme. • Çünkü etmektesin infak benass-i Kur'an. — Şinasi». • «İnfak, malını harc ve sarf etmektir. — Mec. 1052».

infal, A. i. Ganimetten pay verme.

infar, A. i. Ürkütme. Ürkütülme.

infaz, A. i. (Zel ile) [Nüfuz'dan] (Emri) yerine getirme.

infaz, A. i. (Ze ile) Birini öldürüverme.

infial, A. i. [Fiil'den] 1. Gücenme, darılma. 2. Ruhun kabul ettiği her türlü değişiklikler ve etkilenmeler. (Fransızcadan passion karşılığı kullanılmıştı, edil-

gi). • «Suretnüma-yi devlet ü ikhal olursa çarh — Bir yüzden anı da sebebi-i infial eder. — Nailî». — «Beyaz alında daimî bir çîn-i infial ile. — Fikret».

infialât, A. i. [İnfial ç.] İnfialler. • «Etrafında daima bir halka-i infaalât tekevvününe sebep olurlar. — Cenap».

infican, A. i. Çok olma.

inficar, A. i. [Fecr'den] 1. Tan atma. 2. (Bio., Bot.) Çatlama. • «Buse-i zerendud-i şemsin temas-i sevdasından inficar etmiş bir sabah-i bahar. — Uşaklıgil».

infiham, A. i. [Fehm'den] Anlaşma.

infikâk, A. i. (Kef ile) [Fekk'ten] 1. Ayrılma. Ayrı düşme. 2. Yerinden ayrılma. • «Bir zerre harice edemez andan infikâk. — Ziya Pş.».

infilâk, A. i. (Kaf ile) [Felâk'tan] 1. Yarılma. Açılma. 2. (Gra., Kim.) Patlama (ç. İnfilâkat). • «Geldi sabah-i civaniye infilâk. — Ziya Pş.». • «Mukatele-i umumiyenin mcnabii infilâkını arayınız. — Cenap».

infilâl, A. i. 1. Delinme. Delik açma. 2. Keskinliği kaybolma.

infira', A. i. Yarılma.

infirac, A. i. Açılma. Ferahlama. Genişleme. • «Sebeb-i tesakut-i büruc ve mucib-i infirac-i füruc olur idi. — Sadettin».

infirad, A. i. [Ferd'den] Ayrılıp tek kalma. • Alelinfirad, ayrı olarak, tek tek. • Vücudu her birinin başka âlemdir hakikatte — Olur anınçün ehl-i dil cihanda infirad üzre. — Nef'i».

infirak, A. i. (Kaf ile) [Fark'tan] Ayrılma.

infiras, A. i. (Se ile) Gebenin aş yirmemesi.

infisad, A. i. (Sin ile) [Fesad'dan] Bozulma.

infisah, A. i. (Sin ve hı ile) [Fesh'den] Bozulma, hükümsüz kalma.

infisah, A. i. (Sin ve ha ile) [Füshat'ten] Genişleme. Bollanma.

innfisal, A. i. [Fasl'dan] 1. Ayrılma. Yerini bırakıp gitme. 2. Azil olma. Memurluktan çıkarılma. (ç. İnfisalât). • «Neydi cürmün bilmem kâyine-i ümmidimi — Etti bu suretle muğber infisalin sureti. — Nevres».

infisam, A. i. (Sat ile) Kırılma, kesilme. • «Mıkraz-i peyam-i berdevama infisam vermiş iken. — Nergisi».

infisas, A. i. *(Sat* ile) Ayrılma

infitah, A. i. [Feth'ten] 1. Açılma. 2. Boşanma. • ‹Hattâ bazı infitah-i ebvab-i vesvaş ile. — Taş.›.

infitam, A. i. *(Tı* ile) Kesilme. Sütten kesilme.

infitar, A. i. *(Tı* ile) Yarılmak.

infitat, A. i. Paralanma, kırılma.

infizaz, A. i. *(Dat* ile) 1. Kırılma. 2. Mührü bozulma.

ingımam, A. i. Gamlanma. Kaygılanma.

ingımaz, A. i. *(Dat* ile) Göz yumulma. • ‹Ve bizi terbiyeden i'raz ve ricamızdan ingımaz edersiz. — Sadettin›.

ingısas, A. i. Suya batma.

ingıva, A. i. *(Hemze* ile) Yoldan çıkma, sapıtma. Dalalete düşme.

inha, A. i. *(He* ile) [Nehy'den] 1. Yetiştirme, uzlaştırma. 2. Resmî dairede üst makama yazılan yazı. • ‹Bertaraf kılınmasın huzur-i hümayuna arz ü inha eylemek mühimmat-i diniyedendir. — Naima›.

inha', A. i. *(Ha* ile) 1. Yönetme. 2. Vazgeçme.

inhac, A. i. 1. Belli etme. 2. Hayvanı yorarak solutma. 3. Esvabı eskitme. • ‹Bir fırka vererek düşmana karşı memur ve inhac eyledi. — H. Vehbi›.

inhaf, A. i. Zayıflatma, inceltme. • ‹Resaset-i heyet ve inhaf-i kevkebi. — Nergisi›.

inhak, A. i. Çok eziyet etme

inhibâk, A. i. *(He* ile) Batağa batma.

inhibat, A. i. *(He* ile) Yukardan aşağı itme.

inhicaf, A. i. Yalvarıp yakarma.

inhicam, A. i. Bina çöküp yıkılma.

inhida', A. i. *(Hı* ve *ayın* ile) [Hud'a'dan] Aldanma.

inhidab, A. i. *(Ha* ile) [Hadeb'ten] Kanburlaşma.

inhidad, A. i. [Hadde'den] İncelme. keskinleşme.

inhidam, A. i. [Hedm'den] Yıkılma. Viran olma. • *Mail-i inhidam,* yıkılmaya hazır. (ç. İnhidamât). • ‹Ta bula âsar-i gerdun inhidam — Ta ola eş'ar-i mevzun berdevam. — Ziya Pş.›. • ‹İnhidamat-i asabiyeleri nâkabil-i tâmir oluyor. — Cenap›.

inhidar, A. i. *(Hı* ile) Perdeleme.

inhidar, A. i. *(Ha* ile) 1. İnişe inme. 2. (Hek.) Deri vurmakla şişme.

inhidaş A. i. *(Ha* ile) Köpek dalaşması.

inhifa, A. s. *(Hı* ile) Gizlenip saklanma.

inhifaz, A. i. *(Hı* ve *dat* ile) Fransızca *dépression* terimi karşılığı olarak, çökkünlük (XX. yy.).

inhilâ, A. i. *(Hı* ve *ayın* ile) Çıkarılma, defolunma.

inhilâk, A. i. *(He* ve *kef* ile) Kendini tehlikeye atma.

inhilâl, A. i. *(Ha* ile) [Hal'den] 1. Çözülüp açılma. 2. Dağılma. 3. Erime. • ‹Ve mütegallibîn cemiyetlerinin inhilâli. — Naima›.

inhimad, A. i. Ateşi sönmeyip alevi geçme. • ‹Abaza'nın naire-i zuhuru temadi-i evkat ve tezahüm-i zaruret sebebiyle inhimada yüz tutup. — Naima›.

inmihak, A. i. Ziyade düşkünlük. Bir şeye fazla düşme. • ‹Cümlesinde sevk-i cinan — Bir inhimak-i şehadetle anbean meşhud. — Fikret›.

inhimak, A. i. *(Ha* ve *kaf* ile) Ahmak gibi görünme. Çok alçalma. Aşağılaşma.

inhimal, A. i. *(He* ile) 1. Gözyaşı taşıp akma. 2. İhmal etme.

inhimam, A. i. *(He* ile) Yaşlanma, ihtiyarlama.

inhina, A. i. 1. Eğilme, eğrilme. 2. Yay biçimine girme. • ‹İnhina tavk-i esaretten girandır boynuma. — Fikret›.

inhinak, A. i. *(Hı* ve *kaf* ile) [Hunk'tan] Boğulma. Bunalma, nefes tutulma.

inhiraf, A. i. 1. Dönme, sapma. Doğru yoldan çıkma. 2. Değişme, bozulma. 3. Kırıklık. 4. (Ast.) Açılım. 5. (Fiz.) Sapma. • ‹Ve bilkuvve olmuş iken vezirin inhirafına binaen tahallüf edip. — Naima›.

inhirat, A. i. 1. Zarar verme. 2. Bilmediği bir şeye danışmadan girişme. 3. İpliğe boncuk dizmek. 4. Beden çelimsizlenip zayıflama. • ‹İstîda-yi indirac-i meslek-i erbab-i hakayık ve temenna-yi inhirat-i silsile-i ashab-i dekayık edip. — Fuzuli›.

inhisaf, A. i. [Husuf'tan] 1. Tutulma. 2. Söner gibi olma, parlaklığı gitme. • ‹Hep talihin dest-i kitmanında inhisaf ediyordu. — Uşaklıgil›.

inhisam, A. i. *(Ha* ve *sin* ile) [Hasm'dan] Kesip bitirme.

inhisar, A. i. [Hasr'dan] 1. yalnız bir şey veya bir kimseye bırakılma. 2. Bir maddeyi, bir işi başkası yapmamak üzere bir kimseye verme. 3. Tekel. • ‹Bizim memleket esasen diyar-i inhisardır. — Cenap›.

inhitâk, A. i. (He ve te ile) 1. Yırtılma, bozulma. 2. Kızlığı bozulma.

inhitam A, .i .(Ha ve tı ile) Kırılma, ezilme, ufalanma.

inhitat, A. i. 1. Düşme, aşağılanma. 2. Olgunluk çağından sonra yaşlılığa yüz tutma. 3. Kuvvetten düşme. 4. Bir şiş inme. • Hastada o kadar âsar-i inhitat görünmeye başlamış idi ki. — Uşaklıgil›.

inhiva, A. i. (He ile) Yukardan aşağı düşme.

inhizal, A. i. (Hı ve ze ile) 1. Beli kırık gibi ağır yürüme. 2. Soruya karşılık verme.

inhizam, A. i. (He ve ze ile) [Hezimet'ten] 1. Bozulma. 2. Yenilme. • ‹Şeb mahvolur hemişe ki necm-i seher doğar — Encam-i inhizamda mihr-i zafer doğar. — Rahmi›. • ‹Galiba nihizamat-i mükerrere seyyiesi olarak. — Cenap›.

inhizam, A. i. (He ve dad ile) Sindirilme, hazm olunma. • ‹Para binefsihi ne kabil-i inhizamdır, ne de mugaddi. — Cenap›.

in'idal, A. i. (Nun ve ayın ile) [Udul,-dan] Sapma.

in'idam, A. i. [Adem'den] Yok olma.

in'ikad, A. i. [Akd'den] 1. Bağlanma. 2. Kurulma, toplanma. • ‹Tesis-i usul ve nizamat için in'ikad eden meclis-i kebîr-i ıslahatta. — H. Vehbi›.

in'ikâs, A. i. [Aks'ten] (Işık vyea ses) bir yere vurup geri dönme. • ‹Eğer bir şem'a bin ayine tutsan ini'kâs eyler. — Ziya Pş.›.

in'isab, A. i. [Sa'b'dan] Zorlaşma.

in'isan, A. i. Emin ve muhafazalı bulunma.

in'isar, A. i. (Ayın ve sat ile) Ezip sıkma, suyunu çıkarma.

in'itaf, A. i. [Atf'ta] Bir tarafa dönme. • ‹Derin ve muzlim bir nazarı vardı ki Bihter'e in'itaf ettikçe. — Uşaklıgil›.

in'izal, A. i. [Azl'den] Bir tarafa çekilme tek başına kalma.

inka', A. i. (Hemze ile) Suda ıslatma. Temizleme.

inkâh, A. i. (Kef ve ha ile) [Nikâh'tan] Nikâh etme.

inkâr, A. i. Tanınmama. 2. Ne yapıp ettiğini gizleme. 3. Yapmadım deme ve ayak direme. • ‹Padişah Faik'i istin-tak ettikte inkâr edip. — Naima›. • ‹Bir ümit ve imaya mukabil bin yeis ve inkâra tesadüf ederken. — Cenap›.

inkârî, A. s. İnkâr ve tanımama ile ilgili. • İstifham-i inkârî, • ‹Böyle şey olur mu?› diye soru. halinde. ‹Böyle şey olmaz› ı anlatma.

inkas, A. i. (Kaf ve sat ile) [Naks'ten] Eksiltme. Eksilme.

inkaz, A. i. (Zel ile) Kurtarma.

inkaz, A. i. (Dat ile) Tuhaf sesler çıkarma.

inkıbaz, A. i. [Kabz'den] 1. Büzülme, çekilip toplanma. 2. Sıkıntı. 3. Peklik, kabızlık. • ‹Bu yekşenbe günü kemal-i inkıbazından istimal-i şerbet bahanesiyle. — Naima›.

inkıhal, A. i. Büsbütün zayıf ve güçsüz düşme.

inkıham, A. i. (Ha ile) Düşünmeden işe girişme.

inkıla', A. i. [Kal'den] Kökünden koparılma, sökülme.

inkılâb, A. i. [Kalb'den] Değişme, bir halden başka bir hale dönme. (ç. İnkılâbat). • ‹Yoktur revişimde inkılâbım. — Fuzulî›. • ‹Ah! birden şu inkılâb-i nasip — Bana sevdirdi kâinatı birden. — Fikret›.

inkılâbat, A. i. [İnkılâb ç.] Değişmeler. • ‹Âlem-i efkâr ve âsarda inkılâbat-i mühimme. — Cenap›.

inkıraz, A. i. (Dat ile) 1. Tükenme, bitme. 2. Yok olma. • ‹Bütün saadetinin inkıraz-i nagehanisiydi. — Uşaklıgil›.

inkısam, A. i. (Sin ile) [Kısm'dan] Bölünme. Taksim olunma, ayrılma. • ‹Böyle ikiye inkısam etmek mümkün olsaydı. — Uşaklıgil› • ‹Tevessu ve terakki inkısam tariki ile mümkün olacağı melhuzat-i fenniyeden ise de. — Cenap›.

inkısam, A. i. (Sad ile) Kırılıp ayrılma.

inkışar, A. i. Deri veya kabuk soyulma.

inkıta', A. i. [Kat'dan] 1. Kesilme. Arası kesilme. 2. Kesilme. Tükenme. 3. Herkesten vazgeçip bir kimseye bağlanma. (ç. İnkıtaat). • ‹Hazinenin kılleti ve zahirenin inkıtaı sebebinden. — Naima›.

inkıyad, A. i. Boyun eğme. Kendini teslim etme. • ‹Ve name yazıp tâzim ile inkıyad suretin gösterdi amma. — Naima›.

inkıza, A. i. (Dat iel) [Kaza'dan] Bitme, tükenme. Belirtilen zaman gelme.

inkızaz, A. i. (Dat ve dat ile) Çatlama, kağşama.

inkisaf, A. i. [Küsuf'tan] 1. Güneşin tutulması. 2. Parlaklığı sönme. • «Nümayan idi inkisaf-i tamam. — İzzet Molla».

inkisar, A. i. [Kesr'den] 1. Kırılma. 2. Gücenme. Hatır kalma. 3. İlenç. 4. (Fiz.) Kırılım. • «Vaka-i şenia zuhur ettikte bu inkisarın töhmeti Canbey Giray hana müterettip olup. — Naima».

inkişaf, A. i. [Keşf'ten] 1. Açılma. Meydana çıkma. 2. (Tas.) Mânevi bir sırrın veya halin görünmesi. (ç. İnkişafat). • «Hararet arayan bir gonce inkişafıyle açılıveriyordu. — Uşaklıgil».

inma', A. i. (Hemze ile) [Nema'dan] Artırma.

inni, A. s. (Fel.) 1. Denme ile edinilen olaylardan çıkarılan. 2. Fransızca aposteriori (sonral karşılık olarak. XX. yy.).

innin, A. i. (Ayın ile) Kısırlık.

inniyet, A. i. 1. Deneme ile olaylardan çıkarılmış sonuç. 2. Deneme ile sonuç elde etme. • «Nitekim ilm-i kıraat inniyyetten bâhistir. — Taş.».

ins, A. i. İnsan. İns ü cin, ins ü melek. • «Hâk pâk-i astanı busecâ-yi ins ü cann. — Nef'i».

insa, A. i. [Nesy'den] 1. Unutturma. 2. Veresiye verme.

insaf, A. i. Adalet ve hak düşünerek davranma. Ortalama davranış. • «Mugayir tevcihattan ve insaftan hariç şey alıp na-müstahakları takdim misillû tebdilâttan. — Naima».

insafkâr, F. s. [İnsaf-kâr] İnsaflı. İnsaflı olan.

insak, A. i. (Sin ve kaf ile) [Nesak'tan] Düzgün, düzenli yazma.

insal, A. i. [Nesil'den] Döl peydah etme. Döllenme.

insan, A. i. 1. İnsan. 2. Olgun adam. İnsan-ül-ayn, gözbebeği. • «O kadar kahr olur mu hiç insan. — Fikret».

insanî, insaniyye, A. s. İnsan, kişi halleri, ve onlarla ilgili. • «Misal-i sihr ü efsun kalb-i meyyal-i insaniyi elbette menftun eder. — Naima».

insaniyye, A. i. (Zoo.) İnsanlar.

insaniyyet, A. i. 1. Bütün insanlar. 2. İnsana yakışır davranış ve durum. • «Eyleme namus ü insaniyyeti asla hayal. — Ziya Pş.». • «Tufan-i marifet dembedem huruş ve feyezanını tezyit ederek âlem-i insaniyeti (...) bir evc-i

alâ-yi terakkiye is'at etmeye başladı. — Kemal». • «İnsaniyet için bir devr-i asayiş ve saadet açmalarını. — Cenap».

insat, A. i. (Sad ile) Susmak, susup dinlenme. • «Fehevasınca sükût ve insat vacibtir. — Kâtip Çelebi». • «Kur'an okunurken eyle insat. — Naci».

insıbab, A. i. (Sat ile) 1. Dökülme, başka suya karışma. 2. Vücutta ahlatın bir yerde toplanması.

insıbag, A. i. (Sat ile) [Sıbg'den] Boyanma. Boya tutma.

insıdam, A. i. (Sat ile) [Sadme'den] Patlama. Çatma.

insıraf, A. i. 1. Çekilme, çekilip gitme. 2. (Arap. Gra.) İsimlerin kurala göre çekilebilmesi. • «Ol muahede edenlerden maadası etek öpüp insırafa izin aldılar. — Naima».

insıram, A. i. Kesilme. Kesilip ayrılma. • «Alelgafle üzerlerine hücum ve ıktıham-i nazire-i nerd-sûzi cenk ü peykârı zat-i insıram etmeleriyle. — Ragıp Pş.».

insical, A. i. Sıyırıp soyma.

insicam, A. i. 1. Yağmur bidüziye yağma. 2. Düzgün. Düzgün söz. (ç. İnsicamat). • «Mânası latif lafzı bîgış — Mazmun-i nev insicamı dilkeş. — Ziya Pş.».

insidad, A. i. [Sedd'den] Tıkanma. kapanma. • «Reh-i mecra-yi feyz olmuştu gayet insidad üzre. — Nef'i» • Kalemin der-i âzamından kilid-i insidadı berdaste kılıp. — Nergisi».

insidal, A. i. (Sin ile) Düşük olma, sarkma, pörsüme.

insifar, A. i. (Sin ile) 1. Bir şeyin yüzü açılma. 2. Bir tarafa sefer etme.

insihak, A. i. (Ha ve kaf ile) Ezilip yumuşama. Döğülüp ezilme.

insihal, A. i. (Sin ve ha ile) 1. Kabuk soyulma. 2. Düzgün söz söyleme.

insilâb, A. i. [Selb'den] Selb olunma. Kalkma. Giderilmiş olma. Kalmama. • «Eder irade-i cüz'iyyem insilâb — Neden. — Recaizade».

insilâh, A. i. [Selh'ten] 1. Kesilen hayvanın derisi yüzülme. 2. Soyulma. Sıyrılıp çıkma. • «Hayat-i Hızırdan murat eğer beşeriyetten insilâh ve ruhaniyata iltihak ise. — Kâtip Çelebi».

insilâk, A. i. [Silk'ten] Yola girme. Yol tutma. • «Şahrah-i şeriata insilâk medar-i necattır. — Naci».

insilâl, A. t. 1. Gizlice savuşup gitme. Sıvışma. 2. (Kınından) sıyrılıp çıkma. • «Seyf-i İslâmiyet gaza ve cihad meydanlarında dahi insilâle başlamış. — H. Vehbi».

insiyab, A. i. Süzülüp akma. Çabuk akıp gitme.

insiyak, A. i. 1. Bir kuvvetin etkisiyle çekilip gitme. 2. (XX. yy. da) Fransızcadan *instinct* (içgüdü) karşılığı olarak kullanılmaya başlanmıştır. Bu Fransızca söz için bir ara • *sev-i tabiî*, bir ara da *garize* karşılıkları kullanılmıştır.

inşa', A. i. 1. Yapma. 2. Kaleme alma. 3. (Gra.) Dilek kipleri. 4. Nesir yazı. Düzyazı. 5. Mektup yazma. (ç. İnşaat). • «Hüsn-i tab' ve cevdet-i kariha ile şiir ve inşaya kadir hazır-cevap idi. — Naima».

inşaallah, A. cüm. • «Tanrı isterse, Tanrı nasip ettiyse» anlamında dua sözü. • «Zahireye müzayakanızı i'lâm etmişsiz inşaallahüteâlâ öte yakadan birkaç gemi zahire koymak muradımdır. — Naima».

inşaat, A. i. [İnşa ç.] Yapı yapmalar. • «Limanın inşaatıyle uğraşan mühendislerin. — Kemal».

inşab, A. i. Tırnak bastırma, iliştirme. • «Habl-i mahalibini matalibi damanına inşab edip. — Sadettin».

inşad, A. i. Manzume okuma. • «Leyli'yi seversen eyle inşad — Bir şi'r ile geçen zamanın yâd. — Fuzulî».

inşai, inşaiye, A. s. 1. İnşaya, yapıya ait, onunla ilgili. 2. (Gra.) Dilek kipine ait. Dilek kipiyle yapılan cümle. • «Suret-i emriy ile suret-i inşaiyye arasına. — Uşaklıgil».

inşaiyye, A. i. Yapma işiyle uğraşanlar.

inşak, A. i. 1. Koklatma. 2. Tuzağa ve ağa iliştirme.

inşaz, inşaz, A. i. Ölüyü diriltme.

inşat, A. i. (Tı ile) [Neşat'tan] Neşelendirme.

inşia, A. i. (Ayın ile) (Fiz.) Isınım.

inşiab, A. i. [Şube'den] Şubelere ayrılma. Dal budak peydahlama. • «Bir kelimeden inşi'ab ettirilerek uzun uzun devam eden bir muhavere açıp. — Uşaklıgil».

inşial, A. i. (Şın ve ayın ile) Alevlenme, şulelenme.

inşikak, A. i. [Şak'tan] Yarılma. Çatlama. İkiye ayrılma. • «Önünde birden ufuk sanki inşikak etti. — Fikret».

inşilâl, A. i. Şiddetle atılarak akma.

inşirah, A. i. [Şerh'ten] Açıklık, ferahlık. • «Derin bir nefes-i inşirah ile tekrar etti: gelmeyecek. — Uşaklıgil».

inşirak, A. i. (Kaf ile) Çatlayıp yarılma. Yarık olma.

inşiram, A. i. Yarık yarık olma.

inşiran, A. i. Soğuktan el çatlama.

inşita', A. i. Çatallaşma.

inşitat, A. i. Dağılma.

inta', A. i. 1. Ziyade terleme. 2. Kusma.

intac, A. i. (Te ile) Netice verme. Sonuçlanma. Doğurma. • «İlk sademede mağlubiyetini intac ettiği için. — H. Vehbi».

intaf, A. i. (Tı ile) Kabahat yükleme.

intak, A. i. [Nutktan] Söyletme, dile getirme. • «Kelimesi zebanlarından çâri olup intak-i Hak zuhur etmiş idi. — Naima».

intan, A. i. (Te ile) Fena kakma.

intanî, A. s. Mikroplu, mikroptan olan.

intiba, A. i. [Tab'dan] İz bırakma. İzlenim. (ç. İntıbaat). • «Kendinin ne kadar hevesatı varise çocuklarının fikir ve vicdanına intiba ettirmeye çalışıyor. — Kemal».

intibah, A. i. (Tı ve hı ile) 1. Pişme. 2. Pisirilme.

intibak, A. i. [Tıbk'tan] Uyma. Uygun gelme.

intifa, A. i. Sönme. • «Bu kadarcık bir ihtiyat-i lisana tamamen intifası kabil olmayan bir vekar-i validiyetle lüzum gördü. — Uşaklıgil».

intilak, A. i. 1. Koyverip gitme. 2. Sevinme.

intirak, A. i. Gürleme. Patlama. • «Başının üstünde parçalanmış bir dünyanın velvele-i intirakına benzer bir gürültüyle. — Uşaklıgil».

intivaa', A. i. (Tı ve hemze ile) Sarılıp devşirme.

intiva', A. i. İtaat etme.

intiaş, A. i. 1. Hastalıktan kurtulup kalkma. 2. Yıkılan adam doğrulup kalkma. 3. Geçinme. • «Dâr-i maaşları tenk ve medar-i intiaşları tar olmak mukarrer idigü. — Sadettin».

intiaz, A. i. (Te ve zı ile) Kuvvetlenme. Kıyama gelme. Kalkma.

intibah, A. i. 1. Uyanma, uyanıklık. 2. Gözaçıklığı. 3. Sinir ve duyularda uyanma, harekete gelme. • «Geride teyakkuz ve intibah üzere olup sabır eyledi. — Naima».

intibâk, A. i. 1. Yükselme. 2. Ün alma.

intibar, A. i. Kabarma, şişme.

inticam, A. i. Tamam olma. Sona erme.

inticas, A. i. Bulaşma, murdar olma.

intifa', A. i. [Nefi'den] Faydalanma. (ç. İntifaât). • «Nicelerin dirliklerin alıp bizim ve gayrı için bir cihet-i intifa' komadı. — Naima» • «Fikr-i istifadeye o kadar yabancı kalır ki ruhu kıssa-i intifadan muarradır. — Cenap».

intifa, A. i. (Tı ve hemze ile) Bir şey ortadan yok olma.

intifah, A. i. (Te ve hı ile) [Nefh'ten] Şişme. Kabarma.

intifta', A. i. (Te ve ayın ile) Çıkarı olma. • «Seninle ülfet eylesin ki onunla istimta' ve intifta' edesin. — Silvan».

intiha', A. i. (Ha ile) Eğilme, dayanma.

intiha', A. i. (Hı ile) Böbürlenme, ululanma.

intiha, A. i. (Ha ile) [Nihayet'ten] 1. Sona erme. 2. Tükenme, bitme. 3. Son. Nihayet. • Biintiha, sonsuz. • «Açıp karşımda bir ağuş-i mükrim — Okur bi-intiha eş'ar-i dâvet. — Fikret».

intihab, A. i. (Hı ile) [Nuhb'dan] 1. Seçme. 2. Seçilme. 3. En güzel. • Beyt-i intihab, kıta veya kasidenin en güzel beyti. (ç. İntihabat). • «Yalnız bulundukları bir dakikayı intihab ederek. — Uşaklıgil».

intihab, A. i. (He ile) [Nehb'den] Yağma ile mal alma. Kapışma. • «Sermaye-i sabr ü âramları arza-i intihab olup. — Sadettin».

intihabî, A. s. İntihapla ilgili, seçme işlerine ait.

intihac, A. i. (Te ve he ile) Yol bulma, varma, ulaşma. • «İtaat ve inkıyad mesleğine intihac edegör. — Sadettin».

intihaî, intihaiyye, A. s. Sona ait, bitme ile ilgili.

intihâk, A. i. 1. Zayıflatma, gücünü yok etme. 2. İşe yaramaz hale koyma. • «Şehri dahi yağma edip intihâk-i meharim-i müslimîne levendat-i müfsidi. — Naima».

intihal, A. i. (Te ve ha ile) Başka birinin şiirini veya yazısını kendinin gibi gösterme. (ç. İntihalât).

intihar, A. i. [Nahr'den] Kendini öldürme. • «Mağrur, azîm emelleri kalb-i hamiyetin — Pişinde intihar ediyor zulm ü zilletin. — Fikret».

intihaz, A. i. (Te, he ve ze ile) Fırsat bilip kaçırmama. • «Hazneyi ele getirmek tamamıyle intihaz-i kat-i tarik ettiğinden. — Naima».

intihaz, A. i. (Te, he ve dat ile) 1. Deprenip kalkma. 2. Yola, sefere çıkma. • «Kasım Beyi takibe intihaz edip. — Sadettin».

intikad, A. i. 1. Kalp parayı gerçeğinden ayırma. 2. (XIX. yy. sonları) Fransızcadan critique karşılığı ileri sürülmüştür. (O zamana kadar bu anlamda • muahaze sözü kullanılmakta idi; kural dışı olduğu halde tenkid sözü kullanılmaya başlayınca doğrusunun • intikad olduğu ileri sürülmüşse de kabul edilmemiştir.) (ç. İntikadat). • «Kaldı erbab-i tarik-i fıskı etmek intikad. — Nef'i». • «Buna dair birçok mütalâat ve intikada tesadüf etmiş. — Uşaklıgil». • «Ahval-i etrafı intıkat eden âleme eğlenen hususî muharrirler bulunur. — Cenap».

intikadiyye, A. i. Fransızcadan Criticisme felsefe terimine karşılık olarak yapılmıştır, kritisizm (XX. yy.).

intikah, A. i. (Ha ile) Kemikten ilik çıkarma.

intikah, A. i. (He ile) Sözden (haber veya vaidden) ferahlık duyma.

intikal, A. i. [Nakl'den] 1. Bir yerden başka yere geçme. Göçme. 2. Geçme, buluşma. 3. Babadan kalma, miras. 4. Ölme, ahrete göçme. 5. Anlama, kavrama. 6. Bahisten bahse geçme. 7. Hastalığın yer değiştirmesi. (ç. İntikalât). • «Padişah hazretleri hüsn-i intikalini pesend edip. — Sadettin». • «Bu aile efradına irsen intikal etmiş bir hassa idi ki. — Uşaklıgil». • «Hayat-i cavidanî sırrını şeyhe sual ettim — Oğul ölmezden evvel öl deyince intikal ettim. — Sadık».

intikam, A. i. Öç alma. • «İntikam alamaz isem hicv ile senden — Şairiyyet bana her veçhile bühtan olsun. — Nef'i».

intikamcu, F. s. [İntikam-cu] İntikam almaya çalışan. Öç güder.

intikamen, A. zf. Öç almak için. • «İntikamen medrese-i mezbureden medrese-i uhraya nakledip vazifesinin beş akçesini tenkıs eyledi. — Sadettin».

intikâs, A. i. [Nüks'ten] Başaşağı dönme veya düşme.

intikas, A. i. (Kaf ve sat ile) 1. Eksilme. 2. İstibra için erkeklik organına su serpme.

intikaş, *A. i.* [Nakş'tan] Nakşolunma, kazılma. • ‹Guri-i bedmiaş zamirinde intikaş bulup. — Sadettin›. • ‹Dolgun yanaklarına furceyab-i intikaş olmayan. — Uşaklıgil›.

intikat, *A. .i (Kaf ve tı ile)* 1. Haber sorma. 2. Araştırma.

intikaz, *A. i. (Kaf ve dat ile)* 1. Bozulma. 2. Çözülme, battal edilme.

intima', *A. i.* Birine mensup olma. Birinin adamı olma. • ‹Silsilei Zeyniyye'-intima ve. — Sadettin›.

intisab', *A. i.* [Nisbet'ten] Bir kimseye mensupluk, çatkınlık. Birinin adamı olma. • ‹Salih Paşa zaman-i kalilde cemil-i intisab ile meydanı alıp. — Naima›.

intisab, *A. i.* [Nasb'dan] 1. Yükseğe kaldırma. Dikilip durma. 2. (Arap. gra.) Kurala göre kelimenin mansup olması. 3. • *İntisab-i nefes*, (Hek.) zorla nefes alma.

intisac, *A. i.* [Nesc'den] 1. Doku peydahlama. 2. (Bio.) Dokum.

intisaf, *A. i.* 1. Haklaşma, hakkını tam olarak alma. 2. Zamanı yarı olma. • ‹Hak teâlâ dünya ve ahirette anlardan intisaf eder. — Taş.›.

intisah, *A. i. (Te, sin ve hı ile)* [Nesh'-ten] Kopyasını çıkarma.

intisah, *A. i. (Te, sat ve ha ile)* Öğüt kabul etme.

intisak, *A. i. (Te, sin ve kaf ile)* [Nesak'tan] Düzgün olarak dizilme.

intisar, *A. i. (Te ve se ile)* [Nesr'den] Yaygınlık, yayılma.

intisar, *A. i. (Te ve sat ile)* [Nasr'dan] Öç alma. Acı çıkarma. • ‹Bu defa Margrav sebebiyle Gürcülerin intisarını haber aldı. — Naima›.

intişa', *A. i. (Hemze ile)* Neşet etme. Hâsıl olma.

intişab, *A. i.* 1. Tutulup kalma. 2. Odun ve mal biriktirme.

intişak, *A. i.* Burna nesne çekme.

intişar, *A. i.* [Neşr'den] 1. Yayılma, dağılma. Üreme. 2. Gizli bir şeyin ağızlara düşmesi. 3. Genelleşme. • ‹Üstündeki elbiselerden etrafındaki eşyadan bir şikâyet-i fakirane intişar ederek. — Uşaklıgil›.

intiyat, *A. i. (Te ve tı ile)* 1. Asılı kalma. 2. Kendi reyile davranma.

intiza', *A. i.* [Nez'den] 1. Çekip koparma, koparıp alma. 2. (Bir ara Fransızca'dan *abstraction, dissociations* karşı-

lığı kullanılmak istenmişse de • *tecrid* daha çok bunun yerini tutmuş, bu söz de *dissociation* karşılığı kullanılmak istenmiştir. • ‹Dest-i düşmandan intiza' tasmim ve tahmin olunmağın. — Raşit›.

intizah, *A. i.* Suç ve kabahattan sıyrılma. Temize çıkma. • ‹O vicdan kim eder insana telkin — Kabayihten vücub-i intizahı — Recaizade›.

intizam, *A. i.* [Nizam'dan] Düzgün dizilme. Düzgünlük. • ‹Fakat unutma ki yol intizam-i meşiyetle — Yakınlaşır, kısalır. Doğru at adımlarını. — Fikret›.

intizamperver, *A. s.* [İntizam-perver] Düzgünlük, intizam düşkünlüğü, tertipseverlik. • ‹Kıyametler koparacak kadar intizam-perverlikte ifrat gösteren Adnan Bey. — Uşaklıgil›.

intizar, *A. i. (Zel ile)* Nezretme, adama.

intizar *A, i. (Zı ile)* [Nazar'dan] Bekleme. Gözleme. • ‹Düşüp ümide neler çektiğimi ben bilirim — Belâ-yi keşmekeş-i intizarı benden sor. — Nedim›. • ‹Bihter'de bir azab-i intizar başlamış idi. — Uşaklıgil›.

intizaren, *A. zf.* Bekleyerek. • ‹Başlamaya intizaren bekleyen çalgıcı kızlar. — Uşaklıgil›.

inzal, *A. i.* [Nüzül'den] 1. İndirme. 2. Bel gelme. • ‹Kim ana kuvve-i kudsiyye eder vahy inzal. — Şinasi›.

inzar, *A. i.* [Nezr'den] Sonunun fena olacağını haber vererek çekindirme. • ‹Diyarına azm-i kârkâr ile hulûlünü ihbar ve inzar etmek için. — Sadettin›.

inzilâm, *A. i. (Zı ile)* Zalimin zulmüne boyun eğme.

inziac, *A. i.* 1. Yerinden kopma, koparma. Sökülme. 2. Tanrıya tam bir tevecühle yürekten dünya emellerini sökme. (ç. İnziacat). • ‹Islah-i mizac-i pür inziacından izhar-i çaresaz-i âşıknevazi bulup. — Nergisi›. • ‹Ve inziacat ve tenekkulât hudusunu. — Naima›. .

inzibat, *A. i.* [Zabt'dan] 1. Yolunda olma. 2. Genel eminliğin yolunda olması. 3. Sağlamlaşma.

inzicar, *A. i. (Ze ile)* 1. Birinin bağırmasından etkilenme. 2. Kovulma. • ‹Dahi Kasım Beyin acz ü inkisarına ve tazaarru ü inzicarına merhamet edip. — Sadettin›.

inzimam, *A. i.* [Zam'dan] 1. Katılma. 2. (Kim.) Katım. ● «Kuvvet ve şevketini bunun inzimamıyle takviyet ve teksir eyledi. — Naima».

inzimam, *A. i. (Ze* ile) 1. Bağlanma. 2. Yular ile bağlanma.

inziva, *A. i.* Bir köşeye çekilme. Çekilip karışmama. Dünya işlerinden vazgeçme. ● «Ömrüm güzar etti inzivada — Mutadım idi o hal-i sade. — M. Naci».

inzivakerde, *F. s. i.* [İnziva-kerde] İnziva yeri yapma. ● «Cümle rû-nihade-i kûristan ve inzivakerde-i nîran oldular. — Nergisi».

ir'a', *A. i. (Ayın* ile) Otarma, otlama.

ira', *A. i. (Hemze* ile) 1. Bağış yapma. 2. Çakmaktan ateş çıkarma, parlama. ● «Ne denlû ira-yi zinad-i rey ettiler ise. — Şefikname».

ira', *A. i.* Soyma, çıplak olma.

i'rab, *A. i.* Düzgün konuşma ve gerçeği belirtme. 2. (Arap. Gra.) Arapça kelimelerin sonlarındaki harf veya harekenin değişmesi. 3. Bu değişikliği öğreten bilim. ● «Badehu bi haseb-it-terkip tekellüm edip evvelâ i'rab ile ibtidar eyleye. — Taş.».

irabet, *A. i.* Akıl, anlayış, kavrayış.

irad, *A. i.* [Vurud'dan] 1. Getirme. Söyleme. 2. Bir malın getirdiği kazanç, gelir. ● *İrad-i edille,* kanıtları gösterme; ● *irad-i kelâm,* söz söyleme; ● *irad-i mesel,* atasözü söyleme; ● *irad-i nutk,* nutuk söylemek; ● *irad ü masraf,* gelir ile gider. ● «Bu müşkül muhaverede irad-i sual vazifesini kendisine alıkoymak isteyerek. — Uşaklıgil» ● «Masrafın uyduragör irade — Ta ki gamdan olasın azâde. — Sümbülzade».

iradât, *A. i.* [İrade ç.] Buyruklar.

irade, *A. i.* 1. İsteme, dileme. 2. Büyük bir kimsenin buyruğu; emir, ferman. ● *İrade-i aliyye,* sadrazam buyruğu; ● *irade-i cüz'iyye,* Tanrı tarafından insanın elinde bırakılmış istek; elindelik; ● *irade-i ilâhiyye,* Tanrı buyruğu; ● *irade-i külliye,* Tanrı isteği; ● *irade-i seniyye,* padişah emri; ● *irade-i zaife,* istememe, geçici arzu. ● «Kalbinin müphem bir ihtiyacına tebaiyet eden biirade sözlerle. — Uşaklıgil». ● «Eder irade-i cüziyyem insilâb — Neden? — Recaizade».

iradet, *A. i.* 1. İrade. 2. Gönlündeki istek. ● «Lâkin nizam-i devlete iradet-i aliyye-i ilâhiyye taallûk etmediğinden.

— Naima». ● «Sanki kendi iradetinin haricinde bir kuvvetle. — Uşaklıgil».

iradî, iradiyye, *A. s.* [İrade'den] İrade ile ilgili. Zor ve sıkı altında yapılmayan, istekle, kendiliğinden yapılan. İstemeli, iradeli, iradesel. ● *Bükâ-yi iradi,* insanın ihtiyarıyle ağlaması; ● *hareket-i iradiyye;* kendiliğinden davranışlar; ● *gayr-i iradî,* elde olmayarak, irade dışı.

iradiyye, *A. i.* İradecilik, *volontarisme* ka-şılığı (XIX. yy.).

irae, iraet, *A. i.* [Ruyet'ten] 1. Gösterme. 2. Gösterip öğretme. ● *İrae-i tarik,* yol gösterme, kılavuzluk etme. ● «Neşr-i ilm ve irae-i tarik-i mücahede-i nefs gibi iki maksad-i ulvinin. — H. Vehbi». ● «Âsari sihriye iraetiyle cehele-i avam ve nisvanı idlâlde. — Raşit».

iraga, *A. i. (Gayın* ile) İsteme, irade etme.

irahe, *A. i.* [Rahat'tan] Rahatlandırma, rahat ettirme, yorgunluk aldırma. ● *İrahe-i fikr,* fikir, dinlendirme. ● «Tab7 ü kesel irahe-i havası müstelzim olmasıyle. — H. Vehbi».

iraka, *A. i.* Dökme, aktarma. ● *İraka-i iraka, A. i.* Dökme, aktarma. ● *İraka-i dem,* kan dökme. ● «Ele giren müterrid eşkıyaya eman vermeyip iraka-i dima-i habise ederek. — Naima».

İrani, *F. s.* 1. İran ile ilgili. 2. İranlı, İran halkından. ● «Gerek Yunaniler gerek İraniler. — Z. Gökalp».

iras, *A. i.* [İrs'en] Getirme. Gerekme. Verme. ● *İras-i fütur,* bıkkınlık verme; ● *iras-i keder,* ● *iras-i mazarrat,* ● *iras-i zarar,* keder, zarar verme. ● «Çend ruze gül-i ikbal-i çemenzar-i fena — Eder elbette dimag-i dile iras-i zükâm. — Nabi». ● «Harb-i müstakbelin iras edeceği avk-i azimi tasvir ettikten sonra. — Cenap».

iras, *A. i.* Ateş, kav.

iras, *A. i. (Sin* ile) 1. Yosun olma. 2. Ağaç yapraklanma.

irat, *A. i.* [Varta'dan] Tehlikeye düşürme.

i'raz, *A. i.* Çekinme. Yüz çevirme. ● «Bu sabi masumu nice öldürelim deyu kerih görüp i'raz ve her biri bir tarafa gidip iğmaz ettiler. — Naima».

iraz, *A. i. (Dat* ile) Nezleye tutulma.

iraz, *A. i.(Ze* ile) 1. Alıp götürme. 2. Gizleme. 3. Sağlamlama.

irba', *A. i.* [Riba'dan] Faize verip artırma.

irbah, A. i. [Ribh'ten] Fayda ve kazanç elde etme. • ‹Bazı diyara emtia gönderip hâsıl olan irbah ile. — Taş.›. • ‹Çare-i irbahı bulunmayan paralar ile. — Cenap›.

irca', A. i. [Rücu'dan] 1. Geri çevirme, geri döndürme. 2. (Kim.) İndirgeme, redüksiyon. • İrca-i inan, atın dizginini çevirme, başka tarafa yönelme; • irca-i kelâm sözü yine maksada çevirme, getirme; • irca-i nazar. bakışı geriye çevirme, geçmişe bakma. • Karısının mazisine kadar irca-i zihn eden muhavyelesinde. — Uşaklıgil›. • ‹Ve aferini müştemil mektup ile âdemisi irca olundu. — Naima›.

ircaf, A. i. Fena şey ile uğraşma. Fitne ve yalan yaymaya uğraşma. • ‹Hünkâr şehzadeleri boğmuş deyu ircaf ziyade olmağın. — Naima›.

irda', irza', A. i. Süt emzirme. Bk. • Irda'. • ‹Gevhare-i tasavvurda irda' etmekte olduğumuz farzend-i arzu. — Şefikname›.

irdaf. A. i. [Redif'ten] Ardı sıra yürütme, yürütülme. • ‹Sadizade'den sonra Rahmetullah Efendiye verilmek üzere irdaf olundu. — Naima›.

ir'eb, A. i. Akıl.

İrem, A. i. Â.d kavmi zamanında Şeddad'ın Cennete benzetmek için yaptırdığı bahçe. Sütunları çok olmasından • İrem-i zat-ül-imad da denir. • Bağ-i İrem olarak cennet gibi anlamında çok kullanılırdı. • ‹Âlem behişt ender behişt her gûşe bir bağ-i İrem. — Nef'i›.

irfad, A. i. Yardım etme, hediye verme. • ‹Ve irfad ve ita-i fuzalaya taammüd ve mültemes. — Taş.›.

irfah, A. i. (Geçimi) bollaştırma, genişletme.

irfak, A. i. İşe yarama. Yarar olma.

irfan, A. i.(Ayın ile) Bilme, biliş, anlayış. (Taş.) Yaradılıştan bilme, anlama. Tanrı sır ve gerçeklerini kavrama. (Yaradılışta olmayanda bilimle meydana gelmez.) • ‹Biz Nailiyâ Kâbe-i irfan-i Hudayız — Ervah-i suhan secdeber-i menzilimizdir. — Nailî› • ‹Fikri hür, irfanı hür, vicdanı hür bir şairim. — Fikret›.

irfaniyye, A. i. Fransızcadan gnosticisme felsefe sistemini karşılamak üzere kullanılmıştır. (XX. yy.).

irfaş, A. i. 1. Yeme içme ile uğraşma. 2. Bir yerde temelli oturma.

irgab, A. i. Rağbet ettirme.

irgam, A. i. 1. Aşağılatma. Hor hakir kılma. 2. Burnunu kırma. • ‹İrgam-i unuf-i müşrikîn için. — Raşit›. • ‹Ama irgam için ol iki âdemisini. — Naima›.

irha', A. i. (Ha ile) Koyverme, gevşetme, salıverme. • İrha-i inan-i semend-i hame, kalem atının dizginini salıverme : akla geleni yazma; hiç durmadan yazma. • ‹İrha-yi inan-i sefer. — Kemal›.

irha, A. i. (He ile) Tatlı kullanma. Tatlılıkla muamele etme. Yumuşak davranma.

irhab, A. i. (He ile) Korkutma.

irhaf, A. i. (He ile) Bileme, keskinleme.

irhaf, A. i. (He ile) Hamuru gevşek ve sulu tutma.

irhak, A. i. (He ile) 1. Sıkıntı ve eziyet etme. 2. Zorlama, sıkma. • ‹Şeyhülislâm hazretleri şefaatiyle irhak-i ruhundan tecavüz olunup İstanbul'a nefy ettiler. — Naima›.

irhan, A. i. (He ile) Rehin koyma, rehine koyma.

irhas, A. i. (He ve sat ile) Peygamberlerin peygamber olmalarından önce gösterdikleri veya gördükleri olağanüstü hal. (. İrhasat).

irhas, A. i. (He ve sat ile) Ucuzlatma. (ç. İrhasat).

irka', A. i. Akan kan veya göz yaşını silme, dindirme.

irkâb, A. i. [Rükûb'dan] 1. Bindirme. 2. Binek verme. 3. Bindirilmek.

irkâben, A. zf. Bindirerek

irkak, A. i. Kul edinme.

irma', A. i. Atma, fırlatma.

irmad, A. i. 1. Göz ağrıtma. 2. Fakir düşme.

irs, A. i. (Se ile) 1. Ölen bir kimseden kalan mal veya paraya konma. Miras yeme. Miras olarak düşen mal veya para. Baba ve anadan geçme, cisim ve ruh hali. 2. Kalıtım, soyaçekim.

irs, A. i. (Ayın ve sin ile) Karı kocadan her biri.

irsa', A. i. Sabit, sağlam kılma. Durdurma.

irsa', A. i. (Sat ve ayın ile) Mızrak gibi sivri bir şeyle dürtme.

irsad, A. i. (Sad ile) Hazır etme.

irsah, A. i. (Sin ve hı ile) Yerinde tutma, durdurma.

F. : 25

irsal *A,. i.* [Resul'dan] 1. Gönderme, yollama. 2. Koyverme, salıverme. 3. Elçi yollama. • *İrsal-i lihye*, törenle sakal koyverme. • *İrsal-i mesel*. söz arasında atasözü söyleme. • ‹Ceman yüz kese kuruş irsal eyledi. --Naima›.

irsalât, *A. i.* [İrsal ç.] Gönderişler. Yollananlar.

irsan, *A. i.* *(Sat* ile) Sağlamlaştırma.

irsas, *A. i.* *(Se* ve *se* ile) Eskitme, yıpratma.

irsen, *A. zf.* [İrs'ten] Miras olarak; anadan babadan geçerek. • ‹Aile efradına irsen intikal etmiş bu his idi ki. — Uşaklıgil›.

irsî, irsiyye, *A. s.* [İrs'ten] 1. Mirasla ilgili. Ana babadan geçme hal. 2. Kalıtsal. • ‹Melih Bey takımının menkulât-i irsiyesine malik olarak doğan bu kadına. — Uşaklıgil›.

irşa', *A. i.* Rüşvet verme.

irşad, *A. i.* [Rüşd'den] Doğru yolu gösterme, uyarma. (Tas.) İrfan sahibi birinin, ârifin bir kimseye tarikatı ve Tanrı yolunu göstermesi. (ç. İrşadat). • ‹Asaf Han damadı idi, onun irşadiyle âmil olup. — Naima›. • ‹Aşkın irşadiyle girdik mânevi bir gülşene. — Beyatlı›.

irta', *A. i.* *(Te* ve *ayın* ile) Otlatma.

irta', *A. i.* *(Tı* ile) Gelinlik çağa varma.

irtam, *A. i.* *(Te* ile) Hatırlatmak için parmağa iplik takma.

irtia', *A. i.* *(Te* ve *hemze* ile) Düşünme, ileriyi görme.

irtia', *A. i.* [Ra'y'den] Otlama.

irtiab, *A. i.* [Ru'ub'dan] Ürkme. • ‹Umum Avrupa'yı bile düçar-ı irtiab etmiş idi. — H. Vehbi›.

irtiac, *A. i.* Titreme, korkma.

irtiad, *A. i.* [Ra'd'den] Yıldırım çarpmış gibi titreme. • ‹Vezir çün gafil bulunmuş idi, hayret ve dehşetinden irtiad ve bir zaman baş aşağı teemmül edip. — Naima›.

irtias, *A. i.* *(Se* ile) Küpe takma.

irtias, *A. i.* *(Sin* ile) Türeme.

irtiaş, *A. i.* [Raşe'den] Titreme. Sarsılma. (ç. İrtiaşat). • ‹Vezir ve Samsuncu'nun pây-i kararlarına irtiaş gelip Ortakapı'dan taşra can attılar. — Naima›. • ‹Haşyet-i tenhayînin kalbinden akıttığı irtiaşat-i heras içinde. — Uşaklıgil›.

irtibat, *A. i.* [Rabt'tan] 1. Bir şeye bağlı oluş, bağlanma. 2. İlgili olma, birbirini tutma. 3. Bağlantı. • ‹Tahdid idi,

onun nazarında, hayatını — Bir şahsa hasrediş emel ü irtibatını. — Fikret›.

irtica', *A. i.* [Rücu'den] Geri dönme, eskiyi isteme (XX. yy.). • ‹İstimali bir alâmet-i irtica olacak. — Cenap›.

irticâ', *A. i.* [Reca, rica'dan] Korkulu bir surette umma. • ‹Tesir-i hâmeden istizhara irticâ edip. — Nergisi›.

irticac, *A. i.* Çalkalanma, kabarma. Sarsılma. • *İrticac-i adali*, kasıl sarsılma. • ‹Rüzgârın şiddetinden etti derya irticac. — Naci›.

irticaf, *A. i.* [Recfe'den] Sarsım.

irticaî, irticaiyye, *A. s.* İrtica ile ilgili.

irtical, *A. i.* Düşünmeden ve birdenbire içe doğduğu gibi şiir veya söz söyleme. (ç. İrticalât). • ‹Ne şiirde ne nesirde usul-i irtical mümkündür. -- Ziya Pş.›.

irticalen *A, z.* Düşünmeden, içe doğduği gibi, ansızın. • ‹İrticalen söyledim geldim de şevk ü gayrete. — İ. Safa›.

irticalî, *A. s.* İrtical ile ilgili. • ‹Doğar fehava-i eş'arı, irticalidir. —Fikret›.

irticam, *A. i.* Bir şey üst üste katlanma.

irtican, *A. i.* Adamın işi bozulmak.

irtida', *A. i.* [Rida'dan] Örtünme, bürünme.

irtida', *A. i.* Dinin yasak ettiklerinden geri durma.

irtidad, *A. i.* [Red'den] İslâmı terkle başka bir dine geçme. • ‹Kabailin ettikleri şenia-i irtidaddan çekinmiyecekleri. — Kemal›.

irtidaf, *A. i.* [Redif'ten] Ardına düşme. ardından gitme, koşulma.

irtifa', *A. i.* [Ref'den] yükselme. Yukarı çıkma. Yükseklik, yükselti. • *İrtifa almak*, zeval vakti güneşin yüksekliğini ölçüp derecesini belli etme. (ç. İrtifaat). • ‹İrtifaın almağa olmuş mühendis çarh ana. — Nef'i›.

irtifad, *A. i.* Kazanıp kâr etme.

irtifaen, *A. zf.* Yükseldikçe, yükseklik bakımında.

irtifak, *A. i.* 1. Bir yere dayanma. 2. Dolma. 3. Arkadaşlık etme. • ‹Tarık-i şikakta irtifak edip. — Sadettin›.

irtigab, *A. i.* [Rağbet'ten] Heveslendirme, isteklendirme.

irtifas, *A. i.* *(Te* ve *sat* ile) Narh pahalıya çıkma.

irtiha', *A. i.* *(He* ile) Katılma. karışma.

irtihal, *A. i.* [Rihlet'ten] 1. Bir yerden başka bir yere gitme. Göç etme. 2. Ölme. • *İrtihal-i dâr-i beka*, ölme. •

‹Olsun yolunda huşe-i her hırmen-i dua —Ol kim ümid-i zad-i reh-i irtihal eder. — Nailî›. • ‹Bir kızın hîn-i irtihalinde. — Fikret›. • Edirne mevkib-i hümayunundan irtihal edip. — Kemal›.

irtihan, *A. i.* [Rehn'den] Bir şeyi rehin olarak alma, bir şey rehin olarak alınma.

irtihas, *A. i.* (*Te* ve *hı* ile) Ucuz sayılma, ucuz sayılmak.

irtihaş *A. i.* (*Te* ve *he* ile) Sıkıntıya düşme. Rahatsız olma.

irtihaz, *A. i.* Rezil rüsva olma.

irtika, *A. i.* Yukarı çıkma, daha yüksek yerlere erişme. • ‹Sema-yi vaslına irtika ettikçe gönlüm. — Cenap›.

irtikâ, *A. i.* Dayanma, güvenme.

irtikab. *A. i.* 1. Bekleme, gözleme. 2. Umma.

irtikâb, *A. i.* Fena bir iş işleme. Rüşvet alma. (ç. İrtikâbat). • ‹O zaman nefesini bir ayıp irtikâbiyle ittiham ederek. — Uşaklıgil›. • ‹Hiçbir dem ben dürug ü kizbi etmem irtikâb. — Cenap›.

irtikâk, *A. i.* Söz gücü olan kimsenin susakalması.

irtikâm, *A. i.* Yığılma.

irtikas, *A. i.* [Rask'tan] 1. Salıntı. 2. (Ast.) Salınım.

irtikâz, *A. i.* (*Dat* ile) 1. Çocuğun ana karnında kımıldaması. 2. Çalkanıp durma.

irtikâz, *A. i.* (*Ze* ile) [Rekz'den] 1. Nabız atma, seğirme. 2. Bağlanma. 3. Dikilme.

irtima, *A. i.* Birbirine atışma.

irtimas, *A. i.* (*Sin* ile) Suya dalma, dalıp gitme.

irtimaz, *A. i.* (*Dat* ile) Yerinden kaldırıp sıçratmak.

irtisam, *A. i.* [Resim'den] 1. Emrolunan şeye uyma. (XX. yy. dan sonra:) 2. Resmi çıkmak, resmolma. 3. (Geo.) İzdüşüm. (ç. İrtisamat). • ‹Bir mevc-i hisse vermek için şekl-i irtisam. — Fikret›.

irtisamî, irtisamiyye, *A. s.* İzdüşümsel.

irtisas, *A. i.* (*Sin* ile) Ünlü olma. Haber yayılma.

irtişa', *A. i.* [Rüşvet'ten] Rüşvetçilik. Rüşvet alma. • *Bab-i irtişa'*, rüşvet kapısı; • *erbab-i irtişa*, rüşvetçiler. • ‹Mezra-i âmale tohm-i irtişa ekmek ve istedikleri gibi ekip biçmek murat eyleyen devletmendler. — Naima›.

irtişah, *A. i.* [Reşha'dan] Sızmak, terleme. (ç. İrtişahat).

irtiva', *A. i.* 1. Suya kanma. 2. Eklem ve üyeler kuvvetlenme.

irtiya', *A. i.* (*Ayın* ile) Korkma.

irtiyab, *A. i.* [Reyb'den] Şüphelenme. Duraklama. • *Bilâirtiyab*, şüphelenmeden. • ‹Doğruluktan hâsılı sorsa bir ehl-i irtiyab — Tecrübem üzre budur benden ona doğru cevap. — Ziya Pş.›.

irtiyad, *A. i.* Fransızcadan *volition* karşılığı, istem. (XX. yy.).

irtiyah, *A. i.* [Rith'ten] Genişleme. Feraha erme, ferahlama. • ‹Enva-i irtiyah ve sürur husul bulup. — Sadettin›.

irtiyaz, *A. i.* (*Dat* ile) Riyazet etme, nefsini eğitme.

irtiza', *A. i.* [Rıza'dan] 1. Razı olma, uygun bulma. Beğenme, seçme. • ‹Ve bu tavr-i âkılâncesi vezir-i âzam katında ziyade mahall-i irtizada oldu. — Naima›.

irtiza', *A. i.* [Rıda, rıza'dan] Memeden süt emme

irtizak, *A. i.* [Rızk'tan] Rızıklanma, rızık alma.

irva', *A. i.* Sulama, suyarma. Suya kandırma. • *İrva ve iska*, sulama ve suya kandırma. • ‹Edip dolab-i istiğnayı gerdan-cûyi cûd üzre — Riyaz-i ihtiyac-i mümkinatı eylemiş irva. — Nabi›.

irza', *A. i.* Gönlünü etme, kandırma. Razı, hoşnut etme. • *İrza-yi tarafeyn* iki tarafı anlaştırma, kandırma. • ‹Hedaya verip husemasını irza etmek şartıyle. — Naima›.

isa, *A. i.* (*Sat* ile) 1. Vasiyet uygulamaya memur etme, vasi yapma. 2. Vasiyet etme.

İsa, İsi, *A. i.* (*Ayın* ile) İsa Peygamber. • ‹Mürde ihya kıldığı için yâra ben İsa dedim. — Hayalî›.

isabet, *A. i.* (*Se* ile) Ecr, karşılık mükâfat.

isabet, *A. i.* (*Sat* ile) [Savab'dan] 1. Rast gelme, doğru varma, yerini bulma. 2. Doğru bir fikir söyleme. 3. Düşme, tutma, dokunma. 4. Tam yerinde. • *İsabet-i ayn*, göz değme; • *isabet-i re'y*, fikir doğruluğu, yerinde fikir. • ‹Kevkeb-i ikbali ferr ü ziyade iken isabet-i ayn-ül-kemal ile. — Naima›.

isabetkâr, *F. s.* [İsabet-kâr] Doğru raslayıcı.

is'ad, A. i. (Sat ile) [Suud'dan] Yukarı çıkarma, yükseltme. • «Hem etti Ebüssut'u is'ad — Ol iki şehrin şeh-i melekzad. — Ziya Pş.».

is'ad, A. i. (Sin ile) [Sa'd'dan] Kutlu kılma. Kutlu kılınma. • «Siyeh-bahtan-i dehr-i dûnu san is'ad eder bir kuş. — Cenap».

isaet, A. i. (Sin ile) [Sû'dan] Kötülük etme, kötü iş işleme. • «Vicdanıdır isaet fi'lin-de âdemin — Dâvacısı, şuhudu, kavanini, hâkimi. — Recaizâde».

İsaf, A. i. (Eski) Mekke Putlarından biri.

is'af, A. i. Birinin isteğini kabullenip yerine getirme. • «Bin böyle cihan-i zer ü sîm olsa yetişmez — Mümkün mü ki is'af oluna matlab-i âlem. — Ziya Pş.».

isaga, A. i. Kalıba dökme. Kalıba dökülme.

isah, A. i. [Vesah'tan] Kirletme.

isaka, A. i. (Sin ile) 1. Arkadan sürme. 2. Akıtma.

isal, A. i. [Vüsul'dan]1. Ulaştırma. 2. Eriştirme. 3. Erişilme. • «Her sûdan edersin dil ü cana — İsal-i terane. — Cenap».

isale, A. i. [Seyelân'dan] Akıtma. • İsale-i dümu', gözyaşları dökme. • «Bir risale-i mahasin-isaledir ki. — H. Vehbi».

isam, A. i. [İsm'den] Ceza. Bir suçun sonucu olan karşılık.

isam, A. i. (Se ile) [İsm'den] Günaha sokma. Günaha sokulma.

is'ar, A. i. (Se ve hemze ile) Öc alma.

i'sar, A. i. (Ayın ve sin ile) 1. Zorlama, baskı yapma. 2. Aşırı fakir ve borçlu olma. • «Fıkdan gamını ve is'ar elemini selb ederler idi. — Sadettin».

i'sar, A. i. (Ayın ve sad ile) Suyunu veya yağını çıkarmak için baskıya koyma.

isar, A. i. (Sin ile) 1. Bağ. 2. Esirlik. • Kayd-i isar, tutsaklık bağı. • «Ol etrafa ılgar ve küffarını beste-i kayd-i isar etmeğe meşgul oldular. — Sadettin».

is'ar, A. i. (Sin ve ayın ile) Narh konma. Paha biçilme.

isar, A. i. 1. İkram, bahşiş. 2. Seçme. 3. Cömertlikle verme. • «Yemin edip kılıcım kabzesine nezrettim — Bulup Nedim'i iki buse eyleyin isar. — Nedim» «Gösterişsiz iki üç katrecik isar eyler. — Fikret».

isar, A. i. [Yesar'den] Zengin etme.

isare, isaret, A. i. (Se ile) Toz kaldırma, toz etme. • «Süm-i bâd-pâsı isare ettiği gubar çarh kubbesine ağardı. — Sadettin».

isb, A. i. Kasık tüyü.

isbah, A. i. [Sebh'ten] Yüzdürme.

isbal, A. i. (Sin ile) [Sebl'den] Gönderme. • «Müttehemin-i merkume Adana'ya isbal olunduktan sonra. — Cevdet Pş.».

isbat, A. i. (Se ile) [Sübut'tan] 1. Sağlamlaştırma. 2. Kanıt ve tanıt göstererek doğrusunu meydana çıkarma. 3. Var etme. 4. (Man.) Tanıt. 5. (Mat.) İspat. • «Mahiyeti isbat eden asar-i ameldir. — Şinasi».

isbatiyye, A. i. Fransızca'dan positivisme felsefe okuluna karşılık olarak yapılmıştır, oigunculuk, pozitivizm (XX. yy.).

İsevî, iseviye, A. i. (Ayın ile) İsa Peygamber dininde olan. • «Velvele-i din-i İsevî tekrar âlemgir olacaktır. — Naima».

isfenahiyye, A. i. (Bot.) Ispanakgiller.

isfenc, F. i. Sünger

isfenciyye, A. i. (Zoo.) Süngerciler.

isfend, F. i. Şarap.

isfendan, F. i. 1. Beyaz biber tohumu. 2. Akçaağaç.

isfendaniyye, A. i. (Bot.) Akçaağaçgiller.

isfid, esfid, F. s. Ak. • «Hemçü dem-i ahû van-i isfid — Hep câme-i subh içinde hurşit. — Ş. Galip».

isfidac, A. i. Üstübeç. • «Bu vücut eyvanı bir zulmetseradır olmasa — Ger sevad-ül-vech fi-d-dareyn isfidac ana.— Hayali».

ishab, A. i. (Sin ve he ile) 1. Çok söyleme. 2. Ziyade tamah. 3. Tüylü şeylerde renk değiştirme. • «Vakta ki anda muris-i ishab olur ıtnab. — Taş.».

ishal, A. i. [Sehl'den] 1. Yürek sürme. 2. Sürgün. • Anda duran sefineler zebun olup ehli ishal ve za'f ve hastalıktan içlerinde adam kalmamıştır. — Naima».

ishar, A. i. (Sin ve he ile) Gece uyutmayıp, uyanık durdurma.

İsi, Ö. i. Peygamber İsa. • Hassan'ın eyledim der isem şad ruhunu — İsi zeban-i reşk ile tasdik-i hal eder. — Naili».

iska, A. i. [Saky'den] 1. Su verme. 2. Sulama. Suvarma. • «Hatt ü nakş ü kumaş-i kârı etmiş cû-yi sun'undan — Ser-i enbube-i mizab-i engüştan ile iska', — Nabi». • «Yahut pazarda bir kebapçı dükkânına sokup it'am ve iskadan sonra. — Naima». «Şimdi iska ve ihya ettikleri bilâdı biraz sonra tahrip ve imha ederler. — Cenap».

iskân, A. i. [Sükûn'dan] 1. Yerleştirme. 2. Oturtma, ev sahibi etme. 3. Bir harfi sakin okuma. • İskân-i aşair, • -muhacirîn, aşiretleri, göçmenleri yerleştirme. • «Huldü ak etsin onun câygeh-i iskânı. — Süruri».

iskâr, A. i. [Sekr'den] Sarhoş etme. • «Ana mahsus idi belâgatle — Huşyarân-i dehrin iskârı. — Naci».

iskat, ıskat, Bk. • İskat.

iskât, A. i. [Sükût'tan] 1. Susturma. 2. Tartışmada cevap vermeyecek duruma düşme. 3. Kandırıp razı etme. Ağzını kapatma. • «...Kelimelerinin iskâtı gibi. — Taş.». • «İskâta yetti hep nakarat-i belâheti — Müthiş tebessümündeki mâna-yi bînazîr — Cenap».

İskender, Sikender, F. i. Divan edebiyatında, • İskender-i zül-karneny, • İskender-i Rumî diye de geçen ad. Kim olduğu, bunların başka başka kimseler olup olmadığı hakkında kesin bilgi yoktur. Çoğu bunun meşhur Makedonyalı İskender, (İskender-i kebîr, İ. Ö. 356-32) olduğuna işaret ederler. • Sedd-i İskender. Kafkas dağları. • «Cemşid-i ayş ü işret ü Dâra-yi dârugîr — Kisra-yi adl ü re'fet ü İskender-i zaman. — Baki».

islâ', A. i. (Sin ile) Teselli verme, avutma.

islâb, A. i. (Sin ile) 1. Selbetme, giderme. 2. Kapıp götürme.

islâf, A. i. 1. Peşin para verme. 2. Tarlayı düzeltme. • «Eğer bana bey' yahut islâf edeydi tahkik ben onu kaza ve eda ederdim. — Silvan».

islâk, A. i. [Silk'ten] 1. Sıraya koyma. 2. Diziye geçirme. 3. Yola getirme. • «Ol malı tarik-i hakta sarf ü ihlâk mesleğine islâk eyle. — Taş.».

islâl, A. i. [Sell'den] 1. (Kılıcı) Sıyırıp çıkarma. 2. Vereme uğratma, verem etme.

İslâm, A. i. [Selâm'dan] 1. Muhammet Peygamberin kurup yaydığı din. 2. Bu dinde olan ve olanların hepsi. • Ehl-i İslâm, İslâm olanlar; • Huccet-ül-İslâm, İmam Gazali'nin lakabı; • seyf-ül-İslâm, Halit bin Velit'in lâkabı; •

şeyh-ül-İslâm, Osmanlı İmparatorluğunda şeriat işleriyle ve sarıklılara ait işlerle uğraşmak ve bunlara başkanlık etmekle görevli kimse, derecede sadrazamdan sonra gelirdi. • «Kalmadı İslâm için bir yerde ârma ü huzur. — Ziya Pş.».

islâmî, islamiyye, A. s. İslâm dinine ve İslâm halkına mensup olanlarla ilgili.

İslâmiyan, F. i. İslâmlar. • «Kılıp ahlâtı fasd-i bîmahal tahrik olmuştu — Halel tari devlet-i İslâmiyan üzre. — Nedim».

İslâmiyyet, A. i. İslâmlık. (Yanlış söz olduğunu kaydetmişlerse de kullanılıp durmuştu). • «Çok büyük hizmetler ettin din-i İslâmiyyete. — İ. Safa».

ism, A. i. 1. Ad. 2. (Gra.) İsim • İsm-i alet, • -âmm, cins ismi; • -câmi', • -cemi, topluluk ismi; • -cins, cins ismi; • -fail, • -has, özel isim; • «Zerrişte, bu ismiydi onun sanki haberdar — Mahfi kederimden. — Fikret». (ç. Esami, esma).

-işaret,	-mübalâga.
-meful,	-tafdil,
-mekân,	-tasgîr,
-mensub,	-zaman,
-mevsul,	-zat.

ism, A. i. (Se ile) Suç. Günah. (ç. Âsâm) • «İlâhi ism ü günahım ne mertebe kesîr olsa. — Sinan Pş.».

isma', A. i. (Sin ile) [Sem'den] İşittirme. • «Ne yüzle ol makule makale-i bieseri ismaa tevcih-i natıka münasip olur ki. — Nergisi».

isma', A. i. (Sin ve hemze ile) İsim koyma, yükseltme.

ismah, A. i. 1. Cömert olma. 2. Bağlı ve teslim olma.

İsmail, Ö. i. Babası İbrahim tarafından Tanrı buyuruğu üzerine kurban edilmek istenen Peygamber. • «Müjde hançerler İbrahim'e dönmüş — Göz İsmail veş teslime benzer — Hayali».

İsmailiyye, A. i. s. Şiîlerin son imam saydıkları İsmail'in kurduğu şiî fırkalarından biri. Bu fırkadan olan.

ismar, A. i. Çivileme. Mıhlama.

ismet, A. i. (Ayın ile) 1. Haramdan ve kötülükten çekinme. 2. Namus. 3. Günahsızlık, temizlik. • İsmetlâ, • ismetmeab, • ismetpenah, derece bakımından yüksek kimselerin aile kadınlarına hitapta kullanılır deyimler idi. •

«Envar-i ismetinle tecelli kılınca sen. — Fikret».

ismi, ismiyye, A. s. [İsim'den] 1. Ada mensup, adla ilgili. 2. (Gra.) İsim ile ilgili. • Cümle-i ismiyye, isim cümlesi.

ismid, A. i. (Se ile) Sürme taşı, tutya, antimon. • «Dide-i basiretine ismid-i te'bid ile cilâ versin. — Taş.».

ismirar, A. i. [Semra'dan] Esmerleşme. Kara olma, kararma. • «Kökleri ismirar-i hayattan ak. uçları kınadan kırmızı saçlarının. — Müftüoğlu».

ismiyye, A. i. Fransızcadan nominalisme felsefe sözü için kullanılmıştır: adçılık (XX. yy.).

ismiyyet, A. i. İsim olma hali. İsimlik.

isna, A. i. (Sin ile) Kaldırma, yükseğe çıkarma.

isna', A. i. (Se ile) Övmek.

isna aşer, A. s. On iki. • Eimme-i isnaşer, on iki imam.

isna-aşeriyye, A. i. On iki imamın tarikatı.

isnad, A. i. 1. Bir şeyi bir adam için yaptı etme. 2. İftira etme. 3. Peygamber sözlerinin sırasıyle kimler tarafından söylenip geldiğini bildirme. 4. (Gra.) Özne ile yüklem arasındaki ilgi. • «Umumun en ziyade isnad-i ehemmiyet edeceği hâdiseyi keşfedecek. — Cenap».

isnadat, A. i. [İsnad ç.] İsnatlar.

isnaf, A. i. (Sin ile) Yel ve toz savurma.

isnâk, A. i. (Sin ile) Mal ve mevkiin insanı azdırması.

isnam, A. i. (Sin ile) 1. Ateşin alevi büyüme. 2. Toz ve duman havaya çıkma.

isnan, A. i. (Se ile) 1. Pazartesi. 2. İki (2)

isnan, A. i. (Sin ile) [Sinn'den] 1. Diş çıkma. 2. Yaşlanma.

isnevî, A. i. (Se ile) 1. İki ile ilgili. 2. Pazartesi ile ilgili. 3. Her pazartesi oruç tutan kimse.

isneyn, A. s. i. (Se ile) 1. İki. 2. Pazartesi günü. • «Hamis ve isneyn günleri saim. — Naima».

isneyniyyet, A. i. İkilik. Fransızcadan dualité karşılığı (XX. yy.).

ispend, A. i. Üzerlik (tohumu).

ispergam, F. i. 1. Fesleğen. 2. Gül. 3. Genel olarak yeşillik.

isr, A. i. (Se ile) 1. İz, ayak izi. 2. Meslek, yol. • «Cânan da muhacir oldu can da — İsr-i nebeviye muktediyiz. — Naci». • «Şerr ihtimali olanları bilkülliye katl ve mahv-i isr eyle deyu. — Naima».

isra', A. i.(Sin ve hemze ile) [Sirayet'ten] 1. Yürütme. 2. Gönderme.

isra', (Sin ve ayın ile) [Sürat'ten] Çabuklandırma.

israc, A. s. [Sirac'den] Yakma. Yandırma. • «Pişgâh-i bârgâhta meşail-i firavan iş'al ve israc-i kanadil olundu. — Naima».

israf, A. i. [Sürf'ten] Gereksiz yere harcama. (ç. İsrafat). • «Vay ana kim ömrünü israf ede — Maslahatın koya sikâra gide. — Yahya». • «Kanuna mugayir ricaların dinleyip kat-i israfat ettiği için anlar dahi azlini isterler idi. — Naima».

İsrafil, A. i. Dört büyük melekten biri olup kıyamet gününe kadar Levh-i Mahfuz'un bakıcısı ve kıyamet olacağını öttüreceği boru ile bildirecek olan melek. • Sur-i İsrafil, İsrafil'in kıyamet günü üfüreceği boru. • «İzzet bulay ki sur-i İsrafil uyandıra — Geldi sabah-ı haşre ne saht oldu hâb-i çerh. — İzzet Molla».

İsrail, A. i. Yakup Peygamberin adı. • Beni İsrail, İsrail çocukları. • «Arz-i hüsn etse o mahdum-i Halil — Yusuf'un anmaz idi İsrail. — Hakani».

İsrailiyyat, A. i. Beni İsrail kitaplarında olup oradan aktarılan bazı masalımsı hikâye ve olaylar. • «Bu zaman-i marifette öyle birtakım İsrailiyata kulak verilir mi? — Kemal».

israr, A. i. [Sırr'dan] Gizleme. Sır tutma.

istabrak, A. i. 1. Sırma ve kılaptanla dokunmuş kumaş. 2. Huri elbisesi. • «Döşendi sahn-i gülistana ferş-i istabrak — Açıldı bağ-i cihana behişten bir bab. — İbn Kemal».

istar, A. i. [Satr'dan] Yazı yazma.

istıkra, A. i. 1. Gezme, dolaşma. 2. Âvarelik. Konuklama. 3. Fransızcadan induction (tümevarım) sözünün karşılığı olarak (XIX. yy.). • «Aristo'nun istidlâl mantığını bırakarak Descartes'le Bacon'un istıkra mantığını. — Z. Gökalp».

istıkrab, A. i. 1. Yaklaştırma. 2. Akraba kılma. • «Ve eda-yi şefkat-i übüvvete oğlu Ahmet Bey rütbelerine istıkrab eylemiş idi. — Raşit».

istıkraî, A. s. Fransızcadan épagogique ve inductif (tümevarımsal sözünün karşılığı) (XX. yy.). • «Hakikat buna bir bürhan-i istıkraî değil midir ki. — Kemal».

istıkrar, *A. i.* [Karar'dan] 1. Yerleşme, karar bulma. 2. Kararlaşma. İyice belli olma. • «Bakılsa çeşm-i basiretle nakş-i hestiye — Verir birbirine irtibat-i istikrar. — Ziya Pş.».

istıksa, *A. i.* Bir şeyi anlamak için çok çalışma, uğraşma. • «Serdar-i ekrem Murat Paşanın katl-i eşkıyada keyfiyet-i istıksasını nakl edip der ki. — Naima».

istıksar, *A. i.* [Kasr'dan] Kısma. Kıstırma.

istıksas, *A. i.* [Kısas'tan] Bir katilin şeriatçe ölümünü isteme, kısas isteme.

istıktab, *A. i.* [Kutb'dan] 1. Kutuplaşma, bir kutup etrafında toplanma. 2. (Fiz.) Fransızcadan *polarisation* (polarma) karşılığı olarak (XX. yy.).

istıktar, *A. i.* (*Te, kaf* ve *tı* ile) Damla damla akıtma.

istıkza, *A. i.* (*Sin* ve *dad* ile) Yargı ve dâva isteme. Kadı tâyin olunma.

istısna', *A. i.* (*Sin, Te* ve *sad* ile) Sanatlı olarak yapma. • «Üstat nahilciler levazım-i nahl istısnaına başladılar. — Naima».

istıtla', *A. i.* [Tulû'dan] Bilmeyi isteme. Anlamaya, bilmeye çalışma. (ç. İstıtlaât). • «Öteki dinler, düşünür, hisse-i istıtlaını alır. — Cenap».

istıtlaât, *A. i.* [İstıt'lâ ç.] Haber almalar. Duyular.

istıtlak, *A. i.* İç sürgünü olma.

istiab, *A. i.* 1. İçine alma, içine sığma. 2. Tutma, kaplama. • «Bütün âfakı istiab eden boşlukta nalişzen. — Fikret».

istiab, *A. i.* 1. Kapılma, tutulma. 2. Zaptetme.

istiade, *A. i.* 1. Âdet edinme. 2. Geri verilmesini isteme.

istiane, istianet, [Avn'den] Yardım isteme. • «Üstazdan istiane etmeyerek. — Vehbi». • «Der-i devlete telhis gönderdikte istianet ve imsadı müş'ir cenab-i padişahiye birkaç beyit irsal etmiş idi. — Naima». • «Ağustosböcekleri sık sık karıncalardan istiane edegelmiştir. — Cenap».

istiare, *A. i.* 1. Ödünç alma. 2. (Ed.) Ad değişimi. (ç. İstiarât). • «Bırakıp şi're istiareleri — Şunu ismiyle yâd edin: Toprak. — Fikret». • «İstiarât ü kinayet ü hakikatle mecaz — Daima olmalıdır cari-i mecar-i sulhan. — Sümbülzade». • «Nüshasını Mekke'de bir kimseden istiare edip. — Taş.».

istiaza, *A. i.* (*Te* ve *dad* ile) [İvaz'dan] Karşılık olarak bir şey isteme.

istiaze, *A. i.* (*Te* ve *zel* ile) [İyaz'dan] • «Euzu billâhi min-eş-şeytan-ir-racim» sözünü söyleyerek Tanrıya sığınma. • «Huzuruna taallüm için kuudda etfal istiaze etmesi zaruri idüğü. — Nabi».

istibaa, *A. i.* Bir şeyi kendine sattırmaya çalışma.

istiba'ad, *A. i.* [Bud'den] Yaklaştırmama, uzak görme. Olmayacak sanma. • «Bu halâtı görüp izhar-i istib'at eder bir kuş. — Cenap».

istibaha, istibahat, *A. i.* Mübah ve helâl sayma. 2. Birçok kimselerin kanını dökmeye izin verme. (ç. İstibahât). • «Nice bin nüfusu katl ü gaaret emval ve fürac-i muharremat istibahat ettiler. — Naima».

istibak, *A. i.* (*Sin, te* ve *kaf* ile) Yarış etme. Yarışma.

isti'had, *A. i.* (*Te* ve *ayın* ile) Köle alma, köle edinme.

istib'al, *A. i.* Kadını nikâh ile alma.

isti'hal, *A. i.* Havanın fenalığı.

istibane, *A. i.* Açıklama. Açıkça meydana koyma.

isti'bar, *A. i.* (*Te* ve *ayın* ile) 1. İbret alma. 2. Düş yordurma.

istibda', *A. i.* (*Dal* ve *ayın* ile) Güzel sayma, nadir bulma.

istibdad, *A. i.* Kendi başına, hiç bir nizam ve kanuna bağlı olmadan idare etme. • «Vikaye-i şan ü şevket-i istiklâl ve istibdad ümniyelerini zamin ve mütekeffil olduklarını. — Pertev Pş.».

istibdadkârane, *F. zf.* [İstibdad-kârane] İstibdadla idare olunan, ona yakışır halde.

istibdal, *A. i.* [Bedel'den] 1. Değiştirme. Bir şey verip yerine bir şey isteme. 2. (As.) Zamanı gelince yeni asker alıp eskilerine izin verme, koyverme. • «Vaslın ile canım istibdal edersen n'ola kim —Kim kaçar âlemde ey meh assılı bazardan. — Hayali».

istibga', *A. i.* İş için yardım isteme.

istibhac, *A. i.* [Behcet'ten] Yüz gülme, sevinme.

istibhal, *A. i.* Azad olma, azat etme.

istibham, *A. i.* 1. Karışık, belirsiz olma 2. Susma, ses çıkarmama.

istibkâ, *A. i.* Ağlatma.

istibka, *A. i.* [Beka'dan] Sürmesinin isteme. • *İstibka-yi teveccühleri*... teveccühünüzün sürüp gitmesi (mektupla-rın sonlarında kullanılırdı.) 2. Fransız-cadan *conservation* (saklama, korunma, kalma) sözüne karşılık olarak; • *istibka-yi hayat*, • *-nevi*, • *-vücut*. • *-zat* sözleri kullanılmıştır (XX. yy.).

istibra, *A. i.* 1. İsedikten sonra temizlenme. 2. Hayiz gören kadına yanaşma. • «İtak edip tezevvüç eyle zira hurrede istibra olmaz. — Taş.».

istibraz, *A. i.* Meydana çıkarma.

istibsar, *A. i.* [Basar'dan] 1. Bir isin üzerinde iyice düşünme. 2. Basiretli, hesaplı davranma. (ç. İstibsarat). • «Meshud-i enzar-i fehm ü istibsar olmuştur. — Naima».

istibşar, *A. i.* 1. Hayırlı haber alma. 2. Müjdeleme. Müjde alıp sevinme. • «Ehl-i Sivas dahi anı istikbal ve makdemiyle istibşar eylediler. — Naima».

istibtan, *A. i.* Her şeyin içyüzünü bilme.

isti'cab, *A. i.* [Ucb'den] Şaşma, hayrette kalma. • «Uçucu hayvanat içinde isti'caba en ziyade lâyık. — Recaizade».

isticab, *A. i.* Vacip olma. Haketme. • «Dâva-yi istihkak ve isticab ile riayet için siklete başlar. — Naima».

isticabe, isticabet, *A. i.* [Cevab'dan] Duanın Tanrıca kabulü.

isticade, *A. i.* İhsan ve bahşiş isteme.

istical, *A. i.* [Acele'den] Acele etme. Çabuklandırma. • «Dahi imdat vusul bulmadan istical ile Gürcistan leşkerin kaldırıp. — Naima».

isticar, *A. i.* [Ecr'den] Kira ile tutma, kiralama. • «İsticar kira ile tutmak demektir. — Mec. 404».

isti'car, *A. i.* Mühlet verme.

isticare, *A. i.* [Cevr'den] Korunma isteme. Sığınak isteme. • «Ve kahr-i sultaniden isticare babında istihare eyledi. — Sadettin».

isticaze, *A. i.* [Cevaz'dan] 1. İzin isteme. 2. Sunulan bir manzume için caize, yani para isteme. • «Vüsulü için isticaze olundukta. — Naima».

isticbar, *A. i.* [Cebr'den] Zora bırakma. Baskı yapma.

isticdad, *A. i.* Yenileme, yeniden yapma.

istichal, *A. i.* [Cehl'den] Cahil sayma.

isticlâb, *A. i.* [Celb'den] 1. Çekme. Çekme veya getirmeye sebep olma. 2. (Fel.) Uyandırma. (ç. İsticlâbât). • «Nice hikmetler eyler isticlâb — İkisinden dahi ul-ül-elbab. — Naci».

isticnas, *A. i.* [Cins'ten] Cinsine benzetme. (Ed. Ce.) • *Hassa-i isticnasiye.* • «Hüviyyet-i mâneviyesinin bu yeni ailenin hücre-i ruhunda massolunmasını o hassai isticnasiyle taht-i emniyete alır. — Uşaklıgil».

isticvab, *A. i.* [Cevab'dan] Sorup karşılık alma. Söyletme. Sorgu. • «Bu nutk-i pâk ile eyler ukulü isticvap. — Fikret».

istida, *A. i.* [Dua'dan] 1. Yalvararak isteme. 2. Dilekçe. • «Temennan ma'kul ve istidan makbul. — Lâmii».

istida', *A. i.* [Veda'dan] Bir kimseye bakılmak üzere bir şey bırakma. • «Ve kendi istidadan iba edip. — Naima».

isti'da, *A. i.* Yardım dileme, fenalıktan sığınma.

istidad, *A. i.* 1. Bir şeyi yapmaya doğuştan hazırlıklı olma. 2. Akıllılık. 3. Yatıklık, hazırlık. • «Ve mahalline göre istidadınca cevap vermeği güzel bilirmiş. — Naima».

istidame, *A. i.* [Devam'dan] Bir şeyin veya bir durumun sürüp gitmesini dileme.

istidane, *A. i.* [Deyn'den] Borç alma, ödünç alma. • «Azadelik edasına vâbestedir yine — Hiç farkı yok kitabetle istidanenin. — Nabi» • «Bütün emlâkini elden çıkaracak surette istidaneye mecbur ise. — Kemal».

istidare, *A. i.* [Devr'den] 1. Dönme dolaşma. 2. Yuvarlak, daire biçimine girme. Değirmileşme.

istidbar, *A. i.* [İdbar'dan] Arka çevirme. Yüz döndürme.

istidhak, *A. i.* [Dıhk'ten] Alaya alma. Eğlenme.

istidkak, *A. i.* [Dakik'ten] İnceleme.

istidlâl, *A. i.* (*Dat* ile) [Dalâl'den] Ayartmaya, yoldan çıkarmaya çalışma.

istidlâl, *A. i.* [Delâlet'den] Bir tanıt çıkarma. Tanıt getirme. (XX. yy.). Fransızcadan *déduction* karşılığı, tümdengelim. (ç. İstidlâlât). • «Söz tamam oldu, kolaf ü suhanı ey Nef'i — Ehl-i dil tab'ını şi'rinden eder istidlâl. — Nef'i».

istidlâlât, *A. i.* [İstidlâl ç.] Tanıtlar. Kanıtlar. • «Müşevveş bulutlar arasında gaib olurdu ki istidlâlâta imkân bulamazdı. — Uşaklıgil».

istidlâlen, *A. i.* *zf.* İstidlâl, yoluyle. • «Masnuattan istidlâlen bir sani'-i hakîmin vacib-ül-vücut olduğuna. — Kemal».

istidrac, A. i. [Derece'den] 1. Derece derece artırma, ilerleme. 2. Değeri ve hakkı olmadığı halde talihi, kaderi düzgün, uygun gitme. (ç. İstidracât). • «Ağalar dahi gûya istidracları kemalin bulup zevalleri karîb olmuş idi. — Naima».

istidrak, A. i. 1. Anlamak. 2. Ulaşmak, yetişme. • «Onlar üzerine istidrak etmeye azm ü kast edevüz. — Taş.».

isti'fa, A. i. [Afv'den] 1. Bağış isteme. 2. Bir işten isteğiyle çekilme. • İstifa-i kusur, özür dileme. • «Bast-i mukaddemat-i özrhâhi ve isti'fa edicek. — Nergisi». • «Bakalım Hakkı Beyi nasıl istifa ettirecekler. — Cenap».

istîfa, A. i. [Vefa'dan] Tamamıyle alma. • «Şükûh-i kudreti alâ-i idrakât-i insanî — Vücuh-i hikmeti bîrun-i add-i fehm ü istîfa. — Nef'i».

istifade, A. i. [Faide'den] 1. Faydalanma. 2. Kazanma. 3. Bir şey öğrenme. • «Ah ey pîşi istifademden — Bitevakkuf uzaklaşan mevecat. — Fikret».

isti'faf, A. i. [İffet'ten] Günahtan, kötülükten çekinme.

istifaka, A. i. 1. Hastalıktan iyileşme. 2. Sarhoşluktan ayılma.

istifaname, F. i. [İstifa-name] Bir yerden çekilmeyi bildiren yazı.

istifaza, A. i. [Feyz'den] Feyz alma. • «Bir mania ile istifazaya müsait olduğu pertev-i ikbalden mahrum kalan ashab-i istidat gibi. — Kemal».

istifham, A. i. [Fehm'den] Sorup anlama. Anlamak için sorma. Soru. • «Zemine resm ile bir nazlı hatt-i istifham. — Fikret».

istifhamî, istifhamiyye, A. s. Soru ile ilgili. Soruya ait.

istifkad, A. i. [Fakd'den] (Kaybı) arayıp soruşturma. • «Ele girmezse hayalin ederim istifkad. — Nabi».

istiflâh, A. i. Kurulma, maksada ulaşma.

istifnan, A. i. Cins cins ayırma.

istifra', A. i. (Ayın ile) Başlama.

istifrad, A. i. 1. Yalnız. 2. Tekleme, ayırma.

istifrag, A. i. [Ferag'dan] Kusma. • «Cesed-i kâinatı istifrag-i küll ile tenkıyede. — Şefikname».

istifrar, A. i. Gizlice savuşma, kaçma.

istifraş, A. i. [Feraş'tan] Odalık alma. Odalık yapma. Cariyeyi nikâha lüzum olmadan yatağına alma.

istifsad, A. i. [Fesad'dan] Bir şeyin bozulmasını isteme.

istifsar, A. i. Sorup anlama. (ç. İstifsarat). • «Dedim o dem dil-i divane herçi bâd-âbâd — Bu haletin ederim aslın andan istifsar. — Nedim».

istifta, A. i. [Fetva'dan] Fetva alma için baş vurma. • «Eğer kim eylerse müfti insafından istifta. — Nabi». • «Asitane'ye gelip şikâyet ettiler istifta olundukta. — Naima».

istiftah, A. i. [Feth'ten] 1. Başlama. 2. Siftah etme. • Böyle bazarda da eylemeyen istiftah — Ne zaman açsa gerek suk-i maanide dükân. — Sabit».

istigasa, A. i. [Gavs'ten] Yardım isteme. • «Etmeden istigasayı tekmil — Belirir karşısında Azrail. — Naci».

istigbar, A. i. [Gubar'dan] (Bot.) Tozlaşma.

istigfar, A. i. [Gufran'dan] Tanrıdan günahın bağışlanmasını dileme. (ç. İstigfarât). • «Yatma hengâm-i seher bidar ol — Vakf-i seccade-i istiğfar ol. — Nabi».

istiglâb, A. i. Kemale gelme, gelişme.

istiglâk, A. i. Kesin pazar etme. Sözde durma.

istiglâl, A. i. [Gall'den] Geliri karşı gösterilerek yapı, tarla gibi malın rehne konması. • «Süleymaniye'deki evden dem vurdu. İstiglâlden (...) rehinden bahsediyor. — Uşaklıgil».

istigna, A. i. [Gına'dan] 1. Eldekini yeter bulma. 2. Tok gözlülük. • «Mübtelâ-yi aşkının dermandan istignası var. — Fuzuli». • «Bugün esabi'-i karinin biraz istigna ve biraz istiskal ile buruşturduğu gazeteleri. — Cenap».

istignafürüşane, F. zf. [İstigna-fürüşane] Kendini tok gözlü göstererek. • «Yavaş yavaş, ağır ağır nüzul-i istignafrüşane ile dökülüyor. — Uşaklıgil».

istignam, A. i. Ganimet araştırma, gözleme.

istigrab, A. i. [Garabet'ten] Şaşma. Garip bulma. (ç. İstigrabat). • «Erdi bir rif'ate erbab-i hüner devrinde — Ki eder çarh-i deniperver-i dun istigrab. — Nef'i» — • «Yalnız bir cihet işte istiğrabımızı mucip oluyor. — Kemal».

istigrak, A. i. [Gark'tan] 1. Dalma. İçine gömülme. 2. Dalgınlık. 3. (Tas.) Kendinden geçip dünyayı unutma. 4. (Arap Gra.) El harf-i tarifinin isimleri genel hale koyması. • «Bakışlarında hüveyda hazin bir istigrak. — Fikret».

istigva, *A. i.* [Gava'dan] Çığrından çıkarma. Başkaldırma. • ‹Ne neva ile percünban-i istigva olduklarını. — Şefikname›.

istigzab, *A. i.* Gazaba getirme, öfkelendirme. • ‹Bir kimseyi istigzab edeler yine gazaba haml ü cerr ederler. — Taş.›.

istihab, *A. i.* [Hibe'den] Hibe olarak isteme.• ‹İstihab ettiği hisler teslimine müsaade buyurulmadı. — Sadettin›.

istihal, *A. i.* [Ehl'den] Bir şeye lâyık olma. Onu çevirme. • *Bil-istihal,* lâyık olduğu üzere. • ‹Bil-istihsal memur buyruldukları nezaret-i celileye her veçhile revankbahş olarak. — Reşit Pş.›.

istihalât, *A. i.* [İstihale ç.] Başkalaşmalar, değişmeler.

istihale, *A. i.* [Havl'den] 1. Olamazlık. 2. Bir halden başka bir hale geçiş. 3. Mebde ve Maad şeklinde anasır-i erbaanın şekil değiştirmesi. 4. (XX. yy.). *Métamorphisme* karşılığı, başkalaşma, başkalaşım. • ‹Ve irsal-i rütbe-i istihalede bir hayal iken. — Veysi›.

istihaliyye, *A. i.* Fransızcadan *transformisme* mesleğini anlatmak için yapılmıştır, şekil değişimcilik (XX. yy.).

istiham, *A. i.* Okla fala bakma.

istihanet, *A. i.* (He ile) Hor ve aşağılık görme. • ‹Zinhar ve zinhar ki ulûmdan birini istihanet ve istihkar edip. — Taş.›.

istihare, *A. i.* (Ha ile) 1. Hayran olma, şaşma. 2. Cevap isteme, soru sorma.

istihare, *A. i.* (Hı ile) [Hayr'dan] Bir işin sonunu anlamak için aptes alıp dua ile uykuya yatma. • ‹Ve kahr-i sultaniden isticare babında istihare eyledi. — Sadettin›.

istihaze, *A. i.* (Ha ve dat ile) Aybaşı halinde fazla kan gelme.

istihbab, *A. i.* [Hubb'dan] Bir şeyi iyi sayma, müstahap görme. • ‹Kabulleri vücuben olmayıp istihbaba mahmuldür. — Esat Ef.›.

istihbar, *A. i.* [Haber'den] Haber ve bilgi alma. Duyma. • ‹Duyuldu mu diye kapıya istihbara gelmiş. — Naima›.

istihbarat, *A. i.* [İstihbar ç.] Alınan haberler.

istihcan, *A. i.* [Hücnet'ten] Kötü görme. Çirkin sayma, çirkin sayılma.

istihda, *A. i.* [Hüda'dan] Doğru yolu isteme.

istihdaf, *A. i.* [Hedef'ten] Hedef tutma, amaç edinme.

istihdam, *A. i.* [Hidmet'ten] Kullanma. Hizmete alma. • ‹Berk gibi dünyayı yakıp yıkmak levazımından bulunan bir beliyeyi tatarlıkta o istihdam eyliyor. — Kemal›.

istihdas, *A. i.* Bir şeyi sonradan ve yeniden edinme. • ‹Ve sair emakin-i müteaddidede istihdas edip tamamına yetişmediği ebniye-i şeddadiyenin. — Naima›.

istihfa', *A. i.* (Hı ile) Gizlenme, saklanma.

istihfaf, *A. i.* [Hiffet'ten] Hafifseme. Önem vermeme. Küçük görme. (ç. İstihfafât). • ‹Bu köhne hikmeti Nan'sen edeydi istihfaf — Feram bugün ne olurdu. Bir ihtimal-i muhal. — Fikret›.

istihfafkâr, *F. s.* [İstihfaf- kâr] Hafifseyen, küçük gören. (ç. İstihfafkârân).

istihfafkârane, *F. zf.* Hafifseyerek, küçük görerek.

istihfaz, *A. i.* 1. Saklanma, koruma. 2. Bir şeyi korumasını, saklamasını birinden isteme.

istihkak, *A. i.* [Hak'tan] 1. Haklı olma, haketme. 2. Hakedilen şey, iş karşılığı. • *Bil-irs vel istihkak,* babadan kalma ve liyakatli olma. • Dikkat etmez kimse istihkak ü istidadına. — Ziya Pş.›.

istihakperver, *A. s.* [İstihak-perver] Değerbilirlik. • ‹Bunca vüzerayı hizmetsiz bırakamamak mütalâaları o yolda olan istihkak perverliklere mani olmuştur. — Kemal›.

istihkâm, *A. i.* [Hükm'den] 1. Sağlamlık. 2. Kuvvetli, dayanıklı olma. 3. Kuvvetli siper. • ‹Padişah ve valideyi tesliyet edip ağaya makamında istihkâma azîm hizmet eyledi. — Naima›. • ‹Ne âli vu bülend olmuş binayi dilkeşi elhak — Ne istihkam ile vaz' eylemiş bünyadını üstad. — Nedim›.

istihkâmet, *A. i.* [İstihkâm ç.] İstihkâmlar. • ‹Cevelanlarını bir şehrin istihkâmatı dahiline hasr etmezler. — Cenap›.

istihkan, *A. i.* (Ha ile) Tenkiye kullanma.

istihkar, *A. i.* [Hakaret'ten] Aşağı gözle bakma. Ufak ve âdi görme (ç. İstihkarat). • ‹Tutalım arayarak bulmuşum anı amma — Kabul kılmayıp eylerse nezrim istihkar. — Nedim». • «Revişlerinde sezer bir şemim-i istihkar. — Fikret».

istihlâf, A. i. [Half'ten] Birini kendi yerine geçirme. Birinin yerine geçme. • «Mahiyet-i insaniyesini hayat-i ebediye ile insaniyesini hayat-i ebediye ile insaniyete hizmet için istihlâf etmiş oluyor. — Kemal».

istihlâk, A. i. [Helâk'tan] 1. Boş yere harcayıp tüketme. 2. Kullanarak tüketme, bitirme. • «Hiç bir hareketimiz yoktur ki istihsal, istihlâk veya ticarete müncer olmasın. — Cenap».

istihlâkât, A. i. 1. Harcamalar. 2. Yenen içilen şeyler. • «Uluorta giriştiği istihlâkâta nakitten başladı. — Recaizade».

istihlâl, A. i. [Hilâl'den] 1. Yeni ay görünme. 2. Çocuğun doğar doğmaz ağlaması. • Beraat-i istihlâl (Ed.) Güzel başlangıç; iyi alâmet. • «Guzatın seyf-i şecaatı hun-i düşman içinde barıkanisar olacağına beraat-i istihlâl olurdu. — Kemal».

istihlâl, A. i. [Helâl'den] 1. Helâl sayma. 2. Helâllaşma. • «Huzzar ile musafaha-i istihlâl ve istifa resmin icra eyledi. — Nergisi».

istihlâs, A. i. [Hulûs'ten] 1. Bir şeyi kendinin edinme. 2. Kurtarma, kurtarılma. • «Mülk-i mevrusu istihlâsına fırsat gözler idi. — Sadettin».

istihmak, A. i. (Ha ile) Ahmaklık gösterme.

istihmam, A. i. Hamama girme. Yıkanma. (ç. İstihmamat.) • «Bir daha haneye azm eylemez andan açılır — İktiza eyler ise hangisine istihmam. — Nabi».

istihrac, A. i. [Huruc'dan] 1. Bir şeyin içinden başka bir şey çıkarma. 2. Sonuç çıkarma. 3. Bazı belirtilerden ileriyi anlama. 4. Bir dilde okuduğunu anlama. 5. Fal bakma, yıldızlardan mâna çıkarma. • «Karanlık; fehm ü daniş, akl ü istihrac hep muzlim. — Fikret».

istihracat, A. i. [İstihrac ç.] Yıldızlardan hüküm ve mâna çıkarma.

istihsal, A. i. [Hâsıl'dan] 1. Meydana getirme. 2. Ele geçirme. • «Bütün saadet yalnız bununla kabil-i istihsal idi. — Uşaklıgil».

istihsalât, A. i. [İstihsal ç.] Elde edilen şeyler.

istihsan, A. i. [Hasen'den] Güzel bulma. Beğenme. (ç. İstihsanât). • «Görürdüm her kaside söyledikçe her birisinden — Hem istihsan ü hem ihsan ü hem lûtf-i firavanı. — Nef'i».

istihsan, A. i. [Hısn'dan] Sağlam bir yere kapanma, kalelenme. Korunma.

istihsanen, A. zf. Beğenerek, güzel sayılarak.

istihva, A. i. 1. Bir kimsenin aklı alınma. Şaşırıp kalma. 2. Heva ve hevesi hoş görme. 3. Havalanma.

istihya, A. i. [Hayâ'dan] 1. Utanma. 2. [Hayat'tan] Diriltme, yaşatma. • «Taam üzerinde gülmekten dahi istihya ederler. — Naima».

istihza, A. i. Eğlenceye alma. Biriyle eğlenme. • «Eder gibiydi uzaktan benimle istihza. — Fikret».

istihza', A. i. (Hı ve zel ile) Kendinin alçak tutma, alçak gönüllülük gösterme.

istihzakâr, F. s. Alaycı. • «Sonra çirkin, istihzakâr bir tebessüm açılıyor. — Uşaklıgil».

istihzar, A. i. [Huzur'dan] 1. Huzura getirme. Hazır etme. 2. Bir şeyi hatıra getirme, hatırlanma. (ç. İstihzarat). • «Davasına muvafık mesaili hatırına alıp istihzar eder ve mahallinde söylerdi. — Kâtip Çelebi».

istika', A. i. (Elif, sin, kaf ve hemze ile) [Saky'den] 1. İçecek su alma. Su isteme. 2. Zorla kusma.

isti'kâd, A. i. Sığınma.

istikad, A. i. [İkad'dan] Tutuşturup yakma. • «Rütbeni bilmek ile tab-ı cehennemde bile — Ümmet-i müznib için yok heves-i istikad. — Nabi.»

istikade, A. i. Adam öldürenin kısasını isteme.

istikamet, A. i. [Kıyam'dan] 1. Doğrulu. 2. Doğru davranış. 3. Bir şeyin bir yöne doğrulması, uzanması. 4. (Taş.) Tanrıya kullukta bulunma. • «İlâç et düşmeden sâki mizacım istikametten. — Fuzulî».

istikane, A. i. Yiyecek bir şey isteme.

istikâne, istikânet, A. i. 1. Alçak gönüllülük. 2. Küçülme. • «Serdar-i gaziye elçi gönderip arz-i istikanet ve türlü meskenet edip. — Naima».

istikbah, A. i. [Kabih'ten] Çirkin görme, ayıplama. • «Bahayi Efendi ol muameleyi istikbah ve inkâr edip. — Naima».

istikbal, *A. i.* [Kabl'den] 1. Gelecek zaman. 2. (Geleni) Karşılama. • *İstikbal-i* kıble, kıbleye yönelme. • «Bugün senin harekâtın veya sükûnunla Takarrür eyleyecektir huzur-i istikbal. — Fikret».

istikbalen, *A. zf.* 1. İleride, gelecek zamanda. 2. Karşılamak için, karşılayarak. • «İstikbalen zuhuruna emniyet ederek aldandığı yalanlar. — Uşaklıgil».

istikbalî, istikbaliyye, *A. s.* Gelecek zamanla ilgili.

istikbar, *A. i.* [Kibr'den] 1. Büyütme, önem verme. 2. Kibir. Kibir satma. • «Taşradan halkın işi istikbar. — Nabi».

istikdam, *A. i.* Öne geçme.

istikdar, *A. i.* Tanrıdan kendi için hayırlı şey dileme.

istikfa', *A. i.* Yetinme, yeter bulma.

istikfaf, *A. i.* [Kifaf'tan] 1. Az şeyi yeter bulma. 2. Yetişme. 3. Dilenci gibi el uzatma. • «İstikfafa ruhsat-i tayaran bulup. — Şefikname».

istikfal, *A. i.* [Kefalet'ten] Kefil olma. Kefilliği kabul etme. • «Dahi müftü Hüseyin Efendi ve Recep Paşayı istikfal etmeleriyle. — Naima».

istiklâ, *A. i.* 1. Alıkoyma. 2. Veresiye alma.

istiklâl, *A. i.* [Killet'ten] 1. Kendi başına olma. Kimseye bağlı olmama. 2. Azımsama. • «O çelik parçası bir gün bir ehemmiyet alır — Koca bir kavmin olur hâris-i istiklâli. — Fikret».

istiklâliyyet, *A. i.* Başlı başına buyruk olma. İstiklâl üzere bulunma.

istikmal, *A. i.* [Kemal'den] 1. Bitirme. 2. Bir işin tam ve eksiksiz oluşu, kemale erdirilmesi. (ç. İstikmalât). • «Bizim noksanımız hep kabil-i ikmaldir amma —Bulunmaz neyleyim ashab-i istikmal bir yerde. — Avni». • «İstikmal-i tarihe muvaffak olursa. — Naima».

istiknah, *A. i.* [Künh'ten] Bir şeyin hakikatine varma. (ç. İstiknahat). • «Yalnız bir faraziyeyi takip ederek istiknah-i hakikat etmek istemişti. — Uşaklıgil».

istiknan, *A. i.* Gizlenip saklanma.

istikra', *(Kaf* ile) Bir şeyin ardına düşüp araştırma. (XX. yy.). Fransızca'dan *induction* karşılığı. Tümevarın.

istikra, *A. i. (Kef* ile) Kiralama, kira ile tutma. • «Adana cesim bir kasaba

olup böyle zaruret ilcasında han ve haneler istikra edilmek kabildir. — Cevdet Pş.».

istikrah, *A. i.* [Kerh'ten] 1. Bir şeyi istemeyerek zorla yapma. 2. Beğenmeyip tiksinme. • «Daha mebde-i telezzüzde gönül istikrahtan hâli değildir. — Kemal».

istikram, *A. i.* Kerem isteme. Keremli sayma.

istikrar, *A. i.* [Tekrar'dan] Tekrarlatma. • «Nazar olunsa tevali nev'ü cinse eğer — Değil tabiat-i eşyadan devr ü istikrar. — Ziya Pş.».

istikrar, Bk. • *İstıkrar.*

istikraz, *A. i.* [Karz'dan] Borç alma. (ç. İstikrazat). • «Daire-i medeniyet içinde ef'al ü âmalin teshilicün rayegân olan esbabdan biri de istikraz maddesidir ki. — Kemal».

istiksab, *A. i.* [Kisb'den] Kazanma. Kesbetme.

istiksar, *A. i.* [Kesret'ten] Çok görme, çoğunlaşma. • «Onun ulûfesini istiksar belâsıyle Ahmet Paşa telef olduğu. — Naima».

istikşaf, *A. i.* [Keşf'ten] Keşf etmeye çalışma. Ne olup bittiğini anlama için araştırma. (ç. İstikşafat). • «Hadice'den varıp istiksaf-i desise-i zamir eyliyesiz dedi. — Veysi».

istiktab, *A. i.* 1. Söyleyip yazdırma. 2. Yazısı kontrol edilmek üzere birine birkaç satır yazdırma. • «Ediyor katre istiktab — Bana gûya bu şi'r-i mahzunu. — Cenap».

istiktal, *A. i. (Kaf* ile) Ölümden korkmayıp yiğitçe kendini ölüme teslim.

istiktam, *A. i. (Kef* ile) Gizleme ve saklamaya çalışma.

istiktar, *A. i.* [Taktir'den] Damla damla akıtma. Damıtma. • «Gâh teklis ü gehi istikrar — Âzmayişle geçer leyl ü nehar. — Nabi».

istikvas, *A. i.* [Kavs'ten] Yay gibi eğilip iki kat olma.

istikya, *A. i.* [Kayy'den] Kusma.

istilâ, *A. i.* 1. Ele geçirme. 2. Yayılma, kaplama. 3. (Jeo.) Basma. • «Ve her birinin ağzından Stanbul'u istilâ ve Dâr-üs-saltanayı nehb ü garet ve yağma ederiz sözü düşmezdi. — Naima».

isti'lâ, *A. i.* [Ulüv'den] Yükselme. Yüce olma. • «Hattâ — Yorulmadan edecekler cinana isti'lâ. — Fikret».

istilâb, A. i. [Selb'den] Kapıp alma. Selbetme.

isti'lâc, A. i. [İlâc'dan] İlâç isteme. • «Hâkim Yakup'tan istilâç ettiler. — Sadettin».

istilâd, A. i. Doğurtma. • «Cimrinin kesrete hırsı okadar var ki eder — Daha na-baliğ iken dâiye-i istilâd. — Nabi».

istilâdi, A. i. Fransızcadan maieutique karşılığı doğurtucu (XX. yy.).

istilâî, istilâiye, A. i. Bir memleketi ele geçirmeye ait. 2. Salgın bir hastalıkla ilgili.

isti'lak, A. i. [Ta'lik'ten] Bir şeyin olmasına bağlı bırakma.

istilâm, A. i. Öpme veya el sürme. • «Ve Hacer-ül-esved-i süveydaya istilâm etmektedir. — Mevkufati».

isti'lâm, A. i. [İlm'den] Bilgi edinmek için yüksek bir makamdan alta sorulma. (ç. İstilâmat). • «Bir ilimdir ki anınla bazı havadis-i atiye isti'lâm olunur. — Taş.». • «Netice-i icraat telgraf ile isti'lâm ve istical buyurulmuş olduğundan. — Sırrı Pş.».

isti'lân, A. i. [İlân'dan] İlânını isteme.

istilânet, A. i. [Linet'ten] Yumuşak bulma.

istilhak, A. i. İlhaka, katışmaya çalışma.

istilka, A. i. Arka üstü yatarak uyuma. • «Zahrı üzre istilka edip tezekkür ve tefekkür edip. — Taş.».

istilzam, A. i. [Lüzum'dan] Gerekme. Gerektirme. (ç. İstilzamat). • «Muharebenin bu kadar devamını istilzam ettiren sebeb-i hakikî ise. — H. Vehbi».

istilzaz, A. i. [Lezzet'ten] Hoşa gitme. Lezzet alma. (ç. İstilzazat). • «Okuyan gûdek-i nev-sâle eder istilzaz. — Sümbülzade».

istilzaziyye, A. i. Fransızcadan hédonisme mesleği karşılığı olarak yapılmıştır, hazcılık (XX. yy.).

istima', A. i. [Sem'den] 1. Dinleme, kulak verme. 2. Dinleyip kabul etme. 3. İsteme. (ç. İstimaât). «Bir gün kazaskerler ile Divan'da istima-i nâsa meşgul ediler. — Naima».

istima', A. i. (Te ve hemze ile) 1. Ziyarete gitme. 2. Bir kimseden hayır umma.

isti'mal, A. i. [Amel-den] Kullanma. • Hüsn-i istimal. güzel kullanma, yerinde kullanma; • su-i istimal. yersiz, yolsuz kullanma, • «Zuhur eden bir vesile-i nizaı derhal istimal etmeliydi. — Uşaklıgil».

istimalât, A. i. [İstimal ç.] Kullanışlar. Kullanılışlar.

istimalet, A. i. [Meyl'den] 1. Gönül alma, gönül çelme. 2. Vaadederek kandırma. • «İstimaletle gülüp yüzlerine — İtimat eyleme çok sözlerine. — Sümbülzade».

istimaletname, F. i. Suç bağışının yazılı olduğu kâğıt. • «Şeyhislâm ve kazaskerler v egayrılar istimaletname yazıp İsa Ağa mekâtibi götürüp. — Naima».

istiman, A. i. [Eman'dan] Aman dileme. Sığınma. • «Gayet müsait birçok şerait arziyle memleket halkını istimana teşvik ettiyse de. — Kemal».

isti'mar, A. i. [Tamir'den] 1. Bir yeri bayındırma. 2. Bir yerin bayındırlığını dileme. 3. Sömürgeleştirme.

istimaze, A. i. Ayrılma, açıkta durma.

istimdat, A. i. [Madded'den] Yardım isteme. • «Varidat-i dil ü tab'ımdan eder istimdat — Olurum zatını tavsifte bî-sabr ü sükûn. — Nailî». • «Şikeste, etmedeyim gölgelerden istimdad. — Fikret».

istimdadkârane, F. zf. Yalvarırcasına. Medet umarak. • «İri mavi gozleriyle istimdadkârane ona bakıyordu. — Uşaklıgil».

istimhal, A. i. [Mehl'den] Mühlet, zaman isteme. • «Cevaba mübaderet edemeyip istimhal etmiş. — Sadettin». • «Çekip visademi kıldım külâh-i kûşemi ham — Garim-i gamdan edip nim lahza istimhal. — Nedim».

istimlâ', A. i. 1. Birine bir şey yazdırma. 2. Bir şey yazılmasını isteme.

istimlâk, A. i. [Milk'ten] Kamu yararı için bir mülkü kamulaştırma. (ç. İstimlâkât).

istimlâl, A. i. [Melâl'den] Can sıkılıp usanma.

istimna, A. i. [Meni'den] Abaza. • «Medar-i havl ü bülûğ nisab ü istimna. — Fuzulî».

istimnan, A. i. İhsan isteme.

istimrar, A. i. [Mürur'dan] Sürme. Sürüp bidüziye gitme. • Alel-istimrar, aralıksız. • Bütün zerrat bir kanun-i istimrara tâbidir. — Ziya Pş.».

istimrarî, istimrariye, A. s. Sürerlik. • Fiil-i istimrarî, sürerlik eylemi.

istimsâk, A. i. [İmsâk'tan] Kendini tutma, nefsine hâkim olma. • «Dest-i fesahat peyvest-i tevcih ve tahrif ile istimsâk eden. — Şefikname».

istimsal, A. i. [Misal'den] Misal tutma. Örnek edinme.

istimta, A. i. [Temettü'den] Faydalanma. • ‹Ömründe mesahif-i şerifeye nazar ile istimta etmemiştir. — Taş.›.

istimtar, A. i. (Te ve tı ile) Yağmur dileme.

istimzac, A. i. [Mizac'tan] Bir şeyin açıktan teklifinden önce, ne etki yapacağını, nasıl kabul edileceğini anlamaya çalışma. Yoklama. • ‹Yoklayıp nabzını kimi ettimse istimzac. — Sümbülzade›.

istinabe, A. i. (Te ile) [Naib'den] 1. Naip olma. 2. Başka bir yer mahkemesi için tanığın yazılı olarak ifadesini alma. • ‹Ve kişver-i Acem'de istinabe ve istihlâfların istida edip. — Sadettin›.

isti'nad, A. i. (Te ve ayın ile) İnatlaşma.

istinad, A. i. 1. Dayanma. 2. Güvenme. 3. Kanıt diye bakılan bir şey üzerine fikrini, iddiasını kurma. • ‹Maldar olup Murat Paşaya istinadı sebebiyle sağ hamlacının yolunu alıp. — Naima›.

istinaden, A. zf. Dayanarak, güvenerek. • ‹İtlak olunduktan sonra Defterdar ve bostancılara istinaden. — Naima›.

istinadgâh, F. i. [İstinad-gâh] Dayanacak, güvenecek yer. • ‹Hudası var olanın istinadgâhı mı yok? — Naci›.

istinaf, A. i. 1. Yeniden başlama. 2. Bidayet mahkemesinin kararı için bir üst mahkemeye başvurma. 3. (Gra.) Kelâmın başlangıcı. • ‹İstinaf-i merasim-i rica mertebemiz değildir. — Veysi›.

istinafen, A. zf. İstinaf yoluyle.

istinare, A. i. [Nur'dan] Nurlandırma, parlatma.

istinas, A. i. [Üns'ten] Alışma. Ürkeklik gitme. • ‹Her gün bir parça daha bu izdivaç fikriyle istinas ettiriyordu. — Uşaklıgil›.

istinba', A. i. Haber sorma.

istinbat, A. i. Bir söz veya işten gizli bir mâna çıkarma. • ‹İsmimi hun-i dilimden edesin istinbat. — Sümbülzade›.

istinca, A. i. Pislikten temizlenme. • ‹Zahidâ âlem-i nur ü taharetten sunulmuştur — Bana mina-yi ruh-efza sana ibrik-i istinca. — Sabit›.

istincad, A. i. Asker bulma, asker toplama. • ‹Habeşiler malik-i Habeş olan Nasraniden istincad edip. —Naima›.

istincah, A. i. İşinin olmasını isteme.

istincas, A. i. Bulaşma, bulaştırma.

istinfak, A. i. Malı harcayarak tüketme.

istinfar, A. i. Ürkme, ayaklandırma. Ürküp kaçma. • ‹Kasabat-i mütecavireden istinfar ettiler. — Şefiknamede›.

istinhac, A. i. Bir kimsenin dediğine uyma.

istinhas, A. i. (Hı ve sin ile) Haberi iyice inceleme.

istinhaz, A. i. (Hı ve dat ile) Bir kimseye bir iş için kımıldamasını emretme.

istinkâf, A. i. Kabul etmeme. Çekimser kalma. • ‹Bu defa mesullerine müsaadeden intinkâf ile. — Kemal›.

istinkâh, A. i. (He ile) Ağız koklama, araştırma.

istinkah, A. i. (He ile) Anlama.

istinkâh, A. i. (Ha ile) [Nikâhtan] Bir kadını nikâhla alma.

istinkâr, A. i. Bilmemezlikten gelme.

istinkas, A. i. (Sin ve sat ile) Pahasını indirmeye çalışma.

istinkaş, A. i. Nakşetme, nakşedilmesini isteme.

istinsab, A. i. [Neseb'den] Soyu bildirme. Soy dâvası gütme.

istinsaf, A. i. (Sin ve sat ile) Alacağını alma. Ödeşme.

istinsah, A. i. (Sin , te, sin ve hı ile) [Nesh'ten] 1. Bir nüshasını yazma. 2. Suretini çıkarma. 3. Kopya etme.

istinsah, A. i. [Nush'tan] Öğüt isteme. Nasihat alma. • ‹İyadet edip istinsah ettim. — Sadettin›.

istinsar, A. i. [Nasr'dan] Yardım isteme. • ‹Kâtip Çelebi Fezleke'de böyle yazmış ve Sipahi ocağına istinsar ile hayli tarafdarlık etmiştir. — Naima›.

istinsar, A. i. (Sin ve se ile) Burna su çekip geri püskürme.

istinsaren, A. zf. 1. Yardım umarak. 2. Arka çıkarak. • ‹Husrev Paşaya istinsaren Murtaza Paşa ile cenk ettiler. — Naima›.

istinşad, A. i. [İnşad'dan] Birine manzume okutma. • ‹Bu ahengiyle göklerden sana istinşad eder bir kuş. — Cenap›.

istinşak, A. i. Aptes alırken buruna su çekme. • ‹Ol rayiha-i keriheyi istinşak ettiler. — Şefikname›.

istintac, A. i. Sonuç çıkarma. (ç. İstintacat). • ‹Küçük muhakemesinin istintacat-i müşevveşesine münhasır kalmış idi. — Uşaklıgil›.

istintak, A. i. [Nutk'tan] Söyletme. Sorguya çekme. (ç. İstintakat). • Onu mahirane istintaklar içinde söyletmiş idi. — Uşaklıgil».

istinzal, A. i. (Ze ile) İndirme.

istir'a, A. i. (Ayın ile) Korunma isteme.

istirabe, A. i. Şüpheye düşme. Kuşkulanma.

istirahat, A. i. [Rahat'tan] Dinlenme, rahatlaşma. (ç. İstirahat). • «Çalış, çalış ki yarın belki istirahat için — Bir istifade edersin bugünkü sayinden. — Fikret».

istirahatbahş, F. s. Rahatlandırıcı. • «Sakin, tesliyetsaz, istirahatbahş yaşlarla. — Uşaklıgil».

istirak. A. i. [Sirkat'ten] Çalma, hırsızlama. • «İstirak-i sema kaldıkça hücum — Onları def' eyledi gökten rücum» — • «İstirak-i istiaratiyle şi'r-i Şevketin — Şimdi düzdan-i maani şan ü şevket bağladı. — Nabi».

istirbah, A. i. [Ribh'ten] Faizle para verme. Faize para yatırma. Tefecilik. (ç. İstirbahat)

istirca, A. i. [Reca, rica'dan] Yalvarma. Dileme. • «Bu makule ısca' ile tefeccu ve istirca' eylemiştir. — Taş.».

istirca', A. i. [Rücu'dan] 1. Bir ölü görüldüğü zaman • inna lillâh ve inna ileyhi raciun (Biz Tanrının kuluyuz ve biz Tanrıya raciiz, ona döneceğiz) âyetini okuma. 2. Geri dönme. Tepme. • «Hedeften tirin istircaı temrensizliktendir. — Yüsri».

istirdad, A. i. [Red'den] Geri isteme. Geri alma. (ç. İstirdadat). • «İki elmas değildir harem-i hassında — Cibrilin gözü kalmış edemez istirdat. — Nabi».

istirdaf, A. i. Birlikte gitmeyi isteme. • «Ve maahaza istirdaf ederler idi. Yani haleflerine bir kimseyi dahi alırlardı. — Taş.».

istirfa', A. i. [Ref'den] Kaldırılmasını, yapılmasını isteme. • «Ve ashab-i saltanat ki sahib-i seyf-i mutlaktır istirfa-i zulm-i zalim ve istizale-i mezalim kılarsa. — Veysi».

istirfad, A. i. (Sin, te ve dal ile) Yardım isteme.

istirfah, A. i. 1. Rahatlık ve bolluk isteme. 2. O halde bulunma.

istirha, A. i. (Sin ve hı ile) [Rehevet'ten] Gevşeme.

istirhab, A. i. (Sin ve he ile) Korkutma, korkutulma.

istirham, A. i. [Rahm'den] Merhamet dileme. Yalvarma. (ç. İstirhamat). • «Öyle samimi bir mâna-yi istirham var idi ki. — Uşaklıgil».

istirhamname, F. i. [İstirham-name] Bir dilek için yazılan mektup.

istirhan, A. i. [Rehn'den] Rehin alma, rehin alınma.

istirhas, A. i. (Sin, hı ve sat ile) Bir şeyi ucuz görme. Ucuz görülme. • «İktiham olunmasında istirhas birle. — Eset Ef.».

istirkab, A. i. [Rekabet'ten] Çekememe. Rekabette bulunma. (ç. İstirkabat). • «İkbalimizi istirkab ile idbarımıza sebep olanlara. — Akif Pş.».

istirkak, A. i. [Rıkk'tan] Kul edinme. Kul edinilme. • «Bilcümle seby ü istirkaka kemer-beste-i ittifak olup. — Şefikname».

istirkâk, A. i. Zayıf ve rekik sayma.

istirşa, A. i. 1. Bir iş için bir şey isteme. 2. Rüşvet isteme.

istirşad, A. i. [Reşad'dan] Hak yoluna gitmek isteme. • «Mürşid-i hakbînimiz var nerde istirşad eden».

istirvah, A. i. 1. Rahatlama. 2. Şiddetle koklama.

istirza, A. i. [Rıza'dan] Razılık isteme • «Silâhdarı istirza kenduye sebeb-i beka olur zannedip. — Naima».

istirzak, A. i. [Rızık'tan] Rızık, nafaka sağlamaya çalışma. • «Mamure-i âlem-i cihanı vakf-i istirzak edip. — Fuzulî».

istirzal, A. i. [Rezalet'ten] Bayağı aşağılık görme. Rezil sayma.

isti'sa', A. i. (Sin ve sat ile) [İsyan'dan] İsyan ve zorbalık etme.

istisa', A. i. (Ayın ile) Bollaşma, bolalma.

istis'ab, A. i. (Sin, te, sat ve ayın ile) [Saab'dan] Güç görme. Zorumsama.

istis'ad, A. i. [Sa'd'den] Uğurlu sayma.

istis'adiyye, A. i. Fransızcadan eudémonisme felsefe teriminin karşılığı; mutçuluk (XX. yy.).

istis'al, A. i. [Sual'den] Soruşturma. • «Meramları her ne ise söylesinler diye istis'al etmiş idi. — Esat Ef.».

istisal, A. i. [Asl'dan] Kökünden koparıp çıkarma. Temelinden temizleme. (ç. İstîsalât). • «Muhabere ile istisaline icazet fermanı aldı. — Naima».

isti'sam, A. i. (Sin ve sad ile) Günahtan temizlenme.

istîsar, *A. i. (Sin* ve *se* ile) Bir şeyden çok alma, çoğaltmaya çalışma.

isti'sar, *A. i. (Hemze* ve *se* ile) 1. Seçme. 2. Seçip benimseme.

istîsar, *A. i. (Sin* ve *sin* ile) 1. Kolaylanma. 2. Hazır olma.

istîsar, *A. i. (Hemze* ve *sin* ile) Esir olma veya esir etme.

istîsare, *A. i. (Sin* ve *se* ile) Toz veya fitne savurma. • «Gubar-i hâtır-i virani istişare ile. — Nabi».

istisbat *A. i.* [Sebt'ten] Acele etmeyip hesaplı davranma.

istişdad, *A. i.* [Sedad'dan] Doğruluk.

istisgar, *A. i.* [Sagir'den] Küçük görme. Küçümseme. • «Padişah-i heybetpenahı istisgar yüzünden cevabında. — Naima».

istishab, *A. i.* [Sohbet'ten] Yanına alma. Beraber götürme. • *Bil-istishab,* Beraber alarak, ...ile birlikte. • «Fırka-i dehrî ki hiç etmezdi istishab-i din. — Süruri».

istishan, *A. i. (Sin, sad* ve *ha* ile) Sahi sayma. Sağlığa çalışma.

istishal, *A. i.* [Sehl'den] Kolay görme. • «Keyfiyât-i bi-nizamlarından bahisle tarik-i tegallûbu istishal ederlerdi. — Asım».

istishar, *A. i. (Sin* ve *hı* ile) Zevklenme, maskaraya alma.

istiska, *A. i.* [Saky'den] 1. Su isteme. 2. Yağmur duasına çıkma. 3. Bedenin ötesine berisine su toplanma hastalığı. • «1038 cemaziyelulâsında istiskadan helâk olup. — Naima». • «Olurdu halk-i âlem kâsegird-i dest-i istiskâ. — Nabi».

istiskal, *A. i. (Sin* ve *se* ile) [Sıklet'ten] 1. Ağır bulup hoşlanmama. 2. Hoşlanılmadığını soğuk muamele ile anlatma. Yüz vermeme. • Hasılı bu makule evzaından vezir gücenip istiskale başladı. — Naima». • «Göricek şaibe-i istiskal — Kalka gör durma oturma filhal. — Vehbi».

istislâf, *A. i.* [Selef'ten] Birinin yerine geçme. • «Altmış iki altmış üç senelerinin emval-i mirisi dahi istislâf olunmakla iki sene tedahül sebebiyle. — Naima».

istislâl, *A. i. (Sin* ile) Çekip çıkarma, sıyırma.

istislâm, *A. i. (Sin* ve *sin* ile) 1. Uyma. 2. Yolun ortasından gitme. 3. İslâm-lığı kabul etme. • «Takdim-i mukaddemat-i sulh ü istislâm edip. — Sadettin»

istismar, *A. i. (Sin* ve *se* ile) [Semere'-den] Sömürme.

istisna, *A. i. (Sin* ve *se* ile) 1. Ayırma. Ayrı tutma. 2. Kural dışı olma. • *Bilâ istisna,* ayrılıksız. • «Böyle bir istisnayi garip teşkil etmek zilletini talih onun için mi alıkoymuş idi. — Uşaklıgil».

istisnaî, istisnaiye, *A. s.* Ayrı olan şeylere ait, onunla ilgili. • «Hizmet-i filiye beş sene ise de Bosna'da üç sene olmak gibi bazı ahval-i istisnaiye — Cevdet Pş.».

istisra', *A. i.* [Sür'at'ten] Çabuklandırma. • «Haseki ağa dahi varıp istisra' ettikte İpşir Paşa bir âli divan etmiş idi. — Naima».

istisrar, *A. i. (Sin* ile) Odalık alma.

istisrar, *A. i.* [Sırr'dan] Gizlilik. • «Zira gaspta cihar ve sirkatte istisrar muteber olmakla. — A. Haydar».

istisvab, *A. i. (Sin* ve *sat* ile) [Savab'dan] Doğru bulma. Beğenme. • «Budur dedikte istisvab olunup. — Naima».

isti'şa, *A. i.* Ateş ışığıyle, yol yürüme.

istis'ar *A. i.* 1. Bir maddenin yazılıp bildirilmesini isteme. 2. Kıllanma. 3. Ürkme. 4. Gocunma. • «Amma vezir mezburdan kemal-i istiş'arda olmağın. — Naima».

istişare, *A. i.* [Şûra'dan] Danışma. Fikir sorma. • «Derya cengi ahvalini Tarabulus kaptanları ve rüesasıyle istişare ettikte. — Naima».

istişat, *A. i.* [Şat'tan] Coşma. Taşma. • «Dâmenbus için pîşgâhına sürdüklerinde Mollanın gazabı heyecan ve istişat edip. — Naima».

istişfa', *A. i.* [Şifa'dan] Hastalıktan kurtulup şifa bulma.

istişfa', *A. i.* [Şefaat'ten] 1. Şefaat isteme. 2. Birinin aracılığını dileme. (ç. İstişfaat). • «Meğer niyeti Tatar hana varıp istifşa' talep etmek imiş. — Naima».

istişfaf, *A. i.* [Şeffaf'tan] Saydam olma.

istişhad, *A. i.* [Şehadet'ten] 1. Tanık getirme, tanık gösterme. 2. Tanık sayarak ileri sürme. 3. Şehit olma. (ç. İstişhadat). • «Meal-i mâneviden hayret istişhad eder bir kuş. — Cenap».

istişhar, *A. i.* Ün alma, şöhretlenme.

istişkâl, A. i. Zorlaştırma. • «Meclis-i âlilerinden bazıları suret-i saniyesin istişkal ve salise ve rabiasın hod derece-i imtinaa isal etmeleriyle. — Nabi».

istişmam, A. i. [Şemm'den] 1. Koklama. Koku alma. Kokusundan duyma. 2. Uzaktan ve dolayısıyle haber alma. (ç. İstismamat). • «Bağı reyinin eden güllerini istişmam. — Nabi».

İstişraf, A. i. Ellerini güneş ışığına siper etme.

isti'ta, A. i. Atiyye, bahşış isteme.

istitaa, istitaat, A. i. [Tav'dan] Güc. Güc yeterlik. • Alâ kader il istitaa, gücün yettiği kadar. • «Diye cevap verdiğinde kimsenin muarazaya istitaatı olmaz. — Sinan Pş.».

isti'tab, A. i. Kendinden razı ve hoşnut etme.

istitabe, A. i. (Te ve te ile) Tövbe teklif etme.

isti'taf, A. i. [Atf'ten] Acıma ve yardım dileme. • «Olursun kâma nail hangisinden etsen isti'taf — Ziya Pş.».

istitale, A. i. [Tul'den] 1. Uzama. Dal budak salma. 2. (Bio.) Uzantı. • «Tarafeyn edep ve hürmet ile muameleye riayet etsin istitale ve aharı tahkir ve mahrum etmeye müteallik nahemvarlık olmasın. — Naima».

istitan, A. i. (Te ve tı ile) Vatan edinme. Yurt edinme.

istit'am, A. i. (Te ve tı ile) Yiyecek şey isteme.

istitar, A. i. (Te ve tı ile) Yazma.

istitar, A. i. (Te ve te ile) [Setr'den] Örtünme, kapanma. • «Hasretle eylerim seher-i mevte intizar — Muzlim ziyalarıyle, derim, kılsam istitar, — Fikret».

istitba', A. i. (Te, te ve ayın ile) 1. Peşinden sürükleme. 2. Tabi etme, ardından gitmeye zorlama. • «Büruc-i hisara üşer ise metaib-i kesîre irtikâbını istitba' eder. — Sadettin».

istitbab, A. i. [Tıb'dan] 1. İlâç arama. 2. Çare isteme. 3. Kendini hekime gösterme.

istitmam, A. i. [Temam'dan] Tamamlama, tamlamýa çalışma.

istitrad, A. i. Asıl konudan olmayıp söz sırası gelmişken söylenen söz. (ç. İstitradat).

istitraden, A. zf. İstitrat olarak, söz sırası gelmiş iken.

istitradî, istitradiye, A. s. Asıl konudan olmayan, söz sırası gelerek söylenmiş.

istitraf, A. i. [Turfe'den] Hiç görülmemiş bir şey sayma.

istiva, A. i. 1. Denk eşit olma. 2. Düz olma, düzlük. 3. Ortada ve tam bir derecede bulunma. • Hatt-i istiva, Ekvator. • «Bir gün vakt-i istivada ki ifrat-i hararet-i afitabtan. — Veysi».

istiya', A. i. Kötü davranma.

istiyâk, A. i. Misvak (diş fırçası) kullanma.

istiyak, A. i. Sürme, gütme.

istiyas, A. i. [Ye's'ten] Umutsuzlanma.

istiza', A. i. (Te ve dat ile) Isıma, ışıklanma. • «Nazar ve ruyetten hâli ve nur-i burhan-i ilim ile istizadan ari. — Taş.».

istizaa, A. i. [Ziya'dan] Ziyalanma, ışıklanma. • «Rû-yi arzda ise nur-i nübüvvetten başka istizaaya şayan kangı nur vardır? — H. Vehbi».

istizade, A. i. [Ziyade'den] 1. Artırılmasını isteme. 2. Bir kimseyi bahşışında kusurlu sayma.

istiz'af, A. i. [Zaaf'tan] Zayıf, âdi görme, görülme. Küçümseme.

istizah, A. i. [Vüzuh'tan] Bir işin açık söylenmesini isteme. Açıklama isteme (ç. İstizahat). • «Maksadı Ada'dan suret-i avdetlerine dair istizahatta bulunmaktı. — Uşaklıgil».

istizale, A. i. [İzale'den] Yok edilme. • «İstirfa-i zulm-i zalim ve istizale-i mezalim kılarsa. — Veysi».

isti'zam, A. i. [Azamet'ten] 1. Büyütme. 2. Ululanma. • «Gayrı veçhile tedarik kabil iken gaflet edip bu musibeti isti'zam ederek. — Naima».

istizan, A. i. [İzn'den] İzin isteme. İzin için sorma. • Bil istizan, sorarak; • bilâ istizan, hiç danışmadan, sormadan.

isti'zar, A. i. Özür dileyip bağış dileme.

istizare, A. i. Ziyaretine gelinmesini isteme.

istizhan, A. i. (Te, zel ve he ile) Akıl etmek.

istizhar, A. i. [Zahr'dan] 1. Yardım isteme. 2. Arka olmasını isteme. • «Zarar ihtimali için taşrada ocak ağalarıyle istizhar etmiş idi. — Naima».

istizkâr, A. i. [Zikr'den] 1. Hatıra getirme. 2. Ezber etme. 3. Fransızcadan mnémotechnie (belleteç) karşılığı (XX. yy.).

istizlâl, A. i. (Zel ile) [Zill'den] 1. Aşağılık görme. 2. Bayağı görme.

F.: 26

istizlâl, A. i. (Ze ile) Ayağını kaydırıp sürçtürme.

istizlâl, A. i. (Zı ile) [Zıl'dan] Gölgelenme, gölge altına girme. Sığınma.

istizmam, A. i. (Zel ile) Zemmetme. Yerme. Kötü davranma.

istizmar, A. i. [Zamir'den] Fikrini yoklama. Niyeti anlamaya çalışma. • «Kelimat-i lâyıka ile her birini istizmar ettikte. — Esat Ef.».

istizraf, A. i. (Sin, te ve zı ile) [Zarafet'ten] Zariflik, incelik gösterme.

isyan, A. i. Ayaklanma. Baş kaldırma.

iş, Bk. • Ayş.

işa', A. i. (Ayın ile) 1. Gece karanlığı başladığı zaman. Sular karardığı vakit. 2. Akşam veya yatsı namazı. 3. Akşam yemeği. • «Halk aşikâre duhan içmek değil bad-el-işa belki vakt-i işada taşra çıkmaktan kaldı. — Naima».

işaa, işaat, A. i. [Şuyu'dan] (Haber) yayma. Herkese duyurma. • «İşaat-i nekayıs ve maayibi için takrir ve tahrirde zemm ü kadhi canibine zanib olurlar. — Naima».

işaât, A. i. [İsaa ç.] (Haber) duyurmalar, yaymalar. • İşaât-i bedhahane, kötü niyetlerle haberler yayma; • -kâzibane, yalan haberler yayma.

iş'ab, A. i. Ölme.

işade, A. i. 1. Seslenme, sesini yükseltme. 2. Dünya isteğine erişme.

işaeyn, A. i. (Ayın ile) Akşam ile yatsı zamanları. • Beyn-el-işaeyn, akşam ile yatsı arası.

iş'al, A. i. [Şu'l'den] 1. Şulelendirme, yakma, tutuşturma. 2. Alevlendirme, parlatma. 3. Şiddetlendirme. • «Sultan Murat merhumun nice bin nüfus katli ile itfa eylediği ateş-i fitneyi yeniden iş'al etmeyi istersiz. — Naima».

iş'ar A. i. Yazı ile bildirme, haber verme. • İş'ar-i ahîre değin, en son bildirilecek habere kadar. (ç. İş'arat). • «Size gönderilmesi için Maarif Nezaretine iş'ar olunmuştur. — Cevdet Pş.».

işarat, A. i. [İşaret ç.] İşaretler. • «Hep işarât-i sudur-i hikemi nâtıktır — Vaz-i mizan-i tekabülde bu sırr-i meknun. — Münif».

işaret, A. i. 1. Bir şeyi (parmak, el, kaş, göz ile) gösterme. 2. İz, alâmet. 3. (Tas.) Doğrudan olmayarak hatırlatma cinsinden verilen emir, rey, irşat. • İşaret-i aliyye, şeyhülislâm emri; • -ilâhiye, Tanrı buyuruğu. • «Bana gözünle bir işaret kâfidir. — Uşaklıgil».

işba', A. i. [Şibi'den] 1. Doyurma. 2. (Fiz.) Doyma. 3. (Ed.) Arap nazmında vezin veya kafiye zorundan kelimeye bir harf katma.

işca', A. i. (Hemze ile) 1. Yenme, ezme. 2. Kederlendirme. • «Bu makule işca' ile tefeccu, ve istirca eylemişlerdir. — Taş.».

işcar, A. i. [Şecer'den] Ağaçlanma. Ağaç yetiştirme.

işfa, A. i. [Şifa'dan] Hastayı iyi etmeye çalışma. Şifalı şey verme.

işfaf, A. i. Üstün tutma.

işfak, A. i. Korkma. 2. Lütuf etme, bağış. • «Ehl-i ruzgâra işfaktan ve ulema-yi a'lâma ve eramil ü eytama infaktan el çekmeyip. — Sadettin».

işgal, A. i. [Şugl'dan] 1. İş verme, işle uğraştırma. 2. İşten alıkoma. Başka bir şeyle uğraştırıp asıl işe engel olma. 3. Tutma. 4. Oyalama. • «Bu muhavereden yalnız bir şey zihnini işgal ediyordu. — Uşaklıgil».

işha', A. i. [Şehiy'den] 1. Göz dikmek. 2. İstenileni verme.

işhad, A. i. [Şühud'dan] 1. Tanık getirme. 2. Tanık diye gösterme. • «Müddei münkir olursa çekerim işhada. — Nef'i».

işhar, A. i. (He ile) 1. Ün alma. 2. Kadın doğuracağı aya girme.

işhas, A. i. (Ha ve sat ile) 1. Yorma. 2. Yerinden ayırma.

işhas, A. i. (Hı ve sin ile) Çekiştirme, dedikodu yapma.

işhas, A. i. (Hı ve sad ile) 1. Gitme zamanı gelip çatma. 2. Tedirgin, rahatsız etme. 3. Çekiştirme, yerme. • «Yedi nefer kimseyi işhas yani vatanlarından iz'ac ve kendisine irsal etmeye. — Taş.».

işkâ, A. i. (Elif ve kef ile) Şikâyet ettirme.

işkâ, A. i. (Ayın ile) Gücendirme, darıltma.

işkâl, A. i. [Şekl'den] 1. Şüpheli ve karışık olma. Güçlük. 2. Zorlandırma. • «Hall-i işkâl-i tılsımat-i umur-i mülke — Etmiş üstad-i ezel lûtfunu miftah-i meram. — Nabi».

işkenbe, Bk. • Şikembe.

işkence, F. i. Azap, eziyet. • «Bir hafta hicran işkenceleri içinde eziyet çekti. — Uşaklıgil».

işkeste, F. i. [Şikest'ten] Kırık. Bitik. • «Bil dil-i işkeste kadrin gevher-i pendim budur — Ziver-i gûş-i kabul et kûşe-i nisyana at. — Ragıp Pş.». • «İşkeste takat bir nevnihale — Teşbih ederdim cism-i nizarım. — Recaizade».

işküfe, F. i. Şükûfe, çiçek.

işmam, A. i. [Şemm'den] 1. Koklatma. 2. Hafif surette duyurma.

işmizaz, A. i. 1. Can sıkılma. 2. Yüzünü ekşitme. 3. Titreyip ürperme. (ç. İşmizazat). • «Bir işmizaz-i nahoşnudi ile ceredeyi bir tarafa atarlar. — Cenap».

işrab, A. i. [Şürb'den] 1. İçirme. 2. Maksadı açıktan değil de dolayısıyle gösterme. Kapalı surette anlatma. • «Sultan Murat'ın vefatiyle ol dâiye bertaraf olduğun işrab etmeleriyle. — Naima» • «Düştü bir tarih işrab et utaş-i âleme — Nev sebil-i Mustafa Handan gel iç âb-i zülâl. — Fıtnat».

işraf, A. i. 1. Yüksek yere çıkma, yüksek yere çıkıp anlama. 2. Hasta ölüm halinde olma. • «Sair gaziler üzerinden geçip dört yüz mikdarı yeniçeri hendeğe işraf ettiler. — Naima».

işrak, A. i. (Kaf ile) [Şark'tan] 1. Parlatma, ışıklandırma. 2. (Güneş) doğma. (ç. İşrakat). • «Üvvabîn ve işrak kılar. — Naima» • «Dehaya nasiye-i sâfi merkez-i işrak. — Fikret».

işrâk, A. i. (Kef ile) [Şirk'ten] Tanrıya ortak koşma. Çok tanrı olduğuna inanma. • «Ser-kûçe-i işrâkten... — Naima».

işrakî, A. i. İşrakiyye, taraflısı. • «Aristo erganunu icadedip meşailer ve işrakilere talim ve nasihat esnasında çaldırdı. — Kâtip Çelebi».

işrakıyye, A. i. Pythagoras felsefesi.

işrakıyyun, A. i. Pythagoras felsefesi yolunda olan kimseler.

işret, A. i. (Ayın ile) Keyif veren içki kullanma. İçki içme. • «Ta ebed bunu makam et — Bu bağda işret-i müdam et. — Fuzulî».

işretgâh, F. i. İşret edilecek yer.

işrethane, F. i. [İşret-hane] İşrete mahsus yer. (Mec.) Bu dünya.

işretkede, F. i. İşret yeri. • «Bir genc-i güher olsa pinhan n'ola sinemde — İşretkede-i tab'ım virane değil mi ya. — Nef'î».

işretseray, F. i. [İşret-seray] Yenip içilen yer. Yaşanılan yer. • «İşretsaray-i dehre ki vaz ettiler esas — Cem gibi nice şehleri müzdur yazdılar. — Nailî».

işretsaz, F. s. [İşret-saz] İşret eden. • «Olmuş iken bülbül-i mest ile işretsaz gül — Al tutiler gibi etmek diler pervaz gül. — Hayalî».

işrin, işrun, A. s. (Ayın ile) Yirmi, yirminci.

iştat, A. i. (Tı ile) Adaletsizlik edip hükümde zulm etme.

iştial, A. i. (Te ve ayın ile) [Şule'den] Tutuşma. Parlama. Alevlenme. (ç. İştialât). • «Ben büründüm bir abaya zemehrinin rağmına — Sen de ey aşk ateşi sinemde eyle iştial. — Naci».

iştibah, A. i. (Te ve he ile) Şüphe etme. • Bi iştibah, • bilâ iştibah, şüphesiz. (ç. İştibahat). • «Kelle-i mezbure Abaza Paşa olduğu hususta iştibah ve ihtilâf vaki olup. — Naima».

iştibak, A. i. [Şebeke'den] 1. Örülme, örgülenme. 2. Karışma, birbirine geçme.

iştidad, A. i. [Şiddet'ten] Sertleşme. Ağırlaşma. Büyüme. Artma. • «Ciğerlerinde yanan âteş-i gazap — Gittikçe iştidad ediyor. — Fikret».

iştigal, A. i. [Şugl'den] İş işleme. Bir şeyle uğraşma. (ç. İştigalât). • «On beşte değildi sinn ü sâlim — Kim nazm ile vardı iştigalim. — Ziya Pş.». • «Bu türlü iştigalâtı (...) abes addedenler az değildir. — Recaizade».

iştiha, A. i. (He ile) [Şehvet'ten] 1. İstek. 2. Boğaz ve mide açıklığı. Açlık. 3. Fazla istek. • «Geçirdi çaşnigir-i felek ol denlû vaktin kim — Neval-i arzu meydana geldi iştiha gitti. — Nabi».

iştihab, A. i. (He ile) Ağarma, beyazlanma, kırlaşma.

iştihar, A. i. [Şöhret'ten] Ün alma. Ünlü olma. • «Acz ile noksan ile bir zerre-i naçiz iken — Gül gibi vasf-i kemalâtında buldum iştihar. — Nazîm».

iştikâ, A. i. [Şekva'dan] Şikâyet etme. Yanıp yakılma. • «İştikâlarla beraber yine ondan ebedî — Bir şifa bekleyerek. — Fikret».

iştikak, A. i. [Şık'tan (Gra.) Bir kökten ayrılmış kelimelerin birbiriyle ve kökleriyle olan ilgileri ve oluş halleri Türem, türeme. (ç. İştikakat). • «Vardır Arabide bazı külfet — Etmek gerek iştikaka dikkat. — Ziya Pş.».

iştimal, A. i. [Şümul'den] Kaplama. İçine alma. Çevirme. • «Enzarı karşısındaki zer-sine tarlanın — Deryayi sünbülâtına, eylerdi iştimal. — Cenap».

iştimam, A. i. [Şemm'den] Kokusunu alma. Koklama.

iştira, *A. i.* [Şira'dan] Satın alma. ● «Verdi yüz dinarı etti iştira. — Nahifi».

iştirâk, *A. i.* [Şirket'ten] 1. Ortak olma. 2. Aynı halde bulunma. ● *Bil-iştirâk*, ortak olarak, birlikte. ● «Elem-i arza iştirâk edelim. — Cenap».

iştirakî, *A. s.* Ortalıkla ilgili.

iştirakiyye, *A. i.* Fransızcadan *communisme* karşılığı (XX. yy.).

iştirat, *A. i.* [Şart'tan] Şarta bağlanma.

iştitat, *A. i. (Te* ile) Dağılma.

iştitat, *A. i. (Tı* ile) Haksızlık ve zulüm etme. ● «Alem-i ısrar-i ızrarı kale-i Kaf-i mübalağa-i iştitata efraste etmek şartıyle. — Şefikname».

iştiyak, *A. i.* [Şevk'ten] Özleme. Çok göreceği gelme. ● «Şerha eylesin sinem firak — Eyleyim ta şerh-i derd-i iştiyak. —Nahifi».

işünuş, Bk. ● *Ayş.*

işve, *A. i. (Ayın* ile) Güzellerin gönül alıcı, gönül aldatıcı nazı, davranışı. ● «Çeşmi bezm-i fitne kurmuş işve cam olmuş ele. — Nef'i». ● «Zira sipahilik alıvermek işvesiyle Gürcü Nebi. — Naima».

işvebaz, *F. s.* [İşve-baz] Naz edici.

işvefüruş, *F. s.* Naz eden, nazlanan.

işvefüruşane, *F. zf.* Nazlanarak, kırılıp dökülerek. ● «Nazeninlerin mahsusat-i işvefüruşanesinden olmak üzere. — Recaizade».

işveger, işvekâr, *F. s.* [İşve-ger-kâr] Naz eden, edalı. ● «Kim dilnevaz ü işveger ve nüktedan idi. — Recaizade».

işveriz, *F. s.* [İşve-riz] İşve saçan. Naz ile kırılıp dökülen. ● «Bir vaz-i dilfikâr ve işveriz ile. — Uşaklıgil».

i'ta, *A. i. (Elif, ayın* ve *tı* ile) [Atâ'dan] Verme. ● *İta-yi malûmat*, bilgi verme; ● *ita emri*, verile kâğıdı; ● *ahz ü ita*, alışveriş. ● «Ocaklar mevacibinin vakt ü zamanıyle i'ta ve tevzii. — Şefikname».

itaat, *A. i. (Elif, tı* ve *ayın* ile) [Tav'dan] Söz dinleme. Alınan emre göre davranma. ● *Adem-i itaat*, itaatsizlik. dinlememe; ● *arz-i itaat*, dinlememezlikten vazgeçip dinleyeceğini söyleme. ● «Çün gördü itaatinde ihmal. — Fuzuli». ● «Ondan hep emir, bizden daima itaat. — Cenap».

itab, *A. i. (Ayın* ve *te* ile) Paylama, azarlama, tersleme. Darılma. ● «Berçide damen-i sitem olmuş şitab ile — Serv-i

revanımın yine benzer itabı var. — Nedim». ● «Lütfunla, itabınla bulur illeti şiddet. — Cenap».

it'ab, *A. i. (Elif, tı* ve *ayın* ile) [Taab'dan] Yorma. ● «Hüsn-i müdafaaya it'ab-i nefs etmeyip. — Naima».

i'tab, *A. i. (Elif, ayın* ve *tı* ile) Öldürme.

i'tab, *A. i. (Elif, ayın* ve *te* ile) 1. Geri dönme. 2. Şikâyeti üzerinden giderme.

itabname, *F. i.* [İtab-name] Azarlama mektubu. ● «Reis dahi paşa-yi merkuma bir itabname yazıp «Sen kendini ne oldum sanırsın?.». — Naima».

itad, *A. i.* Kazık çakma.

i'tak, *A. i.* [Itk'tan] Köle veya cariye azat etme. Azat. ● «Kaptan Ahmet Paşa cümle mâmelekin i'tak ve akaratın vakf ve vasiyet edip. — Naima».

itale, *A. i. (Elif* ve *tı* ile) [Tul'den] Uzatma. ● *İtale-i lisan*, dil uzatma, kötü şeyler söyleme; ● *-yed*, el uzatma. ● «Yunus redd-i kelâm ve itale-i lisan etmekle. — Naima».

it'am, *A. i.* Bk. ● *İt'am*

itare, *A. i. (Elif* ve *tı* ile) [Tayran'dan] 1. Uçurma, uçurtma. 2. Çabucak gönderme, yollama. ● «Yine ne hoştu dün gece civarına azimetin — İtare-i rakîmeye tereddüt üzere ücretim. — Recaizade».

i'tas, *A. i. (Ayın* ve *sin* ile) Öldürme.

it'aş, *A. i. (Ayın* ve *tı* ile) [Atş'tan] Susuz olma, susuz bırakma.

it'az, *A. i. (Ayın* ve *zı* ile) Öğütleme.

itba', *A. i.* Ardına katmak. (Gra.) Bir kelime arkasından ona benzer söylenen anlamsız söz: at mat'taki «mat» gibi.

itbak, *A. i.* Kaplama.

itbal, *A. i.* Kederlenme, kederlendirme.

itfa, *A. i. (Elif* ve *tı* ile) 1. Söndürme. 2. Dindirme, bastırma. 3. (Fiz.) Sönüm. ● *İtfa-yi düyun*, borcun faizle beraber anaparadan da ödenmesi, *amortissement* karşılığı; ● *itfa-yi naire-i fesad*, fesat ateşinin söndürülmesi, bastırılması. ● «Ateş-i fitneyi âb-i müdara ile itfa kasdiyle hemen. —Naima».

itfaiyye, *A. i.* Yangın söndürme ekibi.

ithaf, *A. i.* [Tuhfe'den] Armağan verme. Hediye etme. ● «Size ithaf ile neşr eyliyorum bunları ben. — Fikret».

ithafname, *F. i.* [İthaf-name] Bir eserin bir kimse adına armağan olduğunu gösteren yazı.

itham, *A. i. (Te* ve *he* ile) [Töhmet'ten] Töhmetlendirme, suçlandırma. Suçlama. • O zaman nefsini bir ayıp irtikâbiyle itham ederek. — Uşaklıgil».

itibar, *A. i. (Elif, ayın* ve *te* ile) [Ubur'-dan] 1. Önem verme. 2. Saygı gösterme. 3. Şeref, haysiyet. 4. Bir şeyin gerçek değil kararlaştırılan değeri. 5. İbret alma. 6. Ticarette söz veya imzaya olan inanç, kredi. • «Bir gün olmaz talatın görmek müyesser ah kim — Ol gün yanında itibarım kalmadı. — Fuzulî» • «Vehme ne itibar ü hayale ne iltifat. — Ziya Pş.».

itibarat, *A. i.* [İtibar ç.] 1. Varsaymalar, öyle zannetmeler. 2. Faraziyeler. • «İtibarât-i tekasim ü fusul — İmtiyazât-i makamat ü usul — Nabi».

itibaren, *A. zf.* Başlayarak.

itibarî, itibariye, *A. s.* Gerçek olmayan, varsayılan. • «Birdir elbet fenada tahkik ile tasavvur — Varı yoğu cihanın hep emr-i itibarî. — Ziya Pş.».

i'ticar, *A. i. (Ayın* ve *te* ile) Yaşmak tutunma.

i'tida', *A. i. (Ayın* ve *hemze* ile) Zulüm etme.

i'tidad, *A. i. (Dat* ve *dal* ile) 1. Bir şeyi kol üzerine alma. 2. Yardım isteme. 3. Arka olma. • «Anlar ile i'tidadı kenduye sebeb-i beka bilirdi. — Naima».

i'tidad, *A. i.* [Add'den] Sayma. Hesaba katma. Önem verme. • «Ne fikr-i akval-i emime-i içtihad ve ne şeyhülislâm efendinin hilâfına verdikleri i'tidad edip. — Raşit».

itidal, *A. i.* [Adl'den] 1. Eşitlik. 2. Orta oluş, ortalama. 3. Yavaşlık, yumuşaklık. 4. Uygunluk. 5. (Ast.) Gün - tün eşitliği. • «Gör Fuzulî aşk tuğyanın adem mülkün gözet — Azm-i künc et kim hevanın itidali kalmadı. — Fuzulî». • «Tarik-i itidal üzre akılâne hareket padişah askerini kola alıp sizin gibi melâini katl etmek imiş. — Naima». • «Sal-i aşkın itidal-i nevbaharıdır visal — Serdi-i eyyam-i hicran mevsim-i teşrinidir. — Nabi».

itidalcu, *F. s.* [İtidal-cû] Yavaşlık, yumuşaklık arayan. • «Pek hayırhâh ve itidalcu olmayan bir ses. — Cenap».

i'tifa', *A. i.* Bağış dileme

i'tifah, *A. i.* 1. Yere vurma. 2. Üzerine atılıp kavrama.

itikab, *A. i.* Pahasını almadıkça mal teslim etmeme.

itikad, *A. i.* [Akd'den] 1. İnanma. 2. Bir din veya mezhebin inanma tarafını, temelini meydana getiren inanç. • «De-

ğil nefeste eser itikad-i tamdadır. — Ziya Pş.».

itikadat, *A. i.* [İtikad ç.] İtikadlar. *İtikadat-i bâtıla,* (masalımsı) asılsız şeylere inanma.

itikadî, itikadiye, *A. s.* İtikatla, inanla ilgili.

itikadiyyat, *A. i.* İtikat, inan konuları. • «Amma itikadiyat bunun hilâfıdır ki anlarda matlup olan yakîndir. — Taş.».

itikâf, *A. i.* Bir yere kapanıp ibadetle vakit geçirme.

i'tikâl, *A. i.* [Ekl'den] Yenme, aşınma, oyulma. (ç. İtikâlât).

itikal, *A. i.* Dil tutulma. Dil tutukluğu.

i'tikâr, *A. i.* Birbirine karışıp sayılamama.

i'tilâ, *A. i.* [Ulüv'den] 1. Yükselme. Yukarı çıkma. 2. Yüksek rütbelere çıkma. • «O rütbe pest olursun her ne rütbe i'tilâ etsen. — Nabi».

itilâf, *A. i.* [Ülfet'den] 1. Görüşme. 2. Uygunluk. Uyuşma. (ç. İtilâfat). • «Bir itilâfı demektir sabah ile leylin: — Hayatı şi'r ile mezc eylemek ne âlemdir. — Fikret». • «Hulûsperverane bir meyl-i itilâf ile hallederek. — Cenap».

i'tilâf, *A. i. (Ayın* ile) Yem yeme.

i'tilâk, *A. i. (Ayın* ile) Âşık olma.

i'tilâl, *A. i.* [İllet'ten] 1. Hasta ve alil olma. 2. Her şeyden vazgeçip bir şeyle uğraşma. 3. Bahane etme. • «Saltanat ekvarına i'tilâl ve memleket ahvaline i'tilâf erişti. —Lâmii».

i'tilâm, *A. i. (Ayın* ile) Bilme, öğrenme.

i'tilân, *A. i. (Ayın* ile) Kavga etme.

itilâperest, *F. s.* [İtilâ-perest] Yükselme isteyen. Yükselmeyi çok fazla isteyen. • «Sonra bu derece itilâperest ve haris-i rıfat olduğundan. — Uşaklıgil».

i'tilât, *A. i. (Ayın* ve *hemze* ile) Seçme.

i'timad, *A. i.* [Amd'dan] 1. Dayanma. 2. Güvenme. Güven. • «Haber gönderip i'lâm-i hal eder ol cahiller ihtimal vermeyip itimad etmediler. — Naima».

itimaden, *A. zf.* Güvenerek, dayanarak. • «Kavl-i batılına itimaden katl olunmuştur. — Naima».

itimadname, *F. i.* [İtimad-name] Elçilerin gittikleri memlekete götürdükleri hükümet mektubu. Bu mektup alındıktan sonra elçilik başlar.

i'timak, *A. i.* Derin etme, derinine varma.

i'timam, *A. i.* Başına amame sarma. Sarıklanma.

i'timar, A. i. Ziyaret etme.

itina, A. i. [Anâ'dan] Çok dikkat etme. Önemle çalışma. Özenme. • ‹Bu kadar sây, itina, zahmet — Topu bir kıt'a, ya kaside için. — Fikret›.

i'tinak, A. i. Birbirinin boğazına atılma. • ‹Naçar nitak-i vakt i'tınak-i fırsattan kasr olup. — Hümayunname›.

i'tinan, A. i. Hayvana binip dizgin etme.

itiraf, A. i. [İrfan'dan] Kendi için iyi sayılmayacak bir hali gizlemeyip söyleme. (ç. İtirafat). • ‹Noksanıma vardır itirafım — Beyhude değil velik lâfım. — Ş. Galip›.

itiraz, A. i. Bir fikir veya kararı kabul etmeyip çürütmeye kalkışma. (ç. İtirazat). • ‹Recep Paşanın katlinden zorbalar münfail olup lâkin zahiren itiraza kadir olmadılar. — Naima›. • ‹Ettim nice türlü itirazat — Hem her birisin de ettim isbat. — Ş. Galip›.

itisaf, A. i. 1. Doğru yoldan ayrılma. 2. Yolsuzluk. 3. Haksızlık yapma. (ç. İtisafat). • ‹Fikr-i hevl-i ruz-i mahşer mihnet-i dünya-i dûn — İtisaf-i tengdestî tali-i namihriban. — Kâzım Pş.›. • ‹Ve atrık leyle-i itisaf geçmiş fecr-i madelet hulûl etmişti. — Cenap›.

i'tisam, A. i. [İsmet'ten] 1. Bir şeye yapışarak sıkı sıkı tutunma. 2. Günah olabilecek şeylerden sakınma. • ‹Mazhar-i fevz ü felâh olmak dilersen ey Salâh — Urve-i vuska-i şer'a daim eyle i'tîsam. — Salâhi›.

i'tisam A. i. (Sin ile) İstediğini verme.

i'tisar, A. i. (Sat ile) Suyunu çıkarma için sıkma, baskıya koyma.

i'tisar, A. i. (Sin ile) Güçlük, zorluk.

i'tişa', A. i. Akşam vakti yola çıkma.

itiyad, A. i. Âdet edinme. Alışma. Alışkanlık. (ç. İtiyad). • ‹Asvat-i arza karşı sen etmişsin itiyad — Bess ü şikâyet etmeyi âlâm-i sem'den. — Cenap›.

itiyadi, itiyadiye, A. s. Alışkanlıkla ilgili.

itiyak, A. i. Alıkoymak.

itiyan, A. i. 1. Yardım etme. 2. Gözetme, bakma.

itiyaş, A. i. Geçinme. • ‹Medar-i itiyaş olmak itibariyle fünun-i saire hakkında da. — Cenap›.

itiyaz, A. i. (Te ve dat ile) [İvaz'dan] Karşılığını alma.

itiza', A. i. Birinin adamı olduğunu iddia etme. • ‹Nâzım-i menazım-i cihanım

diye badban-küşayi i'tiza olmağın. — Şefikname›.

itizal, A. i. [Azl'den] 1. Bir tarafa çekilme. 2. İşten çekilme. 3. Takımdan ayrılma. 4. İslâmlıkta ehl-i sünnet inançlarından ayrılan takım ve onun mezhebi. • ‹Tarık-i itidalden itizal gösterdiler. — Şefikname›. • ‹Mezheb-i itizal ki mebnası zevahir-i nusus ve evham üzre olmak ile. — Taş.›.

itizam, A. i. (Zı ile) Ululanma, büyüme.

itizam, A. i. [Azimet'ten] Gitmeye davranma. Gitme. • Nasut idi bir zaman makamın — Lâhuta mı şimdi i'tizamın. — Naci›.

itizar, A. i. [Özr'den] Özür dileme. (ç. İtizarat). • ‹Huzur-i serdarda itizarı makbul olup iltifata mazhar oldu. — Naima›. • ‹Mümanaat oldukta itizarat-i binameke iştigal eyledi. — Naima›.

itizaz, A. i. [Aziz'den] Kendinin aziz tutma. • Akın akın geçen erbab-i itizaz ü refah — Eder bu kirli, bu yırtık sadadan istikrah. — Fikret›.

itkâ, A. i. Dayanacak şey kullanma.

itkan, A. i. 1. Sağlamlaştırma. 2. Bir şeyi iyice bilme. • ‹Güzel sevmekte zahid müşkülün var bizden sor — Bizim ol fende çok tahkikimiz itkanımız vardır. — Nedim›. • ‹Tahrir eylediğim şeyleri şimdi ol kadar hıfz ü itkan ettim ki. — H. Vehbi›.

itlâf, A. i. [Telef'ten] 1. Öldürme. 2. Boş yere harcama. 3. Bozma. Yok etme. (ç. İtlâfat). • ‹Etmiş ömrün o sahîb-i lâf — İğrak ü mübalagayla itlâf. — Ş. Galip›.

itma', Bk. • Itma.

itmam, A. i. [Tamam'dan] Bitirme, tamamlama. • ‹Öyle ziruh var ki âlemde — Bir buçuk saatin içinde doğar — Yaşar, itmam-i ömr eder... ibret. — Fikret›.

itminan, A. i. Emin olma. 2. Birine inanma. 3. Kesin bilme. • ‹Evet, geçer o günüm pür-sükûn-i itminan — Yarınki şiirime ihzar için biraz halecan. — Fikret›.

itrâk, A. i. Bırakma, vazgeçme, terk.

ittias, A. i. Öldürme.

ittiaz, A. i. [Vaaz'dan] Öğüt dinleme. • ‹Kemal-i cehlinden selefi ahvalinden ittihaz etmeyip. — Naima›.

ittiba', A. i. Uyma, arkasından gitme. • ‹Abaza'ya limaslahatin ittiba suretinde olduğunun itizarın eyledi. — Naima».

ittibaen, *A. zf.* [İttiba'dan] Uyarak.

itticah, *A. i.* [Cihet'ten] 1. Bir cihete yönelme. 2. (Fel.) Yönelim.

ittifak, *A. i.* [Vifak'tan] 1. Uyuşma. Söz bir etme. 2. Beraber davranma için sözleşme. 3. Rast geliş. • «Reis-i ehl-i şerr ol idi ve her ne olsa onun ittifakıyle olurdu. — Naima». • «Her biri aherden vehm üzere olmağın ittifak bir gece Abaza leşgergâhına bir âvaze olur ki. — Naima».

ittifakan, *A. zf.* Rasgele. Çıksa ber hükm-i kaza-yi kem ü kâst — İttifakan sözünün birisi rast. — Nabi».

ittifakat, *A. i.* [İttifak ç.] 1. Uyuşmalar, sözleşmeler. 2. Rasgele olan şeyler.

ittifaki, ittifakiye, *A. s.* 1. İttifaka, sözleşme veya uyuşmaya dair. 2. Rastgele. • «Onunla bir muahede-i ittifakiye akdeden bir mâna-yi amîk ile baktı. — Uşaklıgil».

ittifakiyyat, *A. i.* Rasgele olan şeyler. (Fransızca'dan *husards* felsefe terimi karşılığı). • «Ittifakiyat-i garibeden İsmetî Efendi ol mahal mollayı ziyarete gelmiş. — Naima».

ittifakiyye, *A. i.* Fransızcadan *occasionnalisme* terimi karşılığı olarak. Vesilecilik (XX. yy.).

ittihab, *A. i.* [Hibe'den] Bağışı kabul etme.

ittihad, *A. i.* [Vahdet'ten] 1. Birleşme. Bir olma. 2. Aynı fikirde olma. • *İttihad-i ârâ,* oybirliği; • *-İslâm,* İslâm birliği; *-menafi,* menfaatlerin bir ve ortak oluşu; • *İttihad ü Terakki,* 1908 meşrutiyetinden sonra memlekette görülen politika partisi. • «Tecessüm eylemiş aczin emelle ittihadından. — Fikret».

ittiham, *A. i.* [Töhmet'ten] Töhmetli olma. Suçlu olma, suçlandırılma.

ittihaz, *A. i.* [Ahz'den] 1. Kabul etme. Kabullenme. 2. Sayma, öyle diye bakma. 3. Kullanma. 4. Düşünme, kurma. • «Ve gayz ü kin ile rakîp ittihaz ettikleri kimseleri katl etmeye başladılar. — Naima».

ittika, *A. i.* [Vikaye'den] 1. Sakınma. 2. Tanrıdan korkma. Bu korku ile kendini tutma.

ittikâ, *A. i.* Dayanma, yaslanma. • «Bâlin-i naza hâce-i şehr eyler ittikâ — Hâk-i mezellet üzre yatır aç bir garip. — Ruhi».

ittikâl, *A. i.* Güvenme, tevekkül etme.

ittikan, *A. i.* Gözle görmüş gibi sağlam ve iyi bilme. • «Mesail-i fıkhı zapt ü ittikanda. — Taş.». • «Güzel sevmekte zahit müşkülün var ise bizden sor — Bizim ol fende çok lahkımız itti — kanımız vardır. — Nedim».

ittirad, Bk. • *İttırad.*

ittisa', *A. i. (Te* ve *sin* ile) [Vüsu'dan] 1. Bollaşma. 2. Genişleme, genleşme. 3. (Fel.) Kaplam. • Kalbimde bir ceriha eder her dem ittisa', — Cenap». • «Fakat ufk-i ruyeti daha ziyade ittisa eder ve daha umumî ve insanî olurdu. — S. Nazif».

ittisaf, *A. i. (Te* ve *sat* ile) [Vasf'tan] Niteleme. • «Taşı etmiş elmasla ittisaf — Yine olmamıştır tabiatçe sâf. — İzzet Molla».

ittisak, *A. i.* Sıralanma. Dizilip nizamlanma. • «Sak-i ittisaklarından tâb-i meşy sakıt olmakla. — Şefikname».

ittisal, *A. i.* [Vasl'dan] 1. Ulaşma, bitişme. 2. Birbirine dokunma. 3. Yankılık. (ç. İttisalât). • «Canımın cismimle zevk-i ittisali kalmadı — Ah kim sensiz dirilmek ihtimali kalmadı. — Fuzulî». • «Kevakib beyninde olan ittisalât dahi tasarruf oluna. — Taş.».

ittisam, *A. i.* [Vesm'den] 1. Damgalanma. 2. Nişanlanma. Süzülme. • «Nam-i ittisamı yalnız şarkta değil, garpta bile. — H. Vehbi».

ittistan, *A. i.* Vatan tutma, bir memleket-te yerleşme.

ittiza', ittida', *A. i. (Dat* ve *ayın* ile) Kibirsizlenme, tevazu.

ittizah, *A. i. (Dad* ve *ha* ile) [Vuzuh'tan] Aydınlanma, açıklanma, vazıh olma.

ityan, *A. i.* Getirme. • «Esbabını eyleyim de ityan — Var ise eğer sözümde noksan. — Kemal». • «Kâinata ityan-i hayat eden fasl-i cedide. — Cenap».

iva', *A. i.* 1. Kondurma, barındırma. 2. Yerleştirme. • «Dimağı eyleyip halvetsera-yi kut-i tasvir — O âli kasrda şah-i hayali eylemiş îva — Nabi».

ivar, *F. i.* İkindi zamanı.

i'var, *A. i. (Elif* ve *ayın* ile) Bir gözünü kör etme, tek göz bırakma.

ivaz, *A. i. (Ayın* ile) Bir şeye karşılık olarak verilen veya alınan şey. • *Bilâ ivaz,* karşılıksız, Tanrı için. • «Sahib-i saadet zâhir bir kardeş bir kardeşe ihsan etse mukabelesinde bir ivaz vermez mi? — Naima».

ivazan, A. zf. Karşılık olarak. Karşılığında.

ivicac, A. i. 1. Eğri büğrü olma. 2. Eğrilik. Doğru davranmama. (ç. İvicacat). • «Rıbka-i itaatinden rakabelerin ihraç tarik-i haktan ivicac kabilinden olmağın. — Sadettin» • «Hafif ivicacat-i sadaiye ile. —Uşaklıgil».

iyab, A. i. Geri dönme. • İyab ü zehb, gidip gelme. • «Küffar gemileri Boğaz önünü seddedip donanmayı taşraya koyvermeyip Mısırdan ve gayrı yerden sefinelerin zehab ü iyabına mâni olmuş idi. — Raşit».

iyal, Bk. • Ayal.

iyalet, A. i. İdare etme. Siyaset etme. • «Ol vilâyet iyaleti şehriyar-i sipehriktidara buyurulmuş idi. — Sadettin».

iyan, ayan, A. s. Açık. Meydanda. • «Ta cebhen üzre nakşederim vasfın akıbet — Ey aftab işte ıyan söylerim sana. — Nedim».

iyar, Bk. • Ayar.

iyas, A. i. Umutsuzlanma.

iyase, A. i. Ümitsiz kılma, yese düşürme.

iza', A. i. (Ze ile) 1. Bolluk, refah sebebi. 2. Karsı.

iza', A. i. (Dat ve aynı ile) 1. Ticarette kaybetme. 2. Kibrini bıraktırma.

izâ, A. i. (Zel ile) İncitme, incitilme. • «Alâ vech-il-ilzam mücavebat ile iza edip. — Naima» • «Beyhude değil mi tab'i îzâ — Söz yerine söylemek muamma. — Ziya Pş.».

izaa, izaat, A. i. 1. Açığa vurma. 2. Yüksek sesle bildirme, ilân etme.

izaa, izaat, A. i. (Dat ve ayın ile) [Ziya'dan] Kaybetme. • «Ey feta görse biz seni izaa eyledik mi? — Taş.» • «Şeyh Kâmil'in nefes-i nefeslerini izaat buyurmayıp. — Naima».

izabe, A. i. [Zeveban'dan] Eritme. • «Bunca izabe-i ruh eden a'razı hazmeder. — Sadettin».

iz'ac, A. i. 1. Yerinden koparıp ayırma. 2. Rahatsız etme, can sıkma. (ç. İz'acat). • «Sizin dahi sadr-i sadaretten iz'acınıza kasitleri mukarrerdir. — Naima». • «Lisan ve hareketleriyle tergibat ve iz'acata başladılar. — Recaizade».

iz'ac, A. i. (Zel ile) Zor etme, zorlama.

izae, A. i. [Zu'dan] Işık verme. Aydınlatma.

iz'af, A. i. (Dat ile) Zayıf, kuvvetsiz kılma.

izafat, A. i. [İzafet ç.] 1. İzafetler. 2. (Tas.) Dünya ilgileri. • Tetabu-i izafat, (Gra.) Zincirleme isim takımı. • «Manzume-i Farisiveş ebyat — Bilcümle tetabu-i izafat. — Ş. Galip».

izafe, A. i. 1. Katma. 2. Katıştırma. 3. Yakıştırma. (Bir şeyi birine) Uygun bulma. • «Ona fena yahut iyi sıfatlardan birini izafeye karar vermemiş idi. — Uşaklıgil».

izafet, A. i. İki şey arasındaki ilgi, bağ. (Gra.) İsim tamlaması, isim takımı.

izafî, izafiye, A. s. İzafetle ilgili. Bağlı olduğu nesne ile değişen.

izafiyye, A. i. Fransızcadan relativisme teriminin karşılığı olarak yapılmıştır. (XX. yy.).

izafiyyet, A. i. Bağlılık. İlgi niteliği.

izah, A. i. [Vuzuh'tan] Apaçık, eksiksiz anlatma.

izahat, A. i. [İzah ç.] İzahlar, açıklamalar.

izahe, A. i. 1. Bir şeyi ayırma. 2. Kurtulma. 3. Yok etme. • «Beş keseyi buldurup vermekle izahe-i illet olunmuş idi. — Naima».

izahen, A. zf. Açıklayarak. • «Şerrare-i zahm ile izaka-i çaşni-i azab-i ile izaka-i çaşni-i azab-i cahim eder idi. — Nergisi».

izaka, A. i. [Zevk'ten] Tattırma. • «Seraser zahm ile izaka-i azab-i cahim eder idi. — Nergisî».

izale, A. i. [Zeval'den] Giderme, yok etme. • İzale-i bikr, kızlığı bozma; • -şuyu, ortaklığı giderme; • -ufunet, fena kokuyu yok etme. • «Öyle şahsın sağ kalması bais-i fesat olmak ihtimaldir deyu izale etmişler. — Naima».

izam, A. i. (Ayın ve zı ile) [Azim ç.] Büyükler, ulular, yüceler. • «Vüzera-yı izm ve müftü hazretlerinin. — Naima».

izam, A. i. [Azm ç.] Kemikler.

i'zam, A. i. (Ze ile) Gönderme. Yollanma.

i'zam, A. i. [Azm'dan] Büyütme. Gereğinden fazla önem verme.

iz'an, A. i. 1. İtaat, dinleme. 2. Yürek keskinliği, inanç. 3. Anlayış, kavrayış. • «Vahib-ül-idrak müzdad eylesin iz'anını. — Naci».

îzan, A. i. (Ze ile) Haber verme, bildirme. • «Müezzin kıraat-i ezan ile tamam-i leyli izan eyledi. — Taş.».

izar, A. i. Bele bağlanıp bedeninin alt tarafını örten şey. Peştemal.

izar, *A. i. (Ayın* ile) Yanak. *Hali-ül-izar,* utanmaz, arsız; *gülizar,* gül yanaklı.

i'zaz, *A. i.* [Aziz'dan] Ağırlama, saygı gösterme. (ç. İ'zazat). • ‹Bakileri dahi bihaseb-il-kanun i'zaz ve ikrama makrun oldular. — Naima›.

izbar, *A. i.* Yazma veya bildirme.

izdicar, *A. i. (Ze* ile) 1. Yasak etme, önleme. 2. Kuş falı iyi çıkmayınca kuşu koyverme.

izdiham, *A. i.* [Zahm'dan] Kalabalık. Bir yere çok kişi yığılma. • ‹Perşembe gününün izdihamından, gürültüsünden sonra sersemlemiş bir halde idi. — Uşaklıgil›.

izdira, *A. i. (Ze* ve *hemze* ile) Tahkir etme, hakaretle görme. • ‹Bu mertebe tahkir ve izdira' ahiret seferi etmeğe alâmet olduğun. — Naima›.

izdira', *A. i. (Ze* ve *ayın* ile) Ekin ekme.

izdirad, *A. i.* Yutma.

izdiram, *A. i.* Lokmayı iri iri yutma. • ‹Elbette izdiram ü nekd ü alâm ile düşmenkâm etmek. — Şefikname›.

izdivac, *A. i.* [Zevc'den] 1. Çiftleşme. 2. Evlenme. • ‹Bir buse-i medîd ile tecdid-i izdivac. — Fikret›. (Ed. Ce.) :

Dest-i izdivac,	*mesele-i izdivac,*
devre-i izdivac,	*münasebet-i*
fikr-i izdivac,	*izdivaciye,*
hacle-i izdivac,	*sene-i izdivac,*
hayat-i izdivac,	*taleb-i izdivac,*
hediye-i izdivac,	*tasavvur-i izdivac,*
kasd-i izdivac,	*zemin-i izdivac.*

izdiyad, *A. i.* [Ziya'den] Çoğalma, artma. • ‹Bulur ancak sefa gönlünde aşkın izdiyadından. — Fikret›.

izdiyal, *A. i. (Ze* ile) Yok etme, kaybetme.

izdiyan, *A. i. (Ze* ile) Bezenme, süslenme.

izdiyar, *A. i. (Ze* ile) Gidip görme, ziyaret etme.

ized, îzid, Bk. • *İzid.*

izhab, *A. i. (Zel* ve *he* ile) Gönderme.

izhak, *A. i.* 1. Öldürme. 2. Yok etme. 3. Oku nişandan ayırma • ‹Anlar hakkında mücamele ile muamele buyurup izhak-i ruh misillû halât zuhur etmek ve ecdad-i kiramları etmediği kârdan kendüler dahi içtinap buyurmamak namünasiptir. — Naima›.

izhal, *A. i. (Zel* ve *he* ile) Hatırdan çıkarma.

izhar, *A. i. (Ze* ve *hı* ile) Toplayıp biriktirme.

izhar, *A. i.* [Zuhur'dan] 1. Gösterme, meydana çıkarma. 2. Yalandan gösterme, satış. • ‹Sabâ ağyardan pinhan gamım dildara izhar et. — Fuzulî›.

izid, ized, *F. i.* 1. Zerdüştlerin hayır tanrısı. 2. Tanrı. • ‹Eyledi sonra anın izid-i pâk — Kefenin hâk ü buharın toprak. — Hakani›.

izkâm, *A. i. (Ze* ile) Nezle verme.

izkân, *A. i.* Anlayıp bilme. Anlatıp bildirme.

izidî, *F. s.* Tanrısal. • ‹Hidayet-i izidi ile müeyyet olan durbînler. — Sadettin›.

izkâr, *A. i.* [Zikr'den] Andırma. Hatıra getirme.

izlâl, *A. i.* [Zül'den] Alçaltma, hakir etme. • ‹Siz izaz ederseniz aziz olur eğer izlâl ederseniz zelil olur. — Taş.›.

izlâl, *A. i. (Ze* ile) Ayağını kaydırma, hata ettirme.

izlal, *A. i. (Zı* ile) [Zıl'dan] Gölge verme. Gölgelendirme.

izlâm, *A. i.* [Zulmet'ten] Karanlıkta koyma. Karanlık etme.

izmihlâl, *A. i.* Yok olma. Bozularak bitme. • ‹Ehibba şive-i yağmada mebhut eyler a'dayı — Huda göstermesin âsar-i izmihlâlâ bir yerde. — Ragıp Pş.›.

izn, *A. i.* Bir şeyde yasağın kaldırılması. • ‹İzn-i âmm ile bütün ordu-yi hümayun halkına in'am olunmuş iken. — Raşit›.

iznab, *A. i.* Günah işletme.

izra', *A. i. (Zel* ve *ayın* ile) Ölçme. Arşınlama.

izra', *A. i. (Ze* ve *hemze* ile) Azaltma, eksiği tamamlama. • ‹Erzakı anlar üzerine icra ve izra ettirdi. — Taş.›

izz, *A. i. (Ayın* ile) 1. Değer. 2. Yücelik. 3. Güclülük. • ‹Koyduk vatanı gurbete bu fikir ile çıktık — Kim renc-i sefer bais ola izz ü alâya. — Ruhi›.

izzet, *A. i. (Ayın* ile) 1. Değer. 2. Yücelik. 3. Kudret, kuvvet. 4. Saygı, ikram. • *İzzet-i nefis,* onur, özsaygısı. • ‹İzzet-i saltanat-i Mısr'a talebkâr olmak — Keyd-i ihvan-i bün-i çeh gûşe-i zindan yoludur. — Nabi› ‹Bazu-yi rahm-i izzetine ittikâ edip — Tesir-i bahtiyari-i vuslatla ağlasam. — Cenap›.

İzzî, *A. i.* Şeyh İzzet'in yazdığı Arapça ünlü bir gramer kitabı.

izziyan, *A. i. (Ze* ile) Bezetme, süsletme.

J

j, Osmanlı ve Fars alfabelerinin on dördüncü harfidir; Farsça ve yabancı kelimelerde bulunur. Ebcet hesabında «z» harfi gibi 7 sayısına işarettir.

jaj, jaje, *F. i.* 1. Deve dikeni. 2. Saçma, mânasız söz.

jajhâ, *F. s. i.* Saçma sapan söylenen. ● «Diye jajhây ü hezeyanpâs oldu. — Nergisi».

jajhayan, *F. s. i.* Saçma söyleyenler. ● «Demdemesiyle jajhayan-i sufcha-yi Kureyş gibi. — Şefikname».

jajhayî, *F. i.* Mânasız söyleyicilik.

jale, *F. i.* Kırağı, çiğ. ● «Bülbül seherde germ olıcak ah ü naleden — Tebhaledar olur dehen-i gonce jaleden. — Beliğ».

jaledar, *F. s.* [Jale-dar] Üzerine çiğ düşmüş, kırağılanmış.

jaleriz, *F. s.* Çiğ saçan. ● Jaleriz oldu hava sanma seher gülzarda — Pîr-i çarh etti bükâ kıldıkta dolabı enîn. — Hayalî».

jend, jende, *F. i.* Yamalı, eski hırka. ● «Rüsum-i himmeti ehl-i kerem sûzenden öğrensin — Ten-i uryan ile her binevaya giydirir jende. — Beliğ».

jendepuş, *F. i.* [Jende-puş] Yamalı hırka giyen, fakir. ● «Murakka, ve jende-puş olan fukaraya meyli. — Taş.»

jeng, *F. i.* 1. Erteng veya Erjeng sözünün hafifi. 2. Yüzdeki buruşukluklar. 3. Pas. 4. Göz çapağı. ● «Açmaz mı dahi jengini ruşengeri-i takdir — Paslandı yer altında nice âyine sine. — Beliğ».

jengdar, *F. s.* Paslı. Pas tutmuş. ● «Jeng-dar ayinesinden saffet ümmidindedir. — Nailî».

jengâlûd, jengâlûde, *F. s.* [Jeng-âlûd] Paslı. ● «Çeşm-i jengâlûdeye etmez tecelli bir zaman. — M. K. İnal».

jengâr, *F. i.* 1. Pas, kir. 2. Bakır yeşili. ● «Âyine-i İskender-nüma-yi adl ü insafları jengâr-i nakayis-i zulm ü udvandan meclâ olup. — Raşit».

jengârî, *F. s.* Pas tutmuş. ● «Şemsir-i zebanını jengbest-i kizb ü dürug olmadan sakınıp. — Nergisi».

jengbar, *F. s.* [Jeng-bar] Pas saçan.

jengbeste, *F. s.* Bakır yeşili renginde boya.

jengpezir, *F. i.* [Jeng-pezir] Paslandırma. Paslandırılmış. ● «Mir'at-i sinenizi jengpezir-i tagayyür etmeyip. — Nergisi».

jengyab, *F. s.* [Jeng-yab] Paslanma. ● «Benden o jengyab ü ben andan safapezir — Ayine gibi ruberudur benimle veli. — Nabi».

jerf, *F. s.* Derin. ● «Berf derya-i jerf-i bipayan olup. — Sadettin».

jerfî, *F. i.* Derinlik.

jerfin, *F. i.* Kapı sürmesi.

jive, *F. i.* Cıva. ● Ol bülhevesan jivesanlar ârâmgâh-i cihandan bir yere firar etmek ihtimalleri. — Salim».

jiyan, *F. s.* Kızgın, kükremiş. *Pil-i jiyan.* *şîr-i jiyan,* kızmış fil, kükremiş aslan. ● «Uyan ey yareli şîr-i jiyan bu hâb-i gafletten. — Kemal».

jülide, *F. s.* Karmakarışık, dağınık (saç). ● «Hayalî gibi bir divane-i julide-mudur kim — Perişan eylemiş kendin görüp Sultan Süleyman'ı. — Hayali».

K

k, Osmanlı ve Fars alfabelerinin 24., Arap alfabesinin 21., harfi olan *kaf* harfiyle Osmanlı ve Fars alfabelerinin 25., Arap alfabesinin 22. harfi olan *kef* harfini karşılar. *Kef* harfiyle yazılı kelimelerden bir kısmı «g» sesi verir, *kâf-i Farisî* denirdi. Bu iki ses, Türkçede bir hayli söyleniş karışıklığına yol açmış, sözlükler arasında birbirini tutmazlıklar göstermiştir. (Böyleleri iki şekilde de gösterilmiştir). Kaf harfinin ebcet hesabında değeri 100, kef harfinin ned 20'dir.

kaa, *A. i. (Ayın* ile) Ev avlusu.

kaan, *A. i.* Çin imparatorunun lakabı.

kâ'b, *A. i. (Kef* ve *ayın* ile) 1. Topuk kemiği. 2. Aşık kemiği. 3. Oyun zarı. 4. Sekiz köşeli sekiz yüzlü cisim. 5. Küb. *Kâ'b-i şum* uğursuz ayak. • «Divan-i Hümayuna askerin hücumu tesir-i kâab-i şumudur. — Naima».

kaba', *A. i.* İnsanların üste giydikleri şey. Elbise, cübbe, kaftan. • «Zahidâ o denlü siklet-i tac ü kaba' ile — Uçmak ümidin etmez idi ebleh olmasa. — Nergisî».

kababıta, *A. i.* [Kıbti ç.] 1. Kıbtiler. 2. Çingeneler.

kabaçe, *F. i.* Entari.

kabahat, *A. i.* 1. Çirkin davranış, yakışıksız iş. 2. Hafif suç. (ç. Kabahât, kabaih). • «Bu izdivac-i âkaneye affolunmaz bi kabahat nazarıyle bakıyordu. — Uşaklıgil».

kabahât, *A. i.* [Kabahat ç.] Kabahatler.

kabaih, *A. i.* [Kabahat ç.] Kabahatler.

kabail, *A. i.* [Kabile ç.] Kabileler. • «Kürdüstan beyleri ve hükümet sahibi aşair ve kabail hâkimleri gelip. — Naima».

kabale, *A. i.* 1. Kadının verdiği hüccet. İltizam temessükü. 2. Toptan götürü satış. 3. Yahudilerin kendi cemaatlerine verdiği vergi.

kabati, *A. i. (Tı* ile) [Kıbti] Mısır'ın yerli halkı. Kıptiler.

kabayih, kabaih, *A. i.* [Kabiha ç.] Kabahatler. Suçlar, çirkin davranışlar. • «Akılları yetiştiği mertebe kabayihin tadat edip. — Naima».

kabban, *A. i.* Büyük terazi, kapan.

Kâbe, *A. i.* 1. Hicaz'da Mekke şehrinde bulunan kutsal yapı. İbrahim ve İsmail Peygamberlerden kalmış; İslâmlar için de kutsal sayılmıştır. 2. İslâmların namaz kılarken yöneldikleri taraf; gücü olanların da hacı olmak için gidip ziyaret ettikleri yer. • «Âl-i Osman zaman-i şeriflerinde Kâbetullah'a taş atılmak değil beytullahtır diye tazimen mahalle mescitleri önünden geçilmez. — Veysi».

kabes, *A. i.* Işık parçası. • «Huzmeleri idhal kabes ile iş'al ve ihtiram ederiz. — Silvan».

Kâbeteyn, *A. i.* 1. (İki Kâbe) Mekke'deki Kâbe ile Kudüs'teki Mescid-i Aksa. 2. Tavla zarı. • «Dil ü can şeşder-i aşkında zâf uftan ü hizandır — Misal-i kâbeteyn-i nerd gâhi rast gâhi keç. — Nailî».

kabız, *A. s.* [Kabz'dan] 1. Tutan, alan. 2. Peklik veren. 3. (Ana.) Sıkan, çeken. • *Kabız-i ervah,* Azrail; • *-mal,* tahsildar. • «Kâr-i canistanide hazret-i kabız-ül-ervah ile bahs-i beraberî ederdi. — Nergisi».

kabıza, *A. i. (Ana.)* Büken.

kabih, kabiha, *A. s.* 1. Çirkin. 2. Yakışıksız. 3. Ayıp. • *Ef'al-i kabiha,* çirkin işler, • *Fi'l-i kabih,* çirkin iş; • *kabih-ül-vech,* çirkin yüzlü; • *vech-i kabih,* çirkin yüz; • *tâbirat-i kabiha,* ayıp sözler. • «Amme-i âleme güç geldiğinden gayri ocak halkının ukalâsına dahi kabih görünmekle. — Naima».

kabiha, *A. i. (Ka* ve *ha* ile) Çirkin davranış, ayıp iş. (ç. Kabaih).

kabil, *A. s.* [Kabl'den] Az önce. Biraz evvel. • «Göçüp kabîl-i mağripte Davutpaşa bahçesine. — Naima». • «Yedi neferi kabîl-i mağripte bermucib-i fetva hank u idam birle. — Esat Ef.».

kabil, A. i. Soy, türlü, sınıf. Bu kabilden, bu çeşitten. • «Köhne, metruk bir kırık sandalye kabîlinden yapayalnız bırakılmış görünce. — Uşaklıgil».

kabil, A. s. [Kabul'den] 1. Olan, olabilir. 2. Olabilir. 3. Yetişebilir, istidatlı. • Gayr-i kabil, olamaz; • «Şu keyfiyeti ile hareket eden adamı öldürmek nice kabildir dedikte. — Naima» • «Harişinden el'aman kabil mi ki ol afetin — Girye mevc-efza-yi hancer-i bidadıdır. — Nedim».

kabil-i af,   -itiraz,
-aks,   -izale,
-ekl,   -rücu,
-hazf,   -tahakkuk,
-hitab,   -tahayyül,
-icra,   -tahammuz,
-inhilâl,   -tahkik,
-inhina,   -tahlil.

Kâbil, A. i. Afganistan'ın başkenti.

Kabil, A. i. Âdem peygamberin oğullarından olup kardeşi Habil'i öldürmüştür. • «Habil ile Kabil iki kardeş... Bize tarih — Kardeşliği bir levha-i hunriz ile telvih. — Fikret».

kabile, A. i. Ebe kadın. • «İnsanı peder hâsıl eder kabile doğurtur. — Kemal».

kabile, A. i. Bir soydan türemiş, bir başkanın idaresi altında yaşayan, birlikte konup göçer halk. (ç. Kabail). «Kim vardı Arapta bir kabile — Müstecmi-i haslet-i cemile. — Ş. Galip».

kabiliyet, A. i. 1. Kabul edebilir olma. Olabilirlik. 2. Beceriklilik, işe yatkınlık. (ç. Kabiliyât). • «Şahsın istidadı lûtf-i peykerinden bellidir — Kimya-yi kabiliyyet cevherinden bellidir. — Nailî».

kâbin, F. i. Evlenirken erkek eşin vermeyi üstüne aldığı nikâh parası. • «Eshab-i nikâh olup revane — Kâbini kesildi nakd-i cane. — Fuzulî».

kâbir, A. i. Büyük, ulu. Kâbiren an kâbir, büyükten büyüğe. • «Ana rifat kâbiren an kâbirin mevsuldür — Nüh felek gûya nisbet-i abâsıdır. — Nedim».

kabl, A. zf. Ön. Önde. İlerde. Kabl-el-milâd, İsa'dan önce (İ. Ö.); • Kabl-el-vürud, gelmeden önce; • kabl-et-tarih; tarihten önce, tarih öncesi; • kabl-et-tecrübe, deney öncesi; • kabl-et-telâki, buluşmazdan önce; • kabl-et-tufan, Tufan'dan önce; • kabl-ez-zeval, öğleden önce; • kabl-ez-zuhur, öğleden önce; • mâkabl, önceki.

kablî, A. i. Fransızca'dan A priori terimi karşılığı olarak; önsel apriyori, (XX. yy.).

kabr, A. i. Mezar. (ç. Kubur). (Ed. ce.) • «Ezharına akseder de nurun — Bir kabri de güldürür süururun. — Fikret».
Kabr-i hazin,   delil-i kabr,
-vahşetâkîn,   zulmet-i kabr.
azab-i kabr,

kabrgâh, F. i. Mezarlık olan yer.

kabristan, F. i. Mezarlık. • «Uğradığı yerlere kasaba yerine kabristan mı yapılacak? — Kemal».

kabul, A. i. 1. Alma. 2. Görmeye gelen bir kimseyi içeri alma. 3. Razı olmak. 4. Alıp kullanma. 5. (Huk.) Bir şeye sahip olma için ikinci söylenen söz. • icab ü kabul (alım satım bununla tamam olur). • Hüsn-i kabul, iyi karşılama. • «Çılgınca bir sevinçle kabul etti. — Uşaklıgil».

kabulgâh, F. i. [Kabul-gâh] Kabul yeri Tanrının, padişah gibi büyük bir kimsenin dua, dilek gibi şeyleri yerine getirmeleri için kullanılır. • «Çıksın bu dua kabulgâha — Kılsın her işinde Hak muvaffak. — Naci».

kâbus, A. i. Uykuda basan ağırlık. Karabasan. • «Büyük validelik bir kâbus ağırlığıyle onu bunaltmaya başladı. — Uşaklıgil».

kabz, A. i. 1. El ile tutma. Ele alma. Kavrama. 2. Alma. Teslim alma. 3. Bir kimsenin ruhu Azrail tarafından alınma. Ölme. 4. Tutkunluk, peklik. • Kabz ü bast, kapanıp açılma, daralıp genişleme; • ahz ü kabz, alma. • «Zârdır kabzla bastın dü ser-i engüstünde. — Naci».

kabza, A. i. 1. Pençe, avuç. 2. Tutamak yeri. 3. Bir tutam. Bir avuç. • «Mezar-i yâr, bu bir kabza hâk-i muğberdir. — Fikret». • «Ruhunu bir kabza-i kaahire içinde sıkan. — Uşaklıgil».

kâc, F. i. (Bot.) Küçük bir çeşit cam.

kadame, A. i. Eskilik. Esk' olma.

kadd, F. i. (Kaf ve dal ile) Boy. Kadd ü kamet, boy bos; • serv-kadd, servi boylu; • kadd-i balâ, uzun boy.

kaddahe, A. i. Çakmaktaşı.

kaddase, A. zf. Kutlu ve mutlu olsun.

ka'de, A. i. (Kaf, ayın ve dal ile) Oturus.

kadeh, A. i. 1. Küçük bardak. 2. (Bot.) Kadeh. (ç. Akdah). • «Rahikler sunulur cevherin kadehlerle. — Fikret». •

«Bizler kadeh'te aks-i rüh-i yâri gör-müşüz. — Beyatlı».

kadehkâr, *F. s.* [Kadeh-kâr] Kadeh sunan. ● Câm-i Cem nazmını kim rinde kadehler okutur — Zahide muğbeçeler Sübhat-ül-Ebrar okutur. — Nailî».

kadehnuş, *F. s.* [Kadeh-nus] İçki içen. ● «Saki erişip îd acep Nailî-i zâr — Rindan-i hubanı kadehnuş görür mü. — Nailî».

kadem. *A. i.* 1. Ayak. 2. Adım. 3. Seksen santim uzunluk ölçüsü. 4. (İngiliz ölçüsü) otuz santimden biraz fazla ölçü. 5. Uğur. ● *Hoşkadem.* uğurlu; ● *sabitkadem,* devamlı sürekli; (ç. Akdam, kudam). ● «Tac-i ser-i âlemdir o kim hâk-i kademdir. — Ruhi ● «Takrib ederdi nezdime kendin kadem kadem. — Fikret».

kadembusî, *F. i.* [Kadem-busî] Ayak öpme töreni.

kademe, *A. i.* 1. Basamak. Merdiven ayağı. ● *Kademe-i ulâda,* ilk basamakta, başlangıçta. (ç. Kademat).

kademkeş, *F. s.* [Kadem-keş] Ayağını çeken, yanaşmayan.

kademnihade, *F. s.* [Kadem-nihade] Ayak basmış, gelmiş.

kademran, *F. s.* [Kadem-ran] Adım atan, ilerleyen.

kader, *A. i.* Alın yazısı. Tanrıdan ezelde bütün yaratıklar için olmasını buyurduğu şeyler. ● *Kader-i ilâhi,* Tanrı takdiri, alın yazısı. Çoğu defa *kaza vü kader* şeklinde kullanılır. ● Gehiy hâtırımdan çıkardı kader — Atardım sipihre sabaha kadar. — İzzet Molla». ● «İlel-ebed beni tıflâne şad-kâm edecek — Bir iltifat-i kaderdir. — Fikret».

kaderi, kaderiyye, *A. s.* 1. Kaderle ilgili. 2. Kaderiyye inancında olan. ● «Kezalik İmam dahi (İmam-i Âzam) ne mu'tezilî ve ne kaderî idi, belki sünni-i hanefi idi. — Taş.».

Kaderiyye, *A. i.* İnsan, yaptıklarının yaratıcısıdır, inancında olan mutezile tarikatı. (*Cebriyye* karşıtı).

kadh, *A. i.* Bir kimsenin aybını söyleyerek çekiştirme. ● *Zemm ü kadh,* kötüleme. ● «Meclisine gelip gidenlere Mollanın zemm ü kadhin ve maayib ü mesavisinden bahse başlardı. — Naima».

kadı, kazı, *A. s.* [Kaza'dan] 1. Yapan, yerine getiren. 2. (i.) Şeriat hâkimi. Şeriat mahkemesi yargıcı. ● *Kadi-l-hacât,* herkesin dileklerini yerine getiren Tanrı; ● *kadi-il-kudat,* en büyük kadı, kazasker veya şeyhülislâm makamında bulunan kimse. ● «Sipah ü raiyyet ve kadı demeyip ez'af-i muzaaf cem-i malde. — Naima».

kadım, kadıma, *A. i.* (*Dat* ile) (Zoo.) Kemirici.

kadib, *A. i.* (*Kaf* ve *dat* ile) 1. İnce, düz fidan. 2. Erkeklik organı.

kadid, kadide, *A. s.* (*Kaf* ve *dal* ile) 1. Kurutulmuş et. 2. Etleri dökülmüş, yalnız kemikleri kalmış gövde, iskelet. 3. (Mec.) Pek kuru, zayıf kimse. ● «Bir gonce durur kadid ü muğber — Bir defter-i sanihat içinde. — Fikret». ● «Dest-i şita yerlere kalıçe-i beyazını sermiş, kadid-i eşcara namütenahî kollu gümüş şamdanlar. — Cenap».

kadih, kadihe, *A. i.* (*Ha* ile) [Kadh'tan] Bir kimse hakkında kötü söz söyleyen. (ç. Kavadih). ● «Hak Taalâ cümlemize akide ve kav ü amelde afât-i kadihadan necat ve hata ü hatelden tecavüz ile erfa-i derecat müyesser eyleye. — Taş.».

kadim, *A. s.* (*Kaf* ve *dal* ile) [Kadem'den] Ayak basan, varan, ulaşan. ● «Kademe-i ihtiyariyle dâm-i belâsavbına kadim. — Sadettin».

kadim, kadime, *A. s.* (*Kaf* ve *dal* ile) [Kıdem'den] 1. Eski. 2. Başlangıcı olmayan. 3. (Huk.) İlk zamanlarını, öncesini bilir kimse bulunmayan. 4. (i.) Eski zaman. ● *Ezmine-i kadime,* ki çağlar; ● *Kelâm-i kadîm,* Kur'an; *min-el-kadîm,* eskiden beri; ● *tarih-i kadîm,* eski çağlar tarihi. (ç. Kudema). ● «Ne tarik-i reviş-i taze ne vâdi-i kadîm. — Nef'i». ● «Kadîm, evvelini (görerek) bilen kimse olmaya. — Mecelle 166».

kadime, *A. i.* (*Kaf, elif* ve *dal* ile) 1. (As.) Ordunun ileri karakolu. 2. (Zoo.) Kuş kanadının ön taraftaki uzun tüyleri. ● *Kadime-cünban-i azimet,* (gidiş için kanadını oynatma). Yola çıkma.

kadimî, *A. s.* Eski. ● Derviş Paşa kapudan iken İpşir Paşa ile kadimî dostluğuna binaen. — Nailî».

kadir, *A. s.* (*Kaf, elif* ve *dal* ile) [Kudret'ten] Güçlü, kuvvetli. ● «Hem anasır, hem tabayi' hem mürekkep hem basit — Cümlenin aslı vü fer'i Kadirin makduruyum. — Nesimi». • «Huda kadirdir eyler seng-i hâradan güher peyda. — Ziya Pş.».

kadir, A. s. (Kaf ve dal ile) Her şeye gücü yeten (Tanrı sıfatlarındandır). • «Kadîr ü muktedir ü kadir ü mukadder dahi — Alîm ü âlim ü allam ü a'lem ü a'lâ». — Fuzulî».

Kadirî, A. s. Abdülkadir-i Geylâni tarikatinden olan.

Kadiriyye, A. i. Kadirî tarikati.

kadkeşide, F. s. [Kad-keşide] Boy atmış.

kadr, A. i. 1. Değer. 2. İtibar, onur. 3. Rütbe. 4. Nicelik, derece. • ıÂlikadr, rütbe ve derecesi, yüce • leyle-i kadr, kadir gecesi (ramazanın 27. gecesi). • «Kadr ü şeref-i şairi şair bilir ancak. — Avni» • «Künc-i târîk içre bir hoş sohbetim var yâr ile — Leylet-ül-Kadr ile âşıktır şeb-i Mirac ana. — Hayali».

kadrâşina, F. s. [Kadr-âşina] Kadir bilir. • Ah eğer olsaydı bir kadrâşinası hâmemin. — Recaizade».

kadrdan, F. s. [Kadr'dan] Değerbilir.

kadrdanî, F. i. Değerbilirlik.

kadrşinas, F. s. [Kadr-şinas] Değerli kimseleri tanıyabilen. • «Kef-i mizan-i hayale olıcak kadrşinas. — Beliğ».

kadrşinasî, F. s. Kadirbilirlik.

kâf, A. i. «Kef» harfinin okunusu. • «Kâf nundan yarattı âlemi — Erbain günde yoğurmuş Âdem'i. — Nesimi». • «Gerçi kâf ile nundan oldu âlem — Âyâ neden oldu kâf ü nun hem. — Fuzulî».

kaf, A. i. «Kaf» harfinin okunuşu.

Kaf, A. i. Zümrüd-i Anka yahut sadece Anka kuşunun yaşadığı sanılan masal dağı. • «Gördü mahsus olduğun meydan-i istiğna bana — Şehperin gönderdi sorguç Kaf'tan anka bana. — Hayalî».

kafa', A. i. 1. Kafa. Baş. 2. Ense. Arka, geri. • «İnce oğulları zırh ve silâha müstağrak kafasında kat ender kat kendi dahi. — Naima».

kafadar, F. s. i. 1. Arkası sıra giden, uyan. 2. Arkadaş, kafası birbirine uyan. (ç. Kafadaran).

kafavî, A. s. Kafa ile ilgili.

Kafdağı, Bk. • Kaf.

kafes, F. i. Kafes. «Ki murg eder kafes-i ahenin ile pervaz. — Beliğ».

kafesgir, F. s. [Kafes-gir] Kafese kapatılmış. • «Tair-i lâne-i ıtlâk kafesgir olmaz — Kayd-i tahrir olsun mu müselsel mana. — Nabi».

kafeş, kefeş, A. i. Pabuç, ayakkabı.

kaffal, A. i. Çilingir. • «İptida-i halde kaffal olup otuz yaşında iken tahsil-i ilme ibtida. — Taş.».

kâffe, A. i. Hep, bütün, cümle. • «Ve o hulyaların kâffesini birden ihya edecek bir kelime şeklinde. — Uşaklıgil».

kâffeten, A. zf. Bütün, hep, tümü birden. • «Bugün bunların kâffeten tahakkuk edebileceğini. — Uşaklıgil».

kafi, A. i. Birine uyup ardınca giden.

kâfi, A. s. [Kifayet'ten] Elveren, yetişen. • «Eğer maksud eserse mısra-i berceste kâfidir. — Ragıp Pş.». • «Hafi bir memnuniyeti derece-i kâfiyede saklayamayan sözlerini. — Uşaklıgil».

kâfil, kâfile, A. s. [Kefalet'ten] 1. Bir işi üstüne alan. 2. Kefil olan, birinin yerine ödemeyi üstüne alan. • Evet, bu hâki, bu leyle-i siyahı tenvire — Sükûfeler, o müanber nücum kâfildir. — Fikret».

kafile, A. i. 1. Birlikte yolculuk eden atlılar takımı. 2. Takım takım veya sıra sıra her parçası. • Kafile-salâr, kafile başı. • «Ey dişleri düşmüş sırıtan kafile-i sûr. — Fikret».

kâfir, kâfire, A. s. [Küfr, küfran'dan] 1. Tanımayan, bilmeyen. 2. Tanrı ve Tanrı birliğine inanmayan. 3. İkinci. • «Kâfir ağlar bizim ahval-i perişanımıza — Fuzulî».

kâfirane, F. zf. s. Kâfire yakışır hal ve davranış. 2. Kâfirce.

Kâfiristan, F. i. 1. Hindistan'ın kuzey batısında Kâbil civarında dağlık ve oldukça yabanî bir bölge. 2. Afrika'nın güney kısmının doğu kıyıları. 3. Genel olarak İslâm olmayanların ülkesi. • «Hâl kâfir zülf kâfir, çeşm kâfir el'aman — Serbeser iklim-i hüsnün Kâfiristan oldu hep. — Nedim».

kafiye, A. i. 1. (Ed.) Nazımda mısra sonlarında bulunan harflerin sesçe bir birine uygunluğu. 2. Nesirde seci harfi. • «Sayd eyleyelim gel — Ben kafiyeler sen de müzehheb kelebekler. — Fikret».

Kâfiye, A. i. Arapça ünlü bir sentaks (nahiv) kitabı.

kafiyedar, F. s. [Kafiye-dar] Birbiriyle kafiyeli olan. • «Nazmın arasına kafiyedar olmayan kelimeler sokarak. — Uşaklıgil».

kafiyeperdaz, F. s. [Kafiye-perdaz] Kafiye uyduran; şair, nâzım. (ç. Kafiyeperdazân).

kafiyesenc, F. s. [Kafiye-senc] Kafiye dizen, şair, nâzım (ç. Kafiyesencân).

kâfur, A. i. 1. Hindistan'da yetişen bir ağacın zamkından yapılma kokulu ve ak madde. ● ‹Karanusuna anın kılma hande şem' gibi — Dilersem ola yüzün ak nitekim kâfur. — Hayalî›.

kâfurî, A. s. Kâfurdan yapılma, kâfurla ilgili. ● Şem-i kâfuri' beyaz mum.

kâgaz, F. i. Kağıt. ● ‹Yârdan geldi bize verdi haberler kâgaz — Başlar üzre yer ederse yeridir her kâgaz. — Ruhi›.

kâh, F. i. (Hı ile) Köşk. ● ‹Lâkin sorun şu penceresinden bakanlara — Kâh-i tahayyülün. — Fikret›.

kâh, F. i. (He ile) Saman. ● ‹Kûh olursan da sakın bir berk-i kâha etme cevr. — Hayalî›. ● ‹Kûh ile kâhın müsademesi gibi muhal olduğun. — Naima›.

kahame, A. i. İlerlemiş yaşlılık.

kâhban, F. i. Harman bekçisi.

kâhdan, F. i. Samanlık.

kahhar, kahhare, A. s. (Kaf ve he ile) [Kahr'dan] Ziyadesiyle kahredici, batıran, yok eden. (Tanrı sıfatlarındandır). ● ‹O zaman sen yed-i kahhar-i hammiyette ayan. — Fikret›.

kalharane, F. zf. Çok zalimlikle.

kâhil, A. s. [Kühlet'ten] Olgun, orta yaşlı. 35-50 yaş arasında olan. Erişkin.

kâhin, A. i. [Kehanet'ten] Kayıptan haber verdiği sanılan din adamı. Tanrı habercisi. (ç. Kehene).

kâhinane, F. zf. Kâhine yakışır yolda.

kâhine, A. i. Kâhin kadın.

kahir, kahire, A. s. (Kaf ve he ile) [Kahr'dan] 1. Kahreden, zorlayan. 2. Üstün gelen. 3. Yok eden. ● ‹Sadmenle pâ-yi kahiri titrer tagallübün. — Fikret›. ● ‹Ruhunu bir kabza-i kahire içinde sıkan. — Uşaklıgil›.

Kahire, A. i. Mısır'ın idare merkezi. ● ‹Yeler şu Kahire'nin kahrı azm-i Rum edelim. — Ragıp Pş.›.

kahkaha, A. i. 1. Sesle ve çok gülme. 2. Sarmaşık gibi tırmanır, mor, kırmızı çiçek açar bir bitki. ● ‹Dün kahkahalar yükseliyorken evinizden. — Beyatlı›.

kahkahazen, F. s. [Kahkaha-zen] Gülen, kahkaha atan. ● ‹Bir taş üstünde bir çocuk durmuş — Oluyordu bu hale kahkahazen. — Fikret›.

kahkarî, kahkariyye, A. s. 1. Arkasını çevirmeyerek hep savaşıp dönme, geri çekilme. 2. İzine geri dönme.

kâhkeşan, kehkeşan, F. i. Samanuğrusu. Hacılaryolu.

kahr, F. i. 1. Zorlama. Zorla bir iş yaptırma. 2. Üstün gelerek bastırma, ezme. 3. Fazla kederlenme. ● ‹Bütün bir ömür-i mezbuhane kahr ü minnet altında. — Fikret›. (Ed. Ce.). :
Darbe-i kahr, saye-i kahr, emvac-ı kahr, yed-i kahr, pençe-i kahr, zehr-i kahr ü gazab.

kahraman, F. i. Yiğit. ● ‹Burc-i istibdadı yıktık, kahramanız. şanlıyız. — Fikret›.

Kahraman, F. i. Fars mitolojisinde Rüstem'in yendiği kimse. ● ‹Bir nigehle Kahraman'ı katleder Rüstem gibi. — Nef'i›.

kahramanâne, F. zf. Kahramanca. Yiğitçe.

kahramanî, F. i. Yiğitlik.

kahren, A. zf. Zorla. Ezerek ● ‹Cebren ve kahren tahsiline şüru iktiza etmeğin. — Naima›.

kâhrüba, F. i. Kehlibar. ● ‹Kapasın iki hanı nitekim kâhrüba. — Hayalî›.

kaht, A. i. (Ha ve tı ile) Kuraklıktan dolayı ürün alınmama sonucu olan açlık. Kıtlık. ● Kaht ü galâ, kıtlık ve pahalılık.

kâhvare, Bk. ● Gâhvare.

kahve, A. i. Kahve. ● ‹Hemen ikimiz kalıp münavele-peyma-yi kahve-i musahabat iken. — Nergisi›.

kâib, A. i. (Ayın ile) Tomurcuk memeli kız. (ç. Kevaib).

kaid, A. s. (Ayın ile) [Kuud'dan] Oturan. ● ‹Gerek kaim ü kaid gerek maşi vü râkip. — Taş.›.

kaid, A. i. (Kaf ve hemze ile) 1. Komutan. ● Kaid-ül-ceyş, başbuğ. 2. Çekip götüren, yeden. 3. (Sürüde) Kösemen. ● ‹Ekme iken Basra'nın âlâ ve esfelini bigayri kaid devrederdi. — Taş.›.

kâid, A. s. [Keyd'den] Hileci, düzenci.

kaidan, A. i. (Hemze ile) [Kaid ç.] Komutanlar.

kaide, A. i. 1. Kural. 2. Ayaklık. 3. (Geo.) Taban. ● ‹Bir kaidedir bu cavidane — Elbette gider gelen cihane. — Ziya Pş.›. ● ‹Sarkan fenerin delikli kaidesinden bakarak. — Silvan› ● ‹Bîşuphe kaide-i tenazura riayeten tesis olunan. — Cenap›.

kaiden, A. zf. Oturarak.

kaideşinas, *F. s.* [Kaide-şinas] Kuralları bilen, kurala uyan. • «Pek zide kaideşinaslılık ile müftehirdir. — Uşaklıgil».

kaideten, *A. zf.* Kurala göre, kurala uygun olarak.

kaidevî, *A. s. i.* 1. Kural ile ilgili. 2. (Geo.) Tabana ait.

kaidîn, *A. i.* [Kaid ç.] Düzenciler. • «Ve keyd-i kaidinden ihtirazın. — Silvan».

kail, kaile, *A. s.* [Kavl'den] 1. Diyen, söyleyen. 2. Başka birinden duyarak söylenen. 3. Razı, boyun eğmiş. • «Ol kelimatın kailine su-i zan edip. — Taş.». • «Kimisi kail olup hakka kabul etti sözüm. — Nef'i» • «Zannediyorum ki, kailin maksadı vapura veya trene rükûp idi. — Cenap».

kaim, kaime, *A. s.* [Kıyam'dan] 1. Ayakta duran. Ayağa kalkan. 2. Duran, sürüp giden. 3. Birinin yerini tutan. 4. Namaz kılan, vaktinin çoğunu namaz kılmakla geçiren. 5. (Geo.) Dik. • «Kaim oldukça bu nüh tak-i felek. — Hakani».

kaime, *A. i.* 1. Uzun kâğıt üstüne yazılan buyuruk. 2. Kitap yaprağı. 3. Ufak kâğıt para. • «Serasker İsmail Paşadan mektup ve kaimeler gelip. — Naima».

kaimen, *A. zf.* 1. Ayakta olarak. 2. Yıkılmamış, kesilmemiş, canlı olarak. • *Kaimen kıymet,* • «(Ağaç ve binanın) bulundukları yerde durmak üzre kıymetleridir ki toprağın bir kere onlarla ve bir kere de onlarsız değerlendirilmesi sonunda ikisi arasındaki farktır. — Mec. 882». • «Bir kenarda kaimen durdu. — Recaizade».

kaimmakam, *A. i.* [Kaim-makam] 1. Birinin yerine geçen, yerini tutan. 2. Kaza kaymakamı. 3. Yarbay.

kâin, *A. s.* [Kevn'den] Bulunan, var olan, mevcut olan.

kâinat, *A. ç. i.* Her ne var ise hepsi. Yaratıklar. Yer gök. • *Fahr-i kâinat,* • *seyyid-i kâinat,* • *zübde-i kâinat,* Muhammet Peygamber. • «Derim : Fena bulmaz kâinat bakidir. — Fikret».

ka'kaa, *A. i.* Silâh çatırtısı. • «Darb-i şeşperle çıkan ka'kaa miğferlerden. — Fikret».

kaknus, *F. s.* Gayet iri bir masal kuşu olup çok delikli gagasından yel estikçe birtakım sesler çıkarmış. • «Ateş-i aşkı niçin söndüreyim dilde. — Per salıp kendi yakar cismini nâra kaknus. — Beliğ».

kakum, *A. i.* Kuzey bölgelerde bulunur, sansar ve gelinciği andırır, siyah kuyruklu bir hayvan olup kürkü değerli idi. (Ermin).

kakuze, *A. i.* Boş maşrapa, (ç. Kavakîz).

kâkül, kâgül, *F. i.* Kâkül. • «Görücek sünbülü kâhkülünü. — Fuzulî».

kal, *A. i.* Söz: • *Kale almamak,* sözünü etmemek; değer vermemek; • *kil ü kal,* dedikodu. • «Mümkün olmazdı sana kal ü kalemle tarif. — Recaizade».

kal', *A. i.* 1. Sökme. Söküp çıkartma. 2. Yerinden oynatma. 3. Temelinden yıkıp atma. • «Daima himmet-i şahanesi kal' ü kam'-i a'da-yi kızılbaşa masruf olmakla. — Peçoylu».

kâlâ, *F. i.* 1. Kumaş. 2. Giyim kuşam için güzel şeyler. 3. Anamal. ustalık. • «Kâlâ-yi maarif satılır suklarında. — Nedim».

kal'a, *A. i.* Kale. Etrafı kuvvetli surette korunmuş olan yapı. • «Zulmün topu var, güllesi var, kal'ası varsa. — Fikret». • Şahmeran kal'asıdır akrebe hasiyet-i nîş. — Beliğ».

kal'abend, *F. s.* [Kal'a-bend] Bir kale içinde yaşamaya hükümlü.

kal'adâr, *F. i.* [Kal'a-dâr] Kale koruyucusu. Dizdar. (ç. Kal'adaran). • «Top ve tüfek yuvalakları tegrek-i bahar gibi kal'adran üzerine baran olup. — Sadettin».

kal'agir, *F. i.* [Kal'a-gir] Kale tutan. Kale zapteden. (ç. Kal'agirân). • «Sefain-i donanma ve sair alet-i kal'agir ihzarına — Naima».

kalâid, *A. i.* [Kılâde ç.] Gerdanlıklar.

kalail, *A. i.* [Kalil ç.] Az şeyler. • «Kalail-i eyyamda berbad ü ifna. — Halimgiray» • «Bu halet birkaç eyyam-i kalâildir ki derhal zail olup. — Taş.».

kalâk, *A. i.* Sıkıntıda olma, gönül daralma. • «Canib-i Eflak'tan vâyedar hirman ü kalâk. — Sümbülzade».

kal'aküşa, *F. s.* [Kal'a-küşa] Kale zapteden. • «Güzide dilâverler ile paşa-yi kal'aküşaya imdat için gönderdiler. — Sadettin».

kal'anişin, *F. i.* [Kale-nişin] Kalede oturan. (ç. Kal'anişinân).

kalb, *A. i.* 1. Yürek. 2. Gönül, duygu merkezi. 3. Her şeyin ortası. 4. Önemli nokta. 5. İki kanad ortasında bulunan asker kuvveti. • «Olmuştu küçük

ailenin kalbi mükedder. — Fikret». •
«Serdar tertib-i sufuftan sonra kalb-i
askerde karar eyledi. — Naima». (Ed.
Ce.).:

Kalb-i hamiyet,   -ka'r-i neşe,
-hayat,   a'mak-i kalb,
-hazin,   azm-i kalb,
-masum,   buhayre-i kalb,
-mecruh,   curha-i kalb,
-meftur,   elem-i kalb,
-metruk,   emel-i kalb,
-mustarip,   enin-i kalb,
-müşfik,   feryad-i kalb,
-nalemeşhun,   harim-i kalb,
-naşad,   hıyanet-i kalb,
-sâf,   ihtilâc-i kalb,
-sermedî,   kitab-i kalb,
-heyecan,   leyl-i kalb,
-şefkat,   meyl-i kalb,
-şeyda,   penah-i kalb,
-tabiat,   selsebil-i kalb,
-teessür,   vekar-i kalb.
-ka'r-i meşcere,

kalb, *A. i.* 1. Değiştirme. 2. (Ed.) Harf-
lerin yer değiştirmesi. • «Maziye kalb
edip geçecek büsbütün sizi. — Fikret».

kalb, *A. i.* Karışık, hileli. • «Verdikleri
simitçi ve meyhaneci akçesi gibi kalb
ve kızıl olmakla. — Naima».

kalben, *A. zf.* 1. İçten, yürekten. 2. Kendi
kendine. • «Ve bununla mesut olaca-
ğına kalben yemin ediyordu. — Uşak-
lıgil».

kalbgâh, *F. i.* [Kalb-gâh] 1. Ordunun sağ
ve sol kanatlarının arası, merkez bö-
lümü. 2. Canevi. • «Paşa-yi kişver-
kûşa kalbgâh-i sipahı makarr ü me'va
edinip. — Sadettin». • «Kalbgâhında
bir kânun-i elîm yanıyordu. — Uşak-
lıgil».

kalbî, kalbiye, *A. s.* 1. Yürekten olarak.
2. Yürekle ilgili. • «Ve gözlerini kapa-
yarak, kalbî bir dua ile o korkuya ce-
vap veriyordu. — Uşaklıgil».

kâlbüd, *F. i.* 1. Kalıp, şekil. 2. Gövde,
kafes. • «Söz kâlbüd-i kadr-i beni âde-
me candır. — Avni».

kalbzen, *F. s.* [Kalb-zen] 1. Kalpazan.
2. Yalancı.

kal'e, kal'a, Bk. • Kal'a.

kâle, kâlâ, Bk. • Kâlâ.

kâle, *F. i.* Kabak, kelek.

kaleb, kalib, *A. i.* Kalıb. • «Sözü her ka-
leb-i fersudenin mevcut canıdır — Ka-
çan hali budur şair fesahat içre mey-

danı. — Hayalî». • «Döndüğü kaleb-i
fersudeye cism-i zârım — Yine ey ruh-i
revan fikr-i vesalindedir. — Nedim».

kâlefürüş, *F. s.* [Kâle-füruş] Kumaş sa-
tan. • «O çarşıda ki nakd-i niyaza bak-
mazlar — Meta-i kâlefüruşan-i naza
bakmazlar. — Nailî».

kalem, *A. i.* 1. Kalem. 2. Yazı aleti. 3.
Maden veya taş üzerine kazmak için
olan keskin uçlu alet. 4. Tülbent ve
kumaş üzerine boya çekmek için kul-
lanılan ince fırça. 5. Yazı çeşitlerinden
her biri. 6. Yazı, yazma. 7. Resmî dai-
relerden her biri. 8. Yabanî ağaçları
aşılama çeşitlerinden biri. 9. Listede
yazılı maddelerden her tanesi. • *Ceff-
el-kalem*, hemen hüküm vererek, dü-
şünmeden; • *ehl-i kalem*: • *erbab-i
kalem*, yazarlar, elleri kalem tutanlar.
• «Kalem, baharı bu tasvir-i sade-
nakşiyle — Hulâsa eylemek ister. —
Fikret». • «Sonra kalemi başka bir ze-
mine sıçrayarak ilâve etti. — Uşaklı-
gil».

kalemen, *A. zf.* Kalemle, yazı ile. Sayı-
ca.

kalemdan, *F. i.* [Kalem-dan] Kalem ko-
nan kutu. • «Seririnden ciğerhun ol-
du nâdan — Bana kandil yeter oldu
kalemdan — Atayî».

kalemî, kalemiyye, *A. s.* Kalemle ilgili.
• «Udeba-yi salifenin âsar-i kalemi-
yesini ki. — Kemal» • «Son devrin
buhran-i kalemisi Fikret'in bir girye-i
sanatı ile nihayetlendi. — Cenap».

kalemiyye, *A. i.* Eskiden kalemlerde ya-
zı karşılığı olarak alınan para.

kalemkâr, *F. i.* [Kalem-kâr] 1. Tülbent,
ince kumaş üzerine fırça ile şekil ya-
pan yazmacı. 2. Duvar ve tavanlara
süs yapan, nakkaş. 3. Maden üzerine
kazarak şekil yapan. (ç. Kalemkâran).
• «Zerger-i kâmilidir sanat-i şi'rin Ba-
ki — Nic'olur gel beri seyr eyle ka-
lemkârlığı. — Baki».

kalemkârî, *F. i.* Kalemkârlık. Resimci-
lik.

kalemkeş, *F. s.* [Kalem-keş] 1. Yazan,
yazıcı. 2. Çizen. 3. Yazıda silinti yapan.
(ç. Kalemkeşân).

kalemrev, *F. i.* [Kalem-rev] Bir hüküm-
dar veya hükümetin hükmünün yürü-
düğü yer. • «Göreceğiz ki bazı ceraid
serapâ ilânların kalemrev-i hükûmeti
olacak. — Cenap».

kalemtıraş, *F. i.* [Kalem-tıraş] Kalem aç-
ma, yontma aleti.

F : 27

kalemzede, F. s. [Kalem-zede] Yazılmış.

kalemzen, F. s. [Kalem-zen] Yazan.

kalen, A. zf. Sözle, söyleyerek. Kalen ve kalemen, sözle ve yazı ile. • ‹Kalen değilse bile lisan-i halleriyle şunu iddia ederler. — Cenap›.

kalender, F. i. Dünyadan el çekip başı boş dolaşan derviş. • ‹Cerr için dergâhına geldi kalender-vâr gül. — Hayalî›.

kalenderane, F. zf. Kalenderce. Kalendere yakışır surette. • Rükn-i âzamı mübalâgat-ı riyakârane ve meşreb-i kalenderaneden olan manzumatımız.— Kemal›.

kalenderî, A. i. 1. Kalender hali. Serserilik. 2. Feylesofluk. 3. (Ed.) Nazım şekli. • Bahş-i kalenderi, cömertçe bahşiş, bağışlama.

kalenderiyye, A. i. Kalenderlik tarikatı. • ‹Taife-i kalenderiyyenin muktedası olıcak. — Sadettin›.

kalensöve, A. i. Tepesi sivri külâh. 2. (Bot.) Yüksük.

kalevî, kaleviye, A. s. (Kim.) Alkali. (ç. Kaleviyat).

kali, A. s. (Kaf ve ayın ile) [Kal'den] Kökünden söküp koparan.

kali, F. i. Halı. • ‹Hayme vü hargâh ü kali vü nemed — Girdi gaziler eline biaded. — Sadettin›.

kali', A. s. Dedikoducu.

kalib, A. i. Kalıp. • ‹Bu kalib-i acîbi hikmetle yaptı Sanı'. — Beliğ›.

kaliçe, F. i. Küçük halı. • ‹Dest-i şita yerlere kaliçe-i beyazını sermiş. — Cenap›.

kalil, kalile, A. s. [Kıllet'ten] Az. • ‹Ve kendi tevabiinden kalil-ül-diyane kimseler nasbı ile. — Naima›.

kallâb, A. s. [Kalb'den] Kalpazan. Kalp ve sahte para yapan. Çok hileci. • ‹Nabi o kadar kise tehi dünya kim — Kallâblığa başladı âlem yekser. — Nabi›.

kallâş, A. s. Kalleş. Hileci. Dönek. • ‹Piyade cüst ü çabük kallâşlar olmakla kafalarından yüğrük at ile yetişmek mümkün değil idi. — Naima›. • ‹Tavaif-i askerî zabttan dûr ve eybaşan ve kallâşan rabttan kalıp. — Naima›.

kaltaban, F. i. Pezevenk. Namussuz.

kâlûs, F. i. Ahmak.

kam', A. i. Ezip kırmak. Zaptetme. • ‹Daima himmet-i şahanesi kal' ü kam-i kızılbaşa masruf olmakla. — Peçoylu›.

kâm, F. i. İstenen şey. Arzu. Meram. • Bekâm, isteğine kavuşmuş; • hodkâm, bencil; • nakâm, isteğine kavuşmamış. • ‹Kâm almadık müsaferetinden bu âlemin — Cânanla, meyle son günü ey mevt, sendeyiz. — Beyatlı›.

kamari, A. i. [Kumriye ç.] Dişi kumrular. • ‹Kamari tahtüh-el-enhar okur vasfında. — Fuzulî›.

kambahş, F. i. [Kâm-bahş] Herkesin isteğini yerine getiren, bağışçı, ihsan edici. • ‹Evrenknişin-i paytaht-i kâmbahşı olan. — Nergisi›.

kâmbîn, A. s. [Kâm-bîn] Merama erdiren. • ‹Hırka-i beyza vücud-i devletiyle kâmbîn. — Ziya Pş.›.

kâmcû, F. s. [Kâm-cû] Maksada ulaşma isteyen. İstediğini arayan. • ‹Dergeh-i tâzim ü tekriminde âlem kâmcûy — Hirmen-i ihsan ü eltafında âlem huşeçîn. — Fuzulî›.

kame, kamet, Bk. Kamet.

kamer, F. i. (Gök cismi) Ay. • Kamerrû, ay yüzlü; • sure-i Kamer, Kur'anın 54. suresi. (ç. Akmar). • ‹Kamer çehre peri ruyum zarifim şah ü şengim. — Nesimi›. • ‹Sönük lika-yi sükûnperverinde deryanın — Veremli bir kamerin aksi muttasıl ağlar. — Fikret›.

kamerî, kameriye, A. s. Ay ile ilgili. • Huruf-i kameriyye (Arap. Gra.) El sözünün l harfini okutan harfler. (Elif, b, c, ha, hı, ayın, gayın, fe, kaf, mim, vav, he, ye); • sene-i kameriyye, gök cismi ayın hareketiyle hesaplanan yıl; • şuhur-i kameriyye, ayın tam bir devriyle hesap edilen aylar (Arabî aylar da denir).

kameriyye, A. i. 1. Çardak. 2. Bahçelerde yapılan küçük süslü köşk. • ‹Sarmaşıklarla mestur bir kameriye vardı. — Uşaklıgil›.

kamet, A. i. Boy bos. • Kamet-i balâ, uzun boy; • -dilcu, gönlü hoşlandıran boy; -mevzun, düzgün, yakışık boy. • ‹İnce ve uzun kametine bakarak cümlesini ikmal ediyordu. — Uşaklıgil›.

kâmgüzar, F. s. [Kâm-güzar] İsteğini elde edebilen.

kamı', A. s. (Ayın ile) Kam' den, ezip kıran, alçaltan, zelil eden. • ‹Ve bih-i ehl-i heva vü bide'i kamı' idi. — Taş.›.

kâmil, kâmile, A. s. [Kemal'den] 1. Bütün. Tam. Eksiksiz. 2. Kemale ermiş, olgun. 3. Pişkin, yaşını almış. 4. Bilgin, bilgisi çok kimse. • Kâmil-ül-ayar, ayarı tam, karışık veya eksik değil. • ‹İnsan-i kâmil olmaya sây eyle âdem ol. — Baki›. • ‹İki yüz dinar-i kâmil-ül-ayar ihsan buyurdular. — Sadettin›.

kâmilen, A. zf. Tam olarak. Hep, bütün. • Mahon sandala kâmilen bigâne kalmadı. — Uşaklıgil›.

Kâmiliyye, A. i. Bir Şiî tarikatı.

kâmin, kâmine, A. s. Gizli, saklı. (Fiz.) Potansiyel. • ‹Vezirin Emir Paşaya gayz-i kâmini olmağın. — Naima›.

kamis, A. i. 1. Gömlek. 2. Döl yatağını kaplayan ince deri. • ‹O yanda kafile-i müjde-âver-i ihvan — Kamîs-i Yusuf'u hâmil, mübeşşir ü şadan›.

kâmkâr, kâmgâr, F. s. [Kâm-kâr] İsteğine ulaşmış. Mutlu. • ‹Bu zatı çekmedi devran ki zatı devranın — Kemal-i izz ü saadetle kâmkârı idi. — Recaizade›.

kaml, A. i. Bit.

kâmperver, F. s. [Kâm-perver] Meram besleyici, emel hâsıl edici.

kâmran, F. s. [Kâm-ran] İsteğine kavuşmuş. Kutlu, mutlu. • ‹Bülbüle hutbe okutup her gün — Oldu sultan-i kâmran gonce. — Hayalî›.

kâmranî, F. i. İsteğine ulaşanın hali. Kutluluk, mutluluk, • ‹Ve tevafür-i behcet ü kâmranide — Nergisi›.

kâmreva, F. s. İsteğine erişen. İsteğini meydana getiren. • ‹Yeniçeri ağalığı rütbesiyle kâmreya. — Nergisi›.

kamus, A. i. 1. Deniz. 2. Sözlük 3. (Ö. i.) Firuzabadî'nin Arapça sözlüğü.

kâmver, F. s. İsteğine kavuşmuş. Mutlu.

kâmyab, F. s. [Kâm-yab] İsteğini bulmuş. • ‹Bir nigehle etmedin erbab-i aşkı kâmyab. — Cenap›.

kân, F. i. 1. Maden kuysu. Maden ocağı. 2. Bir şeyin kaynağı. Bir niteliğin bol olarak bulunduğu kimse. • Kân-i kerem, kerem, bağış kaynağı, bağışı bol; • -merhamet, pek merhametli kimse. • ‹Muhabbet bahridir cismim elifler onun emvacı — Belânın kânıdır gönlüm o lâ'l-i canfeza hakkı. — Hayalî›. • ‹Meğer kim o bir cevhere kân imiş. — İzzet Molla›.

kanaat, A. i. 1. Bir şeyi yeter bulup fazlasını istememe. 2. Az şeyle yetinme. Azı yeter bulma. 3. Kanma, kanım. • ‹Artık Beşir'in öleceğine bugün kanaat hâsıl etmiş idi. — Uşaklıgil›.

kanaatbahş, F. s. [Kanaat-bahş] İnandırıcı.

kanaatkâr, F. s. [Kanaat-kâr] Az şeyle yetinen. Kanaat sahibi. (ç. Kanaatkâran). • ‹Bütün hisselerini almış olmakla çıkanlar vardır: kanaatkârlar. — Uşaklıgil›.

kanaatkârane, F. zf. [Kanaatkâr-ane] Kanaat sahibi kimseye yakışır yolda.

kanadil, A. i. [Kandil ç.] Kandiller. • ‹Ve zer u sîm kanadil ve cevahirler ile tezyin. — Naima›.

kanafiz, A. i. (Zel ile) [Kunfüz ç.] Kirpiler.

kanat, A. i. (Tı ile) 1. Yer altında su yolu. 2. (Ana.) Kanal (ç. Kanavat). • ‹Kanat yerde su icra edecek künk ve kârizdir. — Mec. 1019›.

kanatır, A. i. [Kantara ç.] Köprüler. • ‹Nehr-i Meriç üzre kanatîr-i mukantara sarfedip. — Sadettin›.

kanatîr, A. i. [Kantar ç.] Kantarlar.

kanavat, A. i. [Kanat ç.] Su yolları. • ‹Kanavat-i müslimîn suyunu mülken ve vakfen gasbedip. — Naima›.

Kanber, A. i. Halife Ali'nin sadık ve sevgili kölesi. (Bu anlamda mec.) Bir evin gedikli kimsesi.

kand, A. i. (Bitkiden çıkarılan) Şeker. • Kand-i mükerrer, sevgilinin iki dudağı. • ‹Fem-i tabiata bir kand-i ibtisam uzatır. — Fikret›.

kandil, A. i. Kandil. • ‹Hattâ hafif hafif bir ziya, donuk bir kandil bile olmayacaktı. — Uşaklıgil›.

kanıt, A. s. (Tı ile) [Kunut'tan] Umut kesmiş. • ‹Biri galat-i ümmiyeden ve biri mekr ü hileden kanıt ü meyus olup gaile bertaraf kılındı. — Naima›.

kâni, A. s. [Kinaye'den] Dokunaklı söz söyleyen.

kani', kania, A. s. [Kanaat'ten] Yeter bulup dahasını istemeyen. Kanaat sahibi, gözü tok. • ‹Yine âciz, yine kani — En şüpheli bir meylini görsem inanırdım. — Fikret›.

kanit, A. s. (Te ile) [Kunut'tan] 1. İtaatli. Bağlı. 2. Tanrı buyruklarına baş eğen, dindar. • ‹Ve Allah için kanit› • ‹Ve her kim etmez der ise cümre-i kanitînden olamaz. — Kâni›.

kannad, A. s. (Bitkiden) Şeker yapan, şekerci. • ‹Telh olur zaika-i nazm-i umur-i âlem — Olmasa sirke-füruşa mütekabil kannad. —Nabi›.

kansa, A. i. 1. (Kuşlarda) kursak. 2. (Kuşlarda) katı.

kantar, A. i. Kantar. (ç. Kanatîr).

kantara, A. i. Taştan ve kemerli köprü. (ç. Kanatır). • ‹Üç azîm kantaradır ki her birine kanatîr-i mukantara masraf olunup. — Sadettin›.

kanun, A. i. 1. Kanun. 2. Kural. 3. Düzen.

kânun, F. i. 1. Ateş ocağı. Soba, mangal. 2. Bir şeyin tutuşup yandığı yer. 3. Kış mevsiminin ilk iki ayı (Ocak ile Aralık). • ‹Kalbgâhında bir âmun-i elîm yanıyordu. — Uşaklıgil›.

kanunen, A. zf. Kanuna uygun olarak, kanuna göre.

kanunî, kanuniye, A. s. 1. Kanuna ait, kanunla ilgili. 2. Kanun koyan. 3. İyi kanun çalan. 4. Padişah Süleyman'ın lâkabı. • ‹Şer'î ve kanunî âdâbdan iken. — Naima›.

kanuniyyet, A. i. Bir kararın kanun haline girmesi. Kanun olması. • Kesb-i kanuniyet, kanunlaşma.

kanzaa, A. i. İbik.

kanzil, A. i. Sarhoş. • ‹Eğerçi kanzil olup döktü zehrini küffar — Velîk çanına ot tıktı top-i ejderder-ser. — Hayalî›.

kar, A. i. Zift.

kâr, F. i. (Kaf ile) 1. İş. 2. Kazanç. 3. İşletme, etki. 4. Savaş. • Kâr-i âkıl, akıllı işi; • -kadîm, eski zaman işi; • kâr ü bâr, iş güç, kazanç. • ‹Asl-i maksut ve ehemm-i kâr. — Naima› • ‹Ali Paşa onlara muhalefet göstermekle bozulup kâr ü barı girift olmuş idi. — Naima›. • ‹Ecanibe gülünç olmak ve şuna buna vesile ve istifade vermek kâr-i âkıl değildir. — Kemal›.

-kâr, F. e. (Kaf ile) İsimlere katılarak o işi yapan, sahibi anlamını verir.

efsunkâr,   kanaatkâr,
füsunkâr,   riyakâr,
günehkâr,   sahtekâr,
hilekâr,   sanatkâr,
hizmetkâr,   tamakâr,
isyankâr,   şivekâr.

ka'r, A. i. (Ayın ile) Deniz ve kuyu gibi şeylerin derin dibi. • Ka'r-i cüb, kuyunun dibi; • -derya, deniz dibi; -nayâb, bulunmayan dip, çok derin dip. • ‹Beşerin işte, pür ümmid ü heves, kıvranarak — Ka'r-i târında şinah ettiği girdab-i uful. — Fikret›.

kar', A. i. 1. Kapı çalma. 2. Su kabağı. 3. Gülsuyu koydukları kab. (ç. Kara'). • ‹Ebubekir kapıyı kar' edip kalktı. — Süheyli›. • ‹Kar-i bab-i eman etme-

leriyle. — Raşit›. • ‹Ana ne kar' ü ne inbik gerek — O nefestir ona tevfik gerek. — Nabi›.

kara', A. i. [Kar' ç.] 1. Su kabakları. 2. Gül suyu kapları. • ‹İçinde kara' ü enabîk ve alât-i kimyevî vardı. — Naima›. • ‹Germi-i şerm gül-i ruyun eder gark-i gülâb — O arak çıkmaya ne kar'a ü ne inbik gerek. — Nabi›.

karabe, A. i. Kırba. Büyük testi. • ‹Saki ne dem karabesini mey-nisar eder — Bezmî ukûs-i neşesi nakş-i nigâr eder. — Esrar Dede›.

karabet, A. i. [Kurb'den] Soyca yakınlık. • ‹Denir ki hüzn ile ruhumda bir karabet var. — Fikret›.

karabîn, A. i. [Kurban ç.] Kurbanlar. • ‹Zararından emin olanlar iraka-i hun-i karabîn ve nice hayrat ve tasadduk ederlerdi. — Naima›.

kâragâh, F. s. [Kâr-agâh] İş bilir, uyanık.

kâragâhî, F. s. [Kâr-agâhî] İş bilirlik. Açık gözlülük.

karaib, A. i. [Karaib ç.] Yakınlar, akraba. • ‹Ehl ü evlâd ve karaib ü hadem. — Taş.›.

karain A. i. [Karine ç.] Karineler. İpuçları. • ‹Neler söyleniyor, neler düşünülüyor, karain ile bulurlar. — Cenap›.

karanfil, karanful, A. i. Karanfil.

karanfiliyye, A. i. (Bot.) Karanfilgiller.

karaniya, A. i. Kızılcık.

karar, A. i. 1. Durma. 2. Rahat, dinlenme. 3. Süreklilik. 4. Konuşma sonu varılan, yapılması istenen sonuç. • Karar-i idadi, hazırlayıcı karar; dâvanın araştırma ve görülmesini kolaylaştıran, kesin sonucu hazırlayan hüküm; • -karine, dâvanın görülmesini kolaylaştıran ve sonucunu sayıp dökerek ne olacağını duyuran hüküm; • -kat'i, davayı kökünden bitiren hüküm, • -muvakkat, dâva sürerken geçici olarak verilmesi gerekli hüküm. • Berkarar, aynı durumda olan; • bîkarar, bir halde durmaz; • düzeh-karar, durağı cehennem olan; • madelet-karar, adalet merkezi. • ‹Karar ü sabrım olan zülf-i bikararındır. — Ahmet Pş.›. • ‹Bütün kararımı kâfi göründü tâdile. — Fikret›.

karardade, F. s. [Karar-dade] Kararı verilmiş. • ‹Zira karardade bid'atlerde mehmaemken tevcih ve salâha haml evlâdır. — Kâtip Çelebi›.

karardaşt, *F. s.* [Karar-daşt] Karar verilmiş.

karargâh, *F. i.* [Karar-gâh] Durup dinlenecek yer. ● «Uysun karargâhı, dedim, tab-i şuhuna — Mezc eyledim çiçeklere unvan-i şi'rimi. — Fikret».

karargîr, *F. s.* [Karar-gir] Kararı verilmiş Karara bağlanmış ● .«Bir derece terfiiyle maaşının zammı nihayet karargir olmuş. — Uşaklıgil».

kararname, *F. i.* 1. Sorgu hâkiminin hazırladığı suçlama veya aklamaya dair resmî kâğıt. 2. Hükümetin yetkilerine dayanarak aldığı kararın yazılışı.

kararyab, *F. s.* [Karar-yab] Karar bulunan. Bir yerde oturup dinlenen.

kâraşina, *F. s.* [Kâr-aşina] İş bilir, işten anlar. ● «Onun kâraşinalığından emin olmakla beraber. — Cenap».

karatıs, *A. i.* [Kırtas ç.] Kâğıtlar. ● «Bir mertebe ki karatîs iştira edecek nesneye malik değil idim. — Taş.».

karatit, *A. i.* (*Tı* ve *te* ile) [Kırat ç.] (Kuyumcu tartısı) Kıratlar.

karavi, Bk. ● *Kurevî.*

kârazma, *F. s.* [Kâr-azma] Görgülü. (ç. Kârazmayan). ● «Meşhud-i basıra-i ikan-i kâr-azmayan-i ümem olmakla. — M. Refik».

kârazmude, *F. s.* [Kâr-azmude] Görgülü, tecrübe sahibi. (ç. Kârazmudegân). ● «Kefere ümerasından bir salhorde kârazmude kimse var idi ki. — Silvan».

kârban, *F. i.* Kervan. ● «Melâîn kârbanı bozup mekânlarına dönüp. — Naima».

kârbanseray, *F. i.* [Kârban-seray] Kervanların konaklayacağı yapı. ● «Mihr-i münir-i tâbnâk taht-el-arzdan girifte hâtır olup kârbansera-yi tarüm-i çarüme nakl-i esbab-i işrak eyledi. — Nergisî».

kârd, *F. i.* Bıçak. ● «Kâr cana kârd üstühvane yetişip. — Naima».

kârdan, *F. s.* [Kâr-dan] İş bilir, işten anlar. (ç. Kârdanan). ● «Ol mahal İskender Paşa kemal-i kârdanlığından şefkat suretinde, — Naima». ● «Kârdanan-i devletin hevadarları mütehalif idi. — Naima».

kârdanî, *F. s.* İş bilir kimsenin hali. İş bilirlik.

kârdar, *F. s.* [Kâr-dar] İş tutan. İşi elinde tutan. (ç. Kârdarân). ● «Kârdaran-i devletin can başlarına sıçrayıp. — Naima».

kârdide, *F. s.* [Kâr- dide] İş görmüş. Tecrübeli. (ç. Kârdidegân).

kârferma, *F. s.* [Kâr-ferman] İş buyuran. Hükümdar.

kârgâh, **kârgeh**, *F. i.* İş yeri. Fabrika. ● «Fikr-i pür-mazmun mudur âyine-i tab'ımda ya — Aks-i nakş-i kârgâh-i âlem-i bâlâ mıdır. — Nef'i».

kârger, *F. s.* [Kâr-ger] 1. İşleyen. 2. Etki yapan. ● «Kârger düşmez hadeng-i tâ'ne-i düşmen — Kesret-i peykânın etmiştir demirden ten bana. — Fuzulî». ● «Kârgerleri için taam getirirler. — Sadettin».

kârgüzar, *F. s.* [Kâr-güzar] İş beceren. Becerikli. (ç. Kârgüzaran). ● «Bigaraz merdan-i kârgüzardan mesmudur. — Naima».

karh, *A. i.* (*Ha* ile) 1. Yaralama, yaralanma. 2. Azıtan çıban.

karha, **kurha**, *A. i.* Yara. ● *Karha-i âkile,* durmadan genişleyen yara; *-efrenciye*, frengi yarası; ● *-redide*, iyileşmesi zor, kötü yara. (ç. Kuruh). ● «Ey karha-i hayatı olan mel'anet çekil! — Fikret»

kârhane, *F. i.* [Kâr-hane] 1. İş yeri, iş işlenen yer. 2. Süt satılan, sütten öteberi yapılan yer. 3. Genelev. ● «Bihude değil bu kârhane — Bifaide gerdiş-i zemane. — Fuzulî». ● «Eşyasından iki bin yedi yüz adet kârhâne işi şallar çıktı ki. — Naima».

kâri, *A. s.* [Karye'den] Köylü, köyde, oturan.

kari, **karie**, *A. i. s.* [Kıraat'ten] 1. Okuyan; okuyucu. 2. Kur'anı usulüne uygun okuyan. (ç. Kariîn, kura'). ● «Size, ey bilmediğim, görmediğim kariler. — Fikret»

karia, *A. i.* 1. Kıyamet. 2. Birden gelen belâ.

karib, **karibe**, *A. s.* [Kurb'dan] 1. Yakın. 2. Yer ve zamanca yakın. 3. Soyca yakın. ● *Karib-ül-ahd*, yakın zamanda. ● «Emanet ettim Allaha seni ey gözüm nuru — Karib-ül-ahd yolcudur efendim Kâni'ni hoş tut. — Kâni». ● «Kalbinde meçhul ve karib bir musibetin hiss-i mukaddemi. — Uşaklıgil».

karie, *A. s. i.* [Kari'den] Okuyan (kadın) ● «Benim de ağlayarak yazdığım bu şu'r-i siyah — Lebinde kariemin handelerle titreyecek. — Fikret».

kariha, *A. i.* 1. İnsanda kendiliğinden olan fikir. 2. Padişahın aklına gelip buyurduğu iş. 3. Fikir kuvveti. ● «Bundan başka tevsi-i karihaya hizmeti cihetiyle maarif-i edebiye. — Kemal».

karlîn, *A. i.* [Kari' ç.] Okuyucular. • «Kalemlerimizin biraz yorulmuş ve daha ziyade bıkmış olduğunu kariîn-i zekiyye hissetmişlerdir. — Cenap».

karin, *A. s. i.* 1. Yakın. 2. Bir şeyi elde eden, nail olan. 3. Hısım, komşu gibi yakınlardan her biri. 4. Padişahın yakın hizmetlerinde bulunan. (ç. Kurena). • «Paşa kardeş el sözüne uyduk su-i karîn ilkasiyle hareket etmenin şeametine uğradık. — Naima». • «Olur karin-i sefalet çalışmamakla kişi. — Naci».

karıne, *A. i.* Karışık ve belirsiz bir şeyin anlaşılmasına, çözülmesine yarayan hal. İp ucu. • *Karine-i katıa,* yakın derecesine varmış ipucu. (ç. Karain).

karir, *A. s.* Sevinmiş. • *Karir-ül-ayn,* gözü aydın. • «Etti karir-ül-ayn hep ahpabı ol necl-i necip. — Recaizade».

kâriz, *F. i.* Yer altında açılan su yolu. Kanalizasyon.

karn, *A. i.* 1. Boynuz. 2. Yüz yıllık zaman. 3. Zaman, devir.

kârname, *F. i.* Usta çıkacak çırakların ustalıklarını göstermek için yaptıkları iş örneği.

kârnedaşte, *F. s.* İş bilmez, işte acemi. • «Şeyhoğlu İsmail Paşa Eğri Paşası Selim Paşa ki karnedaşte hemec herifler olup. — Naima».

karneyn, *A. i.* İki boynuzlu. • *İskender-i zülkarneyn,* Büyük İskender'in lâkabı.

kârperdaz, *F. i.* [Kâr-perdaz] 1. İş düzenleyen. 2. Şehbender, konsolos. (ç. Kârperdazan).

karr, *A. i.* Durma, karar etme.

karra', *A. s.* Güzel okuyucu, okuyan. • *Hafız-i karra,* güzel okuyan hafız. (ç. Karraun).

kârsaz, *F. s.* [Kâr saz] İş yapan, becerikli. • «Enderun ü bîrunda olan kârsazların tab'ına muvafık. — Naima».

kârsazan, *F. i.* [Kârsaz ç.] İş yapanlar, becerikliler. • «Ve sair kârsazan-i devletin dahi tama' ve hıyanetleri. — Naima».

kârşinas, *F. s.* [Kâr-şinas] İş bilir, işten anlar. (ç. Kârşinasan).

Karun, *A. i.* 1. Beniisrailde zenginlik ile ün almış bir insan. 2. (Bu addan) Çok zengin kimse. • «Mal-i Karun'a malik bir zorba asılacağa niçin himayet eder-

sin. — Naima». • «Karz vermiş akçesin Karun'a gûya kâinat — Suk-i âlemde geçen yekpâre arz-i ihtiyaç. — İzzet Molla». • «Vermedi kendisine genc-i mahzun — Attı Karun'u adem çahına cerh-i varun. — Naci».

karure, *A. i.* Şişe. (ç. Kalvarir). • «Bir karureye birc üz'i şerbet kodu. — Süheylî».

kârvan, *F. i.* Kervan. • «Koydum harami gibi bu kârvana tiğ. — Hayalî».

kârvanseray, *F. i* Kervanların konaklayacakları yapı.

karye, *A. i.* Köy. (ç. Kura). • «Akşam oluyor da olmuyor gâh — Bir karye musadif-i nigâhım. — Naci.

karz, *A. i.* Ödünç. Borç. • *Karz-i hasen,* faizsiz olarak verilen borç para. • «Bir iki defa vezir-i âzam kenduden yirmişer otuzar yük akçe karz-i hasen namına isteyip. — Naima».

kârzâr, **kâr ü zâr,** *F. i.* 1. Cenk. 2. Cenk yeri. • «Hududa, harbe, o meydan-i kâr ü zara kadar — Yorulmadan gidecekler. — Fikret». • «İki bin piyade ve süvari merdan-i kârzâr var idi. — Naima».

karzen, *A. zf.* Borç olarak.

kas'a *A. i.* 1. Çanak, kâse. 2. Yemek kabı.

kasab, *A. i.* 1. Saz, kamış. 2. (Ana.) Bronş. 3. İnce keten bezi. • *Kasab-i Mısrî,* Mısırda dokunmuş keten bezi; • *kasab-ül-Hind,* Hind kumaşı; • *kasab-üs-sabak,* benzerlerine üstün gelen kimse; • *kasab-üs-sükker,* şeker kamışı. • «Kasab-üs-sabak-i hame yerine kâş — Olsa elinde nâ-yi çubani. — Fehim». • «Ve kasab ü veşy'den libas giyip. — Taş.».

kasaba, *A. i.* 1. Kasaba. 2. Köy. (ç. Kasabat).

kasabat, *A. i.* [Kasaba ç.] 1. (Ana.) Bronşlar. 2. Kasabalar.

kasabî, kasabiye, *A. s.* (Bot.) Kamışsı.

kasaid, *A. i.* [Kaside ç.] Kasideler. • «Nedir bu sizdeki aşk-i teceddüd ü icat — Ne gördünüz gazeliyattan, kasaidden? — Fikret».

kasame, *A. i.* Öldüreni bulunmayan kimsenin bulunduğu yer halkından elli kişiye yemin ettirme.

kasar, *A. i.* (Sat ile) 1. Üşenme, tembellik etme. 2. Gücün son sınırı.

kasaret, *A. i.* (Sat ile) Kısalık, kısa olma.

kasas, *A. i.* (Sat ile) 1. Anlatma, hikâye etme. 2. İzleme, iz sürme.

kâsât, *A. i.* [ke's ç.] Keisler, kadehler. • «Ağa ile tek ü tenha münavele-i kâsât-i rahik-i müsahabete neşvedar-i safa iken. — Naima».

kasavet, *A. i.* 1. Sertlik, katılık. 2. Acımazlık, duymazlık. 3. Tasa, kaygı. • «Güldü rakîb ile ben şadüman iken — Gördüm o gülmenin yine ol dem kasavetin. — Hayalî».

kasd, *A. i.* 1. Kurma, niyet. 2. İsteyerek, bilerek bir işe girme. Bile bile yapma. 3. Birine karşı kötü istekle davranma. 4. Öldürme veya yaralama gibi bir işe kalkışma. • *An kasdin,* bile bile, isteye isteye; • *su-i kasd,* öldürmeye kalkışma, bunu tertipleme.

kasden, *A. zf.* Bile bile, isteyerek.

kasdî, kasdiye, *A. s.* İsteyerek, niyetle yapılan.

kâse, *F. i.* 1. Çini veya billûrdan yapılma çanak. 2. Bazı şeylerin kesâyi andıran çukuru. 3. Başı kaplayan, beyni örten kemik kısmı. • *«Kâse-i ser,* kafatası. • «Nesim-i rahavet-nisarınla, ey hâb — Dolaş kâse-i pür-tanin-i serimde. — Fikret».

kâseha, *F. i.* [Kâse ç.] Kâseler. • «Ve levazim-i hân ü sımat olan kâseha-yi çinî ve mertebani. — Nergisi».

kâselis, *F. s.* [Kâse-lis] Çanak yalayıcı, dalkavuk. (ç. Kâselisan). • «Kâselisler bunların yalnız sofralarına devam edenler değil, kendileri en büyük kâselislerdir. — Cenap».

kâselisan, *F. i.* [Kâselis ç.] Çanak yalayıcılar, dalkavuklar. • «Kâselisan eder birbirini istiskal — Cümleden olsa da memnun veliyyünimet. — Hazık».

kâselisane, *F. zf.* Dalkavukça.

kasem, *A. i.* And. • *Maal-kasem,* and içerek. • «Lâzımsa eğer kasem Hudaya. — Recaizade».

kasıd, *A. i.* Haberci, postacı. (ç. Kasıdan). • «Mah-i seferin beşinci günü kasıd gelip Kandiye içinde olan küffardan. — Naima».

kasım, *A. s.* (*Kaf* ve *sin* ile) [Kısmet'ten] 1. Ayıran. Bölen. 2. (i.) (Mat.) Bölen. • *Kasım-i müşterek,* ortak tambölen; • *-müşterek-i âzam,* en büyük ortak tambölen.

kasım, *A. s.* Kırıcı, ezici. Ufaltıcı olan. • «Fisane-i füsun ile sarim ve kasım edip. — Şefikname».

kasıma, *A. i.* (Mat.) Diskriminant.

kasır, kasıra, *A. s.* (*Kaf* ve *sat* ile) [Kasr'dan] 1. Kısa. 2. Kusurlu. • «Naçar nitak-i vakt itinak-i fırsattan kasır olup. — Hümayunname».

kasi, kasiye, *A. s.* (*Sin* ile) [Kasvet'ten] Katı, sert. • «Ne kadar derunları kasi olursa yine tarafınıza meyilleri mukarrerdir. — Naima». • «Gitmez kulûb-i kasiyeden nakş-i infial — Seng üzre mürtesem olan âsar saht olur. — Nüzhet».

kasî, kasiye, *A. s.* (*Sat* ile) Uzak olan. • «Bağdat ve Eğre ve Kanije ve Bodin emsali bilâd-i kasiyeye ve hudud-i baideye. — Naima».

kâsib, *A. s.* [Kasib'den] Kazanan. Kazanmak için çalışan. İşi gücü olan. (ç. Kâsibîn). • «Evvel de kâsibînden imiş. — Sadettin».

kâsid, *A. s.* (*Kef* ve *sin* ile) [Kesad'dan] Sürümsüz, aranmaz. Geçmez. • «Bazar-i ikbalimiz fasid ve meta-i rağbetimiz kâsid olur. — Naima».

kasid, *A. s.* (*Kaf* ve *sat* ile) [Kasd'den] 1. Kasteden, bir şeyi yapmayı aklına koyan. 2. (i.) Haberci, postacı. (ç. Kasidan). • «Bir kûşe tedarikine takdim-i kasid-i niyaz olundukta. — Nergisî».

kasîd, *A. i.* (*Kaf, sat* ve *ye* ile) Kaside. • *Beyt-ül-kasid,* kasidenin en seçkin beyti.

kasidan, *A. i.* (Kasid ç.) 1. Haberci, postacı. 2. (s.) Bir şeyi yapmayı akıllarına koyanlar. • «Kasidan-i metalip istifadat. — Hümayunname».

kaside, *A. i.* (Ed.) On beş beyitten aşağı olmamak üzere bir kafiye üzerine ve çoğunun konusu büyükleri övmek olan manzume. (ç. Kasaid). • «Kamer bulutların altında eyledikçe zuhur — Yazardı safha-i emvaca bir kaside-i nur. — Fikret». • «Kaside-perdazan-i destan-i kühen ve çevgânzenan-i meydan-i suhan. — Sadettin».

kasidegû, *F. s.* [Kaside-gû] Kaside söyleyen, kaside yazan. • «Yahya gazelsera idi Baki kasidegû. — Beyatlı».

kasideperdaz, *F. s.* [Kaside-perdaz] Kaside yazan. (ç. Kasideperdazân).

kasideserâ, *F. s.* [Kaside-serâ] Kaside söyleyen, kaside yazan. (ç. Kasideserayân).

kasir, *A. s.* (*Kaf* ve *sin* ile) Zorla işletici olan. • «Müstebit bi-r-rey bir kasir-i kahirin şuruuna merbut kâr-i müşkil. Naima».

kisâr, kâsire, A. s. [Kesr'den] Kıran, kırıcı. • Kâsir-ül-esnar, put kırıcı, İbrahim Peygamber. • «Mani-i etrakki ve kâsir-i hukuk olarak göstermek. — Cenap».

kâsir, A. s. (Se ile) [Kesir'den] Çok olan.

kasir, kasire, A. s. [Kasr'dan] Kısa. Kasîr-ül-akl aklı kısa, ermez; • kasîr-ül-basar, miyop; • kasîr-ül-kame, boyu kısa; • kasir-ür-re's kısa kafalı, barakisefal.

kasis, A. i. Keşiş. • «İrsek deyu papasların muktedası olan iblis-enis kasise derler. — Peçoylu».

kasm, A. i. 1. Kırma. 2. Kırıp ayırma. • «Sende zâhir olunca kibr ü gurur — Kasm eder Allah-i gayur. — Nabi».

kasr, A. i. (Kaf ve sat ile) Köşk. (ç. Kusur). • «Ve her ziyafeti bir dilâra yalıda ve âlem âra kasrlarda edip. — Naima».

kasr, A. i. 1. Kısma. Kısaltma, kısa kesme. 2. Kesme, azaltma. Özetleme. 3. Eksiklik. 4. (Ed.) İbarenin çok kısaltılması. 5. (Ed.) Aruzda son tefilenin kaldırılması, failâtün failât olması. • Kasr-i yed, el çekme; vazgeçme; • Kasr-ül-basar, miyopluk. • «Hükmü tahsis edip ol maddenin gayrından kasr eder. — Taş.».

kasr, A. i. (Sin ile) 1. Zor ile iş gördürme. 2. Zor ile işletme.

kasrî, kasriye, A. s. Zorla. • «Kasri beşaşetinde lika-yi tabiatın — Bir menba-i latif-i teselli bulup güler. — Fikret».

kasriyyet, A. i. Zorlama hali. • «Kasriyet-i fialimi söylerdi lîk hep — Feryad edip ayaklarım altında her kiyah. — Recaizade».

kass, A. i. (Sat ile) (Ana.) Göğüs.

kass, A. i. Makasla kesme.

kassab, A. i. Et kesen veya satan, kasap. • «Lâkin bu zayıf pâkzade — Kassab nasıl kıyar bilinmez. — Naci».

kassam, A. i. [Kısmet'ten] Mirasçılar arasında mirası üleştiren, küçüklerin hakkını koruyan, şeriat memuru. • «Hasut münkir olur kısmet-i ilâhiye — Sanır hemişe sitem adl ü dâd-i kassamı. — Nef'i».

kassar, A. i. (Halı) çırpıcı. • «Validem beni bir kassara talim için teslim eyledi. — Taş.». • «Lûtfunda ebr-i rahmet eder ruyumuz sefid — Yaksa bizim icareli kassarımız değil. — Nabi».

kassî, kassiye, A. s. Göğüsle ilgili.

kâst, F. i. Eksiklik. Bi kem ü kâst, eksiksiz.

kastal, A. i. Şeker tozu.

kasvet, A. i. 1. Katılık. Sertlik. 2. Acımazlık. 3. Sıkıntı. İç darlığı. • «Günler geçer ki paslı bulutlarla kasvetin — Bir ahenîn siper gibi örter semamızı. — Fikret».

kasvetaver, F. s. [Kasvet-aver] İç sıkan. Ağırlık bastıran. • «Emraz-i müdhişenin semm-i müteaffiniyle meşbu çıkan hava-yi kasvetaveri. — Uşaklıgil».

kasvetefza, F. s. [Kasvet-efza] İç sıkan, iç sıkıntısı arttıran.

kasvetengiz, F. s. [Kasvet-engiz] İç sıkan, hazin.

kâş, F. s. Çok istek, özleme bildirir.

kâşane, F. i. 1. Yuva. 2. Ev. • «O şuhu şem-i balîn eyledik kâşâne-i gamda. — Beliğ».

kâşî, F. s. İran'ın Kâş şehrinde yapılan bir çeşit çini. • «Kubbe-i âliyyenin bazı kâşileri sakıt olmuştu kâşilerin tecdit ettiler. — Naima».

kâşif, kâşife, A. s. [Keşf'ten] 1. Bulan, meydana çıkaran. 2. (i.) Mısır'da nahiye veya kaza idarecilerine verilen ad. • Bazan kâşif-i likasın. — Recaizade».

kat', A. i. (Tı ve ayın ile) 1. Kesme, biçme. 2. Ayırma, ilgi kesme. 3. Yok etme. 4. Sona erdirme, bitirme, halletme. 5. Yol alma. • Kat-i alâka, ilgiye son verme; • -merahil, merhaleleri, durak yerlerini geçme, yol alma; • -meratib, rütbeleri geçme, büyük rütbeye geçme; • -mesafe, yol alma; • -mükâfi (Geo.) parabol; • -münasebet, ahbaplığı kesme; • -nâkıs, (Geo.) elips; • -nazar, şöyle dursun; • -zaid, (Geo.) hiperbol.

kat'a, kat'an, A. zf. (Olumsuz cümlelerde) Hiç, asla, büsbütün.

kataif, A. i. [Katife ç.] Kadifeler.

katar, A. i. [Katre ç.] Katreler.

katar, kıtar, A. i. 1. Birbiri arkasına sıralanmış hayvan dizisi. 2. Lokomotifin sürüklediği vagonların hepsi. • «Rütbe-i kâzibesine mağruren merkezinde bulunmak ve katara dizilmek iddiasıyle. — Naima». • «Haydarpaşa'dan katara atlamak Erenköy'ne çıkmak. — Uşaklıgil». • «Yolları, katarları, gemileri oldduran. — Cenap».

katarat, A. i. [Katre ç.] Katranlar. • ‹Döküldü son katarat-i semîne-i rahmet. — Fikret›.

katat, A. s. Kısa kıvırcık, bukle (saç.) • ‹Zâhir oldu bu galat şeklinde — Suret-i şab-i katat şeklinde. — Fâzıl›.

katele, A. i. [Kaatil ç.] Kaatiller, öldürenler. • ‹Sultan İbrahim katelesinden olduğundan. — Naima›.

katf, A. i. Ağaçtan meyva devşirme.

katı', katıa, A. s. (Ka, tı ve ayın ile) [Katı'dan] 1. Kesen. 2. Kısa kesen, durduran. 3. (Geo.) Kesen. Sekant. (ç. Kutu') • ‹Edille-i kaatıa ve berahin-i satıa ile ispat. — Sadettin› • ‹Sanki şu kelime biraz evvel söylediği sözlerin bir burhan-i katı gibi düşmüş idi. — Uşaklıgil›.

katıba, A. i. Bütün, hep, cümle. • Her halde ve kaatıba-i ahvalde emr ü ferman hazret-i menleh-ül-emrindir, (çok büyük kimselere . yazılan dilekçe ve resmî yazılarda bitim olarak kullanılan formül).

katıbatan, A. zf. 1. Hepsi, bütünüyle. 2. Hiçbir zaman, asla.

kat'i, kat'iyye, A. s. 1. Kestirme, kesin. 2. Adamakıllı kararlaştırılmış. • Delil-i kat'i, kesin kanıt; • evamir-i kat'-iyye, kesin buyuruklar. • ‹Nasıl sükût ile kat'i cevap vermeyeyim — Lâkırdı anlamıyor anladım sualinden. — Naci›.

kati', A. i. (Ayın ile) 1. Hayvan sürüsü. 2. Kamçı.

kâtib, A. i. [Kitabet'ten] 1. Yazı işiyle uğraşan. Kâtip. 2. (s.) Yazan, yazmak bilen. Usta yazıcı; • Kâtib-i ezelî, (Levh-i mahfuzu yazmış olan) Tanrı; • -felek, Merkür (Utarid) yıldızı; • -hususî, (büyük kimsenin kullandığı) özel kâtip; • -vahy, Kur'an âyetlerini yazan halife Osman; • Serkâtip, başkâtip; • sırr kâtibi (kâtib-i sırr, kâtib-is-sırr) gizli yazılar yazmada kullanılan kâtip; • kâtib-ül-huruf, eldeki mektup veya kitabı yazan; • kâtib-i adl, noter (XX. yy.). (ç. Kâtiban, küttab). • ‹Afitabın zer devatiyle gelirsin her seher — Ey Utarit dergehinde kâtib-i divan mısın. — Hâyali›. • ‹Sabıkaa kâtiban-i Utarid-rakam. — Sadettin›. • ‹Kâtibissır olan Maanzade Hüseyin Efendi. — Naima›.

katife, A. i. Kadife. (ç. Kataif).

katil, A. s. [Katl'den] 1. Öldüren. Ölüme sebep olan. 2. (i.) Adam öldüren kimse. • ‹Katil kuleler, kal'eli, zindanlı saraylar. — Fikret›.

katın, A. s. (Tı ile) Bir yerin halkından olan.

katil, katile, A. s. [Katl'den] Vurulmuş, öldürülmüş. • ‹Ve ne sebep ile katîllerimizin üzerine namaz kıldırmayıp. — Naima›.

kâtim, A. s. (Kef ve te ile) [Ketm'den] Saklayan. Tutan. • Kâtim-i esrar, sır tutan. • ‹Lâkin bir remz ile ki sırr-i sadr kâtimden ahfa. — Taş.›.

katîn, A. i. (Tı ile) Ev halkı.

katiyen, A. zf. Kesin olarak, asla.

katl, A. i. Öldürme. • Katl-i âmm, kıru; küçük büyük herkesi öldürme, kılıçtan geçirme; • -nefs, ‹intihar› sözü yerine kullanılmıştır, kendini öldürme; • -nüfus, adam öldürme; • ‹Çeşmi n'ola katl-i âm etse biçare o derde mübtelâdır. — Fehim›.

katlâ, kutelâ, A. i. [Katîl ç.] Ölüdürülmüş (kimse) ler.

katlgâh, F. i. [Katl-gâh] Öldürme yeri.

katran, A. i. Katran.

katre, A. i. (Kaf ve tı ile) Damla. (ç. Katar, katarat). • ‹Sehaba, şebname, hattâ o katre-i gühere. — Fikret›.

katrecu, F. s. [Katre-cu] Bir damla arayan: • ‹O yanda koskoca bir kâinat-i .hiss ü şuhut — Kalıp, ümmit beleb, katrec-uyi ihsanın. — Fikret›.

kattal, A. s. (Kaf ve te ile) [Katl'den] Ziyade öldürücü. • ‹Haşre dek mest ede bu bade-i kattal beni. — Hayalî›.

kâv, gâv, Bk. • Gâv.

kavabil, A. i. [Kaabile ç.] Ebeler.

kavabil, A. i. [Kabiliyet ç.] Kabiliyetler, kabiliyetliler. • ‹Molla-yi merhum ser hayl-i kavabil-i Rum. — Naima›.

kavadih, A. i. [Kadihe ç.] Çekiştirenler, adam çekiştiriciler. Çekiştirilecek şeyler. • ‹Nisab-i kemale malik ve tarih-i rüşd ü sedada salik bir mahdum-i mahbub-ül-kulûb ve bi-kavadih ü uyûb ki. — Nergisi›.

kavadim, A. i. [Kadime ç.] 1. İleri karakolları. 2. Kuş kanadının ön telekleri, uzun tüyler. • ‹Minel kavadim ilel-havatim. — Naima›.

kavafi, A. i. [Kafiye ç.] Kafiyeler. • ‹Şi'ri rengin gösteren feyz-i kavafidir gönül. — Vasıf›.

kavafil, A. i. [Kafile ç.] Kafileler. • ‹Kavafil-i beşeriyyet şikeste sak-i tevan. — Cenap›.

kavaid, A. i. [Kaide ç.] Kurallar.

kavaim, A. i. [Kaime ç.] Kaimeler. 2. Küçük tezkereler, senetler. • Kavaim-i nakdiye, kâğıt paralar.

kavakiz, A. i. [Kakuze ç.] Boş maşrapalar.

kavalib, A. i. [Kalib ç.] Kalıplar. • ‹İşbu kavalib-i elfaza sabbolunup. — Taş.›.

kavanin, A. i. [Kanun ç.] Kanunlar, yasalar. • ‹Vicdanıdır isaet-i fi'linde âdemin — Dâvacısı, şuhudu, kavanini, hâkimi. — Recaizade›. • ‹Kavanin-i veraset ve muşabehet mecrasını kaybeder. —Cenap›.

kavari', A. i. (Kef ve ayın ile) [Karia ç.] 1. Kıyametler. 2. Ansızın gelen belâlar. • ‹Asker-i İslâmı sademat-i kavari ile kendilerine yaklaştırmayıp. — Naima›.

kavarir, A. i. [Karure ç.] Şişeler.

kavasıf, A. s. i. Şiddetli esen yeller.

Kâve, Bk. • Gâve.

kâvi, kâviye, A. s. [Keyy'den] Yakan, yakıcı, (XIX. yy.). Fransızca'dan caustique karşılığı. • ‹Bir deva-yi kâvi olsun. — Cenap›.

kavi, kaviyye, A. s. [Kuvvet'ten] 1. Kuvvetli, güçlü. 2. Sağlam, inanılır. 3. Zengin, varlıklı. • Kavi-yül-bünye, sağlam yapılı; • bazu-yi kavi, güçlü pazı; • binay-i kavi, sağlam, dayanıklı yapı; • revabıt-i kaviye, kuvvetli bağlar. • ‹Cihanban-i kavi-devlet cihangir-i zafer yaver. — Nef'i›.

kavîm, A. s. [Kıyam, kıyam'dan] Doğru. Ayakta, dik. • ‹Bir çarkı merkez-i müstakim ve kavîmde tedvir eylemek. — Kemal›.

kâvis, F. i. Kazma, eşme. • ‹Kâviş-i tişe-i endişe edip şimdi ayan — Oldu her gevheri ârayiş-i silk-i eyyam. — Nef'i› • ‹Kâviş ehli eder idrak zemin-i şiiri — Nabiyâ kadrini bu ka'r-i nayabların. — Nabi›.

kâvişger, F. i. Kazan, kazıcı. • ‹Dağ dağ oldu tenim şöyle ki kâvişger-i gam — Zir-i zahmımda bulur genc-i defin-i yakut. — Hersekli›.

Kâviyanî, F. s. Kâve ile ilgili. Kâve'ye ait olan. • Direfş-i Kâviyanî, Kâve'nin ayaklandığı zaman bayrak yaptığı önlüğü.

kaviyyen, A. zf. Kesin olarak, kuvvetle. • ‹Dirig-i inayet buyrulmayacağına kaviyyen ümitvarız. — Kemal›.

kavkaa, A. i. (Bio.) Kavkı.

kavl, A. i. 1. Söz. 2. Davranma, iş karşıtı. Lâfta kalan şey. 3. Söz bir etme. Sözleşme. • Kavl ile fiil, söz ile iş; • kavl-i hod, kendi sözü; • -mücerret, kanıtsız, tanıtsız. (ç. Akval). • ‹Deyu kavl ü karar ettiler. — Naima›.

kavlen, A. zf. Sözle, sözlü olarak. • ‹Kavlen ve fiilen sizden bihude ve hata sudur eylemez ki itiraza mecal ola. — Naima›.

kavlî, kavliyye, A. s. 1. Sözle ilgili, söz niteliğinde. 2. Sözde kalan. • ‹Meğer ki deavi-i kavliyenin delâil-i fiiliyeye rüçhanı teslim olunsun. — Kemal›.

kavliyyet, A. i. [Kavlî ç.] Boş sözler, kuru lâflar.

kavm, A. i. 1. İnsan topluluğu. 2. Bir peygamberin gönderildiği topluluk. • Kavm kabîle, hısım akraba. • Kavm-i mahsur, halkı yüz kişiden aşağı olan köyün ahalisi. (ç. Akvam). • ‹Koca bir kavmin olur hâris-i istiklâli. — Fikret›.

kavme, A. i. Boy. • Kavme-i tazim, saygı için ayağa kalkma. • ‹Meclisinde kavme-i tâzim adı merfu idi. —Sadettin›.

kavmî, kavmiyye, A. s. Kavimle ilgili. Kavme ait. • Asabiyet-i kavmiye, kavim gayreti gütme. • ‹Kavmî Türkçüler de milleti ‹Kavim› zümresiyle karıştırırlar. — Z. Gökalp›.

kavmiyyat, A. i. Fransızcadan ethnographie karşılığı; etnoğrafya (XX. yy.).

kavmiyyet, A. i. Bir kavmin özelliğini meydana getiren niteliklerin bütünü. • ‹Lisanları kuvvetiyle hâlâ kavmiyetlerini muhafaza etmektedirler. — Kemal› • ‹Cemiyetler kabl-et-tarih zamanlarında bile kavmiyetçe halis değildir. — Z. Gökalp.›

kavs, A. i. 1. Yay, keman. 2. (Geo.) Yay. 3. Yay burcu. • Kavs-i asabî. (Ana.) sinirsel yay; • -azmî (Ana.) Kemik yaylar; • -elektrikî, (Fiz.) Elektrik yayı; • -galsamî (Zoo.) solungaç yayı; • -kuzeh, (Coğ.) alkım; -rahî, (Ana.) Ayak kemiği. • ‹Oklar siham-i kavs-i kazadan nişan verir — Peykân-i tîr ise ecel-i nagehan olur. — Nef'i • ‹Dil kavs-i ebruvan elinden neler çeker. — Sami›. • ‹Bir müzhere-i hazana âkis — Bir kavs-i kuzeh parıltısından. — Fikret›.

kavseyn, A. i. İki yay.

kavsî, kavsiyye, A. s. Yayla ilgili. Yay biçiminde.

kavvad, A. i. Pezevenk.

kavval, A. i. [Kavl'den] Çok söyler. Geveze. • ‹İstikametine mağrur kavval bilhakk olmak dâiyesiyle. — Naima›.

kavvas, A. s. [Kavs'den] 1. Oklu asker. 2. Ok yapan kimse, okçu. • ‹Elimde kavs-i kaside kepade olmuştur. — Kepademi çekemez liyk değme bir kavvas. — Ruhi›.

kay, A. i. Kusma. • ‹Ol anda validim beni yüz üzre döndürüp kay ettirdi. — Taş.›.

kayasire. A. i. [Kayser ç.] Kayserler. • ‹Memalik-i Şam mahkûm-i kayasire-i ba-ihtişam olup. — Sadettin›.

kayd, A. i. 1. Bağlama. 2. Bağlayacak şey. 3. Bir yere yazma. 4. Sınırlama, belirtme. 5. Önem verme, umursanma. • Kayd ü bend, bağlama; • kayd ü şart, sözleşmenin bazı taraflarını sınırlayan söz veya fıkra; • kayd-i hayat, yaşadığı müddetçe, ölünceye kadar; • bi-kayd, kayıtsız, aldırmaz; • bilâ-kayd ü şart, kayıtsız şartsız; • terkin-i kayd, kaydını silme, çıkarma, kovma. (ç. Kuyud). • ‹Hattâ Eflâni kadısını kayd ü bend ile gezdirip. — Naima› • ‹Nüsha-i hayatın ben — Bugün önümde açılmış duran şu yaprağına — Bugünkü ömrümü kaydetmek isterim. — Fikret›.

Kayravaniyye, A. i. Kirene okulu. Cirenaique karşılığı (XX. yy.).

kays, A. i. Leylâ ile Mecnun hikâyesinin erkek kahramanı olan Mecnun Âmiri'nin asıl adı. • Bisütun Ferhad'a hemaheng ise Kays'ın dahi — Nale-i zencir usul-i nağme-i feryadıdır. — Nedim›. • ‹Eyle edip riayetin ey nevcünun-i aşk — Kays'ı mezemmet eyleme yabana söyleme. — Nailî›.

kayser, A. i. 1. Eski Roma ve Bizans imparatorlarının lâkabı. Hükümdar. (ç. Kayasire). • ‹Kayser-i İslâm dahi ol diyar-i behcet medarı. — Sadettin›.

kayserî, F. i. Kayserilik. Hükümdarlık. • ‹Calisan-i mesned-i kayserî sühulet-i zabt-i memalik-i Arap için. — Sadettin›.

kaysum, A. i. (Sat ile) (Bot.) Civanperçemi.

kaytas, kıytas, A. i. Balina balığı. Kadırgabalığı.

kaytasiyye, kıytısiyye, Bk. •Kıytısiyye.

kayyim, A. i. [Kıyam'dan] Camilerde iş gören kimse.. Kayyum.

kayyum, A. s. [Kıyam'dan] Kendiliğinden var olan. Tanrı sıfatlarındandır.

kayyumiyyet, A. i. Fransızca felsefe terimi olarak aséité karşılığı, özdenlik (XX. yy.).

kayz, A. i. (Zı ile) Yazın en sıcak zamanı.

kâz, gâz, F. i. Makas. • ‹Çünkü olsa zeban-i şem' dıraz — Târ olur anı kesmese kâz. — Hamdi›.

kaza', A. i. 1. Tanrı yazdıklarının oluşu, olması. 2. Kadının hükmü. Kadılık görevi. 3. Kadının hükmünün geçtiği yer. Bir kadılık yer. 4. İlçe. 5. İstemeden yapılmış, elden çıkmış bir kötülük. 6. Yapma, yapılma. İşleme. 7. Vaktinde yapılmayan bir din borcunun sonradan yoluyle ödenmesi. • Kaza-i hacet, aptes bozma; • ecel-i kaza, bir kazaya uğrayarak olan ölüm; -ez kaza, şayet olur a; • silk-i kaza, kadılık yolu, mesleği; • taht-i kaza, bir kadının idaresi altında olan. • ‹Bazı kasabat kazasın zam buyurdular. — Sadettin›. • ‹Beyhude ıstırabı ko levh-i sebinine — Eyler ne yazdı ise kaza vü kader. — Nüzhet›. • ‹Bazan o târ-i şi'ri kırar nahün-i kaza. — Fikret›.

kazaen, A. zf. 1. Bilerek değil; yanlışlıkla elden çıkararak. 2. Hâkim, kadı hükmü ile; mahkeme yolu ile.

kazafe, A. i. (Zel ile) Sapan.

kazaha, F. i. [Kaza'dan] Kazalar. Kaymakamlıklar idareleri.

kazaî, kazaiyye, A. s. Kaza ile ilgili. Hüküm vermeğe ait.

kazara, F. zf. Kaza işi olarak, bilerek değil. • ‹İş nedir fehm etmiyor kadı kazara söylüyor. — Naci›.

kazaya, A. i. [Kaziyye ç.] Kaziyeler. Tasımlar.

kazazede, F. s. [Kaza-zede] Kazaya uğramış. • ‹Tehiy kazazede bir tekne karşısında peder. — Fikret›.

kazer, A. i. (Zel ile) Murdarlık. Pislenme. Murdarlanma.

kazf, A. i. Kadına zina isnad etme. • ‹Ve ümm-ül-müminîn Sıdıka-i kübra haklarında şetm ü lâ'in ve kazf ü ta'n olunmaya. — Naima›.

kâzım, A. s. Öfkesini yenen. (ç. Kâzımîn).

kazib, kadib, Bk. • Kadib.

kâzib, A. i. [Kizb'den] 1. Yalancı. 2. Yalan. • Haber-i kâzib, yalan haber;

● *kavl-i kâzib*, yalan söz; ● *subh-i kâzib*, güneş doğmadan görülen ve biraz sonra kaybolan aydınlık; ● *şöhret-i kâzibe*, bir müddet için süren haksız ve asılsız ün. ● «Sabahın bir nefeste nıfsı sadık nısfı kâzib. — Nabi».

kazif, *A. s.* [Kazf'ten] Zina yapan.

kazir, *A. s. (Ze* ile) Murdar olan.

kaziyye, *A. i.* 1. İş, mesele, dâva. 2. (Gra.) Cümlecik. 3. (Man.) Önerme. 4. (Mat.) Yardımcı teorem. ● *Kaziye-i mucibe-i cüziye,* (Man.) Olumlu tikel önerme; *-muhkeme,* (Fel.) Kesin hüküm; ● *-salibe-i cüziye* (Man.) Yadsılı tikel önerme; *-salibe-i külliye,* (Man.) Yadsılı tümel önerme. ● «Mevkufatî bu kaziye-i bisebebden mütehayyir olarak. — Naima».

kazurat, *A. i. (Zel* ile) [Kazure ç.] 1. Pislikler. 2. Mezbelikler.

kazure, *A. i. (Zel* ile) 1. Pislik. 2. Mezbele, süprüntülük.

kazz, *A. i. (Ze* ile) Ham ipek.

kazzaz, *A. i.* İpek işleyen. İpekçi.

kebab, *A. i.* 1. Ateşte pişirilen et. 2. Ateşte kaşvrularak veya alazlanarak pişirilen her türlü yiyecek.

kebabe, *A. i.* Baharattan kara biberi andırır tane.

kebade, *F. i.* Talim yayı, kepaze.

kebair, *A. .i* [Kebire ç.] Büyük günahlar.

kebbad, kübbad, *A. i.* İri limon.

kebd, kebed, *A. i.* Karaciğer (ç. Ekbad).

kebedî, kebediye, *A. s.* Karaciğerle ilgili.

kebî, kebire, *A. s.* 1. Büyük, ulu. 2. Yaşça büyük. Yaşlı. 3. Çocukluktan çıkmış genç. (ç. Kiber, kübera).

kebîre, *A. i.* Öldürme ve zina gibi büyük günah. (ç. Kebair). ● «Mürtekib-i kebîreyi ikfar ederler. — Taş.».

kebise, *A. i.* Bir gün fazlası olan yıl. Artıkyıl. (ç. Kebais).

keb, gebk, *F. i.* Keklik. ● «Nevha eyler negamla kebk-i deri. — Recaizade».

kebkeb, kebkebe, *F. i.* Ayak patırtısı. ● «Her nücumu basmazdı ger yerde senin — Kebkeb-i muzen görüp reşk etmeseydi asümanı. — Hayalî».

kebkebe, *A. i.* 1. Yüz üstüne duşurme, bırakma. 2. Çukur bir yere döne döne düşme.

kebs, *A. i.* Çukur yeri doldurup düzeltme. ● «Çavuşbaşı gönderilip menzili kebs olundu. — Naima».

kebş, *A. i.* Koç.

kebud, *F. s.* Mavi, gök rengi. ●«Kebud-i bahri beyaz tekneler yarıp gidiyor. — Fikret». (Ed. Ce.). :
Asüman-i kebud,   hande-i kebud,
çeşman-i kebud,   serab-i kebud.

kebudfam, *F. s.* [Kebud-fam] Gök renginde, mavi.

kebudî, *F. s.* Mavilik. ● «Kebudi-i şeb-i hüsn-i hüsn içre parlayan ahter. — Cenap».

kebuter, *F. i.* Güvercin. ● *Kebuter-i name-ber,* posta güvercini. ● «Birer ümmid-i mücennah letafetiyle uçan — Teranekâr iki nermin kebuter-i mağrur. — Fikret». -

kebuteran, *F. i.* [Kebuter ç.] Güvercinler. ● «İner... birer birer iner. — Kebuteran-i asman, — İner sımah-i ruhuma. —Cenap».

kec, gec, *F. s.* Eğri, çarpık. ● «Safhaya satır biraz kec yazılır mıstarsız. — Beliğ».

kecabe, kacave, *F. i.* Deve üstüne konan oturulacak bir çeşit tahtırevan.

kecbaz, *F. s.* [Kec-baz] Oyunda hile eden.

kecbîn, *F. s.* 1. Şaşı. 2. Eğri gören. 3. Ters düşünen. (ç. Kecbînân).

kecçeşm, *F. s.* [Kec-çeşm] Gözü şaşı olan.

kecfeym, *F. s.* [Kec-fehm] Yanlış anlayan. (ç. Kecfehmân).

kechulk, *F. s.* [Kec-hulk] Huyu kötü olan.

keckülâh, *F. s.* [Kec-hulk] Külâhı eğri (Mec.) Hoppa. ● «Aldıkça ele câm-i mey ol keç-küleh-i mest — Bin fitneye amade olur her nigeh-i mest. — Nailî».

kecmizac, *F. s.* [Kec-mizac] Huysuz, geçimi zor olan.

kecnazar, *F. s.* [Kec-nazar] Eğri bakışlı. Hasetçi kıskanç. (ç. Kecnazarân). ● «Bizim ocağımıza kecnazardır. — Selânikî». ● «Kelâl verdi temaşa-yi hüsnü zühhade — Acep mi kecnazarana getirse hâb kitap. — Ragıp Pş.».

kecnigâh, *F. s.* [Kec-nigâh] Eğri bakışlı (ç. Kecnigâhân); ● «Sudur etmez gözünden kecnigâh-i hurdebin ekser. — Beliğ» ● «Şatır-i zalime kecnigâh bile etmediler. — Naima».

kecnihad, *F. s.* [Kec-nihad] Mayası bozuk. Ters huylu olan. (ç. Kecnihadân).

- «Kecnîhâdın kimse edemez yanından güzeran. — Beliğ».

kecperveri, F. i. Terslere, aksilere yardım etme. Aksilik. • «Kecperveri-i mader-i eyyam görün kim — Ben her gece bîdar-i elem baht gunude. — Nedim».

kecreftar, F. s. [Kec-reftar] Gidişi eğri. Ters yürüyen. • «Hedef-i tîr-i nevaib-i çarh-i kecreftar oldular. — Taş.».

kecrev, F. s. [Kec-rev] Eğri giden. Tuttuğu yol aykırı olan. • «Ey muradım aksine devr eyleyen kevrev felek. — Herirî».

kecrey, F. s. [Kec-rey] Fikri, reyi ters, bozuk.

kectab', F. s. [Kec-tab] Tabiatı ters olan.

keçkül, F. i. Dilenci çanağı. Keşkül. • «Mah-i nev aksini keçkül edinip derya. — Hayalî».

kedd, A. i. Çalışma, çabalama. Emek, iş. • Kedd-i yemîn, el emeği. • «Nasib-i ömrün olan nekbet ü saadet de — Gelir vücuda bütün kedd-i ihtiyarımla. — Fikret». • «Nabi taleb-i visale kedd lâzımdır — Derya-yi ümide cezr ü medd lâzımdır. — Nabi».

-kade, -gede, F. i. Ev anlamıyle bileşik isimler şeklinde kullanılır. • Ateşkede, bütkede, • meykede.

keder, A. i. 1. Bulanıklık. 2. Tasa, kaygı. (ç. Ekdar). • «Artık o minimini kederlerden biri değildi. — Uşaklıgil».

kedernâk, F. s. Tasalı. Gamlı. • «Ey nurdide, sen de kedernâksin bu şeb. — Fikret».

kedhuda, F. i. Kethüda. Kâhya.

kadme, kademe. A. i. Nişan. Bere. İz.

kedu, F. i. Kabak. • «Çınarı pâymal eyler kedu-yi tizbaht amma — Reha bulmaz çınarın pençesinden tarf-i damanı. — Nabi» • «Hele pîr-i muganın başka halet var kedusunda. — Beliğ».

keduret, küduret, A. i. 1. Bulanıklık. 2. Tasa, kaygı.

keen lemyekün, A. c. Sanki yokmuş, hiç yokmuş, hiç olmamış gibi. • «Her suhanin bence keenlemyekün. — Naci».

keenne, A. e. Güya, sanki. • «Keenne rıza suretin gösterip. — Naima». • «Keenne vere ile alınıp bir zarar olmadan kabza-i teshiregirmek tamaına düşmüş. — Naima».

kef, F. i. Köpük. • «Ey mevc-i safa! ruha kef-efşan-i emelsin. — Fikret».

kef, A. i. 1. Elin için tarafı. 2. Avuc dolusu. 3. Ayak düzü, taban. • «Biz ma-il-i bus-i câm ü kef ü destiz. — Ruhi».

kefaet, A. i. Bir şeye yeter ve denk olma. • «Zira itibar-i kefaet ancak nikâha müteallika olan makasidin terettübü içindir. — Taş.».

kefaf, kifaf, A. i. 1. Bir şeyin misli, mikdarı. 2. Yaşayacak kadar rızık. • kefaf-i nefs, bir kimsenin yalnız kendini öldürmeyecek kadar nafakası. • «Safa-yi hatırı ya Rab bana kefaf eyle. — Esat».

kefalet, A. i. Birinin bir şeyi yapmadığı halde kendinin o işi yerine getireceğini kabullenme. • Kefalet-i bilmal, bir mal için kefil olma; • -binnefs, birinin şahsına kefil olma; • -bitteslim, bir malın teslimine kefil olma işi; • -müteselsile, birçok kişilerin birbirlerine karşılıklı kefil olmaları; • -nakdiye, para depozito ederek kefil olma.

kefaret, keffaret, A. i. Bir günaha karşı tutulmak üzere yapılan şey veya verilen nesne. • Kefaret-i yemin, tutulamayan yemine karşı sadaka vermek, köle azat etmek gibi gerekli şeriat cezası. • «Zayiatımızı kefaret-i zünup addederek. — Cenap».

kefçe, F. i. Kepçe.

kefe, keffe, Bk. • Keffe.

kefen, A. i. Kefen. Ölüyü sardıkları bez. (ç. Ekfan). • «Bi-semere fedakârlıklarını kalın bir kefenle örterek, evet, yapyalnız kalacaktı. — Uşaklıgil».

kefen beduş, kefen berduş, F. s. Kefeni sırtında, ölümü göze almış. • «Canbulatoğlu Ali Paşa dahi bir melce' bulmayıp kefen berduş azm-i Asitane edip. — Naima». • «Sanırım bir şehid-i dem-huruşandır kefen berduş. — Cenap».

kefenpuş, F. s. [Kefen-puş] Kefen kuşanmış. (ç. Kefenpuşan). • «Soyundu sevb-i faniden kefenpuş oldu. — Uryanî».

kefere, A. i. [Kâfir ç.] 1. İnanmayanlar, kâfirler. 2. Müslümanlardan gayrısı. • «Ve kefereyi darb ü habs ü müsaderede. — Naima».

keff, A. i. Çekme. Vazgeçme. Keff-i yed, el çekme, karışmama. • «Siham-i kazayı keff için dua keflerin siper edindi. — Sadettin».

keffe, kefe, Terazi gözü.

kefgir, F. i. [Kef-gir] (Köpük tutan) Kevgir.

kefh, A. i. Karşı karşıya savaşma.

kefil, A. s. i. [Kefalet'ten] Kefalet eden. Birinin bir şeyi yapmadığı halde o işi kendi üstüne alan kimse. • Kefilbil'-mal, borcunun verilmesine; • -binnefs, istenildiği zaman teslim etmek üzere birinin şahsına; • -bitteslim, bir malın teslimine kefil olma. • «Kusuruna kefil vermekle ıtlak olundu. — Naima».

kefnisar, F. s. [Kef-nisar] Köpük saçan. Köpüklü. • «Bir teyyar-i kefnisar şeklinde köpürmüş. — Uşaklıgil».

kefr, A. i. Örtme, sarma, bürünme.

kefş, F. i. Pabuç. Ayakkabı. • «Kiminin kefş ve kimisinin sestarı yok. — Taş.».

kefşger, A. i. [Kefş-ger] Ayakkabıcı. Pabuç yapan. (ç. Kefşgerân). • «Etti o meh kefşgerin mihr-i cemali — Endahte bâm-i feleke kefş-i hilâli. — Nabi».

kefşgerdan, F. i. Pabuç çeviren hizmetçi.

keh, kâh, F. i. Saman.

keh, kâh, Bk. • Gâh.

kehanet, kihanet, Bk. • Kihanet.

kehel, kehl, A. i. Yetkin, 30-50 yaş arasında kimse. • «Basma tarik-i aşka kadem eksiğin değil — Sofi bu yolda kati kehel bilirim seni. — Hayalî».

kehene, A. i. [Kâhin ç.] Kâhinler.

kehf, A. i. (He ile) 1. İn. Mağara. 2. Sığınak. 3. (Ana.) Bedendeki oyuk. (ç. Kühuf). • «Bârgehi mahkeme-i adl ü vedad — Dergehi kehf-ül-ümem-i rüzgâr. — Nef'i».

kehhal, A. i. 1. Gözlere sürme süren. 2. Göz hekimi.

kehkeşan, F. i. (Ast.) Samanuğrusu. Hacılaryolu. Samanyolu. • «Yavaş yavaş kehkeşanların sirişk-i teessüründen damlayan. — Uşaklıgil».

kehl, kehel, A. s. Kemalini bulmuş, 30-50 yaş arasında (kimse). (ç. Kihal, kühal).

kehl, kehle, A. i. Bit. • «Mege-âsâ o bütün semtine vızlarsa rakip — Kehli ko pire gibi çabuk olup ensede bit. — Beliğ».

kehrüba, F. i. [Keh-rüba] Kehribar. • «Cezb-i muhabbetinle dil zerd ü nizar olup gider — Bilmediler hakikatin kâh mı kehrüba mıdır. — Nailî».

kehrübaî, kehrübaiye, A. s. i. (XIX. yy.) Elektirik anlamında kullanılmaya başlanmıştır. • Kehrübaiyyet sözü kısa

bir süre kullanılmış ise de elektrikî, elektrikiyyet sözleri bunların yerlerini tutmuştur.

kehvare, gehvare, F. i. Beşik. • Kehvarenişin, beşikteki çocuk; • kehvare-i fena, fânilik beşiği (bu dünya). • «Uyur kehvare-i sinemde bizzat — Uyur sevda o hırçın tıfl-i bidar. — Fikret».

keis, ke's, Bk. • Ke's.

kej, Bk. • Keç.

kejdüm, F. i. (Zoo.) Akrep.

kejdümî, F. s. Akreple ilgili. Akrep gibi. • «Tıynet-i rediesi muktezasınca zamirinde mekîn olan hasiyet-i kejdümî zuhura gelip. — Naima».

kelâ', A. i. Yeşil ot.

kelâb, A. i. 1. Kuduz illeti. Kudurma. 2. Su ürküntüsü, idrofobya.

kelâet, A. i. Koruma, gözetme.

kelâg, F. i. (Zoo.) Kuzgun. • «Olur bülbüllerin mahsubu gülşen — Kelâgın cife mıknatısın ahen. — Lâtifi».

kelâdem, A. i. [Kel-adem] Yok sayma, yokmuş gibi. • «Mesaib-i serhaddi kel'-âdem farz ettiler. — Naima».

kelâl, A. i. Yorgunluk. Bıkkıntı. • «Tab'-ımda bir kelâl ki benzer şebabete — Fikret». • Nazarlarında güneş bile tabiatın parlak bir itiraf-i kelâli idi. — Cenap».

kelâlâver, F. s. [Kelâl-âver] Yorgunluk getiren, yorucu, sıkıcı.

kelâle, A. i. 1. Akrabalığı uzaktan olma. 2. Yorulma, tükenme. 3. (Bıçak) kör ve kesmez olma.

kelâm, A. i. 1. Söz. Lakırdı. 2. (Gr.) Söz, ibare, fıkra. Anlam ifade eder cümleler ve cümlecikler tümü. 3. Söyleyiş, nutuk. 4. Dil, lehçe. 5. Tanrı ve Tanrı birliğinden bahseden ilim. 6. Kur'an. • Kelâmullah, • kelâm-i kadîm, Kur'an; • Kelâm-i Arap, Arap dili veya lehçesi; • -kibar, atasözü haline gelmiş hikmetli, ünlü söz; • -manzum, manzum söz; • -mensur, nesir söz; • -nefsî, Fransızca «endophasie» karşılığı, içten konuşma; • -resul, Muhammet Peygamberin sözü; • agaz-i kelâm, söze başlama; • bati-yül-kelâm, ağır ağır, zorlukla söyler; • hâsil-i kelâm, hulûsa-i kelâm, kısası; • ilm-i kelâm, Tanrı birliğini ve Tanrı ile ilgili bahisleri ispatlayan bilim; • irad-i kelâm, söz söyleme; • ma lâ kelâm, söz götürmez, diyecek yok; • *mîr-i kelâm*, düzgün ve temiz söz söyler, meclis adamı; • *radd-i kelâm*, karşılık cevap verme; • *takrir-i kelâm*, söyleme. • ‹Lâfz-i ulema alelıtlak zikrolunsa ulemayi kelâm anlarda dahil olmaya. — Taş.› • ‹İtimad etmezseniz Kelâmullah'ı getirin ki Allahın keskin kılıcıdır yemin edelim. — Naima›.

kelâmî, kelâmiye, *A. s. i.* 1. Söze ait, sözle ilgili. 2. Kelâmiyye tarikatından olan.

kelâmiyye, *A. i.* (Dinde) Kelâmcılar yolu.

kelâmiyyan, *A. i.* Kelâmcılar.

kelân, *F. i.* 1. İri büyük. 2. Geniş. 3. Baş. • ‹Olurum mest-i dem-i hurd ü kelân. — Şinasi›.

kelânter, *F. s.* Daha büyük, çok iri.

kelâve, *A. i.* İpek veya iplik saracak çark.

kelb, *A. i.* Köpek. • *Kelb-i akur*, salar köpek; • *kelb-ül-ma*, kunduz, (ç. Kilâb). • ‹İtikadımca kelb tahirdir. — Nef'l›.

kelbatan, kelbeteyn, *A. i.* Kerpeten.

kelbî, kelbiye, *A. s.* Köpeğe ait, köpekle ilgili.

kelbiyye, *A. i.* Fransızca'dan *cynisme* ve *cynique* felsefe terimleri için • *kelbiyye* ve • *kelbiyyun* sözleri kullanılmıştır, kinizm (XX. yy.):

kelebçe, *F. i.* Bileğe takılan küçük zincir, kelepçe.

kelef, *A. i.* 1. Yüzdeki benek benek siyah veya kırmızı noktalar. 2. Şiddetli sevgi. • ‹Kamer miratını jeng-i keleften pâk ede anın. — Hayalî›.

kelender, kilindir, *F. i.* Şarap ölçeği, • ‹Olanca harçlığını ve şarap kelenderini miriye zapteylediler. — Selânikî›.

kelevvel, *A. zf.* [Kel-evvel] Eskisi gibi. • ‹Çağırıp geldikte yine kel'evvel rütbesine lâzım gelen tevkıri edip. — Naima›.

kelil, kelile, *A. s.* Gözü az gören. İyice ayırt edemeyen.

kelli, *A. s.* 1. Körleşmiş, kesmez olan. 2. Gözleri az gören. İyice fark edemeyen. • ‹Fetk ü retk-i umurda kelil-ür-rey bir pîr olup.› • ‹Leşkeri kalil ve basarı kelil olup. — Naima›.

Kelile, *A. i.* Bidpay'in ünlü Kalile ve Dimne adlı hikâyelerinin kahramanlarından çakal.

kelim, kilem, *A. i.* [Kelime ç.] Kelimeler. • *Mevsuk-ül-kelim*, sözlerine inanılır;• *nafiz-ül-kelim*, sözü geçer. • ‹Bu mâna ise ititfak-i kelime ve ittihad-i kulûba muhtaçtır. — Naima›.

kelim, *A. i.* [Kelâm'dan] Söz söylenen. İkinci şahıs. • *Kelimullah*, Tur-i Sina'da Tanrının hitabını duyan Musa Peygamber; • *sure-i kelim*, Kur'an'ın yirminci suresi, ki • *sure-i Tahâ* da denir. • ‹Hem benim nur-i tecelli hem Kelim'in Tur'uyem. — Nesimi›. • ‹Ol rehrevane ki Hızr ü Kelim bedrakadır — Füruğ-i ah yeter şem-i Tur'u neylerler. — Nailî›. • ‹Böyle bir vâdiye bir Kelim gerek. — Naci›.

kelimat, *A. i.* [Kelime ç.] 1. Kelimeler. 2. Sözler. • ‹Bu yarım cümleler, yarım kelimat. — Cenap›. • ‹Şükâtın kelimatı şer'an sabit olmaksızın hapsedip. — Naima›.

kelime, *A. i.* 1. Anlamı olan sözcük. 2. Söz, lâkırdı. 3. (Gra.) İsim, fiil ve harf diye üçe bölünen söz bölümlerinin hepsi. • *Kelime-i müvellede*, neolojism, • *-şehadet*, İslâmlığın şartlarından olan eşhedü... cümlesi; • *-tayyibe*, gönül alıcı güzel söz; • *ilâ-yi kelimetullah*, İslâmlığı yükseltme, yayma. • ‹Firdevs Hanım Behlûl'a bir küçük kelime için müsaade etmeyerek. — Uşaklıgil›.

kelle, *F. i.* Baş. • ‹Top olursa önünde kelle-i hasm — Rifate erdi aldı meydanı. — Hayalî›.

kellepuş, *F. i.* [Kelle-puş] Baş giyeceği. ‹Soyup entari ve kellepuş ile bir beygire bindirip. — Naima›.

kem, *A. e.* Soru edatıdır, kaç?

kem, *F. s.* ‹Az, eksik› anlamıyle kelimelere katılır. • *Biş ü kem*, artık ve eksik. • ‹Arslanlı kuruşun ayarı kem olup. — Naima›.

kema, *A. e.* Benzetme edatıdır. • *Kemafilevvel*, önceki gibi; • *kema-fis-sabık*, eskisi gibi; • *kema-hüve-l-mutad*, alışıldığı yolda, mutad üzere; • *kema-hüve-r-resm*, yollu yolunca âdet olduğu gibi, • *kemayenbagi*, gerektiği yolda, uygun şekilde; • *kemakân*, eskisi gibi. • ‹Ve kema hüve-l-mutat mutarada ve muaraza tarzında cirit oynadılar. — Ve kema hüve-r-resm meymene ve meysere ve kalb ve cenah tertip olunup› • ‹... den sonra kemayenbagi icra olunup. — Naima›.

kemahiye, *A. e.* Olduğu gibi.

kemahüye, *A. e.* Olduğu gibi. • *Kemahü-verresm*, âdet olduğu gibi. • «Kemahüvelmutat mutarada ve muaraza tarzında cirit oynadılar. — Naima».

kemain, *A. i.* [Kemîn ç.] Pusular.

kemakân, *A. zf.* Eskiden olduğu gibi. • «İzhar-i sadakat ve hulûs ile kemakân dostluk rica etmeğin. — Naima».

kemakl, *F. s.* [Kem-akl] Aklı az, ahmak.

kemal, *A. i.* 1. Olgunluk, olma. 2. Tamlık, eksiksizlik. 3. Değer, baha. 4. Bilgi, fazilet; • *Kemal-i evvel*, Fransızca'dan *intelechie* karşılığı, entelekya. • «Ne cah iledir ne mal iledir — Beyim ululuk kemal iledir. — Şahidî». • «Fikrim düşer önünde zamanlarca hayrete — Mümkün değil beyanı kemal-i mealinin. — Fikret».

kemalât, *A. i.* [Kemal ç.] İnsanın bilgi ve güzel ahlâkça tam ve olgun olması. • «Artık uyu ey mah — Mah-i kemalât. — Cenap». • «Tahsil-i kemalat kem-alât ile olmaz».

kemalâtperver, *F. s.* [Kemalât-perver] Kemalât sahibi. (ç. Kemalâtperverân).

keman, *F. i.* 1. Yay. 2. Keman. 3. Yayı andırır her şey. • *Keman-ebru*, keman kaşlı; • *sinekeman*, büyük boylu keman; • *tîr ü keman*, ok ile yay. • «Ordu ve bazarda semen-sima kemanebrular periçehre gülbûlar satılıp. — Peçoylu». • «Ahenden olsa da feleğin çek kemanını — Çekme felekte siflerin imtinanını. — Ragıp Pş.».

kemançe, *F. i.* Kemençe. Küçük keman. • «Kemençe şekline girdim elinde mutrib-i aşkın — Keşakeşten halâs olmaz dahi sinem rebab-âsâ. — Baki».

kemandar, *F. s.* [Keman-dar] Yay tutucu. (ç. Kemandarân). • «Bir kemandarız ki zehralûddur peykânımız. — Ruhi».

kemane, *F. i.* 1. Keman veya kemençe yayı. 2. Makap yayı.

kemanebru, *F. s.* [Keman-ebru] Keman kaşlı. • «Dil yine serkeştedir tîr-i havaî veş —Bir kemanebrunun olmuştur meğer âvaresi. — Nedim».

kemanî, *F. i.* Kemancı. Keman çalan çalgıcı. (ç. Kemaniyan). • «Kemanî-i siyeh famı görmek üzere. — Cenap».

kemankeş, *F. s.* [Keman-keş] Okçu, ok atmada usta kimse. (ç. Kemankeşan).

kemankeşî, *F. i.* Okçuluk. Ok atıcılık.

kemayar, *F. s.* [Kem-ayar] Ayarı bozuk. Kalp, hileli.

kemayenbagi, *A. e.* Gerektiği yolda, lâyık olduğu gibi. • «Bunca yıldan beri sipahiye bölükleri kemayenbagi devr ettirilmeğe imkân olmayıp. — Naima».

kemayeşa', *A. e.* [Kema-yeşa'] Dilediği gibi. • «Ol etrafa kemayeşa' istilâ etmişidi. — Naima».

kembaha, *F. s.* [Kem-baha] Değersiz. • «Hiç tac-i Kuba'da benzeye mi — Kembaha bir kulâh-i baranî. — Hayalî». • Müverrihlerimiz kıymettar ile kembahayı temyizde o kadar lâkayt ki. — Cenap».

kembaht, *F. s.* [Kem-baht] Talihsiz.

kembidaa, *F. s.* [Kem-bidaa] 1. Sermayesi kıt. 2. Bilgisi az; çok okumamış.

kem'e, *A. i.* (Bot.) Domalan, yer mantarı.

kemenan, *A. i.* [Kemîn ç.] 1. Pusuya gizlenmiş askerler. 2. Pusular.

kemend, *F. i.* 1. Boyna geçirilen ip ilmik. 2. Geyik ve benzerleri hayvan yuları. 3. Güzelin saçı. • *kemend-i zülf*, saçın kemendi. • «Zülfün esiri Baki-i biçare dostum — Mübtelâ-yi bend-i kemend-i belâ imiş. — Baki». • «Kemend-i zülfüme düşsün ilâhi ol ayyar. — Nedim».

kemer, *F. i.* 1. Kuşak. 2. Tak.

kemerbend, *F. s.* [Kemer-bend] Kemeri takılmış. • «Kuşağın düğmesin çözmekte havfım yoktur amma kim — Yürek titrer kemerbendindeki hançer hususunda. — Nedim».

kemerbeste, *F. s.* [Kemer-beste] Kuşanmış, kuşak bağlamış, hazır.

kemergâh, *F. i.* Kemer takılan yer, bel. • «Tâ kemergâhına dek gamzesi hâbalûde — Tâ giribanına dek çeşmi şarab-alûde. — Nedim».

kemfehm, *F. s.* [Kem fehm] Anlayışı bozuk, kıt anlayışlı. (ç. Kemfehman). • «Münkiran-i kemfehman hakkında buyurmuşlardır. — Lâtifî».

kemgû, *F. s.* [Kem-gû] Az söyleyen (ç. Kemgûyan).

kemgüftar, *F. s.* [Kem-güftar] Az söyleyen, az lâkırdı eden.

kemha, *F. i.* Bir nevi ipek kumaş. Kemha. • «Ya bister-i kemhada ya viranede can ver. — Ziya Pş.».

kemi, *A. s.* Savaşçı. Yiğit. (ç. Kümat).

kemîn, *A. i.* Pusu. • *Der-kemîn*, pusuda. • «Etrafta der-kemîn mutarassıt olan paşalara haber uçurdular. — Naima».

- «Güneş kemîn-i ufulünde parlayıp sönerek —Fezada gösteriyor handeler, tezehhürler. — Fikret».

kemîn, *F. s.* 1. Çok az. 2. Pek küçük.

kemine, *F. s.* 1. Gücsüz, âciz. 2. Zavallı. • «Nedir aceb sebeb-i hayretin nedir derdin — Kemal-i lütfun ile kıl keminene ihbar. — Nedim». • «Zemine ferş-i bahabar. — Nedim». • «Zemine ferş-i baharan eden gusun ü zühur — Sema-yi hüsnünüzün bir kemîne levhasıdır. — Cenap».

kemingâh, *F. i.* [Kemin-gâh] Pusu yeri. • «Derekep kemingâhından sıçrayıp. — Silvan».

keminsaz, *F. s.* Pusu tutmuş olan.

kemkadr, *F. s.* [Kem-kadr] Kadri, itibarı az; âdi. (ç. Kemkadrân). • «Kemkadr kufl-i ahene muhtaçtır yine — Memlû iken derunu güherle hazenenin. — Nabi».

kemkâr, *F. s.* Az iş işler olan.

kemkıymet, *F. s.* [Kem-kıymet] Değersiz.

kemm, *A. i.* Kemmiyet, nicelik. • *Kemm ü keyf*, nicelik ve nitelik. • «Ve askerinin kemmi kem olduğun göricek. — Sadettin». • «Kemm ü keyfleri sehm ü seyfleri müzahedesiyle. — Sadettin».

kemmaye, *F. s.* [Kem-maye] Aslı, cevheri aşağılık, mayası bozuk. (ç. Kemmayegân). • Nadir bulunur tıynet-i kâmilde kusur — Kem-mayeden eyler ne ki eylerse zuhur. — Ziya Pş.». • Hahiş-i lûtfeylemek kemmayegân-i asrdan — Nur ümmid etmedir aynıyle çeşm-i körden. — Nüzhet».

kemmayegî, *F. i.* [Kem-maye-gî] Yaradılıştan olan kötülük. Maya kötülüğü. • «Mevkuf ise mahşerde de ey Nailî-i zâr — Âşıkla kemmayegi ruyet-i didar. — Nailî».

kemmî, *A. s.* Nicelikle ilgili, niceliğe ait.

kemmiyyat, *A. i.* [Kemmiyet ç.] Kemmiyetler, nicelikler.

kemmiyyet, *A. i.* 1. Sayı. 2. Nicelik. 3. (Gra.) Tekillik veya çoğulluk.

kemmun, *A. i.* Kimyon.

kemnam, *F. s.* [Kem-nam] Adı sanı belirsiz, kimsenin bilmediği. (ç. Kemnamân).

kemnazar, *F. s.* [Kem-nazar] Kötü gözle bakış. • «Ağa muhiblerinin cenab-i mahd uma kemnazar yoktur. — Nergisî».

kemne, *A. i.* Gözde olan karasu illeti.

kempâye, *F. s.* [Kem-pâye] Rütbesi, derecesi aşağı. • Güher füruş-i kempâye Nergisi-i endekmaye. — Nergisi».

kemsal, *F. s.* [Kem-sal] Yaşı az.

kemter, *F. s.* Daha aşağı, aşağıda olan. (ç. Kemterân). • «Dünyayı bir safaya veren rind-i bineva — Kemter meta-i zevkini dünyaya vermemiş. — Cevri». • «O küçük ailedir besleyecek — Âlemi bir sene in'amiyle — Tuhfe-i kemter-i ikdamiyle. — Fikret».

kemterane, *F. s.* Âcizce, çok küçükçe. (Kendinden söz ederken alçak gönüllülük diye kullanılırdı).

kemterîn, *F. s.* En küçük, en aşağı. • «Hasret-keşanıdır hep bir kemterîn nigâhın. — Recaizade».

kemyab, *F. s.* [Kem-yab] Az bulunur. (ç. Kemyabân). Bulunmayacak kadar az; bulunmaz. • «Zahire kemyab olduğundan gayrı. — Naima».

-ken, *F. s.* «Kazan, kazıcı, koparan, söken» anlamlarıyle kelimelere katılır. • *Kûh-ken*, dağ deviren; • *sikkeden*, sikke kazıcı.

kenais, *A. i.* [Kenise ç.] Kiliseler. • «Bad-el-id papais-i kenais ile idare-i akdah-i müvasat edip. — Sümbülzade».

Ken'an, *A. i.* Filistin, Palestin. *Mah-i Ken'an, Yusuf-i Ken'an*, Yusuf Peygamber. • «Şifada aynıdır Yakub-i çarhın — Safada Yusuf-i Ken'ana benzer. — Hayalî».

kenar, *F. i.* Kıyı, çevre. 2. Deniz kıyısı. 3. Uc, köşe. 4. Etrafı çeviren şey. 5. Kucaklama. Kucağına alma. • *Derkenar*, bir yazıya bittikten sonra katılan bölüm. • «Köyün uyur gibi müstağrak-i şükûnettir — Bütün hayatı ufak bir çayın kenarında. — Fikret». (Ed. Ce.).:

Kenar-i âfâk,	*-mezhere*,
-bahr,	*-sükûn*,
-me'mun,	*-tecelligâh*,
-menaat,	*-tude-i âteş*.
-mezar,	

kenare, *F. i.* 1. Kenar, kıyı. 2. Kucak. 3. Kayış asılan çengel. • «Yaşım suyu oldu vare vare — Bir bahre ki yok ana kenare. — Fuzulî».

kende, *F. i.* Çukur, hendek.

kendide, gendide, *F. s.* Kokmuş. • «Dehan-i kendidesinden bu makalat-i muzahrafa hudus eyledi ki. — Naima».

kendiriyye, A. i. (Bot.) Kendirgiller.
kendu, F. i. Epey genişçe toprak.
kendüm, gendüm. F. i. Buğday. Bk. • Gendüm. • «Kimi lütfundan alır surre kimi kendüm ü cevv — Yoktur esb-i dilin ıstabl-ı riyaziyatta yemi. — Beliğ».
kene, F. i. (Zoo.) Kene böceği.
kenef, A. i. 1. Yön, taraf. 2. Koruma (ç. Eknaf).
kenif, A. i. Ayakyolu. • «Ama ben ekl edersem bir şey-i müstahzar-i kesif ve mahalli kenif olur. — Taş.».
kenin, A. s. Örtülü gizli.
kenisa, kenise, A. i. Kilise (ç. Kenais). • «Ve her kenisesi birer sûr ile mahsur olmasa. — Peçoylu».
keniz, F. i. Esir kadın. Cariye. • Keniz beçe, cariyeden olan çocuk.
kenizek, F. i. Küçük cariye. (ç. Kenizegân). • «Büyük validenin cariyelerinden Meliki nam kenizek ki bu vâkıf idi. — Naima».
kenn, A. i. Öldürüp gizlenme.
kennas, kennase, A. s. Çöpçü, süpürücü. (ç. Kennasan). • «Cami-i mahudun kennası olan tilimiz-i hannas. — Şefikname».
kens, A. i. Süpürge ile süpürme.
kenud, A. s. 1. Nankör. İyilik tanımaz. 2. Bir şey bitirmeyen toprak. • «Bir alay cehele-i hasut ve kenud olmalarıyle. — Sümbülzade».
kenz, A. i. Hazine. Define. Yer altında saklı değerli eşya. • Kenz-i mahfi, zaman yaratılmadan önce Tanrının bulunduğu kitman âlemi. • sure-i kenz, Kur'an'ın birinci âyeti olan Fâtiha suresi. (ç. Künuz). • «Hak bu anbar-i bülendi ede kenz-ül-berekât. — Sürurî».
ker, F. s. Sağır. • «Bahşeder âmalara biniş semi' eyler keri. — Nabî».
kerahet, A. i. (He ile) 1. İğrenme. 2. İstemeyerek, zor altında yapma. 3. Şeriatın kesin olarak yasak etmediği fakat harama yakınlığı ve ihtimali çok olduğu için çekinilmesi gereken şeyin hali. • Maalkerahe, istemeye istemeye. • «Bizim mezhebimizin muktezası (onun) kerahetidir. — Taş.».
keraheten, A. zf. İstemeye istemeye.
kerahiyet, A. i. Bk. • Kerahet.
keramât, A. i. [Keramet ç.] Ermişlerin olağanüstü sözleri ve halleri. • Keramât füruş, kerametler taslayan. • «Ve ashab-i keşf ü keramâtın vahdet-i vücud dedikleri. — Naima». • «Nüshan

maraz-ı aşka ilâç eylemedi hiç — Ey şeyh-i keramâtfüruş ez de suyun iç. — Sabit».
keramet, A. i. 1. Kerem, bağış. 2. İkram ağırlama. 3. Evliyaların bazı olağanüstü hali. 4. Ermişçesine yapılmış hareket veya söylenmiş fikir. • Sahib-i keramet, keramet göstermiş kimse. (ç. Keramât). • «Bir söz dedi cânân ki keramet var içinde. — Nedim».
keran, F. i. Kenar, uc. • Bikeran, kenarsız, uçsuz bucaksız.
keraris, A. i. [Kürrase ç.] Kürraseler küçük yazma kitapçıklar. • «Hususa bu birkaç varakat ü keraris. — Taş.».
keraste, F. i. Kereste.
kerb, A. i. Tasa, kaygı. (ç. Kürub).
Kerbelâ, A. i. Irak'ta Bağdat dolaylarında İmam Hüseyin'in şehit edildiği ve türbesinin bulunduğu yer, kutsal ziyaret yerlerindendir. • «Cibril var haber ver sultan-i enbiyaya — Düştü Hüseyn atından sahra-yi Kerbelâ'ya. — Kâzım Pş.».
-kerde, -gerde, F. s. «Yapılmış, edilmiş» anlamıyle kelimelere katılır. • Huykerde, huy edinilmiş; • imal-kerde, yapılmış; tasmim-kerde, tasarlanmış; • telifkerde, yazılmış.
kerem, A. i. 1. Soyluluk, soyluluğun şartlarından cömertlik. 2. Lütuf, bağış, bahşiş. • Hacetlerimiz kadir iken kılmaya hâsıl — Salmak kereminden bizi fedaya ne hacet. — Ruhi».
keremkâr, F. s. [Kerem-kâr] Kerem sahibi, cömert. (ç. Keremkâran).
keremkârane, F. zf. Kerem sahibine yakışır yolda.
keremkârî, F. s. i. 1. Kerem ile ilgili. 2. Keremlilik, cömertlik.
keremküster, F. s. [Kerem-küster] Kerem sahibi. Cömert. • «İratlarını kapıp sahibini ağlatıp keremküsterlik etmek bais-i fesattır. — Naima».
keremperver, F. s. Kerem sahibi. (ç. Keremperveran).
keremperverane, F. zf. Kerem sahibine yakışan yolda.
keremperverî, F. i. Kerem sahibi olma.
kerh, A. i. Bk. • Kerahet.
kerhen, A. i. (He ile) 1. İğrenerek. 2. İstemeyerek, zorla. • Tav'an ve kerhen, ister istemez. • «Mescitten maada civarında olan evleri tav'an ve kerhen alıp binayi azîme ihdaş. — Naima».

kerih, kerihe, A. s. [Kerh'ten] İğrenç, pis kokan. ● Kerih-ül-manzar, görünüşü çirkin ve iğrenç; ● Kerih-ün-nefes, nefesi, ağzı pis kokan; ● rayiha-i kerihe, pis koku; ● savt-i kerih, çirkin ses. ● ‹Eşkıya ve kızılbaş-i kerih-ül-lîkayı. — Naima›. ● ‹Kerih bir ses ile medit bir surette esnemeye. — Recaizade›.

kerihe, A. i. İğrenç, nefret edilecek şey.

kerim, kerime, A. i. [Kerem'den] 1. Kerem sahibi. 2. Cömert, vergili. 3. Ulu, büyük. ● Allah kerim, Tanrı kerem ve ihsan sahibidir. Tanrı verir; ● Kur'an-ı kerim, Kur'an. (ç. Kiram, Kürema). ● ‹Mahasini bihadd ü gaye ve evsaf-i kerimesi bilânihaye idi. — Taş.›.

kerimane, F. zf. Kerim insana yakışır surette.

kerime, A. i. 1.Ayet. 2. Kız çocuk. ● ‹Sultan Çelebi hazretlerinin kerime-i sulbiyeleridir. — Sadettin›.

kerkes, F. i. Akbaba (kuşu).

kerm, A. i. Bağ kütüğü. Üzüm çubuğu. (ç. Kürum). ● ‹Cümle bağda olan kermin dalların ve budakların yiyip helâk eylediler. — Süheylî›.

kerr, A. i. Çekilme ve yeniden hücum etme.

kerrar A. s. [Kerr'den] Savaşta çekilip saldırma. ● Hayder-i kerrar, Ali'nin lâkabı. ● ‹Benim ol Haydar-i kerrar-i ma'ni kim hicvimden — Diliran-i hayale tenk olur endişe meydanı. — Nef'î›.

kerrat, A. i. [Kerre ç.] Kezler, defalar. (Mat.) ● Kerrat cetveli, çarpım tablosu. ● ‹Aşk câmı rah-i vahdetle lebalebdir henüz — Gerçi kerrat ile ârifler anı nûş ettiler. — Ruhi›.

kerre, A. i. Kez, defa. ● ‹Bir kerre batıp da mihr-i tâbân. — Fikret›.

kerrenay, kerenay, F. i. Zurna çeşidi. Bir nefesli saz aleti. ● ‹Bağdat'ta esir olan hanlar ve yüz kadar sürhser kerrenayların çalarak. — Naima›.

kerretan, A. i. (İki kere) Sabah ve akşam.

kurubî, A. i. Büyük melek.

kerrubiyan, F. i. [Kerrubî ç.] Tanrıya en yakın melekler. ● ‹Ol şah ki tahtı lâmekandır — Carubkeşi kerrubiyandır. — Ş. Galip›.

kerrubiyyun, A. i. [Kerrubî ç.] Tanrıya en yakın melekler.

ke's, keis, A. i. 1. Kadeh, bardak. 2. Şarap dolu bardak, bir bardak şarap. 3. (Bot.) Çanak. (ç. Küus).

kes, F. i. Kimse. ● Bikes, kimsesiz; ● hiçkes, hiç kimse; ● nakes, alçak, âdi, pinti, nekes. (ç. Kesan). ● ‹Hiç kes hiç kese gezend etmezler idi ama. — Naima›.

kesad, A. i. 1. Sürümsüzlük. Satılmama. Alışveriş durgunluğu. 2. Kıtlık, yoksuzluk. ● ‹Sanma kusuru bende, görüp de kesadımı. — Recaizade›.

kesafet, A. i. (Sin ile) Bulanık. Açık ve berrak olmama. Kir, pislik. ● ‹Humk-i ümmiyane ruuneti ile zühd-i bârid-i amiyane kesafetinden mümtezic bir meşreb-i garip. — Naima›.

kesafet, A. i. (Se ile) 1. Sıkılık, tokluk. 2. Kalınlık, yoğunluk. 3. Saydam olmama. 4. Koyuluk. 5. Kalabalık. ● ‹Sema bir buzlu cam halinde bârid bir kesafetle. — Fikret›.

kesalet, A. i. (Sin ile) Üşenme, tembellik. Uyuşukluk.

kesan, F. i. [Kes ç.] Kimseler, insanlar. ● ‹Kendi aybından olur rûynüma ayb-i kesan — Olsa ayine şikeste olur endam şikest. — Ragıp Pş.›.

kesane, F. zf. İnsan gibi, insana yakışır şekilde.

kesb, kisb, A. i. 1. Kazanma, kazanç. 2. Edinme, peydahlama. 3. Geçimi sağlama için kullanılan alet veya iş. ● ‹Tamamen vuzuh ve sarahat kesb edememekle beraber. — Uşaklıgil›.

kesbî, kesbiyye, A. s. Sonradan, kazanılarak olan.

kesel, A. i. (Sin ile) Gevşeklik, tembellik. Uyuşukluk. ● ‹Bu yol, bu rah-i saadet de ah korkuyorum — Müebbeden çıkacak bir harabe-i kesele. — Fikret›.

keselân, keslân, A. i. Gevşeklik, yorgunluk. Ağırlık. ● ‹Bileğinin mukavemetine bir keselân geldi. — Uşaklıgil›.

kesf, A. i. 1. (Güneş veya ay) Işığını kesme. 2. Görünmez olma. ● ‹Göçer evli ulusların kesf ü hasaret eyleyerek giderler idi. — Naima›.

ke'si, A. s. [Ke's'ten] 1. Kadehle ilgili, onlara benzer. 2. (Bot.) Çanaksı.

kesif, kesife, A. s. [Kesafet'ten] 1. Sık, tok. 2. Kalın, yoğun. 3. Saydam olmayan. 4. Koyu. 5. Kaba. ● ‹Solgun bakışlarıyle, sema-yi kesifinin — Teşyi eder gibiydi uzak bir sehabını. — Fikret›.

kesîr, kesire, *A. s.* [Kesret'ten] 1. Çok bol. 2. Çeşitli, türlü. 3. Çok olan, sık. 4. (XIX. yy. da terimler konurken) Fransız'cadan *poly-* öneki karşılığı olarak kullanılmıştır. • ‹Ve bu ilimde fevaid-i kesîre vardır. — Taş.›. • ‹Tarihte bu kesîr-ül-emsal bir hâdise değildir. — Cenap›.

kesr, *A. i.* 1. Kırma, paralama. 2. Bozma. 3. (Arap. Gra.) Bir harfin esre (i) okunması. 4. (Mat.) Kesir. 5. (Ana.) Kemik kırılması. • *Kesr-i âdi*, bayağı kesir; • *-âşari*, ondalık kesir; • *-basit*, basit kesir; • *-mürekkeb*, bileşik kesir; • *-mütevali*, zincir kesir; • *-mütevellid*, ana kesir. • Serdar dahi kesr-i a'dadan sonra Kayseri ve Sivas taraflarına alem-efraz olup. — Naima› • ‹Kesr-i hâtır makul değildir. — Naima›.

kesre, *A. i.* Esre denilen hareket işaretinin adı harfin altına konur ve i okunur). • *Kesre-i hafife*, i sesi; • *-sakîle*, ı sesi.

kesret, *A. i.* 1. Çokluk, bolluk. 2. Ziyadelik. 3. (Tas.) Kalabalık, birden artıklık. • *Cem-i kesret*, (Arap. Gra.) dokuzdan çok sayı için kullanılan çoğul tipi.

kesretiyye, *A. i.* Fransızca'dan *puluralisme* felsefe terimi karşılığı, çokçuluk (XX. yy.).

kess, *A. s.* (*Se* ile) Sakal kılları sık ve kıvırcık olma. • ‹Lihyesi kess ü kasır. — Taş.›.

-keş, *F. i.* ‹Çeken, çekici› anlamıyle kelimelere ulanır. (ç. *Keşan*).

âkbeş,	*hasretkeş,*
afyonkeş,	*meykeş,*
bârkeş,	*mihnetkeş,*
cefakeş,	*pişkeş,*
dilkeş,	*serkeş,*
esrarkeş,	*simkeş.*
gayretkeş,	

keşakeş, *F. i.* 1. Çekinme. 2. Tereddüt, sıkıntı, ıstırap. 3. Tasa. • ‹Çekesin sineye ol şuhu keşakeşler ile — Alasın busesin amma ki itab-alûde. — Nedim›.

keşan, *F. s.* Çeken, çekerek. • *Keşanber keşan, keşan keşan,* zorla sürükleye sürükleye götürerek. • ‹Yüreği acımış Türkler ol vacibi keşan sürüyüp. — Naima›.

keşef, *F. i.* Kaplumbağa› • ‹Âciz iken ukaba giriftar olur keşef. — Ziya Pş.›.

-keşende, *F. s.* ‹Çeken, çekici› anlamıyle bileşikler meydana getirmede kullanılırdı.

keşf, *A. i.* 1. Açma, meydana çıkarma. 2. Gizli bir şeyi bulma. 3. Bir sırrı öğrenme. 4. Olacak bir şeyi önceden anlama. 5. Tanrı tarafından ilham olunma. 6. Bir yapıya harcanacak giderin aşağı yukarı hesaplanması. 7. Askerin gideceği yerin önceden anlaşılması için yapılan hareket. • Taze bir aşk-i muhtazır sesinin — Mevacatında keşf-i râz ediyor. — Fikret›. • ‹Ve ulema mahzarında keşf ü dua olunup. — Naima›.

keşfî, keşfiye, *A. s.* [Keşf'ten] Bulma, meydana çıkarma ile ilgili.

keşfiyyat, *A. i.* [Keşif ç.] Keşifler. Bulunup meydana çıkarılan şeyler.

keşide, *F. s.* Çekilmiş. Dizilmiş. • ‹Kendilerine bir ziyafet-i nazariye keşide ederlerdi. — Uşaklıgil›.

keşiş, *F. i.* Karabaş, evlenmez rahip. Manastır rahibi. (ç. Keşişan).

keşişane, *F. zf.* Keşişe yakışır yolda. • ‹Riş-i keşişanelerin tıraş. — Naima›.

keşkûl, *F. i.* Dilencilerin, dervişlerin Hindistan cevizi kabuğundan› kabı, keşkül.

keşmekeş, *F. i.* 1. Çekişme. Kavga. 2. Kararsızlık. • ‹Ya Rab nedir bu keşmekeş-i derd-i ihtiyaç. — Ziya Pş.›.

keşşef, *A. i.* [Keşf'ten] 1. Gizli bir şeyi meydana çıkarma. 2. Sırları ve gizli anlamları çözen, açıklayan.

keşti, *F. i.* Gemi. • *Keşti-i gam,* (gam gemisi) bu dünya; • *keşt-i Nuh,* peygamber Nuh'un Tufanda kurtulma için yaptığı, içine her canlıdan birer çift aldığı gemi. • ‹Ya necat ehline oldun keşti-i Nuh-ün-nebi. — Hayali›.

keştiban, *F. i.* Gemici. Kaptan. • ‹Pâyine gelmese ruzileri binabların — Keştiban düşmez idi dâmına girdabların. — Nabi›.

keştigâh, *F. i.* [Keşti-gâh] Liman. Gemi yeri.

keştiger, *F. i.* [Keşti-ger] Gemi yapan amele.

keştinişin, *F. s.* [Keşti-nişin] Gemide oturan. (ç. Keştinişinan). • ‹İmtiyaz-i sabit ü seyyarı müşküldür hayal — Zanneder keşti-nişinan sahil-i derya yürür. — Ragıp Pş.›.

ketaib, *A. i.* [Ketibe ç.] Askerler. • ‹Şevkın galeyan ederdi peyda — Hununda ketaib-i cihadın. — Recaizade›.

ketb, *A. i.* Yazma. • *Ketb ü tahrir etmek,* yazmak.

ketebe, *A. i.* [Kâtip ç.] Kâtipler.

ketebehu, *A. e.* Yazmalarda yazanın adı ile kullanılır. • «Filân yazdı» demektir.

ketf, ketif, kitf, *A. i.* 1. Omuz. 2. Omuz küreği, kürek kemiği. (ç. Ektaf). • «Cellâda emr olunup ketfinden de düvaller çıkarıp. — Naima».

ketibe, *A. i.* (Çeşitli birlikler halinde) Asker. • «Durmaz yürür ketibe-i rahşan-i mefharet. — Fikret».

ketm, *A. i.* Gizleme, saklama. Sır tutma, söylemeyiş. • *Ketm-i adem,* Tanrının ruh ve cisim âlemlerini yaratmayı istediği zaman bütün yaratıkların ilki olan cevher-i ahzar'ın çıktığı yer. • «Size ithaf ile; zira ne için ketm edeyim. — Fikret».

kettan, *A. i.* Keten. • «Dil görse ârızını çâk çâk olur — Kettan olur mu pençe-i mehtaptan hâlâs. — Vehbi» • «Tab-i dilde ketan-i pireheni — Reşkerma-yi mahtab ettim. — Fehim».

ketum, *A. s.* [Ketm'den] Her şeyi saklayan. Ağzı sıkı. • «Onun veçh-i ketumunu delmek isteyerek. — Uşakligil».

ketumiyyet, *A. i.* Ketumluk. Ağzına sıkılık. • «Ketumiyet-i asumana açılmış. — Cenap».

kevabis, *A. i.* [Kebise ç.] (Şubat 29 olan) Artıkyıllar.

kevahil, *A. i.* [Kâhil ç.] 1. Arkalar, sırtlar. 2. Tembeller, gayretsizler.

kevaib, *A. i.* [Kâib ç.] Memeleri olgunlaşmış kızlar. • «Envac-i kevaib-i melekper. — Pertev Pş.».

kevakib, *A. i.* [Kevkeb ç.] Yıldızlar.

kevden, gevden, *F. i.* Ahmak. • «Ben seni bilmeyecek mertebe kevden değilim».

kevkeb, *A. i.* Yıldız. • «Her topundan kevkeb-i ikbal-i millet münceli. — Naci».

kevkebe, *A. i.* 1. Gökteki yıldız. 2. Atlı insan kalabalığı. 3. Alay, gösteriş. • «Bihudud anda olan kevkebe-i lemyezeli. — Şinasi». • «Ey şa'şaanın, kevkebenin mehdi, mezarı. — Fikret».

kevkebî, kevkebiye, *A. s.* Yıldızlarla ilgili. Yıldıza ait.

kevme, *A. i.* Fransızca'dan *agrégat* felsefe terimi karşılığı; katışmaç, küme (XX. yy.).

kevn, *A. i.* 1. Olma. 2. Var olma. Varlık. Vücut. • *Kevn ü fesat,* (olma ve bozulma) dünya; • *kevn ü mekân,* varlık kâinat. (ç. Ekvan). • «Kevnin, hülâsa, fikr-i beşerdir munazzımı. — Fikret».

kevneyn, *A. i.* İki âlem. Dünya ile ahiret. • *Seyyid-ül-kevneyn,* iki âlemin ulusu, Muhammet Peygamber. • «Sultan-i cihan muta-i kevneyn. — Ziya Pş.».

kevni, kevniye, *A. s.* Varlık âlemiyle ilgili. • «Bu kadar fünun-i dakika ve havadis-i kevniyenin tedvin ve takvimindeki. — Kemal».

kevniyyat, *A. i.* (XX. yy.) Fransızca'dan *cosmologie* karşılığı, kozmoloji.

kevr, *A. i.* Sarık sarma. • «Ama Mısır beylerinin destarına müşabih kafesî misal kevrlerinde nizam ve müsavat yok. — Naima».

kevsel, *A. i.* Geminin kıç tarafı. • «Sahil-i cisme lengerendaz-i karar olmadan şagıl olmakla gûşegir-i kevsel-i dimağ olan navti-i hıred hurdebin ile. — Nergisi».

kevser, *A. i.* Cennette bir akar suyun adıdır. • *Ab-i Kevser, şarab-i kevser,* kevser suyu, şarabı. • *Havz-i kevser,* Sırat-i Müstakimden geçenler ondan içip yıkanırlar, Cennet'e girerler. • «Dem bu demdir behey idraksiz endişeyi ko — Kevseri havzu ile sagar-i sahbaya değiş. — Nef'i» • «Toprağın cevher, suyun kevesr, baharın bihazan. — Fikret».

key, *F. s., zf.* Ne vakit, ne zaman. *Tâ bekey, ta key,* ne zamana kadar?

key, *F. i.* Padişah, hükümdar. Fars hükümdarlarından bir tabakanın şahlarının adlarına katılırdı. • *Keyhusrev, Keykâvus, Keykubat,* • «Hemen oldur niyazım senden ey Keyhusrev-i sani. — Baki».

keyan, *F. i.* [Key ç.] Keyler. Şahlar.

Keyaniyan, *F. i.* Keyler soyundan olanlar. İran'ın Achemenitler ailesi.

keyd, *A. i.* Hile. Dolap, oyun. • «Amma düzd-i biidrak nefsini keyd-i düşmandan. — Silvan».

keyf, *A. i.* 1. Sağlık, afiyet. 2. Memnunluk, hoşlanma. 3. İç açıklığı. 4. Neşe. Hafif sarhoşluk. 5. İstek, heves. • «(Bahayi Efendi) Eğer kanun üzere şugl edip keyfe müptelâ olmasa Rum'da bir gelenlerden olurdu. —Kâtip Çelebi».

keyfe, *A. e.* Her nasıl. • *Keyfe mayeşa,* her nasıl isterse; • *keyfe mettefak,* her nasıl rastlarsa, rasgele. • «Keyfemettefak küffarın kafagâhında bulunup cenk edip. — Naima». • «Ve hall ü akd-i umura keyfemayeşa' mutasarrıf olmaya başladı. — Bir devir icra-yi ahkâm-i keyfemayeşaya başladı. — Kemal». • «Keyfe müttefak bir. yeri açılır. — Uşaklıgil».

keyfer, F. i. Karşılık. Mükâfat veya mücazat. • «Her dil-âzarın yine azar-i dildir keyferi. — Nazim».

keyfî, keyfiyye, A. s. İsteğe bağlı. Bir düzen, veya kanuna bağlı değil. • İdare-i keyfiye, hükm-i keyfî, muamele-i keyfiye. • «Havanın raks-i keyfisiyle dağılıyor, serpiliyordu. — Uşaklıgil».

keyfiyyet, A. i. 1. Nitelik. 2. Bir şeyin nasıl olması. 3. (Gra.) Bazı dillerde kelimelerin müzekker veya müennes olması işi. 4. Bir olayın geçişi. 5. Madde, iş. • «Bunun keyfiyyeti tâbir olunmaz zevka dairdir. — Nef'i» • «Bilinmez kadri mahmur olmadıkça neşve-i câmın — Şebab eyyamının keyfiyetin pîr-i dütadan sor. — Fıtnat».

keyl, A. i. Tahıl ölçüsü, kile. (ç. Ekyal). • «Hazır olan yüz bin keyl zahayir ve mühimmat. — Naima».

keylî, F. i. Kileleme. Kile ile ölçme. (A. s.) Kilelenen, kile ile ölçülen.

keylûs, keymus, Bk. • Kilûs, kimus.

keynune, A. i. Var olma. Varlık.

keys, A. i. Zekâ. Kavrayış.

keysiyye, kisiyye, Bk. • Kisiyye.

keyte, A. ün. Falanca. • «Binaenaleyh çünin ü çünan ve keyte vü kân vâdilerinden. — Ragıp Pş.».

Keyvan, F. i. 1. Saturn (Zuhal) yıldızı. 2. (Mec.) Mutsuzluk ve uygunsuzluk. • «Birinin mansıbını bana inayet kıl kim — Mehce-i rayetimi ergöre Keyvana kerem. — Hayali».

keyvanî, keyvaniye, A. s. Keyvan ile ilgili. • «Nokta-i şi'r-i şumu reşk-i te'sir-i nahş-i Keyvanî. — Fehim».

keyy, A. i. (Yara) Dağlama.

keyyal F. s. Kile ile ölçen. Kileci. (ç. Keyyalân).

keyyis, keyyise, A. s. Zarif. İnce. Akıllı. Kavrayışlı. • «Dünyada keyyis-i gafil ol kimsedir ki. — Taş.».

keza, A. e. Böyle. Böylece. Bu dahi öyle.

kezalik, A. e. Keza. Bu da öyle. • «Kezalik sabikun-i evvelûn ki kıbleteyne namaz kılanlardır. — Taş.».

kezm, kâzm, A. i. Kızgınlığı yenme. Öfkeyi meydana vurmama. • «Geri kezm-i gayz edip revane oldular. — Sadettin».

kezzab, A. s. [Kizb'den] Çok yalancı. • «Kezzab olan vezarete lâyık değildir dedikte. — Naima».

kıbab, A. i. [Kubbe ç.] Kubbeler. Nüh kıbab, (dokuz kubbe) gökyüzü. • «Eyah pây-i himmeti bu nüh kıbaba baş. — Hayalî».

kıbal, kıbalet, A. i. Ebelik bilgisi ve işi.

kıbel, A. i. Yan, yön, taraf. Kıbel-i şer-i şeriften, şeriat tarafından; • mîn kıbel-ir-rahman, Tanrı tarafından. • «Şeyh-ül-İslâmlık hizmeti kıbel-i şehriyariden kenduye tefvız. — Raşit».

kıble, A. i. 1. Namazda yönelilen taraf, Mekke yönü. 2. Herkesin darlıkla baş vurduğu kapı. 3. Kuzey rüzgârı. • «Kıbledir yüzün kara kaşın imam. — Nesimi». • «Ol ham-i ebruya kılsam secde her saat n'ola — Kıble ile ham-i ebru beraberdir bana. — Fuzulî». • «Ey kıble-i ikbale çıkan yol reh-i pâbus. — Fikret».

kıblegâh, F. i. [Kıble-gâh] Kıble tarafı. • «Hal ehline kıblegâh olursun. — Recaizade».

kıblenüma, F. i. [Kıble-nüma] Kıbleyi gösteren pusula. • «Sükkân-i harem neyler imiş kıble-nümayı. — Nabi».

kıbletan, kıbleteyn, A. i. (İki kıble) Mekkeile Kudüs.

kıbt, A. i. Mısır'ın eski, yerli halkı.

kıbtî, A. s. i. 1. Kıbt soyundan olan. 2. Çingene. (ç. Kıbtiyan). • «Sütre-i külbe-i kıbti olmağa münasip. — Şefikname» • «Kefere, ve Yehud ve Kıbtiyan cizyeleri. — Raşit».

kıdah, A. i. [Kadeh ç.] Kadehler, su kapları.

kıdem, A. i. 1. Eskilik. Eski zamandan kalmış olma. 2. Başkasından daha eski olma. Zamanca ileri bulunma. Memurluğa daha önce girme. 3. Başlangıcı olmayacak kadar eskilik. • «Hadisat-i feleğe olsa nazar — Kıdem-i zatını icab eyler. — Hakanî».

kıdemî, kıdemiye, A. s. Rütbe ve memuriyette eskilik işiyle ilgili.

kıdr, kıdre, A. i. Çömlek. • «Gel yetiş kıdreleri kaldır. — Süheylî». • «Kıdrenin ka'rına çöktü zer-i sâf. — Nabi».

kıdve, kudve, A. i. 1. Uyulacak, ardından gidilecek adam. 2. Bir sınıf veya topluluğun başında olan kimse. • Kıdvet-ül-hükema, kıdvet-ül-ulema, kıdvet-ül-ümera, fermanlarda geçer sözlerdir. • «Umde-i erkân ü ümera ve kıdve-i bahadiran-i saf ayrıldılar. — Naima».

kıfar, *A. i.* [Kafr ç.] 1. Çöller. 2. Susuz yerler. • «Ve tilâl ü kıfardan özge mesken ihtiyar etmez idi. — Taş.».

kıhf, *A. i.* Beynin zarfı olan kemik, kafatası. (ç. Kuhuf).

kılâ', *A. i.* [Kale ç.] Kaleler. • «Bazı kılâa tahassun ile. — Naima».

kılâa, *A. i.* Yelken.

kılâde, *A. i.* Gerdanlık. (ç. Kalâid). • «Sözlerin bir yere koyup kılâde-i itaatten hali-ül-izar olmuşlar imiş. — Naima».

kıllet, *A. i.* (Te ile) 1. Azlık. 2. Kıtlık. • Cem-i kıllet, (Arap. Gra.) Çeşitli vezinde çoğulları olan isimlerin bu çoğullarından dokuzdan aşağıya mahsus olanları. • «Saidî zümrüdün kılleti bu sebepdendir ki. — Naima».

kilükal, *A. s.* Dedikodu. • «Deyü vâfir kîl-ü-kal edip. — Naima» • «Leb u miyandan idi bahsiniz Nedim ile hep — Dahi miyanede ey dil o kilükal midir. — Nedim».

kımat, *A. i.* (Tı ile) Örtü. Sargı. Sarılacak bez. • «Suret-i şefkatte bizi kat kat kımata piçide edip. — Nabi».

kımatr, *A. i.* (Tı ile) Eşya ve kitap saklanan kab. • «Etraf-i hanede nice kımatrlar var idi. — Taş.».

kımme, *A. i.* Uc, tepe. • Ey vücudun güher-i kımme-i tac-i icad — Resm-i kadîm-i elif-i fâtiha-i istidad. — Nabi».

kına', *A. i.* Örtü, başörtüsü. Yaşmak. • «Zulmet-i âsarım olur ruhsarepirayi adem — Eylese duşize-i afvin eğer keşf-i kına'. — Nabi».

kınneb, *A. i.* Kınnap, ince sicim.

kıraat, *A. i.* 1. Okuma, ibare sökme. 2. Düzgün ve sürekli okuma. • «Geh medd-i muttasıl ile olur kıraat-i ma. — Fuzuli».

kıraât, *A. i.* [Kıraat ç.] Okumalar. • «Mütevatır olan kıraât ekser-i ulema katında yedidir. —Taş.».

kıraathane, *F. i.* [Kıraat-hane] Gazete ve dergi bulunan gazino. • «Sokak, tiyatro, kıraathane, salon. — Cenap».

kîr, *A. i.* Zift. Katran. • Kîr-fam, çok kara, simsiyah. • «Neft ve kîr ile terbiye edip. — Sadettin». — «Şakı-i kîr-fam idi. — Naima».

kırab, *A. i.* Bıçak, kılıç kını. • «Yâd eylesin hünerlerini kanlar ağlasın — Tığın boyunca karaya batsın kırabdan. — Baki».

kıran, *A. i.* 1. Yakınlık. 2. (Ast.) İki gezegenin bir burçta bulunması. • Kıran-i nahseyn (nahs-i kıran), Mars ile Satürn'ün aynı burçta birbirine yaklaşması, kutsuzluk işareti; • kıran-i saadeyn (sa'd-i kıran) Venüs ile Jüpiter'in aynı durumda olması, kutluluk işareti; • sahib-kıran, talihi kutlu, kendi çok kuvvetli hükümdar. • «Huzur-i padişah-i nev-cah ve sahib-kıran-i âlempenaha varıp. — Naima».

kırat, *A. i.* Dört keçi boynuzu çekirdeği ağırlığında mücevher tartı birimi. • «Arz eder gayrıya mutrip neye malik ise hep — Buna mıskalla satar nazı geçirmez kırat. — Beliğ».

kırbe, *A. i.* Kırba.

kırd, kard, *A. i.* Atılmış yünü andıran bulut.

kırd, *A. i.* Maymun.

kırda, *A. i.* (Zoo.) Primatlar.

kırf, *A. i.* Kabuk.

kırk, *A. i.* Soy.

kırmız, *A. i.* (Ze ile) Kızıl boya.

kırvan, *A. i.* Batı, Doğu; her taraf. • «Tuttu dehri nur-i adlin kırvan ta kırvan. — Hakkı».

kırtas, *A. i.* Kâğıt. (ç. Karatıs).

kırtasi, kırtasiye, *A. s.* Kâğıda ait, kâğıtla ilgili. • Masarif-i kırtasiye, kâğıt ve yazı işi giderleri.

kırtasiyye, *A. i.* Kâğıtla yapılan muameleler. Kâğıt işleri.

kıs, *A. f.* «Kıyas et, buna benzet» anlamıyle birkaç deyimde kullanılır; • ve kıssi alâ haz-el baki, ve kıssi aleyhil bevaki. (Ötekileri, kalanları buna benzet, buna uydur.)

kısa', *A. i.* (Sat ve ayın ile) [Kas'a ç.] Çanaklar, çömlekler.

kısaiyye, *A. i.* (Bot.) Kabakgiller.

kısar, *A. i.* [Kasir ç.] Kısalar. • «Ve tıvalden kısara tedric ve sür'at-i tefhim vardır. — Taş.».

kısas, *A. i.* [Kıssa ç.] Kıssalar. • Sure-i kısas, Kur'an'ın 28. suresi; • kısas-i enbiya, peygamberler tarihi. • «Dil-i bidarına uyku getirir tûl-i kısas. — Beliğ». • Hint ve İran'ın kısas-ı muhayyilesini yaşıyorlar. — Cenap».

kısâs, *A. i.* Öldürenin öldürme, yaralayanın yaralama cezası. • «Dişe diş, göze göz» • «İzalesi için bir vakit gözetirlerdi. Bu esnada kısâs icra olundu. — Naima».

kısasen, A. zf. Kısas yoluyla, öldüren veya yaralayanı eşit şekilde cezalandırarak. • «Kısasen boynu vurulup. — Naima».

kısm, A. i. 1. Parçalara ayrılmış şeyin her parçası. 2. Çeşit, tür. 3. Parça. 4. Bölük. (ç. Aksam). • «Sualinin yalnız ilk kısmına cevap vererek. — Uşaklıgil».

kısmen, A. zf. Bir kısım olarak, tam olarak değil. • «Tantanasını nazar-i muahazeden gizlemek isteyerek kısmen saklıyordu. — Uşaklıgil».

kısmet, A. i. 1. Bölme. Pay etme. 2. Kader. Tanrı takdiri olan şey. • Kısmet-i askeriye, kassamlık işi; • kısmet-i âdile, adalet üzere yapılmış bölme; -cem', üç kişi arasında ortak otuz koyunu onar onar bölme; • -ferd, -tefrik, bir arsanın ikiye bölünmesi; • -kaza, kadının cebir ve hüküm ile yaptığı bölme; • -rıza, ortakların kendi razı olmalarıyle yapılan bölüşme. • haric-i kısmet (Mat.) Bölme. • «Ağlamak... hiç o saadet bana kısmet mi olur. — Fikret». • «Edirne'de kısmet-i askeriye mansıbın zapteylemişti. — Kâtip Çelebi».

kısmî, kısmiyye, A. s. [Kısım'dan] Bir kısım ile, bir bölge ile ilgili.

kıssa, A. i. 1. Anlatılan gerçek veya uydurma olay. Hikâye. 2. Baştan geçen hal, olay. • Elkıssa, sözün kısası. (ç. Kısas). • «Vâız bilir mi kıssa-i zülf-i mutavvelin — Anın hayali nakş-i hat-i muhtasardadır. — Beliğ».

kıssehan, F. i. [Kısse-han] Hikâye söyleyen kimse. (ç. Kıssehanân). • «Vaiz efendilerimiz camilerimizde kıssehanlık edeceklerine böyle dünya ve ahrete nâfi' (...) mesailden bahsetseler. — Kemal».

kısseperdaz, F. i. [Kısse-perdaz] Kıssa, masal düzen kimse. (ç. Kısseperdazan). • «Kısseperdazan-i dâstan-i kühen. — Sadettin».

kıssis, A. i. (Sin ile) Keşiş.

kıst, A. i. 1. Bölüşmede, tartı veya ölçüde doğru davranma. 2. Pay. 3. Parça parça verilen bir borç veya benzerlerinin 'her defada verilen bölümü. • Kıst-el-yevm, çalışılmayan günler için kesilen para.

kıstas, A. i. 1. Büyük terazi. 2. (Fel.) Fransızca'dan critérium karşılığı olarak kullanılmıştır.

kışr, A. i. Kabuk. Yemiş, tahıl kabuğu. • Kışr-i arz, (jeo.) yerkabuğu; • -badam, badem kabuğu; • -sin (Ana.) seman. (ç. Kuşur).

kışrî, kışriyye, A. s. 1. Kabukla ilgili, kabuksal. 2. Yüzde, derin değil. • Hayvanat-i kışriyye, (Zoo.) Kabuklular. • «Ekseri derisi kışrice basit idi. — Kâtip Çelebi».

kıt'a, A. i. 1. Parça, bölük. 2. Ülke, memleket. 3. Büyük kara parçasından her biri. 4. Cansız şeylerin parçaları için kullanılır. 5. (Ed.) En azı iki beyit olan ve ilk beyti kafiyeli bulunmayan manzume parçası. 6. (Geo.) Parça. • Kıt'a-i daire, (Geo.) Daire parçası, daire kesmesi; • -küre, (Geo.) küre kesmesi. • «Bu kadar sây, itina, zahmet — Topu bir kıt'a, ya kaside için. — Fikret».

kıta', A. i. (Tı ve ayın ile) Kesme, parça. (Geo.) • Kıta-i daire, daire kesmesi, daire parçası.

kıtal, A. i. [Katl'den] 1. Vuruşma. 2. Savaş. • «Kıtal olduğu takdirde bazı müslümanlara dahi zarar olmak. — Naima».

kıtmir, A. i. (Tı ile) Hurma çekirdeğinin zarı. Hurma çekirdeğinin üstündeki beyaz nokta. • Nakîr ü kıtmir, en ufak parça, en küçük şey.

Kıtmir, A. i. Ashab-i Kehf'in köpeğinin adı.

kıvam, A. i. 1. Durma, duruş. 2. Yaratan, yaratıcı. 3. Bir sıvının koyuluk derecesi. 4. Her halin gerekli zamanı, tav, çağ. 5. Direk.

kıvam, A. i. [Kavîm ç.] Dikler, doğrular.

kıyadet, A. i. [Kaid'den] Komutanlık.

kıyafet, A. i. 1. Kılık. Bir şeyin dış görünüşü. 2. Bir kimsenin giydiklerinin bütünü. • İlm-i kıyafet, insanın yüzünden ve dış görünüşünden ahlâk ve iç hayatına dair öte beri çıkarma bilgisi; • tebdil-i kıyafet, tanınmayacak kılığa girme. • «Nihayet herkesin gülünç bulduğu Japonyalı kıyafetinden vazgeçmiş idi. — Uşaklıgil».

kıyafetname, F. i. [Kıyafet-name] Kıyafetten hüküm çıkarma kitabı.

kıyam, A. i. 1. Kalkma, ayakta durma. 2. Ayağa kalkma. 3. Namazın ayakta olan kısmı. 4. Namaz. 5. Bir işe kalkışma. 6. Karşı koyma, ayaklanma. 7. Ölümden sonra olacak olan dirilme günü, kıyamet.

kıyamaver, *F. s.* [Kıyam-âver] Ayaklanır, ayağa kalkar. • «Gitti nakd-i dil ü din Nailîyâ bir büte kim. — Sanem-i ebrusuna Cebril kıyamâver olur. — Nailî».

kıyamet, *A. i.* 1. Dünyanın sonunda bütün ölülerin tekrar dirilip toplanacakları zaman. 2. Büyük sıkıntı, belâ. 3. Gürültü patırtı. • «Sanki dünya batacak, sanki kıyamet... heyhat. — Fikret».

kıyas, *A. i.* 1. Bir şeyi başka bir şeye benzeterek veya ona göre tutarak hüküm verme. 2. Benzetme. 3. (Ed.) Genel kurala uyma. 4. (Man.) Tasım. 5. (Fıkıh) Hakkında açıkça ayet veya hadis olmayan maddelere ayet ve hadis olan benzerlerine göre hükmetme. • *Kıyas-i fâsid* (Man.) paralojizm, • *-matvî,* entimem; • *-mevsul-ün-netayic,* (Man.) öntasım; • *-mukassim,* (Man.) İkilem; • *-mülhak,*. astasım. • «Vücudo öyle rohavet gelir ki yerde bile — Yürür kıyas olunur bir kanad temasıyle. — Fikret».

kıyasat, *A. i.* [Kıyas ç.] Kıyaslar, tasımlar. • «Kıyasatı kelâm-i kibara istinat eden mantık benim mantığım değildir. — Cenap».

kıyasen, *A. zf.* Kıyas yoluyla, benzeterek, kurala uydurarak.

kıyasî, kıyasiyye, *A. s.* 1. Uygulama veya benzetme ile olan. 2. Genel kurala uygun olan.

kıyem, *A. i.* [Kıyamet ç.] Kıymetler.

kıymet, *A. i.* 1. Değer. 2. Baha, bedel, tutar. 3. Onur, itibar. • *Kıymet-i hakikiye,* gerçek değer; • *-itibariyle,* devletçe kabul olunan fiat; • *-mevzua,* satıcısı tarafından konan fiat; • *-mutlaka,* (Mat.) Mutlak değer; • *-takribiye,* (Mat.) yaklaşık değer; • *-vasatiye,* (Fiz.) Ortalama değer; • *-zatiye,* kişinin öz değeri; • *zikıymet,* değeri çok, pahalı. (ç. Kıyem). • «Kumaşın kıymetini derhal tezyit edecek kavi bir tavsiye idi. — Uşaklıgil» • «Kıymet, bir malın baha-yi hakikîsidir. — Mec. 54».

kıymetdar, *F. s.* [Kıymet-dar] Değerli, pahalı. • «Onlar sokağa çıktıkça kıymetdar bir mücevheri, ağır bir kumaşı. — Uşaklıgil».

kıymetnaşinas, *F. s.* [Kıymet-na-şinas] Değer takdir edemeyen.

kıymetşinas, *F. s.* [Kıymet-şinas] Kıymet bilen, kıymet tanıyan. (ç. Kıymetşinasan).

kıytısiyye, *A. i.* (Zoo.) Balinagiller.

kıyye, *A. i.* (Sözlükler bunun Arapçalığını kabul etmezler, öyle olduğu halde; • *kıyye-i atîk,* • *kıyye-i cedid...* gibi kullanıp durulmuştur) Okka. 400 dirhem. (1283 gr.) • *Kıyye-i âşarî,* kilo.

kızılbaşan, *F. i.* Türkçe «Kızılbaş» sözünün çoğulu. Kızılbaşlar. Bu söz daha çok İran Safevî hanedanı zamanındaki İranlıları anlatmada kullanılırdı. • «Katl-i amm-i kızılbaşan kasdiyle. — Naima».

kibar, *A. s. i.* [Kebîr ç.] 1. Büyükler, ulular. 2. Büyük, ulu. 3. İnce, terbiyeli. 4. Kibirli, ululuk satar. • «Tamamen âlem-i kibara iddia-yi mensubiyet edecek kadar. — Uşaklıgil».

kibarane, *F. s.* Büyük adamlara, nazik kimselere yakışır yolda. • «Kendisine parlak ve asîl hayat-i kibaraneyi açacak bir izdivaç. — Uşaklıgil».

kibarzade, *F. s.* [Kibar-zade] Kibar çocuğu. Soylu evlâdı. • «Mektebe devam eden bir kibarzadenin. — Uşaklıgil».

kibaş, *A. i.* [Kebş ç.] Koçlar.

kiber, *A. i.* 1. Yaşlı olma. 2. Büyük olma. 3. Büyüklük, yaşlılık. • «Şebapta hali böyle olıcak vakt-i şeyhuhet ve hengâme-i kiberde hali nice olur. — Taş.».

kibr, *A. i.* 1. Büyüklük, büyük olma. 2. Büyüklük taslama. Yüksekten bakma.

kibrit, *A. i.* 1. Kükürt. 2. Kırmızı yahut, al ten. 3. Ucu kükürtlenmiş yakacak madde. • *Kibrit-i ahmer,* eski kimyada altın veya pek az bulunan bir madde.

kibritî, kibritiyye, *A. s.* Kükürt soyundan, kükürtle ilgili.

kibritiyyet, *A. i.* Kükürt niteliği.

kibriya, *A. i.* 1. Büyüklük, ululuk. 2. Tanrı. • «Nazar mustağrakındır, ey muhit-i kibriya-vüs'at. — Fikret». • «Fer almışken tulû-i kibriyadan. — Beyatlı».

kifaf, kefaf, Bk. • *Kefaf.*

kifah, *A. i.* Savaş. • «Liva-yi aşub tahrik-i cenah-i kifaha derkâr olıcak. — Naima».

kifat, *A. i.* [Küfv ç.] Küfüvler, eşitler. • «Akdem-i kifat ve a'zam-i kuzat olup. — Sadettin».

kifayet, A. i. 1. Yeter, yetişme. 2. Bir işe yetecek kadar olup, başkasına lüzum olmama. 3. İktidar, yararlık. • ‹Yalnız Peyker'e söylemek kifayet etmeyecekti. — Uşakligil›.

kifl, A. i. 1. Pay. 2. Benzer.

kih, F. s. Küçük. (ç. Kihan).

kihal, A. i. (He ile) [Kehl ç.] Kemalini bulmuş kimseler.

kihalet, A. i. 1. Göz için sürme yapma veya sürme sanatı. Sürmecilik. 2. Göz hekimliği. Göz hastalıkları bilimi.

kihan, F. i. [Kih ç.] Küçükler. • Kihan ü mihan, Küçükler ve büyükler. • ‹Seni âli tanır kihan ü mihan. — Naci›.

kihanet, A. i. Kayıptan haber verme. Falcılık.

kihin, F. s. (He ile) Küçük.

kihter, F. s. Çok, en küçük olan (ç. Kihteran). • ‹Vezir Hüsrev Paşa'nın birader-i kihteridir. — Peçoylu›.

kihterî, F. i. (Yaşça) Küçüklük.

kihterin, F. s. (Yaşça) en küçük olan.

kilâb, A. i. [Kelb ç.] Köpekler. • ‹Kilâb-i zulme kaldı gezdiğin nazende sahralar. — Kemal›.

kilar, F. i. Kiler. • ‹Yatak takımlarına, ince kilere, bir evde bütün saklanarak tutulan şeylere. — Uşakligil›.

kile, A. i. Kile ölçü.

kilem, A. i. [Kelime ç.] Kelimeler.

kilim, F. s. Tüysüz, halı, kilim.

kilimpâre, F. i. Kilim parçası. Küçük kilim. • ‹Bast-i kilimpare-i karar olunmuştu. — Nergisi›.

kilindir, Bk. • Kelender.

kilk, F. i. Kalem. • ‹Alınca destine Nef'i-i sâhir kilk-i i'cazı. — Nef'i›.

kils, A. i. Kireçtaşı.

kilsî, A. s. Kireçtaşı yapısında olan.

kilte, A. i. Demet. Deste.

kilûs, keylûs, A. i. Sindirim halinde iç salgısı.

kilye, A. i. Böbrek.

kilyeteyn, A. i. İki böbrek.

kilyevî, kilyevîye, A. s. (Hek.) Böbrekle ilgili.

kimam, A. i. [Kimm, küm ç.] 1. Tomurcuklar. 2. Hayvan ağızlıkları.

kimm, küm, A. i. (Bot.) Çiçek kâsesi, çiçek kapçığı.

kimus, keymus, A. i. Mideye giren besinlerin iç salgılarla karışmaması durumu.

kimya, A. i. Kimya. • Kimyayi bâtıl, eskiden simyagerlerin konuları olan şey-

ler. • ‹Amel-i kimya sahih olduğu surette bile. — Naima›. • ‹Basaiti saymaz ilm-i köhne-i kimya. — Cenap›.

kimyager, F. i. [Kimya-ger] Kimyacı. • ‹Korkarım hem aftab-i kimyager duymasın — Yoksa bin şevk ile olur ol dahi bir müşteri. — Nef'i›.

kimyasaz, F. s. [Kimya-saz] Kimya ile uğraşan. • ‹Kimyasızlığa etme segaf — Eyleme malını beyhude telef. — Nabi›.

kimyevî, kimyeviye, A. s. Kimya ile ilgili. Kimyasal. • ‹Kara' ü enabik ve alât-i kimyavî var idi. — Naima›.

kin, F. i. Gizli düşmanlık, garaz. • ‹Bu söz ağzından bir hükm ü gayz ü kin kuvvetiyle düştükten sonra. — Uşakligil›.

kinaye, A. i. 1. Doğrudan doğruya anlatmayıp dolayısıyle bir anlamı olan söz. 2. Doğrudan olmayarak söylenen dokunaklı söz. 3. (Gra.) (Zamir, işaret sıfatları... gibi) herkes ve her şey hakkında kullanılabilen sözcük.

kindar, F. s. [Kin-dar] Kin tutan. Öc almaya düşkün. (ç. Kindâran).

kine, F. i. Kin. İçte beslenen düşmanlık. • ‹Emirgûnoğlu mestlik muktezasınca Murat Paşaya olan kine-i nihanisini izhar edip. — Naima›.

kinecu, F. s. [Kine-cû] Öc almaya çalışan. (ç. Kinecuyan). • ‹Mihr ü mehle bu pelengî bu sipher-i kinecu — Bir gazanferdir gıda eyler iki ser ruz ü şeb. — Fehim›.

kinedar, F. s. [Kine-dar] Kin tutan. Kinci. (ç. Kinedaran). • ‹Cümle yeniçeri sana kinedar olup bir vakt ile senden intikam alırlar. — Naima›.

kinegâh, F. i. [Kine-gâh] Savaş yeri.

kinehâh, F. s. [Kine-kâh] Öc almak isteyen. (ç. Kinekâhân). • ‹Mübarezat-i kinehâh ile talia-i sipah olup. — Sadettin›.

kinemeşhun, F. s. [Kine-meşhun] Kin ile dolu. • ‹Bir rakîbîn dehan-i pürhunu — Leb-i pür zehr ü kinemeşhunu. — Cenap›.

kinever, A. s. [Kine-ver] Kin besleyen. Kinci. • ‹Ne sendendir ne bendendir ne çerh-i kineverdendir — Bu derd-i ser humar-i neşve-i câm-i kaderdendir. — Nabi›.

kir, F. i. Erkeklik organı. • ‹Gerçi vardır bulunur câm ü sebû kaydında — Ekseri-i nâs veli kir ü gelû kaydında. — Nabi›.

kira, *A. i.* 1. Bir eşya veya yerin geçici bir zaman kullanmak üzere para ile birine verilmesi. 2. Böyle bir şey karşılığı olarak alınan para.

kiram, *A. s.* [Kerim ç.] 1. Soyzadeler. 2. Ulu şereflik. ● ‹Ashab-i kiramı kiramî bilen pâk-i itikat ikfarında tereddüt etmezdi. — Sadettin›.

kirar, *A. i.* Tekrar.

kiraren, *A. zf.* Tekrar tekrar, çok sefer.

kirbas, *A. i.* Bez. ● ‹Bari bir erzen baha kirbas 'olaydı. — Sadettin›.

kirdar, girdar, *F. s.* 1. İş. 2. Tutuş, gidiş.

kirdgâr, *F. i.* Tanrı. ● ‹Çok nezrler etti her mezara — Çok kıldı niyaz Kirdgâra. — Fuzulî›.

kirm, *F. i.* Böcek. ● *Kirm-i ebrişim,* ipek böceği; ● *-şebefruz,* ateşböceği. ● ‹Her kirm k'ola berk-hur-i şahsar-i aşk — Ebrişimi figana gelir târ-i çenk olur. — Nabi›.

kirş, *A. i.* İşkembe.

kis, *A. i.* 1. Cepte taşınır küçük kese. 2. Vücutta bazı sıvılar toplanan kese biçiminde oyuk.

kisâ, *A. i.* 1. Yün elbise. 2. Seccade, halı.

kisb, kesb, *A. i.* 1. Kazanma. 2. Edinme. 3. Kazanma için kullanılan alet veya iş. ● ‹Kisb-i yeddir denilen başa gelen insanın — Sefha-i kefte hat-i cebhesi mersum gibi. — Nedim›,

kisbî, kisbiye, *A. s.* Kazanılmış. Sonradan edinilmiş. ● ‹Dâd-i Hudadır demişler kisbî değildir aşk. — Kanuni›.

kise, *F. i.* 1. Küçük torba. 2. Cepte taşınan para torbası. 4. Bazı eşyanın küçük torbası. 4. Uğuşturma işinde kullanılan torba biçiminde bez. 5. Paraca olan güc. 6. 500 kuruş. ● *Kise-i dem'*iye, (Bio.) göz yaşı kesesi; ● *-havaiye.* (Bio.) hava kesesi; ● *-safraviye,* safra kesesi; *-sebhiye,* yüzme kesesi. (ç. Kiseha). ● ‹Ey güzel maden... Ooh, ey lebriz — Kise-i şulereng-i fecr-âmiz. — Fikret›.

kisedar, *F. i.* [Kise-dar] Parayı toplayan, para hesabını tutan kimse. (ç. Kisedaran).

kisiyye, *A. i.* (Zoo.) Keseliler.

kisra, *A. i.* Eski İran hükümdarları lâkabı. (ç. Ekâsire). ● ‹İskender vakta kim kisra-yi Furs ile. — Taş.›.

kisve, kisvet, *A. i.* 1. Elbise. 2. Özel kıyafet. 3. Kisbet. ● ‹Sadık görünür kisvede erbab-i hıyanet. — Ziya Pş.›. ‹Kezalik nefsi için bir kisvet alsa. — Taş.›.

kiş, *F. i.* Din. ● *Bebkîş,* dinsiz.

kişmiş, *F. i.* Çekirdeksiz pek küçük taneli üzüm.

kişniş, *F. i.* Güzel kokulu bir tohum olan kara kimyon.

kişt, *F. i.* Ekin ekilmiş tarla. ● ‹Zemin-i dilde kim vakt-i hasad kişt-i mihnettir — Cerahat tude tude dağ hirmen hirmen olmuştur. — Nailî›.

kiştzar, *F. i.* [Kişt-zar] Ekinlik. Tarla. ● ‹Tükendi taneleri kiştzar-i mihnette. — Hayalî›.

kişver, *F. i.* Ülke. ● ‹Olsa Sami kişver-i hüsnü fitneyle pür — Vasf-i mürgân ile ceyş-i hat-i nev peydası bir. — Sami› ● ‹Toplanıp seyr için bütün kişver. — Fikret›.

kişvegir, *F. s.* [Kişve-gir] Ülke tutan. (ç. Kişvergiran). ● ‹Devlet-i padişahide hüsn-i tedbir ile mîr-i müşarünileyhin şöyle bir kişvergirliği vücuda gelir. — Peçoylu›.

kişverküşa, *F. s.* [Kişver-küşa] Ülke açan. Fâtih. Cihangir. ● ‹Daha sonra muzafferler, kişverküşalar, bu müzeherenin İskender ve Dâra'ları. — Uşaklıgil›.

kitab, *A. i.* 1. Kitab. ● *Kitabullah,* Kur'an. ● *Ümm-ül-kitap,* Kur'an'ın buyruklarla ilgili ayetleri; ● *ehl-i kitab,* Hıristiyanlarla Yahudiler. 2. Yazılı emir, mektup. ● ‹Hatm eyleyelim, gel, şu gam-alûde kitabı. — Fikret›. ● ‹Gaibden kitap, hazırdan hitap hitap gibidir›.

kitaben, *A. zf.* Yazı olarak. ● ‹Tarafımızdan kitaben ve hitaben bir hareket sudur etti ise. — Naima›.

kitabe, *A. i.* 1. Kazılı yazı. 2. Mezar taşı yazısı. ● ‹Ölen kanaryeme yaptığım hucre-i matem — Kitabesiydi şu hatlar o lâhd-i masumun. — Fikret›.

kitabhane, *F. i.* [Kitab-hane] Kitaplık. Kitabevi. Kitapsaray. ● ‹Saray-i humayunda binasına şuru' olunan kitabhane tamam olmakla. — Raşit›.

kitabî, *A. s.* 1. Kitapla ilgili, kitapta yazılı. 2. Kutsal kitaplardan birine inanan. 3. (i.) Kitaplara bakmaya memur kimse. 4. Hint ve Şam'ın eski bir çeşit nakışlı kumaşı.

kitabiyat, *A. i.* Kitab bilgisi. Fr. *Bibliographie* karşılığı (XIX. yy. sonları).

kitî, *F. i.* Bk. ● *Giti.* ● *Câm-i kitinüma,* Cemşid'in bütün dünyayı gösteren kadehi.

kitle, kütle, Bk. • *Külte.*

kitman, *A. i.* Sır saklama. Kimseye sır açmama hali. Sır tutarlık. • «O kesenin istihza-i şa'şaası hep taliin dest-i kitmanında inhisaf ediyordu. — Uşaklıgil».

kiyah, giyah, *F. i.* Ot.

kiyahbeste, *F. s.* [Kiyah-beste] Ot bağlamış. Ot bitmiş. • «Benziyor hâbgâh-i emvata — Hali sakf-i kiyahbestesinin. — Fikret».

kiyan, *F. i.* 1. Yıldız. 2. Merkez.

kiyaniyyat, *A. i.* Fransızca'dan *cosmogonie* karşılığı, kozmogoni (XX. yy.).

kiyaset, *A. i.* Uyanıklık. Zekâ. • «Mezbur Aslan Paşa akl ü kiyaset ve şecaat ü şehamet ile bi-akran idi. — Naima».

kizb, *A. i.* Yalan. • «Hiç bir dem ben dürug ü kizbi etmem irtikâp. — Cenap».

köhne, *F. i.* 1. Eski, eskimiş. 2. Zamanı geçmiş • .*Köhne bahar*, sonbahar. • «Bir köhne hikâyedir ki deríler — Cafer kerem ehlidir filândır. — Nedim» • «Ey köhne Bizans, ey koca fertut-i musahhar. — Fikret». • «Peyrev-i rüzgâr-i köhne bahar — Solarak bir zaman havalarda. — Cenap».

-kûb, *F. s.* «Vuran, vurucu, döven» an lamlarıyle kelimeler ulanır.

Kubad, *F. ö. i.* İlk Fars hükümdarlarından. • «Ol kahraman-i kavi-baht-i âlemârâ kim — Mekin-i hikâyesidir dastan-i Zal ü Kubad. — Nabi».

-kûban, *F. s.* «Vurarak döverek» anlamıyle kelimelere ulanır.

kubbe, *A. i.* Kubbe. • *Kubbe altı*, İstanbul Topkapı sarayında üstü kubbeli bir daire olup, bir nevi kabine toplantısı denilebilecek şekilde vezirler bu dairede divan günleri alaylarla toplanırdı. Burada bulunma hakkı olan vezirlere • *kubbe veziri* denirdi. • *Kubbe-i firuzefâm*, • *-mîna*, gökyüzü; • *-zerbeft*, yıldızlı gökyüzü; • *kubbet-ül-arz*, yeryuvarlağının insan oturan kısmının merkezi; • *kubbet-ül-hanek* (Ana.) Damak kemeri; • *kubbet-ül-İslâm*, Belh şehrinin başka bir adı. (ç. Kıbab, kubeb). • «Ey kubbeler, ey şanlı mebani-i münacat. — Fikret». • «Baki kalan bu kubbede bir hoş sada imiş. — Baki».

kubbenişin, *F. s.* [Kubbe-nişin] İstanbul Topkapı sarayında Kubbe altı denen yerde toplanan kabine üyeleri aenebi-

lecek toplantıya katılan vezirlerden her biri. (ç. Kubbenişinan). • «Ana dahi vezaret verilip kubbenişin oldu. — Naima».

kubeb, *A. i.* [Kubbe ç.] 1. Kubbeler. 2. Kemerler.

kubh, *A. i.* 1. Çirkinlik. 2. Çirkin iş. • «Ol cahil uşak dahi bunun kubhun bilmeyip. — Naima».

kubhiyyat, *A. i.* Çirkin olan işler ve davranmalar.

kuble, *A. i.* Öpme.

kubuh, *A. i.* Çirkin olma.

kubûr, *A. i.* [Kabr ç.] Mezarlar. • *Ehl-i kubûr*, ölüler; • *ziyaret-i kubûr*, ölü mezarı ziyareti. • «Ecel oku ile bizi etmek için ehl-i kubûr. — Hayali».

kûce, *F. i.* Küçük sokak.

kudat, kuzat, Bk. • *Kuzat.*

kuddam, *A. s.* Ön. İleri taraf. • «Mutad üzere kuddam-i askerde kıyam ettiler. — Sadettin».

kuddamî, kuddamiye, *A. s.* (Ana.) Ön ile ilgili. Önde olan.

kuddise, *A. ün.* «Mukaddes, olsun» anlamında ermişler hakkında kullanılır dua.

Kuddus, *A. i.* Hiç bir eksiği olmayan. Tanrı.

kûdek, gûdek, *F. i.* Çocuk. (ç. Kûdegân)

kudema, *A. i.* [Kadîm ç.] 1. Eski adamlar, eski zaman adamları. 2. Eskiler, eskiliği bakımından ileri gelenler. • «Bir taze reviştir bu ki tâbir-i latifi — Revank şiken-i hüsn-i beyan-i kudemadır. — Nef'i».

kudeyh, *A. i.* Kadehçik .

kudret, *A. i.* 1. Güç. 2. Tanrının bütün varlığı kaplamış olan ezeli gücü. 3. Varlık, zenginlik. 4. Tanrı yapısı, insan eli karışmadan meydana gelen şeylerin kaynağı. 5. Ehliyet, becerebilme. • *Yed-i kudret*, 1. İnsanın gücü. 2. Yaradanın eli; • *zikudret*, zengin. • «Setr-i hicrana bulmuyor kudret. — Fikret».

kudretyab, *F. s.* [Kudret-yab] Gücü yetebilen, yapabilen.

kuds, kudüs, *A. i.* 1. Temizlik, arılık. 2. Kutsallık, mübareklik. • *Haziret-ül-kuds*, cennet bahçesi; • *ruh-ül-kuds*. 1. Cebrail. 2. Peygamber İsa'ya üfürülen ruh. • «Bir Süleyman'ım ki rabbat-ül-hical-i bağ-i kuds — Hâmilâtarş-i Belkıs-i hayalimdir benim. — Avni».

kudsî, kudsiyye, A. s. [Kuds'ten] Kutsal. Tanrı, melek ve lâhut âlemine mensup, o âlemle ilgili. • Âlem-i kudsî, bu dünya ve canlılardan gayri olan âlem; • hadis-i kudsî, Tanrı tarafından ilham olunup Muhammet peygamber tarafından, söylenmiş hadis; • kuvve-i kudsiyye, kutsal güç. • «Ederim kuvve-i kudsiyye-i efkârımla — Cünd-i ervah-i rical-i suhani istihdam. — Nef'i».

kudsiyan, F. i. [Kudsî ç.] Melekler. • «Esen riyah ona enfas-i kudsiyan gibidir: — Fikret».

kudsiyyat, A. i. [Kudsî ç.] Tanrıya, meleklere, lâhut âlemine mensup, o âlemle ilgili işler.

kudsiyyet, A. i. 1. Temizlik, arılık. 2. Kutsallık. • «Kutsiyyetini gösteren bu şeyler — Ulviyyetine delâlet eyler. — Recaizade».

kuduh, A. i. [Kadeh ç.] Kadehler, su kaplar.

kudum, A. i. 1. Uzak bir yerden, uzun bir yoldan gelme. 2. Ayak basma. • «Şah-i dinperver ki teşrif-i kudumiyle zemin — Arşa naz eylerse istiğnası istiğna mıdır. — Nef'i».

kudumiyye, A. i. Bir büyüğün yoldan gelmesiyle sunulan armağan. Böyle bir durum için yazılan kaside.

kudur, A. i. [Kıdır ç.] Çömlekler, tencereler.

Kudüs, A. i. Filistin merkezi olan şehir. «Beyt-i mukaddes» bulunduğu için kutsal yerlerden sayılır. • Kudüs-i şerif.

kûf, F. i. Baykuş. • «Olsa ne kadar şikeste pervaz — Uymaz yine kûf ü kaza şehbaz. — Ş. Galip».

kufl, A. i. Kilit. (ç. Kuful). • «Kufl-i der-i fazla ver kişayiş. — Nergisi».

kûfte, F. s. Ezilmiş, dövülmüş. Köfte. • «Neden olduk bu kadar kûfte-i pâyi melâl — Dilimiz ferş-i reh-i bâhiş-i câh eylemedik. — Nabi».

kuful, A. i. [Kufl ç.] Kilitler.

kufûl, A. i. 1. Yolculuktan geri dönme. Gidip gelme.

kûh, F. s. Dağ. • Kûh-i Kaf, Kafdağı; • kûh ü deşt, dağ ve ova. • «Damen-i kûha doğru gittikçe — Bir güzergah göründü nuranî. — Naci».

kûhan, F. i. 1. Kambur. 2. Eyer. • Kûhan-i sevr, Süreyya, Ülker yıldızı.

kûhbeden, F. s. [Kûh-beden] Dağ gövdeli. Çok iri. • «Nagehan oldu karşıdan peyda — Bir sürü çarpâ-yi kûhbeden. — Fikret».

kûhe, F. i. (He ile) Eyer. • «Filhal zîn-i kûheden perran olup. — Sadettin».

kûhî, F. s. Dağa ait, dağ ile ilgili. Dağ gibi. (ç. Kûhîyan). • «Tenaver ve dilâver ve sebü' tabiat kûhî hilkat heriflerdir. — Naima».

kûhistan, F. i. Dağlık yer. Dağlık bölge. • «Diyar-i Rum'da bir karye vardır — Anın etrafı kûhistana benzer. — Hayali».

kûhken, F. s. [Kûh-ken] Dağ kazıcı, dağ deviren. • Ferhad-i kûhken, dağ kazan Ferhat. • «Gönül tekmil-i fenn-i aşk eden üstad-i kâmildir — Anın yanında kimdir kûhken Mecnun ne cahildir. — Baki».

kûhkûb, F. s. [Kûh-kûb] 1. Dağ vurucu: dağı yerinden oynatan. 2. Kuvvetli at veya katır. 3. Kale döven top. 4. Şirin'in sevgilisi Ferhat. • Âmade ve kûhkûb ve güruh-i rub toplar dehanı fem-i ejder gibi küşade olmuş idi. — Sadettin».

kûhl, A. i. 1. Sürme. 2. Göz ilâcı. • «Hâkpâyı kûhlünü şahın sabadan isteyip. — Hayali» «Kûhl-ül-basarız saye dide-i mihre — Hâki kadem-i ehl-i melâmette ki pestiz. — Sami».

kuhme, A. i. Düşünmeden bir işe girişme.

kûhnümun, F. s. [Kûh-nümun] Dağ gibi görünüşlü. Heybetli.

kûhsar, kühsar, F. i. Dağlık yer. Dağ tepesi. • «Çok kûh ü vâdiden ve sahari vü bevadiden güzer edip ol kûhsar-i gerdunmedare erdi. — Lâmii».

kûhvar, F. s. [Kûh-var] Dağ gibi. Çok büyük.

kûhten, F. s. [Kûh-ten] Dağ gibi iri. (ç. Kühtenan). • «Arap minare misal bir div-i kûhten olmâkla. — Naima».

kuhum, A. i. Düşünmeden bir işe bulaşma.

kuhut, A. i. Kıtlıktan sıkıntı çekme.

kulel, A. i. [Kulle ç.] Kuleler. • Kulel-i seb'a (İstanbul'da) Yedikule). • «Lâkin kulel-i cibal zirvesinde vâki bazı kıla-i metîne ki. — Naima».

kulkul, A. s. 1. Şen, çevik. 2. Bir şeyin deprenmesiyle çıkan ses. «Dinle sahba kulkulün sagar taninin gör Nedim. — Nedim».

kullâb, *A. i.* Çengel. Ucu eğri nesne «Turra-i sevda-penahın dillerin kullâbıdır — Çeşm-i ruhani-nigâhın canların cezzabıdır. — Naci».

kulle, *A. i.* 1. Dağ tepesi. 2. Kule. • «Gaara girdi kulle-i çarhın pelengi doğdu çün — Bîşe-i eflâkten manend-i şîr-i ner güneş. — Hayalî».

kulûb, *A. i.* [Kalb ç.] Kalpler. • Sarsıyor hep kulûb-i huzzarı. — Fikret».

Kulzüm, *A. i.* Kızıl denizde eski Clysma şehri. • *Bahr-i Kulzüm.* 1. Süveyş körfezi. 2. Kızıldeniz. • *Kulzüm-i maani* anlamlar denizi. • Çekildi seyl ile derya-yi kulzüme has ü hâr — Beni hakikate isal eder bu aşk-i mecaz. — Beliğ».

Kumame, *A. i.* Kudüs'te İsa Peygamber mezarı bulunan tapınak.

kumar, kımar, *A. i.* Para karşılığı oynanan oyun.

kumarbaz, *F. s.* [Kumar-baz] Kumar oynayan. Kumarcı. (ç. Kumarbazan).

kumarbazî, *F. i.* Kumarcılık. Kumarbazlık. Kumar düşkünlüğü. • «Nakdine-i evkat-i nazenini kumarbazi-i malâyaniye israftan hazer lâzım gelip. — Nergisi».

kumarhane, *F. i.* [Kumar-hane] Kumar oynanılan yer.

kumarî, *A. i.* Hindistan'ın güneyinde Kumar (Comorin) burnunda çıkarılan en güzel öd. • «Ve yük yük ud-i kumari. — Peçoylu».

kumaş, *A. i.* Kumaş. (ç. Akmişe). • «Gözlerinin önünde küme küme yığılmış kumaşları. — Uşaklıgil».

kumkıma, *A. i.* Bir çeşit su şişesi.

kumrî, *A. i.* Kumru. • «Değil çeşm-i kebud ol ebruvanın zîr-i takında — İki âvare kumridir ki gelmiş aşyan tutmuş. — Nedim».

kunda', *A. i.* (*Ayın* ile) Pezevenk, deyyus,

kunduz, *A. i.* Postundan kürk yapılan kunduz.

kunfüz, *A. i.* (*Zel* ile) Kirpi.

kunneb, kınneb, *A. i.* Kenevir, kendir.

kunut, *A. i.* (*Te* ile) 1. İbadet. 2. Yatsı namazından sonra kılınan üç rekât namaz; bu namazda okunan dua. • «Ehl-i kunut değil isem de kerem-i Mevlâ-yi kerime kunutum yoktur. — Sadettin».

kunut, *A. i.* (*Tı* ile) Ümit kesme. Ümitsizlik. • «Lûtf-i Haktan ye's kunut ile hasar-i azîme şüru edip. — Naima».

kûpal, *F. i.* Demir topuz. Gürz. • «Ne tafahhus ne hitab ü ne sual — Gelir amedşüde müşt-i kûpal. — Nabi».

kûr, *F. s.* Kör. • «Bend-i hikmet eylemez mecnuna kâr ey akl eri — Nef'i olmaz kûr-i mader-zada kûhl cevheri. — Lâmii».

kur'a, *A. i.* 1. Ad çekme. 2. Tanzimat'tan sonraki askerlik alma işinde kullanılan usul (aynı yıl doğumlular arasında ad çekilir, adına k yazılı kâğıt çekilen asker olur, beyaz çıkan ertelenirdi). • *Kuracı,* kur'a çekme işine memur subay ile yanında bulunanlar; • *kur'a-i şer'iyye,* askere alım işi. • «Bundan ziyade âşık-i ferhundefal olur mu — Ruz-i ezelde kur'a nakş-i nigâra düşmüş. — Baki».

kura, *A. i.* [Karye ç.] Köyler. • *Kura-yi mütecavire* komşu köyler. • «Karaman hududundan geçerken kura ve kasabatı yağma ve talan ederek Ankara'ya erişti. — Naima».

kûrab, *F. i.* Serap. Ilgın.

kûrabe, *F. i.* Kubbeli türbe, mezar.

kur'an, *A. i.* Muhammet Peygambere inen kutsal kitap. • *Hafız-i Kur'an* Kur'anı ezberlemiş kimse, hâfız.

kur'anî, kur'aniyye, *A. s.* Kur'ana mensup. Kur'an'la ilgili. • *Âyât-i Kuraniyye,* Kur'an âyetleri; • *tâbir-i Kurani,* Kur'anda geçmiş söz.

kuraze, *A. i.* (*Dad* ile) 1. Altın, gümüş kırıntısı. 2. Kumaş kırpıntısı.

kurb, *A. i.* Yakınlık. Yakın bulunma. • *Kurb-i Huda,* Tanrıya manevî yakınlık. • «Şayet söyleyevüz diye bizi kurb-i mülûkâneye takrip etmezsin. — Naima».

kurban, *A. i.* Tanrıya yaklaşma sayılarak onun uğrunda kesilen eti yenir hayvan. 2. Bir uğura feda olma. (ç. Karabîn). • «Ben size kurban olurum. — Beni reddetmeyiniz, saklayınız. — Fikret».

kurbet, *A. i.* 1. Hısımlık. 2. Tanrıya yakınlık.

kurbiyyet, *A. i.* Yakınlık.

kûrdil, *F. s.* [Kûr-dil] Gönlü kör. Duyusu eksik. (ç. Kûrdilân). • «Lâkin ol kûrdillerin nurdidesine kasd-i namutedillerin. — Sadettin». • «Reyhap olamaz kûrdilân rah-i Hudaya. — Nabi».

kûre, *F. i.* Demirci ocağı. • «Manzar-i padişah-i benam ve şeyhülislâm ve vüzera-i izam ve ulema-i a'lâmda kûre

ve menfah getirip ameline mübaşeret
ettiler. — Naima›.

kurena, A. i. [Karîn ç.] Yakınlar. Padişahların yakınlarında bulunan mabeyinci de denen kimseler.

kureşi, kureyşi, A. s. i. Kureyşli. • ‹Zira kureşinin her ferdi sairden afdal değildir. — Taş.›.

kurevî, kureviye, A. s. Köylü. • ‹Şerri bedevî ve kureviye hadden bîrun olmuş idi. — Naima›.

Kureyş, A. i. Muhammet Peygamberin mensup olduğu Arap kabîlesi. Kâbe'nin hizmet ve korunması bunlara aitti. • Sanadid-i Kureyş, Muhammet Peygamberin peygamberliğini kabul etmeyip, ona karşı duran Kureyş kabîlesinin ileri gelenleri; • Sure-i Kureyş, Kur'an'ın 10. suresi.

Kureyşî, A. s. i. Kureyş kabîlesinden olan Arap. • Aftab-i Kureyşî, (Kureyş güneşi) Muhammet peygamber. • ‹Hak bilir haksın itikadımca — Ey Kureyşî resul-i Rabb-i alîm. — Naci›.

kurha, karha, A. i. Bk. • Karha.

kûri, F. i. Körlük.

kurna, A. i. Kurna.

kurra, A. i. [Kari' ç.] Kur'an'ın usulüne uygun olarak okuyanlar. • ‹Bu harb ve kıtal mümted ve kurra-i Kur'an'da katl muşted oldu. — Taş.›.

kurre, A. i. Tazelik, parlaklık. • Kurret-ül-ayn, göz nuru. • ‹Kurret-ül-ayn-i Halil idi o hub. — Hakani›.

kurs, A. i. 1. Teker, tekerlek nesne. 2. Misk ve amberden tütsü için yapılma ufak tefek tane. • Kurs-i varak (Bot.) Yaprak. • ‹Felek gûya döşenmiş sofra idi ol konuklukta — Kim anın olmuş idi kurs-i mihr ü meh iki nânı. — Hayalî›.

kurt, kurta, A. i. (Tı ile) Küpe. (ç. Akrat, kırat, kurta kurut). • ‹Kurta-i binagûş-i kabul olup. — Esat Ef.›.

kuruh, A. i. [Karh ç.] Yaralar.

kurum, A. i. [Karm ç.] Değerli büyük insanlar. • Sabıkaa sadr-i Rum ve allâme-i kurum Abdülbaki Arif Efendi. — Raşit›.

kurun, A. i. [Karn ç.] 1. Zamanlar, devirler. 2. (XX. yy.). Büyük tarih bölümleri. • Kurun-i ahire. İstanbul'un zaptından sonraki tarih zamanı; • -ulâ, tarih zamanından başlayıp Roma imparatorluğunun ikiye bölünmesine ka-

dar olan devir, ilkçağlar; • -vusta, Ortaçağ. • ‹Kurun-i ibtidaiyede ehl-i Mısr'ın sefalet-i meşhuresi. — Cenap›. • ‹Çoban kızlarının iklim-i halecanını fetheden kurun-i vusta prensleri de. — Cenap›.

kurut, A. i. [Kurt ç.]. Küpeler.

kûs, A. i. Savaşlarda deve, araba üstünde taşınan büyük davul; • Kûs-i gaza, savaş davulu; • -rahîl, -rihlet, 1. Kalkınma, yola çıkma davulu. 2. Ölüm davulu. • ‹Çalındı kûs-i rahîl ettin irtihal. — Baki›.

kusara, A. i. İsteğin son derecesi. • ‹Münteha-yi niyyeti ve kusara-yi emniyeti idiğin. — Esat Ef.›.

kuseybe, A. i. (Kaf ve sat ile) (Bio.) Bronşçuk.

kûsfend, F. i. Koyun. (ç. Kûsfendan). • ‹Bizim gibi kırpılacak postu kalmayan kûsfendan-i kalem. — Cenap›.

kusur, A. i. 1. Eksiklik. 2. Ayrp, sakatlık. 3. Suç. 4. İhmal, tedbirsizlik. 5. Bir hesabın üstü, artanı. • Bikusur, eksiksiz, tamam. • ‹Dilâ bu menzil-i viran-i sanma cây-i sürur — Ki kasr-i dehrde bulunur hezar türlü kusur — Hayalî›.

kusur, A. i. [Kasr ç.] Köşkler. • ‹Musanna' ve dilâra sarayları hedm edip kusur ve büyutunun pencere ve dolap kapaklarının. — Naima›.

kusva, A. s. Son derece bulunan. Nihayet, son. • Hadd-i kusva, erişilecek son sınır, nokta; • mertebe-i kusva, en son derece.

kuşa'rire, A. i. 1. Titreme. 2. Tavuk derisi gibi ürperip kabarmış deri.

kûşe, gûşe, F. i. Köşe. Bk. • Göşe. • ‹Kemer küsiste, perakende kûşe-i destar. — Nedim›.

kûşiş, gûşiş, F. i. Çalışma.

kuşur, A. i. [Kışr ç.] Kabuklar.

kut, A. i. Yaşamak için yenen şey. 2. Yiyecek. 3. Kale, istihkâmlı yer. • Kut-i lâyemut, ancak ölmeyecek kadar, çok darına bir gıda; • -Mesih, 1. Hurma. 2. Şarap; • -ruh, can için olan besin, gıda; • -uşşak, (âşıklar gıdası) öpme, gülümseme, tatlı sözler. • ‹Eğilip doğrularak fasılasız — Topluyor kut-i maişet yerden. — Fikret›.

kûtah, kûteh, F. s. Kısa. • ‹Yağmageran-i devletin dest-i taaddilerin kûtah etmekle pürmelâl etmişler idi. — Naima›.

kutb, *A. i.* 1. Dönen bir çarkın aksı. 2. Dünya yuvarlağının ekvatordan en uzak iki ucundan her biri. 3. Tanrı adamlarının yeryüzündeki şefleri. 4. Bir grup veya mesleğin başları. ● *Kutb-i arz*, Kutup; ● *-cenubî*, güney kutbu; ● *-devran*, halife ve bu sıfatı olan Osmanlı hükümdarı; ● *-resalet*, Muhammet Peygamber; ● *-şimalî*, kuzey kutbu; ● *-zaman*, zaman ermişlerinin başı; ● *kutb-üd-din*, dinin kutbu (insan adı olarak kullanılırdı); ● *kutb-ül-aktab*, (kutupların kutbu) her devirde Tanrı halifesi olarak Tanrı tarafından iki âleme tasarruf kudreti emanet edilerek bulundurulan ermiş; ● *kutb-ül-ârifîn*, ârif kimselerin en ileri geleni, kutbu; ● *Kutup yıldızı*, demir kazık yıldızı. ● «Kutb-ı vüzera âsâf-i dânayi zemane. — Nef'i». ● «Haricîlerin bile ordusunda kutb-ül-aktab bile imiş. — Naima». ● «Kutb anladığım merkez-i gaflette bulundu — Kim daireden haric idi ettiği ef'al. — Şefikname».

kutbî, kutbiyye, *A. s.* Dünya kutuplarına ait, onunla ilgili.

kutbiyye, *A. i.* Fransızca'dan *polarité* karşılığı olarak kullanılmıştır. (XX. yy.).

kûteh, kûtah, *F. s.* Kısa. ● «Hasanet-i hisar ve metanet-i der ü divar meşhud-i kûteh nazaran-i küffâr oldukça. — Ragıp Pş.».

kûtehbin, *F. s.* [Kûteh-bin] Kısa görüşlü. İleriyi görmez. (ç. Kûtehbinan). ● «Ahmet Paşa ve rical-i devlete gayzı olan kûtehbinler Varvar'ın zuhuriyle. — Naima».

kutelâ, katlâ, *A. i.* [Katîl ç.] Öldürülmüş (kimse) ler. ● «Aded-i kutelâ-yi eşkıya iki yüzü tecavüz etmiş. — Esat Ef.».

kutn, kutun, *A. i.* Pamuk.

kutnî, kutniyye, *A. s.* Pamuğa ait, pamukla yapılma. Kutnu. ● «Ve orta kuşak ve beyaz kutni kaftan. — Raşit».

kutr, *A. i.* 1. Taraf, bölük. 2. Bölge. 3. (Mat.) Köşegen. Çap.

kutta', *A. i.* [Katı' ç.] Kesiciler. ● *Kutta-i tarik*, yol kesenler, haydutlar. ● «Katırcıoğlu dedikleri kutta-i tarikı eşkıyasiyle yanına alıp. — Naima».

kutan, *A. i.* [Katın ç.] Oturanlar, yerliler. ● «Ve sakinan-i kutan-i lâhut ve nasutu. — Kemal».

kuttal, *A. i.* (*Te* ile) Katiller, öldürücüler.

kutu', *A. i.* [Katı' ç.] Kesintiler. ● «Ve tali-i sadareti dahi kutua eriştiğinden. — Naima».

kutu', *A. i.* 1. Sudan veya bir yol üstünden geçme. 2. Kuşlar göç etme.

kutub, *A. i.* [Kutb ç.] Kutuplar.

kuuf, *A. i.* (*Tı* ile) [Katf ç. Devşirilmiş yemişler.

kutur, *A. i.* (*Te* ile) Pintiliğinden ailesini sıkıntı içinde bırakan kimse.

kûtval, *F. i.* Şehir ağası, memleket âyanı. ● «Mahariz-i hısn-i beden olan kûtval-i ruh gibi. — Nergisi».

kuud, *A. i.* 1. Oturma. 2. Namazın oturarak icra olunan kısmı. ● «Geldikte hoş geldin deyü kuuda izin verip. — Naima».

kuur, *A. i.* (*Kaf* ve *ayın* ile) [Kar' ç.] Dipler.

kuva, *A. i.* [Kuvvet ç.] Kuvvetler. ● *Kuva-yi hamse-i bâtına*, zihnin beş yetisi; ● *-hames-i zâhire*, dıştaki (görme, işitme, tad alma, dokunma, koku alma) beş yeti; ● *-Milliye*, İstiklâl savaşı boyunca Anadolu'da kurulan hükümet ve asker kuvvetinin adı. ● «Bütün kuva-yi hayatiyle istiyor yürümek. — Fikret».

kuvvanî, kuvvaniye, *A. s.* (XX. yy.). Fransızca'dan *dynamique* karşılığı.

kuvvaniyet, *A. i.* (XX. yy.). Fransızcadan *dynamisme* karşılığı. Dinamizm.

kuvve, *A. i.* 1. Kuvvet, güç. 2. Fikir, niyet. 3. Yeti. 4. Nitelik. 5. Duyu. ● *Kuvve-i askeriye*, çıkarabilecek, kullanılabilecek asker kuvveti; ● *-bahriye*, deniz savaşı kuvveti; ● *-bâsıra*, ● *-cazibe*, ● *-dafia*, ● *-hâfıza*, Bk., ● *karibe*, hemen bitmek üzere; ● *-kudsiyye*, Tanrı sırlarının kendisinde gözüktüğü peygamberler, ermişler kuvveti; ● *-mekniye*, gizli güç, potansiyel; ● *-mutasarrıfa*, zihinde hayalin sakladığı şeyleri istenilen şekilde düzenleme ve harcama kuvveti; ● *-müdrike*, beş duyu ile duyulan bir şeyi zihinde bir duyma kuvveti; ● *-mümeyyize*, içte duyulan duyulatı birbirinden ayırt etme kuvveti; ● *-mütehayyile*, duyulmuş bir şeyi tekrar canlandırma kuvveti; ● *-şamme*, Bk., ● *-şeyvaniyye*, istek, yeme içme istekleri; ● *-umumiyye*, genel olarak asker ve silâh kuvveti.

kuvvet, *A. i.* 1. Güç, takat, kudret. 2. Bir hükümetin askerce gücü. Arapça tamlamalarda daha çok • *kuvve* (Bk.) kullanılır; • *Kuvvet-i kalb,* inanç, güven artırma; • *kuvvet-üz-zahr,* (arka kuvveti) 1. Yedek kuvvet. 2. Arka olan yardımcı kuvvet. • ‹Bileğinin mukavemetine bir keselân geldi, sanki bir kuvvet büktü, mağlûp etti. — Uşaklıgil›. • ‹Murat Ağayı vezir etmek hususunu kuvvetten fiile getirip. — Naima›.

kûy, *F. i.* 1. Köy, mahalle. 2. Sevgilinin bulunduğu yer. • ‹Reh-i kûyunda hemrah olsa da geh pes gider geh pîş — Ki benden galiba sayem dahi bizardır sensiz. — Beliğ›.

kuyud, *A. i.* [Kayd ç.] Kayıtlar. 1. Bağlar. 2. Deftere geçirilmişler. • ‹Vücudun daima mustar kuyud-i bi-idadından. — Fikret›.

kuyudat, *A. i.* [Kayd, kuyud ç.] Resmî muamele ve haberleşmeler defteri. • *Kuyudat-i atîka,* (bir hayli) eski kayıtlar (bu adla resmî bir daire de vardı).

kûz, *A. i.* (*Kef* ve *ze* ile) Tas, çamçak • ‹Bir kûz-i cedît içine ki henüz isabet-i ma'etmiş olmaya. — Taş.›.

kuzat, kudat, *A. i.* [Kadı ç.] Kadılar. • *Kadı-yül-kuzat,* kadıların başı. • ‹Ve badehu şeyhülislâm ve müft-il-enam ve sair mevali-i izam ve müderrisîn ve kuzat-i kiram el öptüler. — Peçoylu›.

kûze, *A. i.* Desti, testi.

kûzeger, *F. s. i.* [Kûze-ger] Çömlekçi (ç. Kûzegeran).

kuzeh, *A. i.* Renk renk çizgi. • *Kavs-i kuzeh,* ebemkuşağı. • ‹Mâbed-i hayl-i nücumun künbed-i eflâktir — Mihr ü meh kandil ana kavs-i kuzeh mihrab-i çerh. — Beliğ›.

kübbad, *A. i.* (*Kef* ve *dal* ile) İri limon.

kübera, *A. i.* [Kebir ç.] Ulular, büyükler.

kübra, *A. i.* 1. Büyük, ulu. 2. (Man.) Büyük önerme. • *Hadicet-ül-kübra,* Muhammet peygamberin ilk karısı. • ‹Fitne-i samma ve dahiye-i kübra kaldırıp az kalmıştı ki seyl-i belâ baştan aşa. — Naima›. • ‹Diploması kıyasatının kübrası kuvvet. — Cenap›.

küca, *F. zf.* Nereye? Nasıl?

küdas, *A. i.* Hayvan aksırığı.

küdur, *A. i.* [Keder ç.] Kederler.

küduret, keduret, *A. i.* 1. Bulanık. 2. Tasa, kaygı. • ‹Safası, neşesi yoktur, bütün küdurettir. — Fikret›.

küeys, *A. i.* (*Kef* ve *sin* ile) (Bot.) Kadehçik.

küfat, *A. i.* [Küfv ç.] 1. Denkler. 2. Eşitler. • ‹Akdem-i küfat ve âzam-ı kudat olup. — Sadettin›.

küffar, *A. i.* [Kâfir ç.] 1. Kâfirler. Hak dinini inkâr eden kimseler. 2. Ekinciler. • ‹Ezanlar okuyup küffar-i bedgirdar ise hisariçenin iç yüzünden. — Naima›.

küfr, *A. i.* 1. Tanrıya inanmama ve ona ortak koşma, yahut yakışmayacak sıfatları var deme. 2. Dinsizlik, imansızlık. 3. İslâm dinine uymayan itikatlar besleme. 4. Nankörlük. 5. Kaba, ayıp söz söyleme. • *Küfr-i cahudî,* içten bilip ağızdan ikrar etmeme; • *-inadî,* kalp ile bilip, dil ile de ikrar ettiği halde İslâm dinine girmeme; • *-inkârî,* Tanrıyı asla bilmeyip ikrar ve itiraf etmeme. • ‹Ol rütbe kadr-i nazımdır dûn — Kim küfr okunur kelâm-i mevzun. — Fuzulî›.

küfran, *A. i.* Görülen bir iyiliği unutma. • *Küfran-i nimet,* nankörlük.

küfrbaz, *F. s.* [Küfr-baz] Küfür edici, sövüp sayıcı. (ç. Küfrbazan).

küfriyyat, *A. i.* Kâfirliğe hükmettiren küfre sebep olan işler, sözler. • ‹Gayrı küfriyyatı dursun böyle vaz-i nahencarından. — Veysi›.

küfv, *A. i.* 1. Arkadaş. 2. Denk, benzer.

kühen, *F. s.* Eski. • ‹Gönülden sırrın ifşa eylemez pîr-i kühen zira — Sebû-yi köhneden terşih edip bir katre mâ çıkmaz. — Beliğ›.

küheylân, *A. i.* Cins arap atı.

kühhan, *A. i.* (*He* ile) [Kâhin ç.] Kâhinler. Tanrı habercileri.

kühsar, kûhsar, *F. i.* Bk. • *Kûhsar.*

kühuf, *A. i.* (*He* ile) [Kehf ç.] Mağaralar.

kühul, *A. i.* [Kehl ç.] Orta yaşlılar.

kühulet, *A. i.* Olgunluk çağı, 35-50 yaş araları.

kül, küll, *A. e.* Bk. • *Küll.*

külâh, küleh, *F. i.* Külâh. Baş giyeceği. • *Keckülâh,* baş giyeceğini eğri giyen, hovarda, şuh. • ‹Çekip vesadeyi, kılmış külâh-kûşeyi ham. — Fikret›.

külâle, *F. i.* Kıvrım kıvrım olan saç. Bukle.

külbe, *F. i.* Kulübe. • *Külbe-i ahzan,* gam, tasa evi. • ‹Sen idin külbe-i ahzana koyan Yakub'u — Ayırıp hazret-i Yusuf gibi göz nurundan. — Haleti›.

F.: 29

külef, A. i. [Külfet ç.] Külfetler. Gereksiz zahmetler. Zorlu işler.

küleh, külâh, F. i. Külâh. Bk. • Külâh.

külehkûşe, F. i. [Küleh-kûşe] Külâhın bir tarafı, bir köşesi.

külfet, A. i. Zahmet; zorlu iş. • Vareste-i külfet-i ihticac, kendiliğinden aşikâr. • «Külfet-i ikbalden âzadeyim. — Naci».

külhan, F. i. Külhan. • «Agyar ile seyr-i gülşen ettin. — Cismim dil-i zâra külhan ettin. — Fehim».

külice, F. i. Külçe.

küll, A. e. Hep, bütün. • Küll-i yevm, her gün; • akl-i kül, her şeyi kapsayan akıl; • alâ külli halin, her halde; • üstad-i kül, umumun, herkesin üstadı. • «Küll-i yevm memleketimize bunca eşya-yi giranbeha nakletmekte olan vapurlar. — Kemal».

küllî, külliye, A. s. 1. Genel, bütün. 2. Çok. 3. (Man.) Tümel. • Husuf-i külli ayın tam tutulması; kaide-i külliye, genel, her şey hakkında uygulanabilecek kural; • kudret-i külliye, Tanrı kudreti; • kuvve-i külliye, (As.) Bütün silâhlı kuvvet.

külliyat, A. i. Bir yazarın bütün eserleri, (XX. yy.). • Külliyat-i hams, Aristo sisteminde cins, tür, ayrım (fark), öze (has), ilinek; • -tabiiyye lâtince a partelei karşılığı (XX.yy.).

külliye, külliyet, A. i. 1. Genellik bütünlük. 2. Çokluk, bolluk. 3. Osmanlı İmparatorluğu zamanında Arap vilâyetlerinde bazı medreselere, üniversite karşılığı verilen ad. • Bil-külliyye, bütün bütüne, • Ervahiyye-i külliye, Fransızcadan panpsychisme; • kelimiyye-i külliye, panlogisme karşılığı (XX. yy.). • «Tabiatten büyük bir âlem-i külliyet-i ezdad. — Fikret».

külliyen, A. zf. Tamamıyle. Kökten, toptan.

kümat, A. i. [Kemi ç.] Yiğitler. Savaşçılar. • «Serdar-i müşarünileyh dahi vülât ve kümat etrafından yanına memur olan asakir-i vafire ile. — Raşit».

kümdet, A. i. Renk değiştirme.

kümeyt, A. i. s. 1. Koyu doru at. 2. Kırmızı şarap. • Kümeyt-i hame, (söz meydanının atı benzetmesi yolu ile) kalem. • «Kümyet-i meydan-neverd-i kalem-i fersude-pâ. — Nabi».

kümmel, A. i. [Kâmil ç.] Kâmiller, olgunlar. • «Hizmetinde terbiyet bulup

kümmel-i ashab-kiramından oldu. — Sadettin».

kümmelîn, A. i. [Kâmil, kümmel ç.] Kâmiller.

kümudet, A. i. Renk değişme. • «Çehreleri ve kulakları zürkat ve kümudet beyninde mütelevvin olup. — Naima».

kümun, A. i. Gizlenme. • «Va'd-i kümun ile hüsn-i müdafaa eyledi. — Naima».

kün, A. zf. «Ol, olsun» anlamına emir. Tanrı bu emirle varlıkları yarattığından tasavvuf edebiyatında bu söz çok geçer, kâf ü nun şeklinde de kullanılır; Tanrının kenz-i mahfideki buyruğudur. • Kün fekân, • kün feyekün, olan oldu, Tanrının ol demesiyle varlıkların vücuda gelmesi. • «Fikret rakamın çeken zamanda — Hakkaa ki bir emr-i kün fekânda. — Fuzulî». • «Kaşların harfinden oldu kün fekân — Senden oldu her ne kim oldu ayan. — Nesimi».

küna, A. i. [Kâni ç.] Kinayeler, söylenenler. Kinayeciler.

künam, F. i. Kuş yuvası, hayvan ini. • «Nam bir kale künam-i küffar-i liam olup. — Sadettin».

künan, F. s. «Ederek, eden, edici» anlamlarıyle kelimelere eklenir: • Nalekünan.

künasat, A. i. [Künase ç.] Süprüntüler. • «Nice sinin bazı günasat müçtemi olmuş idi cümlesini kaldırıp. — Naima».

künase, A. i. Süprüntü.

künbed, günbed, F. i. Kubbe. • «Sebz ü hurrem bir feza mı her kenar-i cûybâr — Ya miyan-i cûda aks-i künbed-i hazra mıdır. — Nef'i».

künc, F. i. Köşe. Bucak. • Künc-i kanaat, kanaat köşesi; • «Künc-i istiğna gibi bir kûşe-i rahat mı olur. — Ş. Gailp».

küncayiş, güncayiş, F. i. Sığınma, sığışma. • «Ol mezayıkta leşkere küncayiş olmamakla. — Naima».

küncide, güncide, F. s. Sığmış, sığıştırılmış. • «Bir hâb-i perişana müjem olmadı mahrem — Küncide değil sineye giysuyi muhabbet. — Nedim».

künd, F. s. 1. Cesaretli, atak. 2. Kunt, kısa, biçimsiz. 3. Kesmez, kör. 4. Anlayışı kıt. • Tevatür-i durub ile hurub alâtını künd eyledi. — Sadettin».

kündür, F. i. (Tütsü için) Günlük. • «İt'am-i lüban edelim yani kündür verelim. — Taş.».

küngüre, künküre, *F. i.* 1. Kubbenin tepesi. En yüksek yeri. 2. Dip, kök, 3. (Fel.) Öz. • «Hengâm-i şeb ki küngüre-i kasr-i asman — Zeyn olmuş idi şulelenip şem-i ahteran. — Baki».

künh, *A. i.* 1. Bir şeyin aslı, temeli, 2. Dip, kök. 3. (Fel.) Öz. • «Bu sualin künhünü anlamadan evvel cevap vermek istemedi. — Uşaklıgil».

künniyyet, *A. i.* Künyelenme. • «Nice kimse gördük ki Ebu Hanife ile künniyyet edinmiş. — Taş.».

künis, künist, *F. i.* 1. Mecusi tapınağı, ateşkede. 2. Yahudi havrası.

künud, *A. i.* Nankörlük .

künun, *A. i.* (Bir şeyi) gizleme.

künuz, *A. i.* (Ze ile) [Kenz ç.] Hazineler. • «Kalem-i müşkbarları miftah-i künuz-i erzak-i ashab-i istihkak ola. — Fuzulî».

künuzat, *A. i.* [Kenz, künuz ç.] Hazineler.

künye, *A. i.* Künye.

küra', *A. i.* 1. At. 2. Uzun testi. 3. İncik kemiği. (ç. Ekre', Akâri') • «Efras-i Horasan ve bigal-i Mısır'dan bir küra' yani dabbe gördüm ki. — Taş.».

küran, *A. i.* Al donlu at.

kürat, *A. i.* [Küre ç.] Küreler. • «Oldu bu kürat-i bînihaye. — Ziya Pş.».

kürbet, *A. i.* Tasa, kaygı. • *Kürbet-i gurbet*, gurbet tasası.

küre, kürre, *A. i.* 1. Yuvarlak. 2. Toparlak. 3. (Geo) Küre. • *Küre-i arz*, yer yuvarlağı; • *-ateş*, hava tabakası üstündeki ateş kısmı; • *-ayn*, göz yuvarlağı; • *-hacerî*, taşküre, litosfer; • *-hâk*, yeryüzü; • *-hava*, • *-lâceverd*, gök kubbesi; *-levniye*, renkküre, kromosfer; • *-maiye*, suküre, hidrosfer; • *-musattaha*, düzlemküre; • *-mücesseme*, yerküre; • *-nesimî*, havaküre, atmosfer; • *-sema*, gökyüzünde gök cisimleri durumunu gösterir küre; • *-sulbe*, taşküre, litosfer; • *-zemin*, yeryüzü; • *-ziya*, ışıkküre, fotosfer.

kürema, *A. i.* [Kerim ç.] Kerim kimseler. • «Kerem ne gûne sıfat-i memduhadır ki a'daları bile küremanın zikr-i cemilini ederler. — Naima».

küreng, kürenk, *F. s. i.* Al at.

kürevi, küreviye, *A. s.* Yuvarlak. (Mat.) Küresel. • *Hendese-i küreviyye*, küresel geometri.

küreyvat, *A. i.* [Küreyve ç.] Küçük yuvarlaklar. • *Küreyvat-i hamra*, alyuvarlar. • «Kanlarında İspanyol ve hattâ Arap küreyvatı taşıyan İtalyanları. — Cenap».

küreyve, *A. i.* Küçük yuvarlak. • *Küreyve-i beyza*, akyuvar; • *-hamra*, alyuvar; *-şahmiye*, etyuvarı.

kürmih, *F. i.* (Hı ile) Çivi, mıh, ekser.

kürrase, *A. i.* El yazma kitapların sekiz sayfalık forması. • «Şafiî üç yüz kürras hıfz eylemiştir. —Taş.».

kürre, *F. i.* Tay. Hayvan yavrusu. • *Kürre-i har*, sıpa.

kürsî, *A. i.* 1. Oturulacak yüksekçe yer. 2. Taht. 3. Makam, ödev. 4. Hükümet merkezi, başkent. 5. Ayaklık. 6. Arş-i âzamın altında bir düzlükte olan ve levh-i mahfuz'un bulunduğu yer. • *Kürsinişin*, tahta oturan padişah, vali, camide va'zeden şeyh. • «Yemen, sahilinde oturup kürsi-i memleket olan San'ayı. — Naima».

kürub, *A. i.* [Kerb ç.] Gamlar, tasalar. • «Tekalib-i mihen ü kürubdan. — Nergisi».

kürum, *A. i.* [Kerm ç.] Üzüm kütükleri.

kürur, *A. i.* Bir şeyin tekrarlanması. • *Kürur-i a'vam*, yılların art arda geçmesi.

-küsar, -güsar, *F. s.* (Sin ile) Yiyen, içen, kaldıran anlamıyle terkiplere girer. • *Gamküsar*, • *meyküsar*, Bk.

küsbe, *A. i.* Yağ posası.

küsiste, güsist, *F. s.* 1. Gevşek, sülpük. 2. Kopmuş, kopuk. • «Bulup getirince efendinin rişte-i ömrü küsiste olup. — Naima».

küstah, *F. s.* Arsız, sıkılması olmayan. • «Vezirin bir küstah hazinedarı vardı. — Naima».

küstahane, *F. zf.* Küstahçasına. • «Deyu cevap verdikten sonra hitab-i küstahane edip. — Naima».

küstahî, *F. i.* Küstahlık.

Küstehem, Güstehem, *F. i.* Eksi İran'ın iki ayrı kahramanlarının adları. • «Ol dem ki kasd-i cenk eder sahraları gülrenk eder — Dünyayı hasma tenk eder olursa Sâm ü Küstehem. — Nef'i».

-küster, -güster, *F. s.* «Döşeyen, yayan» anlamıyle tamlamalara girer. • *Adaletküster*, • *dâdküster*, • *sayeküster*, • *ziyaküster*. • «Çün götürür zerreyi yerden ziyaküster güneş. — Hayalî».

küsterde, güsterde, *F. s.* Yayılmış döşenmiş. (ç. Küsterdegân). • «Etme heves-i saye-i bâl ü per-i Anka — Küsterde iken saye-i eyvan-i kanaat. — Nabi».

küsud, *A. i.* Kesat.

küsuf, *A. i.* Güneş tutulması. • *Küsuf-i cüz'i*, güneşin bir kısmının tutulması; • *-küllî*, güneşin bütün tutulması. • ‹Görünür âyinede ola küsuf-i hurşid. — Beliğ›.

küsur, *A. i.* [Kesr ç.] 1. Artan parçalar, artık. 2. (Mat.) Kesirler.

küsurat, *A. i.* [Kesir, küsur ç.] Artıklar.

küsüste, *F. s.* Bk. • *Küsiste.*

-küş, *F. s.* ‹Öldüren, öldürücü anlamıyle tamlam yapmada kullanılır. • *Merdümküs*, adam öldüren; • *zebunküş*, düşkün öldüren, zayıfa yüklenen.

-küşa, *F. s.* ‹Açan, açıcı› anlamlarıyle tamlama yapılmada kullanılır. • *Dehenküşa*, ağzını açan; • *dilküşa*, gönül açan, ferahlandırıcı; • *kişverküşa*, memleket açan, fetheden.

küşad, *F. i.* 1. Açma. 2. Yeni bir yapının kullanılmaya açılması. 3. Yayın çekilip atılması. 4. Bir çeşit tavla oyunu. • *Resm-i küşad*, açış töreni. • ‹Mesut bir sene-i saadet küşad edeceğiz. — Uşaklıgil›.

küşade, güşade, *F. s.* 1. Açık. 2. Ferah, neşeli. • *Küşadedil*, • *küşade hâtır*, gönlü ferah; • *küşeda rû*, yüzü açık, kutlu, esvinçli. • ‹Hoş oshbet nadiregûy küşade meşreb safî dil kimesne idi. — Sadettin›. • ‹Gerdamnı, kollarını küşade bırakarak. — Uşaklıgil›.

küşayiş, güşayiş, *F. i.* Açıklık. Ferahlık. • *Küşayiş-i hâtır*, iç açıklığı. • ‹Ruha küşayiş veren bir temizlik tebessümleri içinde istikbal etti. — Uşaklıgil›.

küşende, *F. s.* Öldüren, öldürücü. • ‹Benler yüzünde suhte pervanelerdürür — Var mı izar-i yâr gibi bir küşende şem'. — Hayalî›.

küşiş, *F. i.* Öldürme, öldürüş. • ‹Eğer küşiş deminde gûşiş edersek lûtf nevaziş Hersekoğlu'na olup. — Sadettin› •

küşte, *F. s.* Öldürülmüş. • ‹Çok kâfir küşte ve deryaya gark oldu. — Naima›.

küştegân, *F. i.* [Küşte ç.] Öldürülmüşler. • *Küştegân-i zinde*, şehitler. • ‹Hûn-i küştegân-i İslâmla şehr-i Medine dükkân-i bakkamfürusa döndükte mi âlem mâmur ü âbâdan idi. — Veysi›.

küstenî, *F. s.* Öldürülmeye lâyık, öldürülesice. • ‹Ol iki bin kadar küşteniyi

yüzer ve ikişer yüzer memalik-i menhusasına tefrik ve teştit edip. — Naima›.

küşti, *F. i.* Güreş, pehlivanlık.

küştigir, *F. i.* Güreşçi. Pehlivan. (ç. Küştigiran). • ‹Ve üç nefer tuvana küştigirler dahi salbolundu. — Selâniki›.

küştigirî, *F. i.* Pehlivanlık. • ‹Küştigiride bi-nazîr pehlivan olmakla yıkıp altına alıp. — Peçoylu›.

küşude, *F. s.* Açık, açılma.

küttab, *A. i.* Yığın, küme. Toplu sey. • ‹Koyu, siyah kütlelerin koyu karanlık sularında çalkalanan sandalların. — Uşaklıgil›.

küttab, *A. i.* [Kâtib ç.] Kâtibler. • *Menşe-i küttab*, kâtip yetiştiren okul (XX. yy.). • *Reis-ül-küttab*, divan kâtipleri başı, Tanzimattan az önce Hariciye Nazırı adı verilmiştir. • ‹Küttaba risale-i Veraset — Olmuştu nümune-i belâgat. — Kemal›.

kütüb, *A. i.* [Kitab ç.] Kitaplar. • *Kütüb-i semaviyye*, kutsal kitaplar; • *hafız-ı kütüb*, genel kitaplık memuru. • *Kütüb-i sitte*, (Altı kitap Mebsuta, Ziyadat, Cami-i Sagîr, Cami-i Kebir, Siyer-i Kebir (hanefi fıkkı üzerine). • ‹Biraderleri han merhumun hututun ve kütüb-i mülükânesin ihzar ve seyrettirip. — Naima›.

kütübhane, *F. i.* [Kütüb-hane] 1. Kitablık. 2. Kitapsaray. • *Kütüphane-i umumî*, genel kitaplık.

küul, *A. i.* Alkol. İspirto. • *Da-il-küul*, alkol düşkünlüğü, alkolizm.

küulî, küuliyye, *A. s.* Alkol ve ispirto ile ilgili, onun gibi olan. • *Madde-i küuliye*, • *mevadd-i küuliye*, alkol, alkollü maddeler; • *meşrubat-i küuliye*, alkollü ispirtolu içkiler.

küulperest, *A. s.* [Küul-perest] İçki düşkünü. Fr. *alcoolique* karşılığı (XIX. yy. sonları).

küus, *A. i.* [Ke's ç.] 1. Kadehler. 2. (Bot.) Çanaklar.

küvare, *A. i.* Petek. • ‹Etse manend-i küvare n'ola pür-şehd-i kabul›.

küveys, *A. i.* (Bot.) Kadehçik.

küvve, *A. i.* Pencere. • ‹Beyte ziya gelsin diye açılmış küvvede otururdu.—Taş.›

küzaz, *A. i.* (Hekimlik) Sinir gerilmesi, tetanos. • *Küzaz-i fizyolojî*, fizyolojisel tetanos.

L

l, Arap alfabesinin 23., Fars ve Osmanlı alfabesinin 26. harfi. Ebcet hesabında 30 sayısını, ay işaretinde şevval ayını gösterir.

lâ, *A. e.* Olumsuzluk edatıdır. ● *Lâ havle velâ kuvvete illâ billâh* (kudret ve kuvvet· ancak Tanrıdadır). ● *Lâ ilâhe illâllah,* (tek bir Tanrı vardır). XX. yy. da Fransızca terimler yapılırken *a-* önekine karşılık olarak kullanılmıştır. ● ‹Lütfu o kadar ki lâ demek havfından — Etmez diline lâfz-i şehadet cereyan. — Nabi›.

lâ-ahlâkî, *A. i.* Fransızcadan *amoral* karşılığı, ahlâkdışı (XX. yy.).

lâ-ahlâkıyye, *A. i.* Fransızcadan *amoralisme* karşılığı, ahlâkdışıcılık (XX. yy.).

lâakal, *A. s.* [Lâ-akal] En azdan, ondan aşağı olmaz.

lâal, lâ'l, *A. i.* Kırmızı, al. 2. Al renkte değerli süs taşı. ● ‹Canfeda-yi lâ'liyim bir dilber-i canperverin — İstemem ben Hızr'ın olsun çeşme-i âb-i hayat. — Avni›. ● ‹Güneş görünmüyordu, yalnız o bulut yığıntısının yırtılmış sinesinde bir yangın, dehbaş, mehih bir yangın görünüyordu; evvelâ o menfez-i nevvarın etrafında bulutlar bir tufan-i lâ'le boyanmış duruyor. — Uşaklıgil›.

lâalpare, *F. s.* [Lâal-pare] Lâl renginde parça. ● ‹Bulutlar bu lâalpareler ile memlu tabak üzerine dökülmeye başladı. — Uşaklıgil›.

lâlettâyin, *A. s.* [Lâ-alet-tâyin] Gelişi güzel, kim olursa, ne olursa.

lâalgûn, *F. s.* [Lâal-gûn] Al, kırmızı renkte. ● ‹Olmadı bazgûn kadehi sernigûnumuz — Hunab-i hasret oldu mey-i bâalgûnumuz. — Nabî›.

lâalle, *A. e.* Belki, ola ki. ● ‹Ve lâalle ve asa ile subh ü mesa geçirip — Sadettin›.

lâalpâre, *F. s.* Lâal parçası ● ‹Kıldı lebin hayali rakibin dilinde çây — Hârâ içinde sanki yatar lâalpâredir. — Hayalî›.

lâane, *A. f.* Lânet olsun.

lâ'b, lû'b, *A. i.* 1. Oyun. 2. Eğlence. ● ‹Alkışladın safir ile lâ'b-i tabiati. — Cenap›.

lâbe, *F. i.* 1. Söz. 2. Dalkavukluk yüzünden söylenen söz. ● ‹Bu denlû lâbeden sonra dil-i o mekr-engiz—Duruğ-amiz bir vâ'deyle şad etmesin n'itsin. — Nabi›.

lâbeis, *A. s.* [La-beis] Zarar yok. ● ‹Âsi ve mücrim olacak kadar nesne yok, lâbeistir. — Kâtip Çelebi›.

lâbis, *A. s.* Giyen, giymiş.

lâbişartîn, *A. s.* [Lâ-bi-şart-in] Şartsız.

lâbüdd, *A. s.* [Lâ-büdd] Gerekli, gerek. ● ‹O muhabbetin lâbüdd ve laceren derecesine vardırdığı mülâkat-i üstadanelerine. —A. Mithat›.

lâcerem, *A. s.* [Lâ-cerem] Besbelli. İster istemez, elbette. ● ‹Lâ-cerem Bağdat-i dârüsselâm kendülere teslim olunur. — Naima›.

lâcevab, *A. s.* [Lâ-cevab] Cevapsız.

lâcevert, *F. i. s.* Lâcivert. Koyu mavi renkte değerli bir süs taşı. ● ‹Şekl-i pervin sanma tevkin yazar Bircis-i çarh — Lâcevert endude bir levh-i zerefşan üstüne. — Nedim›.

lâceverdî, *F. s.* Lâcivert renkte. ● *Kubbe-i lâceverdî,* gök kubbe. ● ‹Ufukta, işte şu pehna-yi lâciverdide. — Fikret› ● ‹Bu şehri ufkun zemin-i laciverdisine tersim olunmuş bir levha-i bedia. — Uşaklıgil›.

lâcin, *A. i.* 1. Ağaçtan dökülen yaprak. 2. Ağaçtan yaprak indirme. ● ‹Lâcin-i sîmden halhal eder cûy. — Lâmii›.

lad, *F. i.* Duvar.

lâde, *F. s.* Bön, ahmak, budala.

lâden, *F. i.* Çamdan çıkarılan zift gibi siyah ve kokulu zamk, laudanum.

ladini, *A. s.* [Lâ-dinî] Fransızcadan *laique* kelimesi karşılığı olarak kullanılmıştır, dindışı (XX. yy.).

lâedri, *A. f.* [Lâ-edri] Bilmem. (Söyleyeni belli olmayan manzumeler sonuna konur). ● ‹Eğer yakîni olmayıp şekk üzere olduğu meseleden sual olunsa lâedri diye. — Taş.».

lâedriyye, A. i. [Lâ-edriyye] Fransızcadan *agnosticisme* felsefe okuluna karşılık olarak kullanılmıştır, bilinemezcilik (XX. yy.).

lâene, A. s. [Lâ-ene] Fransızcadan *nonmoi* felsefe teriminin karşılığı, bendeğil (XX. yy.).

lâf, F. i. 1. Lakırdı, söz. 2. Konuşma. ● *Lâf ü güzaf,* boş lâkırdı. ● «Mest olup ta ki tab'-i pürzorum — Ede lâf ü güzaf-i tulâni. — Fehim». ● «Lâf ü dâva-yi enaniyyet ne lâzım âdeme — Âdemin âlemde bin mafevkı, bin madunu var. — Esat Muhlis Paşa». ● «Elhan duyulmadıkça belâgat giran gelir — Lâf ü güzaftan mutahassıl kesel gibi. — Beyatlı».

lafz, A. i. Ağızdan çıkan söz. (Bunlar anlamlı olursa *kelime,* edatlar gibi anlamı başkalarıyle meydana gelirse *harf* bölümlerine ayrılır). ● «Cümlesi başın aşağı edip Emir padişahımızındır lâfzından gayri söz söylemediler... — Naima» ● «Zira "garip" lâfzından zat-i fazılaneleri murat buyurulmuş olmasına mukabil. — A. Mitat».

lafza, A. i. Her tek söz veya sözcük. ● *Lafza-i celâl,* Tanrı adı.

lafzan, A. zf. Anlamına değil de o kelimenin söylenişine, yapısına göre, o bakımdan. ● *Lâfzan ve mânen,* lâfız ve anlam bakımından. ● «Hakikat-i halde lafzan edebiyatın mehaz-i iştikakı edep ise, — Kemal».

lâfzen, F. s. [Lâf-zen] Lafazan, çok söyler, geveze. Övünen, atıp tutan.

lafzî, lafziyye, A. s. Sözcüğün söyleniş ve yapısına ait, onlarla ilgili. ● *Tezyinat-i lafziye,* sözcük süsleri. ● «Tezyinat-i lafziyeden ayrıldığı halde bihakkin şayan-i tahsin olabilsin. — Kemal». ● «Şiirdeki samayi-i lafziyeden akdem ve ehem olmak üzere. — A. Mithat».

lafzperestane, F. zf. Sözcüğün söyleniş ve anlamlarına düşkün olanlara yakışır şekilde lafiz esirliği. ● «Sayesi latıf bu kadar ağaçlar olduğu halde onları tahayyül etmeyip de mücerret, sery' lafzından mahbubun anlaşılması gibi bir mana-yi lafzperestane üzerine (...) hakikaten lafız esîrliğidir derim. — A. Mithat».

lâg, F. i. Şaka, latife. ● «Hengâm-i seherde açılıp bağa benefse — Etfal-i cemenle girişir bağa benefse. — Hayalî».

lâgar, F. s. Arık, cılız.

lâgarî, F. i. Arıklık. Cılızlık.

lâgıyye, A. i. Fahiş ve edebe aykırı söz.

lâğv, A. i. 1. Boş. 2. Yanılma. atlama. 3. Kaldırma, hükümsüz bırakma. ● *Yemin-i lâğv,* alışkanlıkla yapılan, düşünülmeden ağızdan çıkmış yemin. ● «Sipaha bedel yeniçeriden yirmi bin atlı asker etmek münasiptir dedikleri lâğv olup. — Naima».

lâğvivyat, A. i. [Lâğv ç.] Boş sözler. ● «Kör Hüseyin Ağanın lâğviyatına vücut verip. — Naima».

lâgzan, F. s. Sürcen, kayan.

lâgzide, F. s. Sürçmüş, kaymış.

lâgzidenâ, F. s. [Lâgzide-pâl] Ayağı sürçmüş. ● «Düşer lâğzidepâ, her saha-i ümmide bir kere. — Fikret».

lâgzis, F. i. Sürçme, kayma. ● «Zevki bir nimet-i uzmadır ehl-i derde — Sarhoşun her lâgzisi bir secde-i şükrandır. — Naci».

-lâh, F. e. «Yer» anlamıyle birleşikler yapılmada kullanılır. ● *Diylâh,* cin ve peri bulunan yer; ● *rûdlâh,* akarsuyu bol yer; ● *şenklâh,* taşlık yer.

lâha, F. i. *(Hı* ile) Yama.

lâhavle, A. i. Bk. ● *Lâ.*

lâhavlegûyan, F. s. [Lâ-havle-gûyan] Lâhavle okuyanlar. Fena bir söz söyleyecek veya hiç bir şey söyleyemeyecek durumda kalan bir insan kendine hâkim olmak için «Lâhavle» cümlesini okurdu. ● «Endişesi olanlar tebdil-i makam eyleyip lâhavlegûyan-i hayret olmuşlar idi. — Naima».

lâhayr, A. s. [Lâ-hayr] Hayırsız, uğursuz. ● «Sarı kâtip dedikleri lâhayr mutayebe yolundan agaz-i kelâm-i cidd edip. — Naima».

lâ hayre fih, A. cüm. Bu işte hayır yok.

lâhd, A. i. *(Ha* ile) Mezar. ● «Kitabesiydi şu hatlar ol lâhd-i masumun. — Fikret».

lâhık, lâhıka, A. s. 1. Yetişip ulaşan. 2. Eklenen. 3. Şimdiki. ● *Sabık ve lâhık,* eskisi ve yenisi, önceki ve şimdiki. ● «Sabık ve lâhık ve lâhıkı sabıkına faik zuhura gelen teşvikat. — Şinasi».

lâhıka, A. i. Ek. ● *Lâhıka-i mütaahhire,* sonek; ● *-mütekaddime,* önek; ● *-tasrifiyye,* çekim eki.

lâhime, A. s. i. Etçil, et yiyen hayvan. (Zoo.) Etoburlar.

lâhin, A. s. Okurken pek yanlış yapma.

lâhis, A. s. Susuzluk veya yorgunluktan dilini çıkarıp soluyan (köpek).

lâhîz, F. i. (Hı ve ze ile) Sel suyu.

lâhk, A. i. Liğ. Alüvyon.

lâhlâha, A. i. 1. Güzel kokular birbirine karışma. 2. Güzel kokularla yapılma macun.

lâhlâhiyye, A. i. (Bot.) Çiğdemgiller.

lahm, A. i. (Ha ile) Et. • Lâhm-i zaid, bedende hastalık sonucu olarak çıkan artık et; • lâhm ü sahm, et ile yağ. (ç. Liham, lûhum). • ‹Hattâ bedenimde olan lâhm ü sahm üç kere eridi. — Sadettin›.

lahmiyye, A. i. (Bot.) Damkoruğugiller.

lâhn, A. i. 1. Güzel ve kurala uygun ses. 2. Ahenk. 3. Kurala uygun okuma (ç. Elhan). • ‹Uzaktan bir sada, bir lâhn-i giryan — Bükâ-yi tıfla benzer bir boğuk ses. — Fikret›.

lâht, F. i. Bir şeyin parçası. • Lâht-i ciğer, ciğerden kopma parça. • ‹Ettikçe dest-i sitem-i sah gamzesini — Lâht-i ciğerle saha-i dilde yemeklenir. — Neylî›.

lâhut, A. i. (He ile) Tanrı âlemi. • ‹Nasıl rekabet eder bu gölge nur-i lâhuta — Fikret›. • ‹Görünce âyine-i neşvesinde lâhutu. — Beyatlı›.

lâhutî, A. s. Lâhuta mensup. Lâhut ile ilgili. • ‹Derim bir cevv-i lâhutî, geniş bir darbe-i şehper. — Fikret›.

lâhutiyan, F. i. [Lâhutî ç.] Lâhutiler, melekler.

lâhutnisan, F. s. [Lâhut-nisan] Lâhuta benzer. • ‹Sana bir âlem-i lâhut-nişan lâzımdı. — Fikret›.

lâhutpâye, F. s. [Lâhut-pâye] Lâhut derecesinde (yüksek). • ‹Gönül avalim-i lâhutpâye-i şi'rin — Tasavvur eyleyemez haricinde ulviyyet. — Fikret›.

lâhza, A. i. 1. Bir bakış, bir göz atma. 2. Göz kırpacak kadar zaman, an. 3. Bir kere göz kırpma. • ‹Ahım ki lâhza reh-i asman tutar. — Fuzulî›.

lâicabiyye, A. i. [Lâ-icabiyye] Fransızcadan indeterminisme karşılığı olarak kullanılmıştır, yadgerekircilik (XX. yy.).

lâilâc, A. i. [Lâ-ilâc] Çaresiz. • ‹Dasni dahi lâilâc olmağın teslim oldu. — Naima›.

lâim, lâime, A. s. [Levm'den] Levm eden, çekiştiren. • ‹Müteşekki, lâim — Kar-

şıdan saffet-i mahmurunu seyretmedeyim. — Fikret›.

lâime, A. i. Levmetme, kınama.

lain, A. s. [Lâ'n'den] 1. Kovulmuş. İstenilmeyen. 2. Herkesin lanet ettiği. • Şeytan-i lâin, Tanrının rahmetinden mahrum şeytan.

lâkab, A. i. Asıl addan başkaca bir kimseye takılan ad, lakap.

lâkayd, A. s. [Lâ-kayd] Kayıtsız, ilgisiz. • ‹Sinni hamsine karıp derviş meşrep ve lâkayd bir padişah idiler. — Naima›. • ‹Merak ederek bir atacakların lâkayd bir tebessümünden. — Uşaklıgil›.

lâkaydane, F. zf. [Lâ-kayd-ane] Kayıtsızca, ilgilenmeden. İlgisizce yakışır halde. • ‹Her geldikçe lâkaydane oturduğu bu odanın. — Uşaklıgil›.

lâkaydî, F. i. Katısızlık, ilgisizlik.

lâkaydiyye, A. i. Fransızcadan quietisme felsefe teriminin karşılığı olarak (XX. yy.).

lâkaydiyyun, A. i. [Lâkayd ç.] Kayıtsızlar alayı. • ‹Tâbir caizse istiklâllyyun veya lâkaydiyyundanım. — Cenap›.

lâkelâm, A. s. [Lâ-kelâm] Hiç bir diyecek yok.

lâkıy, lâkıyye, A. i. Değersiz şey. Önemsiz nesne. • ‹Bir lâkıyyedir eleğe girdi. — Süheyli›.

lâkin, A. e. Biri ötekinin şartı olan iki cümle arasında, ‹ama, fakat, ancak, şu kadar vark i› anlamlarıyle kullanılır.

lâkit, lâkita, A. i. Zina korkusundan veya fakirlikten sokağa atılmış yeni doğma çocuk.

lâklâk, A. i. Leylek. • Ameden-i lâklâk, leyleklerin gelme zamanı.

lâklâka, lâklâkî, A. i. Boş mânasız lâkırdı. • ‹Bu ne sözdür boş lâklâkî ile donanma nice gider. — Naima›.

lâklâkiyyat, A. i. Anlamsız sözler, kuru gürültü.

lâkpüste, F. i. Kaplumbağa. • ‹Lâkpüst gibi hisar-i sengîne girip. — Sadettin›.

lâkve, A. i. Ağız veya yüzde olan inme hali. • ‹Tabiat-i âleme ki şiddet-i bürudet-i a'sar ve kesret-i rutubet-i emtar ü enhar ile lakve arız olmuştu. — Lâmii›.

lâ'l, lâal, A. s. i. 1. Kırmızı, al. 2. Al renkte kırmızı süs taşı. 3. Güzelin dudağı. 4. Kırmızı şarap. • ‹Bir demde kılar bin dil ü can mürdesin ihya —

Lâ'linde zuhur etti meğer sırr-ı Mesiha. — İbn Kemal> • «Canfeza lâ'lin şarab ü fâtiha. — Nesimi>. • «Dürüm merveridim kânım akıkım lâ'l ü mercanım. — Nesimî>. • «Bade-i nâbdır leb-i lâ'lin — Sagar-i simdir zenehdanın. — Baki>.

lâl, F. i. Dilsiz. • *Lâl ü ebkem,* çok şaşırıp susup kalmış. • «Hemen muradı tegafüldür ol bütün yoksa — Zebanı beste-i naz ise çeşmi lâl midir. — Nedim>. • «Bütün mezarlığa sinmişti bir taravet-i lâl. — Fikret>.

lâla, F. i. 1. Çocuğa bakan erkek. 2. (Osmanlı imparatorluğunda padişahlara göre) sadrazam. • «Ecdadıma hizmet ettiğiniz gibi lâlama muti' olup. — Naima>. • «Sagar-i ayşın ola lâle-sıfat cevherdar. — Bakî>.

lâle, F. i. Lâle çiçeği. • «Piyale, lâle, sebu, nükte, hande hep karışık. — Fikret>.

lâlefam, F. s. [Lâle-fam] Lâle renginde.

lâlegûn, F. s. [Lâle-gûn] Lâle renginde, pembe. • «Damen-i gerdunu sanma lâlegûn etti şefak. — Hayalî>.

lâlerenk, F. s. [Lâle-renk] Lâle renginde, pembe. • «Nigeh-füruz idi envar-i lâlereng-i şafak. — Fikret>.

lâleruh, F. s. [Lâle-ruh] Lâle yanaklı. Yanakları lâle gibi pembe olan. • «Çörek bir buğday anlı lâleruh mahbubdur gûya — K'anın badamı olmuştu yüzünde çeşm-i fettanı. — Hayalî>.

lâleruhsar, F. s. [Lâle-ruhsar] Lâle yanaklı. • «Nedim reng-i baharan olâleruhsarın — Zaman-i şermde bir katre-i çekidesidir. — Nedim>.

lâleveş, F. i. [Lâle-veş] Lâle gibi. Lâleye benzer olan.

lâlezar, F. i. [Lâle-zar] Lâle bahçesi. • «Sanır ki bad-i bahar etti lâlezara güzer — Gören atınla seni rezm içinde ruz-i kıtal. — Hayalî>.

lâ'lîn, F. s. Kırmızı, kızıl renkte. • «Bir hale-i lâ'lîn teşkil ettikten sonra. — Uşaklıgil>.

lâm, A. i. Elifbede «l» Harfinin adı,

lâmaddiyye, A. i. s. [Lâ-maddiyye] Fransızcadan *immatérialisme* sözünün karşılığı.

lâmantıkî, A. s. [Lâ-mantıkî] Fransızcadan *alogique* felsefe teriminin karşılığı olarak, mantıkdışı (XX. yy.).

lâmehale, A. s. [Lâ-mehale] Çaresiz, ister istemez. Başka türlü olmaz. • «İhtiyarî veya kasrî ince etvar-i mezmu-

meye de lâmahale masdar olur. — Naima>.

lâmelif A. i. 1. Elifenin lâm ile elif harflerinin bir arada yazılmış şekli. 2. Eğri, dolambaç.

lâmekân, A. s. [Lâ-mekân] Yersiz. Yere ihtiyacı olmayan. • «Hak dedi kim yer yedi vü gök yedi — Lâmekân tahtında gizlidir yedi. — Nesimi>. • «Lâmekândır olamaz devletinin tahtgehi. — Şinasi>.

lâmi', lâmia, A. s. [Leman'dan] Parlayan. Parlak. • *Lâmi-ün-nur,* nur saçarak parlayan.

lâmi, lâmiyye, A. s. i. 1. Lâm harfi şeklinde olan. 2. Lâm kafiyesi ile düzenlenmiş kaside. 3. (Arap Gra.) Lâm ile yapılmış isim tamlaması.

lâmia, A. s. [Leman'dan] Parlayan.

lâmih, lâmiha, A. s. [Lemh'ten] Parlayan, parlak.

lâmis, lâmise, A. s. [Lems'ten] Eli ile tutan, dokunan.

lâmise, A. i. 1. Dokunmakla olan duyma duygusu. 2. (Bio.) Dokunma. 3. (Psi.) Dokunma.

lâ'n, lâan, A. i. Lânet etme. İlinç, kargıma. • «Her gören kenduye aşikâre şetm ü lâ'n ederdi. — Naima>.

lânazîr, A. s. [Lâ-nazîr] Eşsiz, benzersiz. • «Vildanzade Efendi ki akl ü kiyasette lânazîr olduğu gibi. — Naima>.

lâne, F. i. Yuva. • «Bağışla yavrumu, onsuz bırakma lânemizi. — Fikret>.

lânegir, F. s. [Lâne-gîr] Yuva tutan. • «Lânegir-i kaf-i istigna olur anka-yi aşk>.

lâ'net, A. i. Tanrı yargısından mahrumluk. İlinç. Kargıma. • «Lâkin vicdan — O büyük, hâkim, o kanun-i mübin — Veriyor hükmünü. Lânet, nefrin. — Fikret>.

lâ-nüsellim, A. ü. Hiç teslim etmeme. Hayır.

lâreyb, A. s. [Lâ-reyb] Şüphesiz. • «Hercümerc-i âlame sebep olduğu lâreybdir. — Naima>.

lâsani, A. s. [Lâ-sani] İkincisi olmayan. Tek.

lâsık, A. s. Yapışan, yapışık.

lâsiyemma, A. s. Hele, en çok.

lask, A. i. Yakı.

lâskî, A. s. Yakıya ait. Yakı ile ilgili.

lâşe, F. i. Leş. • «Kâfirden tutulan diller gibi katl olunup lâşelerini arabalar ile deryaya döktüler. — Naima>.

lâsehar, *F. s.* [Lâse-hâr] Leş yiyen. • «Kargaya, kartala bütün lâşehâr kuşlara olduğu gibi. — Cenap».

lâsekk, *A. s.* [Lâ-şekk] Şüphesiz, elbette.

lâ-serike-leh, *A. cüm.* Ortağı yoktur. • «Mesağ olaydı eğer lâ-şerike-leh derdim — Nazîri gelmedi âlemde husn ü ân olalı. — Beyatlı».

lâşey, *A. s.* [Lâ-şey] Bir şey değil, önemsiz. • «Her hususta musta'zamat-i umur lâşey olagelmiştir. — Naima».

Lât, *A. i.* islâmdan önce, Arapların Kâbe'de bulunan putlarından biri. • «Bakıye-i ömürlerini gazaya ve ihlâk-i abede-i Lât ü Azaya sarf edip. — Sadettin».

lâtail, *A. s.* (*Tı* ile) [Lâ-tail] Boş, anlamsız. • «Hasılı şiire girişmek müşkil — Çünki ebhası bütün lâtail. — Sait».

lâtenahi, *A. s.* [Lâ-tenahi] Bitip tükenmez. • «Lâ tenahi-i cihana nazar-i im'an esir. — Cenap».

lâtha, *A. i.* Leke. • *Lâtha-i safra*, felsefe terimi olarak «macule lute» sözünün karşılığı (XX. yy.).

latif, latife, *A. s.* 1. Yumuşak, hoş. 2. Cisimle ilgili olmayıp ruhla ilgili olan. 3. Tanrı adlarındandır. • «Ey ebr-i latif-i reng-i seyyar — Pek şa'şaalı nümayişin var. — Naci».

latife, *A. i.* Güldürecek güzel ve tuhaf söz, hikâye. Şaka. (ç. Letaif). • «Zihi latife-i gaybiyye-i ilâhiyye. — Nef'î».

lâtifegû, *F. s.* [Lâtife-gû] Latife söyleyen.

lâtifeperdaz, *F. s.* [Lâtife-perdaz] Lâtife söyleyen. İşi lâtifecilik olan.

latime, *A. i.* (*Tı* ile) Mis kokusu, güzel koku. • «Latime-i attar gibi (...) muattar etmiş idi. — Hümayunname».

lâtma, *A. i.* Tokat.

lâtmahar, *F. s.* [Lâtme-hâr] Tokat yiyen. • «Evreng-i saltanatı dünya gibi lâtmahâr-i pây-i tahkir eyledikten sonra. — Kemal».

latmazen, *F. s.* [Latma-zen] Tokat atan. • «Mukteza-yi gayret-i diniye üzre lâtmazen-i itiraz olup. — Nergisi».

lâtuhsa, *A. s.* (*Ha* ve *sad* ile) [Lâ-tuhsa] Sayıya, hesaba gelmez. • «Ve bu fennin dahi füru-i lâtuhsası vardır. — Taş.».

lâübali, *A. s.* İlişkisiz. Kayıtsız. Saygısız. Senlibenli. • «Bu siyakta lâübali sohbet ve işrete kesret-i tevaggul. — Naima». • «Dükkâncı bu kadar lâübalilikten bizim akraba olduğumuzu anladı ise de. — A. Mithat».

lâübalimeşreb, *F. s.* Senlibenli davranır huylu. • «Eğer bir şair-i lâübalimeşrebin meşrebine muvafık. — A. Mithat».

lâübaliyane, *F. zf.* Lâübalilikle; kayıtsız, ilgisiz bir tarzda. • «Patburunzade Mehmet halifenin evza ü atvarı lâübaliyane ve meşrebi rindane olup. — Raşit».

lâvallah, *A. ün.* [Lâ-vallah] Vallahi hayır. • «Bize bühtan eylemiş lâ vallah kırk bin kuruşun aslı yoktur. — Naima».

lâ ve naam, *A. cüm.* 1. Hayır ve evet. 2. Çok defa hiç bir fikir söylememe halinde kullanılır. • «Taleb-i meblâğ-i mahut ile varsam yanına — Nakş-i diyar gibi yok bana lâ vü naamı. — Beliğ».

lâ-vücud, *A. s.* Fransızcadan *non-être* felsefe terimine karşılık olarak (XX. yy.).

lây, *F. i.* 1. Çamur. 2. Tortu. 3. Kül. • «Gil ü lây-i mihnetten kurtulan alay. — Sadettin».

lâya'kıl, *A. s.* [Lâ-ya'kıl] Aklı başında olmayan, yaptığını bilmez. • *Mest-i lâya'kıl* kendinde olmayan sarhoş. • «Kaza ile kan revan olup padişah lâyakıl mertebesine varınca kan akıp. — Naima».

lâyecuz, *A. s.* [Lâ-yecuz] Caiz değil. • «O misillû sitem ü serzeniş nezd-i senaveranemde yecuzü caiz olmaz lâyecuzü hiç caiz olmaz nevinden idüğü. — Akif Pş.».

lâyemut, *A. s.* [Lâ-yemut] Ölmez.

lâyemutiyyet, *A. s.* [Lâ-yemutiyyet] Ölmezlik.

lâyenfek, *A. s.* [Lâ-yenfek] Ayrılamaz.

lâyenkati, *A. s.* [Lâ-yenkati] Kesilmez, durmaz, hep. • «Hatıra gelmez, nevadir-i eşyayı cem ve hazırlardı, istedikçe lâyenkatı gönderirdi. — Naima».

lâyetecezza, *A. s.* [Lâ-yetecezza] Paralanmaz, parçalanmaz. Bütün. • «Bin pâre olsa da olmaz ol dehan kadar — Yanında cüz-i lâyetecezza cihan kadar».

lâyetegayyer, *A. s.* [Lâ-yetegayyer] Değişmez, bozulmaz. • «Ağızlarından çıkan sözleri birer kanun-i lâyetegayyer hükmüne koymuş olan. — Kemal».

lâyetehammel, *A. s.* Dayanılmaz.

lâyetenahi, *A. s.* [Lâ-yetenahi] Sonu bulunmaz, sonsuz. • «Sükûn-i lâyetenahiye varmamız yeğdir — Nedir hayat uzayan ıstıraptan başka. — Beyatlı». • «Lâyetenahî boya sahabpareleri küçük şamarlarla oraya sevk ediyor. — U-şaklıgil».

lâyetenahiyyet A. i. Sonsuzluk.

lâyezal, A. s. [Lâ-yezal] Zevalsiz. Bitimsiz. • «Dergâh-i sultan-i Lâyezal'den alâmet-i kabul numayan olup. — Veyis».

lâyezalî, A. s. Bitimsiz, zevalsiz olana ait. • «Cihat-i sittede kisver bekişver — Mürettep lâyezalî bir hükûmet. — Asaf».

lâyhâr, F. s. [Lây-hâr] Kül yiyen. • «Ey rind-i lâyhâr hemişe döküp arak — Mey iç kalınca dinle beni ruhtan ramak. — Beliğ».

lâyık, lâyıka, A. s. [Liyakat'ten] Yakışan. Yakışık. • «Ben hakim kim olan lâyık-i baran-i kerem — Tek hemen eyle beni baran-i kerem — Tek hemen eyle beni rah-i talepte pâmâd. — Ruhi» — • «Lâkin sana lâyık bu derin sütre-i muzlim. — Fikret».

lâyıkane, F. zf. Yakışır ve uygun şekilde.

lâyih, lâih, A. s. [Leyh'ten] 1. Parlak. 2. Aşikâr, meydanda. 3. Hatıra gelen. «Amma hâtır-i fakire lâyıh olur ki. — Naima».

lâyiha, lâiha, A. i. Hatıra gelen düşünülen bir şeyin yazı haline geçirilmesi.

lâyuadd, A. s. [Lâ-yüadd] Sayılmaz. Sayısız. Pek çok. • «Ümem-i lâyuadd ü lâyuhsa kellelerinden. — Veysi».

lâyugleb, A. s. [Lâ-yugleb] Yenilmez.

lâyuhsa, A. s. [Lâ-yuhsa] Sayılmaz, hesaba gelmez. • «Fevkalâde lâyuhsa ve lâyühaddir. — Latifî».

lâyuhti, A. s. [Lâ-yuhti] Hata işlemez. Yanılmaz.

lâyu'kal, A. s. [Lâ-yukal] Anlaşılmaz. Akıl ile idrak olunmaz.

lâyuref, A. s. [Lâ-yu'ref] Bilinmez.

lâyutak, A. s. [Lâ-yutak] Çekilmez, dayanılmaz, takat yetmez. • Teklif-i ma-lâyutak, dayanılmaz ve kabul olunamaz teklif.

lâyüfhem, A. s. [Lâ-yüfhem] Anlaşılmaz. • «Hâlâ avam-i Arabistan'da kati çok himar-i lâyüfhem aba'ü ümmehatından istima' ile. — Naima».

lâyüfna, A. s. [Lâ-yüfna] Yok olmaz, tükenmez. • «Mülk-i nazmın kenz-i lâyüfnaya malik şahıyım — Leşkerimdir şairan-i evvelîn ü ahirîn. — Hayali».

lâyüs'el, A. s. [Lâ-yüs'el] Sorumsuz. Sorulmaz. • Lâyüs'el amma yef'al, Tanrı.

lâzale, lâzalet, A. cüm. [Lâ-zale] «Eksik olmasın» anlamında dua cümlesi.

lâzebeliyye, A. i. (Bot.) Horozibiğigiller. Fransızcadan Amarantacées karşılığı (XX. yy.).

lâzeval, A. s. [Lâ-zaval] Zevalsiz.

lâzı, A. i. (Zı ile) 1. Ateş. 2. Cehennemin altıncı tabakası olup puta ve ateşe tapanlarla büyücüler burada ceza göreceklerdir.

lâzık, A. s. (Ze ve kaf ile) Yapışan, yapışkan.

lâzım, A. i. 1. Gerek. 2. (Gra.) Geçişsiz. • Lâzım-i gayr-i müfarik, onsuz olmaz, çok gerekli; • lâzım melzum, biri olunca öbürünün de olması şart olan.

lâzım, lâzime, A. i. 1. Gerekli şey. 2. (Mat.) Gerekçe.

lâzib, A. s. 1. Yapışıcı, yapışkan. 2. Lâzım, vacip olan. 3. Duran, süren. • «Kat' olunmak lâzım ve lâzibdir. — Taş.».

leâl, A. i. [Lû'lû ç.] İnciler.

leali, A. i. [Lû'lû ç.] İnciler. • «Zavallı, dahil olurken sabaha pürâmal — Söner leali-i bâran içinde girye-künan. — Fikret».

leb, F. i. 1. Dudak. 2. Kenar. • Leb-i derya, deniz kenarı, kıyı; • gonce leb, konca dudaklı. • «Leblerin çeşmesine Hızr ü Sikender ü Dârâ — Zemzem ü Kevser'le Çeşme-i Hayvan dediler. — Nesimi». • «Al deste piyaleyle sebû ey dilcu — Çık gez ara bir taze çemen bir leb-i cû. — Beyatlı». • «Gamzesi kan dökmede etmez tenezzül Rüstem'e — Lebleri can vermede İsi'ye harf-endaz olur. — Nailî».

lebabe, A. i. Akıl sahibi olma.

lebaleb, F. h. [Leb-a-leb] Ağzına kadar dolu olan. • «Miğferlerin lebaleb edip hun-i germ ile. — Nedim».

leban, A. i. Göğüs.

lebbeleb, F. h. [Leb-be-leb] Dudak dudağa. • «Hemvare humla hoş başı cam ile lebbeleb — Ümm-ül-habais olsa n'ola duhter-i ineb. — Nedim».

lebberleb, F. h. [Leb-ber-leb] Dudak dudağa. • «Ah, ağlasam senin ile lebber-leb ağlasam — Bir kerrecik de bunda meserretle ağlasam. — Cenap».

lebbeste, F. s. [Leb-beste] Ağzı bağlı, susan. • «Bed-gûlara leb-beste görün-

mekteyiz amm — Rindan-i Mesiha-
deme miftah-i fütuhuz. —· Ruhi» •
«Böyle leb-beste terk-i ömr etmek —
Nazari bir lisan ile ancak — Ebedî if-
tirakı anlatmak. — Cenap».

lebbeyk, A. *ter.* Buyur, efendim? anlam-
larında kullanılır. • «Lebbeyk deyip
ayağa durdu — Ol Kâbe-i maksada
yüz urdu. — Fuzulî».

lebbeykegûyan, F. s. «Lebbeyk» diyen-
ler. • «Hükm-i kazaya lebbeyk-gû-
yan-i rıza iken. — Nergisî».

lebbeykzen, F. s. [Lebbeyk-zen] Evet di-
yen. Razı olan. • *Lebbeykzen-i icabet,*
ölen hakkında kullanılır, Tanrının em-
rine uydu demektir.

lebcünban, F. s. [Leb-cünban] Dudak oy-
natan. Söz söyleyen. Söz söyleme.

leben, A. i. Süt. • «Çıkıp ağuşuna nahvet-
le ederler şimdi — Mader-i şirden ahu
bereler massi leben. — Nedim».

lebenî, lebeniye, A. s. Süte ait, sütle il-
gili. • «Parça parça lebenî nurlar tit-
reşiyordu. — Uşaklıgil».

lebeniyyat, A. i. Sütten yapılma yemek-
ler. Süt işleri.

lebîb, lebibe, A. s. [Lüb'den] Akıllı.

lebine, A. i. Kerpiç, tuğla. • «Re's-i müba-
reki bir lebine yani kerpiç üstünde idi.
— Taş.

lebis, A. s. Şüpheli, karışık olan.

lebküsa, F. s. [Leb-küşa] Dudağı açık,
söyleyen. • «Olunca tıfl-i melekçehre
lebküşa-yi figan. — Fikret». • «Tezel-
zül ve iftikar ile lebkûşa-yi dua olup.
— Naima».

leblâb, A. i. (Bot.) Sarmaşık bitkisi.

leblâbiye, A. i. (Bot.) Fransızcadan
hederèes (sarmaşıkgiller) karşılığı.
(XIX. yy.).

lebriz, F. s. [Leb-riz] Taşkın, taşıcı. • «Ol-
du lebriz gülâb-i der ile çah-i zekan.
— Nedim» • «Tren (...) istasyonun-
dan hareket ettiği zaman kalbim leb-
riz-i esefti. — Cenap».

lebs, A. i. (Se ile) Bir yerde eğlenip dur-
ma.

lebs, A. i. (Sin ile) 1. Giyme. 2. İki şeyi
birbirinden ayırt edememe. İltibas.

lebteşne, F. s. [Leb-teşne] Susamış. (ç.
Lebteşnegân). • «Leb teşnegân-i aşkı
reyyan hüzn ederdi. — Recaizade».

lecac, lecacet, A. i. Düşmanlıkta ayak di-
reme, çekişme.

lecc, A. i. Düşmanlıkta ayak direme. •
• «Deyu lecc ü hisama başladı. — Nai-
ma».

leccac, A. s. İnatçı. İnatçılık.

leclece, A. i. Dil dolaşması. (Hek.) *Bal-
butiement* karşılığı (XIX. yy.) sözcük-
leri anlaşılmaz şekilde pepeleyerek söy-
leme.

lecuc, A. s. Çok inatçı, çok çekişen.

lede, A. zf. «Sırasında, yapıldığı zaman»
anlamlarıyle bileşik kelimeler yapılır.

ledelhace, A. zf. [Lede-l-hace] Hacet, ih-
tiyaç görüldükte.

ledelihtiyaç, A. zf. [Lede-l-ihtiyaç] İhti-
yaç halinde.

ledessual, A. zf. [Lede-s-sual] Sorulduk-
ta.

ledettahkik, A. zf. [Lede-tahkik] Tah-
kik olundukta.

ledetteemmül, A. zf. [Lede-t-teemmül]
Düşündükte. • «Ledetteemmül bu ze-
hab makrun-i sıdk u savap olmadığı
anlaşılır. — Kemal».

ledg, A. i. Yılan veya akrep sokması.
• «Bir akrep sokup gerçi elem-i ledg-i
def oldu, amma burnunun meldug olan
tarafına. — Naima».

ledün, A. i. Tanrı yanı. • *İlm-i ledün,*
Tanrı sırlarını, niteliklerini konu ya-
pan bilim.

ledünnî, ledünniye, A. s. Tanrı bilgi ve
sırlarına ait, onunla ilgili. • *Mevahib-i
ledünniyye,* Muhammet peygambere
Tanrının ihsanı olan bilgi.

ledünniyyat, A. s. 1. Tanrı bilgisi ve sır-
ları. 2. (Mec.) Bir işi gizli tarafları,
içyüz. • «Fakat ledünniyyat-i mahalli-
yeyi bilenler iddia ediyorlar ki. — Ce-
nap».

lefaif, A. i. [Lifaf ç.] Sargılar, örtüler.
• «Ruhanının lefaif-i sufliye-i nisya-
nına sukt etmemiştir. — Cenap».

leff, A. i. Sarma, devşirip bağlama.
• *Leff ü neşr,* (Ed.) Birkaç isim yaz-
dıktan sonra onların her birine ait sı-
fat veya fiilleri ayrıca sıralama. Bu •
mürettep, karışık olursa; • *leff ü neşr-i
müşevveş* olur. • «Binaberin kat kat
mazmunu faide peyda ve leff leff leta-
fet ber letafet rûnüma olmuştur. — Sa-
lim».

leffaf, A. s. Çok söyler, can sıkar (kim-
se). • «Cihan kallaşı söz pehlivanı bir
leffaf herif olmakla. — Naima».

lefif, A. i. [Leff'ten] (Arap. Gra.) Üç
harfli kelimenin iki harfi *elif* veya *y*
olanı. • *Lefif-i makrun,* bu harfler yan
yana olursa; • *-mefruk,* aralarında baş-
ka harf bulunursa.

leffen, A. zf. Sararak, zarf veya mektup içine konarak.

leflâfe, A. i. (Bot.) Kurtpençesi.

leh, A. e. (He ile) 1. Onun için, ona. • *Mağfürun leh,* bağışlanmış. • *Musa leh,* kendine bir şey vasiyet olunmuş; 2. Birinin yararına davranış. Yana. • ‹Bosna'da olan vekayiini müverrih ziyade tafsil etmeğin ittibaen leh tahrir olunmuştur. — Naima›.

lehaz, A. i. (Ha ile) Göz kuyruğu, göz ucu.

lehaza, A. i. Göz kuyruğundan bir nesneye pek dikkatle bakma.

lehce, A. i. (He ile) 1. Söylenilen dil. Bir dilin dallarından her biri. 2. Sözün kullanışa göre harflerin durumu. 3. Söyleyiş tarzı; lûgat, şekil, suret. 4. (Türkçede) Yüz, surat. • ‹Taklit olmaz bu kadar lezzet-i güftar — Bu lehce-i pakize bana dâd-i Hudadır. — Nef'i›.

leheb, A. i. (He ile) Alev. • *Ebuleheb,* Muhammet peygamberin amcası, ona düşmanlık edenlerin ünlüsü.

leheban, A. i. Ateş alevlemek.

lehîb, A. i. 1. Alev. 2. Ateşin sıcaklığı. • ‹Kahrının bir nefes-i serdi lehîb-i külhan. — Nedim›.

lehüm, lehüma, A. e. ‹Leh› kelimesinin çoğul ve tesniye (ikilik) şekilleri.

lehv, A. i. Oyun. Faydasız ve yaramaz iş. • ‹Rakkas ve hayal-i zıl ve sair alât-i lehv ile subhe dek. Naima›.

lehviyyat, A. i. [Lehv ç.] Oyun, eğlence gibi şeyler.

leîm, A. s. [Levm'den] Alçak, cimri adam. (ç. Leiman, liam). • ‹Düşmen-i erbab-i dil bir nice har-tab' ü leim. — Nef'i›.

leiman, F. i. [Leim ç.] Alçak kimseler. • ‹En güşt girih-i beste-i ye's olması yektir — Etmekten ise zeyl-i leimana teşebbüs. — Nabi›.

lek, F. s. 1. Yüz bin. 2. Ahmak. • ‹Ahbar nakl etseydi Ray'a berehmen — Bahş eyler idi müjdesine bir nice lek. — Nedim›.

lekalık, A. i. [Lâklâk ç.] Leylekler.

leked, F. i. Tepme, çifte.

lekedar, F. s. [Leke-dar] Lekeli. • ‹Revnak-i sikkesine ancak olurdu şayan. — Lekedar olmamış olsaydı eğer bedr-i tamam. — Nedim›.

lekedhâr, F. s. [Leked-hâr] Çifte yiyen.

lekedkûb, F. s. [Leked-kûb] Hayvanların ayağı altında ezilen, basılan. • ‹Ve

lekedlûb-i huyul-i süyul-güzat-i ehl-i cihad ile. — Sadettin›.

lekedzede, F. s. [Leked-zede] Tokat ve tekme yemiş olan. • ‹Kendini pamal-i melâl ve lekedzede-i infial etme — Nergisî›.

lekedzen, F. s. [Leked-zen] Tepme vuran, çifteli. • ‹Bir esb-i lekdzen şehzade sakını zahmzede edip. — Sadettin›.

leklek, F. i. Leylek.

lem', A. i. (Ayın ile) Parlama, parıldama.

lem'a, A. i. Parıltı. • ‹Tâb-i ruhün oldukça füzun şule-i meydan — Bir lem'ası dünyayı yakar berk-i belâsın. — Naci›.

lem'apaş, F. s. [Lem'a-pâş] Parıldayan.

lem'ariz, F. s. [Lem'a-riz] Parlayan. Parıldayan. • ‹Rahmet biter, bulut dağılır mihr-i nevbahar — Âfaka lem'ariz oluyorken hazin hazin. — Fikret›.

lemean, A. i. 1. Parlama, parıldama. 2. (Fiz.) Gaz-ışı. • ‹Didepîra sevad-i hattında — Nur-i hikmet eder durur lemean. — Naci›.

lemeat, A. i. [Lem'a ç.] Parıltılar. • ‹Demin hayalimi tevhiş eden karanlıklar — Bu levhanın lemeatiyle münkesir, zail. — Fikret›.

lemehat, A. i. [Lemha ç.] Lemhalar.

lemh, A. i. 1. Bakma, göz atma. 2. Parlama, parıltı. • ‹Ayni'ye ömrü gelmedi lemh-i basar kadar. —Süruri›.

lemha, A. i. 1. Bir bakma, bir göz atma. 2. Parlama, parıltı. • *Lemha-i basar,* gözün bir defa bakışı kadar, pek az. • *Lemhat-ül-basar,* göz açıp kapayıncaya kadar, az zamanda. • ‹Arzeylemesin ruhuma her an mütebaid — Bir lemha ki yalnız sana, yalnız sana aid. — Fikret›.

lems, A. i. (Sin ile) Dokunma, el ile tutma. Dokunma ile duyulan.

lemsa, A. s. Düz, Pürüzsüz. • ‹Bir sahreyi lemsa-yi behişt-âsâya çıkıp oturdu. — Lâmii›.

lemsî, lemsiyye, A. s. Dokunma ile ilgili. • *İhsasat-i lemsiyye,* dokunma duyuları.

lemyezel, A. s. [Lem-yezel] Zail olmaz, bakî.

lemyezelî, F. s. Zail olmaz, yok olmaz. • ‹Bihudud onda olan kevkebe-i lemyezeli. — Şinasi›.

lenf, lenfa', A. i. Vücutta damar içinde dolaşan ve eskilerin ahlât-i erbaa dedikleri dört maddeden biri; lenf.

lenfai, lenfaiye, *A. s. i.* 1. Lenfe ait. Lenf maddesi. 2. Ağır kimse. (Bio.) *Cümle-i lenfaiye,* lenf sistemi.

leng, lenk, *F. s.* Topal, aksak (ç. lengân). • «Çünkü leng ü pejmürde — Nazarlarım seni maziye çekmek ister. — Fikret».

lengân, lengâne, *F. zf.* Topallayarak. • «Ben dahi lengân üftan ü hizan dünbaledevan saray-i âmire-i agaya revan oldum. — Nergisi». • «İspanyol havasının Şarka mahsus tarab-i lengânı. — Uşaklıgil».

lenger, *F. i.* Gemi demiri. • *Lengerendaz,* demirlemiş, demir atmış; • *fekk-i lenger,* demir almış, kalkmış. • «Sen öyle bil ki cuşiş-i derya-yi ıstırap — Can-i hamule lenger - kûh-i giran verir. — Nedim».

lengerendaz, *F. s.* [Lenger-endaz] Demir atmış, iyice yerleşmiş. • «Beşiktaş önüne lengerendaz ve ertesi Yedikule önüne vardıklarında. — Naima».

lengî, *F. i.* Topallık.

lenk, leng, *F. s.* Bk. •*Leng.*

lerzan, *F. s.* Titrek, titreyen. • «Şem'inin pervane-veş hurşit lerzan üstüne. — Nedim».

lerze, *F. i.* Titreme. • «Lerze düşmüş savlet-i kâh-i vekarından tamam — Arz-i Nişabur-veş iklim-i İran üstüne. — Nedim». • «Gemiciler daimî bir lerze-i heras içindedirler. — Cenap».

lerzebahş, *F. s.* [Lerze-bahş] Titreten. Titreme veren. • «Sanki pîşimde bir yığın tabut — Lerzebahş-i dil ü hayalimdir. — Fikret».

lerzedar, *F. s.* [Lerze-dar] Titrek. • «Mübarezegâh-i hayatın ilk hatvesini atmadan lerzedar-i mağlubiyet olup kalsın. — Uşaklıgil».

lerzenâk, *F. s.* Titrek, titreyici. Titremeye tutulmuş. • «Leb-i hâmuşu lerzenâk-i dürud. — Fikret».

lerzende, *F. s.* Titreyen. Titrek. • «İki âciz kadid-i lerzende. — Fikret».

lerziş, *F. i.* Titreme. • «Cünbüş-i gamze değil şive-i reftar değil — Lerziş-i kârgeh-i her dü cihan ancak bu. — Nailî».

lerzişdarane, *F. zf.* Titrercesine. • «Parmakları titriyor, dendanlara (piyano tuşlarına) bir temas-i lerzişderane ile dokunuyordu. — Uşaklıgil».

les', *A. i.* (*Sin* ve *ayın* ile) (Yılan ve akrep gibi) böcek sokması. • «Eğer anı zenbur les' eylese ihsas edip duymaz idi. — Taş.».

lesag, lüsag, *A. i.* (*Se* ile) Söylerken «r» harfini «g», veya «lam»; «sin» i «te» söyleme. • «Lafz-i «ra» yı tekellümde elsag olup ve gayet ile kabih-ül-lesag idi ve hatta tamamen gayın gibi telâffuz ederdi. — Taş.».

lesan, *A. s.* Belâgat ve fesahat sahibi olan.

lesaset, *A. i.* (*Sat* ile) Hırsızlık.

lesin, *A. i.* Belâgat ve fesahat sahibi kimse.

lesu', *A. s.* Akrep veya yılan sokmuş.

leşger, leşker, *F. i.* Asker. • «Leşker-i muhalif ile kardeş oldular. — Naima».

leşkergâh, *F. i.* [Leşker-] Ordu yeri. • «Uğrumuzda durmasın ya mansıbına ya geri leşkergâha gitsin demekle. — Naima».

leşkerî, leşkeriye, *F. s.* Askere ait.

leşkeriyan, *F. i.* [Leşker ç.] Askerler. • «Çün cümle-i leşkeriyan edepsizlik edip serdarın emval ü eşyasın garet eylediler. — Naima».

leşkerkeş, *F. s.* [Leşkerkeş] Asker çeken. Asker idare eden. (ç. Leşkerkeşan).

leşkerşiken, *F. s.* [Leşker-şiken] Düşman askerini kıran.

let, *A. i.* Dövme, vurma. • «Let görüp başı ferş taşından. — Fuzulî».

letafet, *A. i.* 1. Latiflik, hoşluk, yumuşaklık. 2. Güzellik. Hoşlanılacak hal ve nesne. • «Sabah vakti, o bir ân-i zi-letafettir. — Fikret».

letaif, *A. i.* [Latife ç.] Latifeler. • *Letaif-ül-hiyel,* savaş oyunları, hileleri. • «Letaif-i seherîden latif olan o vücut. — Fikret».

lethurde, *F. s.* [Let-hurde] Dövülmüş, dayak yemiş. (ç. lethurdegân). • «Ol hal ile ata binip lethurde ve lâ yakıl vezire varıp. — Naima».

lev'a, *A. i.* (*Ayın* ile) Yürek yanıklığı.

levahık, *A. i.* [Lâhıka ç.] Lâhıkalar, ekler. • *Levahık-i lâmise,* (Bio.) Dokunaç. • «Zira etba ve levahıkın kesret-i zulüm ve celb-i mal irtikâbını iktiza edegelmiştir. — Naima».

levaic, *A. ç. i.* Halecanlar, yürek sıkıntıları. • «Kânun-i derunların istiap eden levaic-i takatgüzardan. — Şefikname».

levaim, *A. i.* [Lâime ç] Çekiştirilecek, kötülenecek şeyler.

levami, A. i. [Lâmie ç.] Parlamalar, nurlar. • «Baht-i nâbidarı şemse-i rayât-i mansure levamiine tâb götürmez. — Sadettin».

levayih, levaih, A. i. [Levha, lâyiha ç.] Levhalar. • «Hattâ Acemin levayih-i mersumesine nazar olunsa. — Kemal».

levazım, A. i. [Lâzime ç.] Gerekli şeyler. Yaşamak, geçinmek, yolculuk için gereken nesneler. Asker yiyecek, giyecek ve savaş eşyası, bu eşya ile uğraşan daire.

levazımat, A. i. [Levazım ç.] Levazım çoğulunun ikinci derece çoğulu.

leveat, A. i. [Lev'a ç.] (Sevgiden ileri gelen) yanıp yakılmalar.

levend, F. s. i. 1 .Eski askerlikte deniz eri. 2. Paşalar yanında ücretli er. 3. Çevik, çabuk hareketli, yakışıklı, kabadayı. 4. Boylu boslu. • Şehlevend, boylu boslu, şen güzel genç. • «Katırcıoğlu dört yüz mikdarı cevşen-puş müsellah levendi ile. — Naima». • «Minarelerin semavata per etmek isteyen birer tîr-i beyaz şeklinde uzanan endam-i levendleri. — Uşaklıgil».

levendane, F. s. zf. Leventçesine. • Tavr-i levendaneden men' ve salâtin-i maziye âyinlerine riayet ferman olunup. — Naima».

levendat, A. i. [Levend ç.] Leventler. • «İki yüz miktarı avratları levendata tevzi edip fuhş-i azîm irtikâbından sonra. — Naima».

levh, A. i. Düz, üzerine yazı, resim gibi şeyler yazılabilir yüzey. • Levh-ı hâtır, bellek. • Levh-î mahfuz, Tanrı takdirinin, olmuş ve olacak şeylerin yazılı bulunduğu levha; • -emles, Fransızcadan table rase karşılığı (XX. yy.). • «Arş-î Hak ey can yüzündür vesselâm — Levh ile Kur'an yüzündür vesselâm. — Nesimi». • «Bu levh-i matemi her türlü dehşetiyle alın. — Fikret».

levha, A. s. Duvara asılacak şekilde yazı veya resim kâğıdı, tablo. • Serlevha, başlık. • «Bütün bu levha andırırdı bir harim-i vuslatı. — Fikret». • «Bu şehri ufkun zemin-i laciverdisine tersim olunuz bir levha-i bedia şeklinde. — Uşaklıgil».

levhaşallah, A. cüm. Allah ırak eylemesin, maşallah, aferin gibi beğenme, şaşıp kalma bildirir.

levlâk, levlâke, A. i. Bir ayetten alınma olup Muhammet Peygambere işarettir.

levm, A. i. Çekiştirme, paylama, başa kakma. • Levm-i lâim, çekiştiricinin kınaması. • «Levm-i hussaddan asîb-i nazardan daim — Eyliye zatını mahfuz Huda-yi zülmen. — Nedim». • «Böyle insanlık mı olur diye kendini levm etmeye başladım. — Naci».

levme, A. i. Kınanmaya sebep olacak, şey.

levn, A. i. Renk, boya, beniz. • «Sarışın... Ah, şimdi her şeyde — Bu sıcak levn-i muhteşem zâhir. — Fikret» • «Koyu mor bir karanlık içinde — Ki renk-i ziyanen levn-i mülemmidir. — Cenap».

levs, A. i. Pislik, murdarlık, kir. (ç. Levsiyat). • «Hayat-i milleti tâzip eden, muhakkar eden — Çamurlayan ne kadar levs varsa hep birden — Kucaklamış, taşımış bir muhite aitti. — Fikret».

levsiyyat, A. i. Kirli pis şeyler. • «Bu çehrelerin serair-i levsiyatını görmeğe çalışıyordu. — Uşaklıgil».

levvam, levvame, A. s. [Levm'den] Çekiştirip dedikodu yapan, başa kakan. • Nefs-i levvame, bir fenalığı yaptıktan sonra insanı tedirgin eden vicdan rahatsızlığı.

levz, A. i. (Zel ile) Sığınma.

levz, A. i. (Zel ile) Badem.

levzaî, A. s. (Ze ve ayın ile) İnce, akıllı.

levze, levzetan, A. i. (Anat.) Bademcik.

levzine, F. i. Badem helvası.

levziyyat, A. i. Bademli tatlılar.

leyal, leyalî, A. i. [Leyl ç.] Geceler. «Karıştı leyl-i musibet leyal-i nisyana. — Fikret». • «Ve dahi leyalide dâr-i izzetmedarında her zamanda bidar. — Taş.».

leyan, A. i. Rahat içinde dirlikte geçinme.

leyl, A. i. Gece. • Leyl ü nehar, gece ve gündüz. • «Cevf-i leylde Gürcü Nebi'ye gider bir bostancı tutup. — Naima».

leylâ, A. i. Pek karanlık gece, Arabî ayların son gecesi. • Leyle-i leylâ, çok uzun, azaplı gece.

Leylâ, A. i. Leylâ ile Mecnun hikâyesinin kadın kahramanı.

leylâk, A. i. Leylâk.

leylâkî, F. s. Mor renk.

leyle, A. i. Bir tek gece. Çoğunlukla kandil geceleri için kullanılır. • Leyle-i kadr, • leyle-i mirac, • leyle-i regaib, • leyle-i erbaa, çarşamba gecesi. • «Bu leyle-i erbaada. — Naima».

leylen, A. zf. Gece vakti, geceleyin.

leyli, A. i. Leylâ.

leylî, leyliye, A. s. 1. Gece ile ilgili, gece olan. 2. Gece kalınan, içinde yatılan; gece de kalan. • «Bazı şehirlerin manzara-i leyliyesinde bir halet-i mefture vardır. — Cenap».

leyin, leyyin, A. s. Bk. • Leyyin.

leymon, A. i. Limon.

leys, A. i. (Se ile) (Zoo.) Aslan.

leys, A. i. (Sin ile) Yokluk.

leysiyye, A. i. Fransızcadan nihilisme (nihilizm) karşılığı (XX. yy.).

leyte, A. e. Olsaydı, keşke. • Leyte lâalle, bakalım, bugün, yarın gibi sözlerle oyalandırma. Sürüncemede bırakma.

leyyin, leyyine, A. s. Yumuşak. • Leyyin-ül-canib, görüşülmesi kolay, kibirsiz, kanı sıcak, uygun adam. • «Leyyin-i kelâm ve nerm-i peyam ile teshir-i hisara ihtilmam ede. —Sadettin».

lezaiz, A. i. [Lezize ç.] Tatlı, hoşa gidecek, zevk alınacak şeyler. • «Ve lezaiz-i dünyevilerine rağbet ve iştigal gösterip. — Peçoylu».

lezam, A. i. (Ze ile) Gerekli olma, hiç ayrılmama.

lezc, A. i. (Ze ile) Yapışma, yapıştırma.

leziz, A. i. (Ze ile) [Lezzet'ten] Tadı güzel, hoşa gider. • «Bu iftirakı, bunun telhi-i lezizini siz — Tahayyül etmeye bilmem ki muktedir misiniz? — Fikret». • «Ufukta leziz bir pembelik beliriyor. — Cenap».

lezuc, A. i. Tutkal gibi yapışkan ve kolay kopmayıp uzanır olma. «Eflak ovası ratb a lezic sathı üzerinden ayıp gidiyor. — Cenap».

lezuk, A. i. Yakı gibi bedene yapıştırılan ilâç.

lezzât, A. i. [Lezzet ç.] Tatlılar, çeşniler.

lezzet, A. i. Tat, çeşni. Hoşlanma, zevk alma. • «Lezzet-i dermanı idrak eylemez bi-derd olan. — Hayali». • «O lezzeti bir an evvel tezevvuk için vermiş olduğunuz mülâkat vaadinin. — A. Mithat».

lezzetşinas, F. s. Tadına varan, tat alan. (ç. Lezzetşinasan). • Lezzetşinas-i edep olanlara göre. — Kemal»

lezzetyab, F. s. Lezzet bulan, tat alan. • «Mesalik-i saireden artık lezzetyab olamaz. — Cenap».

li-, A. e. «İçin, yüzünden ötürü» anlamlarıyle kullanılan önek.

liam, A. s. [Leîm ç.] Alçaklar, pintiler. • «Feth-i Bağdat'tan sonra bazı liama karîn ve cühhal ile hemnişin oldu. — Peçoylu».

lian, A. i. Karşılıklılânet okuma. Kadın eşe zina yaptı deme, yargılanma; lânetler.

libab, A. i. [Lebib ç.] Akıllılar.

libaçe, F. i. Giyecek. • «Fahr eylemeziz ilbaçe-i zait ile — Derya gibi mevçtir bizim puşişimiz. — Nabi».

libas, A. i. Giyilecek şey, giyecek. • Libas-üt-takva. İman, hayâ. • «Libas-i nevle bezenmiş kavafil-i sübyan. — Fikret».

licac, A. i. İnat ve düşmanlığı sürdürme. • «Nihadlarında olan licac ü şeytanat ve tama, ü hamakat muktazasınca. — Naima».

licam, A. i. Dizgin. • «Bir himara süvar olmuşum ki licamını sürüyüp gider. — Sadettin».

lidad, A. i. Husumet etme. Dâvacı olma.

lieb, A. zf. [Li-eb] Baba bir kardeş.

liebeveyn, A. s. [Li-ebeveyn] Ana baba bir.

liecl, A. ter. [Li-ecl] İçin, maksadıyle. • Liecl-il-maslaha, iş için; • liecl-it-tahsil, okumak için. • «Ve liecl-il- musafaha hoca efendiye elini uzattı. — Recaizade».

lif, A. i. Bitkisel maddelerden çıkan iplik iplik nesne.

lifafe, A. i. 1. Sargı. 2. Kefen, ölünün sarıldığı bez katlarından biri. 3. (Herk) Bandage ve bandeau karşılığı (XX. yy.). • «Her yer beyaz: Lifafe-i emvatı andırır — Yerlerde bir beyazlığın altında na'ş-i hâk. — Fikret».

lifî, lifiyye, A. s. Lif gibi, life benzer. Telsel.

ligâm, F. i. Dizgin, gem.

lihaf, lihafe, A. i. (Ha ile) Yorgan. Sargı, zar. • «Lihafe-i kumatada bizi hapsettiği gibi. — Nabi».

lihak, A. i. Yetişip ulaşma.

liham, A. i. (Ha ile) [Lahm ç.] Etler.

liamh, A. i. (He ile) Lehim.

lihavi, A. s. Saça sakala ait, onunla ilgili.

lihaz, lihaza, Bk. • Lehazz.

lihazâ, A. zf. [Li-haza] Bunun için. • «Velihaza ulema-yi din ve fuzalâ-yi muvahhidin ol. — Sadettin».

lihikmetin, A. zf. [Li-hikmet] Bir hikmeti mebni.

lihyani, A. s. Uzun ve kaba sakallı olan.

lihye, A. i. Sakal. • Lihye-i şerife, Muhammet peygamberin sakalları kırpıntısından kalmış kıl. • «Dağılırken dedi erbab-i temaşa tarih — Lihye koyverdî köçek bitti sakalı oyunun. — Süruri».

lihyedar, F. s. [Lihye-dar] Sakallı.

lik, leyk, F. e. Lâkin. • «Kasriyet-i fi'limi söylerdi lîk hep — Feryad edip ayaklarım altında her kiyah. — Recaizade».

lika, A. i. 1. Yüz. • Bedlika, mehlika. Bk. 2. Buluşma, kavuşma. • Lika-ul-lah, kıyamet günü. • «O da garaz-i acizanenin lika-yi edibaneleri gibi. — A. mithat». (Ed. C.). :

Lika-yi hamuş,	-ratip,
-handan,	-seher,
-hayat-i fâni,	-siyah,
-hazan,	-sükûnperver,
-hilkat,	-şefkat,
-hüzn,	-tabiat,
-kamer,	-zelil-i hayat.
-pürgurur,	

likâf, A. i. Semer, palan.

likailihi, A. ter. [Li-kail] Söz söyleyenin lâfı, manzumesi).

likâm, F. i. Hayvan ağzına takılan gem. Dizgin.

likaullah, A. i. Kıyamet günü.

likat, A. i. 1. Tarlada kalan başakları devşirme. 2. Hizada olma.

likay, A. s. İtibarsız, değersiz.

likin, F. bağ. Lâkin.

likülli, A. e. [Li-kül] Hepsi.

libeşeriyye, A. s. Fransızcadan anthropocentrique sözünün karşılığı (XX. yy.).

lillâh, lillâhi, A. ter. «Allah için. Allaha» anlamında Arapça tamlamalarda kullanılır. • Elhamdülillâh, Allaha şükür; • elhükmü lillâh, Hüküm Allahındır; • elminnetü lillâh, minnet Allaha mahsustur; • rızaen lillâh, Allah rızası için; • Lillâhi ve resulihi, • Lillâhi derrühu, Tanrı mükâfatlandırsın.

lil'araziyye, A. s. Astronomi ve fizik terimi olarak géocentrique karşılığı (XX. yy.).

lil'şemsiye, A. s. Astronomi terimi olarak héliocentrique (günmerkezli) karşılığı olarak (XX. yy.).

limaslahatin, A. zf. [Li-maslahatin] İş-için. • «Serdar dahi limaslahatin müsaade gösterip. — Naima».

lîme, F. i. Parça, uzun dilim.

limmî, limmiye, A. s. (Man.) Fransızcadan a priori karşılığı (XX. yy.). • Burhan-i limmî, (Man.) nazarî, akla dayanan burhan.

limmiyet, A. i. Nazarî, akla dayanan burhan. • «Bir ilimdir ki limmiyet-i kıraâttan bâhistir. — Taş.».

limüellifihi, A. ter. [Li-müellif] Yazarı tarafından (söylenmiş manzume).

limunşihi, A. ter. [Li-münşi] Nesri yazan tarafından.

limütercimihi, A. ter. [Li-mütercimihi] Çeviren tarafından (söylenmiş söz, manzume).

linet, liynet, A. i. Yumuşaklık.

-lis, F. s. Yalayıcı, kâselis, çanak yalayıcı, dalkavuk.

lisam, A. i. Yüz örtüsü.

lisan, A. i. 1. (Ağızdaki) Dil. 2. Konuşulan dil. • Lisan-i dil, gönül dili; • -hal, hal dili, insanın yüz hareketlerinin duruşundan anlaşılan şey. • İlmül-lisan, dillerin bölümlerinden bahseden bilim. • «Ehl-i akl anlamaz efsus lisan-i dilden — Beyatlı». • «Hilkat lisan-i dil ile her bâr söylenir. — Beyatlı». • «Bu makule her zevatı keşf edip paşasını ve kenduyu lisana düşürdü. — Naima». • «Çünkü ebna-yi vatan arasında iştirak-i lisan ve ittihad-i menfaat. — Kemal».

lisanen, A. zf. Ağızdan. • «İçerde valde ağası tavaşi Hüseyin Ağaya lisanen haber gönderdi. — Naima».

lisanî, A. s. Dile mensup, dil ile ilgili. • «Bu lisanî aşurenin içine yalnız bazı Türkçe kelimelerle edatlar karışabilirdi. — Z. Gökalp».

lisaniyyat, A. i. Fransızcadan Phililogie (filoloji) ve linguistique karşılığı (XX. yy.). • «Lisaniyyat ilminde gerek sıygalar, gerek hususi mânayı haiz bir edat ilâvesiyle... — Z. Gökalp».

lisas, A. i. (Se ile) Kadınların tutundukları peçe.

lisat, A. i. (Se ve te ile) [Lise ç.] Dişetleri.

lise, lisse, A. i. (Se ile) Dişeti.

lisevî, liseviye, A. s. Dişetleri ile ilgili.

lüümmin, A. s. Ana cihetinden. • «Nam ihtiyar ki Selâse Efendinin liümmin biraderidir. —Naima».

liva, A. i. 1. Bayrak. • Liva-ül-hamd, Muhammet peygamber ümmetinin mahşer günü altında toplanacakları bayrak. 2. Fırka ile tabur arasında asker birliği. • Mirliva, böyle birlik komutanı; miralay ile ferik arasında, paşa. 3. İdare bölümlerinden kaza ile vilâyet arasında derece, sancak, mutasarrıf idaresindeki bölge. • ‹Serfiraz ettin liva-ül-hamd-i din-i Ahmedi — Kâfire gösterdin elhak dest-bürd-i Hayder'i. — Nef'i›.

livata, A. i. Erkekler arasındaki cins ilgisi; lûtilik.

livaz, A. i. (Ze ile) Sığınma, sığınacak yer tutma.

liyaket, A. i. Yararlık, değerlilik. Değer, iş becerirlik.

liynet, Bk. •Linet.

lizalik, A. zf. [Li-zalik] Bunun için, bundan ötürü.

lizatihi, A. h. [Li-zatihi] Kendiliğinden. • ‹Bir şeyin şeref ve fazileti ya lizatihi olur ya ligayri olur. —Taş.›.

lizaz, A. i. (Zel ile) [Leziz ç.] Tatlı şeyler.

Lokman, A. i. Hikmetli sözleri ve fıkralarıyle ün almış birinin adı. • ‹Hükmünde Lokman-i zaman. — Sadettin›.

lûab, A. i. Salya. • ‹Lezzetinden kim okursa suhan-i şirinin — Şerbet-i şehd-i musaffa olur ağzında lûab. — Nef'i›.

lûabi, A. s. Tükürük ve salya ile ilgili.

lû'b, lûub, lä'b, A. i. Oyun. • ‹Her kim ne bilirse lû'b ya lehy — İzhara getirdi etmeyip sehv. — Fuzulî›. • ‹Bu lû'b-i gafilâneye bir maksad-i zımnî isnat ederek. — Cenap›.

lû'bbazan, F. i. [Lû'bbaz ç.] Oyuncular. • ‹Hünermendan ve lû'bbazanın sanayi-i garibelerin temaşa edip. — Naima›.

lûbet, A. i. Oyun.

lûbetbaz, F. i. [Lûbet-baz] Hayal veya kukla oynatan. • Dehr lûbetbazına kim der sana var çenber ol. — Hayalî›.

lûbetgâh, F. i. [Lûbet-gâh] Oyun yeri. • ‹Bu lubetgâhta ey Nailî bilmektedir hikmet — Ne zir-i hırkadandır heft tas-i nilgûn peyda. — Nailî›.

lûbiyyat, lâbiyyat, A. i. Oyunlar, eğlenceler.

lûgaat, A. i. [Lûgat ç.] Lügatler. 1. Sözler. 2. Sözlükler. • ‹Lûgaat-i garibeyi bir yere tıkmakla — Uşaklıgil›.

lûgat, A. i. 1. Dil, her kavmin konuştuğu dil. 2. Bir dilin sözcüklerinden her biri. 3. Dil sözcüklerinin sıralanıp anlamlarının açıklandığı kitap. 4. Özel anlam dışındaki genel anlam, ıstılah, terim karşıtı. • Lûgatin tercümesi yanında — Yer eder ehl-i dilin canında. — Sümbülzade›.

lûgatperdaz, F. s. [Lûgat-perdaz] Garip kelimeler kullanan. • Beni lûgatperdazlıkla itham edeceklermiş. — Uşaklıgil›.

lûgavi, lûgaviye, A. s. Kelime lügat ile ilgili. • ‹Bais olduğu inkılab-i lügayi ile bilhassa müftehir. — Cenap›.

lûgaviyyun, A. i. Lügat ile uğraşanlar, sözlükçüler.

lûhaza, A. i. Göz ucuyla bir bakma.

lûhud, A. i. [Lâhd ç.] Mezarlar.

lûhuf, A. i. [Lihaf ç.] Örtüler. Sargılar.

lûhuk, A. i. Ulaşma. • ‹Üzerinden katl-i sultan töhmeti ref olup lûhuk-i halâs olalar. — Naima›. • ‹Seza-yi hukuk-i cahim olanlar hakkında. — Naci›.

lûhum, A. i. [Lâhım ç.] Etler.

lûkata, A. i. Yere atılmış, yerden alınmış değersiz şey. • Lukata çin, artık toplayıcı. • Amma bu lûkata-çîn-i aklâm-i ekâbir. — Veysi›.

lûkate, A. i. (Kaf ve tı ile) Sokakta bulunup alınan sahibi belli olmayan şey.

lukma, A. i. Lokma. Buluntu.

lüle, F. i. Lüle. • ‹Tarihi sultan Ahmet'in câri zeban-i lûleden. — Vehbi›.

lûss, A. i. Hırsız. (ç. Lüsus).

Lût, A. i. (Tı ile) İbrahim peygamberin yeğeni olan peygamber. • Kavm-i Lût, Lût peygamberin çağrısına aldırmayıp tabiî olmayan ahlâksızlığa düşkünlüklerinden Tanrı tarafından yok edilen Sodom ve Gomorrah halkı.

lûtf, A. i. Hoşluk, güzellik. İyi muamele. • ‹Gönlüne göre eğer herkese lutfeyler isen —Sana malumdur ey bâr Huda ma filbal. — Ruhi›. • ‹Kabahatlerinden cümlesi şermsar olup afv ü lûtfunuzu rica ederler. — Naima›.

lûtfen, A. zf. Hoşlukla, tatlılıkla. Kerem ve ihsan suretiyle. Lütfen.

lûti, A. s. Lût kavminin işlediği aynı cins zinasını işleyen.

lûub, Bk. • Lû'b.

lüban, A. i. 1. Günlük, kündür. 2. Büyük iş. • ‹İt'am-i lüban edelim yani kündür verelim. — Taş.›.

lübane, A. i. Önemli iş.

lübb, A. i. İç, öz. • Lubb-i sinn, dişözü.

lübbî, A. i. Öz ile ilgili, öze ait.

lübub, A. i. [Lüb ç.] Özler, içler.

lübus, A. i. Savaş elbisesi.

lücce, A. i. 1. Engin deniz. 2. (Mec.) Kalabalık. • ‹Mevc-hiz oldu yine lücce-i derya-yi Aden. — Nedim›.

F. : 30

lücec, A. i. [Lücce ç.] 1. Engin denizler. 2. Kalabalık topluluklar.

lücüm, A. i. [Licam ç.] At dizginleri.

lügaz, A. i. (Ze ile) 1. Bilmece. 2. Yanıltmaç. (ç. Elgaz). • ‹Halletmediler bu lügazın sırrını kimse. — Ziya Pş.›. • ‹Mamafih bu lügaz-i ticareti istifadeli şekilde halle muvaffak olan. — Cenap›.

lühat, A. i. (He ile) Küçükdil.

lühayme, A. i. (Ha ile) [Lâhın'den] Etçik.

lühud, A. i. [Lahd ç.] Mezar yanlarındaki harç ve sıvalı duvarlar.

lühun, A. i. [Lahn ç.] Lahinler, ahenkler. • ‹Keyfiyet-i telif-i lühun ve icad-i alât-i musıkariye malûm olur. — Taş.›.

lüknet, A. i. Pelteklik. • ‹Latif lükneti bir tıfl-i hande-mutadın. — Fikret›.

lüli, F. i. 1. Güzel ve nazik oğlan veya kız. 2. Genel kadın. (ç. Lüliyan).

lü'lü, A. i. İnci. • Lü'lübar, inci yağmuru. • ‹Hüdavenda ben ol üstad-i mazmun perver-i nazmım — Ki pest etti kelâmım lü'lû-yi lâlayi. — Nef'i›.

lü'lüpas, F. s. [Lü'lü-paş] İnci saçan.

lüsağ, lesag, Bk. • Lesağ.

lüsat, A. i. Dişetleri.

lüseyn, A. i. (Sin ile) Dilcik.

lüsn, lüsün, A. i. [Lisan ç.] Diller. • Lüsün-i atika, eski diller. • ‹Sair lüsün-i atikanın hep — Ma'kulâtı olur mürettep. — Ziya Pş.›.

lüsuk, A. i. (Sat ile) Yapışma.

lüsus, A. i. [Las ç.] Hırsızlar. • ‹Melce-i lüsus-i Arap olmuş idi. — Naima›.

lüsuset, A. i. (Sat ile) Hırsızlık etme.

lüsusiyyet, A. i. (Sat ile) Hırsızlık sanatı.

lüzub, A. i. (Ze ile) Bir nesnenin cüzleri birbirine kafes gibi girişme, yapışma.•

lüzucet, A. i. (Ze ile) 1. Yapışkanlık. 2. Yapışıp uzayan şeyin hali.

lüzucî, A. s. Yapışkan.

lüzuk, A. i. (Ze ile) Yapışma. Yapışıp tutma.

lüzum, A. i. 1. Bir işe yarama, gerek. 2. Sayma. 3. Gereklik. • Lüzum-i gayr-i münfek, ayrılmazlık; • -malâyülzem, boş yere fazla bir şeye saygı gösterme. • ‹Kâinatın lüzum-i hilkatini — Gecenin gündüzünün hakikatini. — Fikret›. • ‹Her gece eve gelmekliğim lüzumuna dair. — Naci›.

M

m, Arap alfabesinin 24. Osmanlı ve Fars alfabelerinin 27. harfi, ebcet hesabında 40 sayısının ve aylardan muharremin işaretidir. Belli anlamda malûm» ve gelmiş hazır anlamından «mevcut» sözlerinin kısaltılmışıdır. Kitap ve yazıların sonuna «Temme (bitti) yerine *m* konduğu olmuştur.

ma-, *A. e. (Mim ve elif ile).* 1. «Şu nesne, o şey ki» anlamıyle takımlar meydana getirir. 2. *(zm.)* Biz. • *Maba'd,* • **macera,** • *madâm, mahasal* (Bk.)

ma', *A. i. (Hemze ile)* Su. •*Ma-i câri,* a-karsu; • *-billûrî,* billûrlaşma suyu; • *-leziz,* tatlı su; • *-mukattar,* damıtık su; • *-rakid,* durgun su; • *-zerrin,* altın suyu; • *ma-ül-bahr,* deniz suyu; • *ma-ül-hayat,* hayat suyu (Bk. • *Âb-i hayat);* • *bilma',* hidro; • *havz-i ma',* su havuzu; • *kibrit-i ma',* hidrosülfirik; • *klor ma',* hidroklorik; • *mikyas-i ma',* hidrometre; • *tedavi bilma',* su tedavisi. • «Dil bir içim su istedi çeşme-i lâ'l-i yârdan — Âd-i zülâl-i hançerin gösterip işte mâ dedi. — Baki» • «Mizabi kalemden dökülen ma-i maârif. — Avni».

ma', maa, *A. e. (Ayın ile)* İle birlikte, beraber. • *Maafaiz,* faizle birlikte; • *maaziyadetin,* fazlasıyle, bol bol.

maab, maabet, *A. i. (Ayın ve elif ile)* Ayıp, eksiklik; ayıp şey, utanılacak nesne. (ç. Maayib).

maabid, *A. i. (Ayın ve elif ile)* [Ma'bed ç.] İbadet edecek yerler, tapınaklar. • «O maabid-i atîkaya mahsus bir fenere benzeyen kandile. — Uşaklıgil».

maabid, *A. i. (Ayın ve elif ile)* [Ma'bede ç.] Kullar, hizmetçiler.

maabid, *A. i. (Ayın ve elif ile)* [Ma'bud ç.] İbadet dilecekler.

maabil, *A. i.* [Mi'bele ç.] Yassı, uzun temrenler.

maabir, *A. i.* ç. Bırakılmış nesneler.

maabir, *A. i. (Ayın ile)* [Ma'ber ç.] Geçitler. • *Turuk ü maabir,* yollar ve geçitler. (Köprüler).

maacil, *A. i.* [Ma'cel ç.] Yollar. • «Maacil-i hazm ü ihtiya tazahip olup. — Şefikname».

maacin, *A. i.* [Ma'cen ç.] Macun yapılan kaplar.

maacîn *A. i.* [Ma'cun ç.] Macunlar. «Ve terkib-i maacinde bir mesabede cahil idi ki. — Hümayunname».

maacir, *A. i. (Mim, ayın ve elif ile).* [Mi'cer ç.] Kadın başörtüleri.

maad, mead, *A. i.* [Avdet'ten] 1. Dönülen, dönüp gidilecek yer. 2. Ahret. 3. Dönüş, geri gidiş. *(Tas.)* Amaç, ulaşılacak yer. 4. Dünyadan sonraki hayat. • *Akl-i maad,* geleceği, bundan sonraki hayatı kavrama. • *İlm-i maad,* hayat sonu bilfisi, *eschatologie; mebde ü maad,* gelinen ve gidilecek yer, insanın dünyaya gelişi ve tekrar dönüşü; • *yevm-i maad,* kıyamet günü, tekrar dirilme günü. • «Bir pîre yapış kim eresin sırr-i maada. — Ruhi».

maada, *A. i.* [Ma-adâ] Geçen, başka, fazla.

maadin, *A. i.* [Ma'den ç.] Madenler. *Maadîn-i seb'a* altın, gümüş, bakır, kalay, demir, kurşun; yedi ana maden.

maadiyyat, *A. i.* Öbür dünyayı tanıtmaya çalışan, Tanrı bilim kolu anlamında olan, Fransızcadan *eschatologie* karşılığı, eskatologya (XX. yy.).

maahaza, *A. bağ. (Mim, ayın, he ve zel ile)* [Maa-haza] Böyle iken, bununla beraber.

maahid, *A. i.* [Ma'hed ç.] Buluşma yerleri.

maaiş, Bk. •*Maayiş.*

maâk, *A. i. (Ayın ve kaf ile)* Mezhep, meslek. Sığınacak yer.

maakat, *A. i. (Tı ile)* Derinlik.

maakıd, *A. i. (Kaf ile)* [Ma'kad ç.] 1. Düğümler, düğüm yerleri. 2. Toplantı yerleri.

maakıl, *A. i.* [Ma'kıl, ma'kale, ma'kule ç.] 1. Sığınacak yerler. 2. Kan-pahaları. • «Teşyid-i kavaid-i umur ve tesdid-i maakıl ü sügur ile. — Raşit».

maakım, A. i. [Ma'kım ç.] Ekler, eklemler.

maakid, A. i. (Kaf ve dal ile) [Ma'kid ç.] Sığınacak yerler.

maakis, A. i. (Ayın, kef ve sin ile) [Ma'kûs ç.] Ters edilmiş şeyler.

maalesef, A. zf. [Maa-l-esef] Yazık ki, esefle.

maali, A. i. ç. 1. Ululuklar, şerefler. 2. Yüksek, derin fikirler, insan fikrinin zor yetişeceği ince fikir ve işler. • İdrâk-i maali, yüksek fikirleri kavrama; • iktisab-i maali, ululuklar kazanma; • meyl-i maali, ululuğa, ince şeyler öğrenmeye heves. (ç. Maaliyat) • ‹İdrâk-i maali bu küçük akla gerekmez. — Ziya Pş.›. • ‹Fakat meftun-i maaliyat olmuş gözler gibi. — Uşaklıgil›.

maalif, A. i. [Mi'lef ç.] Yem konan yerler, yemlikler.

maaliftihar, A. zf. [Maa-l-iftihar] Onur bilerek, övünerek.

maalik, A. i. [Mi'lâk, ma'lûk ç.] 1. Çengiler. 2. Üzengi kayışları. 3. Üzüm hevenkleri.

maalim, A. i. [Ma'lem ç.] Din inançları sorunları. • maalim-ül-hayr, • Maalim-ül-yakîn, bu işe dair yazılmış kitap.

maalkerahe, A. zf. [Maa-l-kerahe] İstemeyerek. • ‹Canib-i müfti bizzarure maalkerhae rıza şeklin gösterip. — Naima›.

maalmemnuniyye, A. zf. [Maa-l-memnuniye] Memnunlukla, seve seve, sevine sevine. • ‹Her vakit yaptıkları gibi Bihter'le maalmemnuniye bir seyran yapacaklardı. — Uşaklıgil›.

maamafih, A. zf. [Maa-ma-fih] Bununla beraber, böyle iken, böyle ise de. Mamafih. • ‹Buna dair pek çok mebahis görülüyor, maamafih yine bu bapta bazı misaller irad olunmak. — Kemal›.

maan, A. zf. Birlikte. • ‹Kaptan Kılıç Ali Paşa ile maan Tunus üzerine. — Peçoylu›.

maani, A. i. [Mâna ç.] Mânalar, anlamlar. • İlm-i maani, sintaks ve lügat sorunlarıyla lâfzın hâle uygunluğundan söz eden bilim; • zü-l-maani. üç veya daha artık anlamlı (sözcük). • ‹Hayat onlar için mektepte bütün serair-i maanisi öğrenilen bir mudhikedir. — Uşaklıgil›.

maaric, A. i. [Miraç ç.] Merdivenler. • ‹Maaric-i yakîniyeye meslek-i burhan medaric ve süllem olmakla. — Kâtip Çelebi›.

maarif, A. i. [Marifet ç.] 1. Bilimler. 2. Bilgi, kültür. • Maarif-i Umumiyye Nezareti, (XIX. yy.) Maarif Vekâleti, Maarif Vekilliği, Millî Eğitim Bakanlığı. • ‹Sakalını değirmende ağartmış tedbir-i umurdan bîhaber maarif ve idrâkten tehibir gani koca idi. — Naima›.

maarifmend, F. s. [Marif-mend] Bilgili, bilgi sahibi. (ç. Maarifnamendan).

maarifperver, F. s. [Maarif-perver] Maarifin yayılmasına çalışan, marife ait şeyleri koruyan.

maarik, A. i. (Ayın ve kef ile) [Ma'reke ç.] Savaş yerleri, savaş meydanları. • ‹Maarik-i dahiliye ile hurub-i hariciye. — Cenap›.

maasi, A. i. (Ayın ve sat ile) [Ma'siyet ç.] 1. Günahlar. 2. İsyanlar. • ‹Sensin çü şefi-i her maasi — Ne gam eğer kimse olsa âsi. — Fuzulî›.

maaş, A. i. [Ayş'ten] 1. Yaşayış, dirlik. 2. Geçinecek şey. 3. Aylık. • Akl-i maaş, geçim fikri, kazanç düşüncesi; • bedmaaş, davranışı yaşayışı kötü, • tenk-maaş, dar geçimli, sıkıntılı. • ‹Gehiy tezahüm-i ekdar-i gayret-i emsal. — Nedim›. • ‹Birkaç yüz kuruş maaş. — Uşaklıgil›.

maaşir, A. i. [Ma'şer ç.] Cemaatler, topluluklar. • ‹Ettin deha-yi mudhik-i zehrabe-darını — Pişani-i maaşire bir tig-i intikam. — Cenap›.

maateessüf, A. zf. [Maa-t-teessüf] Yazık ki. Esefle.

maayib, A. i. (Ayın, elif ve ye ile) [Ayb'dan] Ayıplar, lekeler. • ‹Defterkeş-i maayib-i nas omal merd isen — Kıl zatını nazarlara mecmua-i edeb. — Nedim› — • ‹Ve bütün maayib-i hayatının cezası bu gece kızının ağzından dökülen kadın. — Uşaklıgil›.

maayiş, maaiş, A. i. [Maişet ç.] Geçinme için gerekli şeyler.

maaz, A. i. (Zel ile) Sığınacak yer. Sığınma.

maazalik, A. bağ. [Maa-zalik] Bununla beraber, şu var ki. • ‹Ancak noksanı okur ve yazar değil idi. Maazalik vüzera-yi izamın ser-efrazı idi. — Naima›.

maazallah, A. i. [Maaz-allah] Tanrıya sığındık. • ‹Nisviyunun ifratperveranı maazallah fuhşu ibhaya kadar gidiyorlar. — Cenap».

maazat, A. i. [Maaze ç.] Kötülükten koruyacak muskalar.

maaze, A. i. Kötülüğe karşı olan muska.

maazib, A. i. [Ma'zebe ç.] Matem elbiseleri.

maazîr, A. i. (Ayın ve zel ile) [Mi'zar ç.] 1. Mazeretler, özürler. 2. Örtüler, perdeler. • «Validinin eda-yi merasim-i istikbalden tahallüfü maazîrini bast edip. — Sadettin».

maaziyadetin, A. zf. (Ayın ve ze ile) [Maa-ziyadetin] Ziyadesiyle, çok çok.

maba'd, A. i. [Ma-ba'd] Sonraki, alttaki (şey). Sonrası, sonu. • Mabad-et-tabia, fizikötesi (XX. yy.).

mabaki, A. i. [Ma-baki] Kalan. Artıp kalan. Artık.

ma'bed, A. i. [İbade'ten] İbadet edilecek yer. Tapınak. (ç. Maabid). • İçi samt ü sükûn ile malî — Ulu bir mabed-i münevverede. — Fikret».

ma'ber, A. i. [Ubur'dan] Geçilecek yer, geçit.

mabeyn, A. i. [Ma-beyn] 1. Ara. Aradaki şey. 2. Kadınlar dairesi arasındaki oda. 3. (XIX. yy.) Sarayda, vükelâ ve başka kimselerin başvuracakları ve padişah yakınlarının bulunduğu daire. 4. Araya soğukluk girmiş olma. • Mabeyn-i Hümayun, sarayda padişahın erkekleri kabul ettiği özel daire; • mabeyin kapısı, harem ile selâmlık arasındaki kapı; • mabeyin müşürü. (XIX. yy.). Sarayın mabeyin dairesi başı; • mabeyin olmak, ara açılmak. • «Ocak ağaları bu teklif-i anîften dilgir olup mabeynlerinde bu ahval-i muris-ül-melâli söylerip. — Naima». • «Bağdat kulu ile beylerbeyisi mabeyn olup arada paşanın katli haberi geldikte. — Naima».

mabeynehüma, A. i. Ara, araları.

mabguz, A. s. (Gayın ve dat ile) [Bugz'dan] Sevilmemiş, nefret edilmiş. • «Ey gayret-i milliye ki mabguz ü muhakkar. — Fikret» • «Malını eyleme bi-vech itlâf — Oldu mabgus-i ilâhi israf. — Nabi».

mabihiliftihar, A. i. [Ma-bih-il-iftihar] Kendisiyle övünülen, övünme nedeni.

mabihilistihkak, A. i. [Ma-bih-il-iştihkak] İstihkak, hak etme nedeni. • «Eğerçi edebiyat memurîne göre mabih-il-istihkak olduğu müsellemdir. — Kemal».

mabud, A. i. [İbadet'ten] 1. Tanrı. 2. İbadet edilen nesne. • «Fikr-i gazab-i ma'bud-i enam et. — Ziya Pş.».

mabude, A. i. Kendisine ibadet olunan peri vedişi tanrı, déesse karşılığı (XIX. yy.). • «Yalnız ikimiz, bir de o: mabude-i şi'rim. — Fikret».

macera, A. i. [Ma-cera] Olup geçen şey. • «Bilsen beyim ederdi seni reşk bikarar — Şimdi Nedim'in öylece bir macerası var. — Nedim». • «Maceramız bizim ey dil daha çok su götürür».

macid, macide, [Mecid'den] Şan ve şeref sahibi.

macin, A. s. Hilecilik yolu öğreten.

ma'cun, A. i. [Acn'den] 1. Hamur kıvamında şey. 2. Hamur kıvamına getirilme ilâç. 3. Uyuşturucu maddelerden yapılma keyiftatlısı. 4. Yumuşak şeker. (ç. Maacin). • «Mümteziç dâruyi ikbali hamir-i neşeden. — Rüzgârın verdiği macun bir ecza iki. — Sami».

ma'da, A. i. zf. [Ma-adâ] Başka, fazla, gayrı.

madahik, medahik, A. i. (Mim, dat ve kef ile) [Mudhik ç.] Gülünç halliler. Güldürücü kimseler. • «Ehl-i ırz zurefa ile sohbet etmeyip erazil ve medahik makulesiyle hemsohbet. — Naima».

mâdam, mâdame, A. bağ. [Ma-dame] 1. Oldukça, olunca. 2. Çünkü. • Madam-el-hayat, sağ oldukça, ömrü oldukça. • «Mâdam ki bitmiyor hayatım — Zannetme biter terennümatım. — Naci».

madca, Bk. •Mazc. a

made, F. i. s. 1. Dişi hayvan. 2. Bir dişi. (ç. Madegân).

madde, A. i. 1. Madde. 2. Maya, asıl, cevher. 3. Cisim. 4. İş, mesele. 5. Sözün özü, ruhu. 6. Yasa ve nizamların rakamla sıralanmış fıkralarından her biri. 7. Sözlüklerde açıklanan kelimelerden her biri. 8. Erkeklik organı. • Maddet-ül-fesad, fesada sebep olan iş. fesadın başı. • «Çünkü madde-i vücudu vatanın bir cüzüdür. — Kemal».

maddeten, A. zf. 1. Madde ve cisim olarak. 2. Gözle görülür, elle tutulur şekilde. 3. İşte, iş olarak. • «Enzar-i umumiye ister ki mânen ve maddeten mütevazin bulunalım. — Cenap».

maddî, maddiyye, A. s. 1. Maddeye ait, madde ile ilgili. 2. Dokunma, görme, işitme, tatma ile duyulan şeyler. 3. Para ve malca. • Bu defa maddî bir mani vardı. — Uşaklıgil».

maddiyat, *A. i.* [Maddiyyet ç.] Gözle görülür, elle tutulur şeyler. • «Aradıklarını maddiyat içinde bulmaya hasr-i nazar etmiş birtakım ashab-i muahaze. — Kemal».

maddiyye, *A. i.* Fransızcadan *materialisme* karşılığı; materyalizm (XX. yy.). • *Lâ maddiye*, gene Fransızcadan *immatérialisme* karşılığı (XX. yy.).

maddiyyet, *A. i.* Gözle görülen elle tutulan şey. Madde kısmı. • «Hayatı bütün maddiyetiyle görürdü. — Uşaklıgil».

maddiyyun, *A. i.* [Maddî ç.] Maddeye inanan vemaddeyi esas kabul edenler; *matérialistes* karşılığı (XIX. yy.). • «Ne maddiyundanım, ne mâneviyundanım. — Cenap».

ma'delet, ma'dilet, *A. i.* [Adl'den] Adalet. • «Var idi bir şeh-i süreyya-makam — Madelete mail idi subh ü şam. Azerî».

madeletkâr, *F. s.* [Madelet-kâr] Adaletli. • «Ederlermiş duasın padişah-i madeletkârın. — Nedim».

ma'den, *A. i.* 1. Maden. 2. (Mec.) Bir nitelik ve özelliğin kaynağı olan kimse. • *Maden mukatası*, (eski) maden idaresi. • «Para... ey şemspâre-i âmal — Ey güzel maden. — Fikret».

madeni, madeniyye, *A. s.* Madenden.

madeniyyat, *A. i.* [Madeni ç.] Madenden şeyler. 2. Madenler. 3. Maden bilgisi, *minéralogie* (XX. yy.).

mâder, *F. i.* Anne, ana. • *Mader behata*, piç; • *maderender*, üvey ana. • «Evlenmesiyle maderi olmuştu müftehir. — Fikret». • «Bir memlekette ki ilel-i efrenciye ve sıbyan-i maderbehata baş ağrısı, hayvan yavrusu kadar kesrette bulunur. — Kemal».

mâderane, *A. s.* Annece, anaya yakışır surette. • «Ah o dallardaki fütur-i derun. — Onların tavr-i serzenişkârı — Onların maderane ekdarı! — Cenap».

maderi, *F. i.* Annelik, analık. Ana tarafından. • «Âl-i Osman'ın cedd-i maderileri. —Naima».

maderiyyet, *F. i.* Analık. • «Şefkat-i maderiyet hasebiyle ihzar-i terahhum edip. — Naima».

maderzad, *F. s.* [Mader-zad] Anadan doğma. • *Cani-i maderzad*, Fransızcadan *criminel-né;* • *lisan-i maderzad,*

anadili. • «Edersin, gerçi bir derde tabibim bin deva amma. — Cünun-i ehl-i aşk olunca maderzad n'eylersin. — Bahayî».

madg, mazg, *A. i.* Çiğneme. Ağızda çiğneyiş. • «Ve der idi ki madg-i hubz ile sürb-i suveyk beyninde. — Taş.».

mâdih, *A. s.* [Medh'ten] Öven.

madiyan, *A. i.* Dişi at, kısrak. • «Kâğıthaneye çıkılıp öndül atları seyr olunup cümleden bir madiyan-i tazi sebk etmiş. — Peçoylu.

madrib, mazrıb, *A. i.* [Darb'dan] 1. Vurma (kurma) yeri. 2. Çakma, kakma. • «Madrıb-i hiyam olan Sofya sahrasından. —Ragıp Pş.».

madrub, mazrub, *A. s.* (*Dat* ile) [Darb, zarb'dan] 1. Dövülen (kimse). 2. Basılmış, damgalanmış (para). 3. (Mat.) Çarpan, çarpılan.

madud, madude, *A. s.* [Add'den] 1. Sayılı, sayılmış. 2. Belli, belirli. 3. Bir cinsten sayılan şeyler). • *Eşhas-i madude*, belli birkaç kişi; • *eyyam-i madude*, sayılı günler; • *gayr-i madud*, *namadud*, sayısız, sayılmaz, çok. • «Hükümetin semerat-i sâyından madud olarak mülkümüzde Türkçe birinci neşr olunan serbest gazete. — Kemal.

madudat, *A. i.* (Fık.) Yumurta gibi sayı ile satılıp alınan şeyler. • *Eyyam-i madudat*, Kurban bayramının son üç günü.

madudiyet, *A. i.* Sayılma. • «Gençlerin en güzidelerinden madudiyet. — Uşaklıgil».

ma'dul, *A. s.* Bazı Farsça sözcüklerde yazıldığı halde okunmayan *v, y* harfleri.

ma'dum, madume, *A. s.* (*Ayın* ve *dad* ile) [Adem'den] Yok olan, mevcut olmayan. • *Ennadirü-kel-ma'dum*, nâdir olan şey yok gibidir; • *mevcud-ül-ism ma'dum-ül-cism*, adı var kendi yok. • «Yalnız biri, son darba-i teselli, o da madum: — Bin mateme bir sûr, o da peyveste memata. — Fikret».

madumiyyet, *A. i.* Yokluk, yok olma.

madun, *A. i.* [Ma-dun] 1. Alt, aşağı. 2. Emir altında bulunan, üstü bulunan. • «Herkesin âlemde bin nafevki bin madunu var. —Esat Muhlis Pş.».

mafat, *A. i.* [Ma-fât] Elden çıkan, kaybolan şey. • *Cebr-i mafat*, • *telâf-i mafat*, kaybedilen bir şeye bedel başka bir şey kazanma.

mafer, A. i. (Ayın ile) Bir şeyin toprağa süründüğü parça. • ‹Dergâh-i âlempenahı ma'fer-i cibah-i cebabire-i cihandır. — Hümayunname›.

mafevk, A. i. [Ma-fevk] 1. Üst, yukarı. 2. Üstte bulunan adam, baş. 3. Maddi durum bakımından ileri. • ‹Hangi katta ikamet etsen bin mafevkın, bin mâdunun bulunuyor. — Cenap›.

mafilbab, A. i. [Ma-fi-l-bab] Bir kitabın içindeki bapta (bölümde) olan şey.

mafilbal, A. i. [Ma-fi-l-bal] Yürekteki şey.

mafizzamir, A. i. [Ma-fi-z-zamir] İçten istenilen şey. • ‹Mafizzamire hacet-i tahrir kalmadı. — Nabi›.

mafsal, mafsıl, A. i. (Sat ile) (Ana.) Eklem, oynak yeri. • ‹Minimini habeşî mafsalları kopmuş zannolunan sarkık kollarıyle. — Uşaklıgil›.

mafsali, A. s. Eklemlere, oynak yerlerine ait.

maftur, mafture, A. s. (Tı ile) [Fıtrat'tan] 1. Yaradılmış. 2. Yaradılışta olan. • ‹Kalb-i bi-şefkati parçe-i senk olup bittabi' kahr ü katle mecbul ve maftur ve azıcık bahane ile kendi ile asker beyninde ihdas-i şikakla meşhur olup. — Naima›.

ma'fuvv, A. i. [Afv'den] Suçu bağışlanmış. • ‹Mir'at-i dilde suret-i ihlâsa kıl nazar — Ma'fudur merasime dair kusurumuz. — Nabi›.

magabıt, A. i. Gıbta edilme. İmrenilme. • ‹Ama mahdum-i güzin sümum-i magabıt tecerruuna me'luf olmamış tenkhavsala. — Naima›.

magabin, A. i. [Magben ç.] Kasıklar.

magafir, A. i. [Migfer ç.] Migferler.

magair, A. i. ç. Mağaralar.

magak, F. i. Çukur. • ‹Ya nasıl ağlamam o gül-sima — Oldu üftade-i megak-i fena. — Naci›.

magakçe, F. i. Küçük çukur, çukurcuk.

magalib, A. s. Galebe eden, üstün gelen. • ‹Nedir nalende ol tesir kim ruha megalibdir. — Fikret›. ·

magalık, A. i. [Maglak ç.] Kilitler, sürgüler.

magani, A. i. [Magni ç.] Evler.

maganim, A. i. [Magnem ç.] Ganimetler, ele geçirilen savaş malları.

magarim, A. i. [Magrem ç.] 1. Ödenmesi gerek borçlar. 2. Diyetler.

magare, A. i. Mağara.

magarib, A. i. [Magrib ç.] Batı yerleri. • ‹Magarib oldu drigaa matali-i irfan

— Ne kaldı şöhret-i Rum ü Arap, ne Mısır ü Herat. — Sadullah Pş.›.

magaris, A. i. [Magris ç.] Fidanlık bahçeleri.

magasil, A. i. (Sin ile) [Magsel ç.] Yıkanacak yerler. gusülhaneler.

magazi, A. i. 1. Gaza hikâyeleri. 2. Gazalar, savaşlar.

magazil, A. i. [Migzal ç.] İplik eğirecek aletler, iğler.

magben, A. i. (Ana.) 1. Kasık. 2. Uyluk kemiği.

magbun, A. i. [Gabn'den] 1. Alışverişte aldatılmış. 2. Şaşkın, şaşırmış. • ‹Eyler beni ol hesap magbun — Kim suret-i haldir diğergûn. — Fuzulî›.

magbuniyyet, A. i. Şaşkınlık. • ‹Magbuniyet-i cehilden eyman-i ye's makamında. — Naima›.

magbut, A. s. [Gıbte'den] Gıpta edilmiş, imrenilmiş.

magdub, magzub, A. s. (Gayın ve dat ile) Gazap edilmiş, kendisine kızılmış olan.

magduben, magzuben, A. zf. [Gazab'dan] Gazaba uğrayarak. Öfkeyle. • ‹Vezir-i nâmdardır magduben maktuldür. — Naima›.

magdubin, magzubin, A. i. [Magdup ç.] Gazaba uğramışlar.

magdur, magdure, A. s. [Gadr'den] Gadir görmüş, haksızlığa uğramış. (ç. Magdurîn).

magdure, A. i. Mağdur kadın.

magduriyyet, A. i. Gadre uğramış kimsenin hali.

magfiret, A. i. [Gufran'dan] Tanrının kullarının günahını bağışlaması.

magfur, A. s. [Gufran'dan] Tanrı bağışlamasına kavuşmuş olan veya nail olması için dua edilen (kimse). Ölmüş kimse. • ‹Hemen karin-i safa eylesin o mağfurun — Revan-i pâkini cennette hazret-i Müteal. — Recaizade›

magfurunleh, A. s. [Magfur-leh] Tanrı tarafından suçu bağışlanmış.

maglata, A. i. (Gayın ve tı ile) Yanıltmaç. Karşısındakini şaşırtmak için söylenen boş lâkırdı. Zihin karıştıracak saçma söz. • ‹Ne maglata edersiz? — Naima›.

maglataperdaz, F. s. [Maglata-perdaz] Zihin karıştıracak sözler hazırlayan, söyleyen.

maglataperdazi, F. i. Yanıltmaç söyleme.

maglûb, maglûbe, A. s. [Galebe'den] Yenilmiş. Zor altında bulunan. • ‹Şairane şeylerin beni mağlûp etmekte garip bir kuvveti vardır. — Uşaklıgil›.

maglûbane, F. zf. Yenilmiş olarak. Bitkin ve güçsüz halde. • ‹Makhurane, maglûbane ayaklarının altına atılacak. — Recaizade›.

maglûbîn, A. s. [Maglûb ç.] Yenilmiş kimseler. • ‹Bu maglûbîn-i hayat. — Cenap›.

maglûbiyyet, A. i. Yenilme. Bir güçlünün emri altında bulunma. • ‹Böyle bir sebebe bihaberane mağlûbiyetini utanılacak bir zaaf olmak üzere telâkki ediyordu. — Uşaklıgil›.

maglûk, A. s. Kapalı, kilitli.

maglûl, A. s. 1. Susuzluktan çok sıkılmış, sıkıntıda. 2. Bağlı, zincire vurulmuş. • Maglûl-ül-yed, eli bağlı. • ‹Kethüda beyi maglûl-ül-yed vezir-i müşarünileyhe teslim ettiler. — Naima›.

magmud, A. i. Kınına, zarfına konmuş olan.

magmul, A. i. Adı sanı kaybolma.

magmum, magmume, A. s. [Gam'dan] 1. Gamlı, tasalı. 2. Bulutlu, kapanık. • ‹Binlerce hâtırat ki magmum ü neşvedar. — Fikret›.

magmumen, A. zf. [Magmum'dan] Gamlı olarak. Tasalanarak. • ‹Mağmumen avdet edemezsiniz. — Cenap›.

magmumiyyet, A. i. 1. Gamlı, tasalı olma. 2. Kapanık ve bulutlu olma. • ‹Bir magmumiyet-i yetimane ile ıslak kirpiklerini titreten. — Uşaklıgil›.

magmur, A. s. 1. Adı sanı yok olmuş. 2. Yıkık, viran.

magmuriyet, A. i. Yıkıklık. Viranlık. • ‹Garbin ma'muriyet-i haline bakıp da şarkın magmuriyet-i ahvaline acımamak elden gelmez. — Sadullah Pş.›.

magmusün aleyh, A. i. Münafıklıkla suçlandırılmış olan kimse.

magnem, A. i. Ganimet alınan mal. (ç. Maganim).

magrem, A. i. 1. Ödenmesi gereken borç. 2. Diyet.

magres, A. i. [Gars'tan] Fidanlık.

magrib, A. i. [Garb'den] 1. Batı. 2. Akşam. • Salât-ül-magrib, akşam namazı. • ‹Bunlar her gece eda-yi salat-i magrıbden sonra. — Sakip›. • ‹Gurup edip de güneş bir veremli taze gibi — Çökünce magribe reng-i memat olan zulmet. — Fikret›.

Magrib, A. i. Batı tarafında olan memleketler, kuzey batı. Afrika, İspanya, Portekiz. • Magrib-i aksâ, Fas; • -edna, Tarabulus ve Berberiye; • -evsat, Tunus, Cezayir. • Magrib ocakları, Tarabulus, Tunus ve Cezayir. • Bahr-i Magrib, Atlantik Okyanusu.

magribi, A. s. i. Fas halkından, Magripli. • Kendini köşe başlarına dükkân açan Mağribîlere okutarak ve koluna pamuk ipliği bağlayarak mı iade-i sıhhate çalışsın? — Kemal›.

magruk, magruka, A. i. [Gark'tan] Suda boğulmuş.

magrukîn, A. i. [Magruk ç.] Suda boğulanlar.

magrur, magrure, A. s. [Gurur'dan] 1. Bir şeye güvenen. 2. Güvenilmeyecek bir şeye güvenip aldanan. 3. Övünüp duran, kibirli. Büyüklük taslar. • ‹Sayemde bu neşen demek ister gibi mağrur; — Mağrur ü muhaktır. — Fikret›.

magrurane, F. s. zf. Güvenilmeyecek bir şeye güvenerek, boş bir şeye dayanarak. 2. Gurur ve kibirle. • ‹Mağrurane kasr-i âlişana müteveccih oldu. — Naima›.

magruren, A. zf. 1. Güvenerek, inanarak. 2. Aldanarak. • ‹Bostancı başı vezire istinati le istiklâline mağruren vermedi. — Naima›.

magruriyye, A. i. 1. Bir şeye güvenip aldanma. 2. Övünme, kibirlenme.

magrus, magruse, A. s. [Gars'tan] Toprağa dikilmiş. • ‹Orta yerlere cabeca magrus. — Recaizade›.

magsel, A. i. [Gusl'den] Ölüleri yıkadıkları yer.

magsub, magsube, A. s. [Gasb'den] Gaspolunmuş, zorla alınmış. • ‹Kezalik menzalini ve sair emlâk-i magsubeyi ashabına reddettirdi. — Naima›.

magsul, magsule, A. s. Yıkanmış.

magşi, mugaşşi, A. s. [Gaşy'den] Bayılmış.

magşiyane, F. s. zf. Bayılmış gibi, baygın.

magşiyen, A. zf. (Türkçede kullanılmıştır). Bayılmış olarak, baygın halde. • ‹Tahayyülât-i muhabbet içinde magşiyyen — Uzattı ruhunu dergâh-i izzete gülerek. — Cenap›.

magşuş, magşuşe, A. s. [Gış'tan] Halis ve sâf olmayan, karışık, katışık. Sikke-i magşuşe, alaşımı bozuk, karışma oranları hileli maden para. • ‹Defterdar Ebubekir Paşa askere verdiği mevacib züyuf ve magşuş akçe olmağın. — Naima».

magşuşe, *A. i.* Gümüş ve bakır karışığı akça, metelik.

magşuşiyyet, *A. i.* Halis ve sâf olmayış, karışıklık.

magz, *F. i.* (Gayın ve ze ile) 1. Beyin. 2. İlik. 3. İç, öz. 4. Akıl. • *Bîmagz,* beyinsiz, akılsız; • *sebükmagz,* hafif beyinli, düşüncesiz. • ‹Bir iki mısra ile magzını yerler nâsım — Duş-i Dahhak'teki ol iki mârân şekl. — Hayalî».

magza, *A. i.* İstek. İstenilen anlam, kavram.

magzub, Bk. • *Magdub,*

mah, meh, *F. i.* 1. (Gökcismi) Ay. 2. Yılın on ikide bir bölümü. Ay. 3. Güzel genç veya kız. • *Mah-i kamerî,* Arabî ayı; • *-Kenan,* • *-Kenani* (Kenan eli ayı) Yusuf peygamber; • *-Mukanna',* • *-Nahşeb,* Mukanna'ın Nahşeb'teki yapma ayı; • *nev,* yani ay, hilâl • *-ruze,* • *-sıyam,* oruç ayı, ramazan; • *-tâban,* parlak, parlayıcı ay. • ‹Gündüzün böyle zulmet-i yelda, — Sonra toprakta mah-i arş-ârâ. — Fikret» • ‹Ta çocukluğundan mah-i gufranın. — Fikret». (Ed. Ce.).:

Mah-i arş-ârâ,	*-kemalât,*
-dırahşan,	*-sabahat,*
-dilâram,	*-sermedi,*
-elem,	*-tegafül.*

mahabbet, muhabbet, Bk. • *Muhabbet.*

mahabib, *A. i.* ('Ha ile) [Mahbub ç.] Mahbublar. Delikanlı sevgililer. • ‹Aşk-i mahabib adîm-ül-vefadır. — Nergisi».

mahabir, *A. i.* (Ha ile) [Mahber ç.] Mürekkep hokkaları.

mahabis, *A. i.* [Mahbes ç.] Hapishaneler, cezaevleri. • ‹Ferahna-yi murattan zıyk-i muhabis-i namuradiye giriftar olup. — Silvan».

mahabis, *A. i.* [Mahbus ç.] Hapsedilmişler.

ma'had, Bk. • *Ma'hed.*

mahadîm, *A. i.* (Hı ile) [Mahdum ç.] Oğullar. Kibar kimselerin çocukları.

mahafe, mahafet, *A. i.* Korkma. Korku. • *Mahafetullah,* Tanrı korkusu. • ‹Fart-i mahafe ile tayy-i mesafe eyledi. — Sadettin».

mahaffe, *A. i.* Mahfe. Deve veya katır üzerine konan ve içinde iki kişi oturacak kapalı taşıt.

mahafil, *A. i.* [Mahfel ç.] Mahfeller. • ‹Medaris ve mesacidin harap ve muattal ve menabir ü mahafilin küfr ü dalalet ile malâmal... — Peçoylu».

mahaif, mahayif, *A. i.* [Mahuf, mahafe ç.] Korkunç şeyler. Korkular.

mahail, *A. i.* [Mahile ç.] Sanma ve hayal kurma sebepleri, işaretleri. • ‹Mahail-i devlet pişani-i hümayundan şârık idi. — Sadettin». • ‹İkisinin dahi şemailinde mahail-i isyan peyda olup. — Naima».

mahak, mihak, muhak, *A. i.* (Ha ve kaf ile) Gökcismi ayın karanlık son üç gecesi. • ‹Yevm-i ahadin vakt-i gurubunda henüz kamer şemsin tahtında mahakta idi. Ruyet muhalât kabîlindendir. — Naima».

mahakim, *A. i.* [Mahkeme ç.] Mahkemeler. • *Mahakim-i adliye,* • *-askeriye,* • *-nizamiye,* • *-şer'iye.*

mayakk, *A. i.* (Ha ve kaf ile) Mehenk. Ayar taşı. • ‹İşret güher-i âdemi temyize mahaktır. — Ziya Pş.».

mâhalakallah, *A. i.* [Mâ-halakallah] Kalabalık.

mahalib, *A. i.* (Hı ile) [Mihleb ç.] Yırtıcı hayvan tırnakları, çengelleri.

mahall, *A. i.* [Hulûl'den] Mahal. Yer. • *Bîmahal,* • *nabemahal,* yersiz. • ‹Henüz görülmemiş köşelerinde mahalleri tebdil edilmemiş eşyaya kadar. — Uşaklıgil».

mahallât, *A. i.* [Mahalle ç.] Mahalleler. • ‹Filhal cümle dekâin kapanıp hattâ mahallât ve İstanbul kapıları bile kapandı. — Naima».

mahalle, *A. i.* Şehir ve kasabaların bölündüğü parçalardan her biri. Çoğunda bir imam, iki muhtar ve cami bulunurdu. • ‹Gûşe begûşe mahalle behalle nidalar olundukta. — Naima».

mahalli, mahalliyye, *A. s.* Bir yere mahsus. Yerli. Bir yerin malı veya ürünü olan. • *Hükûmet-i mahalliyye,* o yerin idare kurulu. • ‹Ve mükâlemede elsine-i mahalliyeden birkaç lisan istimal olunmakta olan. — Kemal».

mahamid, *A. i.* [Mahmedet ç.] 1. Şükürler, şükür edilmeye değer davranışlar. 2. İyi huylar. • ‹Paşa-yi müşarünileyhe sena edip evsaf ve mahammidini bu veçhile imlâ etmişlerdir. — Naima».

mahamil, *A. i.* [Mahmil ç.] Mahmiller. Deve üstünde iki kişilik binilecek sepetler.

maharîb, *A. i. (Ha* ile) [Mihrab ç.] Mihraplar.

maharic, *A. i.* [Mahrec ç.] 1. Çıkacak yerler. 2. Sözlerin boğazdan çıkma yerleri. • ‹Hafi değildir ki elfazın dahi maharic-i mahsusası vardır. — Taş.›.

maharim, *A. i.* [Mahrem ç.] 1. Mahremler. 2. Haram şeyler. • ‹Havas ve avam menaziline duhul ve maharimlerine vaz-i şeni' ile hulûl. — Sadettin›.

mâhasal, *A. i.* [Mâ-hasal] Hâsıl olan şey, sonuç. • ‹Hayatının kalacak yegâne mâhasalı — Hayal ü his ile mâlî güzide bir gazeli. — Fikret›.

mahasin, *A. i.* [Hüsn, muhsin ç.] 1. Güzellikler. 2. İnsanın yüzüne güzellik veren sakal, bıyık. • *Mahasin-i sefid.* ak sakal; • *ilm-i mahasin,* Fransızcadan *l'esthélique* karşılığı, estetik (XX. yy.). • ‹Çehre-i mahasini al kana boyanmış. — Naima› • ‹Koşardı pîş-i mahasinde daima hevesin. — Fikret›.

mahatim, *A. i. (Hı* ile) [Mahtım ç.] Mühürlenmiş şeyler. 2. Kilitli, bağlı şeyler.

mahatt, *A. i.* Konak yeri. Menzil. •‹Menzilleri mahatt-i rihal olacaktır. — Taş.›.

mâhazar, *A. i.* [Ma-hazar] Hazır olan, hazır bulunan, her ne varsa. • ‹Mâ hazar söğüş ve nukl yerdi. — Peçoylu›.

mahazır, *A. i.* [Mahzar ç.] Mahzarlar, genel dilekçeler.

mahazil, *A. i.* [Mahzul ç.] Rezil rüsva olmuş kimseler. • ‹Bakıyet-üs-süyuf olan mahazîl-i müşrikîn geri karargâhları olan tarafa. — Raşit›.

mahazi, *A. i. ç. (Hı* ve *zel* ile) Fenalıklar. Kötü davranışlar. • ‹Sultan-i gazi azm-i magazi ve ol diyar eşrarına îsal-i mahazi edeceğin. — Sadettin›.

mahazin, *A. i.* [Mahzen ç.] Mahzenler.

mahazîr, *A. i.* [Mahzur ç.] Korkulacak, sakınılacak şeyler.

mahazzil, *A. s. (Hı* ve *zel* ile) Alçaltıcı, hakîr ve perişan eyleyen.

mahbemah, *F. zf.* [Mah-be-mah] Aydan aya.

mahber, *A. i. (Ha* ile) Mürekkep hokkası.

mahbes, *A. i.* [Habs'ten] Cezaevi. Hükümlülerin kapatıldığı yer. Zindan. (Mec.) Karanlık, sıkıntılı yer. • ‹Kays'a değildir hataratım makîs — mahbes-i şahin-i belâdır serim. — Naci›.

mahbeze, *A. i. (Hı* ve *zel* ile) Ekmekçi dükkânı.

mahbie, *A. i. (Hı* ile) Saklanacak yer.

mahbub, *A. s.* [Hub'dan] 1. Sevilen. 2. Erkek sevgili. • *Mahbub-i Huda,* Muhammet Peygamber; • *zer-i mahbub,* XVIII. yy. da kesilmiş bir altın. • ‹Gayet muglim ve mahbubdost olmakla sarayında dört yüzden ziyade mahbub oğlan cemoldu.— Peçoylu›. • ‹Hakikat namında bütün âlemyan içinde mahbub-i kulup olmaya lâyık bir kız var imiş. — Kemal›.

mahbube, *A. s.* [Hub'dan] Sevilen kadın.

mahbubperest, *F. s.* [Mahbub-perest] Delikanlı seven. • Gayette şahidbaz ve mahbubperest imiş. — Lâtifî›.

mahbun, *A. s.* 1. Kıtlık için saklanan şey. 2. İkinci harfi düşürülmüş vezin.

mahbur, *A. s. (Ha* ile) Sevinçli olan.

mahbus, *A. i.* [Habs'ten] Hapsolunmuş, bir yere kapatılmış. (ç. Mahbusîn). ‹İnce eldivenlere mahbus parmakları. — Uşaklıgil›.

mahbushane, *F. i.* [Mabhus-hane] Cezaevi.

mahbusîn, *A. i.* [Mahbus ç.] Hapsedilmişler.

mahbusiyyet, *A. i.* Hapislik. Hapis süresi. • ‹Her dakika-i tevakkufu bir asr-i mahbusiyet gibi uzun buldukları. — Cenap›.

mahcer, *A. i.* Özel yer. Ev.

mahcir, mihcer, *A. i. (Ha* ile) 1. Parmaklık. 2. Ayırma işareti. • ‹Etrafına zerkâri mahcirler çekip. — Sadettin›.

mahcub, mahcube, *A. s.* [Hicab'dan] 1. Örtülü, kapalı. 2. Utanan, utanmış. 3. Utangaç. • ‹Bunlar öyle bir sınıftır ki beceriksizlerden, mahcublardan, cebînlerden mürekkeptir. — Uşaklıgil›.

mahcubane, *F. zf.* Utanarak, utanmış bir halde. • ‹Yavaş yavaş biraz mahcubane. — Uşaklıgil›.

mahcube, *A. s.* Namuslu, utangaç (kadın).

mahcubiyyet, *A. i.* Utangaçlık. Sıkılganlık. • ‹Ahmet Cemil'in orada bulunmasından münbais bir mahcubiyet. — Uşaklıgil›.

mahcuc, *A. s.* [Huccet'ten] Kanıt getirilmiş. Huccet gösterilmiş.

mahcur, *A. s.* [Hacer'den] Hacr altına alınmış.

mahcuz, *A. s.* [Hacz'den] Hacz edilmiş. Mahkeme hükmüyle rehin haline konulmuş.

mahçe, *F. i.* 1. Küçük ay. 2. Minare, kubbe ve bayrak direkleri başındaki küçük ay. • ‹Cem-i namahsur ile gelip mahçe-i rayeti Şami'ler didesin hîre. — Sadettin›.

mahçehre, mahçihre, *F. s.* [Mah-çehre] Ay yüzlü.

mahdu', *A. s. (Hı ve ayın ile)* Hileye aldanmış olan.

mahdub, mahzub, *A. s.* Boyanmış,

mahdud, *A. s.* [Hadd'den] 1. Sıralanmış. 2. Sınırlı, dar. 3. Belli. Birkaç. • *Namahdud,* • *gayr-i mahdud,* sınırsız. • ‹Nihal hayatı mahdud bir daire içinde geçen. — Uşaklıgil›.

mahdudiyyet, *A. s.* Sınırlılık. Darlık.

mahdum, *A. s.* [Hidmet'ten] Hizmet olunan. Hizmet edene göre efendi veya hanım. • *Mahdum-i kâinat,* Muhammet peygamber. • ‹Erbab-i devlet ve agniyaya hizmet eden âkıl lâzımdır ki mahdumu olan devletlû kendi umurunda müstakil ve reyinde müstebit ise her halde ona hayranlık ibraz edip. — Naima›.

mahdum, *A. i. (Hı ve de ile)* 1. Efendi, bey, hükümdar. 2. Erkek evlât.

mahdume, *A. i.* Kız çocuk.

mahdumiyet, *A. i.* 1. Efendilik. 2. Oğulluk.

mahdure, *A. s. (Hı ile)* Örtülü, kimseye görünmez kız.

ma'hed, *A. i. (Ayın ve he ile)* Sözleşilen yer. Buluşma yeri. • ‹Manastır sahrasını mey'id-i içtima-i sipah ve ma'hed-i iltima-i mahçe. — Sadettin›.

mahfaza, *A. i.* [Hıfz'dan] Küçük zarf, kap, kutu. • ‹Bu kadın hayatının mahfaza-i esrarını parçalamış idi. — Uşaklıgil›.

mahfe, *A. i.* Bk. • *Mahaffe.* • ‹Ne zaman kıbleye dönsem dilhun. — Seni bir mahfede puyan görürüm. — Fikret›.

mahfel, *A. i.* Bk. • *Mahfil.*

mahfi, mahfiyye, *A. s.* [Haf'den] Gizli, saklı. • ‹Sanki haberdar — Mahfi kederimden. — Fikret›.

mahfil, mahfel, *A. i.* 1. Toplanacak yer. Toplantı yeri. 2. Toplanmış heyet. 3. Büyük camilerde hükümdar veya müezzinler için ayrılmış, parmaklıkla çevrili veya yerden yüksekçe yer. • ‹Bir samt-i siyeh-renk ile meşbu-i hayalât — Dağlar, dereler sanki birer mahfil-i emvat. — Fikret›.

mahfiyyen, *A. zf.* Gizlice, gizli olarak.

mahfuf, *A. s.* Etrafı kuşatılmış, çevrilmiş. • ‹Sâfi, lekesiz karların altında cevanip — Mahfuf-i sükûnet. — Fikret›.

mahfuk, *A. s. (Hı ile)* Hafakanı olan, yürek çarpıntısı bulunan.

mahfur, *A. s. (Ha ile)* 1. İçi oyulmuş olan. 2. Çukura saklanmış olan.

mahfuz, *A. s. (Hı ve dad ile)* Alçaltılmış.

mahfuz, *A. s. (Ha ve zı ile)* [Hıfz'dan] 1. Saklanmış. 2. Korunup gözetilmiş. 3. Gizlenmiş. 4. Ezber edilmiş. • *Levh-i mahfuz,* Tanrının takdir ettiklerinin ezelde yazılı buulnduğu levha. • ‹Vücudunuzdan uçan nur içinde ben mahfuz. — Fikret›.

mahfuzat, *A. i.* 1. Gizlenmiş şeyler. 2. Ezber edilmiş şeyler. • ‹Bütün mahfuzâtını (...) dökmek istiyordu. — Uşaklıgil›.

mahfuzen, *A. zf.* Polis veya jandarma gibi resmî bir muhafaza altında olarak.

mahgâne, *F. i.* Aylık, ay ay verilen maaş.

mâhık, *A. s. (Ha ve kaf ile)* [Mahk'tan] Yok eden. Silen. • ‹Şeref-i ebasını tâmis ve mâhık olup. — Naima›.

mahi, *F. i.* Balık. • *Sayd-i mahi,* balık avı. • ‹Şu mahiler ki derya içredir deryayı bilmezler. — Hayalî›.

mahî, *A. s.* [Mahv'dan] Yok eden, mahveden.

mahir, *A. s. (He ile)* [meharet'ten] Elinden gelir, becerikli, usta.

mahirane, *F. zf.* Ustalıkla, ustaca. • ‹O kadar mahirane saklanan elli yaşına rağmen. — Uşaklıgil›.

mahis, *A. s. i. (Ha ve sat ile)* 1. Bir şeyden dönme. 2. Kurtulma.

mahiyan, *F. i.* [Mah ç.] Aylar. [Mahi ç.] Balıklar.

mahiyane, *F. i.* Ay hesabiyle verilen ücret.

mâhiye, *A. i.* [Ma-hiye] O şey ki.

mahiyye, *A. i.* Mah sözünden Türkçede Arapça kuralla yapılmış ve çok yayılmış söz: aylık.

mahiyyet, *A. i.* Bir şeyin neden ibaret olduğu, aslı; içyüzü. • ‹Mahiyeti isbat eden âsar-i ameldir — Miktarına nisbetle kişi hayr ü şerr eyler. — Şinasi›.

mahîz, *A. i. (Ha ve dat ile)* [Hayz'dan] (Kadınlarda) Aybaşı hali.

mahkeme, *A. i.* [Hükm'den] Dâvaların görülüp hükme bağlandığı yer. Tanzimat'a kadar kadı veya naip idaresinde şeriat bakımından hükümler veren mahkeme vardı. Tanzimat'tan sonra batı hukukuna uygulanarak *adliye* yahut *nizamiye* mahkemeleri kuruldu. Bunlar *ceza* ve *hukuk* diye iki bölüme ayrıldı, *bidayet* ile *istinaf* diye iki derece ile kademelendirildi. *mahkeme-i şeriyye*, nikâh, miras taksimi ve başka din işleri görür oldu. *Mahkeme-i kübra*, Kıyamet günü. • ‹Ey mahkemelerden mütemadi sürülen hak. — Fikret›.

mahki, *A. s.* (*He* ve *kef* ile) [Hikâyet'ten] Hikâye olunan, anlatılan.

mahkuk, *A. s.* (*Ha* ve *kaf* ile) 1. Doğrultulmuş. 2. Doğru yapılmış.

mahkûk, *A. s.* [Hakk'ten] 1. Çelik kalemle sert bir şey üzerine kazılmış. 2. Yazıldıktan sonra çakı veya kalemtraşla kazınmış. • ‹Nedir aşkın ki, ey mahkûk olan ruhumda timsali. — Fikret›.

mahkûkât, *A. i.* (*Ha* ve *kef* ile) Hakkedilmiş eşya. Hakketmek işleri.

mahkûm, mahkûme, *A. s.* 1. Birinin hükmü, baskısı altında bulunan. 2. Bir mahkemece hüküm giymiş, hükümlü. 3. Sonu mutlak fena olacak şekilde bulunan. • *Mahkûmün aleyh*, dâvayı kaybeden; • *-bih*, hükmedilen şey (ceza); • *-leh*, dâvayı kazanmış olan; • *millet-i mahkûme*, bir hükümette din veya ırk bakımından azınlık olanlar. • ‹Ey seyf ü kalem, ey iki mahkûm-i siyasi. — Fikret›.

mahkur, *A. s.* (*Ha* ile) Hakarete uğramış. • ‹Ve memur olmayanların mahkur olmadıklarını göstermek isteriz. — Nuri›.

mahlas, *A. i.* [Hulûs'tan] 1. Kurtulacak yer. 2. Bir kimsenin ikinci ismi. En çok eskiden edebiyatla uğraşanlar böylece bir ad edinirlerdi. • ‹Malûmdur benim suhanım mahlas istemez. — Nedim›. • ‹Ve bu masaibden mefer ve mahlas olmamağa zahip. — Silvan›.

mahleb, *A. i.* Bal.

mahlika, *F. s.* [Mah-lika] Ay yüzlü. Yüzü ay gibi. olan. • Perde çek hicran günü çehreme ey kanlı sirişk — Ki gözüm görmeye ol mahlikadan gayrı. — Fuzuli›.

mahlû', *A.. s.* [Hal'den] Tahtından indirilmiş hükümdar. • *Hakan-i mahlû, padişah-i mahlû* tahtından indirilmiş Osmanlı padişahı. • ‹Ertesi gün padi-

şah-i mahlû boşanmış deyu bir avaze çıkıp. — Naima›.

mahlûç, *A. s.* (Pamuk gibi) atılmış. Hallaçlanmış.

mahlûk, *A. s.* (*Hı* ile) [Halk'ten] Yaratılmış. Yaratık. • ‹Biz âciz isek de yine mahlûk-i Hudayız. — Ziya Pş.›.

mahlûk, *A. s.* (*Ha* ile) Sakalı tıraş olmuş.

mahlûka, *A. s.* Başkasının olup da benimsenen nazım (şiir).

mahlûkat, *A. i.* [Mahlûk ç.] Yaratılmış şeyler. Canlılar, yaratıklar. • ‹Kafeslerinde bulunan mahlûkat birer birer nazardan geçirilse. — Kemal›.

mahlûl, mahlûle, *A. s.* (*Ha* ile) [Hall'den] 1. Çözülmüş, dağılmış. 2. Erimiş, eritilmiş. 3. Sahipsiz maaş veya memurluk. 4. Mirasçısı bulunmayan ve hükümete kalan (miras). (ç. Mahlulât). • ‹Kalıp Nef'i-i mu'cize demeden evreng-i suhan mahlûl — Suhan-sencan-i Rum olmuş idi her bir asrda talib. — Ş. Galip›.

mahlûlât, *A. i. ç.* Mirasçı olmadığı için hükümete (evkafa) kalan miraslar ile hükümete kalan topraklar.

mahlûle, *A. s.* Kocası ölmüş kadın. Muhallefe.

mahlûliyyet, *A. i.* Mahlûl olma hali.

mahlût, mahlûte, *A. s.* [Hılt'tan] Karışık. Başka bir şey karıştırılmış.

mahlutiyet, *A. i.* Karışma. İçine başka şey karışmış olma. • ‹Heyetlerinde olan cüziyet ve — velev az olsun — mahluliyet cihetleriyle istiklâl üzere yaşamak kabiliyetinden (...) beridirler. — Kemal›.

mahmasa, *A. i.* Açlık. • ‹Tenki-i esbab-i intiaştan halet-i mahmasa vü ıstıraba yetişip. — Sadettin›.

mahmedet, mahmidet, *A. i.* Şükredilmeye ve övülmeye değer davranış. Şükür, şükran. • ‹Müstagni — Tuhfe-i mahmidetimden. — Fikret›.

mahmel, mahmil, Bk. • *Mahmil.*

mahmi, mahmiye, *A. s.* [Himaye'den] Korunan. Birinin koruduğu. • ‹Mahmileri her yerde himayet yeni çıktı. — Ziya Pş.›.

mahmidet, *A. i.* Bk. • *Mahmedet.*

mahmil, *A. i.* 1. İki kişinin oturabileceği şekilde deve üstüne konan sepet. 2. Her yıl Haremeyn'e hacı kafilesiyle gönderilen armağanlar. • ‹Ey doğuruluğun mahmil-i ezkârı minarat. — Fikret›.

mahmiyye, *A. i.* [Himaye'den] Büyük şehir. • ‹On ikinci gün mahmiye-i Edirne ve yirmi sekizinci günü mahruse-i Filibe'ye nüzul olundu. — Peçoylu›.

mahmud, mahmude, *A. s.* [Hamd'den] Övülmüş, övülmeye değer. • *Mahmud-ül-hisal*, iyi ahlâk sahibi; • *mahmud-üş-şiyem*, övülecek huylar sahibi; • *makam-i mahmud*, cennet. • ‹Menafi-i devlet-i aliyyeden vücuh ile müteneffi olmak mahmud-ül-âkıbe değil ise de olagelmiş mânalardır. — Naima›.

Mahmud, *A. i.* Ebrehe'nin Kâbe'yi yıkmak için getirdiği filin adı.

mahmude, *A. s. i.* (Bot.) Bingöz otu.

mahmudî, mahmudiyye, *A. s.* 1. II. Mahmut'a ait, onunla ilgili. 2. Onun zamanında çıkarılmış ve 25 gümüş kuruş değerinde altın para. 3. Onun adına yapılmış eski bir savaş gemisi. 4. (i.) Bir Kürt aşireti.

mahmul, *A. s.* [Haml'den] 1. Bir hayvan üzerine yüklenmiş. 2. Bir şey üzerine kurulmuş veya konulmuş. 3. i. (Gra. Man.) Yüklem. • ‹Harmanilerin ifrata mahmul olabilecek tantanasını. — Uşaklıgil›.

mahmum, *A. s.* (Ha ile) [Humma'dan] 1. Sıtmaya tutulmuş. 2. Ateşli, ateşli olan. • ‹Bir hamle-i mahmum-i tegallüble değiştik. — Fikret›.

mahmumane, *F. zf.* Ateşli bir halde, ateşler içinde gibi. Sayıklarcasına.

mahmur, mahmure, *A. s.* (Hı ile) [Hamr'den] 1. İçki ile başı sersem. 2. Sarhoşluktan gelen sersemlik, şaşkınlık içinde. 3. Uyku basmış, ağırlaşmış (göz). • *Çeşm-i mahmur*, baygın bakışlı. • ‹Güneş, tulûa henüz başlamış kadar mahmur. — Fikret›.

mahmurane, *F. zf.* Mahmurcasına. Baygın baygın.

mahmuz, *A. i.* (He ve ze ile) Mahmuz. Bk. *Mihmiz*.

mahnuk, *A. s.* (Hı ile) [Hunk'tan] Boğulmuş, boğuk. • ‹Ve koca Murat Paşa fermanıyle mahnuk olan. — Naima›.

mahnukan, *A. zf.* Boğulmuş olarak.

mahpâre, mehpare, *A. i.* [Mah-pâre] Ay parçası. Pek güzel kimse.

mahperver, *F. s.* [Mah-perver] Mehtaplı. • ‹Bir beyaz kuş ki nevha-perver dir — Bir beyaz leyl-i mahperverde. — Fikret›.

mahpeyker, mehpeyker, *F. s.* [Mah-peyker] Yüzü ay gibi güzel, nurlu, parlak.

mahrec, *A. i.* (Hı ile) [Huruc'dan] 1. Çıkılacak yer, çıkılacak kapı. 2. Sada ve harflerin ağızdan çıktıkları yer. 3. İlmiye rütbelerinden İstanbul tariki mevleviyetinin ilk basamağı. 4. (Mat.) Payda. • *Mahrec-i aklâm*, dairelere kâtip yetiştirmeye mahsus okul; *mahrec mevleviyeti*, ilmiye tariki pâyesi. (ç. Maharic).

mahrek, *A. i.* [Hareket'ten] 1. (Mat.) Hareketli bir noktanın güttüğü yol. 2. Bir gök cisminin hareketinde ağırlık merkezinin geometri bakımından yeri.

mahrem, *A. s.* 1. Şeriatın yasak ettiği, haram. 2. Evlenmeyi şeriatın yasak ettiği nikâh düşmeyen. 3. Yakın akrabadan olduğu için kadınların kendisinden kaçmadığı. 4. Biriyle içli dışlı, her türlü işlerini bilen. 5. Gizli, herkese söylenmez; herkesçe bilinmemesi gerek. • *Mahrem-i esrar*, kendisine sır söylenen kimse; • *mahrem-i raz* kendisine sır söylenmiş kimse. (Tas.) Tanrı sırrına aşina olmaya başlayan sâlik; • *namahrem*, nikâh düşen, kendisinden kaçılan erkek; yabancı. • ‹Nedim-i ruhu odur, mahrem-i hayali odur. — Fikret›.

mahremane, *F. zf.* Gizli olarak. • ‹Kırık dökük dem vurur mahremane sevdadan. — Fikret›.

mahremiyyet, *F. zf.* Mahrem olma hali. Mahremlik. • ‹Kocasına ait olan bu hücre-i mahremiyeti telvis etmeyecekti. — Uşaklıgil›.

mahrû, *F. s.* [Mah-rû] Ay yüzlü, güzel. (ç. Mahrûyan). • ‹Edip picide zülfün hab-i anberfama uydurmuş — Sevda-i milk-i hüsnün mahruyum şama uydurmuş. — Ragıp Pş.›. • ‹Çıkmaz hayal-i dilden mahru hayalin — Senden olursa dahi benden cüda değildir. — Nabi›.

mahruk, *A. s.* [Hark'tan] Yanmış, yanık. • *Mahruk-ul-fuad*, yüreği yanık.

mahrukat, *A. i.* Odun, kömür gibi yakılacak şeyler, yakıt. • *Mahrukat-i mayıa*, akaryakıt. • ‹Me'kûlâta verse mahrukata veremiyor. — Cenap›.

mahrum, mahrume, *A. s.* [Hirman'dan] 1. Nasipsiz, payı olmayan. 2. İstediği, dilediği şeyi elde edemeyen. • ‹Bir zaif papatyanın bile lûtf-i neşvesinden mahrum bir şurezar şeklinde. — Uşaklıgil».

mahreman, *F. i.* [Mahrm ç.] Mahremler, gizli şeyler söylenebilenler, konuşabilenler. • «Mahreman-i devlet ve mukarreban-i saltanat ile tenhaca meşveretler oldu. — Naima».

mahrumane, *F. zf.* Mahrumcasına. • «Bir teselli-i mahrumane kabîlinden olarak. — Recaizade».

mahrumen, *A. zf* Mahrum olarak. Bir şey elde edemeyerek. • «... (Yolunda) cevaplarla mahrumen avdet etmek. — Uşaklıgil».

mahrumiyyet, *A. i.* Mahrumluk. • «Sevmekten mahrumiyet içinde çırpınan bu kalbin bekâret-i sâldidesi. — Uşaklıgil».

mahrur, **mahrure**, *A. s.* [Hararet'ten] Ateşlenmiş, kızmış. • «O muttasıl yine mahrur-i iştiyak-i hayat — Eder lebinde şikâyet acıklı bir heyhat. — Fikret» • «Bu feyafi-i hakikat mahruleri sararıyor, soluyorlar. — Cenap».

mahrus, **mahruse**, *A. s.* [Haraset'ten] Muhafaza olunan, gözetilen. Eminliği sağlanmış. • *Memalik-i mahrusa-i şahane*, Osmanlı ülkesi.

mahrus, *A. s. (Ha* ve *sat* ile) Hırsla istenilmiş.

mahrusa, *A. i. (Ha* ve *sin* ile) Büyük şehir. • Mahrusa-i mezbureden (Amit'ten) Erzurum tarafına teveccüh olunmak mukarrer olup. — Peçoylu».

mahrut, *A. i. (Hı* ve *tı* ile) (Geo.) Koni.

mahruti, *A. i.* (Geo.) Konik. • «Bir şekl-i mahrutide görüncek olan ağaçlık. — Recaizade».

mahruyan, *F. i.* [Mah-rû ç.] Güzeller. Ay yüzlüler.

mahs, *A. s. (Hı* ve *sat* ile) 1. Hayaları çıkarılmış. 2. İğdiş edilmiş.

mahsub, *A. s.* [Hesab'dan] Hesap edilmiş. Hesapta dahil. (ç. Mahsubat).

mahsub, *A. s. (Ha* ve *sat* ile) Kızamık çıkarmış.

mahsuben, *A. zf.* Hesaba geçirilerek, alacağa tutularak. • «Hep o evvelki farka mahsuben — Gelecek bir hediyye-i hürmet. — Fikret».

mahsud, **mahsude**, *A. s.* [Hased'den] Haset olunan, imrenilen. • «Mahsud ü mübeccel — Gel toplayalım gel — Ben mısra-i berceste, sen ezhar-i mutarra. — Fikret».

mahsuf, *A. s.* [Husuf'tan] Husufa uğramış, gölgelenmiş. • «Can ü dilinin mihr ü mehi olmaya pür-nur — Daim biri mahsuf ola anın biri meksuf. — Ruhi».

mahsul, *A. s.* [Husul'den] Hâsıl olan, meydana gelen şey. • «Bir kavi aile, bol bir mahsul; — Başka şey fikrini etmez meşgul. — Fikret».

mahsulât, *A. i.* 1. Elde edilen şeyler. 2. Toprağın yetiştirdiği şeyler. 3. Evcil hayvanlardan elde edilen maddeler. 4. Sanayide elde edilen maddeler. • *Mahsulât-i arziyye*, toprak ürünleri; • *-sınaiyye*, endüstri mahsulleri. • «Sair a'şar ve cerayim mahsulâtı yeniçeriden gayrının vezayifine ancak kifayet eder. — Naima».

mahsuldar, *F. s.* [Mahsul-dar] Mahsul veren, verimli, bereketli. • «İstenilen şubenin civar ve etrafı dünyanın en mahsuldar olan yerlerindendir. — Kemal».

mahsun, **mahsune**, *A. s. (Ha* ve *sat* ile) [Hısn'dan] Kuvvetlendirilmiş, istihkâmlı.

mahsur, **mahsure**, *A. s. (Ha* ve *sat* ile) [Hasr'dan] 1. Muhasara edilmiş, kuşatılmış. 2. Hasrolunmuş belli edilmiş, sınırlanmış. • *Kavm-i mahsur*, yüz kişiden az olan köy halkı. • *Namahsur*, sınırlanmamış, pek çok. • «Asitane'den intizar-i haber ile üç ay kadar mahsur oldu. — Naima». • «Ceyş-i mahsuru cahime saldı erbab-ı salâh. — Sururî» • «Geçip saât-i jengâlûd-i şeb, memdud ü namahsur. — Fikret».

mahsur, *A. s. (Ha* ve *sin* ile) 1. Görmesi zayıf. 2. Yoksul, muhtaç.

mahsur, *A. i. (Ha* ve *sin* ile) 1. Eksik. Ziyade olan. 3. Doğru yoldan şaşmamış olan. • «Ol kaleler henüz mazbut-i Kızılbaş-i mahsur idi. — Sadettin». • «100 neferden ziyade olan karye ahalisi kavm-i gayr-i mahsur addolunur. — Mec. 1646».

mahsus, **mahsuse**, *A. s. (Ha* ve *sin* ile) [Hiss'ten] Beş duygudan biriyle anlaşılan. (Psi.) Duyulur. • «Ve henüz hamli bir bâr-i mahsus olacak derecede ilerlemiş olmamakla beraber. — Uşaklıgil».

mahsus, **mahsusa**, *A. s. (Ha* ve *sat* ile) [Husus'tan] 1. Başkasında bulunmayan; yalnız bir kimseye ait olan. 2. Birine ayrılmış olan. 3. Lâyık. 4. Ayrı, başlı başına. • «Firdevs Hanım Melih

Bey takımının şöhret-i mahsusasından en ziyade haiz-i nisap olan bir çehredir ki. — Uşaklıgil».

mahsusa, *A. s.* Mahsus. Özel. • *İdare-i mahsusa,* • *İdare-i Aziziye* adı ile Abdülâziz zamanında kurulup sonra bu adı alan ve daha sonraları da • *Seyri Sefain,* • *Akay* denilen Devlet Denizyolları idaresi.

mahsusan, *A. zf.* Mahsus olarak, ayrıca, bile bile.

mahsusat, *A. i.* (*Ha* ve *sin* ile) Gözle görülür şeyler, akılla düşünülebilir şeyler anlamına olan *ma'kulât* karşıtı. • «İlm-i husulînin esbabı mahsusatta nazar ve fikirdir. — Taş.».

mahsusiyet, *A. i.* (*Hı* ve *sat* ile) Mahsus olma. Hususî olma hali.

mahşer, *A. i.* [Haşr'dan] 1. Kıyamet günü ölülerin dirilip toplanacakları zaman ve yer. 2. Pek kalabalık. • «Ruz-i mahşerde iki elim giribanındadır deyip biperva nice sözler söyledi. — Naima». • «Koğan, koşan, boğuşan, öldüren, ezilen. — Mehip mahşer-i heyca. — Fikret».

mahşud, *A. s.* Toplanmış, yığılmış.

mahşur, *A. s.* [Haşr'dan] Toplanmış. • «Halep'te mahşur ve âzim-i marcke-i âşub ü şûr olup. — Sadettin».

mahtab, *F. i.* [Mah-tab] 1. Ay ışığı. 2. Renkli kibrit. • «Ne kaldı ruha teselli şaraptan başka — Boğaz'da üç gecelik mahtabdan başka. — Beyatlı».

mahtub, mahtube, *A. s.* Evlenmek için istenilen (kadın). • «Ve betahis teshir-i mahtube-i gayr-ül-menal-i Belgrat'a. — Ragıp Pş.».

mahtum, *A. s.* (*Hı* ve *te* ile) Mühürlü. (ç. Mahatim). • «Mektub-i mahtumda münderiç olan sırr-i mektub. — Sadettin».

mahtun, *A. s.* Sünnet olunmuş olan.

mahtur, *A. s.* [Hatar'dan] 1. Tehlikeye yakın. 2. Düşünmek. • «Kişi haddinden ziyade emr-i mahtura cüret etmek kati alçak iştir. — Naima» • «Evkaf-i mamure tâyini mahtur-i hâtır sultanî olıcak. — Peçoylu».

mahtut, mahtute, *A. s.* 1. Çizilmiş. 2. Yazılmış. 3. Çizgilenmiş. • «Bû-yi dilâviz-i nasihatten dimag-i pürzükâmı mahtut olmaz. — Lâmii».

ma'hud, ma'hude, *A. s.* [Ahd'den] 1. Bilinen, sözleşilen. 2. Sözü geçen. • «Dev-

let ü ikbal ve haşmet ü iclâl birle üslûb-i mahude-i husrevani üzre. — Peçoylu». • Dilsizlerin işaret-i mahudesi lisan ile beyan gibidir. — Mec. 70».

mahude, *A. i.* (*Ayın* ve *he* ile) (Kötüce) Bilinen kadın.

mahuf, mahufe, *A. s.* [Havf'ten] Korkulu, korkunç. • «Önünde mahuf bir girdab-i âti bırakarak. — Uşaklıgil».

mahufiyet, *A. i.* Korkunçluk. • «Gece, fırtınanın mahufiyetini iki kat ediyor. — Cenap».

mahulya, *F. i.* Bk. • *Malihulya.*

mâhur, *F. i.* (*He* ile) Bir musiki makamı.

mahv, *A. i.* Yok etme, ortadan kaldırma. Batırma. Yok olma. Batma. Bitme. • *Mahv ü isbat,* yazılı bir şeyi düzeltme. ötesini berisini değiştirme. • «Biçare eski hâtıralar, mahv eder miyim — Ben mahva muktedir bile olsam bugün sizi. — Fikret».

mahviyyet, *A. i.* Mahv sözünden Türkçede yapılmış; alçak gönüllülük, kendine önem vermeyiş, hiçe sayma. • «O ne hüzn-i mehîb-i mahviyet. — Fikret».

mahz, mahza, *A. s.* (*Ha* ve *dat* ile) Sırf sade, katıksız, halis. • *Mahz-i keramet,* tam bir keramet (gibi); • *hikmet-i mahza,* tam bir hikmet. • «Fena-yi mahza mizan-i hakikattir mezaristan. — Recaizade».

mahzâ, *A. zf.* Sade, sırf. Ancak. • «Bu sualin arasında hep mahzâ kendisine zengin bir izdivaç yaptıramayacaklarından dolayı ihmal edilen çehreleri görür. — Uşaklıgil».

mahzar, *A. i.* (*Ha* ve *dat* ile) [Huzur'dan] 1. Huzur yeri, bir büyük kimsenin önü. 2. Hazır olma, görünüş, gösteriş. 3. Birçok kimse tarafından imzalı dilekçe. 4. Mahkeme sicil defteri. (ç. Mahazır). • «Şehirde eyledikleri hetk-i ırz ve mezalimi mahzar edip. — Naima».

mahzen, *A. i.* (*Hı* ve *ze* ile) [Hazn'den] Eşya ve mal saklanacak yer. Bodrum katı. (Mec.) Karanlık, havasız yer. • *Kurşunlu mahzen,* İstanbul'da Galata'da deniz kıyısında (Tanzimattan önceki) gümrük binası, eşya depoları. • «Ve kalede barut mahzeni zâhir idi. — Peçoylu». • «Benim ol hace-i bahşende ki harç etsem olur — Encüm-i çarhı güher yerine mahzen mahzen. — Nedim».

mahzl, *A. i.* (*Hı* ve *ze* ile) Rezalet ve rüsvalığa sebep olan haslet.

mahzub, mahdub, A. s. (Hı ve dat ile) Boyanmış.

mahzuf, A. s. [Hazf'ten] Silinmiş, yerinden kaldırılmış. (ç. Mahzufat).

mahzul, A. s. (Hı ve zel ile) Hor, hakîr perişan. Rüsva. (ç. Mahzulîn).

mahzulen, A. zf. Hakîr, rüsva olarak.

mahzun, A. s. (Ha ve ze ile) [Hüzn'den] Tasalı, kaygılı. ● «Fakat bunlar öksüz çocuklar mahzunluğuyla elîm bir boyun büküklüğüyle duruyorlardı. — Uşaklıgil».

mahzun, A. s. (Hı ve ze ile) [Hazine'den] Hazinede saklanan şey. ● «İçerde mal-i mahzun kalmadı ki asker fitnesini teskine sarf oluna. — Naima».

mahzunane, F. s. zf. Tasa ve kaygı ile. Tasalı, kaygılı olarak.

mahzunen, A. zf. Hüzünlü olarak. Tasa ile, gamlı olarak. ● «Erbab-i rağbetin kısm-i âzamı mahzunen avdet etmeye. — Cenap».

mahzuniyet, A. i. Mahzunluk. Tasalı kaygılı oluş. ● «Bu ahengi bir çeyrek saat dinlemekle mahzuniyeti derinleşerek. Recaizade».

mahzur, A. i. (Ha ve zel ile) [Hazer'den] Sakınacak, korkacak şey. Engel. (ç. Mahzurat).

mahzur, A. s. (Ha ve ze ile) Yanına yaklaşması yasak. Haram.

mahzurat, A. s. [Mahzur ç.] Dince yasak edilmiş şeyler. ● Ezzararat tübîh-ül-mahzurat, zaruretler yasak ve haram edilmiş şeyleri mubah kılar. ● «Eğerçi niknam tahsili mutasavverdir lâkin nice mahzurat ve mahzuratı müstelzim olduğu emr-i mukarrerdir. — Naima».

mahzuz, A. s. (Ha ve zı ile) [Haz'dan] Hazzeden, hoşlanan. Hoşa gitme, hoşlanma.

mahzuzat, A. i. ç. Hoşlanılacak şeyler.

mahzuziyyet, A. i. Hoşlanma. ● «Dudaklarında bir tebessüm-i mahzuziyetle. — Uşaklıgil».

maî, maiyye, A. s. [Ma'dan] 1. Suya ait, su ile ilgili. 2. Su renginde, mavi. ● «Mai pervaz ile kat' olmuş yeşil hârâ mıdır. — Nef'i».

maic, mayic, A. s. Büyük dalga. ● «Engürüs askerinin seyl-i hayic ve bahr-i maic gibi. — Sadettin».

maide, A. i. Üzerinde yemekler bulunan sofra. 2. Yemek, ziyafet. ● Maide-i Mesih, peygamber İsa'nın havarilerle yemesi; ● -seniyye, padişah ziyafeti; ●

-Süleyman, Endülüs fâtihleri arasında nifaka sebep olan ünlü sofra takımı; ● Sure-i maide, Kur'an'ın beşinci suresi.

mail, maile, A. s. [Meyl'den] 1. Bir tarafa eğilmiş, eğik. 2. Bir şey veya iş kabiliyeti olan. 3. Hevesli, istekli, düşkün. 4. Taraflı, içten istekli. 5. Çalar, benzer, andırır. 6. (Geo.) Eğik. ● «Enzar-i aşk önünde olur mail-i sücud. — Fikret».

mailiyyet, A. i. Maillik, eğrilik.

main, A. i. 1. Sâf, akarsu. 2. (Geo.) Eşkenar dörtgen.

maişet, A. i. [Ayş'ten] 1. Yaşayış, yaşama. 2. Yaşamak için gereken şeyler, dirilik. 3. İlmiye tarikinin başlangıcında bulunanlara verilen tahsisat. ● «Fakat niçin? Bu maişet fena mı? — Fikret».

maişetgâh, F. i. [Maişet-gâh] Maişet yeri. Geçim sağlanan yer. ● «Gençler maişetgâhını, ihtiyarlar gûşe-i feragını, evlât validesini. — Kemal».

mâiyyet, A. i. Kimya için Fransızcadan hydrate karşılığı olarak mâ (su) sözünden icat edilmiştir. (XX. yy.).

maiyyet, A. i. Beraberlik, birlikte bulunma. Bir büyük memurun emri altında bulunan. ● Maiyyet memuru, bir âmire bağlı, en ziyade, Mülkiye mektebinden ilk çıkışta valiler yanına tâyin edilen memurlar; ● maiyyet vapuru, kıyı ve ada illeri valilerinin İstanbul'da bulunan gemileri (XX. yy.).

makabih, A. i. ç. Çirkin, yakışıksız davranışlar.

makabir, A. i. [Makbere ç.] Mezarlar. «Geçmişlere rahmet diyen elvah-i makabir. — Fikret».

mâkabl, A. i. [Ma-kabl] 1. Öndeki, üstteki. 2. Geçmiş, bir şeyin kendinden önce olan. ● «Mabadi cümle-i müstakille-i malûme olmayıp makablinden mustagni olmaya. — Taş.»

mak'ad, A. i. [Kuud'dan] 1. Oturulacak yer. 2. Oturak yeri, geri, kıç. ● «Ve müzehhep ve mutalla mak'adlar ve ferş-i bisatten ibrişim kaliçeler. — Peçoylu».

ma'kad, A. i. 1. Akdedilecek yer. 2. Toplantı yeri.

makadir, A. i. [Makdur ç.] Miktarlar. ● «Bir ilimdir ki anınla makadirin ve levahıkının ahvali. — Taş.».

makadir, A. i. [Makderet ç.] Kudretler. Güçler.

makaid, A. i. [Mak'ad ç.] Oturulacak yerler.

makal, A. i. [Kavl'den] ˙ Söyleme, söyleyiş. ● «Ahengi şir'ri andırıyor her makalimin. — Fikret».

makalât, A. i. [Makale ç.] 1. Sözler. 2. Gazete yazıları. ● «Kemal-i hilm ile makalâtını sem-i kabulle ısga ve istima eylediler. — Peçoylu». ● «Makalât-i siyasiye ile. — Cenap».

makale, A. i. [Kavl'den] 1. Söz. 2. Nutuk. 3. Tek bir bahis üzerine yazılmış eser ve Oklides'in elemanlar kitabı. 4. (XIX. yy.). Gazete yazısı. ● «İlm-i tasavvufta nice makalesi vardır. —˙ Latifî».

makalîd, A. i. ç. Anahtarlar.

makam, A. i. [Kıyam'dan] 1. Durulan yer. Durak. 2. ˙Memuriyet, büyük memurluk yeri. 3. Ermişlerin mezarlarının bulunduğu yer. 4. Musiki ve şarkı tarzı, tonu. 5. Söz konusu, söze giriş için yol. 6. Dervişlerin sürekli halleri. ● Makam-i âli, (Yüce kat) nezaretler hakkında kullanılırdı; ● -evvel, ● -sani, gezegenlerin yörüngeleri üzerindeki hareket noktaları; ● -hizmet, memurluk yeri, iş görme yeri; ● -İbrahim, Kâbe'de saklı bulunan bir taş; ● -Mahmud, Kıyamet günü bütün peygamber ve ermişlerin toplanacağı yerde Muhammet peygamberin yeri. ● Kaimmakam (Kaymakam), Bk.; ● sahibmakam, ● sahib-i makam, memurluk yerinde bulunan asıl memur. (ç. Makamat). ● «Geçer yer yer semalardan, makam-i sermediyyetten. — Cenap».

makamat, A. i. [Makam ç.] 1. Makamlar. 2. Makameler. ● Makamat-i âliyye, yüce makamlar; ● -Hariri, Arap şairi Hariri'nin hikâye kitabı; ● -musikiyye, musiki makamları; ● -Rıdvan, cennetler; ● sahib-i makamat, tasavvuf ve gerçek yolunda yüce derecelere ermiş olan. ● «Cümle ervah-i makamat açılır ufka kadar — Rast Mahur˙ ile Uşşak Muhayyer'le döner. — Beyatlı».

makame, A. i. 1. Meclis. 2. Topluluk, kalabalık. (ç. Makamat).

makami', A. i. [Mikmaa ç.] Topuzlar. Gürzler.

makani, A. i. [Makna ç.] İkna edici tanıtlar.

makani', A. i. [Mıkna' ç.] Başörtüleri.

makariz, A. i. [Mikraz ç.] Makaslar.

makarr, A. i. [Karar'dan] ˙1. Durulan yer. Karargâh. 2. Oturulan yer, konut. 3. Devlet baş şehri. ● Makarr-i hükûmet, ● -idare, ● -saltanat, hükümet merkezi; ● cennetmakarr, durağı cennet olan. ● «İstanbul'un makarr-i hâtırat olan birçok yerlerini gezmek istiyorum. — Uşaklıgil».

makasid, A. i. [Maksad ç.] Maksatlar, niyetler. ● «Pek çok adamlarca makasid-i âliyeden olduğu gibi. — Kemal».

makasim, A. i. (Sin ile) [Maksim ç.] Su taksim edilen yer. Savaklar.

makasir, A. i. [Maksara ç.] Tan vakitleri, sabahlar.

makasîr, A. i. [Maksure' ç.] Maksureler. Camide büyüklere mahsus yerler; evin pek mahrem tarafları.

makatı, A. i. [Makta ç.] Maktalar.

makatir, A. i. (Tı ile) [Maktar ç.] Damlalar. Katralar. ● «Teşhiz-i hatır-i derya makatırları için. — Peçoylu».

makatil, A. i. [Maktel ç.] Makteller. Öldürme yerleri.

makavid, A. i. [Mekud ç.] Yularlar.

makavil, A. i. [Mikvel ç.] Diller.

makazif, A. i. [Mikzaf ç.] (Gemi) Kürekler(-i). ● «Tevhic-i fülke-i inayet ve tahrik-i makazif-i kerem ü ianet. — Ragıp Pş.».

makber, A. i. Mezar. ● «Hepsinin dânişin-i hicranı — Şimdi bir tude zulmet-i makber. — Fikret».

makbere, A. i. Mezar. Mezarlık. ● «Bu yol böyle sâiddi bir menbere — Cevanip mehabetli bir makbere. — Fezasında al bir güneş mübtesemdi. — Fikret».

makbuh, A, s. [Kubh'tan] Beğenilmeyen, kötü görülen.

makbul, A. s.[Kabul'den] 1. Alınan, kabul olunan. 2. Genel olarak istenilen, geçen. 3. Beğenilen. ● Makbul-üş-şahade, tanık, tanıklığı kabul olunan. (ç. Makbulîn). ● «Sadrazam Hüsrev Paşanın makbul ve mergubu olmağın. — Naima». ● «Gerek anların gayrı eimme-i makbulînden olsun. — Taş.».

makbur, A. s. [Kabr'den] Gömülmüş. ● «Sana muzaheret etmez mi evliya-yi kiram — Ki cümle daire-i devletindedir makbur. — Fuzulî».

makbuz, A. s. [Kabz'dan] 1. Alınmış, alınan. 2. Sıkılmış, daraltılmış. 3. Bir şeyin alındığına karşı verilen yazılı kâğıt, alındı. 5. (Gra.) U ve ü sesleri ile okunan v harfi.

makbuzat, *A. i. (Dat* ve *te* ile) [Makbuz ç.] Alınan paralar. Alındılar defteri.

makdem, *A. i.* [Kudum'dan] Gelme. Dönüp gelme. ● ‹Mahrusa-i Kostantiniyyeye vusul bulup tahtgâh-i hümayunları makdem-i şerifleriyle reşk-i bağ-i İrem vâkı oldu. — Peçoylu]›. ● ‹Ol şah-i hüsne kim saf-i müjgân sipahtır — Dümdarı hatt makdemi ceyş-i nigâhtır. — Nailî›.

makderet, makdiret, *A. i.* [Kudret'ten] Zor, güç, kuvvet.

makduh, makduha, *A. s.* [Kadh'ten] Beğenilmeyen ayıp. ● ‹İstidat ve malûmatları ne kadar memduh ise agraz-i mefsaniyelerinin bunlara galebesi o kadar makduhtur. — Kemal›.

makdur, *A. s. i.* [Kadr'den] 1. Kader gereği olan, Tanrının takdirlerinden bulunan. 2. İnsan için yapılabilecek; ● *makdur-ül-istifa* ele geçirilmesi mümkün olan; ● *bezl-i makdur,* elden gelebileni yapma; ● *hasb-el-makdur,* bir gücün üstünde, en fazlası. ● ‹Yeniçeri gazileri din-i mübin uğruna ve ecdad-i izamımız gayretine bezl-i makdur ettiklerin. — Peçoylu›. ● ‹Ne parlak handeler makdur ise bir subh-i âmele. — Fikret›.

makdurat, *A. i.* [Makdur ç.] Makdurlar. (Bir şekli de *Makadîr*).

ma'kes, *A. i'* [Akst'ten] Akseden yer. Akis yeri. ● ‹Belki içinden biri alâmınızın — Belki bir ma'kes-i naçizi olur. — Fikret›. ● ‹Sima bir adamın ayine-i ruhu olduğu gibi bir şehrin manzarası da sekenesinin makes-i hayatıdır. — Cenap›.

makhur, *A' i.* [Kahr'dan] 1. Birinin zoru altında kalan, yenilmiş. 2. Tanrı gazabına çarpılmış. ● *Makhur-i kahr-i ilâhî.* ● ‹Biçare bu ümmid ile, makhur-i ıstırap — Davrandı, sonra düştü yolun kenarına. — Fikret›.

makhurane, *F. zf.* Kahra uğraşmış halde. Kahra uğramışlara yakışır halde. ● ‹Nihayet onu müthiş bir darbe ile makruhane öldürüyordu. — Uşaklıgil›.

makhuriyet, *A. i.* (Türkçede yapılmıştır) Kahrolmuşluk, ezilmişlik. Bitiklik, bitkinlik. (Tanrı gazabına uğrama). ● ‹Zaif kalbinde kuvvet bulmaya çalışarak, makhuriyetinin ye's-i sükûtu içinde kopacak. — Uşaklıgil›.

ma'kıl, *A. i.* Sığınacak yer. ● ‹İki hısn-i hasin ve ma'kıl-i metîn temaşa olunmak. — Raşit›.

makid, *A. s.* Kesilmeyen, sürekli olan.

mâkir, *A. s.* [Mekr'den] Hileci.

makis, *A. s. (Kaf* ile) [Kıyas'tan] Benzetilebilir.

mâkis, *A. s. (Se* ile) Durup dinlenen, soluklanan.

makiyan, *F. i.* Tavuk. ●‹Manend-i makiyan-i garra — Yek beyza hezar fahr ü dâva. — Ş. Galip›.

makleb, *A. s. (Kaf* ile) 1. Bir seyin altını üstüne çevirme. 2. Çevrilme yeri.

maklû, maklûa, *A. s. (Kaf, lâm* ve *ayın* ile) [Kal'den] Sökülmüş, koparılmış. ● *Maklûan kıymet,* yıkıntı olarak değer. Kesilmiş olarak ağaçların değeri (Mec. 884).

maklûb, *A. s.* [Kalb'den] 1. Tersine çevrilmiş. 2. Değiştirilmiş, başka hale konulmuş. 3. Harfleri tersinden okuduğu halde, yine aynı olan kelime veya terkip. ● *Anastas mum satsana, bab, mum* gibi.

maklûbiyet, *A. i.* Maklûp olma hali.

maklûd, *A. s.* Fitil gibi bükülmüş olan.

maklûm, *A. s.* Yontulmuş olan.

makruh, *A. s. (Ha* ile) Yaralanmış.

makrun, *A. s.* [Karn'dan] Ulaşmış, kavuşmuş. Yakın. ● *Makrun-i müsaade,* izne kavuşmuş, izin verilmiş; *icabet-makrun,* kabule yakın. yaklaşmış; *Lefif-i makrun.* Bk. ● *Lefif.* ● ‹Ey şahsa masuniyet ü hürriyete makrun. — Bir hakk-i teneffüs veren efsane-i kanun. — Fikret.

makruniyyet, *A. i.* Yakınlık, yaklaşma.

makruz, *A. s.* [Karz'den] Ödünç verilmiş.

maksad, *A. i. (Sat* ile) [Kasd'den] Kasd olunan şey, istenilen şey. ● ‹Kendisini öldürmek maksadiyle mi aldı. — Uşaklıgil›.

maksim, *A. i.* 1. Bir şeyin dallara, bölüklere ayrıldığı yer. 2. Suyun kollara ayrılma yeri; savak. ● ‹Cevr ile çeşmîmi pür-âb ederek cânânım. — Döndü maksimde akan lûlelere müjgânım. — Nabi›.

maksud, maksude, *A. s.* [Kasd'dan] 1. Meram olunan, dilenilen şey. 2. *(Ö. i.)* Ünlü Arapça bir gramer kitabının adı. ● ‹Ama maksudum asrımda işaa etmeyip mevtime tâlih edi. — Peçoylu›.

maksum, maksume, *A. s.* [Kısm'dan] 1. Ayrılmış, bölünmüş. 2. *i. (Mat.)* Bölünen, ● *Maksumunaleyh,* bölen. ●

Rızk-i maksum, (Tanrı tarafından) ayrılmış rızık; kısmet. (ç. Maksumat).

maksumiyet, *A. i.* Taksim olunma, bölünme. • ‹Bu taksimi biz icat etmedik zaten mevcuttur; ve maksumiyeti o tâbirel biz tarif eylemedik, umumen maruftur. — Kemal›.

maksur, maksure, *A. s. (Sat ile)* [Kasr'dan] 1. Kasılmış. Kısaltılmış. 2. Alıkonulmuş, bir yere ayrılmış. 3. (Arap. Gra.) ‹Y› şeklinde yazılan elif, ki Arapça kelimelerin sonunda olur. Dâvidâva gibi. • ‹Tanzim-i umur-i müslimîne maksur olup. — Saip›. • ‹Bütün şevket ve kudret bir metîn yumrukta maksurdu. — Cenap›.

maksur, maksure, *A. s. (Sin ile)* Elinde olmadan. Zoraki. • ‹Mısır'dan huruçta mecbur-i maksur. — Sadettin›.

maksure, *A. i.* Camilerde büyükler için ayrılmış yüksekçe yer; bir evin en mahrem yeri.

maksus, *A. s. (Sat ile)* Kesilmiş, kırpılmış. • ‹Lâkin maksus ve kem-ayar kuruş. — Naima›.

makşur, *A. s.* Kabuğu veya derisi soyulmuş.

makta', *A. i.* [Kat'dan] 1. Kesilen veya bir şeyin kesildiği yer. 2. (Mat.) Kesit. 3. (Ed.) Manzumenin durak yerleri. Gazel veya kasidenin son beyti.

maktel, *A. i.* [Katl'den] Birinin öldürüldüğü yer. Öldürülme yeri.

maktu', **maktua,** *A. s.* [Kat'dan] 1. Kesilmiş, kesik. 2. Pahası biçilmiş, pazarlık edilmez. 3. Götürü. (ç. Maktuat).

maktuan, *A. zf.* Götürü olarak, toptan.

maktul, *A. s.* [Katl'den] Öldürülmüş. • ‹Vezir-i maktulün çerağı müfettiş Köse Ali Efendi. — Naima›.

maktulen, *A. zf.* Öldürülerek.

maktulîn, *A. i.* Vurulmuş, öldürülmüş insanlar.

maktur, *A. s. (Kaf ve tı ile)* Katran sürülmüş, katranlı.

makû, *F. i. (Kef ile)* Mekik. • ‹Ederdik vakf-i nigi makû-yi enfas ü ânatın — Edeydik târüpundan derk kâlâ-yi mükâfatın — Nabi›.

makud, *A. i.* Yedek olan, yularla yedilmiş olan. (ç. Makadiv).

ma'kud, *A. s. (Ayın ve kaf ile)* [Akd'den] 1. Bağlı, düğümlü. 2. Akdolunmuş, bağlanmış, sonuç verilmiş.

makul, *A. s. i.* [Kavl'den] 1. Söylenilmiş, denilmiş. 2. Söylenilen şey, söz.

ma'kul, ma'kule, *A. s.* [Akl'dan] 1. Akla uygun, aklın kabul ettiği. 2. Akıl ile bilinir, akılla ispatlanan. 3. Oldukça akıllı, sözü, akla yakın. 4. Bağlı, bağlanmış. • ‹Türüf ü ihtişama müteallik emita ve eşyaya çendan rağbet etmek padişahlara makul değildir. — Naima›. • ‹Zad ü zevade ve eşkali bir zarf-i makuleye berduş etti. — Nergisî›.

makulât, *A. i.* [Makule ç.] Ulamalar, kategoriler.

ma'kulât, *A. i.* [Ma'kul ç.] Aklın uygun bulduğu, ancak akıl ile bilinir şeyler. • ‹Zira ma'kulât semti ile âşinalık müteallik mahal geldikte Kadı bu arada felsefilik eylemiş. — Kâtip Çelebi›.

makule, *F. i.* 1. (Fel.) Ulam, kategori. 2. Bilmece. 3. Çeşit, soy, boy. Fransızca'dan (XX. yy.). • ‹Bu makulenin vücudu nabud olmak gerektir deyu rikâb-i hümayuna arz etmiş. — Peçoylu›.

ma'kulgûy, *F. s.* [Ma'kul-gûy] Akıllıca söz söyle. • ‹Ümmî ve sadedil idi, lâkin babayane sözler bilir ma'kulgûy adam idi. — Naima›.

makulî, *A. s.* Fransızca'dan *catégorique* karşılığı (XX. yy.).

ma'kûs, makûse, *A. s.* [Aks'ten] 1. Tersine dönmüş, baş aşağı olmuş. 2. Başka bir şeyin karşıtı. 3. Bir yere vurup geri dönen veya sureti görünen. 4. Ters, iyi gitmeyen, uğursuz. 5. (Mat.) Evrik. Ters. • *Talî-i makûs,* tersine giden, uğursuz talih. • ‹Onu gittikçe incelten, sanki seneler geçtikçe bir netice-i ma'kuse ile küçülten bir şey vardı ki. — Uşaklıgil›.

makûsen, *A. zf.* Aksine olarak, karşıt olarak. • *Mâkûsen mütenasip,* ters orantılı (Mat.).

makzi, *A. s. (Dat ile)* [Kaza'dan] 1. Ödenmiş. 2. Tamamlanmış. 3. Gerekli sayılmış. • *Makzi-l-meram,* ulaşılmak istenen. • ‹İstihdam ile makzi-l-meram eyledi. — Esat Ef.›.

makziv, *A. s. (Dat ile)* 1. İstenen şekilde tamamlayıcı. 2. Neden olan.

makzuf, *A. s.* [Kazf'ten] İftira edilmiş. Namusu hakkında lâf edilmiş.

mal, *A. i.* 1. Tasarruf olunan değerli ve gerekli şey. 2. Var, varlık, servet. 3. Para, nakit, gelir. 4. Tüccar eşyası. • *Mal-i gaybî,* sahibi belli olmayan mal, bulunma mal; • *-menkul,* bina ve topraktan gayrı, taşınabilir mal; -mirî, miriye, hükümete ait mal; • -nâtık, canlı mal; • -samıt, cansız mal; • -uhrevi, ahret için kazanılan sevap; • mal defterdarı, (Tanzimattan önce) devlet maliyesi işleriyle uğraşan kimse; • -kalemi, maliye dairesi; • -müdürü, kaza maliye memuru; • -sandığı, devlet geliri sandığı, vezne; • beyt-ül-mal, (Tanzimat'tan önce) devlet hazinesi (sonra) şeriat mahkemelerinde mirasçıları bulunmayan ölü mallarının hesabı görülen daire; • re's-ülmal, anapara. • «Koca bir memleketin ırzı, hayatı, malı — Ona vâbeste kalır. — Fikret».

-mal, F. s. «Süren, sürülen; sarılan takılan» anlamlarıyle tamlamalar yapılmada kullanılır. • Gûşmul, • pâymal, • rûmal, Bk.

malâkelâm, A. s. [Ma-lâ-kelam] Söz götürmez, diyecek yok; • «Taayyün-i tam ve iktidar-i malâkelâm ile müstakil. — Naima».

malâmal, F. s. [Mal-a-mal] Dopdolu. • «Nice enhar-i ' kibar tuğyan edip Bağdat sahraları âb ü vahl ile malâmaldır. — Naima».

malânihaye, A. s. [Ma-lâ-nihaye] Sonsuz.

malâ'ni, A. s. [Ma-lâ-yani] Anlamsız, faydasız, boş şey. • «Bu fakir dahi benim gibi ömrünü malâyani ile izaa eylemiş. — Taş.».

malâyutak, A. s. [Ma-lâ-yutak] Dayanılmaz.

maldar, F. s. [Mal-dar] Zengin. •«Maldarın muini çok olur. — Naima».

maldarî, F. i. Zenginlik.

malemyekün, A. c. «Sözden ibaret» anlamında ibare. • «Ol zalim mektupları çıkarmayıp isnad-i mâlemyekün idüğü mütebeyyin oldukta. — Naima».

malezime, malzeme, A. i. Gerekli şey.

mali, F. s. Dolu. •«Savtındaki eş'ar-ı pürahenk ile mali. — Fikret».

malî, maliyye, A. s. 1. Mala, paraya mensup. 2. Devlet gelir ve giderlerinin idaresine ait. • Fenn-i malî, maliye bilgisi; • sene-i maliye, 1840 (1256) yılından sonra, yılbaşı mart hesabıyle maliye işleriyle resmî işlerde kullanılan tarih. O yıldan sonra otuz altı yılda bir yıl fark göstererek, batı takvim sisteminin alınmasına kadar sürmüştür. [1332 (1916) de aradaki 13 gün fark kaldırılmış, 1341 (1925) te de yıl

sayısı değiştirilmiştir.] «Zaten ailenin vesait-i maliyesi bunu gayr-i kabil-i tebdil bir kaide-i esasiye hükmüne getirmiş idi. — Uşaklıgil».

malide, F. s. «Sürmüş, süren» anlamıyle bazı terkiplerde bulunur. • «Etmemek lâyık mıdır malide-i çeşm-i taleb — Nam-i sultani cebin-pira-yi zer ü sim iken. — Nabi».

malihulya, F. i. 1. Karasevda. 2. Kuruntu. Melankolya. • «Ve bunun emsali nice hayal-i hâma düşüp malihulyaya meşgul iken. — Naima».

malik, malike, A. s. [Mülk'ten] 1. Sahip, efendi. 2. Bir şeye sahip; • Malikül-mülk, Tanrı. • Lâkin bana malik olacak kadar bahtiyarlığa şayan bulduğunu. — Uşaklıgil».

Malik, A. i. Yedi Cehennemin hâkimi ve kapıcısı, zebanileri idare eden melek.

malikâne, F. i. Kanunun belirttiği şartlarla birine verilen beylik arazi. (XIX. yy. dan sonra) Büyük, zengin köşk. • «Sahib-i malikâne-i servet».

malike, A. s. Mal sahibi olan kadın. Bir şeyin sahibi olarak tasarruf eden kadın.

malikiyyet, A. i. Malik ve sahip olma. • «Hayalin öyle göründükçe çeşm-i hasretime — Yalan, derim bütün ezvak-i malikiyyetime. — Cenap».

maliş, F. i. 1. Ovma, sürme, sürüştürme. İyelik. • «Ol kadar ağlayıp alnını yere sürdü ki yüzü ve cephesi maliş-i zeminden sıyrılıp hûnalûd olmuş idi. — Naima».

malişgâh, F. i. [Maliş-gâh] Yüz sürülecek yer.

malişger, F. s. 1. Sürtücü, ovucu. 2. Tellâk.

maliyyat, A. i. s. Maliye işleriyle ilgili. Maliye bilgisi (XX. yy.).

maliyye, A. i. Devlet gelir ve giderleri işi ile uğraşan daire (XIX. yy.).

maliyyet, A. i. Kıymet. Mal olma değeri (XIX. yy.).

maliyyun, A. i. Maliyeciler, ekonomiciler (XIX. yy.).

maliz, F. s. Sülük.

malperest, F. s. [Mal-perest] Mal canlısı, mala düşkün.

ma'lûl, A. s. [İllet'ten] İlletli. Sakat. • «Şifa-napezir bir hastalıkla müebbeden malûl kalmaktan. — Uşaklıgil».

ma'lûlen, A. zf. Sakat olarak.

ma'lûlîn, A. i. [Ma'lûl ç.] Sakatlar.

ma'lâliyyet, *A. i.* Hastalık, sakatlık. • ‹Onda bir malûliyet-i asabiye vardı ki. — Uşaklıgil›.

ma'lûm, ma'lûme, *A. s.* [İlm'den] 1. Bilinen, belli. 2. (Gra.) Etken.

malûmat, *A. i.* [Ma'lûm ç.] 1. Bilinen şeyler, öğrenilmiş gerçekler. 2. Biliş. 3. (Fel.) Bili. Bilgi. • *Malûmat-i cüz'iyye,* az, hafif bilgi; • *-külliye,* temelli bilgi; • *-zaruriyye,* gerekli bilgi; • *eyyam-i malûmat,* Mekke'deki hacılık günleri. • ‹Sonra malûmatına burada bir fâsıla-i vukuf açarak son vak'aya atlıyordu. — Uşaklıgil›.

malûmatfüruş, *F. s.* [Malûmat-füruş] Bilgi satan, bilgiçlik taslayan.

malûmiyyet, *A. i.* Belli olma, bilinme. Bilinen şeyin hal ve sıfatı.

mamelek, *A. i.* [Ma-melek] Birinin her nesi varsa; varı yoğu; olanca şeyi. • ‹Ve cümle mamelekini kabz edip. — Naima›.

mameza, *A. i.* [Ma-meza] Geçen şey. Geçmiş şey. • *Meza mameza,* olan oldu, geçen geçti. Geçmişi unutalım. • ‹Efendiler gözünüzü açın ettikleriniz meza mameza. Hele şimdilik. — Naima› • Görsün, bizi görüp görüp de pürâmâl ü pürgaram — Bir yerde mameza ile müstakbel-i cihan. — Cenap›.

ma'mul, *A. i.* [Mel'den] Yapılmış, işlenmiş. • *Ma'mulün bih,* yürürlükte olan, amel edilen (kanun, nizam gibi) şey.

mamulât, *A. i.* [Ma'mul ç.] El veya makine ile yapılmış, işlenmiş eşya. • *Mamulât-i dahiliyye,* memlekette yapılan eşya.

ma'mur, mamure, *A. s.* [Umran'dan] Bayındır, şenlikli. • *Beyt-i mamur, bilâd-i mamure,* bayındır şehirler. • Ola kim genc-i visalinden bulam de- yu nişan — Bu gnül ma'mur iken virane oldum akıbet. — Kanuni›.

ma'mure, *A. i.* İnsan bulunan bayındır yer. Şehir, kasaba.

ma'muriyyet, *A. i.* Mamur olma. Bayındırlık. • ‹Memlekette esbab-i mamuriyet yok denilecek. — Kemal›. ,

mana, *A. i.* 1. Anlam. 2. İç, iç yüz. 3. Rüya, düş. 4. Akla yakın sebep. • *Âlem-i mâna,* rüya; • *bîmâna,* mânasız, münasebetsiz; • *ism-i mâna,* soyut isim. • ‹Sanki her dalga bir lisanla bana — Haykırır na-şinide bir mâna. — Fikret›. • ‹Kelâmda asl olan mana-yi hakikîdir. — Mec.›. (Ed. Ce.). :

Mâna-yi amîk,
-azm,
-beliğ,
-dâvet,
-elem,
-endişe,
-esrar,
-feragat,
-feryad,
-garip,
-giryedar,
-hainane,
-hande,

-haşin,
-hazin,
-himayet,
-husran,
-husumet,
-istirham,
-makhuriyet,
-merhamet,
-muahaze,
-mütebessim,
-nazar,
-nigâh,
-serzeniş.

ma nahnü fih, *A. cüm.* Bahsini ettiğimiz, üzerinde konuştuğumuz.

manassa, minassa, *A. i.* (Sat ile) 1. Gelinin oturduğu yüksekçe yer. 2. Görünme yeri.

mande, *F. i. s.* Kalmış olan, gitmiş. ‹Kalmış› anlamıyle bileşikler meydana getirmede kullanılırdı. • ‹Altıncı ve on dördüncü cemaatleri mukaddema mande olmakla. — Naima›. Bak. :

amelmande,   *haznemande,*
dermande,   *pesmande.*
hâtırmande,

ma'nen, *A. zf.* 1. Mâna bakımından, anlamca. 2. Doğrudan ve açıktan olmayarak. 3. İçten. • ‹Alındı Kevkeban yetmiş yedide lâfzen ve mânen tarih demiş idi. — Peçoylu›.

manend, *F. i. s.* Benzer, eş. • Manend-i şecer nâbit olur sabit olanlar. — Ziya Pş.›.

manende, *F. s.* Benzeyen. • ‹Manende-i makiyan-i garra. — Galip›.

manevi, ma'neviyye, *A. s.* [Ma'ni'den] 1. Manevî. Mâna ve anlama ait. 2. Soyut, görünür olmayıp ruha ve içe ait olan. 3. Maddi olmayan. • *Ecr-i mânevi,* maddi olmayan karşılık, sevap; • *kuvve-i maneviyye,* iç, yürek kuvveti; • *veled-i mânevi,* ahret çocuğu, oğulluk. • ‹Diğer bir aileye intisap etmekle hüviyyet-i maneviyesinin massolunmasını. — Uşaklıgil›.

manevviyyat, *A. i.* [Manevî ç.] Manevi olan, içe ait olan hususlar.

maneviyye, *A. i.* Fransızcadan *maniché-isme* karşılığı (XX. yy.).

maneviyyun, *A. i.* Tanrıya bel bağlamışlar. • ‹Ne maddiyun, ne mâneviyyundanım. — Cenap›.

mani, *A. i.* Bk. •*Mana.*

Mani, *F. i.* Ünlü Fars ressamı. • ‹Müjgânından edeydi Mani. — Ger hâme-i mûyu vakt-i tahrir. — Fehim›.

mani', A. s. i. [Men'den] 1. Geri bırakan, alıkoyan, engel olan. 2. Engel, özür. • *Mani-i şer'i,* kabul edilebilir özür. • ‹Mani zail oldukta memnu avdet eder. — Mec. 24›. • ‹Bir sefile ile müşareket-i sevdaya mani' olmuyordu. — Uşaklıgil›. • ‹Güneşin eşi'a-i mühlikesi her arzu-yi harekete manidir. — Cenap›.

mânia, A. i. [Men'den] 1. Engel, özür. 2. Zorluk. (ç. Mevani). • ‹Şimdi önüne geçmek isteyen bu maniayı kıracak. — Uşaklıgil›.

manidar, F. s. [Mani-dar] Anlamlı. • ‹Bu rivayet derenin sevdaperver sularının üstünde hafif bir hande-i manidar ile uçtu. — Uşaklıgil›.

manidarane, F. zf. Mânalı şekilde. ‹Peyker'le Bihter mânidarane bakışarak gülüştüler. — Uşaklıgil›.

mansıb, A. i. [Nasb'dan] Büyük memurluk yeri. Makam. (ç. Menasıb). • ‹Kadrin nice malûm olur kim sana nisbet — Edna görünür mansıb-i a'lâyi zemane. — Nef'i›. • ‹Taşra mansıba gitmeniz enseb, bunda oturulmasında beis yok. — Naima›.

mansıbdar, F. s. Mansıpta bulunan.

mansub, mansube, A. s. [Nasb'dan] 1. Dikilmiş, konmuş. 2. Memuriyete konmuş, memur bulunan. 3. Sonu ‹e› okunan Arapça sözcük. • ‹Hiyam-i gerdun-ihtişam Mantaba-i Süleyman nam mahalde mansûb. — Sadettin›.

mansube, A. i. 1. Satrançta Nerdin yedinci oyunu. 2. Tedbir, oyun.

mansur, mansure, A. s. [Nusret'ten] 1. Tanrı yardımıyle yenen, üstün gelen. 2. Müzik perdesi. • *Asakir-i Mansure-i Muhammediyye,* Yeniçerilerin kaldırılmasından sonra kurulan ordu. ‹Mansure› bu kuruluşun kısa adı. • ‹Keşide pişgehinde liva-yi hayr-ül-enam — Olur ne canibe azm etse ol liva mansur.— Nabi›. • ‹İnliyor nay-i bayanından neva-yi mansur. — Fikret›.

mansuriyyet, A. i. Tanrı yardımıyle üstün gelme, başarma.

mansus, mansusa, A. s. [Nass'tan] Kur'an'da açık açık anlatılan, hakkında ayet bulunan. (ç. Mansurat). • ‹Maksut hem Safiî'nin ve hem ashabının mansussatıdır. — Taş.›.

mantık, A. i. [Nutk'tan] 1. Söz. 2. Akıl dairesinde söz söyleme usul ve kurallarından bahseden bilgi. • *Mantık-ut-*

tayr (Kuş dili) Şeyh Attar'ın ünlü bir ahlâk kitabı. • ‹İnsan hissiyatına bir parça sükûn, muhakematına bir parça mantık koymak icap eder. — Uşaklıgil›. • ‹Mantık-ut-tayr oldu her beyti Hayalî'nin veli — Kuş dilin fehm eylemez her kim ki Attar olmadı. — Hayalî›.

mantık, mantıkıyye, A. s. Mantığa, mantık kurallarına uygun, mantıkça.

mantıkıyyun, A. i. Mantık bilginleri. Mantıkla uğraşanlar.

mantuh, A. s. (Tı ve ha ile) Boynuzlu hayvan tarafından yaralanan veya öldürülen.

mantuk, mantuka, A. s. [Nutk'tan] Söylenmiş, denilmiş.

mantuk, A. i. 1. Söz. Kelâm. Nutuk. 2. Anlam. Kavram. • ‹Şu tasvir ettiğim hilkat benim mantuk-i halimdir. — Fikret›.

manzar, A. i. [Nazar'dan] 1. Görülen yer. 2. Görünüş. 3. Çehre, yüz. • *Hoş-manzar,* görünüşü güzel; • *kerih-ül-manzar,* görünüşü çirkin, fena yüzlü. • ‹Atmıştı bu manzar beni hemreng-i tenffur — Bir havf-i siyaha. — Fikret›.

manzara, A. i. [Nazar'dan] 1. Bakılıp seyredilen yer. 2. Gözün görebildiği yerin görünüşü. 3. Pencere. • ‹Meğer saadetlû padişahın vüzera oturduğu mahalle nâzır olan manzaradan bu husus bizzat manzur-i şerifleri olup. — Peçoylu›. • ‹Odasından çıkınca birden garip bir manzara karşısında dondu. — Uşaklıgil›.

manzum, manzume, A. s. [Nazm'dan] 1. Sıralanmış, düzenlenmiş. 2. (Ed.) Vezinli, kafiyeli söz. • ‹Ikd-i gevher gibi manzum ola tab'a vârid. — Nef'î›.

manzumat, A. i. [Manzume ç.] Manzumeler.

manzume, A. i. 1. Sıra, dizi, takım. 2. Vezin ve kafiyeli söz. Uzunca nazım. • ‹Oku, önündeki manzume bir hakikattir. —' Fikret›.

manzur, manzure, A. s. [Nazar'dan] 1. Bakılan, nazar olunan. 2. Gözde olan, beğenilen. • ‹Manzurun olan şikeste bendim — Şimdi kime bestesin efendim. — Ş. Galip›. • ‹Bu reng-i serd ile manzur olurdu veçh-i sema. — Fikret›.

mâr, F. i. Yılan. • *Mâr-i sermadide,* uyuşmuş yılan. • ‹Mâr-i serma-dideye Rabbim güneş göstermesin›.

mar(r), *A. s.* [Mürur'dan] Geçen, geçmiş. • *Marr-ül-beyan*, • *marr-üz-zikr*, beyanı, zikri (yukarda) geçmiş olan. • ‹Cümle istikbale gelip ertesi hâkim-i Erdilân marrüzzikr han Ahmet itaat edip. — Naima›.

mâran, *F. i.* [Mâr ç.] Yılanlar. •*Şah-i mâran*, yılanlar padişahı.

ma'raz, ma'rız, *A. i.* [Arz'dan] 1. Bir şeyin görüldüğü, çıktığı yer. 2. Bir şeyin bildirildiği, arz olunduğu makam. 3. (XIX. yy.) Sergi. • ‹Lâkin ma'rız-i hacette sükût beyandır. — Mec. 67›.

maraz, *A. i.* Hastalık. • *Maraz-i mevt*, ölüm hastalığı; hastayı işini görmeyecek halde (evinde) hareketsiz bırakan hastalık; • *-müstevli*, salgın hastalık; • *-müzmin*, süregen hastalık; • *-sari*, bulaşıcı hastalık. • ‹Maraz-i mevt, ol hastalıktır ki çoğu anda ölüm korkusu olduğu halde işini gücünü göremeyip bu halde bir yıl geçmeden öle›. • ‹Mehmet Paşanın maraz-i mevtinde iyadetine geldikte. — Peçoylu›. • ‹Bi-insaf bir marazın daima takibeden ateş nöbetleri. — Uşaklıgil›.

marazi, maraziyye, *A. s. (Dat ile)* Hastalığa ait. Hastalıklı. • ‹Bunu marazî bir tecessüs, bir hastalık gibi telâkkide. — Cenap›.

maraziyyat, *A. i.* Fransızca'dan *pathologie* karşılığı (XX. yy.).

mârbece, *F. s.* [Mâr-bece] Yılan yavrusu. (Mec.) Çok zararlı. • ‹Nefsinde gürkzade ve mârbeçe idi. — Naima›.

ma'rec, mi'rec, *A. i.* Çıkılacak yer, merdiven. (ç. Mearic).

ma'reke, *A. i.* Savaş alanı. (ç. Mearik). • ‹Ve marekearâ olan mebahis-i gamızada. — Taş.› • ‹Sanki bir mareke, bir mareke-i cuşacuş. — Fikret›.

ma'ret, *A. i.* Suç. Günah, kabahat, ayıp.

marık, *A. i.* Hak dinden dönen.

mariç, *A. s.* Alev, dumansız ateş.

mârid, maride, *A. s.* 1. Aldatıcı, kandırıcı. 2. İnatçı. (ç. Merede). • ‹Ve şeytan-i mârid gibi iğfal edip. — Esat Ef.›.

marife, *A. i. s. (Ayın ile)* Anlam ve kavramı belirtilmiş söz. Marife.

marifet, *A. i.* Bilme, biliş. 2. Ustalık. 3. Ustalıkla yapılmış olan şey. 4. Tuhaf, garip hal. 5. Aracı, ikinci el. (Fel.) • *Marifet nazariyesi*. bilgi kuramı, *epistémologie*. • ‹Baki nihal-i marifetin meyve-i teri — Ârif katında bir gazel-i âbdârdır. — Baki›. • ‹Burası

bir göl olmuş... Bu sizin marifetiniz mi? — Uşaklıgil›.

ma'rike, Bk. • *Ma'reke*.

maristan, *F. i.* [Mar-istan] 1. Yılanlık. 2. Hastane.

mariz, *A. s.* [Maraz'dan] Hasta, hastalıklı. • ‹Sorulsa tıbba nedir fark-i salim ü marîz? — Cenap›. (Ed. Ce.). :

Ruh-i marîz,   fikr-i marîz,
sîmayi marîz,   zevk-i marîz,

marizane, *F. zf.* Hastalıklı. Marizcesine. • ‹Ne de bu nahif çehresinin marizane süzgünlüğü belliydi. — Uşaklıgil›.

marr, marre, *A. s.* Geçen, geçici. • *Marr-ül-beyan*, • *marr-üz-zikr*, söylenmiş olan, yukarda denilmiş olan. • ‹Marre (âmme vezninde) tarik-i âmdan mürur ve ubur edenlerdir.`— Mec. 1040›.

marrîn, *A. i.* [Mar'dan] Geçenler. Gelengiden.

marsus, marsusa, *A. s.* [Rasas'tan] Birbirine yapıştırılmış, lehimlenmiş. • ‹Ey dahme-yi marsus i havatır, ulu mabet. — Fikret›.

maruf, marufe, *A. s.* [İrfan'dan] 1. Bilinen, tanınmış. 2. Ünlü. 3. Şeriatın emrettiği, iyi bulup beğendiği. • *Emri bil-maruf mehy-i an-il-münker*, şeriatın emirlerini ve yasaklarını halka bildirme, • *Kavl-i maruf*, ünlü söz. • ‹Bütün mesirelerin en maruf temasîl-i hayatından biridir. — Uşaklıgil›.

marufat, *A. i.* 1. Bilinen şeyler. 2. Şeriatın (kanunun) yapılmasını istediği şeyler. • ‹Garptaki marufat Şarkta münkerattan görünüyor. — Kemal›.

marufiyyet, *A. i.* Ünlülük. Bilinmişlik. • ‹Herkes için vukuat-i ruzmerre arasında garip addolunur Behlûl için tarih-i atîk marufiyetine inerdi. — Uşaklıgil›.

Marut, *A. i.* Harut'un (Bk.) arkadaşı.

ma'ruz, maruze, *A. s.* 1. Arz olunmuş, arz olunan. 2. Bir şeyin karşısında bulunan. 3. Serilmiş, sergi gibi yayılmış. 4. Sunulmuş, verilmiş. 5. Söylenmiş, denilmiş. • *Maruz-i bendegânemdir*, *-çaker-i kemineleridir*, *-daiyanemdir*, türlü dilekçelerde büyüklere söyleme şekilleri. • *elmaruz*, akrandan akrana yazılabilecek hitap; • *evrak-i maruza*, *hedaya-yi maruza*, sunulan kâğıtlar, armağanlar. • ‹Çün bu ahval maruz-i padişah-i derya-neval oldu. — Peçoylu›. • ‹Artık kocasız kalmak tehlikesine daruz değildi. — Uşaklıgil›.

maruzat, A. i. [Maruz ç.] Küçükten büyüğüne bildirilen, sunulan şeyler.

maruziyet, A. i. (Bir şeyin) karşısında bulunma. • «Yalnızlığın şu müsaadesine maruziyetini düşününce. — Uşaklıgil».

marzi, A. i. [Rıza'dan] Razılık, hoşnut olma. • Gayr-i marziyye, beğenilmemiş. • «Ol fitne-i gayr-i marziye anın yüzünden suretpezir olduğundan. — Naima». • «Kızılbaş bayraklarından birin getirmekle hilâf-i marzileri iken ricasına müsaade olunup. — Naima».

mas, mass, A. i. Emme. Emerek çekme. Soğurma. • «Sîne ve gerdanlarında âsar-i mass ü takbil ile paşaya teslim ettiler. — Naima».

masbb, A. i. Suyun geçtiği yer. • «Masabb-i Dicle'de vakı Kapan-i Hani. — Naima».

masabih, A. i. [Misbah ç.] Işıklar. Meşaleler. Kandiller.

mas'ad, A. i. (Sat ve ayın ile) 1. Merdiven, ip merdiven. 2. Fazilet, meziyet.

mâsadak, A. i. [Ma--sadak] Uygun, tıpkı.

masadir, A. i. [Masdar ç.] 1. Mastarlar. 2. Nesne çıkan yerler.

masahif, A. i. [Mushaf ç.] Mushaflar. • «Mervidir ki masahife evvel nokta vazedip. — Taş.».

masaib, A. i. [Musibet ç.] Musibetler. • «Amma huccac ve tüccarın mâsaibi bir iken iki oldu. — Peçoylu».

masid, A. i. [Mas'ad] Yukarı çıkacak yerler. • «Masaid ve mahavisinde süvare güzara mecal olmadığı cihetten. — Sadettin».

masalih, A. i. [Maslahat ç.] İşler. • Ashab-i masalih, • erbab-i masalih, Hükümet dairelerinde işleri olan kimseler, bu işlerin peşinde olanlar. • «Bazı râşiler Mehmet Çelebiye yapışıp bazı masalih tahtında verdikleri akçeyi isteyip. ,— Naima».

ma'sara, A. i. (Ayın ve sat ile) (Üzüm ve susam gibi şeylerin) sıkıldığı yer.

masari', A. i. [Mısra ç.] Mısralar. • «Münteha-yi masarimizde redifler vardı. — Cenap».

masarif, A. i. [Masraf ç.] Masraflar, harcamalar, harçlar. • «Mal-i merkumdan masarif-i mühimme için otuz bin kuruşu defterdar yedinden aldı. — Naima».

masarif, A. i. [Masruf ç.] Harcananlar.

masarifat, A. i. [Masarif ç.] Harcananlar.

masbaga, A. s. Boya yeri. • «Halka nireng geçer masbaga-i çerh-i kebud — Kimisi sebz kimi sürh ü kimi zerd gider. — Nabi».

masdar, A. i. [Sudur'dan] 1. Bir şeyin çıktığı yer, kaynak, temel. 2. (Gra.) Fiillerin çıktığı isimler ki, olaya delâlet ederler, fakat zaman bildirmezler. ° Masdar-i mimî. (Arap Gra.) başında «m» harfi bulunan mastar. • «Zevkyab-î giryedir kalb-i melâlet masdarım. — Recaizade».

masdariyye, A. i. Tanzimat'tan önceleri şaraptan ve daha bazı maddelerden alınan vergi.

masdariyyet, A. i. Mastarın anlatmak istediği oluş anlamı.

masduk, masduka, A. s. [Sıdk'tan] Doğru söz, gerçek. • «Amma hasbıhal ve masduka-i makal ol değildir. — Lâmiî».

masdur, masdure, A. s. Gönderilmiş, yollanmış olan. 2. Göğsü incinmiş veya ağrımış olan.

mâsebak, A. i. [Mâ-sebak] 1. Sebkat eden. 2. Geçen, geçmiş. • «Menakıbının bir miktarı mâsebakta mürur eylemiştir. — Taş.». • «Mezar-i mâsebak-i cemiyet olan tarihe. — Uşaklıgil».

mâselef, A. i. [Mâ-selef] Geçmiş, evvelki.

masfuf, A. s. (Sat ile) [Saf'tan] Saf bağlamış, dizilmiş.

mashara, A. i. s. 1. Zevklenme, eğlenme. 2. Gülünç. 3. Kepaze. 4. Tuhaflıklar yapan. • «Dahi bunlara muadil mudhik ve masharlar meclis-i şerifelerin daima neşat ve sürur ile mesrur ve pürhubur ederler idi. — Peçoylu».

mashub, mashube, A. s. (Sat ve ha ile) Beraber alınmış, birlikte götürülen.

mashuben, A. zf. Birlikte olduğu halde. Yanında bulunarak. • «Emirgûneoğlu mashuben İstanbul'a gelip. — Naima».

masif, A. i. [Sayf'ten] Yazlık. • «Masif ve meştaların tebyin edicek. — Sadettin».

mâsik, mâsike, A. s. Yapışkan.

masîr, A. i. [Sayruret'ten] Sürüp giden.

masiva, A. i. [Mâ-siva] Bir şeyden gayri olan şeylerin hepsi. Yaradandan, Tanrıdan gayri bütün varlıklar. Dünya işleri. • Terk-i masiva, dünyadan geçmek, Tanrıdan gayrı her şeyle ilgiyi kesmek. • «İndimde Huda bilir fedadır — Bir lâhza safava masivallah. — Naci».

ma'siyet, A. i. [Asa'dan] 1. İsyan. 2. Günah. • «Acep ne masiyet ettim ki badesiz kaldım. — Naci».

maskul, *A. s.* (Sat ile) Cilalanmış.

masl, *A. i.* Kan ve sütün içinde tabiî olarak bulunan su. • *Masl-üd-dem*, serum.

maslahat, *A. i.* [Sulh'tan] 1. Barış, rahatlık, iyilik yolu. 2. İş. Husus, madde. Keyfiyet. 3. Önemli iş. • *Maslahat-i amme*, herkesin yararına olan iş. *Limaslahatin*, Bk. • ‹Pes maslahat budur ki evvelâ. — Naima›.

maslahatgüzar, *F. i. s.* [Maslahat-güzar] 1. İş bitiren, iş bilir. 2. Elçi vekili. • ‹Vezaret-i uzmayı ve serdarlık emrini bir vezir-i maslahatgüzara tevcih muradımdır. —Naima›.

masli, masliye, *A. s.* Serumla ilgili.

maslub, maslube, *A. s.* [Salb'den] 1. Asılmış. 2. Asılarak öldürülmüş. • ‹Cesed-i pâkini salb edip tâ validesi rica etmeyince indirmeyesiz deyu çavuşlarına ferman etmeğin iki yıl maslub durdu. — Veysi›.

masluben, *A. zf.* Asılarak, asılma suretiyle.

masnu', masnua, *A. s.* [Sun'dan] 1. Sanatla yapılmış. 2. Uydurma, düzme. • ‹Her birisinden ol samurdan masnu libas-i şahanenin birisi rikâb-i hümayuna ihda olunma ferman buyruldu. — Naima›.

masnuat, *A. i.* [Masnu ç.] 1. El veya makine ile yapılmış şeyler. 2. Uydurma, düzme şeyler. • ‹Hukuk ve onun ihtilâfatı sırf masnuat-i beşerden midir? — Kemal›.

masraf, *A. i.* [Sarf'tan] Cepten çıkan para. • *Masraf nazırı*, Askerlik dairesinde muhasebe başkanı. • ‹Kale masrafı dahi tedarik olunmak bir veçhile mümkün değildir. — Naima›.

masru', masrua, *A. s.* Sara hastalığına tutulmuş, saralı. • ‹Süleyman halife nam müderris ol hînde marsu' olup hanesine vardığı gibi müteveffa olmuş. — Peçoylu›.

masruf, masrufe, *A. s.* [Sarf'tan] 1. Harcanmış. 2. Harcanan, kullanılan. 3. Başka tarafa çevrilmiş, giderilmiş. • ‹Masruf-i cebr-i hâtır-i ehl-i niyazdır — Lûtf-i demademin kerem-i bi-nihayetinde. — Nailî›.

mass, mas, *A. s.* (Sat ile) Bk. •*Mas*.

mass, *A. s.* (Sin ile) 1. Dokunan, dokunucu olan. 2. Yakın olan.

mastaba, mıstaba, *A. i.* Peyke, sedir. • ‹Ey Nailî terane-i kilkinden oldular. — Ruhaniyan-i mastaba-i intibah mest. — Nailî›.

mastur, masture, *A. s.* [Satır'dan] Çizilmiş, yazılmış. • ‹Pes balâda mastur olduğu üzere. — Peçoylu›.

ma'sum, ma'sume, *A. s.* [İsmet'ten] Masum. Suçsuz. 2. *i.* Küçük çocuk. • ‹Yegâne ziynet-i aguşu bir güzel masum. — Fikret›.

masumane, *F. zf.* Masumcasına. • ‹Bu oyuna, velev masumane olsun, tavassut eden bu çocuk. — Uşaklıgil›.

masume, *A. s.* 1. Masum kadın. 2. Küçük kız çocuğu.

masumiyet, *A. i.* Masumluk. • ‹Nezahet-i bikrinin masumiyet-i ebyaziyetiyle örtecek bir zambak koyacağım. — Uşaklıgil›.

masun, *A. s.* [Savn'dan] Korunmuş, korunan. • ‹Bugün hürriyetin, milliyetin, namus ü ümmidin — Masun kaldıysa bil, zâir, rehakârın bu heyettir. — Fikret›.

masuniyet, *A. i.* Sağlamlık, eminlik. Koruma. Dokunulmazlık. • *Masuniyet-i teşriiyye*, milletvekilliği dokunulmazlığı. • ‹Ey şahsa masuniyet ü hürriyete makrun — Bir hakk-i teneffüs veren efsane-i kanun. — Fikret›.

ma'sur, *A. i.* (Ayın ve *sin* ile) Güç veya çaparizli iş.

ma'sur, ma'sure, (Ayın ve *sat* ile) Sıkılmış, suyu veya yağı çıkarılmış.

ma'surat, *A. i.* [Ma'sur ç.] Güç, çaparizli işler.

ma'suriyet, *A. i.* Sat ile) Yağı ve özü çıkarılacak şekilde ezilme, sıkılma. • ‹Ezcümle evvel-i engûr helâl olup badehu ma'suriyetten zatına hürmet tarayan ettikten sonra. — Salim›.

maşallah, *A. ter.* Allahın istediği. Tanrı her ne isterse.

ma'şer, *A. i.* [İşaret'ten] 1. Birlikte yaşar insanlar topluluğu. 2. Tayfa. Takım. • ‹Bir darbe... bir duman... ve bütün bir güruh-i sûr. — Bir ma'şer-i vazî-i temaşa. — Fikret›.

ma'şeri, *A. s.* Topluluğa ait (XX. yy.)

mâşi, maşiyye, *A. s.* [Meşy'den] Yürüyen, ayakla yürür. • ‹Gerek kaid ü kaim gerek maşi vü râkib. — Taş.›.

maşite, *A. i.* Kadın tuvaleti yapan kadın. ‹Yasemen şane, saba maşite, âb âyinedir. — Baki›. • ‹Kilk-i siyah-i maşitekâr elde Nailî — Kühl-i cevahir-i suhana mildanlanır. — Nailî›.

maşiye, *A. i.* Koyun ve keçi kısmı.

maşiyen, *A. zf.* Yürüyerek. Yaya olarak. • ‹Maşiyen nahiller ve şeker bahçeleri istisna' olunan mahalleri teşrif. — Raşit>.

maşrık, A. i. [Şarktan] Güneşin doğduğu, yer veya yön. (ç. Meşarik). • «Husrev-i hâver şemşir-i şuâ ile vera-i perde-i maşrıktan işrak eyledi. — Naima>.

ma'şuk, ma'şuka, A. s. [Aşk'tan] Sevilen.

ma'şuka, A. s. [Aşk'tan] Sevilen kadın. • «Maşuka, o bir gonce-nevhande-i ziba — Âşık ona hemhal. — Fikret>.

ma'şukiyyet, A. i. Sevilme hali. Sevilen kimsenin hali.

mat, F. i. Satranç oyununda yenilgi. • «Fikr olunsa burada mat olur ehl-i tedbir. — Nef'î>.

matabi', A. i. [Matbaa ç.] Matbaalar. Basımevleri.

matabih, A. i. [Matbah ç.] Yemek pişirilen yerler. Mutfaklar.

mataf, mutaf, A. i. [Tavaf'tan] 1. Tavaf edecek yer. 2. Etrafında dönüp dolaşılacak yer. • «Meyhaneyi seyrettim uşşaka mataf olmuş. — Teklif ü tekellüften süklânı muaf olmuş. — Ş. Galip>.

matim, A. i. [Matma' ç.] Yiyecek nesneler. • «Beyaban-i bipayan-i Mısır'da metaim ve meşarib. — Sadettin>.

matali', A. i. [Matlâ ç.] 1. Matlâlar. 2. Doğu tarafları.

matalib, A. i. [Matlab ç.] İstenen şeyler.

mat'am, A. i. (Tı ve ayın ile) 1. Yemek yenecek yer. 2. Yenecek yemek.

matamih, A. i. (Tı ve ha ile) [Matmah ç.] Kendisine göz dikilen yerler. Tamah edilecek şeyler.

matamir, A. i. [Matmure ç.] 1. Öteberi saklamak için toprak altı yerleri. 2. Mezarlar. • «Matamirinde ve nice mevazında medfun bihadd zahair. — Naima>.

mat'an, A. i. (Tı ve ayın ile) 1. Birinin ayıp ve kusurlarının söylendiği yer. 2. Bunların söylenme yeri. • «Baht-i biçareyi bihudedir etmek mat'an. — Nedim>.

matar, A. i. Yağmur. (ç. Emtar). • «Kudüs-i şerife varılan gün kesret-i matar bir veçhile idi ki. — Sadettin>.

matavi, A. i. [Matvi ç.] Kıvrımlar. • «Matavisinde olan fehaviye muttali olup. — Naima>.

mataya, A. i. [Matiyye ç.] Binek hayvanları.

matbaa, A. i. [Tab'dan] Basımevi. •Matbaa-i âmire, Devlet Basımevi (XX. yy.).

matbah, A. i. [Tabh'tan] Mutfak, yemek pişirilen yer. • «Matbahlarına aç varan âdem değnek yer. — Ruhi>.

matbu, matbua, A. s. [Tab'dan] 1. Tab'edilmiş. Basılmış. 2. Düz, düzgün. • «Kenarlara bir tertib-i matbuda dikilip. — Recaizade>. • «Acep matbu ü dilkeştir serapâ hüsn-i endamı. —

matbuat, A. i. [Matbu ç.] Basılmış şeyler. Kitaplar, (en çok) gazeteler (XIX. yy.). • Hükümet-i seniyye matbuat hakkında da bir nizamname yapmıştır. — Kemal>.

matbuh, matbuha, A. s. [Tabh'tan] 1. Pişirilmiş. 2. Kaynatılmış, haşlanmış (ilâç).

matbuhat, A. i. 1. Kaynatılmış ilâçlar. 2. Pişirilmiş yemekler.

mate, A. f. Öldü.

mateahhar, A. i. Sonradan olan. Sonra gelen.

matekaddem, A. i. [Ma-tekaddem] Geçmiş. Geçmiş zaman. • «Lâkin mezbur matekaddemden yararlık ile namdar ocak eri. — Selânikî>.

matem, A. i. 1. Bir ölü için ağlaşıp karaya bürünme. Yas. 2. Ölü için ağlama. 3. Keder, yaslı bulunma. 4. Muharremin ilk on gününde imam Hüseyin için yas tutup mersiyeler okuma âdeti. • «Huda büyüktür eder matemi mübeddel-i sûr. — Fikret>. (Ed. Ce.). :

Matem-i berpâ,	hücre-i matem,
-saadet,	neşayid-i matem,
-sukut,	siyah-i matem,
eda-yi matem,	ye's-i matem,
girye-i matem.	zemin-i matem.

matemdar, F. s [Matem-dar] Matemli acılı. • «Yalnızlığın sükût-i matemdarına. — Uşaklıgil>.

matemgâh, F. i. [Matem-gâh] Yas yeri. • «Bu matemgâhta feryada hayret rehzen olmuştur. — Hücum-i gam tehisaz-i dimag-i şiven olmuştur. — Nailî>.

matemgede, A. i. [Matem-gedé] Yas evi. • Meyletmediğim sûr-i safabahşine dehrin — Matemgede-i dilde olan şeyven içindir. — Nailî>.

matemgîr, F. s. [Matem-gîr] Yas tutma (ç. Matemgîran). • «Ve beyler ve ağalar ve paşalar şemle kuşak sarınıp matemgirlikte şah-i valâcenaba mütabaat eylediler. — Sadettin>.

matemgirane, *F. zf.* [Matem-gîr-ane] Yaslı halde. Yaslı imiş gibi. • ‹Bir sükût-i matemgîrane başlar. — Uşaklıgil›.

matemî, *A. s.* Matemli.

matemkünan, *F. s.* [Matem-künan] Yas tutan.

matemrenk, *F. s.* [Matem-renk] Yas renkli. • ‹Mevtin matemrenk ve af nâ-şinas eline verilmiştir. — Cenap›.

matemzede, *F. s.* [Matem-zede] Yasa tutulmuş, yaslı. (ç. Matemzedegân).

matfi, *A. s.* (Tı ile) [İtfa'dan] Söndürülmüş.

mathum, *A. s.* Dolu olan.

mathun, *A. s.* (Tı ile) [Tahn'dan] Övütülmüş.

mâtır, *A. s.* [Matar'dan] Yağan, yağıcı. • ‹Ol güruh-i pür-enduh üzre mâtır olmakla. — Sadettin›.

matiyye, *A. i.* Binek hayvanı (ç. Mataya). • ‹Ya Rab ne matıyyeyle gezer kalıb-i âlem — Ziya Pş.›.

matiyyeran, *F. s.* Bindiği hayvanı süren (kimse).

matla', *A. i.* [Tulû'dan] 1. Güneş veya başka bir yıldızın doğması, tulû. 2. Bunların doğdukları yer. 3. (Ed.) Kaside veya gazelin ilk beyti. • ‹Ey matla-i edepte doğan kevkeb-i zekâ. — Fikret›.

matlab, *A. i.* [Taleb'den] 1. İstek. İstenilen şey. 2. Konu, sorun. • ‹Bin öyle cihan-i zer ü sîm olsa yetişmez. — Mümkün mü ki is'af oluna matlab-i âlem. — Ziya Pş.›.

matli, *A. s.* 1. Üzerine nesne sürülmüş olan. 2. Altın sırma ile işlemeli.

matlub, matlube, *A. s.* [Taleb'den] 1. İstenilen aranılan şey. 2. Alacak. 3. Ödünç verilmiş. • ‹Eğer şerait-i matlubeyi haiz ise. — Cenap›.

matlubat, *A. i.* [Matlub ç.] 1. İstenilen şeyler. 2. Alacaklar.

matlûl, *A. s.* (Tı ile) 1. Yas. 2. Islanmış.

matma', *A. i.* (Tı ile) Tamah olunup istenecek nesne.

matmah, *A. i.* Göz dikilen şey. Göz konulan yer. • ‹Matmah ne sema ne mah ü ahter. — Recaizade›.

matmu, *A. s.* [Tama'dan] Tamah olunmuş; hırsla istenilen bir şey.

matmur, *A. s.* Toprak altına konulmuş, gömülmüş.

matmure, *A. i.* 1. Yer altında öteberi saklamaya mahsus yer. 2. Mezar. •

‹Üzerine namaz kıldırıp matmure-i kabre koydu. — Naima›.

matmus, *A. i.* (Tı ve sin ile) Sonradan kör olmuş kimse.

matrah, *A. s.* [Tarh'tan] 1. Tarh edilecek yer. 2. Tarh olunacak nesne. 3. Vergilenmeye esas olacak miktar.

matrak, mitrak, *A. i.* 1. Sopa. Değnek. 2. Talimci şişi.

matrud, *A. s.* [Tard'dan] Kovulmuş.

matruh, *A. s.* [Tarh'tan] 1. Atılmış. 2. Belirtilip kesilmiş (vergi). 3. Temeli atılmış (bina). (Mat.) • *Matruhunminh*, eksilen. • ‹Mıhlara bend edip rehgüzerlerine matruh etti ki min ba'din bir ahad haddinden tecavüz etmeye. — Sadettin›.

matruk, *A. s.* (Tı ile) 1. Gevşek (kimse). 2. Kuruduktan sonra yine yağmurla tazelenmiş.

matruş, *A. s.* (Tı ile) Sakalı traşlı, sakalsız.

ma'tuf, *A. s.* [Atf'tan] 1. Eğilmiş, bir tarafa doğru dönmüş. Çevrilmiş. 2. Birine isnat olunmuş, birinin, birinfe denilmiş. • ‹Ey nazra-i mahmur-i semavi — Zulmetlere mâtuf olamazsın. — Fikret›.

ma'tuh, ma'tuhe, *A. s.* [Ateh'ten] Bunamış, bunak. • ‹Gerçi kulunuz matuh olmuşum. Lâkin bu veçh üzre hareket din ü devlete nafi' bir maslahat olmak gerektir. — Raşit›.

matuhen, *A. zf.* Bunayarak. Bunaklıkla.

ma'tuk, ma'tuka, *A. s.* [Itak, atak'tan] Azat olunmuş, azatlı.

mat'um, *A. s.* Yenecek olan.

mat'umat, *A. i. ç.* Yenecek şeyler. •‹Mısırdan mat'umat ve melbusat-i firavan ile giden kafile-i azîme. — Naima›.

ma'tun, ma'tune, *A. s.* [Ta'n, tâun'dan] 1. Tânedilmiş, yaralı. 2. Tauna tutulmuş. • ‹Çoktan ona bigâne bu mat'un-i hayat. — Fikret›.

mat'unen, *A. zf.* Taun hastalığına tutularak.

Matüridiye, *A. i.* Semerkand'ın Maturid şehrinden olması bakımından Maturidi denilen Ebu Mansur Muhammed yolunda olanlar.

matvi, matviye, *A. s.* [Tayy'dan] 1. Kıvrılmış bükülmüş. Kıvrılarak toplanmış. 2. Bir şeyin içine sarılmış. Sarılı (ç. Matavi).

matviyyen, *A. zf.* Sarılı olduğu halde. Bir şeyin içine sararak.

maune, A. i. Mavuna.

maunet, A. i. [Avn'den] 1. Yardım. 2. Azık, yolda yiyecek şey.

mavaka', A. i. (Ayın ile) [Ma-vaka] Vaki olan, olup geçen. • «Dehşet-i mavakaa telif-i fikr eyleyerek. — Recaizade».

mavera', A. i. (Hemze ile) [Ma-vera] 1. Bir şeyin arkasında, ötesinde bulunan, öte. 2. Görülen âlem ötesi. • «Haramzadeler maverasından Çay kasabasına ateş vurmakla. — Naima». • «Haberdar olmaz olmuş maveradan. — Beyatlı».

maveraî, A. s. Öteye, öteki âleme mensup.

mavtın, A. i. (Tı ile) [Vatan'dan] Vatan, yer. Yerleşip oturulan yer. • «Kütle-i pür-kesafet-i edvar — Ona biz mavtın-i beşer diyoruz. — Fikret».

maye, F. s. 1. Bir şeyin yapıldığı asıl madde, maya. 2. Gerekli ve asıl madde, maya. 3. Gerekli nesne. 3. Para, mal. 5. Bilgi. • Frümaye, • sermaye, Bk. • «Vücudun kim hamir-i mayesi hâk-i vatandandır. — Kemal».

mayedar, F. s. [Maye-dar] Kudretli paralı. • «Yine mesalihe karışıp mayedar olmakla. — Naima».

mayenkasemiyyet, A. i. [Ma-yen-kasemiyyet] Bölünebilme. Fransızca divisibilité karşılığı.

mayetehallel, A. i. (Ha ile) [Ma-yetehallel] Hallolunabilir, eritilebilir.

mayi, mayia, A. s. 1. Sıvı. 2. Su gibi akan. 3. Su halinde bulunan.

mayiat, A. i. [Mayi ç.] Sıvılar.

mayiiyyet, A. i. Sıvı halinde olma niteliği.

ma'yub, mayube, A. s. (Ayın ile) [Ayb'dan] 1. Ayıplanan. 2. Bir eksiği, kusuru olan. • «Çiğneyen haklı çiğnenen mayub. —Fikret».

ma'yubat, A. i. [Mayub ç.] Ayıplanacak şeyler, eksiklikler.

mayuhdes, A. s. (Ha ve sin ile) [Mayuhdes] Sonradan olan. • «Vuku buldu ki ol zaman mayuhdestir. — Naima».

mayukal, A. s. (Ayın ile) [Ma-yukal] Anlaşılır.

mayu'kes, A. s. (Ayın ile) [Ma-yu'kes] 1. Aksedebilir. 2. (Man.) Evrilir.

mayu'refiyyet, A. i. [Ma-yu'refiyyet] Bilinirlik. Fransızcadan cognoscibilité karşılığı (XX. yy.).

mayüfhemiyyet, A. i. Kavranabilirlik. Fransızca'dan concevabilité karşılığı (XX, yy.).

mazahir, A. i. [Mazhar ç.] Eşyanın görüldüğü yerler. • «Ey tecelligehi âyine-i cevv-i mutlak — Görür agâhdilân cümle mezahirde seni. — Naci».

mazaik, A. i. (Dat ile) [Mazik ç.] Dar yerler.

mazalim, A. i. [Zulm ç.] Zulümler. Haksızlıklar. Can yakmalar. • «Rüsum-i gayr-i meşrua vaz olunup dahi bunların emsali nice mazalim ihdas olunmakla. — Naima».

mazalle, A. i. (Zı ile) [Zıll'den] Gölgelik yer. • «Dağlardaki mazalal-i bûyada ahûvan. — Cenap».

mazamin, A. i. (Dat ile) [Mazmun ç.] Mazmunlar.

mazanna, mazınna, A. i. [Zann'dan] 1. Ermiş sanılan. • Mazanne-i hayr. kendisinden yalnız iyilik umulan kimse; • -kiramdan, ermiş sanılanlardan; • -su', kendisinden bir kötülük beklenen kimse.

mazarr, A. i. [Mazarrat ç.] Mazarratlar. • «Lâkin def-i mazarrda ehemm ve elzem olan tedarik-i mümkineye teşebbüs etmeyip. — Naima».

mazarrât, A. i. [Mazarrat ç.] Zararlar.

mazarrat, A. i. [Zarar'dan] Zarar verme, zararı dokunma. • «Dest ü zebanından mazarratresam olmamaktır. — Nergisî».

mazayık, A. i. (Dat ile) Sıkıntı veren halle. • «Ol cahil-i nâdan mazayik-i nefsaniye giriftar olup. — Silvan».

mazbata, A. i. [Zabt'dan] Bir toplantıda konuşulanların sonucunun yazılı şekli. (ç. Mezabıt).

mazbut, A. s. [Zabt'tan] 1. Zaptedilmiş, ele geçirilmiş. 2. Deftere yazılmış. 3. Hatırda tutulmuş. 4. Derli toplu. 5. Muhafaza altında, korunmuş. 6. Belli, belirtilmiş. • «Muhabbetinle bu zindan-i gamda mazbutum. — Fikret».

mazbutat, A. i. [Mazbut ç.] Mazbut olan şeyler.

mazca, madca, A. i. 1. Yatılacak yer. 2. Mezar. (ç. Medaci, mezaci).

ma'zeret, A. i. [Özr'den] 1. Elde olmadan suç, kabahat işleme. 2. Zorlu sebeplerini söyleyerek bağış dileme. • «Hattâ kendi nefsine karşı bir vesile-i mazeret bulamayarak. — Uşaklıgıl».

mazeretcû, F. s. [Mazeret-cû] Özür arayan.

mazerethâh, F. s. [Mazeret-hâh] Özür dileyen. • ‹Şermsar-i ruh-i pür-tabının ah — Mazerethahım olan baht-i siyahrû gibi. — Nailî›.

mazeretmend, F. s. Özürlü.

mazg, madg, Bk. • Madg.

mazhar, A. i. [Zuhur'dan] 1. Bir şeyin çıktığı, göründüğü yer, böyle bir kimse. 2. Nail olma, şereflenme. • ‹Böyle küçük takayyüdata mazhar edilmesinden Peyker hazz alıyor. — Uşaklıgil›.

mazhariyyet, A. i. (Zı ile) Elde etme, nail olma.

mazille, A. i. Kıldan yapılma büyük çadır.

mazi, maziyye, A. s. (Dat ile) Geçen, geçmiş. • Ezminie-i maziyye, • zaman-i mazi, geçmiş zamanlar, geçmiş zaman. • ‹Geçer mazi gibi hasretle istikbal yâdından. — Fikret›.

mazi, A. i. (Gra.) Geçmişzaman. • El-mazi lâyüzker, geçmiş şey zikrolunmaz.

mazif, A. i. (Dat ile) Ziyafet yeri.

mazifet, muzifet, A. i. (Dat ile) Kaygı, üzüntü.

mazik, A. i. (Dat ile) [Zik'tan] Dar yer, sıkıntılı yer. • ‹Haliyen bitehaşi böyle mazika geldiğinden. — Naima›. • ‹Bir daire-i mazika içinde habs-i fikr etmiş olacağını. — Uşaklıgil›.

mazlum, mazlume, A. s. [Zulm'den] 1. Zulüm görmüş. 2. Sessiz, yavaş kimse. • ‹Nihal, sakin, mazlum bir sesle söylüyordu. — Uşaklıgil›.

mazlumane, F. zf. 1. Zulüm görmüşe yakışır surette. 2. Sessizce, sessizlikle.

mazlumen, A. zf. Zulme kurban olarak. • ‹Mazlumen öldü şah-i şchidan büride ser. — Ziya Pş.›.

mazlumin, A. i. [Mazlum ç.] Zulüm görmüş kimseler. • ‹Himaye-i mazlumin velvelesiyle dahildeki mazlumlarının feryatlarını bastırmak. — Kemal›.

mazlumiyyet, A. i. Zulüm görmüşlük. 2. Sessizlik, yavaşlık. • ‹Namuskâr bir koca mazlumiyetiyle babasının hayat-i izdivacına bir facia rengi veriyor. — Uşaklıgil›. (Ed. Ce.).:

Mazlumiyyet-i yetimane,
hava-yi mazlumiyet,
rikkat-i mazlumiyyet,
ye's-i mazlumiyyet.

mazmaza, A. i. (Dat ile) Abdes alırken ağza su alma, ağız çalkalama.

mazmum, A. i. [Zam'dan] Ötüre ile, zamme ile (ü, u) okunan.

mazmun, A. i. [Zımn'dan] 1. Anlam, kavrama. 2. Nükteli, cinaslı güzel söz. 3. Ödenmesi (zımanı) gerekli gelir. (ç. Mazamin). • Bikr-i mazmun, ilk defa söylenmiş mazmun. • ‹Zarif bir sözü bir nevşüküfte mazmunu — Yerinden oynatır eyvan-i hande-mehunu. — Fikret›.

mazmunperdaz, F. s. [Mazmun-perdaz] Mazmun söylenen mazmun düzen.

mazmuntıraz, F. s. [Mazmun-tıraz] Mazmun söyleyen, nükteli sözler söyleyen. • ‹Öyle nükteperdazlıkları, mazmutırazlıkları vardı ki. — Uşaklıgil›.

maznun, A. s. [Zan'dan] 1. Zan altında bulunan, kendisinden şüphe olunan. 2. Şüpheli. 3. Bir suç için muhakeme ve ithamdan önce sorguya çekilen, sanık.

maznunin, A. i. [Maznun ç.] Zan altında bulunanlar. Sanıklar.

mazrıb, A. s. (Dat ile) Bk. Madrib.

mazrub, A. s. [Darb, zarb'dan] 1. Dövülmüş. 2. Basılmış, damgalanmış. 3. (Mat.) Çarpan. Çarpılan. • Mazrubun fih, çarpan.

mazrubat, A. i. [Mazrub ç.] (Mat.) •Mazrubata tefrik, çarpanlara ayırma.

mazrubeyn, ·A. i. (Mat.) Birbirine çarpılan iki sayıdan her biri.

mazruf, mazrufe, A. s. [Zarf'tan] 1. Zarf içinde bulunan. Kalıp, kılıf. 2. Ekli, bir yazının zarfı içine konan. • ‹Mazruf-i tebessüm gibidir ettiğin âzar. — Cenap›.

mazrufat, A. i. [Mazruf ç.] Zarflı şeyler, zarf içine konmuş şeyler.

mazrufen, A. zf. Zarf içinde kapalı olarak.

mazul, mazule, A. s. [Azl'den] Azledilmiş. İşinden çıkarılmış. • ‹Dökülür katreleri âşık-i mehcur ağlar. — Yıldızı düşkün olur padişehim mazulun. — Baki›. • ‹Vezir-i mazulün hanesi mühürlenip. — Naima›.

mazulen, A. zf. Azledilmiş olarak. • ‹İki sene sonra paşa mazulen İstanbul'a geldiği zaman. — Recaizade›.

mazuliyet, A. i. Azledilme hali. Açıkta bulunuş.

ma'zur, mazure, A. s. [Özr'den] Özürlü. Özürü olan. • ‹O benim zehr-i hayatım... Bana hep sevmekten bahseder: bunu artık çekemem, mazurum. — Fikret›.

mazuriyet, A. i. Mazur olma. Özrü bulunma. • ‹Ol bapta olan mazuriyetimiz makbul olur. — Kemal›.

mea, mia, A. i. Bk. • Mia.

-meab, A. i. 1. Geri dönülecek yer. 2. Sığınılacak yer. • Şevketmeab, • fazailmeab, şevketin, faziletin dönüp sığındığı vücut, kimse.

mead, A. i. Bk. • Maad.

meal, A. z. i. Anlam, kavram. • Bîmeal, anlâmsız; • hakikatmeal, gerçek, içten. • Hulâsa-i meal, anlamının özü. • ‹Si'rimin nuhbe-i mealimde — Sen, bütün safvetinle sen vardın. — Fikret›.

mealen, A. zf. Kavram olarak, harfi harfine olmayarak.

mealperver, F. s. [Meal-perver] Mâna anlatan. Mânalı. • ‹Vaz-i mealperverin eş'ardan güzel — Şair değil, fakat ne kadar şairanesin. — Fikret›.

mear, A. i. Arlanacak, utanılacak şey.

mearib, A. ç. i. Gerekli şeyler. İstenen şeyler.

meas, A. i. (Se ile) Mezhep, meslek.

measim, A. i. ç. (Se ile) 1. Günah edilecek yerler. 2. Günahlar.

measir, A. i. ç. Güzel eserler, nişanlar. • Measir-i bergüzide, seçme güzel eserler, izler.

mebed, mebada, F. ü. i. Sakın olmaya ki. • ‹Ve mebada eyyam-i bahar ü sayf geldikte Abaza emri dahi müştedd ola deyu. — Naima›.

mebadi, A. i. [Mebde ç.] Başlangıçlar, ilkeler. • Mebadi-i âliye, eflâki hareket ettiren ruhlar; • mebadi-i ulâ, ilk ilkeler; • mebadi-i ulûm, ilk bilgiler, bilgi başlangıçları; • mebadi-i nihayât, oruç (savm), namaz (salât), hac, zekât olan İslâmın dört temeli.

mebahis, A. i. [Mebhas ç.] 1. Arama, araştırma yerleri. 2. Araştırma veya münakaşa konuları. • ‹Bütün mebahis-i hikmetin bilinmesi acaba — Verir mi tesliyet bir feylesof-i gamhâhaâ? — Cenap›.

mebalig, A. i. [Meblag ç.] Akçe miktarları. Paralar.

mebani, A. i. ç. 1. Yapılar, binalar. 2. Temeller. • Mebani-i hayriye, hayrat binaları (camiler imaret, hanlar, okullar...). • ‹Ey kubbeler, ey şanlı mebani-i münacat. — Fikret›.

meb'as, A. i. Gönderilme. Yollanma. (ç. Mebais). • ‹Gelelim zat-i Reşit'in şerefi mebhasine — Söz mü var devleti ihyaya olan meb'asine. — Şinasi›.

mebde', A. i. 1. Başlangıç. 2. Kaynak, kök. 3. Bilgilerin ilk kısımları. 4. (Taş.). Tanrı gerçeğine erişmek için bir sâlikin ilk noktası. 5. Fransızca'dan principe karşılığı, ilke. (XX. yy.). • Mebde-i aslî, Fransızca'dan archétype (ilk örnek) karşılığı (ç. Mebadi). • ‹Bu gün Nihal için başka bir devrenin mebdeini teşkil edecekti. — Uşaklıgil›. • ‹Bilir mi dâvi-i irfan-i her hakikat eden — Aziz ruhumuzun mebde ü meadı nedir? — Cenap›.

mebdeiyet, A. i. Başlangıç olma işi. • ‹Mebdeiyeti tabiatten nefy ile beraber insanda ispata çalışmak. — Kemal›.

meberr, A. i. İhsan. Nimet verme.

meberrat, A. i. ç. Sevap için yapılan işler.

meberre, A. i. Hayır için yapılmış şey.

mebguz, Bk. • Mabguz.

mebhas, A. i. 1. Arama, araştırma yeri. 2. Araştırma, fikir söyleme konusu, münakaşa. XX. yy. da -logie (-bilim) sözü bununla karşılanmıştır. • Mebhas-ül-esmar, • mebhas-ül-ezhar, • mebhas-ül-uruk, ırkbilim. • ‹Bu kitabın bir mebhası okunur. — Uşaklıgil›.

mebhur, A. s. (He ile) [Bühr'den] Har har soluyan. Solugan.

mebhus, A. s. Bahsolunmuş, sözü geçmiş; • mebhusün anh, sözü geçmiş nesne, bahsolunan nesne.

mebhut, A. s. [Beht'ten] Sersem, şaşkın. • ‹Bütün Göksu gûya bu rivayete karşı mebhut ve mütehayyir, bir nida-yi taaccüple titredi. —Uşaklıgil›.

mebi', A. i. s. (Ayın ile) 1. Satılmış. 2. Satılmış olan şey. 3. Satış işine konu olan nesne (ayn.). • ‹Vermeden nakd-i dili girmez ele kâlâ-yi visal — Çünkü teslim-i mebi' etmektedir bazara şart. — Nabi›.

mebît, A. i. [Beyt'ten] Geceleyecek yer. • ‹Mebit-i salif-üz-zikre iade ve tesyir. — Sümbülzade›.

me'bız, A. i. Diz kapağının arkasındaki çukur.

mebîz, A. i. [Beyza'dan] Yumurtalık.

meblâğ, A. i. Akçe miktarı, para. • ‹Cihan müştakın amma olmayınca meblağ malum — Gelip de hâkpâye yüzlerin kabil mi sürsünler. — Eşref.›.

meblû, A. s. (Ayın ile) [Bel'den] Yutulmuş.

meblûl, meblûle, *A. s.* Islanmış, ıslak. Nemli, yaş. (Hek.) *Abreuvé* karşılığı (XIX. yy.). • ‹Yüzünü atı ayağı bastığı hâke sürüp dümu-i çeşm-i giryan ile meblûl olan hâki. — Naima›.

mebna, *A. i.* 1. Yapı yeri, temel. 2. Yapı. (ç. Mebani). • ‹Genç kadın mebna-yi sevdasının yanında (...) bir uçurum gördü. — Uşaklıgil›.

mebniy, *A. s.* 1. Yapılmış, kurulmuş. 2. Bir şeye dayanan. 3. ... den ötürü. 4. (Arap. Gra.) Son harfi hiç bir şekilde değişmeyen kelime. • *Mebni ale-l-hikâye*, bir hikâyeden çıkarılma veya bir hikâyeye dayanmış olan söz; • *mebni aleyh* üzerine kurulmuş olan.

mebniyen, *A. zf.* Ayakta yıkılmamış. Bina halinde.

mebrur, mebrure, *A. s.* [Birr'den] Beğenilmiş. Hayırlı, yararlı, beğenilmiş hizmetler. • ‹Hudavendigâr-i mebrurun birader-i kihterleri. — Raşit›.

mebruz, *A. s.* İbraz olunmuş.

mebsus, *A. s.* Saçılmış, dağıtılmış. Yayılıp herkesçe duyulmuş. • ‹Tabiat-i vücutta medsus ve mebsus olan mücazat-i a'mali. — Naima›.

mebsut, mebsute, *A. s.* 1. Açılmış, yayılmış. 2. Uzun uzadıya anlatılan. • *Zamme-i mebsuta*, ‹o› sesi. • ‹Tabhane ve rıbat ve imaret-i mebsut-üssımat peyda eyledi. — Sadettin›. • Rida-yi mübarekelerin mebsut edip. — Nergisî›.

mebşuş, *A. s.* Yüzü gülmüş. • ‹Diye mebşuş olup yüzüne güler. — Abdullah›.

meb'un, *A. s.* Orospu huylu erkek. • ‹Okuduğumuz bize yeter hele me'bunluk ile meşhur değilleriz. — Naima›.

meb'us, meb'use, *A. s.* 1. Gönderilmiş, yollanmış; gönderilen. 2. Peygamber olarak gönderilmiş (kimse). 3. Halk tarafından seçilip meclise gönderilmiş (kimse). 4. Öldükten sonra diriltilmiş olan. • ‹Hak seni milletin ihyasına etmiş meb'us — Dehenin mucizegûdur suhanın sihr-i halâl. — Şinasi›.

meb'usan, *A. i.* [Meb'us ç.] Mebuslar, milletvekilleri, saylavlar. • *Meclis-i mebusan*, millî meclisin üyeleri halk tarafından seçilmiş olanı.

meb'usiyet, *A. i.* Mebusluk. Mebusluk görevi. • ‹Meb'usiyeti cihetinden beni nev'i olan efrad-i beşere ifaza eyleye. — Taş.›.

mebzul, *A. s.* [Bezl'den] Bol. • ‹Kızınıza Ada'nın mebzul güneşleri, sık çamlar altında uzun seyranlar yaptırınız. — Uşaklıgil›.

mebzuli, *F. i.* (Zel ile) Bolluk.

mebzuliyyet, *A. i.* Bolluk. Esirgememe. • ‹Duvarları, hücreleri, doymak bilmeyen bir heves-i mebzuliyyetle örtecekti. — Uşaklıgil›.

mecaa, mecaat, *A. i.* (Ayın ile) Açlık. • ‹Sevk-i mecaatle köylerine kadar inen kurtların. — Cenap›.

mecadil, *A. i.* [Mecdel ç.] Köşkler.

mecal, *A. i.* Güç, kuvvet. İmkân, fırsat. • *Bimecal*, Bk. • ‹Yoktu rüzgâr, o gün havada bile — Kalmamıştı mecal-i fekk-i dehen. — Fikret›.

mecali, *A. i.* [Meclâ ç.] Aynalar.

mecalis, *A. i.* [Meclis ç.] Meclisler. • ‹Kimi görsen bile bazice edersin ey çerh — Bu mecaliste ne hemsinn ü ne hemhalin var. — Nabi›.

mecamir, *A. i.* [Micmer ç.] Buhurdanlar.

mecami', *A. i.* [Mecma ç.] 1. Toplanılan yerler. 2. Mecmualar, dergiler. • ‹Bazı mecamide cemiyet ve cahilâne dâva-yi hamiyet edip. — Naima›.

mecami', *A. i.* [Mecmua ç.] Dergiler.

mecanik, *A. i.* [Mencınık ç.] Mancınıklar.

mecanin, *A. i.* [Mecnun ç.] Deliler, akıl hastaları. • *Dar-ül-mecanin*, tımarhane, akıl hastanesi. • ‹Mecanîn ve büleha müstesna olmak üzere. — Cenap›.

mecarî, *A. ii* [Mecra ç.] Yollar, su yolları akıntı yerleri. • ‹Mahz mecarisine ârif iken. — Taş.›.

mecaz, *A. i.* [Cevaz'dan] Gerçek anlamıyle kullanılmayıp benzerlik ve benzetme yolu ile başka bir anlamda kullanılan söz. (ç. Mecazat). • ‹Ederdi fark-i mecaz ü hakikat ey Nabi — Olaydı dide-i derkimde kuvvet-i temyiz. — Nabi› • ‹İfadede mecaz bir suretle mücaz olmayacak kadar revaç bulduğıyçin. — Kemal›.

mecazen, *A. zf.* Gerçek değil de mecaz yolu ile.

mecazî, mecaziye, *A. s.* Mecaz ve ad değişimine ait olan, ruhta veya tasavvurda olan. Gerçek anlamında olmayan. • *Aşk-i mecazî* dünyadaki güzelleri sevmek ki, gerçekte bu yol ile Tanrıyı sevmek; *dost-i mecazî*, (1) gerçek olmayan dost, (2) tasavvufî, sevgili; •

mülk-i hakikî ve *mecazî*, Tanrının gerçek ve ruhi âlemi.

mecazib, *A. i.* [Meczub ç.] Meczuplar.

mecazistan, *F. i.* Mecaz yeri. • «Alırsa deste sak-i hakikat câm-i ihsanın — Harabat-i mecazistanda bir huşyara yer kalmaz. — Nabi».

mecbul, mecbule, *A. s.* [Cibillet*ten]* Yaratılış. Yaratılışında bir hal veya sıfat bulunan. • «Şöyle bir kendi haline meşgul ve daima ehl-i irfan ile seyr ü sülûke mecbul filcümle imsaki menkûl bir sahib-i devlet imişler. — Peçoylu». • «Mahcubiyet-i mecbulesi mani-i şikâyet olur. — A. Mithat».

mecbur, mecbure, *A. s.* [Cebr'den] 1. Zor görmüş, zorla bir işe girişmiş. 2. Hatırı yapılmış, gönlü alınmış. • «Yelkendest at ihsaniyle hatırı memülünden ziyade mecbur oldu. — Raşit». • «Belki beni cevap yazmaya mecbur edersiniz. — Uşaklıgil».

mecburen, *A. zf.* 1. Zorla. zoraki olarak. 2. Hatırı yapılmış, gönlü alınmış. • «Bab-i merahim-meabına amid ü şüd eden mağmumlar mesruren avdet ve meksurlar mecburen ricat ettiğinden. — Raşit».

mecburî, mecburiyye, *A. s.* Zor altında, yapma zorunda. *Hizmet-i mecburiye*, yapma zorunda bulunulan hizmet.

mecburiyyet, *A. i.* Zora tutulmak. • «Şakire Hanımın yanına atmağa mecburiyet görüldükten sonra. — Uşaklıgil». • «Hiç bir devlet-i akîle, mecburiyet-i katiye hissetmedikçe. — Cenap».

meccan, *A. s.* Bedava, ücretsiz, parasız.

meccanen, *A. zf.* Bedava olarak parasız. • «Ümeradan birine zulmü yoktur diye bir sancak verilip sonra müft ve meccanen verildiğine nedamet gelip. — Naima».

meccanî, *A. s.* Bedavacı, parasız.

mecd, *A. i.* Büyüklük, ululuk. Şan şeref. *Dame mecdühu*, ululuğu sürsün, *sure-i mecd*, Kur'an'ın ilk suresinin adlarından biri.

mecdud, mecdude, *A. s.* Rızkı bol, nasipli.

mecdur, *A. s.* 1. Sağlam, kuvvetli (şey). 2. Bükülmüş.

mecdur, *A. s.* (*Dal* ile) Çiçek çıkarmış (kimse).

mecellât, *A. i.* [Mecelle ç.] Kitaplar. *Mecellât-i atîka*, eski kitaplar, • «İşte enva-i mecellât ü tevarih-i self. — Şinasi».

mecelle, *A. i.* 1. Kitap. 2. Fıkhın muameleye ait bölümü. 3. Fıkıhtan yeni hayata (XIX. yy.) uygulanmış medeni kanun bölümleri. • «Bu mecelle-i münifenin muhteviyat-i hikemiyesi. — Cenap».

mecerre, *A. i.* (Ast.) Samanyolu. • «İki kıt'a cisr-i mecerre-nümudlarından. — — Ragıp Pş.».

mechud, *A. i.* [Cehd'den] Çalışılmış, uğraşılmış. Güc, kuvvet. • *Bezl-i mechu, sarf-i mechud*, olanca gücü ile. • «Bezl-i can ile. sarf-i mechud eyledikleri sebebi ile. — Naima». • «Varsa aklın bunun gibi bezl et — Terk-i nam-i nigûya mechudun. — Recaizade».

mechul, mechule, *A. s.* [Cehl'den] 1. Bilinmeyen, meçhul. 2. (Gra.) Edilgen. • *Meçhul-ül-ahval*, neyin ve kimin nesi olduğu bilinmeyen; • *meçhul-ünneseb*, kimin çocuğu olduğu bilinmeyen. • «Her sahn-i hakikatten uzak, herkese meçhul — Bir safvet-i masumenin aguş-i terinde. — Fikret». • «Vasıl olduğumuz kıta benim için bilkülliye meçhul değildi. — Cenap».

mechulât, *A. i.* [Meçhul ç.] Meçhul şeyler. Bilinmezler.

mechuliyyet, *A. i.* Bilinmezlik.

meci', *A. i.* Gelme, geliş. • «Şahs-i mezbur dahi isti'lâm-i meci-i pürşitab için feth-i bab ettikte. — Salim».

mecîd, *A. s.* [Mecd'den] 1. Kur'an, Musaf. 2. Şan ve şeref sahibi (Tanrı sıfatı). • *Abdülmecid*, Tanrı kulu. • «Tenzil-i mecidin keyfiyet-i inzalinde. — Taş.».

mecidî, mecidiyye, *A. s. i.* Mecit'le ilgili. *Mecidiye altını*, Abdülmecid zamanında çıkarılmış altın lira; *Mecidiyye nişanı*, Abdülmecit zamanında çıkarılmış nişan; • *sîm mecidiyye*, yirmi kuruş değerinde gümüş para; • *mecidiyye çeyreği*, beş kuruşluk gümüş para. • «Kar tanelerini minimini mecidî nişanlarına benzetir. — Cenap» — «On beş yirmi mecidiye alabilmek umudiyle. — Uşaklıgil».

meclâ, *A. i.* 1. Çıkma, görünme yeri. 2. Ayna. • Nice maal-i umur peyderpey cilveger-i meclâ-yi zuhur. — Raşit».

meclis, *A. i.* [Cülûs'tan] 1. Oturacak, toplanacak yer. 2. Bir iş konuşma için bir araya gelmiş insan topluluğu. 3. Devlet işleri için bir başkan ile üyelerden vücude gelmiş topluluk. • *Meclis-i âyan*, Osmanlı İmparatorluğunda iki millet meclisinden üyeleri hükümetçe seçileni; • *-hass-i vükelâ*, kabine toplantısı; • *-kebir-i maarif*, eğitim işleri kurulu (XIX. yy.); • *-maliye*, Maliye nezareti danışma kurulu (XX. yy.); • *-meb'usan*, Osmanlı imparatorluğu zamanında iki millet meclisinden üyeleri halk tarafından seçileni; • *-şer'*, şeyhülislâm kapısına veya kadıların yanında kanun hükmü alınmak üzere yapılan toplantı; • *-vükelâ*, kabine toplantısı; • *def-i meclis*, bir toplantıya son verme, • *sadr-i meclis*, bir toplantıda başkanlık yeri. • «Meclis o meclis mey o mey saki o sakidir yine. — Yahya». • «Meclis-i bey' pazarlık için olunan içtimadır. — Mecelle, 181».

meclisiyan, *F. i.* 1. Meclis erbabi, bir toplantıda bulunanlar. 2. İçki meclisinde bulunanlar. • «Esma-i meclisiyan. — Nergisi».

meclûb, meclûbe, *A. s.* [Celb'den] 1. Başka yerden getirilmiş olan. 2. Taraflılığı kazanılmış olan. 2. Taraflılığı kazanılmış bulunan. 3. Tutkun. (ç. Meclûbîn). • «Birkaç yabancıya meclûb ü muhteris gülümser. — Fikret».

meclûbiyyet, *A. i.* Tutkunluk.

mecma', *A. i..* (*Ayın* ile) 1. Toplanılan yer. 2. Kavuşulan yer, nokta. • *Mecma-i bahreyn*, • *mecma-ül-bahreyn*, iki deniz veya büyük suyun kavşağı.

mecmer, micmer, *A. i.* Tütsü yakılan kap, buhurdan. • «O duddan ki o günlerde neşr eder mecmer. — Recaizade».

mecmu, mecmua, *A. i.* [Cem'den] Toplanmış, bir araya getirilmiş şey, tüm, top. • «Bu ufak tefek şeyler onların üzerinde öyle bir mecmu teşkil eder. — Uşaklıgil».

mecmua, *A. i.* 1. Toplanılıp biriktirilmiş şeylerin hepsi. Kolleksiyon. 2. Seçilmiş yazılardan meydana getirilmiş yazma kitap. 3. Türül konulardan bahsetmek üzere çıkarılan risale, dergi (XIX. yy.). • «Merak edilerek toplanmış güzel yazılardan mürekkep zengin bir mecmua-i elvah ki. — Uşaklıgil».

mecmuan, *A. zf.* Toptan, birden. Hep.

mecmuiyet, *A. i.* Bütünlük. Tamlık • «Hiç bir milletin kavaid-i idaresi mecmuiyet itibariyle ahlâfına kalmamış. — Kemal».

mecni, *A. i.* Kâr yeri.

mecnub, *A. i.* Yedek hayvan.

mecnun, mecnune, *A. s.* [Cin'den] 1. Cin tutmuş, çıldırmış, deli, divane. 2. Ziyade tutkun, aşk yüzünden kendini kaybetmiş. • Bir gazeteci yazı yazarken kendine mecnun nazariyle bakmadıkça o kararnamenin hükmünü nasıl düşünebilir? — Kemal».

Mecnun, *A. i.* Leylâ ile Mecnun hikâyesinin erkek kahramanı, Kays.

mecnunane, *F. s. zf.* Delice. Divanelere yakışır surette. • «Hummalar içinde mecnunane bir aşk ile sevecek. — Uşaklıgil».

mecnuniyet, *A. i.* Delilik.

mecnuz, *A. i.* (*Ze* ile) 1. Cenaze. 2. Ölü. 3. Adam ölüsü.

mecra, *A. i.* [Cereyan'dan] 1. Suyun aktığı yatak, suyolu. 2. Bir işin oluş yolu veya bir havadisin yayılma yolu. 3. Bedendeki ahlâtın akıştığı yol. • *Mecra-yi tabiî*, bir şeyin normal hallerden geçisi. • «Bu günah-i aşka öyle bir mec-yi istikbal tâyin etmeliydi ki. — Uşaklıgil». • «İane-i sıyak u sibak ile mecra-yi mükâlemeyi takip edebiliyorduk. — Cenap».

mecruh, mecruha, *A. s.* [Cerh'ten] 1. Yaralı, yaralanmış. 2. Kanıtlarla reddolunmuş, battal edilmiş. • «Tozlarla şimdi örtülü, mecruh ü münkesir — Âlem içinde can veriyor. — Fikret».

mecruhîn, *A. i.* [Mecruh ç.] Yaralılar.

mecruhiyet, *A. i.* 1. Yaralanma. 2. Kanıtlarla boşa çıkarılma. • «O şeriatin mecruhiyetine delil irae olunmak lâzım gelir. — Kemal». • «Hiç bir tarafında nişane-i mecruhiyet mevcut olmadığını görünce. — Cenap».

mecrur, mecrure, *A. i.* [Cerr'den] 1. Çekilmiş, sürüklenmiş. 2. (Arap. Gra.) Harf-i cerr veya isim tamlaması (izafet) hallerinde son harfi «i» ile okunan kelimenin hali. (ç. Mecrurat).

mecrurat, *A. i.* [Mecrur ç.] Mecrurlar.

mec'ul, mecule, *A. s.* Yeniden yapılmış, konulmuş olan. • «Ve bazı dahi dedi ki Kur'an mec'ul ve muhdestir. — Taş.».

me'cur me'cure, *A. s.* [Ecr'den] 1. Ecr, sevap ve mükâfat kazanan. 2. • «Kiraya verilen (Mec. 411)». • «Hak eyleye me'cur cihanda ebeveynin. — Recaizade».

F. : 32

Mecus, A. i. *(Sin* ile) Zerdüşt dininde bulunan halk›.

Mecusî, A. s. i. Mecus dininde bulunan. Ateşe tapan veya bunlara mensup, bunlarla ilgili.

meczub, meczube, A. s. *(Ze* ile) [Cezb'den] 1. Kendine doğru çekilmiş, bir tarafına çekilmiş. 2. Tanrı sevgisine tutulmuş,bu yüzden kendinden geçmiş. 4. Divane. Aptal. ● ‹O samimiyete meczub olarak toplanıyor. — Fikret›.

meczubîn, A. i. [Meczub ç.] Meczuplar.

meczubiyyet, A. i. Birine doğru gönül akması.

meczum, meczume, A. s. [Cüzam'dan] Miskin illetine tutulmuş, cüzzamlı.

meczum, meczume, A. s. [Cezm'den] 1. Kestirilmiş. Kesin olarak karar verilmiş. 2. (Arap. Gra.) Son harfi harekesiz olarak telâffuz olunan kelime. ● ‹Ashab-i tecrübenin meczumudur. — Kemal›.

meczur, A. i. *(Zel* ile) (Mat.) Kökü alınmış (sayı).

meczuz, A. s. *(Zel* ile) kesilmiş olan.

med, medd, A. i. 1. Uzatma, uzanma. 2. Yayılma, döşeme. 3. Bir harfi gereğinden fazlaca uzatarak telâffuz etme. 4. Deniz suyunun yükselip kabarması. 6. Şeriye naiplerinin hizmet zamanlarının uzatılması. ● *Medd-i basar*, uzağı görme, presbit; ● *-bisat*, halı, kilim yayma; ● *-nazar*, göz görebildiği kadar, göz alımı; ● *-yed*, el uzatma; ● *medd ü cezr*, gelgit; ● *harf-i medd*, Arapçada hemze ile elifin birleşmesi. ● ‹Medd-i nur-i nigâh-i endişe — Şi'rimin hatt-i cetveli görünür. —Nef'i› ● ‹Bir yüz hatve ilriye medd-i mazar olunur ise. — Recaizade›. ● ‹Sokakları dolduran medd ü cezr-i beşerden. — Cenap›.

meda, A. i. 1. Mesafe. 2. Son. Erek...

medahil, A. i. [Medhal ç.] 1. Girişler, girilecek yerler. 2. Evler.

medain, medayin, A. i. [Medine ç.] Şehirler.

Medain, A. i. Eski İran'ın Dicle civarında yedi şehri olup İslâm fetihleri sırasında başkenti teşkil ediyordu.

medami', A. i. [Medma' ç.], Göz yaşları.

medar, A. i. [Devr'den] 1. Dönen bir şeyin merkezinde dayandığı yer. Etrafında dönülen nokta. 2. Sebep, vesiyle, vasıta. 3. (Ast.) Bir gezegenin güneş etrafında çizdiği daire, yörünge. 4. (Coğ.) Ekvatorun iki cihetinde varsa-

yılan iki daire olup güneş onların hizasına kadar varıp geri döner; bunlardan kuzeydeki ●*medar-i seretan*, Yengeç dönencesi, güneydeki; ● *medar-i cedi*, Oğlak dönencesi; ● *-maişet*, geçim vasıtası. ● ‹Bilâkis medar-i iftihar olacak isimlerin keşf edilmesine müsaade ederek.›— Uşaklıgil›.

medaric, A. i. [Medrec ç.] 1. Merdivenler. 2. Yollar, meslekler. ● *Âric-i medaric-i ikbal*, yükselme merdivenlerine çıkan. ● ‹Seri hatvelerle medaric-i muvaffakıyatı tayyederek. — Cenap›.

medaris, A. i. ‧ *(Sin* ile) [Medrese ç.] Medreseler. ● *Medaris-i sahn-i semaniye*, İstanbul'da Fatih camii etrafında bulunan sekiz medrese. ● ‹Bu temenniyi etme istiksar — O da azdır bizim medarise az. — Naci›.

medas, A. i. Harman yeri. ● ‹Mahal-i tehlikedir. Evlâsı hemen medas-i fesh-i azimete vaz-i kadem-i cezm etmekle. — Şefikname›.

medayih, A. i. [Medih ç.] 1. Övülmeye değer davranışlar. 2. Övmeler. ● ‹Baksan, o dudaklardaki âvaz-i medayih — Hep kendi sesindir. — Fikret›.

medbug, A. s. [Debagat'ten] Serpilmiş.

medd, A. i. Bk. *Med*.

meddah, A. s. [Medh'ten]1. Ziyade öven. 2. i. Telâffuz taklitleriyle hikâyeler anlatan kimse. ● ‹Lâyık mı ola o rind-i kâmil — Meddah-i eazım ü erazil. — Kemal›.

mede, meda, A. i. (Zaman veya) yer sonu. ● *Mede-l-a'vam*, yılların sonuna kadar; ● *mede-l-ebsar*, göz alabildiğine kadar; ● *med-d-dühur*, dehrin sonuna kadar.

me'debe, A. i. 1. Ziyafet. 2. Düğün yemeği. ● *Medebt-ül-hitan* sünnet düğünü.

meded, A. i. 1. Yardım. 2. ü. Eyvah, aman, yazık.

mededcu, F. s. [Meded-cu] Yardım arayan. (ç. Mederuyan).

mededhâh, F. s. [Meded-hah] Yardım isteyen;· sığınan. ● ‹Yeniçeri ağasına bakıp mededhahlık tarikından. — Naima›.

mededkâr, F. s. [Meded-kâr] Yardımcı. (ç. Mededkâran).

mededkârî, F. i. Yardımcılık. ● ‹Eyledi sun-i mededkârî-i Feyyaz-i Ezel. — Nef'i›.

mededres, F. s. [Meded-res] Yardıma yetişen, yardımcı. ● ‹Yetiş ey Hızr-i mededres-i inayet demidir. — Nabi›.

medenî, medeniyye, *A. s.* [Medine'den]
1. Şehirli. Şehir halkından olan. 2. Çöl-
de yaşamayıp, vahşî olmayıp şehirli ve
bilgili olan. 3. Bir memlekete ait mem-
leketle ilgili olan. 4. Arabistan'ın Me-
dine şehrine ait olan. • *Medeni-üt-
tab',* yaratılıştan toplu olarak yaşama
zorunda bulunan insan; • *akvam-i me-
deniyye,* medenî kavimler; • *hukuk-i
medeniye,* medenî haklar; • *kanun-i
medenî* toplumun münasebetlerini belir-
ten kanun; • *kavanin-i medeniyye,* me-
denî esaslar kanunları; • *vazaif-i me-
deniyye,* yurttaşlık ödevleri (XIX. yy.).
• ‹Efrad arasında heyet-i medeniye ve
hey'at-i medeniye beyninde. — Kemal›.
• ‹Medenî, Medine'de nâzil olandır. —
Taş.›.

medeniyyet, *A. i.* 1. Şehirlilik. 2. Hayat-
tan tam faydalanarak iyi ve rahat ya-
şama (XIX. yy.). • ‹Medeniyyet ne di-
yorsun bilmem — Medeniyyet, yaşa-
maktır sersem. — A. H. Tarhan›. •
Nesv ü nemaya başlayan medeniyyet-i
Mısriyye ilk devr-i evham ve hurufa-
tı tesis etti. — Naima›.

medeniyyet, *F. i.* Kapı sürmesi, kilit.

medenk, *A. i.* Kerpiç. Kesik .• ‹Maadin-
dir kamu eşya eder öz kendi zatından
— Kimisi sîm ü zer zâhir kimi senk ü
medenk peyda. — Usuli›.

medfen, *A. i.* [Defn'den] Ölüleri gömdük-
leri yer. Mezar. • ‹Hepsi kalbimde
şimdi bir medfen — Bir penah-i sükûn
ü hasret arar. — Fikret›.

medfu', **medfua,** *A. s.* [Def'den] 1. De-
folunmuş, öteye itilmiş. 2. Verilmiş,
vezneden çıkarılmış.

medfuat, *A. i.* [Medfu' ç.] Verilen para-
lar, kasadan çıkan paralar. 2. Hesap
defterinde verilen paraların kaydedil-
diği kolon.

medfun, **medfune,** *A. s.* [Defn'den] Gö-
mülmüş. Toprağın içine konulup örtü-
lü kalmış. • ‹Siyah mermerlerle ör-
tülmüş bir mezarda diri diri medfun
gibiydi. — Uşaklıgil›.

medh, *A. i.* Birinin iyiliğini, iyi şeylerini
söyleme. Övme.

medhal, *A. i.* [Duhul'den] 1. Girecek yer.
Kapı. 2. Girilecek taraf. Girinti. 3.
Başlangıç. 4. Karışma. Parmak. •
Medhal-i kavaid, gramere giriş; • *zi-
medhal,* bir işe karışmış olan, bir işte
parmağı olan • Gayri umurda med-
halim yoktur dedikte affolunup. —

Naima› • ‹Gözleri bir şey arayarak
Göksu'nun medhalini uzun uzun seyr
etti. — Uşaklıgil›.

medhaldar, *F. s.* [Medhal-dar] Bir işe
karışmış olan, işte eli olan.

medhiyyat, *A. i.* [Medhiyye ç.] Övme-
ler.

medhiyye, *A. i. (De ve ha ile)* Birini öv-
mek için yazılmış kaside.

medhul, **medhule,** *A. s.* [Dahl'den] 1.
Ayıplanacak kusuru olan. 2. Dile düş-
müş. • *Medhul-i biha,* gerdek olmuş
kadın eş; • *Medhul-i biha,* gerdek ol-
muş kadın eş; *gayr-i medhul-i biha,*
gerdek olmamış nikâhlı. • ‹Tevcihat-i
medhulesini. — Naima›.

medhule, *A. i. (Hı ile)* Gerdek olunmuş
kadın eş.

medhur medhure, *A. s.* Kovulmuş, uzak-
laştırılmış olan. • ‹Hace-i sermaye-âsâ
melûm ü medhur. — Sümbülzade›.

medhus, *A. s. (Ha ve sin ile)* Parmağın-
da dolama çıkmış olan.

medhuş, **medhuşe,** *A. s.* [Dehşet'ten] Ür-
küp korkmuş. Şaşırmış. • ‹Benim
tayr-i huzurum bir melâlin — Gezer
dest-i sitemkârında medhuş. — Fik-
ret›.

medhusane, *F. zf.* Ürkmüş bir halde, ürk-
müş gibi.

medi, meda, mede, *A. i.* Son.

med'i, *A. s. (Ayın ile)* Çağrılmış, davetli.

medîd, **medide,** *A. s.* [Medd'den] Uzun,
çok uzun süren. • *Müddet-i medide,*
pek çok zaman. • ‹Behlûl medîd bir
Ooo.... ile — Uşaklıgil›.

medih, *A. s.* [Medh'ten] Övmeye vesile
olan şey. Övme konusu. • ‹İma-yi me-
dîhi ham-i ebru-yi bütanda — Haclet
dih-i• engüşt-i hilâl-i ramazandır. —
Nailî›.

mediha, *A. i.* Övme konulu kaside veya
yazı. • ‹İndimde medihalar şereftir. —
Memduh değilse medha ahra. — Na-
ci›.

medihagû, *F. s.* [Mediha-gû] Öven, övü-
cü, övgü söyleyen.

medine, *A. i.* Şehir. (ç. Medayin, müdan,
müdun). • ‹Eski Yunan medinelerin-
de. — Z. Gökalp›.

Medine, *A. i.* Hicaz'da Muhammet Pey-
gamberin türbesi bulunan şehir. Yes-
rib. Medine-i Münevvere. • ‹Bâz et-
meyelim hadisten gayra dehen — Hur-
ma yi Medine'yle iftar edelim. — Na-
bi›.

medlûl, medlûle, A. s. [Delâlet'ten] Delâllet olunan, gösterilen. Bir kelime veya işaretten anlaşılan. (ç. Medlûlât). • Maani-i medlûle, anlaşılan anlamlar. • «Mevzuu olan müfredatın ve medlûlâtın envaı. — Taş.».

medma', A. i. Göz. Göz yası. (ç. Medami).

medmug, A. s. Dimağı yarılmış olan.

medrec, medrece, A. i. 1. Basamaklı yol. Merdiven. 2. Meslek, tarikat. 3. Dar yol, dağ yolu. (ç. Medaric).

medrese, A. i. [Ders'ten] 1. Ders okutulan yer. 2. Ders gören öğrencilerin yatıp kalktıkları vakıf odaların bulunduğu yapı. • Medresenişin, medreseli. (ç. Medaris). • «Ey sakfı çökük medreseler, mahkemecikler. — Fikret».

medsus, A. s. (Sin ile) Gömülerek saklanmış olan. Gizli bulunan. • «Tabiat-i vücudda medsus ve mebsus olan mücazat-i a'malı. — Naima».

med'u, A. s. [Davet'ten] Çağırılmış, davet olunmuş. • «Aileye ait bir düğün vardı, oraya hep med'u idiler. — Uşaklıgil».

med'uvven, A. zf. Çağrılarak, davet olunarak.

med'uvvin, A. i. [Med'uvv ç.] Davetliler, çağrılanlar.

medyun, medyune, A. s. [Deyn'den] 1. Borçlu. 2. Verecekli. • «Artık bundan sonra hayatını babasına medyun değil miydi? — Uşaklıgil».

mefad, müfad, Bk. Müfad.

mefahim, A. i. (He ile) [Mefhum ç.] Mefhumlar, kavramlar.

mefahir, A. i. (Hı ile) [Mefharet ç.] Övünülecek şeyler.

mefakır, A. i. ç. Fakirlik belâları.

mefarih, A. i. (Ha ile) [Mefrah ç.] Folluklar. Kuluçka yerleri. • «Ol mefarih-i fiten olan câ-yi ferahta cem' olan. — Sadettin».

mefarik, A. i. [Mefrak ç.] Baş tepeleri. Başlarda saçın ikiye ayrıldığı noktalar.

mefariş, A. i. [Mefruş ç.] Kadın eşler.

mefasıl, A. i. [Mafsal ç.] Eklemler.

mefasid, A. i. [Mefsedet ç.] Bozukluklar. Fenalıklar, azdırmalar. Münafıklar. • «Vakaa nice mezalim ve mefasidleri tevatür ile sâbit olmakla. - - Peçoylu».

mefatih, A. i. [Miftah ç.] Anahtarlar.

mefatır, A. i. (Tı ile) Yaratılıştan olan hasletler.

mefaz, mefaze, A. i. Çöl.

mefazıl, A. i. ç. (Dat ile) Her gün giyilen elbiseleri.

meferr A. i. [Firar'dan] Kaçacak yer. • Eyn-el-meferr? Kaçacak yer yok mu?

mefhar, A. s. [Fahr'dan] Övülme sebebi. • Mefhar-i kainat, Muhammet Peygamber. • «Ey mefhar-i zümre-i ediban. — Kemal».

mefharet, A. i. [Fahr'den] Övülme. Koltuklar kabarma. • «Her lâhza bir nümayiş-i handan-i mefharet — Yüzlerde, süngülerde, kılıçlarda berk urur. — Fikret». • «Binaenaleyh lisan-i mefharetim şu anda sakindir. — Naci».

mefhum, A. s. i. [Fehm'den] Anlaşılan, anlaşılmış, kavranmış. Kavram. Kelâmdan çıkarılan anlam. • «Mesakin-i âfaka fâka mefhumun feramuş ettirip. — Sadettin».

mefhumiyye, A. i. Fransızca'dan conceptualisme ile idéalisme karşılığı, kavramacılık (XX. yy.). Mefhumiyye-i hakayıkıyye mezhebi, conceptuaisme réaliste karşılığı.

mefkud, A. s. [Fakd'dan] 1. Olmayan, bulunmayan. 2. Ölü veya diri olduğu bilinmeyen, kayıp kimse. • «Bu hadd ü gayeti mefkud olan sirişk ile ben — Hazan bulutlarının bir misaliyim, ahkar. — Fikret».

mefkudiyyet, A. i. Yokluk, bulunmama.

mefkûk, A. s. (Kef ile) Ayrılmış olan.

mefkûre, A. i. [Fikir'den] Fransızca'dan idéal karşılığı, ülkü (XX. yy.). • «Türkçülüğü bütün mefkûreleriyle. — Z. Gökalp».

meflûc, meflûce, A. s. [Felc'den] İnmeli. Kımıldamaz, oynamaz halde. • «Beşer, bu şimdi muazzep sürüklenen meflûc — Adım adım edecek zirve-i halâsa uruc. — Fikret».

meflûcen A. zf. Felce uğramış olarak.

meflûk, meflûka, A. s. (Kef ile) Feleğin kahrına uğramış, zavallı. • «Ve ol Karamani-i meflûk tağyir-i şekl ü libas ile — Sadettin».

meflûl, A. s. Çentik, çentilmiş.

mefra, A. i. [Fera'dan] 1. Dökülecek yer. 2. Yol, akıntı yolu.

mefrah, A. i. (Ha ile) Kuluçka çıkarma yeri. Folluk. (ç. Mefarih).

mefrak, A. i. 1. Baş tepesi. 2. Başın üstünde saçların ikiye bölündüğü yer.

mefred, *A. s.* Çok büyük, aşırı iri. • «Minare şeklinde dahi bir mefred-ül-âza siyah Arabı vardı ki. — Veysi».

mefrug, mefruga, *A. s.* [Ferag'dan] Başka birine bırakılmış. • *Mefrugunbih,* bir kimseye ferag olunan bırakılan nesne; • *mefrugun leh* bedeli ile kendisine bir şeyin tasarruf hakkı ferag olunmuş kimse.

mefruk, mefruka, *A. s.* (*Kaf* ile) [Fark'tan] Ayrılmış; araya başka bir şey girmiş.

mefrûk, *A. s.* (*Kef* ile) 1. Oğulmuş. 2. Safran ile boyanmış.

mefruş, mefruşe, *A. s.* [Ferş'ten] Döşenmiş, döşeli. • «O, mermer mefruş azîm bir sofa. — Uşaklıgil».

mefruşat, *A. i.* [Mefruş ç.] Ev döşemeye yarayan eşya.

mefruz, mefruza, *A. s.* (*Dat* ile) [Farz'dan] 1. Farz kılınmış, üste borç olan. 2. Farz olunmuş. Varsayılmış. Yok iken var hükmünde tutulmuş. • «İlm-i mefruz ile maksat ilm-i mükâşefe değildir. — Taş.». • «Hâlâ kalbinde bir şey o mefruz hayat-i şarkın mutlaka mevcut olmasına inanmak ister. — Uşaklıgil». • «Baki milletin saadet-i hali için umur-i mefruzadan sayılır. — Kemal».

mefruz, mefruze, *A. s.* (*Ze* ile) [İfraz'dan] Ayrılmış, bölünmüş.

mefsah, *A. i.* 1. Bozma. 2. Bozacak yer.

mefsaka, *A. i.* [Fısk'tan] Fısk, günah işlenen yer. • «Mefsaka olmaz me'va-yi salah olmasa da — Şimdi viranelere gıptası var mamurun. — Nabi».

mefsedet, *A. i.* [Fesad'dan] 1. Bozukluk, fenalık. 2. Karıştırma, azdırma. Fesat kurma. (ç. Mefasid).

mefsuh, mefsuha, *A. s.* [Fesh'ten] 1. Hükümsüz bırakılmış. 2. Yürürlükten kaldırılmış, battal edilmiş. • «Bütün o şerait-i esasiyeyi bir nesh-i mefsuh hükmüne girmişti. — Uşaklıgil».

mefsuhiyyet, *A. i.* Mefsuh olma, yürürlükten kalkma hali.

meftah, *A. i.* Hazine.

meftuh, meftuha, *A. s.* [Feth'ten] 1. Açılmış, açık. 2. Zaptolunmuş, ele geçirilmiş. 3. Üstün, yani «e» ile okunan. • «Bab-i irtişa meftuh oldukta. — Naima»

meftuhiyet, *A. i.* Açılma, açılmış olma. (Hek.) • *Meftuhiyet-i evride,* • *meftuhiyet-i turuk-i teneffüsiye.*

meftul, *A. s.* [Fetil'den] Bükülmüş, fitil haline konulmuş. • «Teberrük aldı görüp fikr-i zülf-i meftulün — Hayal-i hâl-i lebin buldu yadigâr gözüm. — Kemalpaşazade».

meftun, meftune, *A. s.* [Fitne'den] 1. Büyülenmiş gibi kendine sahip olmayacak derecede tutkun, vurgun. 2. Bir şeyi ziyade beğenmekten şaşırmış halde olan. • «Minnettarlıkla mümtezic bir muhabbet onu hastaya meftun etti. — Uşaklıgil».

meftunane, *F. zf.* Meftunlara yakışır halde, tutkuncasına, kendinden geçmiş halde.

meftuniyyet, *A. i.* Ziyade tutkunluk, vurgunluk. Pek fazla beğenme. • «Ona bakışında öyle amîk bir meftuniyyet vardı ki. — Uşaklıgil».

meftur, mefture, *A. s.* [Fütur'dan] Bıkmış, bezmiş (XX. yy.). • «Sen, ey mah, ey muallâ. menba-i ulviyyet-i sevda — Kılarsın kalb-i mefturumda şevk-i itilâ peyda. — Fikret».

mefturane, *F. zf.* Bezmişçesine. Bıtkin bir halde.

mefturiyyet *A. i.* Bezginlik, bıkkınlık.

meftut, *A. s.* Ufalanmış. Parça parça edilmiş.

mef'ul, mef'ule, *A. s.* [Fi'l'den] 1. Yapılmış, işlenmiş, kılınmış. 2. Bir failin yaptığı iş üstünde belli olan. 3. (Gra.) Tümleç. • *Mefulün anh,* -den hali; • -*bih,* -i hali; • -*fih,* -de hali; • -*gayr-i sarih,* dolaylı tümleç; • -*ileyh,* -e hali; • -*maah,* -le hali; • -*minh,* -den hali; • -*sarih,* düz tümleç; • *isim-i mef'ul* ortaç, sıfat-fiil.

mega, Bk. • *Maga.*

megafir, *A. i.* [Migfer ç.] Miğferler.

megak, *F. i.* Çukur. Mezar. • «Ol megak-i hevilnâki kendinin dâm-i helâki bilip. — Sadettin».

meger, *F. s.* Meğer. Ancak, şu kadar ki. • «Meğer kim pençe-i simine bir mehpare yaslanmış». • «Kalmış mı meğer denilmedik söz. — Ş. Galip». • Beş yaşında ya var ya yoktu, meğer — Çobanıymış geçenlerin bu gülen. — Fikret».

meges, *F. s.* Sinek. • «Ey nalezen meges ki olursun sada-resan — Ezhar içinde uykuya dalmış iken şüban. — Naci»

megesran, *F. i.* [Meges-rân] Yelpaze. • «Oldu nazmın şehdine ervah-i kudsiler meges — Şehperin ana megesran etti Cibril-i emin. — Hayalî».

meh, mah, F. i. (He ile) Ay. • Meh-i id, bayram ayı, meh-i nev, yeni ay. • «Meh-i nev kaşına divane oldum cemalin şem'ine pervane oldum. — Hümamî». • «Görenler ebruvanın nazır olmazlar meh-i ide. — Sami».

mehab, A. i. Korkulu ve dehşetli yer.

mehabet, A. i. [Heybet'ten] Heybet. Celâl. Ululuk. Büyük görünmek; büyük görülenlerin karşısında duyulan korku. • «Ve bir madalyalı gazi mehabetiyle vakur. — Fikret».

mehabil, A. i. [Mehbil ç.] Dölyatağı yolları.

mehah, A. i. (He ve he ile) Güzellik, tazelik.

mehail, A. i. [Mehîl ç.] Korkunç yerler.

mehalik, A. i. [Mehlike ç.] Korkulu yerler veya işler. • «O zaman bu muaşakanın mehalik ve müşkilâtı gözlerinin önüne dikildi. — Uşaklıgil».

mehamiz, A. i. [Mihmiz ç.] Mahmuzlar.

mehamm, A. i. (He ile) [Mehmehe ç.] Engin çöller.

mehamm A. i. [Mühim ç.] Önemli, büyük işler.

mehan, A. s. Küçük görülmüş, küçümsenmiş.

mehanen, F. zf. Küçümsenerek, hafifsenerek. • «Nefy suretinde makhuren ve mehann Girite gitmesi. — Naima».

mehanet, A. i. Küçültme. Küçük görülme. • «Gittikçe zücac-i mizacı münkesir ve kalb-i hazini hümum-i mehanetten ziyade müteessir olmakla. — Naima».

mehar, F. i. (He ile) Yular. • Küsiste mehar, incelmiş, gevşemiş yular.

meharet, F. i. Beceriklilik. Ustalık. • «Bu sualleri kemal-i meharetle Bülent'in gevezeliklerinin arasına serpiyor. — Uşaklıgil».

meharık, A. i. (He ile) [Mührak ç.] Yazı yazılacak sayfalar.

mehavi, A. i. (He ile) [Mehve ç.] 1. Sahralar. 2. Vâdiler. 3. İki yükseğin arası. • «Masaid ve mevahisinde süvar güzara mecal olmadığı cihetten. — Sadettin».

me'haz, A. i. (Hı ve zel ile) [Ahz'dan] Bir şeyin alındığı yer. Kaynak.

mehbil, A. i. (He ile) Rahim yolu.

mehbit A. i. (He ve tı ile) [Hübut'tan] Düşecek yer. İnilen yer. • «Sahil gunude kütle-i deyeur, ufuk abus — Gök pür-sahab ü zıl, ona sen mehbit-i ukûs. — Fikret».

mehbut, mehbute, A. s. (He ve te ile) Korkudan şaşırmış.

mehcur, mehcure, A. s. (He ile) [Hicr'den] 1. Uzaklaşmış, ayrılmış. • Kelime-i mehcure, • mâna-yi mehcur. • «Gördüğünden kimseler âlemde mehcur olmasın. — Ragıp Pş.».

mehcuriyyet, A. i. 1. Uzaklık, ayrılık. 2. Unutulma, bırakılma.

mehçe, mahçe, F. i. Minare, kubbe, bayrak direği ucuna takılan küçük hilâl. • «Mehçe-i âlemtâb-i ferr ü iclâl. — Kemal».

mehd, A. i. Beşik. • Mehd-i ulya, padişah annesi. • Mehdarây-i vücud olmak, dünyaya gelmek, doğmak. • «Mehd-i ulya hazretlerine su-i kasdi mutazammın meşveretler etmişlerdi. — Naima». • «Bazice-i âmal ederek hep hevesati — Bir mehd-i serabide çocuklar gibi yattık. — Fikret». • «İlk mehd-i ebatıl kıt'a-i Mısrıye oldu. — Cenap».

mehdî, A. s. [Hüda'dan] 1. Doğru yolu tutmuş olan. 2. (ö. i.) On ikinci imam olup Şiî inancına göre, yaşamakta ve kıyameti beklemektedir; • sahib-üzzaman, • «Bazı mukaddemat-i vahiye ile kendinin mehdi olacağına itikat ettirip. — Naima».

mehdum, mehdume, A. s. [Hem'den] Yıkılmış, yıkık. • «Belgrat'ın gereği gibi mevazi-i mehdumesine istihkâm verildikten sonra. — Raşit».

mehdur, A. s. [Hedr'den] Ziyan edilmiş, yazık edilmiş. Boş yere gitmiş. • «Mehdur-üd-dem zümresine idrac olunduktan sonra. — East Ef.».

mehebb, A. i. Rüzgârın estiği yer. • «Sarsar-i hata ü halel mehebb-i hazlândan vezan olmasaydı. — Veysî».

mehenk, A. i. Bak. • Mahakk.

mehere, A. i. (He ile) [Mahir ç.] Ustalar, üstatlar.

mehib, mühib, mehibe, A. s. [Heybet'ten] 1. Korkulur, korkunç. 2. Heybetli, azametli. • «Ben o seyyaha benzerim ki mehib — Çölde şemsin şua-i suzanı — Yakarak gözlerinde elvanı. — Fikret».

mehil, A. s. (He ile) Korkulu yer.

mehin, A. s. Ufak, önemsiz.

mehk, A. i. (He ve kaf ile) Durgun sudaki yeşil renk.

mehk, A. i. (Kef ile) İyice ezme.

mehka, A. s. (He ve kaf ile) Kireç gibi donuksu beyaz olan.

mehkûk, *A. s. (Kef* ile) Ezilmiş olan.

mehl, *A. i.* Vakit verme. Bir işi belli bir zamana kadar bırakma, erteleme. • *Alâmehlin,* yavaş, vaktinde. • ‹Bu tarafta olan ihtilâf def olunup alâ mehlin varırız. — Naima›.

mehleke, mehlike, *A. i.* Tehlikeli yer veya iş. • ‹Böyle mehlekede muhlis zannedip beni öldürürse öldürsün. — Naima›.

mehlen, *A. zf.* 1. Acelesiz. 2. Zaman ve meydan vererek.

mehlika, *F. s.* [Meh-lika] Ay yüzlü, güzel. • ‹Bütün o manzara o mehlikayı arz eyler. — Fikret›.

mehmaemken, *A. zf. (He* ve *ke* ile) Mümkün olduğu kadar, olabildiği derece.

mehmum, *A. s.* Endişeli, düşünceli. • ‹Agniya müsadere ve taaddilerinden haif ve mehmum idiler. — Naima›.

mehmus, *A. s. (He* ve *sin* ile) Gizli.

mehmusen, *A. zf.* Gizli olarak. • ‹Mısraı mehmusen zikr ü tezkâr olunup. — Sümbülzade›.

mehmuz, *A. s.* (Arap. Gra.) Asıl harflerinden biri hemze olan (kelime), ('esed); ikinci harf olursa • *mahmuz-ülayn* (re'y); üçüncü harf olursa • *mahmuz-ül-lâm* (ber') denir.

mehmuz, *A. i.* Mahmuz. Bk. • *Mihmiz.*

mehper, *F. s.* [Meh-pâre] Ay parçası. Çok güzel. • ‹Nasıl sabah idi, Ya Rab, ne subh-i muğberdi — Ki uçtu ruhu o mehparenin semavata. — Fikret›.

mehperest, *F. s.* [Meh-perest] 1. Aya tapan. 2. (Mec.) Âşık. (ç. Mehperestan).

mehr, *A. i.* Mihir. Evlenirken erkek tarafından verilen para. • *Mehr-i muaccel,* nikâhta verilen ağırlık; • *-müeccel,* boşanma veya ölüm halinde verilmesi kararlaştırılan para.

mehrû *F. s.* [Meh-rû] Ay yüzlü. Güzel. (ç. Mehrûyan). • ‹Müşteri oldu gönül bir sanem-i mehruya. — Melihî›. • ‹Devran nice mehrûların endamından — Yüz kerre piyale yaptı yüz kere sebû. — Beyatlı›.

mehruyan, *F. i.* [Mehru ç.] Ay yüzlüler. Güzeller.

mehşid, mahşid, *F. i.* 1. Ay. 2. Ay aydınlığı.

mehşum, *A. s. (He* ile) Kırılıp ufalanmış.

mehtab, *F. i.* [Meh-tab] Mehtap. • ‹Hazan sabahı kadar mest-i girye bir meh-

tap — Şeb-i hayalini okşar, peri cenahı gibi. — Fikret›.

mehter, *A. i.* (Farsça Mihter kelimesinden). 1. Yüksek dereceli hizmetkâr. 2. Çadırlara bakan uşak. 3. Binek veya yük hayvanlarına bakan uşak. 4. Mızıkacı takımından olan kimse. 5. Tanzimat'tan biraz önce Babıâli çavuş veya kavası. 6. Rütbe, nişan müjdecisi, çaylak.

mehteran, *A. i.* [Mehter ç.] Mehterler. • *Mehteran-i alem,* bir vezirin alemiyle beraber bulunan bando takımı; • *-hayme,* çadır uşakları. • *Baş mehter,* çalgıcı mehterlerin başı, şef.

mehterhane, *F. i.* Her vezirin, tuğu sayısınca takımları bulunan — ki bunlara • *kat* denirdi. — bando takımı.

mehtûk, mehtuke, *A. s.* [Hetk'ten] Yırtılmış, bozulmuş.

mehub, *A. s. (He* ile) Heybetli (kimse).

me'huz, mehuze, *A. s.* [Ahz'den] 1. Alınmış. 2. Ödün olarak, başka bir yerden alınmış.

me'huzat, *A. i.* [Me'huz ç.] 1. Alınan para. 2. Alınan paranın defterde yazıldığı kolon.

mehvat, *A. i.* 1. Gökle yer arası. 2. Yar, uçurum.

mehver, mehvare, *F. i.* 1. Ay gibi. 2. Aylık, aylık ücret.

mehveş, *F. s.* Ay gibi. (ç. Mehveşan). • ‹Çekersin ey musavvir suretin mehveşlerin amma — Ne mümkündür muradınca çekilmez kaşları yayı. — Fuzulî›.

mehyum, mehyume, *A. s. (He* ile) Aşktan serseme dönmüş.

mehzum, mehzume, *A. s. (He* ve *zel* ile) Bozulmuş, bozguna uğramış. • ‹Asker-i mehzumdan Demircioğlu dedikleri şûm. — Nima›.

mehzul, mehzule, *A. s. (He* ve *zel* ile) Arık, düşkün, zayıf.

mekâid, *A. i.* [Mekide ç.] Hileler, düzenler.

mekâil, *A. i.* [Mikyal ç.] Tahıl ölçekleri.

mekal, Bk. • *Makal.*

mekâmin, *A. i.* [Mekmen ç.] Pusular, gizlenilecek yerler.

mekân, *A. i.* [Kevn'den] 1. Yer, mahal. 2. Durulan yer, oturulan yer, konut. • *Bimekân,* konutsuz, serseri; • *cennet-mekân,* yeri cennet (ölmüş ve en çok da ölmüş padişahlar hakkında); • *lâmekân,* mekânsız, Tanrı. (ç. Emakin, emkine, mekânat).

mekânen, A. zf. Mahal ve yer bakımından.

mekânet, A. i. 1. Güç, nüfuz, kudret. 2. Ağır başlılık. • «Reftarına ol kadar muvafık — Etvar-i mekânet-iltizamın. — Recaizade».

mekârib, A. i. [Mikreb ç.] Tasa, gam yerleri.

mekârih, A. i. [Mekruh ç.] İnsana tiksinti veren şeyler. Sıkıntılar, dertler. • «Verdiği mansıpları mekârihtir tekrar verilsin diye bildirip. — Naima».

mekârim, A. i. [Mekremet ç.] Keremler, cömertlikler. Beğenilen ahlâklar. • «Artık bu böyle gittikçe — İçim zehirlenecek yâd edip mekârimini. — Fikret».

mekâsib, A. i. [Mekseb ç.] Kazançlar. Kazanç yer ve araçları. • «Nazişleriyle bilâ sebeb ü müsebbib ve bîtaab-i mekâsib. — Sümbülzade».

mekâşif, A. i. [Mekşef ç.] Nesnenin açıkça göründüğü yerler.

mekâtib, A. i. [Mektep ç.] Okullar. • Mekâtib-i âliye, yüksekokullar; • -hususiyye, özel okullar; • -ibtidaiyye, ilkokullar. • «Avrupa'nın mekâtib-i tıbbiyesinden hiçbir fark yoktur. — Kemal».

mekâtib, A. i. [Mektub ç.] Mektuplar. • «İsa Ağa mekâtibi götürüp çiftliğinde Katırcıoğlu Şah Mehmet'e teslim eyledikte. — Naima».

mekâyil, A. i. [Mikyal ç.] Ölçekler, kileler.

mekbul, A. s. Hapsolunmuş.

me'kel, me'kil, A. i. (Hemze ve kef ile) 1. Yenecek şey. 2. Geçim yeri, gelir. (ç. Mekil). • «Zir-i himayemize alıp me'kel edelim deyü. — Naima».

me'kele, A. i. Yiyecek nesne.

mekfuf, mekfufe, A. s. Yasak edilmiş, önlenmiş.

mekful, mekfule, A. s. [Kefalet'ten] Kefil olunmuş, kefil olmuş. • Mekfulün anh, kendisine kefalet olunan kimse; • mekfulün bih, kefalet olunan nesne veya kimse; • mekfulün leh, kefaletle alacağı sağlanmış alacaklı.

mekhul, mekhule A. s. [Kûhl'dan] Sürme çekinmiş, sürmeli. • «Görünürde gözü daim mekhul — Haddi zatında siyehçeşm idi ol. — Hakani».

mekîde, mekidet, A. i. Hile, düzen. • «... mekidesine düçar. — Sümbülzade».

mekîl, A. s. Kile ile ölçülen (ç. Mekîlât).

mekîn, mekîne, A. s. [Mekân'dan] 1. Yer tutup oturan, yerleşmiş. 2. İktidar ve vakar sahibi. • «Hüseyin Paşa serdarlık makamında mekîn oldu. — Naima».

mekinane, A. zf. Sağlamca, ağır başlıya yakışacak şekilde. • «Şu küçük başa bir vüsat-i mekinane geliyor. — Uşaklıgil».

mekinet, A. i. 1. Ağır başlılık. 2. Vakar.

mekîs A. s. (Se ile) 1. Sert. 2. Ağır başlı.

mekkâr, mekkâre, A. s. [Mekr'den] Hileci, düzenbaz. • «Lâkin gayet hilekâr ve bivefa ve gaddar ve mekkâr olup fırsatı düştükçe ebeveynine merhamet etmez fırsat esiri bir sitemkâr olduğun. — Naima». • «Ne kâfirliklerin gördüm yine ol zülf-i siyehkârın — O ebrunun, o zalim gamzenin, ol çeşm-i mekkârın. — Nedim».

mekkârî, A. i. Mekkârlık, hile, düzen.

Mekke, A. i. Hicaz'da Muhammet peygamber'in doğduğu, Kâbe'nin bulunduğu şehir.

Mekkî, Mekkiye, A. s. 1. Mekkeli. 2. Mekke ile ilgili. • «Suver-i Mekkiyede olan âyât. — Taş.». • «Mekkî ve Medenî de üç ıstılah üzre ihtilâf eylemişlerdir ki. — Taş.».

meklum, A. s. Yaralanmış.

mekmen, A. i. Pusu yeri. • «Viraneler, ey mekmen-i pür-hâb-i eşirra. — Fikret».

mekmun, mekmune, A. s. Saklı, gizli.

mekmure, A. s. Cins münasebetinde bulunmuş kadın.

meknun, A. s. Saklı, gizli. İyice korunmuş. • Dürr-i meknun, dizi inci. • «Tabiat-i vücutta meknun olan mükâfat-i âmal aynı ile buldu. — Naima». • «Söylemez, söylemez amma dürr-i meknun söyler. — Amani».

meknus, A. s. (Sin ile) Süpürülmüş.

meknuz, A. s. [Kenz'den] 1. Yere gömülü. 2. Hazineye konulmuş; saklanmış. • «Şu kaba sözlerinde meknuz olduğunu düşünüyordu. — Uşaklıgil».

mekr, A. i. Hile, düzen. Bir kimseyi hile ile aldatmak, maksadından caydırmak. • Mekr-i mahmud, bir kimseyi, iyi niyetlerle, maksadından caydırmak için yapılan hile; • -mezmum, bunun aksi. • «Sendendir ilâhi yine bu mekr ü bu fitne — Bu mekr ü bu fitne yine sendendir ilâhi. — Ziya Pş.».

mekrehet, A. i. Tiksinilecek şey, tiksinme sebebi.

mekremet, mekrümet, A. i. [Kerem'den] 1. Kerem, cömertlik. 2. Saygı, ağırlama. • *Mekremetlû, mekrümetlû*, müderris pâyeli ulemaya hitaptır. • ‹Mekremetlû yazılır mı bize ey kilk-i debîr›.

mekrub, mekrube, A. s. Tasaya tutulmuş, kaygılanmış.

mekruh, mekruhe, A. s. 1. İğrenç, tiksinti veren. 2. Şeriatın haram etmediği, fakat çok zorda kalınmayınca da yapılmasına izin vermediği. (ç. Mekruhat, mekruhîn). • ‹Bazı ulema "Bid'attir ve cemaatle nafile mekruhtur" deyu inkâr ettiler. — Kâtip Çelebi›. • ‹Ben ki bazişesiyim her emel-i mekruhun — Bana ölmek yaraşır, başka saadet mi olur? — Fikret›.

mekruhat, A. i. Şeriatçe haram olmayan fakat yapılması da beğenilmeyen şeyler.

mekruhiyyet, A. i. İğrençlik.

mekrümet, A. i. Bk. • *Mekremet.*

meks, A. i. (Sc ile) Durma. Dinlenme veya bekleme için kalma. (ç. Mükûs). • ‹Ol diyar-i bahcet-âsarda bir ay mikdarı zaman meks ü âram edip. — Selânikî›.

meks, A. i. (Sin ile) 1. Bac alma, pazar ve yol vergisi alma. 2. Zulüm etme.

mekseb, A. i. [Kisb'den] 1. Kazanç. 2. Kazanç yeri, kazanç vasıtası.

meksub, meksube, A. s. [Kisb'den] Kazanılmış; öğrenilmiş, elde edilmiş. • ‹Her kavmın zekâvet-i mevhube ve marifet-i meksubesi o yollarda dahi müsabakaya kıyam eyledi. — Kemal›.

meksuf, meksufe, A. s. [Küsuf'tan] Küsufa uğramış. Güneş tutulmuş. • ‹Can ü dilinin mihr ü mehi olmaya pür-nur — Daim biri mahsuf ola anın biri meksuf. — Ruhi›.

meksur, meksure, A. s. [Kesr'den] 1. Kırılmış. 2. Kesre ile, yani i sesiyle okunan (harf). • ‹İki kebir mavunaları dahi gayet meksur ve rahnedar olduğundan. — Raşit›.

mekşuf, mekşufe, A. s. [Keşf'ten] 1. Açılmış, açık. 2. Belli, kapalı değil, açık. 3. Bilinmez değil, keşfolunmuş. • *Gayr-i mekşuf*, daha keşfedilmemiş. (ç. Mekşufat). • ‹Heyhat! sen ey nur-i semavî — Sâfillere mekşuf olamazsın. — Fikret›. • ‹Hâceye gitsin okumaya bu ebcedhânlar — Başlasın mekte-

be varsın da elifba-yi sunan. — Vahbi›.

mekteb, A. i. Okul. (ç. Mekâtib.). • ‹Bülent mektepte geceleri kalmayacaktı. — Uşaklıgil›.

mektub, A. i. Mektup. (ç. Mekâtib). • Adnan Bey ihtiyar Mübeyyiyeye uzun bir mektup yazmış. — Uşaklıgil›.

mektub, mektube, A. s. Yazılı; yazılmış. • ‹Kalem-i İgrikî ile mektup idi ki Yunani-i kadimdir. — Taş.›.

mektubat, A. i. Yazılar, yazılı şeyler. Mektuplar.

mektubî, A. i. Mektupçu. Nezaret veya büyük dairelerin yazı işlerini idare etmekle ödevli en büyük memur.

mektuf, A. s. Bağlı. Arkaya bağlı. • ‹Bektaş Ağa ise mektuf-ül-yed merbut-ürricl beygir üzerinde. — Naima›.

mektum, mektume, A. s. [Ketm'den] 1. Saklı, gizli. 2. Hükümete bildirilmeyen. • *Emval-i mektume*, vergi dairesine haber verilmemiş mallar; • *mal-i mektum*, gizli, saklı mal; • *nüfus-i mektume* kütüğe kaydolunmamış kimseler; • *varidat-i mektume*, deftere geçirilmeyip şahıs elinde kalmış devlet geliri. • ‹Vakte kadar mektum kalmış olan emelleri uyandırmış. — Uşaklıgil›.

mektumat A. i. [Mektume ç.] Hükümetten kaçırılarak gizlenmiş, yazdırılmamış nüfus, mal, gelir.

me'kûl, A. s. (Hemze ile) [Ekl'den] Yenilmiş.

mekûlât, A. i. [Me'kûl ç.] Yenecek şeyler. • ‹Bahçe dahilinde mekûlât ve meşrubat satmak için. — Recaizade›.

mekûr, A. s. Hileci.

mekyul, A. s. Kile ile ölçülmüş.

mekzebe, A. i. Yalan söz.

mekzum, A. s. (Zı ile) Tasalı, gamlı.

melâ', A. i. 1. Dolu olma, doluluk. 2. Kalabalık, topluluk. • *Melâ-i âlâ*, ileri gelen melekler ile peygamberler topluluğu. • ‹Tantana-i şöhreti melâ-i alâya erişmişti. — Naima›.

melâ, A. i. Ova.

mel'abe, A. i. [Lâ'b'dan] Oyun, oyuncak. • *Mel'abe-i sıbyan*, çocuk oyuncağı.

melâbis, A. i. (Sin ile) [Melbes ç.] Giyecek şeyler.

melâci, A. i. [Melce ç.] Sığınılacak yerler.

melâhat, *A. i. (Ha* ile) Güzellik. Güzel yüzlülük. • ‹Pîşimde kitabın, o penagâh-i melâhat. — Cenap›.

melâhat, milâhat, *A. i.* Gemicilik.

melâhi, *A. i.* ç. *(He* ile) Oyunlar, eğlenceler, cünbüşler; • *Alât-i melâhi,* sazlar. • ‹Gına ve darb-i melâhi ile telezzüz küfrdür demişlerdir. — Taş.›.

melâhim, *A. i. (Ha* ile) [Melhame ç.] Savaş yerleri.

melâib, *A. i. (Ayın* ile) [Mel'ab, mel'abe ç.] 1. Oyun oynanacak yerler. 2. Oyuncaklar, oyunlar. • ‹Edebiyatımızda melâib-i tıflâne için hayatlar sarf olunmuş. — Uşaklıgil›. • ‹Akşam güneşi bulutlar, tepeler, ağaçlar üzerinde binlerce melaib-i ziyaiye, binlerce deste-i envar ve elvan ile. — Cenap›.

melâik, melâike, *A. i.* [Melek ç.] Melekler. (Tekil olarak da kullanılır). • ‹Mürg-i ruh-i şerifleri canib-i behişte pervaz ve melâik-i illiyîn ile hemdem ü demsaz oldu. — Peçoylu›. • ‹Suhan ol denlû hoş gerektir ki anı — Edine nev-i beşer belki melaik ezber. — Nabi›.

melâin, *A. i.* [Mel'un ç.] Mel'unlar, lânetlenmişler. • ‹Venedik melâininin gönderdikleri kalyonlara erişemeyip. — Naima›.

melâl *A. i.* Usanç, usanma. Bıkma, bıkkıntı. Sıkılma. • ‹Melâli anlamayan nesle âşina değiliz. — Haşim›. (Ed. Ce.).:

Çehre-i melâl,   nazargâh-i melâl,
def-i melâl,   nisab-i melâl,
ikaz-i melâl,   raz-i melâl,
kefenbeduş-i melâl   sîne-i melâl,
leb-i melâl   yâd-i melâl.

melâlaver, *F. s.* [Melâl âver] Usanç verici.' Sıkan. • ‹Evet, bu hiss-i merak — Verirdi aşkıma bir hadşe-i melâlaver! — Fikret›.

melâlet, *A. i.* Melâl. • ‹Buyurun sultanım simanızda âsar-i melâlet müşahade olunur aslı nedir. — Naima›.

melâmet, *A. i.* [Levm'den] Azarlamak, kınamak. Çıkışma. • ‹Ben melâmet hırkasını kendim giydim eğnime. — Nesimi›. • ‹Melâmet söndü Şark'ın her yerinde. — Beyatlı›.

melâmeti, *A. i. s.* Melâmetiyye tarikatinden olan.

melâmetiyye, *A. i.* Zikr, fikr, özel giyecek, tekke gibi törenleri kabul etmeyen bir tarikat.

melâmetzede, *F. s.* [Melâmet-zede] Melâmete uğramış. Kınanmış. • ‹Sahrayi

muhabbette şu divaneleriz kim — Mecnun-i melâmetzede en âkılimizdir. — Ruhi›.

melâmi, *A. s. i.* [Melâmet'ten] 1. Melâmetiyye tarikatından olan. 2. Melâmetiyye tarikati.

melâmi', *A. i.* [Lem'a ç.] Parıltılar, aydınlıklar. • ‹Pistanları, sinesi bu mahın — Tanzir' ediyor metalii bu — tenvir ediyor melâmii bu. — Cenap›.

melâmih, *A. i.* [Lemha ç.] Lemhalar. 1. Bir nesnenin başka bir nesneye benzeme noktaları. 2. Güzellik veya çirkinlik eserleri.

melâmiyyun, *A. i.* [Melâmi ç.] Melâmî tarikatı adamları.

mel'an, *A. s.* Dolu olan.

mel'anet, *A. i.* [Lâ'n'dan] Lanete sebep olan, lanet edilmeye değer iş ve davranış. • *Mel'anetpîşe,* işi gücü lanet edilecek hallerde bulunmak olan.

mel'anetkârane, *F. s. zf.* Lânet edilmeye müstahak olacak surette.

melâz, *A. i.* Sığınacak yer. • ‹Arar biçare kuşlar bir melâz-i nev-bahariyi. — Fikret›.

melbes, *A. i.* Giyilecek şey, esvap. • *Melbes ü me'kel,* giyecek ve yiyecek.

melbus, *A. s.* 1. Giyilmiş, kullanılmış. 2. Giyinmiş, esvap giymiş.

melbusat, *A. i.* Giyilecek şeyler, giyinti. Esvap, elbise.

melce', *A. i.* Sığınacak, iltica olunacak yer. (ç. Melâci). • ‹Yaşamak aşkı bende her emel — Olacak melce-i yegâne yarın. — Fikret›.

melda', *A. s.* İnce' ve taze bedenli (kız).

meldug, melduga, *A. s.* [Ledg'den] Zehirli bir hayvan ısırmış, sokmuş. • ‹Gerçi elem-i ledg def' oldu. Amma burnunun meldug olan tarafına bir madde inip. — Naimâ›.

meled *A. i.* Tazelik. Gençlik. Taze fidanın salıntısı.

melek, *A. i.* 1. Âlem-i ulviye mensup. Tanrının yakınları bulunan yaratıklardan herbiri. 2. *(Mec.)* Pek güzel yüzlü kimse. Huyu pek güzel insan. • *Melek-i mukarreb,* Tanrıya yakınlıkla şereflenmiş melek;   *melek-ül-mevt,* (ölüm meleği) Azrail. • ‹Bir devrde geldik bu fena âleme biz kim — Âsar-i kerer.ı var ne beşerde, ne melekte. — Ruhi›.

melekâne, *F. zf.* Meleklere yakışır şekilde. • ‹Sizde görülen masumiyet-i melekânenin. — A. Mithat›.

melekât, A. i. [Meleke ç.] Yetiler. • Melekât-i akliyye, akıl yetileri. • ‹Acz-i tamından başka melekât-i tecrübesinde dahi. — Kemal› • ‹Melekât-i akliyesi incimat etmiş gibi bir beht içinde kaldı. — Uşaklıgil›.

melekçehre, F. s. [Melek-çehre] Melek yüzlü. • ‹Olunca tıfl-i melekçehre lebküşayi firak. — Fikret›.

meleke, A. i. İnsanda tekrarlarla meydana gelen alışıklık, beceriklilik, ustalık. (Fel.) Yeti.

melekhaslet, F. s. [Melek-haslet] Melek huylu.

melekî, melekiyye, A. s. Meleğe mensup, onunla ilgili. Temizlik.

melekper, F. s. [Melek-per] Melek kanatlı.

melekrû, F. s. [Melek-rû] Melek yüzlü.

meleksima, F. s. [Melek-sima] Melek yüzlü. • ‹Allarla kana girmiş ol melekismaya bak — Filmesel gökte şafak içinde doğmuş aya bak. — Hayatî›.

melekût, A. i. 1. Hükümdarlık, saltanat. 2. Meleklerin ve ruhların âlemi. • Âlem-i bâtın, • âlem-i gayb, • âlem-i 'ulvi ile aynı anlamdadır. • ‹Sanki engüşt ber-dehan melekût. — Cenap›.

melekûti, A. s. Melâike ve ruh âlemine ait, âlem-i gayble ilgili.

melel, A. i. Melâl.

melevan, A. i. Gece ile gündüz.

melfuf, melfufe, A. s. [Leff'ten] Sarılmış, devşirilmiş; bir zarf veya mektup içine konulmuş. (ç. Melfufat).

melfufat, A. i. [Melfuf ç.] Bir zarf içinde veya tezkereye ilişik yazılar.

melfufen, A. zf. Mefluf olarak.

mefluz, melfuza, A. s. [Lafz'dan] Söylenmiş, söylenilen. Telâffuz olunmuş, ağzından çıkmış. • Gayr-i melfuz, bir sözcük içinde bulunup da okunmayan (harf).

melfuzat A. i. [Melfuz ç.] Bir kimsenin söylediği sözler.

melhame, A. i. (Ha ile) Çok kayba yol açan savaş. Büyük ve kanlı savaş. (ç. Melâhim). • ‹On bin kişilik bir taliayı ircaa mecbur olmasını fenn-i harbde yeni bir devir açabilecek bir melhame-i kübra gibi göstermek ister. — Kemal›.

melhi, A. i. (He ile) Oyun yeri. Eğlenti yeri.

melhub, A. s. [Lehb'den] Alevlenmiş, alevli.

melhud, A. s. [Lâhd'den] Lahde konulmuş, mezara sokulmuş.

melhuf, melhufe, A. s. Tasalanmış, kaygılı. • ‹Neden bilmem beni melhuf ü bîâram eder bülbül. — Recaizade›.

melhufen, F. i. [Melhuf ç.] Tasalılar, kaygılılar.

melhuk, melhuka, A. s. [Lahk'tan] İltihak etmiş, kavuşmuş, karışmış. • ‹Melhuka-i fie-i kızılbaş olmak şartıyle. — Naima›.

melhuz, melhuze, A. s. Düşünülebilen, akla gelen, olabilir. • ‹Bütün melhuz olan tehlikeler mümkün olmasa bile. — Uşaklıgil›.

melhuzat, A. i. [Melhuz ç.] Hatıra gelen şeyler. Olabilir şeyler.

melih, meliha, A. s. Güzel, şirin.

melik, A. i. Hükümdar. (ç. Mülûk). • ‹Bir öyle melike ey esîran — Hürriyetin olmasın mı kurban. — Naci›.

melîk, A. i. Mal sahibi (Tanrı adlarındandır).

melikâne, F. s. zf. Hükümdara mensup, onunla ilgili. Mülûkâne.

melike, A. i. Kadın hükümdar. Hükümdar karısı. • ‹Başı bir iklili-i saltanatla tetviç edilmiş bir melike vekar-i şuhanesi verirdi. — Uşaklıgil›.

melkut, melkuta, A. s. Yerden kaldırılmış şey. Sokağa, cami veya kilise kapısına bırakılmış (çocuk).

mellâh, A. i. (Ha ile) Gemici. (ç. Mellâhan, mellâhîn). • ‹Babası Avusturalya açıklarında gemisiyle beraber kaybolmuş bir mellâh deniyordu. — Uşaklıgil›.

mellâhan, F. i. [Mellâh ç.] Gemiciler.

mellâhat, A. i. Tuzla.

mellâhîn, A. i. [Mellâh ç.] Gemiciler.

melmus, A. s. (Sin ile) [Lems'ten] El ile dokunulmuş.

melmusat, A. i. [Melmus ç.] El ile dokunmalar. 2. Dokunulabilen şeyler.

melsâ, A. i. (Sin ile) 1. Ayak kayacak, kıraç, düz yer. 2. Şarap. • ‹Ravza-i Mutahhara hareminde vasi bir saha-i melsa ki taht-el-kıbab ol vakte dek remel ü türab idi. — Naima›.

melsuk, A. i. (Sat ile) Bitiştirilmiş, yapıştırılmış.

me'lûf, me'lûfe, A. s. [Ülfet'ten] Alışmış, alışılmış. Huy edilmiş. • ‹Ekser-i sipah ve ümeraya evtan-i melûfelerinde eştiyata icazet verildi. — Sadettin›. •

«Ey bâr-i hazerle iki kat gezmeye melûf — Eşraf ü teyabi, koca unsur-i maruf. — Fikret».

melûfiyyet, A. i. Alışıklık. • «Mevaki-i malûmede erkeklerle bimuhaba muamele-i naz ü niyaza melûfiyet tekessür ederek. — Kemal».

melûk, A. s. (Kef ile) Deli, aklı perişan.

melûl, melûle, A. s. [Melâl'den] Usanmış, bezmiş, bıkmış. • «Şu nazlı tıfl-i. semavi kadar melûl olsa. — Fikret».

melulâne, F. zf. Acıklı bir durumda. • «Yaşlar, yiyemedikleri lokmaları melulâne duran tabaklara damlar. — Uşaklıgil».

me'lûm, A. s. Eleme uğratılmış.

melûm, A. s. [Levm'den] Levm olunmuş. • «Ulûm-i şiir fi zatihi bir emr-i mezmum ve şuarayı anın iradı ile muateb ve melûm addedip. — Latifî».

mel'un, mel'une. A. s. [Lâ'n'dan] Lânetli, lânetlenmeye lâyık. • «Siyah bir gece... Altımda bir kırık tekne — Başımda bir müteezzi hayat-i mel'une. — Fikret».

melvan, A. i. Gece ile gündüz. • Madam-el-melvan, gece gündüz sürdükçe. • «Âdat-i sadat olan tarik-i kaza tebeddül-i etvar-i melvan ve tahaddüs-i havadis-i hadesan ile. — Sümbülzade».

memalik, A. i. [Memleket ç.] 1. Memleketler. 2. Ülke. 3. Bir devlet toprağı. • Memalik-i mahruse, • -mahruse-i şahane, • -Osmaniyye, • -şahane, Osmanlı ülkesi, Türkiye. • «Bibâk ü perva iki üç ay ol memalikte nehb ü garet ve gaza ile. — Peçoylu».

memalik, A. i. [Memlûk ç.] Köleler. • «Ve bir tarik ile gedik sahibi olan erazil-i memalike. — Naima».

memat, A. i. Ölüm. • «Ve baki kalan kırk elli nefer eşkıya beriyyelere dağılıp hayat ve mematları malum olmadı. — Naima». • «Gurup edip de güneş bir veremli taze gibi — Çökünce mağribe reng-i memat olan zulümat. — Fikret». (Ed. Ced.). :

Div-i memat,   riyad-i memat,
reng-i memat,   zehr-i memat.

memduh, memdude, A. s. [Med'den] 1. Uzatılan. 2. Sesi uzatılarak okunan. • «Lebinde lerze-i şekva gözünde bir memdud — Nigâh-i rencide. — Fikret».

memduh, memduha, A. s. [Medh'ten] 1. Övülmüş. 2. Övülmeye değer. • «İn-

dimde medihaler şereftir — Memduh değilse medha ahra. — Naci».

memduhat, A. i. [Memduh ç.] Övülmeye değer şeyler.

m'mal, A. i. Güvenilen, (bir şey) umulan yer.

me'men, A. i. [Emn'den] Emin, sağlam, yer. Sığınacak yer. • Me'men-i rıza. Kâbe. • «Ol dağların mağaralarında ve me'menlerinde pinhan edip akabat ve kemingâhlarında. — Naima».

memerr, A. i. [Mürur'dan] Geçecek yer, yol. • Memerr-i nas, herkesin geçtiği yol. • «On bin tüfenk-endaz çerakese ile memerleri olan derbendi seddedip. — Sadettin».

memhur, memhure, A. s. [Mühr'den] Mühürlü, mühürlenmiş.

memil, A. i. Bir yana eğilme.

memkûr, memkûre, A. s. 1. Kızıla boyanmış. 2. Av kanıyle kirlenmiş. • Memkûre, yakışıklı, uysal. • «Ol mekr-i dünya ile memkûr olmuş magbunlar bilmez idi ki. — Naima».

memkut, A. s. Düşmanlık edilen. • «Ol Daud-i memkut min badi sükût edip. — Taş.».

memlâha, A. i. [Milh'ten] Tuzla. • «Gümrük ve memlahalar ve sair mukataattan vazifeye mutasarrıf olanların. — Naima».

memleket, A. i. 1. Bir devletin toprağı, ülke. 2. Şehir, kasaba, il. 3. Bir kimsenin doğup büyüdüğü yer. • «Bu memlekette de bir gün sabah olursa Halûk. — Fikret».

memlû, A. s. [Melâ'dan] Dolu. • «Zülfün arasında bana mutlak — Âlem görünür nur ile memlû. — Cenap».

memlûh, A. s. [Milh'ten] Tuzlanmış, tuzlu.

memlûk, memlûke, A. s. 1. Birinin malı olan. 2. Köle. • «Mervidir ki anın bir abd-i memlûkü vardı. — Taş.».

Memlûk, A. s. 1250 den 1517 ye kadar Mısır'da hüküm süren Kölemenler. • «Memlûklar bakiyyesi pür-gayz edip kıyam. — Beyatlı».

memlûkâne, F. zf. Köleye yakışır halde. Çok defa bir büyüğe sunulan yazılarda kendinden söz ederken kullanılır.

memlûkiyyet, A. i. Kölelik, kulluk. (XIX. yy.). • «İşte size vakf-i memlûkiyet edecek bir el. — Uşaklıgil».

memlûl, memlûle, A. s. Usanmış. Usanılmış.

memnu, memnua, *A. s.* [Men'den] Yasak edilme. • *Esliha-i memnua,* yasak silâhlar; • *mıntaka-i memnua,* yasak bölge. • ‹Bu artık kendisi için memnu muhal bir şey değil miydi? — Uşaklıgil›.

memnuat, *A. i.* [Memnun ç.] Yasak şeyler.

memnuniyyet, *A. i.* Memnu olma, yasak edilme. • ‹Mll de Corton bir memnuiyet-i katiye ile çalışmasına mâni oluyordu. — Uşaklıgil›. • ‹Ve hilâf-i memnuiyyet hareketinden dolayı duçar-i ukubet olur. — Cenap›.

memnun, memnune, *A. s.* Minnet altında bulunan. 2. Hoşnut, razı. 3. Sevinmiş, sevinçli. • ‹Beyefendi Nihal'in gözlerinden memnun oldular mı? — Uşaklıgil›.

memnunen, *A. zf* Memnun olarak, sevinerek. • ‹Yine memnunen verecekti. — Recaizade›.

memnuniyyet, *A. i.* Sevinç. Minnet duyma. Razılık. • ‹Validesinin şekl-i˙ iştikâsı altında hafi bir memnuniyeti derece-i kâfiyede saklayamayan sözlerini. — Uşaklıgil.

memsud, *A. s.* Kuvvetli, düzgün vücutlu (kimse).

memsuh, memsuha, *A. s. (Ha* ile) [Mesh'ten] Mesih olunmuş, el ile sıvanmış.

memsuh, memsuha, *A. s. (Hı* ile) [Mesh'ten] Suratı daha çirkin başka bir şekle sokulmuş. • Ol zerger memsuh olan evlâtları yine âdem şekline tahvil eylemiş. — Süheylî›.

memsuh, *A. s. (Sat* ile) Massolunmuş. Emilmiş.

memsus, *A. s. (Sin* ile) Messolunmuş, dokunulmuş.

memşa, *A. i.* [Meşy'den] Ayakyolu.

memşuk, memşuka, *A. s.* Yazılmış olan.

memul, memule, *A. s.* [Emel'den] 1. Emel edilen, ümit olunan. 2. Olabilir, umulur. 3. (i.) Umut. • *Gayr-i memul,* umulmadık. • ‹Bizim memulümüz gayridir, niçin bedfal edersiz dedikte. — Naima›. • ‹Gayr-i memul bir hiffetle sandala ayağa kalktı. — Uşaklıgil›.

me'mum, *A. s.* Beyne kadar işlemiş yaralı olan.

me'mun, me'mune, *A. s.* [Emn'den] Sağlam. Korkusuz, tehlikesiz. • ‹Verip küreklere hâlâ olanca kuvvetimi — Yetişmek istiyorum bir kenar-i me'mune. — Fikret.

memur, memure, *A. s.* [Emr'den] 1. Bir emir alan. Bir işle görevlendirilen. 2. ˙Birine yapılması emrolunmuş, yapılması emirle olan. • *Hidmet-i memure,* • *umur memure,* yapılması emrolunan hizmet ve işler. • ‹Memurun husulü ve menhinin zevali rica oluna. — Kâtip Çelebi›. • ‹Ey gırre sütunlar ki birer div-i mukayyed — Mazileri âtilere nakl etmeye memur. — Fikret›.

memuren, *A. zf.* Memur olarak, bir işle görevlendirilerek.

memurin, *A. i.* [Memur ç.] Devlet hizmetinde bulunan kimseler. • ‹Emr-i istitlâ' ile mükellef bir sınıf-ı memurîni vardır ki. — Cenap›.

me'muriyyet, *A. i.* Memurluk. • ‹Memuriyetinin bir derece terfiiyle maaşının zammı nihayet karargir olmuş. — Uşaklıgil›.

memzuc, memzuce, *A. s.* [Mezc'ten] Karışık, karışmış. • ‹Kuşlar gibi teraneye başlar, bu nağmede — Memzucudur sürud-i hazan, nefha-i bahar. — Fikret›. • ‹Siyah ve kumral bir memzuce teşkil etseydi. — Uşaklıgil›.

men', *A. i.* Bırakmama. Durdurma. Savma. Caydırma. Yasak etme. • ‹Mümkün değildi men'i fakat ıstırabımın. — Fikret.

men, *A. e.* O kimse, ‹kim ki› anlamında bazı terkiplerde bulunur. • *Emr ü ferman hazret-i˙ men leh-ül-emrindir,* büyük kimselere yazılanlarda ‹buyruk sizindir› anlamına yazılır klişe.

menaat, *A. i.* Sarplık, çetinlik, kavilik. • *Menaat-i mevkiiye,* arazi sarplığı. • ‹Bu halk bir sedd-i sengînin kenar-i menaatine düşüp bayılan dalgalar acziyle. — Uşaklıgil›.

menab, *A. i.* 1. Birinin erini tutma, vekil olma. 2. Vekillik yeri.

menabi' *A. i.* [Menba',ç.] Kaynaklar. • *Menabi-i tabiiyye,* tabiî kaynaklar; *-servet,* zenginlik kaynakları. • ‹Kevser-i hulyayı semaların menabi-i esirîyesinde aramaya muhtaçtır. — Uşaklıgil›.

menabir, *A. i.* [Minber ç.] Minberler.

menacık, *A. i.* [Mancınık ç.] Mancınıklar.

menacim, *A. i.* [Mencem ç.] Terazi kolları.

menadil, *A. i.* [Mendil ç.] Mendiller.

Menaf, *A. i.* İslâmdan önceki Arapların putlarından biri.

menafi', A. i. [Menfaat ç.] Çıkarlar. • ‹İşin bir düşünülecek yeri de menafi-i nakdiye hususudur. — Kemal›.

menafiz, A. i. [Menfez ç.] Menfezler.

menahe, A. i. (Ha ile) [Nevha'dan] Ölü için ağlanacak yer.

menahi, A. i. ç. (He ile) Haram olmuş, yapılmaması emredilmiş şeyler. • ‹Bu uzun silsile-i menahinin iki başına. — Cenap›.

menahic, A. i. (He ile) [Minhac ç.] Açık yollar.

menahil, A. i. [Menhel ç.] Durak yerleri. Hayvan sulanacak yerler. • ‹Menzil bemenzil yürüyüp ol mevazi-i hurrem menahili seraser aldılar. — Lâmii›.

menahir, A. i. (Hı ile) [Menhir ç.] Burun delikleri.

menahir, A. i. (Ha ile) [Menhar ç.] Hayvan boğazlayacak yerler.

menahis, A. i. (He ile) [Nahs ç.] Uğursuz şeyler. • ‹Ahir şeamet-i menahis-i mali kendinin şâmil-i hali olup. — Naima›.

menaif, A. i. ç. Dağların sivri tepeleri.

menaim, A. s. 1. Nazik, kibar olan. 2. Nimet ve ihsan eden, edici.

menair, A. i. [Menar ç.] Minareler. • ‹Menairden ezan te'zin olundukça hemen Allah. — Şinasi›.

menakıb, A. i. [Menkabe ç.] Menkabeler. • ‹Sensin o safşiken kim yazılsa menakıbın — Her muhtasar rivayeti bir dâstan olur. — Nef'i›.

menakır, A. i. (Kaf ile) [Minkar ç.] Minkarlar, gagalar.

menakir A. i. (Kef ile) Günah ve kötü şeyler. • ‹Amma hâdisinde bazı menakir vardır esanid-i meşhure ile. — Taş.›.

menakiş, A. i. [Minkaş ç.] Küçük cımbızlar. • ‹Kemal-i dikkat ve teftişten sonra menakîş ile istihrac eyledim. — Taş.›.

menal, A. i. 1. Yetiştirme, nail olmak. 2. Ele geçen şey. Sahib olunan nesne. • Mal ü menal, varı yoğu, bütün eldeki; • asîr-ül-menal, • sa'b-ül-menal, elde edilmesi güç. • ‹Ulûm-i Arabiyede saab-ül-menal olan mahallere risale-i adîde tahrir. — Salim›.

menam, A. i. [Nevm'den] 1. Uyku. 2. Rüya. 3. Düş. • Âlem-i menam, uyku sırasındaki düşler âlemi. • ‹Çün istedi

ol menama tefsir — Senden ona müjde verdi takdir. — Fuzuli›. • ‹Düşündüğü şeyler âlem-i menamda gördüğü şeyler kadar biçimsiz. — Recaizade›.

menar, A. i. [Nur'dan] 1. Fener kulesi. 2. Yol işaretleri.

menar, menare, A. i. Minare. • ‹Hame-i mâni seririm essala-hani menar. — Nef'î›. • ‹Şürefat-i menazırını teşrifsaz-i ezan Muhammedî eyledi. — Kemal›.

menarat, A. i. [Menare ç.] Minareler. • ‹Menarat-i refii mehbat-i envar-i yezdani. — Leb-i bam-i bülendi maşrık-i mihr-i hidayettir. — Nedim›.

menas, A. i. Sığınacak yer. • Cây-i menas, sığınacak yer.

menasıb, A. i. [Mansub ç.] Devletin başlıca hizmetleri. • ‹Cümle menasıb-ı ilmiye ve seyfiye bey-i men yezid ile aşikâre satılıp. — Naima›.

menasık, A. i. Hicaz'a hacı olmaya gidenlerin uyacakları davranışlar, yapacakları haller. • ‹Ziyaret-i revza-i mutahhara-i seyyid-il-enam müyesser olursa menasiklerde yazılan âdâb üzre. — Kâtip Çelebi›.

menasim A. i. ç. 1. Eserler, izler. 2. Yollar.

menasir, A. i. ç. Yırtıcı kuş gagaları.

menaşir, A. i. [Menşur ç.] Menşurlar.

menaşir, A. i. [Minşar ç.] Testereler.

menat, A. s. (Tı ile) Asma yeri. Asılacak yer. • ‹Takbil-i bisat-i saadetmenat etti. — Sadettin›. • ‹Bunda menat-i tahammül sagîrin zabt kudretidir. — Taş.›.

Menat, A. i. (Te ile) İslâmdan önceki Cahiliye devri Araplarının putlarından biri.

menatık, A. i. [Mıntıka ç.] Bölgeler.

menazım, A. i. ç. (Zı ile) Sıralar, diziler.

menazır, A. i. [Manzara ç.] 1. Manzaralar. 2. Perspektif. • ‹Menazırı hafif hafif silmeye başlayan bir mukaddeme-i zulmet. — Uşaklıgil›.

menazi, A. i. [Niza' ç.] Nizalar. Çekişmeler.

menazil, A. i. [Menzil ç.] Duraklar, menziller. • ‹Ve merahil ve menazil kat' edip gittiler. — Hümayunname›.

menba', A. i. [Neban'dan] Kaynak. (ç. Menabi). • ‹Genç kadın güya bu nida-yi vicdanı tâ menbaından içmek için dudaklarını uzatıyordu. — Uşaklıgil». (Ed. Ced.). :

Menba-i duradûr,   *-ruh,*
-lâtif,   *-şule-i safa;*
-nema,   *-ter,*
-nur,   *-ulviyet-i sevda.*
-rahmet,

menber, *A. i.* Bk. • *Minber.*

menca, *A. i.* Kurtuluş, necat yeri.

mencelâb, *F. i.* Durgun, kirli su.

mencenık, *A. i.* Mancınık.

mencuk, *A. i.* Bayrak direkleri başına takılan küçük hilâl, mehçe. Şemsiye.

-mend, *F. s.* Eklendiği sözcükleri «-li» anlamlı kılığa koyar; • *Derdment,* dertli; • *hiredment,* akıllı; • *sudment,* faydalı.

mendil, *A. i.* 1. Peçete, havlu. 2. Yağlık, mendil.

mendil, *A. i.* Büyü duası okuyanların etraflarına çizdikleri daire.

mendub, mendube, *A. s.* 1. Şeriatın ne yap ne yapma dediği işlerden olmayıp, yalnız işlenmesi beğenilebilir olan. 2. İyilikleri sayılarak üzerine ağlanan ölü. (ç. Mendubat). • «Vacip ve haramda vacip ve mekruh ve mendubda mendub ola. — Kâtip Çelebi». • «Mümine hil'at-i dindir kat kat — Vacibat ü sünen ü mendubat. — Nabi».

menevi, meneviyye, *A. s.* [Meniy'den] Belsuyu. • *Huveynat-i meneviyye,* spermatozoerler.

menevi, menvi, *A. i.* Bk. *Menvi.*

menfa, *A. i.* Sürgün yeri.

menfaat, *A. i.* [Nef'den] Fayda, kâr, (ç. Menafi). • «Def-i mefasid celb-i menafiden evlâdır. — Mecelle 30». • «Adnan Beyin nüfuz ve haysiyetinden o bir menfaat bekleyebilirdi. — Uşaklıgil».

menfaatbahş, *F. s.* [Menfaat-bahş] Yarar, faydalı. • «Şevk-i ihtiyaç ile menfaatbahşa-yi zuhur olarak. — Kemal».

menfaatcu, *F. s.* [Menfaat-cu] Çıkar uman. • «Olsun ecza-yi felekten menfaatcuya o kim — Bir avuç haşaktan hasiyet ümmidindedir. — Nailî».

menfaatperest, *F. s.* [Menfaat-perest] Kendi çıkarını düşünen. Çıkarına bakan. • «Hodkâm, menfaatperest bir adam. — Uşaklıgil».

menfes, *A. i.* [Nefes'ten] Nefes alacak yer, nefes deliği. (ç. Menafis).

menfez, *A. i.* [Nüfuz'dan] 1. Bir şeyin nüfuz edecek yeri. 2. Delik, ağız. (ç. Menafiz). • «Güya bir menfez-i bürkan açılmış. — Uşaklıgil».

menfi, menfiyye, *A. s.* [Nefy'den] 1. Nefyolunmuş, sürgün edimliş. Sürgün. 2. Her şeyde aksini, olmazlığı ileri süren, yıkıcı. 3. (Gra.) Olumsuz. 4. Negatif. • «Hizmetimiz suret-i menfiyededir. — Cenap».

menfiyyen, *A. zf.* Sürgün olarak.

menfuh, menfuha, *A. s.* [Nefh'ten] Hava ile şişirilmiş. • «Ol etrafın Kürtleri menfuh tulumlardan kelekler bağlayıp. — Naima».

menfur, menfure, *A. s.* [Nefret'ten] Kendisinden nefret olunan, sevilmeyen. İğrenç. • «O da herkes gibi, lâkin menfur — Ah çirkinlik!... Evet, rahatı yok. — Fikret».

menfuş, menfuşe, *A. s.* Atılmış, didilmiş (pamuk).

Mengelûs, *F. i.* Bengal ili. (Hindistan'da). • «Manend-i pîl-i Mengelûs bir dilâver. — Naima».

mengûş, *F. i.* Küpe. • «Her hamide-kametin derdini söyler gûşuna — Aferin serhalka-i uşşakda mengûşuna. — Nailî».

menhar, *A. i.* (Ha ile) Hayvan boğazlama yeri.

menhar, *A. i.* (Hı ile) Burun deliği.

menhec, *A. i.* (He ile) Açık, geniş yol. (ç. Menahic).

menhel, *A. i.* 1. Hayvan suvaracak yer. 2. Menzil, durak, konaklanacak yer. • «Sen bu menhelde kalma, sıçra, atıl — Fikret».

menhi, menhiyye, *A. s.* Dince yasak edilmiş. • «Memurun husulü ve menhinin zevali rica olunur. — Kâtip Çelebi».

menhiyyat, *A. i.* [Menhi ç.] Yasak edilmiş şeyler. • «İdare-i sabika menhiyat hususunda. — Cenap».

menhub, menhube, *A. s.* [Nehb'den] Yağma edilmiş ve zorla alınmış.

menhum, *A. s.* (He ile) Çok hırslı, aç gözlü.

menhus, menhuse, *A. s.* (Ha ve sin ile) [Nahs'ten] Uğursuz. • «O menhus hâtıradan kaçıyorlardı. — Uşaklıgil».

menhus, *A. s.* (Hı ve sin ile) Kuyruğunun yanları uyuz (deve).

menhut, menhuta, *A. s.* (Ha ve te ile) [Naht'tan] Yontulmuş, tıraş olunmuş. • *Elfaz-i menhute* (Gra.) Arapçada iki kelimeden yapılma tek (bileşik) kelimeler.

meni, *F. i.* Benlik.

meni', menia, *A. s.* [Menaat'ten] 1. Sarp, dayanıklı. 2. Ele geçirilmesi, zaptedilmesi zor.

meniha, *A. i.* Bahşiş. Hediye, armağan. • «Ve bir atiye ve meniha ita ederim ki. — Taş.».

meniş, *F. i.* Huy, tabiat. • *Harmeniş,* eşek huylu. • «Setr eder zâhid-i alûdemeniş bâdesini. — Sabit».

meniy, *A. i.* Erkeklik tohumu. • «Ve lezzet-i cima' meninin ev'iyesine verdiği dağdağa elemini defidir. — Taş.».

meniyye, *A. i.* Ölüm.

menkabe, *A. i.* Bir kimsenin fazilet ve meziyetini gösteren fıkra veya fıkralardan meydana getirilmiş yazı, kitap.

menkabet, *A. i.* Menkabe.

menkabethân, *F. s.* [Menkabet-hân] Menkabe okuyucu.

menkib, *A. i.* Omuz başı. Omuz (ç. Menakib). • «Hamule-i irfanı sizin taze ve tuvana menkib-i zekânıza bırakıyorum. — Cenap».

menku', menkua, *A. s.* (Kaf ve ayın ile) Haşlanmış, suda kaynatılmış.

mekuat, *A. i.* [Menku ç.] Haşlanmış bitki suları.

menkub, menkube, *A. s.* [Nakb'dan] Delinmiş. Delik açılmış.

menkûb, menkûbe, *A. s.* [Nekbet'ten] 1. Nekbete düşmüş, talihsiz. 2. Gözden ve mevkiinden düşmüş. • «Veliniamı Sofu Mehmet Paşa katlinden sonra bir miktar aşağı koyup menkûb suretinde olmuştu. — Naima».

menkûbiyyet, *A. i.* Düşkünlük.

menkûha, *A. s. i.* Nikâhlı kadın. • «İbrahim Paşa sarayın padişah hazretleri kendi menkûhası olan sekizinci Hasekiye verip. — Naima».

menkul, menkule, *A. s.* [Nakl'den] 1. Bir yerden başka yere taşınmış. 2. Ağızdan ağıza söylenerek gelmiş. 3. Bir anlamdan başka bir anlama aktarılmış. • *Emval-i menkule,* bir yerden başka bir yere taşınabilen mallar. • «Menkul bir mahalden mahall-i ahara nakli mümkün olan şeydir. — Mec. 128».

menkulât, *A. i.* 1. Ağızdan ağıza söylenerek bilinen şeyler. 2. Hadis ve tefsir bilgileri. 3. Ma'kulât karşıtı «Melih Bey takımının bütün menkulât-i irsiyesine malik olarak doğan bu kadına. — Uşaklıgil».

menkur, menkure, *A. s.* (Kaf ile) [Nakr'dan] Delinmiş, oyulmuş.

menkûr, menkûre, *A. s.* (Kaf ile) [Nekr'den] İnkâr olunmuş.

menkûs, menkûse, *A. s.* [Nüks'ten] Tersine dönmüş, baş aşağı. • «Sancakları ma'kûs tâbılhaneleri ve sair esbab-i tecemmülâtı menkûs katillerine ferman-i hümayun sâdir olup. — Peçoylu».

menkus, menkusa, *A. s.* (Kaf ve sat ile) [Naks'tan] Eksik olan.

menkuş, menkuşe, *A. s.* [Nokta'dan] Noktalı, noktası olan.

menkut, menkuta, *A. s.* (Kaf ve tı ile) [Nakz'dan] Nokta konulmuş.

menkuz, menkuza, *A. s.* (Kaf ve dat ile) [Nakz'dan] Nakz edilmiş, bozulmuş.

menn, *A. i.* 1. Kudret helvası. 2. Nimet verme, ihsan etme.

menna, *A. s.* [Men'den] 1. Menedici, önleyici. 2. Yaptırmayan, alıkoyan. • «Allah versin ben menna-ül-hayır değilim, lâkin. — Naima».

mennac, *A. s.* Çok bahşiş veren, ihsan eden.

mennan, *A. s. i.* Çoklukla ihsan eden. (Tanrı sıfatlarındandır).

mensec, mensic, *A. i.* [Nesc'ten] Çulha, örücü işyeri.

mensele, mensile, *A. i.* 1. İbadet yeri. 2. İbadet yolu, usulü. 3. Kurban kesecek yer. (ç. Menasik).

mensi, mensiyye, *A. s.* [Nisyan'dan] Unutulmuş. Hatırdan çıkmış. • *Nesyen mensiyyen,* tamamıyle unutulmuş. • «Âteşîn iğnesinin ucuyla o kalbin mensi bir köşesinde. — Uşaklıgil».

mensim, *A. i.* 1. İz. Yol. İşaret. (ç. Menasim).

mensiyyat, *A. i.* [Mensi ç.] Unutulmuş şeyler.

mensub, mensube, *A. s.* [Nisbet'ten] Bir şahıs ve şeye nisbeti olan, ilgisi bulunan. • *İsm-i mensup,* Türkçede -li, Farsçada -î ile yapılan nispetler. Bağdadî, Bağdatlı. • «Bütün bu toprağa mensub olanların hali. — Fikret».

mensubat, *A. i.* [Mensub ç.] Bir dairenin adamları. • «Cümle mensubat için dahi büyut-i mütaaddide icad. — Peçoylu».

mensubîn, *A. i.* [Mensub ç.] Bir daire veya meslek adamları.

mensubiyyet, *A. i.* Bir yere, birine, daireye mensup olma, ilgili bulunma. • «Tamamen âlem-i kibara iddia-yi mensubiyet edecek kadar asaleti olmayan. — Uşaklıgil».

mensuc, mensuce, *A. s.* [Nesc'den] Dokunmuş. • ‹Şimdi ekâzipten mensuç bir seyeban-i münevverden. — Cenap›.

mensucat, *A. i.* [Mensuc ç.] Dokumalar, dokuma işleri.

mensuh, *A. s.* [Nesh'ten] Hükümsüz bırakılmış, hükmü kaldırılmış.

mensuk, *A. s. (Sin* ile) [Neks'ten] Düzgün olarak dizili olan.

mensur, *A. s. i. (Se* ile) [Nesr'den] 1. Saçılmış olan. 2. Nazım olmayan. • ‹Ona eski yeni, manzum mensur müntehap parçalar. — Uşaklıgil›.

menşe, *A. i.* [Neş'et'ten] 1. Çıkılan yer, esas. Kök. 2. Yetişilen meslek, bitirilen okul. • *Menşe-i küttab* Babıseraskeri'de sivil memur, kâtip yetiştirmek için kurulmuş okul. • ‹Beşerin menşe-i hayat-eseri — Bu bir şi'r-i muzlim ü muğlak. — Fikret›.

menşur, *A. s.* 1. Neşrolunmuş, dağıtılmış, yayılmış. 2. Vezir ve müşir rütbeleri için padişah tarafından yazılan ferman. 3. (Geo.) Prizma. • ‹Safha-i âleme menşur olarak unvanın — Etti tevkii-yi gümkeşteyi bînam ü nişan. — Şinasi›.

menun, *A. i.* Zaman, vakit. • *Reyb-ül-menun.* Günün, zamanın olayları • ‹Sadmeler, zelzeleler hadşe-res-i kalb-i menun. — Fikret›.

me'nus, me'nuse, *A. s. (Hemze* ile) Alışılmış. Huy edilmiş.

menut, *A. s.* Asılı. Olması başka bir şeyin varlığına bağlı. • *Menu-i re'y-i âli,* yüksek oya bağlı, ancak onunla olur.

menvi, *A. i.* [Niyet'ten] Niyet olunan şey, maksat, meram. • *Menvi-i zamir,* içteki niyet, maksat.

menzil, *A. i.* [Nezl'den] 1. Konak yeri. 2. Ev. 3. Bir günlük yol, konak. 4. Mesafe, atım. 5. (Ast.) Benatünnâş yıldızı. (ç. Menazil). • ‹Ondan gidip Hacı Behram nam kimesnenin menziline vardı. — Naima›. • ‹Menzil be menzil Karaman memleketine doğrulup. — Naima›.

menzilet, *A. i.* Derece. Yükseklik derecesi. • ‹Çubuklu Göksu sair gûşe gûşe menziletler hep — Zaman-i devletinde her biri oldu cihanpira. — Nedim›. • ‹Burada tamamen sığınmış bir mahlûk menziletinde kalmamak. — Uşaklıgil›.

menzilgâh, menzilgeh, *F. i.* [Menzil-gâh] Menzil yeri. Konak. • ‹Padişah-i gazi-i âlicenap her gün bir vâdiyi menzilgâh edinip. — Peçoylu›. • ‹Rıbat-i

dehr-i fani turfa menzilgehtir anda — Emel pâ-derrikâp ü arzu pâ-der-hevadır hep. — Nailî›.

menzilhane, *F. i.* [Menzil-hane] 1. Konak yeri. 2. Hayvan değiştirilen yer.

menzu, *A. s. (Ze* ve *aynı* ile) [Nez'den] Nez' olunmuş, koparılmış.

menzul, *A. s. i. (Ze* ile) [Nezl'den] Nüzül, damla, inme denen illete tutulmuş olan.

menzur, menzure, *A. s. (Zel* ile) [Nezr'den] 1. Adanmış. 2. Adak olarak belirtilmiş. • ‹Ol zamandaki menzur hâsıl oldu mu? — Taş.›.

mer', *A. i. (Hemze* ile) Adam, kişi.

mera' *A. i.* ç. Aynalar.

mer'a, *A. i. (Ayın* ile) [Ra'y'den] Otlak. Çayırlık.

merabih, *A. i.* [Ribh ç.] Ticaretten elde edilen kazançlar. • ‹Anın merabihinden intifa' edip asl-ül-mali teleften imtina eyleye ki. — Hümayunname›.

meradet, *A. i.* Kuvvetlilik.

merafık, *A. i.* [Mirfak ç.] 1. Dirsekler. 2. Ev kilerleri.

merah, *A. i.* Yer, mekân. Ferahlanacak yer.

merahil, *A. i.* [Merhale ç.] Konaklar, duraklar, mesafeler. • ‹Tayy-i merahil ederek şabanda Diyarbakır'a vardılar. — Naima›.

merahim, *A. i.* [Merhamet ç.] Acımalar, merhametler. • ‹Ol hususta dahi merahim-i padişahi zuhura gelip kat'a bir veçhile taaddiye rıza vermediler. — Peçoylu›.

merahin, *A. i. (He* ile) [Merhem ç.] Merhemler.

merai, *A. i.* [Mer'a ç.] Otlaklar, çayırlar.

merak, *A. i.* 1. Karasevda, dalgınlık. 2. Bir şeyi anlamak, öğrenmek düşkünlüğü. 3. Telâş, kuruntu. 4. İç darlığı. • ‹Evet, bu hiss-i merak — Verirdi aşkıma bir hadşe-i melâlâver. — Fikret›.

merakî, *A. i.* [Mirkat ç.] Merdivenler.

merakî, *A. s. i.* Kuruntu, vesvese içinde bulunan kimse.

merakıd, *A. i.* [Merkad ç.] Mezarlar.

merakib, *A. i.* [Merkeb ç.] Binilecek şeyler. • *Merakib-i bahriyye,* deniz taşıtları, tekneleri.

merakid, *A. i.* [Merked ç.] Dinlenecek yerler.

merakiz, *A. i.* [Merkez ç.] Merkezler.

F. : 33

meram, A. i. 1. İstek. 2. İçten tasarlanan, niyet. • ‹Nedir meramı, ne ister ota-zeden bu karı. — Fikret›.

meramı, A. i. [Merma ç.] Oturulacak yerler.

meranet, A. i. (Fiz.) Bir madenin çekiç-le dövüldüğü zaman, yayılmak niteliği.

merare, A. i. Öt kesesi.

meraren, miraren, A. i. Kereler, defalar-ca, çok. • ‹Sair ahvali meraren ma-halli ile söylenmiştir. — Peçoylu›.

meraret, A. i. Acılık. • ‹Gönlümü israf ü tebah ettiğimi — Bin meraretle bugün anlıyorum. — Fikret›.

merasıd, A, i, [Mırsad ç.] Rasat yerleri.

merasi, A. i. (Sin ile) [Mersa ç.] 1. Li-manlar. 2. Mersiyeler.

merasi, A. i. (Se ile) [Mersiye ç.] 1. Ağıt-lar. 2. Gemi sığınakları. • ‹Muhafaza-i sevahil ve cazair ve muhasara-i mera-si ve benadır için. — Ragıp Pş.›.

merasim, A. i. 1. Resmî muameleler. 2. Yapılması gelenek olan törenler. • ‹Tek olmasın kavaid-i ihlâs bertaraf — Mani değil merasime dair kusuru-muz. —Nabi›.

merasîm, A. i. [Mersum ç.] Buyrultular, fermanlar.

meraşid, A. i. [Merşed ç.] Amaca ulaş-tıran doğru yollar.

merati' A. i. [Merta' ç.] Çayırlar, otlak-lar. • ‹Mezari' ve meratii vasi. — Sa-dettin›.

meratib, A. i. [Mertebe ç.] Mertebeler, dereceler, rütbeler. • ‹Bunlara ilim ve fazıllarına göre tevcih-i meratib olun-sun deyip. — Naima›.

meravih, A. i. (Ha ile) [Mirvaha ç.] Yel-pazeler.

meravîh, A. i. [Mervaha ç.] 1. Ovalar. 2. Rüzgâr esen yerler.

merayâ, A. i. [Mir'at ç.] Aynalar. • ‹İn'-ikâsından olur mahın meraya gark-i nur. — Naci›.

merazı, meradı', A. i. [Merza, merda ç.] Memeler.

merazibe, A. i. [Merzeban ç.] Serhat bey-lerbeyleri.

merba', A. i. (Hemze ile) Etrafı çok gü-zel görür yer.

merba', A. i. (Ayın ile) [Rebi'den] Yaz-lık. • Merb'nişin, yazlıkta oturan.

merbat, A. i. 1. Davar bağlayacak yer. 2. Tekke. 3. Manastır. • ‹Aşayiş bulup merbat-ı devab ve tîşe-i zulm ile ha-rap ve mesken-i bûm-i gurab olan me-sacid ü cevami. — Sadettin›.

merbu', merbua, A. s. Orta boylu olan. • ‹Gendümgûn ve merbu-ül-kame idi. — Taş.›.

merbub, merbube, A. s. Beslenmiş, ter-biye olunmuş, yetiştirilmiş; kul, köle.

merbut, A. s. [Rabt'tan] 1. Bağlanmış, bağlı. 2. Ulaşmış. 3. Olması başka bir şeyin olmasına bağlı. 4. Birine uymuş, ona bağlı. 5. Ait, dahil. Mensup. • ‹Bu dâmgâha senin saçlarınla merbutum. — Fikret›.

merbutan, A. zf. Merbut olarak, bağlan-mış olarak. • ‹Bir elmas çelenge mer-butan sallanan kırmızı tüyile. — Uşak-lıgil›.

merbutat, A. i. [Merbut ç.] Bağlı, ekli şeyler.

merbutiyyet, A. i. Bağlılık. Eklilik. • ‹Bunlardan bir tanesine biraz fazla bir hiss-i merbutiyyet ayırmaya vakit bu-lamamıştı. — Uşaklıgil›.

merc, A. i. Çayır. (ç. Müruc).

merc, F. s. ‹Herc› ile kullanılır. • herc ü merc, karmakarışık, altüst.

merca, A. i. (Ayın ile) Geri dönülecek yer.

mercan, A. i. Mercan.

merci, A. i. [Rücu'dan] 1. Dönülecek, ge-ri gelinecek yer. 2. Baş vurulacak yer veya kimse. • Merci-i küll, bütün iş-ler için baş vurulacak makam; • -res-mî, bir idare veya memurun bağlı bu-lunduğu üstün yer.

merciiyet, A. i. Baş vurulacak yer veya kimse. • ‹Ve ara sıra Avusturyaya da merciiyet vermekten hâli olmadılar. — Kemal›.

mercu, A. s. [Ricad'dan] 1. Umulan. 2. Yalvararak istenilen.

mercu', A. s. (Ayın ile) Geri çevrilmiş. Geri gönderilmiş olan.

mercuh, mercuhe, A. s. [Rüchan'dan] 1. Kendisine başka bir şeyin üstün tutul-duğu şey. 2. Hasmından önce beyyine göstermeye salâhiyetli olmayan. • ‹Müttehem edip hucec-i mercuhe ile iraka-i demi halline hükm ettirdi. — Naima›.

mercum, mercume, A. s. [Recm'den] Taşlanmış, taşa tutulmuş. • ‹Manend-i şeytan-i mercum. — Naima›.

merd, F. i. 1. Adam, insan. 2. Erkek. 3. Yiğit, kabadayı, sözünde durur. Merd-i garib, yabancı; • -Huda (Tanrı adamı) ermiş; • namerd, korkak, al-çak. • ‹Merd işine karışırsa nisvan Çaresin görmelidir böyle heman.

Sümbülzade». • «Bir fedaî milletiz merd oğlu merd Osmanlıyız. — Fikret».

merdan, F. i. [Merd ç.] İnsanlar, erler, yiğitler. • Şîr-i merdan (insanların aslanı) Ali. • «Merdan-i suhandan ziyaret edip andan. — Ziya Pş.».

merdane, F. s. 1. Ere, erkeğe yakışır surette. 2. Yiğitçe, erkekçe. • «Merdane mürura bak yanından. — Naci».

merdanegî, F. s. Yiğitlik, cesurluk. • «Şöyledir merdanegî zatında kim hâb içre ger — Bir gece görse hayalin zal-i çarkın gözleri. — Nedim».

merdbaz, F. i. Orospu.

merdefgen, F. s. [Merd-efgen] Yiğit birini yenen.

merdî, F. i. 1. Erlik, erkeklik. 2. Cesurluk. 3. Hamiyet, insanlık. • «Defli defkeş! urma dem dâva-yi merdiden utan. — Naci».

merdud, merdude, A. s. [Red'den] 1. Kovulmuş. 2. Çevrilmiş, geri döndürülmüş, istenmemiş. • «Merdud-i beynel-emreyn kaldıkları için. — Naima». • «Karanlık bir sabavet, bir sebeb-i hâsir ü merdud. — Fikret».

merdudiyyet, A. i. Reddolunma. Kovulma, beğenilmeyip geri çevrilme.

merdüm, F. i. İnsan. • «Merdümek-i merdümden nihan olduğu gibi. — Sadettin».

merdüman, F. i. [Merdum ç.] İnsanlar.

merdümazâr, F. s. [Merdüm-âzar] İnsanları inciten, halka eziyet veren. • «Ve etvar-i merdümâzar-i pür gezendleri. — Kâni».

merdümek, F. i. Küçük adam, bebek. • Merdümek-i çeşm, gözbebeği.

merdümfirib, F. s. [Merdüm-firib] İnsan aldatan. • «Deccal-veş huruc eylemiş gul-i merdümfirib şeklinde. — Nergisi».

merdümhâr, F. s. [Merdüm-hâr] İnsan yiyen.

merdümî, F. i. Adamlık, insanlık. • «Değildir merdümî kaydında merdümzadedir sözde. — Naci».

merdümküş, F. s. [Merdüm-küş] İnsan öldüren.

merdümzad, F. i. [Merdüm-zad] İnsanoğlu.

me'rebe, A. i. Gerekli nesne.

mered, A. i. Kötülükte inat.

merede, A. i. [Mürid ç.] Müritler, taraflılar. • «Meselâ ahbap ve meredenin

kesreti ve meşayihin bu makule ifrat üzre cemiyeti hubb-i riyasete badi. — Naima».

merede, A. i. [Mârid ç.] İnatçılar, direnenler. • «Sair merede ile iştigal ettiklerinden. — Sadettin».

meremmet, A. i. Meramet, üstünkörü onarma. • «Libasımın eskisini onunla ıslah ve meremmet ederim. — Taş.».

merfu', merfua, A. s. [Ref'den] 1. Kaldırılmış, yükseltilmiş. 2. Kaldırılmış, hükmü yürürlükten çıkmış. 3. (Arap. Gra.) (o, ö, u, ü) ile okunan harf. • «Olur mu âkıl-i divane-meşrepten kalem merfu'. — Neccarzade».

merfud, A. s. İhsan edilmiş, bağışlanmış.

merg, F. i. (Gayın ile) Çayır. Yeşillik.

merg, merk, (Farsça kâf ile) Ölüm. • Merg-i sadi, sevinç ölümü. • «Kefenim olsa zülf-i zertârın — Bir müzehhep firaş olur bana merg.— Cenap».

mergab, A. s. Rağbet edilecek, istenecek (şey).

mergâmerg F. s. Kırım, salgın (hastalık).

mergub, mergube, A. s. [Rağbet'ten] 1. İstenilen, sevilen. 2. Herkes tarafından sevilip aranılan. • «Bir nüsha-i pakizedir zatı cenab-i izzetin — Ol nüsha-i mergubeye yazdı kaza bir taze zeyl. — Recaizade». • «Mergub-i kariîn olmak isteyen muharririn. — Cenap».

mergubiyet, A. i. 1. Beğenilir olma 2. Sevilip aranılır olma. • «Şeref-i mergubiyetinden hissemend olmasına. — Uşaklıgil».

mergul, mergule, F. i. 1. Bükülmüş, kıvırcık saç. 2. Kuş sesi. 3. Ahenkli ses. • «Mergule-i sinelerine muy-i Zengi gibi piçütâb-i ıstırap târi olmağın. — Şefikname».

mergzar, F. i. [Merg-zar] 1. Çayırlık yer. 2. Otlak. • «Dolar derun-i mergzar tarabla cûş-i naleden. — Recaizade».

merhaba, A. ün. (Ha ile) Yeni gelip oturan kimseye hazır olanlar tarafından «Genişlenin» ve «Rahat oturun» mânasıyle hoşgeldiniz yerinde kullanılır. Nazımda övülene hitaptır. • «Merhaba ey câm-i mina-yi yakut-renk — Devri gelsin sensen öğrensin sipehr-i bi-direng. — Nef'i».

merhale, A. i. (Ha ile) [Rihlet'ten] 1. Konak, menzil. 2. İki konak arası. Bir günlük yol. • «Ola iklim-i ademden dahi sad merhale dur — Savt-i ayaze-i ikbalin ile ceyş-i fiten. — Nedim».

merhamet, *A. i.* [Rahm'den] Acıma. Bir kimseyi esirgeme. • ‹Bir kimsesiz çocuk gibi muhtac-i merhamet. — Fikret›.

merhameten, *A. zf.* Acıyarak. • ‹O vakaya herkes vâkıf da kendisine merhameten bir şey söylemiyor. — Uşaklıgil›.

merhem, *A. i.* *(He ile)* Yaralara, ağrıyan yerlere sürülmek üzere hazırlanan yağlı ve yarı donmuş kıvamda ilâç. (Mec.) Acı ve sertliği geçirecek, avunduracak sebep. (ç. Merahim). • ‹Merhem-i bihbud-i vaslında tabibim kıl deva — Müptelâ-yi derd-i hicran olduğum bilmez misin. — Halimgiray›.

merhemsa, *F. s.* [Merhem-sâ] Merhem sürücü, süren.

merhemsaz, *F. s.* [Merhem-saz] Çare.

merhub, *A. s.* *(Ha ile)* 1. Korkutan. Korkuya yol açan. 2. Korkmuş, korkutulmuş.

merhum, merhume, *A. s.* [Rahm'dan] 1. Tanrı rahmetine nail. Tanrı rahmetiyle müjdelenmiş. 2. Ölmüş, ölü. • *Ümmet-i merhume,* Müslümanlar.

merhun, merhune, *A. s.* [Rehn'den] 1. Ödünç alınan bir şeye karşılık garanti olarak verilmiş. 2. Belirli zaman, bir şeye bağlı. • ‹Birkaç söze hem de nâmürettep — Merhun kala yadigâr-i ömrüm. — Recaizade›. • ‹Hepsi ya muzayedede ya merhundur. — Cenap›.

mer'i, mer'iyye, *A. s.* *(Ayın ile)* [Riayet'ten] 1. Sayılan, saygı gösterilen. 2. Gözetilen, yürürlükte ve geçer olan. • *Mer'iyy-ül-hatır,* hatırlı, itibarlı. • ‹Küllî mer'i ve muvakkar olmalarını va'd-i ekîd. — Naima›.

mer'i, mer'iyye, *A. s.* *(Hemze ile)* [Ruyet'ten] Gözle görülen. • *Gayr-i mer'i,* gözle görülemez. • ‹Gayr-i mer'i kanatlarla çamlar arasında çırpınarak.— Uşaklıgil›.

merîd *A. s.* Başı sert; başkaldırmada direnen.

mer'iyyat, *A. i.* [Mer'i ç.] Gözle görülür şeyler.

mer'iyyet, *A. i.* *(Ayın ile)* Hükmü yürürlükte olma. • ‹Lâzım-üt-tatbik bir kaide-i terbiye idi ki kemal-i şiddetle Nihal hakkında meriyetini muhafaza ederdi. — Uşaklıgil›.

mer'iyyat, *A. i.* *(Hemze ile)* Görünürlük. Göz ile görülme. • ‹Çehre-i abus-i hakikat ayaniyet-i tamme ile mer'iyyet-i sâbıkasını bulmuş idi. — Recaizade›.

merk, merg, *F. i.* Ölüm. • *Merk-i sadi,* sevinç ölümü. • ‹Simiyle zeri kendine kat kat siper ettin — Merk okunu geçmez mi sanırsın siperinden. — Ruhi›. • ‹Kefenim olsa zülf-i zer-târın — Bir müzehhep firaş olur bana merk. — Cenap›.

merkad, *A. i.* 1. Yatacak ycr, yatak. 2. Mezar. • ‹Seyyid Battal Gazi merkadi ziyaret olunup. — Naima›.

merkat, *A. i.* *(Te ile)* Merdiven.

merkeb, *A. i.* [Rükûb'dan] 1. Binecek şey. Binek. 2. Eşek. • ‹Bir köylü kadın, bir de onun yavrucağıyle — Merkebciği sakindi. — Fikret›.

merkez, *A. i.* [Rekz'den] Merkez. • ‹Dehaya nasiye-i sâfı merkez-i işrak. — Fikret›.

merkezî, merkeziyye *A. s.* Merkeze mensup, merkezle ilgili. Merkezde bulunan. • *Devair-i merkeziyye,* merkezde bulunan daireler. • ‹Elli sene evvel mülevves ve muzirr-i sıhhat denebilecek bir belde-i merkeziyye iken şimdilik dünyanın en temiz yeri olmuştur. — Cenap›.

merkeziyyet. *A. i.* Bir idare şubelerinin her iş için merkeze baş vurup danışmanları sistemi. Bütün işlerin merkezleştirilmesi usulü. • *Adem-i merkeziyyet,* idare bölümlerinin kendi kendilerini idare sistemi (XX. yy.).

merkûb merkûbe, *A. s.* [Rükûb'dan] Binmiş, bindirilmiş.

merkum, merkume, *A. s. i.* [Rakam'dan] 1. Yazılmış. 2. Adı yukarıda geçen. 3. (XX. yy.) En aşağı seviyede, işsiz güçsüz adamlar için resmî dilde kullanılır. • ‹Ve bu esnada elçi merkum mazhar-i gazab-i padişahi olup. — Naima›.

merkuman, *A. i.* İki şahıs hakkında kullanılır.

merkumun, *A. i.* [Merkum ç.] Adları geçen kimseler.

merkûz, merkûze, *A. s.* [Rekz'den] 1. Dikilmiş, saplanmış. 2. (Mec.) Tabiatta, yaradılışta olan. • ‹Merkûz idi leylin nazar-i hadşe-nisarı. — Afak-i şühuda. — Fikret›.

merkûziyyet, *A. i.* Dikilme, saplanma.

merma', *A. i.* Oturulacak yer.

mermer, *A. i.* Mermer. • ‹Yumuşaktır yüzün ey sahib-i hane fakat — Böyle mermer gibi mi olmalı minder dediğin. — Naci›.

mermi, A. i. [Remy'den] Ateşli silâhlarla atılan dane. (ç. Mermiyyat). • ‹Siper eyler gelen mermiye âşık bulsa canânın — Rem-i canânda can isarına âmadedir sözde. — Naci›.

mermuz, mermuze, A. s. [Remz'den] Açıktan beyan edilmeyip işaret ve remz ile anlatılan.

mermuzat, A. i. İşaret ve remz ile anlatılan şeyler.

merrat, A. i. [Merre ç.] Birçok defalar.

merre, A. i. Defa, kere. • Merre-i vâhide, bir defa; • merreten ba'de uhra, birbiri ardında birkaç defa. • ‹Her canipten merreten bade uhra hücum ve iktiham ve havaric-i Merkeziye gibi hamelât-i hariciye. — Naima›.

Merrih, Mirrih, A. ö. i. Mars yıldızı.

mersa, A. i. (Sin ile) Geminin demir attığı yer, liman. (ç. Merasi). • ‹Gece mersa-yi naz olur mutlak — Ona aguş-i aşkı bir adanın. — Fikret›.

mersad, A. i. (Sat ile) [Rasad'dan] Gözetleme yeri. Gözlemevi.

mersiye, A. i. (Se ile) Ağıt. (ç. Merasi, mersiyat). • ‹Cidar-i türbede bu cangüzar mersiyyem — Teessüf üzre okunsun zaman-i haşre kadar. — Ziya Pş.›. • ‹Bahar idi, ona kuşlar okurdu mersiyeler. — Fikret›.

mersiyehân, F. s. [Mersiye-hân] Ağıtçı. Ağıt okuyan.

mersiyekâr, F. s. [Mersiye-kâr] Ağıtçı. Ağıt okuyan. • ‹Boşluğunu uyutmak isteyen bir validenin mersiyekâr ninnileri vardı. — Uşaklıgil›.

mersud, F. s. [Rasad'dan] Rasad olunmuş. Hesaplanmış, ölçülüp biçilmiş. • ‹Hazret-i Süleyman zamanında mahzun ve mersud olan defain ve hazain. — Süheyli›.

mersuf, A. s. Kuvvetlendirilmiş, sağlamlaştırılmış. • ‹Binası mersuf ve istihkâmla mevsuf. — Sadettin›.

mersum, mersume, A. s. [Resm'den] 1. Yazılmış, çizilmiş, alâmetli. 2. Herkesin anlayabileceği gibi usul. Geleneğe uygun. 3. Bahsi, adı geçmiş. 4. Müslüman olmayan şahıslar hakkında çok defa merkum anlamında bu söz kullanılırdı (Tanzimattan önce). 5. Gelenek.

mersus, Bk. Marsus.

merta', A. i. (Te ve ayın ile) Otlak, çayır. • ‹Merta-i lû'ba varan Yusuf-i ihvanşekl. — Hayalî›.

mertebe, A. i. 1. Basamak, derece. 2. Rütbe. Pâye. 3. Miktar, derece. • ‹Onları

mertbee-i tefavvuka çıkaran bir şöhret-i mahussa vardı ki. — Uşaklıgil›.

mertebet, A. i. Mertebe. • ‹Hazret-i hilâfet menzilet serasker-i âsaf mertebet ile Tebriz'e gelip. — Peçoylu›.

mertub, mertube, A. s. (Tı ile) [Ratb'dan] Nemli, yaş. • ‹Mertıb-ül-mizaç sahih olursa istimal-i dühan ana münasip ve muvafıktır. — Kâtip Çelebi›.

mertum, A. s. (Tı ile) Zor işe koşulmuş olan.

mer'ub, mer'ube, A. s. [Ru'b'dan] Korkmuş. • ‹Bir alay muhanneslerin sözlerin işitmekle mer'ub olmıyalar. — Naima›.

mer'uben, A. zf. Korkarak. Korku ile • ‹Haseki ağa mer'uben İbşir'in yanından çıkıp. — Naima›.

me'ruz, A. s. Cin tutmuş kimse.

mervaha, A. i. 1. Ova. 2. Her tarafından yel esen yer.

mervarid, mürvarid, F. i. İnci. • ‹Sayeban-i mervaridefşan-i hümayun. — Kemal›.

Merve, A. i. Mekke'de bir dağın adı. Hacılar bununla Safa arasında tören yaparlar.

mervi, merviye, A. s. [Rivayet'ten] Başka birinden alınarak, sağlamca bilmeyerek söylenmiş, rivayet olunmuş.

merviyat, A. i. [Mervi ç] Rivayet olunmuş şeyler, kulaktan kulağa söylenmiş şeyler. • ‹Lâkin dirayet, mâkulatla olur başka bir haldir, merviyatla olmaz. — Kâtip Çelebi›.

Meryem, A. ö. i. İsa Peygamberin annesi. • ‹Ruh-ül-kuds'ün Meryem'e nefhettiği ruhuz. — Ruhî›.

meryemane, F. s. Meryemcesine, Meryem gibi.

merz, F. i. (Ze ile) 1. Yer, toprak. 2. Sınır.

merza, A. i. (Dat ile) [Marîz ç.] Hastalar.

merzaga, F. i. (Ze ile) Bataklık.

merzagan, F. i. Cehennem.

merzagî, F. s. Bataklıkla ilgili.

merzat, A. i. (Dat ve te ile) [Rıza'dan] Rıza, hoşnutluk. • İbtigaen limerzatullah, Allah rızası için.

merzban, F. i. [Merz-ban] Sınır beyi. Sınır muhafızı, valisi.

merzbum, F. i. Ülke, memleket. • ‹Ve hiybet ü hüsran ile ol merzbumdan gittiler. — Sadettin›.

merzengûş, F. i. Fesleğen benzeyen sıçankulağı otu.

merzuk, merzuka, *A. s.* [Rızk'tan] Rızkı verilmiş. Rızkı çok. • «Merzuk-i hızane-i lâyuhteseb. — Sümbülzade».

merzul, *A. s.* Rezil, rüsva edilmiş.

merzülan, *A. i.* «Merzban» sözünün Arapça şekli, sınır beyi.

mes, *A. i.* Bk. *Mess.*

mesa, *A. i.* Akşam. • *Subh ü mesa,* sabah akşam. • «Kılar subh ü mesa feryad şâm ü bâmdadından. — Fikret».

mesabe, *A. i. (Se ile)* Derece, kadar.

mesacid, *A. i.* [Mescit ç.] Mescitler. • *Mesacid-i selâse* (üç mescit): Mescid-i haram, -nebevi, -aksâ. • «Medaris ve mesacidin harab ü muattal. — Peçoylu».

mes'adet *A. i.* [Sa'd'den] Saadet, kutluluk. • «Şeb-i füturumdan bir va'd-i mesa'det bırakır. — Cenap».

mesaf, *A. i. (Sat ile)* [Şaf'tan] Sıra sıra dizilme yeri. Savaş için dizilen saflar yeri.

mesafât, *A. i. (Sin ile)* [Mesafe ç.] Mesafeler. • «Şu mesafat-i binihayette. — Cenap».

mesafe, *A. i.* İki nokta arasındaki uzaklık. • *Kat-i mesafe,* yol alma... • «Aralarında mesafe biraz uzanır uzanmaz. — Uşaklıgil».

mesafgâh, *F. i.* [Mesaf-gâh] Cenk yeri. • «Şahsüvaran-i mesafgâh-i belâgatin rübude-i çevgân-i hamesi olmamış. — Nergisî».

mesafir, *A. i.* [Mesfer ç.] Bir nesnenin görülen tarafları.

mesag, *A. i.* İzin. • *Mesag-i kanunî,* kanunca izin verilmiş. • *-şer'i,* din izni, dince yapılma izni. • «Rıza-yi hükm-i kazada muvafıkız amma — Biraz da mezheb-i insafta mesag ararız. — Ragıp Pş.».

mesaha, mesahat, *A. i. (Sin ve ha ile)* Ölçme.

mesai, *A. i.* Çalışmalar. • *Mesai-i cemile,* güzel çalışmalar; • *ibzal-i mesai,* bol çalışma. • «Bu artık işleyemez; hisse-i mesaisi — Sizindir işte verin, susturun bu hasta sesi. — Fikret». • «Ahenin cihaz-i mesaiye (bu âhenin mide) münasip kazandır. — Cenap».

mesaid, *A. i. (Ayın ile)* [Mesadet ç.] Saadete sebep olan haller ve ahlâklar.

mesail, *A. i.* [Mesele ç.] Sorunlar. • *Mesail-i şetta,* dağınık sorunlar, öte beri.

mesak, *A. i. (Sin ve kaf ile)* Cimrilik.

mesak, mesakat, *A. i. (Sin ile)* Nesneyi geriden dürterek ileri sürmek. •

«Hîn-i firarda (...) mesakına masadak olup. — Sadettin».

mesakı', *A. i.* [Mıska' ç.] Belâgat sahipleri, fasihler. • «Mesakı-il-huteba-yi menabir. — Esat Ef.».

mesakıt, *A. i.* [Meskat ç.] 1. İnsanın doğduğu yerler. 2. Nesne düştüğü yerler.

mesakın, *A. i.* [Mesken ç.] Konutlar. • «Ey kapkara damlarla birer matem-i ber-pâ — Temsil eden asude ve fersude mesakin. — Fikret». • «Mesakinin sükûtunu şu bir ince ve nazenin bir musiki ile besteliyor ve ağaçlar gölgeliyor. — Cenap».

mesakin, *A. i.* [Miskin ç.] 1. Miskinler. 2. Zavallılar. • «Ve pâymal olan aceze-i mesakînin. — Raşit».

mesalib, *A. i.* Ayıplar, eksiklikler. • «Bu fetvaya cüreti cümle-i kabayih ve mesalibden addettiler. — Naima».

mesalih, *A. i. (Sin ve ha ile)* [Mesleha ç.] Sınırlar, geçit yerler.

mesalik, *A. i.* [Meslek ç.] 1. Meslekler. 2. Yollar. • «Çün tayy-i mesalik ederek devletle Revan kurubuna nüzul vâki oldu. — Peçoylu». • «Mesalik-i muhtelife arasındaki fark budur. — Cenap».

mesamat, mesammat, *A. i.* [Mesame ç.] Deri üzerindeki delikler. • «Kim tenlerinde rah-i mesamat serbeser — Surah-i mah-i mihre rüba-yi sinan olur. — Nef'î».

mesami, *A. i.* [Misma' ç.] İşitme aletleri. Kulaklar. • «Çeşm ü dil ü mesami-i huzzarı bîşekip edip. — Nabi».

mesamîr, *A. i. (Sin ile)* [Mismar ç.] Çiviler, mıhlar.

mesane, *A. i. (Se ile)* Sidik kavuğu. • «Ta ki mesanesi yarılıp anda vefat eyledi. — Taş.».

mesani, *A. i.* Bir şeyin katı, tekrarı. • *Seb-ül-mesani,* yedi âyetten meydana gelmiş olan ve Kur'an'ın ilk suresi bulunan Fâtiha suresi.

mesanid, *A. i.* [Mesned ç.] Mesnetler, rütbe ve mevkiler. • *Mesanid-i âliyye,* yüksek mevkiler. • «Ve mesanid-i hükûmetin iktiza ettirdiği mutaiyetten başka. — Kemal».

mesanîd, *A. i. ç. (Sin ile)* Dayanak diye kullanılmış sözler.

mesar, *A. i. (Sin ile)* [Meserret ç.] Sevinçler. • «Açıp nigâhıma dilber, safalı bir mehtap — Bütün gurur-i mesarınla pîş-i ye'simden — Güler, geçer, bırakırsın bir iştiyak-i harap. — Fikret».

mesarib, A. i. (Sin ile) [Mesrebe ç.] Otlaklar.

mesarih, A. i. (Sin ve ha ile) [Müsrah ç.] Otlaklar, çayırlar.

mesas, A. i. (Sin ile) Asıl, esas. Kök.

mesatır, A. i. [Mistar ç.] Satır çizme aletleri.

mesavi, A. i. ç. Kötülükler. • «Bir nesne beraber ise gayre müsavi — Ayniyle mahasin demenin zıddı mesavi. — Sümbülzade».

mesbuk, mesbuka, A. s. (Kaf ile) [Sabkat'tan] 1. Başkaları ilerlemekle geri kalmış, arkada bırakılmış. 2. Önde bulunan. Ondan önce geçmiş. • Gayr-i mesbuk, • nâmesbuk, benzeri olmamış, hiç görülmemiş. • «Mesbuk bilmisl olmayan umuru ihdas. — Naima».

mesbûk, A. s. (Kef ile) [Sebk'ten] Kalıba dökülmüş.

mescen, A. i. Hapishane, cezaevi. Zindan.

mescid, A. ı. [Sücud'dan] 1. Secde edilecek yer. 2. Küçük cami. • Mescid-i aksa, Kudüs büyük camii; • -haram, Mekke'deki Kâbe. • «Mescitlerinin her biri bir kûh-i tecelli. — Nedim».

mescud, A. i. Secde edilmiş, tapılmış. Tanrı. • «Kıldı mescud-i melek ol cesedi. — Hakani».

mescun, A. s. [Sicn'den] Hapsedilmiş, zindana konulmuş. • «Der bend-i zincir mahbus ve mescun iken. — Sahip».

mescur, A. s. 1. Taşkın (su), 2. Alevli (ateş). • «Kâse-i çarhı şikest eyledi tîr-i daavat — Cereyan eyledi hep âleme bahr-i mescur. — Fazıl».

mesdud, mesdude, A. s. [Sedd'den] Kapalı. Tıkanmış, tıkalı. • «Kalbi, kendi kalbi mesdud kalmış idi. — Uşaklıgil».

mesed, A. i. 1. Bağ. 2. İp. • «Mesed-i hased gerdanlarına tâvik olup. — Sadettin».

mesel, A. i. 1. Örnek, benzer. 2. Kendinden çok altındaki anlam kastedilen mânalı, dokunaklı söz. 3. Terbiye ve ahlâk için yararlı hikâye. • Darb-i mesel, atasözü. • «Böyledir Ragıp mükâfat-i amel filmesel — Sorsalar mağdurunu gaddar kendin gösterir. — Ragıp Pş.».

mesela, A. zf. Misal olarak, söz gelişi. • «Ne isterim mesela: bîhudud bir meşçer. — Fikret».

me'sem, me'seme, A. i. (Hemze ve se ile) Günah, suç.

mesele, A. i. [Sual'den] 1. Sorularak karşılığı istenen şey. 2. Çözülmesi istenen şey. 3. Önemli, küçük iş. 4. Savaş. • Mesele-i zaile, geçen savaş. (ç. Mesail). • «Ben ciddi meselelere karışan latifelerden hiç hazzetmem. — Uşaklıgil».

me'sere, A. s. (Se ile) Geçmişlerin armağanı. Geçmişlerden kalan.

meserrat, A. i. [Meserret ç.] Sevinçler. • «İnsan bütün ahzan ü meserrata muadil — Bir tatlı dönüş hisseder âvere serinde. — Cenap».

meserret, A. i. [Sürur'dan] Sevinç. Sevinilecek şey. • «Baban diyor ki: Meserret çocukların yalnız — Çocukların payıdır. — Fikret». (Ed. Ced.). :
ihtilâc-i meserret,
leb-i meserret,
uyun-i meserret.

mesfer, A. i. (Sin ile) Bir nesnenin açığa vurulup görülen tarafı.

mesfuh, A. s. (Sin ve ha ile) Dökülüp akıtılmış olan.

mesfuk, A. s. (Sin ve kef ile) [Sefk'ten] Dökülüp akıtılmış olan.

mesfur, mesfure, A. s. Yazılmış, adı geçmiş. Eski tarihçiler düşman adamlarını horlamak için bu sözü kullanırlardı. • «Diyerek mesrufu azad ederler, mesruf dahi gidip hersekler ve groflar mahzarında. — Peçoylu».

mesh, A. i. (Sin ve ha ile) 1. El sürme, el sığama. 2. Yağ, koku sürme. 3. Aptes alırken ıslak eli başın dörtte bir bölüğüne sürme.

mesh, A. i. (Sin ve hı ile) Biçimini değiştirip çok çirkin şekle sokulma. • «...nin oğulların oynayıp gezer iken ikisi de mesh olup iki ayı yavrusu şeklinde mesh olmuşlar. Süheylî».

meshuf, meshufe, A. s. Susamış. Suya bir türlü kanmamış. • «O meşhur-i meserret günlerin yâd-i melâliyle. — Fikret».

meshuk, A. s. [Sahk'ten] Dövülmüş, toz haline konulmuş.

meshun, meshune, A. s. (Sin ve ha ile) Isıtılmış. • «Terli vücudundan bir hava-yi meshun ve muattar intişar ederek. — Uşaklıgil».

meshur, meshure, A. s. [Sihr'den] Büyüye uğramış. Büyülenmiş gibi tutkun. • «Bütün gönülleri meşhur-i iştiyakım eder — Ve bi-sebeb muğber — Uzaklaşırdım. — Fikret».

Mesih, *A. i.* Üzerine yağ sürülmüş anlamında olan bu kelime İsa Peygamberin lakabıdır.

mesih, *A. s.* [Mesh'ten] 1. Bir hayvan şekli ve suretine girmiş (insan). 2. Fransızca'dan *monstre* karşılığı olarak. (XIX. yy.).

Mesihâ, *A. i.* Peygamber İsa'nın adlarından biridir. • *Mesiha-dem, Mesiha-nefes,* İsa peygamberin nefesiyle üfleyerek ölüyü diriltme mucizesinden alınarak ölülere can verecek kuvvette nefes anlamına kullanılmıştır. • «Çok yetürme göklere efganım ey kâfir sakın — İncinir nageh Mesiha işidip efganımı. — Fuzulî». • «Çeşm-i Deccal'a sanırsın ki Mesihâ görünür. — Naci».

mesihavâr, *F. s.* [Mesiha-vâr] İsa peygamber gibi.

Mesihî, mesihiyye, *A. s.* 1. İsa peygamber ile ilgili. 2. Hıristiyanlık ile ilgili. • «Ben ne Mesihî ne Mesihâ-demim — Zevki hakikatte arar âdemim — Naci» • «Venedik melâini bu sâlde rüesa-yi millet-i Mesihîyeden istimdat edip — Naima.»

mesihiyyun, *A. i.* [Mesihî ç.] Hıristiyanlar.

mesîl, *A. i.* (*Sin* ile) [Seyelân'dan] Akacak yer, yatak.

mesil, mesîle, *A. s.* (*Se* ile) Benzer. • «Bir şairane zemzeme-i sâf-i selsebil — Tekrir ederdi sem-i hayalimde bî-mesîl — Bir aks-i canrüba. Fikret».

mesir, mesire, *A. i.* Seyir, gezinti yeri. • «Demin huşu-i mezelletle pâ-yi savletine — Mesir olan tepeden ordugâha inmek için. — Fikret» • «Bütün mesirelerin en maruf temasîl-i hayatından biridir. — Uşaklıgil».

mesiregâh, *F. i.* [Mesire-gâh] Mesire yeri.

mesis, *A. i.* (*Sin* ile) Messetme, değip dokunma.

meskat, meskıt, *A. i.* [Sukut'tan] Bir şeyin düştüğü yer. • *Meskat-i re's,* bir kimsenin doğduğu yer.

mesken, *A. i.* [Sükûn'dan] Oturulan yer. Oturulan ev, konut. • «Pek bunaldım biraz teneffüs için — Sahili etmek istedim mesken. — Fikret».

meskenet, *A. i.* 1. Miskinlik, fakirlik, yoksulluk. 2. Beceriksizlik, elden bir şey gelmezlik. • «Hayır ne meskenetimden, ne de acz ü ye'simden — .Bütün bu

derdimin esbabı sende toplanıyor. — Fikret».

meskub, meskube, *A. s.* (*Se* ve *kaf* ile) [Subk'dan] Delinmiş, delikli.

meskûb, meskûbe, *A. s.* (*Sin* ve *kef* ile) Kalıba dökülmüş, kalıba dökme.

meskûk, meskûke, *A. s.* Damgası vurulmuş, para haline konulmuş.

meskûkât, *A. i.* Sikke haline getirilmiş akçalar, madenden paralar. • «Size en ummadığınız neviden, meskûkât-i muhtelife verilecek. — Uşaklıgil».

meskûn, meskûne, *A. s.* [Sükûn'dan] 1. İçinde insan oturan yapı. 2. Halk bulunan, şenlik yer. • *Gayr-i meskûn,* insan, halk bulunmayan ev, toprak; • *rub-i meskûn,* (Eskilerce) dünyanın insan bulunan (dörtte bir) bölümü. • «Meskûn köşklerin, kulüblerin içinde — Recaizade».

meskûr, *A. s.* (*Sin* ile) [Sekr'den] Sarhoş olan.

meskût, meskûte, *A. s.* [Sükût'tan] Sükûtla duruş. Söylememe. • «Taamdan el çekip mebhut ve sair maidede bulunanlar mütehayyir ve meskût olup. — Naima».

meslah, *A. i.* [Selh'ten] Salhana. Hayvan kesim yeri.

meslâha, *A. i.* (*Sin* ve *ha* ile) 1. Sınır kalesi. 2. Derbent.

meslek, *A. i.* [Sülûk'tan] 1. Yol. 2. Gidiş, davranış. 3. Geçim için tutulan iş. 4. Yaşama için tutulmuş yol. 5. Fransızca'dan *systeme* karşılığı. (ç. Mesalik). • «Kendisine meslek yapmak için İstanbul'a gelip de. — Uşaklıgil».

meslekî, meslekiye, *A. s.* Meslekle ilgili, mesleğe ait. «Yeni bir lafz bir meslekî zümre tarafından kabul edildikten sonra.— Z. Gökalp».

meslûb, *A. s.* [Selb'den] Soyulmuş, alınmış giderilmiş. • *Meslûb-ül-akl,* aklı alınmış, deli. • «Sultan Mustafa meslûb-ül-akldır. — Naima» • «Ve illa fima ba'd sizler için tesvif ve imhal ve terk-i muharebe ve kıtal meslûb-ül-ihtimaldir. — Ragıp Pş.».

meslûh, *A. s.* (*Sin* ve *hı* ile) Derisi soyulmuş.

meslûk, meslûke, *A. s.* [Silk'ten] 1. Sülûk olunmuş, tutulmuş (meslek, yol). 2. İşlek olan. • «Ama bu tarik meslûk değildir.»

meslûl, meslûle, *A. s.* [Sell'den] 1. Kınından çıkarılmış, sıyrılmış. 2. Sill-ürrieye tutulmuş, verem. • *Seyf-i meslûl*, kınından çıkarılmış kılıç. • ‹Tîg-i tevhid idi ebru-y resul — Görünürdü iki seyf-i meslûl. — Hakani›.

meslûlen, A. zf. Sillüriye (vereme) tutularak. • ‹İstanbul kadısı Hocazade Kartaz Ali Efendi meslûlen fevt olup. — Naima›.

meslûs, A. s. (Sin ile) Deli, divane.

meslût, A. s. (Sin ve te ile) 1. Yontulmuş, tıraş edilmiş. 2. Kemiği üzerinden eti sıyrılmış.

mesmu', **mesmua**, A. s. [Sem'den] 1. İşitilmiş, duyulmuş. 2. Dinlenilir, dinlenmeye değer. 3. Dinlenen, kabul olunan • *Gayr-i mesmu*, hiç işitilmemiş çeşitte. • ‹Ol güne dek ecdad-i kiramlarından hiçbiri ol ziyde alaya binmesi mesmu değil idi. — Naima›.

mesmuat, A. i. [Mesmu ç.] İşitilen şeyler. • ‹Mesmuatımıza göre stanbul ve etrafında muntazam arabalar işletmek

mesmum, A. s. [Sem'den] Zehirlenmiş. için. — Kemal›. • ‹Mesmum, acı bir zehr ile mesmum... nihayet — Bir gül koparıp koklamadan toprağa düşmek. — Fikret›.

mesmumen, A. zf. Zehirlenme suretiyle; zehirlenmiş olarak.

mesmur, A. s. (Sin ile) [Mismar'dan] Çivi ile tutturulmuş olan.

mesned, A. i. 1. Üzerine dayanılan şey. 2. Derece, ileri memurluk. • *Mesned-i meşihat*, şeyhülislâmlık mertebesi; • -sadaret-i *uzma*, sadrazamlık mevkii. • ‹Şehriyar-i asman-mesned ki olmuş ta ezel — Secdegâh-i tacdaran-i cihan hâk-i deri. — Nef'i›.

mesnedâra, F. s. [Mesned-âra] Mesnede süs veren, o mesnedde bulunan.

mesnedgâh, F. i. [Mesned-gâh] 1. Oturulacak yer. 2. Bir mevki, rütbe makamındaki kimsenin oturduğu yer. • ‹Mesnedgâh-i aşk-i cânâna emîrane geçmiş durur. — Nergisi›.

mesnednişin, F. s. [Mesned-nişin] Bir mesnet veya makamda bulunan.

mesnevi, A. i. Her beyti başka kafiyeli olan manzume. Kafiye genişliği olduğu için manzum hikâyeler çoklukla bu yolda yazılırdı. 2. (Ö. i.) Mesnevi, Mevlâna Celâleddin Rumi'nin bu kafiye şekli ile Farsça yazmış olduğu eser.

mesneviyyat, A. i. Mesnevi yolunda yazılmış eserler.

mesnun, **mesnune**, A. s. [Sünnet'ten] 1. Gelenek olmuş. 2. Peygamberin yapmasına uyularak, sünnet olarak. • *Emr-i mesun*, sünnet olan iş.

mesra, A. i. (Sin ile) Gece yolculuğu, geceleyin yola gitme.

mesrah, A. i. Çayır. Otlak.

mesrebe, A. i. (Sin ile) Çayır, otlak yeri.

mesrece, A. i. (Sin ile) Gece kandili konacak yer, çırakman.

mesrud, A. i. (Sin ile) 1. Büyü, afsun. Afsun duası.

mesrud, A. s. [Serd'den] Bildirilmiş, söylenmiş.

mesrudat, A. i. Söylenenler.

mesruk, **mesruka**, A. s. [Sirkat'ten] Çalınmış. • *Mal-i mesruk*, çalınma, çalınmış mal.

mesrur, **mesrure**, A. s. [Sürur'dan] 1. Sevinmiş. 2. Meramına ermiş. • ‹Oh! Bak şimdi, payansız — Bir meseretle işte mesrurum. — Fikret›.

mesruriyyet, A. i. Sevinme. İsteğe erme. • *İlân-i mesruriyyet*, sevinci açığa vurma.

mess, A. i. 1. Dokunma, değme. 2. Olma, meydana gelme. • *Hacet mess etmek*, gerekmek.

messah, A. s. Ölçüp biçen. Ölçülü.

messah, A. s. [Mesh'ten] Oğuşturan. Masaj yapan kimse.

mest, F. s. Sarhoş. Keyif halinde. • *Bedmest*, etrafa sarkıntılık eden, bulaşık sarhoş; *sermest*, *siyah-mest*, ziyade sarhoş olan; *mest-i müdam*, her zaman sarhoş. (Ed. Ced.) *Mest-i girye*, -hayat, hamim-i niyran, -rükâd, -şebba. ‹Kıldı benden ref-i teklif-i namazı mestlik. — Fuzulî› — Ruhi› — ‹Cezası mest-i müdamın humar-i zillettir. — Fikret›.

mestan, F. i. [Mest ç.] Sarhoşlar.

mestane, F. s. zf. Sarhoşa yakışır şekilde, fazla içkili gibi. Çeşm-i *mestane*, mahmur, baygın göz; narai *mestane*, sarhoş narası. ‹Mestanelerin zevki demen âfet-i gamdır— Ol zevka sebep beâd değil halet-i gamdır. — Naili› — ‹Süzük nazarlara mestane dideler meftun. — Bir ibtisamı hemen karşılar bir ah-i derun. — Fikret›.

mestî, F. i. Sarhoşluk. • ‹Ona vehm-i şebabının mesti-i huzuzunda. — Uşaklıgil›.

mestiaver F. s. [Mestî-aver] Sarhoş edici. Bayıltıcı. Hissiyatını uyuşturan bir zemzeme-i mestiaverle kulaklarında ihtizaz ediyordu— Uşaklıgil».

mestur, mesture, *A. s.* [Setr'den] 1. Örtülü, kapalı, perdeli. 2. Namuslu, açık gezmeyen (kadın). • «Revzenleri mai tülle mestur. — Fikret».

mestur, *A. s.* [Satr'dan] Çizilmiş, yazılmış.

mesturiyet, *A. i.* 1. Örtülülük. Kapalılık. 2. Gizlilik, meydana gözükmeme. •«Mesturiyet bahsine gelince zuhur-i İslâmda güruh-i nisvan. — Kemal».

mesubat, *A. i.* [Mesube ç.] Hayırlı bir işe karşılık Tanrı tarafından verilen mükâfatlar.

mesube, *A. i.* (*Se* ile) Hayırlı bir işe karşı Tanrı mükâfatı. (ç. Mesubat).

mes'ud, mes'ude, *A. s.* [Sa'd'den] Kutlu, bahtiyar. • «Ve mesud zamanının mesud kahkahalarından birini bulmaya çalışarak. — Uşaklıgil».

mes'udane, *F. zf. s.* Kutlulara yakışır surette. Mesutçasına. • «Soluk dudakları beyaz dişlerini bir tebessüm-i mesudane ile açarak. — Uşaklıgil».

mes'udiyyet, *A. i.* Kutluluk. • «En asude zannolunan bir mesudiyetten en müthiş bir azaba atan bu vakanın. — Uşaklıgil».

me'suf *A. s.* (*Hemze* ve *sin* ile) [Eseften] Gamlandırılmış, eseflendirilmiş.

mesug, *A. i.* [Mesag ç.] İzin. (ç. Mesugat). • «Mesugat-î şer'iyyeye istinaden tasarruf edilmek üzre».

mes'ul, mes'ule, *A. s.* [Sual'den] 1. Sorulan. 2. İstenilen. 3. Sorumlu. • *Mes'ul bilmal,* para ile sorumlu ve kefil olan; •-*binnefs,* şahsan sorumlu ve kefil olan; • *müdir-i mes'ul,* sorumlu müdür, •*is'af-i mes'ul,* istenilen şeyi yerine getirme. • «Cenab-ı Haktan necat mesuldür. — Naima» — «Artık her giden için mesul olmaktan usandım. — Uşaklıgil».

mes'uliyyet, *A. i.* Sorumluluk. • «Kavgaların mesuliyetini kendisine tahmil ederdi. — Uşaklıgil».

me'sum, *A. s.* (*Hemze* ve *se* ile) [İsm'den] Suçlu ve günahkâr sayılan.

me'sur, me'sure, *A. s.* (*Hemze* ve *se* ile) Gelenek olarak gelen ve ünlü, itibarlı, beğenilir·olan.

me'sur, *A. s.* (*Hemze* ve *sin* ile) Esir edilmiş olan. «Manend-i me'sur bir âciz mazur idüğin. — Sadettin».

mesva, *A. i.* Menzil, ev, mekân. • «Derekât-i duzeh-i hirmanda makam ü mesva ve karargâh ü me'vasın müşahede ederken. — Veysi».

meşa', *A. i.* (*Ayın* ile) 1. Etrafa yayılmış olan. 2. Bölünmeyip ortaklaşa kalmış olan. • «Meşa' hises-i şayiayi havi olan şey. — Mec. 138». .

meşacır, *A. i.* [Meşcer ç.] Ağacı çok yerler, koruluklar. • «Ey bâd-i meşacir. — Cenap».

meşafir *A. i.* [Meşfer ç.] Dudaklar. • «Lokman hekim bir abd-i galiz-ül-meşafir iken.— Taş».

meşagil, *A. i.* [Meşgale ç.] Meşguliyetler. • *Meşagil-i kesîre,* fazla meşguliyetler.

meşahid, *A. i.* [Meşhed ç.] Şehitlikler. «Şehzadenin na'şını meşahid-i eşlâfı civarına nakıl.— Sadettin».

meşahir, *A. i.* [Meşher ç.] Sergiler. • «Meşahir-i âsar-i esatizede dolaşan (...) ressamlar gibi. — Uşaklıgil».

meşahîr, *A. i.* [Meşhur ç.] Ünlü kimseler. • «Gürcü Abdünnebi defteri sipah zorbalarının meşahîrinden olup. — Naima».

meşai, *A. i.* Aristo felsefesi yolunda olan. • «Aristo erganunu icat edip meşailere ve işrakilere talim ve nasihat esnasında çaldırdı.— Kâtip Çelebi».

meşail, *A. i.* [Meş'ale ç.] Meşaleler. • «Mah-i seferin on ikinci gecesi mehtap ve kale etrafı meşail ile müzeyyen iken. — Naima».

meşaim, *A. i.* [Meş'um ç.] Uğursuz olan şeyler.

meşain, *A. i.* [Şeyn ç.] Ayıplar, kabahatler.

meşair, *A. i.* [Meş'ar ç.] 1. Hacı olma sırasında önemli durak yerleri. 2. Duyular (XIX. yy.) • «Havas ve meşairden müberra aynı bir heykel suretinde. — Recaizade».

meşaiyun, meşşaiyun, *A. i.* Derslerini gezinerek veren Aristo felsefesi yolunda olanlar, *peripateciens,* gezimciler ki, bunlar yalnızca aklı kılavuz sayarlardı.

meşakk, *A. i.* [Meşakkat ç.] Zahmetler, mihnetler. • «Meşak-i sefer can-i pür eşcana eser eylerdi.— Sadettin» — «Asayış-i hakikînin kesreti daima meşakk-i sâyin kesretiyle mütenasip olagelmiştir. — Kemal».

meşakkat, *A. i.* 1. Güçlük, sıkıntı. 2. Zahmetli iş. • «Evvelâ hallerinden istifsar ve sefer meşakkatinden istihbar buyurup.— Peçoylu».

meş'al, meşa'le, *A. i.* [Şule'den] 1. Işık kabı. Lâmba, kandil, çıra. 2. Çıra ve yağlı paçavraların bir sırık ucunda yakılmasıyle meydana getirilen ışık. • *Meş'al-i irfan,* • *meşale-i maaarif* bilgi meşalesi. (ç. Meşail). • «Fikir ordusuyuz meş'al-i irfanla mücehhez. — Fikret» • «Matbuat elinde bir meşale ile efkâr-i umumiyenin önüne düşer. — Cenap».

meşaleefruz, *F. s.* [Meşale-efruz] Işık parlatan. • «Talâtın meşale efruz-i harim-i ismet— Nigehin bezm-i tegafülde nedim- ismet. — Nailî».

meş'alkeş, *F. s.* [Meş'al-keş] Meşaleci. • «Meş'alkeş-i ah ü vah olursun. — Recaizade».

meşamm, *A. i.* [Şemm'den] Koku alacak yer, geniz. • *Şam-i cennetmeşam,* cennet kokulu Şam; • *ta'tir-i meşam,* güzel kokular burnu kokulandırma. «Meşam-i ruha emel lezzetinde neşr ediyor — Ten-i rakiki baharın esîr-i nükhetini. — Fikret».

meş'ar, *A. i.* 1. Hacı olurken durulan yerlerden her biri. 2. Duyu.

meşarib, *A. i.* [Meşreb, meşrebe, mirşebe ç.] 1. Huylar, tabiatler. 2. Köşkler, şehnişinler. 3. Su içecek kaplar. • «Beyaban-i bipayan-ı Mısırda fıkdan-i metaim ve meşarib. — Sadettin» • «Ve ihtilâf-i meşarib-i âlemiyana binaen. — Nergisi».

meşarik, *A. i.* [Meşrik ç.] Yıldızlarla ay ve güneşin doğma dereceleri. • «Dil şark-i tecellâda görür şems-i hudayi — Artık ana lâzım mı metali'le meşarık.— Esrar Dede»

meşate, meşşate, *A. i.* Kadın süsleyici kadın. • «Tab'ım arus-i mâniye meşşatelik eder — Endişem ayine kalemin sürmedan verir. — Nef'i».

meşayih, *A. i.* [Şeyh ç.] Şeyhler. • «Âyan-i şehri talep edip ve eimme ve meşayih gelip buluşup. — Naima».

meşbu, meşbua, *A. s.* [Şib', şiba'dan] Doymuş, tok. • «Bir samt-i siyehrenk ile meşbu-i hayalât. — Fikret».

meşcer, meşcere, *A. i.* Ağacı çok yer. Koru. (ç. Meşacir.) • «Ne isterdim meselâ: bihudud bir meşacer. — Fikret» • «Daraban-i sukutu bir derenin — Cevf-i pürnaliş-i hazanında — Nasıl aks ederse meşcerenin. — Fikret».

meşcuc, *A. s.* Başı ve yüzü yaralanan.

meşdud, meşdude, *A. s.* Kuvvetlice bağlanmış olan. • «İlâ kıyamussat meşdud-i evtad-i hulûd olacağı. — Raşit».

meşduh, *A. s.* Şaşkın, kendinden geçmiş.

meşfer, mişfer, *A. i.* 1. Dudak. 2. (Ana.) Maymun, köpek ve geviş getirenlerin dudağı. Dişi organın parçalarından her biri. (ç. Meşafir).

meşfu, *A. s.* • Hakk-i şuf'anın taallûk eylediği akardır. — Mec. 952». Bk. • *Şuf'a.*

meşgale, *A. i.* [Şugl'den] İş, güc, uğraşılan iş. (ç. Mesagil).

meşguf, *A. s.* [Şagaf'tan] Sevgi yüzünden divane olmuş, tutkun, kendinden geçmiş. • «Görürse çeşmine bir düşman, ah ya Rabbi! — Bu arzu onu meşguf-i hasret ettikçe. — Fikret».

meşgufane, *F. zf.* Aygın baygın. • «Bir müddetten beri sermestane ve meşgufane temaşageri olduğu.— Recaizade».

meşgul, meşgule, *A. s.* [Şugl'den] 1. Bir işle uğraşan. 2. Dalgın. • «Derhal bozuya kemanların alıp ca'belerin meydana döküp ok atmaya meşgul oldular. — Naima» • «Sizin onlarla meşgul olmanız kalplerinin ihtiyacını tatmine kifayet eder. — Uşaklıgil».

meşguliyyet *A. i.* Meşgul olma. İşte bulunma. • «Bu sabah kameriyede büyük meşguliyet vardı. — Uşaklıgil».

meşhed, *A. i.* [Şehadet'ten] Bir adamın şehit olduğu veya bir şehidin gömülü olduğu yer. (Ö. i.) Tus dolaylarında İmam Ali Rıza'nın türbesi yakınında bir şehir olup Horasan ili merkezi. • «Meşhedimden şevk-i gûyunla revandır kan henüz — Naci».

meşher, *A. i.* Sergi. Teşhir yeri. • «Bahçe şimdi değişmiş, hulyalarının bir meşher-i rengârengi olmuş idi. — Uşaklıgil».

meşhud, meşhude, *A. s.* [Şuhud'dan] Gözle görülen. • *Cürm-i meşhud,* suçüstü (XIX. yy.). • «Bir cürm-i meşhud halinde yakalanmış olmak perişanlığıyle.— Uşaklıgil».

meşhudat, *A. i.* [Meşhud ç.] Gözle görülen şeyler. • «Mevkiin bedayii yalnız meşhudatına münhasır değil. — Kemal».

meşhum, *A. s.* (He ile) 1. Yürekli, cesaretli. 2. Güçlü kuvvetli, oynak (at.) Sözü geçer (kimse). 3. Korkmuş, korkutulmuş olan.

meşhun, A. s. Dolu. Doldurulmuş. • ‹Hakikat, ah hakikat; onunladır meşhun — Bütün şu âlem-i câmid. — Fikret›. (Ed. Ce).:

Girye meşhun,
handemeshun,
nalemeşhun.

meşhur, meşhure, A. s. [Şöhret'ten] Adlı şanlı. Ün almış. Yayılmış. • *Galat-i meşhur*, yanlış olduğu halde halk arasında kullanılan söz. • ‹Dil verme gam-i aşka ki aşk âfet-i candır — Aşk âfet-i can olduğu meşhur-i cihandır. — Fuzuli›.

meşruhat A. i. [Meşhur ç.] Genel olarak bilinen, geçer şey.

meşib, A. i. Saç ağarma. Yaşlılık.

meşid, A. i. Harçla yapılmış bina.

meşiet, Bk. • *Meşiyyet.*

meşihat, A. i.1. Şeyhlik. 2. Şeyhülislâmlık. 3. Şeyhülislam dairesi.

meşime, A. i. Dölyatağı, son. • ‹Gün doğmadan neşîme-i şebden neler doğar. — Rahmi› .

meşiyyet, A. i. 1. İsteme, istek. 2. Yürüyüş. Yürütme. *Meşiyyet-i ilâhiye*, Tanrının varlıklar üzerindeki iradesi. • ‹Fakat unutma ki yol intizam-i meşiyyetle — Yakınlaşır, kısalır. — Fikret›.

meşk, A. i. 1. Yazı örneği. 2. Alışma için yapılan çalışma. Alışma, alıştırma. • ‹Meşk eyledi pervane vü şem ü gül-i sadberk— Yanmayı, yakılmayı, yaka yırtmayı benden. — Kâzım›.

meşk, F. i. Kırba, tulumdan su kabı. • ‹Yüz katar deve meşk ve kırba-i ma' nakli için tâyin olundu. — Sadettin›.

meşkuk, meşkuka, A. s. [Şak'tan] Yarılmış, yarık. • ‹Kalem-i meşkuk-ul-lisan. — Veysi›.

meşkûk, meşkûke, A. s. [Şek'ten] Şüpheli. • *Meskûk-ül-ahval*, kim olduğu şüpheli. ‹Bu ailenin yarım asır evveline kadar mevcudiyeti meşkûk ve müphemdir.— Uşaklıgil›.

meşkûkiyyet, A. i. Şüphecilik. • ‹Hazin bir ukde-i meşkûkiyyet neş'et-i hayatında. — Fikret›.

meşkûr, meşkûre, A. s. [Şükr'den] Teşekkür olunacak, teşekküre değer. • ‹Ziya içinde koşun bir halâs-i meşkûra.— Fikret›.

meşlâh, A. i. Maşlah.

meşmul, A. s. [Şümul'den] Kaplanmış. Bir şeyin içinde bulunan.

meşra', A. i. 1. Su oluğu. 2. Yol. • ‹Ol meşra-i sâfi ve menba-i vâfiden. — Taş.›.

meşreb, A. i. 1. Tabiat, yaratılışta olan nitelik. 2. Gidiş, yol. 3. Su içme yeri. (ç. Meşarib). • *Hafifmeşreb*, ahlâk hususunda kayıtsız (kadın) ağır başlı olmayan (erkek); *rindmeşreb*, derviş tabiatlı. ‹Petburunzade Mehmet halifenin evza' ü etvarı lâübaliyane ve meşrebi rindane olup. — Raşit›. — ‹Nasıl kırıp çıkacak? Meşrebince bir halka — Kapılmamak ne kadar güç o şeyl-i ezvaka. — Fikret›.

meşrebe, meşrebet, A. i. Köşk. Şahnişin.

meşrik, meşrık, A. i. [Şark'tan] 1. Güneşin doğduğu yer veya yön. 2. Dünyanın doğu tarafı. (ç. Meşarık).

meşru, meşrua, A. s. [Şer'den] 1. Şeriatın izin verdiği; şeriate uygun. 2. Kanunun izin verdiği, kanuna uygun • *Emr-i meşru*, şeriate, kanuna uygun iş; • *gayr-i meşru*, şeriatın, kanunun yasak ettiği; *mazeret-i meşrua*, dince veya haklı özür; *nameşru*, şeriata kanuna uymayan; • *veled-i gayr-i meşru*, piç. • ‹Kefere ile sulh eylemek ol zaman meşru olur ki kâffe-i Müslimîne menfaat ola. Olmayacak aslâ sulh meşru değildir. — Peçoylu› • ‹Validesine ayn-i salâhiyet-i meşrua ile valide diyecek. — Uşaklıgil›.

meşruat, A. i. [Meşru' ç.] 1. Meşru olan şeyler, hak olan şeyler. 2. Şeriatle ilgili şeyler. • ‹Birkaç kütüb-i tefasir-i latife ve tefasir-i nebeviyye ve sair meşruat ve teberrükât. — Peçoylu›.

meşrub, A. i. [Şürb'den] İçilecek şey.

meşrubat, A. i. [Meşrub ç.] İçilecek şeyler. • *Meşrubat-i küuliyye*, alkollü içkiler. • ‹Bahçe içerisinde me'kûlât ve meşrubat satmak için. — Recaizade›.

meşruh, meşruha, A. s. [Şerh'ten] 1. Açıklanmış, tafsilâtlı. 2. Uzun uzadıya anlatılan. • *Bervechi meşruh*, uzun uzun anlatıldığı yolda; • *ibare-i meşruha*, açıklanan ibare; • *madde-i meşruha*, • *mesele-i meşruha*, açıklanan, uzun uzun anlatılan madde, iş. • ‹Her birinin ahkâmı kütüb-i şer'iyyede mufassal ve meşruh yazılmıştır. — Kâtip Çelebi›.

meşruhat, A. i. [Meşruh ç.] Bir maddenin açıklaması için yazılan şeyler.

meşruiyyet, A. i. Meşru olma. Kanuna uygun bulunma. • ‹Her hareketini bir cihet-i meşruiyete isnad etmek mülte-zemi olduğundan. — Kemal›.

meşrut, meşruta, *A. s.* [Şart'tan] 1. Şart-lı, bir şarta bağlı. 2. Şart konulmuş, bir kayıtla bağlanmış. • *Hükümet-i meşruta,* meşrutiyetle, meclisle idare o-lunan hükümet (XIX. yy.) • ‹Tayya-rat devam etmekle meşrut olmak üze-re hizmetkârlıklarında sebat edip du-ruyorlar. — Kemal›.

meşruta, *A. s.* İlk sahibi tarafından, sa-tılmamak şartıyle, mirasçılara bırakıl-mış ev, tarla gibi şey.

meşruten, *A. zf.* (Her hangi bir) Şarta bağlı olarak.

meşrutî, *A. s.* (XIX. yy.). Hükümdar ve millet meclisiyle idare olunan devlet sistemi.

meşrutiyet, *A. i.* Bir hükümdar başkan-lığında olan parlemento yönetimi.

meşşati, meşşate, Bk. • *Meşate,* • ‹Bazı tabiatsız meşşatelerin tezyinat-i ka-bayih - pesendanesidir. — Kemal›.

meşta, *A. i.* [Şita'dan] Kışlak. Kışla. • ‹Karabağ vilâyeti ki meşta-yi selâtin-i Acemdir. — Sadettin›.

meşub, *A. i.* Karışık olan. Halis ve sâf ol-mayan. ‹Mazmun-i mektup teşabüh ve sübehat ile meşub olduğundan naşi. — Raşit›.

meşuh, *A. s.* (He ile) Görünüşü çirkin olan.

meş'um, meş'ume, *A. s.* Uğursuz. • ‹İş-te uryan ü zâr ü müstağrak — İki timsali fakr-i meş'umun. — Fikret› — ‹Sen ey sefalet-i meş'ume, ey şeb-i hâil. — Fikret›.

meş'ur, *A. s.* Şuurlanmış, şuur haline geçmiş. (ç. Meş'urat) •‹Ma'şeri vic-danda meşru ve müdrik olan suver-i zihniye.— Z. Gökalp›.

meşveret, *A. i.* 1. Birkaç kişi arasında bir iş konuşulma. 2. Böyle bir iş için ya-pılan toplantı. • ‹Meşveret cem-i ukul etmektir şartı da hakkı kabul etmek-tir. — Sümbülzade›.

meşvi, müşva, *A. s.* Ocakta pişmiş, pişi-rilmiş. • ‹Anın hubzu meşvi yani nanı puhte ve hazırdır. — Taş.›

meşy, *A. i.* Yürüme. • *Meşy-i askerî,* as-ker yürüyüşü. • ‹Bir sair filmenam meşyiyle ilerledi. — Uşaklıgil›.

meşyum, *A. s.* 1. Bedeninde beni olan. 2. Uğursuz olan. • ‹Dilâveran-i Rum ol cem-i meşyum üzre hücum ettiler. — Sadettin›.

meta', *A. i.* 1. Satılacak mal, eşya. 2. Ser-maye, elde olan varlık. (ç. Emtia). • ‹Bunları âdiyetten çıkarır ve başka bir dünyanın meta-i müstesnası hük-müne getirirdi— Uşaklıgil›.

metabi', *A. i.* [Matbaa ç.] Basımevleri, • ‹Hürriyet-i efkâr, hürriyet-i metabi', hürriyet-i içtima. — Kemal›.

metaf, mutaf, *A. i.* Tavaf edilecek yer. • ‹Meyhaneyi seyr ettim uşşaka metaf olmuş — Teklif ü tekellüften sükkânı muaf olmuş. — Ş. Galip›.

metahir, *A. i.* [Mıthara ç.] Mataralar, su ibrikleri, temizlenme kapları.

metaib, *A. i.* ç. Yorgunluklar. • *Metaib-i sefer,* yol veya savaş yorgunlukları. • ‹Yıllarca metaible, mesaible dövüş-mek. — Fikret›.

metaim, *A. ç. i.* Yiyecek nesneler.

metali', *A. i.* [Matlâ' ç.] Matlâlar. • ‹Pi-raheni çâk olup açılmış— Pistanları sinesi bu mahın — Tanzir ediyor me-talii bu — Tenvir ediyor melâmii bu. — Cenap›.

metalib, *A. i.* [Matlâb ç.] İstenen şeyler. ‹Kitapçılardan daima ayıp olan para metalibatına katlanmak.— Uşaklıgil›.

metanet, *A. i.* Dayanma. Kuvvetli, sağ-lam olma. • Bu emniyet Bihter'in me-tanet-i lâkaydanesinden mütezzi olan gururuna. — Uşaklıgil›.

metarik, *A. i.* [Mitrak ç.] Matraklar.

metbu', metbua, *A. s.* [Teb'den] Ken-disine uyulan. • *Metbu-i müfahham,* hükümdar; • *hükûmet-i metbua,* bir kimsenin uyruklarından olduğu hükü-met, • ‹Bilinmiş olsa da farzen hâka-yık-i eşya— Kalır yine bize metbuu-muz hakikatler. — Cenap›.

metbuiyyet, *A. i.* Kendisine uyulan kim-senin hali.

me'tem, *A. i.* Ağlaşma için toplanmış ka-dın topluluğu.

metin, metine, *A. s.* [Metanet'ten] Da-yanıklı, sağlam. Doğru, sağ. • ‹Bu takımın İstanbul hayatında tâyin-i nis-beti bir kaide-i mentîneye müstenit o-lamaz. — Uşaklıgil›.

metin, metn, *A. i.* Kitabın asıl ibaresi. Yazarın sözü olan ibare.

metinane, *A. zf.* Metanetle. • ‹O vakit iki hemşire içeri atıldılar, Firdevs Hanım biraz daha metinane girdi. — Uşaklı-gil›.

metn, metin, *A. i.* Bk. • *Metin.*

metruk, metruke, *A. i.* [Terk'ten] 1. Bı-rakılmış. 2. Kullanılmaktan vazgeçilmiş. 3. Battal. • *Araz-i metruke*, halk için bırakılmış (yollar), bir köy veya kasaba halkı için bırakılmış otlaklar. • *Emval-i metruke* sahipleri tarafından bırakılmış mallar; • *eftal-i metruke*, sokağa bırakılmış çocuklar. • «Biraz bu sagar-i metruke neşve-i tecdit.— Fikret».

metrukât, *A. i.* [Metruk ç.] Bırakılan şeyler. Miraslar. • «Kaptan kethüdasını cümle metrukâtı ile iki çektirmeye vaz' ü irsal eyledi. — Naima».

metruke *A. i. s.* [Terk'ten] 1. Bırakılmış (kadın). 2. (Erkekten) boşanmış. • «Tellerin lâhn-i inkisariyle — Hangi metruke böyle eğleniyor. — Cenap».

metrukiyet, *A. i.* [Terk'ten] 1. Bırakılmışlık. Kullanılmazlık. 2. Bir işten çekilip uğraşmama. 3. Boşanmış olma, terk edilme. • «Bu kadın tarafından metrukiyetin acılarını tatmak için bir heves duyuyordu.— Uşaklıgil».

met'ub, *A. s.* [Ta'b'dan] Yorgun. Bitkin. Bitik. • «Ahmet Paşa met'ub mer'ub içeri odaya girip. — Naima».

meunet, muunet, *A. i.* Ölmeyecek kadar yiyecek ve içecek. • «Ne tehmil-i esvaba kudret ve ne meunet-i devvaba miknet. — Peçoylu».

me'va, *A. i.* Yurt, konut. Yer, makam. • «Ve ben uzakta, şu me'va-yi istihatta — Onun üfulünü seyr eyliyor da ölmüyorum. — Fikret».

mevacib, *A. i. ç.* Aylıklar. Maaşlar. Kapıkulunun üçer ayda bir defa verilen ulûfeleri. • «Diyarbekir'e varılıp kula mevacibi ve zahireyi tevzi ettiler. — Naima».

mevacibat, *A. i.* [Mevacib ç.] Mevacipler.

mevadd, *A. i.* [Madde ç.] 1. Bir cismin cevherleri, yapısını meydana getiren şeyler. 2. İşler, hususlar. 3. Kanun, nizam veya numaralanmış bir yazının fıkraları. 4. Maddeler • *-ibtidaiyye*, ilkel maddeler. • «Bahsettiğim mevadın en haklısı olan öyle bir makaleden dolayı. — Kemal» — «Alım satım, mahsulât, istihlâk, mevad-i masnua, ve bilmem ne şirketleri. — Cenap».

mevahib, *A. i.* (*He* ile) [Mevhibe ç.] Vergiler, bahşışlar, ihsanlar. • «Çünkü mevahib-i kudretin en azizi olan hayat. — Kemal».

mevaız, *A. i.* (*Ze* ile) [Mev'ıza ç.] Din öğütleri.

mevaid, *A. i.* (*Hemze* ile) [Maide ç.] Sofralar. Hazır nimetler. • «Münasebet ile nice zevaid-i fevaid ve mevaid-i avaid zikr ü bast olunup. — Taş».

mevaid, *A. i.* (*Ayın* ile) [Mev'id ç.] 1. Söz vermeler, vaatler. 2. Söz verilen vakitler. Belirtilmiş vakitler.

mevaîd, *A. i.* [Mev'ud ç.] 1. Vaat olunmuş şeyler. 2. Kesilmiş, belirtilmiş zamanlar. • *Mevaid-i Urkubiyye*, Bk. • *Urkubiyye*. • «Ve yoldaşlıkları zâhir olanlara enva-i mevaîd buyurmakla. — Peçoylu».

mevaid, mevayid, *A. i.* [Maide ç.] Sofralar. • «Mevaid-i if-zariyeden addolunarak. — Sümbülzade».

mevakı, *A. i.* [Mevkı' ç.] Mevkiler.

mevakıf, *A. i.* [Mevkıf ç.] Durak yerleri.

mevakıt, *A. i.* [Mevkıt ç.] Önceden belirtilmiş vakitler.

mevakit, *A. i.* [Mikat ç.] 1. Mikatlar. Önceden belirtilmiş yerler. 2. Hacıların ehrama girdikleri yerler.

mevakib, *A. i.* [Mevkib ç.] Mevkipler. • «Esna-yi muhasarada mevakib-i keyakip meratib-i sultanî. — Sadettin».

mevakka', *A. s.* (*Ayın* ile) Tuğra ile süslenmiş, tuğra konulmuş.

mevali, *A. i.* [Mevlâ ç.] Mevleviyyet rütbesine ulaşmış ilmiyye adamları. • *Mevali-i kiram*, mevleviyyet pâyeliler. • «Şeyhülislâm ve kudat-ül-asakir ve vüzera vesair mevalinin bazılarından kürkler ve anberler tahsil ve teslim olunmuş idi. — Naima».

mevalid, *A. i.* [Mevlid, milâd, ç.] Mevlutlar. Doğulan yerler.

mevalid, *A. i.* [Mevlûd ç.] Doğmuşlar. • *Mevalid-i selâse*, maden, bitki, hayvan olmak üzere tabiatın üç âlemi; tabiat bilimi. • «Perverde-i aguş-i mevalid-i selâse. — Sami».

mevani', *A. i.* [Mani ç.]Engeller. • «Kitap neşrince, zuhur eden mevaniden dolayı. — Kemal».

mevani, *A. i.* [Mina ç.] İskeleler, limanlar.

mevarid, *A. i.* [Mevrid ç.] Gelecek, varacak yerler. Gelişler. (ç. Mevaridat). • «Gulgule-i mevaridat ve muhaveratına.— Recaizade».

mevaris, *A. i.* (*Se* ile) [Miras ç.] Miraslar. Miras kalan mal mülk.

mevasık, *A. i.* [Mevsuk ç.] İnanılır, gerçek şeyler.

mevasîk, *A. i.* [Misak ç.] Yeminler. Sözleşmeler. • «Biz ise uhud ve mevasîka binaen cümlesini sıyanet ederiz. — Naima».

mevasim, A. i. [Mevsim ç.] Mevsimler. • *Mevasim-i erbaa,* dört mevsim. • ‹Baktıkça ben zuhur ü sukut-i mevasime — Ey tali-i beşer — Bilmem niçin teellüm eder, ağlarım sana. — Fikret».

mevaşi, A.i ç. Binek ve kasaplık dört ayaklılar. • ‹Add ü hadlerine nihayet olmayıp mevaşi ve efrası emvali binihaye idi. — Naima» • ‹Devvab ve mevaşiyi sürüp hasaret ederek. — Naima».

mevat A. i. [Mevt'ten] 1. Cansız şeyler. 2. Sahipsiz, işlenmemiş toprak. • *A-razi-i mevat,* en eski zamanlardan beri işlenmemiş veya eskiden işlenmiş iken üzerinde işlenme izi kalmamış yer.

mevatı. A. i. (Tı ile) [Mevtı ç.] 1. Ayak basacak yerler. 2. Çiğnenmiş yerler.

mevatın, A. i. [Mavtın ç.] Yurtlar. Yurtlanılmış yerler. • ‹Mevatın-i bâtın-i belâgatten vârit bir misafir-i ferhunde kademdir ki. — Mevkufati».

mevayid, mevaid, A. i. [Maide ç.] Sofralar.

mevazı'. A. i. [Mevzı ç.] Mevziler. • ‹Ve İstanbul'da ve Üsküdar'da muhtaç olan mevazıda. — Naima».

mevazîn, A. i. (Ze ile) [Mizan ç.] Mizanlar, teraziler.

mevbık, A. i. 1. Cehennemde bir yerin adı. 2. Korkulu yer. (ç. Mevbikat).

mevc, A. i. Dalga. *Mevcamevc* pek dalgalı. (ç. Emvac) • ‹Cus eder mevc-i hayal-i şuara duş bedus — Beyt-i ebrusunun ara yeri divan yoludur. — Nabi» — ‹Mevc mevc leşkeri çeyşenşiken. — Ziya Pş.» — ‹Budur sebep ki en asude nevha-i şi'rim — Verir sadasını bir gizli mevc-i pervazın. — Fikret».

(Ed. Ce.)

Mevc-i buşiş-i nagamat, -sahap, -satr,

-hayal, -tebessüm,

-perişan-i şiir,

mevce, A. i. (Bir) Dalga. (ç. Mevcat). • ‹Sancak o reng-i âl ile fecr-i ezel gibi — Ferk-i mehabetinde sacar mevce mevce fer. — Fikret».

mevcedar F. s. [Mevce-dar] Dalgalı. • ‹Yosunlu bir derenin sath-i meccedarında. — Fikret».

mevcenümud, F. s. [Mevce-nümud] Dalga gibi. • ‹Bakın nasıl tütüyor: bir a-

mud-i mevcenümud — Ağır ağır çıkıyor cevv-i bitenahiye. — Fikret».

mevchîz, F s. [Mevc-hîz] Dalga kaldıran. • ‹Başlayıp cuşişe tab'ımda mezayayi suhan — Mevchîz oldu yine lücce-i derya-yi aden. — Nedim».

mevcud, mevcude, A. s. [Vücud'dan] 1. Var olan, bulunan. 2. Hazır olan, hazır bulunan. 3. i. Bir topluluğu meydana getiren fertlerin hepsi. *Namevcut* yok (ç. Mevcudîn). • ‹Çün bu iki şair oldu mevcud — İran'a belâgat etti bedrud. — Ziya Pş.».

mevcudat, A. i. [Mevcud ç.] Var olan bütün eşya. Yaratıklar, kâinat • *Mefhar-ül-mevcudat,* Muhammet Peygamber.

mevcuden, A. zf. Mevcut olarak, kendisi birlikte olarak.

mevcudiyyet, A. i. Mevcut olma. Varlık. • ‹Hayat-i dimagiye ve kalbiyesinden bir dilimine mevcudiyet-i mer'iye vermeli. — Cenap».

mevczen, F. s. [Mevc-zen] Dalgalı (deniz). • ‹Nalende bir sürud ile bir yâd-i pürhazen — Bazan olur buhayre-i kalbimde mevczen. — Fikret».

mevdu', mevdua A. s. Emanet bırakılmış. Üstüne verilmiş. • ‹İnsanlığın asırlara mevdu' ü pürtaab şekva-yi iktirabını dinler — Fikret».

mevdu', mevdua A. s. Emanet bırakılkılmış şeyler.

mevdud, mevdude, A. s. Sevgi gösterilmiş, dost edinilmiş.

mevecat, A. i. [Mevce ç.] Dalgalar. • ‹Taze bir aşk-i muhtazır sesinin — Mevecatında keşf-i râz ediyor. — Fikret».

meveddet, A. i. Sevgi, sevme.

mevfur, mevfure, A. s. Çok, bol. Çoğaltılmış, çoğalmış. • ‹Ve malı bihadd ü mevfur idi.— Naima».

mevhibe, A. i. Vergi, bahşiş. İhsan. •Mevhibe-i ilâhiye, Tanrı vergisi.

mevhil, A. i. [Vahl'den] Çamurlu yer.

mevhub, mevhube, A. s. [Vehb'den] Verilmiş, ihsan edilmiş. (Fıkıh) Karşılıksız birine mal edilmiş. • ‹Kabza-i teshirine meyhub kavs-i Rüştemî. — Nedim».

mevhubat, A. i. [Mevhub ç.] Bağışlar.

mevhum, mevhume, A. s. [Vehm'den] Aslı, vücudu olmadan zihinde vücut bulan. • ‹O dem ki merkez-i hayrette ol belâkeşler — Misal-i nokta-i mevhume bikarar kalır. — Nailî» • ‹Birisini sevmiş olmasına ihtimal vererek bu meyhum aşkın mevhum hâtırasını kıskanırdı. — Uşaklıgil».

mevhumat, *A. i.* [Mevhum ç.] Mevhum şeyler. • «Hükema kavaid-i mevcudeyi mücerredat ve mevhumatından tecrit ile.— Kemal».

mevhume, *A. i.* Vehim, hayal çeşidinden şey. • «Düşen her dem'a-i mevhume ecfan-i sefidinden. — Fikret».

mevhun, *A. s.* (He ile) Zebunlaşmış, zayıflamış.

mev'ıza, *A. i.* [Va'z'dan] Öğüt. •*Mev'ıza-i diniyye,* dine ait öğüt. • «Hayal-hıraş mev'ızalarımla.— Cenap».

mev'id, *A. i.* [Va'd'den] 1. Söz verme. Vaat. 2. Söz verilen vakit, yer. • *Mev'id-i mülâkat,* bulaşma yeri, saati. • «Ya iki ruh-i mütehassire mev'id-i telâki. — Fikret».

mev'izekâr, *F. s.* [Mev'ize kâr] Öğütçü. Öğüt veren. • «Ciddi bir mev'izekâr vaziyetle. -— Uşaklıgil».

mevkaza, *A. i.* (Zı ile) Gerçekleşmiş, sağlam söz.

mevkı, *A. i.* 1. Mevki. Yer. 2. Bir şeyin olduğu, bulunduğu yer. 3. Sınıflı yerlerde, sınıflardan her biri. • *Mevk-i iktidar,* hükümet başı (XX. yy.). • «Mevaridat-i ticaretin merkez-i tabiîsi olan böyle bir mevki-i müstesnada. — Kemal» — «Muvafık mevkiin hüzniyle hali. — Fikret».

mevkı' *A. s.* (Ye ile) [Vikaye'den]. Kendisinden saklanılan.

mevkıd,, *A. i.* Ateş ocağı.

mevkıf, *A. i.* [Vukuf'tan] Durak yeri. İstasyon. • «Mevkıften hayli uzakta olan. — Uşaklıgil».

mevkın. *A. s.* Kesin bilinir olan.

mevkib, *A. i.* Bir büyüğün yanında yavaş yürüyerek giden atlı ve yayaların hepsi, alay. • *Mevkib-i hacc,* Hacılar alayı; *-hümayun,* padişah alayı. • «Geçmekte zivekar ü tarab mevkib-i zafer. — Fikret».

mevkud, mevkude, *A. s.* [İkad'dan] Yakılmış.

mevkuf, mevkufe, *A. s.* [Vakf'tan] 1. Durdurulmuş, alıkonulmuş. 2. Tutulmuş, hapsedilmiş. 3. Vakfedilmiş. 4. (Bir şeye) Bağlı, ancak onunla olur. • *Araz-i mevkufa,* vakfolunmuş toprak, vakıf toprağı. • «Mânalı sualât ile her hatvede mevkuf — Âvare, dolaşmaktayım eb'ad-i hayatı. — Fik-

ret» • «Mevkuftur o maha samim-i fuadimiz. — Beyatlı».

mevkufat, *A. i.* [Mevkuf ç.] Bir zaman için tutulmuş, alıkonulmuş mal ve para. 2. Vakfedilmiş mal, emlâk. 3. Gelirden artıp hazineye mal edilen para.

mevkufatî *A. i.* Mevkufat işlerine bakan memur. • «Mevkufatî akılâne cevap verir. — Naima».

mevkufen *A. zf.* Mevkuf olarak.

mevkufin *A. i.* [Mevkuf ç.] Tevkif edilmiş kimseler. Tutuklular.

mevkufiyyet, *A. i.* 1. Mahkemece hüküm giyinceye kadar hapsedilme. 2. Vakfolunma. 3. Bağlı olma, başka bir şeyle kayıtlı olma.

mevkûm, *A. s.* Aşırı hüzünlü olan.

mevkum. *A. s.* Alçaltılmış. rezil edilmiş, gamlandırılmış.

mevkus, *A. s.* (Sat ile) Boynu kırılmış olan.

mevkûl, mevkûde, *A. s.* [Vekâlet'ten] Bir vekile emanet edilen. *Mevkulün ileyh,* kendisine bir şey emanet edilen, vekil edilen; *umur mevkûle,* yapılmak üzere görevlendirilen işler.

mevkut, mevkute, *A. s.* (Te ile) [Vakit'ten] Vakti belli olan. *Risale-i mevkute,* belli zamanda çıkan dergi. (XX. yy.). • «Risale-i mevkuteyi karıştıracak.— Uşaklıgil». •

mevkut *A. s.* (Tı ile) Dövülmekten halsiz kalmış olan.

mevkuz, *A. i.* (Zel ile) Ölmeye yaklaşmış hasta.

mevlâ, *A. i.* 1. Sahip, efendi. 2. Azatlı, azat edilmiş köle. 3. Tanrı 4. Veli, karışmaya hakkı olan. • «Esir-i feyzini döksün ilel'ebed Mevlâ. — Fikret» — «Anın mevlâsı olup tazim eylemek vacib olur. — Taş.».

mevlâna, *A. i.* [Mevlâna] "Efendimiz" anlamında olup bazı sarıklı ulemaya lakap.

mevlât. *A. i.* Bir şeyin sahibi kadın.

mevlevî, Mevleviyye, *A. s. i.* Mevlâna Celâleddin Rumi'nin tariki, bu tarikten olan kimse. *Tarik-i Mevlevî tarikat-i Mevleviyye,* Mevlevilik yolu. • «Giyip bir al eteklik haleden meydana azm etti — Semada Mevlevî âyini tasvir eder mehtap. — Beliğ».

mevleviyyet, *A. i.* Mollalık. Mollanın kadılık hükmü geçen bölge. Müderislikten sonra olan bir ilmiye rütbesi. •

‹Bundan akdem Mısır mevlemiyeti verilip. — Naima›.

mevlid, *A. i.* [Velâdet'ten] 1. Doğma, dünyaya gelme. 2. Doğulan yer. 3. Doğulan zaman. Mevlût. ● ‹Eliften kat-i nazar mevlidimin tarihi — Mahlasımdan bilinirdi bihesab-i ebcet. — Recaizade›.

mevlûd, *A. i.* [Velâdet'ten] Yeni doğmuş. ● ‹Çünkü insanın her mevlûdu tab'an müvellittir. — Kemal›.

mevlûdat, *A. i.* Belli bir zaman içinde doğanlar.

mevrid *A. i.* [Vürud'dan] Varacak yer. Varacak yol. (ç. Mevarid). ● ‹Ve badehu berren mahrecine ve bahren mevridine gelmesi.— Kemal›.

mevrud, mevrude, *A. s.* [Vürud'dan] Gelmiş, ermiş.

mevrudat, *A. i.* [Mevrude ç.] Gelen şeyler.

mevrude, *A. s.* Gelmiş, ulaşmış.

mevrus, mevruse, *A. s.* [Veraset'ten] 1. Miras kalmış. 2. Baba ile anadan geçmiş. ● ‹Kim bilir belki bir tabiattır — Ona yetmiş yıl önceden mevruş. — Fikret›.

mevs, mevsan, *A. i.* (Se ile) Karışık, türlü (yemek). ● ‹Ve iftarın hemen mevs olsun.— Taş.›.

mevsik, *A. i.* (Se ile) Sözleşme, antlaşma Hüccet.

mevsıl, *A. i.* [Vusul'dan] Kavşak, kavuşacak yer. Ek yeri.

mevsim *A. i.* 1. Mevsim. 2. Bir şeyin belli zamanı. ● *Nabemevsim*, mevsimsiz, olmayacak zamanda. ● ‹Her mevsimin sukutu olur başka mevsime — Bir menba-i nema. — Fikret›.

mevsuf, mevsufe, *A. i.* [Sıfat'tan] 1. nitelenen şey. 2. i. (Gra.) Belirtilen ● ‹Sofi ki riya ile ede kenduyi mevsuf — Evkat-i şerifi ola taklit ile masruf. — Ruhi›.

mevsûh, *A. s.* (Sin ye ha ile) Kirli. Kirle dolmuş. ● ‹Vesah-i dert ile olmuştu cihanda mevsuh. — Şinasi›.

mevsuk, mevsuka, *A. s.* [Vâsuk'tan] 1. İnanılır. Emin. 2. Sağlam. Gerçek. ● *Mevsuk-ül-kelim*, sözlerine inanılır. ● ‹Aldığımız malûmat-i mevsukaya göre. — Kemal›.

mevsukan, *A. zf.* İnanılır şekilde.

mevsukiyyet, *A. zf.* Sağlamlık. Gerçeklik. İnanılır hal.

mevsul, mevsule, *A. s.* [Vusul'den] Birleşmiş, kavuşmuş.

mevsum, mevsume *A. s.* [Vesm'den] 1. Vesmelenmiş, işaretlenmiş. 2. Adlanmış, ad verilmiş. ● ‹Bedhuluk ve bedzindegânilikle mevsum olur — Veysi›.

mevt, *Ai .i* Ölüm. (Tas) Beni, benliği öldürmek. ● *Mevt-i ahmer*, kızıl ölüm, kanlı ölüm. Öldürmek. ● (Tas.) Nefse karşı koymak; ● *-ahzar*, eski ve yamalı giymek; ● *-ebyaz*, açlık; ● *-esved*. halkın ezasına dayanma ve fena fillâh. Ansızın ölme (Tas.) ● ‹Yaşamış, mevte olmamış kaail.— Fikret› — ‹Yüreklerimizde eğer emel-i mevt yoksa mevt-i emel yatar. — Cenap›.

mevta, *A. i.* [Meyyit ç.] Ölüler, ölmüşler. ● ‹Gözlerini kapayarak o hâtıra-i saadeti musırrane bir hâtıra-i mevta hükmünde, ta a'mak-i kalbine defnederek. — Uşaklıgil›.

mevtalûd, *F. s.* [Mevt-alûd] Ölüm karışığı. Ölüm gibi. ● ‹Yine kar... Bir sükûn-i câmitle — Yine her yer melûl ü mevtalûd. — Fikret›.

mevtı. *A. i.* (Tı ile) 1. Ayak basılan yer. 2. Çiğnenmiş yer. (ç. Mevatı). ● ‹Oruç Bey dahi mevtı-i akdam-i sipah-i âlicah olan — Sadettin›.

mev'ud mev'ude, *A. s.* [Vaat'ten] 1. Vaat olunmuş, söz verilmiş. 2. Vâledi, zamanı belirtilmiş. ● *Arz-i mevud*, Musa dininde olanlar için vaat edilmiş toprak (Kudüs); *ecel-i mev'ud*, normal ölüm. ● ‹Bütün bu kahra mukabil nedir olan mev'ud? — Fikret›.

mevvac, *A. s.* [Mevce'den] Çok dalgalı. ● ‹Gergin kanatlarıyle muazzam birer ukab — Tecsim eden bulutlar o mevvam ü pürşitab — Sathında parça parça yüzer, titreşir, söner. — Fikret›.

mevzi, *A. i.* [Vaz'dan] Yer. Bir şey konacak yer. ● ‹Karşı yakada bir mürtefi meyzia konup hıfz olmak üzere cebecibaşı Hamza Ağaya tenbih. — Naima›.

mevziî, mevziiye, *A. s.* Bir yere mahsus olan. Genel olmayan.

mevzu, mevzua, *A. s.* [Vaz'dan] 1. (Bir yere) Konulmuş. 2. Kurulmuş, işlenmekte, geçer olan. 3. Gerçek olmayan, uydurma.

mevzu, *A. i.* Konu. ●Mevzu-i bahis, bahsolunan madde, sözü edilen nesne. ● ‹Hukuk-i mevzua, hukuk-i tabiiyede ihtiyaç üzerine icra olunan tâdilât demektir. — Kemal›.

mevzua, *A. i.* (Fel.) Konut.

mevzuat. *A. i.* [Mevzua ç.] 1. Bahsolunan maddeler. 2. Yürürlükte olan hükümler. • «Sırf mevzuat-i beşerden olan ve insanların uhuvvet ve itilâfına set çekmekten başka. — Kemal».

mevzun, mevzune, *A. s.* [Vezn'den] 1. Tartılı, tartılmış. 2. (Ed). Vezni yerinde, vezinle yazılmış olan. 3. Yakışıklı, düzgün. • *Kamet-i mevzun,* yakışıklı düzgün boy, • *kelâm-i mevzun,* vezine konulmuş söz. (ç. Mevzunan). • «Rayiha-i kerihe fayih olmağın. — Naima» • «İki tekerlekli arabanın hafif, mevzun ve muttarit salıntısıyle. — Uşaklıgil».

mevzunat, *A. i.* [Mevzun ç.] Tartılan şeyler. (Mec. 134).

mevzuniyet, *A. i.* (Türkçede kullanılmıştır) 1. Mevzun. 2. Hesaplı, düzgün, düzenli. • «Hatvelerinin vusatinde biraz mevzuiyeti bozan bir genişlik vardı. — Uşaklıgil».

mey, *F. i.* Şarap. *Mey-i nab,* halis, katıksız şarap. • «Mey sun bize sanki içelim rağmanına anın — Kim cehl ile bilmediği yerden urur dem. — Ruhi».

mey', *A. s. (Ayın* ile) Eriyip akma.

mey'a, mey'at, *A. i.* Nesnenin ilk zamanı. Tazelik vakti.

meyadin, *A. i.* [Meydan ç.] Meydanlar. • «Mübarizîn-i meyadin-i din. — Sadettin».

meyamin, *A. i.* [Meymenet ç.] Uğurlar. Bereketler. • «Her biri miftah-i meyamin ü berekât ve mebde-i cemi-i saâdattir.— Taş.».

meyamîn. *A. i.* [Meymun ç.] Uğurlular, bereketliler. Kutlular.

meyan, *F. i.* Bk. *Miyan*

meyasir, *A. i. (Sin* ile) [Meysur ç.] Kolaylaştırılmış şeyler.

meyaşam, *F. s.* [Mey-aşam] Şarap içen. (ç. Meyaşaman). • «Rindan-i meyâşama niçin olmaya şefkat. — Ruhi».

meyazîb, *A. i. (Ze* ile) [Mizab ç.] Su yolları, oluklar.

meydan, *A. i.* 1. Açık, düz yer. 2. Bir işin yapılma alanı. 3. Belli, görünür. 4. Ara, fırat. 5. Ortaklık. 6. Bektaşi tekkelerinin âyin yeri. • *Meydan-i harb,* savaş meydanı; • *At meydanı.* (Hipodrom). İstanbul'da Sultanahmet camii önündeki meydan; • *Etmeydanı,* İstanbul'da Aksaray'da Horhor'da yeniçe-

ri odadalarının et tayını da dağıtılan ve talim yeri olan meydanın adı. (ç. Meyadin). • «Başkasının bu yeni bebekle meşgul olmasına meydan bırakmamak için. — Uşaklıgil».

meydan, *F. i.* [Mey-dan] Şarap kabı.

meyelân, *A. i.* 1. Doğru durmayıp bir tarafa eğilmiş olma. 2. Taraflardan birine fazla sevgi gösterme, onu tutma. • «Behlûl için o kadar sarih bir meyelân duymamış olmakla beraber. — Uşaklıgil».

meyfürüş, *F. i.* [Mey-fürüş] Şarap satan. Şarapçı. (ç. Meyfuruşan). • «Meyfürüşları âvar edip. — Naima».

meygede, meykede, *F. i.* [Mey-gede] Bk. *Meykede.*

meygûn, *F. s.* [Mey-gûn] 1. Şarap renginde. 2. Şarabî. • «Valih-i zevk-i leb-i meygûn ü çeşm-i mestinem — Sâkıya sanma harap etmiş mey-i sahba beni. — Fuzulî».

meygüsar, meyküsar, *F. s. i.* [Meygüsar] Birlikte şarap içen, işret arkadaşı.

meyhane, *F. i.* [Mey-hane] Şarapçı dükkânı. İçki satılan ve içilen yer. «Meyhane mukassi görünür taşradan amma — Bir başka safa başka letafet var içinde. — Nedim» — Hâtif inerek seherde meyhanemize — Seslendi harabati-i divanemize. — Beyatlı».

meyhâr, meyhor, *F. s.* [Mey-hâr'-hor] Şarap içen. (ç. Meyharân). «Rind-i meyhârın elinden n'ola düşmezse müdam — Gülşen-i bezmin gülüdür Ruhiyâ câm-i şarap. — Ruhi».

meyhare, *F. s.* [Mey-hare] Şarap içen. • «Lâ'lin ki olur meclis-i ervahta mezkûr — Bir renge girer neşvesi meyharelerin hep. — Nailî».

meykede, meygede, *F. i.* [Mey-kede] Şarap satılan ve içilen yer. • «Biz mest-i mey-i meykede-i âlem-i canız. — Ruhi».

meykes, *F. s.* [Mey-keş] Şarap içen. (ç. Meykeşan). • «Meykeşler eder sagar-i sahbaya perestiş. — Cenap».

meykuz, *A. s. (Zı* ile) Uykudan uyandırılmış olan.

meyküsar, meygüsar, *F. s. i.* [Meyküsar] Birlikte şarap içen işret arkadaşı.

meyl *A. i,* 1. Eğilme. Bir tarafa eğilmiş olma. 2. Taraflardan birini fazla tutma. 3. Sevgi, sempati. 4. Sevme, tutulma. • «Tarz-i telebbüsündeki reng-i garip ile — Belliydi şi're, sanata meyl-i tabiatı. — Fikret».

meylen, *A. zf.* (Türkçede kullanılmıştır) Meyl ederek, eğilerek. O taraftan olarak. • «Behlûl'la Bihter'in arasında yalnız meylen bir fazla takarrüp husulü. — Uşaklıgil».

meyliyyat *A. i.* Bir tarafa olan ihtiyarsız meyil ve istek duygusu. • *Meyliyyat-i nefsaniyye,* iç istedikleri.

meymene, *A. i.* Ordunun sag kolu. • «Canbolatoğlu dahi kalkıp kethüdasını meymene-i serdaride Anadolu askerine... — Naima».

meymenet, *A. i.* [Yümn'den] Uğur. Kutluluk, mutluluk. • «Lâkin cenk ve hurubda nusrat ve meymenetten bibehre idi. — Naima».

meymum, *A. s.* Denize atılmış veya bırakılmış olan.

meymun, meymune, *A. s.* [Yümn'den] Uğurlu, bereketli. Kutlu, mutlu. • «Bana bir misal-i meymun ve berat-i hümayun getirdiler. — Fuzulî».

meyn, *A. i.* Yalan söyleme. Yalan. • «İmdi ol muallim-i zi ciheteyn zamanımızda bi-reyb ü meyn mevcud değildir. — Taş.».

meynuş, *F. s.* [Mey-nuş] Şarap içen.

mevperest, *F. s.* [Mey-perest] Sürekli olarak şarap içen. İçkiye düşkün. (ç. Meyperestan). • «Her kim ki göre lâ'lini ol meyperest olur — Mîr ü geda vü bay ü fakir ü civan ü şîp. — Kanunî».

meyperestî, *F. i.* Şarap düşkünlüğü.

meysere, *A. i.* Ordunun sol kolu. • «Ve sekbaneların meyserede Rumeli koluna mukabil edip kendisi dahi kalbe mukabil durdu. — Naima».

meysur, meysure, *A. s.* Kolaylaştırılmış. kolaylığı bulunmuş. • *Nameysur,* kolaylığı bulunmayan, zor, güç. (ç. Meysurat). • «Mukabele meysur ve mukatele makdur olmadığına. — Sadettin».

meyş, *A. i.* Sözün birazını söyleyip birazını saklama.

meyt, meyyit, Bk. • *Meyyit.*

me'yus, me'yuse, *A. s.* [Yes'ten] Ümidi kesilmiş, ümitsiz. • «Nageh düşerim toprağa meyus. — Fikret» • «Nasıl bir merbutiyet-i meyusesiyle ayaklarının altında ölmek istediği. — Uşaklıgil».

me'yusane, *F. zf. s.* Ümitsizce. Ümitsizlikle. • «Nihal bunu söylerken tuhaf bir vaz-i meyusane takınıyordu. — Uşaklıgil».

mevusen, *A. zf.* Kederle, ümitsiz halde. • «Oradan meyusen çıkmağa mecbur eden. — Recaizade».

me'yusiyyet, *A. i.* Umutsuzluk.

meyve, *F. i.* Yemiş. (ç. Meyveha). • «Bir çürük meyve kadar hor ü mülevves, bitecek. — Fikret» • «Ve enva-i meyveha-yi hoşgüvardan. — Nergisi».

meyvebar, *F. s.* [Meyve-bar] Yemişli yemiş veren. • «Bir varakpare-i hazandide — Ayrılıp sâk-i meyvebarından. — Cenap».

meyvedar, *F. s.* [Meyve-dar] Yemişli, yemiş veren. • «Lâzım gelirdi serv üçenar ola meyvedar — Fazl ü hünerde medhali olsa kıyafetin. — Nabi».

meyvefüruş, *F. i.* [Meyve-füruş] Yemiş satıcı. Yemişçi. • «Hattâ bir pîr-i meyvefüruş. — Sadettin».

meyvehosk, *A. i.* [Meyve-i hoşk] Kuru yemiş. Kuru yemiş pazarı ve gümrüğü.

meyyal, *A. s.* [Meyl'den] 1. Ziyade eğilen. 2. Fazla istekli. düşkün. • *Meyyal-i inhidam,* neredeyse göçecek; *meyyal-i itilâ,* yükselmeye çok istekli. • «Bir lerziş i alil ile meyyal-i intifa — Enzarı ağlıyordu bakıp kendi kendine. — Fikret».

meyyit, meyyite, *A. s. i.* [Mevt'-ten] 1. Ölü, ölmüş. 2. Ölmüş insan, ölü. 3. Çok zayıf. (ç. Emvat). • «Velev ki siklet-i meyyite kabîlinden olsun. — Cenap».

meyyitane, *F. s. zf.* Ölü gibi, ölüyü andırırcasına. • «Gündüzün daima harab-i taab — Gece meyyitane bir hâb-i taab. — Fikret».

meyzede, *F. s.* [Mey-zede] Sarhoş olan.

meza, mada, *A. f. (Dat ile)* Geçti. • *Maza ma maza.* Geçen geçti. • «Yoktur mezak-i ehl-i mürüyette Nabiya — Tâbir-i dilpezir-i mazâ mameza kadar. — Nabi» • «Miyan-i himmete bend-i şemşir-i kaza maza eden. — Kemal».

mezabıt, *A. i.* [Mazbata ç.] Mazbatalar.

mezabih, *A. i. (Zel ve ha ile)* [Mezbaha ç.] Mezbahalar.

mezabil, *A. i. (Ze ile)* [Mezbele ç.] Süprüntülükler. • «Bazı yerlerden giderken mezabil içinde bazı kirparpare-i pür kîr ü pas bulup. — Taş.».

mezad, *A. i. (Ze ile)* Artırma ile satış. • «Ayâ ne gûne câme giyer ruz-i haşrda — Kâlâ-yi zühdü sûkk-i riyada mezad eden. — Nabi».

mezah, *A. s.* •Latifeci olan, latife söyleyen.

mezahib, *A. i.* (*Zel ve he* ile) [Mezhep ç.] Mezhepler. • *Mezahib-i erbaa,* (Hanefi, Şafii. Malikî, Hanbelî) dört mezhep. • ‹Esvat ve nagamat hususunda mezahib-i eimme-i din nicedirler? — Kâtip Çelebi›.

mezahim, *A. i. ç.* (*Ze ve ha* ile) Zahmetler, eziyetler. • ‹On sekiz senelik dehşet-i mezahimi. — Fikret›.

mezahimdide, *F. s.* [Mezahim-dide] Eziyet çekmiş. • ‹O kalb-i bitab-i mezahımdidenin. — Uşaklıgil›.

mezahir, *A. i.* [Mazhar ç.] Eşyanın göründüğü yerler. Görüntüler. • ‹Gûya ağır ağır inerek hep mezahiri — Altında bağteten ezecek zanneder insan. — Fikret›.

mezahir, *A. i.* [Mizher ç.] Utlar, lavtalar.

mezaik, *A. i.* (*Dat ve kaf* ile) [Mazik ç.] Dar sıkıntılı yerler. • ‹Ol mezaikte leşkere küncayiş olmamakla. — Naima›.

mezak, *A. i.* (*Zel ve kaf* ile) [Zevk'ten] 1. Tatma, tat duyma. 2. Tat duyulan yer, damak. *Hulv-ül-mezak,* tatlı; • *mürr-ül-mezak,* tadı acı; *mezak aşına,* zevk sahibi. • ‹Mezak-i telha verdi yâd-i lâhin bir halâvet kim — Gamınla içtiğim bin kâse zehr-âbı unutturdu. — Nailî› • ‹Rından-i mezak aşına-yi sahib-marifet ü temyiz. — Nergisi›.

mezalik, *A. i.* (*Zel ve kaf* ile) [Mezlaka ç.] Ayak kayacak yerler. • ‹Mezalik-i şikakta sair. — Şefikhane›.

mezalim, Bk. •*Mazalim.*

mezamir, *A. i.* [Mizmar, mezmur ç.] Zebur süreleri. • ‹Karlar bütün elhanı mezamir-i sükûtun. — Cenap›.

mezar, *A. i.* [Ziyaret'ten] 1. Ziyaret yeri. 2. Mezar. • ‹Canâneler ki cümlesi ârayiş-i mezar. — Fikret›.

mezar, Bk. •*Mazarr.*

mezarat, *A. i.* [Mezar ç.] Mezarlar. • ‹Eğer Mısır'da ve eğer yollarda olan emakin ve mezarat-i mübarekeyi ziyaret. — Naima›.

mezarık, *A. i.* [Mızrak ç.] Mızraklar.

mezari', *A. i.* (*Zel ve ayın* ile) [Mezara ç.] Tarlalar. • Bir memleket-i âbâdan ve her canibi kura ve mezari' ve kûhistan olmakla. — Peçoylu›.

mezari', *A. i.* (*Zel* ile) [Mizra' ç.] Bir yanı bağlık, bahçelik öte yanı çöl olan yerler.

mezari', *A. i.* (*Ze* ile) [Mezra' ç.] Ekilir biçilir tarlalar. • ‹Davutpaşa sarayı ile civar ve havalisinde tesadüf ettikleri besatin ve mezarie. — M. Celâlettin›.

mezaristan, *F. i.* [Mezar-istan] Mezarlık.

mezarr, *A. i.* Bk. •*Mazrr.*

mezaya *A. i.* [Meziyyet ç.] Meziyetler. • ‹Üdeba-yi şalifenin âsar-i kalemiyesini ki mezaya-yi vicdan tavsifine lâyıktır. — Kemal›.

mazbah, mazbaha, *A. i.* (*Zel ve ha* ile) Hayvan kesilen yer. Kurban yeri. • ‹Muganniyeleri naramgâhı, yahut safderunların mezbahası olan daire-i hususiyeye. — Uşaklıgil›.

mezbele, *A. i.* [Zibl'den] Süprüntü yeri. Süprüntülük. (ç. Mezabil). • ‹Bu mezbeleden şöyle güzar eyleye gör kim. — Ruhi›.

mezbub, *A. s.* Sinekli

mezbuh, mezbuha, *A. s.* [Zebh'ten] 1. Boğazlanmış eti yenilmek üzere kesilmiş. 2. Kurban edilmiş. İsmail Peygamber veya İshak peygamber.

mezbuhane, *F. zf.* Boğazlanır gibi, boğazlanırcasına. • ‹Bütün bir ömr-i mezbuhane kahr ü minnet altında. — Fikret›.

mezbur, mezbure, *A. s.* (*Zel* ile) Arık ve zayıf olan.

mezbur, mezbure, *A. .s* (*Ze* ile) Adı geçen, yukarıda denilmiş olan. • ‹Mahv olup gitmez mürur-i dehr ile bakakalır — Hame ile safha-i evrakta mezbur olan. — Kemalpaşazade› • ‹Ağayi mezbur katl-i padişaha evked-i esbab ve eledd-i hısam makulesi olmağın. — Naima›.

mezc, *A. i.* Katma, karıştırma. • ‹Hayalini burada mezc ederdi dalgalarla. — Fikret›.

Mezdek, *F. i.* Nuşirevan zamanında (IV. yy.) bir mezhep çıkaran kimse.

mezdekî, *F. s.* Mezdek taraflısı.

meze, *F. i.* 1. Tat, lezzet. 2. İçki içilirken yenen çerez. 3. Alay, eğlence. • *Bi-meze* tatsız; • *hoşmeze,* tatlı. • ‹Ve tefahur-gûne dıkh-i bi-meze etmiş idi. — Naima›.

mezellet, *A. i.* (*Zel* ile) Alçaklık, itibarsızlık. Horluk. • ‹Silkin şu mezellet tozu uçsun üzerinden. — Fikret›.

mezemmet, A. i. 1. Yerme, kınama. 2. Yerilecek, kınanacak iş. • «Mezemmet ve şütum ile cenab-i fetvapenaha eziyet ve ızdıra etmeğin. — Naima».

mezen, A. i. (Ze ile) Âdet. Yol, usul.

me'zen me'zene, A. i. (Zel ile) [Ezan'dan] Ezan okunacak yer. (ç. Meazin). • «Ol savmaa-i İslâmiye me'zenlerinden peyda olan gülbank. — Sadettin».

mezheb A. i. (Zel ile) [Zehab'dan] 1. Gidilen, tutulan yol. 2. İnanç ve felsefede tutulan yol. 3. Din. 4. Bir dinin dallarından her biri. 5. (Fel.) Fransızcadan doctrine, systeme ve ecole sözlerine karşılık olmak üzere kullanıldığı olmuştur (XX. yy.). • «Güftügû çok sadad-i aşkta cumhura göre — Hakkı kendinde ara mezheb-i Mansur'a göre. — Münif».

mezhere, müzhere, Bk. • Müzhere.

mezid, A. i. s. [Ziyade'den] 1. Artmış, büyümüş. 2. Çoğaltılmış. 3. Çoğalma, artma. • «Haktealâ eylesin izzetle ömrün bermezîd. — Hayali» • «İsterim mihrim ola kalb-i hazinimde mezid. — Ruhi».

mezillet, A. i. (Ze ile) Ayak kayacak yer. 2. Yanlışlığa sebep olacak nesne:

meziy', A. i. (Ze ile) Nazik, kibar, kimse.

meziyyat, A. i. [Meziyyet ç.] Meziyetler. • «Âlemde içtima-i meziyyat-i subh ü şam — Bizde tahakkuk eylese olmaz mı gültenim? — Cenap».

meziyyet, A. i. Bir kimse veya nesnenin benzerlerinden üstünlüğünü meydana getiren nicelik ve nitelik.

mezk, A. i. Yırtma, yarma.

mezkûr, mezkûre, A. s. [Zikr'den] Zikrolunmuş, adı geçmiş. • «Eyavin ve kusur-i mezkûre sana muayyen ve mahsus olup. — Nergisi». — «Köprülü Mehmet Paşa'nın ahvali mezkûr olup. — Raşit».

mezlaka. A. i. (Ze ile) 1. Ayak kayacak yer. 2. (Mec.) Yanlışlığa düşmeye sebep olan hal. • «Bihruz Bey olduğu mezlaka-i sefahatte. — Recaizade».

mezmum, mezmume, A. s. (Ze ile) [Zem'den] 1. Zemmolunmuş. 2. Beğenilmemiş. Ayıp.

mezmur, A. i. 1. Kavalla taganni olunan ilâhi. 2. Davud Peygamber'in taganni ettiği Zebur surelerinden her biri.

mezra, mezraa, A. i. [Zer'den] 1. Tarla. 2. Mezar. (ç. Mezari) • «Mezra-i âmale tohm-i irtişa ekmek. — Naima» •

«Sahib-i mezraa feryat ettikçe: Ya kişi kaldır tarlanı koyun geçsin derler. — Naima».

mezru', mezrua', A. s. (Ze ile) [Zer'den] Ekilmiş, çift sürülüp tohum atılmış.

mezru', mezrua', A. s. (Zel ile) [Zira'dan] Arşılanmış, ölçülmüş. • «Mezruatın mikdarı zira' ile tâyin olunur. — Mec. 382».

mezruat, A. i. Ekilip bitmiş tohumlar, ekinler.

mezrub, mezrube, A. s. (Zel ile) Keskinlenmiştir.

mez'uf A. s. (el ve ayın ile) İçine zehir katılmış olan.

me'zun, mezune, A. s. [İzn'den] 1. İzinli, izin almış. 2. Ders veya meşk vermeye yahut bir sanat işlemeye yetkili. 3. Bir okulu tamamlayıp diploma almış. • «Lâkin onları tekrara mezun değildirler. — Uşaklıgil».

me'zunen, A. zf. İzinli olarak.

mezunin, A. .t [Mezun ç.] Mezunlar.

mezuniyyet, A. i. İzinli olma, mezun bulunma. Bitirme. • «Devlet Basmahanesinde basılan ve el'an basılmakta olan kitapların cümlesi için mezuniyet-i resmiye istihsal olunmuş mudur? — Kemal».

mez'ur mez'ure, A. s. (Zel ve ayın ile) Korkmuş.

mıklâd, A. i. 1. Anahtar. 2. Kilit dili. (ç. Makalid).

mıkleb, A. i. Eski kitap ciltlerinin sol kenarındaki kapak; okunan yer belli olmak için araya konurdu. • «Her safhada bir şekl-i hakikat eder ibraz — Her gün çevirir bir varaka mıkleb-i âlem. — Ziya Pş.».

mıkleme, A. i. Kalem kutusu. • «Çeşme-i mihbereden bahş-i hayat eyler iken Merkad-i mıklemede mürdeye döndü aklâm. —Nabi».

mıntaka A. i. 1. Kuşak, kemer. 2. Yeryuvarlığının üstündeki bölge. • Mıntaka-i bâride, kutup kuşağı; • mıntaka-i harre, ekvator bölgesi; • mıntaka-i memnuna yasak bölge; • mıntakat-ül-buruc, on iki burcun bulundukları tutulma dairesi. • «Cümle kulları mıntakalarını çözüp ol dehlize attılar. — Süheyli».

mıs'ad, A. i. (Sat ve ayın ile) Merdiven. (XIX. yy.). Asansör karşılığı olarak kullanılmak istenmiştir.

mısbah, A. i. 1. Işık, kandil. 2. Meşale. • «Kıldı mısbah-i duadan lemean tarihi — Enverinin ede pür-nur mezarın Mevlâ. — Sürurî».

mısdak, A. i. [Sıdk'tan] Bir şeyin gerçekliğini ispatlayan şey. • Mısdak-i hak, kriter.

mısdakiyyat, A. i. Mısdak bilgisi, Fransızca'dan criteriologie karşılığı (XX. yy.).

mısfat, A. i. Süzgeç.

mıskab, A. i. [Sakb'dan] Matkap.

mıskal mıskale, A. i. Maden parlatmada kullanılan cilâ aleti. • «Her lem'ası bir mıskale-i jengzedadır. — Nefi».

mısr, A. i. 1. Şehir. 2. Ülke. (ç. Emsar).

Mısr, A. i. 1. Mısır ülkesi. 2. (Mısırdaki) Kahire şehri.

mısra, A. i. 1. Kapının kanatlarından biri. (ç. Mesari). 2. Manzumenin herhangi tek satırı. • Mısra-i âzade, tek söylenmiş mısra; • mısra-i berceste, en kuvvetli, en güzel mısra. «Ki renginî-i mazmun mısra-i saniye merhundur. — Beliğ». • «Eğer maksut eserse mısra-i berceste kâfidir. — Ragıp Pş.».

Mısran, A. ç. i. Kûfe ile Basra şehirleri.

Mısrî, mısriyye, A. s. 1. Mısır ülkesiyle ilgili. 2. (i.) Mısırlı. • «Diyar-i mısriyye reayasının tekâlifi hadden füzun olup. — Naima».

mıstaba, mastaba, A. i. (Sat ve tı ile) Peyke.

mıstar. A. i. [Satr'dan] 1. Satırları doğru yazmak için gereken çizgileri yapmaya yarar alet. 2. Taşçıların da kullandığı cetvel. • «Şi'rimin habl-i metîn feyz-i târ-i mıstarı. — Nef'î».

mıstara, A. i. (Düzgün satır yazmak, çizgi çizmek için) Çizgi cetveli.

mısvat, A. s. (Sat ile) Aşırı haykırıcı olan.

mıthan, A. i. (Tı ve ha ile) Değirmen.

mıtlak, A. s. (Tı ile) Çok karı boşayan.

mızmar, A. i. (At) Koşu meydanı. Yarışma yeri. • «Mızmar-i mübarezede pâydar oldular. — Sadettin».

mızrab, A. i. [Darb, zarb'dan] Telli sazları çalmaya yarayan kemik veya başka nesneden alet. • «Eder mi saz-i sinem değme bir mızrabdan feryad. — Ragıp Pş.». • «Mızrab-i kalbimiz sözü kalbetti besteye — Hem beste söylesin bunu hem kâr söylesin. — Beyatlı».

mızrak, A. i. Mızrak (ç. Mezarık).

mia', maa A. i. Bağırsak. • Mia-i a'ver, kör bağırsak; • mia-i galiz, kalın bağırsak; • -isna aşer, onikiparmak bağırsağı; • -müstekim, kalın bağırsak, göden; • -rakik, ince bağırsak. (ç. Em'a).

miad, A. i. [Vaad'den] Kesişilen zaman, kesilen, belirtilen zaman veya yer. • «Yetmiş senelik vücud-i pejmürdesin bir miad-i istirhat. — Uşaklıgil».

miaî, miaiyye, A. s. [Mia'dan] Bağırsakla ilgili.

miat, A. s. [Mie ç.] Yüzler (100).

miat. A. i. (Tütsü için) Günlük

mi'ber, A. i. 1. Su geçme geçidi. 2. Köprü. • «Gelibolu mi'berinden asker ile Bursa'ya geçip. — Naima».

miblâ, A. s. [Bel'den] Obur.

mibned, A. i. Eğe, törpü.

micdel, A. i. Köşk.

micenn, A. i. Kalkan, siper.

mi'cer, A. i. Kadın başörtüsü. • «Hasan Paşa car ve micer ile misvan libasına girip. — Naima».

michar, A. s. (He ile) Sözü aşikâre, yüksek söyleyen.

micmere, mecmere, A. i. Tütsü yakılan kap. Buhurdan. (ç. Mecamir). «Kim her şiken-i pür-hamı bir micmer-i âlem. — Nef'î».

micmere, mecmere, A. i. Tütsü yakılan kap, buhurdan. • «Yaktı yandırdı bizi micmere-i sîm-âsâ — Mihr-i ruhsarı olup sinesine pertevzen. — Nedim».

midad, A. i. Yazı mürekkebi. • «Diler mihr-i hakikat şule-riz olsun midadından. — Fikret».

mide A. i. Mide. • «Ey midelerin, zehr-i takazası önünde — Her zilleti bel-eyleyen efvah-i kadîde. — Fikret» • «Onun midesinden daha büyük ve daha metîn bir kalbi vardır ki. — Cenap».

midevî, midevyye, A. s. Mide ile ilgili, mideye ait, mideye yarar.

midhat, A. i. Övme. • «Bende ol mur kadara takat yok — Hasılı midhatine kudret yok. — Hakanî».

midhatkâr. F. s. [Midhat-kâr] Övücü. • «Hamem ki nazmı eder ihya midad ile — Abıhayata raşhası ruh-i revan verir. — Nef'î».

midhatger. F. s. [Midhat-ger] Övücü.

midhatgerî, F. i. Övücülük..

mie, A. s. Yüz. • Tis'a mie, dokuz yüz. • «Pes anın zaman-i taleb-i ilmi ve içtihada kudreti takriben hudud-i miededir. — Taş.».

mieteyn, *A. i.* İki yüz. • «Anın vefatı sene-i sittine ve mieteyndedir. — Taş.».

miftah, *A. i.* 1. Anahtar. 2. Şifre cetveli. 3. Dil öğreniminde yapılacak çevirme ve meselelerin halledilmiş şekilleri bulunan kitap. (ç. Mefatih). • «Rindan-i Mesiha-deme miftah-i fütuhuz. — Ruhi» — «O minimini miftah-i zerrin emellerinin önünde kapıları açmış idi. — Uşaklıgil».

mig, *F. i.* 1. Bulut. 2. Sis. • «Gûya vakt-i ihtiyaçta bir barende mîg idi. — Peçoylu».

migfer, *A. i.* Başa giyilen demir tas, tolganın küçüğü. • Darb-i şeşperle çıkan ka'kaa miğferlerden. — Fikret».

migsel, *A. i.* (*Sin* ile) Yıkama aracı. Tas, ibrik.

migvel, *A. i.* İnce kılıç. Hançer.

migzel, *A. i.* İplik eğirecek alet, iğ.

mih, *F. s.* (*He* ile) Büyük, ulu. (ç. Mihan).

mih, *A. i.* 1. Mıh çivi, ekser. 2. Kazık. • *Çarmıh, Bk.* • «Süm-i esbinde mîh-i zer kıyas eyler Sürcyya'yı. — Nedim».

mihad, *A. i.* (*He* ile) Döşek, yatak. • *Bi's-el-mihad,* cehennem, şiddetli döşek. • «Mihad-i ruka üzre hâb-i nuşîne dalmışken — Sadettin».

mihan, *F. i.* [Mih ç.] Büyükler, ulular.

mihanikî, *A s.* Makine gibi, otomatik olarak. «Bu tercüme bir amel-i mihanikî kabîlinden fikrini işgal etmeksizin yürüyordu. — Uşaklıgil».

mihbere, mahbere, *A. i.* (*Ha* ile) Mürekkep hokkası. Hokka. • «Çeşme-i mihbereden bahş-i hayat eyler iken. — Nabi».

mihen, *A. i.* (*Ha* ile) [Mihnet ç.] Mihnetler, eziyetler. • «Yüzünde gölgesi meşhut çektiği mihenin. — Fikret».

mihî *F. s. i.* Çiviye ait, çivi şeklinde. • *Hatt-i mihî,* çivi yazısı.

mihin, *F. s.* Daha büyük.

mihlât, *A. i.* (*Ha* ile) Yem torbası, hayman için burunluk. • «Birkaç kitaptır, filân mihlât içinde ki... — Taş.».

mihleb, *A. i.* (*Hı* ile) Yırtıcı hayvan pençesi. (ç. Mahalib). • Maye-i mihleb ü minkar zagan-i ta'na seza ola. — Nergisi».

mihnam, *F. i.* (*He* ile) Konuk. Misafir. • «Ev bir yeni mihmana tahammül edemezdi. — Fikret».

mihmandar, *F. i. s.* [Mihnam-dar] Konukçu. Misafir ağırlayan kimse.

mihmandarî, *F. i.* Mihmandarlık, misafir ağırlayıcılık.

mihmanhane, *F. i. s.* [Mihman-hane] Misafir edilecek yer. (Mec.) Dünya. • «Kapısı açık, yemeği hazır bir mihmanhane-i ihsana konmuşlar. — Kemal».

mihmanî, *F i.* Konukluk.

mihmannevaz, *F. s.* [Mihman-nevaz] Konuksever, konuğa iyi bakar.

mihmanperver *F. s.* [Mihman-pervez] Konuksever. Konuk ağırlayan.

mihmanseray, *F. i.* [Mihman-seray] Misafirhane. (Mec.) Dünya.

mihnet, *A. i.* (*Ha* ile) 1. Zahmet, eziyet 2. Sıkıntı, dert. 3. Belâ, musibet. • «Mora'ya varınca olan bilâd sükkânı ve sair ibadullahın çektikleri mihnet ve eziyet tâbir olunmazdı. — Naima» • «Yüreğim pürlehib mihnetle — Donarak serdi-i muhabbetle. — Fikret».

mihnetabad, *F. i.* [Mihnet-âbad] Gam, keder dolu yer. (Mec.) Dünya.

mihnetdide, *F. s.* [Mihnet-dide] Mihnet görmüş (ç. Mihnetdidegân).

mihnetgâh, *F. i.* Mihnet yeri. Dünya.

mihnetgede, mihnetkede, *F. i.* [Mihnetgede] İçinde gam ve keder çekilen ev. Tasa yuvası.

mihnetkeş, *F. s.* [Mihnet-keş] Eziyet çeken. (ç. Mihnetkeşan). • «Sabr eder cevrine Ruhi dediler didi o şah — Kulumuzdur biliriz biz anı mihnetkeştir. — Ruhi».

mihnetkeşan, *F. i.* [Mihnet-keş ç.] Eziyet çekenler.

mihnetmedar, *F. s.* [Mihnet-medar] Sıkıntı, eziyet nedeni. • «Bu imtidad-i çevre ki bahtın şıtabı var — Mihnet medar olan feleğe intisabı var. — Nedim».

mihnetzede, *F. s.* [Mihnet-zede] Âfet ve belâya uğramış. (ç. Mihnetzedegân). • «Bigânelere münhasır enva-i huzuzat — Mihnetzede-i aşkına mahsus devahi. — Ziya Pş.».

mihr, *F. i.* (*He* ile) 1. Güneş. 2. Sevgi, dostluk. • *Mihr ü mah,* Güneş ile ay. «Ed. Ce.» «Böyle tahrir etti levh-i mihre vasf-i pâkini — Kâtib çarhın

ser-i kilk-i maaniperyeri. — Nedim›.
(Ed. Ce.) :

Mihr-i âteşîn-i Irak,
-hakikat,
-nevbahar,
-pürateş-i temmuz,
-tâban,
-zemherir.

mihrab, *A. i.* 1. Camilerde, tapınaklarda karşısında durulan yer. 2. (Mec.) Ümitle bakılan, ümit bağlanan yer. 3. Sevgilinin kaşları. • *Mihrab-i Cemşit,* güneş. • ‹Gözü meyhane-i naz kaşı mıhrab-i niyaz. — Nef'i› • ‹Eğil, zâir bu yer mihrab-i hurriyet, bu âli yer — Mukaddes kıble-i istiklâl-i millettir. — Fikret› • ‹Mescit n'ola gitti ise mihrab yerinde. — Naci› • ‹Desin Destur!› mihrab-i hafâdan. — Beyatlı›.

mihrak, *A. i.* (XIX. yy.) (Fiz.) Odak.

mihrecan, *A. i.* [Farsça Mihrgân'dan] Sonbahar Gün-tün eşitliği zamanı. • ‹Mihrecanda falûzec ikram edip. — Taş.›.

mihrgân, *F. i.* Farsların güz gün-tün eşitliği zamanında yaptıkları tören.

mihriban, *F. s.* [Mihr-ban] 1. Seven, dost 2. Güler yüzlü. 3. Yumuşak huylu. • ‹Ah o giysu-yi tesliyetkârın — Edemem ıtr-i mikribanını terk. — Cenap›.

mihribanî, *F. s.* Sevgi, dostluk.

mihsad, *A. i.* (Ha ve sat ile) Ekin orağı.

mihtab *A. i.* (Ha ve tı ile) Odun baltası.

mihter, *F. s.* (He ile) [Mih-ter] Daha büyük, ulu. (ç. Mihteran) • ‹Hemşire-i mihteri şarabın. — Recaizade›.

mihter, *F. i.* Bk. *Mehter.*

mihver, *A. i.* Eksen.

mik'ab *A. i.* Bk. • *Mükâ'b.* Küb. ‹Tavla zarları şeklinde fakat oldukça büyük mikâplar var. — Uşaklıgil›.

Mikâil, *A. i.* Yaratıkların rızıklarını sağlamaya memur melek.

mikat, *A. i.* [Vakt'ten] Belirtilmiş yer ve vakit.

Mikat, *A. i.* Mekke yolu üzerinde, hacılığa gidenlerin ihrama büründükleri yer.

mikdar, *A. i.* Miktar. 2. Parça, bölük. 3. Değer, kıymet. 4. (XIX. yy.) Fransızca *dose* karşılığı, Düze. • *Bîmikdar,* önemsiz.

mikhal, *A. i.* (Ha ile) Sürme çekme mili. Sürmelik.

miksene, *A. i.* (Sin ile) Süpürge.

miknet, *A. i.* Güç, kudret, kuvvet. • ‹Hiçbir sahibi-i miknet ve âli menzilet rütbesinden düşmez ve devletten ayrılmaz idi. — Naima›.

mikraz, *A. i.* Makas • ‹Mikraz-i a'razla rişte-i agrazı gönüllerinden kat'ederler imiş. — Sadettin›.

mikser, *A. s.* (Se ile) sözü uzatan, geveze.

miksefe, Bk. *Mükessife.*

mikvaye, *A. i.* Dağlağı. Dağlama işinde kullanılan alet. • ‹Tıraz-i lekedarına mikvaye-i hakkaniyet vuruldu. — Şefikname›.

mikyal, *A. i.* [Keyl'den] Ölçek. Tahıl ölçeği.

mikyas, *A. i.* [Kıyas'tan] 1. Ölçü aleti, ölçek. Uzunluk ölçeği. 2. (Ast., Coğ., Mat.) Ölçek. • ‹Sani'-i hakîm insanın fikrini kerrat cetveli, vicdanını hen dese mikyası mahiyetinde halk etmiş olsa idi. — Kemal›.

mil, *A. i.* 1. İğne gibi ince ve uzunca alet. 2. Göze sürme çekmeye mahsus alet. 3. Sivri, çelik kalem. 4. Sivri ve tek dağ tepesi. 5. Yol üzerine dikilmiş işaret taşı veya ağacı. 6. Yol işaretleri arasındaki bir kilometreye yakın uzaklık. 7. Bir çarh veya toparlağın onun üzerinde döndüğü eksen. • *Mil-i bahrî,* 1825 metre. • ‹Serv-ı serefrazı gümüşten mil ve çınar-i bîhencarı billûrdan pîl eyledi. — Lâmii›.

milâd, *A. i.* [Velâdet'ten] 1. Doğum günü. 2. İsa Peygamberin doğum günü. *Milâd-i İsa,* tarih başı sayılan İsa Peygamberin doğduğu yıl veya 25 aralık; • *bad-el-milâd,* bu tarihten sonra; • *kabl-el-milâd,* bu tarihten önce. • ‹Sultan Selim nam bir şehzade-i kerimin müjde-i milâdı merhale-i mezburda vürut etmekle. — Raşit›.

milâdî, milâdiyye *A. i.* Milâtla ilgili. • *Sene-i milâdiye,* • *tarih-i milâdî,* milât yılı, tarihi.

milâhat, *A. i.* Gemicilik. Gemi idare bilgisi.

mil'aka, *A. i.* Tahta kaşık. • *Mi'lakatıraş,* tahta kaşık yapan. • ‹Sanatı şane-sazlık ve mi'lâkatıraşlık idi. — Sadettin›.

milel, *A. i.* [Millet ç.] 1. Milletler, uluslar. 2. Bir din ve mezhepte olan topluluklar. • *Milel-i erbaa,* Osmanlı İmparatorluğunda din ayrılığına göre bulunanlar, Müslüman, Yahudi, Ermeni.

Rum; • *beynel-milel,* uluslar arası; *hukuk-i beyn-el-milel,* milletlerarası hukuk. • «Bu kadar milel-i mütemeddiyene karşı. — Kemal».

milh, *A. i. (Ha* ile) Tuz. • *Milh-us-saga,* boraks.

milhafe, *A. i. (Ha* ile) 1. Bürünecek şey. 2. Yorgan.

milhi, milhiyye, *A. s.* Tuza ait, tuzdan.

milk, *A. i.* Bk. • *Mülk,* • *Mülk-i yemîn,* Kul. • «Bu halka vakf edecek milk ü malımız yoktur — Beş on gazelle şu kalb-i haraptan başka. — Beyatlı».

milkâra *A. i.* [Milk-âra] Memleketi, mülkü süsleyen. Memleketin süsü olan. • «Tabib-i illet-i âlemsin ey düstur-i milk-ârâ — Bulur her kande varsan illet ü enduh payani. — Nedim».

milkate, *A. i. (Kaf* ve tı ile) Kıskaç, kerpeten. • (Hek.) *Milkat-i cenin,* Fransızca *forceps* karşılığı (XIX. yy.).

milkdar, *F. i.* [Milk-dar] Mülk sahibi, hükümdar. • «Feyz-i Hünkâr ile şeh-i milkdar oldu gönül. — Halimgiray».

milkdarî, *F. i.* Mülk sahipliği, hükümdarlık.

milket, *A. i.* Milk sözünün nazımda kullanılan şekli. • «Tıynet-i hâkindeki dilcû-yi bûy-âşina — Milket-i bağ u baharın hazret-i İsa'sıdır. — Nedim».

millet, *A. i.* 1. Din, mezhep. 2. Bir din veya mezhepte bulunanlar grubu. 3. Milletler, ulus (XX. yy.). *Millet-i beyzâ.* Müslümanların hepsi; • *-mesihiyye,* Hıristiyanların hepsi. • «Millet yoludur, hak yoludur tuttuğumuz yol; — Ey hak, yasa, ey sevgili millet, yaşa... var ol! — Fikret» — • «Osmanlı sınıfı kendini "millet-i hâkime" suretinde görür, idare ettiği Türklere "millet-i mahkûme" nazariyle bakardı. — Z. Gökalp».

millî, milliye, *A. s.* Din ve millete ait, onunla ilgili. (XIX. yy. sonlarından başlayarak) Ulusal, millî. • *Âdab-i milliye,* dine uygun terbiye ve töreler; • *â'yad-i milliye,* kutsal bayramlar; sonraları «dinî» kelimesiyle ayırt edilen sözler hep millî olarak geçerdi. • «Ey gayret-i milliye ki magbuz ü muhakkar. — Fikret».

milliyyet, *A. i.* Bir kavim ve cinsiyetten olma. (XX. yy.) Milletseverlik, yurtseverlik. • «Bugün hürriyetin, milliyyetin, namus ü ümmidin — Masun kaldıysa bil, zâir, rehakârın bu heyettir. — Fikret».

milliyetperver *F. s.* [Milliyet-perver] Fransızca • *nationaliste* karşılığı olarak kullanılmıştır. • «Son derece milliyetperver olan bir arkadaşı ona millet aşkını aşılamıştı. — Z. Gökalp».

milliyetperverane *F. zf.* Bir milliyetçiye yakışır yolda. • «Halk vezninde milliyetpervane şiirler yazmasını tavsiye etmişti. — Z. Gökalp».

milliyun, *A. i.* Milliyetçiler. Milliyet prensibi taraflıları. • «Avene-i sulhiyun ile avene-i milliyun sokaklarda kavga etmişlerdi. — Cenap».

milzab, *A. i. (Ze* ile) Aşırı cimri. (ç. Melazîb).

mim, *A. i.* «M» harfinin adı. • «Ebced ile mim elifbadır yüzün. — Nesimi».

mimar, *A. i.* [Umran'dan] 1. Bina yapısına bakan, resimlerini hazırlayan kalfa. 2. Arkitek. • *Mimar arşını,* 78 santim, • *mimar-i kârhane-i kudret,* Tanrı; • *baş mimar,* Bahriyede yapı bası. • «Oldu mimar-i hüner şahid-i endişem için — Böyle bir hane-i ayineye bünyad-fiken. — Nedim».

mi'marî, mimariyye, *A. s.* Mimarlığa ait, mimarlıkla ilgili. • *Fenn-i mimarî,* arkitekt bilgisi; • *usul-i mimariyye,* uslûp, stil. Güzel bir eser-i mimarî büyük bir gönül gibi altından mustagnidir. — Cenap».

mi'mariyye, *A. i.* Bir yapı için mimara verilen para.

mimî, mimiyye, *A. s.* Mim harfiyle ilgili veya bu harf bulunan sözlük. • *Masdar-i mimî,* Arapçada başında m bulunan mastar.

min, *A. i. Bağ* -eden, -den beriden. • «Eğerçi zümre-i sipâh ezell-i mim nakd oldu. — Naima».

Mina, *A. i.* Mekke'de bir yerin adı.

mîna, *F. i.* 1. Şişe, cam, billûr, sırça. 2. Mine. • *Kasr-i mina.* gök kubbesi. • «Bugün ayrılmıyor mîna-yi lebriz-i saadetten. — Fikret».

mina, *A. i.* Liman.

minafam, *F. s.* [Mîna-fam] Sırça renkli, cam mavisi. • «Mihr ü mehle çerh-i minafam bir bahr oldu kim — İki nilûfer verir ol bahr-i ahdar ruz ü şeb. — Fehim».

minakâr, *F. i.* [Mina-kâr] Mine işleyen, mine işçisi.

min'am, *A. s.* Çok nimet veren.

minarat, *A. i.* [Minare ç.] Minareler, • «Ey doğruluğun mahmil-i ezkârı minarat. — Fikret».

minare, menare A. i. [Nur'dan] Camilerden ezan okunan yüksek kule, • ‹Uzakta İstanbul, minareleriyle, camilerinin kubbeleriyle. — Uşaklıgil› • ‹Gündüzleri akşama kadar minarelerde avaze-i tekbir ile havay-i imlâ eden müezzinler. — Cenap›.

minarenk F. s. [Mina-renk] Sırça renginde. Gök mavisi.

minassa, manassa, A. i. 1. Gelinin oturduğu yüksekçe yer. 2. Görünme yeri.

minba'd, A. bağ. [Min-ba'd] Bundan sonra. • ‹Gezdi yürüdü bulamadı bir eğlenecek yer — Minba'd yine âzim-i Bağdat olayım der. — Ruhi›.

minber, A. .i Camilerin içinde hatiplerin çıkıp hutbe okuyacakları merdivenli kürsü. • Minber-i nüh paye, (Dokuz basamaklı minber) dokuz felek üstünde Tanrı tahtı. (ç. Menabir). • ‹Minberde hatip ola vü mahfilde muarrif. — Ruhi›.

mincel, A. i. Ekin orağı. (ç. Menacil). • ‹Büride-i mincel-i himmet oldukta. — Nergisi›.

mincihetin, A. bağ. [Min-cihet-in] Bir cihetten, bir bakıma göre.

mindef, A. i. Hallaç yayı. (ç. Menadif).

minel'an A. zf. [Min-el-an] Hâlâ.

minel'ezel, A. zf. [Min-el-ezel] Ezelden beri. • ‹Minel'ezel iki peymane-i mukadderden. — Fikret›.

minelkadim, A. zf. [Min-el-kadim] Eskiden beri, çok evvelden. • ‹Bir itiyattır bana mesti min-el-kadîm. — Beyatlı›.

minen A. i. [Minnet ç.] Minnetler. • Züll-l-minen, Tanrı.

minfah, A. i. (Hı ile) Körük. (ç. Menafih).

min gayri, A. zf. Olmayarak. • Min gayri haddin, haddim olmayarak; • min gayri resmin, resmî olmayarak. • ‹Velev ki min giyr-i haddin bulunsun. — A. Mitat›.

minh, minhü, A. zf. [Min-hü] Ondan.

minha, A. ter. [Min-ha] Onlardan. • Anha minha, şundan bundan, şu bu.

minka, A. i. Çıkarma ve indirme sembolü.

minhac, A. i. (He ile) 1. Yol. 2. Metot, usul (Mec.) Tutulan, gidilen yol. (ç. Menahic). • ‹Hayale barikalar saldı şevk-i minhacı. — Recaizade›.

minhat, A. i. (Ha ile) Dülger rendesi.

min...ilâ, A. zf. ‹-den... -ye kadar› anlamında bazı çok kullanılan Arapça söz-

lerde geçer. • Min-el-bab il-el mihrab, (Kapıdan mihraba kadar) en küçükten en büyüğe, baştakine kadar, bütün; • min evvelihi ilâ ahirihi, başından sonuna kadar; • min-es-sera il-es-süreyya (Yerden, Süreyya, yani Ülker'e kadar) yerden göğe kadar.

minkale A. i. (Geo.) İletki.

minkar, A. i. 1. Kuş gagası. 2. Taş yontmaya yarayan kalem, taşçı kalemi. ‹Bu ulvi tahassürün minkar-i ateşînini duy ve düşün. — Fikret›.

minkarî, A. s. Gaga biçiminde. Gagayı andırır biçimde.

minkaş, minkaşe, A. i. 1. Demir kalem. 2. Kıskaç. • ‹Elde minkaş-i hasret ü hulya — Kâğıt üstünde mest ü müstesna — Bir kadın kalbi hakkeder, giderim. — Cenap›. • ‹Ne acep minkasedri hâme senin destinde — Dembe-dem levh-i beyan üzre eder nakş-i hayal. — Şinasi›.

minküllilvücuh, A. zf. Her yönden.

minnet, A. i. Birine iyilik etme, bağışta bulunma. 2. Yapılan iyiliği takrarla başa kakma. 3. Görülen iyiliğe karşı teşekkür etme, yük altında kalma. 4. Şükür, elhamdülillâh deme. • Biminnet, yaptığı iyiliği başa kakmaz. • Veliyünnimet biminnet, padişah. ‹Âmalimizin hâdim-i bi-minneti eşya. — Fikret›.

minnetdar, F. s. [Minnet-dar] Bir iyilik veya bahşiş görmüş olan. • ‹Ona ne kadar minnetdar olacaktı. — Uşaklıgil›.

minnetdarane. F. zf. [Minnet-darane] Minnetli olarak. Minnet eder yolda.

minnetdarî F. i. Minnetdarlık.

minnetdide, F. s. [Minnet-dide] Nimet, iyilik görmüş.

minnetkeş, F. s. [Minnet-keş] Minnet çeken minnet altında bulunan.

minser, A. i. (Sin ile) 1. Kuş gagası. 2. Atlı takımı. 3. Öncü. (ç. Menaşir).

minşar, A. i. Testere. (ç. Menaşir). • ‹Minşara eyledi Zekeriyya feda-yi ser. — Naci›.

minşarî, minşariyye, A. s. Testere şeklinde, testere gibi.

minu, F. i. 1. Cam, sırça, 2. Zümrüt. 3. Felek. 4. Cennet. • ‹Kırım'dan hicret etmişti Rodosçuk şehrinde evvel — Gelip de sonra İstanbul'da oldu âzim-i minu. — Halimgiray›.

Minuçehr, *F. i.* Farslı Feridun'un büyük oğlu.

minval *A. i.* Davranış, yol, usul. • *-minval-i sabik,* eskiden olduğu gibi.

mir, *F. i.* 1. Baş. Komutan. 2. Bey. 3. Vali. • *Mir-i kelâm,* (Söz eri) düzgün, güzel söz söyleyen. • «Bu âlem-i fânide ne mîr ü ne gedayız. — Ruhi».

mira', *A. i.* [Riya'dan] 1. Riya etme, iki yüzlü olma. 2. İçindekinin aksini söyleme. 3. Başkasının sözüne itiraz ve müradele etme. «Beyn-en-nâs zubur-i cidal ve mira şayi. — Taş.». — «Âyat-i Hudada reyb ü mira edenlere iltihak ile. — Nergisi».

mirab, *F. i.* [Mir-âb] Bir şehrin su işlerine bakan kimse.

mirac, *A. i.* 1. Merdiven. 2. Muhammet peygamberin Tanrı huzuruna çıktığı gece.

mirahur, *F. i.* [Mir-ahur] İmrahor. Sarayın binek ve yük havyanları, ahırları ile bunlara bakanların idaresine memur kimse. *Mirahur-i kebir* veya *evvel, mirhur-i sani* diye iki kişi idiler. «Tesliyet-i dil-i nakâma agaz eylediğim esnada mirahurları ağa kullarıyle. — Kâni».

miralay, *A. i.* [Mir-alay] Albay (XIX. yy.). Miralaylara *bey* denirdi, yazıda da *izzetlû* lâkabı yazılırdı.

miran, *F. i.* [Mir ç.] Beyler. *Mir-i miran,* beylerbeyi; eyalet valisi. (Tanzimattan sonra) Sivil memurlardan ulâ sınıf-i sanisine karşılık bir rütbe olup bazı ileri gelen yerli büyüklere ünvan olarak verilir, bu pâyeyi almış olanlara *paşa* denirdi. «Mir-i miran-i eyalet-i Van olan Seyit Paşanın. — Raşit».

mirar, *A. i.* [Merre ç.] Kereler, defalar.

miraren, *A. zf.* Defalarca, • *Miraren ve raren* birçok kereler.

miras *A. i.* [Veraset, irs'ten] Ölen kimseden hısımlarına kalan mal, mülk. «Mirasın oldu sahne-i a'sara bir safîr. — Cenap».

mirashor, *F. s.* [Miras-hor] Miras yeyen. Mirasyedi.

mir'at, *A. i.* Ayna. «Fakat kurtulmaz gözleriniz — Nazar etmekten o mir'at-i semâlûde yine. — Fikret».

mircel, *A. i.* Kazan. (ç. Meracil). «Mircel-i tama-i hassı ateş-i hırsla cuşiş etti. — Saadettin».

mirfak, *A. i.* Dirsek. 2. Matbah ve kiler.

mirfaka, *A. i.* Dirsek dayanacak küçük yastık.

mirfed, *A. i.* Büyük kâse.

mirî, miriyye, *A. s.* (Türkçede kullanılmıştır) 1. Beylik. Beyliğe ait, beylikle ilgili. 2. *(i.)* Devlet hazinesi. • «Esrarını Mesnevi'den aldım — Çaldım veli mirî malı çaldım. — Ş. Galip».

mirkam, *A. i.* Kalem.

mirkat, *A. i.* Merdiven. Basamak.

mirsat, *A. i.* (Sin ve *te* ile) Gemi demiri, lenger.

mirsâd, *A. i.* (Sat ile) Gözetmeye yeri. Rasat yeri. • *Mirsad-i ibret,* ibretle seyretme yeri. • «İhtilâfatiyle uğraşmakta dehrin zevk yok — Zevk anın mırsad-i ibretten temaşasındadır. — Naci».

mirvaha, *A. i.* [Rih'ten] Yelpaze. • «Ey mirvaha-i lâne-i murgan. — Cenap» — «Başlarına siyah ibrişim destmal setr etmişler bir siyah harem ağası mirvaha salardı. — Naima».

mirvahacünban, *F. s.* [Mirvaha-cünban] Yelpaze sallayan. • «Hayli zaman mircahacünban idim. — Naci».

mirza, *F i.* Beyzade.

mis, *F. i.* (Sin ile) Bakır. • «Mis tıynetan-i naksı zer-i halis eyleriz — Terkib-i kimya-yi safadır zamirimiz. — Nabi».

misafir, *A. s. i.* Misafir. • «Firdevs Hanımın uzun bir misafirlik için yalıya geleceğini işitmiş idi. — Uşaklıgil».

misak *A. i.* (Se ile) [Vüsuk'tan] Yemin. Antlaşma, sözleşme. (ç. Mevasîk).

mîsak, *A i.* (Sin ile) Sürme, gütme.

misal, *A. i.* 1. Örnek. 2. Masal. 3. Rüya, düş. 4. Benzer, andırır. 5. (Arap Gra.) Başı *v* yahut *y* ile başlayan fiil. • *Âdîm-ül-misal,* eşi, benzeri olmayan; •*bimisal,* örneksiz, eşsiz; • *derya-misal,* deniz gibi, gayet çok. • «Tuna gibi nehr-i bahr-misalin. — Peçoylu».

misaha, Bk. • *Mesaha.*

mi'sar, *A. i.* (Ayın ve *sat* ile) 1. Mengene. 2. Şaraphane.

misas, *A. i.* Değip dokunma. El sürme.

misbar, *A. i.* (Sin ile) Yaraya konan fitil.

misrat, *A. i.* Su arılmaya mahsus süzgeç.

misk, *A. i.* Misk. Bir cins hayvanın göbeğinden çıkarılan güzel kokulu madde. • «Ve tabla tabla misk ü anber. — Peçoylu».

miskab *A. i.* [Sakb'den] Delme aleti. Matkap. • ‹Müjgânlar üzre katre-i eşk ile gözlerim — Hakkâktır biaynihi miskapla dür deler. — Ruhi›.

miskal, *A. i.* Bir buçuk dirhem ağırlık ölçüsü.

miskat, *A. i.* (Sin ve te ile) Su kovası.

miskî, *A. i.* Misk gibi kara veya misk kokulu. • *Miskiy-ül-hitam,* • *hitamühu misk,* güzellikle sona erdi anlamında yazı sonlarında kullanılır deyim.

miskin, *F. s.* [Misk'ten] 1. Miskli. 2. Kara.

miskin, *A. s.* [Meskenet'ten] 1. Zavallı, acınacak halde. 2. Çok fakir. 3. Miskinlik, cüzzam hastalığına tutulmuş. • ‹Ninen, baban, iki miskin biz artık ölmeliyiz. — Fikret›.

miskinhane, *F. i.* [Miskin-hane] Miskin illetine tutulmuşlar yurdu. Cüzzamlılar hastahanesi.

misl, *A. i.* 1. Benzer, eş. 2. Miktar. • *Mukabele bilmisl,* tıpkısını yaparak karşılık verme. • ‹Bir bina-i acîbedir ki misli ve adili manzur-i seyyahan-i âlem olmamıştır. — Peçoylu› • ‹Bir zarar kendi misliyle izale olunamaz. — Mec. 25›.

misli, *A. s.* Çarşı ve pazarda asırı fiyat farkı olmadan benzeri bulunan şey. (ç. Misliyat).

misma', *A. i.* [Semi'den] 1. Kulak. 2. Hastanın ciğer ve kalbini dinleme aleti.

mismar, *A. i.* (Sin ile) 1. Çivi, mıh. 2. Kazık, çengel.

mismarî, mismariyye, *A. s.* Çivi şeklinde. • *Hatt-i mismarî,* çivi yazısı.

misra', misri', *A. s.* (Sin ve ayın ile) Çabuk, ivedi, süratli. • ‹Peyk-i misra-i ecel gibi.— Saadettin›.

misvak, *A. i.* 1. Özel ağaçtan yapılma bir çeşit diş fırçası.

mis, *F. i.* Koyun. • ‹Bîşelerde sındı kaldı gürg ü mîş. — Lâmii›.

miş'ar, *A. i.* (Ayın ile) Şan, şeref.

mi'şar, *A. i.* Onda bir.

mişezar, *F. i.* Türkçe *meşe* kelimesine Farsça *zar* edatı eklenerek; meşelik, küçük koruluk.

mişref, *A. i.* Sarkık dudak.

mişin. *F. i.* Meşin. Tabaklanmış koyun derisi.

mişkât, *A. i.* İçinde kandil yakılmak üzere duvarda yapılan oyuk, hücre. • ‹Meyillerin ihsas ve mişkât-i zamir-i münirlerinden. — Saadettin›.

mişmiş, *A. i.* Kayısı, zerdali ve erik benzerleri yemiş.

mişrak, *A. i.* Her zaman güneşli yer.

mişrât, *A. i.* 1. Hacamatçı veya cerrah nişteri. 2. Keskin bıçak. 3. Cerrah çakısı. Bisturi.

mişvar, *A. i.* Gidişat, tavır, tarz. • ‹Karanlıkta yürüyenlere mahsus bir mişvar-i müteredditle. — Uşaklıgil›.

mişvargâh, mişvergeh, *F. i.* 1. Gösteri yeri. 2. Pehlivanlık meydanı. 3. Satılık atların koşturulduğu yer. • ‹Sürünce esbini mişvergâh-i marikeye. — Nergisi›.

mithara *A. i.* [Taharet'ten] Matara.

mitin, *F. i.* Külünk, Taşçı aleti.

mitrak, mitraka, *A. i.* 1. Matrak. 2. Değnek, sopa. 3. Savaş sopası, tokmak. 4. Çekiç.

miyah, *A. i.* [Ma ç.] Sular. • *Miyah-i hare,* sıcak kaynak suları. • *hatt-i içtima-i miyah,* suları başka başka yönlere akan toprakları ayıran sırtlar. • ‹Bütün oda gûya bir tugyan-i miyahtan sonra alçalarak. — Uşaklıgil›.

miyan, *F. i.* 1. Bel, meyan. 2. Orta. 3. Ara, Aralık. 4. Şarkı bestelerinin üçüncü mısraı, meyan • *Dermiyan.* Bk. • *mumiyan,* (kıl belli) ince belli. • ‹Şu nazenin güzel miyan — Yanında ince bellerin. — Recaizade› • ‹Miyan-i bezme bir harf-i şuh atar aradan. — Fikret›.

miyanbend, *F. i.* [Miyan-bend] Kemer, kuşak.

miyanbeste, *F. s.* [Miyan-beste] Bel bağlamış, hemen işe hazır.

miyandar *F. s.* 1. Araya girici olan. 2. Tellâl. 3. Pezevenk.

miyane, *F. i.* 1. Orta. 2. Ara. 3. Helva gibi bazı yemeklerin pişme kıvamı, meyane. 4. Musiki kârlarının orta hanesi. • ‹Dargın bir ihtiram idi câri miyanede. — Fikret›.

miyanser, *F. i.* Yarısı taşlarla süslü taç.

miyanseray, *F. i.* Ev meydanı, avlu.

mi'yar, *A. i.* [İyar'dan] 1. Ölçü. 2. (Kim.) Ayıraç. • *Miyar-i sıdk,* kriter. • ‹Yalnız zevkin miyar-i müşkülpesendiyle. — Uşaklıgil›.

mîz, *F. i.* Sofra.

mizab, *F. i.* [Miz-âb] Su yolu, oluk. • ‹Eğer böyle kalırsa ebr-i naz ü berk-i istiğna — Saf-i müjgânımın her tari bir mizabdan kalmaz. — Nabi› • ‹Mizab-i kalemden dökülen ma-i maarif. — Avni›.

mizac, A. i. (Ze ile) [Mezc'den] 1. Bir şeyle karıştırılmış başka şey. 2. İnsandaki ahlâkın karışma orantısından meydana gelen hal ve yaradılış durumu: Tabiat, huy. (ç. Emzice). • Mizac-i asabî, • -balgamî yahut • -lenfaî, •-demevî, • -safravî dört hılttan birinin çokluğuna göre insan mizacları; • bed mizac, kötü huylu; • hadid-ülmizac, çabuk kızar; • namizac, rahatsız; • su-i mizac, sağlık bozukluğu • «Verir bu manzara en kayıtsız mizaca esef. — Fikret».

mizacgir, F. s. [Micaz-gir] Keyfe göre hizmet eder. • «Mizacgir ve ahmak kurenaya müsadif olduklarından. — Naima».

mizacgirane, F. zf. Herkesin keyfine gidecek yolda, keyfe hizmet eden yolda. • «Ve gelki içlerinde mizaçgirane hareket eden olur ise mertebe-i vezarete kadar vâsıl olduğıyçin. — Kemal».

mizacagirî, F. i. Mizaçgirlik.

mizah, müzah, A. i. Şaka, eğlence latife. • « Mizaha meylim de (sizi) memnun etmiyor. — Cenap».

mizahamiz, F. s. [Mizah-amiz] Mizah karıştırılmış, alaylı, eğlenceli. • «Recm maddesinde hüccet verdiğin takbihe dair mizahamiz sözler söylemesi. — Raşit».

mizahî, mizahiye, A. s. Eğlenceli.

mizahnüvis, F. s. [Mizah-nüvis] Eğlenceli yazı yazan. Eğlence yazısı yazan. (ç. Mizahnüvisan). • «Mizahnüvislerin kalem ve fırçaları ustura gibi. — Cenap».

mizahperver, F. s. [Mizah-perver] Mizahtan, eğlenceli yazılardan hoşlanan. Böyle yazıları seven. (ç. Mizahperveran). • «Moda, mizahperveran için vâsi bir sermayedir. — Cenap».

mizan, A. i. [Vezn'den] 1. Ölçü aleti. 2. Tartı. 3. Ölçek. 4. Terazi. 5. Yarın ahrette işlediklerimizin tartılacağı terazi. 6. Terazi burcu. 7. (Mat.) Sağlama. • Mizan-ül-harare, termometre; • mizan-ül-hava, barometre. • «Meselâ bakkalın birinin mizanı nâkıs çıksa. — Veysi».

mi'zar, A. i. (Ayın ve zel ile) 1. Perde. 2. Örtü. (ç. Maazir).

mizban, F. i. [Miz-ban] Misafir kabul eden adam, konuk sahibi. • «Evlerimize konup mizbanlık mertebesin riayet ettikten sonra akşam oldukta. — Naima».

mizbanî, F. i. Ev sahipliği.

mi'zer, A. i. (Hemze ve ze ile) Peştemal. • «Mumeyana sarılınca mi'zer — Nereye sütre olundu belki sezer. — Vehbi».

mizebbe, A. i. Sinek yelpazesi. • «Ellerinde birer tuğ rişasi renk-amiz mizebbe ile atının gözün ve burnun ve kulağın ve taşağın tervih ve. — Naima».

mizkâr, A. s. (Zel ile) Hep erkek doğuran dişi.

mizmar, A. i. 1. Düdük, kaval, flüt. 2. Zebur surelerinin her biri. (ç. Mezamir). • «Mizmar-i seradan gelen asude nevalar. — Cenap».

molla, monla A. i. [Mevlâna'dan] 1. Büyük kadı. 2. Büyük bilgin. 3. Medrese öğrencisi.

mollayî, F. i. Mollalık. • «Vâris-i câh ü rüteb müft-i pakize-neseb — Ki verasetle musellemdir ona mollayî. — Nergisi».

mollayane, A. zf. Mollaya yakışır yolda. Mollaca. • «Şiar-i mollayane ile bir beyaz sof giymiş idi. — Naima».

mu, muy, F. i. Kıl • Ser-i mu, kıl başı, en az, en ufak. • «Ağardı mu-yi ser sevda-i zülf-i yâr yetmez mi? — Fuzuli».

muabber, A. s. Yorumlanmış düş.

muabbir, A. i. Düş yorucusu, rüyalardan mâna çıkaran.

muaccel, muaccele A. s. [Acele'den] Peşin, önden. • Mehr-i muaccel, nikâhlanmada kıza peşin verilen para, ağırlık.

muaccelât, A. i. [Muaccel ç.] Peşin ödemeler.

muaccele, A. i. Beylik ve evkaf kiralarında peşin alınan kısım.

muaccelen, A. zf. Çabuk olarak. Peşin olarak. • «Mahsus adam gönderip ol dahi muaccelen der-i devlete gelip umur-i âleme iştigal gösterdi. — Naima».

muaccib, mu'cıb, A. s. [Ucb'den] 1. Şaşırtan. 2. Şaşılacak.

muacciz, muaccize, A. s. [Acz'den] Yorup sıkıcı, bıktırıcı. Yapışkan, sıvışık. • «Daha ziyade sevilmek için muacciz çocuk olurdu. — Uşaklıgil».

muacezet A. i. (Ayın ve ze ile) Âcizlik gösterme. Yapamama.

muad, A. s. Geri çevrilmiş, döndürülmüş.

muadadat, muazadat, *A. i. (Ayın, dat ve dal* ile) Yardım etme, arka olma. • «Ehl-i İslâma muadadat üzre maktul olanlar. — Naima».

muadat, *A. i.* [Udvan'dan] Karşılıklı düşmanlık. • «Ebna-yi beşerde kalacak mı bu muadat — Bilmem ne zaman doğrulacak mezheb-i âlem. — Zaya Pş.».

muadd, *A. s.* Hazırlanmış.

muaddel, *A. s.* [Adl'den] Tâdil edilmiş, eski hali değiştirilmiş.

muaddid, *A. i.* Sayaç (XX. yy).

muadddil, muaddile, *A. s.* [Adl'den] Tâdil eden, düzelten, denkleştiren. • *Muaddil-ün-nehar* gün-tün eşitliği çizgisi, bir ucu Kuzu (Hamel) burcunun başında, ötekisi Başak (Sümbüle) burcunun sonundadır.

muadelât *A. i.* [Muadele ç.] (Mat.) Muadeleler. Denklemler.

muadele *A. i.* [Adl'den] İki şey arasında değer, sayı tartıca eşitlik, denklik. 2. (Mat.) Denklem. • «Yarım kalmış bir cebir muadelesine dalarak. — Uşaklıgil».

muadelet, *A. i.* [Adl'den] Eşitlik. Denklik.

muadil, *A. s.* [Adl'den] Beraber. Eşit. (Mat.) Eşdeğer. • *Bimuadil*, eşsiz, benzeri olmayan. • «Bir bâd-i muganni ki hadaikte verirsin — Her nağmeye, her saza muadil — Yapraklara bir dil. — Cenap».

muaf, muaffe, *A. s.* [Afv'den] 1. Affolunmuş, bağışlanmış. 2. Ayrıca tutulmuş. 3. Serbest. 4. (Bio). Bağışık. • «Bu cür'et-i sadıkane tab-i hümayuna hoş gelip silâhdara da yazmaktan kenduyu muaf buyurmuşlar idi. — Naima».

muafakat, *A. i.* Aldatmaya çalışıp durma.

muafat, *A. i.* Hastalık veya belâdan korunma.

muafgâh, *F. i.* Af olunmak için sığınılacak yer.

muafiyyet *A. i.* 1. Af edilmiş olma. 2. (Bio.) Bağışıklık. (XIX. yy.).

muafname, *F. i.* Aff kâğıdı.

muahat, *A. i. (He* ile) Kardeşlik edinme.

muahazat, *A. i.* [Muahaze ç.] 1. Tenkitler, tenkit (XIX. yy.) 2. Çıkışmalar. • «Vatan hususunda hikmeten vuku bulacak muahazatın reddi. — Kemal».

muahaze, *A. i.* [Ahz'den] 1. Başka birinin davranışını beğenmediğini söyleme, çıkışma. 2. Tenkit (XIX. yy.).

(ç. Muahazat) • «Kişi ikrariyle muahaze olunur. — Mec. 79».

(Ed. Ce) :
• *Avaze-i muaheze.*
• *mâna-yi muaheze,*
• *nazar-i muaheze,*
timsal-i muaheze .

muahazekâr, *F. s.* [Muahaza-kâr] 1. Muahaze edici. 2. Tenkitçi, eleştirici. (ç. Muahazekâran). • «Onu biraz dargın, biraz muahazekâr, vakur, ciddi bir sesle. — Uşaklıgil».

muahedat, *A. i.* [Muahede ç.] Antlaşmalar.

muahede, *A. i. (He* ile) [Ahd'dan] 1. Karşılıklı ant içme. 2. Antlaşma. *Muahede senedi*, antlaşma kâğıdı. (ç. Muahedat). • «Bu şerait-i esasiye bir muahede-i resmiye kadar ehemmiyetle. — Uşaklıgil».

muahedename *F. i.* [Muahede-name] Antlaşma şartlarının yazıldığı kâğıt.

muahhar, muahhara, *A. s.* [Ahar'dan] 1. Geride bulunan, sonraya ve geriye kalmış olan. 2. (Mec.) Kıç. • «Davranıp silkip muahharı üzre düşürüp kârın tamam eyledi. — Naima».

muahharen, *A. zf.* Sonradan. • «Bazı esbap devamına mâni olmuş idi. Muahharen devletin mebna-yi azametini tecdide çalışan. — Kemal».

muahid, muahide, *A. s.* [Ahd'den] 1. Antlaşma yapanlardan her biri. 2. İslâm hükümetine bir para ödeyerek kendini korumakta olan (hıristiyan veya başka dinden) kimse.

muahiz, *A. s.* [Ahz'den] 1. Çekiştiren. 2. Tenkit eden (XIX. yy.).

muakab, *A. s.* 1. Cezalandırılmış olan. 2. Peşi sıra biri bulunan. (ç. Muakabat). • «Ve sevabık-i merk ü hiyeli tadadı ile muakab olduktan sonra. — Saadettin».

muakabe, *A. i.* Birini cezalandırma.

muakade, *A. i.* [Akd'den] Anlaşma. • «Muakade-i dest-i mübayeat eylediler. — Naima».

muakale, *A. i.* 1. Akıl yürütme. 2. (XX. yy.) da • *spéculation* karşılığı kullanılmıştır. (ç. Muakalât). • «Spekülasyon namını veridler, biz buna Türkçede «muakale» ismini veriyoruz. — Z. Gökalp».

muakama, *A. i.* Çekişme, davalaşma.

muakara, *A. i.* Çalışma, Uğraşma.

muakıb, muakıbe, A. s. 1. Cezalandıran, ceza veren. 2. Birinin peşinde olan. • ‹Önünde koşan, fakat yine dikkatle her izi — Tâmika yol bulan bu yanılmaz muakıbin. — Fikret›.

muakıd, muakıde, A. s. [Akd'den] Anlaşan. Anlaşan veya sözleşenlerden her biri.

muakkab, A. s. Ardına düşülmüş.

muakkad, muakkade, A. s. [Ukde'den] 1. Düğümlü, düğümlenmiş. 2. Çözülmesi zor, kapalı söz. • ‹Kim lafzı muakkad, manası hep muanmma. — Recaizade›.

muakkıb A. s. [Akab'dan] Bir şeyin ardına düşen, takip eden. • ‹Muakkıbın hamlesine muntazır, pür-heyecan bekliyordu. — Uşaklıgil›.

muakkıbîn, A. i. [Muakkib ç.] Takip ediciler, kovalayıcılar, izleyenler.

mualecat, A. i. [Mualece ç.] İlâç yapmalar, ilâçla iyi etmeye çalışmalar. • ‹Tabibe müracaat etmek, iktiza eden mualecâtı almak için paraya muhtaç değil midir? — Kemal›.

mualece, A. i. [İlâc'dan] İlâç yapma, ilâç kullanma.

mualic, A. i. (Ayın ile) İlâç yapan kimse. • ‹Çare-i bihbudumu mualicden dedi — Dert derd-i aşktır mümkün değil ilâç sana. — Fuzulî›.

muallâ, A. s. [Ulüv'den] 1. Yüce, yüksek. 2. Rütbe, mevki, derecesi yüce. • Der gâh-i muallâ, padişah sarayı; • makam-i muallâ, yüce kat (sadrazamlarla şeyhülislâmlar için kullanılırdı). • ‹Muallâ bir derinlik şi'r-i Hâmit, şi'r-i vecd âver. — Fikret›.

muallak, muallaka, A. s. 1. Asılmış, asılı. 2. Bir yere dayanmadan havada veya boşta duran. 3. Bir sonuca bağlanmamış öyle duran (iş.) 4. Bağlı. • ‹Azîm, siyah bir küme halinde muallakta, parçalanmaya müheyya duran buluta bakarak. — Uşaklıgil›.

muallakat, A. i. İslâmdan önceki Arap şairlerin beğenilip de Kâbe duvarına asılmış ünlü kasideleri. • Muallâkat-i seb'a (Yedi askı) bu çeşit manzumelerden ünlü yedi tanesi.

muallakiyet, A. i. Muallak (Bk.) olma.

muallel, muallele A. s. [İllet'ten] İlletli. İllet gösterilerek kusurlandırılmış. • Mualle, bil-agraz, garazla illetli gösterilmiş.

muallem, A. s. [İlm'den] Talim görmüş talimli. • ‹Bir çift muallem macar araba hayvanı. — Recaizade›.

muallil, muallile, A. s. [İllet'ten] illet ve bahane bulan, gösteren (kimse).

muallim, A. i. [İlm'den] Öğreten, öğretici kimse. Öğretmen. Hoca müderris, profesör. • Muallim-i evvel, Aristo; • muallim-i evvel, iki sınıflı ilkokullarda başöğretmen. • ‹Mazi o bir muallim o bir pîr, o bir peder. —Fikret›.

muallimat, A. i. [Muallime ç.] Kadın öğretmenler. • Dar-ül - muallimat, 1870 te ilk defa İstanbul'da kurulan Kız Öğretmen okulu.

muallime, A. i. Kadın öğretmen. • ‹Siz onun için bir muallimeden ziyade bir valide olacaksınız. — Uşaklıgil›.

muallimîn A. i. [Muallim ç.] Öğertmenler. • Dar-ülmuallimîn, 1848 de önce İstanbul'da kurulan Erkek Öğretmen Okulu. • Dar-ül-muallimîn-i âliyye, Yüksek Öğretmen Okulu.

muamelât, A. i. [Muamele ç.] Muameleler. • ‹Ayan görürdü bakanlar muamelâtında — Vifak-i tammını ism ile müsemmanın. — Recaizade› • ‹Artık bütün muamelât-i resmîye hitam bulmuştu. — Cenap›.

muamele, A. i. [Amel'den] 1. Birbiriyle iş yapma, aksata etme. 2. Birine karşı davranış, tutum. 3. Bir iş hakkında resmî dairede yapılan kayıtlar v.s. 4. Alışveriş. 5. Faizli sarraflık işi. • Muamele-i cemilekârane, beğenilir, yaranma muamelesi; • ‹Muameleleri bütün tebdil etmeli. — Uşaklıgil›.

muamil, A. i. [Amel'den] İş yapan. Muameleci. (ç. Muamilîn). • ‹Seza ki eyleye üftade bîm-i adlinden — Muamilân-i fesadı meşime-i takdir. — Beliğ›.

muamma, A. i. [Ama'dan] 1. Anlamı gizli ve güç anlaşılır söz. Bilmece. Yanıltmaç. 2. Anlaşılmaz, çözülmesi güç iş. (ç. Muammiyat). • ‹Besmeleyle edelim feth-i kelâm — Feth ola ta bu muamma-yi benam. — Hakani›. • ‹Kendisince bile halledilmeyen, mahiyeti bilinmeyen o müthiş muammayı. — Uşaklıgil›. ,
(Ed. Ced.) :
Muamma-yi âsap,
-dil,
-musiki.

muammem, *A. s.* [Amame'den] Amameli, sarıklı.

muammer, muammere, *A. s.* [Ömr'den] Yaşayan. Hayatta olan. • ‹Muammer olsa anınçün güzariş-i mah ü sâl. — Recaizade›.

muanaka, *A. s.* [Unk'tan] Birbirinin boynuna sarılma, kucaklaşma, sarmaşma. • ‹Vezarete ikramen Mehmet Paşa kıyam edip muanka ve hal ü hatırın sual ederek. — Naima›.

muanat *A. i.* Bir nesnenin zahmetini çekme. Zahmeti çekilen nesneye hep göz kulak olma.

muanber, *A. s.* [Anber'den] Anberleşmiş, güzel kokan. Güzel kokulu. • ‹Ve âdet üzre muteber ve muanber şerbetler içildi — Peçoylu› • ‹Seyret beyaz feste o zulf-i muanberi — Şebbuyu gör ki berk-i semenden kabâsı var. — Nedim›.

muanede, *A. i.* [Anud'dan] İnatçılık. Bir işte haklı veya haksız ayak indirme.

muanid, *A. s.* [Anud'dan] İnatçı. • ‹Beni İsrail muanidleri rû-yi inkârdan ateşzen-i hırmen-i şerr ü feşat olmağa başlayıp. — Veysi›.

muanik, *A. s.* [Unk'tan] Birbirinin boynuna sarılan, kucaklaşan. • ‹Vâsıl-i huld-i berin ve muanık-i hur-i ayn oldular. — Peçoylu›.

muannid, *A. s.* İnatçı. • ‹Artık ağrılar veren o muannid öksürükleri zapt etmek istiyormuşçasına. — Uşaklıgil›.

muannif, muannife, *A. s.* Şiddetle azarlayan.

muanven, muanvene, *A. s.* [Unvan'dan] Unvanlı, adlı. • ‹Pâye-i vezaretle bir murassa serguç ve kılıç ve hançer inayet olunup Yusuf Paşa unvaniyle muanven kılındı. — Naima›.

muar, *A. i.* Ödünç olan mal.

muaraza, *A. i.* [Arz'dan] 1. Birbirine karşı gelme, karşılık. 2. Kavga, çekişme. (ç. Muarazat). • ‹Ve hezimete sen bais oldun diye birbirine muaraza ve itale ederek. — Peçoylu› • ‹Güverte yolcularının mücedelât ve muarazatı. — Recaizade›.

muaref, *A. s.* Maruf, bilinen.

muarefe, *A. i.* [İrfan'dan] Bilişme, tanışma. Birbirini bilip tanıma. • ‹Mahallenin müezzini Mehmet Çelebi nam. şehrî-i zarif ile muarefe-i kadîmesi olduğuna binaen. — Naima›.

muarekât, *A. i.* [Muareke ç.] Vuruşmalar, savaşmalar.

muareke, *A. i.* Kavga, vuruşma. Savaş.

muaremet, *A. i.* Kötü huyluluk.

muariz, muarıza, *A. s.* [Arz'dan] Karşı gelen. Karşı bulunan. • ‹Biçarenin muarız olursun feragına — Söylersin anlaşılmayacak söz kulağına. — Naci›.

muarızin, *A. i.* [Muarız ç.] Muarızlar.

muarra, *A. s.* [Ura'dan] Çıplak, soyulmuş • ‹Nâsık ve kesafetten muarra bir cevher olmakla padişah hazretleri meyl edip. — Naima›.

muarreb, muarrebe, *A. s.* [Arab'dan] 1. Aslında Arapça değil iken Arapçalaştırılmış. 2. Gramarci. (ç. Muarribîn). • ‹Sabit bin Hayyam eimme-i nahvden değil idi, eimme-i muarribînden idi. — Taş.›.

muarref, *A. s.* [İrfan'dan] 1. Bildik, belli, tanıdık. Belirtilmiş. 2. (*Arap gra.*) harf-i tarif (el) bulunan. 3. (Fel.) Tanımlı. 4. (Man.) sınırlı, tariflenmiş.

muarrif, *A. s.* [İrfan'dan] 1. Tarif eden. bildiren. 2. Cami ve tekkelerde hayır sahiplerinin adlarını sayan müezzin veya derviş. • ‹Minberde hatip olan vü mahfilde muarrif — Âr eylemeye olduğuna cehl ile maruf. — Ruhi›.

muarrifan *F. i.* [Muarif ç.] Belirticiler.

muarrik, *A. s.* [Arak'tan] Terletici.

muasarat, *A. i.* (*Sat* ile) Aynı asır ve zamanda yaşama veya yaşamış olma.

muasat, *A. i.* (*Sat* ile) İtaatsizlik etme, başkaldırma.

muasere, *A. i.* (*Sin* ile) 1. Birine zorluk çıkarma, işini güçleştirme. 2. Fakirlik, güçlük.

muasır, *A. s.* [Asr'dan] Aynı asırda yaşayanlardan her birinin ötekine göre durumu. • ‹Edebiyat-ı hazırayı tahkir edenler bizim muasırımız değildir. — Cenap›.

muasırîn, *A. i.* [Muasır ç.] Aynı asır ve aynı zamanda yaşayanlar. • ‹Eslâfı ya etmek için ibcal — Lâyık mı muasırîni igfal. — Kemal›.

muasi, muasiye, *A. s.* (*Sat* ile) İsyan eden, başkaldıran.

muasker, *A. i.* [Asker'den] Ordu yeri Ordunun savaş zamanı toplandığı yer.

muassel, *A. s.* [Asel'den] Bal ile terbiye edilmiş ballı.

muaşaka *A. i.* [Aşk'tan] Birbirini sevme, sevişme. (ç. Muaşakat). • ‹Birden Bihter'le muaşakalarının yeni bir devre-i tehlikeye girdiğini anladı. — Uşaklıgil›. • ‹Tesadüfen girdiği bazı bazar-i muaşakattan. — Uşaklıgil›.

muaşeret, *A. i.* Birlikte yaşayıp geçinme. • *Adab-i muaşeret,* görgü; • *hüsn-i muaşeret* • *usul-i muaşeret,* sosyoloji, toplumbilim (XIX. yy.).

muaşık, muaşıka, *A. s.* [Aşk'tan] Seven, sevişenlerden her biri. • ‹İlel'ebet... iki ruh-i muaşıkın bu ümit — Bu va'd-i muğfil-i sevda penah-i kalbi idi. — Fikret›.

muaşır, *A. s.* Halk ile birlikte yaşayıp geçinen.

muaşıran, *F. s.* Muaşirler. Birbiriyle hoş geçinenler. • ‹Füzun gerek arak-i şebnem-i seher ki henüz — Muaşıran-i saf-i soffa-i çemen mahmur — Nailî›

muaşşer, muaşşere, *A. s.* Onlu, onluk.

muaşşir, *A. s.* Öşür memuru, öşürcü.

muatat, *A. i.* Verme. • ‹... ile Nemçelü beninde münavele ve muatat olunan şerbet-i musalaha-i na-güvar. — Ragıp Pş.›.

muateb, *A. s.* [İtab'dan] Tekdir olunan, azarlanan. • ‹Müftü efendiyi muateb şeklinde muhatap ettiler. — Naima› • ‹Hilâfından muateb ve muakab olacakları kendilerine ilân ve ilâm olunup. — Raşit›.

muatebe *A. s.* [İtab'dan] İtap etme, çıkışma, azarlama. • Ve ol makule ef'ali için muatebe ederdi. — Taş.›

muatib, *A. s.* [İtab'dan] Çıkışan, azarlayan.

muattal, muattala, *A. s.* 1. Bırakılmış, kullanılmaz, battal. 2. İşsiz, boş. • ‹Küffar-i hâksar müstavli olup medaris ve mesacidin harap ve muattal eyleyip. — Pecoylu.›

muattar, muattara, *A. s.* [Itr'dan] Güzel kokulu. • ‹Gaşy eden bir hava-yi muattar içinde yaşarken. — Uşaklıgil› • ‹Leyl-i zahmımda an bean siliyor — Bir muattar muzı, ipek mendil — Gibi zülfüm dem-i felâketimi. — Cenap.›

muattıs, *A. s.* [Ats'dan] Aksırtan, aksırtıcı.

muavaza, *A. i.* [İvaz'dan] 1. Değiş tokuş. Trampa. 2. Hileli iş, danışıklı dövüş. (ç. Muavazaât).

muavazatan, *A. zf.* Muvazaa yoluyle.

muavede, muavedet, *A. i.* [Avdet'ten] 1. Geri dönme. 2. Âdet edinme. • ‹Niçe umur sebebi ile muavedelerden sonra ki. — Taş.›.

muavenet *A. i.* [Avn'den] Yardım etme. Yardımcılık • ‹O bilâkis kimsenin muavenetine arz-i ihtiyac etmek istemezdi. — Uşaklıgil›.

muavin, muavine, *A. s. i.* [Avn'den] 1. Yardımcı. 2. Bir memurun işine yardım eden, yokluğunda yerine iş görmek üzere olan ikinci kimse. • *Asakir-i muavine,* savaş sırası kurulan başıbozuk askeri (XIX. yy.) *ef'al-i muavine,* etmek, olmak gibi yardımcı fiiller. • ‹Bu defa anneme alâ bir muavin var. — Uşaklıgil›.

Muaviye, *A. i.* Doğu Emevi halifelerinin ilki (661 yılında).

muvaffak, *A. s.* [Avk'tan] Geriye bırakılmış, asılmış, askıda bırakılmış. • ‹Şark seferi maksutları muavvak oldu. — Naima›.

muavvec, *A. s.* Eğrilmiş, eğri çarpık. • ‹Behlûl ufak, dar, muavvec izler takibederek. — Uşaklıgil›.

muavved, *A. s.* Bir nesneyi huy edinmiş olan.

muavvik, *A. s.* [Avk'tan] Geriye bırakan, oyalayıp uzatan.

muavvizeteyn, *A. i.* Kur'an'da ‹Kuleuzü› ile başlayan iki sürenin adı.

muayede, *A. i* [İd'den] Bayramlaşma.

muayene, *A. i.* [Ayn'dan] Gözden geçirme. Bir şeyi iyice yoklayıp gerçeğini anlamaya çalışma. • ‹Sonra şayan-i dikkat ve muayene olmak üzere ayrılan arçalar. — Uşaklıgil› • ‹Sokakları imlâ eden halkın ecnas ve eşkâlini muayene ediyordum. — Cenap›.

muayese, *A. i.* Beraberce hoşça geçinme.

muayin, *A. s.* [Ayn'dan] Görülmüş olan. Kesin olarak belli olan.

muayyeb, uuayyebe, *A. s.* [Ayb'dan] Ayıplanmış, ayıp görülmüş.

muayyebat, *A. i.* [Muayyeb ç.] Ayıp ve iğrenç şeyler. • ‹Halk esnaflığı muayyebattan addediyor — Kemal›.

muayyen, muayyene, *A. s.* '[Ayn'den] 1. Tâyin ve tahsis olunmuş. 2. Çevrelenmiş. çevresi belli edilmiş. • ‹Neuzi billahi teâlâ ateş-i fitnenin hadd-i muayyeni yoktur. Bir kere müştail oldukta muharrik ve muallim olanların pişmanlığı fayda vermez. — Naima› • ‹Nesrin'le Şayeste'nin gevezelikleri bir hadd-i muayyeni geçmezdi. — Uşaklıgil».

muayyenat, A. i. Hükümetçe bağlanmış erzak ve benzerleri.

muayyin, muayyine, A. s. [Ayn'den] Belirtici.

muazzam, muazzama, A. s. [Azam'dan] 1. Büyük, İri. 2. Ulu, ululanmaya değer. 3. Ağır, önemli. ● Düvel-i muazzama, büyük devletler (XIX. yy.). İngiltere, Fransa, Avusturya-Macaristan. Rusya, Almanya, İtalya. ● «Gergin kanatlarıyle muazzam birer ukab — Tecsim eden bulutlar. — Fikret».

muazzamat, A. i. Büyük ve ağır işler. Bk. ● Muzamat. ● «Umur-i devlette haddi ve vazifesi olmayan muazzamat-i masalihe müdahale ettiği için. — Naima».

muazzez, muazzeze, A. s. [İzzet'ten] Azap içinde bulunan, içten rahatsız olan. ● «Uyur fikr-i beşer, tıfl-i muazzeb, — Uyur hattâ şu pehna-yi mükevkeb. — Fikret».

muazzez, muazzeze, A. s. [İzzet'ten] 1. İzzet ve şeref sahibi. 2. Ağırlanan, saygı ile kabul olunan. 3. Değerli, aziz. ● «Bütün o muazzez saât-i muaşaka hürmetine dost kalabilmek için — Uşaklıgil».

muazzezen, A. zf. İzzet ve ikramla ağırlanarak. İkram olunarak.

muazzib, muazzibe, A. s. [Azab'dan] 1. Azap ve eziyet veren. 2. Birine takılarak rahatsız etmeden hoşlanan, ilişen, muzip. ● «Bir eza-yi tehaşi ile hüküm süren hissin sada-yi muazzibini iskâta çalıştı. — Uşaklıgil».

muazzir, A. s. (Zel ile) Yalan özür söyleyen.

mubah, mübah, A. s. (Ha ile) [Ibaha'den] 1. Şeriatin yap veya yapma diye bir hükmü olmayan nesne, davranış. 2. Yapılmasıyle yapılmaması aynı olan. 3. Herkesin yararlanabileceği şey. ● «Mubah ile tezeyyun haram değildir. — Taş». ● «Zaruretler memnu olan şeyleri mubah kılar. — Mec. 21».

mubahat, A. i. [Mubah ç.] Mubah olan şeyler.

mubassır, A. i. [Basar'dan] 1. Gözetici, bekleyici, bakıcı. 2. Okullarda öğrencilerin sınıf dışı hareketleriyle ilgilenen kimse. 3. Gümrüklerde arayıcı kâtibi. (ç. Mubassırat). ● «İlm-ül-manazır bir ilimdir ki anınla ahval-i mubassırat ta-

arrüf olunur. — Taş.» — «Muvazene-i umumiyye mubassırlığı da evrak-i mizaha verilmiş vazaiftendir. — Cenap».

mûbemû, F. s. [Mu-be-mu] Tel tel, birer birer, çok dikkatle. ● «Ey name pây-i zülfüne düş benden ol mehin — Arz et siyahname-i hicranı mûbemû. — Naci».

mubid, F. i. Zerdüşt, Mecusi din adamı (ç. Mubidan).

mubtal, A. sı. (Tı ile) Battal edilmiş.

mubti, A. s. (Tı ile) Ağır, geç gelir olan.

mubtıl, mubtıle, A. sı (Tı ile) Battal edici.

muceb, A. s. [Vücub'dan] 1. Bir söz veya emrin gerektiği şey, sonuç. 2. Resmi yazıların hükümleri hakkında en büyük âmirin yapılma için işareti.

muced, A. s. Kuvvetli ve sağlam olan.

mu'cem, A. i. 1. Noktalı (harf) 2. Alfabetik sırayla dizilmiş. ● «Tarih-i sâl-i bed'ini mu'cem yazıp dedim — Hüzni rakamla etti müverrihliğe heves. — Süruri».

mucer, A. s. [İcar'dan] Kiraya verilmiş (şey).

mucez, A. s. [İcaz'dan] İcaz yoluyla, kısa, tolu yazılmış.

muci, A. s. [Veca'dan] Ağrıtan, acıtan. ● «Darb-i muci' ve şedit ile darb ile. — Taş».

mucib, mucibe, A. s. i. [Vücub'dan] 1. İcap eden. 2. Sebep, vesile ● Bilâ mucip, sebepsiz, hiç yoktan; ● esbab-i mucip, sebepsiz, hiç yoktan; ● esbab-i mucibe, gerektiren nedenler; kazye-i mucibe, olumlu önerme. ● «Mucib-i şiddet-i melâlimdir. — Fikret».

mu'cib, A. s. Şaşırtan.

mucibat, A. i. [Mucib ç.] Sebepler. Nedenler. ● «Şu mucibat-i helâkin yakında zevalini (...) beklemez. — Kemal».

mu'cibe, A. i. Şaşılacak şey.

mucid, A. s. i. [Vücud'dan] 1. Yeni bir şey meydana getiren. 2. Kendiliğinden fikir ve mana icadına muktedir. ● Mucid-i hakikî, Tanrı. ● «Allah ki mucid-i cihandır — Bin türlü nikaptan iyandır. — Naci».

mucir, A. s. [Ecr'den] Kira ile veren; kiralayan.

muciz, A. s. [İcaz'dan] İcaz üzere, kısa, toplu. (i.) Kısaltan.

mu'ciz, A. ş. [Acz'den] Başkalarını, yapmada, geri bırakan. Kimsenin yapamayacağı yolda olan. ● Mu'cizbeyan, ●

mu'cizeda, anlatış ve tavrı herkese benzemeyen şair ve yazar, eser. • «Bir feyz mi var kim daha mu'ciz hünerinden? — Fikret».

mu'cizat, A. *i*. [Mucize ç.] Mucizeler • «Mu'cizatın söylenir kişver be-kişver ruz ü şeb — Fehim».

mu'cizdem. F. *s*. [Muciz-dem] Nefesi mucize etkili olan.

mu'cize, A. *i*. [Acz'den] 1. Peygamber tarafından yapılmış, olağanüstü haller ve sözlerin her biri. 2. (Mec.) İnsanı şaşırtacak şekilde görülmedik. umulmadık. • «Ya Rabbi, bu inanılacak mucize mi idi? — Cenap».

mucizfen, F. *s*. [Muciz-fen] Mucize göstermeği bilen. • «Sahir dediğim Nailiyâ tab'ına — Destinde olan hame-i mucizfen içindedir.'— Nailî».

mucizgû, F. *s*. [Muciz'gû] Söyledikleri Mucize gibi olan. • «Nailî inkâr edenler tab-i mucizgûyunu — İhtira-i hame-i sihr-azmâ bilmez nedir. — Nailî».

mu'ciznüma F. *s*. [Mu'ciz-nüma] Ola ğan üstü şeyler gösteren. • «Sana berkaide ağyara aksiyle bakardım ben — Elimden hame-i mu-ciz-nüma bir durbîn olsa. — Nabi».

muda, A. *s*. (Dal ve *ayın* ile) Kendine bir nesne emanet bırakılmış olan.

mudaraba, A. *i*. [Darb'dan] 1. Dövüşme, vuruşma. 2. Bir tarafın sermaye, öteki tarafın emek koymasiyle meydana gelen ortaklık. • «Tâ yeniçeriliği halinden beri murabaha ve müdarabaya akçe verip. — Naima».

mudarabat, A. *i*. [Mudraba ç.] Bk. *Mudaraba*.

mudarib, A. *i*. «Bir ortaklığa çalışma ve işlemesiyle katılan kimse. — Mec. 1404».

mudcer, A. *s*. (Dat ile) [Ducret'ten] sıkıntılı, gamlı olan.

mudeir, A. *s*. (Dat ile) [Ducret'ten] Sıkıntı veren, gamlandıran.

mudhik, mudhike, A. *s*. [Dıhk'ten] Güldüren, güldürücü. • «Sonra mepselenin cihet-i mudhikindeki tesir zail olduktan sonra. — Uşaklıgil» • «Bu elkab-i mudhikeden sonra da adi, ama tüyleri ürpertecek derecede adi, bir muhabbetname. — Cenap.»

mudhikât, A. *i*. [Mudhike ç.] Gülünecek şeyler • *Mudhikât-i dehr*, zamanın gülünecek şeyleri. • «Mudhikât-i dehre ben ölsem de tasvirim güler» • «Sanı-

yorum ki onun ifadesi o kâğıttaki mudhikat-i imsaiyeden ibarettir. — Cenap».

mudhike, A. *i*. Komedi (XIX. yy.). • «Behlûl bir seneden beri geniş bir sahne-i mudhike olmaktan başka bir sıfatla telakki etmediği. — Uşaklıgil».

mudi', A. *s*. (Dal ve *ayın* ile) [Ved'den] Emanet bırakan.

mu'dil, mu'dile, A. *s*. (Dat ile) Zor, güç, çetin. • «İşte mesele-i mudile budur. — Cenap».

mu'dilât, A. *i*. Büyük ve ağır işler. «Siyasiyatça bittabi' zuhur edegelen mudilâttır. — Kemal» • «Hazret-i hallal-i mudilât muin-i irfanınız olsun.— Cenap».

mudill, mudille A. *s*. (Dat ile) Baştan çıkaran, doğru yoldan saptıran. • «Hem dâll hem mudill olmak. — Taş».

mufaddad, mufazzaz, A. *i*. (Dat ile) Gümüşle işlenmiş, gümüşle bezenmiş. • «Levh-i mufaddad gibi mermer-i ebyaz. — Sadettin».

mufaddih, mufaddiha, A. *s*. (Dat ile) Rezil ve rüsva eden.

mufarrit, A. *s*. [Fart'tan] Aşırı giden. Eksik işleyen kusur yapan.

mufassal; mufassala, A. *s*. [Fasl'dan] Uzun uzadıya anlatılan.

mufassalan, A. *zf*. Uzun uzadıya etraflı olarak.

mufavvaz, A. *s*. Birinin üstüne verilmiş. Yapılması ısmarlanmış. • «Ben serdarım, mahlûlât ve tevcihat bana mufavvazdır, senin alâkan nedir? — Naima».

mufavviz mufavviza, A. *s*. Birine veren, yapmasını ısmarlayan.

mufehhim, A. *s*. (He ile) Anlatan.

mufi, A. *s*. İfa eden, ödeyen, yerine getiren.

mufrit, mufrita, A. *s*. {Fart'an] Aşırı, aşkın. • «Suret-i mufritası şeklinde duran. — Uşaklıgil».

mufritane, A. *zf*. Aşırı, aşkın davranışla.

muftır, A. *s*. [Fıtr'dan] İftar eden, oruç açan.

mufzı, A. *s*. (Dat ile) Ulaştıran eriştiren. • «Mufzi-i fevt ve muktazi-i hirman olan eşyadan mübaid ola. — Taş».

mug, F. *i*. Mecusi. Ateşperest, ateşe tapan. Zerdüşt dininde olan.

mugabene, A. *i*. [Babn'den] İki taraf birbirini aldatma.

mugaddi mugaddiye, A. *s*. [Gıda'dan] Besleyici.

mugadere, mugaderet, *A. i.* 1. Nesneyi olduğu halde bırakma. 2. Gadr etme. • «Ve bundan fazla yüz elli kese akçe talebiyle mugadere olunduğundan. — Raşit».

mugalata, *A. i.* [Galat'tan] Yanıltmak için, yanıltacak yolda söz söyleme.

mugalatat, *A. i.* [Mugalâta ç.] Yanıltmaçlar. • «Mugalat-i riyaziye eyliyor ispat — Ki hendeseyle hesabın da gayeti zandır'— Cenap».

mugalebe, *A. i.* [Galebe'den] Üstün gelmeye uğraşma. Üstün gelmek. • «Amma bir iki defa Nasuh Paşa ile harb ve mugalebe ve mukabele eden. — Naima».

mugallaz, mugallaza, *A. s. (Gayın ve zı* ile) 1. Sert, kaba. 2. Keskin, bayağı (yemin, küfür...). • «İnkâr ve eyman mugallaza ile tahlis-i giriban ettiği.— Naima».

mugalli, mugalliye, *A. s.* [Galeyan'dan] İyice kaynatılmış.

mugammed, mugmed, *A. s.* [Gamd'den] Örtülü, kılıflı, kınına konmuş.

mugan, *F. i.* [Mug ç.] Mecusiler ateşe tapanlar, Zerdüştler. • *Pir-i mugan,* meyhaneciler eskisi, ihtiyarı. • «Saki getir ol mey-i muganı. — Fuzulî».

mugane, *F. i.* Ateşe tapanların töreni.

muganni, muganniye, *A. s. i.* [Gına'dan] Şarkı söyleyen. (XIX. yy.). Fransızca *Chanteur* ile *chanteuse* karşılığı. • «Bir hâb i muganni ile ruhu avutursun. — Cenap» • «Bir pazar günü Concordia muganniyelerinden birini araba ile Maslak'a götürür. — Uşaklıgil».

mugaşşi, mugaşşiye, *A. s.* [Gaşy'den] Bayıltan, bayıltıcı. • «Fakat odanın içinden harr ve mugassi bir ses bütün hulyalarının sesi. — Uşaklıgil» «Bu devre-i mugaşşiye-i hissiyat-i çerisinde. — Uşaklıgil».

mugatti, mugattiye, *A. s.* Örtülmüş, üstü örtülü. • «Vuku bulan kusuru kevr-i mugatti ve mestur olduğu surette. — Sümbülzade».

mugavebe, *A. i.* Kaybolma.

mugaveret *A. i.* [Gayr'dan] Başka türlü olma. Uymama. Karşıt olma. • «Halkın lisanına mugayeret-i külliye ile muhalif olan meslek-i erbab-i kalemi iltizam ettikleriycin. — Kemal».

mugayir, *A. i.* [Gayr'dan] Başka türlü. Uymaz, karşıt. • «Bu kaideye mugayir bir şey olursa. — Uşaklıgil».

mugaylân *F. i.* Devedikeni • «Saha-i derununda mugaylân-i illet. — Nergisi».

mugaylânistan, *F. i.* 1. Dikenlik. 2. Bu dünya. • «Bu fani mugaylânistan-i mihan».

mugaylânzar, *F. i.* [Mugaylân-zar] 1. Devedikeni biten yer, dikenlik. 2. *(Mec.)* Dünya.

mugayyeb, *A. s.* Kayıp. Kaybedilmiş. (ç. Mugayyebat).

mugayyebat, *A. i.* Beş duygu ile duyulamaz ledünnî haller, hikemî sırlar.

mugayyer, mugayyere, *A. s.* [Gayr'den] Değiştirilmiş, başka türlü edilmiş.

mugbece, mugbeççe, *F. i.* [Mug-beçe] 1. Mecusi çocuğu. 2. Meyhaneci çırağı • «Bir cam bir de la'l-i lebin sundu muğbeçe — Pir-i mugan olası acep meşrebimcedir. — Nedim» «Nerdesin muğbeççe şarap getir — Sana düşmez bu rütbe istiğna. — Naci» • «O muğbeçeyle tanıştımdı Lâle Devrinde. — Beyatlı».

mugbeçegân, *F. i.* [Mugbeçe ç.] Genç meyhaneci çırakları.

mugberr, *A. s.* [Gubar'dan] • 1. Tozlu, tozlanmış. 2. Gücenmiş, dargın. *Mugberrül-hatır,* hatırı kalmış, gücenik. • «Fakat ne çare ki ben şimdi şi're muğberrim. — Fikret.»

mugfel, *A. s.* [Gufl'den] Aldatılmış, iğfal olunmuş. • «Bir dalgacığın ömrü kadar zail ü mugfel — Bir ömr-i muhayyel. — Fikret».

mugfil, mugfile, *A. s.* [Guful'den] Aldatıp gaflette bırakan. Aldatan. • «Gösterdiğin ahlâm ü şagaf mugfil ü müskir — Ey nevm-i huzuzat. — Fikret» • «Tercümanlar bir nezaket-i mugfile ile seyyah madamlar önünde baş kesiyorlar. — Cenap».

mugis, *A. s. (Se* ile) [Gıyas'tan] Yardıma yetişen, yardım eden.

mugkede, *F. i.* [Mug-kede] Mecusi tapınağı.

muglak, muglaka, *A. s.* 1. Kapalı, kilitli. 2. Karışık. 3. Tertip düzeni veya kelimeleri bozuk, garip olmakla zor anlaşılan. • «Hublar eylediler şive kitabın ezber — Fenn-i hüsn içre veli bab i vefa muglaktır. — Nev'i» • «Bir nebze mantıkla muğlak meseleler halledilir. — Uşaklıgil».

muglakat, *A. i.* [Muklak ç.] Anlaşılması zor şeyler. • «O muğlakat-i hayaliyeden ne anlaşılır? — Fikret».

muglakiyet, *A. i.* Muğlak olma hali, anlaşılmazlık. • «Vuzuha götürecek yerde, muglakıyete ve zulmete götürülüyordu. — Z. Gökalp».

muglim, *A. i.* Kulampara. • Muglim deme bu demek değil mi — Şairliği bî-nemek değil mi. — Ş. Galip».

mugmed, mugammed, *A. s.* Bk. *Mugammed.*

mugni, mugniye, *A. s.* [Gına'dan] 1. Gına veren, yeter derecede. 2. Zengin eden. • «Ve tevarih-i şaireden muğni bir tuhfe-i beliğ olmasına sây-i bîdirig kılıp. — Naima». • «Kendi kendime: İşte tabiat... güzel, mugni tabiat... dedim. —Cenap».

mugşi, mugşiye, *A. s.* [Gaşy'den] 1. Örtülmüş, bürünmüş. 2. Baygın, bayılmış.

•mugşiyane, *F. zf.* Kendinden geçercesine • «Gâh muğşiyane bir haletle — İnliyor muhtazır, zebun ü harab. — Cenap».

mugtariyyet, *A. i.* Fransızcadan *hétéronomie* karşılığı olarak, yaderiklik (XX. yy.).

mugtasıb, *A. s.* [Gasb'den] Zor ile alan.

mugtedi, *A. s.* Gıdalanan.

mugtenem, *A. s.* [Ganimet'ten] Ganimet olarak alınmış. • «Neşr-i ziya-i feyz eder cümle bilâda dembedem — Zıll-i Hudadır sayesi etsin cihanı muğtenem. — Recaizade».

mugtenim, *A. i.* [Ganimet'ten] Ganimet olarak alan, ganimet bilen.

mugterib mugteribe, *A. s.* [Gurub'dan] 1. Gurup eden, batan. 2. Gurbete çıkan, ortada kalan. • «Muğterip olsam düşerim mihnetle — Bence sefer dert, ikamet belâ. — Naci».

mugteref, mugterefe, *A. s.* Avuçla alınmış, toplanmış. • «Kilk-i anberbar-i bedayi nigârî envar-i belâgatten mugtereftir. — Sadettin».

mugterif, *A. s.* Elini daldırıp avucuyla su alan.

mugterik, *A. s.* [Gark'tan] Suda boğulan.

mugtesil, *A. s.* Yakınan.

muh, *A. i.* (Hı ile) 1. İlik. 2. Beyin. 3. Madde. Cevher. • *Muh-i şevki,* murdarilik.

muhaba, Bk. • *Bimuhaba.*

muhabbet, muhabbet, *A. i.* 1. Sevme, sevmek, sevgi. 2. Dostluk. 3. Dostça konuşma. «Zaten bu herif hakkında muhab-

bete benzer hiç bir şey duymadım. — Uşaklıgıl». (Ed. Ced.):

Muhabbet-i ebedî,
arz-i muhabbet,
bezm-i muhabbet,
çehre-i muhabbet,
elhan-i muhabbet,
gülbuse-i muhabbet,
hava-yi muhabbet,
kabiliyat-i muhabbet,
levha-i muhabbet,
rişte-i muhabbet,
safiyet-i muhabbet,
tesis-i muhabbet.

muhabbetârâ *F. s.* [Muhabbet-ârâ] Sevgi bezeyen. • «Şimdi bir nağme, bir terane gibi — Dinle şi'r-i muhabbet-ârami. — Fikret».

muhabbetkâr, *F. s.* [Muhabbet-kâr] Muhabbetli, sevgiyi gösteren.

muhabbetname, *F. i.* [Muhabbet-name] 1. Dostça mektup. 2. Sevgi mektubu. • «Muhabbetnameyi bu suretle meydana çıkardıktan sonra. — Recaizade» • «Adi, ama tüyleri ürpertecek derecede adi bir muhabbetname — Cenap».

muhaberat, *A. i.* [Muhabere ç.] Haberleşmeler.

muhabere, *A. i.* [Haber'den] Haberleşme. Mektuplaşma. • *Muhabere memuru,* telgrafçı; • *hutut-i muhabere,* telgraf hatları.

muhabir, *F. i. s.* [Haber'den] 1. Biriyle haberleşen. 2. Bir yerden gazeteye haber gönderen (XIX. yy.).

muhacat, *A. i.* (He ile) Hicivleşme, yerişme.

muhacat, *A. i.* (Ha ile) Karşılıklı bilmece sorularak yarışma.

muhacce, *A. i.* [Huccet'ten] İddia edip çekişerek kanıtlar ve tanıtlar gösterme. • «Ben size Devlet-i Aliye ile muhacce ve münazaa nice olur göstereyim deyip. — Naima».

muhaccel, *A. s.* (Ha ile) 1. Süslü gerdeğe oturtulmuş olan. 2. Ayağı beyaz halkalı olan (at.).

muhaccis, *A. s.* (Hı ile) Utandıran.

muhacefe, *A. i.* (Ha ile) Savaşma. Çekişme.

muhacemat *A. i.* (He ile) [Muhaceme ç.] Hücumlar, saldırmalar. • «Yirmişer otuzar sene birkaç devletin mühacemat-i mütevaliyesine mukavemet göstererek — Kemal».

muhaceme, A. i. (He ile) [Hücum'dan] Her taraftan ve birden saldırma, üşüşme. • «Nihayet bir senelik muhacemeden sonra. — Uşaklıgil». • «Vapura hücum ettiler. Aman ya Rabbi, o ne muhaceme idi. — Cenap».

muhaceret, A. i. (He ile) [Hicret'ten] Ailece yerleşmek üzere başka bir diyara göçme. Göçme. • «Anın tahsil-i marifeti için muhaceret etmiş idim. — Taş.».

muhacet, A. i. [Hecv, hicv'den] Birbirini hicv etme.

muhacim, A. s. i. (Ha ile) [Hücum'dan] Saldıran, hücum eden.

muhacimîn, A. i. [Muhacim ç.] Saldıranlar. Üşütenler.

muhacir, A. s. i. [Hicret'ten] Ailece yerleşmek üzere başka diyara giden adam. Göçmen. • «Cânan da muhacir oldu can da — Naci».

muhacirîn, A.i. (He ile) [Muhacir ç.] 1. Göçmenler. 2. Muhammet Peygamber ile Mekke'den Medine'ye göç edenler.

muhadaa, A. i. Hileciilk. Oyun etme.

muhadarat, A. i. (Ha ve dat ile) Bk. • Mu. mazarat.

muhadda', A. s. (Hı ve ayın ile) Aldana aldana görgü ve bilgi sahibi olan.

muhadde A. s. [Hadde'den] 1. Sınırlanmış. 2. Bilenmiş.

muhaddeb, muhaddebe, A. s. 1. Kambur, tümsekli. 2. (Mat.) Dışbükey, konveks.

muhadded, A. s. (Ha ile) Sınırı belirtilmiş olan.

muhadder, muhaddere, A. ı. s. Kapalı, örtülü. Örtülü, namuslu. Müslüman kadını.

muhadderat, A. i. (Hı ile) [Muhaddere ç.] Örtülü kadınlar. Müslüman kadınları.

muhaddes, muhaddese, A. s. [Hads'ten] Haber verilmiş, şükrü edilerek bildirilmiş.

muhaddesat A. i. (Ha ve se ile) [Muhaddes ç.] Haber verilmiş şeyler. • «Çünkü o yolda olan muhaddesat sahilerini melun etmeden başka bir şeye yaramamıştır. — Kemal».

muhaddid, A. s. (Ha ile) Sınırlayıcı, sınır belli edici.

muhaddid, A. s. (Hı ile) Eti buruşmuş olan.

muhaddir, muhaddire, A. s. (Ha ile) Vurarak şişirip kabartan.

muhaddir, muhaddire, A. s. (Hı ile) [Hadr'den] Uyuşturucu. Dugyuları uyuşturan. Narkotik (XIX. yy.).

muhaddirat, A. i. Uyuşturucu ilâçlar.

muhaddis, A. i. Peygamberin sözleri demek olan hadisleri bildirmiş olan kimse. • «Ruhi garazın hal ise var pir-i mugana — «Ruhi garazın hal ise var pir-i mugana — Zira ne mühendis bilir anı ne muhaddis. — Ruhi».

muhaddisîn, A. i. [Muhaddis ç.] Hadisleri işiterek bildirmiş olan kimseler. • «Ve bilcümle dünyada riyaset-i muhaddisîn ana müntehi olmuştur. — Taş.».

muhaddiş, A. s. (Hı ile) [Hadş'ten] Tırmalayan, bozukluk yapan.

muhadene, muhadenet, A. i. (Hı ile) Barış. • «Mukaddema Nemçeye tecdit-i muhadene için. — Naima».

muhadese, A. i. [Hadis'ten] Konuşma, Hikâye söyleme. • «Her ne tarafta muhadese ve musahabet eder adamlar müşahede edersin. — Silvan».

muhadi', A. s. [Hud'a'dan] Aldatıcı, hileci.

muhafat, A. i. (Ha ile) Kelâmda çekişme.

muhafaza, A. i. [Hıfz'dan] 1. Koruma, saklama, kayırma. 2. Bırakmama. Değiştirmeme. • «Bu sevda-yi güzinin muhafaza-i mümtaziyetine itina temez olmuş idi. — Uşaklıgil».

muhafazakâr, F. s. i. [Muhafaza-kâr] Değişiklik istemeyen. Olageleni bırakmama taraflısı (XIX. yy.).

muhafazat, A. i. Muhafızlık. Koruyuculuk. • «Derya kenarında olan hisarlar muhafazatı. — Sadettin».

muhaffer, muhaffefe, . s. [Hiffet'ten] Hafiflendirilmiş.

muhaffif, muhaffife, A. s. [Hiffet'ten] Hafiflendiren, ağırlığı gideren. • Esbab-i muhaffife, (suç cezasını) hafifletici sebepler; • edviye-i muhaffife (Hek.) ağrı dindiren ilâçlar.

muhafız A. s. i. [Hıfz'dan] 1. Koruyan, saklayan. 2. Bekçi.

muhafızîn, A. i. [Muhafız ç.] Bir yeri koruyup bekleyenler.

muhafil, A. s. (Ha ile) Şan ve namusunu koruyan.

muhak, mahak, A. i. (Ha, elif ve kaf ile) Arabî ayların son üç gecesi; ayın güneşle beraber doğup görünmediği geceler.

muhakale, *A. i. (Ha* ile) Tarladaki ekini ne olacağı belli olmadan satma.

muhakât, *A. i.* Hikâye söyleşme.

muhakemat, *A. i.* [Muhakeme ç.] Muhakemeler. ● «İnsan bir parça sükûn, muhakematına bir parça mantık koymak icap eder. — Uşaklıgil».

muhakeme, *A. i.* [Hüküm'den] 1. Dâva için iki tarafın mahkemeye başvurmaları. Hâkim önünde duruşmaları. 2. İki tarafı dinleyip hüküm verme. 3. Bir işi zihinde inceleme. 4. Yargılama. 5 (Fel.) Uslamlama. usa vurma. ● «Eğlenmekten başka bir şeye ehemmiyet vermeyen dimağının muhakemesiyle her ne olursa olsun bir koca bulmaya karar vermiş idi. — Uşaklıgil».

muhaki, *A. s.* Benzeyen, benzer olan.

muhakka, *A. i.* 1. Hak iddia etme 2. Çekişme. ● «Esna-yi muhakkada mezbur deli, Abaza'ya hitap edip. — Naima».

muhakkak, muhakkaka, *A. s.* [Hak'tan] Gerçekliği araştırılmış, belli olmuş. Doğru.● «Ey vâd-i muhal, ey ebedi kizb-i muhakkak. — Fikret».

muhakkar, *A. s. (Ha* ve *kaf* ile) [Hakaret'ten] Tahkir olunmuş. Hor ve hakir tutulmuş. ● «Atlasından, bilmişim üstün muhakkar şalımı. — Fuzulî». ●, «Biçare gezer tek başına sakit ü sakin — En müşkili kızlar da görürlerdi muhakkar. — Fikret».

muhakkem, *A. s. i.* [Hüküm'den] 1. Sağlamlaştırımlış, yerleşmiş. 2. (Fıkh) İki tarafın dâvaları için hakem kabul ettikleri kimse; hakem. ● «Âdet muhakkemdir. — Mec. 36».

muhakkık, *A. s.* [Hak'tan] Bir olay veya durumun gerçeğini araştıran, gerçeği arayan, gerçeği meydana çıkaran. ● «Fazıl-i muhakkakık allâme-i Rum Kınalızade Ali Efendi. — Kâtip Çelebi».

muhakkıkane, *F. zf.* Gerçeği araştırıcıya yakışır bir surette.

muhakkikîn, *A. i.* [Muhakkik ç.] Gerçek araştıranlar, bulanlar.

muhakkır, *A. s.* [Hakaret'ten] Tahkir eden. Hor ve hakîr tutan. ● «Her nefes, böyle her nefes duyarım — En muhakkır sadayı maziden. — Fikret».

muhakkırane, *F. zf.* Tahkir eder halde.

muhal, *A. s. (Ha* ile) Mümkün olmayan. Olmayacak. ● «Darülmülk-i memleket elde olmadıkça ol araziyi muhafaza et-

mek muhal iken. — Naima» ● «Bu artık kendisi için memnu, muhal bir şey değil miydi? — Uşaklıgil».

muhalâa, muhalâat, *A. i. (Hı* ve *ayın* ile) Kadın eşin malından bir mikdar şey verip kocası üzerindeki haklarından vazgeçerek kocasından nikâhını satın alması.

muhalâsat, *A. i. (Hı* ve *sat* ile) [Hulûs'tan] Birbirine akrşı içten dostluk gösterme.

muhalât, *A. i.* [Muhal ç.] Mümkün olmayan şeyler. Olmayacak şeyler.

muhalâta, *A. i. (Hı* ile) Karışıp girişmek. Görüşme. İyi geçinme. ● «Ve muhalata-i halaikten firar. — Taş».

muhalâtat, *A.i.* [Halt'tan] Karışma. Düşüp kalkma. ● «Muhalâtat-i ehl-i iman ve mülâzemet-i hizmet-i muvahhidan ile. — Sadettin».

muhalefet, *A. i. (Ha* ile) Yeminleşme. Karşılıklı yemin etme.

muhalefet, *A. i. (Hı* ile) [Hilâf'tan] 1. Uymama, başka türlü olma. 2. Karşıtlık. Düşmanlık, ● «Peyker'in muhalefetine rağmen eniştesinin izdivaca. — Uşaklıgil».

muhalif, muhalife, *A. s.* [Hilâf'tan] 1. Uymaz. Karşı. 2. Karşıt. Aksi taraf veya fikirde olan. ● «Bir ande leşker-i muhalif ile kardeş oldular. — Naima».

muhalifîn, *A. ii* [Muhalif ç.] Muhalifler. Karşıt fikirde olanlar. ● «Ve minbad zümre-i muhalifînden kimesne âl-i Osman'a canibdarlık eylemeye diye lisan-i halle tenbihi. — Naima».

muhallâ *A. s. (Hı* ile) [Halâ ile hali'den] 1. Boşaltılmış. 2. Süslenmiş, süs yapmış.

muhalli', *A. s. (Hı* ve *ayın* ile) Zayıf, zebun olan.

muhalles, *A. s. (Hı* ve *sat* ile) Kurtarılmış.

muhallis, *A. s.* Kurtaran.

muhallak, *A. s. (Ha* ile) Tıraş olunmuş.

muhallak, *A. s. (Hı* ile) Huy edinmiş olan.

muhalled, muhallede, *A. s.* [Huld'den] Sürekli, kalacak. Ebedî.

muhalledat, *A. i.* [Muhalled ç.] Kalacak şeyler.

muhallef, muhallefe, *A. s. (Hı* ile) Geride kalan. Bir ölünün bıraktığı mal, tereke.

muhallefat, *A. i.* Ölen bir adamın bıraktığı şeyler. ● «Hilâfet ve serverî rütbesin muhallefat-i maliye-i pederi gibi kabil-i iştirak olur sanıp. — Sadettin».

muhallefe, *A. i.* Ölen bir adamın dul kalan karısı. • «Muhallefesi uryan balmumlarıyle çarmıha gerilip teşhir kılınmak için. — Naima».

muhalli, *A. s. (Hı* ile) [Halâ'dan] Boşaltan. • *Muhalliyet-ül-hava,* boşaltaç, boşaltma tulumbası.

muhallib, *A. s. (Hı* ile) Hileci, dübaracı.

muhallid, muhallide, *A. s.* [Huld'den] Edebî kılan, ebedileştiren.

muhallil, muhallile, *A. s.* [Hall'den] 1. Hulleci, haram bir şeyi helâl eden. 2. Tahlil eden. (Kim.) Eriten. Analizleyen.

muhallilât, *A. i.* [Muhallil ç.] Pekliği, tutukluğu giderici ilâçlar.

muhallim, *A. s. (Ha* ile) (Öfkeli birini) yumuşatan.

muhamat, *A. i. (Ha* ile) Koruma. (XX. yy.). Avukat.

muhami, *A. s. i.* 1. Koruyan. 2. (XX. yy.). Avukat.

muhammas, muhammes, *A. i. (Ha, sat* ve *sin* ile) Ateşte kızartılıp tavlanmış.

muhammaz, *A. s.* 1. Hamızlanmış, paslanmış. 2. Eskimiş.

Muhammed, *A. i.* Anlamı birçok defalar hamd ve sena olunmuş demek olan bu kelime Peygamberimizin adıdır.

muhammedî, muhammediye, *A. s.* 1. Muhammet Peygambere ait, onunla ilgili. 2. Müslüman, iman etmiş.

muhammediyye, *A. s.* 1. Muhammedî 2. (Ö. i.) Ahmet Bican'ın yazmış olduğu ve Muhammed Peygamberin hayatından bahseden ünlü kitap.

muhammen, muhammene, *A. s.* Tahmin olunmuş, Sanı ile kararlamadan hüküm verilmiş.

muhammer, muhamere *A. s. (Ha* ile) [Hamr'dan] 1. Mayalanmış, ekşiyip kabarmış. 2. Yuğrulmuş, şarap gibi kaynayıp kıvamını bulmuş. • «Muhammerdir serâpâ mayemiz hun-i hamiyyetten. — Kemal».

muhammes, *A. s. i. (Ha* ve *sin* ile) [Hums'tan] 1. Beşli, beş katlı. 2. (Ed.) Beş mısralı parçalardan meydana gelmiş manzume. 3. (Mat.) Beşgen.

muhammıs, *A. s.* 1. Kavurucu alet (tava). 2. (Kahve gibi şeyleri) kavurup satan.

muhammız, muhammıza, *A. s.* Ekşitici, asitleştirici.

muhammin, *A.s.i.* 1. Sanı ile karar veren. 2. Karar biçen kimse.

muhammire, *A. s.* [Muhammir ç.] İsmailiye ve bâtıniyye denilen ve zındık diye anılan tayfanın kızıl bayrak kullanan ve kırmızı elbise giyen tayfası.

muhanna, *A. s. (Ha* ile) 1. Eğri, çarpık. 2. Kınalanmış. • «Ol muhanna bedbahtların ancak kırk beş neferi takriben kurtulup. — Naima».

muhannes, muhannese *A. s.* 1. Korkak, alçak. 2. Namert. 3. Karı huylu. • «Sultan Murat kılavuza itap edip bre muhannes ne korkarsın ecelsiz adam ölür mü dedi. — Naima».

muhannesane, *F. zf.* Namertçe. • «İrtikâf-i etvar-i muhannesane ve ihtiyar-i evza-i zenanane kılıp. — Nergisi».

muharebat, *A.i.* [Muharebe ç.] Savaşlar. • «Gaile-i muharebata indifa hâsıl olmayıp. — Naima».

muharebe, *A.i.* [Harb'den] 1. Savaş. 2. Savaşta yapılan çarpışmalardan her biri.

muharese, muhareset, *A. i. (Ha* ve *sin* ile) [Hiraset'ten] Korunma, muhafaza. • «Muharese-i benadir ve merasi için. — Ragıp Pş.».

muhareşe, *A. i.* Fit verit kavga çıkarma.

muharib, *A. s.* [Harb'den] 1. Birbiriyle savaşan; düşman. 2. Savaş etmekte usta, savaşçı. • «Fırsat-i galebe bulmak için dakikaların lûtf-i tesadüfüne muntazır iki muharib sıfatında tutardı. — Uşaklıgil».

muharref, *A. s.* [Harf'ten] Harf veya ibaresi değiştirilmiş; asıl anlamından başka mâna ile anlamı değiştirilmiş. • «Nevin, büyük kardeşinin bir nümune-i muharrefidir. — Uşaklıgil».

muharrefat, *A. i.* [Muharref ş.] Değiştirilmiş şeyler. • «Kendisine mahsus tarz-i nazmın bu muharrefat-i zelilesine tahammül edemedi. — Uşaklıgil».

muharrem, *A. i. s.* 1. Haram hükmüne konulmuş. Şeriatçe haram edilmiş. 2. Hicret yılı aylarının, Arabî ayların ilki. İslâmdan önce zamanlarda bu ay içinde savaş haram olduğu için bu ad verilmiştir. Muharremin ilk on günü, Kerbelâ vakasının yıldönümü olarak matem yapılır, onuncu günü aşure pişirilir.

muharremat, *A i.* [Muharrem z.] Şeriatçe haram edilmiş şeyler.

muharremiyye, *A. i.* (Hicret yılı hesabıyle) 1. Yeni yılbaşı. 2. Muharrem için söylenmiş kaside.

muharrer, muharrere, *A. s.* Yazılmış yazılı.

muharrerat, *A. i.* [Muharrer ç.] Yazılmış şey. Yazılı kâğıtlar. Mektuplar.

muharrib, muhrib, *A. s.* [Harab'dan] Yıkıp yok eden. • «Belli, hem-nev'inin muharribisin. — Fikret».

muharrif, muharrife, *A. s.* Bozan, silen. Hilecilik yapan.

muharrik, muharrike, *A. s.* [Hareket'ten] 1. Oynatan, harekete getiren. 2. başı. • «(Ali Paşa) sultanı ol mesleğe muharrik olup. —ı Sadettin» • «Muharrik-i tecessus olan mesaili bittahkik. — Cenap».

muharrir, *A. s.* 1. Yazan. Kâtip. 2. Yazar. Bir konuyu yazı ile anlatan. • «O nizamname hükmünce muhakemesiz ne bir muharrir tedip olunabilir ne bir gazeteyi kapatmak caiz olur. — Kemal» • «Mektubun muharrire-i fazıları kavaid-i beyanı muhafazaya. — Cenap».

muharrirîn, *A. i.* [Muharrir ç.] Yazarlar.

muharris, *A. s.* [Hırs'tan] Hırslandıran. Hırs ve tamah artıran.

muharriş, muharrişe, *A. s.* (Hı ile) Azdıran. Tırmalayan. • «Lakin onun buselerinden kalan muharriş. — Uşaklıgil».

muhasamât, *A. i.* [Muhasama ç.] Düşmanlık. • *İlan-i muhasamat*, savaş ilanı.

muhasama, *A. i.* (Hı ile)[Husumet'ten] 1. İki taraf arasındaki zıtlık, düşmanlık. 2. İki kişi veya taraf arasında olan dâva, uğraşma, didişme. • «Fakat Nihal'de nedameti bir vesile-i muhaseme bulmak ihtiyacı takibediyordu. — Uşaklıgil».

muhasara, *A. i.* [Hasr'dan] Kuşatma, etrafını çevirme, kapatma. (ç. Muhasarat). • «Ve bu ilmin muhasarat-i müden ve kıla'da. — Taş.» —ı «Hatt-i ricatı muhataralı bir muhasara hücumu. — Cenap».

muhasebat, *A. i.* [Muhasebe ç.] Hesap görmeler. Hesap daireleri. *Divan-i muhasebat*, Sayıştay.

muhasebe, *A. i.* [Hesap'tan] 1. Hesaplaşma. Hesap görme. 2. Hesap defteri tutma. 3. Bir dairenin hesap işleriyle uğraşan kısmı.

muhasede, *A. i.* [Hased'den] Hasetleşme. Birbirini çekememe. • «Beyn-el-âyan carî olan munafeset ve muhasede muktezasınca. — Naima».

muhasene, *A. i.* (Ha ve sin ile) İyilik etme, ihsanda bulunma.

muhasım, muhasıma, *A. s.* [Husumet'ten] 1. Aralarında düşmanlık bulunanlardan her biri.

muhasimîn, *A. i.* [Muhasım ç] Düşmanlar.

muhasır, *A. s. i.* (Ha ile) [Hasır'dan] Muhasara eden. Bir asker mevkiini kuşatan. (ç. Muhasırîn).

muhasib *A. s.* [Hesab'tan] İyi hesap bilen. Muhasebe uzmanı.

muhasin, *A. s.* (Ha ve sin ile) İyilik edici olan.

muhassal, muhassala, *A. s.* [Husul'den] 1. Hâsıl edilmiş, elde olunmuş. 2. Hasılı, hulâsa. • *Muhassal-i kelâm*, sözün kısası. • «Muhassal otuz beş gün bu tarik ile cenk ü cidal olundu. — Peçoylu».

muhassala, *A. i.* [Husul'den] Bileşke.

muhassan, *A. s.* [Hısn'dan] Kuvvetlendirilmiş, istihkâmlanmış.

muhassas, *A. s.* [Husus'tan] Tahsis ve tâyin olunmuş, ayrılmış. Birine mahsus.

muhassasat, *A. s.* [Muhassas ç.] 1. Bir kimseye verilmiş olan maaş, tayın ve daha başka şeyler. 2. Devlet dairelerinin bütçede ayrılan paraları.

muhassenat, *A. i.* 1. Güzel işler. 2. Üstünlük sebepleri. • «Edebiyatımız yukarda tâdat olunan muhassenatın hemen cümlesinden mahrum gibidir. — Kemal».

muhassıl, *A. s. i.* (Ha ile) [Husul'den] 1. Hâsıl eden, husule getiren. 2. (Tanzimattan önce) vergi tahsildarı. • «Bir gün muhassıllık ile Manisa arpalığı beratın verip. — Naima».

muhassınat *A. i.* (Ha ve sat ile) [Muhsine ç.] Temiz, namuslu kadınlar.

muhassıs, *A. s.* (Hı ile) [Husus'tan] Tahsis eden, has kılan.

muhassin, *A. s.* Güzelleştirici, güzellik veren.

muhaşşi, *A. s.* (Hı ile) Korkutan, korkutucu.

muhat, *A. s.* (Ha ve tı ile) 1. Çevrilmiş. 2. Etrafı kuşatılmış. • «Olsam da muhit-i âsmanın — Elbette muhatıyım Hudanın. — Naci».

muhat, *A. i.* Sümük ve ona benzer sıvışık sıvı. • *Muhat-üş-şeytan*, öğle sıcağında tel gibi gözüken güneş ışını. •

«Muhat olduğumuz ahval-i fecianın bütün mesuliyeti zimandaran-i umurundur. — Cenap».

muhatab, - . *s. (Hı* ve *tı* ile) [Hutbe'den] 1. Kendisine söz söylenilen. 2. *i. (Gra.)* İkinci şahıs. • «Evet muhatabımın fikri pek musarrahtı. — Fikret».

muhataba, *A. i.* [Hutbe'den] 1. Birbirine hitap etme, söyleme, konuşma. 2. *(Mec.)* Çekişme. • «Beber (Mehmet Paşa) fakir kazaskerlerin bu güne muhatabasından necat bulmayıp. — Naima» • «Mukâtebe, muhataba gibidir. — Mec. 69».

muhatabat, *A. i.* [Muhataba ç.] Konuş malar.

muhatara, *A. i.* [Hatar'dan] Zarar, ziyan veya can korkusu. • *Şirket-i muhatara,* kazançla ziyan ortak olma şartiyle ortaklık. • «Ve asıl şu dakikada bu iki kelimenin içinde mühlik muhataralar haber veren mânalar buluyordu. — Uşaklıgil».

muhatarat, *A. i.* [Muhatara ç.] Tehlikeler. Can korkuları, zararlar, ziyanlar.

muhatıb *A. s. (Hı* ve *tı* ile) [Hutbe'den] Birine söz söyleyen.

muhati, *A. s. (Hı* ve *tı* ile) [Muhat'tan] 1. Sümük cinsinden. 2. Sıvışkan sıvı halinde.

muhaverat, *A. i.* [Muhavere ç.] Konuşmalar. • «Etrafında cereyan eden muhaverata nadir kelimelerle iştirak ediyordu. — Uşaklıgil».

muhavvat, *A. s. (Ha* ve *tı* ile) Etrafına duvar veya erde çevrilmiş olan. • «Hünkâr tepesi nam. mahalde bir kasr-i muhavvat bünyad edip. Naima».

muhavvef, *A. s. (Hı* ile) Korkmuş olan.

muhavvel, *A. s.* [Havl'den] 1. Değiştirilmiş. 2. Havale edilmiş, sipariş olunmuş; yükseltilmiş.

muhavvelât, *A. i.* [Muhavvel ç.] Devlet borcu olup ödenmesi bir vilâyet veya daireye havale edilen paralar.

muhavvif, muhavvife, *A. s. (Hı* ile) Korkutucu olan.

muhavvil, muhavvile, *A. s.* [Havl'den] Değiştiren; başka hale koyan. • *Cenab-i muhavvil-ül havli v-el-ahval,* halleri başka duruma değiştiren. (Tanrı).

muhavvile, *A. i.* [Havl'den] *(Fiz.) Trans-formateur* karşılığı olarak, transformator (XX. yy.).

muhayaka, *A. i. (Ha* ile) Kin ve garaz besleme.

muhayene, *A. i.* Belli bir vakit için kiralama.

muhayeret, *A. i. (Hı* ile) Hayır ve iyilik te yarışma.

muhayyel, *A. i.* [Hayal'den] Hayal edilmiş, zihinde kurulmuş; sanı ve kuruntu çeşidinden. • «Bir ömr-i muhayyel... hani gülbünler içinde — Bir kuşcağızın ömr-i baharisi kadar hoş, — Fikret».

muhayyelât, *A. i.* [Muhayyel ç.] Hayal edilmiş şeyler.

muhayyele, muhayyile, *A. i.* Hayal kurma merkezi olarak Fransızcadan *imagination* karşılığı olarak bulunan kelimelerin en çok kullanılanıdır. (XX. yy.) • «Karısının mazisine kadar irca-i zihn eden muhayyelesinde, utanılmaksızın, kıskançlığa hak verecek kadar. — Uşaklıgil».

muhayyem *A. s.* [Hayme'den] 1. Çadırı kurulmuş ordugâh. 2. Kurulmuş (çadır). 3. Çadırda yatan (insan) • «Mah-i mezburun yirmi ikinci günü sahra-yi Estergon muhayyem-i sipah-i zafer-makrun olduğu. — Peçoylu». ›

muhayyemgâh, *F. i. (Hı* ile) Ordu çadırları kurulmuş yer.

muhayyer, *A. i.* [Hayr'dan] İki şeyden birinin seçimi arasında serbest bırakılmış. Beğenilirse almak, beğenmezse geri vermek şartıyle alınan şey.

muhayyib, *A. s. (Hı* ile) Mahrum edici olan.

muhayyir, *A. s. (Hı* ile) [Hayr'dan] İki şey arasında seçim yapılmasını serbest bırakan.

muhayyir, *A. s. (Ha* ile) [Hayr'den] Hayrette bırakan, şaşırtan. *Muhayyir-i ukul,* akılları durduran, çok şaşırtıcı. • «Tıp, muhayyir-i okul olacak bir hale geldi. — Kemal».

muhazara, *A. i.* [Huzur'dan] Edebiyat ve tarihe ait fıkralar ve hikâyeler söyleşme, bu konular üzerinde konuşma.

muhazarat, *A. i.* [Muhazara ç.] Zihinde türlü bilgilere ait tutula› şeylerle yeri geldikçe bunların söylenmesi.

muhazat, *A. i. (Ha* ve *ze* ile) [Hiza'dan] 1. Karşı olma. • 2. Karşı durma 3. Yüz yüze gelme. • «Kendi sarayı muhazatında meydana geldikte. — Naima».

muhazele, *A. i.* Rezillik, rüsvalık.

muhazeret, *A. i.* Birbirini, korkutup sakındırma.

muhazî, muhaziye, *A. s.* [Hiza'dan] 1. Birbirinin karşısında ve bir hizada bulunan. 2. *(Mat.)* Paralel. • ‹Burada da aşağıkine muhazi bir kapısı vardır. — Recaizade›.

muhbir, muhbire, *A. i. s.* [Haber'den] 1. Haber veren, haberci. 2. Bir gazete için haber toplayan. • *Muhbir-i sadık*, imzasız mektup yazan. • ‹(Postacı) çantası beline çarpa çarpa lâyuad adamların muhbir-i bihaberi olmaktan artık iğrenmiş. — Uşaklıgil›.

muhcil, *A. s. (Hı ile)* Utandıran.

muhdes, *A. i.* Sonradan çıkma, yeni şey, öncc olmayan şey. • ‹Badessübut bu muhdes kiliseyi hedm ederim deyu. — Naima›.

muhdis, *A. s.* Yeniden çıkaran, önce olmayan bir şeyi yapan.

muheyn, *A. i.* (Bio.) Beyincik.

muhibb, muhibbe, *A. s.* [Hubb'dan] Muhabbetli. Seven, sevişen. • ‹Gûya kadîm birer muhibb-i dil-âşina samimiyctiyle. — Uşaklıgil›.

muhibban, *A. i.* [Muhibb ç.] 1. Muhabbetli olanlar. 2. Eş, dost, ahpaplar. 3. Derviş olmadan bir tarikatın taraflısı olanlar. • ‹Hattâ bütün muhibbanına velâdet ve vefat tarihleri dağıtmakla meşhur olan. — Uşaklıgil›.

muhibbane *A. zf.* 1. Dostlara yakışır surette. 2. Tarikat-sever kimseye yakışır yolda. ‹Muhibbane bir nazar imale ederek. — Recaizade›.

muhîbbe, *A. s.* Kadın sevgili, kadın dost. • ‹Ey muhibbem, niçin yüzün soldu — Cenap›.

muhikk, muhikka, *A. s.* [Hak'tan] 1. Hakkı yerine getiren. Doğrudan ayrılmayan. 2. Haklı, doğru. • ‹Kendi nefsine karşı bile muhik gösterecek bir sebep bulamıyordu. — Uşaklıgil›.

muhikkane, *A. zf.* Haklıya, doğruya yakışır yolda. • ‹Ve sevabık ve âdatımızdan bahseden âsarın en muhikkanesi mahdut Hammer'in tarihidir. — Kemal›.

muhil, *A. s. (Ha ile)* Hileci. • ‹Meğer mukaddeme ol gebr-i muhîl Cem Sultanın nişancısına rüşvetler vermekle. — Sadettin›.

muhill, *A. s.* [Halel'den] Bozan, dokunan. *Muhill-i asayiş*, güvenliği bozan; *-namus,* namusa dokunan, namusa zaraf veren.

muhiş, muvahhiş, *A. s.* [Vahşét'ten] 1. Korku ve dehşet veren. 2. Ürküten, korkutan. 3. Issız yer. • ‹Bana gadr eden hayır görmez deyip muvahhiş eda ile muaraza etmeğin. — Naima›.

muhit, muhita *A. i. s.* [Havt'ten] 1. Bir şeyin etrafını çeviren. 2. Bilgisi ve gücü içinde bulunduran. 3. *(Geo.)* Çevre. • *Muhit-i daire (Geo.)* Çember, • *buhr-i muhit,* Okyanus. • ‹Şahin nam bir habis biperva İpşir'in etrafını muhit olan askeri iki bölüp. — Naima›. • ‹Bu muhitte bütün heveslerini kolay istihsal etmekten usananlar. — Uşaklıgil›.

muhitat, *A. i.* [Muhit ç.] Çevreler. (XX. yy.). • ‹Ona hayat-i memleketin bütün muhitatında selâmlanacak çehreler, sıkılacak eller vücude getirmişti. — Uşaklıgil›.

muhkem, muhkeme, *A. s.* [Hükm'den] Sağlam, kuvvetli. • ‹Tâmir ve termimine muhkem tenbih ve siparişler etti. — Peçoylu›.

muhkemat, *A. i.* İçinde hüküm bulunan Kur'an âyetleri.

muhkim, *A. s. (Ha ile)* Kuvvet veren, sağlamlaştıran.

muhlis, muhlise, *A. s.* [Hulûs'ten] Dostluğu, inancı davranışları içten olan, katıksız. *Muhlisiniz,* eski resmî yazıda ‹ben› anlamında büyükten küçüğe hitap olarak kullanılırdı.

muhlisane, *A. zf.* Dostlukla, içten gelerek, samimi olarak.

muhnik, muhnika *A. s. (Hı ile)* [Hunk'tan] Boğan, boğucu.

muhrec, *A. s. (Hı ile)* [İhraç'dan] Dışarı çıkarılmış.

muhrez, *A. s.* [İhraz'dan] 1. İhraz edilmiş. 2. Kazanılmış, ele geçirilmiş. • ‹Su sızan kuyudaki su muhrez olmaz. — Mec. 1251›.

muhrik, muhrika, *A. s. (Ha ile)* [Hark'tan] 1. Yakan, yakıcı. 2. Çok acındıran. gönül yakan. • ‹Hint'in zehirli goncelerinden nümunedir. — Bazan yanaklarındaki muhrik parıltılar. — Fikret›.

muhrib, muharrib, *A. s.* [Harab'dan] Yıkıp yok eden. • ‹Bir iştiyak-i muhrib dil-i nizarımda. — Fikret›.

muhriz, *A. s. (Ha ve ze ile)* [İhraz'dan] İhraz eden. Kendi payına alan. elde eden.

muhsi, *A. s. (Ha ve sat ile)* [İhsa'dan] Sayan.

muhsin, A. s. (Ha ve sat ile) 1. Kale gibi sağlamlaştıran. 2 Görünmemesi gereken kimseden saklayan.

muhsin, muhsine, A. s. (Ha ile) [Hasen'den] İyilik eden. Bağışta bulunan.

muhtac, A. s. [Hacet'ten] 1. Bir eksiği olup tamamlama isteyen. 2. Gereği olan. 3. Yoksul olan. 4. Birinden iyilik görüp ona karşı boynu eğik olan. • ‹Şimdi bu baba kız yaşamak için yekdiğerine merbut, muhtaç idiler. — Uşaklıgil›.

muhtacin, A. i. [Muhtaç ç.] Muhtaçlar, ihtiyacı olanlar.

muhtal, muhtale, A. s. (Ha ile) [Hile'den] Hileci, dalavereci. • ‹Heyhat, sümme heyhat ol mağruran-i devlete ki ol ruzgâr-i muhtale aldanmışlar idi. — Naima›.

muhtal, A. s. (Hı ile) Kibirli.

muhtale, A. s. Hileci (kadın). • ‹Bir su-i tesadüf Çengi Hanım denilen delle-i muhtale ile biliştirmiştir. — Recaizade›.

muhtar, muhtare, A. s. (Hı ve te ile) Seçilmiş, seçkin. (Peygamber hakkında kullanılır). 2. İstediği gibi davranabilen. 3. İdaresi kendinde olan. 4. (i.) Köy veya mahallede işlere bakmak üzere seçilen, muhtar. • ‹Asker halkının muhtarları. — Peçoylu›.

muhtariyyet, A. i. Kendi kendine davranabilme. İrade ve idaresi kendi elinde olma. • ‹Nihayet bu kadın en küçük muhtariyetlerine müdahele ederek. — Uşaklıgil›.

muhtasar, muhtasara, A. s. (Hı ile) [Hasr'dan] 1. Kısa kesilmiş, kısaltılmış. 2. Gürültüsüz, az masrafla ve kalabalıksız. 3. Büyük kitapların kısaltılmışı. (ç. Muhtasarat). • ‹Sergüzeşti bilâkis o derece sade, muhtasar idi. — Uşaklıgil›.

muhtasaran, A. zf. Muhtasar olarak. • ‹Sergüzeşt-i âşıkanesini kâffe-i teferruatiyle muhatasaran anlattıktan sonra. — Recaizade›.

muhtasarriyet, A. i. Kısalık, özetlenmişlik. • ‹O sükûtun içinde muhtasariyetinde müthiş bir belâgat münderiç olan şu sual. — Uşaklıgil›.

muhtasım, muhtasıma, A. s. (Hı ve sat ile) Karşılıklı birbirine husumet edişen.

muhtass, muhtassa, A. s. (Hı ile) [Husus'tan] Bir şey veya şahsa mahsus olan.

muhtassan, A. zf. Bilhassa. En çok. Özel olarak. • ‹Kendisinin muhtassan nefsine ait bir odası olacaktı. — Uşaklıgil›.

muhatib, A. s. (Ha, te ve tı ile) 1. Odun toplayan. 2. i. Baltalık.

muhtabib A. s. (Hı, te ve tı ile) Nikâh ile kız isteyen.

muhtazar, muhtazır A. s. (Te ve dat ile) [Huzur'dan] Can çekişen, yolcu. • ‹Güneş ufukta, kadın evde muhtazır... ölüyor. — Fikret›.

muhtazırane, F. zf. Muhtazır gibi. Can çekişiyormuşcasına. • ‹İnler, çıkıyormuş gibi a'mak-i zeminden — Her saati bir harhara-i muhtazıranen — Fikret›.

muhteber, A. s. (Hı ile) İyice bildiren, sağlam haber veren.

muhtebes, muhtebese, A. s. [Habs'ten] Hapsedilmiş. ‹Eyyam-i muhasara imtidat ve muhtebesierin felâketi iştitat bulıcak. — Sadettin›.

muhtebil, A. s. (Hı ile) Delirmiş olan.

muhtebir, muhtebire, A. s. (Hı ile) İyice bilen, Sağlam haberi olan.

muhtebis, A. s. (Hı ve sin ile) Zorla alan,

muhtecib, A. s. [Hicab'dan] Örtülü, örtülmüş. ‹Açtıkça bu defter-i siyahı — Bir yüz görürüm ki muhtecibdir. — Fikret›.

muhted A. s. (Ha ile) 1. Keskinleşmiş. 2. Öfkelenmiş.

muhtedi', A. s. (Hı ile) Hileci, dalavereci.

muhtefi, muhtefiye, A. s. [Hafi'den] 1. Gizlenen, saklanan. 2. Gizlenmiş, saklanmış. • ‹Şimdi âfakın — Sükûn-i pür-gubarında muhtefiydi hayat. — Fikret›. • Lâkin maraz derin bir seyale-i bürkâniye hiyanet-i muhtefiyesiyle kaynamakta berdevam. — Uşaklıgil›.

muhtekir, A. s. i. Vurguncu. Gerekli yiyecek, içeceği, eşyayı ucuza alıp sıkıntı zamanlarında fazla kârla satan insafsız. • Yüzde elli raddesinde faizle bir muhtekir sarraftan para alındı. — Uşaklıgil›.

muhtelefün fih, A. s. Hakkında uyuşulamayan, ‹Eğer mesail-i ictihadiyeden yani muhtelefün fiha olan mesailden olursa. — Kâtip Çelebi›.

muhteli', A. s. (Hı ve ayın ile) Kocasından boşanan.

muhtelic, muhtelice, *A. s.* [Halecan'dan] (Elinde olmadan) Titreyen. «Bir lâhza önce neydi o feryad-i muhtelic? — Fikret».

muhtelif, muhtelife *A. s.* [Halif'ten] 1. Bir türlü olmayan. Çeşitli. 2. Karşıt. • «Muslı Ağa üç seneye karip emraz-i muhtelife ile sahib-firaş ve müptelâ-yi ilel-i canhiraş olup. — Raşit». • «Yarım asırdan beri bu büyük şehrin muhtelif noktalarına dağılmışlar. — Uşaklıgil».

muhtelis, muhtelise, *A. s.* Beylik maldan çalan, çalıp çırpan.

muhtelit, muhtelita, *A. s.* [Halt'tan] Karışık. Karma.

muhtell, *A. s.* [Halel'den] 1. Bozuk. Bozulmuş. 2. Karışmış. • *Muhtellişşuur,* aklından zoru olan, aklında bozukluk olan. *Uzv-i muhtel,* (Hek.) Sinir veya kaslardan birine inme inmesiyle işlemesinde bozukluk olan üye. «Varsa üç beş gün bekası ömrümün — olmasın muhtell safası ömrümün. — Naci». • «Sulh tarafdarı olmamak için insan ya kurt gibi hunhar, ya muhtellişşuur olmalı. — Cenap».

muhtemel, muhtemele, *A. s.* [Haml'den] 1. Olabilir, olmayacak şey değil. 2. (Man.) Olası. • «Bugünkü zevkımı bir muhtemel saadet için — Tutup heba edecek. — Fikret».

muhtemelât, *A. i.* [Muhtemel ç.] Olabilir şeyler.

muhtemer, *A. i.* (*Hı* ile) Mayalandıran, ekşitip kabartan.

muhtemi, *A.* . (*Ha* ile) Perhiz tutan. Rejimde olan.

muhtemir, muhtemire, *A. s.* (*Hı* ile) 1. Mayalanan, özlenen. Hamur olan. 2. Kaynayıp olgunlaşan, şarap olan. 3. Başına örtü örtünen, yaşmaklanan.

muhtenık, *A. s.* [Hunk'tan] Boğulmuş. Boğuk. • «Muhtenık, paslı bir talâkatle. — Fikret».

muhtera', *A. s.* (*Hı* ve *ayın* ile) Aslında yok iken yeni çıkarılmış olan (ç. Muhtereat). • «Tıbaat bir sanattır ki muhtereat-i beşeriyenin padişahı addolunsa sezadır. — Kemal».

muhtera'. *A. s. i.* 1. İcat olunmuş. 2. Uydurulmuş. (ç. Muhtereat).

muhterem, muhtereme, *A. s.* [Hürmet'ten] 1. Saygı değer. 2. Haram olan, yasak olan. • «Zira (mal-i harbî) muhterem değildir. — Ali Haydar». • «Me-

zar-i yâre bu bir kabza-i hak-ı muhtereme. — Fikret».

muhteremiyet *A. i.* Sayılır olma. Saygı değerlik. • «Bütün muhteremiyet-i bekâretin suret-i mufritesi şeklinde duran. — Uşaklıgil».

muhteri', muhteria, *A. s.* (*Hı* ile) Yalan uyduran.

muhteri', muhteria, *A. s.* 1. İcad eden, meydana koyan. 2. Bir şeyler uydurarak birine iftira eden. • «Nihayet yeni bir alet icad eden bir muhteri zaferiyle. — Uşaklıgil».

muhterif, muhterife, *A. s. i.* [Hiref'ten] Hirfet sahipleri, iş sahibi sanatçılar. • «Muhterife ve suka yine alesseher her taraftan saraya müteveccih olduklarında. — Naima».

muhterik, muhterika *A. s.* (*Ha* ile) [Hark'tan] Yanmış. Yanan, yanık. (ç. Muhterikat). • «Barut hazinesine ateş verip aktarma muhterik oldu. — Naima». • «Andan maada muhterikat bakayasından semtinde bir mescit dahi bina etmişidi. — Naima».

muhteris, *A. s.* (*Ha* ve *sat* ile) [Hırs'tan] 1. Hırs sahibi. 2. Aşırı istekli. 3. Ateşli. • «Bihter'e daha harr ve muhteris döneceğini farz ederken. — Uşaklıgil».

muhteris, *A. s.* (*Ha* ve *sin* ile) Sakınan, koruyan.

muhteriz, *A. s.* [Hırz'dan] Sakınan, çekinen. • «Kabahatim ona bakmaktı, muhteriz, muğber — Dudaklarında sönerken bir ibtisam-i nihan. — Fikret».

muhterizane, *F. zf.* Sakınarak, çekine çekine. • «O ses, gûya bu gece, şurada bu iki eli yekdiğerine birleştirdikten sonra muhterizane silinmek isteyerek. — Uşaklıgil».

muhtesib, *A. i.* [Hesab'dan] 1. (Eski) Belediye işleri memuru. 2. (Eski) Polis ve belediye işine bakan memur.

muhteşem, muhteşeme, *A. s.* [Haşmet'ten] Adamlarının çokluğuyle saygı çeken. Heybetli. • «Gür saçlarının siyah dalgaları öyle muhteşem bir vekar ile tezyin ediyordu ki. — Uşaklıgil».

muhteşı', *A. s.* (*Hı* ve *ayın* ile) Kendini aşağı gören.

muhteşi, *A. s.* (*Ha* ile) İyice dolmuş olan,

muhteşid *F. s.* (*Ha* ile) Birikmiş, kalabalık olmuş olan.

muhtetif, *A. s.* (*Hı, te* ve *tı* ile) Kapıp götüren.

muhtetim, A. s. (Hı ile) Sona erdiren.

muhtetin, A. s. (Hı ile) Sünnetlenmiş, sünnet olmuş.

muhteva, A. s. Bir nesnenin içinde bulunan. İçteki (şey).

muhtevi, A. s. 1. Bir yere toplayan. 2 İçinde bulunan. • «Bir lânedir ki hucresi âfakı muhtevi — Tevlit eder o lânede eş'ar-i dilişkâr. — Fikret».

muhteviyat, A. i. İçindekiler.

muhtı, A. s. [Hata'dan] Hata işleyen. Yalan. Yanıltıcı.

muhtır, muhtıra, A. s. [Hatır'dan] 1. Hatıra getiren. Hatırlatan. 2. Suflör.

muhtıra, A. i. 1. Hatıra getirmek için yazılan ve sunulan tezkere. 2. Hatıra gelen bir şeyi unutmamak için yazılan pusula; defter. • «Şimdi Şevki Efendi bir muhtıra yapmalı. — Uşaklıgil».

muhyi, A. s. [Hayat'tan] 1. Canlandırıcı. 2. Maddî ve manevî güçleri artırıcı, kuvvetlendirici. 3. İşlenmemiş toprağı işleyip şenlendiren. • «Arar cism-i tabiat bir şifa, bir feyz, bir muhyi. — Fikret».

muhzır, A. i. [Huzur'dan] İlgilileri mahkemeye çağırmaya, götürmeye memur kimse. • «Kadı ola dâvacı ve muhzır dahi şahit — Ol mahkemenin hükmüne derler mi adalet. — Ziya Paşa».

muhzin, A. s. [Hüzn'den] Hüzün verici. Açıklandırıcı.

muid, A. i. (Ayın ile) Öğretmen yardımcısı; müzakereci.

muin, A. s. (Ayın ile) [Avn'dan] 1. Yardımcı. 2. Yamak• «Fesat addettiğiniz işlere muin ve delil oldunuz. — Naima».

muir, A. s. (Ayın ile) Ödünç olarak verilen.

muizz, A. s. (Ze ile) Ağırlayıcı; izzet ve ikram eyleyici. • «Eğer dünya vü din emrinde naf'i bir amel dersen — Duayi devlet-i sultan muizz-i din ü dünyadır. — Bakî».

muka'ar, muka'ara, A. s. [Ka'r'dan] 1. İçbükey, konkav. .2 Çukur, oyuk, çökük • «Merayanın estihası muka'ara olsa. — Taş».

mukabbeb A. s. Kubbelenmiş. Üstüne kubbe yapılmış.

mukabbel, A. s. Öpülmüş, • «Hâkpayı mukabbel-i şifah-i mülûk. — Lâmii».

mukabbız, A. s. [Kabz'dan] Daraltan. Sıkan.

mukabbil, A. s. 1. Öyen. 2. (Bir teklifi) kabul eden kimse. (ç. Mukabbilîn).

mukabele, A. i. [Kabl'den] 1. Karşılık, karşılama. 2. Karşı gelme. Karşılık verme. 3. İki şeyi karşılaştırma. 4. Karşılıklı yapılan okuma. • Mukabele bilmisl, misilleme; • cebr ü mukabele, cebir. denklem. • «Ahmak-pesend ve eblehfirib olmak için tatlı kuyu mukabelesinde menzili köşesinde bir çeşme yapmaya dahi başlanmış idi. — Naima• • «Bir bakıye-i gurur ile ona mukabele bilmisil ile parmaklarımızı telvis edemezdik. — Cenap».

mukabil, A. s. [Kabl'den] 1. Karşı karşıya gelen. 2. Bir şeye karşı yapılan. 3. (i.) Karşılık. 4. (Zf.) Karşılığında. • «Bu kahra mukabil nedir olan mev'ud — Fikret». • «Güneş ufk-i mukabile yaklaşmış. — Cenap».

mukaddem, mukaddeme, A. s. [Kıdemden] 1. Önde olan, önden giden. 2. Zamanca eski olan, önceki. 3. Üstün olan. 4. İki taraflı şeyin birinci tarafı. 5. (Man.) Önerti. 6. Redif askerinin birinci sınıfı. • «Vezir-i mumaileyh rikâb-i saadet-intisaptan mukaddem asker-i zafer-şiyem birle Budin'e vusul bulup. — Peçoylu». • «Meçhul ve garip bir musibetin hiss-i mukaddemi uyanarak. — Uşaklıgil».

mukaddema, A. zf. Bundan önce. Evvelce. • «Mukaddema müteveccih-i divar-i Yemen iken. — Peçoylu».

mukaddemat, A. i. [Mukaddeme ç.] 1. Önceler. Başlangıçlar. İlkler. 2. (Man). Önertiler. • «Deyip birkaç mukaddemat-i bi-netice ve kelimat-i cahilâne-i namefhum söyledi. — Naima».

mukaddeme, A. i. 1. Maksada girmezden önce söylenen söz. Giriş. 2. Bir kitabın yazılması hakkında önceden söylenen söz, başlangıç, başlamadan önce. 3. Askerin ileride bulunan kısmı, öncü. • «Küçük odada ufak bir mukaddemeden, biraz müteferrik bahislerden sonra. — Uşaklıgil».

mukadder, mukaddere, A. s. [Kader'den] 1. Niceliği belirtilmiş. 2. Tanrının önceden bir iş için belirttiği. 3. (i.) Kader hükmü. • Mukadderat-i erbaa, keyl ya vezin ya sayı ya zira' ile mikdarı tâyin olunan şeyler. • «Kendisine mukadder ufk-i saadete vâsıl oluktan sonra. — Uşaklıgil».

Mukadderat, *A. i.* [Mukadder ç.] Tanrının takdir buyurduğu, mukadder kıldığı şeyler. • «Eğer bu memleketin sislenen şu nasiye-i — Mukadderatı kavi bir elin, kavi, muhyi — Bir ihtizaz-i temasiyle silkinip. — Fikret».

mukaddes, mukaddese, *A. s.* [Kuds'ten] Kutsal. Temiz. Mübarek. • «Gözlerinin önünde olanca mehabet ve azametiyle bir vazife-i mukaddese dikilmiş oldu. — Uşaklıgil». • «Bir mevk-i mübarek, o arz-i mukaddese ile bulunduğumuz nokta arasında İskenderiye'yi. (...) Cidde'yi görüyordum. — Cenap».

mukaddesat, *A. i.* [Mukaddes ç.] Kutsal şeyler.

mukaddim, mukaddime, *A. s.* [Kıdem'den] Sunan. Bir büyüğe veren.

mukaddime, *A. s.* 1. Sunulan, bir büyüğe verilen şey. 2. Öne geçen, elinde bulunan. • *Mukaddimet-ül-ceyş,* (As.) öncü. • «Derviş Paşaya koşulup mukaddimetülceyş tâyin ve ileriye irsal olundu. — Naima». • «Cenaheynden kalyonlar etrafın alıp mukaddimede olan gemiler geli çatıp. — Naima».

mukaddir, *A. s.* 1. Takdir eden, Tanrı. 2. Değer biçen, beğenen, değer bilen. (ç. Mukaddirîn).

mukaffa, *A. s.* Kafiyeli. Kafiyelenmiş. • «Yakışır ağzına mevzûn ü mukaffa sözler — Şinasi» • «Mektup bir, sıra mukaffa elkaptan ibaret gibi idi. — Cenap».

mukaffel, *A. s.* [Kufl'den] 1. Kilitli. 2. Sıkı sıkı kapanmış. • (ç. Mukaffelât). • «Feth-i mukaffelât ve şerh-i müşkilâtta. — Taş.» • «Miftah-i ah açar yine bab-i mukaffeli. — Nabi».

mukahhir, *A. s.* Kahr eden. Ezen.

mukallef, *A. s.* Kalafat edilmiş.

mukalled, *A. s.* [Kılade'den] Boynuna gerdanlık takmış.

mukalled, *A. s.* [Taklid'den] Taklit edilen. Örnek tutulan. • «Bütün erbab-i zevka daima mukalled olan, fakat hiç bir zaman tamamen taklidine muvaffakiyet hâsıl olmayan zarafetleriydi. — Uşaklıgil».

mukallib, *A. s.* [Kabl'den] Başka kalıba sokan.

mukallid, *A. s.* Taklitçi.

mukallidane *A. zf.* Taklitçiye yakışır şekilde.

mukamere, *A. i.* Kumar oynama.

mukamir, *A. s.* Kumar oynatan.

mukanfez, *A. i.* Üzeri yumuşak dikenlerle örtülü hayvan.

mukannen, mukannene, *A. s.* [Kanun'dan] Zamanı veya niteliği belli. Şaşmayan.

mukannin, *A. s.* Kanun yayan. Kanuncu, hukukçu.

mukantar, mukantara, *A. s.* [Kantara'dan] Kemerli. Kemer biçiminde.

mukaraa, *A. s.* [Kur'a'dan] 1. Ad çekişme. 2. Çekişme, vuruşma. • «Mukaraa-i süyuf vuku buldukta. — Saadettin» • «Ya terazi, ya mukaraa, ya imtihan diye buyurdular. — Naima».

mukarebet, *A. i.* [Kurb'dan] 1. Yakınlık. 2. Akrabalık.

mukarenet, *A. i.* Bitişiklik. Yakınlaşıp ulaşma. Bir yere gelme, kavuşma.• «Memikzade dahi mukarenetten istinkâf edip. — Naima».

mukarib, *A. s.* Yakınlaştıran, yaklaştırıcı. «Diriga fakire fakir olduğumdan — Değil kimse ile müyesser mukarib. — Ruhi».

mukarin, *A. s.* Bitişik. Ulaşmış. «Lafz-i rengîne de olmazsa mukarin nazmım.— Nef'i».

mukarnes, *A. s.* 1. Merdiven biçiminde dereceleri ve burçları bulunan. 2. Kubbe biçiminde olan. • «Ve bu suretle maazallahü teâlâ destar-i mukarnes mısra-i azade-i serine kafes. — Sümbülzade».

mukarreb, *A. s.* [Kurb'den] Yaklaşmış, yakın. *Melek-i mukarreb,* Tanrıya yakın olarak üstün bulunan melek. • «Mukarrebler rica edip bir ihtiyar kulundur kıyma padişahım demeleriyle. — Naima».

mukarreban, *F. i.* [Mukarreb ç.] 1. Yakınlar. 2. Padişah yakınları. • «Vezir-i âzam mukarreban ile kimi şeyhülislâm edelim diye meşveret edip. — Naima».

mukarrebîn, *A. i.* [Mukarreb ç.] Yakınlar. Padişahın özel işlerini gören kimseler. • «Bu cevapname vezire geldikte padişaha ve mukarrebîne gösterip. — Naima».

mukarrer, mukarrere, *A. s.* [Karar'dan] 1. Kararlaştırılmış, kararı verilmiş. 2. Şüphesiz. 3. Anlatılmış. 4. Yerinde bırakılmış. (ç. Mukarrerat). • «Verir peyam-i hazin bir dem-i mukarrerden. —

Fikret». — «Tersane Emini Salih Çelebi mukarrer kılındı. — Naima».

mukarri', A. s. Azarlayan, başa kakan, paylayan.

mukarrib, A. s. [Kurb'dan] Yaklaştıran. Yakınlaştıran.

mukarrin', A. s. Birlikte bulunduran.

mukarrir, A. s. [Karar'dan] 1. Anlatan. Bir maddeyi etraflıca anlatan. 2. (i.) Medresede dersi tekrar ederek anlatan profesör yardımcısı.

mukarriz, A. s. (Dat ile) Takriz yazan, bir eseri öven.

mukarrün bih, A. i. İkrar edenin (Mukirr) ağzıyle söylediği şey.

mukarrün leh, A. i. İkrar edende alacağı olduğunu haber veren.

mukasama A. i. [Kısım'dan] Paylaşma. Bölüşme. • «Esbab-i mühimme olmamış olsa idi mukasama vâhimesi hemen kuvveden fiile çıkacak. — Kemal».

mukasat, A. i. (Sin ile) Zahmet çekme.

mukassat, A. s. [Kısım'dan] Taksitli.

mukassatan, A. zf. Taksit ile. Taksitlenmiş. Taksitli olarak. • «Dört ay içinde mukassatan tediyesi meşrut olarak. — Recaizade».

mukassem, A. s. [Kısım'dan] Ayrılmış, bölünmüş.

mukassır, A. s. [Kasr'dan] Taksir eden. Kusurlu, suçlu. • «Ol hacerden yâbis mukassırı Taşkıran'a teslim etti. — Naima».

mukassi, A. s. [Kasvet'ten] Dar, kasvetli. «Şu cedelgâh-i mukasside. — Fikret».

mukassim, A. s. [Kısm'dan] Ayıran, bölen. Kıyas-i mukassim, (Man.) İkilem, dilemma. • «Ve mukassim-i erzak-i biçaregân olmuştur. — Sadettin».

mukaşşa, mukaşşaa, A. s. (Hek.) Balgam söktüren, çıkartan.

mukataa, A. i. [Kat'den] 1. Arazinin kesime verilmesi. Belli bir kira karşılığı birine bırakılması. 2. Bağ, bahçe, arsa haline konulan ekim toprağı için verilen vergi.

mukatele, A. i. [Katl'den] 1. Birbirini öldürme. Vuruşma. 2. Savaş, kavga. (ç. Mukatelât). • «Muharebe ve mukatelede kat'a mehl ü teenni etmezdi. — Naima».

mukatil, A. s. Birbiriyle vuruşan, savaş eden.

mukatta', **mukattaa,** A. s. [Kat'dan] Kesilmiş, kesik, ayrı. Arazi-i mukattaa,

ıkta edilmiş topraklar, hükümdar tarafından mal edilmiş veya geliri verilmiş topraklar. • «Yaşım denizin kesse ol İskender-i devran — Bir hub gazel derdim ana bahr-i mukatta'. — Baki».

mukattaât, A. i. 1. Kesik şeyler. 2. (Ed.) Eksik manzume parçaları. Çeşitli gazel veya kasidelerden seçilme beyitler. 3. Her biri bir kelimeye delâlet eden harfler ve tamamlanmamış cümleler, abréviation karşılığı, kısaltmalar (XX. yy.).

mukattar, mukattara, A. s. (Tı ile) [Katr'dan] İmbikten çekilmiş. Damıtılmış. Ma-i mukattar, damıtık su. (ç. Mukattarat).

mukavelât, A. i. [Mukavele ç.] Mukaveleler, sözleşmeler.

mukavele A. i. [Kavl'den] 1. Sözleşme söz edişme. 2. İki taraflı kararların yazılı şekli. • «Durunuz, sizinle bir mukavele yapalım. — Uşaklıgil».

mukavelename, F. i. [Mukavele-name] Mukavelenin, sözleşmenin yazıldığı kâğıt, yazılı şekli. Kontrat. • «Hiç bir şey demeye hakkı olmayacağı mukavelenamede musarrah olmasına. — Kemal».

mukavemet, A. i. 1. Karşı durma, dayanma. 2. (Fel., Fiz.) Direngi • «Çatırdayan kapının karşısında, bileğinin mukavemetine bir keselân geldi. — Uşaklıgil». • «Makinenin mukavemetinden eminiz. — Cenap».

mukavemetsuz, F. s. [Mukavemet-suz] Mukavemeti yok eden. Dayanılmaz hale koyan. • «Bu, Bihter'i mukavemetsuz bir cazibe ile çekiyor. — Uşaklıgil».

mukavemetşiken, F. s. [Mukavemet-şiken] Mukavemeti kıran. • «Her şeyi mukavemetşiken bir seylâbe ile sürükleyip götüren. — Uşaklıgil».

mukavim, mukavime, A. s. 1. Karşı duran, direnen. 2. Dayanan • «Cennetoğlu dedikleri duzahî ana mukavim olmayıp. — Naima». • «İnsan bizim zann ü tahmin ettiğinizden pek çok ziyade mukavimdir. — Cenap».

mukavva, A. i. [Kuvvet'ten] 1. Berkeştirilmeş. Sağlamlaştırılmış. 2. (i.) Mukavva.

mukavves, A. s. [Kavs'ten] 1. Yay gibi eğri. 2. Bükülmüş. • «Mukavves kaşların kim vesme birle renk tutmuşlar. — Fuzuli». • «Lerzan harekâtiyle, mukavves bacağıyle. — Fikret».

mukavvi, mukavviyye, *A. s.* [Kuvvet'-ten] 1. Kuvvet veren. Kuvvetlendiren. 2. Kuvvet için verilen (ilâç).

mukavvim, *A. s.* 1. Eğriyi doğrultan, düzelten. 2. Kıvama getiren. 3. Fransızcadan *substrat* yahut *substratum* karşılığı; dayanak (XX. yy.).

mukayyaza, *A. i.* *(Dat* ile) Trampa etme. (Mec. 122).

mukayese, *A. i* [Kıyas'tan] 1. Ölçme. Ölçü. 2. Karşılaştırılarak değerlendirme. 3. Benzeterek karar verme. (ç. Mukayesat).

mukayyed, mukayyede, *A. s.* [Kayd'dan] 1. Bağlı, bağlanmış. 2. Zincirle bağlı, 3. Kayıt ve şarta bağlı. 4. İşine önem verip bakan. 5. Bir deftere geçmiş, defterde yazılı. (ç. Mukayyedat). • «Ey gırre sütunlar ki birer div-i mukayyed. — Fikret».

mukayyi, *A. s.* [Kayy'den] Kusturan.

mukayyiat, *A. i.* [Mukayyi ç.] (He.) Kusturucu ilâçlar.

mukayyid, *A. i.* [Kayd'dan] Bir kaleme gelen gideni kaydetmeye memur kimse. Kaydeden, kayıtçı.

mukbil, mukbile, *A. s.* [Kalb'den] İkballi. Kutlu, mutlu. (ç. Mukbilân, mukbilîn). • «Çok mukbili gördüm ki güler içi kan ağlar. — Ziya Pş.».

mukaddim, *A. s.* [Kıdem'den] Bir işe dikkatle ve sürekli çalışan. • «Revac-i din-i mübine muavin ü mukdim. — Nef'i».

mukdimane, *F. zf.* Dikkatli ve düşkün çalışarak, büyük bir gayretle. • «Sây eyle ulûma mukdimane — Ezcümle bedi' ile beyane. — Ziya Pş.».

mukıd, *A. s.* *(Kaf* ve *dal* ile) Ateş yakan.

mukın, *A. s.* Şüphesiz, yakın olarak bilen.

mukırr, *A. s.* [İkrar'dan] Kabahat veya aybını gizlemeden söyleyen. Olana vardır, diyen. • «Tekzib olunan ikrar bâtıl olup onunla mukırr muahaze olunmaz. — A. Haydar».

mukız *A. s.* *(Zı* ile) [İkaz'dan] Uyandıran. Uyanık bulunduran.

mukim, *A. s.* [İkamet'ten] Sürekli veya geçici olarak bir yerde oturan. (ç. Mukiman). • «Cûlar gibi sûbesû revandır — Bilmem ne zaman mukim olur dil. — Naci».

muklia, *A. i.* (Hek.) Dişçi kerpeteni.

mukmir, mukmire, *A. s.* [Kamer'den] Ay ışıklı, mehtaplı. • «Gece mukmir, sema sahab-âlud. — Recaizade».

mukni, muknia, *A. s.* [Kanaat'ten] Kanaat getiren, kandıran. • «Makalat-i beliganın en mukniidir. — Cenap».

mukri, *A. s.* [Kıraat'ten] (Kur'an) Okuyan. • «Gül camii oluptur ey gonceleb çemen — Mukridir anda bülbül-i şeyda menar serv. — Hayali».

mukriz, *A. s.* [Karz'dan] 1. Borç veren. 2. Ödünç veren.

muksid *A. i.* *(Kaf* ve *sat* ile) Önüne geçilmeyecek ölüm.

muktasır, *A. s.* *(Te* ve *sat* ile) Kısa kesen. Uzatmayan.

muktataf, *A. s.* [Iktıtaf'tan] Derlenmiş.

muktatafât, *A. s.* [Iktıtaf'tan] Derlenmiş şeyler.

muktatıf, *A. s.* [Iktıtaf'tan] Derleyen.

muktaza, *A. s. i.* [Kaza'dan] 1. İktiza eden, gereken. 2. Kanun veya fermana uygun olarak yazılan derkenar. • *Muktezay-i tab',* huydan, yaradılıştan. Yaradılış icabı. • «Baki zaman-i işret ü hengâm-i ayştır — Vermek gerek ne halet ise muktaza-yi bağ. — Baki». • «Mustafa Paşa muktezayi tab'ı olan. — Naima».

muktazi, muktaziyye, *A. s.* [Kaza'dan] İktiza eden, gerekli.

muktaziyat, *A. i.* [Muktezi ç.] İktiza eden, gerekli şeyler. 2. Sonuçlar. • «Çok kişi muktaziyat-i basiret ve ihtiyata riayet külfetinden kurtulmak için. — Cenap».

muktebes *A. s.* Bir yerden alınan. Faydalanılan. (ç. Muktebesat). • «Benzer mi aşk-i halise bir şevk-i muktebes? — Fikret».

muktebis, *A. s.* Birinin bilgisinden faydalanan.

muktebisîn, *A. i.* [Muktebis ç.] Birinden bilimce faydalananlar. • «Eğer ömrü mümted olsa cümlesini itmam edip muktebisîni it'ap ederdi. — Taş.».

mukteda, *A. s.* 1. Uyulan. Örnek tutulan. 2. Önde bulunan. Herkesin uyduğu. • «Kim rehber-i şeriat ola mukteda bana. — Fuzuli».

muktedi, *A. s.* Uyan, arkadan gelen.

muktedir, *A. s.* [Kudret'ten] 1. Güçlü, kuvvetli. 2. Bir işi yapabilen. Becerebilen. • «Değildim muktedir bir iltifata — Bakardım dûrbin ile hayata. — Ziya Pş.». • «Hiç bir kalb-i müşfik görmüyordu ki o şifabahs göz yaşlarını serpmeye muktedir olabilsin. — Uşaklıgil».

muktefa, *A. s.* Ardına düşülmüş, kendisi örnek tutulmuş, önder sayılmış.

muktefi, *A. i.* [Kafa'dan] Birinin ardı sıra giden, uyan, örnek tutulan. • «Cânan da muhacir oldu şimdi — İsr-i nebeviye muktefiyiz. — Naci».

mukterin *A. s.* [İktıran'dan] Yaklaşan, yakın gelen.

muktesid, *A. s.* [İktisat'tan] Tutumlu. (ç. Muktesidan) • «Şimal ahalisini mütefekkir, saî, muktesit, ferda endiş. — Cenap».

mu'lem, *A. s.* [İlm'den] İşaretlenmiş, belirtilmiş. • «Mel'uniyet ile mu'lem ve licam-i küfr gavayet ile mülcem olmakla. — Naima».

muli', *A. s.* Tutkun, düşkün, İhtiraslı. • «Benim tab'ım darb-i ud ve tanbura muli' ve meftun olup. — Taş.».

mulif, *A. s.* [Ülfet'ten] Alışmış. Alışık:

mulim, *A. s.* [Elem'den] Keder verici.

mulin, *A. s.* [İlân'dan] İlân eden. Bildiren.

mum, *F. i.* Mum. • «Uşağın tuttuğu mumun ziyasiyle. — Uşaklıgil».

mumaileyh, *A. s.* İşaret olunan. Adı geçen. • «Vezir-i mumaileyh memur olunan asker ile geldiği gibi ubur olunup — Naima».

mumatala *A. i.* Bk.*Mümatala.*

mumiyan, *F. s.* [Mu-miyan] Kıl belli. • «Çünkü şairsin hayal-i tazedir senden murat — Pes yeni bir dilber-i mumiyan lâzım sana. — Nedim».

mumtass, *A. s.* [Mass'tan] Emilmiş • «Hayatı bu şi'r-i şeb-endud içinde mumtass ve müstağrak. — Uşaklıgil».

mumtır, *A. s. (Tı* ile) (Yağmur) Yağdıran.

mumya, *A. i.* 1. Eski Mısırlıların ölülerini çürümeyecek hale koydukları cenaze. 2. Bir masal ilâcı. 3. Çok zayıf. • «Bir sınanmışa mumya dilerdim — Bir hasta için şifa dilerdim. — Fuzulî».

mumza, *A. s.* İmza edilmiş olan. • «Bu bapta zinhar re'y-i mumzadan rücu etmeyesiz. — Naima».

mumzı, *A. s.* İmza eden, imza sahibi.

munafık, *A. s. s.* [Nifak'tan] 1. İki yüzlülük eden. Nifak koyan. 2. Hazreti Muhammed Peygamber zamanında yalandan İslâm olup da kâfirlikte devam

edenlerden her biri. (ç. Münafıkîn). • «Bu haberler munafıkîn lisanından zorbalara tebliğ olunup. — Naima».

münafikane, *F. zf.* Münafıkça. Arabozar yolda. • «Dergâh-i cihanpenaha gelip munafikane arz-i inkıyad etti. — Sadettin».

munassab, *A. s.* [Nasb'dan] 1. Birbirinin üzerine tertiplenmiş olan. 2. Memur bulunan. • «Vüzera ve ulemanın mazul ve munassablarından. — Naima».

munazzaf, *A. s.* [Nazif'ten] Temizlenmiş. Arınmış.

munazzam, *A. s.* [Nazm'dan] 1. Tanzim edilmiş, düzenli, düzen verilmiş. 2. Manzum olarak yazılmış. • «Maned-i dürr-i şahvar âbdâr ve munazzamdır. — Taş.».

munazzif, *A. s.* [Nazif'ten] Temizleyen. Temizleyici. (Hek.) • *Abuant* ve *abstergent* karşılığı (XIX. yy.).

munazzım, *A. s.* [Nazım'dan] Tanzim eden, düzen veren. • «Kevnin, hulâsa, fikr-i beşerdir munazzımı. — Fikret».

munbasit, *A. s.* [Bast'tan] 1. Açılmış, yayılmış, açık. 2. Açık, ferah. • «Yüzünde şimdi bir ümmid-i munbasıt gülüyor. — Fikret».

munfadıh, *A. s.* Rüsva olan.

munfak, *A. s.* Yarılıp ayrılmış olan.

munfasıl, *A. s.* [Fasl'dan] 1. Ayrılmış, ayrı. Bitişik olmayan. 3. Yerinden ayrılmış, memurluktan çıkmış. • *Huruf-i munfasıla,* arttan bitişmeyen harfler (elif, d, z, r, zel, v), • *zamir-i munfasıl* (Arap Gra.) başka kelimeye bitişik olmayan zamir (hüve, ente, gibi).

munfasım *A. s.* Kırık, kırılmış olan.

munfasi, *A. s.* Bir nesneden ayrılıp kurtarılmış olan.

munfatır, *A. s.* Yayık, yarılmış olan.

mungamir, *A. s.* Suya dalmış olan.

mungamm, *A. s.* Gamlanmış, kaygılanmış.

mungavi, *A. s.* [Gava'dan] Azıtmış, sapıtmış.

muhassır, *A. s.* [Hasr'dan] 1. Her tarafı kuşatılmış, çevrili. 2. Yalnız bir şey veya bir kimseye mahsus olan. • «Vatan bize kılıcımızın ekmeğidir. Kendimize mahsus, kendimize munhasır biliriz. —Kemal».

munhasıran, *A. zf.* 1. Özel ve belli olarak, sadece. 2. Yalnızca. 3. Başkaları dahil değil. • «Matbaa da munhasıran herifindir. — Uşaklıgil».

munis, munise, *A. s.* [Üns'ten] 1. Her kesle görüşen, kanı sıcak. 2. İnsandan kaçmayan, alışık. • «Bana munis bugün o hâtıradır. — Fikret».

munkabız *A. s.* [Kabz'dan] 1. Toplanmış, çekilmiş, büzülmüş. 2. Sıkılmış, sıkıntılı. 3. Pekliği olan, bağırsakları şıktı. • «Def'i muamelesin ettikten cenab-i vezir munkabız olup. — Naima».

munkalib, *A. s.* Bk. *Münkalib.*

munkatı, *A. s.* [Kat'dan] 1. Kesilmiş, kesik. Aralıklı. 2. Arkası gelmeyen. Son bulan. 3. Arada bağ kalmayan, ayrılmış. 4. Herkesten, ayrılıp bir kişiye bağlı kalan. 5. (Geo.) Süreksiz. Kesikli. • «Ebna-yi sebilden idim munkatı oldum. — Süheyli». • «Ümit ne vakıt munkatı olur. — Uşaklıgil».

munsabb, *A. s.* (Bir ırmağa veya denize) Dökülen, karışan. • «Zikr ettiğiniz ebvabdan munsabb olur. — Taş.».

munsabığ, *A. s.* [Sıbg'dan] Boyalı, boyanmış. • «Gülberg-i rüh-i munsabığ-i sıbga-i Rahman. — Sami».

munsarif, *A. s.* [Sarf'tan] 1. Çekilip giden. 2. (Arap Gra.) «in» ve «i» okunan (isim) • «Kabrin cihetinden oluyor munsarif ebsar — Kendin gibi âşıklarını sanma vefadar. — Naci».

munsarih, *A. s.* [Saraht'tan] Açık, meydanda.

munsif, *A. s.* [Nasafet'ten] 1. İnsaflı. 2. Kötülükte aşırı gitmeyen. (ç. Munsifan). • «Faiz Efendi isminde munsif bir adam ki. — Uşaklıgil».

munsifane, *F. zf.* İnsaflıca, insafa uygun. • «Paşa-yi müşarünileyhin munsifane kelâmı ırz-i vezareti sıyanet babında. — Naima».

muntabı, *A. s.* [Tab'dan] 1. Yaradılıştan olan. 2. Basılmış, damgalanmış. 3. Hoş görünen, güzel. (ç. Muntabıat). • «Muntabı' nakş-i hayalin dilde. — Recaizade». • «Yüzünde muntabıat-i gamâzümay-i taab. — Cenap».

muntabık *A. s.* [Tıbk'tan] 1. Uygun. Birbirine tam uyan.

muntafi, *A. s.* 1. Sönmüş, sönük, bastırılmış. 2. (Fiz.) Sönümlü. • «Guya bu ân-i leylede bir ruh-i derbeder — Bir ruh-i muntafi — Çeşm-i siyah-i zulmete, vazeder — Bir buse-i hafi. — Cenap».

muntalık, *A. s.* 1. Salıverilmiş. 2. Bağsız. 3. Gamı, kederi olmayan, sevinçli.

muntasıf, *A. s.* [Nısf'tan] 1. Yarılanmış, yarıya varmış. 2. (i.) Yarı. Orta. • «Mah-i zikade muntasıfında. — Naima».

muntavi, *A. s.* Dürülmüş, devşirilmiş.

muntasıh, *A. s.* [Nush'tan] Öğüt alır, söz dinler. • «Bunlar senin nasihatınla muntasıh olmazlar. — Hümayunname».

muntazam, muntazama, *A. s.* [Nizam'dan] 1. Sıralanmış, düzgün 2. Tertipli 3. (Mat.) Düzgün. • «Havada bir top mütemadiyen gayr-i muntazam daireler çizerek. — Uşaklıgil» • «Lokomotif muntazam fasılalı bir öksürük hırıltısıyle nefes alarak. — Cenap».

muntazaman, *A. zf.* Düzgün olarak. • «Nihal'e muntazaman yarım saat imlâ yazdırmaya. — Uşaklıgil».

muntazar, *A. s.* [Nazar'dan] Beklenilen, gözetilen. Gelmesi umulan. • «Bir yolcunun kudumü idi orda muntazar. — Fikret».

muntazım *A. s.* Düzenleyen, düzen veren.

muntazır, muntazıra, *A. s.* [Nazar'dan] Bekleyen, gözeten. • «Avlamaktan ziyade avlanmaya muntazır ve müheyya bir Firdevs Hanım kalmış idi. — Uşaklıgil» • «Gözlerini kaldırıp karşımdaki uşağı hâlâ muntazır görünce. — Cenap».

munzacı', *A. s.* (Dat ve ayın ile) Yan üzre yatmış olan.

munzacir, *A. s.* Yürek sıkılma. Yüreği sıkkın. • «Vezir bîhuş ve mütehayyir ne edeceğini bilmeyip munzacır oldu. — Naima».

munzalim, *A. s.* (Zı ile) İsteğiyle veya isteksiz zalimin zulmüne boyun eğen.

munzamm, *A. s.* [Zam'dan] Katılan, üste konan. • «Belki havanın kapanıklığı da buna munzam olmuştu. — Cenap».

mur, *F. i* Karınca, • «Bir olur eyleyicek adli zuhur — Der-i lûtfünde Süleyman ile mûr. — Hakani».

murabaa, *A. s.* 1. İlkbahara şartla sözleşme. 2. Ağır yük kaldırmada birine yardım etme.

murabaha, *A. i.* Kanundan aşırı alınan faiz. • «Meydan murabahacılara kalarak anların muamelât-i gaddaranesinden ise. — Kemal».

murabba, *A. i.* Tatlı olarak pişirilen meyva.

murabba, *A. s.* [Rubu'dan] 1. Dörtlü. Dört şeyden meydana gelme. 2. Dört köşeli. 3. (Ed.) Her bendi dörder mısralık manzume. 4. (Mat. Geo.) Kare. • *Murabba nişin*, bağdaş kurup oturan. • «Kuudları iki zanularına munhasır meğer tuğra-yi şerife hizmetinde iken murabba nişin olalar. — Peçoylu». • «Bugün bize ta'n eylemesin dün gece sofi — Mecliste müselles içip okurdu murabba'. — Bakî» • «Murabba nişin-i sandali-i pindar olup. — Şefikname».

murabî'. *A. i. (Ayın* ile) Bahar yağmurları veya bahar çayırları.

murabıt, *A. i.* [Rabt'tan] İbadete düşkün kimse. 2. (Fas'ta) Şeyh, derviş unvanı.

murabata, *A. i. (Tı* ile). *1.* Bağlama. 2. Düşman hücum yerini bekleme.

murad, *A. i.* 1. İstek. 2. Maksat, «*Lafzı murad*, manası için değil lafzı için söylenmiş kelime, söz. • «Bir dem muradım üstüne devr eylemez felek — Âb istesem serab-i ademden nişan verir. — Nef'î» • «Kader dedikleri halkın murad-i Haktır kim — Ezelde etti bizi her umurda tahyir. — Şinasi».

murafaa, *A. i.* [Ref'den] 1. Mahkemeye baş vurma. Mahkemeye getirme. Duruşma. 2. Mahkemede yüzleşip muhakeme olunma. «Şer'an kendu ile mürafaa olalım dediğimizde. — Raşit».

murafakat, mürafkat, *A. i.* [Refakat'ten] 1. Yol arkadaşlığı. 2. Arkadaşl:k. 3. Birlikte bulunma. «Akd-i muvafakat ve ihtiyar-i murafakat etmeyip. — Sadettin».

murafık, mürafık, *A. s.* Arkadaşlık eden. Bir şeyle birlikte bulunan.

murafi'. *A. s. (Ayın* ile) Duruşma için yargıca giden.

murahham, *A. i.* Kısaltma, *Abréviation* karşılığı.

murahhas, *A. s.* [Ruhsat'tan] 1. İzinli. 2. Bir devlet veya kurul adına bir işi sonuca ulaştırma için gönderilen. «Asitane-i saadette balyosları murahhas-i meks ü âram olmuş idi. — Raşit».

murahhasa, *A. i.* Ermeni piskoposu (XIX. yy.).

murahhim, *A. i.* Kısaltılmış kelime.

murahık, mürahık, *A. i.* Yeniyetme. «Ve bir erkek on iki ve bir kız dokuz yaşını tekmil edip de bâliğ oluncaya kadar murahık, murahıka denir. — Mec. 986.»

muraî, müraî, *A. s.* [Riayet'ten] Riayet eden. Saygı gösteren. «Din-i metînden itirazat-i muterizîni men' levazımını murai idi. — Taş.».

murakaba *A. i.* 1. Bakma, gözetme. 2. (Taş.) Dalıp kendinden geçme. 3. (XX. yy.). Denetleme.

murakasa, *A. i.* [Raks'tan] Dans.

murakıb, *A. s.* 1. Murakabe edici, koruyucu. 2. Tanrıya bağlanmış. 3. Denetçi (XX. yy.). «Vurup vahdetten ey şeh-i murakıp dem açrlmazsın. — Süruri».

murakka', *A. s.* [Rık'a'dan] Yama yama üstüne dikilmiş, yamalı. *Delk-i murakka,* iki yüzlülerin kendilerini derviş göstermek için giydikleri yamalı hırka. «Cisimsiz şekl-i murakkadır seraser dağdan — Şimdilik âlemde bir köhne kabaya malikiz. — Bakî».

murakka'a, *A. i.* Birbirine yapıştırılıp mukavva yapılmış kâğıtlar üzerine yazılmış güzel yazı örneği.

murakka'ât, *A. i.* [Murakka'a ç.] Güzel yazı örnekleri.

murakkak, *A. s.* [Rakik'ten] İncelmiş, ince.

murakkam, *A. s.* [Rakam'dan] 1. Yazılmış, yazılı. 2. Sayı konulmuş. Numaralanmış.

murakkım, *A. s.* [Rakam'dan] Pusulanın mıknatıs iğnesi.

murane, *F. zf.* Karıncavari. Ufak, âcizce.

murassa. *A. s.* 1. Değerli taşlarla donanmış. 2. (Ed.) İki mısra veya iki fıkrası kelime kelime birbiriyle aynı vezinde, aynı kafiyede olan (söz veya beyit). • «Ey câm-i murassa-i leb-i gaflet ki nümayan — Ka'rında mehalik! — Fikret».

murassas, *A. s.* Kalay veya kurşunla kaplanmış.

murçe, *F. i.* Karıncık.

murdar, *F. s.* Murdar. Pis. «Küffar-i duzah-kararın üç nefer serdar-i murdarların. — Raşit». • «Bir daha silinmeyecek bir leke ile televvüs etmiş, sefil murdar bir mahluk idi. — Uşaklıgil». • «Burada da elini şakağına dayamış, var kuvvetiyle haykıran bir hanende, murdar bir rakkase, samiahıraş bir darbuka gürültüsü var. — Cenap».

murdıa, murzıa, *A. i.* [Rıza'dan] 1. Çocuğa süt veren. süt emziren. Emzikli 2. Sütnine.

murg, mürg, Bk. *Mürg.*

mu'rib, *A. i.* (Arap. Gra.) İ'rab kitabı.

muris, murise, *A. s. (Se* ile) [Veraset'ten] 1. Getiren, veren, kazandıran. 2. Mirasçılara miras bırakan. ● ‹Hil'at-i muris-ül behçet ve bir kabze tig-i zi-kıymet ihsaniyle imtiyaz verildi. — Peçoylu›. ● ‹Vârise intikal eyledikte vârisin muzaf mülkü olur. Murise muzaf olmaz ve murisin anda alâkası kalmaz. — Kâtip Çelebi›.

murtabıt murtabıta, *A. s. (Te* ve *tı* ile) 1. Bağlanmış, bağlı. 2. İlgisi olan. ‹Bestedir birbirine çenber-i dolab-i vücut — Murtabıt birbirine âb ile hâk ateş ü bâd. — Nabi›.

murtad. *A. s.* [Redd'den] İslâm dinini bırakıp başka bir dine giren. ● ‹Ve bir murtad köle delâleti ile dört bin kadar kâfir ordunun bir tarafını garete hücum edip. — Naima›.

murtaz, *A. s.* Alıştırılmış, talimli (hayvan). ● ‹Killet-i servetten zahid-i murtaz gibi salavat ile yürür oldum. — Sadrettin›.

murtaza, *A. s.* [Rıza'dan] 1. Beğenilmiş. Seçilmiş. 2. (Ö. i.) Halife Ali'nin lâkabı.

murtazavî, *A. s.* Halife Ali ile ilgili.

Musa, Musi, *A. i. (Sin* ile) Peygamber, Mısır'da Firavun'ların Beni İsrail'e zulüm işledikleri sırada dünyaya gelmiş; ölümden kurtarılmak için bir sepet içinde Nil nehrine atılmış, kurtarılarak büyüdüğü zaman Firavun'a, en ünlüsü bir asânın (Asây-i Musa) yılan haline gelmesi gibi mucizeler göstererek kavmini Mısır'dan çıkarma iznini almış, Kızıl deniz kıyısına varınca denize asâsıyla vurarak ikiye bölmüş, kavmi geçtikten sonra, peşinden gelen Firavun ile adamları tekrar birleşen su içinde boğulmuştur. Sina yarımadasında Vâdi-i Eymen'de Tur dağında kendisine Tanrı tecelli ederek hitabına mazhar olmuştur. Kavmına 10 Buyruk (Evamir-i aşere) diye esaslı ahlâk ve inanç prensipleri verilmiştir.

musa *A. s. (Sat* ile) [Vesayet'ten] Bir vasiyetin yürütülmesi işiyle ödevlendirilmiş. ● *Musa bih,* vasiyet olunan şey; *musa leh,* vasiyet olunan kimse.

musab, *A. s.* Üzerine düşmüş, rastlanmış. Düşkün, yakalanmış. Bir fenalığa tutulmuş.

müsabbag, *A. s. (Sat* ile) Boyalı, boyanmış.

musabere, musaberet, *A. i. (Se* ile) Katlanma, sabretme.

musabîn, *A. i.* 1. Bir fenalığa tutulmuş olanlar. 2. Bir hastalığa yakalanmış olanlar.

musabiyyet, *A, i.* 1. Bir fenalığa yakalanma. 2. Bir hastalığa tutulma. ● ‹Bugün matbaa halkı Tevfik Efendinin musabbiyyetine muttali olduktan sonra. — Uşaklıgil›.

musadda' *A,. s. (Sat* ve *ayın* ile) Başı ağrıtılmış, rahatsız edilmiş olan.

musadakat, *A. i.* [Sıdk'tan] Karşılıklı dostluk.

musaddak, musaddaka, *A. s.* [Sıdk'tan] Gerçeklendirilmiş. Gerçek ve geçer olduğu resmî olarak yazı ile bildirilmiş.

musaddar, *A. s.* [Sudur'dan] Çıkmış, sudur etmiş.

musaddı', *A. s. (Ayın* ile) Baş ağrısı, sıkıntı verir. (kimse).

musaddık, musaddıka, *A. s.* [Sıdk'tan] Gerçekleştiren. Gerçek ve geçer olduğunu resmî olarak bildiren. ‹Ol iştihar Kürt Memet'in sözünü musaddık olmağın. — Naima›.

musaddıkane, *A. zf.* Tasdik eder, evet der yolda. ● ‹Bir beşaşet-i musaddıkane ile telakki eylemiş idi. — A. Mitat›.

musadefe, musadefet, *A. i.* Rast gelme. Rastlama.

musademat. *A. i.* [Musademe ç.] Çarpışmalar. ‹Arabistan ve Afrika çöllerinde ‹gazve› dedikleri bu musademata. — Cenap›.

musademe, müsademe, *A. i.* [Sadme'den] 1. Çarpışma, çatma, birbirine çarpıp vuruşma. 2. Düşman iki asker kıtası arasındaki ufak çarpışma. ● ‹Barika-i hakikat musademe-i efkârdan çıkar. — Kemal›.

musaderat, *A. i.* [Musadere ç.] Musaderler. 2. Zor alımları.

musadere, müsadere, *A. i.* [Sudur'dan] 1. Tanzimattan önce herhangi bir kimsenin malının padişah adına zaptı. 2. Yasak bir şeyin kanuna uygun olarak alınması. *Musadere alel-matlub* (Man.) Bir şeyi gene kendisiyle kanıtlamaya kalkmak işi. ‹Şüyu-i musadere ve rüşvetle nizam-i devlet elden gitti. — Naima›.

musadif, müsadif, *A. s.* Rastlayan, rast gelen.

musafaha, *A. i.* [Safh'tan] El ele tutuşma, selâm ve dostluk için el ele verme.

● «Sonra mülâkatta musafaha olunmaz olup namazlardan sonra ve ekseri Rum'da cuma namazı kılındıktan sonra eder oldular. — Kâtip Çelebi».

musafaka, *A. i.* El sıkışma. Pazarlık kesişme.

musfahat, *A. i.* [Safvet'ten] İçten ve halis dostluk.

musaffa, *A. s.* [Safvet'ten] Tasfiye olunmuş, yabancı maddelerden ayrılmış; sızdırılmış, süzülmüş. ● «Ol zâhidin ağlar yer ü gök haline yarın — Kim içmeye destinden anın câm-i musaffa. — Ruhi» ● «Mümkün mü bence si'r-i musaffayı sevmemek. — Cenap».

musaffef, *A. s.* Saflar biçiminde düzenlenmiş.

musaffi, *A. s.* [Safvet'ten] Tasfiye eden. Süzen, sızıran.

musaffir, *A. s.* Islık çalan.

musafih, *A. s.* Musafaha edenlerden her biri.

musaggar, *A. i.* Küçültülmüş, -cik, -cak anlamında olan.

musahabat, *A. i.* [Musahabe ç.] Sohbetler.

musahabe, musahabet, *A. i.* [Sohbet'ten] Sohbet etme, konuşma, görüşme. ● «Her vadide sohbet-i dilküşa ve musahabet-i canfezaya kadir. — Raşit». ● «Pek dostane bir musahabe arasında bir fikrine tuğyan ettirecek bir itiraz yapılıyor. — Uşaklıgil». ● «Kahvaltılarını henüz bitirmişler; beni musahabeye davet ettiler. — Cenap».

musaharet, *A. i.* [Sıhr'den] Evlenme ile olan akrabalık.

musahhat, *A. s.* Yanlışlıkla değiştirilmiş.

musahhah, musahhaha, *A. s.* [Sıhhat'ten] Tashih olunmuş, düzeltilmiş.

musahhih, *A. i.* [Sıhhat'ten] Düzelten, düzeltici.

musahhihîn, *A. i.* [Musahhih ç.] Tashih işi ile uğraşanlar.

musahib, *A. s. i.* [Sohbet'ten] 1. Biriyle konuşan, arkadaş. 2. Bir büyük adamın yanında bulunup kendisini konuşma ve latifeleriyle eğlendiren. 3. Padişahların özel hizmetlerinde bulunanlardan her biri. ● «Komazsan acep mi mey-i nâbdan el — Anı gördüm ancak riyasız musahip. — Ruhi. ● «Badema musahipler matruh olsun âkıl ve nâsıhlar sözünü tutsun. — Naima».

musahibe, *A. s. i.* [Sohbet'ten] Kadın musahip.

musakabet, *A. i. (Sat* ve *kaf* ile) Bir kimse ile yüz yüze olmak.

musal, *A. s. (Sat* ile) Vardırılmış, yetiştirilmiş.

musalâha, müsalâha, *A. s. (Sat* ve *ha* ile) [Sulh'tan] 1. Barışma. Uzlaşma. 2. Barış. Güvenlik. ● «İster misiniz artık akd-i musalâha edelim. — Uşaklıgil».

musalahât, *A. i.* [Musalaha ç.] Barışlar.

musalih, *A. s.* [Sulh'ten] Barışan, sulh olan. *Musalihün anh,* anlaşma konusu olan şey, *bih,* anlaşma bedeli. ● «Musalih, akd-i sulh eden kimesnedir. — Mec. 1532».

musalla, *A. i.* 1. Namaz kılmaya mahsus açık yer. Namazgâh. 2. Camilerde cenazeyi koyup önünde namaz kılınacak yer. *Seng-i musalla,* cenaze konacak taş. ● «Bilip kadrini seng-i musallada ey Baki — Durup el bağlayalar yârân saf saf. — Baki».

musallat, *A. s.* Üzerine düşüp rahat bırakmayan. ● «Bir alay Gürciyan musallat olup ahz-i emval ve kahr-i ricale başladı. — Naima».

musallî, *A. s.* [Salât'tan] Beş vakit namazını hep kılan. ● «Sünnî ve muvahhit ve musalli olup. — Naima».

musallit, *A. s.* Birine musallat eden, peşini bırakmayıp sataştıran.

musammag, *A. s. (Sat* ve *gayın* ile) Zamkla terbiye edilmiş.

musammat, *A. s.* Beyitleri taktii bakımından dört mısra da sayılabilecek manzume şekli.

musammem, *A. s.* Kesin olarak kararı verilmiş. «Vatan semtine teveccüh buyurmaları musammem iken. — Peçoylu».

musammet, musmet, *A. i.* 1. İçi boş, kof olmayan şey. 2. Arap alfabesinde b, f, l, m, n, r'den başka bütün harfler.

musan, *A. s. (Sat* ile) Masun ve mahfuz olan.

musanaat, *A. i. (Sat* ile) 1. Rüşvet verme. 2. Dalkavukluk etme.

musanna', musannaa, *A. s.* [Sun'dan] 1. Sanatla yapılmış, usta işi. 2. Çok süslü. 3. Uydurulmuş.

musannef, *A. s.* [Sınıf'tan] 1. Sıraya konmuş. 2. Telif edilmiş, yazılmış. 3. Derilmiş, toplanmış.

musannefat, *A. i.* Yazılmış kitaplar. Kalem eserleri.

musannif, *A. s. i.* [Sınıf'tan] 1. Tasnif eden, yazan. Muharrir, yazar. 2. Sıralamaya yarayan araç, sıralac.

musannifan, F. i. [Musannif ç.] Yazarlar. • «Şol müstefid-i nüsha-i vahyim ki tab'ıma — Dersi musannifan vermez kudsiyan verir. — Süruri».

musannifin, A. i. [Musannif ç.] Yazarlar.

musarra, A. i. (Sat ve ayın ile) Görüşme. Pehlivanlık.

musari', A. s. (Sat ve ayın ile) Güreş tutuşanlardan her biri.

musarra', A. s. Mısraları kafiyeli bir beyitlik nazım.

musarrah, A. s. [Sarahat'ten] Açık açık, ayrıntılarıyle anlatılmış. Söz götürmeyecek derecede açık. «Evet, muhatabımın fikri pek musarrahtı. — Fikret».

musarrahan, A. zf. Açık olarak. Açıkça, kesin olarak.

musattah, musattaha, A. s. [Sath'tan] Düzeltilmiş, yassı. Düzlem.

musattar, A. s. [Satr'dan] Tastir olunmuş, yazılmış.

musavele, A. s. (Sat ile) Dövüşmek için bir kimseye saldırma, üzerine atılma.

musavver, musavvere, A. s. [Suret'ten] 1. Resimli. 2. Zihinde tasarlanmış, düşünülmüş. Ruh-i musavver, cisimlenmiş ruh. • «Bilmem niçin o noktada levh-i musavverim — Bir mevce-i sevad ile örtülü nagehan. — Fikret».

musavvir, A. s. i. [Suret'ten] Suret veren, tasvir eden. Ressam, resimci. Madde-i musavvire, protoplazma. • «İçlerinden biri musavvir olup. — Raşit».

musavvit, A. s. (Sat ile) Yüksek sesle çağıran.

musayefe, A. i. Yazlığına pazarlık etme.

musavvire, A. i. (Sat ile) Hayal.

musayaha, A. i. (Sat ile) Birbirine haykırıp çağırışma.

musaykal, musaykala, A. s. [Saykal'dan] Cilâlı, parlak. • «Şol mir'at-i musaykala gibi ki. — Taş.».

musdi', A. s. (Sat, dal ve ayın ile) 1. Baş ağrıtan. 2. Rahatsız eden. «Deniz tutması eseri olarak müdhiş musdi' bir geveze kesilenler de varmış.— Cenap».

Mushaf, A. i. [Suhf'tan] 1. Sahife halinde yazılmış şey. Kitap, 2. Kur'an. • «Zülfünle ruhun Mushaf-i hüsnünde nigâra — Tefsirin eder ayet-i nur ile duhanın.— Melihî». • «Muhabbet mushafın hatm eyledim ben — Züleyha Sure-i Yusuf'ta kaldı. — Naci».

musi, A. si i. [Vasiyet'ten] Vasiyet eden, birini vasiliğe gösteren kimse.

musib, A. s. [Savab'dan] İsabet eden, yanılmayan.

musibet, A. i Ansızın gelen belâ, sıkıntı. • «Bu iki vaka iki mühim darbe-i musibet hükmünde idi. — Uşaklıgil».

musikar, F. i. 1. Gagasında birçok delikler bulunduğu için yel estikçe türlü sesler çıkaran bir masal kuşu. 2. Ağız armonikası şeklinde bir düdük. • «Bâd tahrik edicek nayi sada ile deyü — Nefesin tuttu o dem çaldı biraz musikar. — Hayali».

musiki, A. i. Musiki. Müzik. «Dudaklarından uçan musiki-i raz-i hayat. — Cenap».

musikişinas, F. s. [Musiki-şinas] Müzikçi. (ç. Musikişinasan). • «Fazla olarak musikişinassın. — Uşaklıgil».

musil, A. s. (Sat ile) [Vusul'den] Ulaştıran, yetiştiren.

musile, muvassile, A. s. (Sat ile) Müderrislikte ikinci yüksek derece. Musile-i sahn, -Süleymaniye, Fatih ve Süleymaniye müderrislikleri olan en yüksek dereceye basamak.

musirr, musirra, A. s. İsrar eden, ayak direyen.

musirrane, F. zf. İnat ve israr eder surette, ayak direyerek. • «Ne tuhaf bir bakışı var, dedi. Musirrane bir bakış!— Uşaklıgil».

muslih, A. s. [Sulh'tan] 1. Düzelten. 2. Barış görüş eden, ara iyileştiren. (ç. Muslıhîn, muslihun).

muslihane, F. zf. Düzeltici yolda. Arabuluculukla. Aracılık ederek. • «Süleyman Efendi, vesatet-i muslihanesini istimale lüzum gördü. — Uşaklıgil».

muslihin, A. i. [Muslih ç.] Düzelticiler. Arabulucular. • «Tavassut-i muslihîn ile, fitne mündefi olup. — Naima».

muslihun, A. i. [Muslih ç.] Arabulucular. • «Defeatla muslihun varıp gelip. — Naima».

musmet, A. i. 1. Som. 2. İçi kof olmayan. 3. Tek parça olan. Huruf-i musmite, Arap alfabesinin m, r, b, n, f, l harflerinden gayrı harfleri. • «Berrak ve şeffaf ve âbdâr iken yine billûr gibi saffeti yoktur eczası musmet ve gamıktır. — Naima».

mustabir, A. s. (Sat ve tı ile) Sabreden.

mustahsan, A. s. [Hısn'dan] kuvvetlendirilmiş, sağlamlaştırılmış. • «Eşiğin

gibi ehl-i aşka mustahsan penah ola-
maz. — Ruhi».

mustalah, mustalaha, *A. s.* *(Sat ve tı ile)*
1. Terim çeşidinden olan. 2. Garip ke-
lime ve az kullanılır kelime ve terim-
lerle dolu olup pek anlaşılmayan (iba-
re).

mustalahat, *A. i. s.* [Mustalah·ç.] Tek-
nik terimler.

Mustafa, *A. s.* [Safvet'ten] Seçilmiş anla-
mına olup Muhammet Peygamberin
adlarındandır.

mustavafi, mustavafiyye, *A. s.* Peygam-
ber Muhammed Mustafa'ya mensup,
onunla ilgili, *Ahlâk-i mustafaviyye,*
ahadis-i mustafaviyye, Muhammet Pey-
gamberin ahlâkı, hadisleri. • «Hâk-i
kadem-i âl-i âba Mustafaviyiz. — Ş.
Galip».

mustar, *A. s.* Bk. *Muztar.*

mustarib, *A.s.* Bk. *Muztarib.*

mustashib, *A. s.* [Sahabet'ten] Birini ya-
nına alan, birlikte götüren.

mustashiben, *A. zf.* Yanında olduğu hal-
de, birlikte.

mustascıfa, *A. i. (Sin ve sat* ile) Tasav-
vufla uğraşan kimse.

mustatab, *A. s. (Te ve tı* ile) [Tayyıb'-
dan] İyi, güzel, âlâ. *Kitab-i mustatab,*
güzel kitap.

mustatib, *A. s. (Sin, te ve tı* ile) Hekim,
ilâç arayan.

mustatil, *A. s.* [Tul'den] 1. Uzunca, bo-
yuna. 2. (Geo.) Dik dörtgen, *Müstatil-*
ürre's, uzunkafalı, dolichocéphale.

mustatrib, *A. s. (Te ve tı* ile) Turfa, bu-
lunmaz sayan.

mustahzir, *A. s. (Sin ve zı* ile) [Zahr'-
dan] Dayanan, arka veren. • «Ve em-
sali nice fettan ile mustazhir olup. —
Naima». • «Mustahzirim Allahıma,
Peygamberime. — Naci».

mustazi, *A. s.* [Ziya'dan] Işıklanàn, ziya
alan. • «Nur-i İslâm ile mustazi ola-
mış. — Sadettin».

mustazill, *A. s.* [Zıll'den] 1. Gölgelenen.
2. Birinin koruyuculuğu altında. Koru-
nan. Gölgesine sığınmış. • «Rayet-i Os-
maniyan altında mustazıll-i âman olan
hıristiyanlar. — Kemal».

mustazref, *A. s.* 1. Zariflik, nükte. 2. Ha-
vi, muhit.

muş, *F. i.* Fare.

muşamma', *A. s.* [Şem'den] Muşamba.
• «Ben zerd ü nizar ile sarılsam n'ola
cânâ — Kıymetli kumaşa sarılır çün-

ki muşamma. — Baki». • Siyah mu-
şamma paltosunu giyer. — Uşaklıgil».

muşek, *F. i.* Fare yavrusu.

muşikâf, *A. s.* [Mu'şikâf] Kılı kırk ya-
rar gibi inceden inceye araştıran. •
«Her muşikâfa bahs açarım imtihan
için — Yok yire kîl ü kal eder ol mu-
meyen için. — Salâhi».

muşikâfane, *F. zf.* Çok inceden inceye.

muşt, müşt, *F. i.* 1. Yumruk. 2. Avuç.
• «Hele insin bir iki muşt-i giran en-
sesine — Ne ağır baş olur bak o sebük
ser dediğin. — Naci».

muştzen, müştzen, *F. s. (Te ve ze* ile)
[Muşt-zen] Yumruk vuran, yumrukçu.

muta', mutaa, *A. s.* [Tav'dan] 1. İtaat
olunan, boyun eğilen. 2. Başkalarının
kendisine itaat ettikleri. *Evamir-i mu-*
taa, uyulan buyruk; *cihanmuta',* dünya-
nın uyduğu, boyun eğdiği. • «Memalik-i
mahruse askerlerine sefere hazır olma-
ları için evamir-i mutaa irsal kılındı. —
Naima». • «Para ise cihanın (...) mah-
bub ve mutaı olmuştur. — Cenap».

mu'ta, *A. s. (Ayın ve tı* ile) [Ata'dan]
Verilmiş olan. (Fel.) Veri (XX. yy.).

mutaassıb, *A. i.* [Asab'dan] 1. Kendi ta-
rafını aşırılıkla tutan, savunan. 2. Ken-
di dinini gelenek ve görenekleri aşırı
tutan, onların dışındakilere düşman
olan, hiç bir yenilik kabul etmeyen (ç.
Mutaassıban, mutaassıbîn). • «Âlem-i
temeddün muhabbetinden mahrum et-
mek için Müslümanlara mutaassıb sü-
sü vermiş. — Kemal».

mutaassıbane, *F. zf.* Mutaassıpça, muta-
assıba yakışır yolda. (Mec.) Körü kö-
rüne. • «Zâhidane ve mutaassıbane
duygulardan âzade kaldılar. — Z. Gök-
alp».

mutaattıf, *A. s. (Te ve tı* ile) 1. Esirge-
yen, koruyan. 2. İhsan eden, bağışla-
yan.

mutaattıl, *A. s. (Te ve tı* ile) İşsiz kalan,
işlemez olan.

mutaattır, *A. s. (Te ve tı* ile) Güzel ko-
ku sürünen.

mutaattıs, *A. s. (Te ve tı* ile) Aksıran.

mutabakat, *A. i.* [Tabak'tan] 1. Uygun-
luk. Birbirini tutar olma. 2. Uyuşma. •
«Sıfatla mevsuf mutabakatını bilenler
mülken en büyük üdebasından madud
idi. — Kemal».

mutabbak, *A. s.* [Tıbak'tan] Tatbik olun-
muş, uydurulmuş.

mutabık, mutabıka, *A. s.* [Tıbk'tan] 1. Birbirine uyan. 2. Uygun.

mu'tad, mu'tade, *A. s. i.* 1. Anlaşmış, âdet olmuş. 2. Her vakit yapılan şey. *Bermutad,* her vakit yapıldığı üzere. Yine. • «Bugün mutadın hilâfına olarak. — Uşaklıgil».

mutadî, mutadiyye, *A. s.* Alışılmış, her vakitki. • «Belki bir dakika sonra yalıda her şey hal-i mutadisinde bulunacaktı. — Uşaklıgil».

mutaden, *A. zf.* Alışıldığı gibi. «Mutaden validesinin yanına ancak günde bir iki defa giderken. — Uşaklıgil».

mutaf, mataf, *A. s.* [Tavaf'tan] Etrafında dönülen, dolaşılan.

mutafattin, mutafattina, *A. s. (Tı ve te* ile) [Fatanet'ten] Zihni açık. Anlayışlı olan. • «Ağlar mutafattin olmakla usturayı alıp. — Naima».

mutaher, *A. s. (Tı ve me* ile) Temizlenmiş.

mutahhar, mutahhara, *A. s.* [Taharet'ten] 1. Temizlenmiş. 2. Temiz, mübarek. *Ravza-i mutahhara,* kutsal türbe. • «Böyle bir levha-i mutahhada — Bana manzur olurdu timsali. — Fikret».

mutahhir, *A. s. (Tı ve he* ile) Temizleyici.

mutaiyet, *A. i. (Tı ve ayın* ile) Baş eğmek. İtaat etmeklik. • «Fazail-i zatiyenin verdiği haysiyet ve mesanid-i hükûmetin iktiza ettirdiği mutaiyyetten başka. — Kemal».

mutak, mu'takka, *A. s.* [Atak'tan] Azat edilmiş, azatlı. • Yani valideleri mu'takka değil iken velâdet vakıa olmuştur. — Taş.».

mutalâa, *A. i.* Bk. *Mütalaa.*

mutalassıs, *A. s. (Sat* ile) [Lüss'ten] Hırsızlık eden. • «Ol mutalassıs hunkârın avaze-i fetk ü iktidarı etraf-i memlekete avaze salıp. — Naima».

mutalebat, *A. i.* [Mutalebe ç.] İstenilen şeyler.

mutalebe, *A. i.* [Taleb'den] Hakkını isteme. Dava, iddia. • «Çavuşbaşı habsine verilip mutalebe-i emvale iştigal ettiler. — Naima».

mutall, *A. s. (Tı* ile) Kanı akıtılmış olan.

mutallâ, *A. s.* [Tılâ'dan] Yaldızlanmış, yıldızlı. • «Kraliçeye defterdar ile nişancı paşa gelip altın ve lâcivert ile mutallâ bir ahdname getirdiler ki. — Peçoylu».

mutallaka, *A. i.* [Talâk'tan] Boşanmış kadın eş.

mutalsam, mutalsama, *A. s.* [Tılsım'dan] 1. Tılsım ve büyü ile yapılmış. 2. Tılsımlı, büyülü. (ç. Mutalsamat). • «Ey nehr-i mütalsam! ki uçar mevcelerinden — En ruh-firib, en güzel, en şuh ü münevver — Bir buşiş-i nefrin. — Fikret».

mutalsım. *A. s.* [Tılsım'dan] 1. Tılısım ve büyü yapan. 2. Tılsımlayan.

mutantan, mutantana, *A. s.* [Tantana'dan] 1. Tantanalı. Gürültülü patırtılı. 2. Çok parlak. • «Bütün bu mutanatan eşyadan bir cevap bekleyerek duruyordu. — Uşaklıgil».

mutaraha, *A. i.* Zor konularda konuşma. (ç. Mutarahat). • «Mulâkat edip husus-i mezbur teşmiyetinde mutaraha edip. — Sadettin». • «Bazı mesail ve mübahasat ve itirazat ve mutarahat vakı olup. — Taş.».

mutarassıd, *A. s.* [Rasad'dan] Gözleyen. Gözleyici. • «Evkaftan dokuz akçe vazifeye kanaat kılıp arz aldım ve berat için dergâh-i âlem penaha irsal edip mutarassıt oldum. — Fuzulî». • «Ve kendulere sığınacak yerler bulup mutarassıd-i fırsat oldular. — Naima».

mutaredat, *A. i.* [Mutarede ç.] Vuruşmalar, çarpışmalar. • «Bu seferde mabeynde cereyan eden bazı vekayi-i sagire ve mutaredattan maada kızılbaş ile. — Naima».

mutarede, mutaredet. *A. s.* [Tard'dan] 1. Karşılıklı saldırma. 2. Birbirine saldırıp savaşma.

mutarra, *A. s.* [Taravet'ten] Çok taze. Parlak. «Bazan da mutarra — Bir zanbağa benzer ki değildir mutasavver — Bir mislini görmek şu tabiatte. — Fikret».

mutarrah, *A. s.* [Tarh'tan] 1. Yapılmış, kurulmuş. 2. Yapılmış, yükseltilmiş (bina, veya bahçe). • «Ol mutarrah bina-i âlide oturup. — Sadettin».

mutarraz, *A. s.* [Tıraz'dan] İşlenmiş. • «Celail-i medihasiyle mutarraz. — Naima».

mutasabbır, *A. s.* Sabreden, dayanan.

mutasabbi, mutasabbiye, *A. s.* Çocuklaşan.

mutasaddı, *A. s.* 1. Dağılan. 2. Yarılıp çatlayan.

mutasaddık, *A. s.* Sadaka olarak veren.

mutasaddır, *A. s.* [Sadr'dan] Başa geçip oturan. Başta kurulup oturan.

mutasaddi, A. s. (Te ve sat ile) 1. Bir işe girişen. 2. Başka birine takılan.

mutasallıt, A. s. Musallat olan, sataşan.

mutasallıtane F. zf. Sataşan, yapışkan kimseye uygun şekilde, yapışkancasına. Musallat olurcasına. • «Gelen geçen gençlere imale-i nigâh-i mutasallıtane ile vakit geçirirler. — Kemal».

mutasallib, A. s. [Sub'den] 1. Sertleşmiş, katılaşmış. 2. Sağlam, sert. Din işlerinde çok gayretli. • «Lisan-i zemaneyi bilmez cesur ve mutasallib olmağın. — Naima».

mutasallibane, F. zf. Mutasallib olana yakışır surette. • «İstikbal suretinde çıkıp mutasallibane yürüyüşlerinden bunların gelişini cenk ve mukabeleye haml edip. — Naima».

mutasallif, A. s. Haddinden aşırı bilgiçlik ve incelik taslayan. Fransızca pédant karşılığı olarak (XX. yy.). • «Mevcudatı vehm içinde bırakmayı bürhan-i dirayet addeden bazı mutasalliflerin zannı gibi. — Kemal».

mutasallifane, F. zf. Mutasalliflere yakışır surette.

mutasannı', A. s. Kendini güzel göstermeye çalışan, yapmacık süslü.

mutasarrıf, mutasarrıfa, A. s. [Sırf'tan] 1. Bir işi istediği gibi idare eden. 2. Bir malın sahibi. 3. Tanzimattan sonra idare bölümlerinde vilâyetle kaza arasındaki bölümün idare memuru. • «İptida mutasarrıf oldukları günden bu ana gelince ne miktar akçe alınmış ise. — Naima».

mutasarrıfane, F. zf. Tasarruf ederek. Sahip çıkarak. • «Matbaanın tahtalarına gûya her vakitten ziyade bir kuvvet-i mutasarrıfane ile basarak. — Uşaklıgil».

mutasavver, A. s. [Suret'ten] 1. Tasarlanan. 2. Tasarlanıp yapılmak istenen. 3. Akla gelebilir, olabilir. • «Nihal'in mutasavver defter-i müntahabatına sermayeler teşkil etmiş idi. — Uşaklıgil».

mutasavvıf, A. s. i. [Sof'tan] 1. Sofi tarikatından olan. 2. İlâhiyatla, Tanrı hikmetiyle uğraşan, bunu yaymaya çalışan.

mutasavvıfa, A. i. Mutasavvıflar. Sofiler. • «Mutasavvıfa der ki ilm-i kaldır ki. — Taş.».

mutasavvıfane, F. zf. Sofuca, sofulara yakışır yolda • «Zâhidane zaviyelerle

mutasavvıfane tekkelerin. — Z. Gökalp».

mutasavvıfin, A. i. [Mutasavvıf c.] Sofiler.

mutasavvıt, mutasavvıta, A. s. (Te ve sat ile) Ses çıkaran.

mutasavvir, A. s. [Suret'ten] Tasarlayan zihninde hayalleyip karar veren.

mu'tasım, A. s. (Ayın, te ve sat ile) 1. Elile tutan. yapışkan. 2. Günahtan çekinen. • «Bizler ki kuluz mu'tasım-i bab-i rızayız. — Ziya Pş.».

mutatabbib, mutatabbibe, A. s. [Tıb'dan] Yalandan hekim, şarlatan. • «Mutatabbib kani çok şahs-i garip — Geçinir kendi hayalinde tabib. — Nabi».

mutatahhir, mutatahhire, A. s. [Taharet'ten] Maddî ve manevî temizlenen.

mutatavil, mutatavile, A. s. Uzun olan, uzanan. Uzatmak suretiyle yükselen. • «Sinîn-i mutataavileden beri emn ü âman berekâtiyle. — Naima».

mutatayyib, A. s. Güzel koku sürünen.

mutatayyir, A. s. Üzerine uğursuzluk geliyormuş sanan. Uğursuzluk sayan

mutavaat, A. i. [Tav'dan] 1. Bağlı olma. İtaat edip baş eğme. 2. (Gra.) Dönüşlü; öze dönüşlü (fiil). • «Saltanat-i seniyenin, nizamatına mutavaat ile. — Kemal».

mutavassıl, mutavassıla, A. s. [Vasl'dan] Eren, kavuşan. ilâllah, Tanrıya kavuşan.

mutavassıt, mutavassıta, A. s. [Vasat'tan] 1. Araya giren. Aracı. 2. Orta halli, ikisi ortası, 3. Fransızca bourgeoisie karşılığı olarak, orta halli halk (XX. yy.).

mutavattın, mutavattına, A. s. [Vatan'dan] Bir yeri vatan tutup yerleşen. Yerleşmiş. • «Beş padişaha hizmet edip Mısır'da mutavattın idi. — Naima».

mutavazzıh, A. s. [Vuzuh'tan] Açıklanan, açık olan.

mutavele, A. i. [Tul'den] Sürüncemede bırakma, işi uzatma.

mutavi'- A. s. [Tav'dan] İtaat eden. İtaatli.

mutavvak, A. s. [Tavk'tan] Halkalı, zincirli. Boynunda halka olan. • Câh-i cedidim kayd-i hayat ve teyid ile mutavvak olmaz ise. — Okçuzade».

mutavvaka, A. i. Halka biçimi boynunda tüyler olan güvercin. Halkalı.

mutavvel, mutavvele, A. s. [Tul'den] 1. Uzatılmış, uzun uzun. 2. Tafsil edilmiş.

3. (ö. i.) Arap edebiyatı bilgisine dair ünlü bir kitap olup uzun zaman medreselerde okunmuştur. (ç. Mutavvelât). • «Mutavveldir saçında muhtasarlar. — Fatih». • «Mutavvelât-i tıbda mezkur imiş. — Naima».

mu'tayat, *A. i.* [Mu'ta ç.] (Fel.) Veriler.

mutayebat, *A. i.* [Mutayebe ç.] Eğlenceli hikâyeler, fıkralar.

mutayebe, *A. i.* [Tayyib'den]. Şakalaşma. Latife etme.

mutayere, *A. i.* Uçurma. Uçurup gönderme.

mutayyeb, mutayyebe, *A. s.* [Tayyib'den] 1. Güzel kokular sürünmüş. 2. Hatırı hoş edilmiş, kutlu. • «Mirahurluk vâdiyle mutayyeb oldu. — Naima».

mutayyer, *A. s.* Taze ve genç ağaçtan koparılma parçalar.

mutayyih, *A. i.* Bozuk, bozulup bitmiş olan.

mutazaccır, *A. s.* Sıkıntılı, rahatsız. • «Ve sıgar ü kibar mer'ub ve mutazaccır idiler. — Naima».

mutazaccirane, *F. zf.* Sıkıntılı olarak. Sızlanarak. • «Feryad-i mutazaccırane berhaste olup. — Nergisî».

mutazallil, *A. s.* [Zıl'den] 1. Gölgede bulunan. 2. Korunan.

mutazallim, *A. s.* [Zulm'den] Kendisine yapılan haksızlıktan sızlanan.

mutazallimane, *F. zf.* Sızlananlara mahsus surette.

mutazammın, *A. s.* [Zımn'dan] 1. İçine alan, kapsayan. 2. Üstüne alma, kefil olma. • «Ve lâkin kârhanemiz üstatlarından biri bu kâra mutazammın oldu. — Peçoylu». • «Bir gün ilân-i aşkı mutazammın bir şey (...) yazdım. — Cenap».

mutazarrı', *A. s.* Alçalarak yalvaran. Kendisini aşağı tutarak dileyen.

mutazarrıane, *F. zf.* Mutazarrı olana yakışır surette. Yalvarıp yakararak.

mutazarrır, *A. s.* [Zarar'dan] Zarar gören.

mutbaka, *A. i.* «Sat, dat, tı, zı» harflerinin adı.

mutbik, mutbika, *A. s.* [Tıbk'tan] Genel olan, değişmeyip süren. • *Cünun-i mutbik,* sürekli delilik; • *hummay-i mutbika,* iyileşmeyip süren humma.

mu'teb, *A. s. (Ayın ve te ile)* Azarlanmış. • «Dünyada bana bezl eyle kemahi — Ukbada dilim muteb-i âz eyleme. — Leskofçalı».

muteber, mutebere, *A. s.* [Ubur'dan] 1. Geçer, sayılır, kullanılır. 2. İtibarı olan, sözü geçen. • «Tatillerden kat-i nazar üç ayda iki muteber gazetenin lâğv olunduğunu gördük. — Kemal».

muteberan *A. i.* [Muteber ç.] İtibarlı kimseler. Bir yerin, bir mesleğin, bir sınıfın ileri gelenleri.

muteberat, *A. i.* [Muteber ç.] İtibarlı, geçer nesneler.

mu'tecir, *A. s. (Ayın ve te ile)* Başına sarık sarılmış olan.

mu'tedd, *A. s.* [Add'den] Sayılmış. • *Muteddünbih,* aralarında aşırı fark olmayan ve tane ile satılan şey.

mu'tedi, *A. s. (Ayın ve te ile)* Zulüm yapan. Aşırı zalim.

mu'tedil, mu'tedile, *A. s.* [Adl'den] 1. Orta halde bulunan. 2. Yavaş. Pek ileriye varamamış olan. • «Şair demek ehl-i dil demektir — Hoş meşreb ü mutedil demektir. — Ş. Galip». • «Hiç olmazsa sinlerde bir nisbet-i mutedile gözetmek lâzım değil miydi? — Uşaklıgil».

mu'tedilâne, *F. s. zf.* Mutedil surette, orta halde.

mu'tekad, *A. i.* [Akd'den] İnanılan, itikat olunan şey. (ç. Mutekadat). • «Erbab-i hıred zerre kadar mutekid olmaz — Ol mürşide kim mutekad-i bî-hiredandır. — Ruhi».

mu'tekadat, *A. i.* [Mutekad ç.] İnanılan, iman edilen şeyler. • «Fikirlerde ne kadar mutekadat ise, gönüllerde ne kadar hissiyat var ise. — Kemal». • «Meselâ Romalılarca Hıristiyanların çocuk yedikleri mutekadattandı. — Cenap».

mu'tekid, mut'ekide, *A. s.* [Akd'den] 1. İnanan, bir şeye inanmış olan. 2. İnanç sahibi, dinine bağlı. • «Ben mutekıdim bu asitane — Ya Rab n'ola reddime bahane. — Fuzulî».

mu'tekıl, *A. s.* Dili tutulmuş. Tutuk dilli.

mu'tekif, mu'tekife *A. s.* Bir tapınak veya türbe yanına çekilip ibadetle uğraşan. «Bir mu'tekit-i harise Rabbi — Bahşeylese arşı cennetiyle. — Fikret».

mu'tell, mu'telle, *A. s.* [İllet'ten] 1. İllet sahibi, illetli. 2. (Arap Gra.) Asıl harfleri arasında elif, vav, ye harflerinden biri bulunan. *Mutell-iil-ayn,* ikinci harf olursa; *mutell-ül-fa,* birinci harf olursa; *mutell-ül-lâm,* üçüncü harf olursa, • «Macun-i makal-i afiyetbahşi mutell-mizacan-i Kureyş'e muvafık düşmeğin. — Naima».

mu'temed, *A. s.* [Amde'den] 1. Güvenilen, güvenilir. Emin (kimse). • «Esnaftan alınan eşyanın ecnas ve esmanına dikkat olunup üzerine mutemet olanlardan her birinin. — Raşit».

mutena. *A. s.* Dikkatle bakılmaya değer, önemli. Dikkatle bakılmış. özlenilmiş.

muteref, *A. s.* [İrfan'dan] Gizlenmeyip söylenmiş, itiraf olunmuş.

muterif *A. s.* [İrfan'dan] Söyleyen. Gizlemeyip anlatan. • «Kendinden mukaddem olan evail görseler acizlerine muterif ve kail olurlardı. — Taş.».

muteriz, *A. s.* [Arz'dan] İtiraz eden, karşı gelen. Başkalarına karşı fikirce karşıt bulunan. Bir şeyi beğenmeyip bozulmasını isteyen. *Cümel-i muterize,* sözün arasına söz gelişi sokulmuş ve çok defa muterize içinde bulunan cümle. • «Buna benzer fikirlerine tamamen muteriz iken. — Uşaklıgil».

muterize, *A. i.* Parantez, kavseyn denilen ( ) işaretinin adı (XIX. yy.).

muterizin, *A. i.* [Muteriz ç.] İtiraz edenler.

mu'terr, *A. i.* (*Ayın* ve *te* ile) Pek fakir olup dilenmeyerek hal diliyle durumunu anlatan kimse.

mu'tesif, *A. s.* İtisaf eden, zulüm yapan. Doğru yoldan, adaletten ayrılıp haksızlık yapan.

mu'tezelât, *A. i.* (*Ze* ile) Aşırı stcak olan günler.

mu'tezi *A. s.* (*Ze* ile) Mensupluk iddiasında olan.

mu'tezil, *A. s.* (*Zel* ile) Yanlış hareketini anlayarak sonucuna razı olan.

mu'tezil, mu'tezile, *A. s.* [Azl'den] Cemaatten ayrılıp bir yana çekilen.

mu'tezile, *A. i.* Ehl-i sünnetten ayrılan ve Vâsıl bin Atâ yolundan olan kimseler, Kaderi inkâr edenler. • «Ol itizal sebebi ile onlar, mutezile ile tesmiye olundular. — Taş.».

mu'tezim, *A. s.* (*Ze* ile) Bir işe aşırı istekle başlayan.

mu'tezir, *A. s.* (*Ze* ile) [Özr'den] Özür dileyen.

mu'tezirane *F. zf.* Özür dileyerek, özür diler gibi.

mutfi, *A. s.* (*Tı* ile) Söndüren.

muti', mutia, *A. s.* [Taat'tan] 1. İtaat eden, baş eğen. 2. Tabi, bağlı. 3. Rahat

ve uslu. • «Onun gözlerinde de kendisine muti bir nazar, bir teslimiyet-i fermanberane gördü. — Uşaklıgil».

mu'ti, *A. s.* [Atâ'dan] Veren, İta eden.

mutiff, *A. i. s.* (*Tı* ile) Nesne üzerine havaleli ve eğik olan.

mutill, *A. s.* (*Tı* ile) 1. İnsan kanı döken. 2. Nesne üzerine havale olan.

mut'im, *A. s.* [Taam'dan] Yemek verici, yedirici, doyuran.

mutlak, mutlaka, *A. s.* [Talâk'tan] 1. Kayıtsız şartsız. Genel olarak, . Salıverilmiş, başı boş. 3. Salt, saltlık. • *Mutlak-ül-inan,* yuları bırakılmış, başı boş. • *Hayr-i mutlak,* salt iyilik, • *hükûmet-i mutlaka,* bir hükümdarın kayıtsız şartsız idaresi altında bulunan hükümet; • *vekil-i mutlak,* her istediğini yapmakta, hiç bir kayıt ve şartla bağlı olmayan vekil (Sadrazam), • *vücud-i mutlak,* • *zat-i mutlak.* Tanrı. • «Kalenderoğlu mutlak-ül-inan meşgul-i hasaret ve tuğyan idi. — Naima». • «Sükût hâkim-i mutlaktır ol zaman dehre. — Fikret». • «O ihtiyar kızın teb'idi mutlak-ül-lüzum bir tedbir ehemmiyetle. — Uşaklıgil».

mutlaka, *A. zf.* Kayıtsız şartsız, ille. • «Mutlaka gelin olmak için bu kadar acele ettiğini. — Uşaklıgil».

mutlakiyyet, *A. i.* Bir hükümdarın kayıtsız şartsız idaresi altında bulunan hükümet şekli. — • *Mutlakiyyet-i idare,* bir kişinin isteğine bağlı idare sistemi.

mutlif, mutlife, *A. s.* (*Tı* ile) Bağışlayıcı, affedici.

mutmain *A. s.* Zihnini bir şeye yatırıp rahatlamış, şüphesi kalmayıp kanmış. • «Koşan sadasına en mutmain tehalükle — Sayıkıyor diye tezyif eden esafildi. — Fikret».

mutrib, mutribe, *A. s.* [Tarab'dan] 1. Çalgıcı, saz çalan. 2. Hanende, şarkı, ilâhi okuyan. • *Mutrib-i felek,* Venüs, Zühre. • «Senin bahar-i nâtıkın — Senin bahar-i mutribin. — Cenap».

muttali', *A. i.* (*Tı* ve *ayın* ile) Bir işin başlama ve yapılmamasına uygun yer.

muttali, *A. s.* [Tulû'dan] Bir işten haberli, bilgili olan. • «Cevasis vasıtasiyle Rüstem Han Osmaniyanın cümle ahvaline muttali' olmuş idi. — Naima». • «Muttali' olmak için sözlerine. — Recaizade».

muttarid, muttaride, *A. s. (Tı* ile) [Tard'-dan] Sıralı, düzgün, bidüzüye giden. • «Küçük, muttarid, muhteriz damlalar. — Fikert».

muttariden *A. zf.* Hiç değişmeden, bidüziye, biteviye.

muttasıf, muttasıfa, *A. s. (Te* ve *sat* ile) [Vasf'tan] Bir hal veya sıfatla vasıflanmış, kendisinde bir hal ve sıfat bulunan. • «Tedbir ve şecaat ile muttasıf olmağın. — Naima».

muttasıl, muttasıla, *A. s.* [Vasl'dan] 1. Bitişik. Başka bir şeye ulaşmış. 2. Ara vermeyen, aralıksız. • «Yine mihr-i pürateş-i temmuz — Olarak muttasıl şerare-fikem. — Fikret».

muttasılan, *A. zf.* Bitişik olarak. Bidüziye.

muttazih, *A. s. (Te, dat* ve *ha* ile) Açık, belli, vazıh. • «Meyanlarından hangisi idüğü muttazih ve ol hücne ile müftazih olmaya. — Nergisi».

muvacehat. *A. i.* [Muvacehe ç.] Yüzleşmeler.

muvacehe, *A. i. (He* ile) [Vech'ten] 1. Yüzleşme, yüz yüze gelme. 2. Karşı, ön. *Bilmilvacehe,* yüzleştirilerek, yüze karşı. • «Padişahım lâlanın muvacehesinde söylerim dedi. — Naima».

muvadaa, *A. i.* Vedalaşma. • «Resm-i müşayaa ve âyin-i muvadaa müraatı serhadd-i itmama gelicek. — Sadettin».

muvadea, *A. i.* [Adavet'ten] Düşmanlığı bırakıp barışma.

muvafaka, muvafakat, *A. i.* [Vefk'ten] 1. Uyma, uygunluk. 2. Uzlaşma. 3. Razı olma, peki deme. • *Muvafakat-i tarafeyn,* iki tarafın razı olması; *bilmuvafaka,* razı olarak. • «Böyle zelilâne, aldatılmaya muvafakat etmiş görünce. — Uşaklıgil».

muvafakatkârane, *F. zf.* Razı olur şekilde. • «Suret-i muvafakatkâranede vaki olan mukabele. — Recaizade».

muvaffak muvaffaka, *A. s.* [Vefk'ten] 1. Tanrı yardımına uğraşan, işi rast gelen. 2. Başaran, beceren. • «Kırk beş senenin henüz izalesine muvaffak olmadığı bir vehm-i şebap ile. — Uşaklıgil».

muvaffakiyat, *A. i.* [Muvaffakiyet ç.] Başarılar.

muvaffakiyyet, *A. i.* 1. Tanrı yardımıyle başarı gösterme. 2. Ele geçirme, başarma. • «Anlaşılamaz bir sebeple (taklidine) muvaffakiyet hâsıl olamayan zarafetleriyle. — Uşaklıgil». • «Bu benim için bir muvaffakiyet-i kâfiye idi. — Cenap».

muvaffık, *A. s.* [Vefk'ten] Muvaffak eden, başarı sağlayan (Tanrı). • *Cenab-i muvaffık-ul-umur,* işleri başarttıran (Tanrı).

muvafık, muvafıka, *A. i.* [Vefk'ten] 1. Uygun, uyar. 2. Taraflı. • «Herkesten ziyade kendileriyle iştigali daha muvafık-i hikmet bularak. — Uşaklıgil». • «Cevapnamenizi leffen iade etmeyi muvafık-i iffet gördüm. — Cenap».

muvahhad, *A. s. i.* [Vahdet'ten] Bir ve tek hale konmuş. • *Düyun-i muvahhade,* birleştirilmiş borçlar (XIX. yy.).

muvahhid, muvahhide, *A. s.* [Vahdet'ten] Tanrının birliğine inanan. • «Mezbur Murat Ağa sahib-i kâmil Sünnî ve muvahhit ve musalli olup. — Naima».

muvahhidan, *F. i.* [Muvahhid ç.] Tanrının birliğine inananlar. Müslümanlar. • «Muhalatat-i ehl-i iman ve mülâzemet-i hizmet-i muvahhidan ile. — Sadettin».

muvahhidane, *F. zf.* Muvahhide yakışır bir surette.

muvahhidîn, *F. i.* [Muvahhid ç.] 1. Tanrı birliğine inananlar. 2. Fas ve İspanya'da hüküm sürmüş olan bir hanedan. • «Cümle asakir-i müslimîn ve kâffe-i muvahhidîn ki hesaptan birun. — Peçoylu».

muvahhiş, muvahhişe, *A. s.* [Vahşet'ten] Korkutup ürküten.

muvaffak, *A. s.* Alıkonulan, tutulan.

muvakkar, muvakkara, *A. s.* [Vakr'dan] Ağırlanmış, hakkında saygı gösterilmiş olan. Vakarlı, ağır tavırlı. • «Muvakkariydi fakat daima eviddanın. — Recaizade».

muvakkat, muvakkate, *A. s.* [Vakt'ten] Belirli bir vakte mahsus. Sürekli olmayan, geçici. • *Hükûmet-i muvakkate,* geçici hükûmet. • «Sade bir meftuniyet-i muvakkatenin hükmüne tebaiyet ederek değil de, — Uşaklıgil» «Birbirinin hüviyetinden ihaber olan bu muvakkat âşinalar. — Cenap».

muvakkaten, *A. zf.* Az bir zaman için için, şimdilik. Geçici olarak. • «Evlendiler seviştiler amma muvakkaten. — Fikret».

muvakkıf, *A. s.* Alıkoyan, durduran.

muvakkir, *A. s.* [Vakar'dan] Ağırlayan, ululayan. Saygı gösteren.

muvakkit *A. i.* [Vakt'ten] Vakti belirleyen kimse.

muvakkithane, *A. i.* [Muvakkit-hane] Çoklukla büyük camilerin yanında ve zaman tâyin eden muvakkitle bu işe ait aletlerin ve saatlerin bulunduğu yer.

muvalât, *A. i.* 1. Dostluk. Karşılıklı sevgi. 2. Koruma, yardım.

muvanese, muvaneset, *A. i.* [Üst'ten] 1. Birbirine alışıp birlikte yaşama. 2. İnsandan kaçmayış, alışma. • «İttihad-i menafi ve kesret-i muvanese cihetinden. — Kemal».

muvanis, *A. s.* [Üns'ten] Alışık, insandan kaçmayan. • «Şerm eyliyor muvanis-i didar gözlerim — Bir katl etmek istiyor ihzar gözlerim. — Naci».

muvaredat, *A. i.* [Muvarede ç.] 1. Gelen şeyler. 2. İlhamlar, akla gelenler. • «İşbu müvaredat-i mühimmeyi istihbar eöemezler idi ki. — A. Mitat».

muvarede *A. i.* [Vürud'dan] 1. Gidip gelme. 2. İki şaire aynı fikrin gelmesi. • «Ticaret bu kadar zarar görüyor ve muvarede bu kadar manilere tesadüf ediyor. — Kemal».

muvarese, *A. i.* *(Se* ile) Birbirinden miras yeme.

muvasala, *A. i.* *(Sat* ile) [Vusul'dan] Yetişme, ulaşma. • *Tarik-i muvasala,* bir yere ulaşma yolu.

muvasalat, *A. i.* Varma, ulaşma. Yetişme. • «Nokta-i muvasalata dair istihbarat ve tasavvuratın beyanı. — Cenap».

muvasât, *A. i.* *(Sin* ile) 1. Yardım, dostluk. 2. Memur ailesine bağlanan maaş. • «Mahadim ve zurefaya muvasât ve müdara bilmez. — Naima».

muvasebe, *A. i.* Sıçrama, atılma. (Fıkıh) Şuf'a hakkı için, satışı duyan şefiin hemen hâkime baş vurması. • «Buna taleb-i muvasebe denir. — Mec. 112».

muvassak, *A. s.* *(Se* ile) İnanılır, güvenilir.

muvaşşah *A. s.* 1. Süslenmiş, süslü. 2. (Ed.) Mısralarının ilk harfleri bir kelime teşkil eden manzume. Akrostiş. • «İki granit mikâbı da — birisi sincabî diğeri gülvaşşahında mahfuzdur. — Cenap».

muvattaa, *A. s.* Cins münasebetinde bulunan kadın. • «Ve her biri biraderinin muvattaasını vaty etmek ile hetk-i estar lâzım olur. — Taş.».

muvazaa, *A. i.* *(Dat* ve *ayın* ile) [Vaz'-dan] 1. İki kişi karşılıklı birleşerek yalandan iş görme, 2. Danışıklı dövüş. • «Ama Vavâr ile aralarında alâ tarik-il muvazaa mükâtebeleri eksik değil idi. — Naima».

muvazabat, *A. i.* 1. Bir işe ara vermeden çalışma. 2. Bidüziye uğraşma.

muvazat, *A. i.* 1. Paralel olma. 2. Mukavemet.

muvazetiye, *A. i.* Fransızcadan *parallélisme* karşılığı; paralellik, koşutluk (XX. yy.).

muvazene, *A. i.* [Vezn'den] 1. İki şey ağırlıktadenk olma. 2. Karşılıklı iki şeyin denkliği, uygunluğu. 3. Gelirle giderin bir gelmesi. 4. Ölçü, kıyas. 5. (Mat.) Denge. • *Muvazene defteri,* bütçe (XIX. yy.); *muvazene-i düveliyye,* devletlerin tarafça bir gelmesi, bir kararda bulunması; • *muvazene-i maliyye,* devletin geliriyle giderinin bir olması. • «Ahmet Cemil'in muvazene-i şehriye cetvelinde iki liranın bir ehemmiyet-i azîmesi vardı. — Uşaklıgil».

muvazenet, *A. i.* [Vezn'den] Bk. *Muvazene.* (Mat.) Denge. • *Muvazenet-i gayr-i mustakirre,* kararsız denge; • *gayr-i mütehavvile,* bozulmaz denge; • *-mayiat,* hidrostatik; • *müstakirra,* kararlı denge. • «Bu dört tesirin ortasında oldukça mucib-i şeref bir muvazenet bulabilmek için. — Uşaklıgil».

muvazıb, muvazıba, *A. s.* Bir işe durmadan çalışan. • «Ve muhafaza-i evkata muvazıb ve zikr-i evrada müsabir idi. — Taş.»

muvazi, muvaziye, *A. s.* Biri öbürünün karşısında olarak birbirine yaklaşıp uzaklaşmadan uzanan. (Mat.) Paralel.

muvazin, muvazine, *A. s.* [Vezn'den] 1. Ağırlıkta bir ve eşit olan. 2. Uygun, denk.

muvazzaf, muvazzafa, *A. s.* 1. Bir iş görmekle ödevli. 2. Maaş ve tayını olan. 3. İlk askerlik basamağı.

muvazzah, muvazzaha, *A. s.* [Vuzuh'tan] Açıklanmış. Açık açık gösterilmiş.

muvazzahan, *A. zf.* Açıktan açığa, Aşikâre.

muvazzih, muvazzıha, *A. s.* [Vuzuh'tan] Açıklayan.

mu'vec, muavvec. *A. s. (Ayın* ile) Eğri.
• «Bu geçit işte böyle, dar, muvec. —
Fikret».

muy, mu, Bk. *Mu.*

muye, *F. i.* Sesle ağlama. *Muyezen,* sesle
ağlayan. • «Döndü cism-i zaif-i pür-
nale muyeden muya naleden nâle».

muyi, muyin, *F. s.* 1. Kıldan. 2. Kürkten.
• «Eylesin bâl-i Hüma'dan kalem-i
muyinin — Suret-i esbin eğer etse mu-
savvir tasvir. — Baki».

muyine, *F. i.* Kürk.

muytab *F. i.* [Muy-tab] Kıl dokuyan,
mutaf.

muz, *A. i.* Muz (yemişi).

muzaabet. *A. i.* (Zı ile) İki kardeş iki kız
kardeşi alarak bacanak olma.

muzaaf, muzaafa, *A. s.* [Zı'ftan] İki
kat. • *Cezr-i muzaaf.* İki kat kök. •
«Askerin za'fı muzaaf olmuş idi. — Sa-
dettin». • «Zaruretlerini muzaaf göste-
ren bir şey daha vardı. — Cenap».

muzadd, muzadde, *A. s.* [Zıd'dan] Kar-
şı,. karşıt. Fransızcadan *anti* ile olan te-
rimlerin karşılığı olarak (XIX. yy.). •
Muzadd-i klor, antikolor; • *-taaffün*,
antiseptik; *-tahammür,* mayabozan.

muzaf, muzaffe, *A. s.* İzafe olunmuş,
(Gra.) Başka bir isme katılmış ve onu
tamamlamış isim, belirtilen. Öteki is-
me de • *muzafun ileyh,* (belirten) de-
nir; -in hali, muzafun ileyh halidir.

muzafat, *A. i.* [Muzaf ç.] Bir şeyin ek-
leri. Bir merkezin dalları, kolları.

muzaffer, muzaffere, *A. s.* [Zafer'den]
1. Üstün. 2. Başarmış, elde etmiş. •
«Daha sonra muzafferler, kişver-küşa-
lar, bu müzehherenin İskender ve Dâ-
ra'ları. — Uşaklıgil».

muzafferane, *F. zf.* Muzaffer olana ya-
kışacak biçimde.

muzafferen, *A. zf.* Muzaffer olarak, ka-
zanarak, üstün gelerek.

muzafferiyyet *A. i.* Düşmana üstün gel-
me. Bir işi istenilen şekilde başarma.
• «Bu iki genç vücudun muzafferiyet-i
şebanını. — Uşaklıgil».

muzaharet, *A. i.* [Zahr'dan] 1. Arkala-
ma, arka olma. 2. Yardım.

muzahat, *A. i.* Bir şeye benzemek.

muzahi, *A. s. (Dat* ve *he* ile) Benzeyen,
benzeyici. • «Derdim ey ruzum sana
ruz-i ahîr-i ömrüm ol — Nur-i vech-i
yâre bir yüzden muzahi olmasan. —
Naci»

muzahir, muzahire, *A. s.* [Zahr'dan]
Arka çıkan, arka olan, yardım eden.

muzallel, *A. s.* [Zıll'dan] Gölgeli. Gölge-
lenmiş.

mu'zam, *A. i.* Bir şeyin en büyük kısmı.
• «Mu'zam-i firariyana Bayburt hava-
lisinde bir akabe-i tenkte eriştiklerin-
de. — Naima».

mu'zamat, *A. i.* Büyük görülmüş, büyü-
tülmüş şeyler. Bk. • *Muazzamat.*

muzari', *A. i.* (Gra.) Geniş zaman.

muze, *F. i.* Çizme. «Sadr-i Cem kevkebe
kim na'lçe eyler bulsa — Muze-i pâyı-
na ebrulerin Ruyinten. — Nedim».

muzeduz, *F. i.* [Muze-duz] Çizme diken,
çizmeci.

muzı', muzıa, *A. s. (Dat* ve *ayın* ile)
Kaybeden, yitiren.

muzırr, muzırra *A. s.* [Zarar'dan] Za-
rarlı, zarar veren, zararı dokunan. •
Eşhas-i muzırra, zararlı kimseler;
evrâk-i muzırra zararlı yayınlar. •
«Desayis imal eder bir muzir misafir
hükmünde telâkki olunan. — Uşaklı-
gil». • «Şu rekabet ve husumetin neta-
yic-i muzırrasından olarak. — Kemal».

muzi', muzie, *A. s.* [Ziya'dan] Işık ve-
ren, aydınlatan; • *Ecram-i muzie,* ışık
veren gökcisimleri. (Ed. Ce.) *Halka-i
muzie, ufk-i muzi.* «Zer-i zülfünde her
ham-i sahir — Sanki bir halka-i muzi-
esidir. — Unk-i ruhumda bağlı zinci-
rin. —, Cenap».

muzi, *A. s. (Zel* ile) [Eza'an] İnciten,.
eziyet veren.

mu'zib, *A. s.* [Azab'dan] Azap verici,
eziyet veren.

muzif, *A. s. (Dat* ile) Misafir kabul eden.

muzik muzika, *A. s. (Dat* ile) [Zîk'-
tan] Sıkıştıran, darlaştıran. • «Bir dai-
re-i muzikada mahpus idik. — Uşaklı-
gil».

muziyat, *A. i.* [Muzi ç.] Eziyet veren,
rahatsız eden küçük şeyler, hayvancık-
lar.

muzlim, muzlime, *A. s.* [Zulmet'ten] 1.
Karanlık. 2. Bilinmeyen, şüpheli. 3. Ka-
ra, uğursuz. (Ed. Ce.) *Dühur-i muzli-
me, genc-i muzlim, sütre-i muzlim,
şi'r-i muzlim.* • «Sanki o müzlim de-
rinliklerin sine-i garibinden. — Uşaklı-
gil». • «Bu tenha, muzlim, dolambaç,
arızalı sokaklarda. — Cenap».

muzmahill, *A. s.* Darmadağın olan, yoк
olan.

muzmer, muzmerre, A. s. Gizli, saklı, örtülü. İşte saklı, dışarı vurulmamış. • Niyat-i muzmerre, gizli niyetler. • «Ümmid-i tecellisinde muzmer — Mazmun-i beyan-i len terani. — Fehim».

muzmir, A. s. İçinde gizleyen. Dışarı belli etmeyen.

muztaci', A. s. Yan üstü yatan, yan tarafına uzanan.

muztar, A. s. [Zaruret'ten] Zorlanmış, yapmak zorunda kalmış. Çaresiz kalmış. • «Var hayatımda bir tasarruf eden — Var ki ben pençesinde muztarrım. — Fikret».

muztarib, mustarib, A. s. Sıkıntı içinde bulunan; rahatsız, çırpınıp duran. • «Balyemez top ile on gün döver, küffar muztarib olup istiman eder. — Peçoylu».

muztaribane, F. zf. Sıkıntı ile, acılı surette.

mübaade, mübaadet, A. i. [Bu'd'dan] 1. Birbirinden uzaklaşma. 2. Zıtlık, iğrenme. • «Her mültemeslerine müsadede bu vakitlerde mübaade olunmayıp — Naima». • «Ailenin etrafınad yavaş yavaş kesb-i kuvvet eden bir hiss-i mübaadet evlenecek kızlar için yegâne bir zamin-i izdivaç bırakmış idi : Mesireler. — Uşaklıgil».

mübaale, A. i. (Karı koca) cilveleşme, oynaşma.

mübadat, A. i. 1. Düsmanca davranış. Saldırganlık. 2. Meydana çıkarma.

mübadele, A. i. [Bedel'den] 1. Bir şeyin başka bir şeyle değiştirilmesi, trampa, değiş tokuş. 2. Ulemanın medrese ve kadılık değiştirmeleri. (1654 den sonra bu söz yerine «mesafe» kullanılmıştır.) (ç. Mübadelât).

mübadere, mübaderet, A. i. Bir şey yapmaya hemen girişme. • «Bugün akşama dek kaleyi teslime mübaderet. — Ragıp Pş.».

mübadi A. s. Meydana çıkaran, çıkarcı.

mübadil, A. s. i. Mübadele olunmuş, başkasının yerine getirilmiş (XX. yy.).

mübadir, A. s. i. Bir işe hemen girişen.

mübagama, A. i. Tatlı dillilik.

mübagat, A. i. Kanunsuz evlenme, zina.

mübagate, A. i. Ansızın üzerine saldırma. Sataşma.

mübagaza, A. i. Düşmanlık etme, kin besleme.

mübagi, A. i. Bagi olma. İsyan etme. • «Ol bagilerin istifar-i mübagileri için birkaç belli başlıları getirilip. — Raşit».

mübah, Bk. Mubah.

mübahasat, A. i. [Mübahase ç.] Mübahaseler.

mübahase, A. i. (Ha ile) [Bahs'ten] 1. Bir iş hakkınd aiki kişi arasında edilen söz. 2. Bir iş hakkında görüşme. 3. İddialı konuşma, tartışma. • «Bu mübahase böyle uzayıp gitmiş, nihayet valideleriyle her bahsin neticesi gibi. — Uşaklıgil».

mübahat, A. i. (He ile) övünme. • Sermaye-i mübahat, haklı olarak övünme sebebi. • «Var ise bir, hünerin arz ile ispat eyle — Olmaz mahz-i mübahat bu davaya delil. — Ragıp Pş.».

mübahele, A. i. (He ile) Birbirine lânet okuma.

mübahhar, A. s. (Ha ile) 1. Buhar olmuş. 2. Tütsülenmiş.

mübahi, A. s. Övünen.

mübahis, A. i. [Bahs'ten] Bir konu üzerinde konuşan. Tartışan. (ç. Mübahisîn).

müba'id, A. s. (Ayın ile) Uzaklaştırılan.

mübalâga, A. i. 1. Mübalağa. Bir işte çok ileri varma. 2. Artık, fazla, çok aşırı. 3. Büyütme. Küçük bir şeyi büyük gösterme • Mübalâga-i Acemane. Acemlere yakışır yolda mübalâga; • mübalâga ile ism-i fail, (Ar. gra.) Fa'al sözüne uygun sözcüklerin ifade ettiği «çok, en, pek» anlamlı hali. Allam, çerrar, gaddar, kerrar (Bk.) gibi. • «İanet ve imdadiyle mübalağa asker gönderip. — Peçoylu» «Remle bahçeleri arasında mübalaga-i ziynetten yorulan ruhumu sanki yıkıyordu. — Cenap».

mübalâgat, A. i. [Mübalâga ç.] Mübalağalar. Abartmalar.

mübalât, A. i. Dikkat. Saygı. • Adem-i mübalât, dikkatsizlik, aldırış etmeme. • «Bir dağ gibi âdem — Dikmiş nazar-i gayzını. Bi-havf ü mübalât, eylerdi o boş âleme irad-i makalât. — Fikret». • «Umur-i diniyede mübalâtsızlık gösterenlere karşı.

mübalatkâr, F. s. [Mübalât-kâr] Dikkat ve özenle davranan.

mübaree, A. i. (Hemze ile) Erkek ve kadın eş karşılıklı alacak verecek olmamak şartiyle nikâhı bozmaları.

mübarek, mübareke   A. s. [Bereket'ten]
1. Bereketli olan. 2. Saygıya değer. 3.
Uğurlu, mutlu. 4. (Horlulka) Fena eş-
ya ve insan. İd-i mübarek, kutsal bay-
ram; • Nil-i mübarek, verimli Nil neh-
ri. • ‹Şair... Ne mübarek, ne ilâhî —
Vicdan, ne derin fikr-i münevver. —
Fikret›.

mübarekbad, F. ü. i. [Mübarek-bad] Bi-
rini tebrik için ‹Kutlu olsun!› yerinde
söylendiği gibi, tebrik etme anlamında
da kullanılır. • ‹Berat-i şerif kıraat
olunduktan sonra mübarekbad eyledi-
ler. — Peçoylu›.

mübareke,   A. s. i. 1. Mübarek. 2. Kar-
şılıklı birbirini tebrik. • Emakin-i mü-
bareke (kutsal yerler) Mekke, Medine,
Kudüs, Necef, Kerbelâ ve benzerleri;
leyal-i mübareke, (Ramazan, kandil...
gibi) kutsal geceler.

mübarekî, F. i. Mübareklik. Tebrik, göz-
aydın.

mübarezat, A. i. [Mübareze ç.] Mübare-
zeler. Vuruşmalar, savaşmalar.

mübareze, A. i. [Büruz'dan] İki düşman
tarafından birer kişinin çekişmeye tu-
tuşmaları. (XIX. yy.). Düello. • Kılıç-
la mübareze, eskirim. • «Endişe-i mai-
şet, mübareze-i hayat başlamış. —
Uşaklıgil».

mübarezegâh, F. i. [Mübareze-gâh] Çe-
kişme yeri, savaş alanı. • ‹Henüz mu-
barezegâh-i hayatın ilk hatvasını at-
madan. — Uşaklıgil›.

mübariz, A. i. s. Kavgaya, pehlivanlığa
kalkışan iki kişiden her biri. (ç. Müba-
rizan). • ‹Mübarizan-i meydan-i din.
— Sadettin›. • ‹Bunca demdir davi-i
sahibkıranî eylerin — Bir mübariz yok
mu meydan-i sühan tenha mıdır. —
Nef'î›.

mübasaka, A. i. (Sat ile) Tükürme..

mübasara, A. i. Görme yarışması.

mübaşeret, A i. Başlama, girişme, tu-
tuşma. • ‹Ve iki yerden ruz ü şeb döv-
meye mübaşeret eyledi. — Peçoylu›. •
‹Mübaşereten itlaf, bir şeyi bizzat telef
etmektir. — Mecelle›.

mübaşir, A. i. 1. Geçici bir ödev olarak
merkezden bazı emirleri götüren icra
yetkisi de olan kimse, denetçi. 2. (XIX.
yy.). Yargıç emirlerini bildirmeye me-
mur kimse. 3. s. (Huk.) Bir işi kendi
yapan. Bir işe başlayan. • ‹Vermeyen-
lerden ferman ve mübaşir ile hukuk-i
lâzime gibi tahsil olunurdu. — Naima›.

• ‹Mübaşir, yani bizzat fail ile müte-
sebbip müctemi oldukta hüküm ol faile
muzaf kılınır. — Mec. 90›.

mübatana, A. i. Bir konu üzerinde kar-
şılıklı çekişme. • ‹Niçin ol âsi herifler
ile mübatana ve ittifak edip. — Nai-
ma›.

mübataşa, A. i. (Tı ile) Birbirini kavra-
mak için çalışma.

mübattın, A. s. i. Kinli, içinden pazarlık-
lı. 2. Karnı çökük olan, zayıf. • ‹Ömer
kethüda dahi bir mubattın şahıs idi. —
Naima›.

mübayaa, A. i. [Bey'den] Satın alma.

mübayaât, A. i. [Mübayaa ç.] Satın al-
malar.

mübayeat, A. i. [Beyat'tan] Uyuşma. El
sıkışma. Sözleşme. • ‹Muakade-i dest-i
mübayeat eylediler. — Naima›.

mübayenet, A. i. [Bey'den] 1. Ayrılık
2. Karşıtlık. 3. Tutmazlık. • ‹Resm-i
kadîme mübayenet-i fahişe ile muga-
yir tevcihattan. — Naima›. • ‹Badi-i
nazarda kadınların mübayenet-i cinsi-
ye veya mesturiyet-i meşrualarından
ileri gelmiş zannolunuş ise. — Kemal›.

mübayin, mübayine, A. s. 1. Başka tür-
lü, ayrı. 2. Karşıt.

mübda', A. s. Örneksiz icat edilmiş olan.

mübdi, mübdia, A. s. (Ayın ile) 1. İcat
eden, yeni bir şey bulan, söyleyen. 2.
Din işlerinde bid'at ehlinden olan. •
‹İlâhi bir mübdisin ki adem hızane-i
ibdaındır. — Sinan Pş.›.

mübeccel, A. s. Ululanmış, büyütülmüş.
•,‹Mahsud ü mübeccel — Gel toplaya-
lım gel — Ben!mısra-i berceste, sen ez-
har-i mutarra. — Fikret›.

mübeddel, A. s. [Bedel'den] Değişmiş,
değiştirilmiş. • ‹Huda büyüktür, eder
matemi mübeddel-i sûr. — Fikret›.

mübeddil, mübeddile, A. s. [Bedel'den]
Değiştirici.

mübehhic, A. s. (He ile) Güzelleştiren.

mübekki, mübki, A. s. Ağlatıcı (XX.
yy.). • ‹Bu bir hakikat-i müellim, ha-
kikat-ı mübekki. — Fikret›.

mübelliğ. A. s. [Belâğ'dan] 1. Haber ve-
ren, bildiren. 2. i. Büyük camilerde
imamın dediklerini tekrar eden kimse.

müberhen, A. s. [Bürhan'dan] Tanıt ve-
ya kanıtla gerçekliği belli edilmiş.

müberra, A. s. [Beraet'ten] Arığa çıkmış,
aklanmış. • Taallukattan müberra
mahz-i nisyan olduğum yerler. — Re-
caizade.»

F.: 37

müberred, A. s. Soğutulmuş olan.

müberrid, A. s. i. [Berd'den] Soğuktan, soğutucu. Karlık.

mübeşşer, mübeşşere, A. s. [Beşaret'-ten] Müjdelenmiş. • Afv ile mübeşşer, bağışlanacağı önceden haber verilmiş; aşere-i mübeşşere, cennetlik oldukları sağlıklarında peygamber tarafından müjdelenmiş olan on kişi. • «Bulmuştu küçük aileyi şad ü mübeşşer — Bir sofrada, birkaç da misafirle beraber. — Fikret».

mübeşşir, mübeşşire, A. s. [Beşaret'-ten] Müjde veren, iyi haber vererek sevindiren. (ç. Mübeşşiran) • «O yanda kafile-i müjde-âver-i ihvan — Kamis-i Yusuf'u hâmil mübeşşir ü şadan. — Fikret». • «Mübeşşiran-i feth ü zafer menzil-i mezburdan padişah-i madeletküster astanesine ihbar-i fethi iblâb eylediler. — Peçoylu».

mübeşşirat, A. i. ç. [Mübeşşir ç.[Hayırlı alâmetler.

mübeşşirîn, A. i. [Mübeşşir ç.] Müjdeleyiciler.

mübeyyaz, A. s. [Müsveddeden beyaza çekilmiş olan. • «Küçük bir defter-i mübeyyaz vücuda getirebildi. — Uşaklıgil».

mübeyyen, mübeyyene, A. s. [Beyan'-dan] Açıkça söylenen ve açıklanan.

mübeyyin, mübeyyine, A. s. [Beyan'-dan] Açıklayan, meydana koyan.

mübeyyiz, A. i. [Beyaz'dan] Müsveddeleri beyaza çeken kâtip.

mübeyyiza, A. i. [Mübeyyiz ç.] Horasan'lı Mukanna taraflısı ve beyaz elbise giyilen bir mezhep. Bir de kara elbise giyenler vardı. onlara • müsevvide denirdi.

mübeyyizin, A. i. [Mübeyyiz ç.] Müsveddeleri temize çeken kâtipler.

mübezzir mübezzire, A. s. Gereksiz harcayan, israf eden.

mübhem, mübheme, A. s. Belli olmayan. Her tarafa çekilebilecek surette olan. (Gra.) Belgisiz. • «Basit bir denizin — Telâtumundaki mübhem sürüda benzeterek. — Fikret».

mübhemat, A. i. Mübhem olan işler. (Gra.) Belgisiz sıfatlar, zamirler, edatlar.

mübhemiyyet, A. i. Bilirsizlik. • «Durur bir mübhemiyyet en celi tal'at-i likasında. — Fikret». • «Biraz sonra bir bî-rengî-i mübhemiyet işinde bazı şekiller farkolunmağa başladı. — Cenap».

mübhiç, A. s. (He ile) Sevindiren.

mübi', A. s. [Bey'den] Satılmış şey.

müb'id A. s. Uzaklaştırıcı, uzaklaştıran.

mübrem, mübreme, A. s. Mutlaka olacak olan, olması önlenemeyecek olan. • Kaza'yi mübrem, önlenemez kader. • «Hakikatı bu zayıf kızın önüne atmak için mübrem bir ihtiyaç duydu. — Uşaklıgil».

mübîn, mübîne. A. s. 1. İyi kötüyü, hayrı ve şerri ayırt eden. 2. Açık, besbelli. • Din-i mübîn, • Kur'an-i mübîn. • «Lâkin vicdan — O büyük hâkim o kanun-i mübîn — Veriyor hükmünü. — Fikret».

mübrez, A. s. Gösterilmiş, meydana konulmuş.

mübrid, müberrid, A. s. Soğutan, soğutucu.

mübrim, mübrime, A. s. Zorlayan, zorlayıcı. İnsanın üstüne düşüp sıkıntı veren kimse.

mübriz, A. s. [Büruz'dan] Gösteren, meydana koyan.

mübşer, A. s. Kendisine müjde verilmiş müjdelenmiş.

mübşir, A. s. Müjde veren.

mübteda, A. i. [Bed'den] 1. Başlangıç, baş, başlanmış, 2. (Gra.) İsim cümlelerinde özne.

mübteda', A. s. (Ayın ile) Aslında yok iken yeni çıkmış olan.

mübtedi, A. s. (İ ile) [Bedi'den] Yeni başlayan, acemi. Müptedi. • «Sahneye ilk çıkan bir sanatkâr-i mübtedinin halecanını bile duymazlar. — Uşaklıgil».

mübtedi', mübtedia, A. s. (Ayın ile) 1. Yeni şeyler meydana çıkaran, yeni bir şey peyda eden. 2. Taife-i mübtedia, ehl-i sünnet itikadına karşı olanlar. • «Avam-i nâsın akidesini haraset ve teşvişat-i mübtediadan hıfz u vikayet vardır. — Taş.». • «Def-i mübtediaya kudret tahsil edersen. — Taş.».

mübtediyan, F. i. [Mübtedi ç.] Acemiler, ilk başlayanlar.

mübtediyane, F. zf. Acemicesine. • «Tereddüd-i mübtediyane ile piyanonun dişlerinden koparılmış nağmeler. — Uşaklıgil».

mübtega, A. i. İstenen, dilenen şey. • «Ne gûne rica ve mübtega vardır ki kâfir-ün niam olmak lâ'nından tehaşi etmeyip. — Naima».

mübtehic, A. s. [Behcet'ten] Sevinen, sevinmiş. • ‹Horasan anın haşmet ve devleti ile müzeyyen ve mübtehic. — Taş.›.

mübtehil, A. s. Yalvaran, dua ederek dilenen.

mübtelâ, A.s. [Belâ'dan] 1. Bir şeye düş kün ve tutulmuş olan. 2. Düşkün, tutkun. • ‹Ve âkıbet ol veca' ve ıstırabından su-i mideye dahi mübtelâ oldular. — Peçoylu›.

mübtelâ', A. s. (Ayın ile) [Bel'den] Yutulmuş, yenilmiş.

mübtelâyan, F. i. [Mübtelâ ç.] 1. Tutulmuş kimseler. 2. (Bir şeye) yakalanmış kimseler. • ‹Hiç bir zaman mübtelâyan-i askama acımaz. — Cenap›.

mübteli', A. s. (Ayın ile) [Bel'den] Yutan, yiyip sindiren.

mübtena A. s. Bk. Mübteni.

mübteni, A. s. [Bina'dan] 1. Bina edilmiş, kurulmuş. 2. Dayanmış. • ‹Mübtenidir tıynetin ifzal ü ihsan üstüne. — Nedim›.

mübtesim, A. s. [Tebessüm'den] Gülümseyen. • ‹Ağla, ey şi'r-i natüvan, ağla! — Öldü ruhumda mübtesim âmal. — Fikret›.

mübtezel, mübtezele, A. s. (Zel ile) [Bezl'den] 1. Hor kullanılan değersiz. Kepaze. 2. Bol ve ucuz.

mübzir, A. s. [Bezr'den] İsrafçı.

müca'ad, A. s. (Ayın ile) Saçı kıvrılmış.

mücab, A. s. [Cevab'dan] Kabul cevabı almış olan. Duası kabul edilen. • ‹İmtina ile cevap verdikte mücap olmayıp. — Taş.›.

mücadelât, A. i. [Mücadele ç.] Mücadeleler, savaşmalar. • ‹Bütün mücadelât-i edebiye — Uşaklıgil›.

mücadele, A. i. [Cedel'den] 1. İki kişi bir bahis üzerinde çekişme. 2. Bir işi için veya bir işe karşı uğraşma. 3. Savaşma, savaş. • ‹Bu valide böyle ara sıra tekerrür eden mücadelelerden âciz bir çocuk zaafiyle ağlayarak çıkardı. — Uşaklıgil›.

mücadil A. s. Mücadele eden. Çekişen savaşan, uğraşan.

mücahedat, A. i. [Mücahede ç.] Mücahedeler. • ‹Belki cemi' evkatlarını mücahedat ve riyazata sârifeyn. — Taş.›.

mücahede, A. i. [Cehd'den] 1. Uğraşma, savaşma. 2. Nefsi yenmeye olan çalışma. 3. Din uğrunda savaşma. • ‹Bu hakikati görmek için lüzum görülen mü-

cahedeler onu daha ziyade yormuş. — Uşaklıgil›.

mücahere, A. i. (He ile) Açığa vurma, meydana çıkarma, belli etme.

mücahid mücahide, A. s. [Cehd'den] 1. Savaşan, uğraşan. 2. Savaşçı.

mücahidane, F. s. zf. Mücahit olana yakışır yolda.

mücahidin, A. i. [Mücahid ç.] 1. Mücahede edenler. 2. Uğraşanlar, savaşanlar. • ‹Kat'î hücuma geçti nihayet mücahidin — Mutlak bu harbe vermek için şanlı bir hitam. — Beyatlı› • ‹Hem de mucahidin-î zekâ için henüz mabed-i ihtiramımızda yer yoktur. — Cenap›.

mücalese, mücaleset, A. i. [Cülûs'tan] Birlikte oturma. • ‹Sabahları bahçede uzun mücaleseler yapılıyor, bunlara bazan Adnan Beyle Behlûl bile iştirâk ediyorlardı. — Uşaklıgil›.

mücalis, A. s. [Cülûs'tan] Birlikte oturan.

mücamaa, mücamaat, A. i. [Cima'dan] Cima etme. Çiftleşme. • ‹Abdullah Çelebi nam şahsın hatunu yine ol mahalde karip dükkânı olan bir bezzaz Yahuhudi halet-i mücamaatta bulunmak üzre şahadete ve. — Raşit›.

mücamele, A. i. Karşılıklı güzel davranış, iyi geçinme.

mücanebet, A. i. [Cenb'den] Bir şeyden sakınma. Çekinme, çekilme. Uzak durma.

mücanib, A. s. 1. Çekinen. 2. (Mat.) Sunuşmaz.

mücaneset, A. i. [Cins'ten] Bir cinsten olma. • ‹Mücaneset münasebetiyle diyarın ve kaçan çıktığın ve ne zamandan beri Trablus'ta kaldığın. — Naima›. • ‹Genç kızlarla çiçekler arasında öyle bir mücanaset-i ruh vardır. — Uşaklıgil›.

mücanis, A. s. [Cins'ten] Aynı cinsten olan. Mütecanis.

mücaraha, A. i. [Cerh'ten] Karşılıklı birbirini yaralama.

mücareze, A. i. 1. Hoyratça şakalaşma. 2. Açık saçık latife etme.

mücaseret, A. i. [Cesaret'ten] Cesaret etme.

mücasir, A. s. Cesaret eden.

mücavebe, A. i. [Cevab'dan] Birbirine cevap verme. Cevaplaşma. • ‹Parmakla işaret ve tâyin edip dört nefer kimesneyi mücavebe için huzuruna talep eyledi. — Naima». • «Burnunu vasıta-i mücavebe ittihaz ederdi. — Uşaklıgil».

mücaveret, *A. i.* [Civar'dan] 1. Komşuluk, yakınlık. 2. Bir mabet veya tapınak yanına çekilip dünya ilgisini kesme. • «Medine-i Münevvre'de mücaveret ve tezehhüd eyledi. — Taş.». • «Nazımda vezin kelimelerin mücaveretinden başka bir şey değildir. — Uşaklıgil».

mücavir, mücavire *A. s.* [Civar'dan] 1. Komşu. 2. Mabet veya tekke yakınına çekilip oturan. • *Mucaviran-i felek,* yedi gezegen. • «İmam-i A'zam dahi müddet-i keşîre mücavir-i Haremeyn oldukları. — Taş.». • «Şehrin kuray-i mücaviresinden bazıları. — Cenap».

mücaz, mücazze, *A. s. (Ze ile)* [Cevaz'dan] 1. Caiz görülmüş, yapılabilir. 2. İcazet almış; kendine izin verilmiş; diplomalı. • «Sekiz arşın genişliğinde bir nehrin sağ tarafında en mücaz olan muamele sol tarafında en şedit mücazata lâyık görülüyor. — Kemal».

mücazat, *A. i.* [Ceza'dan] 1. Karşılık. 2 Bir suça karşı ceza verme. • «Sair ulema ile ilimde mübahat ve husema ile mücazat eyleye. — Taş». • «Sardar-i gazinin inkisarı yerin bulup bunlar ettikleri nifakın mücazatına giriftar oldular. — Naima».

mücazebe, *A. i. (Zel ile)* iki şeyin birbirini çekmesi.

mücazefe, *A. i.* Götürü satma. • «Mücazefe, götürü pazar demektir. — Mec. 141».

mücber *A. s.* Zorlanmış, zor edilmiş.

mücbir, *A. s.* [Cebr'den] Zorlayan, Zorla iş yaptıran. • «Onu bırakmak için hakikaten mücbir bir işini tahattur etmiş idi. — Uşaklıgil». • «Muhafaza-i mevcudiyet gibi bir sebeb-i mücbir olmasaydı biz muharebe-i hazıraya karışır mı idik? — Cenap».

mücedded, müceddede, *A. s.* Yeni. Yenilendirilmiş.

müceddeden, *A. zf.* Yeni olarak, yeni baştan. • «Müceddeden tasvip, — Naima».

mücedder, *A. s.* Çiçek bozuğu adam.

müceddid, *A. s.* Yenileyen. Yeni haline koyan; yeni bir şekil ve suret veren. • «Yâd-i cemiline beka-yi ebedî veren müceddidlerden olmak şerefi. — Kemal».

müceddidane, *A. zf.* Yenilik yapana yakışır bir yolda.

müceddidîn, *A. i.* [Müceddid ç.] Yenilik yapanlar. • «Lisanımız bu mertebe terakkisi dahi birtakım müceddidîn-i üdebanın himmeti sayesinde. — Kemal».

mücef, *A. i.* İçi boş.

müceffef *A. s.* Kurutulmuş.

mücehhez, *A. s.* [Cihaz'dan] 1. Hazırlanmış; gerekli şeyleri tamam (gemi). • «Fikr ordusuyuz, meş'al-i irfanla mücehhez. — Fikret.

mücehhiz *A. s.* [Cihaz'dan] Gerekli eşyayı hazırlayan.

mücelcel, *A. i.* [Cilâ'dan] Cilâlanmış, parlak. • «Sana ey seyf-i mücellâ, sana ey seyf-i zafer. — Fikret».

mücellâ, *A. s.* Cilâlı. Parlatılmış. • «O mehin ki çehre-i berrakı mir'at-i mücellâdır. — Furug-i hüsn-i âlemtab ile her şey garradır. — Beliğ».

mücelled, mücellede, *A. s.* Ciltlenmiş. • «Bir mücelled-i dahm ü kebîrdir. — Taş.».

mücelledat, *A. i.* [Mücelled ç.] Ciltlenmiş kitaplar.

mücelli, *A. s.* 1. Cilâ verici. 2. Açıp temizleyici.

mücellid, *A. i.* [Cild'den] Cilt yapan, ciltçi.

mücelliyatt, *A. i.* [Mücelli ç.] Çıban, sivilce gibi şeyleri giderip cilde tazelik veren ilâçlar.

mücemmed, mücemmede, *A. s.* Dondurulmuş.

mücennah, *A. s.* [Cenah'tan] Kanatlı • «Birer ümmid-i mücennah letafetiyle uçan — Teranekâr iki nermin kebuter-i mağrur. — Fikret» • «Bu çöller üzerinde birer şeamet-i mucenneha gibi dolaşan hunhar kuşlar. — Cenap».

mücerreb, mücerrebe, *A. s.* [Tecrübe'den] Denenmiş.

mücerreban, *A. i.* [Mücerreb ç.] Denenmişler. Denenmiş olanlar. • «Mücerreban-i umurun kelâmı gerçek imiş. — Avni».

mücerrebat, *A. i.* [Mücerreb ç.] Denenmiş şeyler, görgü.

mücerred, mücerrede, *A. s.* 1. Çıplak. soyunmuş. 2. Tek, yalnız. Bekâr. 3. Karışık ve katışık olmayan. 4. Cismi olmayan. 5. *(Gra.)* Yalın. Soyut. 6. *(Fel.)* Soyut. 7. *(Mat.)* Abstre. • *Bu'd-i mü-*

cerret, soyut uzaklık; • *pâye-i mücerrede,* ulemaya mahsus mevkisiz önemli bir rütbe. (ç. Mücerredat).

mücerredat, *A. i.* [Mücerred ç.] Cismi olmayan, akılla düşünülebilen âlem.

mücerrib, mücerribe, *A. s.* Deneyen. İşlerin inceliklerini bilen. • «Vildanzade Ahmet Efendi ki mücerrib-i umur olmakla Engürüs seferlerinde orduyi hümayun kadısı olup. — Naima».

mücerriban, *F. i.* [Mücerrib ç.] Deneyenler.

mücerribin, *A. i.* [Mücerrib ç.] Deneyenler.

mücerrid, mücerride, *A. s.* Tecrid eden. Yalıtan, yalıtlanan.

mücessem, mücesseme, *A. s.* [Cism'den] 1. Cismi olan. 2. Cisimlendirilmiş, görünür şekle konulmuş. 3. Uzunluğu, enliliği, kalınlığı olan cisim. • *Hendese-i mücesseme,* uzay geometri; • *istihkâmat-i mücesseme,* yerli ve temelli istihkâmlar; • *küre-i mücesseme,* yerküre; • *namus-i mücessem,* çok namuslu kimse; • *nur-i mücessem,* canlı şekil almış nur, çok parlak güzel. • «Bu kızlar onun için bir itiraz-i mücessem, bir istihza-yi ziyahat hükmüne giriyor. — Uşaklıgil».

mücessemat, *A. i.* [Mücessem ç.] Katılar, üç boyutlu olan matematik şekilleri. • *Mücessemat-i eflâtuniyye,* Eflâtun'un beş düzgün şekli; dörtyüzlü, altıyüzlü, sekizyüzlü, onikiyüzlü, yirmiyüzlü.

mücessime, *A. i.* «Müşebbihe» ile beraber Fransızcadan *anthropomorphisme* karşılığı, insanbiçimcilik, antropomorfizm (XX. yy.).

mücevher, mücevhere, *A. s.* [Cevher'den] 1. Elmasla donanmış, elmaslı. 2. Noktalı olan (harf.) • «Lâkin yanılıyorsunuz, Nihal bir mücevher parçası değil, bir ateş parçasıdır. — Uşaklıgil».

mücevherat, *A. i.* Elmas ve benzerleri değerli süs taşlarıyle donanmış takımlar. • «Mücevherata ziya saldı hüs·u ânından. —Beyatlı».

mücevvef, *A. s.* [Cevf'ten] Oyuk, içi boş şey. • «Artık düşünmek melekesinden tecerrüd etmiş gibi bir lâkırdı söylenirken nigâh-i mücevvefini diker, öyle dururdu. — Uşaklıgil».

mücevvez, *A. s.* [Cevaz'dan] Caiz görülmüş, izin verilmiş.

mücevveze, *A. i.* Eskiden başa giyilen resmî kavuk. • «Mücevvezeli muhzıraları ve keçeli muhzırbaşı ve çuhadarı. — Naima».

mücevvid, mücevvide, *A. s.* [Tecvid'den] Kur'an'ı tecvitle okuyan, tecvit bilgini. • «Mücevvid ehl-i Kur'an, gayet hoş elhan kimesne idi. — Peçoylu».

mücîb, mücibe, *A. s.* [Cevab'dan] 1. Kendisinden sorulana cevap veren. 2. İsteneni yapan. • «Tasdik olunan bir sualde ne denilmiş ise mücîb anı söylemiş hükmündedir. — Mec. 66· • «Eylesin zatını mennan-i mücîb — Kasr-i Firdevs'te hembezm-i Habib. — Naci».

mücidd, *A. s.* [Cidd'den] Elinden geldiği kadar çalışan. • «Yalvarmakta mücidd ol ki şerrinden emin olasız. — Naima».

müciddane, *F. s. zf.* Gayret sahibine yakışır yolda, büyük bir çalışkanlıkla.

müciz, *A. s.* [İcazet'ten] İcazet veren, izin veren.

müclâ, *A. s.* [İclâ'dan] Sürgün edilmiş, sürülmüş.

mücmel, *A. s. i.* [Cümle'den] Kısa ve az sözle anlatılmış. Öz, özet.

mücmelen *A. zf.* Kısa olarak, az sözle.

mücrim, mücrime, *A. s.* [Cürm'den] Suçlu. • «Görmez sahabet etmeyi Allah bile reva — Vicdana karşı şahs-i günehkâr ü mücrimi. — Recaizade». «Mücrimin hunin gözlerinde şayan-i istikrah bu mana-yi tehevvür. — Cenap».

mücrimîn, *A. i.* [Mücrim ç.] Suçlular. • «Cümlesini gönderir idi hemîn — Kande ise sayegâh-i mücrimîn. — Azerî».

müctebâ, *A. s.* Seçilmiş, seçkin. • «Behakk-i Ahmed-i Muhtar ü Müctebâ — Vücud-i encüm ü eflâke illet-i icad. — Nef'i».

müctehid, *A. s. i.* [Cehd'den] Kur'an ayetleriyle peygamber sözleri olan hadislerden hüküm çıkarmak kudretinde olan bilgin. İran'da şia bilginlerinin hepsine bu ad verilir. • «Onun İctihadına razı değillerdi amma imam müctehid idi. — Taş.».

müctehidîn, *A. i.* [Müctehid ç.] Müctehitler.

müctemi', müctemia, *A. s.* [Cem'den] 1. Toplanmış, toplu. 2. Bir yere gelmiş, birleşmiş. • *Memalik-i müctemia,* Amerika Birleşik Devletleri. • «Bir rabıta-i ebediye ile müctemi bir demet şeklinde bağlayan. — Uşaklıgil».

müctemian, A. zf. Toplu bir halde, cemaatle. • ‹Birer bahane-i diğer ile müctemian çıkıp. — Naima».

müctena, A. s. Devşirilmiş, toplanmış.

müctenib A. s. [Canib'den] 1. Çekinen, uzak duran. 2. Bir tarafa çekilip karışmayan. • ‹Hussad eline errişte verecek işlerden müctenib değil idi. — Naima».

müctenih, A. s. [Cenah'tan] Bir tarafa eğilen.

mücteri, A. s. [İctira'dan] Cesaret eden, cüret eden. • ‹Bu makule mücetrilerin eline zimam-i umur teslim olunmak değil vücudu izale olunmak. — Naima».

mücterre, müctirre, A. i. (Zoo.) Geviş getirenler.

müdaabe, müdaabet, A. i. (Dat ve ayın ile) Karşılıklı takılma, latife etme. Şakalaşma. • ‹Cümle mülâabet ebvabi küşade ve cemi' müdaabet erbabı âmade olup. — Lâmii».

müdabere, A. i. İki kişi biribirine arkalarını dönmek.

müdafaa, A. i. [Defi'den] 1. Bir saldırmaya karşı durma. 2. Koruma, korunma. 3. Savunma. • Müdafaa-i milliye, • millî müdafaa, millî savunma; • müdafaa-i nefs, kendini koruma. • ‹O, fikrini müdafaa için cevap vermişti. — Uşaklıgil».

Müdafaat, A. i. [müdafaa ç.] Korunmalar, savunmalar.

müdafaatan, A. zf. Savunma, korunma suretiyle.

müdafi A. s. [Dafi'den] Koruyan, müdafaa eden, savunan, dayanan. • Vekil-i müdafi, sanık avukatı.

müdafiin, A. i. [Müdafi' ç.] Bir saldırışa karşı koyanlar, dayananlar.

Müdahale, A. i. [Dahl'den] 1. Karışma, sokulma, el sokma. 2. Araya girme, (ç. Müdahalât). • ‹Bir sözün arasına tırmalayıcı bir kelime ile müdahale ediyordu. — Uşaklıgil».

müdahane, A. i. (He ile) 1. Özel fayda için birini yüzüne karşı övmek. 2. Koltuklama. 3. Dalkavukluk. • ‹Bir memlekette ki müdahane zarafetten ve yalancılık kârgüzarlıktan madut olur. — Kemal».

müdahhar, müdahhara, A. s. Biriktirilmiş, toplanılıp saklanmış. • ‹Ekyas-i memhure ile müdahhar akçe bulup. — Naima».

müdahhin, A. s. (Hı ile) Tüten.

müdahhir, A. s. Toplayıp saklayan, biriktiren.

müdahil, A. s. [Dahl'den] Karışan. (ç. Müdahilân, müdahilîn».

müdahin, müdahine, A. s. Yüze gülücü. • ‹Söyleme ey şair-i kizb-ittisaf — Dinleyemem öyle müdahince lâf. — Naci».

müdam A. s. [Devam'dan] Süren, sürekli. Arası kesilmez. • Şürb-i müdam, sürekli içiş; zevk-i müdam, sürekli zevk.

müdam, A. i. Şarap. Eski şarap. • Mest-i müdam, (eski) şarap sarhoşu.

müdame, A. i. Şarap.

müdami, A. s. Sürekli olarak şarap içen. • ‹Zahidâ sanma rümuz-i aşkı kâmiller bilir — Bâdenin zevk ü safasıñ müdamiler bilir. — Kanunî».

müdamkâre, F. s. [Müdam-kâr] Her zaman işleyici. • ‹Müdamkâre-i sehv ü hataya zatındır — Kefil-i lûtf ü zâmiñ-i kerem dem-i mev'ut. — Sabit».

müdani, A. s. Yakın. Benzer, eş. • Bi-müdani, eşsiz, benzersiz. • ‹Anda müşrik ve ana müdani olmamıştır. — Taş.».

müdara, A. i. 1. Yüze gülme. 2. Yalandan dostluk gösterme. (ç. Müdarat). • ‹Ve cem-i mala tamah ve hırsı kadar müdara ve dur-endişlikte taksiri var idi. — Naima».

müdarat, A. i. [Müdara ç.] Müdaralar. Yüzel gülmeler. • ‹Zu'm-i pindar-i cibillisini tekid ederiz — Süfeha kısmına izhar-i müdarat etsek. — Nabi».

müdarese, A. i. [Ders'ten] Ders verme. Ders alıp verme. • ‹Hakîr dahi esna-yi müzakere ve müdaresede istidat sahibi talebeyi. — Kâtip Çelebi».

müdava, A. i. Hastaya bakıp ilâç verme. • ‹Nef'i olmaz maraz-i aşka müdava-yi hakîm. — Nev'i».

müdavat, A. i. [Deva'dan] Hastaya bakıp ilâç verme. • ‹Afyon ve berş ve sair mükeyyifat müdavat kabîlinden olup. — Kâtip Çelebi».

müdavele, A. i. [Düvel'den] 1. Çevirme, döndürme. 2. Verip alma, değiştirme. 3. Elden ele gezdirme.

müdavemet, A. i. [Devam'dan] Bir işe aralıksız sürekli çalışma. Bir yere her vakit gidip gelme.

müdavere, A. i. döndürme.

müdavi, *A. s.* [Deva'dan] Deva bulan. İlâç veren. İyileştiren. • *Tabib-i müdavî*, tedavi eden doktor.

müdavim, müdavime, *A. s.* [Devam'dan] 1. Bir işe aralıksız çalışan. 2. Bir yere hep gidip gelen. (ç. Müdavimîn). • ‹Bütün Göksu, Kâhtane, Kalender, Bentler müdavimîni onları tanırlar. — Uşaklıgil›.

müdavene, *A. i.* [Deyn'den] Ödünç alıp verme.

müdbir, *A. s.* Talihsiz, düşkün. İdbara uğramış. • ‹Ârif ola müdbir ü nadan ola mukbil — İkbaline yuf âlemin idbarına hem yuf. — Ruhi›.

müddea, *A. i.* [Dava'dan] 1. Dava olunan şey. Davacının isteği. 2. İddia olunan şey. 3. Aslı faslı olmadan ileri sürülen şey. • *Nakîz-i müddea*, antitez. • ‹Balâda verdiğim tahsilât da bu müddeayi meydana çıkarabilir. — Kemâl›.

müddeayat, *A. i.* İddialar. Esassız olarak istekler.

müddei, müddeiyye *A. i. s.* [Dava'dan] 1. Dava eden adam, davacı. 2. İddia eden. 3. Temelsiz bir hak isteyen, haksız bir şey isteyen. • *Müdde-i umumî*, savcı (XIX. yy.).

müddet, *A. i.* 1. Bir şeyin uzayıp sürdüğü zaman. 2. Zaman, vakit. 3. Belirli vakit. • *Müddet-i haml*, gebelik zamanı (en çoğu iki yıl, en azı altı ay süren); X *müddet-i sefer*, üç günlük (18 saatlik) yol alma. • ‹İb'ad ve medine-i Kostantıniyeye'den ihrac olunup müddet-ül-ömür dahil-i huzur-i hümayun olmadı. — Koçu Bey›.

müdebber, *A. i.* Azat olması sahibinin ölümüne şart koşulmuş köle.

müdebbir, *A.s.* Her işin arkasını ve sonunu düşünüp önceden çare arayan. Tedbirci. • ‹Mezbur âkıl ve müdebbir olup ancak noksanı okur ve yazar değil idi. — Naima›.

müdebbiran, *A. i.* [Müdebbir ç.] Tedbirli kimseler, iyi idareciler.› • ‹Müdebbiran-i devlet, hususa yeniçeri ağası ve müneccimbaşı Hüseyin Efendi. — Naima›.

müdebbirane, *A. zf.* Tedbirli birine yakışır surette.

müdebdeb, müdebdebe, *A. s.* Debdebeli. • ‹Bu haşmet-i müdebdebe-i semanın altında. — Uaşklıgil›.

müdehhen, *A. s.* (*He* ile) Güzel kokulu yağ sürülmüş.

müdehhiş, *A. s.* Ürküten, yıldıran.

müdekkik, *A. s.* [Dikkat'ten] Tetkik eden. İnceden inceye arayan. • ‹Orada hazır bulunmak, müdekkik bir tarihnüvis ihtimamiyle. — Uşaklıgil›.

müdekkikane, *A. zf.* Tetkik ederek, inceleyerek, araştırarak.

müdekkikin, *A. i.* [Müdekkik ç.] Her meseleyi inceleyip araştıranlar.

müdellel, müdellele, *A. s.* [Delâlet'ten] Tanıt ile ispatlanmış.

müdemmag, *A. s.* Aptal, budala. • ‹Kahvecisi Mehmet Çelebi nam müdemmag ve müvezzi Ahmet ki. — Naima›.

müdemmer, *A. s.* Yok edilmiş. • ‹Asker-i İslâm muzaffer ve küffar-i liam müdemmer olmasına bürhan-i vâzıh addolundu. — Naima›.

müdemmir, *A. s.* Yok eden.

müdemmes, *A. s.* Kirletilmiş.

müdennis, *A. s.* Kirleten.

müderhem, *A. s.* (*He* ile) Parası çok, zengin.

müderris, *A. i. s.* [Ders'ten] 1. Ders veren. 2. Medrese dersi veren. 3. Profesör (XIX. yy.). (ç. Müderrisîn). • ‹Menem müderris-i ilm-i cünun kanı Mecnun — Ki bir murad ala devrimde istifade ile. — Fuzulî›. • ‹Varanlara hem kuzat, hem mevali ve müderrisîn ahvaliyle tekayyüd edip. — Naima›.

müdessi, *A. s.* (*Sin* ile) Baştan çıkaran.

müdevven, müdevvene, *A. s.* [Divan'dan] 1. Divan suretine konulmuş. 2. Derlenip toplanmış. 3. Bir araya getirilip düzenlenmiş. • ‹Medreselerin cümlesi fünun-i müdevvene-i malume talebesine inhisar ettiği sırada. — Kemal›.

müdevvenat, *A. i.* [Müdevven ç.] Sıralanmış, bir araya konulmuş şeyler.

müdevver, müdevvere, *A. s.* [Devr'den] 1. Yuvarlak. 2. Tekerlek, değirmi. • ‹Çukurun yalnız gölgesiyle müdevver bir çene. — Uşaklıgil› • ‹Bir ziya-yı zerrin içinde bir ahker-i müdevver gibi güneş doğuyordu. — Cenap›.

müdevveriyet, Türkçede kullanılmıştır). Yuvarlaklık • ‹Sinesinin hafif bir inhina-yi hutut ile daralarak inen müdevveriyetinden sonra. — Uşaklıgil›.

müdevvin, müdevvine, *A. s.* Toplayıp bir araya getiren, kitap haline koyan.

müdevvir, müdevvire, *A. s.* [Devr'den] Döndüren, çeviren.

müdgam, *A. i.* (Arap Gra.) İdgam olunmuş. Aynı cinsten olan iki harfin tek harf olduğu zamanki şekli. • «Münkaliptir cihan-i bukalmun — İnbisatı gamiyle müdgamdır. — Kemalpaşazade».

müdhal, *A. s.* (Hı ile) İdhal olunmuş, sokulmuş.

müdhil, *A. s.* (Hı ile) İdhal eden, sokan.

müdhin, *A. s.* (Hı ile) Tüten.

müdhiş, müdhişe, *A. s.* [Dehşet'ten] Ürküten, korkutan. • «Müdhiş, memattan bile müdhiş bu iktirab. — Fikret».

müdir, müdire, *A. s.* [Devir'den] 1. İdare eden. 2. Çeviren. Bakan. 3. İdare bilir. 4. (*i.*) İdare memuru. 5. Bucaklarda en büyük memur. Müdür. • «Müdirsin ki iradetine illet yok. — Sinan Pş.».

müdiran, *A. i.* [Müdir ç.] 1. Müdürler. 2. İdare başında olanlar. • *Müdiran-i umur*, işleri çevirenler, ileri memurlar. • «Müdiran-i devlet husua yeniçeri ağası ve müneccim başı Hüseyin Efendi. — Naima».

müdiriyyet, *A. s.* Müdürlük. • «Hüseyin Baha Efendiyi müdiriyet odasında. — Uşaklıgil».

müdirr, *A. s.* Süt, kan, sidik gibi iç salgıları bol akıtan (ilâç).

müdmin *A. s.* İdmanlı, alışık. • «Bir müdmin-i benk ve beng-i bîneng. — Latifî».

müdnef, müdnif, *A. s.* Yatalak. • «Firaş-i marazına düşüp müdnef oldu. — Naima».

müdrik, müdrike, *A. s.* [Derk'ten] 1. Yetişen, ulaşan. 2. Anlayış vaktine gelen, olgunlaşan. 3. Ergin. • «Kabil olsa da ecram-i ulviyeden bir mahluk-i müdrik küre-i zemin üzerine inerek. — Kemal».

müdrike, *A. i.* Fransızcadan *percept* ve *intellect* karşılığı (XIX. yy.); intelekt. (ç. Müdrikât). • «Sadr-i millete vücudun ulu bir mücizedir — Bunu fehm eylemeyen müdrike-i âcizedir. — Şinasî».

müdrir, *A. s.* İdrar veren. İdrarı çoğaltan.

müdün, müdn, *A. i.* [Medine ç.] Şehirler. • «Muhasarat-i müdün ü kılâ'da. — Taş.».

müebbed, müebbede *A. s.* [Ebed'den] 1. Sonsuz, ebedî, 2. Ömrün sonuna kadar sürecek olan. • «Müebbed beklerim bir subh-i târın — Tulû-i nahsını ümmid içinde. — Fikret».

müebbeden, *A. zf.* 1. Sonsuz olarak. 2. Ömrü oldukça. • «Artık müebbeden böyle, diyordu. Evet, müebbeden böyle; ve bununla mesut olacağına yemin ediyordu. — Uşaklıgil».

müeccel, müeccele, *A. s.* [Ecel'den] Peşin olmayan. Gelecekte belirli bir zamanda olacak olan.

müeccil, *A. s.* Erteleyen.

müedda, *A. i.* [Eda'dan] Anlam. Kavram. • «Âsar-i edebiyyeyi belâgat-i müedda, fasahat-i eda ihtiyacından vâreste edemez. — Kemal».

müeddeb, müeddebe, *A. s.* [Edeb'den] Edepli. • «Her akıl-i müeddeb elbiseyi ârayış için değil tesettür maksadiyle iktisa eylediği gibi. — Kemal».

müeddi, *A. s.* Doğuran, çıkaran. Sebep olan. • «Bir ibtisamın oldu müeddi sünuhuna. — Fikret».

müeddib, *A. s.* [Edeb'den] Bilgi ve terbiye veren. Terbiye eden. • «Ey müeddib sen edep verme bu ehl-i vahdete».

müekked, müekkede, *A. s.* 1. Sağlamlaştırılmış. 2. Tekrar edilmiş. Bir daha emir veya ihtar olunmuş. • «Bezl-i himmet ve gayret etmeleri babında müekked evamir-i aliyye ısdar olundu. — Raşit».

müekkel, müvekkel, *A. s.* 1. [Vekâlet'ten] Biri tarafından vekil yapılmış.

müekkid, müekkide, *A. s.* 1. Sağlamlaştırılan. 2. Tekrar eden.

müekkil, müvekkil, *A. s.* 1. [Vekâlet'ten] Vekil yapan. İşin asıl sahibi.

müellef müellefe, *A. s.* [Ülfet'ten] 1. Bir yere getirilmiş, birleştirilmiş. 2. Yazılmış, toplanmış. (ç. Müellefat). • «Mütercem, müellef bir alay hikâye okudular. — Uşaklıgil».

müellefat, *A. i.* [Müellef ç.] Telif olunmuş, yazılmış eserler. • «Hazain-i kütübünde müellefat-i Gazali'den dört yüz müellef cem olmuş idi. — Taş.» • «Müellefat-i mensuremizde efkâr ve güftarı tabiî bir kitap yoktur ki. — Kemal».

müellif, *A. s. i.* Kitap yazan. • *Limüellifihi*, kitabın yazarı tarafından söylenilmiş manzumelerin başına konur. (ç. Müellifîn).

müellim, müellime, *A. s.* [Elem'den] 1. Acıtan. Ağrıtan. 2. Acı veren. • «O çünkü pek hatarengiz, o çünkü pek müellim — Bir ihtisas olacak. — Fikret».

müemmed, *A. s.* Sonu belirtilmiş olan.

müemmen, *A. s.* [Emn'den] Sağlanmış. Emniyete alınmış. • «Zengin bir pedere, müemmen bir hayata malik olduktan sonra. — Uşaklıgil».

müemmer, *A. s.* Bir kimseyi emretmeye tâyin eden.

müennes, *A. s.* 1. Dişi 2. (Arap. Gra.) Gerçek veya lafızca, yahut öyle olarak dişi olan veya tutulan (kelime).

müesses, müessese, *A. s.* [Esas'tan] Kurulmuş. Temeli atılmış.

müessesat. *A. i.* [Müesses ç.] Kurulmuş yapılar, daireler. • *Müessesat-i hayriye,* (hayır tesisleri) mabetler, medreseler, mektepler, imaretler, Kur'an öğretilen yerler, tekkeler, kütüphaneler, fukarahaneler, misafirhaneler, köprüler, hastahaneler, darüşşifalar, çeşme, sebilhane, havuz, kuyu, mezarlık... gibi.

müessese, *A. s.* Müessesattan biri, Kurul.

müessif, müessife, *A. s.* (*Sin* ile) [Esef'-ten] Acı veren, eseflendiren.

müessir, müessire, *A. s.* (*Se* ile) [Eser'-den] 1. Etki yapan, iz bırakan. 2. İşleyen, hükmünü yürüten. 3. İçe işleyen, çok duyulan. 4. Dokunan, dokunaklı. 4. Eser sahibi. • «Gûya her lisandan daha beliğ, daha müessir bir ifade ile icmal etmiş olurdu. — Uşaklıgil» • «Bu Arapça güfte, Arapça beste idi. Fakat galiba pek müessirdi: çünkü ara sıra bütün göğüslerden keskin, uzun bir «Ah .» çıkıyor. — Cenap».

müessirane, *F. zf.* (*Se* ile) İçe dokunacak şekilde. • «Veda edişi ne kadar müteessirane ve müessirane olduğunu — A. Mitat».

müessis, *A. s. i.* [Esastan'] 1. Kuran, temel atan. 2. Kuran, kurucu, meydana getiren.

müessisîn *A. i.* [Müessis ç.] Kurucular.

müevvel, müevvele, *A. s.* Tevil edilmiş. Görünür anlamından başka bir anlamla açıklanmış. • «Naklin hükmü anınla müevvel olduğundan. — Kemal».

müevvil, müevvile, *A. s.* Başka mâna veren. Başka anlam ile açıklayan.

müeyyed, müeyyede, *A. s.* 1. Kuvvetlendirilmiş. Kuvvetli, sağlam. 2. Yardım gören. • «Haktan bize sultan-i müeyyedsin efendim. — Ş. Galip».

müeyyide, *A. i.* Fransızcadan *sanction* sözü için yapılmıştır, yaptırım (XX. yy.).

müezzin, *A. i.* [Ezan'dan] Namaz vaktini haber vermek için ezan okuyan kimse. (ç. Müezzinîn). • «Müezzin sesleri zannetmiş. — Cenap».

müfaca, müfacat *A. i.* [Füc'e'den] Ansızın erişmek. Oluvermek. • «Bin türlü maraz etse isabet zarar etmez — Lûtf ede meğer merk-i müfaca-yi zemane. — Nef'i».

müfad, mefad, *A. i.* Anlam. Kavram. • «Güzel bir çehrenin, ya bir hazin şi'rin müfadından. — Fikret».

müfagama, *A. i.* 1. Öpme. 2. (Ana.) Ağızlaşma (XIX. yy.).

müfahare, *A. i.* [Fahr'den] Karşılıklı övünme.

müfaharet, *A. i.* [Fahr'den] Övünme.

müfaheme, *A. i.* (*He* ile) [Fehm'den] Anlaşma. • «Peyker kardeşlere mahsus bir sühulet-i müfaheme ile bu mâna-yi nazarı tefsir ederek. — Uşaklıgil».

müfahham, müfahhama, *A. s.* (*Ha* ile) [Fahamet'ten] 1. Ulu tanınmış. 2. Kaba, kalın söylenmiş (kelime). • «Bade zamanının vezir-i âzam ve serasker-i müfahham gelip andan sonra. — Peçoylu».

müfahham, *A. s.* [Fahm'dan] 1. Kömür olmuş. 2. Kömür halini almış.

müfahir, *A. s.* [Fahr'den] Övünen.

müf'am, *A. s.* Yükselmiş, kabarmış (su).

müfarakat, *A. i.* [Fark'tan] 1. Ayrılma, uzaklaşma. 2. Bir yeri bırakıp gitme. 3. Karı koca arasında ayrılma, boşanma. • «Ada'dan sebeb-i müfarakatini tahattur ettikçe. — Uşaklıgil».

müfarık, *A. s.* [Fark'tan] Ayrılmış. Ayrılan. • *Lâzim-i gayr-i müfarık,* ayrılamaz, onsuz olmaz. • «Cemaatlerini târik ve sünnetlerinden müfarık olma. — Taş.».

müfavaza, *A. i.* (*Dat* ile) Ortaklık. İşbirliği. • «Şerikler eğer beyinlerinde müsavat-i tamme olmak şartıyle akd-i şirket ederek sermaye-i şirket olabilecek mallarını şirkete idhal ettikleri halde mikdar-i sermayelerin ribihten hisseleri mütesavi olur ise şirket-i müfavaza olur. — Mec. 1331».

müfaz, *A. s.* [Feyz'den] Bol, bereketli.

müfecci', *A. s.* Acıtan, dertlendiren.

müfekkir, müfekkire, *A. s.* [Fikr'den] 1. Düşünen. Fikir işleten. 2. Düşündüren.

müfekkire, *A. i.* Düşünce gücü, düşünce yetisi. • «Zaman olur ki düşünmekten ihtiraz ederim — Müfekkirem o zaman bir nihale benzer ki. — Fikret›.

müferrak A. s. Ayrılmış. • ‹Hatem ve küpe ve tesbih imame ve bu makule müferrak kıtalardan. — Naima›.

müferrez, A. s. (Ze ile) Ayrıca, ayırt edici.

müferrid, A. s. İbadet için tek başına yalnızlığa çekilen.

müferrih, müferriha, A. s. [Ferah'tan] 1. Ferahlık veren. İç açan. 2. Sıkıntı gideren, iç açan (ilâç). • ‹Şarab-i dilküşa olmaz ol lâ'l-i canfezadan yek — Müferrih hab bulunmaz hâl rû-yi dilberden yek. — Bakî›, • ‹Bugün bu kasr-i müferrih, yarın o bag-i safa. — Fikret› • ‹Tenkna-yi siyaset haricinde. daha vasi, daha müferrih cevlângâhlar yok mudur? — Cenap›.

müferrik, A. s. [Fark'tan] Ayıran. Ayırıcı.

müfesser, müfessere, A. s. Tefsir edilmiş, Açıklanmış.

müfessir, müfessire, A. s. 1. Kapalı ve kısa bir şeyi genişletip anlam ve kavramını meydana çıkaran. 2. Açıklayan. • ‹Tefsirde kaide müfessirin müfessirden müstagani veya bilâkis müfessirin müfesserden mugni olmamasıdır. — Naci›.

müfessirîn, A. i. Kur'an metnini açıklayıp anlatanlar. Tefsirciler.

müfettif, A. s. [Feth'ten] 1. Açan, açıcı, 2. Tıkanık bir yeri açan (ilâç). 3. Geyirme getiren. • ‹Ey leşker-i müfettihül-ebvab, vur, bugün — Feth-i mübîni zâmin o tebşir aşkına. — Beyatlı›.

müfettiş, A. i. Bir şeyi etrafiyle araştırıp durumu inceleyen kimse.

müfettit, A. s. (Te ile) Didik didik eden.

müfid, müfide, A. s. 1. Anlatan, ifade eden. Mânalı. 2. Faydalı. Yarar. • ‹Bu izdivaç ona müfid olabilir. — Uşaklıgil›. • ‹Söylediği şeyler bana müfid gelmekten ziyade hoş geliyordu. — Cenap›.

müfiz, A. s. [Feyz'den] Feyzlendiren (Tanrı sıfatıdır). • ‹Avalim-i milk ü melekûte müfiz-i nizam olan Hudavend-i zülcelâl ü vel ikram. — Naima›.

müflih, A. s. [Felâh'tan] Selâmete çıkan. (ç. Müflihîn, müflühun).

müflık, A. s. Birinci derecede, usta .şair). • ‹Benim ol müflık ü münşi-i hadisüs-sin kim — Müftehir zatım ile pîr ü civan ihvan. — Şinasi›.

müflis, müflise, A. s. [Füls'ten] 1. Parasız, züğürt. 2. Top atmış, ticaret gücü tükenmiş. • Müflisüdimağ, akılca iflâs etmiş. (ç. Müflisan, müflisîn). • ‹Şad-i merk olsa görünce şimdi badenin — Müflüsan-i ayşe mürvarittir her katresi. — Nailî› — • ‹Bundan öte olsun mu acep maskaralık kim — Hem muflis olup hem olasın dilbere âşık. — Naci›. • ‹Bundan başka bizim muflisüddiğmağ olduğumuzu bîperva ilân eden — Cenap›.

müflisen, A. zf. İflâs ederek. (Mec.) Beş parasız. • ‹Kat'a bir işe müdahale ettirmeyip hacr edip bir menzilde muflisen alıkorlardı. — Naima›.

müfni, A. s. [Fena'dan] Yok eden.

müfred, A. s. [Ferd'den] 1. Tek. Basit. 3. (Gra.) Tekil. 4. (Ed.) Bir tek beyit. • ‹Şu çocuğa artık müfret hitabını ayıp bulmuş. — Uşaklıgil› • ‹Hele gazellerde matla'dan sonra gelen müfredlerde. — Uşaklıgil›.

müfredat, A. i. 1. Basit şeyler, bileşik olmayanlar. 2. Toptan bilinen şeylerin ayrıntıları, birer birer sayılmışları.

müfrez, A. s. Bir bütünden ayrılıp bir tarafa konmuş, bölünmüş.

müfreze, A. i. Büyük bir birlikten ayrılmış asker kolu.

müfrid, A. i. Fransızcadan isolateur için az kullanılmıştır (XX. yy.).

müfsid, müfside, A. s. [Fesad'dan] 1. Bozan, fenalaştıran. 2. Fesat koyan, ara açan. • ‹Lâkin müfsid-i ahlâk olduğu için nedim-i efkâr etmek caiz değildir. — Kemal›.

müft, F. s. zf. Bedava, beleş. • ‹Aşka düştüm can ü dil müft-i civanan oldu hep — Sabr ü takat masraf-i çâk-i giriban oldu hep. — Nedim› • ‹Biçare eşek müfte satıldı semeriyle›.

müftaal, A. s. Düzme, sahte. Uydurma. • ‹Bu varaka-i müftaal a'da ve hussad düzmesidir. — Naima›.

müftadih, müftazih, A. s. Rezil, rüsva olan. • ‹Ve ol hücne ile müftadih olmaya. — Nergisî›.

müftehir, müftehire, A. s. [Fahr'dan] 1. Övünen. 2. Şanlı, şerefli. 3. Fahri, parasız iş gören. • ‹Evlenmesiyle maderi olmuştu müftehir. — Fikret›.

müftekır, A. s. [Fakr'den] 1. Fakir, züğürt. 2. Muhtaç. • ‹Şu soğuk toprağın hayatı gibi — Solmayan bir hayata müftekırım. — Fikret›.

müfteri, *A. s.* Başkasına aslı olmayan bir suç, kabahat atan.

müfteris, *A. s.* Yakaladığı başka hayvanları paralayıp yiyen. Yırtıcı. • ‹Saklı yüzlerce müfteris hevesat — Alnının çîn-i infialinde. — Fikret›.

müfteriyat, müftereyat, *A. i.* Başkasına yalandan isnat olunmuş suçlar, kabahatler. • ‹Bazı dostlarımızın müfteriyatından başka bir menbaları yoktur. — Kemal›.

müftî, *A. i.* [Fetva'dan] Şeriat işlerinde kendisine meseleler sorulan, İslâmların din işleriyle uğraşan kimse. • *Müfti-l-enam,* şeyhülislam; *müfti-i macin,* (Hilecilik) yolu öğreten müftü. • ‹Badehu müftî-i Müslimîn hazretleri kemal-i hilm üzre müddeasını istifsar edip. — Peçoylu›.

mühab, *A. s.* (*He* ile) Kendinden korkulur olan.

mühacat, *A. i.* (*He* ile) [Hicv'den] Hicivleşme. Birbirini hicvetme.

mühadat, *A. i.* (*He* ile) Armağan ve peşkeş verme. • ‹Bu defa mülâkat ve mühadat merasimi icra olunup. — Naima›.

mühadene, *A. s.* (*He* ile) Sulh etme. Barışma. • ‹Mukaddema Nemce'ye tecdid-î muhadene için elçi. çıkarılmaya giden adam ile. — Naima›.

mühafat, *A. i.* (*He* ile) Birini heva ve heveste kendine uydurma.

mühalet, *A. i.* (*He* ile) Yeni aydan yeni aya pazarlaşma.

mühalese, *A. i.* (*He* ve *sin* ile) Birine söz fısıldama.

müharat, *A. i.* (*He* ile) Biriyle alay etme, sakalına gülme.

mühareşe, *A. i.* (*Ha* ile) Halk arasına fesat koyup kışkırtma. (ç. Mühareşat).

müharis, *A. s.* Fesatçı, kışkırtıcı.

mühasat, *A. i.* (*He* ve *sat* ile) Birinin belini kırıp ezme.

mühatat, *A i.* (*He* ve *te* ile) Bağışlama, ihsan etme.

mühazat, *A. i.* (*He* ve *dat* ile) Birini bönseyip alay etme, küçümseme.

mühazele, *A. i.* (*He* ve *ze* ile) Alaya alma, hezelleme.

mühdi, *A. s.* (*He* ile) [Hediye'den] Hediye veren. Armağan eden. • ‹Müsarünileyhin bir hediye esb hakkında mühdisine gönderdiği tezkere›.

mühdir, *A. s.* (*He* ile) Döken, akıtan.

mühebbel, *A. i.* (*He* ile) Beddua olunmuş.

mühendis, *A. i.* [Hendese'den] Geometri bilen. Geometriye uygun olarak işler yapan kimse. • ‹Ordu kadısı ve umurdide mühendisler ile verilip. — Naima› • ‹Bereket versin ki bu bahçelerin mühendisleri bir gayret-i kimyaperestane ile. — Cenap›.

Mühendishane, *F. i.* Mühendis yetiştirmeye mahsus olmak üzere açılan Hendesehane'nin sonraki adı. • *Mühendishane-i berri-i hümayun,* topçu okulu.

mühendisîn, *A. i.* [Mühendis ç.] Mühendisler.

mühenna, *A. s.* (*He* ile) [Tehniye'den] Tebrik edilmiş, kutlanmış. • ‹Ve işret esbabını müheyya ve ayşlarını mühenna eylediler. — Sadettin›.

mühenned, mühennede, *A. s.* (*He* ile) Hint ve Şam işi kılıç. • ‹Şeyh mühenned-i yemanîyi selledip. — Naima›.

mühevvil, *A. s.* (*H* ile) [Hevl'den] Korkunç olan. Korkutan.

müheykel, *A. s.* (*He* ile) [Heykel'den] Heykel gibi.

mübeymin, *A. s.* (*He* ile) Korkudan koruyan (Tanrı sıfatıdır).

müheyya', *A. s.* Hazırlanmış. • ‹Eş'ar ü fünun hep o dudaklarda müheyya — Cirkâb-i taarruzdan ederlerdi tahaşa. — Fikret›.

müheyyi, *A. s.* 1. Hazırlayan. 2 Bir hastalığa istidat kazandıran.

müheyyic, müheyyice, *A. s.* [Heyecan'-uyandıran. • ‹Borular 'silâhbaşına'› hedhede-i muhayyicesiyle. — Naci›.

mühezzeb, mühezzebe, *A. s.* Terbiye edilmiş, temizlenmiş.

mühezzib, mühezzibe, *A. s.* Düzelten, yoluna koyan. Eğiten. • ‹Senin leb-i mühezzibin — Gelir dehan-i ruhuma. — Cenap›.

mühib, mühıbe, *A. s.* [Heybet'ten] 1. Heybetli. 2. Korkulur, tehlikeli. • ‹Kanlıca tepeleri mühib zulmet kütleleri şeklinde. — Uşaklıgil›.

mühimm, mühimme, *A. s.* 1. Önemli. 2. Düşündüren. 3. Gerekli. • ‹İki hafta arasında bir izdivacın inkılâb-i mühimmi vuku bulmamışcasına. — Uşaklıgil›.

mühimmat, *A. i.* 1. Gerekli şeyler. 2. Savaş eşyası. • ‹Vezir-i müşarünileyhe donanma mühimmatı yirmi kıta kadırga ve gemi ile gönderilip. Peçoylu›.

mühimme *A. i.* Düşündüren, uğraştıran iş. Önemli iş.

mühimsaz. *F. s.* [Mühim-sâz] Önemli iş görücü. Gerekli şeyler hazırlayıcı. • ‹Bir serfrazı bu mühimsazlığa sezavar bilmeyi. — Sadettin›.

mühîn, mühîne, *A. s.* 1. Hor gören. 2 Hakir, alçak, hor. 3. Hayın.

mühlet, *A. i.* Vakit verme. Bir işi belli bir zaman için geri bırakma. • ‹Bir yerde ki ârama bu miktar ola mühlet — Erbabı nice kesb-i kemal ü hüner eyler. — Nef'î›.

mühlik, mühlike, *A. s.* [Helâk'tan], Öldürücü. Tehlikeli. • ‹Ey nağme-i suzan — Ey nağme-i mühlik. — Fikret› • ‹Ancak kahvehaneler birahaneler, daha gürültülü, daha mühlik yerler açık duruyordu. — Cenap›.

mühmel, mühmele, *A. s.* 1. Bırakılmış. Bakılmamış. İhmal olunmuş. 2. (Arap alfabesinde) Noktasız harf. 3. Önemsiz, anlamsız. • ‹Bu mühmelin Uzun Hasan kadar gayreti yoğimiş. — Sadettin›. • ‹Öyle eller ki tavrı mühmeldir — Gösterir asmanı hâke düşer; — Emel-i arş ile helâke düşer. — Cenap›.

mühmelâne, *F. s. zf.* Önemsizlikle, baştan savarcasına. • ‹Zarfı kaparken mühmelâne cevap veriyordu. — Uşaklıgil›.

mühmelât *A. i.* [Mühmel ç.] 1. Anlamsız, mânasız lafızlar. 2. Edatlar.

mühmil, mühmile, *A. s.* İhmal eden, bakmayan.

mühr, *F. i.* 1. Mühür. • ‹Mühr-i Süleyman, Süleyman Peygamberin mührinde bulunduğu söylenen birbirine girmiş iki üçgen şekli. • ‹Lâ'lin üstüne hatt-i müskinin midir dedim dedi — Murlardır geldiler mühr-i Süleyman öpmeye. — Hayali›.

mühre, *F. i.* Kâğıt ve benzerleri cilâlanmada kullanılan yuvarlak alet.

mührebaz, *F. i.* [Mühre-baz] Mühreci. Cilâcı. • ‹Târ-i muyı çıkarır gâh siyeh gâh sefid — Mührebaz-i felek mel'abesidir tenimiz. — Nabi›.

mühredar, *F. s.* [Mühre-dar] Mühreli. Cilâlı.

mührekeş, *F. i.* [Mühre-keş] Mühreci. • ‹Olup hurşid ü mehten mührekeş evrak-i eflâke — Hutut-i ruz ü şebden nüsha-i sun' eylemiş peyda. — Nabi›.

mührezen, *F. i. s.* [Mühre-zen] Mühreleyici.

mühtebil, *A. s.* (He ve te ile) 1. Çok yalan söyleyen. 2. Kaybettiği çocuğu için ağlayan.

mühtebiş, *A. s.* (He ve te ile) Birikmiş, bir araya toplanmış.

Mühtecc, *A. s.* (He ve te ile) Bir şeyde direnen.

mühteci, *A. s.* (He ve te ile) Hicveden, yeren.

mühtecin, *A. s.* (He ve te ile) Pek küçük yaşta kocaya verilmiş olan.

mühtedi, mühtedie, *A. s.* (He ve te ile) 1. Doğru yolda gider olan. 2. Başka dinde iken İslâm olmuş olan. • ‹Nice turuk istihraç eylemiştir ki bir kimse ona mühtedi olmadı. — Taş.›.

mühteki', *A. s.* (He, te kaj ve ayın ile) Çok alçalan, eğilen.

mühtelik, *A. s.* (He ve te ile) Kendisini tehlikeye koyan.

mühtelis, *A. s.* (He, te ve sin ile) Zayıflamış, düşkünleşmiş.

mühtemic, *A. s.* (He ve te ile) 1. zayıflamış, düşkün. 2. Aşırı çirkin.

mühtevir, *A. s. He* ve te ile) 1. Çöküp yıkılacak olan. 2. Sonunu düşünmeden işe saldırır olan.

mühtezım, *A. s.* (He, te ve dat ile) Birinin malını zorla alıp zulmeden.

mühtezi', *A. s.* (He, te, ze ve ayın ile) Titreyerek sallanan.

mühtezib, *A. s.* (He, te ve dat ile) Söze girip lakırdıya karışan.

mühtezim, *A. s.* (He, te ve ze ile) Bir şeye karşı koşup seğirten.

mühtezi', *A. s.* (He, te ve dat ile) Birinin malını zorla alıp zulmeden.

mühtezz, mühtezze, *A. s.* Titrek. Titreyen. • ‹Bütün bu ehval-i mühtezzenin mevkuf-i temaşa-yi siiri olmuş. — Uşaklıgil›.

mühüd, *A. i.* [Mehd ç.] Beşikler.

müj. *F. i.* Kirpik.

müjd, *F. i.* Müjde. • ‹Saklarım nâmına bir padişah-i devranın — Ki edem müjd ü beşaret kim ederse tebşir. — Nabi›.

müjde, *F. i.* 1. Sevindirecek haber. 2. İyi haber getirene verilen bahşiş. 3. Muştu ‹O yalan müjde-i saadetle gizli gizli gülüyordu. — Uşaklıgil›. • ‹Bu çırpınma belki bir müjde-i mülakat, halecan-i veda', belki de kimsesiz bir yolcuya gönderilen bir sadaka-i âşinaî idi. — Cenap›.

müjdeaver, *F. s.* [Müjde-âver] Müjde getiren Muştucu. • ‹O yanda kafile-i müjdeaver-i ihvan. — Fikret›.

müjdegâne, müjdegânî, *F. i.* Müjdeye karşı verilen bahşiş. • ‹Âşık peyam-i vuslata versin ki nakd-i can — Pâmüzd-i müjdegâni-i kûy-i habibdir. — Nailî›. • ‹Tayyar onlara bahşiş-i müjdegâne verip. — Naima›.

müjderes, *F. s. i.* [Müjde-res, -resan] Müjdeci. Muştucu. (ç. Müjderesan). • ‹Bir an evvel eve müjderes olmak üzre. — Uşaklıgil›.

müje, *F. i.* Kirpik. • *Tig-i müje, tir-i müje,* kirpiğin kılıcı, oku (bakışın öldürücülüğü). • ‹Asıldı kaldı müjemde sirişk-i hasreteser. — Recaizade›.

müjek, *F. i.* Kirpik kılı.

müjgân, *F. i.* [Müje ç.] Kirpikler. • *Hâr-i müjgân,* • *maveg-i müjgân,* • *nişter-i müjgân, suzen-i müjgân,* • *tîr-i müjgân.* • ‹Müjgânlarınla seyr eden ol ebruvani der — Birden bu denlû tir nice der keman olur. — Nef'î› • ‹Müjgân-i sayeperveri setr eyliyor gibi — Takrir-i gamzesinden meal anlaşılmasın. — Fikret›. • ‹Zülfün hayali cay edeli çeşmin olmadı — Giysu-yi hâb şane-i müjgâna aşina. — Nedim›.

mükâ'ab, *A. s.* (Geo.) Mikap, küb.

mükâbede *A. i.* Eziyet ve zahmet verme. • ‹Riyazat irtikâbı ile mükâbede eyleyip. — Taş.›.

mükâbene, *A. i.* Müsaade ve yardım etme.

mükâbere, *A. i.* [Kibr'den] Tartışmada kurala aykırı olarak ağız kalabalığıyle karşısındakini alt etmeye çalışma. ç. Mükâberat). • ‹Ref-i asvat ve hilâf ü mükâberat mütemadi oldu. — Naima›.

mükâfaha, *A. i.* Yüz yüze gelme. Karşılaşma. Savaşma. • ‹Nice şahan-i kaviiktidar ile tarh-endaz-i mükâfaha olup. — Ragıp Pş.›.

mükâfat, *A. i.* [Kifayet'ten] Bir hizmet veya iyiliğe karşı edilen iyilik. • ‹Bütün nâkıs kalan emellerin, mükâfatını verecek bir şey. — Uşaklıgil›.

mükâfelet, *A. i.* Karşılıklı kefil olma.

mükâfi, *A. s.* [Kifayet'ten] Eşit, beraber. • *kat-i mükâfi,* (Geo.) Parabol.

mükâfil, *A. s.* Karşılıklı kefillerden her biri.

mükâhhal, *A. sö* [Kûhl'den] Sürmeli, sürme çekilmiş. • ‹Mükâhhal gözlü şirin sözlü Leyli gözlü ahûlar. — Nedim›. •

‹O kudretten mükâhhal gözlere dilbeste ahular. — Vâsıf›. • ‹Kulakları geniş halkalarla delik, gözleri mükâhhal kız çocukları. — Cenap›.

mükâlebe, *A. s.* [Kelb'ten] (Köpekler gibi). Dalaşma. • ‹Nemçe çasarı ile husumet ve mükâlebe ve her sene müsalebe ve mugalebe üzre iken. — Ragıp Pş.›.

mükâlemat, *A. i.* [Mükâleme ç.] Konuşmalar.

mükâleme, *A. i.* [Kelâm'dan] 1. Konuşma. Söyleşme. 2. Bir işi sonuçlamak için iki devlet temsilcilerinin müzakeresi. • ‹Tarafeyne elçiler varıp gelip Kazak ahvalin mükâleme olundukta. — Naima›.

mükârehe, *A. i.* [Kerh'ten] Tiksinme.

mükâri, *A. i.* [Kira'dan] Mekâri. Binmek ve yük için deve, katır, at kiraya veren • *Mükâri-i müflis,* dolandırıcı taşıtçı. • ‹Ve her ne tahmil edecektir mükariye arz eylemek gerektir. — Taş.›.

mükâşefat, *A. i.* [Mükâşefe ç.] Mükâşefeler. • ‹Deayim-i mücahedat ve mükâşefat-i yakınıyye ile kaim ve müşeyyed ola. — Taş.›.

mükâşefe, *A. i.* [Keşf'ten] 1. (Tas.) Gerçek ehline Tanrı sırlarının görünmesi Onların Tanrı nurunu görmeleri. 2. Meydana çıkarma. • ‹Suret-i mükâşefede müşkiller halleyledi. — Naima›.

mükâşeha, *A. i.* Birine karşı kin besleme.

mükâşif, *A. s.* 1. Kapalı bir şeyi meydana çıkarma. 2. (Tas.) Bir şeyi keşif yolu ile bilen. Yüreğine Tanrı sırları malum olan. • ‹Ashab-i cezbeden bir mükâşif derviş idi. — Naima›.

mükâtebat, *A. i.* [Mükâtebe ç.] Yazışmalar. • ‹Benimle padişahım arasında vuku bulan mükâtebat ve muamelât makulesi esrara. — Naima›.

mükâtebe, *A. i.* Birbirine yazma. Yazışma. Mektuplaşma. • ‹Ama Vardar ile aralarında alâ tarik-il-muvazaa mükâtebeleri eksik de değil idi. — Naima›. • ‹Mükâtebe, muhataba gibidir. — Mec. 69›.

mükâteme, *A. i.* Gizlenme.

mükâtib, *A. i. s.* Mektup yazan. Mektuplaşan.

mükâvaha, *A. i.* Savaşta üstün gelme. Alt etme. • ‹Ve imtidad-i mükâvaha ve kıtalsiz. — Sadettin›.

mükâvemet, *A. i.* (Kef ve te ile) Savaşta düşman üstüne sıçrama.

mükâyede, mükâyedet, *A. i.* [Keyd'den] Hile ve düzen yapma.

mükâyelet, *A. i.* Bir kimsenin davranışına aynıyle karşılık verme.

mükâyeset, *A. i.* (Sin ile) Zekilik ve incelik hususunda üstünlük iddia etme.

mükâzebe, *A. s.* [Kizb'den] Yalan söyleme.

mükebbel, *A. s.* Hapsolunmuş. Hapis.

mükedder, *A. s.* [Keder'den] 1. Bulanık, bulandırılmış. 2. Kederli, üzüntülü. • ‹Olmuştu küçük ailenin kalbi mükedder. — Fikret›.

mükeddir, *A. s.* [Keder'den] 1. Bulandıran. 2. Keder veren.

mükeffen, *A. s.* Kefene sarılmış.

mükelleb, *A. s.* Bukağı ve benzeri şeylerle bağlı.

mükellef, mükellefe, *A. s.* [Külfet'ten] 1. Bir işi yapmaya, veya bir vergiyi vermeye mecbur olan. 2. Çok resmî, mükemmel surette yapılmış olan. (ç. Mükellefîn).

mükellel, mükellele, *F. s.* [İklil'den] Taçlı. Başında taç olan.

mükenna, *A. s.* [Künye'den] Künyesi olan.

mükemmel, mükemmele, *A. s.* [Kemal'den] Tam. Olgun. Kemal bulmuş. • ‹Bir hüsn-i mükemmel gibi herkes sana âşık. — Fikret›.

mükemmeliyet, *A. i.* Tamlık. Eksiklik. Tam olgunluk. • ‹Bahçenin her suretle mükemmeliyetini tasdik edersiniz. — Recaizade›.

mükemmil, *A. i.* [Kemal'den] Tamlayan. Tamamlayıcı. • ‹Muhill-i fesahat olmaz, bilâkis mükemmil-i fesahat olur. — Naci›.

mükerrer, *A. i.* Savaş meydanı.

mükerrem, mükerreme, *A. s.* [Kerem'den] Saygı değer. Sayılan, ululandırılan. • ‹Sultan-i kerem-pîşe hudavend-i mükerrem. — Nef'î›.

mükerremen *A. zf.* Saygı ile, ikram ile.

mükerrer, mükerrere, *A. s.* Tekrar olunmuş. Birbiri üstüne iki veya daha ziyade defa olmuş. • ‹Ümidler verilir işve-i mükerrerle. — Fikret›.

mükerrerât, *A. i.* [Mükerrer ç.] Mükerrer şeyler.

mükerreren, *A. zf.* Tekrar olarak, bir daha.

mükerrir, mükerrire, *A. s.* 1. Tekrar eden 2. İki veya daha çok suç işleyen.

mükesser, *A. s.* [Kesr'den] Kırık, kırılmış. • Cem-i mükesser (Arap. Gra.) Kurala uymayan, kuralla yapılmayan çoğullar.

mükessif, mükessife, *A. s.* (Se ile) [Kesafet'ten] Koyulaştıran.

mükessife, müksefe, *A. i.* Fransızca'dan condensateur karşılığı olarak, kondensatör (XX. yy.).

mükessir mükessire, *A. s.* (Sin ile) [Kesr'den] Kıran.

müketteb, *A. s.* 1. Yazılmış olan. 2. Tabur tabur düzenlenmiş olan.

mükevkeb, *A. s.* Yıldızlı • ‹Uyur hattâ şu penha-yi mükevveb. — Fikret› • ‹Koyu, mavi bir gece bütün manzarayı mükevveb kanatları altına çekiyor. — Cenap›.

mükevven, mükevvene, *A.s.* [Kevn'den] Yapılmış, vücut bulmuş, meydana getirilmiş. (ç. Mükevvenat).

mükevvenat, *A. i.* Yaratıkların hepsi. • Nümude-i hayal olan taraif-i emel gibi. — Mükevvenat, uzak yakın, ne varsa gark-i âb ü tâb. — Fikret›.

mükevver, *A. s.* [Kevr'den] Sarılmış (Sarık). • ‹Vechi var bulduğu eşcara tefavvuk etse — Çünkü destar-i mükevverle zuhur etti kedu. — Nabi›.

mükevvin, mükevvine, *A. s.* [Kevn'den] Yapan, meydana getiren. • ‹Gerdiş-i devran şuunatı mükevvindir fakat — Kabza-i Halıkta kalmış mühver-i devran esir. — Cenap›.

mükeyyef mükeyyefe, *A. s.* [Keyf'ten] 1. Nicelik ve nitelikle nitelenmiş olan. 2. Keyiflenmiş. • ‹Ol neşve-i câm-ı gurur ve pindar ile mükeyyef olan şehzade. — Sadettin›.

mükeyyif, mükeyyife, *A. s.* [Keyf'den] Keyif veren, neşelendiren. Sarhoşluk veren.

mükeyyifat, *A. i.* Keyif veren şeyler. Sarhoşluk getiren ve tiryakilik veren şeyler. • ‹Sahib-i tab-i zarif sahıs olmakla gâhice mükeyyifat istimal edermiş. — Naima›.

mükezzib, mükezzibe, *A. s.* [Kizb'den] Yalancı çıkaran. Yalanlayan. • ‹Salâbet ve diyaneti ve evza ü etvarı mükezzib idi. — Naima›.

mükibb, *A. s.* Bir şeyin üzerine çok düşen. Başını eğip uğraşan. • ‹Ve Haktealâya febettül üzre mükibb ve müdavim olup. — Taş.›.

mükreh, mükrehe, A. s. Zorlanan.

mükrehen, A. zf. Zorla. • ‹İçlerinde mükrehen hemrah edindiklerinden on kadar kadı ve iki müftü var idi. — Naima›.

mükrem, A. i. Kerem ve şeref ile nitelenmiş olan kimse. • ‹Ol genci ki etmişti her yolda Huda mükrem. — Recaizade›.

mükrem, mükreme, A. s. İkram edilmiş, ağırlanmış.

mükrih, mükrihe, A. s. (He ile) Zorlayan.

mükrim, mükrime, A. s. [Kerem'den] İkram eden. İkramcı. Ağırlayan. Misafirseven. • ‹Şeb-i neyli-i nisan, pürtaravet — Açıp karşımda bir aguş-i mükrim — Okur bi-intiha eş'ar-i davet. — Fikret›.

müksir, müksire, A. s. [Kesret'ten] Çoğaltan. Çok mal sahibi olan.

müktefi, A. s. [Kifayet'ten] Kanaat edici olan; yeter bulan.

müktehil, müktehile, A. s. (Ha ile) [Kûhl'den] 1. Kendi gözüne sürme çekmiş olan. 2. Otluk veya çimenle yemyeşil olan.

mükteni, A. s. Künyeleşmiş olan.

müktenif, A. s. Bir nesnenin etrafını kuşatmış olan.

mükteri, A. s. Kira ile tutmuş olan.

mükterib, mükteribe, A. s. [İktirab'dan] Tasalı, kaygılı, gamlı, kederli.

mükteseb, müktesebe, A. s. [Kisb'den] Kazanılan, kazanılmış. Ele geçirilmiş. • ‹Kendilerinde ne kadar hukuk-i müktesebe var ise cümlesi bu devletin yadigâr-i inayetidir. — Kemal›.

müktesebat, A. i. [Mükteseb ç.] Elde edilmiş bilgiler.

müktesib, müktesibe, A. s. [Kisb'den] Kazanan, elde eden.

mükteteb, A. s. [Ketb'den] Başkası tarafından biri için yazılmış veya kopya edilmiş olan.

müktetem, A. s. [Ketm'den] Gizli, saklı olan.

müktetib A. s. Bir yazının aynını çıkarır olan; kopya eden.

müktinn, A. s. (Te ve nun ile) Başkasınca gizlenmiş, saklanmış olan.

mükûs, A. i. (Ket ve sin ile) [Meks ç.] Tahsildarlar, alacak toplayanlar. • ‹Bey ü şira ve bac ve mükûs misillû işleri yehud taifesine gördürüp. — A. Resmi›.

mül, F. i. Şarap. • ‹Veh ne sahirsin ki oddan su çıkarıp sudan od — Terlemiş ruhsarını gül gül kılanda tab-i mül. — Fuzuli› • ‹Serâgaz eyledikçe bahse bülbül revank-i gülden — Bezme kulkul-i mina mülün keyfiyetin söyler. — Ragıp Pş.›.

mülâaba, A. i. [Lûb'dan] Oynaşma. Oynayıp eğlenme. • ‹Bütün bu ipeklerin sanat-i mülâabası. — Uşaklıgil›.

mülâane, A. i. 1. Birbirine lânet okuma.

mülâbese, A. i. [Lebs'ten] 1. Benzeyen iki şeyin birbirinden ayırt edilmeyerek karıştırılması. 2. Münasebet, yakınlık.

mülâbis, A. s. Biri ile aşırı ahbaplık eden.

mülâhade, A. i. Dininden başka dine kayma.

mülâhaka A. i. Yardım etme.

mülâhane, A. i. Anlatma.

mülâhaza, A. i. [Lahz'dan] 1. Dikkatle bakma. 2. İyice düşünme. • ‹Yüzünde aksi nümayanlı bir mülâhazanın. — Fikret›.

mülâhham, A. s. [Lâhm'dan] Etli, şişman. • ‹Ahmet Paşa ten-perver ve mülâhham bir adam idi. — Naima›.

mülâhhass, A. s. Özü ve önemli noktasından gayrısı çıkarılarak özetlenmiş.

mülâhid, A. i. İlhad yolunda olan. Din ve inanç yolundan sapıtmış olan. • ‹Fırat ü Dicle kenarında eyleyip tuğyan — Mülâhid olmuş iken münteşir misal-i cered. — Nabi›.

mülâhide, A. i. [Mülâhid ç.] Mülâhidler mezhebini bırakmış olanlar. • ‹İzlâl-i mülâhide ve istisal-i fie-i cahide edip. Sadettin›.

mülâib, A. s. [Lû'b'dan] Oynaşan, eğlenen.

mülâkat, A. i. [Lika'dan] Buluşma. Birleşme. Görüşme. • ‹Bihter'le bir mülâkatın müşkilâtından kaçarken bu dakikada bilâkis onunla mülâkata lüzum gördü. — Uşaklıgil›.

mülâki, A. s. [Lika'dan] Buluşan, kavuşan. Görüşen.

mülâkkab, A. s. [Lâkab'dan] Lâkaplı, lâkaplanmış. (En çok kötü lakaplıların söylenemiyecek lakapları için kullanılmıştır).

mülâm, A. i. [Levm'den] Kınama. • ‹Caiz-i mucib-i mülam ola. — Taş.›

mülâmes, A. s. [Lems'ten] Birbirine dokunma. Temas etme.

mülâsene, A. i. (Birine) dil uzatma.

mülâsık, mülâsıka, A. s. [Lüsuk'tan] Bitişik, yapışık. Yanyana bulunan. • ‹Birbirine mülâsık tev'emler gibi yekvücut olarak. — Kemal›.

mülâtafa, A. i. [Lûtf'tan] 1. Lütuf etme. Yumuşak davranma. 2. Latife söyleme. Şakalaşma.

mülâtafât, A. i. [Mülâtafa ç.] Latifeler. • ‹Bu başlık Peyker'le Bihter için bir silsile-i mülâtafat husule getirmiş idi. — Uşaklıgil›.

mülâtama, A. i. Birbirine şamar vurma.

mülâtıf, A. s. Latifeci, şakacı.

mülâttıf, A. i. s. [Lütf'tan] Yumuşatıcı (ilâç).

mülâyemet, A. s. 1. Uygunluk. 2. Yumuşaklık. 3. Bağırsakların yumuşaklığı. • ‹Ve bir büyük birader mülâyemetiyle. — Uşaklıgil›.

mülâyenet, A. i. Yumuşaklık. • ‹Name ve peyamında olan mülâyeneti mahzâ havfından idi. — Sadettin› • ‹Muhalefet etmeyip mülâyenet ve mülâyemet üzere hareket ederler. — Silvan›.

mülâyim, mülâyime, A. s. 1. Uygun, uyar. 2. Yavaş, yumuşak. Pekliği olmayan. • ‹Mülâyim tab'ü hoş-zat ü suhandan ü suhanperver — Nef'î› • ‹Göğüs namütenahi bir hava-yi pakin nefahat-i mülâyimesiyle. — Cenap›.

mülâzeme, A. s. Gerekli Ayrılmaz. • ‹Cihanda mucib-i rifat efendi himmetidir, mülâzemesi üzre. — Sümbülzade›.

mülâzemet, A. i. [Lüzum'dan] 1. Bir şey veya kimseye ayrılmaz şekilde bağlanma. 2. Gidip gelme. Bir işle sürekli uğraşma. 3. Bir memurluğa geçmek için bir daireye maaşsız olarak gidip gelme. • ‹Bir nice üstat suhansaz ve avvad-keş ve tanbur'nevaz daima meclis-i şahaneleri mülâzemetin ederler ki. — Peçoylu›.

mülâzık A. s. Yapışma. Yapışmış olma. • ‹Nefy-i riayet-i dünyaya müteallık olup ahirete mülâzık olmayan. — Asım›.

mülâzım, A. s. [Lüzum'dan] 1. Bir yere veya bir kimseye tutunup kalan. 2. (i.) Bir daireye maaşsız olarak gidip gelen, stajyer. 3. Teğmen.

mülâziman, F. i. (Ze ile) Mülâzımar, sitajiyerler.

mülâzimî, F. i. Mülâzımlık. Stajiyerlik.

mülcem, A. i. Gem. Yular. • ‹Mel'uniyet ile mulem ve licam-i küfr ü gavayet ile mülcem olmakla. — Naima›.

mülci, A. s. Zorlayan, zorla yaptıran.

mülebbes, A. s. [Lebs'ten] 1. Giyilmiş. 2. Farkedilmez, karışık. İltibaslı.

mülebbis, A. s. (Sin ile) 1. Karıştırıcı. 2. Karısıcı.

müleffef, A. s. Bir zarf içinde olan, örtülü bulunan.

müleffeka, A. i. Düzme, koşma, yaldızlama söz.

müleffika, A. i. [Telfik'ten] Fransızcadan éclectiques sözünün karşılığı, seçmeciler (XX. yy.).

mülemma', A. s. 1. Alaca. Renk renk. 2. (Ed.) Her mısraı başka dilde manzume. 3. Sıvanmış, bulaşmış.

mülevven, mülevvene, A. s. [Levn'den] 1. Renkli. 2. Boyalı, boyanmış. • Sem-i mülevven, (Psi.) Fransızca'dan ludition colorée karşılığı, renkli işitme (XX. yy.). • ‹Mülevven gecelere boğulmuş bir mağaraya benzetiyordu. — Uşaklıgil›. • ‹Bir aks-i mülevvendir anınçün — Arzın bana escar ü nebatı. — A. Haşim›.

mülevves, A. s. (Se ile) [Levs'ten] 1. Pis. Bulaşık. 2. Karmakarışık. • ‹En mülevves heveslere alet edilecek bir mahlûk-i sefil oluyordu. — Uşaklıgil› • ‹Rakkase ortaya çıkmıştı... Murdar, şişman, çirkin, harekât batiy, evzaı soğuk, nazı calib-i gaseyan bir karî; of; ne mülevves mahluk. — Cenap›.

mülevvez, A. s. (Ze ile) [Levz'den] 1. İçi badem ile dolmuş olan. 2. Güzel olup badem şeklinde bulunan yüz.

mülevvin, A. s. [Levn'den] Boyayan. Renk veren.

müleyyen, A. s. Yumuşatılmış.

müleyyin, A. s. [Liynet'ten] Yumuşatan. Liynet veren.

mülga, A. s. [Lâgv'den] Kaldırılmış. • ‹Meselede bu kadar feryadım ihya olunmak istenilen mülga nizamı. — Kemal›.

mülhak, A. s. (Ha ile) [Lühuk'tan] 1. Katılmış. Eklenmiş. 2. Bağlı, ait. • ‹Ola gufranına Hakkın mülhak. — Hakani›.

mülhakat, A. i. [Mülhak ç.] 1. Katmalar, ekler. 2. Bir merkeze bağlı yerler.

mülhem, A. s. (He ile) İlham olunmuş. Tanrı tarafından zihnine, kalbine ilka olunmuş. • ‹Sen şi'r-i mücessem. — Ben şair-i mülhem. — Fikret›.

mülhık, *A. s. (Ha* ile) Katan, ilhak eden.

mülhid, *A. s. i.* [İlhad'dan] Dinsiz, imansız. Tanrısız. (ç. Melâhide, mülhidîn). ● ‹Bad-ed-divan. Şer-i kavîm ile mülhid-i mezbur maktul ü makhur oldu. — Peçoylu›.

mülhidane, *F. zf.* Dinsizce, imansız olana yakışır şekilde. ● ‹Kenduden bazı kelimat-i mülhidane sudur eylediğinden. — Raşit›.

mülhim, mülhime, *A. s.* [İlham'dan] İlham eden (kadın)... ● ‹Bu şi'ri fikrime kimdir bilir misin mülhim? — Fikret›.

mülimme, *A. s. i.* Felâket. ● ‹Bu mülimme-i mulimeden sonra. — Sadettin›.

mülk, milk, *A. i.* 1. Toprak ve akar gibi irat getiren taşınmaz mal. 2. Vakıf olmayıp sahibinin malı olarak toprak veya akar. 3. Bir devletin ülkesi. ● ‹Dervişi bu mülkün şeh-i bîhayl ü haşemdir. — Ruhi›. ● ‹Mülk, insanın malik olduğu şeydir, gerek âyan olsun ve gerek menafi olsun. — Mec. 125›.

mülken, *A. zf.* Ülkece, ülke bakımından. ● ‹Köprülü ile oğlunun ettiği muharebelerde şemşir-i Osmanî eski şa'şaasını tamamiyle ibraz edemediyse de mülken ve haysiyeten zerre kadar bir hasara uğramadık. — Kemal›.

mülkî, milkî, *A. s.* 1. Bir ülkeye ait, ülke ile ilgili. 2. Ülke idaresine ait, onunla ilgili. 3. Asker ve sarıklı sınıfın gayrı (memurlar).

mülkiyye, mülkiye, *A. i.* Asker ve sarıklı sınıfından gayrı memurlar sınıfı. ● *Mekteb-i Mülkiye,* idare memuru yetiştirmek üzere kurulmuş okul.

mülkiyyet, milkiyyet, *A. i.* Vakıf olmayan toprakların, akarların niteliği ve durumu.

mültasık, *A. s.* 1. Bitişik, yapışık. 2. Birbirine bağlanmış.

mültebis, *A. s.* [Lebs'ten] 1. İltibası olan. 2. Diğer bir şeyden ayırt edilmez. ● ‹Eba Yusuf tahkik-i mesele ve ikame-i delilde bast ü tatvil edip mesele bize mültebis olurdu. — Taş.›.

mülteca, *A. i.* Sığınılacak yer. ● ‹Cânişin-i gavs-i âzam mülteca-yi muhlisin›. ● ‹Hayatta yegâne mülteca-yi ârâmişi olan. — Uşaklıgil›.

mülteci, *A. s.* Sığınan.

mülteciyan, *F. i.* [Mülteci ç.] Sığınanlar.

mültef, *A. s. (Te* ile) Birbirine sarılmış.

mültefet, *A. s.* Kendisine iltifat olunmuş olan. ● ‹Mültefet ve müsteşar oldu. — Sadettin›.

mültefit, *A. s.* 1. İltifat eden. 2. Önem veren. ● ‹Bir hizmet tahmil ederken takındıkları sada-yi mültefit ile. — Uşaklıgil›.

mültehi, mültehiyye, *A. s.* Sakalı çıkmış olan genç. ● ‹En büyüğü sultan Beyazıt idi, bir ten-aver mültehi civan idi. — Naima›.

mültehib, mültehibe, *A. s.* [Lehb'den] 1. Alevlenmiş, tutuşmuş. 2. Yanıp yakaran.

mültehif, *A. s. (Ha* ile) Yorgan gibi bir şeye sarılmış olan.

mültehif, *A. s. (He* ile) Alevli olan. Kederle yanan.

mültehik, *A. s.* [Lühuk'tan] İltihak etmiş, katılmış.

mülteim *A. i.* (Hek.) İyileşmiş, onulmuş, kapanmış (yara). ● ‹İki pâre olup nurani olarak nâzil ve badehu sâid ve mülteim oldular. — Asım›.

mülteka, *A. s.* [Lika'dan] Kavuşma, buluşma, birleşme yeri. ● ‹Güzel dudaklarının taze mültekasında. — Cenap›.

mültekı, *A. s.* [Lika'dan] Kavuşan. Birleşen. Bulaşan.

mültekım, *A. s.* [İltika'dan] Tutan.

mültekıt, *A. s. (Te* ve *tı* ile) [Lâkt'tan] Yerde bulunan şeyi kaldırıp alan. Derleyen.

mültemes, *A. s.* [Lems'ten] Biri tarafından tutularak işinin görülmesi rica edilen. (ç. Mültemesat). ● ‹Mültemesleri hilâf-i makul olmağın müsaade olunmadıkça. — Naima›. ● ‹Na-muvafık mültemasattan kat-i ümmid ü emel kılmanız vaciptir. — Naima›.

mültemi', *A. s.* Parlayan, parıldayan.

mültemis, *A. s.* [Lems'ten] İltimas eden. Biri için aracılık edip işinin görülmesini dileyen.

mültevi, *A. s.* Eğilmiş, bükülmüş. Sarılmış.

mültezem, mültezeme, *A. s.* [Lüzum'dan] Gerekli sayılarak olmasına çalışılan. ● ‹Bunu kendisine karşı mültezem bir vaz-i içtinaba hamleden. — Uşaklıgil›.

mültezim, *A. s.* [Lüzum'dan] 1. Bir şey veya bir kimseyi gerekli sayıp taraflılık gösteren. 2. (i.) Bir devlet gelirini götürü olarak üstüne alıp toplayan.

F. : 38

mülûk, *A. i.* [Melik ç.] Hükümdarlar. • ‹Ferdinand Beç kıralı idi ve Nemçe ve Çeh ve sair mülûk-i nasâraya çasar olan. — Peçoylu›.

mülzem, *A. s.* Susturulmuş. Cevap veremeyecek bir duruma sokulmuş. • ‹İsbat-i müddea eyleyip kenduyu mahzul ve mebhut ve mulzem ne meskût ettiler. — Naima›.

mülzim, mülzime, *A. s.* Susturan. Cevap vermeyecek hale koyan.

mümanaat, *A. i.* (Bir şeye) Engel olma. Yapılmasını önleme. • ‹Kendisine mümanaat olunduğunu gördükten sonra takib-i mümanaata lüzum görmemek. Uşaklıgil›.

mümarat, *A. i.* (Te ile) Çekişme, tartışma. • ‹İlim sebebiyle süfeha ile mümarat eyleye. — Taş.›.

mümarata, *A. i.* (Tı ile) Birinin tırnakla kıllarını yolma.

mümarese, mümareset, *A. i.* Tekrar edile edile, çok yapıla yapıla kazanılan ustalık. Alışıklık. (ç. Mümareset). • ‹Amma lezzet-i zatiyesi müzavele ve mümareset eden ehline hafi değildir. — Taş.›.

mümas, *A. s. i.* (Sin ile) [Mess'ten] 1. Dokunan, ilişen. 2. (Geo.) Teğet. 3. (Trigo.) Tanget.

mümaselet, *A. is* [Misl'den] 1. Benzeyiş. 2. (Fel.) Benzeşim. 3. (Mat.) Homoteti.

mümasil, mümasile, *A. s.* (Se ile) [Misl'den] 1. Benzeyen. 2. (Mat.) Homotetik. • ‹Birer cenaha mümasil duran o fıstıklar. — Fikret› • ‹Şu keşf-i muhimmimiz hatırıma bir vaka-yı mümaşileyi davet etti. — Cenap›.

mümaşat, *A. s. i.* 1. Birlikte yürüme. Yoldaşlık. 2. Yalandan uyma. 3. Geçinmek için evet deme. • ‹Zaten mümaşat olunmayacak bir fikre de tesadüf etmemiş idi. — Uşaklıgil›.

mümaşatkârane, *F. zf.* Uysallıkla. • ‹Eniştesine karşı hep mümaşatkârane davrandı. — Uşaklıgil›.

mümatala, *A. i.* (Tı ile) Bugün yarın diye işi uzatma. • ‹Medyunun kudreti varken deynin edasını mümatala eylediği. — Mec. 998›.

mümatıl, *A. s.* (Bir işi) Uzatan, asan. Geciktiren. • ‹Harifim olan şahs-i mumatıl bana taadi ve zulüm etmiştir. — Nergisi›.

mümazaha, *A. s.* (Ze ve ha ile) Lâtifeleşme. • ‹Asdıka ile ifrat-i mümazaha bais-i tagyir-i mizac-i muvalât olur. — Nergisi›.

mümazaka, *A. i.* (Ze ile) Yarış. Yarışmaya, koşuya çıkma.

mümazzak, *A. s.* Ze ile) Yırtılmış, parça parça edilmiş.

mümehhed, *A. s.* (He ile) [Mehd'den] 1. Yayılmış, serilmiş. 2. Düzeltilmiş, düzgün hale getirilmiş.

mümehhid, mümehhide, *A. s.* [Mehd'den] 1. Yayan. 2. Düzenleyen.

mümerred, *A. s.* Yüksek ve duvarları düz, yassı (yapı). • ‹Sarh-i mümerred-i istilâlarını paymal ü heba eder. — Esat Ef.›.

mümessek, *A. s.* [Misk'ten[Misklenmiş. Mis kokulu.

mümessil, mümessile, *A. s.* [Misl'den] 1. Temsil eden, benzeten. 2. Kitap bastıran, editör. 3. Temsilci, birinin adına davranan. 4. Aktör, rol temsil eden. 5. Eriten, kendisine benzeten anlamında Fransızca'dan *assimilateur* karşılığı (XX. yy.). • ‹Bütün dünyada emsali görülmemiş bir galibiyetin mümessili olabilir. — Atatürk›.

mümevvel, mümevvehe, *A. s.* 1. Hayalî. 2. Düzme uydurma. (ç. Mümevvehat). • ‹Ol mukaddemat-i mümevvehe ve makalât-i gayr-i müveccehe ile. — Sadettin›.

mümeyyiz, mümeyyize, *A. s.* 1. İyiyi kötüyü, eğriyi doğruyu ayırt eden. 2. (i.) Bir dairede kâtiplerin yazdıklarını düzelten kâtip. 3. Öğrencilerin sınavlarında bulunup bilgilerini yoklayan kimse. • ‹Serhalife, mümeyyiz henüz gelmemiş ve kalemde bulunanlar. — Recaizade›. • ‹Uzun beyaz gömlekli yahut mavi entarili adamlar bu büyük caddeye bir hassa-i mümeyyize teşkil ediyorlardı. — Cenap›.

mümhil, mümehhil, *A. s.* [Mehl'den] Mühlet veren, bekleyen.

mümidd, *A. s.* 1 Uzatıcı, uzatan. 2. Yardım eden. • ‹İstikbal insaniyetin mümidd-i hayatıdır. — Kemal›.

mümill, mümille, *A. s.* [Melâl'den] Usanç veren, bezdiren. (Ed.) *Itnab-i mümill,* usanç veren söz uzatması. • ‹Itnab-i mümil vâdilerinde de kaime-i bendegânem takdimine mübadert olundu. — Sümbülzade›.

mü'min, mü'mine, *A. s. i.* [Emn'den] Tanrı birliğine Muhammet Peygambere ve

İslâm dininin öteki temellerine inanan. İslâm, Müslüman.

mü'minat, *A. i.* [Mü'min ç.] İslâm kadınları.

mü'minin, *A. i.* [Mümin ç.] Müminler. *Emir-ül-müminîn,* İslâm halifesi. • «Talib-i hak olan ihvan-i müminîn ol kitabı hırz-i can edip. — Kâtip Çelebi».

müminiyyet, *A. i.* İmanlılık, müminlik. • «Kalbe ilka-yi müminiyetle — Niçin imanı etmedin temin. — Cenap».

mümit, *A. s.* *(Te* ile) Öldüren, öldürücü olan.

mümkin, *A s.* [Mekânet'ten] Mümkün, olabilen. Olağan. • «Lâkin bu izdivaç pek mümkin olmayacak bir şey değil. — Uşaklıgil».

mümkinat, *A. i.* [Mümkin ç.] Olabilen şeyler. • «Kitab-i mümkinat-i esrar-i Hakkı bî-dehen söyler. — Nabi».

mümsik, *A. s.* Çok Imsak eden. Pıntı. Eli sıkı. • «Cihanda merd-i mümsik malik olsa genc-i Karun'a — Fenadan göz yumunca malın eller kendisin yer yer. — Ruhi».

mümtaz, mümtaze, *A. s.* 1. Başkasından ayrılmış. 2. Ayrı tutulan. 3. Özel idare olunan. • «Bu yalı şehrin tarih-i hayatında mümtaz bir nevi çiçek yetiştiren camekân. — Uşaklıgil».

mümtaziyyet, *A. i.* Mümtazlık. • «Bu sevda-yi güzinin muhafaza-i mümtaziyetine itina etmez olmuş idi. — Uşaklıgil».

mümted, mümtedde, *A. s.* [Medd'den] Uzayan, Süren, sürekli. • «On beş yıla karıp amid ü şüd mümted ve tugyan-i eşkıya müşted olmağın. — Naima».

mümtehan, *A. s.* *(Ha* ile) [Mihnet'ten] Denenmiş. Sınanmış.

mümtehin, *A. s.* [Mihnet'ten] Deneyen. Sınayan.

mümteli, *A. s.* [Melâ'dan] Dolu, dolgun, Dolmuş. 2. Mide dolgunluğuna uğramış.

mümteni', mümtenia, *A. s.* *(Te* ve *ayın* ile) İmtina eden, razı olmayan. 2. Olamayacak. 3. (Man.) Olamazlık. (ç. Mümeteniat). • «Efkârı keşakeşinden kurtarmak mümteni birer girdab-i hâlidir. — Kemal». • «Âdeten mümteni olan şey hakikaten mümteni gibidir. — Mec. 38».

mümtesil, *A. s.* [Misl'den] (Aldığı emre) uyan.

mümtezic mümtezice, *A. s.* [Mezc'den] 1. Karışık. 2. Birbirine çok uygun. 3.

Tamamıyle kapanan, aralık bırakmayan. 4. Herkesle iyi geçinir. • «Bugünden itibaren - minnettarlıkla mümtezic bir mühabbet onu hastaya meftun etti. — Uşaklıgil».

münacat, *A. i.* 1. Tanrıya dua etme, yalvarma. 2. Tanrıya dua konulu manzume. • «Ey kubbeler, ey şanlı mebani-i münacat. — Fikret».

münada, *A. i.* [Nida'dan] Seslenme, çağırma.

münademe, münademet, *4. i.* [Nedm'den] 1. Nedimlik etme. 2. Konuşma, eğlenme.

münadi, *A. i.* [Nida'dan] Tellâl. • «Ve ertesi münadilere nidalar ettirdiler. — Peçoylu». • «Her bayrak, sokaktan geçenlerin cepheleri fevkinde, bir munadi-i zafredi. — Cenap».

mün'adil, mün'adile, *A. s.* Dönen, cayan.

mün'adim, *A. s.* [Adem'den] Yok olan.

münadim, *A. s.* [Nedim'den] Nedim. Müsahip. • «Lâkin tesadüf... Ah, o kaviler münadimi. — Âcizlerin, zavallıların hasm-i daimi. — Fikret».

münadimîn, *A. i.* [Münadim ç.] Nedimler Bir büyüğün yakını adamlar. • «Açın şu perdeyi: Bir bezmgâh-i nuşanuş — Münadimîn-i tarab serapâ şetartpûş. — Fikret».

münafakat, *A. i.* Münafıklık. • «Münafakat o kadar etti âleme tesir • «Ki oldu hep verilip alınan selâm-i dürug. — Nabi».

münafat, *A. i.* [Nefy'den] Birbirine karşıt olma.

münaferet, *A. i.* [Nefret'ten] Nefret etme. Sevişmeme. (ç. Münaferet). • «Hüseyin Efendi ile merhum sağır Riyazi Efendinin beyninde adavet ve münaferet var imiş. — Naima».

münafese, münafeset, *A. i.* *(Sin* ile) [Nefs'ten] Birbirine kin, gizli düşmanlık gösterip çekememe. (ç. Münafesat). • «Vükelâ-yi devlet beyninde mahfi münafeset ve şikaka mebni hareket ve fetret alâimi eksik değil idi. — Naima». «Şark meselesinin münafesat-i düveliyeden başka bir menba-i sahihi olmadığını işpat eyler. — Kemal».

münafık, *B.* • *Munafık.*

münafi, *A. s.* [Neyf'den] Karşıt, uymaz. Uyuşmaz. • «Zaman-i şeriflerinde dâl ü dihişlerine efrad-i aferideden bir ferd muarız ve münafi olmadı. — Peçoylu».

münakalât, *A. i.* [Münakale ç.] Nakil, iş-lettirme. Ulaştırma işleri.

münakale, *A. s.* [Nakl'den] 1. Taşıma. 2, Ulaştırma. 3. Aktarma.

münakasa, *A. i. (Sat* ile) [Naks'tan] Ek-siltme.

münakasat, *A. i.* [Münakasa ç.] Münaka-şalar. Eksiltmeler.

münakaşa, *A. i.* [Nakş'tan] 1. Atışma, çekişme. 2. Tartışma. (ç. Münakaşat). • ‹Öyle derin münakaşat-i tarihiyye dalışları var ki. — Cenap».

münakaza, *A. i.* [Nakz'dan] Sözün birbi-rini tutmaması. Bir önceki sözün aksi söz.

münakeha, *A. i.* [Nikâh'tan ç.] Nikâh kı-yışma. (ç. Münakehat). • ‹(Bunlar) Musadaka, müsafaha muamele, müca-dele, muamele, mücadele, mualece, mü-nakeha edcr. — Cenap».

münakız, *A. s.* [Nakz'dan] Birbirini tut-mayan, karşıt olan. • ‹Tabiat-i edebi-yesinin kadrine münakız değildir. — Kemal».

mün'akid, *A. s.* [Akd'den] 1. Bağlanmış, bağlı, düğümlü. 2. İki taraf arasında resmî olarak kabul edilmiş.

mün'akis, mün'akise, *A. s.* [Aks'ten] 1. Tersine dönmüş, çevrilmiş. 2. Bir yere çarpıp geri dönmüş (ışık, ses). • ‹Bun-lar kandilin ziya-yi mün'akisiyle zul-met-âmiz bir manzara-i garibe teşkil eder. — Naci».

münakkah, münakkaha, *A. s.* 1. Soyulmuş, ayıklanmış. 2. En iyileri seçilmiş, seç-kin. 3. İdare için fazlası kesilmiş (gi-der). • ‹Süruri etti dîvanın münakkah. — Süruri».

münakkahiyyet, *A. i.* 1. Soyulma, ayık-lanma. 2. En iyileri seçme.

münakkas, *A. s.* Tenkıs edilmiş, azaltıl-mış.

münakkaş, *A. s.* [Nakş'tan] Nakışlı, re-simli. • ‹Münakkaş ibrişim kaliçeler. — Naima».

münakkat, *A. i.* [Nokta'dan] Noktalı. Nokta konmuş.

münakkıyat, *A. ç. i.* Temizleyici şey-ler. • ‹Ve münakkıyat ve musaffıyata âvan-i tenavül ve teati olmaktan naşi. — Ragıp Pş.».

münakkıs, *A. i.* Tenkıs eden, eksilten.

münasafa, *A. i.* [Nısf'tan] Yarı yarıya paylaşma. İki eşit parçaya ayırma.

münasafeten, *A. zf.* Yarı yarıya.

münasat, *A. i. (Sin* ve *te* ile) Unutma.

münasat, *A. i. (Sat* ve *te* ile) Birbirinin perçeminden tutup çekme.

münasebat, *A. i.* [Münasebet ç.] Müna-sebetler. İlgiler. İki kimse veya heyet arasındaki bağlar, alışveriş. • ‹Müna-sebat-i âşıkanesini başkalarına dinlet-mek hevesiyle tesis ederdi. — Uşaklı-gil».

münasebet, *A. i.* [Nisbet'ten] 1. İki şey arasındaki uygunluk. 2. Yakışma. 3. İl-gi. Yakınlık, bağ. 4. Yanaşma, vesile. • ‹Bu üç kadının münasebeti, bir müna-sebet-i rakîbaneden harice çıkamıyor-du. — Uşaklıgil». • ‹Bu ikamet-i mu-vakkate o kadınla aramızda bir de komşuluk münasebeti hâsıl etmişti. — Cenap».

münasib, münasibe, *A. s.* [Nisbet'ten] 1. Uygun. 2. Yakışık, yaraşık. • ‹Bu kere dahi Hasan Paşa damat olmakla sıfr-ülyed kalmak münasip görülmeyip. — Naima». • ‹Bu çehre bence Fuzulî'ye pek münasibdir. — Fikret».

münaşede, *A. s.* [Neşide'den] Karşılıklı neşide söyleme.

münataha, *A. i. (Tı* ve *ha* ile) Boynuzlu hayvanlar birbiriyle vuruşma, süzüş-me.

mün'atıf, *A. s.* [Atf'tan] Sapan. Bir yöne doğru dönen. • ‹Edebde mün'atıf enza-rı daima yukarı. — Fikret».

münavebe, *A. s.* [Növbet'ten] Nöbetleş-me. Nöbetle iş görme. • ‹Münavebeyle gelip cümle merzbum-i dile — Tamam eylediler akl ü fikrimi istîsal. — Ne-dim».

münavebeten, *A. zf.* Nöbetle, sıra ile. • ‹Geceleri üç arkadaş münavebeten matbaada kalırlardı. — Uşaklıgil».

münaveha, *A. i. (Ha* ile) Feryat ile ağla-ma.

münçavele, *A. i.* Sunma. Sunulma. • ‹Dev-let-i Aliyye-i ebediy-ül-istimrar ile Nemçelü beyninde münavele ve muatat olunan mürettep musallaha-i nagüvar. — Ragıp Pş.».

münazaa, *A. s.* [Nez'den] Ağız kavgası. • ‹Annemin hiç hoşuna gitmedi. Ben-den sonra Bihter! yeni bir münazaa esası daha. — Uşaklıgil».

münazaat, *A. i.* [Münazaa ç.] Ağız kav-galan. • ‹Padişahım bu münazaat ve itirazat nihaî maslahata mebni ve ha-sedden naşidir. — Naima».

münazala, *A. i. (Dat* ile) (Kurşun gibi) atma, atışma. • «Cellad-i makali her çend ki münazala ede. — Taş.».

münazara, *A. i.* [Nazar'dan] Kurala uygun olarak karşılıklı konuşma, tartışma. • «Eskişehir müftüsü ve kadısı ile diyanete müteallik bazı umurda münazara ederek. — Naima». • «Bu cihetle bütün edebî münazaralar akim kalmıştır. — Cenap».

münazaünfih, *A. s.* Üzerinde birlik kurulmamış, arasında ayrılık olan şey. Kavgalı, davalı.

münazır, *A. s. (Zı* ile) Münazara eden. Tartışan. (ç. Münazırîn).

münazi', *A. s. (Ze* ve *ayın* ile) [Nez'den] Ağız kavgasına girişen. Kavgacı.

mün'azil, *A. s.* [Azl'den] 1. Ayrılmış, el etek çekmiş. 2. Memurluktan çıkarılmış. • «Müvekkilin vefatiyle vekil mün'azil olur. — Mec. 1527».

münbagi, *A. s.* Yakışan, lâyık.

münbais, *A. s.* 1. Gönderilmiş. 2. Bir şeyden ileri gelmiş. Bir şeyin çıkardığı. • «Karanlık bir yerde birisine tesadüf edivermekten münbais halecanla. — Uşaklıgil».

münbasıt, münbasıta, *A. s.* [Bast'tan] 1. Açılmış, yayılmış, açık. 2. Açık, ferah. • «Bu iki mecidiyeyi kazanabilmek ümidi Ahmet Cemil'i münbasıt etti. — Uşaklıgil».

münbit, münbite, *A. s.* [Nebat'tan] Ekilen şeyi güzel yetiştiren, verimli, bereketli.

münceli, *A. s.* [Cilâ'dan] 1. Parlayan. Parlak. 2. Meydana çıkıp besbelli görünen. • «Bir yüz, o bir tebessüm-i hulya ki münecceli; — Ancak nedir o yüzdeki hal, anlaşılmasın. — Fikret».

müncemid, müncemide, *A. s.* [Cümud'-dan] 1. Donmuş, donuk. 2. Buz halinde olan. • «Dudaklarını müncemid bir nefesle donmuş bulur. — Uşaklıgil». • «Biz bu aktar-i muncemidede insanların öldüklerine değil nasıl yaşadıklarına. — Cenap».

müncer, *A. s.* [Cerr'den] 1. Sürülen, bir tarafa kayıp giden. 2. Varıp sona eren. • «Müncerr olur mu ya Rab bir subb-i inbisata — Vahdetgehimde böyle mahzun geçen leyalim. — Recaizade».

müncezib, *A. s.* [Cezb'den] Beriye çekilen. • «Her dem bu sebeple müncezibdir. — Ruhum sana, ey şükûfe-i yâr. — Fikret».

münci, *A. s.* [Necat'tan] Kurtaran. • «Şeri^t-i İslamiyenin kavaid-i münciyesi elde iken. — Kemal».

münciz, *A. s. (Ze* ile) Verdiği sözü yerine getiren.

mündefi', mündefia, *A. s.* [Def'den] Geçmiş, savulmuş. • «İstanbul'da hudus eden bazı gavail-i haile bir miktar mündefi olup. — Naima». • «Akşam olmuş, fakat hararet daha mündefi olmamıştı. — Cenap».

mündefiat, *A. i.* Yaralardan çıkan cerehat gibi şeyler.

mündekk, *A. s.* Düz, düzelmiş.

mündemic, *A. s.* Bir şeyin içine sokulmuş veya sarılmış. Konulmuş. (Fcl.) İçkin. • «Endişeden gönülleri hâli değildi hiç; — Olmuştu bir şita bu gönüllerde mündemiç. — Fikret».

münderecat, mündericat, *A. i.* Bir kitap, dergi, gazetenin içinde bulunanlar. • «Bütün esrar-i münderecatı an-i vahitte okunan bir kitap kadar kesb-i belâgat edecekti. — Uşaklıgil».

münderic, *A. s.* [Derc'den] Bir şeyin içinde bulunan. İçine konulmuş, sıkıştırılmış. • «Hakan-i Osmanî neseb kim münderic zatında hep — İslâm-i Faruk-i Arap ikbal-i Perviz-i Acem. — Nef'î».

mündericat, Bk. • *Münderecat.*

münderis, *A. s.* İzi, nişanı kalmamış. • *Evkaf-i münderise,* yıkılıp gitmiş vakıflar.

münebbih, münebbihe, *A. s.* 1. Uyandıran. Uykudan kaldıran. 2. Dalgınlıktan kurtaran. 3. Öğüt veren. • «Durmayıp geçmektedir saat besaat dehr-i dûn — Ra'd ile ana münebbihtir bu tas-i sernigûn. — Bekayî». • «Güvertede yaslanmış, sigaramın münebbih dumanını teneffüs ediyordum. — Cenap».

münecci, münecciye, *A. s.* [Necat'tan] Kurtarıcı.

müneccim, *A. i.* [Necm'den] 1. Yıldızları gözleyen, yıldız bilgisini iyi bilen. 2. Yıldızların durumundan hükümler çıkaran, falcı. • «Yıldız arayıp gökte nice turfa müneccim — Gaflet ile görmez kuyuyu rehgüzerinde. — Ziya Pş.».

münekker, *A. s.* (Arap. Gra.) Edilgen hale konulmuş.

münekkes, *A. s.* Baş aşağı edilmiş.

münekkid, *A. s.* Tenkidci (XX. yy.).

münevver, münevvere, *A. s.* [Nur'dan] Parlatılmış. Aydınlatılmış. Işıklı. • «İzzetim şem'i münevver taliim azmi kavi — Devletim hükmü revan ayşım evi mamur idi. — Fuzulî» • «Bir çocuk ruhu kadar şimdi münevver, lekesiz — Uyuyor mai deniz. — Fikret». • «Bütün elektrik fenerleriyle bir demet küre-i münevvere halini almıştı. — Cenap».

münevvim, *A. s.* [Nevm'den] Uyutan, uyku getiren (ilâç). • «Gûya bulutların saye-i münevviminde uyuşarak. — Uşaklıgil».

münevvir, *A. s.* [Nur'dan] Parlatan, aydınlatan. • «Zekâ münevvir-i efkâr-i tâbdarı idi. — Recaizade».

münezzeh, münezzehe *A. s.* [Nezahat'ten] Arı, temiz. Bir sıfatla nitelenmeyen veya bir şeye muhtaç olmayan. • «İktiza etti münezzeh zatı — Sebeb-i hilakt-i mevcudatı. — Hakani».

münezzel, *A. s.* [Nezl'den] Aşağı indirilmiş.

münezzil, *A. s.* [Nezl'den] Aşağı indiren.

münfail, münfaile, *A. s.* [Fiil'den] 1. İçine işlemiş. Alınmış, gücenmiş. 2. Fransızcadan *passif* sözünün karşılığı olarak. (Gra.) Edilgen. (Kim.) Dingin! • «Pek samimî hattâ biraz münfail cevap verdi. — Uşaklıgil».

münfatır, *A. s.* Yarılan, ikiye ayrılan.

münfecir, münfecire, *A. s.* 1. Şafak sökmüş olma. 2. (Yerden) kaynayan, akan. • «Bir ırkı münfecir olup kan revan olur iken. — Taş.».

münfehim, *A. s.* [Fehm'den] Anlaşılan, kavranılan.

münfekk, *A. s.* [Fekk'ten] Ayrılmış, çıkmış, sökülmüş. • *Gayr-i münfek,* ayrılmaz, bitişik. • «Onlar padişahtan münfekk olmayıp. — Naima».

münfelik, *A. s.* [Felâk'tan] 1. Açılan, görülen. 2. Patlayan.

münferic, münferice, *A. s.* [Fürc'den] Arası açık, geniş. İki yanı birbirinden uzak. • *Zaviye-i münferice,* (Geo.) geniş açı.

münferid, *A. s.* [Ferd'den] 1. Yalnız, tek. Kendi başına. Ayrı. 2. Fransızcadan *isolé* karşılığı.

münferiden, *A. zf.* 1. Yalnız, tek olarak. 2. Ayrı ayrı, birer birer. • «Bir kuvve-i külliyenin galebe-i nüfuzuna münferiden karşı durabilmesinde. — Kemal».

münferik, *A. s.* Ayrı olan.

münfesih, *A. s.* (*Ha* ile) [Füshat'tan] Bolalmış, genişlemiş olan.

münfesih, münfesiha, *A. s.* (*Hı* ile) [Fesh'ten] Hükmü kaldırılmış.

münfetih, *A. s.* [Feth'ten] Açılmış, açık.

münfık, *A. s.* [Nafaka'dan] Nafaka veren, besleyen. • «Ah ben âcizenin münfıkı olan pederim — Deşt-i hasrette kodu bizleri böyle tenha. — Leylâ».

müngamis, *A. s.* (*Sin* ile) Suya batmış. • «Alâik içinde müngamis olup. — Taş.».

münhadır, *A. s.* (*Hı* ile) Perdelenmiş, örtülmüş.

münhadi', *A. s.* [Had'dan] Birinin hilesine aldanmış olan. • «Hulâsa-i kelâm mekr-i a'da ile münhadi' olmam. — Naima».

münhadib, *A. s.* [Hadeb'den] Kamburlaşmış. Eğri.

münhadir, *A. s.* İnişli. Eğik. İnişe doğru inen. • «Bir dönüştür diye tembih olacak seyl-i münhadir gibi Musul semtine muavedetet müsaraat ettiler. — Naima».

münhali', *A. s.* (*Hı* ve *ayın* ile) Sökülmüş, çıkarılmış, soyulmuş. • «Suret-i beşeriyyetten münhali' olup suret-i melekiyete mübeddel olalar. — Taş.».

münhall, *A. s.* (*Ha* ile) [Hall'den] 1. Çözülmüş. 2. Açık olan, memuru bulunmayan yer. 3. (Kim.) Erir, erimiş. • «Eğer sen de münhal bir fazilet ele geçirebilirsen. — Cenap».

münhallât, *A. i.* Açık memurluklar.

münhamık, *A. s. Ha* ile) Ahmak ve akılsız olan.

münhani, *A. s.* (*Ha* ile) 1. Eğri, kamburlu. 2. (Geo.) Eğri, eğrili, eğrisel. «Her biri keskin bir uçurum hey'etinde duran bu adalar arasında deniz kâh münhani, müavveç, munkesir bir hat. — Cenap».

münhanik, *A. s.* (*Hı* ile) [Hunk'tan] Boğulmuş. Boğuk.

münharif, münharife, *A. s.* (*Ha* ile) 1. Sapan, doğru gitmeyen. 2. Çarpık. Sapa. 3. Sağlam olmayan. 4. (Geo.) Dört kenar. • «Bahai Efendi münharif-ülmizac olup. — Naima».

münhasif, *A. s.* [Husuf'tan] 1. Sönükleşme, sönmüş gibi olma. 2. Ayın sönükleşmesi. • «Mensuh ü münhasif, mütenahhih, ateh-lika — Bir varlık... İşte çehre-i mazi-i zi-beka. — Fikret».

münhatt, münhatta, *A. s.* (*Ha* ve *tı* ile) Yeri aşağı olan, alçak. Çukur.

münhazi, A. s. (Ha, ze ve ayın ile) 1. Kesilip kopartılmış olan. 2. İhtiyarlıktan iki büklüm olmuş olan.

münhazil, A. s. (Hı ve ze ile) Beli kırılmış olan.

münhazim, A. s. [Hazm'den] Hazım olunan, sindirilen.

münhebit, A. s. (He ve tı ile) [Hübut'tan] Yukarıdan aşağıya inmiş. Düşmüş.

münhedim, münhedime A. s. (He ile) [Hedm'den] Yıkılmış, harap olmuş. • ‹Nazmımla, ah, o nazm-i siyeh-vezn ü münhedim. — Fikret›.

münhemik, A. s. Bir işin üstüne çok düşen. Bir işle çok uğraşan. • ‹Gelenlere mest ü münhemik. — Fikret›.

münhezim, münhezime, A. s. [Hezimet'ten] Bozulmuş, bozguna uğramış. (ç. Münhezimîn). • ‹Bunlar dahi münhezim suretinde dönüp Ağa kapısı'nda bess-i şekva ettiler. — Naima›.

münhezimen, A. zf. Yenilerek, bozularak.

münhıt, A. s. (Ha ve tı ile) Yukardan aşağı inmiş olan.

münhi, A. s. [İnha'dan] Haber ulaştıran. Haberci. (ç. Münhiyan). • ‹Münhiyan-i ahbar bu kıssayı. — Hümayunname›.

münib, münibe, A. s. Azgınlığı bırakarak Tanrıya yönelen.

münif, münife, A. s. Yüksek, ulu. • ‹Bu mecelle-i münfesin muhteviyat-i hikemiyesi hakikaten amik ve nefis imiş. — Cenap›.

mün'im A. s. [Nimet'ten] 1. Nimet veren, yedirip içirten. 2. Velinimet. • ‹Ey fazli tabiatle en âmade ve mün'im. — Bir fıtrata makrun iken aç, âtıl ü âkım. — Fikret›.

mün'imane, A. s. zf. İkramcı, velinimet bir kimseye yakışır yolda.

münîr, münire, A. s. [Nur'dan] Nurlandıran, parlak, ışık veren. • ‹Ey şems-i münir, kim zuhurun — Tenvir ile çehre-i hayatı — Pürhande kılar şu kâinatı. — Fikret›.

münkad, A. s. Bağlı, boyun eğmiş. • ‹Her zaman ben seninim, hep sana münakadım. — Fikret›.

münkafil, A. s. Kilitli, sürmeli, mandallı.

münkal, A. s. Filân söyledi diye naklolunmuş olan.

münkali', A. s. Kökünden koparılmış olan. • ‹Şimdiki halde devlet ve marifatleri münkariz olmuş olan Arabın ahvali. — Kemal›.

münkalib, A. s. Başka bir hale dönen. Değişen. • ‹Olsa cehulâne cihan düşmanım — Münkalib olmaz yine fikrim benim. — Naci›.

münkami', A. s. Gizlenmek için evine kapanmış olan.

münkarız, münkarıza, A. s. [Karız'dan] 1. Tükenip bitmiş. 2. Arkası kesilmiş, sönmüş. • ‹Bütün maaşir-i münkarızada. — Cenap›.

münkasem, A. s. Bölünmüş, kısım kısım edilmiş.

münkasim, A. s. Bölünen, ksım kısım edilen.

münkazi, A. s. [Kaza'dan] Bitmiş, tükenmiş, ardı kesilmiş.

münker, münkere, A. s. [Nek'rden] 1. Kabul olunmayan. 2. Beğenilmeyen, inkâr olunan. 3. Şeriatçe yapılması hoş görülmeyen. • ‹Biz sevişmiyorsak eğer — Kalır gözümde sevişmek ilelebet münker. — Fikret›.

münkerat, A. i. Şeriatın yasak ettiği, caiz görmediği şeyler. • ‹De'b-i şerifleri münkeratı adem-i tecessüs ve setr ile emir ve lûtf ü kerem ile muamele idi. — Kâtip Çelebi›. • ‹Münkerat-i azîmeye had yoğiken duhanfürüşların dükkânlarını basıp duhanlarını yakıp duhan içenleri ifrat üzere darb. — Naima›.

münkesif, münkesife, A. s. [Küsuf'tan] Küsufa uğramış, tutulmuş (güneş). • ‹Cirm-i aftab-i âlemtâb tamamen münkesif olup ruz-i ruşeni manend-i şeb-i deycur etmekle. — Raşit›.

münkesir, münkesire, A. s. [Kesr'den] 1. Kırılmış, kırık. 2. Gücenmiş. • Hatt-i münkesir (Geo.) Kırık çizgi. • ‹Bir gecekuşunun perişan, münkesir pervazı. — Uşaklıgil›.

münkesiren, A. zf. 1. Kırarak. 2. Darıltarak, güçendirerek. • ‹Şakirdini ziyadece haşlayıp münkesiren hareme kaçırdıktan sonra. — Recaizade›.

münkeşif, A. s. [Keşf'ten] 1. Meydana çıkmış. Açık, görünen. 2. Yeni bulunmuş. • ‹Tazeliğin bütün servet-i münkesifesiyle bir kadın vücuda getirmiş idi. — Uşaklıgil›. • ‹Emvac-i dem gibi kırmızı, müteharrik bir sath-i derya münkeşif oldu. — Cenap›.

münkibb, A. s. Yüzüstü düşen, kapaklanan.

münkir, A. s. [Nekr'den] 1. İnkâr eden. Kabul etmeyen. 2. (Ö. i.) Mezarda soru soracak olan iki melekten biri. • «Tasavvur eyleyemem bir yürek, velev münkir — Velev haşin ve mülevves. — Fikret». • «Beyyine, müddei için ve yemin, münkir üzerindedir. — Mec. 760». • «Safa-yi neşe-i idraki Naili'den sor — Ki münkiran-i mezayay-i keyf bilmezler. — Nailî».

münsaak, A. s. 1. Birine bağlı olan ve peşinden giden. 2. Gönderilmiş olan. • «Örf-i nâsta lâhm denilse balık murat olunmaz ve zihin ana münsaak olmaz. — Naima».

münsebik, A. s. [Sebk'ten] Kalıba dökülmüş olan. • «Hurafat-i harifi kaalib-i cidd-i sırfa münsebik görmekle. — Veysi».

münsecil, A. s. [Sicl'den] Mahkeme defterine yazımlış, sicile geçmiş.

münsecim, A. s. İnsicamlı, düzgün,

münsedd, A. s. [Sed'den] Tıkanmış, tıkalı, kapalı. • «Etti edlin o kadar rah-i dalâli münsed — Hâtıra yol bulamaz vesvese-i şeytanî. — Nef'î».

münsedil, A. s. Gevşetilip sarkıtılmış olan.

münselî A. s. Gam ve kederden yok olan, geçmiş bulunan.

münseli', A. s. Yarık, yarılmış olan.

münselib, münselibe, A. s. [Selb'den] Kaldırılmış, kaçırılmış.

münselih, A. s. [Sehl'ten] 1. Soyulmuş, derisi yüzülmüş, 2. Son gününe yetişmiş (Arabi ayı). • «Şeraif-i insaniyetten münselih olmuş olur. — Naima».

münselik, A. s. [Silk'ten] Bir yola girip orada giden. Bir tarikata girmiş, bir meslek tutmuş. • «Silk-i vüzeraya münselik kılınmış idi. — Peçoylu».

münserih, A. s. Çabuk ve çevik davranan.

muşakk, A. s. [Şakk'tan] Yarılmış.

münşeat, A. i. Kaleme alınmış şeyler. Nesir yazılar. Mektuplar. • «Münşeat-i dehrde her lafz .bir manayadır — Biz de bu inşa-yi kevnin taze bir mazmunuyuz. — Nabi».

münşeib, A. s. [Şi'b'den] Kollara ayrılmış, dallanmış.

münşeil, A. s. [Şu'le'den] Alevli, parlayan.

münşerih, A. s. [Şerh'ten] Açık, ferahlı, eğlenen, sıkılmayan.

münşerik, A. s. Çatlayıp ayrılmış olan.

münşett, A. s. Dağılıp perakende olan.

münşi, A. s. i. 1. Nesir yazı yazan. 2. İyi kâtip. • «Dinlemem ey münşi-i sathi

suhan — Her suhanın bence keen lem yekün. — Naci».

münşid, A. s. Şiir okuyan, inşad eden.

münşiyane, F. zf. İyi kâtiplere yakışır yolda. • «Kuvvet-i tasarrufat-i münşiyane ile bir şahid-i nev-hıram-i maani birkaç libas ile cilve güzer. — Nabi».

müntahab, müntahabe, A. s. (Hı ile) [Nahb'den] Seçilmiş. Seçkin. • «Bu sene ona eski yeni, manzum mensur müntahab parçalar yazdırılacak. — Uşaklıgil».

müntahabat, A. i. Seçilmiş eserler veya fıkralar. • «Nihal'in mutassavver defter-i müntahabatına sermayeler teşkil etmiş idi. — Uşaklıgil».

müntahil, A. s. [Nahl'den] Başkasının eserini çalan, kendininmiş gibi gösteren.

müntahib, müntahibe, A. s. [Nahb'den] Seçen. Seçmen.

müntahir, müntahire, A. s. (Ha ile) [Nahr'den] Kendini öldüren.

müntakıs, A. s. Eksilen.

müntakış, A. s. 1. İşleme ile süslenmiş. 2. Kazılıp hâkkolunmuş. • «Anda malûmat def'aten müntakış olup. — Taş.».

müntakız, A. s. Bozulan, nakzedilen.

müntakid, A. s. Fransızca'dan le critique sözüne karşılık olarak kullanılmıştır. (XIX. yy.). sonları.

müntakil, müntakile, A. s. [Nakl'den] 1. İntikal eden. Miras kalmış. 2. Ölmüş. • «Hâr ü şikeste müntakil-i hufre-i adem. — Fikret». • «Kendi seleflerinden müntakil bir kavle tebean. — Cenap».

müntakim, müntakime, A. s. [Nakm'den] Öc alan. • «Lâkin zaman, zaman. o heyulâ-i müntakım — Maziye kalbedip geçecek büsbütün. — Fikret».

müntakimane, F. zf. Öç alırcasına. • «Ehramlar yakından müntakimane bir şiddet-i tesir ile bütün melekât-i hayatiyeyi lerzedar-i heyecan ediyor. — Cenap».

müntasıb, müntasıba, A. s. Kazık gibi dikili duran.

müntasıh, A. s. (Te ve sat ile) Öğüt alan, öğüde uyan.

müntasır, A. s. Öç alıcı olan .

müntedi, A. i. Toplantı yeri. Dernek yeri.

müntefi, A. s. [Nefy'den] Görünmez olan. • «Olmazdı müntefi o bürudet bütün bütün. — Fikret».

müntefi', *A. s.* [Nef'den] Fayda gören, kâr kazanan. • ‹Bezl ü atâlarından müntefi' ve bahşiş-i âmlarından mütemetti oldular. — Sadettin›.

müntefih, müntefiha, *A. s.* [Nefh'ten] 1. Şişmiş. Şişkin. 2. Hava ile dolmuş, üfürülmüş. • ‹Usturayı alıp bir adamı tıraş ettiklerinde başı müntefih olup. — Naima›.

müntefil, müntefile, *A. s.* Nafile namazı kılan.

münteha, *A. s.* [Nihayet'ten] 1. Bir şeyin varabildiği son yer. 2. Son. Uc. • ‹Bir ince hat vardı ki nokta-i müntehasında bir minimini çukur bırakırdı. — Uşaklıgil›. • ‹İklim-i hazaretin hadd-i müntehasını, derya-yi rikınkenar-i leşnakini gösteriyor. — Cenap›.

müntehi, *A. s.* [Nihayet'ten] 1. Son dereceyi bulan. 2. Biten. Sona eren. 3. Son, en son. 4. Bir şeyi tamamlayan. • ‹Kılar ümidi kadar ince bir yolu takip — Tarik-i ömrü gibi müntehi o yol ademe. — Fikret›.

müntehib, müntehibe, *A. s.* (He ile) [Nahb'den] Yağma eden. Çapul eden.

müntehiz, *A. s.* (He ile) vakit ve fırsatı kaçırmayan.

müntekib, *A. s.* Nesneyi omuzuna alıp götüren.

müntekis, *A. s.* Başı aşağı düşen, tersine yuvarlanan.

müntemi, *A. s.* [İntima'dan] 1. İlgisi, ilişiği olan. 2. (Birinin) adamı olan. • ‹Ve sair âyanın ekseri ona müntemi olmakla. — Naima›.

müntesah, *A. s.* İstinsah edilmiş, kopyesi çıkarılmış olan.

müntesib, *A. s.* [Nisbet'ten] Birine çatmış, birinin adamı olmuş. Bir şeyle ilgili. (ç. Müntesibîn). • ‹Mektepten henüz çıkmış iki müntesib-i edebin. — Uşaklıgil›.

müntesic, *A. s.* [Nesc'den] Dokunmuş.

müntesif, *A. s.* Kökünden söküp çıkaran.

müntesih *A. s.* Kendi için bir kopya çıkarmış olan.

müntesik, *A. i.* [Nesak'tan] 1. Bir sıraya dizilmiş, düzgün. 2. (Fel.) Düzenleşik.

müntesir, *A. s.* [Nesr'den] Dağınık, yayılık. ‹Meşçerin sine-i sükûnunda — Müntesir iltima-i sâf-i kamer. — Fikret›.

münteşık, *A. s.* Burna çekilmiş olan.

münteşiş, *A. s.* Bir nesneye ilişip kalmış olan.

münteşir, münteşire, *A. s.* [Neşr'den] 1. Yayılmış. Açılmış, dağınık. 2. Duyulmuş., Etrafa yayılmış. 3. Basılmış ve yayılmış. • Ceraid-i münteşire, • mukalât-i münteşire, yayınlanan gazeteler, makaleler. • ‹Ol diyarda şirare-i zulm ü sitemleri münteşir idi. — Peçoylu›.

müntevi, *A. s.* Bir şeye iyice sarılmış, niyet etmiş olan.

müntic, *A. s.* Netice veren. Görünen. Sonuca eren.

müntin, müntine, *A. s.* Pis kokan, kokmuş. Bozuk. • Bahr-i müntin, Azak denizi. • ‹Sazların zill-i kesifinde o bîhadd, binam — Kaynaşan mahşer-i müntin. — Fikret›.

münzecir. *A. s.* (Ze ile) Yasak edilmiş ve yapılmaması emredilmiş.

münzel, münezzel, *A. s.* [Nüzul'den] İndirilmiş, gökten inmiş. • ‹Sair kütüb-i münzeleden tecrit edilerek. — Taş.›.

münzevi, *A. s.* (Ze ile) 1. İnziva etmis, köşeye çekilmiş. 2. (i.) Köşesine çekilip kimse ile görüşmeyen kimse.

münzil, münezzil, *A. s.* [Nüzül'den] İndiren. • ‹Hemen hazret-i münzil-i Kur'an azze ve şanehü. — Sümbülzade›.

münzir, *A. s.* (Zel ile) [Nezr'den] Doğru yolda yürümeyi sağlamak için kandırıcı sözlerle korkutan.

münzirat, *A. i.* [Münzir ç.] Haber verip korkutmalar. • ‹Âlem-i süflide gûne gûne delâil-i reddiye ve münzirat-i acîbe zuhur edip. — Naima›.

müraat, *A. i.* (Ayın ile) [Riayet'ten] Saygı. Gözetme, bakma, koruma; •müraat-i nazîr, anlam bakımından birbirine uygun kelimeleri bir ibarede toplama. • ‹Bikader-il-imkân şarta müraat olunmak lâzım gelir. — Mec. 83›.

mürabaa, *A. i.* (Ayın ile) Yazlığına kiralama.

mürabi', *A. s.* (Huk.) Yazlığına tutulmuş (yer, insan). • ‹İstikametli mürabi yoktur — Hak istersen eğer pek çoktur — Ekmeye verdiğini hep yerler — Bitmedi vermedi Mevlâ derler. — Nabi›.

mürabiyane, *F. zf.* [Riba'dan] Faizcilere mahsus, tefeciler yolunda. • ‹Gadde mürabiyane hile ile miriyi beş altı yüz kese medyun eylemiş bir haindir. — Naima›.

müracaat, *A. i.* [Rücu'dan] 1. Geri dönme. 2. Başvurma, danışma, yardım isteme. (ç. Müracaât). • ‹Vatanlarına müracaat kasdiyle. — Sadettin›.

müracaatgâh, A. i. [Müracaat-gâh] Bas vurulacak yer. • ‹Yegâne müracaatgâh olarak kendisini bulabildiğinden. — Usaklıgil›.

müracaha, A. i. (İyilikte) Üstün gelme icin varısma.

müradefet. A. i. [Redf'ten] Beraber yolculuk etme.

müradif, A. s. [Redf'ten] 1. (Gra.) Bir anlamda olan. eş anlamlı. 2. Arkadas. • ‹Hukuk-i Düvel kelimesine bir muradif-i münasip taharri olunursa. — Cenap›.

mürafaa. A. i. (Huk.) 1. Duruşma. 2. Dava açma. Davasını yargıca anlatma. • ‹Memur mürafaasına mahkemeler icat olunmustu. — Kemal›.

müraﬁ, A. s. Mürafaaya. duruşmaya çıkan.

müragama. mâragamat. A. i. 1. Bir cekisme sonunda ondan vazgecme. 2. Birini darıltma, öfkelendirme. • ‹Seriata. müragamaya müsabih fiil ile teati ve mukabeledir. — Tas.›.

mürahene, A. i. (Rehin'den) karşılıklı rehin alıp vermek. • ‹Tarafeynden mürahene ve mevad-i vere mukavele olunmuş hususlarını. — Ragıp Pş.›.

mürahik, Bk. • Murahık.

mürai. A. s. (Ayın ile) [Riayet'ten] 1. Savcı gösteren. 2. Bakın gözeten. • ‹İkaz-i fitneve sâi ve hıfz-i hukuk merasimini gayr-i mürai olmağın. — Sadettin›. • ‹Kavilerin siyaseti hukuka mürai değilse de hukukta mürayi olduğunu inkâr edilemez. — Cenap›.

mürai. mürayi. A. s. [Riya'dan] İki vüzlü. • ‹Her nimeti. her fazlı. hep esbab-i rehavı — Gökten dilenen zill-i tevekkül ki... mürai. — Fikret›.

müraviane, A. zf. İki vüzlülükle. iki yüzlülüğe yakışır şekilde.

müraKasat, A. ç. i. Türkçede. raks kelimesinden yapılmıs sözdür. Danslar. • ‹Kısın Odeon'un mürakasatında ortalığı velvele-i neşvesine boğardı. — Usaklıgil›.

müraselât, A. i. [Resül'den] 1. Mektuplasma. 2. Resmî kadı mektubu. • ‹Mükâtebat ve muraselât ile dostlukları var idi. — Naima›.

müravede, A. i. [Rud'dan] 1. İstek. 2. Sövme.

mürayât, A. s. [Ruyet'ten] 1. Gösteriş. 2. İki yüzlülük.

mürci', A. s. [Rücu'dan] (Kim.) İndirgen.

Mürcie, A. i. İmanı en başta sayan ve amele önem vermeyen, din fırkalarından biri. • ‹Kelâm-i Mutezile ve Mürcie ve Revafız ve anların emsali gibi. — Taş.›.

mürd, F. s. Ölmüş, gebermiş. (ç. Murdegân). • ‹Kardeşi mürd oldukta yerine kaim ve şerr ü fesat üzre daim olup. — Naima›.

mürde, F. i. s. Ölü, ölmüş. • Mürdedil. duygusuz, ölü yürekli. • ‹Nedir aşkın ki bazan en donuk en mürde, en hâli — Dem-i yesimde levh-i fikrimi lebriz-i şi'r eyler. — Fikret›.

Mürdesenk, F. i. Litharge. Kurşundan çıkarılan madde.

mürdeşûy, F. i. [Mürde-şûy] Ölü yıkayıcı.

mürebba, A. s. Terbiye olunmuş, terbiye görmüş. • ‹Yakup padişahın mürebbası ve makbul ve mahsus hafızı olup. — Sadettin›.

mürebbî A. i. Çocuk terbiye eden kimse. • Mürebbî bizzat, Fransızca'dan autodidact karşılığı (XX. yy.). • ‹Vâiz-i mürebbi-i akıldır. — Kemal›. • ‹Mürebbî yüz vermeksizin mükâfat ve kalp kırmaksızın mücazat etmeli. — Cenap›.

mürebbiyane, F. zf. 1. Terbiye edecek yolda. 2. Mürebbiyeye yakışacak şekilde. • ‹Murebbiyane tevbihe bedel yalan söylemek ciheti ihtiyar olunur. — Recaizade›.

mürebbiye, A. i. Çocuk terbiyesiyle uğraşan kadın. • ‹Adnan Bey ihtiyar mürebbiyeye uzun bir mektup yazmış. — Uşaklıgil›.

müreccah, müreccaha, A. s. [Rüçhan'dan] Üstün tutulan. • ‹Vatan muhabbetini umur-i dünyeviyenin kâffesine müreccah tutmuş ve. — Kemal›.

mürecceb, A. s. Kutlu. (Yalnız recep ayı için • receb-i mürecceb sözünde kullanılır).

müreccih A. s. [Rüchan'dan] Üstün tutan.

müreffeh, müreffehe, A. s. Geçineceği ve gerekli şeyleri sağlanmış, rahata kavuşturulmuş. • ‹Saye-i hümayun-i padişahide müreffeh-ül-bâl iken. — Peçoylu›.

müreffehen, A. zf. Rahat ve varlık içinde olarak.

müreffeh, *A. s.* Rahatlandırıcı. Rahat et- tirici.

mürekkeb, mürekkebe, *A. s.* [Rüküb'- dan] 1. İki veya daha ziyade şeyin ka- rışmasından meydana gelen. 2. (Kim.) Bileşik. • *Cehl-i mürekkep,* bilmediği- ni bilmeyen, kendini bilir sanan, • *fa- iz-i mürekkep,* faize faiz yürütülen he- sap. 3. (Türkçede yazı için kullanılan sıvı) Mürekkep. • «Güftara gelip söy- leseler cehl-i mürekkep. — Ruhi». • «İncedir bu fikrim kaba düştü tâbir — Eyledim sanki mürekkep ile huri tas- vir. — Şinasi». • «Elîm can sıkıntıla- rından mürekkep uzun saatlerle müte- madi bir azap saklıyor. — Uşaklıgil».

mürekkebat, *A. i.* Bileşikler.

mürekkebe, *A. i.* (Bot.) Fransızca'dan *composées* (bileşikgiller) karşılığı (XIX. yy.).

mürekkez, *A. s.* Sekz olunmuş, dikilmiş, kalkmış.

mürekkib, mürekkibe, *A. s.* Terkip eden. Bir bileşiği meydana getiren.

müressem, *A. s.* [Resim'den] 1. Yazılmış, çizilmiş. 2. Resimler, çiçeklerle süslen- miş.

müressib, *A. s.* (Kur'an'ı) Ağır ve dikkat- li okuyan.

müressim, *A. s.* Resmini yapan.

müreşşah, *A. s.* 1. Terbiye edilmiş. 2. İba- re içindeki benzetmede benzetilene en yakın olarak söylenen.

müretteb, mürettebe, *A. s.* [Rütbe'den] . 1. Sıralanmış. 2. Kurulmuş, düzenlen- miş. 3. Tâyin olunmuş. • Şahın ve oğ- lunun bazı nâmdar hanlarının mükellef ve mürettep saraylarının ateşe vurulup. — Peçoylu». • «Şüphesiz bu onun tara- fından mürettepti. — Uşaklıgil».

mürettebat, *A. i.* 1. Bir gemi personeli. 2. Bir yer için düzenlenmiş kimseler.

mürettib, *A. s.* [Rütbe'den] 1. Tertip eden, sıraya koyan. 2. (i.) Basımevinde yazı dizgicisi. (ç. Mürettibîn).

mürevvah, *A. s.* (Ha ile) 1. Kokulandırıl- mış. 2. Rahatlandırılmış.

mürevvak, *A. s.* Süzülüp durultulmuş.

mürevvic, mürevvice, *A. s.* [Revac'dan] 1. Geçiren, sürüm kazandıran. 2. İtibar veren, yürüten. 3. Propagandasını ya- pan. • «Bunlara ilâncılığın mürevvici değil kurbanı demeliyiz. — Cenap».

mürevvih, *A. s.* 1. Kokulandıran. 2. Ra- hatlandıran.

mürg, *F. i.* Kuş. • *Mürg-i ab,* su kuşu; • *-bağ,* • *-bam, -çemen,* bülbül; • *-felek,* melek; • *-ilâhî,* insan ruhu; • *-leb;* (dudak kuşu) söz; • *-name-âver,* mek- tup getirici kuş; *-ruz* (günkuşu) güneş; • *-seher,* • *-subh,* bülbül; *-sidre,* Cebrail; • *-Süleyman,* hüthüt kuşu; • *-şebahenk,* • *-şebhan,* • *-şebhiz,* bül- bül, *yakut-per,* güneş. • «Sabâ eser, gusun-i ter — Ki mürg-i aşka lânedir. — Fikret». • «Mürg-i âbî misal perr ü bal açan derya-peymalar ile. — Sa- dettin». (Ed. Ce.)
Mürg-i aşk,
-elhan,
-havadar ü figanperver,
-hevahâh,
-muhabbet.

mürgab, *F. i.* [Murg-ab] 1. Su kuşu. 2. Ördek.

mürgan, *F. i.* [Mürg ç.] Kuşlar. • «Ey mirvaha-i lâne-i mürgan. — Cenap».

mürgane, *F. i.* Kuş yumurtası.

mürgane, *F. zf.* Kuşlar gibi, kuşlara ya- kışır şekilde. • «Bunların ortasında bir lâne — Bi-hazer bir hayat-i mürgane. —Fikret».

mürgbaz, *F. s. i.* Dövüş horozu besleyen kimse.

mürgdil, *F. s.* [Mürg'dil] Yüreksiz, kor- kak.

mürgzar, *F. i.* [Mürg-zar] Kuş bahçesi. Kuşu çok yer. • «Ve saikavâr tuyur-i mürgzarın hirmen-i canına odlar ya- kardı. — Hümayunname».

mürid, *A. i.* [Rud'dan] 1. Emreden, buyu- ran. 2. Bir şeye kendini teslim eden kimse. (ç. Müridan). • «Eblehanın kimi şahit, kimi mürit ve zahid-i bârid olup. — Kâtip Çelebi».

müridane, *A. s. zf.* Müride yakışır halde.

mürk, *F. i.* Sümük.

mürr, *A. s.* Acı. • «Harik-i hâili bir teş- negi-i hârr ü mürrün. — Cenap».

mürsel, *A. i.* [Resûl'den] 1. Gönderilmiş, yollanmış. 2. Peygamber. • *Mürselün ileyh,* kendisine bir şey gönderilmiş olan. • «Nevaziş-i teşrif ile mürselleri canibine irsal buyurdular. — Sadettin». • «Ol şehre mürsel gelmedi — Onları davet kılmadı. — Nergisi».

mürselât, *A. i.* 1. Gönderilen şeyler, 2. Melâikeler.

mürsele, *A. i.* 1. Mektup. 2. Gönderilen nesne.

mürselin, *A. i.* [Mürsel ç.] Peygamberler.

mürsil, mürsile, *A. s.* [Resül'den] Gönderen, yollayan.

mürşid, mürşide, *A. s. i.* [Rüşd'den] 1. Doğru yolu gösteren. Kılavuz. 2. Müritlere yol gösteren şeyh. 3. Gafletten uyandıran. • ‹Olalı mürşid-i aşkın ey mah — Tekkeden tekkeye koşmaktan usandım billâh. — Naci›.

mürtaş, *A. s. (Te* ile) Geçimi rahat olan.

mürteca, *A. s.* [Reca'dan] Umulan, ümit olunmuş.

mürtecel, mürtecele, *A. s.* Hemen söylenmiş (söz).

mürteci, *A. s. (Ye* ile) [Reca'dan] Ümitli, arzulu.

mürteci', mürtecia, *A. s. (Ayın* ile) [Rücu'dan] Geriye dönmek isteklisi. Fransızcadan *réactionnaire* karşılığı (XX. yy. başı).

mürtecil, mürtecile, *A. s.* Hemen, düşünmeden şiir söyleyen veya karşılık veren. Hazırcevap.

mürtecilen, *A. zf.* Hemen siir veya söz söyleyerek.

mürtecim, *A. s.* Birbiri üzerine istif olmuş olan.

mürtedif, *A. s.* Başka biri ile' bir hayvana binmiş olan.

mürtedi', *A. s.* Önlenmiş; bir seyden çekinmiş. • ‹Cümleniz kılıçtan geçersiniz demekle mürtedi' oldular. — Naima›. • ‹Her geçen kendiye şetm ettiler mürtedi' olmadı. — Naima›.

mürtefak, *A. i.* Dayanıp yaslanılacak olan.

mürtefi', mürtefia, *A. s.* [Ref'den] 1. Yükselmiş. 2. Yüksek. Yüce. • ‹Su kenarına konuldu bir mürtefi yere nakl ettirmekten gaflet olunmakla. — Naima›. • ‹Kahire'nin nukat-i mürtefiasından görüldüğü zaman. — Cenap›.

mürtefid, *A. s.* Kazanan, faydalanan.

mürtefik, *A. s.* Yerinde sürekli ve sağlam duran.

mürtegıb, *A. s.* Rağbetlenen, istekli.

mürtehil, *A. s.* [Rıhlet'ten] 1. Göç eden. 2. Ölen.

mürtei, *A. s.* Çayırda otlayan.

mürteid, *A. s.* [Ra'd'den] Ürküp titreyen. • ‹Mer'ub ü mürteid mührü çıkarıp padişaha sundu. — Naima›.

mürteiş, *A. s. (Sin* ile) Titreyen, titremeye tutulmuş.

mürteiş, mürteişe, *A. s.* [Ra'şe'den] Titreyen. • ‹Yed-i mürteişlerinden destbürd-i dilirane ile. — Şefikname›. • ‹Vücudu serapa bir kütle-i murteişe kesilmiş idi. — Uşaklıgil›.

mürtekı, *A. sö (Kaf* ile) 1. Yukarı çıkan. 2. Artan, çoğalan.

mürtekıb, *A. s. (Kaf* ile) Bekleyen, gözleyen.

mürteki, *A. s. (Kef* ile) İnanan, güvenen.

mürtekib mürtekibe, *A. s.* [Rüküb'dan] 1. Kötü ve yakışmaz iş yapan. 2. Rüşvet alan. Rüşvetle iş gören. • ‹Birkaç kuruşu mürtekibin cayı kürektir. — Ziya Pş.›.

mürtekiban, *F. i.* [Mürtekib ç.] Kötü iş yapanlar. • ‹Mürtekiban-i maasinin. — Nergisî›.

mürtekiz, *A. s.* [Rekz'den] Yerli yerinde sağlamca duran.

mürtesem, mürteseme, *A. s.* [Resm'den] Resmedilmiş. Resimlenmiş. (ç. Mürtesemat). • ‹Çirkin değil fakat acı bir yüz ki murtesem — En nazlı katlarında huşunut alâmeti. — Fikret›.

mürtesim, *A. s.* Resmi çıkan, resmedilmiş olan.

mürteşi, *A. s.* [Rişvet'ten] Rüşvet alan.

mürteşif, *A. s.* Yudum yudum içen. • ‹Seyislik satlından çirkâb-i rezaletî mürteşif iken. — Naima›.

mürteşih, *A. s.* [Reşh'tan] Süzülmüş.

mürtezak, *A. i.* Rızık ve ulûfe olarak alınan şey.

mürtezık, *A. s.* [Rızk'tan] Rızıklanan.

mürtezika, *A. i.* [Rızk'tan] 1. Ulûfe sahipleri. 2. Vakıftan para alanlar. • ‹Yarhisar vakfı mütevellisi mürtezika ile gelip. — Naima›.

müruc, *A. i.* [Merc ç.] Çayırlar.

mürur, *A. i.* 1. Geçme. Bir taraftan girip öteden çıkma. 2. Geçip gitme. Sona erme. • *Mürur-i zaman,* zaman aşımı. • ‹Vezaret mesnedinde câlis iken iki sene mürür etmeden. — Peçoylu›.

mürüvvet, *A. i.* 1. Yiğitlik, mertlik. 2. İnsanlık. 3. Çocuklarının önemli hayat devrelerini baba ananın görme sevinci. *Bimürüvvet,* insaniyetsiz. • ‹Derdini sinemde canımdan aziz ister gönül — İhtiram etmek mürüvvettir kişi mihmanına. — Hayali›. • ‹Ya kişi kaldır tarlanı koyun geçsin derler ve hilâf-i şer ü mürüvvet böyle nice zulm ü gadr ederler imiş. — Naima›.

mürüvveten, *A. zf.* İnsanca bir davranışla. Mertlik ve yiğitlik gereğince. • ‹Karanlıkta aranmaksızın önüne çıkan bu sırrın yanından mürüveten silinmek isteyerek. — Uşaklıgil›. • ‹Bu teessürünüzün farkına varacak olurlarsa mürüvveten yaygaralarını taz'if ederler. — Cenap›.

mürüvvetmend, *F. s.* [Mürüvvetvend] Mürüvvetli, insaniyetli. • ‹Mürüvetmend olan nakâmi-i düşmanla kâm almaz. — Ragıp Pş.›.

mürvarid, *F. i.* İnci. • ‹Şadmerk olsa görünce n'ola şimdi badenin — Müflisan-i ıyşe mürvariddir her katresi. — Nailî›.

müsaadat, *A. i.* [Müsaade] ç. Müsaadeler. • ‹Tarafdaranına atâ ve müsaadat ve masalih-i devlete adem-i itina. — Kemal›.

müsaade, *A. i.* 1. Yardım. 2. İzin. • ‹Lâkin tevcihe felek müsaade etmedi. — Naima›.

müsaadekâr, *F. s.* [Müsaade-kâr] İzin veren. Engel çıkarmayan.

müsaadekârî, *F. i.* Hoş görme. Engel çıkarmama. • ‹Yaşlıca efendinin nazar-i müsaadekârisi altında. — Uşaklıgil›.

müsaafa *A. i.* 1. İş bitirme, yardım etme. 2. (XIX. yy.). Fransızca *Tolérance* karşılığı.

müsab, *A. s. (Se ile)* [Sevab'dan] Sevap kazanan. • ‹Cevap verilip müsab oluna›.

müsabaka, *A. i.* [Sebak'tan] Birbirini geçmeye ve ileri olmaya çalışma. Yarışma.

müsabakat, *A. i.* [Sebak'tan] Yarış, yarışma.

müsaberet, *A. i.* Sürekli olarak uğraşma.

müsademe, *A. i.* [Sadme'den] 1. Çarpışma, çatma, birbirine çarpıp vuruşma. 2. Düşman iki asker kıtası arasındaki ufak çarpışma. • ‹Barika-i hakikat müsademe-i efkârdan çıkar. — Kemal›.

müsadere, Bk. *Müsadere.*

müsafaat, *A. i. (Sin ile)* Birbirinin boynuna sarılma.

müsafeha, müsafehat, *A. i. (Sin ve ha ile)* Kanunsuz birleşme, zina.

müsaferet, *A. i.* [Sefer'den] 1. Yolculuk, seyahat. 2. Konukluk. • ‹On beş gün için müsaferete geleceğinden. — Uşaklıgil›.

müsafir, *A. s.* [Sefer'den] 1. Yolculuk eden, yolcu. 2. Yolculuk sırasında birinin evine konan, konuk. 3. Hatır sorma veya görme için birinin evine giden. Misafir. 4. Gözde olan leke.

müsafirhane, *F. i.* [Müsafir-hane] 1. Han, otel. 2. Misafir olarak geçen resmî kimselerin konaklayacağı yer.

müsafirin, *A. i.* [Müsafir ç.] Misafirler, konuklar.

müsag, *A. s.* [İsaga'dan] Akıtılmış, kalıba dökülmüş olan.

müsahele, *A. i.* [Sehl'den] 1. Kolaylık ve yumuşaklık gösterme. 2. Aksilik çıkarmama. 3. Kolay sanma. • ‹Şu aralık bizim gazetecilerimiz o kadar müstahakk-i müsaheledirler ki. — Cenap›.

müsahelekâr, *F. s.* [Müsahele-kâr] kolaylık gösteren.

müsaheret, *A. i. (Sin ve he ile)* Gece uyuyamama, uyanık kalma.

müsahhan, *A. s. (Hı ile)* [Suhunet'ten] Isıtılmış.

müsahhar, *A. s. (Ha ile)* [Sihr'den] 1. Büyülenmiş. 2. Büyü ile aldanmış. • ‹Muti-i emrin olup çar rûşe heft iklim. — Ola müsahhar-i kilkin bu kubbe-i devvar. — Nedim›.

müsahhar, *A. s. (Hı ile)* 1. Teshir olunmuş, ele geçirilmiş. 2. Tutkun, boyun eğmiş. 3. (Huk.) *Vekil-i müsahhar,* sanık için mahkemece tâyin olunan avukat. (Mec. 1971). • ‹Kılıp zat-i şerifin mesned-i devlette Hak daim — Müsahhar eyleye etraf ü enhayı. — Nedim›.

müsahhir, *A. s. (Hı ile)* Teshir eden, zapteden. • ‹Ey köhne Bizans, ey koca fertut-i muhsahhir. — Fikret›.

müsahemet, *A. i. (Sin ve he ile)* Ortaklık.

müsahim, *A. s. (Sin ve he ile)* Sehim sahibi olan, ortak olan. Aksiyoner.

müsaid, *A. s.* [Süud'dan] 1. Yardım eden. 2. İzin veren. Uygun. *Gayr-i müsait, namüsait,* bir işi olmayacak veya zor bir hale koyan. • ‹Nihal-in tecessüskâr suallerinden azade kalabilmesine müsait fırsatları. — Uşaklıgil›.

müsakat, *A. i. (Sin ile)* Yemişlerden bir kısmını almak şartıyle ağacı veya bağı birine verme şeklindeki ortaklık (Mec. 1441).

müsakât, *A. i. (Sin ile)* Alacak için sıkıştırma.

müsakkab, *A. s. (Se ile)* [Sakb'dan] Delinmiş.

müsakkaf, müsakkafa, *A. s.* [Sakf'tan] Tavanı, damı olan.

müsakkafat, A. i. [Musakkaf ç.] 1. Üzeri dam ile örtülü yapılar. 2. (Huk.) Üstü örtülü vakıf yapılar.

müsakkal, A. s. Ağırlaştırılmış.

müsakkıb, A. s. Delen, delici.

müsakkıl, A. s. Ağırlaşan.

müsal, A. i. Sakal.

müsalebe, A. i. Yağma. • «Nemçe çasarı ile husumet ve mükâlebe ve her sene müsalebe ve mugalebe üzere iken. — Raşit».

müsalefe, müsalefet, A. i. (Sin ile) Birine yol arkadaşı olma.

müsaleme, müsalemet, A. i. Taraflar arasında barışıklık. • «İstida eylediği akd-i müsalemeye müsaade-i ba-saade-i şehriyarileri erzani... — Ragıp Pş.» • «Bugün senin medeniyet, müsalemet, safvet — Adalet isteyen âvaz-i hak-nüdumunla. — Fikret».

müsalemetkâr, F. s. (Sin ile) [Müsalemet-kâr] Barışçı.

müsalif, A. s. Yol arkadaşı.

müsamaha, A. i. [Semahat'ten] 1. Görmezliğe gelme, göz yumma. 2. Dikkat, aldırış etmeme. (ç. Müsamahât). • «Saadetlû padişah hazretleri daha müsamaha ve ihmal etmeyip ruz-i mezburda teveccüh-i hümayun buyurdular. — Peçoylu». • «İptidalarında kahr-i müşkilpesendisinden kurtulamayan müsamahat ile dolduruyor. — Uşaklıgil».

müsamahakâr, F. s. [Müsamaha-kâr] Aldırmayan, ihmalci.

müsamahakârane, A. s. zf. Müsamaha ve ihmal ederek, aldırmayarak.

müsamerat, A. i. [Müsamere ç.] Müsamereler.

müsamere, A. i. Gece toplantı ve eğlenceleri. • «Operaia Italiana'nın bir müsameresinde tanınmış bir kız! — Uşaklıgil».

müsamih, A. s. [Semahat'ten] Göz yuman, aldırış etmeyen.

müsanede, müsanedet, A. i. Yardım etme, arka çıkma.

müsamaha, A. i. (Sin ve ha ile) Gönüle doğma.

müsanehe, A. i. (Sin ve ve he ile) Yıllığına muamele etme.

müsaraat, A. i. Sürat ve acele etme. İvme. • «Çuha adası havalisinde Cezayir'liler onlara tekaddüm ve müsaraat etmekle. — Naima».

müsaraaten, A. zf. Süratli, acele olunarak. İvedilikle.

müsaraka, A. i. Çalma, hırsızlama.

müsari, A. s. [Sürat'ten] Acèleci, acele eden. • «Fetvaya müsari olmaya. — Taş.».

müsavat, A. i. Aynı hal ve derece olma, Eşitlik.

müsaveme, A. i. (Sin ile) Pazarlaşma.

müsavi, A. s. Aynı hal ve derecede bulunan. Eşit.

müsayefe, A. i. [Seyf'ten] Kılıçla vuruşma. Düello.

müsbet, müsbette, A. s. [Sübut'tan] 1. Kanıt gösterilmiş. İspatlanmış. 2. (Mat.) Pozitif. • Ulûm-i müsbette pozitif bilimler.

müsbit, müsbite, A. s. [Sübut'tan] İspata yarayan, ispat eden. • Evrak-i müsbite, kanıt olabilecek kâğıtlar.

müsebba', müsebbaa, A. s. [Seb'den] Yedili. Yedi parçadan meydana gelme.

müsebbeb A. s. [Sebeb'den] Sebep olunarak meydana getirilmiş olan.

müsebbet, A. s. (Se ile) Tesbit olunmuş, saptanmış.

müsebbib, müsebbibe, A. s. [Sebeb'den] 1. Sebep olan. 2. Kuran, meydana getiren. • Müsebib-ül-esbab, bütün sebeplerin sebebi. Tanrı. • «Onun ölümüne bir parça da kendisini müsebbib addediyordu. — Uşaklıgil».

müsebbih, müsebbiha, A. s. [Tesbih'ten] Süphanallah diyen.

müsebbiha, A. i. Sağ elin ikinci parmağı, şahadet parmağı.

müsebbihan, A. i. [Müsebbih ç.] Tesbih edenler, süphanallah diyenler. • Müsebbihan-i felek, melekler.

müsebbit, müsebbite, A. s. [Sebt'ten] Tesbit edici, sağlayıcı, sürekli kılan.

müsecca', müseccaa, A. s. [Seci'den] Cümlelerinin sonu secilli olan (nesir).

müseccel, müseccele, A. s. [Sicil'den] 1. Sicile, deftere geçirilmiş. 2. Mahkeme defterine kaydolunmuş. • «Lahey'in zâbıtaca müseccel bir evinde. — Uşaklıgil».

müseccil, A. s. i. 1. Şer'i mahkeme siciline geçiren. 2. Arşiv memuru.

müsedded, A. s. (Sin ile) Uzunlamasına doğrultulmuş.

müseddes, müseddese, A. s. [Süds'ten] 1. Altı kısımdan meydana gelmiş, altılı. 2. (Ed.) Altışar mısralı bentlerden meydana gelmiş manzume. 3. (Geo.) Altıgen.

müsekkin, müsekkine, *A. s.* [Sükûn'dan] Ağrı ve sızıyı durduran, uyuşturucu. • *Deva-i müsekkin, edviye-i müsekkine,* ağrı uyuşturucu ilâçlar.

müsellâh, müsellâha *A. s.* [Silâh'tan] Silâhlandırılmış; silâhlı. • *Kuvay-i müsallâha,* silâhlandırılmış, silâhlı kuvvetler; • *sulh-i müsallâh,* silâhla sağlanan barış. • Ey havf-i müsellâh, ki hasaratına raci' — Öksüz dul ağızlardaki her şekve-i tali'. — Fikret». • «Çiftlik sahiplerini büyük zararlara uğrattı ve ancak kuvve-i müsellaha ile teskin olunabilmişti. — Cenap».

müsellâhan, *A. zf.* Silâhlı olarak.

müsellem, müselleme, *A. s.* Teslim olunmuş, kimse tarafından inkâr veya reddedilemeyen. • «Feyz-i nazarın kılar, müsellem — İhya bu harebazarı her dem. — Fikret». • «Sukut-i evrakın fecaat-i müsellemesine rağmen. — Cenap».

müselleman, *A. i.* Yeniçeri zamanında yol işleri ile görevli asker kısmı.

müsellemat, *A. i.* Genel olarak kabul edilmiş kaziyeler.

müselleme, *A.i.* Fransızca'dan *dilemme* sözünün karşılığı. yardımcı teorem (XIX. yy.).

müselles, müsellese, *A. s. i.* [Selâse'den] 1. Üçlü. Üç bölükten ibaret. 2. (Geo.) Üçgen. 3. Kaynatılarak üçte ikisi buharlaştırılan içki. (ç. Müsellesat. • *Müselles-i kaim-üz-zaviye,* dik üçgen; • *-muhtelif-ül-adla',* çeşitkenar üçgen; • *-münfericüz-zaviye,* geniş açılı üçgen, • *-mütesavi-üladla,* eşkenar üçgen, • *mütesaviy-üs-sakeyn,* ikizkenar üçgen, • *ittifak-i müselles,* Birinci Cihan Savaşına kadar Almanya, Avusturya - Macaristan, İtalya arasındaki antlaşma. • «Ve cevaza karib olan nebiz ve müsellesat istimaline udul için. — Naima».

müsellesat, *A. i.* Trigonemetri.

müsellesî, *A. s.* Üçgenle ilgili. • *Ehram-i müsellesî,* üçgen piramit. • «Ehram-i müsellesînin bir köşesinde çabuk çabuk yükseliyordu. — Cenap».

müsellim, *A. i. s.* Teslim eden, veren. Osmanlı İmparatorluğunda vilâyet teşkilleri yapılıncaya kadar, eyalet bölümleri olan yerlerde memur; veya bir vali adına iş gören kimse.

müselman, *F. i.* Bk. • *Müsliman.*

müselsel, müselsele, *A. s.* [Silsile'den] Zincir gibi birbirine bağlı olan. • «Bir verem hastası halinde müselsel ve medit. — İstikâlarla beraber. — Fikret».

müselselen, *A. zf.* Birbirinin ardından, aralıksız.

müsemma, müsammaiyye, *A. s.* [İsm'den] 1. Adlanmış, adı olan. 2. Parası, sayısı, tutarı belirtilmiş. 3. Belirtilmiş (zaman). • *Müsemma binnakîz,* adıyle hal ve davranışları arasında karşıtlık olan, • *bî-müsemma,* adsız, belirsiz, bilinmeyen; • *ecel-i müsemma,* normal ölüm, • *ecr-i müsemma,* (şu kadar, kuruş diye) kaç kuruş olduğu belirtilmiş. • «Katl etmeye bahane arardı ama ecel-i müsemması sebkat edip intikamını eliyle alamadı. — Naima». • «Enduh ise ism-i bî-müsemma. — Naci». • «Ecr-i musemma hîn-i akidde zikr ü tâyin olunan ücrettir. — Mec. 415».

müsemmeh, *A. s.* (*Sin ve he* ile) Akıl ve şuuru kaybolmuş olan.

müsemmen, müsemmene, *A. s.* [Semane'den] 1. Sekizli, sekiz parçadan meydana gelen. 2. (Geo.) Sekizgen.

müsemmen, *A. s.* [Semen'den] Para karşılığında satılmış şey (Mec. 155).

müsemmim, *A. s.* [Semm'den] Zehirleyici, ağlayan. • «Bu musikinin tesliyetinde serbmest eden bir nuşabe-i müsemmim hıyaneti vardı. — Uşaklıgil».

müsenna, müsennaiye, *A. s.* (*Se* ile) iki bölümünden meydana gelmiş.

müsennaiyyet, *A. i.* (*Se* ile) (Fel.) İkili bölüm.

müsenneyat, *A. i.* (Müsennat ç.) Şu bentleri ve arkların sınırları, kenarları (Mec. 1050).

müserrec, müserrece, *A. s.* Eyerlenmiş, eyerli. • «Amma teveccüh ü niyyet rahşi ruz ü şeb müserrec ve müleccem. — Lâmiî».

müsevvem, *A. s.* (Sin ile) Bir nişanla işaretlenmiş olan.

müsevver, müsevvere, *A. s.* [Sur'den] Etrafı sur ile çevrilmiş olan. • «Bir müsevvere-i külliyyedir ki. — Sadettin».

müsevvid, müsevvide, *A. i. s.* [Sevad'dan] Müsvedde yapan. Yazılacak bir müsveddeyi hazırlayan memur.

müseyyeb, *A. s.* İşine bakmayan, tembel, üşengen. İhmalci.

müseyyef, *A. s.* [Seyf'ten] Kılıç takınmış olan.

müshil, müshile, *A. s. i.* [Sehl'den] İshal veren, iç yumuşatan.

müsî, *A. s.* Kötülükte bulunan.

müsîl, *A. s. (Sin* ile) [Seyelân'dan] Akıtan.

müsinn, müsinne, *A. s.* [Sin'den] Yaşlı.

müskir, *A. s.* [Sekr'den] Sarhoş eden, sarhoşluk veren. • ‹Ey mevc-i safa! ruha kef-efşan-i emelsin — Gösterdiğin ahlâm-i şagaf müşfik ü müskir — Ey nevm-i huzuzat. — Fikret›.

müskirat, *A. i.* Sarhoşluk veren şeyler. • ‹Bir memlekette ki müskirat, itlüf-i nefs ve teksir-i cidal edecek derecelerde şayi olur. — Kemal›.

müskit, müskite, *A. s.* [Sükut'tan] Susturan. Karşılığa meydan vermeyen. • *Cevab-i müskit,* • bir söz söyletmeyecek karşılık.

Müslim, Müslime, *A. s. i.* İslâm dininde olan.

Müsliman, *A. s. i.* İslâm dininde olan, Müslüman. • ‹Bir güruh Müslümanları cemedip gayretlenip. — Naima›.

Müslimanan, *F. i.* [Müsliman ç.] Müslümanlar. • ‹Mezari-i müslümanan içre kondunuz. — Naima›

Müslimin, *A. i.* [Müslim ç.] Müslümanlar. • ‹Kefere ile sulh eylemek ol zaman meşru olur ki kâffe-i Müslümîne menfaat ola. — Peçoylu›.

Müslimum, *A. i.* [Müslim ç.] Müslümanlar.

müsmin, *A. s.* [Semen'den] 1. Semiz, şişman. 2. Semirten, semizlik veren (ilâç).

müsmir, müsmire *A. s. (Se* ile) [Semer'den] 1. Yemiş veren, yemişli. 2. Ürün veren. 3. Yarar, faydalı. 4. Sonuç veren, etkisi olan. • *Gayr-i müsmir,* boş, faydasız. • ‹Teşvik-i sanayi ancak meşr-i fünundan sonra müsmir olur. — Cenap›.

mesned, *A. i.* 1. İsnat edilmiş, nisbet edilmiş. 2. *(Gra.)* Yüklem. • *Müsned-ün-ileyh,* özne.

müsri, *A. s.* [Sür'at'ten] Acele ettiren.

müsrif, müsrife, *A. s.* [Seref.ten] İsraf eden. Malını beyhude yere yok eden.

müsrifane, *F. s. zf.* Beyhude yere malını harcayıp tüketerek.

müsta'bid, *A. s.* [Abd'dan] Kul edinen.

müsta'bir, *A. s. (Ayın* ile) [Tâbir'den] Düş yorduran, rüya tâbir ettiren.

müstabtin, *A. s.* (İşin) içyüzünü bilen.

müsta'ceb, *A. s.* [Ucb'den] Şaşılacak olan. • ‹Hariçten eğer olsa temaşasına

imkân — Müthiş görünür heyet-i müsta'ceb-i âlem. — Ziya Pş.›.

müsta'cel müsta'cele, *A. s.* [Acele'den] Çabuk yapılması gereken, sıkıştıran, aceleli.

müsta'celen, *A. zf.* Çabuk olarak.

müsta'cib, *A. s.* [Acb'den] Şaşan.

müsta'cil, müsta'cile, *A. s.* [Acele'den] 1. Acele olmasını isteyen. 2. Acele giden, çabuk kaybolan.

müsta'fi *A. s.* [Afv'den] 1. İstifa eden, bir işten kendi isteğiyle çekilen. 2. Suçunun bağışlanmasını isteyen.

müstagallât, müstagillât, *A. i. ç.* Üstü kapalı olmayan iratlardan başka, tahıl veya zahire gibi şeylerden, iratlar getiren vakıf mallar.

müstagas, *A. s.* [Gıyas'tan] Kendisinden yardım istenen, Tanrı. • ‹Biz razıyız cehenneme ey Rabb-i müstegas — Amma anın içinde Yahudi bulunmaya. — Avni›.

müstagfir, *A. s.* [Gufran'dan] Günahlarının bağışlanmasını Tanrıdan dileyen.

müstagîs, *A. s.* [Gıyas'tan] Yardım dileyen.

müstagni, *A. s.* [Gani'den] 1. Müstağni, gözü tok. 2. Çekinen, nazlanan. 3. Gerekli bulmayan. • ‹Ta uzaktan bana bakmaktasınız, müstağni — Tuhfe-i mahmidetimden. — Fikret›.

müstagniyane, *F. zf.* Müstagnilere yakışır surette. • ‹Biraz müstagniyane ilerleyen Aliye'ye terk-i mevki etti. — Uşaklıgil›.

müstagrak, müstagraka, *A. s.* [Gark'tan] Dalmış, daldırılmış. Batmış. • ‹Beni kudret eli bir hoş şikâristane saldı kim. — Kanadı nura müstağrak uçarlar ördek ü kazı. — Hayali› • ‹Hususa içoğlanları zırh ve silâha müstağrak kafasında kat ender kat. — Naima›. • ‹Her cebhe o kadar mestur-i tefekkür ve her sima müsragrak-i ciddiyet. — Cenap›.

müstagreb, müstagrebe, *A. s.* [Garabet'ten] Şaşılacak, garip görülmüş.

müstagrib, *A. i.* [Garabet'ten] Şaşakalan.

müstagrik, *A. s.* Garkolan, batan.

müstahab, müstahabbe, *A. s.* [Hubb'dan] 1. Sevilen, beğenilen. 2. Farzla vacipten sonra gelen sevaplı iş.

müstahak, *A. ş.* Hak kazanmış. Lâyık. Bk. *Müstahik.*

müstahall, *A. s.* [Helâl'den] Helâl sayılmış olan.

müstahber, müstahbere, *A. s.* [Haber'-den] Haber alınmış, işitilmiş duyulmuş. (ç. Müstahberat).

müstahberat, *A. i.* Alınmış, öğrenilmiş haberler. • «Müstahberatını (...) gazete sütunlarına iliştiren. — Cenap».

müstahbir, *A. s.* Haber veren. (ç. Müstahbirîn).

müstahdem, müstahdeme, *A. s.* [Hiddet'-ten] Hizmette bulunan, ücretle çalışan. (ç. Müstahdemîn).

müstahdemîn, *A. i.* Müstahdemler, çalışanlar. • «Alelûmum müstahdemine talimat-i mahsusa verildi. — Uşaklıgil».

müstahdim, müstahdime, *A. s.* Hizmette kullanan.

müstahfaz, *A. s.* [Hıfz'dan] Korunmuş. Korunan, emniyet altında bulunan.

müstahfız, müstahfıza, *A. s.* [Hıfz'dan] 1. Koruyan. 2. Tanzimat'tan sonra düzenlenen asker sisteminde muvazzaf ve rediflikten sonra kırk yaşını aşınca başlayan askerlik hizmeti. (ç. Müstahfizan). • «Müstahfizan-i İznik. — Sadettin».

müstahfızîn, *A. i.* Müstahfızlar. • «Ve kifayet kadar müstahfızîn. — Peçoylu».

müstahık, müstahıkka, *A. s.* [Hak'tan] Hak kazanmış, lâyık.

müstahîl, *A. s.* (*Ha* ile) Olması imkânsız bulunan. • «Ne gûne müstahîl emr ise icadın murat etsen — Kemal-i hikmetin filhal ana esbab eder peyda. — Basrî». • «Müstahîle yani vücudu gayir mümkün olan şeye tâlik dahi bâtıl olur. — A. Haydar».

müstahill, *A. s.* (*Te* ve *ha* ile) [Helâl'den] Helâl edilmesini isteyen. Helâl sayan. • «Hürmetine fetva verdiler ve müstahilli kâfirdir dediler. — Kâtip Çelebi».

müstahkar, müstahkara, *A. s.* [Hakaret'ten] Hakaret gözüyle bakılan, hakîr. İtibarsız, değersiz. • «Dayak yemiş bir çocuk aciziyle, o kadar sefil, o kadar müstahkar buldu ki. — Uşaklıgil».

müstahkem, müstahkeme, *A. s.* [Hükm'-den] 1. Sağlam. 2. Sağlamlaştırılmış. Etrafına kale, siper, tabya yapılmış. • *Mevki-i müstahkem,* askerlikçe sağlamlaştırılmış yer. • «Aşk nageh oldu peyda tuttu müstahkem beni. — Fuzulî». • «Ve burc ü barusu ayyuka çıkmış bir metîn ve müstahkem kale idi ki ol ya-

kında naziri ve adili yoğidi. — Peçoylu».

müstahkır, müstahkıra, *A. s.* [Hakaret'-ten] Hakîr gören, küçümseyen.

müstahlas, *A. s.* [Halâs'tan] Kurtarılmış

müstahleb, *A. s.* [Halb'ten) 1. Kıvamına getirilmiş ilâç. 2. Sübye.

müstahlef, *A. s.* [Halef'ten] Kendi yerine geçirilmiş. Başkasının yerine konulmuş.

müstahlib, *A. s.* (*Hı* ile) Tırmalayan.

müstahlif, müstahlife, *A. s.* [Halef'ten] Kendi yerine geçen. (ç. Müstahlifîn).

müstahlis, müstahlisa, *A. s.* [Halâs'tan] Kurtaran, kurtarıcı. (ç. Müstahlisîn).

müstahrec, müstahrece, *A. s.* [Huruc'-dan] Bir şeyden çıkarılmış. Bir kitaptan alınmış. (ç. Müstahrecat).

müstahric, müstahrice, *A. s.* 1. Çıkaran. 2. İbareden mâna çıkarabilen.

müstahsal, *A. s.* [Hâsıl'dan] Hussule gelmiş, getirilmiş şey. (ç. Müstahsalât). • «Okuduklarından müstahsal netayic-i zevk-i şiiri. — Uşaklıgil».

müstahsen, müstahsene, *A. s.* [Hasen'-den] Herkesin güzel bulup beğendiği. *Adat-i müstahsene,* beğenilmiş tarz, tutum. (ç. Müstahsenat). • «Ve fütuhata müteallik tedbir-i müstahsen ne ise görüldü. — Peçoylu».

müstahsil, *A. s.* Ürün yetiştiren. Husule getiren, üretici. (ç. Müstahsilîn).

müstahzar, *A. s.* [Huzur'dan] 1. Huzura getirilmiş, hazır ve mevcut olan. 2. Hazırlanmış. 3. Zihinde tutulmuş, hatırlanan. (ç. Müstahzarat). • «Kendisine söylenecek müstahzar bir şeyi yoktu. — Uşaklıgil».

müstahzarat, *A. i.* [Müstahzar ç.] 1. Akılda tutulmuş, hatırlanan şeyler. 2. Hazır bulunan ilâçlar.

müstahzır, *A. s.* [Huzur'dan] 1. Huzura getiren. 2. Hazırlayan. (ç. Müstahzirîn).

müstaid, müstaidde, *A. s.* 1. Bir şeye yeteneği olan. 2. Eğilmeye hazır olan. 3. Uyanık, akıllı.

müstaiddan, *F. i.* [Müstaid ç.] İstidatlı kimseler.

müstain, *A. s.* [Avn'den] Yardım isteyen. (ç. Müstainan). • «Şol müstain-i ism-i Celâlim ki def'aten — Feth-i kelâma kudretimi müstean verir. — Süruri».

müstainen, *A. zf.* Birinin yardımına sığınarak. • *Müntainen billâhitelâ,* Tanrının yardımına sığınarak.

müstaîr, *A. s.* Ödünç alan. (ç. Müsteîran).

müstakarr, *A. i.* [Karar'dan] Yerleşilen, durulan yer. Karargâh.

müstakbah, müstakbaha, *A. s.* [Kubh'-tan] Tiksinilen, beğenilmeyen. • «İhanet ki şer'an ve aklen müstakbah idi. — Naima».

müstakbel müstakbele, *A. s. i.* [Kabl'-den] 1. Önde bulunan, ilerdeki, gelecek zaman. • «Müstakbeli hayal ile ettikçe sen gurur — Ben ağlarım hayal ile maziyi gizlice. — Cenap».

müstakbelât, *A. i.* Gelecek zamanlar.

müstakbih, *A. s.* [Kubh'dan] Beğenmeyen, tiksinen.

müstakbil, *A. i.* [Kabl'den] Karşılayan. (ç. Müstakbilân, müstakbilîn). • «Müstakbiliyim eşk-i huruşan ile fecrin. — Naci».

müstakbilîn, *A. i.* [Müstakbil ç.] Karşılayıcılar. • «Huccac ü müstakbilîn ol mevzide refahiyet üzre sirab olurdu. — Naima».

müstakil, müstakille, *A. s.* 1. Kendi başına. Bir yere bağlı olmayan. 2. Ayrıca, kendi kendine. Bağımsız. • «Ben etmek istesem seni sevmekten içtinab — Sevmekte, sevmemekte gönül müstakil midir? — Cenap».

müstakillen, *A. zf.* 1. Kendi başına olarak. 2. Ancak, sırf. • «Her işi müstakillen sahibine sipariş edip. — Naima».

müstakim, müstakime, *A. s.* [Kıyam'-dan] 1. Doğru, düz. 2. Temiz, namuslu. (ç. Müstakiman). • «Hayrettin nam bir kadi-i fazıl ve müstakim. — Peçoylu».

müstakirr, müstakirre, *A. s.* [Karar'dan] 1. Yerleşmiş, karar bulmuş. 2. Yerinden oynamaz.

müstakraz, müstakraza, *A. s.* [Karz'dan] Borç alınmış.

müstakrazat, *A. i.* [Müstakraz ç.] Borç alınmış paralar.

müstakrib, *A. s.* [Kurb'dan] Yaklaştıran. Yaklaştırıcı.

müstakriz, *A. s.* Borç eden. (ç. Müstakrizîn).

müstakrizin, *A. i.* [Müstakriz ç.] Borç para alanlar.

müstakatrat, *A. i.* (*Te* ve *tı* ile) [Taktir'-den] (Hek.) **Abstractif** karşılığı. (XIX. yy.). Bitkilerden damıtma yolu ile çıkarılmış nesneler.

müstakteb, *A. s.* (Fiz.) Fransızca'dan *polarisé* (polarılmış) karşılığı (XIX. yy.)

müstaktib, *A. s.* (Fiz.) Fransızca'dan *polariseur* (polargı) karşılığı (XIX. yy.).

müstakzar, *A. s.* (*Zel* ile) Pis, kirli. • «Amma ben ekl eder isem bir şeyi müstakzarı kesif ve mahalli kenîf olur. — Taş.».

müsta'li, müsta'liye, *A. s.* [İsti'lâ'dan] Yükselen. Üstün gelen, üste çıkan.

müsta'mel, müsta'mele, *A. s.* [Amel'-den] Kullanılmış. (ç. Müsta'melât).

müsta'mer, müsta'mere, *A. s.* [Umran'-dan] Göçmen yerleştirilerek bayındırılmış (XIX. yy.).

müsta'merat, *A. i.* [Müsta'mere ç.] Sömürgeler (XIX. yy.).

müsta'mere, *A. s.* [Umran'dan] Bir devlet tarafından göçmen gönderilerek, yerlileri işletilerek şenlendirilmiş yer. sömürge (XIX. yy.).

müsta'mil, müstamile, *A. s.* Kullanan.

müsta'mir, *A. s.* [Ümran'dan] Sömüren. sömürgeci (XIX. yy.).

müstantik, *A. i.* [Nutuk'tan] İstintak eden, sorgu yargıcı XIX. yy.).

müsta'raz, *A. s.* (Geo.) Enine.

müstarazan, *A. zf.* Enine olarak. • «Birkaç dakikada büyük caddeleri müstarazan katettik. — Cenap».

müsta'rib, müsta'ribe, *A. s.* [Arab'dan] Araplaşmış. • *Arab-i müsta'ribe,* başka cinsten iken Araplaşmış Arap.

müstas'ab, *A. s.* Zor, güç. (ç. Müstes'abat). • «Ve gamızını serh ve talim ve müstas'abatını izah. — Taş.».

müstashab, müstashaba, *A. s.* Birinin yanına ve arkadaşlığına katılmış olan. • «Cemiyetlerine unfen müstashap olan kudat. — Naima».

mustashib, *A. s.* Yanına alan, beraber bulunduran.

müstas'ib, *A. s.* (*Sin, sat* ve *ayın* ile) (Bir şeyi) güç sayan (kimse).

müstaslih, *A. s.* [Sulh'ten] Barış arayan. barıştırıcı.

müstasveb, *A. s.* (*Sin* ve *sat* ile) Doğru sayılmış.

müstasvib, *A. s.* Doğru bulan, sevap gören.

müstavtın, *A. s.* Yurtlandırılmış.

müsta'zam, müsta'zama, *A. s.* Büyük görünen, önemli sayılan. (ç. Müsta'zamat). • «Padişah hazretlerine çün müsta'zamat-i umur lâsey olagelmiştir. — Naima».

müsta'zım, *A. s.* 1. Kendini büyük gören. 2. Kibirli, ululanan.

müstazıl, *A. s.* [Zıll'dan] Gölgelenen. Gölge altına girmiş olan. Birinin korunmasına sığınmış bulunan. • «Bir nahl-i mustazıla şeb-âviz-i natüvan — Rüyanevaz olur — Cenap».

müstean, *A. s.* [Avn'dan] Kendisinden yardım istenen, yardımı dilenen (Tanrı sıfatlarındandır). • «Feth-i kelâma kudretimi müstean verir. — Süruri».

müstear, *A. s.* [Ariyet'ten] 1. Ödünç alınmış. 2. Geçici bir zaman kullanılmak üzere alınmış, kendi malı olmayan. • *Müstearün minh.* kendisinden nesne ödünç alınmış kimse, • *hayat-i müstear,* bu dünya yaşayışı, • *nam-i müstear,* geçici bir zaman için kullanılan takma ad. • «Zaman-i kalilde devlet-i müsteardan mahrum ve ceza-vi ef'allerin bulup. — Naima». • «Bütün bu emeller can sıkıntısına nam-i müstearı olmasın. — Cenap».

müsteb'ad *A. s.* [Bu'd'dan] 1. Uzak görünen. 2. Olacağı sanılmayan. • «Hindistan'ın emtia-i muhtelifesiyle birlikte şekl-i mahsus-i mimarîsinin de dahil olmuş bulunması musteb'ad değildir. — Cenap».

müsteban, *A. s.* [Beyan'dan] 1. Meydanda olan. 2. Açık, şüphe bırakmayacak surette anlaşılan.

müstebdel, *A. s.* [Bedel'den] Değiştirilmis.

müstebdi', *A. s.* [Bedi'den] Bir şeyi yeni ve güzel sayan.

müstebdil, *A. s.* [Bedel'den] Değiştiren.

müstebgi. *A. s.* Bir şeyin olması için yardım dileyen.

müstebık, *A. s.* [Sebak'dan] Yarışa çıkan.

müsteb'id *A.* . s[Bu'dan] Iraklasmış olan.

müstebidd, müstebidde, *A. s.* [İstibdad'dan] İstibdat yapan.

müstebiddane. *A. zf.* Müstebitçe.

müstebin, A. s. 1. Açık. belli. 2. Dokunaklı (olan yazı).

müstebsir, müstebsire. *A. s.* 1. Müjde veren. 2. Müjde ile sevinen. • «Müjde ve tebşir ettikte mahzuz ve müstebşir olup. — Naima». .

müstebkı, *A. s.* [Beka'dan] İpka edici, devam ettirici.

müstebri, *A. s.* [İstibra'dan] İstibra eden.

müstebriz, *A. s.* [İbraz'dan] Bir nesneyi açığa çıkaran, gösteren.

müstecab. *A. s.* [Cevab'dan] Kabul edildiği cevabını alan. İstediği kabul olu-

nan. • *Müstecab-üd-da've,* duası kabul olunan. • Bir mertebe dua ve sena isar ve nisar eylediler ki kaabil-i tarif ve tahrir değildir ümittir ki dergâh-i izzette müstecab olmuş ola. — Peçoylu».

müste'cel, *A. s.* [Ecel'den] Ertelenmiş olan.

müste'cer, *A. s.* [İcare'den] Kiraya verilen şey (Mec. 411).

müste'cir, *A. s. i.* Bir şeyi kira ile tutan. 2. Kiracı. (ç. Müste'cirîn).

müsteclib, *A. s.* [Celb'den] Kendine doğru çeken.

müstecmi', *A. sö* [Cem'den] Toplanan. Toplayan. • «Müstecimi-i cümle-i fazail — Bulmuştu riyaset-i kabail. — Fuzulî».

müstecvib, *A. s.* 1. İfadesini alan. 2. Cevap isteyen.

müsted'a, *A. s.* [Dava'dan] 1. Dilenen, istenen. 2. Dilekçe ile istenen. ç. Müsted'ayat).

müstedam, *A. s.* [Devam'dan] Sürekli, sürüp giden. • «Ruz-i hicrinde beni tenha görelden dostum — Müstedam olsun gamın her gece mihmandır bana. — Hayalî».

müstedell, müstedelle, *A. s.* [Delâlet'ten] 1. Bir kanıt ile ispatlanmış. 2. Kanıta yakın bir ipucu ile anlaşılmış.

müsted'i, *A. s. i.* [Dava'dan] Dilekçe veren kimse. • «Bir müsted'i-i dermande gibi cesareti uyuştu. — Uşaklıgil».

müste'di, *A. s.* 1. Birinin zulmüne karşı başka birinden yardım dileyen. 2. Birini sıkıştırıp malını zorla alan.

müste'dib, *A. s.* İlim ve edep öğrencisi.

müstedill, müstedille, *A. s.* [Delâlet'ten] Kanıtla ispatlanan. • «Pes irad-i nusus ü istidlâl suret-i vahide olmakla vâris-i kâmili müctehit ve müstedill zannederler. — Kâtip Çelebi».

müstedîm, *A. s.* [Devam'dan] Devamlı, sürekli. • «Gönlümde bir küduret ki cansuz ü müstedîm. — Cenap».

müstedin, *A. s.* Ödünç alan.

müstedir, *A. s.* [Devr'den] 1. Daire biçiminde olan. 2. Dönüp dolaşan.

müstefad *A. s.* [İstifade'den] 1. Kazanılmış. 2. Anlaşılmış (anlam).

müstefhem, *A. s.* [Fehm'den] Anlaşılan.

müstefhim, *A. s.* [Fehm'den] Anlamak isteyen, soran.

müstefid, müstefide, *A. s.* Fayda gören, faydalanan. • «İşte fırsat, şu yapma sevdadan — Müstefid ol, ki bir ganimettir. — Fikret».

müstedrik, F. s. Anlamak isteyen.

müstefiz, A. s. [Feyz'den] Feyz kazanan, feyizlenen.

müstefrese, A. s. [Firş'tan] Odalık.

müstefrig, A. s. [Ferag'dan] Kusturan.

müstefsir, müstefsire, A. s. [Tefsir'den] geniş anlatmasını isteyen.

müstefti, müsteftiyye, A. s. [Fetva'dan] Bir müftüye baş vurup bir mesele hakkında fetva isteyen. • «Ol etraf müsteftilerini peytahta misaferetten müstagni ede. — Sadettin».

müstehabb, A. s. [Habb'den] 1. Sevilen, beğenilen. 2. Farz ve vacipten gayrı sevaplı hareket.

müsteham, müstehamme, A. s. Şaşırmış, hayran. • «Zir-i ran-i abd-i müstehamlarında hıramına dair. — Kâni».

müstehan, A. s. Hor hakîr sayılan.

müstehas, A. s. Toprağın altında kalıp saklanmış (XIX.yy.).

müstehasat, A. i. Fransızca'dan *paléontologie* [Eski varlıkbilim, paleontoloji] karşılığı (XIX. yy.).

müstehase A. i. Fransızcadan *fossile* karşılığı olarak (XIX. yy.). • «Eş'ar-i kudemayı âsar-i atîka-i fikriye, müstehase-i kalemiye gibi telâkki ve temaşa. — Cenap».

müstehcen, müstehcene, A. s. [Hücnet'ten] Ayıp, terbiyesizce. İğrenç. (ç. Müstehcenat). • «Bir şantözün boyalı dudakları çapkın, hayâsız, müstehcen bir güfteyi tamamlarken. — Cenap».

müstehcin, A. s. [Hücnet'ten] Ayıp sayan.

müstehdif, A. s. [Hedef'ten] Hedef tutan. Hedef tutulan.

müste'hır. A. s. [Tehir'den] Geri kalan veya geri konan.

müste'hil, A. s. [Ehl'den] Lâyık, ehil olan.

müstehill, A. s. 1. Hilâl şeklinde görünen. 2. Yeni doğmuş, ses çıkarmaya başlamış. • «Recep (ayının) müstehillindedir. — Taş.».

müste'hir, A. s. Geciken.

müstehlek, A. s. [Helâk'ten] Yenip içilerek bitirilen.

müstehlik müstehlike, A. s. [Helâk'ten] Yiyip içerek bitiren, Tüketen. • Ekmek cinsini müstehliklerin tâyin ettiği gibi. — Cenap».

müstehtik, A. s. [Hetk'ten] Arsız, edepsiz.

müstehzi, A. s. Biriyle eğlenen. Eğlenmek huyunda olan. • «Müstehzi gözlerle yandan bakıyordu. — Uşaklıgil».

müstehziyane, F. zf. Eğlenerek, alaylı alaylı. • «Onların yerinde kalan boşluğun manzara-i mustehziyanesinden başka bir şey göremedim. — Cenap».

müsteîr, A. s. [Ariyet'ten] Ödünç alan. İstiare eden.

müste'kil, A. s. [Ekl'den] Fukara maılnı zorla alan.

müstekin, A. s. Gizlenip saklı olan. • «Zımnında münderiç ve müstekim olan enva-i menafi-i haliye ve müstakbelenin. — Y. Kâmil Pş.».

müstekmil, müstekmile, A. s. [Kemal'den] Tam, olgun kılan, tamlayan.

müstekreh müstekrehe, A. s. [Kerahet'ten] İğrenç. (ç. Müstekrehat).

müstekrehiyet, A. i. İğrençlik. • «Simasında intikaş eden müstekrehiyet-i sefaletten. — Uşaklıgil».

müstekri, A. s. Kira ile tutan.

müstekrih, A. s. İğrenen, tiksinen.

müsteksir, A. s. Çok gören, büyülten.

müstelezzat, A. i. Tadı alınacak şeyler. • «Kahire'de makd-i vakt-i ömürlerini istifa-yi müstelezzat-i dünyeviyeye sarf ederler. — Fındıklı».

müstelizz, müstelizze, A. s. [Lezzet'ten] Tat alan. Tadına varan.

müstelkı, A. s. Arka üstü yatan. Arka üstü uyuyan.

müstelzim, A. s. [Lüzum'dan] Gereken, gerektiren. • «Ketm-i esrar gayet mühim ve keşf-i sırr âfatı müstelzimdir. — Naima».

müste'men, A. s. [Emn'den] 1. Kendisine aman verilmiş olan. 2. Yabancı bir devlet ülkesinde oturan.

müstemend, müstmend, F. s. Biçare, zavallı, kederli. (ç. Müstemendan). • «Hayalî hâl-i rühsarin gamından nâr-i hicr ile — Şehid-i müstemend olmuş ciğer dağlayı dağlayı. — Hayalî» •« «Eder küşade dil-i müstetemendanı. — Nef'i».

müstemendane, F. zf. Zavallıca, mahzunlukla. • «Ol naçiz berk-i sebz-i müstemendaneyi. — Nergisi».

müstemi', müstemia, A. s. [Semi'den] Dinleyen, dinleyici. (ç. Müstemiîn). • «Kelâm-i dürerbarlarına serapâ müstemi' olup dururlar. — Peçoylu».

müstemidd, *A. s.* [Meded'den] Yardım isteyen. • «Vahib-ül-murad imdadından müstemidd idi. — Sadettin».

müstemiin, *A. s.* [Müstemi' ç.] Dinleyiciler. • «Hoş elhanla sure-i Fâtihayı okuyup müstemiîne safabaş olurdu. — Kâtip Çelebi».

müste'min, müste'mine, *A. s.* [Emmn'den] 1. Sığınan. 2. Canını kurtarmak şartıyle teslim olan.

müste'mir, *A. s.* Danışıp fikir alan.

müstemirr, müstemire. *A. s.* [Mürr'den] 1. Sürekli. 2. Sabit, köklü. • «Bu hususta sagîr ve kebîre vasiyet âdet-i müstemirrem oldu. — Kâni».

müstemirren, *A. zf.* Sürekli, aralıksız olarak.

müstemleke, *A. s.* Sömürge. (ç. Müstemlekât).

müstemli, *A. s.* Birinden mektup yazma-

müstemzic, *A. s.* Soran, soruşturan, fikir yoklayan. Anketçi.

müstenbat *A. s.* Zımnen anlaşılan.

müstenfir, *A. s.* Ürküp kaçan. (ç. Müstenfirat).

müste'ni, *A. s.* [Teenni'den] Acele etmeyip sebat ve ağır başlılıkla davranan.

müstenid, *A. s.* [Sened'den] 1. Bir şeye dayanan 2. Bir kanıt veya tanıtı olan (ç. Müstenidat). • «Bu takımın İstanbul hayatında tâyin-i nisbeti bir kaide-i metîneye müstenit olamaz. — Uşaklıgil».

müsteniden, *A. zf.* Dayanarak, güvenerek.

müste'nif, müste'nife, *A. s.* Davasını istinaf eden. Birinci derece mahkemeden onun daha üstüne baş vuran.

müstenîr, *A. s.* Nur alan, parlak.

müste'nis *A. s.* [Üns'ten] Yabaniliği gidip alışmış olan.

müstenker, *A. s.* İnkâr edilmiş. (ç. Müstenkerat). • «Lâkin derunuma peyker-i müstenkeri sıklet verip. — Nergisî».

müstenkif, *A. s.* Çekimser. (ç. Müstenkifîn).

müstenkir, *A. s.* İnkâr eden.

müstensih, *A. s.* [Nesh'ten] 1. Yazılmış bir şeyin kopyasını çıkaran. 2. Sapirograf.

müstentic, *A. s.* Sonuç çıkaran.

müsterah, *A. i.* 1. Dinlenme yeri. 2. Aptesane. • «Bir hatabın ucuna geçirip müsterahların bâmı üzerine diktiler. — Naima».

müsterak, *A. i.* [Sirkat'ten] Çalınmış. Hırsızlama. (ç. Müsterekat).

müsterca, *A. s.* [Reca'dan] 1. Umulan. 2. Yalvarılan.

müsterha *A. s.* Sarkık, gevşek.

müsterham, *A. s.* [Rahm'den] Yalvarılan, birinin merhameti istenilen. (ç. Müsterhamat).

müsterhi, *A. s.* (Hı ile) Gevşemiş. Sölpük.

müsterhim, *A. s.* Yalvaran.

müsterhimane, *F. zf.* Yalvarır yolda.

müste'rib, *A. s.* [Riba'dan] Borçlu olan.

müsterih, müsteriha, *A. s.* [Rahat'tan] Rahat eden, rahatlanan. • *Müsterih-ülbal,* içi, gönlü rahat. • «Kadınlar takibedildikçe müsterihtirler. — Uşaklıgil».

müsterihane, *F. zf.* Rahat rahat, rahatça. • «Şemsiyelerinin altında mahfuz ayaklarıyle müsterihane geçenleri gördü. — Uşaklıgil».

müsterşi, *A. s.* Rüşvet isteyen.

müsterşid, *A. s.* İrşat olmak, doğru yolu bulmak isteyen. (ç. Müsterşidan).

müstes'ad, *A. s.* [Sa'd'dan] Uğurlu sayılmış. • «Ve takbil-i serir-i padişahî ile müstes'ad oldular. — Peçoylu».

müste'sal, *A. s.* [İstisal'den] 1. Kökünden koparılmış.2. Ele geçirilmiş.

müstehsil, *A. s.* (Sin ve he ile) Kolay sayan.

müste'sıl, *A. s.* [İstisal'den] 1. Kökünden koparan. 2. Ele geçiren.

müstes'id, **A.s.** [Sa'd'dan] Uğurlu sayan. Uğur sayan.

müste'sir, *A. s.* (Sin ile) 1. Esir olmuş. 2. Tutkun, yakalanmış.

müsteskal, *A. s.* [Sıklet'ten] Ağır ve soğuk görülüp soğuklukla karşılanan, böyle muamele gören. • «Bütün âfakı istiab eden boşlukta nalişzen — Hayaletler gezer, hep birbirinden hâr ü müsteskal. — Fikret».

müsteskî *A. s.* [Saki'den] 1. İstiska illetine tutulmuş, karnına su dolmuş. 2. Yağmur duasına çıkmış.

müsteskıl, *A. s.* [Sıklet'ten] İstiskal eden. Kovarcasına davranan.

müsteslim, *A. s.* 1. Teslim olan. 2. İslâm dinini kabul eden.

müstesna, müstesnaiyye, *A. s.* 1. Kuraldan dış. Başkalarına benzemeyen. 2. Üstün. Benzerlerinden baskın. 3. Ayrık. • «Mendillerinin işlemesine varıncaya kadar öyle bir zevk-i nefîs ve müstesna hükümran olurdu ki. — Uşaklıgil». • «İnsan hayalen biraz yukarı çekilip de aşağıda bıraktığı hüviyetine bakınca ne müstesna ehdaf-i istihza keşf eder. — Cenap».

müsteş'ar, A. s. [Şuur'dan] Gocunan. Haberli. • «Bazı hayalât-i faside ile vehme düşüp serdardan müsteş'ar olmakla ordudan müfarakat ve vilâyetine firar eyleyip. — Naima».

müstesar, A. s. [Meşveret'ten] Kendisine iş danışılan. • «Şeyh Veli ki ağaların müsteşarı olmakla Veli Ağa derlerdi. — Naima».

müsteşfi', A. i. (Ayın ile) Şefaat, bağış dileyen.

müsteşfi', A. s. [Şifa'dan] Şifa, iyilik dileyen. Kendine baktıran.

müsteşhed, A. s. Tanık tutulan, tanıt olarak gösterilen. (ç. Müsteşhedat).

müsteşhid, A. s. Tanık gösteren, tanık tutan.

müsteş'ir, A. .s [İş'ar'dan] 1. Bildirilmesini isteyen. 2. Soruşturan.

müsteşrik, A. s. [Şark'tan] Doğu ülkeleri ve en çok da dil ve edebiyatları ile uğraşan batılı (bilgin). (ç. Müsteşrikîn).

müstetab, Bk. • Mustatab.

müstetbi, A. s. [Teb'den] 1. Kendisine açan. • «Ol şeb-i müstetbi,üt-tarab'da ki leyle-i bi-velevle-i cumadır. — Esat Ef.».

müstetir, A. s. [Setr'den] Örtülü. Gizlenen. • «Nazik bir ihtizaz-i hava: şimdi kâinat — Titrer, kalır dumanların altında müstetir. — Fikret».

müstevcib, müstevcibe, A. s. [Vücub'dan] 1. Lâyık. 2. Kendi hakkında icap ettiren. • «Âhirette müstevçib-i cezil olmayan vergilere kerem demezler. — Naima».

müstevda', A.s. Emanet bırakılmış. Emaneti kabul eden.

müstevdi', A. s. Emanet bırakan.

müstevfa, müstevfi, A. s. [Vefa'dan] Yeter, yetişir. Tam, mükemmel. • «Matbah-i âmireden günde iki defa müstevfa nefais-i nefîse tâyin buyuruldu. — Fındıklı».

müstevfir, müstevfire, A. s. Borç hakkını tamam almış olan.

müstevi, müstevîyye, A. s. 1. Düz, her taraf bir. 2. (Geo.) Düzlem. • «Bu kaşların şu irtisam-i müstevisinde öyle bir yükseliş hali vardı ki, — Uşaklıgil» • «Sema sâf, deniz bir sema-yi mustevi gibi rakid. — Cenap».

müstev'ib, müstev'ibe, A. s. Nesneyi bütün saran, kaplayan. • «Hattâ bir sene-i kâmilede cünun müstev'ib olmakta cemi' ibadât ve hattâ sâkıt olduğu gibi. — A. Haydar».

müsteviyet, A. i. Düzlük. • «Artık kum kütlelerinde siklet kalkmış, sanki bütün tepeler bir müsteviyet-i mulaabe olmuştu. — Cenap».

müstevkı', A. s. Bir nesnenin vukuunu bekleyen.

müstevkıd, A. s. [Vakd'dan] 1. Yanıp alevlenmiş olan. 2. Yakıp alevlendiren.

müstevli, müstevliyye, A. s. [Veli'den] 1. İdaresi altına alan, ele geçiren. 2. Yayılan, her tarafı kaplayan. 3. Salgın. • «Bahadir şah üzerine dahi müstevli oldu. — Peçoylu».

müstevsi', A. s. (Sin ve ayın ile) Bollaşmış olan, genişlemiş olan.

müstezad, müstezadde, A. s. [Ziyade'den] 1. Artmış, çoğalmış. 2. (Ed.) Mısralarına aynı vezinde bir parça katılan manzume.

müste'zin, A. s. [İzn'den] İzin isteyen.

müstmend Bk. • Müstement.

müsul, A. i. Saygıdan dolayı ayakta durma. • «Mustafa Paşa ayağ üzre durup bedehu elçiye izn-i müsul ihsan buyuruldu. — Raşit».

müsül, A. i. [Misal ç.] 1. Örnekler. 2 (Fel.) Eflâtun'un İdées sözü karşılığı.

müsvedde, A. i. [Sevad'dan] Beyaz edilmek üzere ilkin yazılmış yazı. (ç. Müsveddat). • «Cüzdanım karıştırıp müsveddesin görmüş. — Peçoylu» • «Risalenin matbaa müveddatını tashih ederek. — Uşaklıgil».

müşa', A. i. [Şüyu'dan] 1. Yayılmış, herkese duyurulmuş. 2. Ortaklar arasında kullanılan. Hisselere ayrılmamış. 3. Birden fazla kişinin ortaklıkla sahip oldukları. Bk. • Meşa..

müşaabe, A. i. (Ayın ile) Uzaklaşma.

müşaare, A. i. [Şiir'den] 1. Şiir söyleşme. 2. Şiir yazışma. • «Safalı aksi gibi gizli bir müşaarenin — Hazin terane-i billûru bir küçük derenin. — Fikret».

müşabehet A. i. [Şebeh'ten] Benzeme. Benzeyiş. Andırma. (ç. Müşabehât). • «Onlarla bir nisbet-i müşabehet kurduktan sonra bir netice çıkarırdı. — Uşaklıgil».

müşabih, müşabihe, A.s. [Şebeh'ten] Benzer. • «Müşabihtir birer pervane-i sekrana yapraklar. — Fikret».

müşacere, A. i. [Şecer'den] Dövüşme. Kavga. (ç. Müşacerât). • «Kendi gibi bazı serkeşler ile harb ve müşacereye iştigal etmeyi o bahane edip. — Naima». • «Münazaranın müşacereye incirarından korkan sahib-i hane. — Cenap».

müşafehat, A. i. [Müşafehe ç.] Konuşmalar.
(Ed. Ced.) • Müşafehat-i ber ü bâd,
-hubb ü dâd,
-kalb ü leb,
-mevc ü şeh,
• «O mülevven sürud-i şuh-i bahar — O muattar müşafehat-i riyah. — Fikret».

müşafehe, A. i. [Şife'den] Ağız ağıza söyleşme. Karşılıklı konuşma. (ç. Müşafehat).

müşagabe, A. i. Fransızca'dan éristique karşılığı; didişimcilik, eristik XX. yy.). • «Müşagabe-i ta'n-i beyhude-i Leyli. — Fuzulî».

müşahed, A. s. Görülen, görülmüş.

müşahedat, A. i. [Müşahede o.] Gözlemler. Gözle görülen şeyler.

müşahede, A. i. [Şuhud'dan] 1. Gözle görme. 2. (Tas.) Tanrı âlemini görme. • «Tabiatın fevkında ne eser müşahade olunuyorsa hep himmetiyle hâsıl oluyor. — Kemal». • «Birlikte biz bu gecemizi bir müşahede-i müfide ile işgal edecektik. — Cenap».

müşahele, müşahelet, A. i. (He ile) Çekişip sövüşme.

müşahere, A. i. [Şehr'den] Aylığına pazarlık etme, aylıkla tutma.

müşahhas, müşahhasa A. s. [Şahs'tan] 1. Şahıs suretine girmiş. 2. Şahsı belirtilmiş, tanıtılmış. 3. Ayırt edilmiş. 4. Çeşidi anlaşılmış. (ç. Müşahhasat). • «Sensin ol cûd-i müşahhas ki zuhurunla senin — Buldu tomar-i nesebname-i himmet encam — Nedim».

müşahhasat, A. i. [Müşahhas ç.] Fransızca'dan sciences concretes karşılığı, somut bilgiler (XX. yy.).

müşahhıs, A. s. [Şahs'tan] 1. Ayıran. 2 Hastalığın adını koyan.

müşahid, A. s. [Şühud'dan] Gözle gören. Gözcü. (ç. Müşahidîn).

müşahin, A. s. (Ha ile) Bid'at ehli olarak cemaat ve ümmetten ayrılmış (kimse).

müşakele, müşakelet, A. i. Başka bir şeye uygun olma, şekilce benzeme.

müşakil A. s. [Şekl'den] Başka bir şeye uygun olan, onu andıran. • «Heyakil-i gazenfer müşakil-i erbab-i gazada. — Kemal».

müşal, müşale, A. s. Kaldırılmış, yükseltilmiş. Yapılmış, edilmiş, meydana getirilmiş.

müşar, A. s. İşaret olunan. İşaretle gösterilen. • Müşarün bilbenan, parmakla gösterilen. • «Birkaç gün içinde hayli şöhret ve şan bulup müşarün bilbenan olmuş idi. — Fındıklı».

müşarata, A. i. (Tı ile) Şartlaşma.

müşarebe, A. i. [Şürb'den] Beraber içme.

müşarece, A. i. İki nesne birbirine benzeme.

müşarefe müşarefet, A. i. 1. Yükselme. 2. Şan ve şeref hususunda biriyle çekişme, övünme.

müşareket, A. i. [Şirket'ten] 1. Bir işte başkalarıyle beraber bulunma. 2. Ortaklık. 3. (Gra.) İşteşlik. • «Bir sefile ile müşareket-i sevdaya mani olmuyordu. — Uşaklıgil».

müşareze, A. i. Çekişme. Geçimsizlik. (ç. Muşarezat).

müşarik, A. s. i. [Şirket'ten] 1. Bir işte birlikte bulunan. 2. Ortak. • Bilâ müşarik, ortaksız. (ç. Müşarikîn). • «Kârgâh-i saltanatı on beş yıl bilâmüşarik çevirip. — Koçu Bey».

müşariz, A. s. Huysuz, kavgacı. (ç. Müşarizîn).

müşarizet, A. i. (Ze ile) Çok keskin, hemen dokunduğunu kesen kılıç.

müşarünileyh, A. s. İşaret olunan, adı geçen. Tanzimattan sonra rütbeler belirtildiği zaman en yüksek dereceler için bu söz kullanılmıştır. • «Müşarünileyhin canibgirlerinden bir avret ki. — Naima». • «Müşarünileyh Reşit Paşa imkân ve zamanın müsait olduğu derecede — Doğrusu müşarünileyha Ali ve Fuat Paşaların. — Kemal».

müşa'şa', müşa'şaa, A. s. [Şa'şaa'dan] 1. Parlayan, parıldayan. 2. Gürültülü patırtılı, sunturlu. • «Müzehhep, müşa'şa' bir konağın. — Uşaklıgil».

müşat, A. i. (Te ile) [Maşi ç.] Ayakla yürüyenler. Yayalar.

müşatara, A. i. (Tı ile) Bir şeyi yarı yarıya bölüşme. Paylaşma.

müşatat, A. i. (Te ile) Kış mevsimi için pazarlık etme.

müşateme, A. i. [Şetm'den] Sövüşme, atışma (ç. Müşatemat).

müşavere, *A. i.* [Meşveret'ten] İki veya daha fazla kişi arasında bir iş üzerinde konuşma, danışma. (ç. Müşaverat). • ‹Ruz-i mezburede müsayere-i umur-i sefer bahanesiyle. — Fındıklı›.

müşavir, müşavire *A. s.* [Meşveret'ten] Danışılan.

müşayaa, *A. i.* Birbiriyle dostluk etme. 2. Uğurlama. • ‹Halep kadısı Azizade Ahmet Çelebi mutat üzere bir iki günlük yol müşayaa, edip geri Halep'e dönmüştü. — Naima›.

müşayaat, *A. i.* Birine bağlı olma, uyma. • ‹Ol husrev-i gazi müşayaatı sevabının ihrazı ile. — Sadettin›.

müşayi, *A. s.* Bağlı olan. Birine katılmış olan. Uğurlayan.

müşayi', *A. s.* Duyuran.

müşebba', *A. s.* [Şibi'den] 1. Doymuş, tok. 2. Fransızca'dan *saturé* karşılığı.

müşebbeh müşebbehe, *A. s.* [Şebeh'ten] Benzetilen. (ç. Müşebbehat).

müşebbek, *A. s.* [Şebek'ten] Ağ ve kafes gibi örülmüş olan. • ‹Kâşane-i iclâli için micmer olurdu — Sîmîn küre-i mah eğer olsa müşebbek. — Nedim›.

müşebbi', *A. s.* Karnını doyuran.

müşebbihe, *A. i.* Fransızca'dan *anthropomorphisme* karşılığı, insan biçimcilik, antropomorfizm. (XX. yy.). Tanrıyı, yaratıklarına benzetenler.

müşedded, müşeddede, *A. s.* [Şiddet'ten] 1. Kuvvetlendirilmiş, şiddeti artırılmış. 2. Keskinleşmiş, şiddet peyda etmiş. 3. (Arap Gra.) Şiddeti.

müşeddid, müşeddide, *A. s.* [Şiddet'ten] 1. Kuvvet veren, şiddetlendiren. 2. Azdıran, azdırıcı.

müşeddide, *A. i.* (Fiz.) Fransızca'dan *amplificateur* (yükselteç) karşılığı (XX. yy.).

müşekkel, müşekkele, *A. s.* [Şekl'den] 1. Şekil ve kıyafeti yerinde. Yalnız kılığı mükemmel olan. 2. İri, kocaman, şekli gösterişli. • ‹Bağdat'tan geldikten sonra bir müşekkel Mağribî padişaha gelip. — Naima›.

müşekkek, müşekkeke, *A. s.* [Şekk'den] Şüphesi olan. Kuşkulu.

müşemma', *A. i.* 1. Balmumuna batırılmış. 2. Muşamba.

müşemmes, *A. s.* [Şems'ten] Güneşe serilmiş. Çok güneşli. • ‹Hayalinin o müşemmes, o kızgın sayf-i dûradûruna karşı. — Uşaklıgil›.

müşenna', *A. s.* [Şeni'den] Aşırı çirkin (tarz). • ‹Riyaya haml edip tafsil-i müşenna ile teşni etmiştir. — Kâtip Çelebi›.

müşennef, *A. s.* Küpe takılmış, küpe ile süslenmiş. • ‹Ruyet-i didar-i sabahat-âsarlaryle müşerref ve istima-i güftar-i dürerbarlaryle müşennef eyleye. — Vehbi›.

müşerref müşerrefe, *A. s.* [Şeref'ten] Şereflenmiş. • ‹Çün sahra-yi Amit padişah-i sahib-ül mahamid kudumiyle müşerref oldu. — Peçoylu›.

müşerrez, *A. s.* Şirazesi olan. • ‹Dibace-i ihlâs ile mutarraz ve şıraze-i anberin-i târ-i ihtisar ile müşerrez risale-i meveddet. — Vehbi›.

müşerrih, müşerriha, *A. s.* [Şerh'ten] Teşrih yapan. Fransızca'dan *anatomiste* karşılığı, (ç. Müserrihîn). • ‹Çehre-i giryenikabında hayat-i beşerin — Bir müşerrih gibi teşrih-i nukuş ettinse — Fikret›. • ‹(Sivrisinekler) beşerenin inceldiği ve kanın gerginleştiği yerleri bir müserrih gibi buluyor. — Cenap›.

müşettet, müşettete, *A. s.* (Te ile) Dağınık. • ‹Bir vechile müşettet-üş-şeml oldular ki (...) cümlesi cezasın buldu. — Naima›.

müşevvek, *A. i.* [Şevk'ten] Dikenli. Diken biçiminde sivri.

müşevveş müşevveşe, *A. s.* Karışık, karmakarış. (ç. Müşevveşat. • ‹Onlar dahi ziyade müveves olup kemal-i tevhümde idiler. — Naima›. • ‹Bir sahife-i müşevveşe ilâve ederken. — S. Nazif›.

müşevveşiyet, *A. i.* Karşılık. Karmakarışık durum. • ‹Bu söz beyninin içinde müphem bir bulut arasında tîz-güzar bir lem'a müşevveşiyetiyle geçmiş idi. — Uşaklıgil›.

müşevvik, müşevvika, *A. s.* [Şevk'ten] Teşvik eden. İstek artıran. (ç. Müsevvikîn). • ‹Nihal'in bu huysuzluklarına o bir müşevvik olmak üzere telâkki ediliyordu. — Uşaklıgil›.

müşeyyed, müşeyyede, *A. s.* Yükseltilmiş, sağlamlaştırılmış. • ‹Müstahkem binalar ki has ü acür ile müseyyed idi. — Naima›.

müşeyyid, müşeyyide, *A. s.* Yükselten, sağlamlaştıran.

müşfik, müşfika, *A. i.* [Şefkat'ten] 1. Acıyan. 2. Seven. • ‹Lâkin bu teessür ne için, ey eb-i müşfik? — Yavrun sana bir hiss-i übüvvet de mi vermez. — Fikret».

müşfikane, *F. zf.* 1. Acıyarak. 2. Ana baba sevgisi gibi. • «Valde sultan padişah-i âlempenaha gâhice nush ü pendi müştemil kelimat-i müşfikane söylenip. — Naima».

müş'ir, müş'ire, *A. s.* [Şuur'dan] Bildiren, haber veren. • «Hem kulunuz deyi itatı muşi'r kelimat edersiz, hem cemi-i aklâm-i cibayat ve iradat-i Dıvaniyeye cümle hizmet namına müstcvli olup. — Naima».

müşir *A. s.* [İşare'den] Emir ve işaret eden (i.) Mareşal. (ç. Müşiran).

müşk, *F. i.* Misk. • *Müşk-i bîb,* sultani söğüt, acem söğüdü. • Ruhün bağında nice müsk-i bid-i sernigûn peyda. — Nailî».

müşkâgin, *F. s.* [Müşk-âgin] Misk içinde, miskle dolu. • «Ey hoşa bargeh-i taze zemin — Sayesi haki eder müşkâgin. — Nabi».

müşkâlûd, *F. s.* [Müşk-alûd] Miske bulaşmış, miskli.

müşkbar, *F. s.* [Müşk-bar] Misk yağdıran. • «Yârın ayağı tozuna uğrar meğer sa bâ — Gülzara armağanla gelir müşkbar-eser. — Yahya».

müşkbu, *F. s.* [Müşk-bû] Misk kokulu. • «Ol turra-i müşkbûdan ayrı — Hicran kara bağrın eylemiş su. — Fuzulî».

müşkefşan, *F. s.* [Müşk-efşan] Misk saçan. • «Ta esir-i halka-i giysu-yi müşkefşanınım. — Fuzulî».

müşkfam, *F. s.* [Müşk-fam] Misk renginde, kara. • «Evza-i hayam-i müşkfâmı — Halka şeb-i kadr tek giramî. — Fuzulî».

müşkfeşan, müşkefşan, *F. s.* [Müşkfeşan] Misk saçan, mis saçıcı.

müşkfürüş, *F. i.* [Müşk-fürüş] Misk satan.

müşkil, müşkile, *A s.* [Şekl'den] Zor, güç, çetin. Müşkül, (ç. Müşkilât). • «İkinci sukut hemen daima birinci sukuttan daha müşkil, daha naziktir. — Uşaklıgil».

müşkilât, *A. i.* [Müşkil ç.]. Çözülmesi, sona erdirilmesi güç işler. • «Bihter'le bir mülâkatın müşkilâtından kaçarken. — Uşaklıgil».

müşkilküşa, *F. s.* [Müşkil-küşa] Güç işleri sona erdiren, bitiren.

müşkilpesend, *F. s.* [Müşkil-pesend] Zor beğenir, bir şey beğenmez. Her şeye bahane bulur. (ç. Müşkilpesendan). •

«Yalnız zevkin miyar-i müşkilpesendiyle kaabil-i tevzin olabilen sanat-i telebbüste. — Uşaklıgil».

müskilpesendan, *F. s.* [Müşkil-pesend-an] Güç beğenenler. Olur olmaz şeyi beğenmeyenler. • «Hususa ol sûhanperdaz üstadım ki eş'arım — Yazar müşkülpesandan-i cihan evrak can üzre. — Nef'î».

müşkilpesendane, *F. zf.* Bir şey beğenmeyen adama mahsus ve lâyık şekilde.

müşkilter, *F. s.* [Müşkil-ter] Çok güç. • «Ol büt-i tersa sana mey muş eder misin demiş — El'aman ey dil ne müşkilter sual olmuş sana. — Nedim». • «Dedim ümmide düşüp. Kâzip olmalı bu haber — Ki bence sıhhate yormak gelirdi müşkilter. — Recaizade».

müşkin, müşgîn, *F. s.* 1. Misk kokulu. 2. Kara renkli. • «Toprak kokusuyla karışık çiçek rayihaları odanın beyaz leylâktan tuvalet sularıyle meşbu hava-yi müşkinini serinlendirdi. — Uşaklıgil».

müşksâ, *F. s.* [Müşk-sâ] Mis gibi. • «Ayş ü safaya hatırımız durmadan çeker — Sünbüller oldu silsile-i muşksa-yı bağ. — Baki».

müşksar, *F. i.* [Müşk-sar] Mis kokulu yer.

müşmeiz, müşmeizze, *A. s.* [İşmizaz'dan] Yüzünü buruşturan, iğrenen. • «Molla ona da müşmeiz hitab-i ba itab edip. — Naima».

müşref, *A. i.* Üzerine çıkılıp bir şeye bakılacak yer. Bakanak.

müşrif, *A. s.* [Şeref'ten] 1. Etrafa bakan. Etrafı gören. 2. Bir hal almaya yaklaşmış olan. Yüz tutmuş. • *Müşrif-i harap,* harap olmaya yüz tutmuş, nerdeyse yıkılacak.

müşrik, *A. s. i.* [Şirk'ten] Tanrıya ortak koşan. Birden fazla Tanrı inancında olan. (ç. Müşrikîn). • «Padişah-i rü-yi zemin Beç muhasarasiyle tazyik-i müşrikîn etmişler. — Peçoylu».

müşkâne, *F. zf.* Müşrikçesine. • «Âlem-i medfuniyette bir ibka-yı maddî aramak ihtisas-i müşrikânesiyle bîhudud çölün dar ve nihan bir köşesine gömdürdükleri. — Cenap».

müşt, muşt, *F. i.* 1. Yumruk. 2. Avuç. Muşta. • «Mehmet Paşaya darabat-i müşt ile muhkem vurdu. — Naima».

müştagıl, *A s.* [Şugl'dan] Bir işle uğraşan.

müştail, müştaille, *A. s.* [Şu'l'den] Yanmış, tutuşmuş. Ateş almış, alevlenmiş. • «Berf-i herem içinde kalan ruh-i müştail. — Fikret».

müştak, *A. s.* [Şevk'ten] Özleyen. Göreceği gelmiş olan. Can atan. (ç. Müştakîn). • «O zamandan beri müştak ü zebun — Ne zaman Kıble'ye dönsem dilhun. — Fikret».

müstakane, *F. zf.* Çok istekle, can atarak.

müştakk, müştakka, *A. s.* [Şakak'tan] Türemiş, türeme.

müştakkat, *A. i.* [Müştakk ç.] Müştaklar. Türemiş şeyler.

müştebih, müştebihe, *A. s.* Şüphelenen. Şüpheci. • «Kendisine dahi müştebih ve haramdan bir nesne ıt'am etmemiştir. — Taş.».

müştebik, *A. s.* [Şebeke'den] 1. Kafes gibi örülü olan. 2. Karışık, düğümlü olan.

müştedd, müştedde, *A. s.* Şiddetlenmiş.

müştefi *A. s.* [Şifa'dan] Şifa bulmuş, iyileşmiş olan.

müşteha, *A. i.* [İştiha'dan] İstenen. (ç. Müşteheyyat). • «Bir hastayı müşteheyatından nasıl muhafaza lâzımsa. — Kemal».

müştehi, müştehiyye, *A. s.* [Şehvet'ten] İştahı olan, isteyen. (ç. Müştehiyyat).

müştehib, *A. s.* Ak ve kara karışık kıralmış olan.

müştehir, müştehire, *A. s.* [Şöhret'ten] Ünlü. Adlı şanlı. • «Ulviler içinde müştehirdir. — Naci».

müştekâ, *A. s.* [Şekva'dan] 1. Şikâyet olunan. 2. Şikâyet. • Ahval-i müştekâ biha. — Kemâl».

müşteki, müştekiye, *A. s.* [Şekva'dan] Şikâyet eden. • «Fırçam, kadit bir ağacın hasta bir dalı — Destimde müşteki heyecanlarla titriyor. — Fikret».

müştemel, *A. s.* [Şumul'dan] Bir şeyin içinde bulunan, bir şeyin havi olduğu.

müştemelât, *A. i.* [Müştemel ç.] Bir şeyin meydana geldiği parçalar, içinde bulunan, ona bağlı şeyler.

müştemil, *A. s.* [Şümul'dan] Saran, kavrayan. • «Nush ü penid müştemil kelimat-i müşfikane. — Naima».

müştera, *A. s.* [Şira'dan] Para ile alınmış.

müşterek, müştereke, *A. s.* [Şirk'ten] 1. İki veya daha ziyade kişi arasında kullanılan. 2. Ortaklaşa kullanılan. • *Müşterekülmenfaa* faydası ortaklaşa

olan. • «Bütün hayat-i müşterekesinde tarz-i münasebetin bu ilk mülâkatla hâsıl olacak tesire tebaiyet edeceğine zahip idi. — Uşaklıgil». • «Bu mesa-i müştereke ile, heyamula heyasa ile bir kademe yükseliyorsunuz. — Cenap».

müştereken, *A. zf.* Ortak olarak. • «Aynı darbe-i kahhar ile müştereken bedbaht olmaktan garip bir tesliyet buldu. — Uşaklıgil». • «Sözü ve gözü müştereken ateşîndir. — Cenap».

müşteri, *A. i.* [Şira'dan] 1. Satın alan. 2 Tüccar veya esnafla alışverişte olan. 3 İstekli. (ç. Müşteriîn). • «Marifet iltifata tâbidir. — Müşterisiz meta zayidir. — Şinasi».

Müşteri, *A. i.* Mars. Müneccimler buna • *Sa'd-i ekber*, veya • *kadi-i felek* derlerdi. Bütün iyi huylar bu yıldızın niteliklerindendir.

müştzen, *F. s. i.* 1. Yumrukla güreş eden. 2. Boksçu. (ç. Müştezenan). • «Ser-i dırahte müştzen — Hıyaz-i bağa bergriz. — Recaizade».

müt'a, *A. i.* Geçici nikâh.

mütaabbid, *A. s.* [İbadet'ten] Tanrıya kulluk ve ibadet eden.

mütaabbis, *A. s.* Suratını ekşiten. • «İnbisat-i vech göstermeyip münkabız ve mütaabbis otururdu. — Naima».

mütaaccib, mütaaccibe, *A. s.* [Ucb'dan] Şaşakalan. Şaşan. • «Başını kaldırarak biraz mütaaccib Nihal'e baktı. — Uşaklıgil».

mütaaccibane, *F. zf.* Şaşarak, şaşkın bir halde.

mütaaddi, mütaaddiyye, *A. s.* [Udvan'dan] 1. Saldıran. 2. (Gra.) Geçişli.

mütaaddid, müteaddide, *A. s.* Birkaç tane olan. Türlü türlü, birçok, birkaç.

müteaddi mütaadiye, *A. s.* [Adavet'ten] Birbirine düşman olan.

mütaadil, mütaadile, *A. s.* [Âdil'den] Birbirine eş veya eşit olan.

mütaaffif, mütaaffife, *A. s.* [Taaffüf'ten] Haram ve günahtan çekinen, sakınan. (ç. Müteaffifîn). • «Ta ki taife-i mütaaffife olanları bilip sadakasını anlara vere. — Taş.».

mütaaffin, *A. s.* [Ufunet'ten] 1. Kokmuş. 2. Bozulup fena kokan, çürük.

mütaahhid, *A. s.* [Ahd'den] Bir işi üzerine alan. (ç. Mütaahhidîn). • «Silâhdar paşadan rica edip ol dahi taalisine mütaahhid oldukta. — Naima».

mütaahhir, mütaahhire, *A. s.* [Ahar'dan] Sonra gelen, sonraki. (ç. Mütaahhirîn). • «Bir devrin râz-i mahiyeti ancak eyyam-i mütaahhireye râm olur. — Cenap».

mütaâhid, *A. s.* Antlaşanlardan her biri.

mütaakıb, mütaakıbe, *A. s.* [Akab'dan] 1. Sırayla birinin arkasından gelen. 2. Ardından gelen. Arkası sıra gözüken. • «Birbirini mütaakip ikisi de. — Uşaklıgil».

mütaakıben. *A. zf.* Ardı sıra, arkası sıra. • «Kendisini böyle mütaakıben valide eden adamla. — Uşaklıgil».

mütaakkıd, *A. s.* Aralarında bağlaşma olanlardan her biri.

mütaal, müteal, *A. s.* [Ulüvv'den] Yüce, yüksek.

mütaali, mutaaliye, *A. s.* [Ulüvv'den] Yükselen, yüksek olan.

mütaalim, *A. s.* Herkesçe bilinen.

mütaallık, mütaallıka, *A. s.* [Alâka'dan] 1. Asılı, bağlı. 2. İlgili, dair. • «İradet-i Bari mütaallık değil imiş ömr-i azizi vefa etmedi. — Peçoylu». • «Gelin Firdevs Hanıma mütaallık bildiklerini anlatıyordu. — Uşaklıgil».

mütaallikat, *A. i.* [Mütaallık ç.] 1. Yakın kimseler. Akraba. 2. (Gra.) Bir cümlenin anlamını tümleyen ve açıklayan kelimeler.

mütaallim, mütaallime, *A. s. i.* [İlm'den] Bilgi öğrenen. Okuyan, öğrenci.

mütaammid, *A. s.* (Ayın ile) [İnad'dan] 1. İnat eden. Direnen. 2. Yapacağını önceden tasarlayan. • Gayr-i mütaammid, tasarlamadan yapan. (ç. Mütaammidan). • «Ve tezvic-i sigar ve eyamiye mütaamid ve mültemes. — Taş.». • «Mübaşir mütaammid olmasa da zâmin olur. — Mec. 92».

mütaarrız, mütaarrıza, *A. s.* Saldıran. Başkasının hak ve hududuna geçen.

mütaarri, *A. s.* Soyunan, çıplak olan.

mütaarrib *A. s.* Aslında Arap olmayıp sonradan Araplaşmış.

mütaarrif, *A. s.* [Taarrüf'ten] Bir nesneyi araştırarak bilmiş olan.

mütaassıb, mütaassıba, *A. s.* [Asab'dan] 1. Kendi tarafını aşırılıkla tutan, savunan. 2. Kendi dininin, gelenek ve göreneklerini aşırı tutan, onların dışındakilere düşman olan, hiç bir yenilik kabul etmeyen. (ç. Mütaassıbîn).

mütaassıbane, *F. zf.* Mütaassıpçasına.

mütaassır, *A. s.* (Ayın ve sat ile) Sıkılarak çıkarılmış (meyva suyu).

mütaassif, *A. s.* Doğru yoldan sapan. Yolsuzluk eden.

mütaassir, mütaassire, *A. s.* [Üsr'den] Güç, çetin. Zor, zahmetli. • «Zira bu kaide-yi aslıye riayet müteassir idiğin bildikleri için — Naima».

mütaattıf, *A. s.* (Te, ayın ve tı ile) Esirgeyip koruyucu olan.

mütaattıl, mütaattıla, *A. s.* (Te, ayın ve tı ile) İşsiz güçsüz kalmış olan.

mütaattır, mütaattıra, *A. s.* Kocaya varmayıp evde kalmış olan.

mütaattış, *A. s.* (İsteyerek) susuz kalmış olan.

mütaazzı, mütaazziye, *A. s.* [Uzuv'den] Fransızca'dan organisé karşılığı (XX. yy.). organlaşmış.

mutaazzım, mütaazzıma, *A. s.* [Azamet'ten] Büyüklük satan, kibirli, azametli.

mütaazzir, mütaazzire, *A. s.* [Özr'den] 1. Özürlü, özrü olan. 2. Güç, zor. Meydana gelmesi kolay olmayan. • «Bu mertebe şiddet-i şitada gitmek mütaazzir oldukta. — Naima». • «Mânayi hakiki mütaazzir oldukta mecaza gidilir. — Mec. 61».

mütabaat, *A. i.* [Teb'den] Birine tâbi olma, arkası sıra gitme. Uyma. • «Sana mütabaat ve inkıyad eden ashab-i rafaz ü ilhad. — Naima».

mütabi', *A. s.* (Bir kimse veya bir şeye) uyan, uyucu. (ç. Mütabiîn). • «Abaza Paşaya mulhak ve mütabi, oldu. — Naima».

mütacere, *A. i.* (Te ile) Ticaret etme.

mutaib, *A. i.* [Met'abe ç.] Eziyet ve zahmet verecek şeyler.

mütalaa, *A. i.* (Te ile) [Tulû'dan] 1. Bir işi etraflı ve iyice düşünme. 2. Bir iş hakkında meydana gelen fikir ve oy. 3. Okuma. (ç. Mütalaat). • «Behlûl öyle sakat bir zemin-i mütalâaya girmiş idi ki. — Uşaklıgil». • «Sonra gelen geçen ne kadar âşinası varsa tutup — Mütalaatını söyler. — Fikret».

mütali', *A. s.* [Mütalaa'dan] Okuyan. (ç. Mütaliîn). • «Olmaz mı mütalii en sâf bir melek — En köhne seng-i lahda düşen bir kitabenin? — Cenap».

mütareke, *A. s.* [Terk'ten] Savaşa iki tarafça geçici bir zaman için ara verilmesi. • «Bir hezimet-i maneviyenin devr-i mütarekesidir. — Cenap».

mütarik, *A. s.* Mütareke eden. Bir işi olduğu durumda bırakan.

müteadıd, *A. s.* *(Dat,* ve *dal* ile) Birbirine yardım eden. Yardımlaşan. • «Zira akıl, nakille müteadıd olur. — Asım».

müteal, mütaal, *A. s.* [Ulüvv'den] 1. Yüce, yüksek. 2. (Fel.) Deneyüstü. • «Nazır olsan ana âyine-misal — Görünür ârız-i lûtf-i müteal. — Hakani».

müteami, müteamiyye, *A. s.* Görmezlikten gelen.

müteammik, *A. s.* Derinleşen, derine giden.

müteammim, müteammime, *A. s.* [Umum'dan] Yaygın, yayılmış.

mütearef, *A. s.* Herkesin bildiği, ünlü • «Badehu sancağın Budin'de mütearef olan Veli Beye arz edip. — Peçoylu».

mütearız, mütearıza, *A. s.* Birbirine karşıt olan.

mütearif, *A. s.* 1. Birbirini tanıyan, tanışan. Bilinir. • «Ümeradan ve verdar-i zi-vekarın mütearif ve müteayyin ağalarından nice adam pâye-i şehadete vaz-i kadem etti. — Naima».

mütearife, *A. i.* 1. Tanıtlanması gerekmeyen söz; belit, aksiyom.

müteasir, *A. s.* *(Sin* ile) Güç ve çetin olan. Karışık ve çapraşık olan.

müteati, *A. s.* Birbirile hediyeleşen. Verişen.

müteatib, *A. s.* *(Te* ve *te* ile) Birbirini azarlayan.

müteavvic, *A. s.* Eğilmiş, çarpılmış.

müteayib, *A. s.* Birbirini ayıplayan.

müteayyin, müteayyine, *A. s.* [Ayn'dan] 1. Belli, meydana çıkan. Karar verilmiş. 2. Belli, ünlü adam. ç. Müteayyinan). • «Müteayyin ulemaya ki niknam ile maruflardır. — Naima». • «Bizim sancağa teveccühümüz heyyin ve fermanlarına imtisalimiz müteayyindir. — Sadettin».

müteayyinan, *A. i.* [Müteayyin ç.] İleri gelen kimseler. Ünlü adamlar. • «Ve müteayyinan ve mukarrebîne mağlûbiyeti mukarrer olmağın. — Naima».

müteayyiş, *A. s.* [Ayş'ten] Yiyip içen. Geçinen. • «Derununda müayyiş bulunduğumuz devrin. — Kemal».

müteazil, *A. s.* Birbirinden ayrılıp başkaca olan.

mütebadil, mütebadile, *A. s.* [Bedel'den] 1. Birbirinin yerine geçebilen. 2. Nöbetle değişen. 3. (Geo.) Karşılıklı.

mütebadir, mütebadire, *A. s.* [Büdur'dan Görünen. Çıkan. • «Târiz ve kinaye olmak hâtırası mütebadir-i zihn-i valâları olduğu. — Akif Pş.».

mütebagiz, *A. s.* *(Dat* ile) Birbirine düşman olan.

mütebahhır, *A. s.* Kendini tütsülemiş, buhurlamış olan.

mütebahhir, *A. s.* *(Ha* ile) [Bahr'dan[Bilgisi deniz gibi engin olan. (ç. Mütebahhirîn). • «İlm-i âsar-i atîkada sahib-i yed-i tûla mütebahhirîni ulemadan. — Cenap».

mütebahhir, *A. s.* *(Hı* ile) [Buhar'dan] Buharlaşan, buğu haline gelen.

mütebaid, mütebaide, *A. s.* [Bu'd'dan] Uzaklaşan. • «Önümde bir mütebaid semayi berfalûd. — Fikret».

mütebakı, mütebakıye, *A. s.* [Beka'dan] Geri kalan. Artan.

mütebaki, *A. i.* [Bükâ'dan] Ağlar gibi olan, yalandan ağlayan.

mütebali, *A. s.* Birini deneyen.

mütebalih, *A. s.* Kendini bön, ebleh gösteren.

mütebarik, *A. s.* Kutlu ve mutlu oaln.

mütebariz, *A. s.* [Büruz'dan] Görünen. Belli olan.

mütebasbıs, *A. s.* *(Te* ve *sat* ile) Yaltaklanan.

mütebasbısane, *F. zf.* Yaltaklanarak.

mütebassır, *A. s.* [Basar'dan] Dikkatle bakan, iyice düşünen. Basiretli.

mütebassırane, *F. zf.* İyice düşünerek, basiretlice.

mütebassıt, *A. s.* Yayılmış olan.

mütebaşir, *A. s.* Müjdeleyen.

mütebattı, *A. s.* *(Tı* ile) Ağırlıkla davranan.

mütebattın, *A. s.* *(Tı* ile) Eşyanın bâtınını, içyüzünü bilen.

mütebayian, *A. i.* Satan ile satın alan iki kişi. • «dir ki *akıdeyn* dahi denir. — Mec. 162».

mütebayin, mütebayine, *A. s.* [Beyn'den] 1. Karşıt. 2. Birbirinin tersi olan. • «Mülkün her hangi bir cihetine bakılırsa cinsiyet ve diyanet-i mütebayine ashabı. — Kemal» • «O zaman bu iki mütebayin kumanda arasında kalan zavallı hayvan neye uğradığını, ne yapacağını şaşırarak. — Cenap».

mütebeddi', *A. s.* Ehl-i sünnetten iken dönmüş olan.

mütebeddil, *A. s.* [Bedel'den] Değişmiş, başka türlü olmuş. • «Sabredin şayet bir hayra mütebeddil ola. — Naima».

mütebehhic, mütebehhice, *A. s.* Şen ve sevinç içinde olan.

mütebellir, *A. s.* [Billûr'dan] 1. (Kim) Billûrlaşmış. 2. Belirgin, belirmiş.

mütebenni, *A. s.* Evlât edinilmiş olan.

müteberrek, *A. s.* Kendisiyle kutlulanılan. Uğurlu sayılan.

müteberri', *A. s.* Vermeye mecbur olmadığı şeyi ihsan eden, veren.

müteberrir, *A. s.* Tanrıya itaat eden.

müteberrik, müteberrike, *A. s.* [Bereket'ten] Uğurlu, mübarek. • «Ve sair eşya-yi müteberrike için hazane-i sultaniyeden. — Naima».

mütebessim, *A. s.* [Besm'den] Gülümseyen, güler. • «Parlak, mütebessim enzar-i tehekkümünü. — Fikret». • «Samialarım hem mütebessim-i nezaket, hem lâl-i teessür kaldılar. — Cenap».

mütebessimane, *F. zf.* Gülümseyerek, gülerek. «Bu mütessimane söylenen sözler. — Uşaklıgil».

mütebevvil, *A. s.* İşeyen, işeyici.

mütebettil, *A. s.* Masivadan geçip Hakka yönelmiş olan.

mütebeyyin, mütebeyyine, *A. s.* [Beyan'dan] Meydana çıkmış. İspatlanmış. • «Mirat-i aklında avakıb-i ahval mütebeyyin olur. — Naima».

mütecadil, mütecadile, *A. s.* Şiddetle çekişen.

mütecahid, mütecahide, *A. s.* Aşırı surette çalışan.

mütecahil, mütecahile, *A. s.* [Cehl'den] Bilmezlikten gelen, bilmez görünen.

mütecahilâne, *F. zf.* Bilmezlikten gelerek, bilmiyor görünerek. • «Mühürdara mütecahilâne Paşa bunda mıdır? dedi. — Naima».

müteca'id, *A. s.* [Ca'd'den] Kıvırcık, kıvrık.

mütecanib, mütecanibe, *A. s.* Çekinen.

mütecanis, mütecanise, *A. s.* [Cins'ten] 1. Bir cinsten olan. 2. (Fel.) Bir cinsten. 3. (Fiz.) Homogen. 4. (Gra.) Eşsesli. • «Bağdat semtinde badiye-nişin olan Baclân Kürdü dedikleri taife ki Kürt Arap beyninde mütecanis bir taifedir. — Naima». • «Ne bir hakikî Darülfünun yapabildiler, ne mütecanis bir adliye teşkilâtı. — Z. Gökalp».

mütecasir, mütecasire, *A. s.* [Cesaret'ten] Küstah. Sağı solu düşünmez. •

«Ona da mütecasir olamazdı. — A. Mitat».

mütecavib, *A. s.* Birine cevap veren.

mütecavil, *A. s.* Birbiri etrafında dolaşan.

mütecavir, mütecavire, *A. s.* [Civar'dan] Civarda bulunan, komşu.

mütecaviz, *A. s.* [Cevaz'dan] 1. Geçen, aşan. 2. Sarkıntılık eden. 3. Saldırgan. 4. Fazla, artık, çok. • «Sinni doksanı mütecaviz olup. — Naima».

mütecazib, *A. s.* (Ze ile) Birbirini çeken, yakınlaştıran.

mütecebbir, mütecebbire, *A. s.* [Cebr'den] Zorba. Zorbalıkla iş gören.

müteceddid, müteceddide, *A. s.* [Cedid'den] Yenilenen.

müteceffif, müteceffife, *A. s.* Kuruyan kurumuş olan.

mütecehhiz, *A. s.* [Cihaz'dan] Donanmış.

mütecelli, *A. s.* [Cilâdan] 1. Görünen. Meydana çıkan. 2. Parlak. • «Çoktandır olmuyor mütecelli o mahrû — Ya Rab cihanda ben ne tecellisiz adamım. — Sâfi».

mütecellid, mütecellide, *A. s.* İnatçı ve direnci olan.

mütecellidane, *F. zf.* İnatla, direnerek. • «Teahhuru bahane ederek Edirne'ye mütecellidane bir sefir irsaliyle. — Kemal».

mütecemmi', mütecemmia, *A. s.* [Cem'den] Toplanmış, birikmiş, yığılmış.

mütecemmil, mütecemmile, *A. s.* [Ce'mal'den] Bezenmiş, süslenmiş. Donanmış.

mütecenni, *A. s.* 1. Meyve devşiren. 2. Birine suç atan.

mütecennib, mütecennibe, *A. s.* 1. Kaçınıp uzak duran. 2. Sakınan, çekinen. • «Ve mütecennib ola şol ulûmdan ki. — Taş.».

mütecennin, mütecennine, *A. s.* [Cin'den] Delirmiş, çıldırmış.

mütecerri', *A. s.* Su içip yutan.

mütecerrid, *A. s.* [Mücerred'den] Tek kalmış. Tek başına olan. • «Dünyada bu endişelerden mütecerrid, bu bin türlü kayıtlardan âzade. — Uşaklıgil».

mütecessid, *A. s.* [Cesed'den] Vücud peydah eden.

mütecessim, *A. s.* [Cism'den] Cisimlenen. Gözle görünen. • «Mütecessim meal-i halimdir. — Fikret».

mütecessis, A. s. [Ces'ten] Yoklayan. Gizli şeyleri öğrenmeye çalışan. • «Nihal, mütecessis, yaklaşmış idi. — Uşaklıgil».

mütecessisane, F. s. zf. Gizli şeyleri öğrenmeye çalışarak.

mütecevvif, A. s. İçi boşalan, koflaşan.

mütecevviz, A. s. (Ze ile) 1. Caiz olmayan şeyi caiz gören. 2. Sözü mecazla söyleyen.

mütecezzi, A. s. [Cüz'den] 1. Paralanan, parça parça ayrılan. 2. (Coğ.) Ufalanmış. • «Mütecezzi olmayan bir şeyin bazını zikretmek kullünü zikretmek gibidir. — Mec. 63».

mütedafi', A. s. 1. İtişip kakışan, birbirine karşı duran. 2. Düşmanı püskürten.

mütedahil, A. s. [Dühul'den] 1. Birbirine geçmiş, karışmış. 2. Biri işlemişken henüz ödenmemiş (maaş).

mütedair, A. s. [Devr'den] Dair, müteallik, ilişik, için, dolayı, üzerine.

mütedarik, A. s. 1. Tedarik eden, hazırlayan. 2. Yetişip ulaşan. 3. (Ed.) Müte-failün (..—.—) vezni.

mütedavi, A. s. [Deva'dan] Kendi kendine ilâç yapan ve bakan.

mütedavil, A. s. Tedavül eden. Geçen, kullanılan. Alınan verilen.

mütedebbir, A. s. Gerçeği, sonucu düşünür olan.

mütedehhin, A. s. (He ile) Kokulu yağ sürünen.

mütedelli, A. s. Naz eden, nazlanan.

mütedenni, A. s. Gerileyen. Geri giden. Aşağılaşan .

müteddennis, A. s. (Sin ile) Kirlenen.

mütederri, A. s. (Ayın ile) Zırha bürünen, zırhlanan.

mütederric, mütederrice, A. s. Basamaklı, dereceli. • «Yavaş yavaş tabakat-i müntederriceden inerek. — Uşaklıgil».

müderris, A. s. (Sin ile) Ders alan, ders olarak okuyan.

mütedessir, A. s. (Se ile) Elbiseye bürünen.

mütedeyyin, mütedeyyine, A. s. [Din'den] Dine bağlı, din işlerini sıkı güden. • «Mezbur Bekir Paşa sahib-i akl-i rezin bir merd-i pîr-i mütedeyyin olup. — Naima».

müteeddi, A. s. 1. Ödeyen, ödeyici. 2. Gelen, gelici.

müteeddib, müeddibe, A. s. [Edeb'den] Edep öğrenen, terbiye olunan.

müteehhib, A. s. Kendi kendini hazırlayan. • «Münacatiyle müteehhip olup. — Sümbülzade».

müteehhid, A. s. Birleşmiş olan.

müteehhil, müteehhile, A. s. [Ehl'den] Evlenmiş, evli.

müteekkid, A. s. [Ekid'den] Tekrarlanan. Sağlamlaşan. • «Ve havf-i pişinesi müteekkid olup. — Sadettin».

müteellif, A. s. [Ülfet'ten] Ülfet peyda eden. Alışmış, alışkın. • «Bu leşgergâha mütelâhık ve müteellif olmak. — Sadettin».

müteellih, A. s. Tanrıya kulluk ve ibadet eden.

müteellim, müteellime, A. s. [Elem'den] 1. Elemli, acılı. 2. Acıyan. Ağrıyan. • «Bazan da sebebsizce olurdum müteellim. — Fikret».

müteemmil, müteemmile, A. s. [Emel'den] Düşünen, dalgın.

müteemmim, A. s. Teyemmüm eden, kum veya toprakla aptes alan.

müteemmin, A. s. Emniyette olan.

müteemmir, müteemmire, A. i. Amîrlik, emirlik eden kimse.

müteenni, müteenniye, A. s. Ağır davranan. Acele etmeyen. • «Bizim muhabbetimiz bir çocuk ki hep dalgın — Değil mi? Hep müteenni... Biraz acûl olsa. — Fikret».

müteennis, A. s. Ünsiyet etmiş, alışmış.

müteessif, müteessife, A. s. [Esef'ten] Eseflenen. Açıklanan.

müteessir, A. s. [Eser'den] 1. Hüzünlü, kederli. 2. Başkasının acısıyle acıklanan. 3. (Psi.) Durgunlanmış. • «Behlûl'ün o rakik, müteessir sadası. — Uşaklıgil».

müteevvi, A. s. Toplanmış kimseler üzerinde olan.

müteeyyid, A. s. [Teyid'den] Kuvvetlenen. Teyyüd eden, teyit edici.

müteezzi, A. s. [Eza'dan] İncinen, sıkılan. • «Başımda bir müteezzi hayat-i mel'une. — Fikret».

mütefahhıs, A. s. [Tafahhus'tan] Araştıran. Sorup inceleyen.

mütefahhısan, A. i. [Mütefahhıs ç.] Sorup soruşturanlar. • «Esrarlarından istihbar için mütefahhısan-i ahbar ve beriden-i bidar-i hüşyar. — Sadettin».

mütefahhir, A. s. [Fahr'den] Övünen.

mütefahirane, F. zf. Övünerek, kurularak.

mütefahir, mütefahire, *A. s.* [Fahr'den] Övünen. Kurumlanan.

mütefahiş, *A. s.* 1. Fahiş söz söyleyen. 2. Fahiş iş işleyen.

mütefakıd, *A. i.* Birbirini mahrumluğa sürüklenmiş olan.

mütefakkid, *A. s.* Araştırıp soran.

mütefakkıh, *A. s.* [Fıkh'tan] Fıkıh bilgini, uğraşan.

mütefavit, mütefavite, *A. s.* [Fevt'ten] Farklı, çeşitli. Aralarında fark olan. • «Mütefavit olur elbette ukul — Meşverette bilinir her makul. — Sümbülzade».

mütefavvız, *A. s.* 1. Üstüne alan. 2. Mal sahibi olan.

mütefazıl, *A. s.* [Fazl'dan] Bilgi ve fazilet yarışına çıkan.

mütefecci', *A. s.* Açıklanan, acınan.

mütefeccir, *A. s.* [Fecr'den] Açılan, görünen.

mütefehhim, *A. s.* Kavrayan, anlayan.

mütefe'il, *A. s.* [Fal'den] 1. Fal açan, fala bakan. 2. Hayra yoran, uğur sayan.

mütefekkih, *A. ş.* Hoşlanıp şaşan.

mütefekkik, *A s.* [Fek'ten] Alıklığından ötürü her zaman dalgın, sersem.

mütefekkir, *A. s.* [Fikr'den] 1. Düşünen, dalgın. 2. Düşünceli. • «Hayatı bir mütefekkir hazan sabahı gibi — Rakik sislerin altında pürsükûn, bîhâb. — Fikret». • «Ben gözüm semaya mun'atıf oldukça az çok şair ve mütefekkirim. — Cenap».

mütefekkirîn, *A. i.* [Mütefekkir ç.] Düşünürler, düşünücüler. • «Bu meseleyi halle teşebbüs eden mütefekkirin diyorlar ki. — Cenap».

mütefelsif, *A. s.* [Felsefe'den] Filozoflaşan Filozofi yapan. (ç. Mütefelsifîn). «Asrında afdal-i hükema-i mütefelsifîn idi. — Taş».

mütefennin, *A. s.* [Fen'den] Bilgin. Teknik bilgisi olan, teknikle uğraşan. • «Gâh Şark gibi müdedeyyin, müstağrak-i his ve hayal ve gâh Garp gibi münkir ve mütefennin. — Cenap».

müteferri', *A. s.* [Fer'den] 1. Dallanan. Bir kökten ayrılan. 2. Bir temel ve kökle ilgili olan.

müteferric, *A. s.* Gezinen. Gezinip eğlenmeğe giden.

müteferrid, *A. s.* [Ferd'den] 1. Tek ve tenha. Çekilip yalnız kalmış. 2. Baş kaldıran. Kendi başına idare olan.

müteferrih, mütferriha, *A. s.* [Ferah'tan] Ferahlanan, içi açılan.

müteferrik, *A. s.* [Fark'tan] Ayrılmış, dağılmış. • *Müteferrik-ul-vüreykat-i ke'siye.* ayrı çanak yapraklılar. • «Küçük odada ufak bir mukaddemeden, biraz müteferrik bahislerden sonra. — Uşaklıgil».

müteferrika, *A. i.* 1. Çeşitli küçük harcamalar için olan para. 2. Çeşitli işler gören. 3. (Eski) padişahın, vezirlerin, sadrazamın buyruklarını götüren kimse.

müteferris, müteferrise, *A. s.* [Feraset'ten] Anlayan. Anlayışlı.

müteferriz, *A. s.* [İfraz'dan] Ayrılmış.

mütefesfir, *A. s.* Fosforlaşmış. • «Bir burkân-i mütefesfir tarayan ediyormuşcasına. — Uşaklıgil».

mütefessih, mütefessiha, *A. s. (Hı ile)* [Tefessuh'tan] Kokmuş.

mütefessih, mütefessiha, *A. s. (Ha ile)* Dolalmış, genişlemiş olan.

mütefettık, *A. s.* [Fıtk'tan] Yarılmış olan.

mütefettit, *A. s.* Parça parça olmuş olan. Dağınık.

mütefevvık, mütefevvıka, *A. s.* [Fevk'ten] Üste gelen. Üstün.

mütefeyyil, *A. s.* Fikir ve düşünce zayıf olan.

mütegabin, mütegabine, *A. s.* [Gabn'den] Birbirini aldatan.

mütegaffil, *A. s.* Görmezlenen, bilmezlenen.

mütegafil, *A. i.* [Gaflet'ten] Gafil gibi davranan. • «O, muannid, mütegafil bakıyor. — Fikret».

mütegalib, *A. i.* [Galebe'den] Sıra ile birbirine üstün gelen.

mütegallib, mütegallibe, *A. s.* [Galebe'den] Zorba (ç. Mütegalliban). • «Mütegalibleri berdahat ettiği gibi ağayı mahudu ve sair mukarripleri dahi berdaht edip. — Naima». • «Vücuh-i aklâm ü emval israfât-i mütegalliban-i bed-fiale sarf olunup. — Naima».

mütegallibane, *F. zf.* Zorbaca. Zorbalıkla. • «Mütegallibane hareketi cenab-i padişaha arz ü ilâm olunup. — Naima».

mütegallibe, *A. i.* Zorla bir idare ele geçirmiş. Zorba takımı. Derebeyleri. • «Çerakese-i ebalise ve bazı zaleme ve mütegallibe dest-i taarruzların dıraz etmekle. — Peçoylu».

mütegallibîn, *A. i.* [Mütegallib ç] Zorbalar. • ‹Nizalar ve cenkler olup mütegallibînden Şam'da Beni Ümeyye devleti. — Kâtip Çelebi›.

mütegamiz, *A. s.* (Ze ile) Birbiriyle göz ucu ile işaretleşen.

müteganni, *A. s.* Taganni eden, ırlayan.

mütegannic, *A. s.* Nazlanan, naz gösteren.

mütegarrib, *A. s.* [Gurbet'ten] Gurbete çıkan.

mütegarrir, *A. s.* Hoş bir sesle ırlayan.

mütegarrid, *A. s.* Gururlanan.

mütegassil, *A. s.* Yıkanan, gusleden.

mütegaşşi, *A. s.* 1. Bürünen, örtünen 2 Kendinden geçen. Bayılan.

mütegavvil, *A. s.* Renkten renge giren.

mütegayir, *A. s.* Karşıt, zıt. Değişik.

mütegayiz, *A. i.* (Zı ile) Kinci, kin besleyen.

mütegayyib, *A. s.* [Gayb'den] Kaybolan. Görünmez olan.

mütegayyir, *A. s.* [Gayr'den] 1. Değişmiş, başkalaşmış. 2. Bozulmuş. Bozuk. • ;Bir haykırdı ki odayı zelzeleye verdi. Biz bu vaz'ından cümle mütegayyir ve müteellim olduk. — Naima›.

mütegayyim, *A. s.* Bulutlanan.

mütegazzib, *A. s.* (Dat ile) Öfkelenen, gazaba gelen.

mütegazzil, *A. s.* (Ze ile) 1. Gazel yazan. 2. Gazel söyleyen.

mütehabb, *A. s.* [Hubb'dan] Sevişen. Birbirine dost olan. • *Düvel-i mütehabbe,* dost devletler.

mütehaccir, mütehaccire, *A. s.* [Hacer'den] Taş haline geçmiş, taş olmuş. • ‹Beyoğlu cihetinde bir yığın eşkâl-i mütehaccire ruşen-i tulû' içinde mer'i oluyordu. — Cenap›.

mütehaci, *A. s.* (H ile) [Hicv'den] Birbirini hicveden, yeren.

mütehacim, mütehacime, *A. s.* [Hücum'dan] Hücum eden. • ‹Mütehacim bir taakkubla hâtırasında küçük küçük tafsilât uyanıyordu. — Uşaklıgil›.

mütehacin, *A. s.* Birbirini kötüleyen.

mütehacir, *A. s.* Birbirinden ayrılmış olan.

mütehaddi, *A. s.* (Te, ha ve de ile) 1. Dikkatle bakan. 2. Çekişip kavga eden.

mütehaddi', *A. s.* [Hud'a'dan[Bilerek aldanan.

mütehaddib, *A. s.* Kambur olan, kamburlaşan.

mütehaddid, *A. s.* Hızla aşağı inen.

mütehaddir, mütehaddire, *A. s.* (Hı ile) 1. Örtülen, bürünen. 2. Perde ehli, namuslu.

mütehaddis, mütehaddise, *A. s.* (Sin ile) Sezmekle bilen.

mütehaddis, mütehaddise, *A. s.* (Se ile) [Hudus'tan] Meydana gelen, yoktan var olan.

mütehadi', *A. s.* (Ayın ile) Kanmış, aldanmış görünen.

mütehaffız, *A. s.* [Hıfz'dan] Korunup saklanan.

mütehafit, *A. s.* (He ile) Bir şey üzerine istekle saldıran.

mütehakkık, mütehakkıka, *A. s.* [Hak'tan] Doğruluğu meydana çıkan. Gözle görünür hale gelen.

mütehakkim, mütehakkime, *A. s.* [Hükm'den] Hâkimlik takınan. Hâkim ve âmir kesilen. • ‹Bazan mütehayyir — Bazan mütehakkim; yine âciz, yine kani'. — Fikret›.

mütehalhil, *A. s.* 1. Açılıp parçaları ayrılmış olan. 2. Kabarmış, kabartılmış olan. • ‹Zemini hın-i menfuş gibi mütehalhil oldu. — Sadettin›. • ‹Kâbe-i mükerremenin (...) mütehalhil olan erkânın. — Naima›.

mütehali', mütehalia, *A. s.* (Ayın ile) Karı koca eşlerin ayrılmış olanı.

mütehalif, mütehalife, *A. s.* [Hulf'ten] Birbirine uymayan.

mütehalik, mütehalike, *A. s.* [Helâk'ten] Kendini tehlikeye atacak kadar istekle bir işe koşan. • ‹Bakarsınız: mütehalik, münevver ü şeyda; — Bu şimdi neşeli gamzedir, behic-i emel. — Fikret›.

mütehalikâne, *F. zf.* Büyük bir çabuklukla. • ‹Teklifini mütehallikâne kabul ettiler. — Uşaklıgil›.

mütehallıs, *A. s.* [Halâs'tan] 1. Kurtulmuş. 2. Nazımda takma bir adı olan.

mütehalli, mütehalliye, *A. s.* (Hı ile) 1. Bırakılmış, boşaltılmış. 2. Boşalan, boş kalan. • ‹Ahsen-i temasîl-i efkârından zamiri mütehalli olmadı. — Sadettin›.

mütehalli, *A. s.* (Ha ile) [Halli'den] Süslenmiş, donanmış. • ‹Vatan muhabbetiyle mütehalli olan gönülleri hûn edecek. — Kemal›.

mütehallif, mütehallife, *A. s.* Değişebilir, değişken.

mütehallik, mütehallika, *A. s.* [Hulk'-ten] Bir huy kazanmış.

mütehallil, mütehallile, *A. s. (Ha* ile) [Hall'den] 1. Erimiş. 2. Çözülmüş.

mütehallim, *A. s.* [Hilm'den] Yalandan yumuşak huylu görünen. 2. (Ana.) Meme gibi yuvarlaklaşan. Memeleşen.

mütehamık, mütehamıka, *A. s.* [Humk'-tan] Kendini ahmak gibi gösteren.

mütehami, *A. s.* Sakınan, kendini koruyan.

mütehammık, *A. s.* [Humk'tan[1. Ahmaklaşan. 2. Ahmak gibi konuşan veya davranan.

mütehammız, mütehammıza, *A. s.* [Humz'dan] Ekşiyen.

mütehammi, *A. s. (Hal* ile) Kendini koruyan, perhiz eden.

mütehammil, *A. s.* [Haml'den] Dayanabilen, çeken. • «Cefasına mütehammil gerek o mahı seven — Nigâh-i şuhu gibi nâsaburu n'eylerler. — Nailî».

mütehammilâne, *A. zf.* Dayanarak, tahammül ederek. • «Sabırsızlanarak, senelerce bir tebessüm-i mütehammilâne ile dinlediği. — Uşaklıgil».

mütehanni, *A. s.* [İnhina'dan] Eğilmiş.

mütehannin, *A. s. (Ha* ile) Çok candan isteyen.

müteharib, *A. s.* [Harb'den] Savaş yapanlardan her biri.

mütehariş, müteharişe, *A. s. (Hı* ile) Hırıldaşıp dolaşan.

müteharrik, *A. s.* [Hareket'ten] 1. Kımıldanan. Oynayan. 2. (Arap alfabesi). Harekesi olan (harf). 3. (Fel., Fiz.) Hareketli. *Müteharrik bizzat*, otomobil, otomat. • «Nakkare önde, bir müteharrik cebel gibi. — Geçmekte zi-vekar ü tarab mevkib-i zafer. — Fikret».

müteharris, *A. s.* İrkilmiş.

müteharrişiyet, *A. i.* İrkiltilme.

müteharriz, *A. s.* [Hazer'den] Çekinen. Sakınan. • «Belki müteharriz ve mütevakkıf ola. — Taş.».

mütehasım, *A. s.* [Hasm'dan] 1. Karşılıklı düşmanlık eden. 2. Karşılıklı dâva eden. (ç. Mütehassımîn).

mütehasımeyn, *A. i.* Bir davada, çekişmede birbirine karşı iki kimse.

mütehasımîn, *A. i.* [Mütehasım ç.] Çekişenler, birbirine husumet edenler. • «Mütehassımînden ahz ü tıraş etmeye ikdam. — Sadettin».

mütehassıl, mütehassıla, *A. s.* [Husul'den] Vücut bulan, husule gelen. • «Lâf ü güzaftan mütahassıl kesel gibi». — Beyatlı».

mütehassın, mütehassına, *A. s.* [Hısn'-dan] Kaleye kapanmış.

mütehassıs, *A. s. (Hı* ile) [Husus'tan] 1. Bir şeye ayrılmış. Ayrı bir işte kullanılan. 2. Bir işin bir dalını çok iyi bilen. Uzman.

mütehassir, mütehassire, *A. s. (Ha* ve *se* ile) [Hasr'den] Pıhtılaşmış.

mütehassir, *A. s. (Ha* ve *sin* ile) Hasret'ten] Hasret çeken. Özleyen. • «Ya·iki ruh-i mütehassire mev'id-i telâki. — Fikret».

mütehassirane, *F. zf.* Hasretle. Özleyerek. • «Güneşin iltima-i ziyasına mütahassirane dalıp kalmak. — Uşaklıgıl».

mütehassis, mütehassise, *A. s.* [Hiss'-ten] Duygusu çok, pek duygulu. • «Sen çünki muaşık, mütehassis ve güzelsin. — Cenap».

mütehassisane, *F. zf.* Duygulanarak. Duygulu bir şekilde. • «Metinane, mütehassisane dinliyordu. — Uşaklıgil».

mütehaşı, mütehaşıa, *A. s.* [Huşu'dan] Huşu ile eğilen.

mütehaşi, mütehaşiyye, *A. s. (Ha* ile) Korkup çekinen. • «Bir dûd-i müncemid gibi âfak-i bi-hayat — Pîşinde canlanır mütehaşi nazarların. — Fikret».

mütehaşşi, *A. s. (Hı* ve *ye* ile) Büyüklükten korkan, irkilen.

mütehaşşı', *A. s.* [Huşu'dan] Kendini alçak tutan, alçak gönüllü.

mütehassib, *A. s.* [Haşeb'den] Odunlaşan, odunlaşmış.

mütehaşşid, mütehaşşide, *A. s.* Yardım için koşup toplanan. • «Mütehaşşid mazahir-i zulümat: — Göz açıldıkta ruh perdelenir. — Fikret».

mütehaşşin, *A. s. (Hı* ile) Huşunetleşen, kabalaşan.

mütehattı, *A. s. (Ha* ile) 1. Atlayıp geçen. 2. Hata işleyen, yanılan.

mütehattır, *A. s.* [Hutur'dan] Hatırına getiren, hatırlayan.

mütehattim, mütehattime, *A. s. (Ha* ve *te* ile) [Hatım'dan] Gerekli. Mutlaka olacak. • «Otuz üç yaşına basan erkeklere mütehattim vazîfeyi terk edenlere karşı. — Cenap».

mütehavin, *A. s.* [Hevn'den] İşinde gevşek ve kayıtsız olan.

mütehavvif, mütehavvife, *A. s. (Hı* ile) Korku peyda eden.

mütehavvil, mütehavvile, *A. s.* [Havl'den] 1. Değişmiş. Başka hal almış. 2. Çabuk değişen. Bir halde kalmayan. 3. (Mat.) Değişken.

mütehayyil, *A. s.* [Hayal'den] Hayal kuran. Dalgın, hayale dalmış.

mütehayyile, *A. i.* [Hayal'den] Fransızca'dan «muhayyile» ile birlikte *imagination* karşılığı olarak (XX. yy.).

mütehayyir, mütehayyire, *A. s.* [Hayret'ten] Şaşmış, şaşırmış. Ne yapacağını bilmez. (ç. Mütehayyirîn). ● «Ellerini nereye koyacağından mütehayyir gibiydi. — Uşaklıgil».

mütehayyirane, *F. zf.* Şaşkınca. Şaşkın şaşkın. — «Demir kafesler içindeki hayvanat-i vahşiyeyi seyr eder gibi mütehayyırane bir pencereden ötekine nakl-i nigâh ederek. — Cenap».

mütehayyız, *A. s. (Ha* ve *dat* ile) Aybaşı olup namazdan çekilen.

mütehayyiz, *A. s. (Ze* ile) [Hayyiz'den] 1. Bir yer tutan. 2. Önem sahibi, ileri gelen (ç. Mütehayyizan).

mütehazil, *A. s. (Hı* ve *zel* ile) Savaş sırasında korkup geri çekilen.

mütehazzib, mütehazzibe, *A. s. (Ha* ve *ze* ile) Takım takım toplanan.

mütehazzin, *A. s. (Ha* ve *ze* ile) Üzülen, mahzun olan. Gamlanan.

mütehazzir, *A. s.* [Hazer'den] Dikkatli davranan, sakınan. ● «Su-i encamdan mütehazzir ve mütefekkir olup. — Naima».

mütehecci, mütehecciye, *A. s.* [Heca'dan] Heceleyen.

mütehadi, *A. s. (He* ile) Hidayete eren, doğru yolu bulan.

mütehekkim, mütehekkime, *A. s.* [Tehekküm'den] Alay eden. Öfke ile alay eden. ● «Sonra Süha'ya dönerek daima bârid ve mütehekkim. — Fikret».

mütehellil, *A. s. (He* ile) Sevinçten yüzü gülen.

mütehemmik, *A. s. (He* ile) İşine sıkı sarılan, işinin üstüne düşen.

mütehettik, mütehettike, *A. s.* [Hetk'ten] Utanması olmayan. Edepsiz, perdesi yırtık. ● «Ve devr-i harabat eden mütehettik hazele-i bi-ragbet ile germülfet olup. —Naima».

mütehevvid, *A. s. (He* ile) Sonradan Yahudi olan.

mütehevvir, mütehevvire, *A. s.* [Tehevvür'den] Gözü dumanlı, coşkun. Kızgınlıktan sonunu düşünmeden saldıran. ● «Kudur, ey lücce-i zulmet, mütehevvir, çılgın — Gülerim kahkaha-i ye's ile çığlıklarına. — Fikret».

mütehevvirane, *F. zf.* Son derece kızgınlık sonunda düşünmeden saldırarak, coşkunlukla. ● «Kara Murat'ın gözleri tas-i pür-huna dönüp mütehevvirane cevap verip. — Naima».

mütehevviş, *A. s.* Şaşırmış, sapıtmış.

müteheyyi, *A. s.* Hazırlanmış, hazır. ● «Vâfir leşker cem edip mukabeleye müteheyyi oldu. — Naima».

müteheyyib, *A. s. (He* ile) 1. Heybetlenen.. 2. Korkulu olan, korkmuş olan.

müteheyyic, müteheyyice, *A. s.* [Heyecan'dan] Heyecana gelmiş. Coşkun. Savruk. ● «Aşkının en müteheyyic ateşlerinin üzerinden bir kar rüzgârı geçerdi. — Uşaklıgil».

mütehezziz, *A. s.* Titreyen, zıngırdayan.

mütekabbız, *A. s.* [Kabz'dan] Toplanan, buruşan. Çekilen.

mütekabbil, mütekabbile, *A. s.* [Kabul'den] Kabul eden, üstüne alan.

mütekabil, mütekabile, *A. s.* [Kabl'den] 1. Karşılıklı, biri öbürünün karşısında olan. (Mat.) Karşıt. ● «Kısm-i mütekabili beyaz bir ateşle tutuşmuşcasına. — Uşaklıgil».

mütekabilen, *A. s. zf.* 1. (Mat.) Karşıt olarak. Karşı karşıya olan. 2. Karşılıklı. ● «Mütekabilen biri diğerinde niyat-i haseneden bir zerre bulunmadığına iman edecektir. — Cenap».

mütekabiliyyet, *A. i.* 1. Karşılıklı davranış. 2. (Fel.) Karşıtlık.

mütekâbir, mütekâbire, *A. s.* [Kibr'den] Kendi nefsini büyük görür olan. (ç. Mütekâbirîn).

mütekaddim, mütekaddime, *A. s.* [Kıdem'den] 1. Önde bulunan. Baştaki. 2. Geçmiş, eskimiş. 3. Sunulan. ● «Şimdi oyunun lezzet-i mütekaddimesiyle. — Uşaklıgil».

mütekaddimin, *A. i.* Eski insanlar. Eskiler.

mütekaddis, *A. s.* [Kudus'ten[Kutsal olan, aşırı temiz.

mütekadim, *A. s.* Geçmiş, ilerlemiş bulunan.

mütekaffir, *A. s.* Birinc uygun.

mütekâfi, *A. s.* Beraberleşen, eşitleşen.

mütekâfil, *A. s.* 1. Yapmayı üstüne almış. Kefil olmuş. ● «Def-i musabiyetini mütekâfıl bir tabip imiş gibi. — Uşaklıgil».

mütekâhhil, *A. s. (Ha* ile) Gözüne sürme çeken.

mütekâhil, mütekâhile, *A. s.* Üşengen. Tembel.

mütekaid, *A. s.* [Kuud'dan] Emekli.

müteka'id, *A. s.* İşine dört elle sarılan.

mütekâlib, mütekâlibe, *A. s.* (Köpek gibi) birbirinin üstüne atılan.

mütekallib, *A. s.* Dönen, değişen. Başka şekil olan.

mütekallid, *A. s.* 1. Boynuna takan. 2. Kuşanan. 3. Üstüne alınan. 4. Tavır takınan.

mütekallil, *A. s.* [Kalil'den] Azalan, azalmış olan.

mütekallis, *A. s.* [Tekallus'tan] Gerilen. Gerilmiş. ● «Mütekallis, melûl ü ducretver — Varlığında da iştibah eyler. — Cenap».

mütekâmil, mütekâmile, *A. s.* [Kemal'den] Olgun.

mütekâmir, *A. s.* [Kumar'dan] Kumar oynaşan.

mütekarib, mütekaribe, *A. s.* [Kurb'dan] 1. Yakın. Birbirine yakın olan. 2. (Ed.) Dört feulün (..-) tekrarlanan vezin. 3. (Mat.) Yakınsak.

mütekârim, *A. s.* Kerimleşen, yaraşıksız işlerden sakınan.

mütekarin, *A. s.* [Karin'den] Birbirine birleşmiş, bitişmşi olan. Yaklaşmış, yakınlaşmış. ● «Anka ile bir serçe ne mümkün — Bir sahada olsun mütekarin. — Fikret».

mütekarız, *A. s. (Zı* ile) Birbirini öven.

mütekariz, *A. s.* Savaşta birbirine sıkışmış olan.

mütekarrib, mütekarribe, *A. s.* [Kurb'dan] Yaklaşan. Yaklaşmaya çalışan. ● *Mütekarrib-ül-hulûl olan,* girmesi yaklaşan (ay). ● «Melih Bey takımının artık sönmeye mütekarrib şa-şaa-i hâtırasının. — Uşaklıgil».

mütekarrih, mütekarriha, *A. s.* [Karh'tan] 1. Yaralı, çıbanlı. Cerehatli (yara, çıban).

mütekarrir, mütekarrire, *A. s.* [Karar'dan] Takarrür eden. Kararlaşan. Yerleşip kuvvet bulan.

mütekasım, *A. s.* [Kısm'dan] İ. Bir şeyi paylaşanlardan her biri. 2. Andlaşanlardan her biri. (ç. Mütekasımîn).

mütekasır, *A. s.* [Kasr'dan] Kudretini kullanmak istemeyen.

mütekâsif, mütekâsife, *A. s. (Se* ile) [Kesafet'ten] Sıkışmış, koyulaşmış. ● «Lâmia'nın vücudunu saran esir-i mütekâsifi üzerine. — Uşaklıgil».

mütekâsil, mütekâsile, *A. s.* [Kesl'den] Üşenen, gevşek.

mütekâsilâne, *F. zf.* Tembelce, önemsemeyerek. ● «Yalnız meşgul olmak için oyalananlara mahsus bir eda-yi mütekâsilâne ile. — Uşaklıgil».

Mütekâsiliyye, *A. i.* Bu dünyaya gelmek can beslemek içindir, başka bir şey yoktur diye her işi bırakıp dilencilik ederek dolaşır, her ne olursa onunla geçinir bir tarikat.

mütekâsir, mütekâsire, *A. s.* [Kesret'ten] 1. Çok, çoğalmış. 2. (Ed.) Aruz ölçücü. ● «Ve sîm ü zerden evani-i mütekâsire hadd ü addini ancak Rabbülâlemîn bilir. — Peçoylu».

mütekâşif mütekâşife, *A. s.* [Keşf'ten] Açığa çıkan, belli olan.

mütekaşşi', *A. s.* 1. Tertipsiz. 2. Eski püskü giyinen. ● «Ve mütevazı ve mütekaşşi, idi. — Taş.».

mütekatı', mütekatıa, *A. s.* [Kat'dan] 1. Birbirini kesen, birbirinin üstünden geçen. (Geo.) Kesişen, birleşen. ● «Kendisini eğlendirmek için söz söyleyenlere mahsus kahkahalarla mütekatı fıkralar. — Uşaklıgil».

mütekatır, mütekatıra, *A. s.* [Katre'den] Katra katra dökülen. Damlayan.

mütekâtib, *A. s.* Karşılıklı mektuplaşan.

mütekâtim, *A. s.* Birbirinden sır gizleyen.

mütekattı', mütekattıa, *A. s.* [Kat'dan] 1. Bir teviye olmayan, kesik, 2. (Coğ, Fel.) Kesikli.

mütekavvi mütekavviyye, *A. s.* Kuvvetlenmiş.

mütekavvif, *A. s.* Birine sözünü değiştirme teklif eden.

mütekavvil, *A. s.* [Kavl'den] Yalan uydurup söyleyen. ● «O makule müteannid mütekavillerin zeban-i kîl ü kali. — Esat Ef.».

mütekavvim, mütekavvime, *A.s .* [Kavîm'den] 1. Eğri iken doğrulan. 2. Doğrulaşan. 3. Düzelen. ● «Mal-i mü-

tekavvim, iki mânaya müstameldir. Biri intifaı mübah olan şeydir, diğeri mal-i muhrezdir. — Mec. 127».

mütekavvis, mütekavvise, *A. s.* [Kavs'ten] Yay, gibi eğri. Eğrilmiş, bükülmüş.

mütekayyid, *A. i.* [Kayd'den] Dikkatli davranan. • «Adab-i mezhebe riayet itibariyle dünyanın en mütekayyid kabîlesi. — Cenap».

mütekayyih, mütekayyıha, *A. s.* [Kıh'ten] İrinli, cerehat bağlamış.

mütekazı, *A. s.* [Tekaza'dan] 1. Takaza eden. 2. Borçluyu ödeme için sıkıştıran. • «Asker-i tatar mütekazılerdir ve bir sene dahi kışlamaya mütehammil değillerdir. — Peçoylu».

mütekazzî, mütekazziye, *A. s.* Arkası kesilip bitmiş olan.

mütekebbir, mütekebbire, *A. s.* [Kibr'den] Kibirli, ululuk satan. (ç. Mütekebbirîn). • Taife-i mütekebbirîn. — Nergisî».

mütekebbirane, *F. zf.* Kibirli kibirli. Azametle. • «O eda-yi mütekebbiraneye ben tahammül edemem. — Uşaklıgil».

mütekeddir, *A. s.* [Keder'den] 1. Kederli. 2. Bulanık. • «Bir çukur yerde birikmiş mütekeddir bir su. — Fikret».

mütekeffil, *A. s.* [Kefalet'ten] Kefil olan. • «Musaadesine mütekeffilleriz deyu. — Naima».

mütekehhin, *A. s.* [Kehanet'ten] Falcı, kayıptan haber veren.

mütekellil, *A. s.* [İklil'den] Başına taç giymiş olan.

mütekeffil, *A. s.* [Külfet'ten] Külfetli, zahmetli iş tutan.

mütekellim, mütekellime, *A. s.* [Kelâm'dan] 1. Söyleyen, lakırdı eden. 2. (Gra.) Birinci şahıs. 3. Nutuk söyleyen.

mütekellimîn, *A i.* İlim-i kelâm bilginleri. İslâm inançlarının incelikleriyle uğraşanlar.

mütekellis, *A. s.* [Kils'ten] Kireçleşmiş, kireçlenmiş.

mütekemmil, mütekemmile, *A. s.* [Kemal'den] Olgunlaşan. Eksiği kalmayan.

mütekemmin, *A. s.* [Kemin'den] Pusuya yatmış, pusu tutmuş olan.

mütekenni, *A. s.* [Künye'den] Kendisi künyelenmiş olan.

mütekerrih, *A. s.* [İkrah'tan] Bir şeyi sevmez olan, ikrah eden, tiksinen.

mütekerrim, *A. s.* [Kerem'den] Kendini kötü işlerden sakınıp ululandıran.

mütekerrir, mütekerrire, *A. s.* [Kere'den] 1. Tekerrür eden. 2. Birden ziyade vukubulan.

mütekessib *A. s.* [Kisb'den] Kendini sıkarak kazanan.

mütekessir, *A. s.* [Kesr'den] Kırılan. Parçalanan.

mütekessir, *A. s.* •[Kesret'ten] Çoğalan, artan.

mütekeşşif, mütekeşşife, *A. s.* [Keşf'ten] Açığa çıkarılan.

mütekettib, *A. s.* [Ketibe'den] Tabur tabur, alay alay sıralanan.

mütekevvin, mütekevvine, *A. s.* [Kevn'den] Vücuda gelen.

mütekeyyif, mütekeyyife, *A. s.* [Keyif'ten] Keyiflenen.

mütekeyyis, *A. s.* (Sin ile) Akıllılık satan.

mütekezzib, *A. s.* [Kizb'den] Bile bile yalan söyleyen.

mütelaffız, *A. s.* [Lafz'dan] Bir sözü ağzından çıkaran, söyleyen.

mütelâfi, *A. s.* Kaybettiği bir şeye karşı başka bir şey kazanan.

mütelâhık, mütelâhıka, *A. s.* [Lûhuk'tan] Birbiri arkasından gelen. Birbiri ardında yetişip birleşen. • «Bu leşkergâha mütelâhık ve müteellif olmak. — Sadettin».

mütelâhi, mütelâhiyye, *A. s.* [Lehv'den] Sazla, oyunla uğraşan.

mütelâhim, mütelâhime, *A. s.* Et tutmuş, etlenmiş.

mütelâib, *A. s.* Oynayan, oyun ile uğraşan.

mütelâim, mütelâime, *A. s.* Fenalıktan sonra iyileşmiş olan.

mütelâin, *A .s.* Karşılıklı sövüşen.

mütelâkı, mütelâkıye, *A. s.* Kavuşmuş, ulaşmış.

mütelâkkı, *A. s.* Alan, kabul eyleyen.

mütelakkıb, *A. s.* Kendi için lakap bulan. Lâkaplanan.

mütelâl, mütelâli, *A. s.* Parıldayan.

mütelâsık, mütelâsıka, *A. s.* [Lusuk'tan] Birbiriyle birleşmiş olan, bitişik.

mütelâşi, *A. s.* Telâş eden, bir şeye gerektiğinden çok önem vererek acele eden. • «Heves-i câh ile cahil mütelâşi görünür. — Nailî».

mütelâşiyane, *F. zf.* **Telâşla.** • «Böyle yerek mütelâşiyane öteye beriye seğirttiğini. — Recaizade».

mütelâtıf, *A. s.* [Lûtf'tan] Kibar, nazik muamelesi olan.

mütelâtım, mütelatıma, *A. s.* Birbirine çarpan, çarpışan, çalkalanan, çarpıntılı. Dalgalı. • «O da her deniz gibi mavi. Her deniz gibi kâh sakin, kâh mutelatımdır. — Cenap».

mütelâttıf, *A. s.* [Lûtf'tan] Yumuşak ve nazik davranan.

mütelâvi, *A. s.* (*Te* ile) Çoğalıp birikmiş, kalabalıklaşmış.

mütelâvim, *A. s.* Birbirine kötü söz söyleyen.

mütelebbib, *A. s.* Bir işi için paçaları sıvalı hazır olan.

mütelebbis, *A. s.* (*Se* ile) Bir yerde eğlenip durmuş.

mütelebbis, mütelebbise, *A. s.* [Libas'tan] Giyinmiş.

müteleccic, *A. s.* Birine dava edip malını isteyen.

müteleclic, *A. s.* Anlaşılır anlaşılmaz söz söyleyen. Sözü ağzında ezip büzen.

müteleffif, *A. s.* Bir nesneye bürünüp sarınmış olan.

müteleffik, müteleffika, *A. i.* Bitişik yapışık olan.

müteleffit, müteleffite, *A. s.* İltifat edici olan.

mütelehhi, *A. s.* [Lehv'den] Sazla, oyunla vakit geçiren.

mütelehhib, *A. s.* Alevlenmiş, alev çıkaran.

mütelehhif, *A. s.* Açıklanan. Yanıp yakılan, özleyip duran.

mütelemmi', *A. s.* [Lem'den] Parıldayan.

mütelessim, *A. s.* (*Se* ile) Yaşmak tutunan, yaşmaklanan.

mütelevvin, mütelevvine, *A. s.* [Levn'den] 1. Renkli, boyalı. 2. Alaca. 3. Dönek, çabuk fikir değiştiren. • «Ziyb-i elvan ile olmaz mütelevvin. — Arif». • «Mahmur ü müzehher, mütelevvin, mütenevvir. — Fikret».

mütelevvis, *A. s.* [Levs'ten] Kirli. Pis, murdar.

müteleyyin, müteleyyine, *A. s.* [Leyyin'den] Yumuşak olan. Gevşeyip yumuşayan.

müteleyyis, *A. s.* (*Se* ile) Aslan yürekli olan.

mütelezziz, mütelezzize, *A. s.* [Lezzet'ten] Tadını duyan, tat alan. Hoşlanan.

mü'telif, *A. s.* [Ülfet'ten] 1. Ülfet etmiş, alışık. 2. Uygun, denk.

mütemadi, mütmadiye, *A. s.* 1. Uzanan, süren. 2. Arasız, her zaman. • «Can sıkıntısından mürekkep uzun saatlerim mütemadi bir azap saklıyor. — Uşaklıgil».

mütemadiyen, *A. zf.* Arasız olarak, sürekil olarak. • «Havada bir top mütemadiyen gayr-i muntazam daireler çizerek. — Uşaklıgil».

mütemâdiyet, *A. i.* Sürerlik (XX. yy.).

mütemmahhız, mütemmahhıza, *A. s.* Yürekten inançla çalışan. (ç. Mütemahhızîn). • «Zeynelâbidin Çelebi Silâhdar Paşaya müivreddit ve mütehammız olmakla. — Naima».

mütemalik, *A. s.* Kendisine, nefsine hâkim; kendini tutan.

mütemarız, mütemarıza, *A. s.* [Maraz'dan] Yalandan hasta olan.

mütemasik, *A. s.* yi, sıkı tutan.

mütemasil mütemasile, *A. s.* [Misl'den] 1. Birbirine benzer, 2. (Mat.) Homolog.

mütemaşi, *A. s.* 1. Seyre çıkan. 2. Sebeplenip çıkan. • «Ben dediğim makam-i kanaat ve mertebe-i feragatten nasidir sen dediğin sıfat-i hırs ü tamadan münbais ve mütemaşidir. — Hümayunname».

mütemayil, mütemayile, *A. s.* [Meyl'den] Bir tarafa eğilmiş. • «Başı biraz öne mütemayil, gözleri süzgün. — Uşaklıgil».

mütemayiz, *A. i.* 1. Temayüz eden, sivrilen. 2. (Tanzimattan sonra) Saniye rütbesinin birinci sınıfı (askerde miralay - albay karşılığı).

mütemeccis, *A. s.* Sonradan Mecusî olan.

mütemeddih, *A. s.* [Medh'ten] Kendini öven, övülen.

mütemeddin, mütemeddine, *A. s.* [Müdin'den] Medeniyet halinde olan. • «Memalik-i mütemedinede herkes geceyi gündüze katmış. — Kemal».

mütemehdi, *A. s.* [Mehdi'den] Mehdilik iddiasında bulunan.

mütemehhid, *A. s.* [Mehdi'den] Yayılmış, serilmiş.

mütemekkin, mütemekkine, *A. s.* [Mekânet'ten] Oturan. • «Çün Bahayi Efendi sadr-i fetvada mütemekkin oldu. — Naima».

mütemellik, mütemellika, *A. s.* Alçakçasına yalvaran. • «Hasis ve deni olan eşhasa lâzımdır ki mütevazı ve mütemellik olalar. — Naima».

mütemellik, mütemellike, *A. s.* [Milk'ten] Mülk edinen. Malın sahibi olan.

mütemellikâne, F. zf. Mal sahibi gibi. ● «Dereköy nam karyede mütemellikâne karar edip. — Naima».

mütemelmil, *A. s.* (Psi.) Taşkın.

mü'temen, *A. s.* [Emn'den] Emniyetli. Güvenilir, inanılır. ● «Kendu ile Asitane'ye gelip zamani- devletinde mütemen ve müsteşar olduğu mezkûrdur. — Naima».

mütemenna, *A. s.* İstenen, dilenen. İstenilen.

mütemenni, *A. s.* İsteyen, dileyen.

mü'temer, *A. si.* Fransızca'dan *congré* karşılığı olarak (XIX. yy.).

mütemerkiz, *A. s.* [Merkez'den] Merkezlenmiş. Bir yere toplanmış.

mütemerrid, *A. s.* Kötü bir yolda direnerek devam eden. İnatçı. ● «Ol fie-i bagiye-i Yehud mütemerridleri zîr-i livayi dalâlete cem' olup. — Veysi».

mütemerridane, *F. s. zf.* Kötülükte direnerek. İnatla.

mütemeshir, *A. s. (Hı* ile) Maskaralık eden. Eğlenen. ● «Nagehan o tüller içinden çehre-i mütemeshiri çıkıvermiş. — Uşaklıgil».

mütemeskin, *A. s.* Miskinleşen. Miskinlik gösteren.

mütemessik, *A. s.* 1. Sıkı sıkıya yapışıp tutan. 2. Bir şeyi kanıt ve tanıt tutan. Ona dayanan.

mütemessil, *A. s. (Se* ile) 1. Mesel ve kıssa anlatan. 2. Bir nesnenin suretine, kılığına girmiş olan. 3. Kendine benzeten.

mütemetti', *A. s.* Kazanan, kâr eden. ● «Ve bahşiş-i âmmlarından mütemetti oldular. — Sadettin».

mütemevvic, mütemevvice, *A. s.* [Mevc'den] 1. Dalgalanan, dalgalı. 2. Bir kararda durmayan, oynak. ● «Ufukta bir mütemevvic bulut, ya bir yelken. — Fikret» ● «Onlar bizim hayalimize bir husn-i mütemevvic gibi intiba' etmemiş mi idi? — Cenap».

mütemevvil, mütemevvile, *A. s.* [Mal'den] Zengin. Mal sahibi. (ç. Mütemevvilân, mütemevvilîn). ● «Bostancı Ali Hoca nam mütemevvil vezir-i âzama istinat ile — Ehli bir mütemevvile saraylı olup. — Naima» ● «Cümle mütemevvilîn kenduye aduvv-i can olup. — Naima».

mütemeyyi, mütemeyyia, *A. s.* Sıvık olan sıvıklaşan. Sulanıp akan.

mütemeyyiz, mütemeyyize, *A. s.* 1. Seçilen. Seçkin. 2. (Fel.). Seçik.

mütemmem, mütemmeme, *A. s.* Tamamlanmış. Eksiği kalmamış.

mütemmim, mütemmime, *A. e.* [Temam'dan] 1. Bitiren, tamamlayan. 2. (Fel.) Tümleç, tümler. 3. (Gra.) Tümleç. 4. (Mat.) Bütünler. ● «Bir eteklik ki harmaninin bir zeyl-i mütemmimi olmak üzere kabil-i telâkki idi. — Uşaklıgil». ● «Şayeste tafsilât-i mütemmime veriyordu. — Uşaklıgil».

mütenadi, mütenadiye, *A. s.* [Nida'dan] Birbirini çağıran. Ünleşen.

mütenadim, *A. s.* Nedimlik eden. Şarap meclislerinde arkadaşlık eden.

mütenadir, mütenadire, *A. s.* [Nedret'ten] Az bulunur.

mütenafi, mütenafiye, *A. s.* [Nefy'den] Birbirine karşıt olan. ● «Birbirine mütenafiye olan ahadis beyninde. — Taş.».

mütenafir, mütenafire, *A. s.* [Nefret'ten] Birbirini sevmeyen, birbirine uymayan.

mütenafis, mütenafise, *A. i.* Geçinmeyen, çekişen.

münahhi, *A. s. (Ha* ile) Çekingen, alarga duran.

mütenahi, mütenahiye, *A. s.* [Nihayet'ten] Biten. Sona eren. ● *Gayr-i mütenahi, namütenahi,* sonsuz, bitmez, tükenmze.

mütenahiz, *A. s.* Erişip çatan. Ulaşan. ● «Sinni ıkd-i hamsine mütenahiz. — Raşit».

mütenahnih, *A. s.* Hırıltı ile soluyan ● «Mensuh ü münkesif, mütenahnih, atehlika — Bir varlık... İşte çehre-i mazi-i zibeka. — Fikret».

mütena'im, *A. s.* [Nimet'ten] Varlık içinde büyüyen, nazlı alışmış.

mütenair, mütenaire, *A. s.* Işıldamış, aydınlanmış. ● «Eşk-i gülgûn sitareleri mütenaire ve ah-i âteşin şerareleri mütenaire ve ah-i âteşin şerareleri mütekâsire oldu. — Sadettin».

mütenakıs, *A. s.* [Noksan'dan] Azalan, gittikçe azalıp küçülen.

mütenakız mütenakıza, *A. s.* [Nakz'dan] 1. Birine karşıt olan, birini çürüten. 2. (Man.) Çelişik. ● «Geçen hafta Muharebe-i Umumiyeye ait ahbar-i mütenakıza üstünde. — Cenap».

mütenakih, *A. s.* *(Ha* ile) Nikâhlaşan.

mütenakir, mütenakire, *A. s.* Bilmezlikten gelen. Bilmez görünen.

mütenasıf, mütenasıfa, *A. s.* *(Sat* ile) Yarıya bölünmüş. • «Lâmbanın ziyasıyle bir zıll-i mütenasıf içinde, gölgeli bir levha şeklinde. — Uşaklıgil».

mütenasıh, mütenasıha, *A. s.* *(Sat* ve *ha* ile) Birbirini öğütleyen.

mütenasık, mütenasıka, *A. s.* [Nesak'tan] Bir boyda. Benzeşen. • «Sonra yirmiden mütecaviz kılâ'-i mütenasıka ihdas edip. — Naima».

mütenasır, *A. s.* [Nâsır'dan] Birbirine yardım eden, yardımlaşan.

mütenasib, mütenasibe, *A. s.* [Nisbet'ten] 1. Birbirine her bakımdan uygun. Denk. 2. (Mat.) Orantılı.

mütenasiben, *A. zf.* Orantılı olarak. • «Zekâsıyle mütenasiben büyüye büyüye. — Recaizade».

mütenasil, *A. s.* *(Sin* ile) Birbirinden doğan, üreyen.

mütenassıb, *A. s.* *(Sat* ile) Dikilip duran.

mütenassıh, *A. s.* [Nush'tan] Öğüt dinleyip uslanan. • «Mütenassıh olmazsa sonra hakkından gelinmek dahi esheldir dedikte. — Naima».

mütenassır, *A. s.* [Nasr'dan] Hıristiyan olan. Hıristiyanlığı kabul eden.

mütenasid, *A. s.* Beraber şiir okuyan.

mütenavib, mütenavibe, *A. s.* [Nevbet'ten] 1. Nöbetleşe tekrarlanıp giden. 2. (Fel.) Almaşık.

mütenaviben, *A. zf.* [Nevbet'ten] Sıra ile, nöbetleşe. • «Meyve ağaçları arasında mütenaviben yağmur ve güneşin hücum ve taarruzuna uğramaktan. — Cenap».

mütenavil, *A. s.* [Tenavül'den] Alıp yiyen.

mütenavim, *A. s.* [Nevm'den] Uyur gibi görünen.

mütenazır, mütenazıra, *A. s.* [Nazar'dan] 1. Birbirine bakan, birbiri karşısında bulunan. 2. (Kim.) Bakışık. 3. (Mat.) Simetrik.' 4. (Sos.) Karşılık.

mütenazi', *A. s.* *(Ze* ve *ayın* ile) Münazaa eden, çekişen.

mütenebbi, *A. s.* Peygamberlik taslayan. Yalancı peygamber.

mütenebbih, *A s.* Uyanık, uyanan, uslanan, aklını başına alan. • «Müftü tarafından tenbih gelmişti amma mütenebbih olmadı. — Naima».

mütenebbit, *A. s.* Ot gibi yerden biten.

müteneddim, *A. s.* Nedamet eden, pişman olan.

müteneffir, *A. s.* [Nefret'ten] Nefret eden. • «Sevişmemek... müteneffir miyim yani? — Yok, hissiz; — Biraz harareti eksik bahar-i aşkımızın. — Fikret».

müteneffis, *A. s.* [Nefes'ten] Soluk alan. • «Bizimle böyle cenk ederse bizden bir müteneffis halâs olmayıp cümlemizi kırarlar. — Naima».

müteneffiz, müteneffize, *A. s.* Nüfuz sahibi, sözü geçer.

müteneffizna, *A. i.* [Müteneffiz ç.] Nüfuzlu kimseler. Sözü geçenler. • «Birtakım müteneffizanın gözlerine diken sokmak değil can evlerinde od yakmak kadar müessir. — Kemal».

mütenekkir, *A. s.* [Nekre'den] İsteyerek tanınmayacak bir hale giren, takma bir adla kendini belli etmek istemeyen.

mütenekkiren, *A. zf.* Tebdil olarak, kendini kim olduğunu belli ettirmeden.

mütenekkis, *A. i.* *(Kef* ve *sin* ile) Baş aşağı gelmiş olan.

mütenessık, *A. s.* *(Sin* ve *kaf* ile) [Nesak'tan] Biteviye olan.

mütenessik, *A. s.* *(Kef* ile) [Nesk'ten] Tanrıya kulluk eder olan. • «Biri cahil-i mütenessik ve biri âlim-i mütehettik. — Taş.».

mütenessim, *A. s.* Rüzgâr koklayan. Rüzkâr kokusu alan.

mütenevvi', mütenevvia, *A. s.* *(Ayın* ile) [Nev'den] Türlü türlü, çeşit çeşit. • «Mütenevvia yazar. — Uşaklıgil».

mütenevvim, *A. s.* Uyuklayan. Uyuyan. Rüya gören.

mütenevvir, *A. s.* [Nur'dan] Nurlanan, parıldayan. • «Mahmur ü müzehher, mütelevvin, mütenevvir — Bir fecr-i baharî gibi. — Fikret».

mütenezzih, *A. s.* 1. Gezip eğlenen. 2. Arı, temiz, ilgisi yok. (ç. Mütenezzihin, mütenezzihat). • «Bu ruz-i firuzda bazı mütenezzihat-i dilârâ temasasına. — Ragıp Pş.»

mütenezzil, *A. s.* [Nüzl'den] Alçalan, lâyıksız bir işi işleyen. • «İkbalden idbara mütenezzil ve devleti zillete mütehavvil oldu. — Taş.».

mütenezzilâne, *F. zf.* Alçalarak, alçaklara yakışır şekilde. • «Kabul ettikleri bin türlü şerait-i mütenezzilâne sayesinde nail-i afv oldular. — Kemal».

müterabbı', A. s. Bağdaş kurup rahatça oturmuş. • «Vezir kendisi dizleri üzerine bir tılduz yorgan bürünmüş mütarabbı idi. — Naima».

müteradif, müteradife, A. s. [Redf'ten] Aynı anlama gelen, anlamı bir olan, eşanlam, anlamdaş.

müterafı', A. s. Duruşma için yargıca giden.

müterafık, müterafıka, A. s. Karışık. Karışık. Karışmış. Bir arada.

müterahhil, A. s. (Ha ile) [Rihlet'ten] Yola çıkmış olan.

müterahhim A. s. (Ha ile) [Rahm'den] Acıyan, merhamet eden.

müterahi, A. s. (Hı ile) Geri duran. Ağır davranan.

müterakib, A. s. [Rüküb'dan] Kiremit gibi birbiri üstüne binmiş olan.

müterakim, müterakime, A. s. Birikmiş yığılmış. Toplanmış. • «Maasi-i müterakimemizi. — eCnap».

müterakkab, A. s. Beklenilen, umulan.

müterakkıb, A. s. Gözeten, bekleyen, uman. • «İltifat-i aliyyelerine ve ferman-i hümayunlarına müterakkıb olup durdular. — Naima» • «Kendisine tesadüf benim için bir nimet-i gayr-i müterakkıbe oldu. — Cenap».

müterakkıben, A. zf. Gözeterek, bekleyerek, umarak. • «Gülmeye vesile olabilecek bir şeyin güzeranına müterakkıben. — Uşaklıgil».

müterakkık, A. s. Birinin haline acıyan.

müterakkıs, A. s. [Raks'tan] Durmadan raks eden, hep sallanan.

müterakki, müterakkiye, A. s. İlerlemiş. Yukarı çıkmış. Yükselmiş. • «Akvam-i müterakkiyede hiç kimse diğerinden bir şey ummaksızın. — Cenap».

müterassıt, A. s. [Rasad'dan] Gözeten, bekleyen, kollayan.

müterazi, A. s. [Rıza'dan] Karşılıklı birbirinden razı, hoşnut olan.

mütercem, mütercerne, A. s. [Tercümeden] Başka dilden çevrilme. • «Mütercem, müellef bir alay hikâyeler okudular. — Uşaklıgil».

mütercim, A. s. [Tercüme'den] Başka dilden çeviren. (ç. Mütercimîn). • «Tıbba mahsus bir cemiyet-i mütercimînin teşekkülüne ihtiyaç kalmıştır. — Kemal». • «Sanki niçin mütercimlik etmiyesin? — Uşaklıgil». • «Fakat ertesi sabah mütercimin dide-i taabnakinde

surur-i memulden hiç eser görülmedi. — Cenap».

müterecci, A. s. [Reca'dan] 1. Uman. 2. Yalvaran.

mütereddi, mütereddiye, A. s. Soysuzlaşmış.

mütereddid, A. s. [Redd'den] 1. Gidip gelen, devam eden. 2. Karar vermeyen, kararsız. • «Anın yerini kenduye mütreddid ve boşnak koçaş Mahmut dedikleri cahile verdi. — Naima». • «Karanlıkta yürüyenlere mahsus bir mişvar-i mütereddid ile ilerliyordu. — Uşaklıgil».

mütereddidane, F. zf. Kararsızca.

mütereffi', A. s. [Ref'ten] 1. Yükselen. 2. Ululuk gösteren.

müterefih, mütereffihe, A. s. Bolluk ve ve rahatta yaşayan. • «Mühteşem ve mütereffih bir vezir idi. — Naima».

müterekkib, A. s. [Rüküb'dan] Birleşmiş, iki veya daha çok cismin birleşmesiyle meydana gelen. • «Bunlar öyle bir sınıftır ki beceriksizlerden, mahcuplardan, cebinlerden müterekkiptir. — Uşaklıgil».

müterrennim, A. s. Terennüm eden, güzel sesle yavaşça ırlayan. • «Sanki müterennim bir nefes, havaî bir rübabın tellerine. — Uşaklıgil».

müteresib, A. s. [Rüsub'dan] Dibe çöken, durulan. • «Müteressib muhit-i bâlimde — Sanki yüz yıllık ıstırab-i hayat. — Fikret».

müteressil, A. s. Acele etmeyip yavaş yavaş yapar olan.

mütereşşah, A. s. 1. Terbiye görmüş, terbiye olmuş. 2. Üzerinden su gibi ter akan.

mütereşşi, A. s. Yumuşak muamele eden.

mütereşşid, A. s. [Reşad'dan] Doğru yola girmiş olan.

mütereşşih, mütereşşiha, A. s. [Reşh'ten] Ter gibi sızan, terleyen.

müterettib, A. s. [Rütbe'den] 1. Sıralanmış. 2. Üste düşen, ait. 3. Gereken, sonuç olan. (ç. Müterettibat) • «Tervici terakki taraftarlığının müterettibatından olsun. — Kemal».

mütesaddık, A. s. [Sadaka'dan] Sadaka veren.

mütesadık, A. s. Dostlaşmış olan.

mütesadır, A. s. [Sudur'dan] Birbiri ardınca meydana gelen.

mütesadif, mütesadife, A. s. [Tesadüf'ten] Ras gelen. • «Mütesadif olurdu her yerde — Başka bir âlem-i gamfezaya. — Cenap».

mütesadim, A. s. [Sadme'den] Çarpışan, birbirine vuran.

mütesahhi, A. s. (Sin ile) [Seha'dan] Zoraki cömertlik gösteren.

mütesahib, A. s. (Sat ile) Sahip çıkan, arka olan.

mütesahil, A. s. Kolay sanan, Gevşek davranan.

mütesaib, A. s. (Se ile) Uyuklayan.

mütesaid, A. s. [Suud'dan] Yükselen, yukarı çıkan. • «Amma benim olmaktadır ahım mütesait. — Naci».

mütesail, A. s. Dilenen, dilenci,

mütesakkıb, A. s. (Se ile) [Sakb'den] Ortası delik olan, delinmiş bulunan.

mütesakkıf, A. s. (Sin ile) [Sakf'tan] Tavanla örtülmüş olan.

mütesakıt, mütesakıta, A. s. Bir bir düşen. • «Hezaran maani-i dekika mütesakıt olmaktadır. — Nabi».

mütesalib, mütesalibe, A. s. [Salib'den] (Man.) Çapraz.

mütesamih, A s. Müsamaha gösteren, Görmezlikten gelen.

mütesavi, mütesaviyye, A. s. Birbirine eş olan, birbiri kadar.

mütesaviyen, A. s. zf. Birbirine eş değerde. • «Hata ve hakikat mütesaviyen alet-i menfaattir. — Cenap».

mütesebbib, A. s. [Sebeb'den] Müsebbip, sebep olan. Bir şeyin sakatlanmasına sebep olan (kimse). • «Mütesebbib, müteammid olmadıkça zâmin olmaz. — Mec. 888».

müteselli, müteselliye, A. s. Avunan, acıyı unutur gibi olan. • Bunda bir lezzet-i garibe, bir neşve-i müteselliye duyuyorum ki. — Uşaklıgil» • «Burada herkes minel-ezel muteselli işine ve gidişi devam ediyor. — Cenap».

mütesellim, A. s. i. 1. Teslim edilen şeyi alan. 2. Vergi ve resimlerin alınmasına memur edilmiş kimse, muhassıl.

müteselsil, müteselsile, A. s. [Silsile'den] Zincir gibi birbirine bağlı olan, ardı kesilmeden peşi sıra gelen.

müteselsilen, A. zf. Sıra ile, birbiri peşi sıra. • «Alel imeyya ve müteselsilen zuhur eder ve birbirinin kurtulmaz birtakım illetlerin metayic-i zaruriyesi. — Kemal».

mütesemmi, A. s. (Sin ile) Bir ad ile adlanan.

mütesemmim, mütesemmime, A. s. [Sem'den] Zehirlenen.

mütesemmin, A. s. (Sin ile) Semiren.

mütesennih, A. s. (Sin ile) Üzerinden yıllar geçmiş, eskiyip küflenmiş.

müteserri, müteserriyye, A. s. Cariye Odalık edilen.

müteserri, müteserria, A. sö [Sür'at'ten] Koşan, acele davranan.

müteserrir, A. s. Odalık cariye edinmiş olan.

mütesettir, A. s. Saklanıp gizlenmiş olan.

mütesevvi, A. s. Düzelen, düz olan.

müteseyyib, A. s. Kayıtsız davranan, aldırış etmeyen.

müteseyyit, A. s. Seyyit olmadığı halde kendinin seyyit olduğunu söyleyen.

müteşabih, müteşabihe, A. sö [Şibh'ten] 1. Birbirine benzer. 2. Dış görünüş anlamı ile değil de başka bir maksat için misal diye söylenen.

müteşabihat, A. i. [Müteşabih ç.] 1. Kur'an'ın, dış anlamıyle değil, örnek olarak söylenen ayetleri. 2. Kur'an'ın 29 suresinde (Arap harfleri de 29 dur). bulunan (Ekr, K, Sad, Nun, Elm) ayrık harfler. Bunların anlamı hakkında birçok sözler söylemiştir. Tevile ihtiyacı olan bu müteşebbihatın aslını ancak Tanrı bilir.

müteşabihe, A. i. Ayetlerden tevile muhtaç olan ayet.

müteşacir, A. s. Çekişen, kavga eden.

müteşaddık, A. s. 1. Avurt çatlatarak konuşan. 2. Istılahlı konuşan.

müteşahhıs, A. s. 1. Şahıslanan, gözle görünür hal alan. 2. Şahsını tanıyan. 3. ayırt olunmuş olan.

müteşa'ib A. s. [Şa'b'den] Şubelenmiş, dallanmış. Kollara ayrılmış.

müteşair, A. s. [Şiir'den] Şairlik satmak isteyen, şairlik, taslayan. (ç. Müteşairîn). • «Yok münkir olur tab'ıma erbab-ı sunande — Var ise bir iki müteşair süfehadır. — Nef'i».

müteşa'ir, A. s. [Şair'den] Kıllı.

müteşairane, F. zf. Şair tavrı takınarak. Şairlik iddiasında bulunarak. • «Çocuklara mahsus bir heves-i müteşairane ile. — Uşaklıgil».

müteşaki, A. s. Birbirine hallerinden şikâyet eden.

müteşakil, A. s. [Şekl'den] 1. Şekli bir olan. 2. Şekil, suretçe birbirine benzeyenlerin her biri.

müteşarik, *A. s.* Birbiriyle ortak olan.

müteşa'şa' *A. s.* Şa'şaa peyda eden. Parıl parıl parlayan.

müteşatim, müteşatime, *A. s.* Karşılıklı sövüşen.

müteşebbek, *A. s.* [Şebeke'den] Ağ gibi birbirine geçen.

müteşebbih, müteşebbihe, *A. s.* [Şebh'ten] Benzeyen.

müteşebbis, müteşebbise, *A. s.* [Teşebbüs'ten] Bir işe girişen.

müteşecci' *A. s.* Yiğit görünen, zoraki yiğit.

müteşeddid, müteşeddide, *A. s.* [Şiddet'ten] 1. Şiddetlenen. 2. Katılaşmış, pekleşmiş olan.

müteşeffi, *A. s.* [Şifa'dan] 1. Şifa bulan, sağlaşan. 2. Öcünü almakla yüreği soğuyan.

müteşehhi, müteşehhiye, *A. s.* İştahlanan.

müteşehhid, *A. s.* (*He* ile) Kelime-i şahadet okuyan.

müteşe'im, müteşeime' *A. s.* 1. Uğursuz sayan. 2. Uğursuzluk gelecek sanan.

müteşekki, *A. s.* [Şekva'dan] Şikâyet eden. ● «Şu halet-i perişanımla — Müteşekki, lâim — Karşıdan safvet-i mahmurunu seyr etmedeyim. — Fikret».

müteşekkik, müteşekkike, *A. s.* Şüphe, sanı içinde olan. Sanıdan kurtulamayan.

müteşekkil, müteşekkile, *A. s.* [Şekl'den] 1. Şekillenmiş olan. 2. Çeşitli maddelerden meydana gelen. ● «Mütemadi yalanlardan müteşekkil bir hayata katlanmayacaktı. — Uşaklıgil».

müteşekkir, *A. s.* [Şükr'den] İyilik bilen, iyiliğe karşı nazik davranan.

müteşemmim, *A. s.* Koklayan.

müteşemmir, *A. s.* İşe hazırlanmış olan. ● «Şahingiray dahi müteşemmir-i cenk ü kıtal olup. — Naima».

müteşemmis, *A. s.* Güneşe çıkan, güneşlenen.

müteşennic, *A. s.* Buruş buruş olan.

müteşennif, *A. s.* Küpe takınan.

müteşerri', *A. s.* [Şer'den] Şeriat işleriyle uğraşan. Fıkıh ve şeriatte bilgisi çok olan.

müteşerrif, *A. s.* Şereflenen.

müteşetti, *A. s.* Bir yerde kışlayan.

müteşettit, müteşettie, *A. s.* Dağınık olan. Karışık bulunan. ● «Asüa'dan geçen bir firka-i muhacire tarafından aşair-i muteşettite-i iptidaiye. — Cenap».

müteşevvik, *A. s.* [Şevk'ten] Çok ziyade istekli. ● «Benim üstühvanlarımı ihrak binnâr etmeye müteşevviklerdir. — Peçoylu».

müteşevvis, müteşevvise, *A. s.* [Teşevvüş'ten] Karışık, karmakarışık, anlaşılmaz.

müteşeytın, *A. s.* Şeytanlık eden, şeytanca davranan.

müteşeyyi', *A. s.* [Şia'dan] Şiî mezhebine girmiş, şiî olmuş olan. ● «Müteşeyyi' ve şair ve seri-ül-cevap hazır idi. — Taş.».

müteşeyyid, müteşeyyide, *A. s.* Yükselten, sağlamlaştıran.

müteşeyyih, *A. s.* 1. Yaşlılık taslayan, yaşlı görünmek isteyen. 2. Şeyhlik taslayan.

mütetabi', mütetabia', *A. s.* [Teb'den] Birbiri ardınca gelen.

mütetabian, *A. zf.* Birbiri ardınca.

mütetali, *A. s.* Birbiri ardınca olan.

mütetarik, *A. s.* Bir işi bırakmakta olan.

mütetavil, mütetavile, *A. s.* (*Te* ve *tı* ile) 1. Uzun olan, uzanan. 2. Birbiri ardınca gelip uzanan. ● «Sinîn-i mütetavile ol sarayda ömür geçire. — Naima».

mütetebbi' *A. s.* [Teb'den] Tetebbu eden. Arkasına düşüp araştıran.

mütetevvic, *A. s.* [Tac'dan] 1. Taç giymiş Taçlı. 2. (Bot.) Taçyapraklı.

mütevafık, mütevafıka, *A. s.* [Vefk'ten] 1. Birbirine uygun. 2. Uyan, uygun olan.

mütevafir, mütevafire, *A. s.* [Vefur'dan] Çoğalan. ● «Niam-i vafire ve ihsan-i mütevafire olduğu. — Selâniki».

mütevaggıl, *A. s.* Bir şeyin çok ilerisine, derinliğine varan. Uğraşan. ● «Şecere-i nesliye mütevaggilerine belki mümkün olur. — Uşaklıgil».

mütevahhid, *A. s.* Tek, benzersiz olan.

mütevahhiş, *A. s.* [Vahş'ten] Ürken, korkan. Ürkmüş, korkmuş. ● «Öyle bir hande-i perişan ki — Mütevahhiş leb-i meserretten — Fikret».

mütevakka', *A. s.* [Vak'dan] Umulan, beklenilen. ● «Kemal-i kerem-i hazret-i şefi-i ümmetten mütevakkadır ki». ● «Senin gibi hainden ne hayır mütevakkadır. — Veysi».

mütevakkı', *A. s.* [Vak'dan] Uman, bekleyen.

mütevakkı, *A. s.* [Vikaye'den] Sakınan, kendini gözeten.

mütevakkıf, *A. s.* [Vakıf'tan] 1. Duran. Kımıldamayan. 2. Bir şeye bağlı olan.

Onunla iş görecek olan. 3. İlerlemeyip duran. • «Fakat tamamen vezali zamana mütevakkıf bir hastalığın nöbetleri kabîlinden. — Uşaklıgil».

mütevali, mütevaliyye, *A. s.* [Vely'den] Artsız arasız. Aralık vermeden süren. Bidüziye olan. • «Yirmişer otuzar sene birkaç devletin muhacemat-i mütvaliyesine mukavemet göstererek. — Kemal». • «Mütevali şuun-i edvarı — Hep felâket elem uğultuları. — Fikret».

mütevaliyen, *A. zf.* Aralık vermeden. Bidüziye. • «Bir paket mütevaliyen tezayüt eden paketlerin arasına karıştı. — Uşaklıgil».

mütevari, *A. s.* [Verâ'dan] Saklı, gizli. Bir şey arkasına veya altına çekilip saklanan. • «Güneş midir müteyari sehab-i hâkinde — Felek mi pâyine inmiş nedir bu uluvviyet. — Kemal».

mütevarid, mütevaride, *A. s.* [Vürud'dan] Gelen.

mütevaris, mütevarise, *A. s.* [Veraset'ten] Miras kalan. Babadan çocuğuna kalarak sırayla geçen.

mütevasıl, mütevasıla, *A. s.* [Vasl'dan] Birbirine bitişmiş.

mütevatı, *A. i.* 1. Birbirine benzeyen. 2. (Feļ.) Tek-anlamlı.

mütevatir, mütevatire, *A. s.* 1. Ağızdan ağıza yayılan. 2. Halk arasında söylenilen. • «Malum ola ki mütevatir olan kıraât ekser-i ulema katında yedidir. — Taş.».

mütevattın, mütevattına, *A. s.* [Vaan'dan] Bir yeri vatan edinmiş. Yurt tutmuş, yurtlanmış.

mütevazı', mütevazıa, *A. s.* [Vaz'dan] Kendisini aşağı tutan, alçak gönüllü. Kibirsiz. • «O mütevazı, zelil, hakîr edalariyle biçare otlar. — Uşaklıgil».

mütevaziane, *F. zf.* (Dat ile) Kibirsizce, alçakgönüllülükle.

mütevazi, mütevaziyye, *A. s.* [Muvazi'den] (Geo.) Parelel.

mütevazin, mütevazine, *A. s.* [Vezn'den] Birbirine uygun. Tartıları bir olan. • «Mânen ve maddeten mütevazin bulunalım. — Cenap».

mütevaziyen, *A. zf.* Paralel olarak.

mütevazzıh, mütevazzıha, *A. s.* Açıklanan. Açıklık peyda eden.

müteveccih, müteveccihe, *A. s.* [Vech'ten] 1. Bir yere doğru gitmeye kalkan, yo-

la çıkan. 2. Birbirine karşı iyi düşüncesi ve sevgisi olan.

müteveccihen, *A. zf.* Zihne koyarak. Bir yere doğru. • «Maden tarafına müteveccihen büyük caddeyi takip ediyorlardı. — Uşaklıgil».

müteveddid, müteveddide, *A. s.* Sevgi gösteren.

müteveffa, müteveffiye, *A. s.* [Vefat'tan] Ölü, ölmüş. • «Kumdan birkaç tepecikle müteveffa Sait Paşa'nın sahilhane-i metrukü. — Cenap».

mütevehhim, *A. s.* [Vehm'den] Kuruntulu.

mütevekkid, *A. s.* [Ekid'den] Kuvvetlendirilmiş, bir işi yürütmeye hazır olan.

mütevekkil, *A. s.* [Tevekkül'den] Her işi Tanrıya, Tanrı iradesine bırakıp Tanrıdan gelene razı olan. • «Bir fakir-i Hint gibi mütevekkil. — Cenap».

mütevekkilâne, *F. zf.* Tevekkül ile kadere boyun eğerek. • «Hep aldatılmaya bir muvafakat-i mütevekkilâne ile gelen Bihter'i. — Uşaklıgil». • «Bir uzun değneğe dayanarak bir hamuşî-i mütevekkilâne ile yürüyen Arabın önünde yüklü bir deve. — Cenap».

mütevekkilen alâllah, *A. ç.* 1. Tanrıya sığınarak. 2. Tevekkül ederek. • «Ol saat bir yere gelip mütevekkilen alâllah suyu ayaktan ubur. — Raşit».

mütevelli, *A. s. i.* [Veli'den] Bu vakfın idaresine memur olan kimse. • «Hisar civarında olan emlâk ashabını ve evkaf mütevellilerini müsadere edip. — Naima». • «Çünkü vakf eyleyemezdin cihet-i aşka temin — Mütevelli kızı sevmek ne vazifendi senin. — Naci».

mütevellid, mütevellide, *A. s.* 1. Doğan. Dünyaya gelen, 2. Hâsıl olan, çıkan. • «Muhaverenin bu inkıta-i nagehanesinden mütevellid azaptan. — Uşaklıgil».

müteverri', *A. s.* (Te ve ayın ile) [Vera'dan] Din emirlerini sıkıca tutan.

müteverrim, müteverrime, *A. s.* [Verem'den] 1. Şiş, kabarık. 2. Verem olmuş. • «Şu döktüğün müteverrim, zavallı yapraklar. — Fikret».

mütevessi' mütevessia, *A. s.* [Vüsat'tan] Genişleyen. • «Nihal'in henüz gayr-i mütevessi gövdesiyle. — Uşaklıgil».

mütevessil, *A. s.* (Te ve sin ile) [Vesile'den] Bir vesile ile yanaşmaya çalışan.

mütevessilen, *A. zf.* Vesile tutarak, dayanarak.

mütevezza', *A. s.* Pay olunmuş, bölünmüş.

mütevezzi', *A. s.* [Tevzi'den] Paylaşan, bölüşen. • «Mütevezzi-ül-hatır olmağın gâh ol canibe gâh bu canibe. — Sadettin».

müteyakkın, *A. s.* [Yakın'dan] Kesin olarak bilinen. • «Ekall-i müteyakkın üzere mezkûr esasbaşı yediyle dört binden mütecaviz adamı katıl ve deryaya ilka olunduğu. — Naima».

müteyakkız, müteyakkıza, *A. s.* (*Te, kaf* ve *zı* ile) [Yekaza'dan] 1. Uyanık. Uyanmış. 2. Gözü açık olan. • «Bütün teferrüat-i vakanın müteyakkız bir şahidi sıfatiyle. — Uşaklıgil».

müteyakkızane, *F. s. zf.* Uyanıklıkla.

müteyemmen, *A. s.* [Yümn'den] 1. Uğurlu, kutlu. 2. Uğur umulmuş. • «Son güzel senenin müteyemmen takvimi ile. — Cenap».

müteyemmin, *A. s.* [Yümn'den] Uğur uman.

müteyessir, *A. s.* [Yüsr'den] Kolay yapılır. Yapılması kolay.

mütezadd, *A. s.* [Zıd'dan] Birbirine karşıt olan. Birbirinin karşıtı olan.

mütezaif, mütezaifa, *A. s.* (*Te* ve *dat* ile) [Zı'f'tan] İki veya birkaç katı olan. Kat kat artan. • «Bir elem-i mütezaifle tekrar açılır. — Cenap».

mütezahim, *A. s.* [Ziham'dan] Birbirini iterek, birinin üstüne çıkarak biriken, kalabalık toplanan.

mütezaid, mütezayide, *A. s.* [Ziyade'den] Artan, çoğalan. • «Bir zulmet-i beyzâ ki peyapey mütezayid. — Fikret».

mütezebzib, *A. s.* Kararsız.

mütezehhir, *A. s.* Çiçeklenen, çiçekli.

mütezellil, *A. s.* [Zillet'ten] Alçaklanan, zillete katlanan.

mütezellilâne, *F. zf.* Zelilce, bayağı ve alçaklara yakışırcasına.

mütezelzil, *A. i.* [Zelzele'den] Sarsılan, oynayan, sallanan, zıngıldayan. • «Hatt-i şerifin vürudunda ağalar mütezelzil olup. — Naima».

mütezevvic, *A. s.* [Zevc'den] Evli. Evlenmiş.

mütezevvid, *A. s.* [Zâd'dan] Yolluk azığını hazırlanmış olan.

mütezevvık, *A. s.* 1. Birkaç defa tadan. 2. Zevk ve safa eden.

mütezeyyin, *A. s.* [Ziynet'ten] Süslenen.

müt'ib, *A. s.* [Ta'b'dan] Yorucu. • «Yoruldu hepsi bu mut'ib uzun mücadeleden. — Cenap».

mütimm, *A. s.* [Temam'dan] Tamamlayan. Tamamlamaya yarayan.

mütlif, mütlife, *A. s.* (*Te* ile) [Telef'ten] 1. Yok eden, öldüren. 2. Tehlikeli. 3. Bir şeyi kullanılmaz, işe yaramaz hale koyan. • «Ve mütlif-i mal nihal-i halinde semere-i nedametten gayrı nesne görmez — Hümayunname».

müttakı, *A. s.* [Vikaye'den] Günah ve haramdan sakınan. • «Düştüm hayal-i zülfüne; ey müttakı beni — Tesbihe davet etme ki zünnara düşmüşüm. — Nesimî».

müttebi', müttebia, *A. s.* İttiba eden, uyan. Peşi sıra giden.

müttefik, müttefika, *A. s.* [Vefk'ten] 1. Uyuşmuş, birleşmiş. 2. Aynı fikirde, uygun. • «Eniştesinin bu meselede kendisine müttefik olabileceğine karar verdikten sonra. — Uşaklıgil» • «İnanılmayacak fiyatlara satın aldıklarını anlatmakta bütün seyyahlar müttefiktir. — Cenap».

müttefikan, *A. zf.* Oy birliğiyle. • «Bu haksızlık Bülent'le müttefikan yapılıyordu da. — Uşaklıgil».

müttehaz, müttehaza, *A. s.* [Ahz'den] Kabul edilen, yürürlükte olan, kullanılan.

müttehem, *A. sö* [Vehm'den] 1. Suçlu. 2. Kabahatlı. • «Maldar olanları tesmim ve emvalini kabz töhmeti ile müttehem olmakla. — Naima».

müttehid, müttehide, *A. s.* [Vahdet'ten] Birleşmiş, birlik olan.

müttehemiyet, *A. i.* (Türkçede yapılmış, kullanılmıştır). Suçluluk. Suçlandırılma. • «Birden nefsini azım bir cinayet işlemiş olmak müttehemiyetiyle gördü. — Uşaklıgil».

müttehiden, *A. zf.* Birlikte. Birlik olarak. • «Avene ve ansarıyle müttehiden Mustafa Paşayı padişaha geçip. — Naima».

müttehim, müttehime, *A s.* Suçlandırılmış. • «Lâkin madam ki ortada öldürülecek bir müttehim var. — Uşaklıgil».

müttehiz, müttehize *A. s.* (*Hı* ve *zel* ile) [Ahz'dan] Kabul eden.

müttekâ, *A. i.* Dayanılacak alet, Koltuk değneği. • «Biz müttekâ-yi zerkeş-i caha dayanmayız. — Beyatlı».

müttekın, *A. s.* İyice bilen. Bir şeyin bir türlü olmasına aklı yatmış olan. • «Ve maazalik yine cümlesi muttekın ve me'cur-durlar. — Taş.».

mütteki, müttekiye, A. s. [İttikâ'dan] Dayanmış, sağlamca dayanan.

müttesi', müttesia, A. s. Genişleyen. • «Bir iş zıyk oldukta müttesi olur. — Mec. 18».

müun, A. i. [Metn ç.] Metinler. • «Bazı mütun ve şüruh ve bazı fetavidir. — Taş.».

müvecceh, müveccehe, A. s. Doğru. Uygun. • «Ulema haps ve musadere olmak müvecceh değildir deyu ıtlak ettirdi. — Naima».

Müvekkel, müekkel, A. s. i. [Vekaletten] Biri tarafından vekil edilmiş. • Müvekkülün bih, vekile verilen iş. • «Bu ailenin esbab-i temayüzünü vikaye vazifesi kadınlara müvekkel olduğundan. — Uşaklıgil». • «Müvekkilün bihin hitamıyle vekâlet nihayet bulur. — Mec. 1526».

müvekkı', A. i. (Kaf ve aynı ile) Padişah tuğrasını yazan kimse. • «Nişancı Lâm Ali Çelebi azlolunup Musa Çelebi müvekkı-i Divan oldu. — Naima».

mütevekkil, mütevekkile, A. s. i. Başkasını kendisine vekil eden.

müvellâ, A. i. [Veli'den] Şeriatın bir iş araştırması için görevlendirdiği memur.

müvelled, müvellede, A. s. [Vilâdet'ten] 1. Doğmuş, doğrulmuş. 2. İki cinsin birleşmesinden meydana gelmiş, melez. 3. Aslında ve esasen yok iken sonradan meydana gelmiş. • Lûgat-i müvellede, yeni yapılma kelime.

müvelledat, A. i. 1. Doğmakla meydana gelmiş canlılar. 2. Sonradan yapılma kelimeler.

müvellid, A. i. [Velâdet'ten] 1. Doğurtan, erkek ebe. 2. (Kim.) Meydana gelen, meydana getiren.

müvellide, A. i. Ebe kadın.

müverrah, A. s. (Hı ile) [Tarih'ten] Tarihi konulmuş. Tarihli.

müverrih, A. i. (Hı ile) [Tarih'ten] 1. Tarih yazan kimse. Tarihçi. 2. Bir olay için manzum, ebcet hesabiyle tarih düşüren kimse.

müvrerihane, F. zf. Tarih bilginlerine yakışır bir halde. • «Sizde mübalağalı bir vecd-i nüvarrıhane görüyorum. — Cenap».

müvessi', müvessia, A. s. (Sin ile) [Vesi'den] Genişlettiren.

müvesvis, müvesvise, A. s. [Vesvese'den] Kuruntucu. Kuruntulu.

müvesvisane, F. zf. Vesveseli, kuruntulu şekilde. • «Onun karşısında artık tekayyüd-i müvesvisaneye lüzum görmemiş idi. — Uşaklıgil».

müveşşah, Bk. Muvaşşah.

müveşşih, A. s. Camilerde, din törenlerinde ilâhiler okuyan. • «Mevlidhanlara ve müveşşihlere ve fukaraya bezl-i denanir-i fıravan buyurdular. — Naima».

müvezzi', A. s. 1. Dağıtan. 2. (i.) Posta mektuplarını dağıtan. 3. Gazete satan. • «Bugün yine, dünkü gibi, her zamanki gibi müvezzisin, ve her zaman böyle olacaksın. — Uşaklıgil».

müyaveme, A. i Gündelik üzerine pazarlık etme. • «Azledip müyayeme elli akçe. — Sadettin».

müyesser, A. s. (Sin ile) [Yüsr'den] Kolay bulunup yapılan. Kolay gelen. Kolaylıkla olan. • «Sem-i emelin münevver etti — Her ne diledin müyesser etti, — Fuzulî». • «Böyle iki hemrah bulmak her seyahatte müyesser olur şeylerden değildir. — Cenap».

müyessir, A. s. Kolaylaştıran. Kolaylıkla meydana getiren.

mütul, A. i. [Mil ç.] 1. Miller. 2. İğneler. 3. İğnecikler. 4. İşaret kazıkları.

müyun, A. i. [Mîn ç.] Yalanlar, uydurmalar.

müzab, A. s. 1. İzabe olunmuş. Eritilmiş. 2. (Kim.) Ergimiş. • «İbrik-i zerden sakıyâ lâ'l-i müzabı kıl revan — Altın olur işin hemen kibriti-i ahmer kendidir. — Baki».

müzad, A. s. [Ziyde'den] Artırılmış, çoğaltılmış. • «Ve bu temhidatın müzadından murad oldur ki. — Lâmiî».

müzanat, A. i. Zina etme. Kanunsuz çiftleşme.

müza'fer, A. s. (Ze ile) Safranlanmış, sarı renkli. • «Sarı yaprak içinde her siyah zag — Muza'fer lâledir kim bağrı pür dağ. — Lâmiî».

müzahame, A. i. (Ze ile) [Zahm'dan] 1. Birbirini ite sıkıştıra hücum etme. 3. Zahmet, sıkıntı verme.

müzaheret, A. i. (Zı ile) [Zahr'dan] Arka, yardım.

müzahim, müzahime, A. s. Sıkıntı veren, aykırı gelen.

müzahir, A. s. (Zı ile) [Zahr'dan] Birine yardım eden, taraflı çıkan.

müzahref, A. s. (Ze ve hı ile) Yalancı yaldızlar ve parlak kalp boyalarla süslü.

• «Hain nâbekârların müzahref tezkerelerin müceddeden mamul ve mahsup ettirip. — Naima».

müzahrefat, *A. i.* 1. Parlak ve sahte boyalar ve süsler. 2. Pislik, süprüntü.

müzakerat, *A. i.* [Müzakere ç.] Müzakereler.

müzakere, *A. i.* [Zikr'den] 1. Bir iş hakkında konuşma. 2. Bir iş için önceden söyleşme. 3. Öğrencilerin ders hazırlamaları için çalışmaları. • «Onlar iki kızla anne, saatlerle müzakereler, mücadeleler yaparlar. — Uşaklıgil».

müzaraa, *A. i.* (Zel ile) Zira' (Arşın) ile satış.

müzaraa, müzaraat, *A. i.* (Ze ile) 1. Bir taraf tarla ve tohum vererek, diğer taraf da çalışarak ortaklaşma. 2. Toprak sahibi ile işçi arasındaki ürün bölme üzerine kurulmuş ortaklık. (Mec. 1431).

müzavece, *A. i.* Evlenme. 2. Çift olma.

müzavele, *A. i.* Bir şeyi başka bir şeye yakınlaştırma. 2. Bir şeyin meydana gelmesi için çalışma. • «Remyetmek tariki malum olur müzavele-i amel ile. — Taş.».

müzayele, *A i.* Birbirinden ayrılma.

müzayaka, *A. i.* (Dat ile) [Zıyk'tan] 1. Darlık, sıkıntı. Güçlük, zorluk. 2. Yokluk, züğürtlük. Geçim darlığı. • «Şimdi müzayaka variken dahi akçe kande bulunur. — Naima».

müzayede, *A. i.* [Ziyade'den] Artırma.

müzcat, *A. s.* Az şey, az. • «Ulema fukarası sedd-i sülme-i cû' edecekleri müzcatı. — Naima».

müzd, *F. i.* Karşılık. Ücret. Mükâfat. • «Her kim ne amel kılarsa bünyad — Müzdünü verir amelince üstad. — Fuzuli».

müzdad, *A. s.* (Ze ile) [Ziyade'den] Artmış, çoğalmış. • «Daima toplamak için bir heves-i müzdad duyan ben. — Uşaklıgil».

müzdahim, *A. s.* [Zahm'dan] Kalabalıklı. Pek sıkışık. • «Artık bir herc ü merc içinde müzadahim, perişan bir cereyan ile zihnini dolduran. — Uşaklıgil».

müzdecir, müzdecire, *A. s.* (Ze ile) 1. Yasak koyan. 2. Yasak edilen.

Müzdelife, *A. i.* Kâbe'de Arafat ile Mina arasında bir hac durağı.

müzdevic, müzdevice, *A. s.* İzdivaç etmiş, ikisi birleşmiş. • «Zamanımızın fikr-i kemali mekânımızın bikr-i hayaliyle muzdevic iken. — Kemal».

müzdevice, *A. i.* Fransızca'dan *conjuguées* botanik familyasına karşılık olarak, kavuşur suyosunları (XIX. yy.).

müzdür, müzdever, *F. s.* [Muzd-ver] Ücretle işleyen. • «Saray-i kadrini yapmaya çarh olup müzdur. — Hayali». • «Ne mümkün böyle bir âli bina dahi ger olsa — Kaza mimarı sidre nerdübanı çerh müzdveri. — Nef'î».

müzebzeb, müzebzib, *A. s.* 1. Bir şeye karar veremeyen. Elinden iş gelmez. 2. Karmı karışık. • «Her gün biraz bu âleme rapt eyliyor beni — Her gün biraz ölen bu hayat-i müzebzebim. — Fikret».

müzeffet, *A. s.* (Ze ile) Zift sürülmüş, ziftlenmiş.

müzehheb, müzehhebe, *A. s.* [Zeheb'den] 1. Altın suyuna batırılmış. 2. Yaldızlanmış. • «İner şeb-i tabiatın — İner leb-i müzehhebi. — Cenap».

müzehher, müzehhere, *A. s.* [Zühre'den] Çiçeklenmiş, çiçekli. Çiçek açmış. • «Ben mest olarak o müzehher ruyalar içinde uyuyacağım. — Uşaklıgil». • «Hayat-i sevda bir müzehherdir ki burada sadece bir temaşager sıfatıyle geçenler de vardır. — Uşaklıgil».

müzehhib, *A. i.* [Zeheb'den] Tezhipci. Yaldızcı.

müzekkâ, *A. s.* (Zel ile) 1. Arılanmış, paklanmış. 2. Tezkiye olunmuş. 3. Zekâtı verilmiş. • «El-kıssa ademden oldu peyda — Bir tıfl-i müzekker-i müzekkâ. — Fuzuli».

müzekker, *A. s. i.* (Zel ile) [Zeker'den] 1. Erkek, er. 2. (Arap Gra.) Gerçek veya lafız bakımından erkek gösteren (isim, zamir, sıfat, fiil).

müzekkere, müzekkire, *A. i.* (Zel ile) [Zikr'den] Bir iş hakkında üstün mevkie sunulan yazı.

müzekki, müzekkiye, *A. s.* (Zel ile) [Tezkiye'den] 1. Aralayan, temizleyen. 2. Cenaze töreninde tezkiye eden. 3. Mahkeme tanıklarını araştırıp durumlarını mahkemeye bildiren. • «Biz bunu da asıl iddiamızın hakkaniyetine muterizin tasdikiyle müzekki bir şahit addederiz. — Kemal». • «Gazetelerin kısm-i âzamı birer murebbi-i müzekkidir. — Cenap».

müzekkir, *A. s.* 1. Andıran, hatıra getiren. 2. Zikreden, tesbih çeken.

müzellil, *A. s.* [Zill'den] Zelil ve hakîr eden.

müzerkeş, *A. s.* Sırma ile işlenmiş. Sırmalı.

müzevva, *A. s.* [Zaviye'den] Köşeli. • «Ehramların satıhları tahmin ve tasavvur ettiğiniz gibi müstevi değil; bilâkis pek girintili, çıkıntılı, pek müzevva. — Cenap».

müzevveb, *A. s. (Zel* ile) Eritilmiş.

müzevvib, *A. s. (Zel* ile) Eriten.

müzevvec, müzevvece, *A. s.* [Zevc'den] Çiftleştirilmiş.

müzevver, müzevvere, *A. s. (Ze* ile) Uydurulmuş düzme. • «Bir alay müfsitlerin müzevver ve musanna kavl-i mücerretlerine ne itibar vardır. — Naima».

müzevvir, *A. s.* Tezvir yapan, bir yalanı telleyip pullayan.

müzevvirana, *F. zf.* Müzevvire yakışır tarzda.

müzeyyel, *A. s. (Zel* ile) [Zeyl'den] 1. Zeyli, katılmış maddesi olan. 2. Ekleme parçası olan. 3. Altına cevabı yazılıp geri gönderilen (tezkere).

müzeyyelen, *A. zf.* Altına ek olarak karşılığı yazılarak.

müzeyyen, müzeyyene, *A. s.* [Ziynet'ten] Süslenmiş, donanmış. • «Müzeyyen tasavvurların arasında. — Uşaklıgil». • «Hazret-i İsa'nın (...) ahval-i şerife ve hikemiyat-i celilesi ile müzeyyen bir kitap keşfetmişler. — Cenap».

müzeyyif, müzeyyife, *A. s. (Ze* ile) Tezyif eden. 2. Eğlenen. 3. Çürüğe çıkaran, çürüten.

müzeyyifane, *F. zf.* Eğlenir yolda, alay ederek. • «Sütunlarından birçoğunu ötekinin berikinin yazdıklarına taarruzat-i müzeyyifane ile dolduran. — Uşaklıgil».

müzeyyin, *A. sö* [Ziynet'ten] Süsleyen. Süsleyici.

müzham, *A. s. (Ze* ve *ha* ile) Kalabalık olmuş olan.

müzhere, mezhere, *A. i.* Çiçek bahçesi. Bk. • *Müzehhere.* • «Yok farkı bu reng-i inbisatın — Bir müzhere-i hazana âkis — Bir kavs-i kuzah parıltısından. — Fikret».

müz'ic, müz'ice, *A. s. (Ze* ve *ayın* ile) Usandıran, rahatsız eden. • «Şimdi hâtırım, fikrim — Hep şu müz'ic ümmid elinde zebun. — Fikret» • «Etraf da korktuğumuz kadar müt'ib ve müz'ic değildi. — Cenap».

müz'icane, *F. zf.* Usandırıcı, rahatsız edici yolda. • «Yollu sözlerle tergıbat-i müz'icanede yekdiğerine müsabakat gösteren. — Recaizade».

müzil, müzile, *A. s.* [Zeval'den] Yok eyleyen. • *Müzil-ül-levn* (Kim.) renk gideren.

müzill, *A. s. (Ze* ile) Ayak kaydırıcı. 2. Hata işleten, yanlış iş gördüren. • *Müzill-ül-eadi kerim ül hisal.* — Nabi».

müzille, *A. s. (Zel* ile) Zelil kılan, aşağılatan.

müzmin, müzmine, *A. s.* 1. Eskimiş, üzerinden zaman geçmiş. 2. Eskiyerek yerleşmiş (hastalık). • «Sabah olur, o bürudet geçer; fakat müzmin — Sükûn-i mevkii bir nefha eyler ihlâl. — Fikret».

müznib, *A. s. (Zel* ile) [Zeneb'den] Günah işlemiş, suçlu. (ç. Müznibîn). • «Kime müznib der isen cani- peder — O da bir zenbdir anlarsan eğer. — Nabi».

müzzan, *A. s. (Ze* ile) Süslü, bezenmiş.

N

n, 1. Osmanlı ve Fars alfabesinin 28., Arap alfabesinin 25. harfi. 2. Ebced hesabında 50 rakamına, aylardan da Ramazan ayına işarettir.

nâ, *F. i.* Ney.

-na, *F. e.* Sıfatlara takılarak yer isimleri meydana getirir. *Tengna.*

nâ-, *F. e.* Olumsuzluk edatıdır. Başına getirildiği sözcükleri olumsuzlaştırır. Arapça kelimelere katılması kurala uygun olmamakla beraber bazı kere katıldığı olmuş, bu yüzden (XIX. yy.) sonlarında bir tartışma çıkmıştır.

naaş, Bk. ● *Na'ş.*

naat, Bk. ● *Nâ't.*

nâaşina, *F. s.* [Nâ-âşina] Yabancı.

nâ'b, *A. i.* *(Ayın* ve *be* ile) Karga sesi.

nâb, *A. i.* 1. Azıdişi. Ağzın sonundaki dört büyük diş. (ç. Enyab). ● «Kilâb-i zinâb. — Naima». ● «Ciğer-şikâf-i nâb-i iftiras edip. — Abdullah».

nâb, *F. s.* 1. Arı, sâf. 2. Katıksız, halis 3. Berrak. 4. Oluk. ● «Leb-i baharda revnak bulan şükûfe-i ter — Bana unutturamaz güldehan-i nâbınızı. — Cenap».

nâbaliğ, *F. s.* [Nâ-baliğ] 1. Yaşı on dörde basmamış. 2. Erişmemiş, yetişmemiş. ● «Cahil olan pîr nabaliğ olur — Cehl gitmez çihl ile pencahla. — İbn Kemal».

nâbayeste, *F. s.* [Nâ-bayeste] Gereksiz, lüzumsuz. Uygun olmayan.

nâbeca, *F. s.* [Nâ-be-ca] Yolsuz, yerinde değil. Münasebetsiz. Uygunsuz.

nâbedid, *F. s.* [Nâ-bedid] Görünmez, kayıp. Belirsiz. Yitik.

nâbehencar, *F. s.* [Nâ-be-hencar] Yolsuz, usulsüz, kuralsız.

nâbehengâm, *F. s.* [Nâ-be-hengâm] Vakitsiz. ● «Bu takib-i nabehegâmdan sonra. — Recaizade».

nâbehired, *F. s.* [Nâ-be-hired] Akılsız.

nâbekaide, *F. s.* [Nâ-be-kaide] Kurala uymayan. ● «Baktım sütur-i nüsha-i âfaka serteser — Yek harf-i nabekaide yoktur miyanede. — Nabi».

nâbekâr, *F. s.* [Nâ-be-kâr] 1. İşsiz, işe yaramaz. 2. Hayırsız, yaramaz. ● «Maslahat budur ki bu münafık nâbekârı endaṇte-i cah-i demar edesiz. — Naima».

nâbemahal, *F. s.* [Nâ-be-mahal] Yerinde ve uygun olmayan. Yolsuz. ● «Bu saatte bilâsebep burada bulunmak ona o kadar nabemahal göründü ki. — Uşaklıgil».

nâbercâ, *A. s.* [Nâ-ber-câ] Yolsuz, yersiz. ● «Bu töhmet-i naberca ile ol iki vezir-i bigünahı. — Naima».

naberkarar, *F. s.* [Naber-karar] Bir yerde durup dinlenmez.

nâbesud, *F. s.* [Nâ-be-sud] Faydasız. Kârsız.

nabız, *A. s.* *(Dat* ile) Nabız gibi atan. ● «Cenabına şefkat bu derece nâbız olmamıştı. — Nergisî».

nabıza, *A. i.* Nabız damarı.

nâbi, *A. i.* Yüksek, yüce.

nabi, *A. s.* [Neba'dan] Haber veren.

nabi', **nabia,** *A. s.* [Nebean'dan] (yerden) fışkıran, kaynayan, akan. ● «Ve zemzem-i measir ve masai kâbe-i dilâgâhından nabia olup tab-i şerifleri daima hayrat ve hasenata mail. — Raşit».

nabiga, *A. s.* 1. Ulu, şerefli kimse. 2. Sonradan şair olan. (g. Nevabig).

nâbina, *F. s.* [Nâ-bina] Kör. Doğuştan kör. ● «Cahilin daim muradınca döner çarh-i felek — İltifat eyler geda ferzend-i nâbinasına. — Beliğ».

nâbinâî, *F. i.* [Nâ-binâ-î] Körlük.

nâbit, *A. s.* [Nebat'tan] Yerden çıkıp büyüyen, biten. ● «Manend-i şecer nâbit olur sabit olanlar. — Ziya Pş.».

Nabt, **Nebt,** *A. i.* Süryanilerden bir takım olup Arap yarımadasının kuzeyinde otururdu.

Nabtî, *A. s.* Nabt kavmına mensup, onunla ilgili.

nâbud, *F. s.* [Nâ-bud] Yok olan. Bulunmaz. ● «Bu renklerde onun rengidir bakılsa ayan — Bu renklerde onun rengidir fakat nâbud. — Fikret».

nabz, *A. i.* Atar ve vurur damar. Bilek damarları. • ‹Bakın, nabızları biçarenin nasıl vuruyor. — Fikret›.

nabza, *A. i.* Damar vurma, nabız atma.

nabzaşina, *F. s.* [Nabz-âşina] Karşısındakinin zayıf tarafını bilen, yaranan. • ‹Hazakat-i dile nabzaşina tabip gerek — İlâc-i derd-i derun sihhat-i mezak ister. — Nailî›.

nabzgir, *F. s.* [Nabz-gîr] Her tabiat ve insana göre davranan, yaranmasını bilen. (ç. Nabzgîran). • ‹Nabızgîr-i kalb-i mahzun ol ki Lokmanlık budur›. • ‹Kelimelerin nabzgir-i sadası olarak. — Uşaklıgil›.

nabzi, *A. s.* Damarın atmasıyle ilgili.

nabzşinas, *F. s.* [Nabz-şinas] 1. Nabızdan anlayan, iyi hekim. 2. (Mec.) Adamını tanır.

nabzşinasan, *F. i.* (Nabzşinas ç.) Nabızdan anlayan kimseler. • ‹Hızr ü Mesih'i nabzşinasan-i derd-i dil — Dar-üş -şifa-i aşka rencur yazdılar. — Nailî›.

nâcaiz, *F. s.* [Nâ-caiz] Caiz değil Yapılmaz. • ‹Nazar âyineye nacaiz iken şeblerde. — Nabi›.

nâcesban, naçesban, *F. s.* [Nâ-cesban] Yakışık almayan, uygunsuz.

nâci, naciye, *A. s.* [Necat'tan] 1. Kurtulmuş, selâmete kavuşmuş. 2. Cehennemden kurtulmuş, cennetlik. • ‹Naci ben isem necat heyhat. — Naci›. • ‹Ve fırka-i naciye olan ehl-i sünnet ve cemaat mezhebinin. — Asım›.

nâcins, *F. s.* [Nâ-cins] 1. Cinsi bozuk 2. Aynı cinsten olmayan. • ‹Surette olursa da ne denlû mahrem — Nacins ile ülfet olmaz müstahkem. Nabi›.

nacis, *A. i.* İyileşmez illet.

nâcünban, *F. s.* Kımıldamaz, sağlam, yerinde durur.

nâçar, *F. s.* [Nâ-çar] 1. Çaresiz. Zorda kalmış. 2. Zavallı, acınacak. *Çarnaçar*, ister istemez, mutlaka. • ‹Haramzade rah-i firar fenk idüğün görmekle naçar dönüp bir hamle-i acizane daha edip. — Naima›.

naçesban, *F. s.* [Nâ-çesnan] Yakışık olmayan. • ‹Acep mi kamet-i mânâya Nabi olsa naçesban — Gubar-alûde olmuş hâme-i hâtır kühenlenmiş. — Nabi›.

nâçide, *F. s.* Derilip devşirilmiş.

naçiz, *F. s.* [Nâ-çiz] Hiç hükmünde olan. Çok küçük, önemsiz (şey). • ‹Belki içinden biri alâmınızın — Belki bir ma'kes-i naçizi olur. — Fikret›.

naçizane, *F. s. zf.* Pek ufak, önemsiz bir şey olarak.

nâdan, *F. s.* [Nâ-dan] 1. Bilmez, cahil, 2. Kaba, nobran, terbiyesiz. • ‹Dane vermez hirmeninden merdüm-i dânaya çerh — Bezl eder varını amma bulsa bir nâdana heb. — Nef'î› • ‹Nadanlar eder sohbet-i nadanla telezzüz — Divanelerin hemdemi divane gerektir. — Ziya Pş.›.

nadane, *F. zf.* Bilmezlikten gelerek. • ‹Bigâne gamzen âşıka nadane aşina — Ta key tegafül ey büt-i bigâne aşina. — Nedim›.

nadanest, nadaneste, *F. s.* Bilmez, cahil. • ‹Ol dahi nadaneste bir kitabı acıp. — Naima›.

nadanî, *F. i.* 1. Bilmezlik. 2. Kabalık. • ‹Evbasan-i kûy-i nadanî ve binişan-i bevaban-i perişanî. — Kâni›.

nâdemsaz, *F. s.* [Nâ-demsaz] Uymayan, uygun olmayan, ahenksiz.

nâderberaber, *F. s.* Uykunsuz, ahenksiz.

nâderide, *F. s.* [Nâ-deride] Delinmemiş. Delik açılmamış. • ‹Görmez cefa-yi suzen kâlâ-yi naderide. — Nabi›.

nâdi, *A. s. i.* [Nida'dan] 1. Bağıran. Çağıran. 2. Meclis, toplantı. • ‹Medar-i dekayik ü irfan olan nadi-i minû-nişanlarına. — Nabi›. • ‹İşbu nâdi-i niam, bakın huzurunuzda müftehir. — Fikret›.

nadic, nazic, *A. s. (Dat* ile) Olmuş, kıvamında.

nâdide, *F. s.* [Nâ-dide] 1. Görülmemiş, görülmedik. 3. Pek seyrek bulunan, çok değerli. • ‹Çekelim vuslat-ı nâdidesini hicranın. — Nabi›.

nâdim, nâdime, *A. s.* [Nedamet'ten] Nedamet getiren, pişman olan. (ç. Nadiman. nadimîn). • ‹Padişah-i merhum vezir-i merkumu boğdurduktan sonra nadim olup. — Naima›.

nadimane, *F. zf.* Pişman olana yakışır yolda, pişmanlıkla.

nadimiyyet, *A. i.* Pişmanlık.

nâdir, nadire, *A. s.* [Nedret'ten] Az bulunur. Bulunmaz. Seyrek. •*Nadir-ül-vücud*, pek az bulunan, • *en-nadirü kelmâdum*, az bulunan şey yok gibidir. (ç. Nadirat, nevadir). • ‹Vaz-i evfakta nadire-i âfak idi. — Sadettin›. • ‹Yanlarından pek nâdir arabalar geçiyor. — Uşaklıgil›. • ‹Meçhul ve nadir bir esere tesadüf edemiyordu. — Cenap›.

nadire, *A. i.* Az bulunma.

nadiredan, *F. s.* Bilgili ve zarif (kimse). • «Olma müteaccip ey dil-i nadiredan — Gördünse dil-i çenarda sûz-i nihan. — Nabi».

nadiregû, *F. s.* [Nadire-gû] Zarif fikirler, nükteli sözler söyleyen. (ç. Nadiregû-yan). • «Nadiregûyluk meydanında kûy-i müsabakatı ezkiya elinden kapmış idi. — Sadettin».

nadirekâr, *F. s. i.* Sanatlı şeyler yapan usta.

nadiren, *A. zf.* Pek az bulunur, az olarak, çok aralıklı. • «Çocuğu validesine nadiren ve hafiyen getirirlerdi. — Uşaklıgil».

nadireperdaz, *F. s.* [Nâdire-perdaz] Güzel ve ince söz söyleyen. (ç. Nadireper-dazan). • «Ol nadireperdaz-i beyanım ki kalemim — Darb-ül-mesel-i nükte-şinasan-i cihandır. — Nef'î».

nadiresenc, *F. s.* [Nadire-senc] Garip fıkralar, nükteli sözler kullanan. Zarif. (ç. Nadiresencan). • «Hasılı şimdi benim nadiresenc âlemde — Eder ıkrar buna kâmil olan iz'an. — Nef'î».

nâdürüst, *F. s.* [Nâ-dürüst] 1. Doğru olyan. 3. Yanlış, haksız. • «eKndi kariha-mayan, eğri. 2. Sağlam, gerçek olmasından bir' tedbir-i nadürüste şüru edip. — Naima».

nadürüstî, *F. i.* Rahatsızlık, hastalık.

nâehl, *F. s.* [Nâ-ehl] Ehli olmayan. Ehliyetsiz. (ç. Nâehlân). • «Ve müdahin, mürtekip gammazlar yüz bulup naehlâna müsait bir devir. — Kemal».

nâehlâne, *F. zf.* Ehliyetsizcesine. Beceriksizlikle. • «Bütün bütün cahilâne ve nâehlâne tesviye olunmadı. — Kemal».

nâendiş, *F. s.* [Na-endiş] Uzun uzadıya düşünmeye değmez; mutlak, açık, muhakkak.

naendişide, *F. s.* Düşünülmemiş, fikir clun-mamış.

nâf, *F. i.* 1. Göbek. 2. (Mec.) Orta. *Nâf-i seb,* geceyarısı; *-zemin,* Mekke. (ç. Nafeha). • «Nâf-î zerrinı serper etrafa — Acı bir nefha, bir şemim-i hazan. — Fikret».

nafaka, nefaka, *A. i.* 1. Geçim için gerekli para veya zahire. 2. Yetimlere, boşanmış kadınlara verilen geçim parası. (ç. Nafakat). • «Üzerine tâyin olunan kapıcıların nafakası ahali-i vilâyetten cemolunmak için. — Naima».

nafe, *F. i.* 1. • «Misk âhusu» denilen bir çeşit ahunun göbeğinden çıkarılan misk, koku, (En değerlisi Tataristan ve Çin Türkistan'ında bulunurdu). 2. Tilki ve başka hayvanların değerli kürklerinin göbek tarafı. 3. (Mec.) Güzelin saçı. • «Ve mümasil-i nafe-i müşknâb ile dolup. — Fuzuli» • «Sefere münasip bir nafe kürkünü alıp giydi. — Naima».

nâfercam, *F. s.* [Nâ-fercam] Sonu çıkmaz. Boş, asılsız. • «Geh esir-i gurbet eyler geh enis-i gam beni — Şaşmışım bilmem ne yapsam baht-i nafercama ben. — Nevres».

naferiz, *F. s. i.* [Nafe-riz] 1. Göbek düşürme. 2. Koku saçma. • «Müşksay etti dimağı bâd-i zisular yine — Naferiz oldu bu sevdalarla ahular yine. — Nabi».

nafia, *A. i.* Bayındırlık işleri.

nafi', nafia, *A. s.* [Nef'den] 1. Yarar. Kârlı. 2. Tanrı adlarındandır; Abdünna-fi' (Ö. İ. Muhammet Peygamberin kölesinin adı. • «Hem benim hadi vü nafi' hem benim zarr ü muzirr. — Nesimi» • «Nafi' olmaz maraz-i aşka müdava-yi hakîm. — Nef'î».

nafi, nafiyye, *A. s.* [Nefy'den] Olumsuzlaştırıcı. Giderici, yok edici. • «Olurdu naf-i isbat i illet-i ulâ. — Fuzuli».

nafic, nafice, *A. i.* Nafe, misk göbeği.

nâfih, nafiha, *A. s.* [Nefh'ten] Üfürücü, üfleyici. • «Anadolu memleketinde bir diyar ve nâfih-i nar kalmayacağı malum-i sıgar ü kibardır. — Naima».

nafile, *A. i.* 1. Zaman ve mükellefiyet dışı sevap için kılınan namaz. 2. Boş, işe yaramaz. (ç. Nevafil). • «Mutlak salât-i nafilede bir iki nevi namazdan gayrı nafileyi alâ-sebil-it-tedai cemaatle kılmak mekruhtur. — Kâtip Çelebi» • «Küstüm sana ben nafile yalvarma barışmam. — Vâsıf».

nafir, nafire, *A. s.* [Nefret'ten] 1. Nefret eden. 2. Korkak, ürkek. • «Manend-i şikâr-i nafir ü şarid. — Taş.».

nafiz, nafize, *A. s.* [Nüfuz'dan] 1. Delip geçen. 2. İçeriye giren, işleyen. 3. Etki yapan, sözü dinlenilen. • *Nafiz-ül-ke-lim,* sözü geçen. • «Cemi umuruna musallat ve nafiz-üş-şefaa idi. — Naima» • «Çeşminde ruha nafiz olan şule-i nazar. — Fikret». • «Vezir-i pîrden mecruh silâhdar ağa ve sair nafiz-ül-kelim kimselerle haberleşip. — Naima».

nafur, nafure, *A. i.* Fıskıye.

nagâh, nageh, F. s. [Nâ-gâh] 1. Vakitsiz. 2. Ansızın. • ‹Nagâh bir kitap arasından kılar zuhur — Mazi, o yâr-i gümşüde, alûde-i gubar. — Fikret›.

nagam, A. i. [Nagme ç.] Ezgiler, türküler. • ‹Ey reşk-i melâik nagam-i ruh nevazın — Cennetlere, hurilere canbahş-i safadır. — Fikret›.

nagamat, A. i. [Nagme ç.] Nagmeler, ezgiler. • ‹Guya sazın gaşyâver nagamatiyle başını ağır ağır iki tarafa sallıyor. — Uşaklıgil›. • ‹Bütün o nagamat ka'r-i semada uçan tuyur-i vahşiye ile çocuk dadılarından, boş iskemlelerden başka dinleyen yok. — Cenap›. • ‹Bir cû-yi baharın nagamatıyle dolar gûş. — Beyatlı›.

nagamkâr, F. s. [Nagam-kâr] Ezgici, nagmeler söyleyen. (ç. Nagamkâran). • ‹Ey yâr-i nagam-kâr. — Fikret›.

nagamperver, F. s. [Nagam-perver] 1. Nagme seven, nagme düşkünü. 2. Nagmeci, türkü söyleyen. (ç. Nagamperveran). • ‹Öter şu yanda nagamperveranın en güzeli — Dudaklarında Nedim'in o günkü bir gazeli. — Fikret›.

nagamsaz, F. s. [Nagam-saz] Ezgi söyleyen. Türkü söyleyen. • ‹Şi'rimdeki elhan-i muhabbetle nagamsaz. — Fikret›.

nageh, nagâh, F. s. [Na-geh] Vakitsiz. Ansızın. • ‹Nageh düşerim toprağa meyus. — Fikret›.

nâgehan, nagehani, F. s. [Nâ-gehan] Ansızın. Birdenbire. • ‹Nihali'n nagehan zuhur eden rahatsızlıklarıyle teahhur ediyordu. — Uşaklıgil›. • ‹Bütün saadetinin bir inkıraz-i nagehanisiydi. — Uşaklıgil›.

nagehmürür, F. s. [Nageh-mürür] Ansızın geçen. Geçiveren. • ‹Harekât-i arziyesi tarzında nagehzuhur ve öyle nagehmürurdur. — Cenap›.

nagehzuhur, F. s. (Zı ve he ile) [Nagehzuhur] Ansızın olan. Oluveren. • ‹Al yine bir mihnet-i nagehzuhur. — Naci›.

nâgevher, F. s. [Nâ-gevher] (Fel.) Cevher.

nagme, A. i. 1. Ahenk. 2. Ezgi. 3. Âvaz. • ‹İlan ediyor aşkını her nagme sesinde. — Fikret›. • ‹Tabiatın hâbide zamanlarına mahsus sükûta benzer nağmelerini ikaz etmiş oldu. — Uşaklıgil›.

nagmeger, F. s. [Nagme-ger] Öten, türkü söyleyen. • ‹Öter hezar-i nagmeger. — Fikret›.

nagmehiz, F. s. [Nagme-hîz] Türkü söyleyen. Şarkı okuyucu. • ‹Olsun şeb-i kıyamete dek hem-sürudumuz — Bir cû-yi nagmehîz. — Cenap›.

nagmekâr, F. s. Şarkı söyleyen. (ç. nagmekâran).

nagmekârî, F. i. Şarkı söyleme. • ‹Ahmet Cemil'in sada-üi nagmekârîsi. — Uşaklıgil›.

nagmekes, F. s. [Nagme-keş] Türkü söyleyen. Şarkı okuyan.

nagmeperdaz, F. s. [Nagme-perdaz] Şarkı söyleyen, türkü söyleyen. • ‹Kani mest-i hayal-abade-i lâ'lin olup ey meh — Nagmeperdaz-i hezm-i ah ü feryad olduğum günler. — Halimgiray›.

nagmesaz, F. s. [Nagme-saz] Türkü söyleyen. Şarkı okuyan. (ç. Nagmesazan). • ‹Küçük, pürheves, gevherin damlalar — Sokaklarda, damlarda pür-ihitzaz — Olur muttasıl nevha ger, nagmesaz. — Fikret›.

nagmesazane, F. zf. Şarkı söyler gibi, ahenk tutarcasına. • ‹Nagmesazane söylediği sözlere refakat eden eliyle. — Uşaklıgil›.

nagmesenc, F. s. [Nagme-senc] Ahenkle söz söyleyen. • ‹Türkî elhanda nagmesenc olmağa ruhsat-i idare-i kelâm verildi. — Şefikname Şerhi›.

nagmesera, F. s. [Nagme-sera] Türkü söyleyen. Şarkı okuyucu. (ç. Nagmeserayan). • ‹Demsazı, hem-avazdır aheng-i tabiat —'Gönlüm gibi şeb ta beseher nagmeseradır. — Cenap›.

nâgüvar, nagûvare, F. s. [Nâ-güvar] 1. İçilmez, yenilmez. 2. Sindirimi zor, ağır. • ‹Câm-i zehrab-i gelûsuz-i firakın saki — Nagüvar öyle değildir ki demek mümkün ola. — Nabi›.

nagüzir, F. s. Sakınılamaz, çaresiz.

nagz, A. s. (Gayın ve sel ile) Güzel. Hoş. • ‹Ne turfadır ol fesane-i nagz — Kim bir suhanâra-yi pürmagz. — Nevres›.

nah, F. i. (Hı ile) 1. İp. 2. İnce ip, tel. 3. Halı, kilim.

nahafet, A. i. Arıklık. Zayıflık.

nâhâh, F. zf. İstemeyen, razı olmayan. Hah ü nâhâh, ister istemez. • ‹Senin vakt-i şerifinde geleydi dehre Keyhusrev — Gelip çarupkeş olurdu der-i ikbaline nâhâh. — Nedim›.

nahaiz, A. i. (Ha ile)]Nahize ç.)[Huylar, ahlâklar.

nâhakk, F. s. [Nâ-hâkk] Haksız yere. • «Ol zalim ve katil Mehmet Paşa nâhak yere bizi kırıp. — Naima».

nâhakşinas, F. sı [Nâ-hak-şinas] Hak tanımaz.

nâhalef, F. s. [Nâ-halef] Soyuna çekmemiş. Hayırsız (evlât).

naharir, A. i. [Nihrir ç.] Bilgililer, akıllılar.

nâhâst F. s. [Nâ-hâst] 1. İstenilmemiş. İstemeden.

nahb, A. i. (Ha ile) 1. Önemli iş. 2. Yüksek sesle ağlama.

nahb, A. i. (Hı ile) 1. Çekip çıkarma. 2. Sevgili veya dost şerefine içilen şarap.

nahcir, F. i. 1. Av hayvanı. 2. Yaban keçisi. 3. Av. • «Ben fakîri nahcir edip. — Nergisi» • «Kaldı gönlüm şu dâmgâhında — Dâm-i zülf-i hevespenahında — Ebedî bir esir-i nahcirin. — Cenap».

nâhemta, F. s. [Nâ-hemta] Denk olmayan.

nâhemvar, F. s. (He ile) [Nâ-hemvar] 1. Düz olmayan. 2. Uygunsuz. Uymayan. • «Evza-i nahemvarı ile halkı bize düşman eyledi. — Naima».

nahemvarî, F. i. 1. Düz olmama. 2. Zamanı zamanına uymama.

nâhencar, F. s. [Nâ-hencar] Yolsuz. Doğru olmayan. • «Muktezayi zemane-i nahencar ile. — Şefikname».

mahham, A. s. (Ha ile) 1. Çok cimri. 2. Boğazını temizlemek için fazla soluyan.

nahhas, A. i. (Hı ve sin ile) Esirci. Esir satıcısı. • «Ve bir mahhasın dükkânına vardım, otuz üç şerifiye bir küçük Arap aldım. — Süheyli».

nahhaset, A. i. Esircilik.

nahaiz, A. i. [Nahize ç.] Huylar, tabiatler.

nahık, nahıka, A. s. [Nehk'tan] Anıran. Eşek sesli.

nâhî, nahiyye, A. s. [Nahy'den] Men eden, yasak eden.

nâhib, A. s. (He ile) [Nehb'den] Zorla alan, yağma eden.

nahile, A. i. (Ha ile) Çığlıkla ağlama.

• nahile, A. s. (Hı ile) Korkak, ödlek.

nahid, nahid, F. i. 1. Venüs (Zühre) yıldızı. 2. Yeniyetme kız. • «Ey gıpta-i nahid, ki zîr ü bem-i sazın — Eflâki de, ecramı da inletse revadır. — Fikret».

nahide, F. i. Bk. • Nahid.

nahif, A. s. [Nehafet'ten] Arık. Zayıf. • «Bu bir nefesle sönüverecek kadar nahif çiçek. — Uşaklıgil».

nahil, A. i. [Nahl ç.] Hurma ağaçları.

nâhil, A. s. İnce. Zayıf. Artık. • «Nakıb efendi hod cism-i nâhil ve def-i hâtıl sahibi... — Naima».

nahîr, nahîre, A. s. [Nahr'den] Boğazlanmış, kesilmiş.

nâhire, A. i. (Ha ile) 1. Arabî ayın ilk gecesi. 2. Ayın son gecesi.

nahîs, A. i. (Ha ile) Kıtlık yılı.

nahîs, nahîse, A. s. Uğursuz. Kıtlık.

nahiye, A. i. 1. Yan. Kenar. Bölük. 2. Civar. 3. Küçük yer. Bölge. 4. Bucak. (ç. Nevahi).

nahiz, A. i. (Hı ve ze ile) Pusu. Tuzak.

nahize, A. i. (Ha ile) Huy, ahlâk.

nahil, A. s. Kalburcu.

nahl, nahil, A. i. (Hı ile) 1. Hurma ağacı. 2. Yapma süs ağacı. 3. Sevgilinin boyu. • «Hârdan güller bitürdün nahlden hurma-yi ter. — Kanunî» • «Duhter-i padişah-i cihan kenduye namzed kılıp azîm nahiller işlenmeye şuru ferman olundu. — Naima» • «Goncelerle zeyn olmuş nahle döndü kametim — Şöyle garketti hadeng-i yâr peykân zahmine. — Baki».

nahl, A. i. (Ha ile) Balarısı.

nahlbend, F. i. 1. Ağaç budayıp düzelten kimse. 2. Balmumu taklidi süs ağacı yapan kimse. • «Pazarlarda başladı nahli donatmağa — Dil bağladı kamet-i zibana nahlbend. — Baki».

nahle, A. i. 1. Tek arı. 2. Tek hurma ağacı.

nahlistan, F. i. [Nahl-sitan] 1. Hurmalık, hurma ormanı. 2. Fidanlık, ağaçlık.

nahliyye, A. i. Fransızca'dan botanik terimi olarak palmiers (hurmalar), zooloji terimi olarak apides (arılar) karşılığı (XIX. yy.).

nahlzar, F. i. [Nahl-zar] 1. Hurmalık. 2. Ağaçlık.

nahnaha A. i. 1. Öksürük. 2. Hırıltı ile soluma.

nâhoş, F. s. [Nâ-hoş] Hoşa gitmeyen, Beğenilmeyen. • «Bu şüphesiz nahoş tesadüften. — Uşakligil».

nâhoşgüvar, F. s. [Nâ-hoş-güvar] 1. Sindirimi zor. 2. Tatsız. • «Bu zahmetin çeşni-i ıstırarı mezak-i idrakinize telh ve nâhoşgüvar gelir mi? — Nergisi».

nâhoşî, F. i. Fenalık, iğrençlik.

nâhoşnud, F. s. [Nâ-hoşnud] Hoşnut olmayan. Razı olmayan.

nâhoşnudî, F. i. Hoşnutsuzluk. • «Bir iş-mizan-i nahoşnudi ile. — Cenap».

nahr, A. i. Boğazlama, kesme. • «Leva-zim-i nahr u hüda müraat buyurup. — Naima».

nahs, A. i. (Ha ile) 1. Uğursuzluk. 2. Uğursuz şey. • «Müebbed beklerim bir bubh-i nahsını ümmid içinde. — Fikret».

nahseyn, A. i. (İki uğursuz) Zühal ve Merih yıldızı. (Satürn ile Merkür). • «İsneyn günü terb-i nahseyn vaki cldu. Zuhal Cevza'da, Mirrih Sunbule'de idi. — Naima».

naht, A. i. Oyma, yontma.

nahuda, F. i. Gemici. Kaptan. • «Olmuştu fülk-i marifete zatı nahuday. — Şinasi». • «Kalkıp Hudaya doğru açılmış sefinede — Erbab-i neşve mest gider nahuda içer. — Beyatlı».

nâhuda F. s. [Nâ-huda] Tanrısız. Tanrı tanımaz. (ç. Nâhudayan).

nahuda ters, F. s. Tanrıdan korkmaz. • «Kangı leim-i nahudatersin su-i sun-i melâmet-peyması ola. — Nergisi».

nahun, F. i. Tırnak. • «Evet, bu dâr-i hakayikte her eser mutlak — Şikâr-i nahun-i tenkid olur. — Fikret».

nahv, A. i. 1. Sözdizimi. 2. Yön, etraf.

nahvet, A. i. Kibir, gurur. Ululanma, kurulma. Böbürlenme. • «Düşerdi manzara-i çar-tak-i nahvetetn — Bu hüsn ile nazar etseydi aftab sana. — Nailî».

nahvetfürüş, F. s. [Nahvet-fürüş] Böbürlenen. Ululuk satan.

nahvetpîşe, F. i. Kibirli, azamet sahibi.

nahvî, nahviyeye, A. s. Sözdizimine ait, sözdizimi ile ilgili. • «Yani kavaid-i nahviyeden bir kaideye muvafakat. — Taş.».

nahviyyun, A. s. Gramerciler. Gramer bilginleri. • «İlm-i nahvde bâri' ü mümtaz ve meyan-i nahviyyunda serefraz. — Taş.».

naî, A. i. (Ayın ile) Birinin ölümünü haber veren.

nai', A. s. (Hemze ve ayın ile) Susamış.

naib, A. i. 1. Vekil. Birinin yerine geçici bir zaman için oturan. 2. Kadı vekili. 3. Kadı, şeriat yargıcı. 4. Nöbetle gelen. (ç. Nüvab).

naibe, A. i. Belâ. Kaza, musibet. (ç. Naibat, nevaib). • «Kaçan ki nefsinden bir naibe ve belâ def'ine mubaşeret ve rica eylese. — Taş.».

naice, A. i. (Ayın ile) Yumuşak yer.

naiha, nayiha, A. s. [Nevh'ten] 1. Ölü üzerine ağlayan kadın. 2. Sesli ağlama.

nail, naile, A. s. [Neyl'den] Ele geçiren. Burada eren. • «Ona nail olabilmek büyük bir saadet olacaktı. — Uşaklıgil» • «Yemekten sonra mihman-i fazılın bu eşrefe nail olacağını tebşir etmişler. — Cenap».

nailiyyet, A. i. Ele geçirme.

nâim, nâime, A. s. [Necm'den] Uyuyan. Uykuda olan. (ç. Nâimîn). • «Son lerziş-i cenahı döker hâk-i nâime — Karlar, ümmidler. — Fikret» • «Benim bekâret-i ruhumdur onda nâim olan. — Fikret».

naim, naime, A. s. Taze. Yumuşak. Kemiksiz.

naîm, A. i. Bollukta yaşayış. 2. (Ö. İ.) Cennetin tabakası. • «Emr-i Zi-l-Celâl ile dâr-ün-naîme irtihal buyurdukta. — Sadettin».

naime, A. i. Fransızca'dan mollusques zooloji terimine karşılık olarak, yumuşakçalar. (XIX. yy.).

nâir, A. i. Parlak, parlayan.

naire, A. i. Ateş, alev. (ç. Nevair). • «Dest-i tedarik ol nairenin ıtfasından kasır idi. — Hümayunname» • «Dimağını bir nokta-i naire gibi yakan fikr-i hıraman. — Uşaklıgil».

-nâk, F. s. İsimlere katılarak sıfatlar meydana getirir.

* araknâk
* ateşnâk
* berfnâk
* bimnâk
* dehşetnâk
* derdnâk
* esefnâk
* ferahnâk
* feyznâk
* gamnâk
* giryenâk
* gussenâk
* hışımnâk
* hevesnâk
* hevlnâk
* ıtrnâk
* nemnâk
* şerernâk
* tarabnâk
* zehrnâk

nâka, A. i. Dişi deve.

nakabet, nikabet, A. i. 1. Nakıplik. 2 Vekillik. 3. Başkanlık. Nakabet-i eşraf, peygamber soyundan gelenlerin işlerine bakıp hükümetle aralarındaki muamelelere vekillik eden kimsenin işi. • «Süleymaniye müderrisliğinden rütbe-ı nekabet-i eşrafa nail. — Raşit».

nâkabil, F. s. [Nâ-kabil] 1. Olmayacak, olamayacak, 2. İstidatsız, kabul etmez. (ç. Nakabilân). • «Mecnun-i Felâtun sebak-i hikmet-i aşkız — Aşk afet-i akl ü dil-i nâkabilimizdir. — Nailî». • «Bir hasta nâümit ise bakmaz tabip olan — Nükabilânı terbiyet etmez lebib olan. — E. Muhlis Eş.» • «Hepsi de inciden, mineden, altından yapılmış, nakabil-i taklit bir rikkat ve zarafetle işlenmiş. — Cenap».

nâkabul, F. s. [Nâ-kabul] İstidatsız, kabiliyeti olmayan. • «Her nakabule etmez zahm-i sitem teveccüh — Görmez cefa-yi suzen kâlâ-yi naderide. — Nabi».

nâkâfi, F. s. [Nâ-kâfi] Yetmez, kâfi değil.

nakais, nekais, Bk. • Nekais.

nakaiz, nekaiz, Bk. • Nekaiz.

nakale, A. i. [Nâkil ç.] Nakledenler, haberciler. • «Nakale-i rivayeti- sadakatsimattan mankuldür ki. — Peçoylu».

nâkâm, F. s. [Nâ-kâm] İsteğine erememiş. Mahrum, yoksun. • «O zaman en nakâm — Kalbe şevkinle gelir neşeli bir hiss-i felâh. — Fikret».

nakâmî, F. i. İsteğine erememe. Mahrumluk. • «Mürüvvetmend olan nakâmi-i düşmanla kâm almaz. — Ragıp Pş.».

nakarat, A. ç. i. 1. Şarkı bentlerinin sonlarında tekrarlanan beyit veya mısralar. 2. (Mec.) Durmadan tekrar edilen aynı şeyler. • «Ey dalgaların en sâf ü tabiî nakaratı — Takrir-i sürudunla ağaçlar — Cûlar gibi çağlar. — Fikret».

nâkâre, F. s. Bir işe yaramaz olan.

nâkâste F. s. Eksiksiz, tamam.

nakb, A. i. 1. Delme. 2. Delik veya lâğam açma. • «Taraf-i asker-i İslâmdan nakb ü idad olunan lâğıma ateş verilip. — Raşit».

nakbzen, F. i. [Nakb-zen] Delik veya lâğam açan işçi.

nakd, A. i. 1. Akçe, madenden para. 2. Para olarak bulunan servet. 3. Peşin para. Nakd-i can, en değerli şey; -halis, başka maden karıştırılmamış altın veya gümüş para, -mevcud, elde bulunan para. (ç. Nukud) • «Geh ye's deler kise-i ümmidimi yoksa — Fârig mıyız ol nakd-i ümmidin talebinden. — Nabi».

nakden, A. zf. 1. Para olarak, para ile. 2. Peşin, elden. • «Avrupa'da her şey nakden tediye edilir. — Cenap».

nakdî, nakdiyye, A. s. Akça veya peşin paparaya ait, onunla ilgili. • Bedel-i nakdî, eskiden asker çağındakilerin askerlik yerine ödedikleri para; ceza-yi nakdî, para cezası.

nakdine, F. i. 1. Hazır ve peşin para. 2. Değerli mal: • Nakdine-i hayat. • «Mahasal-i ömrü zevkle feda eyledik müdam — Mahfuz bir hazinede nakdine bilmedik. — Beyatlı».

nâkerde, F. s. [Nâ-kerde] Yapılmamış, Olmamış. • «Çünkü nakerde nigâha eder ol şuh itab — Biz de nâ-âmade derdin görelim dermanın. — Nabi».

nâkes, F. s. 1. İnsaniyetsiz, alçak. 2. Cimri, pinti. (ç. Nakesan). • «Rif'at verir mi nâkas eyvan ü bağ hiç — Âdem değilsin olsa da cennet neşimenin. — Naci».

nâkesane, F. zf. Alçakcasına. Nakeslikle. • «Lehistan nâkesane ihtiyar ettiği ahd-şi-kenliği gaza tâbiriyle vasf eyler. — Kemal».

nâkeşide, F. s. [Nâ-keside] 1. Çekilmemiş. 2. İçilmemiş. • «Vermez neşat-i hâtır sahba-yi nakeşide. — Nabi».

nakı', A. i. İlâç olarak kaynatılan otlardan çıkarılan su.

nakib, A. i. [Nakabet'ten] 1. Bir kavim veya kabîle başkan veya vekili. 2. Bir tekkede şeyhe yardım eden en eski derviş veya dede. • Nakib-ül-eşraf, peygamber soyundan olanların işlerini görmek üzere hükümetçe tâyin olunan memur. (ç. Nukaba). • «Âdet-i hasene-i devlet üzere nakıb fendi. — Raşit».

nâkıd, A. s. 1. Tenkidci 2. Ayarcı. • «Molla ne acep bilmese amma bu aceptir — Hiç olmaya bir nâkıd-i kâlâ-yi zemane. — Nef'i». • «Kemmiyet-i kelâmın kıymet-i ayarına vâkıf nâkıd-i suhan. — Latifî».

nakıa, A. i. Ziyafet. Düğün yemeği. Ziyafet için kesilen hayvan.

nakıiyye, A. i. (Zoo.) Fransızca'dan infu-soires (haşlamlılar) karşılığı (XIX. yy.).

nâkıl, nakile, A. s. [Nakl'den] 1. Taşıyan. 2. Geçiren. 3. (Bir dilden) çeviren. 4. İşittiğini anlatan.

nâkıliyyet, A. i. 1. Geçirme niteliği. 2. (Fiz.) İletkenlik .

nakir, A. i. Küçük, önemsiz şey. Nakîr ü kıtmir, hepsi, iğneden ipliğe kadar. • «Görüp işittiklerini nakîr ü kıtmir takrir ettikte. — Naima».

nâkıs, A. s. Eksik. Noksan. Tam olmayan- 2. Kusuru olan, kusurlu. 3. (Arap Gra.) Kelimenin asıl maddesinin son harfinin a, e, i, ü olması. 4. (Mat.) Eski (-) işareti. • «Cevab-i nâkısı rizan olup dehanından. — Fikret».

nakisa, A. i. Eksiklik, Kusur, ayıp. (ç. Nekais). • «Bir hassası da nakısa-i zatiye ve asliyesini mübalagalandırmak. — Cenap».

nâkısat, *A. i.* [Nakısa ç.] Eksiği olanlar. ●*Nakısat-ül-akl,* kadınlar. ● ‹Enva-i israfla nâkısatülakl sözüne uyup. — Naima›.

nâkısnazar, *F. s.* [Nâkıs-nazar] Kısa görüşlü. Uzağı ve derini göremeyen. (ç. Nakısnazaran). ● ‹İki üç harf ile peydadır Nedimâ zar-i aşk — Kim onu nâkısnazarlar geh çıra geh cîn okur. — Nedim›.

nakıyy, nakıyye, *A. s.* Temiz. ● ‹Ama şol taife ki onların fıtrat-i nakıyyeleri. — Taş.›.

nâkız, nâkıza, *A. s.* [Nakz'dan] Bozan, bozucu.

nakîz, nakîza, *A. s.* [Nakz'dan] Karşıt, zıt. ● *Müsemma bin-nakîz,* adı durumuna ve davranışına uymayan; *nakîz-i müddea,* antitez. ● ‹Devranla ben nakîz-siyerim — Devr ehlinden meğer ki gayrım. — Fuzuli›.

nakîza, *A. i.* Birbirine karşı olan şey, iş. (ç. Nekaiz).

nakîzeyn, *A. i.* Birbirine karşıt iki şey. ● ‹Nakizeyni birbirine illet ve malûl tutmak kadar bedihi-yül-butlandır. — Kemal›.

nâkihe, *A. s.* Nikâhlı kadın eş.

nâkil, *A. s.* Vazgeçen, cayan, dönen. Kaçan.

nâkis, *A. s.* Başını hep aşağı eğmis duran (adam). ● ‹Ol nakes-i nâkis-ür-reis. —

nâkis, *A. s.* Bayağı, alçak, baş aşağı sarkan. (ç. Nekâis).

nakkab, *A. s.* [Nakb'dan] Delik açıcı, delici. (ç. Nakkaban). ● ‹Gâh olur nakkab-i çabükdest-i fikri tab'ımın — Genc-i pürgevher ararken tükenmez kân olur. — Nef'i› ● ‹Üstad nakkabandan şatır başı Mehmet Zaman Bey. — Naima›.

nakkad, *A. s. i.* [Nak'den] 1. Akçanın kalpını sağından ayıran. 3. Tenkidci. (ç. Nakkadan). ● ‹Nakkad-i garaib-i cihandır — Hikmet görerek hakîm olur dil. — Naci›.

nakkal, *A. i.* [Nakl'den] Nakledici, hikâyeci. ● ‹Demesinler sana nakkal-i makal. — Nabi›.

nakkare, *A. i.* Eski küçük bir nevi davul. ● ‹İskender Paşa dahi tablhane ve surna ve nakkaresin çalarak. — Naima›.

nakkarhane, *F. i.* [Nakkar'hane] Çalgı takımı ve çalgı yeri.

nakkaş, *A. s.* [Nakş'tan] Yağlı boya işleyen. Duvar ve tavanlara boyalı resim yapan. *Nakkaş-i ezel,* Tanrı. ● ‹Anda nakkaş-i ezel hüsnünü tasvir etti. — Zati›. ● ‹Olmuşum derd ü firakınla zaif şol hadde kim — Kim getirmezler hayale nakşimi nakkaşlar. — Nesimî›.

nakl, *A. i.* 1. Bir yerden bir yere götürme. Taşıma. 2. Ev veya yer değiştirme, taşınma. 3. Aynını başka bir şey üzerine alma. 4. Hikâye söyleme. 5. Ağızdan ağıza veya kitaplarla gelip bilinen ve akıl ile bulunamayacak şey. 6. Bir dilden başka bir dile çeviren. ● ‹Facialarla geçen bir hayatı nakl eyler. — Fikret›.

naklbend, *F. i.* [Nakl-bend] 1. Hikâyeci. 2. Masal toplayan, masal, bağlayan, uyduran.

naklen, *A. zf.* Nakil suretiyle anlatma veya hikâye yoluyla.

naklî, nakliyye, *A. s.* 1. Taşıma ile ilgili. 2. Nakil ile öğrenilen. *Mazi-i naklî* (Gra.) -mişli geçmiş; *masarif-i nakliye,* taşıma parası, *vesait-i nakliye,* taşıt.

nakliyyat, *A. i.* [Nakl, nakliyye ç.] Taşıma, göç işleri. 2. Söylenenlerden öğrenilen şeyler.

nakliyye, *A. i.* 1. Eşya ve her türlü şey, taşıma işi. 2. Taşıma işi için verilen para. 3. Asker taşıma gemisi.

nakmet, nıkmet, *A. i.* Eza vererek ceza etme. Öc alma.

nakr, *A. i.* Oyma. Kazma. Taş oyma, heykel yapma. *Fenn-i nakr* Fransızca'dan *sculpture* karşılığı (XIX. yy.).

naks, *A. i.* Noksan, eksiklik. ● ‹Terkib-i hüsn ü aşktan olmuş nümunesaz Ârayiş-i meratib-i naks ü ziyad eden. — Nabi›.

nakş, *A. i.* 1. Resim. 2. Duvarlara, tavanlara yapılan yağlı veya sulu boya resim ile bunların yapılması. 3. İpek veya sırma ile işleme. 4. (Müz.) Bir kıtalık şarkı. 5. (Mec.) Hile, renk. ● *Nakş-i berâb,* süreksiz şey, ● *-cebin,* alın yazısı, *-dilfirib,* gönül aldatıcı suret' ● ‹Şekl-i izar-i yâr gibi nakş-i dilfirib — Levh-i zamire yazmadı suretger-i hayal. — Baki›. ● ‹Yazdı nakkaş-i kaza levh-i nigâristana nakş — Bağladı nevruzda bülbül bir üstadane nakş. — Baki›. ● ‹Âlemin ihtilâli böyle mütemadi kalmaz elbette bir nakş-i âhar zuhur eder deyu. — Naima›. ● ‹Mani heves-i nakş ile mahv etti hayatın — Evkatını tasvire feda eyledi Bihzat. — Naci›.

nakşbend, *F. i.* [Nakş-bend] 1. Kumaşların nakışlarını bağlayıp ipek tellerle tezgâha hazırlayan kimse. 2. Ressam. • ‹Zâbit-i erkân-i fıtrat nakşbend-i ma'ü tîn. — Fuzulî›.

nakşbendî, *F. s.* Şeyh Mehemmet Nakşbendî'nin sofuluğu yolunda olan derviş.

nakşperdaz, *F. i.* [Nakş-perdaz] Nakış yapan. Ressam. 2. Besteci.

nakşperdazî, *F. i.* [Nakş-perdaz-î] Ressamlık. • ‹Arada ihtizaz-i elvannı — Eyliyor nakş-perdaz. — Naci›.

nakştıraz, *F. s.* [Nakş-tıraz] Süslü işlemeler. • ‹Safaih-i dıvarını nakştıraz-i âyat-i ilâhi. — Kemal›.

nakur, *A. i.* Düdük, boru.

nakus, *A. i.* 1. Kilise çanı 2. (Kim.) Çan şeklinde, şişe, cam. • ‹Nakus yerlerinde okuttun ezanları. — Baki›.

nâküşade, nâküşude, *F. s.* [Nâ-küşade] Açılmamış, kapalı. • ‹Gelir huban-sıfat reftare pây-i hâme ey Nabi — Bu gûne naküşade âşıkane bir zemin olsa. — Nabi›.

nakz, *A. i.* Bozma. Çözme, kırma. Bir sözleşmeyi yok sayma. • ‹Zevk-i dünya sevk-i cennet nakz eder yekdiğerin — Olma müşküldür dil-i meftun bir sevda iki. — Şinasi›.

nakzen, *A. zf.* Bozarak, bozma ile.

nâl, *F. i.* 1. Kamış. 2. Kamış kalem içindeki saz, 4. Kumaş düdük. • ‹Zülfü Harut'un demek mümkün ki nâl olmuş sana. — Nedim›.

na'l, *A. i.* 1. Ayakkabı. 2. At ve benzerleri hayvan ayaklarına mıhlanan demir. Takav. • ‹Dokunsa arsa-i hicada na'lı ger senge — Aduya her şireri bir cahîm eder ikad. — Nef'î›.

nalân, *F. s.* İnleyen. • ‹Şu dallardan — Sızıp düşen kataratın sukut-i nalânı — Bükâ'yi hasretidir. — Fikret›.

nâlâyık, *F. s.* [Nâ-lâyık] Lâyık değil, lâyıksız.

na'lbend, *F. i.* [Na'l-bend] Nalband.

na'lber, *F. i.* Nalbur.

na'lçe, *F. i.* Nalça. • «Meh-i nev nal'çenle menzilette edeli dâva — Süreyyanın görünür handeden beher gece dendanı. — Hayali›.

nale, *F. i.* İnleme, İnilti. • ‹Ser-i zülfünde dilin nale-i şebgiri nedir — Bu beladan

nice can kurtara tedbiri nedir. — Ş. Yahya›. • ‹Bütün şiirlerimin ruhu bir tekeddürdür — Ki dembedem duyarım kalb-i nale-meşhunu. — Fikret›.

nalekr, *F. s.* [Nale-kâr] İnleyen. • ‹Geribim, hasta-halim, nalekârım. — Recaizade›.

nalekünan, *F. zf.* İnleyerek, feryat ederek. • ‹Bagi-i mezbur a'van-i bedgüman ile nale-künan evdiye-i hizlâna perişan oldu. — Naima›.

nalende, *F. s.* İnleyen. İnleyici. • ‹Nalende bir kaval sesi etrafı inletir. — Fikret›.

nalesenc, *F. s.* [Nale-senc] İnleyen. İnildeyen. • ‹Vecdimi tezyit eden hemdertler elhanıdır — Nalesenc oldukça ney eyler eninim izdiyat. — Naci›.

nalezen, *F. s.* [Nale-zen] İnleyen. İnildeyen. • ‹Mükedder hâtırım, dil nalezendir. — Recaizade›.

nalezenan, *F. zf.* İnleyerek, inildeyerek.

na'lî, *A. s.* Nal biçiminde olan.

na'lin, na'leyn, *A. i.* Ağaç ayakkabı, nalın. • ‹Vaz-i naleyn ederek ol yine ahır tanıdı. — Beliğ›.

naliş, *F. i.* İnleme, inilti. • ‹Dilimde titreşiyor en sitemli nalişler. — Fikret›.

nalişkâr, nalişker, *F. s.* [Naliş-kâr] İnleyen. İnildeyen. • ‹Manend-i andelip nalişker eder — İnsanı Naima'da olan hüsn-i eda. — Nabi›.

nalişkârane, *F. s.* İnler gibi. İnleyerek, • ‹Bir seyelân-i nalişkârane ile sürüklensin. — Uşaklıgil›.

nalişzen, *F. s.* [Naliş-zen] İnildeyen. • ‹Bütün âfakı istiap eden boşlukta nalişzen — Hayaletler gezer, hep birbirinden hâr ü müstaskal. — Fikret›.

nam, *F. i.* 1. Ad. İsim. 2. Ün. Lakap, Adres. 4. Yerine. Vekillik. • *Nam-i müstear,* (kendini belli etmemek için alınan) takma ad. • *Bednam,* • *benam,* • *gümnam,* • *niknam.* (ç. Namân). • ‹Krizantem, bu namı pek severim. — Fikret›.

na'ma, *A. i.* İhsan. Bahşiş. • ‹Ve saltanat-i şamilet-ül-eltafın na'ma-yi yağma-yi ihsanı âleme mebzal. — Raşit›.

nâmadud, *F. s.* [Nâ-mâdud] Sayılmaz, çok.

nâmahdud, *F. s.* [Nâ-mahdud] Sınırsız, kenarsız. • ‹Tren nâmahdut çöl içinde öksüre öksüre İsmailiye'ye gelinceye kadar. — Cenap».

nâmahrem, *F. s.* [Na-mahrem] 1. Şeriat bakımından düşüp kalkılması haram olan. 2. Yabancı. • «Mustafa Paşa bu kulunuzu adam yerine komaz, mukaddema ve hâlâ arz eylediği umurda namahrem addeder. — Naima».

nâmahremiyyet, *A. i.* Nâmahremlik.

nâmahsur, *F. s.* [Nâ-mahsur] Sınırlanmamış, sonu olmayan, sonsuz. • «Adedleri mevfur ve hazane-i âmireye zararları nâmahsur olmuş idi. — Naima».

nâmakbul, *F. s.* [Na-makbul] Beğenilmeyen, makbule geçmez.

nâmakul, *F. s.* [Nâ-makul] Akıl almayan akla karşıt olan. • «Ve tarik-i ulemaya iptida tasarruf-i nâ-makulu bu oldu ki. — Naima».

nâmalum, *F. s.* [Nâ-malûm] Bilinmeyen. • «Paşalarının hali nâmalûm iken sarayını yağma eden etba' veled-i zinaları uğruna çalışır mı. — Naima». • «Bu köşelerde muamelât-i sarrafiye ne kadar mechul ise teseccül de o kadar nâ malum. — Cenap».

nâmân, *F. i.* [Nam ç.] Adlı kimseler.

nâmaruf, *F. s.* [Nâ-maruf] Tanınmayan.

nâmarzî, *F. s.* [Nâ-marzî] Beğenilmeyen, uygun olmayan.

nâmatbu, *F. s.* [Nâ-matbu] 1. Tabiata uygun olmayan. 2. Basılmamış olan (yazı).

namaver, *F. s.* [Nâm-âver] Ad salmış, ünlü. (ç. Namaveran). • «Dergâh-i Hakka dert ile âşık niyazda — Bâtıl tasavvur etmede zâhid namazda. — Baki».

nâmazbut, *F. s.* [Nâ-mazbut] Disiplin altında olmayan. 2. Hüküm geçirilmeyen. • «Umuri donanma nâmazbut olmakla. — Naima». • «Lisanı nâmazbut bazı nâdanlar ki. — Naima».

namazgâh, *F. i.* [Namaz-gâh] Namaz kılınan meydan.. Açık mescit.

namcû, *F. s.* [Nam-cû] Ün arayan. Yiğit. (ç. Namcuyan).

namdar, *F. s.* [Nam'dâr] Ünlü, (ç. Namdarân). • «Ve sair askerden on bin süvar-i namdar ile. — Naima».

namdarî, *F. i.* Ünlü olma. Ünlülük.

name, *A. i.* 1. Mektup. 2. Sevgi ve sevgili mektubu. • «Ey name sen ol mehlikadan mı gelirsin — Ey hüdhüd-i ümmid sabadan mı gelirsin. — Nabi».

-name, *F. s.* • «Yazılı, yazılmış; küçük kitap» anlamıyle bileşikler yapılmıştır.

- ahdname
- bahname
- bername
- beyanname
- emirname
- fetihname
- Hamzename
- ilânname
- itimadname
- kanunname
- kararname
- muhabbetname
- nizamname
- salname

- sefaretname
- sername
- sitemname
- sulhname
- şahadetname
- şahname
- şartname
- şehaname
- tahkimname
- talimname
- tâbirname
- telgrafname
- vekâletname
- zafername

nameber, *F. s.* [Name-ber] Mektup götüren.

nâmefhum, *F. s.* [Nâ-mefhum] Anlamsız, anlaşılmaz. • «Birkaç mukaddemat-i bi-netice ve kelimat-i cahilâne-i namefhum söyledi. — Naima».

nâme'mul, *F. s.* [Nâ-me'mul] Umulmadık.

nâmerbut, *F. s.* [Na-merbut] 1. Rabıtasız, saçma sapan. 2. Dağınık, perişan. • «Onlar kadar nâmerbut idi. — Necaizade».

nâmerd, *F. s.* [Nâ-merd] 1. İnsaniyetsiz. Alçak tabiatlı. 2. Korkak, alçak. (ç. Nâmerdan). • «Bu pirezen-i dehr-i sitemkâra Beliğ — Meyl eyler isem sifle vü namerd olayım. — Beliğ».

nâmerdane, *F. s.* Namertçesine. Alçakçasına.

nâmerdî, *F. s.* 1. İnsaniyetsizlik. 2. Korkaklık.

nameres, *F. i. s.* [Name-res] Mektup ulaştıran.

nâmergub, *F. s.* [Nâ-mergub] Beğenilmez.

nâmer'î, *A. s.* [Nâ-mer'i] Görülmez.

nâmebsuk, *F. s.* [Nâ-mebsuk] Benzeri hiç olmamış, geçmemiş.

nâmesmu' *F. s.* [Nâ-mesmu'] 1. İşitilmemiş. 2. İşitilmeye değmez.

nâmestur, *F. s.* [Nâ-mestur] 1. Örtülmemiş. 2. Açık. Meydanda. • «Gönül teklifsiz ol mest-i namestura sunmazsın — Ezelden meşrebindir hân-i bidestura sunmazsın. — Nabi».

ânmesud, *F. s.* [Nâmes'ut] Kutsuz, uğursuz.

nâmeşru, *F. s.* [Na-meşru] Meşru olmayan. Kanunsuz. • «Vezirin nameşru umuruna temşiyet verip rüşvetle çok mesalih gördü. — Naima».

nâmeşhud, *F. s.* [Nâ-meşhud] Gözle görülmemiş. • «Bizim şu dünyada misli nameşhut olan şehrimizi. — Kemal».

nâmevzun, *F. s.* [Nâ-mevzun] 1. Ahenk siz, orantısız. 2. Vezni olmayan. Vezni düşük (manzume). • «Nâmülayim lehçesi mevzunu nâmevzun eyler. — Fuzulî».

nameysur, *F. s.* [Na-meysur] 1. İşi kolaylaştırılmamış. 2. Ele geçirilmemiş. • «Fakir Nabi-i mihnetmeab-i nameysur. — Nabi».

namî, namiyye, *A. s.* [Nümüvv'den] Yerden biten, olan, yetişen.

namî, *F. s.* [Nam'dan] Ünlü.

nâmihriban, *F. s.* [Nâ-mihriban] Sevmez, sevgisi olmayan. • «Hadde enfzun mihrim ol namihriban bilmezlenir. — Bakî». • «Yahya o mahata'nı ko namihriban deyu — Tesir-i aşk bir gün anı mihriban eder. — Ş. Yahya».

namihribanî, *F. i.* Sevmeme. Vefasızlık. • «O şuha — töhmet-i namihribanî gerçi vâriddir — Serefrazan-i hüsnün sen bana bir mihribanın bul. — Nabi».

namiye, *A. i.* Olma, yerden bitme kuvveti. • «Devletinin namiye-i ikbaline ârız olan sekteye teessüfle nigeran. — Kemal».

namiyebar, *F. s.* [Namiye-bar] Hayat verici. • «Günün birinde ki bir tude ebr-i namiyebar — Verip havali-i Kenan'a incilâvi bahar. — Fikret».

nâmizac, *F. s.* [Nâ-mizac] Keyifsiz, hasta.

nâmuntazar, *F. s.* [Nâ-muntazar] Beklenmedik, umulmadık. • «Bu vaad-i nâmuntazar barika-i seyf sür'ati müjde-i idhandesi ile. — Cenap».

nâmurad. *A. i.* [Nâ-murad] İsteğine ulaşamamış. • «Yine o namurad olur başına belâ — Şirinî-i visalini Ferhat işitmesin. — Nabi».

nâmuradî, *F. i.* İsteğe ulaşamama. • «Zıyk-i mahabis-i namuradiye giriftar olup. — Silvan».

namus, *A. i.* 1. Kanun, nizam. 2. Irz. 3 Temizlik, doğruluk. 4. Tanrıya yakın melek. • *Namus-i ekber,* Cebrail. • «Bugün hürriyetin, milliyetin, namus ü ümidin — Masun kaldıysa bil, zâir, rehakârın bu heyettir. — Fikret».

namuskâr, *F. i. s.* [Namus-kâr] Namuslu. 2. Doğru. • «Bir İngiliz nâşire-i İncil-i kadar namuskâr görünen bu ciddî mürebbiyeye. — Uşaklıgil».

namuskârane, *F. zf.* Namuslu kimseye yakışır yolda. Namusluca, namus çerçevesinde. • «Ve hissiyat-i namuskâranesi nasıl taşmış idi. — Uşaklıgil».

nâmutasavver, *F. s.* [Nâ-mutasavver] Hatır ve hayale gelmez. • «Bir taht üzre iki padişah namuttasavver. — Nergisî».

nâmuvafık, *F. s.* [Nâ-muvafık] Uygun olmayan, uymaz. • «Ve bu rüzigâr-i namuvafık ondört gün mümted olup. — Naima».

nâmübarek, *F. s.* [Nâ-mübarek] Uğursuz, kutsuz. • «Sermaye-i tereddüt vermişler ki müdam faidesiz cidal edesin ve namübarek yüzler görüp namülâyim sözler işidesin. — Fuzulî».

nâmühezzib, *F. s.* [Nâ-mühezzib] Islah edilmemiş, terbiye görmemiş.

nâmülâyim, *F. i.* [Nâ-mülâyim] 1. Uymaz, uygunsuz. 2. Sert, çetin. • «Bu vaka-i namülâyimden cümle mukarrebîn ve müsahipler mütekeddirülhatır oldular. — Naima».

nâmünasib, *F. s.* [Nâ-münasib] Uygun olmayan, münasebetsiz. • «Bu mahalle tahriri namünasib olmakla hazf olunmuştur. — Naima».

nâmüsaid, *F. s.* [Nâ-müsaid] Müsait olmayan. Bir işi olmayacak veya zor bir hale koyan. • «Bu imkân ve şerait, çok nâmüsait bir vaziyette tecelli edebilir. — Atatürk».

nâmüstahak, *F. s.* [Na-müstahak] 1. İstihkakı olmayan, ehli bulunmayan. 2. Hak edilmemiş, istihkak olunmamış. • «Paşa-yi merkum kati olarak israfatı kat'edip namüstahakların vezayifin kesip. — Naima».

nâmüstaid, *F. s.* [Nâ-müstaid] İstidatsız. Olgunlaşma kabiliyeti bulunmayan. • «Ve kadîmden kendi ile edna münasebeti olan namüstaidler ile hemsohbet olup. — Naima».

nâmütenahi, *F. s.* [Nâ-mütenahi] Sonsuz, nihayetsiz, kenarı yok. • «Bir nasiye kim namütenahi — Bir çehre kim pürhande ve muğber. — Fikret».

nâmüveccih, *F. s.* [Nâ-müveccih] Uygunsuz. Münasip olmayan. • «Bu ibram-i nâmüveccihten rugerdan-i istinkâf olup, — Nergisi».

nâmüyesser, *F. s.* [Nâ-müyesser] Elden gelmez olan. • «Makarr olmak nâmüyesserdir. — Nergisi».

namver, *F. s.* [Nam-ver] Adlı, ünlü, (ç. Namveran). • «Şehsüvar-i namver rayetkeşa-yi safderî — Nef'î, • «Miyan-i namveranda olur hicaba müşir — Varak-i tahallübü mabeyni mühr ü imzada. — Nabi».

namverî, *F. i.* Adlılık, ünlü olma.

namzed, *F. s. i.* [Nam-zed] 1. Nişanlı. 2. Aday. • «Celâlinin takibine namzed eyledi. — Naima».

nan, *F. i.* Ekmek. • *Nan-i aziz,* ekmek; *-cevîn,* arpa ekmeği; • *nan ü nemek,* tuz ve ekmek (hakkı), • *nan ü nimet,* iyilik, bağış. • «Et lokması lâzım mı yetişmez mi sana nan. — Ruhi».

na'na, *A. i.* Nane.

nancu, *F. i.* Dilenci.

nanhor, *F. s.* [Nan-hor] Dilenci. • «Düşelden jaleveş bu hâkdane ey dil— Dikip göz sofra-i gerdune nanhore sunmazsın. — Nabi».

nankör, *F. s.* [Nan-kör] Gördüğü iyiliği unutan. • «Ey savt-i kilâb, ey şeref-i nutk ile mümtaz — İnsanda şu nankörlüğe tel'in eden âvaz. — Fikret».

nanpare, *F. i.* [Nan-pâre] 1. Ekmek parçası. 2. Geçime yarayan memurluk veya iş. • «Ben kuluna dahi bir nanpare ihsan eyle duana meşgul olayım. — Naima».

nanpüj, *F. i.* Ekmekçi.

nanû, *F. i.* Ninni.

nânümude, *F. s.* [Nâ-nümude] Görülmemiş. • «Olaydı âlem eger rûberû ederdi itab — Bu nânümude cefa ol perive-şimdendir. — Nabi».

nâpâk, *F. s.* [Nâ-pak] 1. Pis, murdar. 2. Kirlenmiş. • «İbrik ü leğen maden-i vahitten iken — Birinde su pâk ü birisinde napâk. — Nabi» • «O hadd-i zatında nâpak olan bahtsız kadıncağız. — Recaizade».

nâpaydar, *F. s.* [Nâ-pâydar] Süreksiz, durmaz. Geçici. • «Nabi'ko ıstırabı ki peymane-i murat — Növbetledir bu meclisi-i nâpâydarda. — Nabi».

nâperhizkâr, *F. s.* [Nâ-perhizkâr] Zararlı veya haram olan şeylerden çekinmez olan.

nâperva, *F. s.* [Nâ-perva] Pervasız, korkmaz.

nâpesend, *F. s.* [Nâ-pesend] Beğenilmez. • «Bu cevab-i napesend ve namâkulün kabahatin dahi fehm etmeyip. — Naima».

nâpesendide, *F. s.* [Nâ-pesendide] Beğenilmez. • «Mukarripler bazı vaz-i napesendideye itiraz ettikçe. — Naima».

nâpeyda, *F. s.* [Nâ-peyda] Bellisiz. Görünmeyen. • «Olurdu halk-i âlem yek nefeste cümle nâpeyda. — Nabi». • «Envar-i zafer hüveyda ve kevkeb-i a'da napeyda olduğun müşahade müyesser olmayıp. — Naima».

nâpezir, *F. s.* [Nâ-pezir] 1. Kabul etmez. 2. Olmaz, onmaz. • «Bu kadında kızlarının saadetine öyle intifa napezir bir husumet vardır ki. — Uşaklıgil». • «Len terani! nida-yi nisyan napeziri ile. — Cenap».

nâpuhte, *F. s.* [Nâ-puhte] 1. Ham, çiğ, pişmemiş. 2. Acemi, toy. (ç. Napuhtegân). • «İnsanı haste-i maraz-i hulya eder — Napuhte tu'me-i hevese iştiha galat. — Nabi».

nâpuşide, *F. s.* [Nâ-puşide] Örtülmemiş, Açık. Örtülü değil. • «Lîk nâpuşidedir ashab-i tab' ü danişe — Kim bu divandır olur divan içinde has ü âm. — Nabi».

nar, *F. i.* Nar.

nâr, *A. i.* 1. Ateş. 2. Cehennem. 3. (Ateş gibi) yakıcı şey. *Nar-i beyza,* (Kim.) Akkor; *küre-i nar,* (Jeo.) Ateş küre. • «Verdi berka sehab içinde karar — Sanki hakister içre sakladı nâr. — Haleti».

nârast, *F. s.* [Nâ-rast] Doğru olmayan, eğri. • «Olmağın ekseri-i tâbiri riya-yi nârast — Satrına mıstar urulmaz varak-i mektubun. — Nabi».

narcil, *A. i.* Hindistan cevizi.

narçil, *F. i.* Hindistan cevizi.

nardan, *F. i.* 1. Nar taneleri. 2. Göz yaşı damlaları. 3. Ateş kabı, mangal.

nardenk, *F. i.* (Nar, erik, elma, kızılcık gibi şeylerden çıkarılan) ekşi pekmez.

nardin, *F. i.* Bir çeşit sümbül.

na're, *A. i.* Yüksek sesle uzun bağırtı. • • «Bu mahal icra-yi garaz mahalli midir epsem ol diye na're vurdu. — Naima».

nârefte, *F. s.* [Nâ-refte] Gidilmemiş, geçilmemiş. Kimsenin geçmediği. • «Bimuhaba reh-i narefteye gitsem de ne gam — Kahr-i hasım eylemeye elde asâdır hâmem. — Raşit Pş.».

narenc, *F. i.* 1. Turunç. 2. Portakal. • «Bir defa pederleriyle irsal-i narenc ve bir defa dahi. — Veysi».

narencî, *A. s.* Turunci, turunç renginde.

narenciyye, *A. i.* Turunçgiller.

nareng, *F. i.* 1. Narenc. 2. Turunç.

narengî, F. s. Turuncu (renk).

nâresâ, F. s. [Nâ-resâ] 1. Yetişmemiş, ham. 2. Uygun olmayan.

nâresai, F. i. 1. Erişmemişlik, hamlık. 2. Uygunsuzluk.

nâreside, F. s. [Nâ-reside] 1. Bülûga ermemiş. 2. Ermemiş, ham. • ‹Cefani nareside tıfl iken çektim bilirdim kim — Seni Hallak-i âlem böyle fettan-i cihan eyler. — Ruhi›.

nâreşid, F. s. [Nâ-reşid] 1. Olgunlaşmamış. 2. Kemale ermemiş. 3. Bülûga ermemiş.

nâreva, F. s. [Nâ-reva] Yakışmaz. • ‹İncitme kalb-i zarım geç cevr-i narevadan›.

nârevan, F. s. [Nâ-revan] Akmayan, geçmez, gitmez olan.

nâre'y, F. s. [Nâ-rey] Aklı kanmayan, aklı yatmayan.

na'rezen, F. i. s. [Na're-zan] 1. Nara atan. 2. Kuvvetle bağıran.

nargil, nargile, F. i. Nargile. • ‹Yâd-i lâ'-liyle eğer içsem olur tenbakû — Nargil şişe-i mey sünbül-i müşkîn lûle.. — Sami›.

narh, A. i. Ekmek, et gibi ihtiyaç maddelerine hükümetçe konulan fiyat.

narî, F. s. 1. Cin, peri. 2. Cehennem ile ilgili.

narî, nariyye, A. s. 1. Ateşle ilgili, ateşten. 2. Yanar, tutuşur, patlar. • ‹Zabıtaya kaydedilen esliha-i nariyye kazaları. — Cenap›.

narin, F. s. İnce, zayıf.

nariyet, A. i. Ateşlik.

narpistan, F. s. [Nar-pistan] 1. Nar gibi top olan meme. 2, Memesi yuvarlak (sevgili).

narven, F. i. Karaağaç. • ‹Ol lâle ise bu nesrindir. — Şimşad ise o bu narvendir. — Fuzulî›.

narver. F. s. Memeleri nar gibi yuvarlak olan (sevgili).

nâs, A. i. [İnsan ç.] İnsanlar. • Âlâ mele in nâs, halk arasında, açıkça. • ‹Var ise aklın sakın kûy-i cünundan çekme pâ — Sehl-terdir sengi tıflân seng-i ta'n-i nâstan. — Nabi›. • ‹Hususa eşraf-i tabaka-i nâs olan zümre-i ulemaya takayyüd buyurup. — Naima›.

na's, na'se, A. i. İç geçme. Imızganma. • ‹Mukaddeme-i hâb-i giran-i fena olan na'selre meşgul olup. — Naima›.

nasabur, F. s. [Nâ-sabur] Sabırsız. • ‹Cefasına mütehammil gerek o mahı seven — Nigâh-i şuhu gibi nasaburu n'eylerler. — Naima›.

nasâf, F. s. [Nâ-sâf] Sâf ve halis olmayan.

nasaf, nasfet, Bk. • Nasfet.

na'san, A. s. Uykusu basmış olan.

nasârâ, A. i. [Nasrani ç.] Hıristiyanlar. • ‹Memalik-i Mahrusede olan sair nasârâ gibi kabul-i zimmet ile Devlet-i Aliyye üzerinden defi siklet eylesin. — Raşit›.

nâsavab, F. s. [Nâ-savab] 1. Doğru olmayan, yanlış. 2. Haksız. • ‹İblis-i pürtelbisin tefrika-i ahbabdan ehemem kâr-i nâsavabı yoktur. — Nergisi›.

nasayih, A. i. [Nasihat ç.] Öğütler.

nâsaz, F. s. [Nâ-saz] Uygunsuz, uymaz. • Tali-i nasaz, uygunsuz talih. • ‹Müşkül bu henüz olurken âgaz — Dibace-i râz kaldı nâsaz. — Ş. Galip›.

nâsazi, F. i. Düzensizlik, uygunsuzluk.

nâsazkâr, F. s. [Nâ-saz-kâr] Uygun olmayan, karşıt. • ‹Cefa'yi tali-i nasazkârı benden sor — Aman aman sitem-i rüzgârı benden sor. — Nedim›.

nâsazkârî, F. i. Uygun olmazlık. Karşıtlık.

nasb, A. i. 1. Dikme. Saplama. 2. Bir memurluğa tâyin. 3. Bir rütbe alma. 4. (Arap. Gra.) İsmin i'rabı. • ‹Sonra siz nasb-i nigâh ettikçe dikkatle. — Fikret›.

nâsencide, F. s. [Nâ-sencide] 1. Tartılmamış, ölçülmemiş. 2. Değerlenmemiş. İyi düşünülmemiş. • ‹Gerçi eş'ar-i heveskâr-i eyyam-i saba — Hayalı var mânası nâsencide lâfzı nâtamam. — Nabi›.

nasere, F. s. Ayarı bozuk (para). • ‹Beyşehri sancağı beyi direm-i nasere derecesine varıp, — Naima›.

nâseza, F. s. (Sin ile) Uygun olmayan, lâyıksız. • ‹Ağyar-i nâsezaya düştükte hisse-i vasıl — Düşmüş nigâh-i hasret uşşak-i binevaya. — Naibi›.

nasfet, nasafet, A. i. (Sat ile) İnsaf, haklılık.

nâsıb, nâsibe, A. s. [Nasb'dan] Bir yere dikici. • ‹Böyle eyyam-i nâsıbanın leyali-i nabigiyesinde. — Abdullah›.

nâsıf, nâsıfa, A. s. (Sat ile) 1. (Geo.) Açıortay. 2. İkiye bölen.

nâsıh, nâsıha A. s. (Sat ile) [Nasuh'tan] Öğüt veren. • ‹Penbe-i gaflet kulağından çıkardı nâsıhın — Bir dem içirse enelhak câmını Hallac ana. — Hayali›.

nâsık, *A. s. (Sin* ile) [Nesak'tan] Düzgün, düzenleyen. • ‹Nâsık ve kesafetten muarra bir cevher olmakla. — Naima›.

nâsır, nâsıra, *A. s. (Sat* ile) [Nasr'dan] Yardımcı, yardım eden.

nasıye, *A. i. (Sat* ile) Alın. (ç. Nevası). • ‹Şenaat-i hal ve kabahat-i ef'alleri nasıye-i asiyelerinde nümayan olmağın. — Naima›.

nâsi, nasiye, *A. s. (Sin* ile) Unutan unutucu. • ‹Kalem-revinde olan nası gayr-i nâsi idi. — Sadettin›.

nasib, *A. i. (Sat* ile) 1. Pay. 2. Bir kimsenin elde edebildiği şey. 3. Tanrının kısmet ettiği şey. • ‹Şu karşı sırtı da tutmak nasib olursa bugün. — Fikret› • ‹Balıkla beslenen birkaç yüz kişi burada hasis, bir nasibe-i hayata kanaat ediyordu. — Cenap›.

nâsibe, *A. i.* Yollara dikilen işaret taşı, mil.

nâsic, nasice, *A. s. (Sin* ile) [Nesc'den] Dokuyan.

nâsih, nâsiha, *A. s. (Sin* ile) [Nesh'ten] 1. Battal eden. 2. Kitabın kopyesini çıkaran.

nasihat, *A. i. (Sat* ile) Öğüt. • ‹Kim bilir nasıl ezecek nasihatler verirken. — Uşaklıgıl›.

nasihatpezir, *F. s.* [Nasihat-pezir] Öğüt dinler.

nâsik, *A. s. (Sin* ve *kef* ile) Dine bağlı. Din buyruklarını tam olarak yerine getiren.

nâsipas, *A. s.* [Nâ-sipas] Nankör.

nâsir, nâsire, *A. s.* [Nesr'den] 1. Yayan, saçan. 2. Nesir yazan.

nasir, *A. s. (Sat* ile) Yardımcı. İmdatçı.

nasl, *A. i.* Ok temreni.

nasr, *A. i. (Sat* ile) 1. Yardım. 2. Üstünlük, yenme.

Nasrani, nasraniyye, *A. i. s.* 1. Hıristiyan. 2. Hıristiyanlıkla ilgili. (ç. Nasârâ).

Nasraniyyet, *A. i.* Hıristiyanlık.

nasri, *A. s.* Tanrı yardımı ile üstünlük ve ülke almakla ilgili.

nass, *A. i. (Sat* ile) 1. Açıklık, kesinlik. 2. Kur'an'da veya hadiste bir iş hakkında olan açıklama ve bu açık söz. (ç. Nusus). • ‹Eylemişti anın elhak Sanı' — Tig-i müjgânını nass-i katı', — Hakanî›.

nassiyye, *A. s. (Sat* ile) (Fel.) Fransızcadan *dogmatisme* (dogmatizm) karşılığı (XX. yy.).

nasturi, nasturiyye, *A. s. (Sin* ve *tı* ile) Nastur mezhebinden olan.

nasuh, *A. s.* [Nasihat'tan] 1. Öğütçü. 2. Halis, temiz. • *Tövbe-i nasuh,* bozulması imkânsız tövbe.

nâsuhte, *A. s.* [Nâ-suhte] 1. Yanmamış, pişmemiş. 2. Çiğ. • ‹Lezzet-i suzişile hîbme-i nasuhteye — Terbiyethane-i külhanda eder gül hande. — Nabi›.

nasur, *A. i. (Sin* ile) Basur deliği. Fistül. (ç. Nevasir). • ‹Bihbudi-i ümidime sây etme ev felek — Rüsvay eder cerahat-i nasur merhemin. — Nabi›.

nasut, *A. i. (Sin* ile) İnsanlık. İnsan ve insanlara ait şeyler. • ‹Hâk olur karşısında ârından — Rikkat aver nümune nasut. — Fikret›.

nâsüfte, *F. s.* [Nâ-süfte] Delinmemiş. Deliksiz.

nâ'ş, *A. i. (Ayın* ile) İçinde ölü olan tabut. Kefene sarılıp tabuta konmuş ölü. • ‹Meydana geldi nâ'ş-i rakîb-i nemimesaz — Kıldım huzur-i kalb ile ömrümde bir namaz. — Sabit›. • ‹Bir id-i sefahat içinde ancak on beş sene kadar yaşamış bir şehrin na'ş-i baridinden başka bir şey değildir. — Cenap›.

nâşad, *F. s.* [Nâ-şad] Hüzünlü, kederli. • ‹Kalb-i naşadın — Bir eda-yi bedî-i rikkatle — Söylesin en acıklı hislerini — Fikret›.

nâşayan, *F. s.* [Nâ-şayan) Lâyık ve şayan olmayan.

nâşayeste, *F. s.* [Nâ-şayeste] Lâyık olmayan. Lâyık değil. • ‹Sultan İbrahim Han hazretlerine hîn-i hal'de söyledikleri kelimat-i naşayeste idi ki. — Naima›.

nâşekib, *F. s.* [Nâ-sekib] 1. Sabırsız, dayanamayan. 2. Çabuk usanan.

nâşekibaî, *F. i.* 1. Sabırsızlık. 2. Çabuk usanmaz. • ‹Nâşekibaî-yi bülbül n'ola efzun olsa — Söyledi derdini gûş-i güle mestane saba. — Nailî›.

nâşekibane, *F. zf.* Sabırsızlıkla. • ‹Peyrev-i ruzgâr-i köhne bahar — Olarak bir zaman havalarda — Naşekibane etti geşt ü güzar. — Cenap›.

naşi, *A. s.* [Neşet'ten] 1. İleri gelen. 2 (zf.) Dolayı, ötürü, Sebebiyle. • ‹Nice umuri- müstahsene naşi oldu. — Sadettin›.

naşid naşide, *A. s.* [Neşide'den] Şiir söyleyen. Şiir okuyan. Şiir yazan.

nâşinas, *F. s.* [Nâ-şinas] Bilmez. Tanınmayan. • «Mevtin matemrenk ve af nâşinas eline verilmiştir. — Cenap».

naşinasî, *F. s.* Bilmezlik. Tanımazlık.

nâşinide, *F. s.* [Na-şinide] İşitilmemiş, duyulmamış. • «Sanki her dalga bir lisanla bana — Haykırır naşinide bir mâna. — Fikret».

nâşir, nâşire, *A. s. i.* [Neşr'den] 1. Dağıtan, yayan, serpen. 2. Kitap yayımlayan. • *Nâşir-i efkâr,* (bir fikir için) organ; • *-İncil,* misyoner; • *tâbi ve nâşir;* basan ve yayan. • «Bir protestan nâşire-i İncil'i. — Uşaklıgil».

naşita, *F. i.* 1. Sabahtan beri bir şey yemeyip aç kalma. 2. Safrası kabarma. • «Şehriyar-i şita ki tatar-i naşitadır. — Lâmiî».

naşiz, *A. s.* Kalkmış, kabarmış ve durmadan atan (damar).

naşize, *A. s.* İnatçı, kontrol altına girmez. • «Bazılar yazdı azab-nârı — Naşize ateşe benzer karı. — Sümbülzade».

nâşüküfte, *F. s.* [Nâ-şüküfte] 1. Açılmamış. 2. Taze. • «Bülbül figanı kesme ki naşüküfte goncenin— Düzd-i nesim girmeye ta câmehâbına. — Nabi».

nâşüste, *F. s.* [Nâ-şüste] Yıkanmamış. • «Henüz vücuda gelen tıfl-i nâşüsteyi huzur-i hazrete getirir. — Nergisî».

nâ't, *A. i.* (Ayın ve te ile) 1. Överek anlatma ve niteleme. 2. (Ed.) Muhammet peygamber üzerine yazılmış kaside. (ç. Nuut).

nat', *A. i.* 1. Üzerinde yemek yemek için yere serilen sofra. 2. Meşinden yapılma yolcu döşeği. • «Döşedi yine çemen nat'-i zümürrüd-fâmın. — Baki».

nâtâb, *F. s.* [Nâ-tâb] Gücü kuvveti kesilmiş olan.

nâtamam, *F. s.* [Nâ-tamam] Bitmemiş, tamam olmamış.

nâtamamî, *F. i.* Eksiklik, tamam olmama.

nâters, *F. s.* [Nâ-ters] Korkmaz, korkusuz. • *Huda naters,* Tanrıdan korkmaz. • «Birtakım ehliyet-nedan Huda naters mel'anet-aferinan-i iblis-üd-dersin. — Kâni».

nâ'tgû, *F. s.* [Na't-gû] Na't yazmış olan. • «Nât-g-yi hace-i ahir zamanidir sözüm. — Nef'i».

nath, *A. i.* Boynuzlu hayvanın boynuzu ile vurması, süsme.

na'thân, *F. i.* [Nâ't-hân] Cuma günleri büyük camilerde veya tekkelerde naıt okuyan kimse.

nâtık, natıka, *A. s.* [Nutk'tan] 1. Söyleyen. Lâkırdı eden. 2. Fikir ederek düşünen. 3. Bir ifadesi olan. 4. Bir şeyi gösteren. 5. Beyan edici, bildirici. • «Nâtık-i esrar-i ilâhi Ömer. — Nef'î».

nâtıka, *A. i.* 1. Düşünüp söyleme niteliği. 2. Düzgün, dokunaklı söz söyleme. • «Etmiş gibi natıkam teverrüm. — Fikret».

nâtıkaperdaz, *F. s.* [Nâtıka-perdaz] Düzgün ve etkili söz söyleyen.

nâtıkapîra, *F. s.* [Nâtıka-pîra] Güzel, doğru söz söyleyebilen.

nâtıkiyyet, *A. i.* [Nutk'tan] Söz söylemeklik. • «Ve binaenaleyh bir güzel söz natıkıyyetle beraber daim olur. — Kemal».

natır, natur, Bk. • *Natur.*

nâtıraş, *F. s.* [Nâ-tıraş] Yontulmamış, terbiye görmemiş. Ham, kaba. Tıraşsız. tıraş olmamış. • «Derviş-sima bir şahs-i natıraşı razı edip başını pâk ve mücellâ tıraş eyleyip — Veysi».

nâtıraşide, *F. s.* [Nâ-tıraşide] Yontulmamış, kaba. Terbiyesiz, ham.

nâtış, *A. s.* Bilgin. Bilgili.

natron, *A. i.* 1. Kührecile. 2. Boraks.

natuh, *A. s.* [Nath'tan] Boynuzu ile vuran (hayvan. • «Kebs-i natuhunu. — Ali Haydar».

natuk, *A. s.* [Nutk'tan] 1. Kolaylıkla söz söyleyen. Nutuk söylemede usta. 2. Düzgün söz söyler, çeneli. • «Gûya bu genç natuktan çıkan nefes-i mıknatısiyet ile. — Uşaklıgil».

natur, natır, *A. i.* 1, Bağ, bahçe bekçisi. 2. Hamam hademesi. • «Ten-i simînini seyretmek ümidiyle beni — Kangı germâbeye natur edeceksin bilmem. — Nabi».

nâtüvan, *F. s.* [Nâ-tüvan] Zayıf, kuvvetsiz. • «Sen, ah ey sarışın tıfl-i natüvan, hep sen. — Fikret». • «Fakat birkaç nahif ve nâtüvan hurma ağacı altına gizlenmiş birkaç acı su kuyusundan. — Cenap».

nâtuvana, *F. s.* Güçsüz, zayıf.

nâtuvanaî, *F. i.* Güçsüzlük, kuvvetsizlik.

natuvanî, *F. i.* Güçsüzlük, kuvvetsizlik.

naur, *A. i.* Değirmen kanadı.

nâure, *A. i.* Su dolabı. (ç. Nevair). • «Ola hadika-i ikbali taze döndükçe — Bu kişizade naure-i sinîn ü şühur. — Nabi».

nâümid, *F. s.* [Nâ-ümid] Ümitsiz. • «Bu yana Kalenderoğlu, Ekmekçizade ve hazineden naümid olup. — Naima». • «Güneş hafif bulutların teşkil ettikleri cezair-i sîm ü sadıf, (...) arasında bîtab ü nâümid bir kazazede-i lahiat gibi. — Cenap».

naümidî, *F. i.* Ümitsizlik.

nâüstüvar, *F. s.* [Nâ-üstüvar] Sağlam olmayan, dayanıksız.

navdan, *F. i.* Oluk.• «Teşrih-i zülâl-i sanihata — İşte yine navdanım oldun. — Recaizade».

navek, *F. i.* Ok. • «Âmade iken ah gibi navek-i dilduz — Kadir mi felek geçmeğe piramenimizdeñ. — Nabi».

navekendaz, *F. s.* [Navek-endaz] Ok atan, okçu.

navekiye, *F. i.* Okluk. • «Uzun nibal ve navekiye kullanıp. — Naima».

naver, *F. i.* Olabilir, mümkün.

naverd, *F. i.* Savaş.

naverdgâh, *F. i.* [Naverd-gâh] Savaş yeri. Cenk meydanı.

navi, *F. s.* Şişman, semiz, besli.

na'y, naiy, *A. i.* Ölüm haberi getirme. • «Na'y-i birader ile müjde-i devlet ve ikbal Karaman içinde intikal edip. — Naima».

nay, ney, *F. i.* 1. Kamış. 2. Kamıştan yapılan düdük, nay. • «Bir nây-i zümürüd gibi nâlan — Destinde nihalân. — Fikret».

-nay, *F. s.* Yer göstermek üzere, kelimelere ulanan -na edatının başka bir şekli.

nâyab, *F. s.* [Nâ-yab] 1. Bulunmaz. 2. Benzeri olmaz. • «Asrda olmakla rahm ü mürüvvet nayab — Zahm-i çeşm tamaın yummadadır merhemden. — Nabi».

nayban, *F. s.* Ney çalan.

nayçe, *F. i.* Küçük ney.

nayî *F. i.* Ney çalan kimse.

nayiha, *A. i.* Para ile ölüye ağlayan kadın.

nayîn, *F. s.* Kamıştan yapılmış, sazdan.

naypâre, *F. s.* [Nay-pâre] Kamış parçası. Kalem. • «Bir muharririn elindeki naypâre-i lerzan. — Cenap».

nay-veş, *F. s.* Ney gibi. • «Kavl-i ağyar ile uşzakını bezm-i gamda — Nay veş inletip ol şuh-i dilâra neyler. — Ruhi».

nayzen, neyzen, *F. i.* [Nay-zen] Ney çalan kimse.

naz, *F. i.* 1. Kendini beğendirmek için takınılan yapmacık davranış. 2. Bir şey beğenmiyor gözükme. 3. Şımarıklık. • «Her yeri hub olan güzelin nazı çok olur. — Ş. Yahya». • «Evet, pîş-i nazınızda sizin. — Fikret».

nâzad, nâzade, *F. s.* (Ze ile) [Nâ-zad] 1. Doğmamış. 2. Olmayacak. • «Tıfl-i nazad için hâtırı şadan etmek — Yapmadan ücrete vermek gibidir dükkânın. — Nabi».

nazair, *A. i.* (Zı ile) [Nazîre ç.] Nazireler.

nazan, *F. s.* Nazlı.

nazar, nadar, *A. i.* (Dat ile) Tazelik.

nazar, *A. i.* 1. Bakma, bakım, göz atma. 2. Düşünme, mülâhaza. 3. İltifat. 4. Göz değme. 5. Bir türlü kabul etme. 6. Yan bakış. • *Atf-ı nazar,* bakma; • *cây-i nazar,* düşünme; • *hüsn-i nazar,* iyi gözle görme; • *im'an-i nazar,* bakıp süzme; • *nur-i nazar,* göz nuru; • *sarf-i nazar,* şöyle dursun; • *sarf-ı nazar etmek,* vazgeçmek. (ç. Enzar). • «Hak-i dergâhın nazardan sürme ey seylâb-i aşk. — Fuzulî». • «Ve ukûmda nazar ve tahsili tevfire medar olup. — Taş». • «Tarik-i nazar, edille-i akliye ve nakliye ile istidlâle mebnidir. — Kâtip Çelebi». • «Siz ki en doğru gören bir nazar-i vicdanla. — Fikret». • «Nazarları sabit ve bi-meal. — Cenap».

nazaran, *A. zf.* 1. Göre, bakılırsa. 2. Kıyaslayarak. • «Rüsuh ve kitabetine nazaarn yine hemen tenbih itap ile. — Naima».

nazarbaz, *F. s.* [Nazar-baz] Cilve ile bakan.

nazarbazi, *F. i.* Cilveli bakış.

nazarendaz, *F. s.* [Nazar-endaz] Göz atıp bakan. • «Nazarendaz-i haset ve infial olmasından. — Recaizade».

nazargâh, nazargeh, *F. i.* [Nazar-gâh] Bakılan veya bakılacak yer. • «Bir dakika evele kadar nazargahını ihata eden. — Recaizade». • «Nazargehînde buhayrat-i bi-şümar-i serab. — Cenap».

nazarî, nazariyye, *A. s.* 1. Bakışa ait, bakışla ilgili. 2. Yalnız bilgi halinde olan. Uygulanmamış. • «Böyle leb-beste terk-i ömr etmek • Nazarî bir lisan ile ancak — Ebedî iftirakı anlatmak. — Cenap».

nazariyyat, *A. i.* [Nazariyye ç.] Düşünce alanında kalan bilgi. Bu bilginin temel ve kuralları. • ‹Eğer sırf nazariyyata tatbik-i hareket olunmak bizce kaide tutulsa idi. — Kemal›.

nazarnüvaz, *F. s.* [Nazar-nüvaz] Göz okşayan. Bakışa hoş gelen. • ‹Resimlerde görünen menazır gibi latif, hoş, nazarnüvaz bir zerafet. — Uşaklıgil›.

nazarrüba, *F. s.* [Nazar-rüba] Göz çeken. • ‹Nazar-rüba mı desem dide-i siyahından — Aman ne tatlı bakış var şu necm-i ehzerde. — Fikret›.

nazc, nadc, *A. i.* Olma, olgunluk. Yetişme.

nazende, *F. s.* Nazlı. Hoş edalı. Sevgili. • ‹Deyr-i dil böyle samem hane-i Ferhar olmak — Hep senin ey but-i nazende hayalindedir. — Nedim›. • ‹Bin şi'r ile tehziz ediyor kalb ü hayali — Her cilve-i nazendesi, her cünbiş-i bâli. — Fikert›.

nazenîn, *F. s.* 1. Oynak, cilveli. 2. Çok nazlı yetiştirilmiş, şımarık. 3. (Horlukla) Şu, bilinen. Mahut. • *Tarik-i nazenin,* bektaşi tarikatı. • ‹Dilşikârlıkta ustalık ihraz etmiş nazenilerin. — Recaizade›. • ‹Bir gün o kuşlar uçtu, o ezhari eyledi. — Bir dest-i nazenindeki yelpaze tarmar. — Fikret›.

nazeninane, *F. zf.* Nazlıca, cilvelenerek • ‹Mestane atılarak, nazeninane sallanarak. — Uşaklıgil›.

nazıc, nadıc, *A. s.* Olgun. Yetişmiş.

nâzım, nâzıma, *A. s.* 1. Düzenleyen. 2. Nazım haline koyan, manzume yazan. • *Nâzım-i menazım-i umur-i cumhur,* halkın işlreini sıraya koyan, düzenleyen. 3. (Fiz.) Düzengeç. 4. (Mat.) Normal. • ‹Ey silsile-i vücuda nâzım — Rezzak-i erazil ü eazım — Fuzulî›. • ‹Nâzım-i manzume-i silk-i leal-i Mesnevi. — Nef'î›.

nazır, *A. s.* [Nazar, nezaret'ten] 1. Bakan, nazar eden. 2. Bakan, idare eden. 3. Bir yüzü bir tarafa olan. 4. (i.) Bakan, bir işin idaresine memur olan baş. 5. Kabine üyelerinden her biri. (ç. Nuzzar). • ‹Bir veche nazır ol ki nazîri bulunmaya. — Nailî›.

nazif, nazife, *A. s.* [Nezafet'ten] Temiz.

nazegi, *F. i.* Naziklik. İncelik. • ‹Şuh-i gülçehre-i pejmürde kazadır mâna — Eğer olmazsa karîn nazigi-i tâbire. — Nabi›.

nazik, nazük, *F. s.* 1. İnce. 2. Güzel. 3. Terbiyeli. • ‹Bu nazik, bu pembe elleriniz. — Fikret›.

nazikâne, *F. zf.* İncelikle, kibarlıkla, nazik bir kimseye yakışır yolda. • ‹Haysiyet-i asaletini velev nazikâne olsun kovulmuş olmaktan. — Uşaklıgil›.

nazikedâ, *F. s.* [Nazik-eda] Nazik davranışlı.

nazikendam, *F. s.* [Nazik-endam] Lâtif vücutlu.

naziktabiat, *F. s.* [Nazik-tabiat] Tabiatı ince. • ‹Değildir tazegû yârana peyrev Nailî ammą — Yine inkâr olunmaz şair-i naziktabiattir. — Nailî›.

nazikter, *F. s.* [Nazik-ter] Ziyade nazik. • ‹O âfetin kadd-i nazikterine sarf edelim — Ne mertebe su han-i nazikânemiz var ise. — Nabi›.

nazil, nazile, *A. s.* [Nüzul'den] 1. Yukardan aşağıya inen. 2. Bir yere konan, konaklayan. • ‹Olur âfaka dembedem nâzil — Zerre halinde bir yığın ahker. — Fikret›. • ‹Edirne'ye dühul ve saray meydanında nazil olduklarında. — Raşit›.

nazile, *A. i.* 1. Belâ, sıkıntı. 2. İnme, nüzul. 3. Nezle.

nazim, *A. i.* Sıra sıra, dizi dizi olan şey. • ‹Aferin ol suhan âra-yi Nizami tab'a — Ki ola fikri bu gûne dür-i i'caz-i nazîm. — Nef'î›.

nazir, nadir, *A. i.* (*Dat* ile) 1. Taze, sulu. 2. Altın.

nazir, *A. s. i.* (*Zı* ile) [Nazar'dan] Benzer. • ‹Nazîrin olmadı meşhud-i dide-i edyar. — Nedim›. • ‹Birkaç nazîr-i tayf-i adem zag-i bednigâh. — Fikret›.

nazire, nadir, *A. i.* (Ast.) Ayakucu.

nazire, *A. i.* 1. Örnek. Karşılık. 2. (Ed.) Bir şairin şiirini taklit ederek yazılan şiir. (ç. Nazair). • ‹Engüşt-i hata uzatma öyle — Beş beytine bir nazîre söyle. — Ş. Galip›.

nazm, *A. i.* 1. Sıra, tertip. 2. Vezinli, kaafiyeli söz. 3. Kur'an ayeti. • ‹Dâvasına nazm-i kerimden. — Kâtip Çelebi›. • ‹Ya nazm-i dilâvizle bir cû-y müselsel — Ya mâni-i rengîn ile bir lâle-sitandır. — Nef'î›. • ‹Zayidir ey sipihr-i sitemger ianetin — Yoktur benimle davi-i nazm ü makal eden. — Nailî›. • ‹Nazm eyledim zevalime ağlar neşideler. — Fikret›.

nazmen, A. zf. Manzum olarak.

nazmgûyan, F. i. [Nazm-gû ç.] Manzum yazanlar, şairler. • ‹Baki'ye gelince nazmgûyan — Oldu kudema-yi ehl-i irfan — Andan Nabi'ye dek evasıt — Eş'ar henüz değildi sâkıt. — Ziya Pş.›

nazmî, nazmiyye, A. s. Nazımla ilgili. Manzum yazıya ait.

nazmiyat, A. i. [Nazm ç.] Manzum yazılar. • Kesret-i irad-i nazmiyat ve dûr ü dıraz temhidat-i mukaddematla. — Lâmiî›. • ‹Nazmiyat garbiyede tenevvü-i evzandan. — Uşaklıgil›.

nâzperver, F. s. [Naz-perver] Naz eden. • ‹Ümmid-i merhamet sengîndilâh-i nazperverden — Teraşşuhcuyluktan farkı yoktur âb-i gevherden. — Nabi›.

nazperverî, F. i. Naz içinde büyütülmüş olma. Nazlı büyütülme, nazlılık.

nazperverd, F. s. [Naz-perverd] Naz içinde büyütülmüş. Nazlı. • ‹Ve lîk hissolunur kim o nazperverdin — Derunu içre bir endişe vü bir ateş var. — Nedim›.

nazr, nadr, A. i. (Dat ile) Altın.

nazra, A. i. (Bir tek) bakış. • ‹Ey nezra-i mahmur-i semavi — Zulmetlere mâtuf olamazsın. — Fikret›. (Ed. Ce.)

• Nazra-i hayran,   -perişan,
-mahmur,   -şefkat,
-münacat,   -şum.,
-nefrîn,

nazragâh, F. i. [Nazra-gâh]. Bakış yeri. Gözle bakılan yer. Göz önü.

nazrakünan, F. s. zf. [Nazra-künan] Bakarak. Seyrederek. • ‹Böyle akıp giderken nazrakünan-i etraf. — Recaizade›.

nazret, nadret, A. i. Tazelik. Yeşillik.

neb', nebean, A. i. (Ayın ile) Yerden su kaynamak.

neba', A. i. Haber. (ç. Enba).

nebada, F. ün. ‹Olmasın› yerinde dua ve ünlemdir.

nebagat, A. i. Aşikâr olma. Meydana çıkma. • ‹Benim ol Husrev-i evreng-i nebagat ki eder — Düşmenan-i hüneri tig-i zebanım tersan. — Şinasi›.

nebah, A. i. (Ha ile) Köpek havlaması.

nebahet, A. i. (He ile) Şeref, onur. • ‹Belki hücerat-i nebaheti hiç bir dane-i müfit ezmeksizin. — Cenap›.

nebail, A. i. [Nebile ç.] Yüceler, yüksekler.

nebair, A. i. [Nebire ç.] Oğul veya kızın çocukları, torunlar.

nebalet, A. i. 1. Zenginlik. 2. Cömertlikle ululuk. 3. Ululuk.

neb'an, nebean, A. i. (Su yerden) Kaynama, çıkma.

nebat, A. i. Toprakta biten her türlü bitki.

nebatat, A. i. [Nebat ç.] 1. Bitkiler. 2. Botanik. • ‹Sükker dökerdi bağa mükerrer şitada berf — Ebr-î bahar geldi pür etti nebatat ile. — Baki›.

nebatî, nebatiyye, A. s. Bitki ile ilgili. Bitki soyundan. • ‹Olsa eltafınla ger nefs-i nebatî şehd-kâm — İktibas eylerdi hanzal lezzet-i gülşekkeri. — Nedim›.

nebatiyyun, A. ç. i. Botanik bilginleri.

nebayed, F. ter. ‹Lâzım değil, olmamalı› anlamında sözüdür.

nebbal, A. i. Okçu. Ok yapıp satan kimse.

nebbaş, A. s. Kefen soyucu.

neberd, F. i. Savaş, kavga. • ‹Ümera-yi Ekrad-i neberd itiyattan. — Peçoylu›.

neberdâzma, F. s. [Neberd-âzma] Savaşta denemesi olan. Savaşa alışık. • ‹Şam beylerbeyisi pîr-i neberdazmâ Hüseyin Paşa muhafazasına tâyin olunup. — Peçoylu›.

neberdgâh, F. s. [Neberd-gâh] Savaş yeri.

neberdpîşe, F. s. [Neberd-pîşe] Savaşçı. İşi gücü savaş olan.

nebevî, nebeviyye, A. s. Peygambere ait, onunla ilgili. • ‹Hafız-i din-i kavi hami-i şer-i nebevî. — Baki›.

nebık, A. i. 1. Köknar yemişi. 2. Yaban kirazı. • ‹Ekser-i evkatta yanınca bir mikdar nebık alıp ekledip çekirdeğini kasd ile halkın başlarına çalıp. — Taş.›.

nebi, A. i. [Nebe'den] 1. Haberci. 2. Peygamber. (ç. Enbiya). • ‹Biri, mukaddem gelen nebinin şeriati ile amel bize lâzım ola. — Kâtip Çelebi›.

nebih, nebihe, A. s. Ünlü, şerefli. • ‹Seni âkıl ve nebih ve anı gafil ve sefih zannetmiyeler. — Nergisi›.

nebil, nebile, A. s. 1. Güzel huylu. 2. Zekâ sahibi. 3. Ünlü onurlu.

nebir, nebire, F. i. Torun. • ‹Şah Abbas fevt olup nebiresi Şam Mirza İbni Safi Mirza yerine cülûs edip. — Naima›.

nebise, A. i. Torun.

nebişte, F. s. Yazılmış.

F. : 42

nebiyyin, A. i. [Nebi ç.] Nebiler, peygamberler. • ‹Hassatan bizim peygamberimiz fahr-i âlem hatem-in-nebiyyin, efdal-i enbiyadır deriz. — Kâtip Çelebi›.

nebiz, A. i. 1. Hurma şırası, şarabı. 2. Şarap. • ‹Nebiz-i temeri tahlil edesin. — Taş.›. • ‹Ve cevaza karip olan nebiz ve musellesat istimaline udul için. — Naima›.

nebl, A. i. Ok. Arap oku. (ç. Nibal).

nebr, A. i. Yukarı kaldırma, yükseltme.

nebş, A. i. 1. Gömülü şeyi yerden çıkarma. 2. Bir şeyi başka bir şey ile meydana çıkarma. • ‹Mutaassıp kızılbaşlar Memalik-i Mahruse-i Osmaniye'de kaldığına rıza vermeyip mezarın nebş edip. — Peçoylu›.

nebt, nabt, Bk. *Nabt.*

nebt, A. i. Bitme, yerden çıkma. Meydana gelme.

nebze, A. i. Az şey.

necabet, A. i. Soyluluk. • ‹Terkiplere bürünmekle necabetlerini kaybetmezler. — Cenap›.

necah, A. i. (He ile) İstediğine ulaşma. • ‹Zimam-i tedbiri yanlış tutup tarika-i fevz ü necaha gidemediler. — Naima›.

necaib, A. i. [Necib ç.]. Necip seyler.

necaset, A. i. Pislik.

necaşi, A. i. Habeş hükümdarı.

necat, A. i. Kurtulma. • ‹Yıllarca taharri der-i mesdud-i necatı. — Fikret›.

neccah, A. s. Yorgancı.

neccam, A. i. Yıldız bilgisi bilgini.

neccar, A. s. 1. Dülger. 2. Marangoz. • ‹Ve etraftan neccarlar sürülüp. — Naima›.

Necd, A. i. Arap yarımadasının orta bölgesi.

necdet, A. i. Yiğitlik. • ‹Bu gaziler ki en sâtı, birer sima-yi necdettir. — Fikret›.

Necef, A. i. Asıl anlamı ‹tepe› demektir. Kûfe civarında, Halife Ali'nin mezarı olan yer.

neces, A. i. (Sin ile) Pislik, mundarlık.

necib, necibe, A. s. Soylu. (ç. Necaib, nüceba). • ‹Bir nezahet leb-i hitabında — Tekellümatına bir nükhet-i necibe verir. —Fikret›.

necil, necile, A. s. Soylu, kişizade.

necire, A. i. Üstü örtülü, tahtadan sofra.

necis, A. s. (Sin ile) 1. Umulmaz hastalık. 2. Pis, mundar.

neciy, A. i. Sırdaş.

necl, A. i. 1. Oğul. 2. Kuşak, nesil. (ç. Encal). • ‹‹Hanedanın bir necl-i mümtazı. — Cenap›.

necliyye, A. i. (Bot.) Fransızca'dan *graminées* (buğdaygiller) karşılığı (XX. yy.).

necm, A. i. Yıldız: • *Necm-i dünbaledar,* • *-gisudar,* Kuyruklu yıldız. • ‹Acaba necm-i gisudar-i bahtımız kangı saatte tulû' edip. — Naima›. • ‹Bulur yerinde o bedbaht-i aşkı necm-i seher. — Fikret›.

necmî, necmiyye, A. s. Yıldızla ilgili, ona ait.

necs, A. i. (Sin ile) Pis ve murdar olma.

necva, A. i. 1. Fısıltı. Gizli söz. • ‹Necvayi şeytanî ve tedbir-i nihanî ettiler. — Sadettin›.

nedalet, A. i. 1. Kir. pislik. 2. Çalma, aşırma. • ‹Pâdaş-i rezalet ve nedaletleri. — Nergisi›.

nedamet, A. i. Pişmanlık. • ‹Makhur-i nedamet nazarım yerlere mâtuf. — Fikret›.

nedametkâr, F. s. [Nedamet-kâr] Pişman olan.

nedametkâri, F. i. Pişmanlık.

-nedan, F. s. • ‹Bilmez, bilmeyen› anlamıyle kelimelere katılır. • ‹Pâmal-i esb-i nahveti olmuş bir âfetin — Bir tıfl-i neysuvar-i muhabbet-nedan iken. — Vehbi›.

nedaneste, F. i. Bilmezlik. Bilmezlenmek. • ‹Sem-i diğerden ihraç edip neşinide ve nedaneste muamelesin göstere. — Nergisi›.

nedavet, A. i. Yaşlık, ıslaklık.

nedb, A. i. Ölünün iyiliklerini sayarak ağlama.

nedbe, nedebe, A. i. Yara izi.

neddaf, A. i. Hallaç, pamuk atan kimse.

nedeb, A. i. 1. Yara, çıban yeri katılaşıp iyileşme. 2. Yara izi.

nedebî, A. s. Yara izi ile ilgili.

nedem, A. i. Pişman olma. • ‹Doğar elemle geçer dert ile ölür gamla — Bilinse ah-i nedemdir safası insanın. — Ziya Pş.›.

nedide, F. s. Görmemiş. • ‹Nedide tecrübedir nîk ü beḍ nedir bilmez. — Nabi›.

nedim, nedime, A. s. 1. Meclis arkadaşı. 2. Büyük bir kimseye hikâye ve fıkra söyleyerek eğlendiren. 3. Güzel söz söyleyen, iyi hikâye anlatan. (ç. Nediman, nüdema). • ‹Akl-i kül verdin beni

Cebril-i mâni eyledin — Bezm-i kurb-i akdese lâyık nedim olmak bana. — Fehim».

nedime, A. s. 1. Kadın nedim. 2. Bir büyük veya zengin kadına arkadaşlık eden kadın. • «Ey nedime-i heyecan — Sen ağla; ben de bütün suzişimle giryefeşan. — Fikret».

nedret, A. i. Az bulunma, seyreklik. • dir-i umumiye mazhariyeti bilâkis nedretine delâlet eder. — Cenap».

nedve, A. i. Konuşma, iş üzerine görüşme. • Dar-ün-nedve. Mekke'de Cahiliyye zamanında kurulmuş ünlü ev.

nef', A. i. (Ayın ile) Çıkar, kâr. Nef' ü zarar, kâr ile zarar. • «Bu ağayı Darüssaade'den dûr kılmak bais-i nef-i aîmdir dediler. — Naima».

nefad, A. i. Bitme, tükenme. Yok olma. Binefad, tükenmez.

nefahat, A. i. (Ha ile) [Nefha ç.] 1. Üfürmeler. 2. Esintiler. • «Bir hava-yi pâkin nefahat-i mülâyimesi ile. — Cenap».

nefais, A. i. (Sin ile) [Nefis, nefise ç.] Değerli, beğenilir şeyler. • «Manend-i muhit havsala lâzımdır. — Hazm eylemeye nefais-i emvali. — Nabi». • «Her hamir-i elfaz ile ibda-i nefais mümkündür: elverir ki siz bir sanatkâr-i çiredest olasınız. — Cenap».

nefaisperest, F. s. [Nefais-perest] Güzel şeyleri seven, güzel eşyaya düşkün. • «Çoktan Avrupa'daki nefaisperestlerin dikkatini celbetmişti. — Z. Gökalp».

nefaisperestî F. i. Güzel şeyleri sevme. güzellere düşkün olma. • «Hayat-i garamında zevk-i nefaisperestisinc bir leke sürmüş olacaktı. — Uşaklıgil».

nefaset, A. i. Değerlilik. Beğenilir olma. • «Kendi tâbirince bu nefîs kadında sevdanın bir zevk-i nefaseti eksikti. — Uşaklıgil».

nefaz, A. i. (Ze ile) 1. Geçme. İşleyip öteye geçme. 2. Sözü geçme. • «Nefaz-i hükmü o gayrette kim murat etse — Kemal-i hüsn-i iradetle ülfet-i ezdad. — Nef'i».

nefer, A. i. 1. Bir kişi. 2. Er, asker. 3. İnsan sayısı bildiren sözler için kullanılır.

neferat, A. i. [Nefer ç.] Erler. askerler.

nefes, A. i. (Sin ile) 1. Soluk. 2. Soluk alacak kadar zaman, an. 3. Okuyup üfleme, üfürükçülük. (ç. Enfas). • «Hakperestim arz-i ihlâs ettiğim dergâh bir

— Bir nefes tevhitten ayrılmadım Allah bir. — Naci».

nefh, A. i. (Ha ile) 1. Güzel koku yayılma. 2. Rüzgâr esme.

nefh, A. i. (Hı ile) Üfleme, şişirme. 2. Boru çalma. Nefh-i Sûr, İsrafil'in kıyamette çalacağı borunun üflenmesi, kıyamet kopması. • «Ruh-ül-kuds'ün Meryem'e nefh ettiği uruhz. — Ruhi».

nefha, A. i. (Ha ile) Güzel koku. Yelin bir esişi. (ç. Nefahat). • «En güzel rayihası içre hemen — Hep senin nefhanı koklar dil ü can. — Şinasi».

nefha, A. i. (Hı ile) Üfürme. 2. Şişme karın şişmesi. • «Bin hihal-i pür şükûfte kaplamış etrafını — Nefha-i Rahmana döndürmüş hava-yi sâfını. — Naci».

neffî nefiyye, A. s. Çıkar ile ilgili. Faydacı.

nefîr, A. i. 1. Topluluk, cemaat. 2. Boynuzdan boru. 3. Çağıltı, bağırtı. Nefîr-i âmm, cemaati toplama, halkı askere sürme; yevm-i nefîr, hacıların Mina'dan Mekke'ye dönmeleri. • «Etraf ve cevanibe dahi nefir-i âm hükümleri perekende kılınmış idi. — Naima»

nefis, nefs, A. i. Bk. Nefs.

nefîs, nefise, A. s. Çok hoşa giden. En beğenilen. Çok güzel. • «Evet; güzel genç, nefîs kadın; senin için yapılacak yalnız bu var. — Uşaklıgil».

nef'iyye, A. i. (Fel.) Fransızca'dan utilitarisme (faydacılık) karşılığı (XX. yy.).

nefl, A. i. Vacip olmayan ibadet. Fazladan ibadet.

nefret, A. i. 1. Ürküp kaçma. 2. İğrenç bulup tiksinme. • «Halkı padişah hazretlerinden tenfir eyledi ta ki cümlesi nefret ve hal'ine ecmiyet ettiler. — Naima».

nefrin, F. i. İlenç, lânet okuma. 2. Sövüp sayma. • «Şu bisud hâtıratına nasıl bir nazar-i nefrin ve istikrah fırlatıyordu. — Uşaklıgil».

nefs, nefis, A. i. (Sin ile) 1. Ruh, can, hayat. 2. İnsanın yeme içme gibi biyolojik ihtiyaçları. 3. Kişi, kendi. 4. Asıl, maay. 5. Bir şeyin ta kendisi. 6. Dölsüyu. Nefs-i emmare (ziyade zorlayıcı, emreden nefis) inasnı kötülüğe sürükleyen nefis; -hayvanî (canlılık nefis) canlılardaki anlayış ve hareket kuvvetleri; -küll, (tüm nefis), Arş; -levvamme (kakıcı nefis) kötülükten sonra içte rahatsızlık uyandıran nefis; -mut-

mainne, iyilikle kötülüğü ayırd eden, temizlenerek kişiyi Tanrıya yaklaştıran yeti; *-mütekellim* (Gra.) birinci şahıs; *-natıka*, insan ruhu, insanın canlılar arasındaki yerini belli eden cevher; *binefsihi*, *binnefs*, kendisi; *nefs-el -emr,, nefs-el-emrde*, aslında; *kefil binnefs*, bir kimsenin teslim etmek üzere kefili olan kimse. *Ahval-i nefs*, psikoloji. • ‹Bir ihtisas-i meraretle verdi nefse fütur. — Fikret›. • ‹Gülbün-i bag-i nefs-i nâtıkamın — Vahyidir bülbül-i hoş-elhanı. — Fehim›.

nefs, *A. i. (Se* ile) 1. Tükürükle üfürme. 2. Üfleme. *Nefs-üd-dem*, gırtlak ile sümüksel zarın kanamasıyle kan tükürme. • Benim ruhuma nefs eyledi. — Taş.›.

nefsa', *A. i.* Loğusa. Yeni doğurmuş kadın. Yeni doğumdan sonra geçen kırk günlük hal.

nefsanî, **nefsaniyye**, *A. s.* 1. Canlılığın uyandırdığı isteklerle ilgili. 2. Kin ve garazla ilgili. • ‹Kâş akl-i maad yerine kâş — Olsa akl-i maaş-i nefsani. — Fehim›. • ‹Temayulât-i nefsaniyyesinden öylece vikaye lâzımdır. — Kemal›.

nefsaniyyet, *A. i.* Gizli düşmanlık. Kin, garaz.

nefsî nefsiyye, *A. s.* 1. Nefisten doğan şeyle ilgili. 2. Kişiye, kendisine ait, onunla ilgili. • ‹Pek çok mücahede-i nefsiyyede bulundu. — Mitat›.

nefsperest, *F. s.* [Nefs'perest] Nefsini seven, nefsine düşkün. • ‹Ey nefsperest-i cism-perver — Olma gam-i hırsla mükedder. — Fuzuli›.

neft, *F. i.* Yerden çıkan veya çam gibi bazı ağaçlardan çıkarılan yanabilir yağ. *Neft-i nebatî*, çam ağacından çıkarılan alev alır bir madde. • ‹Dü-dest-i lûft ile kurtlar isabet eylemeden — Rivak-i kâlübüd-i cisme nâr-i neft endud. — Sabit›.

neftî, *F. s.* Koyu yeşil ile kahverengi arasında (Renk). • ‹Ahmet Şevki Efendinin koyu 'neftî alpakadan — Uşaklıgil›.

nefur, *A. s.* Ürküp kaçan.

nefy, *A. i.* 1. Sürme. 2. (Gra.) Olumsuzluk. *Nefy an-il-beled*, şehirden sürme; *nefy-i âlem, -ebed*, bir daha gelmemek üzere sürgün etme; *-mülk*, bir malın başkasının olduğunu söyleme; *-esb*, *-eled*, erkeğin, kadın eşinin doğurduğu çocuğun kendisinden olmadığını dava etmesi; *edat-i nefy*, fiillere katılan *me* edatı. • ‹Kılardı cehl ile nefy-i hakâyık-i eşva. — Fuzuli›.

negüfte. *F. s.* [Ne-güfte] Söylenmemiş. • ‹Esarar-i kaza mühüfte kaldı — Güftar-i kaza negüfte kaldı — Recaizade›.

negûhide, **nekûhide**, *F. s.* [Ne-gûhide] Kötü, çirkin. • ‹Tertib-i ceza-yi â'mal-i negûhidesi vâki ve gayr-i vâki bazı esbab-i zâhireye müpteni oldu. — Fındıklı›.

nehad, *F. i.* Usul, kural. Yol. Üslup.

nehak, *A i.* Eşek anırtısı.

nehar, *A. i.* Gündüz. • *Leyl ü nehar*, gece gündüz; • *nısfınnehar*, meridyen. • ‹Leyl ü nehar devr edip gündüzlerde rast geldiği erazil ve eşkıyayı ve duhan cemiyeti edenleri ahz ü katl edip. — Naima›. • ‹Leb-i vedaı neharın zemine busefigen. — Fikret›.

neharen, *A. zf.* Gündüzün.

neharî, *A. s.* Gündüzlü. Gündüz ile ilgili.

neharir, *A. i. (Ha* ile) [Nihrir ç.] Bilginler.

nehat, *A. i. (Ha* ile) Taraf, yön.

nehb, *A. i. (He* ile) Yağma, çapul.

nehc, *A. i.* Yol, usul. • *Ber nehc-i şer'i*, şeriat yolunda olarak, • *ber nech-i sabık*, eski yolda, eskiden olduğu gibi. • ‹Âzim-i ser-menzil-i nech-i sadakattir dilim. — Hiçbir dem ben dürug ü kizbi etmem irtikâp. — Cenap›.

neheng, **niheng**, *F. i.* Timsah. • ‹Piçide nazargâhi melâlınde bir neheng. — Fikret›.

nahhab, *A. s.* [Nehb'den] Çok çapul eden. Çapulcu. Aşırı yağmacı. • ‹Nehhab ve vehhab olan küremayi asrın in'am ve ihsanına me'lûf olmuş. — Naima›.

nehhac, *A. s.* [Nehc'den] Kılavuz. Doğru yol gösterici. • ‹Baş koyan gitmekte âşıklar iklimine — Tig-i ateşbazın ol iklime bir nehhacdır. — Ruhi›.

nehhak, *A. s. (He* ile) Aşırı anıran veya hömürdenen.

nehîb, **nehibe**, *A. s. (He* ile) [Nehb'ten] 1. Çapulcu, yağmacı. 2. Korku, ürküntü. • ‹Beş yüze yakın dilâveran-i pür nehîb ile azimet etti. — Sadettin›.

nehik, *A. i.* Eşek anırması. Anırtı.

nehim, *A. i.* 1. Açgözlü, doymaz. 2. Yırtıcı.

nehir, *A. s. (He* ile) Çok, bol.

nehk, **nehak**, *A. i. (He* ile) Eşek anırtısı.

nehlet, *A. i. (He* ile) Bir içim su içme.

nehm, A. i. (He ile) Hömürdenmek. Haykırarak korkutma.

nehmet, A. i. (He ile) İhtiyaç, tam iştah.

nehr, nehir, A. i. (He ile) Akarsu, çay. Irmak. • Mavera-ün-nehr (nehrin ötesi) Ceyhun ötesi bölge. • Nehr-i sagir, harklar ve cetveller (Mec. 284). (ç. Enhar, nühur). • «Bak şu nehrin hoşnüma reftarına. — Naci».

nehren, A. zf. Nehir yolu ile.

nehreyn, A. i. İki nehir. • Mabeyn-en-nehreyn (iki nehir arası) Fırat ve Dicle arası.

nehrî, nehriyye, A. s. Nehirle ilgili, nehre ait. • İdar-i nehriye, nehirde işleyen vapurlar idaresi.

nehy, A. i. 1. Yasak etme. 2. (Gra.) Emir kipinin olumsuzu, emrin karşıdı. • Emr ü nehy, buyurma ve yasak etme, • nehy-i anil-münker, şeriatın yasak ettiği şeyleri yaptırmama. • «İmam-i Âzam'ın oğlunu kelâmdan nehyettiği. — Taş.».

nehz, nehzat, A. i. (Dat ve te ile) Davranma. Kalkışma. • «Sebükbarane birden nehzat ve çabüksüvarane hareket ile. — Naima».

nejad, nijad, Bk. • Nijad.

neka', A. i. Temizlik. Arılık. • «Ve bekayi neka-i çeşmesarı lây-i belâdan cefa-i cüfadan olmaz. — Lâmii».

nekâbet, A. i. Belâ, eziyet. Cayma. • «Lakin küffara dahi azîm azâ ve nekâbet olundu. — Naima».

nekahet, A. i. Hastalıktan yeni kalkmış olma hali. Bu halden ileri gelen zayıflık, ağırlık. • «His var mı bu âlemde nekahet gibi tatlı? — Beyatlı».

nekais, A. i. (Sat ile) [Nakîsa ç.] Eksiklikler. • «Kendülere hayırhah dedirmek için umur-i saltanatın cümlesine itiraz edip maayip ve nekais bulurlar. — Naima».

nekaiz, A. i. (Dat ile) [Nakîza ç.] Bir birine karşıt, birbirini çelen şeyler.

nekâl, A. i. Şiddetli ceza, eziyet. 2. İbret. • «Ümmet-i Muhammet arasına şeyf girmekten hazer edip dünya ve ahiret nekâlini boynuna alma dedikte. — Naima».

nekave, nekavet, A. i. Temiz ve arı olma. Bir şeyin seçkini olma.

nekaya, A. i. [Nekâye, nükaya ç.] Seçilmiş, güzel, temiz parçalar, taneler, kimseler.

nekayi', A. i. [Nakıa ç.] Kutlama ziyafetleri.

nekbet, A. i. 1. Talihsizlik. 2. Düşkünlük. Felâket. • «Zümre-i rezilenin izzetin zillete ve rifatin nekbete mübeddel edip. — Naima». • «Titriyor dest-i nekbetinde hayat — Bir mülevves paçavra halinde. — Fikret».

nekbethane, F. s. [Nekbet-hane] Talihsizlik yuvası. (Mec.) Dünya. • «Bu nekbethane-i hiçîye zevk-abâd der bir kuş. — Cenap».

nekbetî, F. s. i. Uğursuz. Talihsiz.

nekbetzede, F. s. [Nekbet-zede] Belâya tutulmuş, felâkete uğramış. • «Çeşm-i nekbetzadedir safha-i remmaldedir. — Nabi».

neked, A. iö Sıkıntı, dert, belâ.

nekf, A. i. Kesip tüketme, sonuna varma. 2. Çekme.

nekhet, nükhet, Bk. • Nükhet.

Nekir, A. i. Mezarda ölüleri sorguya çekecek olan meleklerden birinin adı.

nekîr, A. s. 1. Bilmezlik. 2. Öyle değildir deme. • «Ekseri ihtiyar ile ve bilânekîr sagir ü kebir ana melûf olmakla. — Kâtip Çelebi».

nekkâd, nekâd, A. s. [Neked'den] Acıklı. Kederli. • «Basar âyine-i asayişini reng-i nekkâd. — Nabi».

nekr, A. i. Akıllı, zeki.

nekre, A. i. 1. (Gra.) Belirsiz isim. 2. Garip ve gülünç fıkralar. 3. Delâleti belli olmayan isim. 4. Gülünç fıkra söyleyen kimse.

nekregû, F. s. [Nekre-gû] Gülünç fıkralar söyleyen. (ç. Nekregûyan). • «Nasrettin Hoca, İncili Çavuş, Bekri Mustafa ve Bektaşi babaları halkın nekregûlarıdır. — Z. Gökalp».

nekregûyane, F. zf. Gülünç fıkra söyleyiciler yolunda. • «Halkın nekregûyane fıkralarından. — Z. Gökalp».

neks, A. i. (Se ile) Bozma. Dağıtma. • «Bu emri temşiyetten rücu' ve neks etmemeye eyman teklif edip. — Naima».

neks, A. i. (Sin ile) Baş aşağı etme.

neks, A. i. (Sad ile) Bir işten kaçınıp geri durma.

neküşude, F. s. [Ne-küşude] Açılmamış. • «Pîr oldum ol denlû kim girih elde kalır — Beküşude olan nahun ile neküşude. — Nabi».

nem, F. i. 1. Az yaşlık, hafif ıslak. 2. Havada, yapı içinde, duvarlarda olan yaşlık. 3. Çiy. • «Düşse ger hâke nem-i ebr-i bahar-i lûtfu — Kesb-i ruh eyler idi zir-i zeminde ecsam. — Nef'î».

nema', A. i. 1. Artma, çoğalma. 2. Büyüme, uzanma. 3. Faiz. • Neşv ü nema, bitkilerin gelişmesi. • «Geçtim ey ebr-i kerem neşv ü nemadan geçtim. — Nabi».

nemadar, F. s. [Nema-dar] 1. Artan, büyüyen. 2. Faydalı, faiz getiren.

nemaik, A. i. [Nemika ç.] Mektuplar.

nemaim, nemayim, A. i. [Nemime ç.] Koğuculuklar, çekiştirmeler.

nemarik, A. i. ç. Yastıklar.

nemat, A. i. (Tı ile) Usul, yol. Tarz. • Nemat-i takrir. söyleme tarzı. • «Berahime-i hikmet sair ve evza-i câmiiyyetin nemat-i mahsus üzere tasnif buyurmuş. — Hümayunname».

Nemçe, Nemse, İ. ö. Avusturya. • «Biavnihi teâlâ Devlet-i Aliyye-i ebedpeyvend ile Nemçelû beyninde. — Raşit».

nemçekân, F. s. [Nem-cekân] Islak. Göz yaşı akıtan. • «Tür eder nisan-ı lutfun söyle kim dür puş olur — Çeşm-i âşık nemçekân oldukça daman üstüne. — Nedim».

nemdar, F. s. [Nem-dar] Islak, nemli.

nemed, F. i. Keçe. Aba. • «Saykal-i aşkınla pâk ettim gönül âyinesin — Şahid-i halimdir ey gülçehre eğnimde nemed. — Ruhi».

nemedin, F. s. Abadan, keçeden yapılma. • «Libas-i pîşin ve külâh-i nemedin istimali olup. — Sadettin».

nemedpuş, F. s. [Nemed-puş] Keçe veya aba giyen. • «Hor bakma her nemedpuşa sakın ey muhteşem — Her gedayı Hızr gör her şahsa dervişane bak. — Usuli».

nemedzin, F. i. Eyer üstüne konan yünden tekelti.

nemek, A. i. 1. Tuz. 2. Tat, lezzet. 3 (Mec.) Hak. bağlılık. • Bînemak, tatsız, tuzsuz, yavan; nân ü nemek, tuz ile ekmek (hakkı). • «Derler ağyarı mezemmet nemek-i meclistir — Biz de gıybet edelim meclise lezzet gelsin. — Nabi».

nemekbeharam, F. s. [Nemek-be-haram] Tuz haini, nankör; nimeti inkâr eden. • «Hukuk-i hân-i vefayı bilmedi hayf — Zihi nemekbeharam ol kadar melâhatle. — Nabi».

nemekçeş, F. i. [Nemek-çeş] Tatma, tadına bakma. • «Nemekçeş-i maide-i visal olmamış iken. — Naima».

nemekdan, F. i. [Nemek-dan] 1. Tuz kabı, tuzluk. 2. (Mec.) Sevgilinin dudağı. • «Tehi kalmış nemekdan-i ümmidin Nabiyâ bilmem — Niçin dest-i niyaz ol piste-i pür-şura sunmazsın. — Nabi».

nemekfeşan, F. s. [Nemek-feşan] 1. Tuz serpen. 2. Tat veren. • «Her kim ki verir âşık-i bitaba teselli — Gûya nemekfeşanlık eder lâhm-i kadide. — Nabi».

nemekhalâl, F. s. [Nemek-halâl] Tuz hakkı tanıyan. Sadakatli, bağlı (kimse).

nemekharam, F. s. [Nemek-haram] Tuz haini. Nankör.

nemekharamî, F. i. Nankörlük.

nemekin, F. s. 1. Tuzlu. 2. Tadı yerinde 3. Tuzlu (göz yaşı). 4. (dudak). • «Ol piste-i rengînin o lâ'l-i nemekînin. — Nabi».

nemekpaş, F. s. Tuz eken. • «Nemekpaş-i tesliyet oldular —. Naima».

nemekperver, F. i. [Nemek-perver] Bağlı ve sadık kimse.

nemekriz, F. s. [Nemek-riz] Tuz saçan, tadında söz söyleyen.

nemekrizî, F. i. Tuzlama, tat verme. • «Hezar pare dile leblerinden et saki — Eğer düşerse nemekrizî-i kebap sana. — Nailî».

nemeksar, F. i. [Nemek-sar] Tuzu çok yer. Tuzla.

nemeksud, F. s. [Nemek-sud] Tuzlanmış. Tuza bastırılmış.

nemekşinas, F. s. [Nemek-şinas] 1. Tuz tanıyan. 2. İyilik bilir.

nemekzar, F. i. [Nemek-zar] Tuzu bol yer. Tuzla.

nemeliyye, A. i. (Zoo.) Fransızca'dan formicidées (karıncalar) karşılığı.

nemika, A. i. Mektup. (ç. Nemaik). • «Nemikada eser-i hatem-i münakkaşımız. — Nabi».

nemîm, A. s. 1. Cızırtı. 2. Koğuculuk.

nemime, A. s. Koğuculuk. Ağzı karalık.

nemimekâr, F. s. Koğucu, ağzı kara. • «Nemimekârlığın vesait-i terakkiden olduğunu iptida keşfeden. — Kemal».

nemimesaz, F. s. Münafık koğucu. • «Meydana geldi na'ş-i rakib-i nemimesaz. — Kıldım huzur-i kalb ile ömrümde bir namaz. — Sabit».

nemîr, A. i. Tatlı su.

nemkeşide, F. s. i. [Nem-keşide] Nemli. Islak. • «Bakardı cuşişine çeşm-i nemkeşidemizin. — Nabi».

neml, A. i. Karınca.

nemle, A. i. 1. Bedende olan karıncalanma. 2. Tek karınca. • ‹Hemçün hediye-i nemle bir asitan-i Süleyman'a arize-i ubudiyet mânasına arz etmeye. — Salim›.

nemm, A. i. Birinin sözünü başkasına götürüp ikisinin arasını bozma, koğuculuk. • ‹Sırrını nemm ü ifşa eder havfına düşüp. — Silvan›.

nemmam, A. s. Koğucu, arabozan. Münafık. • ‹Sirke tulumuna benzer nemmam — Çatlar etmezse eğer nakl-i kelâm. — Nabi›.

nemnâk. F. s. [Nem-nâk] Nemil, ıslak. • ‹İstemez erbab-i hüsn âyine nemnâk olduğun. — Nabi›.

nemr, nimr, A. i. Kaplan.

Nemrud, A. i. Babil'in kurucusu denilen hükümdar (İ. Ö. 2640) olup İbrahim Peygamberi ateşe attırmıştır. Babil kulesinin de bunun zamanında yapıldığı söylenir; Nemrut.

neng, F. i. 1. Ayıp, utanma. 2. Ün. • bineng, namussuz, utanmaz, nam ü neng. ad ve ün. • ‹Sizin şahınız avrat gibi girizan ve abıruyu tac ü tahtı hâk-i nenge rizan olmuştur. — Naima›.

ner, F. s. Er, erkek. • Engüşt-i ner, başparmak; • şîr-i ner, erkek aslan. • ‹Şehinşah-i muzaffer şîr-i ner sultan-i sa'd-ahter. — Nedim›.

nercis, A. i. Nergis. • ‹Gülşen-i belâgat-i Veysi'de açılmış nercis-i bagî değildir. — Abdullah›.

nerd, A. i. Tavla oyunu.

nerdbaz, F. s. [Nerd-baz] Tavla oynayan.

nerdbazî, F. i. Tavla oyunculuğu.

nerdüban, F. i. Merdiven. • ‹Nerdübanlar busiş-i nermin-i dâmânityle mest. — Beyatlı›.

nere, nerre, F. s. 1. Erkek. 2. Dalga.

nergis, F. i. 1. Nergis. 2. Güzelin gözü. • ‹Sakın o nergis-i cadu-fen olmasın Naci — Seni bu mertebe meşhur eden nedir bilmem. — Naci›. • ‹Münevver nergis-i çeşmanı handan-i taravettir. — Fikret›.

nergisdan, F. i. [Nergis-dan] Nergis bahçesi veya saksısı.

nergise, F. i. Nergis şeklinde yapılmış süs.

nergisiyye, A. i. (Bot.) Fransızca'dan amaryllidacées (nergisgiller) karşılığı (XIX. yy.).

nerîm, F. s. Pehlivan, yiğit.

Neriman, F. i. Rüstem'in dedesi Sâm'ın babası.

nerimanî, F. i. s. 1. Pehlivanla ilgili. 2. Pehlivanlık.

nerm, F. s. Yumuşak. • Nerm-dil, yüreği yumuşak, merhametli. • ‹Bister-i nerm üzere hâb-i muftegân sengîn olur. — Ragıp Pş.›. • ‹Mehmet kethüda tekrar kelâm-i nerm sevkine başlayıp. — Naima›.

nermdil, F. s. [Nerm-dil] Yumuşak yürekli. • ‹Huban-i nermdil gibi bilmez muhalefet — Olmuş mülayemetle pesendide huy-i zer. — Nabi›.

nermgû, F. s. [Nerm-gû] Yumuşak sözlü. • ‹Ol dahi yer öpüp nermgûylukla izhar-i bendegî ve istifa ve şermendeği ettikte. — Naima›.

nermî, F. i. Yumuşaklık. • ‹Nermî vü sahtî telâzüm etmeğin vâbestedir — Kârgâh-i câme-duzî penç pâre ahene. — Nabi›.

nermîn, F. i. Yumuşak. • ‹Buseden papuş giydirdim o nermîn pâyına. — Beyatlı›.

nermiyyet, (Türkçede yapılmıştır) Yumuşaklık. • ‹Biraz ateşte nermiyyet verilsin mecvc-i sahbaya. — Beliğ›.

nermrev, F. s. [Nerm-rev] Yavaş yürür, dizgin dinler olan (at).

nermşar, F. s. [Nerm-şar] Yumuşak tabiatlı.

nerre, nere, F. s. 1. Erkek. 2. Dalga. • ‹O nerre şîr-i dilir ü daver-i âlem. — Nef'î›.

nesa, A. i. (Hek.) Kalça kemiğinden ayakların ucuna kadar uzanan bir sinir. • Arak-ün-nesa', siyatik.

nesaic nesayic, A. i. [Nesice ç.] Dokunmuş kumaşlar. • ‹Evrak-i mezkûreyi nesayic-i anakib-i nisyan içinde bulup. — Cevdet Pş.›.

nesaih, nesayih, A. i. [Nasihat ç.] Öğütler. • ‹Şol nesayih ki âb-i zülalden ahlâ ve asfa idi. — Lâmii›.

nesaik, A. i. [Nesike ç.] Tanrı uğruna kesilen kurbanlar.

nesaim, nesâyim, A. i. [Nesim ç.] Hafif ve hoşa gider rüzgârlar. • ‹Ol dahi sahn-i dilkeş ü mevfur-ül-sürurdur ki nesayim sa'terinden ve şemaim-i kiyah-i canperverinden. — Lâmii›.

nesak, A. i. (Sin ve kaf ile) Tarz, üslûp, yol. Nesak-i vahid, bir düzende; yeknesak, biteviye. • ‹Resimdir âşıka gelmek kaşı yaylardan ok — Aşk peyda olalı böyle kurulmuş bu nesak. — Fuzulî».

nesaksaz, *F. s.* [Nesak-saz] Düzen veren. • «Ey nesaksaz-i cihan-i kâinat. — Naci».

nesc, *A. i.* 1. Dokuma, dokunuş. 2. (Bio.) Doku. • *Nesc-i adalî,* kasdoku; *-asabî,* sinir-doku, • *beşere-i muhati,* epitelyum, • *-daimi,* değişmez doku; *-isfencî,* süngerdoku; • *-kavi,* pekdoku; • *-kesif,* pekdoku; • *-muhati,* sümük doku; • *-muin,* destekdoku; • *-rasafî,* kaldırımsı doku; • *-temessül,* özümleme dokusu.

nesci, nesciye, *A. s.* Dokuma ile, doku ile ilgili.

neseb, *A. i.* Soy. Atalar zinciri. • *Meçhul-ün-neseb,* soyu sopu bellisiz. (ç. Ensab). • «Şahinşah-i âli-neseb. — Nef'î».

neseben, *A. zf.* Soyca, soy bakımından.

nesebî, nesebiyye, *A. s.* Soya, kuşağa ait onunla ilgili.

nesebiyyet, *A. i.* Neseb, soy sop güdücülük. • «Hâlâ tarafiyet, hasebiyet, nesebiyet. — Fikret».

nefs, *A. i.* Bir yapıyı temelden yıkma.

nesg, *A. i.* Ağaçlara su yürüme.

nesh, *A. i.* (Hı ile) 1. Hükümsüz bırakma. 2. Bir şeyin aynını çıkarma, kopya etme. 3. Yakut-i Müsta'sami'nin yazdığı yazı usulü. • «Huccet-i afv ü kerem etmez kabul-i fesh ü nesh. — Nabi». • «Ve ol hükm-i cairi kalem-i adl ile nesh edip. — Naima».

nesib, *A. s.* [Neseb'den] Soylu, soydan. Baba tarafından soydan. 2. (Ed.) Kaside başlangıcındaki tasvir kısmı.

nesic, nesice, *A. i.* Dokunmuş şey. (ç. Nesaic).

nesike, *A. i.* 1. Tanrı yoluna kesilen kurban. 2. Altın veya gümüş dökmesi. (ç. Nesaik).

nesim, *A. i.* Hafif ve hoşa gider rüzgâr. • «Esti nesim-i nevbahar açıldı güller subhdem. — Nef'î».

nesimî, *A. s.* Nesim ile, hafif esen rüzgârla ilgili. • *Hava-yi nesimi,* solunuma yarar hava, *atmsphere* karşılığı.

nesis, *A. i.* (Son ile) 1. Aşırı açlık. 2. İnsan nefesi. Ölecek insanın son nefesi.

nesie, nüs'e, *A. i.* Borç. Borca alma veya satma.

nesk, nesak, Bk. • *Nesak.*

nesl, *A. i.* 1. Nesil, kuşak. 2. Soy, döl, döş. (ç. Ensal). • «Biz ol nesl-i kerim-i dü-de-i Osmanıyanız kim. — Kemal».

nesme, *A. i.* (Sin ile) 1. Nefes, ruh. 2. Soluk alıp verme. 3. Rüzgâr hafif esme.

nesnas, *A. i.* 1. Yarısı insan, tek gözlü, tek el ve ayaklı sıçrayarak yürür masal hayvanı. 2. Büyük maymun (goril ve benzerleri) cinsinin adı. • «Âdemi mashara-i nâs eyler — Suret-i nâsta nesnas eyler. — Nabi».

nesr, *A. i.* (Se ile) 1. Yayma, saçma. 2. Manzum olmayan söz. • «Racine'in Esther'ini nesre tahvil ediyordu. — Uşaklıgil».

nesr, *A. i.* (Sin ile) 1. Akbaba kuşu. 2. Kartal. (Ast.) • *Nesr-i tair:* Batıda Kartal takımyıldızı; • *-vakı,* Güneyde Lyr takımyıldızı. (ç. Nüsur). • «Nesr-i tâir-i hâtır-i insani ki. — Sinan Pş.».

nesren, *A. zf.* Nesir olarak. • «Hakikaten şairane ise mevzunen, nesren. — Cenap».

nesrin, *F. i.* Yabani gül, ağustos gülü • «Bazu-yi latif-i şah-i simîn — Gûya ki hamiri berk-i nesrin. — Ş. Galip».

nessab, *A. i.* (Sin ile) [Neseb'den] Ünlü kimselerin soy soplarını araştıran bilgin. (Fransızca'dan *généologiste* karşılığı, ilm-i ensab bilgini).

nessabun, *A. i.* [Nessab ç.] Soy sop araştıran bilginler.

nessac, *A. i.* [Nesc'den] Dokumacı, çulha. • «Filhal zerduzlar ve nessaçlar cem ettirip. — Naima».

nessar, nessare, *A. s.* (Se ile) Saçıcı, dağıtıcı.

nesteren, nesterin, *F. i.* Bk. • *Nesrin.* • «Bir gül eline girmez iken bağ-i ruhünden — Hem nergis ü hem sünbül ü hem nesteren ister. — Ruhi».

nesterinzar, *F. i.* [Nesterin-zar] Güllük. Gül bahçesi. • «Etti ruh-i Hüsn'ü nesterinzar. — Ş. Galip».

Nesturi, nasturi, *A. s. i.* Süryani papazlarından Nastorius'un kurduğu mezhepte olan ve onlarla ilgili.

nesy, *A. i.* Unutma, unutulmuş. • *Nesyen mensiyyen,* büsbütün unutulmuş, hatırdan çıkarılmış. • «Ve bir sene kadar nesyen mensiyen terk olunup ne nemsine bakıldı ve ne hedayası makbule geçti. — Naima».

neşa, *A. i.* Nişasta.

neşaid, neşayid, *A. i.* [Neşide ç.] Neşideler. Ünlü mısra veya beyitler. • «Melâik-i muhabbetin — Neşaid-i nevazişi — İner sımah-i ruhuna. — Cenap».

neşak, A. i. Buruna çekme.

neşat, A. i. Sevinç, keyif. • «İçimde bilmediğim bir neşat-i muhişle — Tevafuk etti kırın hal-i giryeperverdi. — Fikret».

neş'e, A. i. 1. Neşe. 2. Yeniden peydah olma. 2. Keyif, sevinç. 3. Az sarhoşluk. • Neşe-i saniye, • -uhra, ölüm ile ölümden sonra yeniden (mahşerde) dirilme.; • neşe-i ulâ, ruhun bedene girmesi. • «Bir nîm neşe say bu cihanın baharını. — Nedim».

neşedar, F. s. [Neş'e-dar] Keyifli, neşeli. • «Pür humar oldukça çeşmin neşedar oldu gönül. — Halimgiray».

neş'et A. i. 1. Yetişme, meydana gelme. 2. İleri gelme, kaynak olma.

neşeyab, F. s. [Neşe-yab] Neşeli, keyifli. • «Bir kerre neşveyab-i murat olmadan gönül. — Beyatlı».

neşf, A. i. Suyu çekip emme.

neşide, A. i. 1. Ünlü beyit veya mısra. 2. Şiir, gazel, manzume ve benzerleri. (ç. Neşaid) • «Nazım eylerim zevalime ağlar neşideler. — Fikret».

neşideserâ, F. s. [Neşide-sera] Manzum söz söyleyen. • «Bu arz-i pür-mihanin — Oldum üstünde hep neşideserâ. — Cenap».

neşinide, F. i. [Ne-şinide] İşitmemiş olma. İşitmezlikten gelme. «Sem-i diğerden ihraç edip neşinide ve nedaneste muamelesin göstere. — Nergisi».

neşr, A. i. 1. Dağıtma, yayma. 2. Herkese duyurma. 3. Gazeteye yazma, yazdırma. 4. Kitap, gazete bastırıp çıkarma. 5. Kıyamet günü insanların dirilmesi. • «Tavaif-i askeriye vaktiyle gelip, erişmek üzere etraf ü eknafa evamir-i aliyye neşr edip. — Raşit». • «Size ithaf ile neşreyliyorum bunları ben. — Fikret».

neşren, A. zf. Neşir yoluyla. Gazetede yazarak.

neşs, A. i. 1. Karıştırma. 2. Kaynama.

neşşaf, A. s. Bir şeyi kendine çeken.

neşriyyat, A. i. Yayım. • «Neşriyat-i yevmiyenin bir ismi de evrak-i havadis. — Cenap».

neşşal, A. s. Pişmemiş yemeğe saldıran.

neşur, A. s. [Neşr'den] Çok dağıtan.

neşükküfte, F. s. [Ne-şüküfte] Açılmamış (çiçek).

neşv, A. i. Bitki ve canlının bitmesi, büyümesi, büyüme, boy atma. Yeniden peyda olup hayata gelme. • «Her tohum buldu neşv ü nema lîk bulmadı — Tohm-i ümid hâtır-i ümmidvarda.' — Nabi».

neşvan, A. s. Sarhoş.

neşvat, A. i. [Neşvet ç.] Keyifler, sevinçler. • «Galebe-i neşvat-i sülâfe-i meserrat ile. — Nergisi».

neşve A i. 1. Sevinç. 2. Hafif sarhoşluk. • «Maye-i feyz-i hayat-i ebedî neşve-i mey. — Nef'i».

neşvebahş, F. s. [Neşve-bahş] Keyif veren. Neşelendiren. • «Bu iğbirar-i latifin sirayetiyle gönül — Neler tahattur eder nesvebahs ü giryefeza. — Fikret».

neşvebâhşâ, F. s. [Neşve-bahşâ] Neşelendirici. Neşe verici. • «Olmasın mı gülsitan-i neşvebahşâ gark-i nur. — Cenap».

neşvecuy, F. s. [Neşve-cuy] Hafif keyif düşkünü. Neşe arayan. • «On sekiz yaşının ihtiyaç-i neşvecuy-i baharıyle sever. — Uşaklıgil».

neşvedar, F. s. [Neşve-dar] Keyifli. (ç. Neşvedaran). • «Binlerce hâtırat ki mağmum ü neşvedar. — Fikret».

neşvegâh, F. i. [Neşve-gâh] Neşe, keyif yeri. • «Ehl-i aşkın neşvegâhı kûşe-i meyhanedir».

neşvemend, F. s. [Neşve-mend] Neşveli, keyif halinde olan. (ç. Neşvemendan).

neşverüba, F. s. [Neşve-rüba] Neşe verici. Neşe çekici. • «Bezm-i meydan olur erbab-i heves neşverüba. — Nabi».

nesvet, A. i. Keyif, sevinç, sarhoşluk.

neşveyab, F. s. [Neşve-yab] Neşvelendiren. Sevindiren. • «Ey bade-i hevesten olan neşveyab-i aşk — Serkûçe-i ümitte mest-i harab-i aşk. — Naili». • «Aşıkı zevk-i cemalin neşveyab etmektedir. — Cenap».

netac, A. i. Hayvan kendi kendine doğurma.

netaic, netayic, A. i. [Netice ç.] Neticeler, sonuçlar. • «Sen bende gör netayic-i müstakbeli müdam. — Cenap».

netice, A. i. 1. Sonuç. 2. Öz, özet. 3. Yemiş. 4. Son.

neticepezir, F. s. [Netice-pezir] Sonuçlanmış. Son bulmuş. • «Doğancı Ali Paşa bihad toplar atıp netice pezir olmadı. — Naima».

netn. *A. i.* Fena kokma, Kokma, çürüme,

neuzübillah, *A. cüm.* • «Tanrıya sığındık» anlamınadır. • «Düştü yola Zeyd'e oldu hemrah — Bir hal ile kim neuzübillah. — Fuzulî».

nev', *A. i.* 1. Çeşit, türlü, 2. Cins. 3. Sınıf. • «Bilirsin ki bütün kavgalarımızla beraber biz yine dostuz, bir nevi kardeşiz. — Uşaklıgil».

nev, *F. s.* 1. Yeni. 2. Son zamanlarda çıkmış. 3. Taze, körpe. • «Geçti sandım mah-i nev ayine-i billûrdan. — Beyatlı».

neva, *F. i.* 1. Ses. Ahenk. 3. Azık. geçinecek şey. 4. Nasip. 5. (Müz.) Bir makam. • *Bineva,* aç susuz. • «Ey yâr-i nağmekâr, sakın kesme nevanı — Vur, kopsa da mızrabın ile târ-i hayatım. — Fikret».

neva, *A. i.* Çekirdek. • «Bir nevadan bir dıraht-i bârver eyler zuhur — Hâk eder teksir devr-i çarh taklil ettiğin. — Nabi».

nevabâd, *F. s.* [Nev-âbüd] Yeni şenlenmiş, yeni bayındırlanmış.

nevabız, *A. i.* [Nabıza ç.] Nabız damarları.

nevabih, *A. i.* (Hı ile) [Nabihe ç.] 1. Söz bilir kimseler. 2. Azametli, kibirli insanlar.

nevabik *A. i.* [Nabik ç.] Yüksek yerler.

nevabit, *A. i.* [Nabite ç.] Bitkiler.

nevaciz, *A. i.* [Naciz ç.] Azıdişleri.

nevadi, *A. i.* [Nadi ç.] Meclisler, toplantılar.

nevadir, *A. i.* [Nadire ç.] Az bulunan şeyler. • «Bu kadar kere yüz bin altın ve cevahir nevadir ile sağ ve salim gemilere koyup. — Naima».

nevadirat, *A. i.* [Nevadir ç.] 1. Az bulunur şeyler. 2. Değeri büyük nesneler. • «Mustayıbata dair nice nevadıratı. — Abdullah».

nevafil, *A. i.* [Nafile ç.] Farz ile vacip olandan başka yapılan ibadetler. • «Nevafil-i ibadâttan efdal maslahat nidüğün. — Nergisi».

nevafis, *A. i.* [Nefesa ç.] Loğosalar.

nevafiz, *A. i.* [Nafize ç.] Nüfuz edici nesneler.

nevager, *F. s.* [Neva-ger] Şarkı söyleyen.

nevah, *A. i.* (Ha ile) Ölüm üzerine ağlama.

nevahi, *A. i.* (Ha ile) [Nahiye ç.] 1. Yanlar, taraflar. 2. Bucaklar.

nevahi, *A. i.* [Nehy'den] Yasak şeyler. *Evamir ü nevahi,* buyruklar ve yasaklar. • «İtaat-i evamir ü nevahi ve şükr-i namütenahisi berekâtiyle. — Raşit».

nevaht, *F. i.* (Hı ve te ile) 1. Okşama. 2. Saz çalma. • «İki adet bakire-i râna meclis-i hümayunlarına ihzar edip bir miktar saz nevaht ettirdi. — Peçoylu».

nevahta, *F. s.* 1. Okşanmış. 2. Saz çalmış.

nevai, *F. s.* Makam ve ahenk ile, nasip ile ilgili. 2. (Ö. İ.) Alişir'in lakabı.

nevaib, *A. i.* [Naibe ç.] Belâlar, kazalar. musibetler. • *Nevaib-i eyyam,* günlerin musibetleri. • «Heyhat ben nevaib-i eyyamı inlerim. — Fikret».

nevaih, *A. i.* [Naihe ç.] Ölü için ağlayan ücretli kadınlar.

nevair, *A. i.* [Naire ç.] Ateşler, alevler. • «Bir derece tehyic-i nevairi hamiyet-i cahiliye ettiler ki. — Şefikname».

nevakıs, *A. i.* (Sat ile) [Noksan ç.] Eksikler. *İkmal-i nevakıs,* eksikleri tamamlama. • «Nevakıs-i hayali gözlerinin, hulyasının ianesiyle ikmal ederek. — Uşaklıgil».

nevakis, *A. i.* (Sin ile) [Nakus ç.] Çanlar. • «Gülbank-i tevhid ü takdis bedel-i asvat-i nevakîs oldu. — Sadettin».

neval, *A. i.* 1. Talih, kısmet. 2. Bahşiş, bağış. • *Deryaneval,* bağışı deniz gibi çok olan. • «Cibril nevaline haberci — Mikâil onun vekilharcı. — Ş. Galip». • «Haber-i irtihalleri reside-i padişah-i deryaneval olup. — Raşit».

nevale, *A. i.* 1. Vergi, bağış. 2. Nasib, kısmet. 3. Yiyecek içecek. • «Mader vererek sana nevale — Pehlûsunu etmiyor mu bâlis? — Naci».

nevaleçin, *F. s.* [Nevale-çin] Kısmetini alan, yiyecek toplayan.

nevemed, nevamede, *F. s.* [Nev-amed] Yeni gelmiş. Yeni yetme. • «Dahi nevamededir tıfl-i nazm ey Nabi — Acep mi hameden eylerse merkeb-i çupîn. — Nabi».

nevami, *A. i.* [Namiye ç.] Bitkiler.

nevamis, *A. i.* [Namus ç.] Kanunlar, şeriatler.

nevamuz, *F. s.* [Nev-amuz] Yeni alışan. Acemi. • «Nice uçmağa gönül kadir olur kûyundan — Rişte-i kâkülü ol murg-i nevamuzdadır. — Ruhi».

nev'an, *A. zf.* 1. Çeşit bakımından, cinsce. 2. Biraz. • «Vükelâ-yi devlete nev'-an istirahat vakti olmağın. — Naima».

• ‹Surette nev'an Abaza'ya müşabih bir şahs-i meçhul Abaza Paşa dâvasına düşmeğin. — Naima›.

nevanev, F. s. zf. [Nev-a-nev] Yeni yeni, • ‹Çaldıkça doğar gönlüme eş'ar-i nevanev. — Fikret›.

nevarus, F. i. [Nev-arus] Yeni gelin. (ç. Nevarusan). • ‹Temaşa-yi cemal-i nevarus-i rahat istersen — Var ol dide-i irfanına kûhl-i müdara çek. — Nabi›.

nevasaz, F. s. i. Çalgıcı. Okuyucu.

nevası, A. i. [Nasıye ç.] 1. Alınlar. 2. Bir topluluğun ileri gelenleri. Ulular.

nevat, A. i. Çekirdek.

nevatıh, A. i. (Tı ile) [Natıh ç.] Belâlar, sıkıntılar.

nevati, A. i. (Te ile) [Nuti ç.] Gemiciler.

nevatic, A. i. [Natic ç.] Çok yavru doğuranlar.

nevatir, A. i. [Natur, natır ç.] 1. Natırlar, hamam hademeleri. 2. Bostan bekçileri.

nevaverd, F. s. [Nev-âverd] 1. Yeni çıkma. 2. Meydana yeni gelme.

nevayende, F. s. [Nev-ayende] Yeni gelmiş olan. (ç. Nevayendegân).

nevâyîn, F. s. [Nev-âyin] 1. Yeni üslup 2. Yeni üslup çıkaran. • ‹Dilber deheninden bu nevâyin gazel olsun — Nabi yine yârına hediye suhanimden. — Nabi›. • ‹Olmak ister yine bir tavr-i nevâyin üzre — Vasf-i paşa-yi Feridun haşeme tarh-efken. — Nedim›.

-nevaz, -nüvaz, F. s. • «Okşayan, okşayıcı». anlamıyle kelimelere ulanır.

- • bendenevaz
- • dilnevaz
- • garibnevaz
- • hatırnevaz
- • mihmannevaz
- • ruhnevaz.

nevazende, nüvazende, F. s. Okşayan, okşayıcı. • ‹Ahali nevazende-i mühman — Gelip hizmetim etti pîr ü civan. — İzzet Molla›.

-nevazi, F. i. Okşama. ‹nevaz› ile yapılı kelimeleri isimleştirir; • bendenevazi, dilnevazi, bendeye iltifat edicilik; gönül okşayıcılık.

nevazır, A. i. (Zı ile) [Nazıra ç.] Gözler.

nevazil, A. i. (Ze ile) [Nazile ç.] 1. Olaylar. Belâlar. 2. Nezleler.

nevaziş, nüvaziş, F. i. Okşama. İltifat etme. Gönül alma. • ‹Birkaç acı cevap verip badehu nevaziş eyledi. — Naima›.

nevazisger, F. s. [Nevaziş-ger] Okşayıcı.

nevazişkâr, F. s. Okşayan, iltifat eden. Gönül alan. • ‹Nevazişkâr temaslariyle

inşirah yeren serinlikler duyarak değil. — Uşaklıgil›.

nevazişkârane, F. zf. Okşayarak, iltifat ederek, gönül alarak.

nevbade, F. i. [Nev-bâde] Yeni şarap.

nevbahar, F. i. İlkbahar. • ‹Leyl içinde ah ederken nevbaharın bülbülü. — Beyatlı›.

nevbahari, F. s. İlkbaharla ilgili. • ‹Arar biçare kuşlar bir melâz-i nevbahariyi. — Fikret›.

nevbare, nevbave, F. i. 1. Turfanda yemiş. 2. Yeni yeşillik. • ‹Bu subh-i taze, şu nevbave zühre-i dilber — Şu yavru kuş, bu nihal-i zarif-i nevpeyda. — Fikret›.

nevbenev, F. s. Yeniden yeniye. Tazeden tazeye. • ‹Namükerrer satılır çarşu-yi âlemde — Nevbenev emtia-i kârgeh-i sun'âbad. — Nabi›.

nevber, F. i. 1. Yeni yemiş. 2. Memeleri yeni gelişen kız.

nevbet, nüvbet, Bk. • Növbet.

nevbünvan, F. s. [Nev-bunyan] Yeni yapılmış. • ‹Yenihan demekle maruf olan kasaba-i nevbunyana nüzul olundu. — Naima›.

nevbüride, F. s. [Nev-büride] Yeni kesilmiş, yeni koparılmış. • ‹Bakûre-i hadayık-i fevz ü nusret olan kelle-i nevbüride-i eşrar ile. — Ragıp Pş.›.

nevcah, F. s. [Nev-cah] Tahta yeni oturmuş. • ‹Bir arz günü padişah-i nevcâh. — Naima›.

nevcivan, nevcüvan, F. i. [Nev-civan] 1. Taze, genç. 2. Delikanlı. • ‹Nevcivanlık âlemin ta kim ketirsin yadına — Dahi pek pir olmadan bir nencivam lâzım sana. — Nedim›.

nevcivanî, F. i. Delikanlılık. Taze. • ‹Binlerce sene geçse taravet-i nevcivanisine zeval erişmez. — Kemal›.

nevdemide, F. s. Yeni açılmış. • ‹Zeyn eyledi benefse gibi bag-ı ârızın — Aşk ehline hatın çemen-i nevdemidedir. — Baki›. • ‹Döndü görünce nakş-i hat-i nevdemideni — Şehbaz-i nakşdideye kalb-i remideler. — Nabi›.

nevdevlet, F. s. [Nev-devlet] Yeni görmüş. Büyüklüğü sindirememiş. (ç. Nevdevletan). • ‹Nevdevlet-i enama feyyaz-i mutlak erbab-i kâmı muhtaç eylemeye. — Salim›. • ‹Bunlar dahi şime-i nevdevletan üzre halka kahr ü tânif muamelesin edip. — Naima›.

neveda, F. s. [Nev-eda] Yeni tarz. Yeni eda. • ‹Başlıca hassası yeniliği, mümkün olabildiği kadar nevedalığıdır. — Uşaklıgil›.

-neverd, F. s. • ‹Dönen, dolaşan, gezen› anlamlarıyle kelimelere katılır. • Rehneverd.

nevfel, A. i. Deniz.

nevfet, A. i. Ustalık, meharet.

nevh, A. i. 1. Ölü üzerine ağlama, sağu sağma. 2. Güvercin makamla ötme.

nevha, A. i. (Ha ile) Ölüye sesle ağlama. • ‹Soğuk, soğuk... acı bir nevha-i teşekkisi — Yolunda kalb-i hayatın, gelir enin-i riyah. — Fikret›.

nevhagâh, nevhageh, F. i. Ağlama yeri.

nevhager, F. s. [Nevha-ger] Ölü ağlayıcı. (ç. Nevhageran).

nevhat, A. i. [Nevha ç.] Ölüye ağlamalar. Sağular. • ‹Havanın içine serpilen son nevahat-i elem henüz son nefes-i ihtizarını vermeden. — Uşaklıgil›.

nevhayat, F. s. [Nev-hayat] Yeni canlanan. Hayata yeni atılan. • ‹Nevhayat kalemlerden bôşanan zekâ-yi hassas. — Cenap›.

nevhat, F. s. [Nev-hatt] Sakal başı yeni çıkmaya başlamış (genç). • ‹Meğer ki sine-i uşşakı taze nevhatlar — Duhan-i ah ile eyler benefşezar-i ümid. — Nailî›. • ‹Ettiler nevhat civanlar arz-i hat tıfl-i dile. — Naci›.

nevheves, F. s. [Nev-heves] 1. Bir işe yeni başlayan. 2. Sık sık iş değiştiren, maymun iştahlı (ç. Nevhevesan). • ‹Birkaç nevheves üç beş kelime Fransızca öğrenmekle. — Kemal› • ‹Gâh ruhsara geh zülfe bakar nevhevesan — Ehl-i tahkikat göre leyl ü nehar ikisi bir. — Halimgiray›.

nevhevesane, F. zf. Yeni heveslilere yakışır yolda. • ‹Bir israf-i nechevesane ile doldurduğu kütüphaneler. — Uşaklıgil›.

nevhiz, F. s. [Nev-hîz] 1. Genç. 2. Yeni yetişmiş, yeni çıkmış. • ‹Teşrifin ümidiyle senin ey gül-i nevhîz — Hamyaze-i hasret dökülür revezenimizden. — Nabi›.

nevi', A. i. Bk. Nev'.

nev'î, nev'iyye, A. s. [Nev'den] Tür ile il ilgili. Neve ait. • ‹Her hayvan nev'i ve teşrihî vasıfları itibariyle birtakım emnuzeçlere ayrırlar. — Gökalp›.

nevid, nüvid, Bk. • Nüvid.

nevin, F. s. Yeni.

nevk, F. i. Sivri uc. • ‹Ser-i zülfünde dil bad-i sabadan ihtiraz eyler — Meğer mecruh-i nevk-i hancer-i hunriz-i müjgândır. — Nailî›.

nevkâr, F. s. [Nev-kâr] Yeni işe başlamış. Acemi. (ç. Nevkâran).

nevküşade, F. s. [Nev-küşade] Yeni açılmış. ‹Bir zemzeme-i sekr-averin kanatlarıyle nevküşade bir ufk-i münevvere götüren. — Uşaklıgil›.

nevl, A. i. Navlun. Vapur parası.

nevm, A. i. 1. Uyku, 2. Rüya. • Beyn-en-nevm vel yakaza, uyku ile uyanıklık arası. • ‹Taayyün eyleyemez nevm içinde reng-i hayat. — Fikret›.

nevmî, A. s. Uyku ile ilgili.

nevmid, F. s. [Na-ümid'den] Ümitsiz, meyus. • ‹Diye ben aşkı itham ederek, hem nevmid — Bir verem hastası halinde müselsel ve medid. Fikret›.

nevmidane, F. zf. Ümitsizce. • ‹Nazar-i nevmidanesi bunu görüp de. — Recaizade›.

nevmidî, F. i. Ümitsizlik. • ‹İnkiraz-i hayatının bütün kuvve-i nevmidisiyle. — Uşaklıgil›.

nevnihal, F. i. [Nev-nihal] Taze fidan. (ç. Nevnihalân). • ‹Bende müstağni tabiat nevnihalim sayedar. — Naci›.

nevniyaz, F. s. [Nev-niyaz] 1. İşe yeni başlayan. 2. Yeni meşk alan.

nevpeyda, F. s. [Nev-peyda] Yeni çıkma. • ‹Bakmaz oldun âşıka bu cevr-i nevpeyda nedir. — Ruhi›.

nevrah, F. s. [Nev-rah] Yeni yolcu. Yeni yol. • ‹Merd ana denir ki aça nevrah — Erbab-i vukufu ede agâh. — Ş. Galip›.

nevres, F. s. [Nev-res] Yeni yetişen, yeni biten. . • ‹Almıştır olan aklımızı bir büt-i nevres. — Nef'î›.

nevresid, F. s. [Nev-resid] Yeni yetişme. Yeni yetişmiş. • ‹Geldi cihana nagehan bir aftab-i nevresid. — Nedim›.

nevreside, F. s. [Nev-reside] Yeni yetişmiş, yeni olgunlaşmaya başlamış. (ç. Nevresidegân). • ‹Ağyara verse o büt-i neyreside yüz. — Ruhi›.

nevresm, F. s. [Nev-resm] Yeni çıkma. Yeni moda. • ‹Şimdi yapılan âlem-i nevresm-i safanın — Evsafı hele başka kitap olsa sezadır. — Nedim›.

nevreste, *F. s.* [Nev-reste] Yeni bitmiş, yeni hâsıl olmuş. (ç. Nevrestegân) • ‹Nevreste bir çoban kızı bir muzlim ormanın — Dâman-i sayedarına düşmüştü bimecal. — Cenap›.

nevruz, *F. i.* [Nev-ruz] Güneşin Kuzu (koç) burcuna girdiği gün; ilkbahar başlangıcı ve Celâli takvimine göre yılbaşı. • ‹Bağladı nevruzda bülbül bir üstadane nakş. — Baki›.

nevruziyye, *A. i.* Nevruz günü için hazırlanan macun, o gün için hazırlanan kaside.

nevrüste, *F. s.* [Nev-rüste] Yeni yetişme. • Bana dil uzatır ey gonce-i nevrüste her bir hâl — Varıp seyran edersem sensiz ben sahn-i gülistanı. — Hayali›.

nevsale, *F. s.* [Nev-sale] Genç. Taze. Küçük. • ‹Etti bir mâsum-i nevsale vefat. — Şinasi›.

nevşah, *F. i.* [Nev-şah] 1. Yeni dal. 2. Yeni bitmiş geyik boynuzu.

nevşüküfte, *F. s.* [Nev-şüküfte] Yeni açılmış. • ‹Nevşüküfte gonce-i dil aşiyanımdır benim. — Nef'î›.

nevtarz, *A. s.* [Nev-tarz] Yeni sistem, yeni tarz. • ‹Nakş-i nevtarzı verir dideye nur — Tarhı eyler dili lebriz-i sürur. — Nabi›.

nevtî, *A. i.* Birbirinin yerine vekil olarak iş gören.

nevvah, *A. s.* [Nevh'tan] 1. Ağlayan, çığlık koparan. 2. Para ile tutulmuş ölü ağlayıcısı. (ç. Nevvahan). • ‹Giryan olup oldu Nuh-i nevvah — Derya-yi melâhatinde mellâh. — Ş. Galip›.

nevzad, *F. s.* [Nev-zad] Yeni doğmuş.

nevzemin, *F. s.* [Nev-zemin] Yeni tarz.

nevzuhur, *F. s.* [Nev-zuhur] Yeni çıkma. (ç. Nevzuhuran). • ‹Nevzuhur beylerimize dair yazdığımız fıkra. — Kemal›. • ‹Ben yadigar-i köhne, sen ümmid-i nevzuhur. — Cenap›.

ney. nay, Bk. *Nay.* • ‹Sohbetleri ney gibi hep efgan. — Ş. Galip›.

nev', *A. s.* Çiğ Pişmemiş.

neyistan, *F. i.* [Ney-stan] Kamışlık. Sazlık. • ‹Feyz neşr etse misal-i musikar — Nağmeperdaz ede neyistanı. — Fehim›.

neyl, *A. i.* Merama erme. İsteğe ulaşma. • ‹Bu vacib-ül-katlin ilkasın kendülere sebeb-i igtina-i emval ve neyl-i muradat tasavvur etmekle. — Naima›.

neypâre, *F. i.* [Ney-pâre] Kamış parçası. ‹Kalem› i nitelemekte çok kullanılır :

• *Neypâre-i hame, neypâre-i kalem.* • ‹Neypâre-i kalem inkisar-i derun ile demlenip. — Akif Pş.›.

neyrenc, *A. i.* Bk. • *Nirenc.*

neyşeker, *F. i.* [Ney-şeker] Şeker kamışı. • ‹Ney şeker vasf-i lebin yazdığım işitti meğer. — Baki›.

neyir, neyyire, *A. s.* [Nur'dan] 1. Nurlu, parlak. 2. Işıklı cisim. Cisimlenmiş nur. *Neyyir-i âzam,* güneş; *-asgar,* ay. • ‹Neyyir-i ümidin üzerine. — Uşaklıgil›.

neyyireyn, *A. i.* (Cisimlenmiş iki nur) Güneş ile ay.

neyzar, *F. i.* [Ney-zar] Kamışlık, sazlık.

neyzan, neyzen, *F. i.* Ney çalan kimse. • ‹Neyzen-i kec nigehî dinleme bülbül var iken. — Nabi›.

nez', *A. i.* 1. Çekilip koparma. 2. Can çekişme. *Halet-i nez'*, can çekişme. • ‹Bir namütenahiliğe olmuş gibi malik — Bir saniye bir nez-i müzehheble geçirdik. — Cenap›.

nezafet, *A. i.* (Zı ile) Temizlik, paklık (maddî şeylerde) *En-nezafetü min-el iman,* temizlik imandan gelir. • Daima bir hava-yi nezafetle insana işteha veren bir yerdi. — Uşaklıgil›.

nezafetperver, *F. s.* Temizliğe düşkün.

nezafetperverane, *F. s.* Temizliğe düşkün kimseye yakışır yolda. • ‹Bir takayyüd-i nezafetperverane ile. — Uşaklıgil›.

nezahet, *A. i.* (Ze ve he ile) Temizlik, paklık (manevî şeylerde). • ‹Şa'şaa-i saffetiyle, nezahet-i bikrinin masumiyet-i ebyaziyetiyle örtecek bir zanbak. — Uşaklıgil›.

nezahatperver, *F. s.* Nezahat sever.

nezaket, *A. i.* 1. Naziklik. 2. Zariflik. İncelik. 3. Terbiye, edep. 4. Önem. Dikkat edilmek gerek.

nezalet, *A. i.* (Zel ile) 1. Cimrilik. 2. Mayası kötü olma.

nezare, *A. i.* (Zı ile) 1. Bakma, seyir. • ‹Yeter artık nezaremiz güzelim. — Cenap›.

nezaret, nedaret, *A. i.* (Dat ile) Tazelik. Letafet, parlaklık.

nezaret, *A. i.* (Zı ile) [Nazar'dan] 1. Bakma, bakış. 2. Gözetme, gözden geçirme. 3. İdare. Başkanlık. 4. Devlet idare makanizmasından her birinin en büyük dairesi. Bakanlık. • ‹Cemali hass idi hattiyle vakf edip Nabi — Verildi anber ağa destine nezaret-i hüsn. — Nabi».

nezaret, *A. i. (Zel* ile) Korkutup günahtan alıkoymak için söylenen söz.

nezd, *F. zf.* 1. Yan. 2. Göre. Fikrince. • «Valide hanımefendi nezdinde vesatetini rica ederek. — Uşaklıgil».

nezdîk, *F. zf.* Yakın. • «Ol kadar nezdik idi bahre nişimengâhı ki. — Recaizade». • «Mevsim-i şita nezdik olup. — Sadettin».

nezf, *A. i.* Kan gitme. Kanama.

nezfî, nezfiyye, *A. s.* Kanamakla ilgili.

nezh, *A. i.* Temizlik, sâflık. Hiç bir kötü şeyi olmama.

nezîf, *A. s.* [Nezf'ten] Kanı çok aktığından kuvvetsiz kalan.

nezîl, *A. s. (Zel* ile) Hasis, alçak, kötü mayalı.

nezîl, *A. s. (Ze* ile) 1. Misafir. 2. Yabancı.

nezih, nezihe, *A. s.* Temiz, pak. • «Öyle nezih ve mücellâ bir ufk-i hayal açıyordu ki. — Uşaklıgil».

nezir, nezîre, *A. s. (Zel* ile) [Nezr'den] Bir iş için gözdağı vererek çok korkutan.

nezir, nezr, *A. i.* Adamak. (ç. Nüzur, nüzür).

nezire, *A. i.* Nezir edilmiş şey. Adak.

nezle, *A. i.* 1. Burnun akmasına yol açan hastalık. 2. Vücudun her hangi bir noktasında olan akıntı. (ç. Nevazil). • «Bir nezle-i harre arıziyle. — Raşit».

nezr, *A. i.* Adama. (ç. Nüzur). • «Anda nezrle ye nezrsiz kaldığı muhalefet suretinde çıkıp gitmeden yahut kılmayıp oturmadan yeydir eğer teakkul ederse. — Kâtip Çelebi» • «Yemin edip, kılıcım kabzesine nezrettim — Bulup Nedim-i iki buse eyleyim isar. — Nedim».

nezzam, *A. i. s.* [Nizam'dan] Nizma veren, düzenleyen.

nezzare, *A i.* Seyirci. Bir şeye bakan. • «Misal-i nur-i nezzarı gözümden nihan oldu. — Nedim».

nıkmet, Bk. • *Nakmet.*

nıkris, *A. i.* El ve ayak parmakları ağrısı, şiş. *Agarie.* • «Mihalıççık'a vardıkta nikris marazı sebebiyle gidemeyip. — Naima».

nısab, nisab, Bk. *Nisab.*

nısf, *A. i. (Sat* ile) Yarım, yarı. • «Belki geceler nıfs-ul-leyle dek mahremane sohbetler ederlerdi. — Naima». • «Nufs-ulleyli iki saat kadar geçmiş mi idi? — Cenap».

nısfiyye, *A. i.* Yarımlık ney, kısa ney.

nışfiyyet, *A. i.* Yarımlık. Yarı yarıya bölme.

nışadır, *A. i.* Bk. *Nişadır.*

nışasta, *A. i. (Sin* ile) Nişasta.

nial, *A. i. (Ayın* ile) [Na'l ç.] 1. Ayakkabılar, papuçlar. 2. Hayvanların ayağına mıhlanah demirler, nallar, takavlar. • *Saff-i nial,* pabuçluk, en geri, en aşağı yer. • «Sensin ol zişan ki eyler suffa-i ikbalde — Bezminin saff-i nialin arzu baht-i bülend. — Ruhi».

niam, *A. i. (Ayın* ile) [Nimet ç.] Nimetler. *Veliy-ün-niam,* nimetler veren. • «Hân-i âfaka keşide niam-i Hak Nabi — Sen dahi eyle tenavül yürü bir yandan. — Nabi».

nibah, nebah, *A. i. (Hı* ile) Köpek havlaması.

nibal, *A. i.* [Nebl ç.] Oklar. • «Uzun nibal ve nevekiye kullanıp ok ve seyften gayrı silâh bilmezler. — Naima».

nicad, *A. i.* 1. Kılıç bağı. 2. Hamayıl, çapraz asılı şey. • *Tevil-ün-nicad,* uzun boylu adam.

nicar, nücar, *A. s.* Asıl, kök. Kaynak.

nicaret, *A. i.* Dülgerlik, marangozluk.

nida', *A. i.* 1. Çağırma, seslenme. Ses verme. 2. (Gra.) Ünlem. • «Bihter bir nidâ-yı hayreti zaptedemedi. — Uşaklıgil».

nidd, *A. i.* Benzer, eş, aynı.

nifak, *A. i.* 1. Müslüman görünüp de kâfir olma. 2. İki yüzlülük. 3. Bozuşukluk. • «Hünerdir Nabiya ebna-yi asrın itikadında — Riyaz-i ülfete çirkâbe efşan-i nifak olmak. — Nabi». • «Akla muvafık mı ki olsun nifak — Hâkim-i âfak dururken vifak. — Naci».

nifas, *A. i. (Sin* ile) Loğusalık.

nifasî, *A. s.* Loğusalığa ait, loğusalıkla ilgili.

nig, nik, *F. s.* İyi. Hoş. Bk. • *Nik.*

nigâh, nigeh, *F. i.* Bakış. Bakma. • *Âhunigâh,* ahu bakışlı. • «Safha-i şi'rime ibzal-i nigâh eyler iken. — Fikret».

nigâhban, nigehban, Bk. • *Nigehban.* • «Görürse çeşm-i tegafül nigâhbanlardan. — Nabi».

nigâhdar, nigehdar, *F. s.* [Nigâh-dar] Gözcü, bekçi. Koruyucu.

nigâr, *F. i.* 1. Resim. 2. (Resim gibi) güzel sevgili. 3. *(s.)* «Resmi yapılmış, resmedilmiş» anlamıyle kelimeye ulanır: • *Hatırnigâr,* hatırda resmolunmuş gibi yerleşen. • «Nigârım dilberim yâ-

rim nedimim munisimi' canım — Refı-
kım, hemdemim ömrüm revanım der-
de dermanım. — Nesimî» • «Her biri-
si bir nigâra vurgun. — Ş. Galip». •
Semavat ü cemadat ü 'hayaletler nigâ-
rımdır. — Cenap».

nigârende, *F. s.* Ressam. • «Nigârende-i
ibret-medar bu kıssa-i pür hisseden. —
Sadettin».

nigârendename, *F. i.* [Nigârende-name]
Resim albümü.

nigârin, *F. i.* Resim gibi güzel sevgili.

nigârhane, *F. i.* [Nigâr-hane] 1. Resim
ve heykeller bulunan yer. 2. Puthane.
3. Güzeli çok yer, güzellerin toplanma
yeri. • «Nigârhane-i İran'a zeyn olan
huban. — Beyatlı».

nigâristan, *F. i.* [Nigâr-sitan] 1. Resim ve
heykeller dolu bulunan yer. 2. Putha-
ne. 3. Güzellerin çok bulunduğu yer,
onların toplantı yeri. • «Yazdı nak-
kaş-i Kaza levh-i nigâristana nakş. —
Baki». • «Musavver bir nigâristana
benzer safha-i ruyun — Ruhünde hat
ü hâlin nakş-i günagûndür cânâ. —
Halimgiray».

nigâriş, *F. i.* Resim yapma.

nigâşte, *F. s.* Resmolunmuş. • «Beyti sa-
haif-i kulûbda nigâşte ve yemin ü ye-
sarda dua kefleri berdaşte olmuş idi. —
Sadettin».

nigeh, nigâh, *F. i.* Bakış, bakma. • «Ni-
geh-i tegafülünün dilrübude hayranı.
— Naili».

nigehban, *F. i.* [Nigeh-ban] Bekçi, gözcü.
• «Firak-i zülf-i sıyahınla olalı menus
— Nigehbanlık ederler leyale didele-
rim. — Halimgiray».

nigehbani, *F. i.* Bekçilik. • «Sofiye sehl
olurdu nigehbanî-i nefs — Noksanı zâ-
hir olmasa her bir şümarde. — Nabi».

nigehdar, nigâhdar, *F. i. s.* [Nigeh-dar]
Koruyan, gözleyici.

nigehendaz, *F. s.* [Nigeh-endaz] Bakan,
bakıcı.

nigehfüruz, *F. s.* [Nigeh-füruz] Bakışı göz
nurlandırıcı olan. • «Nigehfüruz idi
envar-i ilâlereng-i şafak. — Fikret».

nigehnevaz, *F. s.* [Nigeh-nevaz] Göz ok-
şayan. Güzel görünüşlü. • «Yanakla-
rından bir intizam-i nigehnevaz ile
inen sakalıyle. — Uşaklıgil».

nigeran, *F. s.* Bakan. Bakıcı. • «Refikımın
yüzüne öyle kalmışım nigeran. — Fik-
ret».

nigin, *F. i.* 1. Mühür. 2. Mühüryüzük. •
«Âlem el üzre gezdirir anı nigin-veş —
Her kim ki iyilik ile cihanda çıkarsa
ad. — Beliğ». • «Fass-i nigîn-i sadr
idim. — Sami Pş.».

nigû, nikû, *F. s.* Güzel, iyi. • «Varsa aklın
bunun gibi bezl et — Terk-i nam-i ni-
gûya mechudun. — Recaizade».

nigûhuş, *F. i.* Çekistirme, yerme. • «Halk-i
âlem sebep olan Yusuf Paşaya ta'n ü
teşni ile nigûhiş eylediler. — Naima».

nigûn, *F. s.* 1. Tersine dönmüş, baş aşağı.
2. Ters, aksi, uğursuz. • «Çok görmü-
şüz nigûnluğun endek zamanede —
Zu'munca câh ü rütbeler ihraz eden-
lerin. — Nabi».

nigûnsar, *F. s.* [Nigûn-sâr] Başı aşağı. •
«Zikr olunan sancakları ve başları ge-
tirip paytahtta nigûnsar eylediler. —
Naima».

-nih, *F. s.* (He ile) • «Koyan» anlamıyle
kelimeye ulanır. *Kadem-nih,* ayak ko-
yan, hasan.

nihab, *A. i.* [Nehb. ç.] Yağmalar, çapullar.

nihad, *F. i.* 1. Tabiat, huy. 2. Yaradılış
• «Olmazdı ittihat nihad-i vücudda —
Serrişte-i mizac müstahkem olmasa. —
Nabi».

nihade, *F. s.* Koymuş, komuş, Konmuş,
konulmuş. • *Fürunihade,* aşağı indiril-
miş, çıkarılmış; • *kademnihalde,* ayak
komuş, ayak basmış. • «Zanularını ey-
lemiş nihade — Teshil-i rıda için zemi-
ne. — Naci». • «Cenab-i Hakkın eder
itiraz dâdesine — Açan dehan-i tama'
rızk-i nanihadesine. — Nabi».

nihaf, *A. i.* (Ha ile) [Nahif ç.] Zayıflar,
arıklar.

nihaî nihaiyye, *A. s.* (He ile) Sonla ilgili,
en sonuncu.

nihal, *F. i.* (He ile) Fidan. Taze sürgün.
• *Nevnihal,* taze fidan. (ç. Nihalân). •
«Son gonce-i sevdasını dökmüştü nıha-
lân. — Fikret». • «Nihal-i gülde eğer
aşıyanemiz var ise. — Nabi».

nihal, *F. i.* (Ha ile) [Nihle ç.] Din şube-
leri; mezhepler.

nihalistan, *F. i.* (He ile) [Nihal-stan] Fi-
danlık.

nihale, *A. i.* 1. Fidan. 2. Avcı korkuluğu.
3. Döşeme. Döşenecek şey.

nihali, *F. i.* Sofrada sahan altına konan
şey.

nihan, *F. s.* 1. Gizli. Saklı, 2. Bulunmayan.
Görülmeyen. 3. (i.) Sır. • «Sattıkları

hep meta-i candır — Aldıkları suziş-i nihandır. — Ş. Galip.

nihanhane, F. i. [Nihan-hane] 1. Saklanacak yer. 2. Mağara. Bodrum. 3. Tenha yer. • ‹Bir herif ile nihanhane-i visalde. — Nergisi›.

nihanî, F. i. Gizli. Gizlilik. • ‹Benzer azab-i kabre nihanî bir ıstırap. — Fikret›.

Nihavend, F. i. İran'ın batı tarafında ünlü bir şehir.

nihavend, F. i. Dügâh ile hicaz kürdisi arasında bir musiki makamı. • ‹Bir turfa nevaya oldu peyvend — Agazesi gerçi kim nihavend — Amma ki kararı Isfahandır. — Nedim›.

nihayât, A. i. [Nihayet ç.] Sonlar, bitimler.

nihaye, nihayet, A. i. 1. Son, bitim. 2. Son derece. • Nihayet-ül-emr, sonuç, işin sonunda, • nihayet-ün-nihaye, en son derecede, • bînihaye, uçsuz, sonsuz, • ilânihaye, son dereceye kadar. • ‹Nihaytül'emr âşık-i meyusun Fransa'ya avdeti. — Recaizade›.

niheng, neheng, F. i. Timsah.

nihle, A. i. (Ha ile) Din şubesi, mezhep • ‹Bir nihle-i uhra ile intikah ve ihdar-i mezheb-i itizal edip. — Taş.›.

nihrir, A. i s. (Ha ile) İyi, denemesi çok bilgin. • ‹Misafir-i mihrir daha ilk nazarda bunun Asurice yazılmış (...) olduğunu anladı. — Cenap›.

nijad, F. s. Soy. • Paknijad, soylu. • ‹Ben sihir-i Babilî nijadım — Harut'a bu işte üstadım. — Fuzuli›.

nik, F s. zf. İyi. Hoş. Beğenilen, beğenilmiş, • Nik ü bed, iyi kötü. (ç. Nikân). • ‹Meğer halk-i cihan hep aşina-yi vahdet olmuştur. — Müsavidir nazarda imtiyaz-i nik ü bed şimdi. — Kemal›.

nikâ', A. i. [Nakiyy ç.] Nakiler. Temiz olanlar.

nikab, A. i. Yüz örtüsü. Peçe. • ‹Âlemi taltif için sen eylesen ref-i nikab — Nura müstağrak olur cümle cihan ey aftab. — Cenap›.

nikab, A. i. Eldiven.

nikabet, A. i. Nakiplik. Nakip olma.

nikâbet, A. i. Rüzgâr ters yönlerinden esme.

nikâh, A. i. Nikâh. Karı kocalık için yapılan kanun muamelesi. • ‹Cemile gelin oluyordu, söz kesilmişti, hemen nikâh olacaktı. — Uşaklıgil›.

nikâhter, F. s. [Nik-ahter] Yıldızı iyi. Mutlu, talihli.

nikâh, F. i. [Nik ç.] İyiler. İyi kimseler.

nikâşte, F. s. Yazılmış olan.

nikat, A. i. (Tı ile) [Nokta ç.] Noktalar. Benekler.

nikât, A. i. (Te ile) [Nükte ç.] Nükteler, Kavranması akıl inceliğine bağlı şeyler. • ‹Sessiz sessiz geçer hayatı — Bir velvele-i nikât içinde. — Fikret›.

nikâyet, A. i. Düşmanı kırıp geçirme. Kılıçtan geçirme. • ‹Kızılbaşa ettiği nikâyet ül-i Osman'a hizmet addolunup. — Naima›.

nikbaht, F. s. [Nik-baht] Baht sahibi. Bahtlı olan. • ‹Nikbahtan ki bulur cevf-i sadefte dür-i pak — Şumi-i bahtla biz katre-i baran bulûruz. — Nabi›. • ‹Oyunla talihi yaver olmayan aşkta nikbaht olur. — Recaizade›.

nikbaz, F. s. [Nik-baz] Davranışları, işleri iyi olan.

nikbin, F .s. [Nik-bîn] İyimser. İşleri iyi tarafından alan, öyle gören.

nikbinî, F. i. Nikbinlik, iyimserlik.

nikendiş, F. s. [Nik-endiş] Her vakit iyiyi düşünen. • ‹Funun-i saire hakkında pek nikendiş değilim. — Cenap›.

nikfâl, A. s. [Nik-fâl] Uğurlu. Uğura âlemet olan.

nikfercam, F. s. [Nik-fercam] Sonu hayır olan.

nikhâh, F. s. [Nik-hâh] İyilik isteyen, iyilik dileyen. • ‹Nikhâh-i âlemim, gamhârıyım hem-mev'imin. — Naci›.

nikhâhane, F. zf. İyi niyetle. • ‹Nikhâhane istihfafa izin veriyorum. — Cenap›.

nikhaslet, F. s. [Nik-haslet] Ahlâkı, huyu iyi olan. • ‹Ve sahib-i fazilet nikhaslet bir çelebi vezir idi. — Naima›.

nikhû, nihûy, F. s. [Nik-hû] Huyu iyi olan. İyi huylu.

nikî, F. i. İyilik. İyi olma.

nikkirdar, F. s. [Nik-kirdar] Davranışları iyi ve beğenilir olan.

nikmanzar, F. s. [Nik-manzar] Güzel, gösterişli olan.

nikham, F. s. [Nik-nam] İyi adlı. İyi ünlü. • ‹Niknamı etrafa münteşir ve der-i devlete mün'akis olduktan sonra. — Naima›.

niknamî, F. i. İyi ün sahibi olma. Hayırla anılma.

niknihad, F. s. [Nik-nihad] Asıl ve mayası iyi olan.

nikriz, A. i. (Hk.) Ağrı. Damla hastalığı.

nikter, F. s. Çok iyi, ziyade beğenilmiş.

nikû, ñigû, F. s. Güzel, iyi. • ‹Bana devlet yüzü göstermeyen baht-i siyahımdır — Kara zülfün ki çekmiş perde ol ruhsar-i nikûya. — Baki›.

nikûyi, nigûyi, F. i. Güzellik, iyilik. • ‹Kâffe-i halk-i cihana dostî ve nikûyidir. — Nergisî›.

nil, A. i. Çivit.

Nil, A. i. Mısır'dan geçen. Akdenize dökülen ünlü nehir.

nilfam, F. s. [Nil-fam] Çivit renginde, lâcivert. • ‹Bilinse câm-i nilifâm-i çerh âyâ ne devr eyler. — Nabi›.

nilgûn, F. s. [Nil-gûn] Mavi renkte, çivit rengi. • ‹Bakî'ya gör harap eder âhir — Seyl-i eşkim bu nilgün tâkı. — Baki›.

nili, A. s. Çivit renginde. Çividî.

nilüfer, F. i. Nilüfer. • ‹Fark etmemênin veçhi ne nilûferi benden. — Nabi›.

nîm, F. i. Yarım. • ‹Nim daire misal dizildiler. — Naima›. • ‹Nîm sun pyemaneyi sâkı tamam ettin beni. — Nedim›.

nimal, A. i. [Nemel ç.] Karıncalar.

nimbismil, F. s. [Nim-bismil] İyice boğazlanmayıp yarı kesilmiş olan.

nîmçehre, F. i. [Nim-çehre] Nesnas da denen korkunç masal hayvanı.

nime, A. i. Uyku.

nime, F. i. Yarım. • Dünime, ikiye bölünmüş.

ni'me, A. e. (Ayın ile) Ne güzel, ne âlâ. • Nimelmatlup, tam aradığımız; • nimettesadüf, ne iyi rastladı.

nimet, A. i. (Ayın ile) 1. İyilik. Bahşiş. 2. Yaşama için gerekli şeyler. 3. Tanrı vergisi olan yiyecek, içecek. (ç. Niam). • ‹Hem şifanın sıhhatı hem nimetin rencuruyum. — Nesimî›. • ‹Topluyor kuti- maişet yerden — Toprağın verdiği nimetlerden. — Fikret›. • ‹Külfet nimete ve nimet külfete göredir. — Mec. 88›.

nimetşinas, F. s. [Nimet-şinas] İyilikbilir.

nîmgerm, F. s. [Nim-germ] Pek sıcak olmayan, ılık.

nimhâb, F. s. [Nîm-hâb] Yarı uyur yarı uyanık. • ‹Âşık hâb-i hayalle bus ettiğin duyar — Ol mest-i hüsn her ne kadar nimhâb ise. — Nabi›.

nimküşade, F. s. [Nim-küşade] Yarım açık. • ‹Ağzı hayretinden nimküşade dinliyordu. — Uşaklıgil›.

nimküşte, F. s. [Nim-küşte] Yarı öldürülmüş olan.

nimlâhza, F. s. [Nim-lâhza] 1. Yarım bakış. 2. Çok kısa zaman.

nimmanzur, F. s. [Nim-manzur] Yarı görülen. Bulanık görülen.

nimmest, F. s. [Nim-mest] Sarhoşça olan.

nimmuzlim, F. s. [Nim-muzlim] Yarı karanlık.

nimmürde, F. s. [Nim-mürde] Ölüm halinde olan.

nimnigâh, F. s. [Nim-nigâh] Göz ucuyla bakma. • ‹Rühsarına bu kesret-i nazarede bilmem — Bir nimnigâh-i hevese ruhsat olur mu. — Nailî›.

nimpuhte, F. s. [Nim-puhte] Yarı pişmiş, yarı çiğ olan.

nimr, nemr, A. i. Kaplan. (ç. Enmar, nimar, nümur).

nimres, F. s. [Nim-res] Yarı yetişmiş, yarı ham olmuş. • ‹Şayan değiliz zayıka-i hüsn-i kabule — Üftade-i hâkiz semer-i nimresiz biz. — Nabi›.

nimruz, F. i. [Nim-ruz] 1. Öğle. 2. Yarım gün.

nimruze, F. s. [Nim-ruze] Yarım gün kalmış olan.

nimşeb, F. i. [Nim-şeb] Gece yarısı.

nimten, F. i. Mintan. • ‹Ten gül-renk gülşen erguvanî nimten gülşen — Hezaran barekâllâh gülşen ender gülşen oldun sen. — Naci›.

nimzulmet, F. s. Yarı karanlık.

nîran, A. i. [Nâr ç.]. 1. Ateşler. 2. Cehennem. • ‹Geçirir kâinat baygınlık — Sanki mest-i hamim-i nîrandır. — Fikret›.

nîran, A. i. [Nur ç.] Nurlar.

nirenc, neyrenc, A. i. 1. Düzen, hile. 2. Büyü, afsun. 3. Resim, taslak. (ç. Nirencat). • ‹Erbab-i azaim ve nirencata kendülerini okutmak semtine müsahibîn-i harem sevkiyle meyl etmişler idi. — Naima›.

nireng, nirenk, F. i. 1. Düzen, hile. 2. Büyü, afsun. 3. Resim, taslak. • ‹Bir kimse yüzümden almadı renk — Mazur ola eyledimse nirenk. — Recaizade›. • ‹Halka nireng geçer masbaga-i çerh-i kebud — Kimisi sebz ü kimi sürh ü kimi zerd gider. — Nabi›.

nirengi, F. i. Haritası çıkarılacak bir alanın üçgenlere bölünmesi işi.

nîru, F. i. Zor, kuvvet, güç. • ‹Hırz-i can-i saltanat niru-yi bazu-yi zafer —

Rükn-i savlet unsur-i haşmet esas-i safderî. — Nedim».

nirumend, *F. s.* [Niru-mend] Güclü, kuvvetli, zorlu.

nirumendî, *F. i.* Güclülük, kuvvetlilik.

nisa, *A. ç. i. (Sin* ile) Kadınlar. • «Hüsn-i civan nisaya ne mümkün k'ola nasip — Her hissede zükûra nisadan füzun düşer. — Nabi».

nisab, *A. i. (Sat* ile) 1. Asıl, esas. 2. Bir malın zekâtı verilmek için varması gerekli miktar. • *Nisab-i ekseriyyet,* çoğunluk derecesi, • *kitab-i hikmet-nisab,* asıl ve esası hikmet olan kitap. • «Zekâtı yok zarar etmez tükenmez eksilmez — Olur mu âdeme hulya gibi nisab-i ferah. — Ş. Galip».

nisacet, *A. i.* Dokumacılık, çulhacılık.

nisaî, nisaiyye, *A. s.* Kadın ile ilgili. Kadına ait. • «Filhakika nisaîlerin programına tevfikan. — Cenap».

nisaiyye, *A. i.* Kadın hastalıkları bilgi ve bakımı.

nisaiyyun, *A. i.* Kadınlık hak ve dâvalarını güdenler. • «Feminizm» karşılığı. • «Cünun-i hürriyetle şaşılanan uyun-i nisaiyuna. — Cenap».

nisan, *F. i.* Nisan. • *Ebr-i nisan* (nisan bulutu) bolluk, bereket, cömertlik. • «Şule-i idrak kim tab'ın güherbâr etmede — Gûviya berk-i cihandır ebr-i nisan üstüne. — Nedim».

nisar, *A. i. (Se* ile) 1. Saçma, serpme. 2. Düğünde saçılan para, saçı. • «O nazlı saçlara gülbuseler nisar eyler. — Fikret».

nisar, *A. s.* «Saçan, saçıcı» anlamıyle kelimelere ulanır.

* bedayinisar
* cevhernisar
* dürnisar
* gevhernisar
* pertevnisar
* zernisar

nisbet, *A. i.* 1. Bağlılık, ilgi. 2. Kıyaslama. 3. Orantılı. 4. Doğan çocuğun babasından hâsıl olduğunu isnat ve onun cüz'ü olduğunu ispat. • «İtr ü ziynet merakı çocukta (...) bir nisbet-i mecnunane almış. — Cenap».

nisbeten, *A. zf.* Nisbetle. Kıyaslanarak. • «Şimdiki samimiyet-i revabıta nisbeten daha azîm bir boşluk. — Uşaklıgil».

nisbî nisbiyye, *A. s.* Kıyaslama ile olan.

nistî, *F. i.* Yokluk. • *Hestî vü nistî,* varlık ve yokluk; • *âlem-i nistî,* yokluk âlemi.

nisvan, *A. i. ç.* Kadınlar. • «Farkı yok merdanı mağlup etmede nisvanına — Her kimin kim masrafı galip gelir iradına. — Nabi».

nisvanî, nisvaniyye, *A. s.* Kadına ait, kadınla ilgili, kadınca. • «Hicab-i nisvanisi ikmale mani oldu. — Uşaklıgil».

nisvî, nisviyye, *A. s.* Kadınlarla ilgili. • «Artık Bihter'de haysiyyet-i nisviye, onlardan biriyle. — Uşaklıgil».

nisviyyet, *A. s.* (Türkçede yapılmıştır) Kadınlık. • «Cem eder bakemal-i istiğna — Lemse-i şuh-i bâd-i hisviyyet. — Cenap».

nisyan, *A. i.* Unutma. Hatırdan çıkarma. • «Ne kadar olsa da alûde-i gird-i nisyan — Kendi kendin eder izhar yine gevher-i hüsn. — Nabi».

niş, *F. i.* 1. (Ağrı, akrep gibi) böcek iğnesi. 2. Diken. 3. Zehir, ağı. • «Hoş kûşe-i zevk idi safa ehline âlem — Nuş âhırı nîş olmasa sûr âhırı matem. — Ruhi»

nişaste, *F. i.* Nişasta.

nişadır, nişadur, *A. i.* Nişadır.

nişan, *A. i.* 1. İz, nişan. 2. İşaret, fabrika işareti. 3. Yara izi. 4. Amaç, vurulması istenen nokta. 5. Vurulacak noktaya silâhı çevirme. 6. Yavukluluk işareti. 7. Anı için dikilen taş. 8. Tuğra. 9. İyi halleri görülenlere devletçe verilmesi Tanzimat'tan biraz önce usul tutulan madalya. • «Ey yüzün Hak'tan otuz iki nişan — Mushaf'ın esrarını kıldı ayan. — Nesimî».

nişande, *F. s.* Durmuş. Dikilmiş. • «Ve etrafına iki yüz yirmi yedi kıta zikıymet elmaspareler dahi nişande kılınıp. — Naima».

nişane, *F. i.* İz, alâmet. • «Fakat şu tıfl-i canruba — Ki ruhtan nişanedir — Gülerken ağlıyor. — Fikret».

nişangâh, *F. i.* [Nişan-gâh] 1. Silâhın yönetilip vurulmaya hazırlanan nokta. 2. Silâhın nişan takımı.

nişangîr, *F. s.* [Nişan-gir] Çizgi çizme aleti.

nişa, *A. i.* Nişasta.

nişest, *F. i.* Oturma. • «Mahsud-i sipihr etti nişestin bu makamı. — Nedim».

nişeste, *F. s.* Oturmuş, oturan. (ç. Nişestegân). • «Bir kârvan-i ayş ü neşatın gubarıdır — Olmaz nişeste hâtırına girdi-i gam abes. — Nabi».

nişestgâh, *F. i.* [Nişest-gâh] Oturacak yer.

nişhâr, *F. s.* [Niş-hâr] Diken batmış. İğnelenmiş. • «Değilsin nişhâr-i cevri mutlak hârın ey bülbül. — Recaizade».

nişib, *F. i.* (Yukarıdan aşağıya) iniş. ● *Nişîb ü firaz*, iniş ve yokuş. ● «Olmaz küsiste renc-i nişib ü firazdan — Manend-i saye sahibine inkıyad eder. — Nabi».

nişibgâh, *F. i.* [Nişîb-gâh] Çukur yer. ● «(Akarsu) canib-i nisibgâha revan olur. — Nergisi».

nişimen, *F. i.* Oturacak yer. ● «Şu âlem-i sefaletin güvah-i esfeliyeti — Siyah bir taş üstünü nişimen ettik ittihaz. — Fikret».

nişimengâh, nişimengeh, *F. i.* [Nişimengâh, geh] 1. Yurt, durak. 2. Toplantı yeri. ● «Mecmu-i büyut-i nişimengâh adedi cihl ü çare muntehi olur. — Nergisi».

-nişin, *F. s.* «Oturan, oturmuş» anlamıyle kelimelere ulanır.

● *balânişin*
● *gûşenişîn*
● *halvetnişîn*
● *hoşnişîn*
● *mastabanişin*

● *medresenişîn*
● *mesnednişîn*
● *postnişin*
● *sadrnişin*
● *tahtnişîn*

nişter, *F. i.* Nişter. ● «Tam yaranın nıştere muhtaç olan yerine dokunmuş oldu. — Uşaklıgil».

nitac, *A. i.* Yavru doğurma. Yavrulama.

nitaf, *A. i.* (Tı ile) [Nutfe ç.] 1. Duru, sâfi su. 2. Bel suları.

nitah, *A. i.* (Tı ile) 1. Toslaşma. 2. Vuruşup kavga etme.

nitak, *A. i.* 1. Kuşak, kemer. 2. Bölge. Kuşak yeri. ● *Zat-ün-nitakeyn,* Ebubekir'in kızı Esma'nın lâkabıdır. ● «Naçar nıtak-i vakt itinak-i fırsattan kasır olup. — Hümayunname».

niya, *F. i.* Dede, büyükbaba.

niyab, *A. i.* [Nab ç.] Azıdişleri.

niyabet, *A. i.* 1. Naiplik, vekillik. 2. Kadı vekilliği, kadılık.

niyah niyahat, *A. i.* Ölü üzerine ağlayıp sızlama.

niyam, *A. i.* [Naim ç.] Uykuda olanlar.

niyam, *F. i.* Kılıf. Kın. ● «Bir çelik parçası bir tig-i mehip olmak için — Sonra yatmakla geçer ömrü niyamında bütün. — Fikret».

niyamen, *F. zf.* Uykuda, uyuyarak. ● «Hattâ bevvab dahi niam olıcak şeyh kaim olup anları niyamen koyup kendisi çıkıp gitti. — Taş.».

niyaz, *F. i.* 1. Yalvarma. 2. Dua. 3. Bazı tarikatlerde küçüğün büyüğe selâm ve duası. 4. İhtiyaç, muhtaçlık. ● «Lez-

zet-i naze gerçi söz yoktur — Lîk zevk-i niyaza aşk olsun. — Nabi».

niyazkâr, *F. s.* [Niyaz-kâr] 1. Yalvaran. 2. İhtiyacı olan. (ç. Niyazkâran).

niyazkârane, *F. zf.* 1. Yalvararak. 2. Muhtaçlıkla, muhtaç olarak.

niyazmend, *F. s.* [Niyaz-mend] 1. Yalvaran 2. İhtiyacı olan, muhtaç. (ç. Niyazmendan). ● «Hazret-i kahhara niyazmend olup. — Veysi».

niyazmendane. *F. zf.* 1. Yalvararak. 2. Muhtaçlıkla, muhtaç olarak.

niye, niyyet, *Bk.* Niyyet.

niyyât, *A. i.* [Niyyet ç.] Niyetler. ● «Tanımadıklarımıza bin türlü a'mal üniyat-i muzırra iare ederek az çok düşman sıfatı verir. — Cenap».

niyyet, niyet, *A. i.* 1. Niyet. Kurma. 2. Namaz, oruç gibi bazı din işlerinde bunlara mahsus sözleri söyleme. ● «Boğaziçi'ne avdet etmek niyetinde idi. — Uşaklıgil».

niza', *A. i.* (Ze ve ayın ile) [Nez'den] 1. Çekişme. 2. Kavga, Tutuşma. ● «Canı canan dilemiş vermemek olmaz ey dil — Ne niza eyliyeyim ol senindir ne benim. — Fuzulî».

nizam, *A. i.* (Zı ile) 1. Dizi, sıra. 2. Düzen kural. 3. Zamanın gereğine göre yapılan kanun. 4. Yeni sistem asker. 5. Bir işi düzenleyen kimse. ● «Hemcinslerim tamam gitmiş — Söz mülkünden nizam gitmiş. — Fuzulî». ● «Âlemi ebda-i nizam üzre ibda' ve icad. — Taş.».

nizamet, *A. i.* [Nizam ç.] Nizamlar, düzenler. ● «Saltanat-ı seniyenin nizamatına mutavaat eyler isek. — Kemal».

nizamen, *A. zf.* Nizam dairesinde. Nizama göre.

nizamî, nizamiye, *A. s.* 1. Düzenli, tertipli. 2. Kanun ve nizama ait, onunla ilgili.

nizamiyye, *A. i.* İlk askerlik devresi. Bu çeşit askerlik işleriyle uğraşan daire.

nizamname, *F. i.* [Nizam-name] Bir iş için düzenlenen nizam. Bu nizamın yazıldığı kitap.

nizamperver, *F. s.* [Nizam-perver] Yasaya, kurala uyan. ● «Meclis-i Maarifin Nizamperverlik arzusunda bulunduğu halde. — Kemal».

nizar, *F. s.* (Ze iel) Lâgar, arık, zayıf. ● «Etti ten-i nizarımı feryad ü nâle nâl — Kıldım o rütbe za'f ile yok irtihale hal. — Ragıp Pş.».

nîze, *F. i.* Kargı. Mızrak. • ‹Geh nîze kılardı cansitanlık — Geh navek ederdi hunfeşanlık. — Fuzulî›.

nizedâr, *F. s. i.* [Nîze-dar] Kargılı. Mızraklı. • ‹Her hamelde hücum-i diliran-i nizedar — Hayl-i aduya ol kadar âfetresan olur. — Nef'î›.

nizegüzar, *F. s.* [Nîze-güzar] Mızraklı. (ç. Nizegüzârân). • ‹Müje haylın dizer ol gamze-i fettan saf saf — Gûyya cenge girer nizegüzaran saf saf. — Baki›.

nizek, *F. i.* Cariye.

nîzezen, *F. s.* [Nize-zen] 1. Mızrakçı. 2. Mızrakla vuran. • ‹Müjgân-i nazı nizezen-i kalb ü can iken. — Nabi›.

nizze, nizzet, *A. i.* İstek.

nohud, *F. i.* Nohut.

nohudî, *F. s.* Nohut rengi.

noksan, *A. i.* 1. Eksilme, azalma. 2. Eksiklik, azlık. 3. Yokluk. • *Noksan-i arz,* bir yerin ekilmeden önceki değeri olan ücretle ekildikten sonraki değeri olan ücret arasındaki fark (Mec. 886). ‹Bakma noksanına ihsan eyle — Afv ü gufranımı ferman eyle. — Hakanî›. • ‹Kenan... bu soluk çehre bu ucube-i fıtrat — Şeklindeki noksan ile dunûnda cihanın. — Fikret›.

noksanî, *A. s.* Eksiklikle ilgili.

noksaniyyet, *A. i.* Eksiklik.

nokta, *A. i.* 1. Benek, leke. 2. (Arap elifbesinde) Bazı harflere konan bir, iki veya üç nokta. 3. Nokta. • ‹Noktayım harfim bu harfin satrıyın mesturuyun. — Nesimi›. • ‹Belki bir noktada birden durarak. — Fikret›.

noktateyn, *A. i.* İki nokta(:).

növbet, nevbet, *A. i.* 1. Sıra. 2. Kere, kez. 3. Sıra ile güdülen işte herkese düşen bölüm. 4. Karakol ve nokta hizmeti. 5. Padişah ve vezir kapılarında belli zamanlarda çalınan mızıka. 6. Bazı ateşli hastalıkların belli zamanlarda tutması. 7. Sıtma. • ‹Asyab-ı kadehin kaide-i devri budur — Sen de sabr eyle biraz ta sana növbet gelsin. — Nabi›.

növbetzen, *F. s.* [Növbet-zen] 1. Növbet çalan (mehter, mızıka): 2. Nöbetçi. 3. Sıra bekleyen. • ‹Paytaht-i bedi-ünnizamda növbetzen-i melik-üş-şuarayî olmakla. — Nergisi›.

nuas, *A. i.* (*Sin* ile) Uyuklama, pinekleme, ımızganma. • ‹Yorgun Kocyaş kâfirleri meşgul-i nuas-i ıstırarî oldukları halde araba sürerlerken. — Naima›.

nuasî, *A. s.* Imızganma ile ilgili.

Nuh, *A. i.* (*Ha* ile) Nuh peygamber. • *Sefine-i Nuh,* Nuh peygamberin Tufandan korunmak için yapıp bütün canlılardan birer çift aldığı gemi; • *ömr-i Nuh,* çok uzun ömür; • *Tufan-i Nuh* peygamber ümmetini cezalandırmak üzere olan su baskını.

nuha', *A. i.* (*He* ile) Murdar ilik. • *Nuha-i sevki.* Omurilik.

nuhame, *A. i.* Balgam.

nuhas, *A. i. Ha* ile) 1. Bakır. 2. Bakır para. • ‹Nakş-i yârın dil-i ağyarda yoktur farkı — Dâmen-i tas-i nuhasa kazılan imzadan. — Nabi›.

nuhasî, nuhasiyye, *A. s.* Bakırlı, bakırla ilgili, bakırdan. • ‹Evani-i muhasiyenin her vekiyyesi üçer paraya. — Raşit›.

nuhat *A. i.* Nahiv (gramer) bilginleri. • ‹Âyan-i nuhattan idi. — Taş.›.

nuhbe, *A. i.* (*Hı* ile) Her şeyin seçilmişi. Seçkin, seçilmiş, ayırtlanmış.

Nuhî, *F. s.* 1. Nuh ile ilgili. 2. Pek eski. ‹Bu tatlı sözlere her kim inandı ise âkibet tatlı canından ayrıldı. Nuhi kocanın yeminine itimat caiz değildir. — Naima›.

nuhre, *A. i.* Kemik dokusunun çürümesi.

nuhuset, *A. i.* (*Ha* ile) Uğursuzluk.

nuhust, *F. s.* (*Hı* ile) İlk, birinci. • Satr-i nuhust-i name-i şevk olmadan tamam — Dâmana indi şakk-i kalem iştiyaktan. — Nabi›.

nuhustin, *F. s.* İlk, birinci. • ‹Geçilmez seyl-i meydan etmedikçe kaldırım peyda — Şikeste tövbeden ruz-i nuhustininde şevvalin. — Nabi›.

nûk, *A. i.* [Naka ç.] Diiş develer. • ‹Ve sair eskal ü ahmal için nûk ü cimal iştira olundu. — Sadettin›.

nukaba, *A. i.* [Nakîb ç.] Nakipler.

nukat, *A. i.* [Nokta ç.] Noktalar. • ‹Yazılsın bi-nukat harf ile tarih — Mülâzımdır. Sürüri-i hünerver. — Sürüri›.

nukave, nakave, *A. i.* Her şeyin iyisi. Temizlik, paklık.

nukayet, *A. i.* Nesnenin temiz ve seçilmişi.

nukbe, *A. i.* 1. Delik. 2. Yol.

nûk, Bk. • *Nevk.*

nuker, *A. i.* (*Kef* ile) Kul, köle.

nukl, *A. i.* (*Kaf* ile) Meze. Çerez. • ‹Bir harabatî derviş yalnız meyhaneye gelip nukli yok bir vakıyye badeyi önüne koyup. — Naima›.

nukre, A. i. Külçe halinde gümüş. *Nukre-i ham,* eritilmemiş gümüş; • *l:afa,* ense çukuru. • ‹N'ola nakkad desek Baki'ye insaf budur — Ki bizim nukre-i endişemiz anın puludur. — Sabit›.

nukreçîn, F. s. [Nukre-çîn] Gümüş derleyen. • ‹Bir müsait mülke sahiptir ki hakine — Her kim olsa daneriz olur sonunda nukreçîn. — Ziya Pş.›.

nukud, A. i. [Nakd ç.] Nakitler, paralar. • ‹Manende-i berf yağmağa muhtaçtır nukud — Dilgerm-i hırsın etmeye def hararetin. — Nabi›.

nukul, A. i. [Nakl ç.] Nakiller. Rivayetler. • ‹İlmdi vakta ki bunukul malûm olduysa. — Taş.›.

nukuş, A. i. [Nakış ç.] Nakışlar. Resimler. • ‹Münceli ayine-i dilde nukuş-i kâinat — İş o mir'at-i musaffaya cilâ vermektedir. — Yavuz›.

nukz, A. i. Bina yıkıntısı. (ç. Enkaz).

numan, A. i. 1. Kan. 2. (Ö. İ.) İmam-i A'zam'ın adı.

numune, nümune, Bk. • *Nümune.*

nun, A. i. Arap alfabesinde ‹n› harfinin adı. • ‹Aslı 'deni'dir 'dünya'nın zatında yoktur elf — Terkibine gel bak anın şol *ya* vü *nun* ü *dal'ine. — Nesimi›. • ‹Lafz-i âmindeki nun halka-i zincir-i dua. — Nabi›.

nun, A. i. Balık. • *Zünnun,* Yunus peygamber.

nur, A. i. 1. Aydınlık, ışık. 2. Parlaklık. • *Nur-i ayn,* • *-çeşm,* • *-dide,* pek sevgili kimse, en çok evlât için kullanılırdı, • *-iman,* iman parlaklığı, • *-mübin, -muhustin,* Muhammet peygamber, • *nurun alâ nur,* daha iyi, daha alâ, • *cebel-i Nur,* • *Cebel-ün-nur,* (Nur dağı) Mekke'deki Harra dağı. (ç. Envar, niran). • ‹Vücudunuzdan uçan nur içinde ben mahfuz. — Fikret›. • ‹Nur-i didem, beni sen sonra da giryan ettin. — Cenap›.

nuranî, nuraniyye, A. sı 1. Nurlu, ışıklı. 2. Görünüşü saygı uyandırır, saygı değer. • ‹Minareler nurani kandillerle donanır. — Kemal›.

nuraniyyet, A. i. 1. Nurlu olmanın hali. 2. Parlaklık. Nurluluk. • Tazenin nuraniyet-i efkârını ıtfa etmeksizin. — Cenap›.

nurbahş, F. s. [Nur-bahş] Parlatan, aydınlatan.

nurefşan, nurfeşan, F. s. [Nur-efşan, feşan] Etrafa aydınlık veren, ortalığı ışık içinde bırakan. • ‹Şeh Selim ol kim gubar-i ma'l-i Şebreng-i yazar — Safha-i ruhsare-i hurşid-i nurefşana nakş. — Baki›.

nusara, A. i. *(Sat* ile) [Nesîr ç.] Yardımcılar.

Nusayri, A. s. i. Nusayr'e mensup, onun tarikatından olan. Antakya taraflarında bulunan ve Nusayr'in tarikatından olan.

nush, A. i. Öğüt. • ‹Nush ile yola gelmeyeni etmeli tekdir. — Ziya Pş.›.

nusret, A. i. 1. Yardım. Tanrı yardımı. 2. Başarı, üstünlük. • ‹Kande azm eylerse olsun feth ü nusert rehberi. — Nef'î›.

nussah, A. i. [Nâsıh ç.] Öğütçüler.

nussar, A. i. [Nâsır ç.] Yardımcılar.

nusul, A. i. [Nasıl ç.] Mızrak temrenleri.

nusus, A. i. [Nass ç.] Naslar. • ‹Verese-i kâmilîn nususu hakikat-i hale ıttıladan sonra istidlâl suretinde irad ederler. — Kâtip Çelebi›.

nuş, F. i. 1. Tatlı, bal. 2. İçki, işret. 3. İçme. • ‹Çorba nuş eyleyecek yerde hoşab ister. — Hayali›. • ‹Sahba değil o şevk ile zehr olsa nuş eder. — Recaizade›.

-nuş, F. s. ‹İçen, içici› anlamıyle kelimelere ulanır.

• *araknuş*   • *meynuş*
• *badenuş*   • *zehrabenuş*

nuşabe, F. i. Abıhayat ile eşanlamdır. • ‹Leylin emer emer leb-i sâfında toplamdır. — Nuşabe-i sükûnu leb-i teşne-i türab. — Fikret›.

nuşanuş, F. s. zf. [Nuş-a-nuş] Sürekli içme. İçtikçe içerek, içe içe. • ‹O nuşanus demler hâtır-i nâşade geldikçe. — Beyatlı›.

nuşdaru, F. i. [Nuş-daru] 1. Tiryak. 2. Penzehir. 3. Şarap. • ‹İçerler ol mevi kim nuşdaru-yi çamdır — Maaşıranı bu bezmin neşat bilmezler. — Naili›.

nuşende, F. i. İçki içen kimse. İçkili adam. (ç. Nuşendegân).

nuşhand, F. s. [Nuş-hand] Tatlı gülüşlü. • ‹Güftarına doyulmaz bir nuşhandimiz vardır. — Ruhi›.

nuşin, F. s. Tatlı. ‹Bütün revayih-i nuşini eyledi tayeran. — Cenap›.

nuşine, F. i. İçimi tatlı şarap.

Nuşirevan, F. i. İran'da 531 den 579 yılına kadar hükümdarlık etmiş olan, adaletiyle ün almış Sasani Şahı, *Nuşi-revan-i âdil.* • «Olsun ser-i benanına münkad o hâme kim — Her harfi mülke daniş-i Nüşirevan verir. — Nedim».

nutfe, A. i. Dölsuyu. • «Nutfeden hâsıl etti insanı — Hakanî».

nutî, nevtî, A. i. Gemici. (ç. Nutiyan, nevtiyan). • «Berdaste-i himmet-i nutiyan-i çalâk-dest olup. — Nergisi».

nutk, A. i. 1. Nutuk. 2. Söz. 3. Söyleyiş, söyleme yetisi. • *Nutk-i iftitahi.* açış nutku. • «Ve nutuk etmediği sebeple acayip akılâne hareket etti. — Nai ma».

nutu', A. i. [Nat, ç.] Örtüler.

nutuf, A. i. [Nutfe ç.] Dölsuları.

nuumet, A. i. Yumuşaklık. • «Eder ebrişime tâlim-i nuumet pulâd. — Nabi».

nuut, A. i. [Na't ç.] Peygamber üzerine yazılmış manzumeler.

nuuz, A. i. Harekette bulunma, uyanık olma.

nübea, A. i. [Nebi ç.] Peygamberler.

nübelâ, A. i. [Nebil ç.] Bilginler, meziyet sahipleri. • «Meclis-i mezbur mecma-i fuzala ve muzdaham-i nübelâ iken. — Taş.».

nübüvyet, A. i. Peygamberlik. • «Ey hâme o rütbe olma çalâk — Esrar-i nübüvvet olmaz idrâk. — Ş. Galip».

nüceba, A. i. [Necib ç.] Necipler.

nücum, A. i. [Necm ç.] Yıldızlar. • «Donuk ziyalı nücumiyle asman her şeb — Döker bu levha-i hicran-meale girye-i nur. — Fikret».

nücumî, nücumiyye, A. s. 1. Yıldızlarla ilgili. 2. (i.) Yıldızla uğraşan.

nüdbe, A. i. Ölüye ağlama, sağu.

nüdema, A. i. [Nedim ç.] Nedimler. • «Erbab-i dilden olan nüdemaya mail. — Peçoylu».

nüfesa, A. i. Loğsa kadın.

nüfur, A. s. i. Ürküp kaçma, dağılma. • «Şükûh-i kevkeb-i şan ü şevket-i İslâm — Olur mu pâzede-i utv ü nüfur. — Nabi».

nüfus, A. i. [Nefs ç.] 1. Ruhlar, canlar. 2. İnsanlar. Kimseler, şahıslar. • «Kalillünnüfus aşiretler arasında muharebe bir emr-i daimîdir. — Cenap».

nüfuz, A. i. 1. İçe geçme, işleme. 2. Sözü dinlenme, sözü geçer olma. • «Enderun ü bîrunda nüfuzi kelâm ile merci-i hâss ü âmm olmağın. — Raşit» • «Hâlâ bir menekşe rayihası ciğerlerine nüfuz ediyordu. — Uşaklıgil».

nüh, F. s. *(He* ile) Dokuz. • *Nüh felek,* • *nüh kubbe,* • *nüh tak,* dokuz gök. • «Pür etti nüh rivakı gulgule-i kûs-i cihanbani. — Nef'î».

nüha, A. i. Akıl, us. • *Ul-ün-nüha,* akıl ve anlayış sahipleri.

nühak, A. i. Çok zayıflık, lâğarlık.

nühur, A. i. *(Ha* ile) [Nahr ç.] Kurbanlar. • «Büride-i süm-i esbin eder hamail-vâr — Temime bend-i cinan-i huriyana zib-i nühur. — Nabi».

nühuz, A. i. Deprenip kalkma. • «Ahz-i intikama nühuz eyledi. — Naima».

nühüft, F. s. i. 1. Gizli, saklı. 2. Musiki makamı.

nühüfte, F. s. Gizli, saklı. • «Bir sırr-i garibsin nühüfte. — Recaizade».

nühüm, F. s. Dokuzuncu.

nühür, A. i. [Nehr ç.] Nehirler. • «Neme lâzım nühür-i ma-i leben! — İşte sofiler! İşte nehr-i asel! — Naci».

nüket, A. i. [Nükte ç.] Nükteler.

nükhet, nekhet, A. i. *(He* ile) 1. Güzel koku. 2. Ağız kokusu. • «Ahibbaya şemim-i suhanim nükhet-i candır. — Nef'î».

nüks, A. i. *(Sin* ile) Hastalığın geri dönmesi, tepmesi.

nükte, A. i. 1. Sözün anlamından çıkartılan ince şey. 2. İnce, iyi düşünülmüş şey. • «Sevişmemek... bana izah edin şu nükteyi siz. — Fikret». • «Ben ne keşşafım ne sahib-i keşf ama mânide — Mûşikâf-i nükteha-yi asümanidir sözüm — Nef'î».

nüktedan, F. s. [Nükte-dan] Nükte bilen. İnce (kimse). • «Kim dilnüvaz ü işveger ü nüktedan idi. — Recaizade».

nüktedani, F. i. Nüktecilik.

nüktedar, F. s. [Nükte-dar] Nükteil. • «Her beyt-i belig-i pür-hayalin — Bir gülşen-i nüktedar-i mâna. — Ünsi».

nükteperdez, F. s. [Nükte-perdaz] Nükteli söz bulup söyleyen. (ç. Nükteperdazan). • «Nükteperdazlığa olan meyl-i safderunanesine tebean. — Uşaklıgil».

nüktepira, F. s. [Nükte-pira] Güzel nükte söyler. • «Bugün bir mahrem-i esrar yâr-i müktepîradan işittim kim. — Nedim».

nüktesenc, F. s. [Nükte-senc] Nükte tartıcı olan. Nükte değerlendiren. (ç. Nüktesencan). • «Handan-rû ve nüktesenç ve latifegû mahdum-i mükerrem olup.

— Naima». • «Yalnız nüktesencan-i nazik-edanın âdet ve sünneti değil. — Nergisi».

nükteşinas, *F. s.* [Nükte-şinas] Nükte anlayan. (ç. Nükteşinasan). • «Ben nükteşinasım beni remmal mi sandın.. — Hayalî». • «Dildade eder nükteşinasan-i zamanı — Ruhsar-i suhan böyle hoşayende kalırsa. — Nabi».

nüktever, *F. s.* [Nükte-ver] Nükte bilen. Nükte anlamakta usta.. (ç. Nükteveran). • «Bir nüktever-i sütude etvar — Hafız'dan okuttu hayli güftar. — Ziya Pş.» • «Nabi olamaz Sabit Efendi gibi herkes — Darbülmesel-i nükteveran darb-i meselde. — Nabi».

nükûl, *A. i.* Vazgeçme, geri dönme, cayma. • «Mahremane sohbetlerde şerbet-i darihten ' nükûl ve cevaza karip olan nebiz ve.' müsellesat istimaline udul için. — Naima».

-nüma, *F. s.* «Gösteren, bildiren» anlamlarıyle kelimelere ulanır :

• *cihannüma* • *nümuneniima*
• *cilvenüma* • *rehnüma*
• *çehrenüma* • *ṛûnüma*
• *hünernüma* • *sıhhatnüma*
• *kıblenüma*

nümayan, *F. s.* Görünür, meydanda görünen. • «Nümayan cephe-i sâfında gûya — Nümayan cephe-i sâfında hulya. — Fikret».

nümayanter, *F. s.* [Nümayan-ter] Fazla görünen. Büyük görünen. • «Olur âyine-i telhî çu gurbette nümayanter — Nühüfte, çaşni-i mânevi kim var vatanlarda. — Nabi».

nümayende, *F. s.* Gösterici, görünücü.

nümayiş, *F. i.* 1. Gösteriş, gösteri. Görünüş. 2. Yalandan gösteriş, göz boyama. • *Nümayiş-i ab,* (su gösterişi) serap. • «Her lâhza bir nümayiş-i handan-i mefharet — Yüzlerde, süngülerde, kılıçlarda berk urur. — Fikret».

nümayişgâh, nümayişgeh, [Nümayişgâh] Gösteriş yeri. • «Göl sahilin aksiyle nümayişgeh-i cennet. — Fikret».

nümayişkâr, *F. s.* [Nümayiş-kâr] Gösterişli.

nümruka, *A. i.* Küçük yastık.

-nümud, *F. s.* 1. Gösteren. 2. Görünen, benzeyen anlamlarıyle kelimelere ulanır.

• *çehrenümud* • *rûnümud*
• *keremnümud* • *zafernümud*

nümudar, *F. s. i.* 1. Görünen. 2. Örnek. • «Sinemdeki değim ki nümudar-i gamımdır — Bir yaftadır hokka-i attara yapışmış. — Nabi».

nümude, *F. s.* Görünmüş, gösterilmiş, gözükmüş. • «Nümude-i hayal olan taraif-i emel gibi. — Fikret».

-nümun, *F. s.* «Gösteren» anlamıyle kelimelere ulanır.

nümune, numune, *F. i.* Örnek. • «Sevad-i leyle-i elfaz içinde lem'a-figen — Nümune-i mehtab. — Fikret». • «Bu mahsul-i mümtazdan nümuneler serpmiştir. — Uşaklıgil».

nümunegâh, *F. i.* Fransızca'dan «vitrine» karşılığı. • «Ötede kıravatlardan, yakalıklardan, mendillerden teşkil edilmiş zarif nümune-gâhları. — Uşaklıgil».

nümunehane, *F. i.* [Nümune-hane] Bir aralık *musée* (müze) karşılığı olarak (XIX. yy.).

nümuzec, *A. i.* Enmuzec. Örnek.

nümur, *A. i.* [Nemir ç.] Kaplanlar.

nümüvv, *A. i.* (Canlılarda) Büyüme, yetişme, bitme, gelişme.

nüsare, *A. i.* 1. Saçılan şey. Yemek döküntüsü.

nüsah, *A. i.* [Nüsha ç.] Nüshalar. • *Tekmil-i nüsah etmek,* medresedeki dersleri okuyup bitirmek.

nüsafet, *A. i.* Buğdaydan ayrılan saman ve benzerleri çerçöp.

nüsal, *A. i.* 1. Hayvandan dökülen tüyler. 2. İçi olmayan ot (buğdaycık) taneleri döküntüsü.

nüsha, *A. i.* 1. Yazılı bir şeyden çıkarılan suret. 2. Muska. (ç. Nüsah). • «Oldu evrak-i gülistan nüsha-i hikmet bana — Neylî».

nüshateyn, *A. i.* İki nüsha.

nüsur, *A. i.* [Nesr ç.] Akbabalar. • «Tennur-i harbde etti lühum-i â'dayı — Gıdayi feyc-i behayim kebab-i çenk-i nüsur. — Nabi».

nüşab, *A. i.* [Nüşabe ç.] Oklar.

nüşabe, *A. i.* Temrenli ok. (ç. Nüşab).

nüşare, *A. i.* Talaş, yonga. • «Olur gubar-i fena rihte-i nüşare gibi. — Nabi».

nüşhar, *F. i.* Geviş.

nüşret, *A. i.* Büyü, muska.

nüşur, *A. i.* Dağıtma, yayma. • *Yevm-i nüşur,* kıyamet, mahşer günü.

nüşuz, *A. i.* Kadın eşin erkek eşine itaat etmek istememesi hali.

nütu, A. i. (Hek.) Yumru, çıkıntı.

nüvah, A. i. (Ölü üzerine) sesli ağlama.

nüvaht, nevaht, F. i. Çalgı çalma. • ‹İki bakire-i râna meclis-i hümayunlarına ihzar edip bir miktar saz nüvaht ettirdi. — Peçoylu›.

nüvahten, F. i. Çalgı çaldırmak.

nüvaz, nevaz, Bk. • Nevaz.

nüve, A. i. Çekirdek. • ‹Bunların mecmuundan öyle bir nüve-i medeniyet doğar ki. — Cenap›.

nüveyt, A. i. Çekirdekçik.

nüvid, nevid, A. i. Müjde, muştu. • ‹Nüvid-i lûtfudur erbab-i şevka müjde-i ekber. — Naci›.

-nüvis, F. s. ‹Yazan, yazıcı› anlamıyle kelimelere ulanır. Bir ara -graphe ekini karşlıamak üzere telgraf karşılığı dûrvüvis denilmiş ise de tutamamıştır. • Vak'a-nüvis, olayları sıra ile yazan tarihçi.

nüvisende, F. i. Yazıcı.

-nüvişt, F. s. ‹Yazılı, yazılmış› anlamıyle kelimelere ulanır. Sernüvist, alınyazısı.

nüvişte, F. i. 1. Yazılmış. 2. Mektup. • ‹Kilkim nüvişte eyledi tarihini — Şinasi› • ‹Nüvişte cephe-i hüznünde bir hüvelbaki — Fikret›.

nüvvab, A. i. [Naib ç.] Naipler, kadı vekilleri. Mekteb-i nüvab, naib yetiştiren okul.

nüyub, A. i. [Nâb ç.] Azıdişleri.

nüzalet, A. i. Bel gelmesi, meni çıkarma.

nüzelâ, A. i. (Zel ile) Bayağılar, aşağılıklar.

nüzera, A. i. [Nezir ç.] Ürküterek çekindirici olanlar.

nüzeha, A. i. ç. Temiz olanlar.

nüzfet, A. s. Azca, bir miktar.

nüzhet, A. i. 1. Eğlenme, gönül açacak yere gidip gezme. 2. Tazelik. Sevinç. • ‹Nihayet olmasın feza-yi nüzhetime — Fikret›.

nüzhetefza, nüzhetfeza, F. s. Eğlenceli. gönül açacak (yer). • ‹Zamanım nüzhetefza bir zamandır — Gülendamım bahar-i bihazandır. — Naci›.

nüzhetgâh, F. i. [Nüzhet-gâh] Gezinti, seyir yeri.

nüzul, A. i. 1. Aşağı inme. 2. Konağa inme, konaklama. 3. (Hek.) İnme, nüzül. • ‹Eşkıyanın kalktıkları menzile nüzul olundukta. — Naima› • ‹Şiddetli yağmur nuzulü. — Recaizade›.

nüzulet, A. i. Aşağılık, bayağılık.

nüzül, A. i. 1. Konak yeri. 2. Misafir için hazırlanan yemek. • ‹Nüzül ve ziyafeti tekmil etti. — Sadettin›.

nüzur, nüzür, A. i. [Nezr ç.] Nezirler Adaklar. • ‹Vücud-i pâkini ekdardan sıyanet için — Eder felekte melekler tasaddukat ü nüzun. — Nabi›. • ‹Kemal-i itikat ile sadakat ü müzurların kenduye eda. — Naima›.

nüzzar, nuzzar, A. i. [Nazır ç.] Nazırlar. Bakanlar.

O

●, Arap elifbesinin "elif" ve «ayın» ile başlayan kelimelerinden kalın zammelilerin sesini karşılar.

ocak, Türkçe «ocak» kelimesiyle yabancı kaidelere uyularak tamlamalar yapılmıştır, *seramedan-i ocag,* (Yeniçeri) ocağın ileri gelenleri, ● *ocağ-i mihmannevaz,* misafir ağırlayan ocak (hanedan).

ordu, Türkçe olan bu kelime ile *orduyi hümayun, ordugâh* gibi yabancı kurallarla tamlama ve kelimeler yapılmıştır.

ordugâh, *F. i.* [Ordu-gâh] Ordunun konakladığı yer.

osmani, osmaniyye, *A. s.* [Osman'dan] 1. Osman ile ilgili. 2. Osmanlı İmparatorluğu ile ilgili. ● «Mesahif-i Osmaniyenin birine muvafık ola. — Taş.».

Osmaniyan, *F. i.* [Osmanî ç.] Osmanlılar.

otag, «Otak» kelimesiyle *otag-ı hümayun, -nüh tıbak* gibi tamlamalar yapılmıştır. ● «Otag-i asafi önünde vakı. — Raşit».

otaga, *F. i.* Sorguç. «Miğfer-i ahenlerine serguc-i husrevinî ve otaga-i sahibkıranî takınıp. — Naima».

Ö

ö, Arap alfabesinin "ayın" ile başlayan kelimelerden bazı hafif zammelilerin sesini karşılar.

Ömer, *A. ö. i.* İkinci halife Hattab oğlu Ömer. *Faruk* lâkabıdır.

Ömereyn, *A. i.* (İki Ömer) 1. Birinci halife Ebubekir ile ikinci halife Ömer. 2. İkinci halife Ömer ile onu andıran Ömer bin Abdülâziz.

ömr, *A. i.* Yaşama. Hayat. Ömür. ● «Mülâzemette geçen ömr kûy-i dilberde — Rica-yi mansıb-i ummidin âsitanesidir. — Nabi». ● «Bir ömr-i cahîmin bütün ezvakını sürdüm. — Fikret».

örf, *A. i.* 1. Şeriat ve kanunca olmayıp yerine ve zamanına göre olan gelenek ve hüküm. 2. Tanzimattan önce sarıklıların giydikleri bir çeşit kavuk. 3. Bağış ve bahşiş. 4. İstediği gibi idare (ç. Örfiyat). ● «Fetva verip örf ve âdet, (nafile namazının cemaatle) kılınması canibinde olmakla şer'an örf itibar olunup. — Kâtip Çelebi». ● «(Kaldı) bazı örfiyatına müsaade etmemekle paşa kenduye bîhuzur olup. — Naima». ● «Örf muteberdir, örf-i nasta «lâhm» denilse «balık» murat olunmaz. — Naima».

örfen, *A. zf.* Örfçe, örf bakımından. ● «Örfen maruf olan şey şart kılınmış gibidir. — Mec. 43».

örfi, örfiye, *A. s. i.* Vaktin gereğine göre sivil idare yerine asker idaresi konma. ● *İdare-i örfiye*, sıkıyönetim.

öşr, üşr, *A. i.* 1. Öşür. Onda bir. 2. Esası şeriattan alınan, ürünlerden onda bir olan vergi. Ondalık. 3. Kur'an'dan 10 ayet mikdarı. (ç. A'şar).

özr, *A. i.* 1. Suçunu söyleyerek bağışlanması için ileri sürülen sebep. 2. Suçun bağışlanması. 3. Engel. 4. Kusur, eksiklik. (ç. A'zâr). ● «Yektir yine özrden şüruum — Bu işte tevekküle rücuum. — Fuzulî». ● «Bir özr için caiz olan şey o özrün zevaliyle bâtıl olur. — Mec. 23».

P

p, Sami dillerde bu ses olmadığı için Arap alfabesinde bulunmayan bu harf Acemler tarafından kullanılmış ve Türkçe alfabeye de üçüncü harf olarak girmiştir. Ebcet hesabınca b (yani 2) sayılır.

pâ pây, *F. i.* 1. Ayak. 2. Kök, dip. • «Bastıkta sipihr-i evvelâ pâ — Oldu iki pâre. bedr-i rânâ. — Ş. Galip». • «Yok öpmeye pâyını mecalim — Öpsün katarat-i eşk-i âlim. — Naci».

pâbend, paybend, *F. i.* [Pâ-bend] Ayak bağı, Köstek. (Mec.) Engel, bağ. • «İhtiyaç âdeme padend-i belâdır yoksa — Hodfüruşana müdara çekilir belâ değil. — Naci».

pâbercâ, *F. s.* [Pâ-ber-câ] Ayağı yerde. Yerinde sağlam duran. • «Tâ ki pâberca ola tak-i felekle kehkeşan. — Hakkı».

pâberikâb, *F. s.* [Pâ-be-rikâb] Ayağı özengide, hemen gitmeye hazır, çabuk savulan.

pâbeste, pâybeste, *F. s.* [Pâ-beste] Ayağı bağlı, kımıldanamaz.. • «Saki kerem eyle bidimağım — Pâbeste-i rişte-i feragım. — Ş. Galip».

pâbus, *F. s.* [Pâ-bus] 1. Ayak öpen. 2. Ayak öpme töreni. • «Pâbus-i şehriyari ile müstes'ad ettiler. — Naima». • «Ey kıble-i ikbale çıkan yol: reh-i pâbus. — Fikret».

pâbusi, *F. i.* Ayak öpme.

pâbürehme, *F. s.* [Pâ-bürehne] Yalınayak. Daltaban. • «Aşa-ül-leyleye muhtaç ser ü pâ bürehne ve aç. — Naima».

pâcame, *F. i.* [Pâ-came] Don, şalvar, çakşır.

pâçan, *F. s.* Saçıcı, saçan.

pâçe, *F. i.* [Pâ-çe] 1. Küçük ayak. 2. Bacağın dizden aşağısı, paça. 3. Şalvarın alt kısmı, dizden aşağısı, paça. 4. Hayvanın ayağına doğru yerlerinden çıkarılan post veya kürk.

paçenk, *F. i.* Küçük pencere, delik. Baca. • «Matbah-i cûdu eğer açsa sipihre paçenk. — Kâzım Pş.».

pâçile, *F. i.* Karda yürümek üzere ince çubuklarla ipten yapılma pabuç. Selbur.

pâdaş, *F. i.* 1. Mükâfat. 2. (Türkçe s.) Ayakdaş. • «Tarik-i aşktır pâdaş-i mihnet-i saadettir — O bezm-i hâsta hamyazeniz olmak da işrettir — Nedim».

pâdergil, *F. s.* [Pâ-der-gil] Ayağı çamurda, davranamaz. • «Bu abd-i mütevekkil-i pâdergilleri. — Sümbülzade·.

pâderhava, *F. s.* [Pâ-der-heva] Çürük Temelsiz. • «Bir hane-i pür zelzele-i pâderahvada esirfiraş edip. — Nabi».

pâderıkal, *F. s.* [Pâ-der-ıkal] Ayağı köstekli, davranamaz.

pâderpa, *F. s.* [Pâ-der pâ] Ayak ayağa, yan yana. • «Bırakılır anı dahi sayesi gibi yolda — Olsa ger satır-i endişe ile pâderpâ. — Nef'î».

pâderrikâb, *F. s.* [Pâ-der-rikâb] Ayağı üzerinde. Gitmeye hazır. Çabuk geçen. • «Tiz-terdir neşe-i paderrikâb-i badeden. — Avni».

padişah, pedişeh, *F. i.* Büyük şah, hükümdarlar hükümdarı. (ç. Padişahan). • «Bir lütfu çok mürüvveti çok padişah idi. — Bakî».

padişahane, *F. zf.* Padişaha yakışır surette.

padişahî, *F .s.* Padişahın olan, onunla ilgili bulunan (i.) Padişahlık.

padişeh, *F. i.* Padişah. • «Haketealâ azamet âleminin padişehi. — Şinasi».

padzehir, *F. i.* Panzehir.

pafersud, *F. s.* [Pâ-fersud] Ayağı incinmiş, aşınmış olan.

pahast, *F. s.* [Pâ-hâst] Ayak altında kalmış, çiğnenmiş olan.

pâk, *F. s.* Temiz, pak. Arık. (ç. Pâkân). • «Kaç nasıye vardır çıkacak pâk ü dırahşan. — Fikret».

pâkân, *F. i.* [Pâk, ç.] 1. Arılar, temizler. 2. (Mec.) Evliyalar, ermişler. • «Kâr-i pakânı kıyas eyleme kendi işine — Naci».

pâkbaz, *F. s.* [Pâk-baz] Temiz oynayıcı. Halis, sadık âşık. (ç. Pâkbazân). •

«Nur içre nümayişi zemin — Şad eyledi rind-i pâkbazı. — Naci».

pâkbazi, *F. i.* Sadık âşıklık. Cemal sevgisi.

pâkdamen, *F. s.* [Pâk-damen] Eteği temiz. Namuslu. (ç. Pâkdamenân). • «Bir vezir-i pâk-tab'ü pâk-dâman elveda. — Nabi».

pâki, *F. i.* Temizlik. Arılık. • «Ol hayâ gülberkinin pâki-i damanın görün. — Nailî».

pakize, *F. s.* 1. Temiz, 2. Lekesiz. • «Pakize kasideler demiştir — Berceste neşideler demiştir. — Ziya Pş.».

pâkmeşreb, *F. s.* [Pâk-meşreb] Yaradılışı, gidişatı temiz, iyi. (ç. Pâkmeşreban). • «Ol sâfi zamir pâkmeşreb — Bir' bezmegeh eyledi müretteb. — Fuzulî».

pakûb, *F. i.* [Pâ-kûb] Çengi. (ç. Pâkûban).

pâkzad, *F. s.* [Pâk-zad] Temiz asıllı. • «Lâkin bu zaif pâkzade — Kassap nasıl kıyar bilinmez. — Naci».

palâ, palây, *F. i.* 1. Yedek at. 2. Süzgeç. 3. Asıllı, asılmış. 4. Feryat, bağırtı. • «Gark olur kevn ü mekân âb-i hayat-i feyze — Aldığımca elime kilk-i suhan palâyı. — Nef'î».

palâd, *F. i.* 1. Yedek at. 2. Palan.

palâhenk, palehenk, Bk. • *Palehenk.* • «Sipeh-endaz-i saf-ârâ ki revadır olsa — Aftab eşheb-i çalâkine zer palâhenk. — Nef'î».

palân, *F. i.* Palan. Semer, eyer. • «Zerduz palan ursan eşek yine eşektir. — Ziya Pş.».

palanduz, *F. i.* [Palan-duz] Semer dikici, semerci.

palani, *F. i.* Semerci.

palây, *F. i.* Yedek at.

palas, pelâs, *F. i.* Bk. • *Plâs.*

palehenk, pelhenk, *F. i.* 1. Dizgin, yular. Cılbır. 2. Av veya suçlu bağlanacak kement. 3. Tazı boynuna geçirilen ağaç halka. 4. Kemer. • «Kırmızı atlas entarı giyip dört mü yoksa galiba beş mi altın murassa palehenk üzerlerinde simurg-i anka tasvir olunmuş bir kolan kuşak kuşanırdı. — Peçoylu».

pâlenk, *F. i.* Postal, çarık.

palide, *F. s.* 1. Süzülmüş, özel. 2. Büyümüş, ziyade olmuş.

palûde, *F. i.* Palûze denen pelte. • «Nermten dilberlerin âzarı da şirin olur — Lezzetin telh eylemez çin-i cebin palûdenin. — Nedim».

pâmal, pâymal, *F. s. i.* [Pâ-mal] Ayak altında kalmış, çiğnenmiş. • «Bütün hakayıkı pâmal edip ataletime — Biraz da rahata baksam. — Fikret».

pamüjd, pamüzd *İ. i.* [Pâ-müjd] Ayak teri. Bahşiş.

pânihade, *F. s.* [Pâ-nihade] 1. Ayak komuş, ayak basmış. 2. Gelip erişmiş. • «Pânihade-i Serendib-i gurbet olduğu gibi başı gailesine düşüp. — Kâni».

panzdeh, *F. s.* On beş. • «Ol tıfl-i nevhıram-i maani hadd-i bülûğ-i merdan olan merkat-i panzdeh payede cilvesaz. — Nabi».

papak, *F. i.* Kalpak. • «Tarz-i Acemî niçindir ihya — Kilk-i edebe papaklar iksa. — Kemal».

pâbuş, *F. i.* [Pâ-puş] Papuc. • «Papuşu büyük yok mu okut kendini bari. — Naci».

parçe, *F. i.* [Par-çe] 1. Ufak şey, küçük nesne. 2. Parça.

pardüm, *F. i.* Paldım.

pâre, *F. i.* 1. Parça. Bir bütünden bölük. 2. Sayı, bölük. 3. Para.

-pâre, *F. i.* «Parça» anlamıyle bileşik kelimeler yapılır. • *Berfpâre,* • *mehpâre,* • *şemspâre, yekpâre.*

paregâh, *F. s.* Şiveli olan. Şuh.

parenc, *F. i.* [Pâ-renc] Ayak teri, ücret.

parin, parine, *F. s.* Geçen yıl olan, bıldırki. • «Gel göğüs ver sita-yi pür-kine — Yetiş ey postîn-i pârine. — Naci».

pars, *F. i.* (Zoo.) Pars.

Pars, *F. i.* 1. İran'ın Şiraz bölgesinin adı. 2. Genel olarak İran.

pârsâ, *F. s. i.* Dine fazla bağlı, hep onunla uğraşır kimse. (ç. Parsâyân). • «Elden ayağı yere komaz içeriz müdam — Sofi sanır mısın ki bizi parisalarız. — Baki».

parse, *F. i.* Parsa.

pârseng, paseng, *F. i.* 1. Persenk. 2. Terazi darası.

Parsi, *F. s. i.* 1. Farisi, İran ülkesine ait, İran ile ilgili. 2. İran'da söylenilen dil.

pâs, *F. i.* 1. Gecenin sekizde biri. 2. Bekleme, gözetleme. • «Pâs-i burc eden'nice nâsıpası efkende-i handek-i adem eylediler. — Sadettin».

pâsban, *F. i.* Gece bekçisi, pazvan. • *Pasban-i felek,* • *-tarüm,* Satürn (Zuhal). (ç. Pâsbanân). • «Valde dairesini tavaf edip pasbanlık ederlerdi. — Naima».

pasbani, *F. i.* Bekçilik.

pâsdâr, *F. i.* Gece bekçisi. (ç. Pâsdarân).

pasdari, *F i.* Bekçilik. Gözcülük. • ‹Pasdari-i şehr ile benat ve nisvan ve sıbyanları yanında muhafazacı komalariyle. — Şefikname›.

pâsebük, *F. s.* [Pâ-sebük] Ayağı hafif, işine sarılmış.

pasitade, *F. s.* [Pâ-sitade] Ayakta duran.

pasüh, *F. i.* Cevap, karşılık.

pasühgüzar, *F. s.* [Pasüh-güzar] Cevap veren. • ‹Hâsid-i kûteh-nazara ma'raz-i itizarda bu veçhile pasühgüzar olurdum. — Okçuzade›.

pasüvar, *F. s.* [Pâ-süvar] Yaya olan.

pasvan, *F. i.* Pasban. Gece bekçisi.

-pâs *F. s.* Saçan, serpen, dağıtan anlamlarıyle bileşik kelimeler yapar.

• *Eşkpâş,* • *şekerpâş,*
• *güherpâş,* • *şükrpâş,*
• *hunpaş,* • *zerpâş,*
• *pertevpâş,* • *ziyapâş.*

pâşâ, *Türkçe,* ‹Paşa› kelimesi bu yolda uzatılarak terkipler yapılırdı. • ‹Olmak ister yine bir tavr-i nevâvin üzre. — Vasf-i pâşâ-yi Feridun-hâşeme tarhefken. — Nedim›.

pâşide, *F. s.* Seçilmiş, serpilmiş, dağılmış. • ‹Pâşide etsin âb-i ruhün hâk-i zillete. — Nabi›.

pasine, *F. i.* Ayağın ökçesi.

pây, pâ, *F. i.* 1. Ayak. 2. (Mec.) Dip. kök, temel. 3. Dayanma, karşı koma. 4. Sürekli. • *Dest ü pây,* el ile ayak. • *Pây-i hum,* küp dibi, • *-hisar,* kale dibi, kale temeli, • *serâpâ, serbepâ, sertâpa* (Bk.) • *Pây tâ ser,* ayaktan başa kadar. • ‹Amma ne kaside pây taser — San sübha-i dürr ü ıkd-i gevher. — Ziya Pş.›.

payad, *F. i. s.* 1. Kudret. 2. Sığ olan. Derin olmayan.

payan, *F. i.* 1. Son, bitim. 2. Uç, kenar. 3. (Tas.) Sofinin ulaşacağı birlik. • *Bîpayan,* sonsuz. • ‹Arsa-i medh ü senanın haddi yok payanı yok. — Nef'î›.

paybaf, *F. i.* Çulha.

pâybend, pâbend, *F. i.* [Pây-bend] Ayak bağı. Payvant. • ‹Saki medet et ki dermendim — Gam silsilesine pâybendin. — Fuzuli›.

pâybeste, pâbeste, *F. s.* [Pây-beste] Ayağı bağlı, bağlı esir. (ç. Pâbestegân). • ‹Bahar olursa dahi pâybeste bağımda — Yine hazan-i mutarassıt sağımda sojumda. — Nabi›.

payıdar, *F. s.* [Pây-dar] İyice yerleşmiş, sağlam, sürekli. • ‹Kimse dünyada pâydar olmaz. — Naci›.

pây-dergil, paydergil, *F. s.* [Pây-dergil] 1. Ayağı çamurda. 2. (Mec.) Sıkıntıda. • ‹Gireli vâdi-i nazma kodu esb-i tab'ım — Pây dergil nice bedlehce har-i hodrayı. — Nabi›.

pây-derhava, pâyderhava, *F. s.* [Pâderheva] 1. Ayağı havada. 2. (Mec.) Çürük.

pay der ıkal, *F. s.* [Pay-edr-ıkal] Ayağı köstekli.

pâye, *F. i.* 1. Rütbe, derece. 2. Sarıklıları yolunun rütbesi. • *Bapâye-i...,* filanca rütbe ile. • ‹Mesned-i iclâlinin rifat bir edna pâyesi. — Nef'î›.

pâyendaz, *F. s. i.* [Pây-endaz] Ayak atan, ayak atmış. Bir büyük kimsenin yolu üzerine döşenen değerli kumaş. • ‹Yollu yolunca istikbal ve pâyendazlar döşediler. — Naima›.

pâyende, *F. s.* Duran, sürekli. Payanda. • ‹Pâyende midir bahar? Hayhat! — Naci›.

payendegân, *F. s.* Öbür dünya insanları, öbür dünyada baki kalacak şeyler.

pâyendegî, *F i.* Sürekli oluş.

paygâh, paygeh, *F. i.* [Pây-gâh] 1. Derece, rütbe. 2. Pabuçluk.

pâyin, *F. s.* 1. Aşağı. 2. Aşağı yön. • ‹Pâyin-i kasrda bir havz-i musanna'. — Nergisi›.

pâyiz, *F. i.* 1. Güz, Sonbahar. 2. Yaşlılık.

pâykûb, pâkûb, *F. i.* [Pâ-kûb] Ayak döven. Köçek. • ‹Olur arus-i suhan pâykûb ü dest-efşan — Zeban-i hame-i Nabi terennüm ettikçe. — Nabi›.

pâymal, pâmal, Bk. • *Pâmal.* ‹Olurdu pâymalim gâh bir gül, gâh bir zanbak. — Fikret›.

paytaht, *F. i.* [Pây-taht] Başkent. • ‹Şehrimiz bir paytahttır ki yalnız başına bir devlet değer. — Şinasi›.

pâyzen, *F. i.* [Pây-zen] Ayağına pıranga vurulmuş, forsa, deniz esiri.

pazar, *F. i.* 1. Pazar (günü). 2. Alışveriş yeri.

pazede, *F. s.* [Pâ-zede] Çiğnenmiş. • ‹El eri ve reaya leşker-i pâzede perakendesin tutup kırmaya. — Naima›.

Pazend, *F. i.* Mecusilerin din kitabı olan Zendavesta'nın pehlevi dilinde tefsiri olan Zerdüşt'ün kitabı.

pazenk, *F. s.* Pezevenk.

peder, *F. i.* Baba. (ç. Pederan). • «Maderle peder olup bahane — Sevk etti kaza beni cihana. — Kemal».

pederane, *F. s. zf.* Babaya yakışırca, o şekilde. • «Oğul deyu hemişe pederane eşfâk göstermeğin. — Sadettin».

pederî, *F. s. i.* 1. Baba ile ilgili. 2. Babalık.

pederşahî, *F. i.* [Peder-şahî] (Sos.) Fransızca'dan *patriarcat* karşılığı (XX. yy.).

pedid, bedid, *F. s.* Görünür. açık, belli. • «Güzar eylerdi bir ses cebhe-i sevdapedidinden. — Fikret».

pedermande, *F. s.* [Peder-mande] Babadan kalma.

pedrud, *F. i.* Ayrılışma, esenleşme. • «Etmez misin ey revan-i mesud — Minnetgede-i zemine pedrud. — Naci».

pehlevan, pehlüvan, *F. i.* Pehlivan. Güreşçi. Yiğit. • «Kendilerini pehlevan-i arsa-i kâr ü zâr ve Neriman-i sahib-iktidar addettiler. — Şefikname».

Pehlevî, *F. s. i.* 1. İran'da İsfahan ile dolaylarındaki bölge halkı. 2. Bu bölgede konuşulan dil.

pehlû, *F. i.* Gövdenin iki yanı. Eğe. • «Mader vererek sana nevale — Pehlûsunu etmiyor mu baliş. — Naci».

pehn, pehna, *F. s.* Enli, yassı. • «Bir resm ederdi teşkil gayet bülend ü pehna. — Recaizade».

pehnaver, *F. s.* 1. Silmuş, soluk. 2. Enli, geniş. Yaygın. • «Feyfa-yi pehnaver-i gaflette sergerdan-i tih-i ziynet olmuş sadedilân-i ümmeti. — Şefikname».

pejuh, pijuh, *F. s.* Soruşturma, araştırma. (ç. Pejuhan). • «Mesmu-i haber-i pejuhan-i tecrübekârî olmamıştır ki. — Nergisi». • «Pâbercâ-yi tecellüd ü ıstıbar olan güruh-i haybetpejuh-i küffarı serhadd-i hayat ü zindegâniden dur ü meçhur. — Ragıp Pş.».

pejmürde, *F. s.* Buruşmuş. Buruşuk. Solmuş. • «Solmuş çiçek demetleri, pejmürde handeler. — Fikret».

pejvin, *F. s.* Kirli. Pis. Çirkin.

pelâde, *F. s.* Fesatçı.

pelâs, palâs, *F. i.* Çul ve aba ile bunların eskileri. • «Sabun-i tevbeden olur imdat Nabiyâ — Çirk-i pelâs-i marifetin şüst ü şûsuna. — Nabi».

pelâspare, *F. s.* [Pelâs-pâre] Eski püskü, yırtık pırtık, bayağı giyecek. • «Pelâspare-i rindî beduş ü kâse bekef — Zekât-i meyverilir bir diyare dek gideriz. — Naili».

pelâspus, *F. s.* [Pelâs-puş] Çula bürünen, Fakir, zavallı. (ç. Pelâspusan).

pele, pelle, *F. i.* 1. Merdiven basamağı. 2. Terazi kefesi. 3. Çark dişi. • «Salındı idgehte yine nevresideler — Hayretle döndü pelle-i dolaba dideler. — Nabi».

peleng, *F. i.* (Zoo) Kaplan. (ç. Pelengân). • «Cem' oldu kûh-i aşka pelengân birer birer. — Nabi».

pelengâne, *F. zf.* Kaplana yakışır, kaplanla ilgili yolda.

pelid, *F. s.* Pis, murdar. • «Derban-i pelid yatağında bulunan kilid ile. — Sadettin».

penagâh, *F. i.* [Penah-gâh] Sığınacak yer. • «Penagâh oldu ona ol teselli-i âfil, — Cenap».

penageh, penegâh, *F. i.* [Penahgâh'tan] Sığınacak yer.

penah, *F. i.* 1. Sığınma. 2. Sığınacak yer. • «Bir gürültü koptu düşman hısnı etmişken penah. — Süruri».

-penah, *F. s.* Bir şeyin sığındığı, koruyucusu, dayanağı anlamlarıyle terkipler yapmada kullanılır. • *Adaletpenah,* • *cihanpenah,* • *nezaretpenah,* nazır; • *resaletpenah,* Muhammet Peygamber.

penahî, *A. s.* -penah'lı kelimelerin isim hallerinde aldığı şekillerde kullanılır: zaman-i vezaretpenahilerinde, penahileri...

penbe, *F. i.* Pamuk. • *Penbe der gûş* (kulağı tıkalı) söz işitmez, lâf anlamaz. • «Bâlin-i gamda teşne koma Ruhiyî medet — Penbeyle koy dehanına ey saki âb-i sürh. — Ruhi».

penbezar, *F. i.* 1. Gömleklik ince bez. 2. Pamuk tarlası.

penbezan, *F. i. s.* [Penbe-zan] Hallaç, pamuk atıcı.

penc, *F. s.* Beş. • *Penc erkân,* İslamlığın (tevhit, namaz, oruç, haç, zekât) beş şartı. • «Etti endaze-i hikmetle kıyam — Penc erkân bina-yi İslâm. — Nabi».

pencah, *F. s.* Elli. • «Her birisinin vird-i zebanı çil ü pencah. — Ruhi».

pence, pençe, Bk. • *Pençe.*

pencere, *F. i.* Pencere.

pencgâne, *F. s.* Beşli, beşten ibaret. • *Namaz-i pencgâne,* beş vakit namaz. • «Nizam-i bahtımıza eylemiş kâza tanzir — Nizam-i kısmet-i evkat pencgânemizi. — Nabi».

pencsenbih, *F. i.* Beşinci gün, perşembe.

pencüm, F. s. Beşinci. • ‹Fahr etme bana sipihr-i pencüm — Gel ben vereyim sana bin encüm. — Hayret›.

pencümin, F. i. Beşinci.

penç, Bk. • Penc.

pençe, pence, F. i. 1. Parmaklarla beraber el ayası. 2. Yırtıcı hayvanların ön ayaklarının parmaklarıyle tırnakları. 3. (Mec.) Kuvvet, kudret. • Pençe-i âl-i âba, Muhammet Peygamber. Ali, Fatıma, Hasan ve Hüseyin. 3. Fermanlara, mektuplara imza gibi tasdik yerine konan işaret. • ‹Hazanın pençe-i kahrında vakf-i iğbirar, ağlar. — Fikret›.

pençezen, F. s. [Pençe-zen] 1. El uzatan, saldıran. 2. İmza atan, işaretleyen.

bend, F. i. Öğüt. • ‹El şimdi benden aldığı pendi bana verir. — Fuzulî›. • ‹Eblehane kimi edip pendi. — Atayi›.

pendname, F. i. [Pend-name] Öğüt kitabı. • Pendname-i Attar, Ferideddin Attar'ın kitabı.

pengâh, Bk. • Bengâh.

penir, F, i. Peynir.

per, perr, F. i. Kanat. Bal ü perr, kanat. • ‹Erbab-i nazar sevip öperler — Yerlerde sürünmesin o perler. — Naci›. • ‹Kimseden ümmid-i feyz etmem, dilenmem perr ü bâl. — Fikret›.

perakende, F. s. 1. Dağınık. 2. Dağıtma. • ‹O perakende, nazenin, muğber — Uçuşan, savrulan, düşen tüyler. — Cenap›. • ‹Etraf ve cevanibe evamir perakende kılınıp. — Naima›.

peraver, F. s. [Per-aver] Çabuk uçan.

perçem, F. i. Tepede veya alında olan uzunca saç. • ‹Cilve ettikçe ne dem olsa perişan perçem — Pür olur nükhet-i müşk ile giriban-i hava. — Nef'î›.

perçin, F. i. Perçin.

perdaht, F. i. 1. Cilâ, parlaklık. 2. Düzleme, temizleme. • ‹Evvelâ seninle müttefikan anları perdaht edelim badehu mühre sen dahi vâsıl olmak mümkündür. — Naima›.

perdahte, F. s. Düzeltilmiş, parlatılmış. Temizlenmiş.

-perdaz, F. s. ‹Düzeltici, düzenleyen› anlamıyle bileşik kelimeler yapılmada kullanılır. • Gazelperdaz, • kasideperdaz, • latifeperdaz, • nadireperdaz, • nazireperdaz, • nükteperdaz, • kârperdaz (İran devleti) konsolosu. (ç. Perdazan).

perdazi, F. i. Tertip edicilik.

perde, F. i. 1. Kapı veya pencereye asılan örtü. 2. Saz perdesi. 3. (Mec.) Namus. • Ehl-i perde, namuslu. • ‹Perde-i naleleri çıksa hüseyniye n'ola — Dili zâr etmeğe ol vech-i hasendir bais. — Baki›. • ‹İşte bak, ben de, ben de muhtacım — Öyle bir perde-i tesliyete. — Fikret›.

perdeberdar, F. s. [Perde-ber-dar] Perde kaldırıcı, perde açıcı. • ‹Sözümdür perdeberdar-i ruh-i mâna desem Naci — Seraser hemzeban-i nagme-i ıkrar olur âlem. — Naci›.

perdeberendaz, F. s. [Perde-ber-endaz] Perdeyi kaldırıp atan, utanmayı filan bırakan. • ‹Olma sakın perdeberendaz-i râz. — Naci›.

perdebirun, F. s. [Perde-birun] Utanmaz. (ç. Perdebirunân). • ‹Lezzeti zayi olur naz ü niyazın cânâ — İltizam-i sitem-i perdebirundan sonra. — Nabi›.

perdebirunane, F. zf. Terbiyesizce. 2. Açık saçık tarzda.

perdedar, F. i. [Perde-dar] Büyük bir kimsenin kapısında bekleyen ve içeri gireceklere kapı perdesini açan perdeci, kapıcı. (ç. Perdedaran). • ‹Çarubu zulf-i havra ferraşı bâd-i cennet-Derbanı ızz ü devlet ıkbal perdedrı. — Nedim›.

perdedari, F. i. Perdecilik.

perdeder, F. s. [Perde-der] Perde yırtıcı, arsız. • ‹Ne perdeder-i bezmgâh-i çeşm-i rukud. — Sami›.

perdegi, F. i. İyi örtünmüş, namuslu kadın.

perdekâr, F. i. [Perde-kâr] Perde ile örtülü yer.

perdekeş, F. s. [Perde-keş] Perde çekici, örtücü. Engel. • ‹Mabeyne tasavvur-i kahr-i Huda perdekeş-i ruz-i ceza olmakla. — Nergisi›.

perdenişin, F. s. [Perde-nişin] Perdeli yerde oturan, bir köşeye çekilip kimse ile ilgili olmayan. (ç. Perdenişinân). • ‹Nice yüz bin muhaddere-i ismetpenah-i perdenişin rahminde olan cenîn-i bigünah. — Veysi›.

perdepuş, F. s. [Perde-puş] Örtücü, örten.

perdesera, F. s. [Perde-sera] 1. Saz çalan, çalgıcı. 2. Şarkı söyleyen, şarkıcı.

perdeseray, A. i. Çadır, hayme.

perdeşinas, F. s. [Perde-şinas] Şarkı söyleyen, okuyucu.

pere, perre, *F. i.* Uç. Kenar.

peren, *F. i.* Ülker yıldızı. Pervin, ıkd-i süreyya. • ‹Göremez birbirini haşre kadar çeşm-i peren. — İzzet Molla›.

perend, *F. i.* Düz renkli ipek kumaş, atlas. Kılıç veya hançer cevheri. • ‹Gûya bir tak-i mercan rivaka perend-i müşkfamdan bir perde-i duhanî keşide kılınmıştı. — Veysi›.

perendâver, *F. s.* Çok keskin kılıç, hançer. pala.

perende, *F. i. s.* 1. Uçan, uçucu. 2. (Av) kuşu. 3. Çark gibi dönerek kılınan takla. *Perende ve çerende*, kuşlar ve otçul av hayvanları. • ‹Bu' şikârdan maada havass-i bendegân ile perende şikârına gidip. — Naima›.

perendebaz, *F. i.* [Perende-baz] Takla atan oyuncu. Köçek. (ç. Perendekazân)

-perest, *F. s.* Tapan, tapınan, taparcasına seven› anlamlarıyle bileşik kelimeler yapılmada kullanılır. • *Âteşperest,* • *badeperest,* • *bütperest,* • *Hudaperest,* • *hodperest,* kendini beğenen; • *dünyaperest;* • *meyperest;* • *zenperesst.* (ç. Perestan).

perestar, *F. i.* 1. Hizmetçi, kul, 2. Besleme. *Perestar-i hayal,* şair. • ‹Kuvve-i men'ü hata kabze-i Razzaktadır — Zıll-i naçiz-i tehi-deste prestar olamam. — Nabi›.

perestarî, *F. i.* Kulluk. Hizmet.

perestende, *F. i.* İbadet edici, tapınıcı olan.

perestide, *F. s.* Sevgili. Sevilen. (ç. Prestidegân). • ‹Gel ey berid-i perestide, bir sürudunla — Bugün melâl ü neşatım takarrur eyleyecek. — Fikret›.

perestiş, *F. i.* Tapınma, tapma. Tapar gibi sevme. • ‹Kani kendi kuʼunum deyu perestişler eden — Eyleyemez yolda duçar olsa dahi redd-i selam. — Nabi›.

perestişkâr, *F. s.* [Perestiş-kâr] Tapan, tapınan. Tapınırcasına seven, düşkün. • ‹Perestişkârlık teklifi uşşaka güzel amma — Hele o hastegân-i mihnetin tâb ü tüvanın bul. — Nabi›.

perestişkâran, *F. s.* [Perestişkâr ç.] Tapanlar, tapınırcasına sevenler.

perestişkârane, *F. s.* [Perestişkâr ç.] Taparcasına sevene uyar halde; böyle bir sevgi ile. • ‹Geçerken görenlerin nazarında perestişkârane ihtimamlar toplayan — Uşaklıgil›.

perestişkârî, *A. i.* Tapma. Taparcasına sevme.

pergâl, pergâr, *F. i.* Pergâr, pergel. • Merkez-i pergâr-i daniş kutb-i gerdun-i hüner. — Nef'î›. • ‹Sonra pergâr gibi dönmelidir. — Her gören der başı dönmüş delidir. — Sümbülzade›.

pergâle, *F. i.* 1. Parça. 2. Kalın, sert iplikle dokunmuş. • ‹Pergâleyi kâle zannederler. — Ş. Galip›.

pergarvar, *F. s.* [Pergâr-vâr] Pergel gibi.

perhaş, *F. i.* Savaş, cenk, kavga. •*Perhaş-i dilhiraş,*, *savaş-i perhaş.*

Perhiz, *F. i.* 1. Perhiz. 2. (Mec.) Dinin yasak ettiği şeylerden sıkı surette uzak durma. • ‹Kimine faide perhiz eder kimine gıda. — Fuzulî›.

perhizkâr, *F. s.* 1. Nefsini tutan. 2. Sofu. (ç. Perhizkârân). ‹Benim bu cihette fevkalhad perhizkâr olmaklığım — A. Mitat›.

peri, *F. i.* Cin taifesinin' pek güzel var sayılan kadın kısmı. (Mec.) Çok güzel insan. (ç. Periyân). • ‹Refika-i seferi bir peri-i giryandır. — Fikret›.

periçehre, *F. s.* [Peri-çehre] Peri yüzlü, güzel yüzlü. • ‹Gayrdan bezmi halvet etmiş idik — Bir periçehre dâvet etmiş idik. — Vahît›.

peride, *F. s.* 1. Uçmuş, yükselmiş. 2. Uçuk, solmuş (renk). • ‹Bundan ileri değil peride — Senden gayrı bir aferide. — Nabi›. • ‹Üstünü elvan-i ibrişim-i periderenek ile. — Şefikname›.

periderenk, *F. s.* [Peride-renk] Rengi uçmuş, solmuş. • ‹Çıkar yakındaki bir kulbeden cenaze gibi — Peridereng-i tahassur, melûl, bi-takat. — Fikret›.

perihane, *F. s.* [Peri-hane]. Peri evi. Güzellerin toplandığı yer. • ‹Çây edeli sinem büt-i dilcu-yi muhabbet — Dil oldu perihane-i cadu-yi muhabbet. — Nedim›.

peribeyker, *F. s.* [Peri-peyker] Peri yüzlü, gayet güzel.

perirû, *F. s.* [Peri-rû] Peri yüzlü. (ç. Perirûyân). • ‹Bizimle ey perirû niyyetin gavga mıdır bilmem. — Nabi›.

periruh, *F. s.* [Peri-ruh] Peri yanaklı. (ç. Periruhan).

periruhsar, *F. s.* [Peri-ruhsar] Peri yanaklı, güzel yüzlü.

perişan, *F. s.* 1. Dağınık. 2. Karışık. 3 Kederli, kaygılı. • *Evrak-i perişan,* dağınık, karışık yapraklar, • *giysu-yi perişan,* dağınık saç; • *hâb-i perişan,* karışık uyku, rüya. • ‹Aşüfteliğim zülf-i perişanın içindir. — Fuzulî›.

perişanhal, F. s. [Perişan-hal] Acınacak halli. Hali bozuk, gamlı.

perişani, F. i. Dağınıklık. Karışıklık. Acıklılık. • «Perişanî-i gurbet işitenlerden ırak bir derd-i ihtiraktır ki — Kâni».

perivar, F. s. [Peri-var] Peri gibi.

periveş, F. s. [Peri-veş] Peri gibi, çok güzel. (ç. Periveşân). • «Hem bir dahi bir semend-i dilkeş — Etti sana tuhfe ol periveş. — Ş. Galip».

perizad, F. s. [Peri-zad] Peri çocuğu, gayet güzel. • «Perizadım acep kimlerde ünsiyettedir şimdi. — İzzet Molla».

perkende, F. s. Perakende, dağınık.

perkûşa, F. s. [Per-küşa] Kanat açıcı, uçucu.

perniyan. F. i. İşlemeli, değerli ipek kumaş. Üzeri nakışlı atlas.

perr, per F. i. Kanat. Bk. Per. • «Tozlandı yazık o perr ü bâle. — Naci».

perran, F. s. Uçan, uçucu. • «Perran ü münevver. — Saydeyliyelim gel — Ben kafiyeler, sen de müzehhep kelebekler. — Fikret».

perrende, F. s. Uçan, uçucu. • «Melek rikâb-i semendime peyk-i perrende. — Felek seraçe-i kadrinde ferşrub-i harem. — Nef'i».

pertab, pertav, F. i. 1. Atılma, sıçrama. 2. Atılmaya hız almak için geriden koşarak atlama. • «Çeşminden uçunca tair-i hâb — Şahin-i nigâhı etti pertab. — Nabi».

pertev, F. i. Işık, parlaklık. • «Pertevinden ayağın altına ak diba döşer. — Riyazi».

pertevbar, F. s. [Pertev-bar] Işıklı. • «Çehresinde parlayan necm-i pertevbar-i saniha. — Uşaklıgil».

pertevefşan, F. s. [Pertev-efşan] Işık saçan. • «Stanbul şehri reşkendaz-i heft iklim-i devrandır — İki bahre iki iklime zira peretvefşandır».

pertevendaz, F. s. [Pertev-endaz] Işık saçan, ışıklı. • «Meclis-i ağyara olma pertevendaz-i visal — Şem-i ümmid-i rakîbanı füruzan eyleme. — Nabi».

pertevpâş, F. s. [Pertev-pâş] Işık saçıcı, aydınlatıcı.

pertevriz, F. s. [Pertev-riz] Işık dökücü, aydınlandırıcı.

pertevsuz, F. i. [Pertev-suz] Pertavsız. • «Görünce sinesinde tâb-i mihr-i ruyun ah ettim — Bana bir sim pertevsuz ile dilber duhan yaktı. — Nedim».

pertevzen. F. s. [Pertev-zen] Nurlandırıcı, ışıklandırıcı. • «Yaktı yandırdı bizi micmer-i sîm-asa — Mihr-i ruhsarı olup sinesine pertevzen. — Nedim». • «Her zerresi gönülde olur âftab — Mihr-i ruhün olur ise pertevzen-i hayal. — Halimgiray».

perva, F. i. 1. Korku. 2. Çekinme. 3. İlgi, bağ. • Bîperva, korkusuz; • bilâperva, korkmadan. • «Cür'et bulup tezayüd, mahv oldu bende perva. — Recaizade».

pervane, F. i. 1. Gece kelebeği. 2. Fırıldak çarkı. 3. Haberci, kılavuz. • «Müşabih tir birer pervane-i sekrana yapraklar. — Fikret».

pervanegân, F. i. [Pervane ç.] Gece kelebekleri. • «Olup nümune-i pervanegân-i gümüşüde şem'. — Nabi».

pervaz, F. i. Uçma. • «Sayd için eylese şehbaz-i hayalim pervaz. — Nef'i».

-pervaz, F. s. • «Uçan, uçucu» anlamlarıyle bileşik kelimeler yapar. • Bâlâpervaz, yüksekten uçan, atıp tutan. • bülendpervaz, iddiacı, büyük iddiada bulunan.

pervaze, F. i. Gezinti nevalesi. 2. Gece eğlentisi ışığı. 3. Altın ve gümüş varakları kırıntısı.

pervazî, F. s. i. 1. Uçma. Uçuş. 2. Uçma ile ilgili. • «Bir hiffet-i pervazî ile koşarak. — Uşaklıgil».

pervazgâh, pervazgeh, F. i. [Pervazgeh] Uçulacak yer.

-perver, F. s. • «Besleyen, besleyici, yetiştiren, eğiten» anlamlarıyle bileşik kelimeler yapılmada kullanılır. • Dehaperver, deha eğiten, dâhi yetiştiren; • figanperver, figana, acıya sebep olan; • fukaarperver, fukara besleyen, gözeten; • hamiyetperver, hamiyetli; • hayalperver, hayal ile eğitilmis; • maarifperver, maarifi koruyan, ilerlemesine çalışan; • nazarperver. • sükûnperver, vatanperver, yurtsever. (ç. -perveran).

- bendeperver
- dinperver
- füsünperver
- giryeperver
- hafaperver
- handeperver
- hasretperver
- hayalperver
- iltifatperver
- mahperver
- mealperver
- merahimperver

- nagamberver
- nazarperver
- neşeperver
- nevhaperver
- nizamperver
- nurperver
- ruhperver
- safaperver
- sükûnperver
- şuleperver
- temaşaperver
- tiyatroperver

perverd, *F. s.* Bk. ● *Pesver*.

perverde, *F. s.* Beslenmiş. Eğitilip .yetiştirilmiş. (ç. Perverdegân). ● ‹Ebak Mısır valisi Mehmet Ali Paşa perverdelerinden. — Ziya Pş.›. ● ‹Bir ümmid-i cinanla perverde. — Fikret›.

Perverdigâr, *F. i.* Tanrı. ● ‹Âmm olur elbette feyz-i saye-i Perverdigâr. — Fuzulî›.

perverende, *F. s.* Besleyen, büyüten.

perverî, *F. i.* Belseyicilik. Büyütücülük. Terbiye.

perveriş, *F. i.* 1. Besleme, beslenme. 2. Eğitme, eğitilme. ● ‹Ne bilir perveriş ebr-i bahar-i feyzin — Gül-i vasfın çemen-ârâyi bahar eylemeyen. — Nedim›. ● ‹Bu ikinci sevdanın mehd-i perverişlerini süslemek için. — Uşaklıgil›.

perverişyab, *F. s.* [Perveriş-yab] Eğitilen, yetiştirilen. ● Perverişyab olduğu için dudman-i aşkta — Ah-i Nabi yerde kalmaz ziynet-i eflâk olur. — Nabi›.

Pervin, *F. i.* Ülker yıldız takımı. Süreyya. ● ‹Şîr-i felek oldu şîr-i berfîn — Dendanı yerinde idi Pervin. — Ş. Galip›.

perviz, *F. i.* 1. Üstün. 2. Elek, süzgeç. 3. Balık. 4. Güzellik. 5. (Ö. İ.) İran hükümdarı Husrev'in lakabı. ● ‹İslâm-i Faruk-i Arap ikbal-i Perviz-i Acem — Nef'î›.

pes, *F. e.* İmdi. Bundan sonra. Öyle ise. ● ‹Pes şafiî vaktinde iki koldan zikr olunan gediklere hücum olunup. — Naima›.

pes, *F. i.* Art, arka. Geri. ● *Pes ü pîş*, art ile ön, ● *pes perde*, perde ardı, gizli. ● ‹Ervah kanatlanmış uçar piş ü pesende. — Fikret›.

pesend, *F. i.* Beğenme, seçme. ● ‹Şimşiri gevherini pesend eyledi frenk. — Baki›.

-pesend, *F. s.* ‹Beğenen, beğenmiş› anlamıyle bileşik kelimeler yapar. ● *Dilpesend* ● *hodpesend* Bk.

pesendane, *F. s. zf.* -pesend ile yapılmış kelimelerin hal ve zarf şekli. ● *Avampesendane*, ● *hodpesendane*.

pesendide, *F. s.* Beğenilmiş, seçilmiş. ● ‹Tarab yegâne pesendide-i hayalîsi. — Fikret›.

pesmande, *F. s.* [Pes-mande] 1. Geri kalmış geride bulunan. 2. Artık, artmış. ● *Pesmandehor*, artık yiyen. ● ‹Zehr olsun ol lokma k'ola pesmande-i dûnan. — Ruhi›.

pespâye, *F. s.* [Pes-pâye] Pâyesi, derecesi aşağı, bayağı.

pespâyegân, *F. i.* [Pespâye ç.] Bayağı kimseler.

pesperde, *F. s.* [Pes-perde] 1. Perde arkası, gizli iş. 2. (Pest perde) Alçak, hafif sesle. ● ‹Cümle tedbir pesperdede üstadındır — İhtiyarî mi sanırsın harekâtın suverin. — Nabi›.

pesrev, *F. i. s.* [Pes-rev] Arkadan gelen. Uşak.

pest, *F s.* 1. Aşağı, alçak, 2. Yavaş, yavaş sesle söylenilen. ● *Pestbaht*, talihi aşağı, kısmeti kötü. (ç. Pestân). ● ‹Alâlara alâlanırız pest ile pestiz. — Ruhi› ● ‹Hemen herkesin bildiği bu parçaya birçoğu pest sesle iştirak ettiler. — Uşaklıgil›.

pestî, *F. i.* Alçaklık. ● ‹Yekdiğerinin üftadesidir pestî vü mestî. — Naci›.

pestzinde, *F. i. s.* [Pestzinde] (Sos.) Fransızca'dan *survivance, survivant* (aıtakalma) karşılığı (XX. yy.).

peşe, peşşe, *F i.* Sivrisinek.

Peşen, *F. i.* 1. Bir savaşçı. 2. Tus şehri dolaylarında bir yer adı.

Peşenk, *F. i.* Efrasyab'ın babası.

peşiman, *F. s.* Pişman. Nedamet getirmiş. ● ‹Bir işi evvel edip sonra pişmanlık nedir. — Nabi›.

peşimanî, *F. i.* Pişmanlık.

Peşin, *F. i.* Keykubad'ın üçüncü oğlu.

peşin, Bk.. ● *Pişin*.

peşiz, peşize, *F. i.* 1. Katırboncuğu. 2. Peçiç oyunu. 3. Pul. ● ‹Gevheran-i ahteri dellâl-i çarh eyler füruht — Çarşuyi sohbetinde bir peşiz eylerse de. — Nabi›.

peşm, *F. i.* Yün, yapağı. ● ‹Bunca dem puşide oldun ben gibi bir ateşe — Ey abâ peşm semendersin ki sûzan olmadın. — Naci›.

peşmîn, peşmine, *F. i.* 1. Yünden, yapağıdan yapılma. 2. (i.) Sofu elbisesi. ● ‹Libas-i peşmîn ve külâh-i nemedîn istimali olup. — Sadettin›.

peşşe, *F. i.* Sivrisinek. ● ‹İltifatı peşşe-i naçize verse takviyyet — Rüzgâra hükmün eylerdi Süleyman-veş revan. — Kâzım Pş.›.

pey, *F. i.* 1. ● ‹Pay› hafifi. 2. İz. 3. Art, arka. ● ‹Peyinde bir medeniyet ki müteriz, hasut. — Fikret›.

peyam, *F. i.* Haber, başkası tarafından gelen bilgi. ● ‹Verir peyam-i hazin bir dem-i mukarrerden. — Fikret›.

peyamaver, *F. s,* [Peyam-âver] Haber getiren.

peyamber, *F. i.* [Peyam-ber] Haber getiren, peygamber. • ‹Peyrev ol cümle peygamberlere Cibril gibi. — Nabi›.

peyabey, *F. zf.* [Pey-a-pey] Birbiri arkasından, durmadan. • ‹Bir zulmet-i beyza ki peyapey mütezayit. — Fikret».

peyda, *F. s.* Meydanda, açıkta, *Napeyda,* görünmez, bulunmaz, • *nevpeyda,* yeni çıkma. • ‹Pinhan ü peyda, nevvar ü muzlim. — Fikret».

peydayî, *F. i.* Peyda olmak, çıkmak.

peyderpey, *'F. s.* [Pey-der-pey] Birbirinin ardı sıra, yavaş yavaş. • ‹Eşheb-i ruz ile ta edhem-i şeb peyderpey — Haşre dek birbiri ardınca cilvenüma. — Nef'î›.

peyem, *F. i.* ‹Peyam› hafifi. Haber. • *Peyemres,* haber getiren.

peyember, *F. i.* Peygamber. • ‹Sende ayâ gayret-i din.ü peyember yok mudur. — Murat IV.›.

peyemers, *F. s.* [Peyem-res] Haber ulaştıran. Haber getiren. Haberci. • ‹Ol dem getir andan bana ey bâd-i peyemres — Andan bana sen gizlice bir ses. — Cenap›.

peyenderpey, *F. s.* [Pey-ender-pey] Art arda, ardı sıra. durmadan, azar azar. • ‹Girit serdarı Hasan Paşa'dan imdat talebi için peyenderpey arzlar gelirdi. — Naima›.

peygam, *F i.* Haber. • ‹Edermiş kıyamette duzah hücum — Verirdi o peygamı bâd-i sümum. — İzzet Molla›.

peygamber, *F. i.* Tanrı tarafından haber getirip insanlara tanrı buyruklarını haber veren kimse. • ‹Bir gaza ettin ki hoşnut eyledin peygamberi. — Nef'î›.

peygamberan, *F. i.* [Peygamber ç.] Peygamberler.

peygamberane, *F. zf.* Peygamberlere yakışır surette, olacağı bilir gibi.

peygamberî, *F. i.* Peygamberlik.

peygâr, peykâr, *F. i.* Savaş, cenk. • ‹Mah-i nev sanma felekte göricek peykârını Titredi Behram elinden düştü zerrin hanceri. — Nef'î›.

peygare, *A. i.* Lâyıksız söz. İftira.

peygule, *F. i.* Köşe. Bucak. • *Peygule-i hamul, -nisyan,* unutulma köşesi. •

Sema çeşminde bir peygule-i tenk. — Fikret›. • ‹Oldu erbab-i maarif nayap — Düştü peygule-i nisyana kitap. — Nabi›.

peygulegüzin, *F. s.* [Peygule-güzin] Bir köşeye çekilip dünya ile ilgisini kesen.

peygulenişin, *F. s.* [Peygule-nişin] Köşeye çekilmiş. Bir köşede oturan.

peyk, *F. i.* 1. Haber getirip götüren. *Peyk-i ecel,* Azrail. 2. (Ast.) Bir gezegenin etrafında dolaşan gezegen, uydu. (Mec.) Her hareketinde birine bağlı bulunan. 3. (Eski) Yeniçeri kurulunda atlıların yanında koşarak giden kimse. • ‹Peyk-i Rabb-ül-celîli yani hazret-i Cebrail. — Taş.›. • ‹Etraf-i memalike ve şahan-i sahib eraike nameler ve peykler irsal edip. — Lamiî›.

peykân, *F. i.* Okun ucundaki sivri demir, temeren. • ‹Peykân-i ecel peyamını gûşgüzar-i leşker-i Şam. — Sadettin›.

peyker, *F. i.* Yüz, surat. • ‹Hoş geldin eya peyker-i hurşid-i mefahir. — Nedim›. • ‹Bir nigeh etsen görünür hal-i dil — Gönlümün ayinesidir peykerim. — Naci›.

peyma, *F. i.* ‹Ölçen, ölçülü› anlamıyle bileşik kelime yapılır. • *Badpeyma,* yel ölçen, pak çabuk giden.

peyman, *F. i.* And. • *Peymanşiken,* andını bozan. • ‹Gözet ahd ü peymanı peymane sun. — Yahya›.

peymane, *F. i.* Büyük kadeh, bardak. Ölçek. *Peymanekeş,* içki içen; • *peymane peyma,* şarap içen; • *peymane şiken,* kadeh kıran. • ‹Bir gözüm sakide kaldı bir gözüm peymanede. — Ayni›. • ‹İsa ile peymanekeş-i bezm-i sabuhuz. — Ruhi›. • ‹Kail değiliz kimsenin âzarına amma — Hatırşiken-i zahid-i peymanekeşikestiz. — Ruhi›.

peymay, *F. i.* Ölçülü. Tartıcı.

peyrev, *F. s.* [Pey-rev] Ardı sıra giden. Uyan. (ç. Peyrevan). • ‹Ben olmadım ol güruha peyrev. — Ş. Galip› • ‹Olup hayalime peyrev seyahat eylerken. — Fikret›.

peyvend, *F. i.* 1. Ulaşma, varma. 2. Bağ. • ‹Peyvend-i gül ile erguvani — Hızr'a yetür âb-i zindegâni. — Fuzuli›.

-peyvest, *F. s.* Ulaşma, kavuşma. • *Dest-i kerempeyvest,* keremle dolu el, cömert eli.

peyveste, F. s. zf. Ulaşmış. Her zaman daima. • ‹Bin mateme bir sûr, o da peyveste memata. — Fikret›.

-pezir, F. s. ‹Kabul eden alan; kabul edebilir› anlamlarıyle bileşik kelime yapmada kullanılır. • Hitampezir, sona eren, • ıslahpezir, ıslah edilebilir; • terbiyetpezir, eğitilebilir. • Devanapezir, ilâcı olmayan (hastalık).

pezira, F. s. Kabul eden, olan, olabilen. • Napezira, kabul etmeyen.

pezire, F. i. Karşılama, karşılayış.

piç, F. s. Büklüm, kıvrım. Dolaşık. • Piç ü tâb, sıkıntı, ıstırap. • Piç ender piç, pek dolaşık, karma karışık. • ‹Ben çâkçâk-i hasretim ol pîç-i dert — Çün zülf ü şane muy-be mudur benimle dil. — Nabi›.

piçan, F. s. Bükülücü, kıvrılıcı. • ‹Turra-i ah-i piçanım dahi. — Veysi›.

piçâpiç, F. s. [Pîç-â-piç] Pek dolaşık, kıvrım kıvrım. • ‹Derunum yokladım gördüm o nahemvar piçâniç. — Vehbi›.

piçide, F. s. Karışmış, bükülmüş, kıvrılmış. • Piçide mûy, saçı kıvrılmış. • Çarhı döndükçe ola pirezen-i devranın — Rişte-i devleti piçide-i minvali devam. — Nabi›.

piçiş, F. i. Büklüm, kıvrım, dolaşık. • ‹Yebuse-i dehenindir ye piçiş-i zülfün — Dil-i hevazedenin arzuların biliriz. — Nabi›.

piçtab, F. s. Telâş, sıkıntı, şaşkınlık. • ‹Hatırımda daimî bir piçtabım var benim. — Recaizade›.

pijuh, pejuh, Bk. • Pejuh.

pil, F. i. Fil. • ‹Hamle-i saf-şiken-i canfigen-i pîl-i deman. — Fikret›.

pil, F. i. 1. Ökçe. Topuk. 2. Çadır eteği tutturmada kullanılan küçük değnek. 3. (oyun) Çelik çomak.

pilban, F. i. [Pîl-ban] Fil sürücü. (ç. Pîlbanân). • ‹Oturmuş idi nitekim hinduy-yi pilban. — Bakî›.

pile, F. i. İpek kozası, ipek. • Kirm-i pile, ipekböceği.

pilver, F. s. Çerçi. • ‹Şair olsan kıymetin bir pilevreden pesttir. — Nazîm›.

pilten, F. s. [Pîl-ten] 1. Fil vücutlu. 2. İri, kuvvetli adam. 3. Rüstem'in lakabı. (ç. Piltenân).

pindar, F. i. Sanma, zannetme. Böbürlenme. • ‹Vezir oğluyum diye pindar ile bazı etvar-i nahemvar izhar ederdi. — Naima›.

pindare, F. i. Sanma, böbürlenme.

pindari, F. i. Böbürlenme. • ‹Perde-i pindarî başıra-i zekâsına hicap olup. — Naima›.

pine, F. i. Yama.

pineduz, F. i. Yamacı, eskici. • ‹Civar-i kesir-ül-envarında bir merd-i pineduz idi ki. — Taş.›.

pinhan, pünhan, F. s. Gizli. • ‹Söyle hâmemsanihat-i aşk pinhan kalmasın. — Naci›.

pir, F. i. 1. Yaşlı, ihtiyar, koca, • Pîr-i fani, pek yaşlı ve zayıf adam. 2. Tarikat kuranlarından her biri. • Hazret-i pîr, Mevlâna. 3. Her meslek veya işin kurucusu, başı. • Pirimiz üstadımız Pîr-i mugan, meyhaneci. 4. (Mec.) İrsat eden. • ‹Hengâm-i hermde söylemiştir — Pîr olduğu demde söylemiştir. — Ş. Galip›.

-pira, F. s. ‹Donatıcı, süsleyici, yapıp yakıştırıcı› anlamlarıyle bileşikler yapılır. • Belâgatpira, belâgate süs veren, belâgatli.

pirahen, pirehen, F. i. Gömlek. • Pirahen-i mesmum, (zehirli gömlek) ölüm hükümlüsü kimselere giydirilir gömlek. • ‹Piraheni çâk olup açılmış — Pistanları, sinesi bu mahın. — Cenap›.

piramen, piramun, F. i. Çevre, etraf. • ‹Piramenınde zelzeleler pür-sükûn olur. Fikret›. • ‹Baharâbad piramun-i hayme. — Hakkı›.

piramenkerd, F. s. [Piramen-kerd] Etrafı kaplayan.

piran, F. i. [Pîr ç.] 1. Pirler, ihtiyarlar. 2. Erenler, ermişler.

pirane, F. s. zf. Yaşlılara yakışır yolda olan, pîrler gibi. • ‹Pirane tekellüf etmiş elhak — Vermiş hele kâr-i düzde revnak. — Ş. Galip›.

piraste, F. s. Donatılmış, süslü. • ‹Gök demire müstağrak elleri kostaniçeli ak ve kızıl bayraklar ile araste ve piraste olmuş alaylar ile. — Peçoylu›.

piraye, F. i. Süs. Bezek. • ‹Sermaye-i pîr-i mugan piraye-i bezm-i sanem. — Nef'î›.

pirayiş, F. i. 1. Düzen, intizam. 2. Süs.

pirayende, F. s. Donatıcı, süsleyici.

pirehen, pirahen, F. i. Gömlek. • ‹İkrah ile çıktı pirehenden — Âr etti şehid-i gam kefenden. — Fuzulî›.

pirezen, F. i. Kocakarı. • ‹Bir pirezen anda etmiş meva. — Ş. Galip›.

pîri, *F. i.* Yaşlılık.

piristu, *F. i.* Kırlangıç. • ‹Keyfince uçarsın ey piristu — Her yerde bahtiyarlık bu. — Naci›.

pîrsal, *F. s.* [Pir-sal] Kocamış. Yaşlı.

piruz, firuz, *F. s.* Uğurlu, hayırlı. • *Ruz-i piruz*, hayırlı gün.

piruze, firuze, *F. i.* Gök renkli değerli süs taşı. • ‹Saadetlû padişaha baş defterdar İskender Çelebi kulları mahut kâse-i piruze ile şerbet sunup. — Peçoylu›.

pistan, *F. i.* Meme. • ‹Yetmiyor muydu şekl-i pistanın — Gül de açmış çiçekli fistanın. — Naci›.

piste, *F. i.* Fıstık. (Mec.) Ağız. • ‹Bir piste gördüm anda döker rize rize kand. — Fuzulî› • ‹Peymane lebin öptüğünü gördü çemende — Hazm eylemeyip çatladı piste hasedinden. — Nabi›.

pister, bister, *F. i.* Yatak, döşek. • ‹Pister-i gülden yaraşır sana câna tekkegâh — Seng-i hârâdan bana hâlin ile pister yeter. — Kanunî›.

piş, *F. i.* Ön, ön taraf. (Bileşiklerde:) Baş, başkan, önder. • ‹Tab-i sahir-pişine Baki gönüller meyl eder — Sükker-i şi'r-i dilâvizin meğer efsunludur. — Baki›. • ‹Bu levha zâhir oldu piş-i çeşmimde. — Fikret›.

pişâb, *F. s.* Ön. En ileri.

pişahenk, *F. s.* Öne düşen. Önde giden. • ‹Piş-aheng-i katar-i külenk. — Şefikname›.

pişan, *F. s.* Ön en ileri.

pişanî, *F. s.* Alın. • ‹Daha, ey neyyir-i esrarı füshat zar-i ihamın. — Senin pişani-i Hâmit midir evreng-i ârâmın. — Fikret›.

pişbar, pişbare, *F. i.* Ebe kadın.

pişbaz, *F. s.* [Piş-bâz] 1. Karşılayıcı. 2. Karşı koyucu. • ‹Sekiz pâre kalyon sairlerinden pişbazlık edip. — Naima.

pîşbîn, *F. s.* [Piş-bîn] İleriyi, önü gören.

pişdar, *F. i.* [Pîş-dar] Öncü. (ç. Pişdaran).

pîşe, *F. i.* Sanat, iş Huy alışkanlık. • ‹Hemişe pîşesi takdim-i hidemat-i lâyıka ile. — Sadettin›.

-pişe, *F. s.* ‹Alışmış, huy edinmiş›. anlamıyle bileşik kelimeler yapmada kullanılır. • *Hünerpişe*, hünerli. • *fesadpişe*, kötülük ile uğraşan, • *şakavetpişe*, işi gücü eşkıyalık olan, eşkıyalığı iş edinmiş bulunan.

pişegâh, *F. i.* [Pişe-gâh] Sanat evi. İş yeri.

pişeger, *F. s.* [Pişe-ger] Sanatçı. İşçi.

pişekâr, *F. s.* 1. Sanatçı. 2. Hokkabaz ile orta oyununda ustanın yardakçısı. (ç. Pişekâran).

pişendaz, *F. i.* [Pîş-endaz] Sunulan armağan.

pişever, *F. s.* [Pişe-ver] 1. Sanatçı. 2. İşçi. (ç. Pîşerevan).

pişgâh, pişgeh, *F. i.* [Pîş-gâh] Ön. • ‹Kuruldu taht-i âlibaht tarz-i dilpesend üzre — Döşendi pişgâha ol murassa' fers-i hakan. — Nedim›.

pişgir, *F. i.* [Pîş-gir] Peşkir.

pişhân, *F. i.* [Pîş-hân] Sofrabaşı.

pişhane, *F. i.* [Pîş-hane] İleriden gönderilen yol eşyası, çadır, sofra takımı.

pişhayme, *F. i.* [Pis-hayme] Padişah veya vezirlerin divan çadırı.

pişî, *F. i.* İlerleme. Öne geçme.

pişin, *F. s.* 1. Önceki, eski. 2. Peşin. • ‹Cümle mukataat ve avarız ve cizyeyi pişin ile furuht etti. — Naima› • ‹Gûya ki sühanveran-i pişîn — Hep söyleyeler zaman-i pişîn. — Ş. Galip›.

pişkadem, *F. i.* Tekkelerde âyin için ön ayak olan derviş. • ‹Her biri pîşe-i mahsusunu müş'ir etvar-i acibe ile zîr-i alem-i pîr ü pişkademlerinde. — Şefikname›.

pişkeş, *F. i.* [Pîş-keş] Peşkeş. Armağan.

pişnihad, *F. i.* [Pîş-nihad] 1. Temel. 2. Usul, kanun. (ç. Pişnihadân). • ‹Ve bu muameleyi pişnihad-i meşreb edenler. — Nergisi›.

pişrev, *F. s.* [Pîs-rev] Önden giden. Peşrev. Güreş ve savaşta asıl işe girişmeden önceki gösteri. • ‹Haktan dilerim devlet-i ömrün ola cavit. — Nitekim ola pişrev ezhara benefşe. — Necati›. • ‹Ol tarik-i dalâlette pişrev eşkıyanın biri de Karayazıcı denmekle şöhret bulan. — Naima›.

piştahta, *F. i.* [Pîş-tahta] 1. İş yerinde öne konup üzerinde iş görülen masa çekme. 2. Mal serilen yer, vitrin. • ‹Efendi hazretlerinin kenar-i piştaha-i fazl ü irfanlarına. — Nabi›.

piştak, *F. i.* [Pîş-tak] Asıl eve girmeden önceki oda veya koridor.

pişva, pişüva, *F. i.* Başkan, önder (ç. Pişvayan). • ‹Rabıta-i ittihat ve ittifaklarının tahkimi pişvayan-i erbab-i idare ve nüfuz beyninde karargir olmakla. — Şefikname». • «Zamanın ilmi onların pişüvasıdır. — Cenap».

piyade, F. i. 1. Yaya. 2. Satranç taşlarından biri. (ç. Piyadegân, piyadeha).

piyadegî, F. i. s. 1. Yayalık, piyadelikle ilgili. • «Mahruse-i Selanik'e varıp alât-i piyadegi ile mîrmîranlar. — Naima».

piyaderev, F. s. [Piyade-rev] Yaya yürüyen. • «Padişah-i âlicahın huddam ile gâhi piyaderevlik mutadı idi. — Sadettin».

piyale, F. i. Kadeh, şarap bardağı. • «Bugün bir âfetin ibramı ile mecliste — Çekilmiş idi bir iki peyale-i serşar. — Nedim» • «Piyale, lâle. sebu, nükte, hande hep karışık. — Fikret».

piyalegir, F. s. [Piyale-gîr] Kadeh tutan. • «Piyalegîrlik ey şah-i gül ham etti seni — Bu neşenin sonu elbette sergiranlıktır. — Nabi».

piyaz, F. i. Soğan. • «Piyazın âbı ey nergis sana kat kat helâl olsun. — Nabi».

post, F. i. 1. Tüylü hayvan derisi. 2. (Mec.) Mevki, makam, sandalya. • «Postu sırtında gezer hayvanın — İlmi sadrında gezer insanın. — Nabi». • «Âba var,

postin, pustin, F. i. Kürk. • «Pustîn midir muradın talib-i ihsan mısın. — Hayalî».

postnişin, F. i. Posta geçen, postta oturan, tekke şeyhi (ç. Postnişinân). • «Pîran-i postnişin-i bektaşiye ağa-yi cedit için. — Naima».

pû, F. i. Araştırma, arama.

puç, F. i. 1. Kaba, çirkin. 2. Boş şey, faydasız. • «Peygam-i puç-i vasl ile dilşad olur muyuz. — Ragıp Pş.».

puçmagz, F. sö [Puç-magz] Boş kafalı. Beyinsiz. • «Nümune-i sanduk-i kaza ve belâ olan puçmagz bedgüherlerin. — Kâni».

pûd, F. i. Argaç. • «Târ u pûd. artış ile argaç. • «Zülfünde hezar rişte-i can — Peyveste-i târ ü püd-i nisyan. — Ş. Galip».

puhte, F. s. Pişmiş, pişkin, olgun. • «Napuhte, çiğ. Toy, ham adam. (ç. Puhtegân). • «Nâr-i cefa puhte eder âşıkı — Âhır olur vuslatının lâyıkı. — Yahya».

pujine, F. i. Kantar.

pul, F. i. 1. Yuvarlak yassı şey. 2. Para.

pulâd, F. i. Çelik. • «Hevadan men'eder pendini muhkem sanma ey zâhid —

Kırar zincir-i pulâdın dil-i divane katlanmaz. — Baki».

pûr, F. i. Oğul. • «İsfendiyar etmiş olaydı hâk-i pâyın kûhl — Ururdu dest-i redd müjgânı tîr-i pûr-i Destan'a. — Nedim».

puside, F. s. 1. Çürümüş. 2. Sersem, kör.

-puş, F. s. • «Giyen, giyinmiş» ve «örten» anlamlarıyle bileşik kelimeler yapılmada kullanılır. • Aybpuş, ayıo örten, • serpuş, baş örten başlık; hırkapuş, hırka giyen; ahenpuş, gülpuş, semenpuş. (ç. Puşan).

puş, nuşe, F. i. Örtü.

puşende, F. s. Örten, örtücü.

puşide, F. i. Örtü. Perde. Kapalı, örtülü. • «Puşide olmaya ki vezir-i müşarünileyh. — Naima» • «Hayalinden bakar puşide-i evrak olan havza. — Beyatlı».

puşideni, F. i. 1. Örtü. 2. Giyecek, örtünecek şey.

puşiş, F. i. Örtülü, örtecek şey. • «Ve İmam-i Âzam ziyaret olunup amame me ve puşiş tertip olundu. — Naima».

pute, F. i. 1. Maden dökmek için kalıp. 2. Ok atışlarında dikilen nişan tahtası, Pota. • «Ateş-i aşka yananlar gıll ü gışten pâk olur — Putede kaal olmayınca sîm ü zer bulmaz ayâr. — Kanunî».

puya, puyan, F. s. Koşan. (Mec.) Dalmış. • «Önümde bir gece gavr-i lâciverdi-i zalâm — Derinleşir beni puyan görüp kenarında. — Fikret».

puye, F. i. Seğirtme, koşma. • «Bir derviş-i dilâgâh kapısına puye ile gelip. — Sadettin».

puyende, F. s. Seğirtici, koşucu. (ç. Puyendegân). • «Dünbale-i zamile-i tahazzüblerinde puyende olan hersek-i Efrenci. — Şefikname».

puzine, F. i. Maymun. • «Seyr-i Kâğıthane'de bir kıpti-i şadıresan — Dünkü gün aldım deyu' puzinesin eylerdi yâd. — Süruri». • «Bu herzevekil-i puzine mesil. — Uşaklıgil».

nuziş, F. i. Özür dileme.

püfkerde, F. s. Söndürülmüş. «Olmasın ya Rab püfkerde şem-i bahtı bir zaman».

pül, F. i. Köprü. • Sülûk erbabı süratle geçer aşk-i mecaziden — Cihanda kimse menzil ittihaz etmez pül üstünde. — Beliğ».

püncüşk, büncüşk, F. i. Serçe kuşu.

-pür, F. s. Dolu. Bununla «çokluk, fazlalık, bolluk, doluluk» bildiren bileşikler yapılır. • «Pür etti damen-i sahrayı doldu ceybi cibal — Bakî».

- pürahenk
- pürâmâl
- pürateş
- pürcelâl
- pürcezbe-i
  temaşa
- pürcuş
- pürcüret ü
  nahvet
- pürdaraban
- pürdud
- püremel
- pürenvar
- pürfer
- pürfeveran
- pürfeyz
- pürgû
- pürgubar
- pürgurur
- pürhalecan
- pürhande
- pürhararet
- pürhâtıra
- pürhayat
- pürhayret
- pürhazen
- pürhazer
- pürheves
- pürhun
- pürhuzur
- püriğbirar
- püritina
- pürgarabet
- pürgaleyan
- pürgaraib
- pürgaram
- pürgazab

- pürmehabet
- pürmeharet
- pürnaliş
- pürneşe
- pürnisyan
- pürnur
- pürpîç
- pürsaffet
- pürsaye
- pürseher
- pürsükûn
- pürsükût
- pürsürud
- pürsürur
- pürşagaf
- pür ihtizaz-i
  bükâ
- pürkeder
- pürkesaet
- pürlehib
- pürlerze
- pürşemim-i
  hayal
- pürşevk
- pürşule
- pürtaab
- pürtâb
- pürtaleb
- pürtanin
- pürtaravet
- pürteessür
- pürtehalük
- pürtehevvür
- pürvaad ü eel
- pürzahm
- pürzehr

pürahenk, F. s. [Pür-ahenk] Çok ahenkli. • «Sâf, pürahenk bir çocuk sesi sordu. — Uşaklıgil».

pürâzar, F. s. [Pür-âzar] Çok öfkeli. • «Baht-i pürâzarın eylerse telâfisin yine — İltifat-i gamze-i hatırnevaz eyler bana».

pürbad, F. s. [Pür-bad] 1. Çok rüzgârlı. 2. Kibirli..

pürbar, F. s. [Pür-bar] 1. Yüklü. 2. Üzerinde yemişi çok olan.

pürcefa, F. s. Çok eziyet edici. • «Ne gamzeden ne gami pürcefadandır — Bizim şikâyetimiz baht-i bivefadandır. — Nailî».

pürçin, F. s. [Pür-çîn] 1. Çok düşünceli, öfkeli. 2. Kırışık.

pürdağ, F. s. [Pür-dağ] 1. Yara içinde, yara ile dolu. 2. Yara izi, nişanıyle dolu. • «Hem sinesi pürdağ hem âvazesi muhrik — Neyden bilinir sûz-i muhabbet neye derler. — Ragıp Pş.».

pürdil, F. s. [Pür-dil] Yürekli, cesur, (ç. Pürdilân). • «Pürdilân-i İslâma rehzen-i mürur ü ubur olmak. — Ragıp Pş.».

pürdud, F. s. [Pür-dud] Çok tüten, çok dumanlı. • «Eşk-i revan ü dil-i pürdud ile — Olmalıdır şimdi de deryaneverd. — Naci».

pürfer, F. s. [Pür-fer] Çok parlak. Çok aydınlık. • «Bir safa-aşyan-i pürfer ü tâb — Olmuş âramsâr-i bûm u gurab. — Fikret».

pürfusun, F. s. [Pür-füsun] Çok büyüleyen. • «Ta ki o çeşm-i pürfüsün mest-i şerab-i nazdır — Vayesi müptelânın serzeniş niyazdır. — Nailî».

pürgû, F. s. [Pür-gû] Çok söyleyen. Bol konuşan. • «Bihter annesinin bu pürgûluğundan maksadını anlıyordu. — Uşaklıgil».

pürgubar, F. s. [Pür-gubar] Çok tozlu. Toz içinde. • «Bahara benzetilir bir yeşil saadettir — Gülümseyen ovanın veçh-i pürgubarında. — Fikret».

pürhumar, F. s. Sarhoş baygınlığı. Süzüklük. • «Harap eden beni sol çeşm-i purhumarındır. — Ahmet Pş.».

pürhun, F. s. [Pür-hun] Kan içinde. • «Ki hâlâ çeşmeder pürhun olur her yâda geldikçe. — Beyatlı».

pürhüner, F. s. [Pür-hüner] Çok usta. • «Kıl meta-i nazmını arayiş-isuk-i kemal — Ey Nedim-i pürhüner zıyb-i dükân lâzım sana. — Nedim».

pürkine, F. s. [Pür-kine] Düşmanlık ve gazap dolu.

pürmelâl, F. s. [Pür-melâl] Çok sıkıntılı. Usanç içinde. • «Gülzar pürmelâl ise bülbül lâl ise. — Beyatlı».

pürnem, F. s. [Pür-nem] Çok yaşlı. Yaş içinde. • «Çeşm-i alîlî hasret ile pürnem eyledim. — El id-i ekber eyledi ben matem eyledim. — Halimgiray».

pürnur, F. s. [Pür-nur] Nur içinde, aşırı nurlu. • «Çeşm-i ümmidim çerag-i vasldan pürnur idi. — Fuzulî».

pürsa, pürsan, F. s. Soran, sorucu. • «Devr-i gül geldi mi âya diye pürsan olarak. — Nedim».

pürsiden, *F. s.* Soru sormak. • «Gelişin âşık-i küstahını âzara mıdır — Yoksa pürsiden-i hal-i dil-i bimare midir. — Nedim».

pürşiş, *F. i.* Soruş, sorma. • «Bu ne asl vasıftır deyu pürşiş ve tenbih ettikçe. — Naima».

pürsürur, *F. s.* [Pür-sürur[Çok Sevinçli. Sevinçle dolu. • «Lâmia ne kadar pürsürur, gülmek için yaratılmış. — Uşaklıgil».

pürşur, *F. s.* [Pür-şur] Aşırı kargaşalık. • «Ol Kâbe-revanız ki harim-i harem-i aşk — Purşur-i figan-i ceres mahmilimizdir. — Nailî».

pürtab, *F. s.* [Pür-tab] Çok sıcak. • «Etse tecessüs turra-i pürtabını — Kesret-i ağyardan bin dile bir ham bulur. — Nailî».

pürveyl, *F. s.* [Pür-veyl] Acık içinde, acıkla dolu. Çok acıklı. Çoğu defa geceleri olan felâketli durumu anlatmak için • *leyl-i pürveyl* kullanılır. • «Zir-i çınar-i pürveyl sayesinde ihya-yi leyl badehu. — Naima».

üser, *F. i.* Oğul. Erkek çocuk. (ç. Püserân). • «Peder ü mader ve püser serteser hane ve aşiyaneleriyle hakister oldular. — Hümayunname».

pürsuz, *F. s.* [Pür-süz] Çok yakıcı. Fazla yanık.

püşt, *F. i.* Arka, sırt. • «Bu meydan-i fenada öyle sahib-dâvi-i merdî — Zemine gelmemiş püştü bana bir pehlivanın bul. — Nabi».

püste, *F. i.* Yığın, tepe. • «Ve püşteler üzre muhkem sûrlar. — Peçoylu».

püştiban, *F. i.* Destek, payanda. • «Ne gam ol ümmete kim sen olasın ana püştiban — Ne korku mevc-i yemden ana kim Nuh ola keştiban. — Esaf».

püştmal, *F. i.* Peştemal. • «Zahide germi-i uryan-i aşkı sorsan — Püştmaliyle, fakat halvet-i hammamı bilir. — Nabi».

püştbâ, *F. i.* [Püşt-pâ] Ayak tabanı. *Pürtpâzen,* taban tepen. • «Ey saba gördün mü mislin bunca demdir âlemin — Püştüpâ urmaktasın İran'ına Turan'ına. — Nedim».

püştvare, *F. s.* Bir hamal yükü.

R

r, Arap elifbesinin 10., Fars ve Osmanlı alfabesinin 12. harfi. Ebcet hesabında 200 sayısına, ayalarda da Rebiülâhir ayına işarettir.

ra, re, A. i. ‹R› harfinin sesi. • ‹Yazmaz ebruların rasına benzer bir hilâl — Mah-i tâbân bunca yıllardır misalin kareler. — Bakî›.

ra'ad, A. i. 1. Elektrik balığı. 2. Çok söyleyen kimse.

rabb, A. i. Efendi, sahip. • Rabb-üd-dar, ev sahibi • rabb-ül-mal, sermaye sahibi. • ‹Sermaye sahibine rabb-ül-mal ve âmile mudarib denir. — Mec. 1404›.

Rabb, Rabbi A. i. Tanrı, Ya Rabb, Ya Rabbi! Tanrım, Allahım.

rabbani, rabbaniyye, A. s. [Rabb'dan] Tanrıya mensup, Tanrı ile ilgili. • ‹Avn-i rabbani ile oldukta şark ıklimine. — Nedim›.

rabbaniyyum, A. i. [Rabbani ç.] Bütün düşüncesini Tanrıya çevirmiş kimseler.

rabbat, A. i. ç. Kadınların sahipleri, efendileri. • Rabbat-ül-hical, güveyler: • ‹Benat-i efkâr-i fusaha-yi selef olan rabbat-ül-hi cal-i maaniden. — Abdullah›.

rabbe, A. i. Üveyana.

râbıh, A s. [Ribh'ten] Faydalı, kazançlı, kazanan.

râbıt, râbıta, A. s. [Rabt'tan] Bağlayıcı, bitiştirici. Nefsini dünyadan men etmiş ahrete bağlanmış.

rabıta, A. i. [Rabt'tan] 1. İki şeyi birbirine bağlayan nesne. 2. İlgi, münasebet 3. Bağlılık, mensupluk. 5. Düzen, tertip

rabi', rabia, A. s. Dördüncü.

rabia, A. i. (Tanzimattan sonra) Sivil rütbelerden yüksekten aşağı dördüncü, aşağıdan yukarıya ikinci rütbe.

rabian, A. zf. Dördüncü olarak.

rabiha, A. i. Kazandıran ticaret.

rabt, A. i. 1. Bağlama, iliştirme. 2. (Gra.) Cümleleri gerekli edatlarla birbirine bağlayarak yoluyla sıralama. 3. Tama-

mıyle bir şeye bağlahma. • Edat-i rabt (Rabıt edatı) bağlaç; zabt ü rabt memleketin düzen ve güveni, disiplin.

rabti, rabtiyye, A. s. Bağ ve bağlama ile ilgili. Sıyga-i rabtiyye, bağ-fiil, ulaç.

rabtiyye, A. i. Raptiye, bağ aracı.

rac, F. i. Mide. • Ve mal-i bahîl âkıbet amac-i tir-i rac ve hedef-i naveg-i telef olmak mukarrerdir. — Hümayunname›.

râcî, raciyye, A. s. [Reca'dan] Yalvaran, rica eden.

raci', racia, A. s. [Rücu'dan] 1. Geri dönen. 2. Dokunan, ilgisi bulunan. 3. (Gra.) Şahıs zamirlerinin gösterdiği. • ‹Hayır, hayır sana raci değil bu tel'inat. — Fikret›.

racif, A. i. Titretici humma, sıtma.

racife, A. i. Kıyamet sûrunun ilk ötüşü.

racih, raciha, A. s. [Rüchan'dan] Diğerinden üstün, daha önce. Bu cami aslında ehli sünnet binasıdır kızılbaşa mensup olmamakla yıkılmamak racihtir deyu arz etmeğin. — Naima›. • ‹Elbetet valide olmak itibariyle kadın faik, peder sıfatiyle de erkek racih olmak lâzım gelir. — Cenap›.

racil, racile, A. s. 1. Yaya. 2. (Mec.) Bilgisiz.

racilen, A. zf. Yaya olarak, yürüyerek.

raciyane, F. s. zf. Yalvarır yollu, yalvarırcasına. • ‹Mollaya raciyane hitap edip — Naima›.

ra'd, A. i. (Ayın ile) Gök gürlemesi. • Râ'd ü berk, gök gürlemesiyle şimşek. • ‹Zannetme ra'd ü berktir etti gulüv — Top şenliğidir Hisar'ın ey saki bu — Nedim›.

rad, A. s. Cömert.

radd, A. s. Reddeden. Geri çeviren.

radde, A. i. 1. Derece, mertebe, kerte. 2. Aşağı yukarı.

ra'dendaz, F. s. [Ra'd-endaz] Gürleyen, gürleyici.

radi', A. i. (Dat ile) [Rıda'dan] 1. Süt kardeş. 2. Meme emen çocuk.

radife, A. i. Kıyamet zamanı çalınacak Surun ikinci ötüşü.

ra'din, F. s. 1. Gürültülü. 2. Gürleyen. • ‹Bu emr-i ra'dînin samii olan. — S. Nazif›.

radıye, A. f. Razı olsun. • Radıyallahü anhü. Tanrı ondan razı olsun. • ‹Hazret-i Ömer'in (radıyallâhü anh) istiskada kabr-i nebi ile tevessül etmeyip. — Kâtip Çelebi›.

râfız, A. s. Salıveren, koyveren.

rafıza, A. i. Şiî fırkalarından biri. Ali çocuklarından yana olmakla ayrılan.

rafızî, rafıziyye, A. s. Rafıza fırkasından olan. Ebubekir ile Ömer'in halifeliğini kabul etmeyenler. • ‹Ama Emirgûne oğlu bedmest ve mağrur-i devlet ve tâbi-i rafızî olmağın. — Naima›.

râfi', rafia, A. s. [Ref'den] 1. Kaldıran, yükselten. 2. Tanrı sıfatlarındandır. ‹Bir mescid cami' esasını rafi'. — Sadettin›.

rafih, A. s. Rahat ve varlık içinde geçinen.

rafz, A. i. 1. Bırakma. 2. Rafizîlik.

rag, F. i. Dağ eteği. • Bag ü rag, Çayırlık çimenlik, bağlık bahçelik. • ‹Mukim-i rag ol ey gönül füyuz-i mevbaharı gör. — Recaizade›.

Ragaib, A. i. Muhammed Peygamberin ana rahmine düştüğü, recep ayının ilk cuma gecesi. • ‹Lâkin tarih-i hicret-i nebeviye dört yüze erdikte Kudüs'te Ragaib namazları zuhur edip halk rağbetle kılmağa başladılar. — Kâtip Çelebi›.

ragbet, A. i. 1. İstek, arzu. 2. İyi kabul edilme, iyi sayılma. • Ragbet-i umumiyye, herkes tarafından istenme, beğenilme. (ç. Rağabat). • ‹Olsaydı tasarrufunda rahat — Çok kâmil ana kılardı rağbet. — Fuzulî›. • ‹Ve ragabet-i kulûb munkati olduktan sonra. — Naima›.

ragıb, ragıba, A. s. [Ragbet'ten] İstekli, isteyen. • ‹Olsaydı teveccühü münasip — Teveccühüne çok olurdu ragıb. — Fuzulî›.

ragîbe, A. i. 1. İstenilecek şey. 2. Büyük ve pek beğenilen ihsan.

ragıf, A. i. Pide. • ‹Ol hubub-i mezbureden masnu bir ragıf-i kebîr. — Taş.›.

ragım, ragıme, A. s. Kıran, kırıcı. • ‹Anaf-i hussad ragıme oldu. — Naima›.

ragm, A. i. Zıddına, inadına davranma. Körlük ve nisbet. • ‹Mîrahurluğu zapt ve vezire ragm etmişti. — Naima›.

rağmen, A. zf. İnadına, körlük olsun diye. • Ragmen alâ enfihi, kibrini kırmak için, tahkir niyetiyle; • alâ raymiladuv, düşmana körlük vermek için.

rah, A. i. (Ha ile) Şarap, içki. • ‹Sakıyâ sun rah-i ruhefzayı. — Kemalpaşazade›. • ‹Rahsın rahat-feza-yi hâtıra-i mestanesin. — Nef'î›.

rah, reh, F. i. (He ile) 1. Yol. 2. Tutulan yol, meslek, usul. • Rah-i Hak, Tanrı yolu; -rast, -savab. doğru yol; • harcırah, yol masrafı; hemrah, yoldaş; şahrah, cadde, ana yol. • ‹Geri avdet ve hareket ve esna-yi rahta. — Raşit› • ‹Bu yol, bu rah-i saadet de, ah korkuyorum — Müebbeden çıkacak bir harabe-i kesele. — Fikret›.

rahal, A. i. 1. Semer, palan. palan. 2. Konak, menzil, (ç. Rıhal).

rahat, A. i. (Ha ile) 1. Dinlenme. 2. Sıkıntısızlık. Dinçlik. • ‹Bütün hakayıkı pâmâl edip ataletime — Biraz da rahata baksam. — Fikret›.

rahatefza, F. s. [Rahat-efza] Çok rahatlandırıcı. • ‹Vasl zevki rahatefza-yi dil-i mehcur idi. — Fuzulî›.

rahber, rehber, F. s. (He ile) [Rah-ber] Yol gösetren, kılavuz.

rahdan, F. s. [Rah-dan] Yol bilen. • ‹Bir rahdan-i sadakat-nişan iktiranı lâzımdır. — Sadettin›.

rahdar, F. s. (He ile) [Rah-dar] Derbent bekçisi, kolcu. (ç. Rahdarân). • ‹Emin Paşa asker ile vardıkta rahdarlar mani-i ubur oldukta. — Naima›.

rahe, A. i. (Ha ile) El ayası, avuç içi.

rahî, A. s. 1. Rahat yürüyüşlü (binek) 2. Rahat, sakin. • ‹Gayet ile rahî-âl-bâl ve ayş-i ergad ile mureffeh-ül-bâl idi. — Taş.›.

rahi, F. s. (He ile) [Rah'tan] Yol ile ilgili. Yola ait. • ‹Heva-yi nefse müştagil tedbir-i saltanattan atıl ve adab-i şer'iyeye rahi değildir. — Naima›.

rahib, A. i. (He ile) Manastırda oturan Hıristiyan din adamı, keşiş, karabaş. • ‹Suret-i esnamdan döndü sana etti sücud — Rahib-i deyr-i cemalin Yezdanperest. — Baki›.

rahibe, A. i. (He ile) Kadın rahib. (ç. Rahibat) • (... gibi rahibat-i nisaiyuna. — Cenap›.

rahik, A. i. (Ha ile) Duru ve kokulu şarap. • ‹Rahîkler sunulur cevherîn kadehlerle. — Fikret›.

râhil, rahile, A. s. [Rıhlet'ten] Göçen, göç eden. • ‹Mihnet-âbad-i dile gelse sürur etmez karar — Bir nefes gûya meserret dayf-i rahildir bana. — Nabi›.

rahil, A. i. Gitme, göçme. Kûs-i rahil, 1. Göç davulu. 2. Ölüm. • ‹Ahir çalındı kûs-i rahîl ettin irtihal — Evvel konağın oldu cennet bustanları. — Baki›. • ‹Rebiülevvelin on dokuzuncu günü yevmelisneyn idi kûs-i rahîl urulup. — Naima›.

rahile, A. i. 1. Yük hayvanı. 2. Kervan, yolcular sürüsü. • ‹Zadımız gusse vü gam derd ü belâ rahilemiz — Çekilip Kâbe-i kûyuna gider kafilemiz. — İshak›.

rahim, A. i. 1. Dölyatağı. 2. Akrabalık. • Sıla-i rahim, gurbette bulunanın memleketine gidip akrabasına kavuşması.

râhim, râhime, A. s. [Rahm'den] Acıyan. (ç. Rahimin).

rahîm, rahîme, A. s. Esirgeyen, acıyan. • ‹Rahîm ümid ederim sevdiğim namihriban çıktı. — Recaizade›.

rahimane, F. s. zf. Acıyan kimseye yakışır yolda. Acıyarak. • ‹Acı tesiri düşünerek yüzüne rahîmane bakmaya başlayan. — Uşaklıgil›.

râhin, râhine, A. s. (He ile) Malını rehine koyan.

rahîs, rahîse, A. s. (Hı ile) Ucuz. Yumuşak. Mevt-i rahîs, ansızın ölüm. • ‹Size rahîs ise de eşk-i çeşm ü cevher-i can — Nasıl denir ki sizin âb ü daneniz vardır? — Recaizade›.

rahiye, A. i. (He ile) Bal arısı.

râhiyye, (Türkçede yapılıp kullanılmıştır) Yolluk. • Masarif-i râhiyye yol harçlığı.

rahl, A. i. (aH ile) Semer. Palan. • Şedd-i rahl, yola çıkma, yolcu olma.

rahle, A. i. (Ha ile) Kitap okuma, yazı yazma için olan dar, küçük masa. • Rahle-i tedris, ders masası.

rahm, A. i. (Ha ile) Acıma, esirgeme, koruma. • ‹Sen rahm edip de va'd-i visal eylesen bana — Ben bahtımın kemaline hayretle ağlasam. — Cenap›.

Rahman, A. i. s. Kullarına acıması çok olan Tanrı.

rahmanî, rahmaniyye, A. s. Tanrıya mensup. Tanrıdan gelen ve hayırlı olan. • ‹Çıkar bir nur-i rahmanî zalâm-i biniheyetten. — Cenap›.

rahmet, A. i. 1. Esirgeme, merhamet. 2. Yağmur. Rahmetullahi aleyhi, Allah rahmet eyleye. • ‹Rahmet biter bulut dağılır mihr-i nevbahar — Âfaka lem'ariz oluyorken hazin hazin. — Fikret›. • ‹Geçmişlere rahmet diyen elvah-i mekabir. — Fikret›.

rahmî, rahmiyye, A. s. Rahmete mensup, rahmetle ilgili.

rahname, F. i. [Rah-name] 1. Yol gösteren kâğıt. 2. Yol tarifesi.

rahne, F. i. (Hı ile) 1. Gedik, yıkık. Bozuk yer. 2. Zarar, bozukluk. • ‹Kalbinde en büyük yarelerden büyük, derin — Bir rahne açtı; çöktü yiğit gavr-i nekbete. — Fikret›.

rahnedar, F. s. [Rahne-dar] 1. Gedik ve yıkığı olan. 2. Eksiği, bozuğu olan. 3. Zarara uğramış.

rahnegîr, F. s. [Rahne-gîr] Gedik veya yarıklı. Gedik açılmış. • ‹Kıyamete dek rahnegîr ve halelpezir olmaz. — Veysi›.

rahnişin, Bk. Rehnişin.

rahnüma, rehnüma, F. s. [Rah-nüma] Yol gösteren, kılavuz. • ‹Zihni çerh-i nühüme rahnüma-yi sür'at. — Nedim›.

rahrev, rehrev, F. s. (He ile) [Rahrev] Yolcu. • ‹Ya Rab benim iktiza-yi âmalim ile — Olmak görünür rahrev-i kâ'r-i cahîm. — Nabi›. • ‹Olsa acep mi rahrevan-i talep nahif — Esb eyledikçe tayy-i menazil zebun düşer. — Nabi.

rahş, A. i. (Hı ile) Yürük, gösterişli at. • Rahş-i bahar, baharda olan sürekli ve bulutlu yel; -hurşit, güneş ışınları; • -gyaret, ateşli gayretlenme; • -sabareftar, çok çabuk giden at. • ‹Vâdi-i medhinde cevelân ettiğiycin yaraşır — Atlas-i çarh olsa rahş-i tab'ına bergüstvan. — Nef'î›. • ‹Bugün rahş-i taliin — Birden sukutu böyle hazîz-i mezellete. — Fikret›.

rahşa, rahşan, F. s. Parlak. • ‹Karıştı leyl-i musibet leyal-i nisyana. — Açıldı gözlerimiz bir sabah-i rahşana. — Fikret›.

rahşan, F. s. (Hı ile) Parlak. Bk. • Rahşa.

rahşende, F. s. Parıldayıcı, parıldayan.

rahşiş, F. i. Parlaklık. • ‹Mücahidin-i dinin hande-i istihza-yi rahşiş-i tîg ü tüfengiyle. — Kemal›.

raht, F. i. (Hı ve te ile) 1. At takımı. 2. Yol levazımı. 3. Döşeme ev takımı. 4. Pencere ve kapıların menteşe takımı.

raht, A. i. (He ve tı ile) Soy sop, aile.. • «Hamza bin Ez-Zebat el-Makri rahtındandandır. — Taş.».

rahtî, rahtiyye, A. s. Fransızcadan sexuel (cinsel) karşılığı (XX. yy).

rahvar, F. i. [Rah-var] Eskin yürüyen at. Rahvan.• «Olursa peyrev o çapük-süvar-i nazma Nedim — Semend-i tab'ı acep rahvar olur giderek. — Nedim».

rahzen, rehzen, F. s. (He ve ze ile) [Rahzen] Yol vuran, eşkıya. • «Şol rahzen ki hışm ile peyveste can asar — Devir-i kamerde gör nice müşgîn keman asar. — Baki».

rahzenî, F. i. Yol kesicilik, haydutluk.

râi, raiyye, A. s. i. (Ayın ile) [Râ'y'den] Sürü güdüp otlatan, çoban. (Mec.) Bir memleketi idare eden. • «Kalmışlara bakmıyor mu râi. — Naci».

râi, raiyye, A. s. 1. «R» harfine mensup, re ile ilgili. • Kaside-i raiyye, kafiyesi r olan kaside. 2. Gören, ruyet eden.

raib, raibe, A. s. (Ayın ile) Gözbağı.

raîb, raîbe, A. s. (Ayın ile) Korkmus.

raic, rayiç, Bk. • Rayic.

raid, raide, A. s. [Rad'den] Gürleyen. Gürüldeyen.

raif, raife, A. s. Acıyıp merhamet edici.

raik, raika, A. s. Sade, sâf. • «Hedayayi lâyıka ve ataya-yi raika irsal buyrulup. — Sadettin».

raiş, rayiş, A. s. Rüşvet alanla veren arasında aracılık eden.

raiyane, F. s. Çobanlığa ait, çobanca. • Eş'ar-i raiyane, Fransızca pastoral çevirmesi olarak, çoban şiirleri (XIX. yy.).

raiyye, raiyyet, A. i. (Ayın ve te ile) 1. Otlatılan hayvan sürüsü. 2. Bir hükümdar idaresinde bulunan vergi veren halk. • «Bu tarık ile paşaya verilen malın ez'âfın fukara-yı raiyyetten alırlar idi. — Naima». • «Elfaz ile terfih-i raiyyet yeni çıktı. — Ziya Pş.». • «Raiyye yani tebea üzerine tasarruf maslahata manuttur. — Mec. 58».

raiyyetperver, F. s. [Raiyyet-perver] Halkına iyi bakan.

raiz, rayiz, A. s. (Dat ile) Kızgın, öfkeli. • «Ol esed-i rayizin huzuruna varıp buluşmağa kışmayıp.. — Naima».

Rakabat, A. i. [Rakabe ç.] Rakabeler.

rakabe, A. i. 1. Boyun. 2. Bir malın sahipliği. 3. Köle, halayık. • «İbret için Aksaray çarşısında rakabesi darbolundu. — Naima».

rakabat, Bk. • Rekabet.

rakam, A. i. 1. Yazma. Yazı ile isaret 2. Sayıları yazmaya mahsus işaret. • Rakam çekmek, yanlış veya çirkin yazılmış sayfayı çizmek. • «Zeval-i hüsnü hengâmında bastı hat — Sahife çirnak oldukça âdettir rakam çekmek. — Nabi» • «Ben şebnem-i eşkim dökeyim sen arkam eyle. — Sabri».

rakamkeş, F. s. [Rakam'keş] Yazan, çizen. • «Sudur eedn sabıkaya rakamkes-î afv-i cemil olduğundandır. — Nergisî».

rakamzede, F. s. [Rakam-zede] Yazılmış, söylenen, yazılan.

rakamzen, F. s. [Rakam-zen] Yazan. Kayıt ve işaret eden.

rakd, A. . Uyuma.

rakde, A. i. Uyku. • «İhvanınız gunude-i rakde-i gaflet-i beşeriyyet iken. — Nergisi».

râkı, rakıa, A. s. (Ayın ile) Yamalı.

râkı, râkıyye, A. s. Yükselmiş, ileri geçmiş, adım atmış. • «Hüsn-i aslisi ile baki ve belâgati zirve-i kemale râkı olmasına. — Taş.».

rakık, rakıka, A. s. Azat edilmemiş köle, cariye.

râkıb, râkıbe, A. s. Gözeten. Bekleyen.

râkım, râkıme, A. s. 1. Yazan. 2. (i.) Bir yerin denizden yüksekliği, kot (XX. yy.). • Râkım-i huruf, • rakım-ül-huruf, bu harfleri yazan, yazarlar çok defa kendilerinden bu yolda bahsederlerdi. • «Ey râkım-i nüsha-i maani — Mamure-i alîm-i dine bâni. — Fuzuli».

râki, râkia, A. s. (Ayın ile) [Rükû'dan] 1. Namaz kılarken rükua varan. 2. Eğilen, iki kat olan.

rakian, A. zf. Rükû halinde, iki kat olarak.

rakiane, F. zf. Rükû eder gibi iki büklüm olarak.

râkib, râkibe, A. s. [Rükûb'dan] 1. Binen, binici. 2. Taşıta binen, binmiş olan. • «İklim-i Rum'a isterse bir demde râkibi — Ahbar-i Çin ü ziynet-i Hindustan verir. — Nedim».

rakîb, rakîbe, A. i. s. [Rekabet'ten] 1. Başka biriyle aynı şeye istekli olan. 2. Bir işte çalışanlarla yarış ederek, onları çürütüp ilerlemek isteyenlerden her biri öbürüne göre. (ç. Rükaba). • «İnsaf olunsa biz de rakîbin rakîbiyiz. — Nabi».

rakîban, F. i. [Rakîp ç.] Rakîpler. Yarışanlar.

râkiben, A. zf. Binerek, binmiş olduğu halde.

rakid, rakide, A. s. [Rükûd'dan] Durgun, kımıldayıp oynamaz. • Ma-i rakid, miyah-i rakide durgun su, sular. • «Hava lâtif, deniz rakid, asman mahmur. — Fikret».

rakik, rakika, A. s. [Rikkat'ten] 1. İnce. 2. Köle veya cariye. 3. Yufka yürek. • «Sedefli kumlara titrek, rakik bir saye. — Fikret. • «Öyle amîk ve rakîk bir hazz-i vicdanî temin ediyor ki bunu izaka buyurduğundan dolayı. — Cenap».

rakime, A. i. Yazılmış kâğıt, mektup. • «İtare-i rakîmeye tereddüt üzre cür'etim. — Recaizade».

rakk, A. i. 1. Yazı yazılan deri. Ceylân derisi. 2. Beyaz sahife.

rakka, A. i. Büyücü. (ç. Ruka).

rakkas, rakkase, A .s. [Raks'tan] 1. Oynayan, köçek, dans eden. 2. i. Sarkaç. (ç. Rakkasan). • «Rakkas bu halet senin oynun da mıdır — Âşıklarının günahı boynunda mıdır. — Nedim» • «Lâmbanın zıya-yi rakkası altında. — Uşaklıgil». • «Ve kalbi bir saat rakkası gibi iki kıt'a arasında sallanıyor. — Cenap».

rakkase, A. s. [Raks'tan] Dans eden kadın, çengi.

raks, A. i. (Kaf ve sat ile) Oynama, dans etme. • Raksünan, oynaya oynaya. • «Neşvesinden raksa başlar sagar-i sahba gibi. — Nedim» • «Sular akar, kuzular oynaşır; safasından — Hayat raks ediyor zannedersiniz. — Fikret».

raksan, F. s. Raksedici. • «Çal, âlem-i ervah-ı da raksan edelim, çal. — Fikret».

rakta', A. i. (Kaf, tı ve hemze ile) 1. Dişi alaca hayvan. 2. (Ed.) Bir harfi noktalı öteki noktasız harflerle düzenlenmiş ibare.

râm, F. s. İtaatli, teslim olmuş, kendini birinin eline bırakmış. • «Sandım bu biten gün beni râm ettiği gündü. — Beyatlı».

ramak, A. i. 1. Hayat kalıntısı, ancak nefes alacak kadar. 2. Az bir şey. Sedd-i

ramak, ölmeyecek kadar az geçinme, çok az azık. • «Henüz ramak baki iken Musa Çelebi'ye vezir sarayı duvarından Atmeydanı canibine doğru pertab ettiler. — Naima».

ramazan, A. i. Arabî ayların dokuzuncusu, oruç ayı. • «Ramazan ayı gele açıla cennet kapısı. — Fuzulî».

rami, ramiyye, A. s. [Remy'den] Atan, atıcı. (ç. Rümat).

ramişger, F. s. Saz çalan, çalıcı. (ç. Ramişgerân). • «Meykeşan medhuş mey hamuş ramişger hazin».

ran, F. i. Uyluk. • «Paşa ile kadının ranlarını şikest ü hurd etti. — Naima».

-ran, F. s. • «Süren, sürücü, hükmeden» anlamlarıyle kelimeler yapmada kullanılır. • Esbran, • hameran, • hükümran Bk.

ra'na, A. s. Râna, güzel. Hoş görünen. • «Her âşık eder dilber-i ra'naya perestiş. — Cenap».

rasad, A. i. (Sat ile) 1. Gözleme, gözetme. Pusu tutma. 2. Gözlem. • «Etseler vaz-ı rasad ta tarh-i Hamam üstüne. — Nedim».

rasadgâh, F. i. [Rasad-gâh] Gözetme yeri. Gözlemevi.

rasadhane, F. i. [Rasad-hane] Gözlemevi.

rasaf, rasafa, A. i. Kaldırım. Kaldırım taşları. • «Kılıp mahfuzu Bari gevher-i zat-i keremkârın — Murassa' efser-i ikbalin olsun maye-i rasafı. — Nedim».

rasanet, A. i. (Sat ile) Sağlamlık. • «Çünkü en ziyade rasanet-i ma'muriyetle maruf kişveleri bile. — Kemal».

rasas, A. i. (Sat ile) Kurşun. Kalay.

rasi, rasîyye, A. s. Kımıldamayan. Sabit duran.

rasıa, A. i. (Sat ile) 1. Kabara. 2. Kabara şeklinde kakılmış süs çivileri.

rasıd, A. s. [Rasad'dan] Gözleyen, gözeten. Gözlem yapan.

rasıdân, F. i. (Sat ile) [Rasıd ç.] Rasıtlar. • «Rasıdan fark edemezler irtifa-i kevkebin — Kılsalar birkaç rasda bunyad-i Uluğ Mirza gibi. — Nedim».

rasib, rasibe, A. s. (Sin ile) (Sıvı) çöküntüsü.

rasif, A. s. Dayanıklı.

rasih, rasiha, A. s. (Sin ve hı ile) [Rüsuh'tan] 1. Sağlam, temeli kuvvetli. 2. Bir bilgide, eskiden din bilgilerinde, çok bilgili olanı. (ç. Rasihan, rasihun).

rasihin, A. i. [Rasih ç.] Din bilgilerinde derinleşmiş kimseler.

rasim, rasime, *A. s.* [Resm'den] Resim yapan. Çizgi çizen.

rasime, *A. i.* Âdet, eskiden kalma âdet. Tören. (Tanzimattan evvel) Merasim.

rasin, rasine; *A. s. (Sat* ile) [Rasanet'ten] Sağlam. • ‹Ric'at ederdi ye's ile emvac-i intikad — Seng-i rasîn-i ömrüne oldukça cebhezen. — Cenap›.

rasiye, *A. i.* Çok büyük dağ. (ç. Rasiyat). • ‹Ta'nezen-i cibal-i rasiyat olan keşti. — Naima›.

rassad, *A. s.* [Rasad'dan] Çok dikkatle gözleyen. Rasatçı. (ç. Rassadan). • ‹Kimi sayyad-i mahidir, kimi rassad-i mah olmuş›.

rast, *F. s. (Son* ve *te* ile) 1. Doğru. 2. Sağ. Hak, gerçek. 4. Musiki makamı. • *Çep ü rast,* sol ile sağ; • *reh-i rast,* doğru yol. • ‹Gehi mest ü gehi hüşyar gâhi rast gâhi kec. — Nef'î›.

rastan, *F. i.* [Rast ç.] Doğru kimseler.

rastbin, *F. s.* [Rast-bîn] Her şeyin hak ve doğrusunu görüp fark eden. (ç. Rastbinân). • ‹Görmez misâl-i kametin çeşm-i rastbin — Ahvel baka meğer ki görenler nazîr ana. — Baki›.

rastgû, *F. s.* [Rast-gû] Doğru söyleyen. (ç. Rastgûyan). • ‹Rastgûyan-i haber irad-i hadis-i muteber ile. — Nergisi›.

rastî, *F. i.* Doğruluk, gerçeklik.

rastkâr, *F. s.* [Rast-kâr] İşi doğru. Doğru iş gören. (ç. Raskârân).

raş'an, *F. s.* Titreyici, titreyen. • ‹Etmekte ra'şan ra'şan ibadet. — Fikret›.

ra'şe, *A. i.* Titreme. Korku veya soğuktan titreyiş. • *Ra'şe-i dest,* el titremesi. ‹Sizinle ben o mükedder, o solgun eşcarın — Adım adım uzanan ra'şe-i zılâlinde. — Fikret›.

ra'şeaver, *F. s.* [Ra'şe-aver] Titretici (XX. yy.). • ‹Vücud-i ra'şeaverinden kopupu düşen zerrart — Verir peyam-i hazin bir dem-i mukarrerden. — Fikret›.

ra'şedar, *F. s.* [Ra'şe-dar] Titreyen, ürken. ç. Raşedarân). • ‹Ra'şedar etti kalb-i eşbahı. — Cenap›.

ra'şenâk, *F. s.* [Ra'şe-nâk] Titreyen. • ‹Şehit olan çavuşun dest-i ra'şenâkinden. — Fikret›.

raşenüma, *F. s.* [Ra'şe-nüma] Titrek. • ‹Müfekkirem o zaman bir nihale benzer ki — Alîl ü râşenüma şahsâr-i bîberki. — Fikret›.

ra'şever, *F. s.* [Ra'şe-ver] Titretici.

râşi, raşiyye, *A. s.* [Rüşvet'ten] Rüşvet veren. • ‹Bir ay içre Mehmet çavuştan kaldırıp Devletoğlu nam bir müflis ve râşi ermeniden on beş kese alıp ona verdi. — Naima›.

raşid, raşide, *A. s.* [Rüşt'ten] Doğru yola giden. Hak dini kabul etmiş olan.

ratb, *A. s. (Tı* ile) Taze, yeşil. • *Ratb-üllisan,* yumuşak sözlü, güzel bir söyleyen. • *Ratb ü yâbis,* münasebetli münasebetsiz. X ‹Feyz-i senası her birine nutk-i can verip — Ratb-ül-lisan-i mahmedeti lâvezal eder. — Fuzulî›.

râtıb, *A. s.* Yaş, ıslak taze (XX. yy.).

râtib, ratibe, *A. s. (Te* ile) Sıraya koyan. Sıralayan.

ratib, ratibe, *A. s. (Tı* ile) 1. Çok yaş, ıslak. Nemli. 2. Taze, yeşil. • ‹Yolun lika-yi ratibinde, muhteriz dolaşır. — Fikret›.

ratibe, *A. i. (Te* ile) Maaş, vazife, tayın. (ç. Revatib). • ‹Bir kez zıh-i kemanın öpen tir-i mürdedil — Ta haşr vahşe ratibe-i kut-i can verir. — Nedim›.

ratinc, *A. i.* Reçine.

ratinciyye, *A. i.* Fransızcadan *gluciacées,* karşılığı (XIX. yy.).

rauf, *A. s.* [Re'fet'ten] Pek esirgeyici, çok acıyan.

ravend, *F. i.* İlâç olarak kullanılan bir bitki kökü.

ravendiyye, *A. i.* Fransızcadan *polygonacées* (karabuğdaygiller) karşılığı (XIX. yy.).

ravi, raviyye, *A. s.* [Rivayet'ten] Rivayet eden, haber veren. • *Ravi-i hadis,* hadis rivayet eden; • *-kıssa,* hikâye anlatan, bir olayı hikâye eden. • ‹Dehen-i gayrden ol lezzeti raviyiz biz. — Nabi›.

raviyan, *F. i.* [Ravi ç.] Rivayet edenler. • *Raviyan-i ahbar,* haber rivayet edenler.

ravza, *A. i.* Sulu, su yatağı, yer. Bahçe. • *Ravza-i mutahhara,* Muhammet Peygamberin ve genel olarak evliyaların mezarı; • *-Rıdvan,* Cennet. • ‹Muazzam ve mâmur bir ravza-i dilküşa içinde. — Recaizade›.

ravzat, *A. i.* [Ravza ç.] Bahçeler.

ra'y, *A. i.* 1. Otlatma, gütme. 2. Otlatmak. 3. Teslim olma. Reaya olma.

ray, *F. i.* Hint melikelerinin lakabı. Race. • ‹Ray-i Hindin ne kumaş olduğunu bildirerek — Cameduz-i gazabı istese biçmez mi kefen. — İzzet Molla›.

ray, râ, *F. i.* Arapça re'y sözünün Fars şivesine uydurulmuş şekli. ● «Fikir, oy» anlamlı kelimeler vücuda getirir. *Bedray*, kötü fikirli; ● *hodrâ*, ● *hodray*, kendi bildiğinden şaşmaz; ● *tireray*, karanlık, fena fikirli. ● «Ümera-yi nikray ile müşavere. — Sadettin».

rayât, *A. i.* [Rayet ç.] Bayraklar. ● «Mehçe-i rayâtı mihr-i alem-efruz-i zafer. — Nedim».

rayegân, raygân, *F. i.* 1. Karşılıksız elde edilen şey. 2. Zahmetsiz ele geçen. 3. Parasız. ● «Etme her hahişger-i ihsana lûtfun rayegân. — Ş. Galip».

râyet, *A. i.* Bayrak. ● «Ayât-i hakikat okunur râyetimizde. — Fikret».

rayic, raic, raice, *A. s.* [Revac'dan] Revaçta olan, sürümü olan. ● *Rayic akçe* paranın halk arasındaki değeri; ● *rayic-i vakt*, bir şeyin vaktindeki değeri. ● «Nedir ol çarşu-yi pürenver — Anda rayic meta-i fazl ü hüner. — Nedim».

rayiha, *A. i.* Koku.

rayihadar, *F. s.* [Rayiha-dar] Kokulu. ● «Hava-yi rayihadarında lezrebahş-i derun — Remide bir ahenk. — Fikret».

rayihanisar, *F. s.* [Rayiha-nisar] Koku saçan.

rayiş, Bk. ● *Raiş*.

râz, *F. i.* Sır. Gizli şey, gizlenen şey. *Raz-i derun*, içteki gizli şey, ● *-nihan*, gizli tutulan sır, ● *ifşa-i raz*, sırrı söyleme, ● *keşf-i raz*, gizli bir şeyin farkına varma, ● *ktem-i raz*, sırrı söylememe, saklama. ● «Ey ciğer zahmı ağız açma madengin görüben — Yetene râz-i nihanın yeter izhar eyle. — Yetene râz-i nihanın yeter izhar eyle. — Fuzulî» ● «Kalsın o didelerdeki raz-i emel nihan. — Fikret».

razagâh, *F. s.* [Raz-agâh] Saklanmak istenen şeyi bilen. ● «Dersin ki olmasın razagâh-i neşve-i naz — Cibril'e çeşm-i mestin mahmur-i hâb göster. — Nailî».

râzamiz, *F. s.* [Raz-amiz] Sırlı, esrarlı. ● «Birer ahker-i muamma gibi razamiz ve şeyda parlayan hadakalar. — Cenap».

razaşina, *F. s.* [Raz-âşina] Sırrı öğrenen. ● «Anlar ki kıldı bahis dehanınla güftgû — Razaşina-yi mesele-i mübhem oldular. — Nailî».

râzdan, *F. s.* [Râz-dan] Sır bilir, sırra ortak dost. (ç. Râzdanân). ● «Râzdan-i dil-i zâr olmasa ger gamzelerin. — Re-

caizade». ● «Ama erbab-i marifet yani râzdanân-i âlem-i hakikat. — Nergisi».

râzdar, *F. s.* [Râz-dar] Sır bilen, sır tutan. ● «Mahrem-i esrarı ve hemdem-i râzdarı idiniz. — Sadettin».

razdaş, *F. s.* Sır arkadaşı. ● «Ne havf edersin ey dil sırr-ı aşkın inkişafından — Benim ol gamze gibi mutemed bir razdaşım var. — Nedim».

razı, *A. s.* [Rıza'dan] Rıza gösterici, boyun eğen, kabul eden. ● «Hakkı izhar eyler ise kadı — Buna herkes olur elbet razı».

razık, razıka, *A. s.* [Rızk'tan] Rızk veren.

Razî, *F. s.* İran'ın Rey şehrinden olan.

raziye, *A. i.* Süt kardeşi.

raziyane, *F. i.* Rezene, yabani dereotu.

râzname, *F. i.* [Râz-name] Sır kitabı. ● «Tarih-i râzname-î dehr ezberimdedir. — Nabi».

reaya, *A. i.* [Raiyye ç.] 1. Bir hükümdar idaresi altında bulunan ve vergi veren halk. 2. Bütün halk. 3. Hıristiyan uyruklar. ● *Terfih-i reaya*, halkın refahını sağlama. ● «Ahali izz ü devlette reaya emm ü rahatte. — Nedim».

reb', rebi', *A. i.* (İlk ve son) bahar evi. (ç. Riba', rübu').

rebab rübab, *A. i.* Tambur şeklinde kısa saplı saz. (XX. yy.). «Lyr» çevirmesi. ● «Şi'rmle gâh olur zâhir hoşça bir sada — Târ-i şikestesinden rebab-i hayatımın. — Fikret».

rebabî, *A. s.* 1. Rebab çalan. 2. (XIX. yy.). Fransızca *lyrique* sözü karşılığı olarak kullanılmaya başlanmıştır.

rebi', rebia, *A. i.* Bahar. ● *Rebi-ül-ahir*, Arabî ayların dördüncüsü, ● *rebi-ül-evvel*, Arabî ayların üçüncüsü. ● «Bitti Gülbün-i Hânan rebi'de. — Süruri».

rebib, *A. i.* Üvey oğul. ● «Oğlu şeklinde rebibi bir iki mehpare oğlanı var idi. — Naima».

rebibe, *A. i.* 1. Üvey kız. 2. Daya kadın.

rebii, rebiiyye, *A. s.* Bahara ait, ilkbaharla ilgili. ● «Bu câmehâb-i rebiîde bir ten-i şirin. — Fikret».

rebiiyye, *A. i.* İlkbahar için yazılmış kaside. Bahariyye. ● «Hangi sene bir ceridede neşrolunan rebiiyyesini Nef'iyane buldukları için. — Uşaklıgil».

rebub, *A. s.* [Rabb'dan] Tanrıya ait. Tanrı ile ilgili.

rebun, *A. i.* Pey. Alışverişte ilk verilen bir miktar akçe.

reca, rica, A. i. Umma, dileme. • *Munka-ti-ur-reca*, ümidi kesilmiş.

rec'a, A. i. (Ayın ile) Öldükten sonra tekrar dünyaya gelme.

recc, A. i. 1. Sallayıp sarsma. 2. Sallanıp sarsılma.

receb, A. i. Heybetli, azametli, saygı değer anlamına olan bu söz Arabî ayların yedincisinin adıdır.

recefan, A. i. Sarsılma.

recez, A. i. Müstef'ilün müstef'ilün müstef'ilün müstef'ilün vezninin bahri. Ürcuze.

recfe, A. i. Şiddetle sarsılma, deprenme.

recil, A. s. Çok yürüyen.

recîm, A. i. [Recm'den] Taşlanmış.

recm, A. i. Taşa tutma. Taşlama. Birine atılan taş. • «Havadan dane-i havan ser-i a'daya düştükçe — Gören cünd-i melâik recm eder zannetti şeytanı. — Vâsıf».

recs, recse, A. i. (Sin ile) Şiddetli gök gürültüsü.

recül, A. i. 1. Ergin, yetişmiş erkek. Bir işin başarıcısı, ehli.

recüliyyet, A. i. Erkek olma. Erkeklik. • «Ta şu kadar çocuk iken vakar-i reculiyyete muhalif gördüğü. — Uşaklıgil».

red, A. i. Bk. • *Redd*.

reda', A. i. Önlemek, yasak etme. Bırakmak. • «Ve halkı reda' ü ta'nif için... — Naima».

reda', redaat, A. i. (Dat ile) Süt emme.

redaet, A. i. (De ile) Kötülük. Fenalık, bayağılık. • «İpşir'in redaeti tedbiratının müeddası olan. — Naima».

redd, A. i. 1. Geri döndürme. 2. Döndürülme. 3. Çevirme. 4. Kabul etmeme 6. Bir şeyi (bedel olarak, aynıyle, mahkeme kararıyle) geri verme. • *Redd-i cevab*, cevab, karşılık verme. • *-selâm*, selama karşı selâm verme; *redd ü kabul* yapıp yapmama. • «Zü'munca olur her kişinin redd ü kabulü. — Nef'î • «Deyu ta'nif eylediklerinde Yunus redd-i kelâm ve ıtale-i lisan etmekle. — Naima».

reddet, A. i. Çirkinlik, kötülük.

reddiye, A. i. Bir mesele hakkında karşıt, karşılık yazı.

rede, A. i. Sıra. Bir duvardaki tuğla veya taş sırası.

redem, A. i. Üvey oğul.

redi', redie, A. s. Kötü, bayağı. • «Asakir-i İslâma humma-yi muhrika ve ve-ba gibi emraz-i redie istilâ edip. — Raşit».

redif, redife, A. s. 1. Arkadan gelen, birinin ardından giden. 2. (XIX. yy.). Askerlik hizmetinin ikinci devresi. 3. Manzumelerde kafiye yerinde tekrarlanan aynı kelime.

redm, A. i. Bir deliği tıkama. Bir şeyin önüne set yapma.

redubi, A. s. (Kapı veya delik) İyice kapanmak.

ree, rie, Bk. • *Rie*.

ref', A. i. 1. Yukarı kaldırma. 2. Kaldırma, yüceltme. 3. Kaldırma, giderme, yerinden çıkarma. 4. Arapça bir kelimenin sonunu ötre okuma. • *Ref-i cidal*, • *-niza'*, çekişme veya kavgaya son vermek. *-rıka*, büyük birine hali bildiren bir yazı sunma. • «Cün kendüde ref ü nasba kudret müşahede eyledi. — Naima» • «Âlemi taltif için sen evlesen ref-i nikab — Nura müstağrak olur cümle cihan ye aftab. — Cenap».

refah, refahet, refahiyet, A. i. Bolluk, rafah. — Fikret». • «Teşkil-i revabıt-i medeniyet ve tezyid-i vesait-i refahiyet emrinde. — Kemal» • «Dükkân-i himmetim derbeste-i kufl-i tevekküldür — Refahiyetle ayş ü işretim kârımdan efzundur. — Nabi».

refakat, A. i. Yoldaşlık, arkadaşlık. • *Hasb-er-refaka*, arkadaşlık dolayısıyle. • «Mektep zamanlarındaki hâside-i latife-i refakate. — Uşaklıgil».

refes, A. i. (Se ile) Terbiyesizce konuşma.

re'fet, A. i. Ziyade esirgeme, çok acıma. • «Bir dimagî vedad ü ref'fetle — Cenap».

reff, A. i. Raf.

refhan, A. s. Varlık içinde yaşayan.

refi, rafia, A. s. Yüce, yüksek. • *Refi-ülkad*, kadri, şanı yüce. • «Asker-i İslâm ol şehr-i haliye girip ref'i binaları ve musanna' sarayları hedm edip. — Naima».

refih, refihe, A. s. (He ile) Rahatlık ve huzur içinde geçinen.

refik, refika, A. s. 1. Arkadaş. Yoldaş. 2. Ortaklık. Yardak, yamak. 3. Erkek eş. • «Refiki bir sarışın gence ittikâ ederek. — Fikret».

refika, A. i. 1. Kadın eş. Kadın arkada. • «Refika-i seferi bir peri-i giryandır. — Fikret».

refref, A. i. 1. İnce, yumuşak kumaş. 2. Kemen saçağı. 3. Döşek, döşeme. 4. Kuşu çok çimenlik. 5. Dalları salkım salkım ağaç. • ‹Tckarrur eyliyecek refref-i canahınla — Ümid-i mes'adetim, ye'ş-i matemim, bî-şek. — Fikret›.

refrefe, *A. i.* Kuşun kanatlarını oynatması, açıp yayması.

reft, *F. i.* Gitme. • *Ahmed ü reft,* gelip gitme.

reftar, *F. s.* Salınarak edalı yürüme, güzel gidiş. • ‹Koşardım hep o pîşimden kaçan reftara müstağrak. — Fikret›.

refte, *F. s.* Gitmiş, geçmiş. • *Refte refte,* azar azar, git gide. • *Narefte,* gidilmemiş. • ‹Refte refte adû zeval bulur. —Naci›.

reftiyye, *A. i.* (Türkçede yapılmıştır.) Eskiden memleketten çıkarılan maldan alınan çıkış vergisi.

refu, *A. i.* Örme, örgü. Yama. • ‹Refu-yi afiyet çâk-i giribanımla düşmandır. — Nabi› • ‹Âşıklarının etmede zahmına refu. — Nedim›.

refuger, *F. i.* [Refu-ger] Örücü, örgücü. • ‹Rahne-i meşakkatin refuger-i tedbir ile —Nergisi›.

refukârî, *F. i.* Örücülük.

reg, Bk. *Rek.*

regad, *A. i.* Varlık, genişlik.

regaib, *A. i.* [Regîbe ç.] Rağbet olunan şeyler. • *Leyle-i Regaib,* Recep ayının ilk cuma gecesi olan kandil (Muhammet peygamber o gece ana rahmine düşmüştü).

reh, rah, *F. i.* 1. Yol. 2. Usul, kural. • *Reh-i narefte,* gidilmemiş yol. • ‹Bu yol, bu sine-i vahşette gizlenen reh-i nur. — Fikret›.

reha, *F. i.* (*He* ile) Kurtulma. • ‹Cincir-i zülften bizi kendin halâs kıl — Dest-i sabaya etme havale rehamızı. — Ragıp Pş.› • ‹Her nimeti, her fazlı, hep esbab-i rehayı — Gökten dilenen züll-i tevekkül ki mürayi. — Fikret›.

reha', *A. i.* (*He* ile) 1. Bolluk ile geçinme, genişlik. 2. Gevşek ve sülpük olma. • ‹Ömrü ziyade edici umuru siz talim ederken vakt-i rehada şidedt tedarikini görmekte ne acep gaflet ettiniz. — Naima›.

reha, *A. i.* (*H* ile) Değirmen.

rehabin, *A. i.* [Rahib ç.] Rahipler. • ‹Rehabîn ile eimme. — Cenap›.

rehafeşan, *F. s.* [Reha-feşan] Kurtarıcı • ‹Arkada bin nigâh-i tecessüs, ey sen nihan — Bir dest-i gaybı andırıyorsun, rehafeşan. — Fikret›.

rehaî, *F. i.* (*He* ile) Kurtulma, kurtuluş.

rehain, *A. i.* [Rehine ç.] Rehineler, garanti olarak elde tutulanlar.

rehakâr, *F. s.* [Reha-kâr] Kurtarıcı. (ç. Rehakâran). • ‹Namus ü ümmidin — Masun kaldıysa bil, zâir, rehakârın bu heyettir. — Fikret›.

rehamet, *A. i.* (*Hı* ile) Ses veya söz yavaşlığı, yumuşaklığı.

rehaset, *A. i.* (*Hı* ve *sat* ile) 1. Tazelik, yumuşaklık. İncelik. 2. Ucuzluk. 3. Bir işi gevşek tutma.

rehaverd, *F. i.* [Reh-averd] Yol armağanı. Yoldan gelenin getirdiği hediye.

rehavet, *A. i.* (*Hı* ile) 1. Gevşeklik. Sülpükülük. 2. Tembellik. • ‹Vücuda öyle rehavet gelir ki yerde bile — Yürür kıyas olunur bir kanat temasıyle. — Fikret›.

rehavi, *F. i.* (*He* ile) 1. Reha (Urfa) şehrine ait. 2. Küçük sandıklı bir çalgı. 3. Bir musiki makamı.

rehayab, *F. s.* [Reha-yab] 1. Kurtulan. 2. Kurtuluş. 3. Yolcu olan. •

rehayafte, *F. s.* [Reha-yafte] Kurtulmuş,

rehayî, *F. i.* Kurtulma.

rehb, *A. i.* Ziyade korku. • *Rehb ü heras,* korku.

rehbaniyyet, *A. i.* 1. Rahiplik, keşişlik. 2. Bir manastıra kapanma hali. • ‹Ne bir kadının ne bir erkeğin ömrünü rehbaniyet ile geçirmesine kail olan. — A. Mitat›.

rehber, *F. i.* [Reh-ber] Yol gösteren kılavuz. (ç. Rehberân). • ‹Ne büyük bir delil-i kudretsin — Rehber-i tali-i saadetsin. — Fikret›.

rehbet, *A. i.* Aşırı korku.

rehbeten, *A. zf.* Ziyade korku yüzünden, korku ile. • ‹Rehbeten yanında nice ülûf müçtemi oldu. — Sadettin›.

rehel, *A. i.* Doğumdan sonra gelen son.

rehgir, *F. s.* [Reh-gîr] Yol tutma, yola çıkma. • ‹Rind-i şuh turfa meşrep, Muhterem — Olıcak Şahba'da rehgir-i ademi. — Nabi›.

rehgüzar, rehgüzer, *F. s.* [Reh-güzar, reh-güzer] Geçecek yol, geçit. • ‹Herkes, büyük küçük, birikir rehgüzarına. — Fikretû • ‹Bu rehgüzerde hezaran selâm alır bulunur. — Nabi›.

rehide, *F. s.* Dert ve sıkıntıdan kaçmış olan. • ‹Pençe-i teaddilerinden rehide olan remideler. — Sadettin›.

F. : 45

rehik, *A. i.* (*He* ile) Şarap.

rehîn, *A. s.* [Rehn'den] 1. Rehin edilmiş, bir şeye garanti· olarak bırakılmış. 2. Yakın, nerdeyse. • ‹Nâtıkan oldu mu rehîn-i fena? — Recaizade›.

rehine, *A. i.* Bir şeye garanti olarak tutulan.

rehn, *A. i.* Garanti olarak verilen şey. Tutu. • ‹Cevher-i aklımı verdim rehne. — Fazıl›.

rehneverd, *F. s.* [Reh-neverd] Yol tutan, yola çıkan, yolcu. (ç. Rehneverdan). • ‹O rehneverd-i sebükrev ki gelse reftara — Ne saika yetişir gerdine ne berk ü bâd. — Nef'i›.

rehnişin, *F. s.* [Reh-nişin] 1. Yol üzerinde oturan. 2. Yolcu, serseri. 3. Çerçi. 4. Geçit parası toplayan. (ç. Rehnişinân). • ‹Kayırmaz olduğumuz rehnişin-i kûy-i telâş — O şuh etmez ise zayi intizarımızı. — Nabi›.

rehnüma, *F. i.* [Reh-nüma] Yol gösteren, kılavuz. (ç. Rehmümayân). • ‹Rah-i heveste âşıka bir pişva gerek — Tenha rev-i fezayi gama rehnüma gerek. — Nailî›. • ‹Ya Rabb hemişe lûtfunu et rehnüma bana — Gösterme ol tariki ki yetmez sana bana. — Fuzuli›.

rehnümun, *F. i.* [Reh-nümun] Yol gösteren, kılavuz. • ‹Ah bilmem neyleyim yok bir muvafık rehnümun. —Fuzuli›.

rehnümunî, *F. i.* Kılavuzluk. • ‹Osman Gazi rehnümuni-i Mihal ile. — Sadettin›.

rehpeyma, *F. s.* [Reh-peyma] Yol ölçücü.

rehpeymayî, *F. i.* Yolculuk.

rehrev, *F. s.* [Reh-rev] Yola giden yolcu. (ç. Rehrevan). • ‹Ey rehrev-i hakcuy muhib-i Haseneyn ol. — Naci› • ‹Ancak etsadüf eden bazı rehrevâna târidir. — Nergisi›.

reht, raht, *A. i.* 1. Cemaat, kalabalık. 2. Kabile. Bk. • *Raht.*

rehvar, *F. s.* Yorga yürüyüşlü at. Rahvan.

rehyab, *F. s.* [Reh-yab] Yol bulan, ulaşan. • ‹Kim olur zor ile maksuduna rehyab-i zafer — Gelir elbette zuhura ne ise hükm-i kader. — Ragıp Pş.›.

rehzen, rahzen, *F. s.* [Reh-zen] Yol kesen, haydut. • ‹Sen bir bahadır yiğitsin rehzenlik sana ayıptır. — Naima› • ‹Bu arsada adı mahruselerde gümrüktür — O garetin ki beyabanda rehzenanın idi. — Nabi›.

rehzeni, *F. i.* Yol vuruculuk, yol kesicilik. Haydutluk.

reis, *A. i.* Başta bulunan kimse, Başkan.

reis, re's, Bk. *Re's.*

rek, reg, *F. i.* Damar. • *Rek-i can,* can damarı. • ‹Sademet-i sarsar-i zemherirden reklerinde kanları ve tenlerinde canları efsürde oldu. — Hümayunname» — ‹Tuttukça nabzımız gelir efgana tar-i rek — Sazende-i mizac-i devadır tabibimiz. — Nabi›.

rekabet, *A. i.* 1. Gözleme, gözetleme. 2. Kendi işini yürütmeye çalışma. 3. Benzerleriyle yarışa çıkma. • ‹Nasıl rekabet eder gölge nur-i -lâhuta — Fikret›.

rekâket, *A. i.* 1. Zayıflık, gevşeklik. 2 Sözün kusurlu olması. 3. Kekeleme, dil tutukluğu.

rekânet, *A. i.* Vekarlılık. Ağırbaşlılık.

rek'at, *A. i.* 1. Bel eğilmek, yüz üstü kapanmak. 2. Namazda secdeye varmazdan önce eğilmek. • ‹Durup hemen iki rek'at namaz eda etti. — Fikret›.

rekb, *A. i.* [Rakib ç.] Atlılar. Atlı kafilesi. • ‹Emîr-i rekb der ki. — Süheyli›.

rekd *A. i.* Durma, kımıldanmama.

rekeât, *A. i.* [Rek'at ç.] Eğilmeler.

rekik, rekike, *A. s.* [Rekâket'ten] 1. Kusurlu, tutuk. 2. Peltek. • *Rekik-ül-lisan,* dili tutuk, peltek. • ‹Elfazı rekîk ü pürtenafür. — Ziya Pş.›.

rekin, rekîne, *A. s.* Yüce, yüksek. Sağlam, lam, vekarlı. •‹Esas-i mâdelet-i rükn-i rekîn-i devlet-i uzma. — Nedim›.

rekîz, *A. s.* (Ze ile) [Rekz'den] 1. Gizli, gömülü (define). 2. Sağlam, adamakıllı. • ‹Merkez-i rekîz-i hîyzide dairebend-i cemiyet olup. — Nergisi›.

rekm, *A. i.* Biriktirme. Yağma. • ‹Habbezâ marifet ki etti rekm — Târ ü pud-i kaba-yi uryanı. — Fehim›.

reks, *A. i.* (Sin ile) Bir şeyi tersine çevirme.

rekûb, rekûbe, *A i.* Binek hayvanı. • Rekûbe-i hassaları olan naka-i kusva bilâ inaha ve işare. — Naima›.

rekve, *A. i.* Su ibriği. • ‹Destinde bir rekve ve ukkâz. — Taş.›.

rekz, *A. i.* (Dat ile) Tepme, tepilme.

rekz, *A. i.* (Ze ile) Yere saplayıp dikme. • ‹Rekz-i nigâh etmiş bakıyor. — Uşaklıgil›.

rem, *F. i.* Ürkme. • *Remkerde,* ürkmüş.

remad, *A. i.* Kül. • «Tecessüm eylemiş aczin emelle ittihadından. — Zuhur etmiş, hayır, şuride bir kalbin remadından — Fikret». • «Yandın ilânihaye remad olmadın gönül. — Beyatlı».

remadi, remadiyye, *A. s.* 1. Küle mensup, kül ile ilgili. 2. Kül rengi. • «Çölün hayat-i remadiyyesinde bir ruya. — Cenap».

reman, *F. s.* Ürkek. • «Kahramanoğlu kahr-i Sultaniden reman olmakla. — Sadettin».

reme, *A. i.* Sürü. • «Reme-i kûsfende giren aç kurt gibi. — Naima».

remed, *A. i.* Göz ağrıma. • *Remed-i Mısrî* Mısır göz ağrısı. • «Dide-i gülgûn-i beyazın sanma sürh etmiş remed. — Nedim».

remel, *A. i.* Aruz vezinlerinden bir kısmının adı. • «Söyledim bahr-i remelden ana gevher tarih. —Şinasi».

remende, *F. s.* Ürkek, ürkücü. (ç. Remendegân).

remgerde, remkerde, *F. s.* [Rem-kerde] Ürkek.

remide, *F. s.* Ürkmüş, çekingen. (ç. Remidegân). • «Evvel cünun-i aşki le ruh-aşina idik — Kays-i remide hatır-i vahşetgüzin ile. — Nailî» • «Havayi rayihadarında lerzebahş-i derun — Remide bir ahenk. — Fikret».

remil, reml, *A. i.* Bazı işaretlerle kayıptan haber çıkarma. • «Ve Müneccimzade'den kavaid-i reml öğrenip. — Latifi» • «Kaza-yi Remle'de reml ile fehm edip kara bahtın. — Vâsıf».

remîm, remîme, *A. s.* Çürümüş, çülük. • *Azm-i remîm, izam-i remîme,* çürümüş kemik (ler). • «Feyz-i eltafiyle bulsa terbiyet azm-i remîm — Hurrem ü ser-sebz olur şâh-i gül-i ziba gibi. — Nedim».

remîz, *A. s.* (*Ze* ile) Bilgili, bilgiç. Akıllı.

reml, *A. i.* Kum. • «Ve meytini ol sahılde taht-er-reml defn ü pinhan edip. — Naima».

remm, *A. i.* Onarma.

remmah, *A. i.* Mızrakçı. Süngücü.

remmal, *A. s.* Remil döken, fal açan. Kayıptan haber veren. (ç. Remmalân). • «Cismimi eyler ise tahta-i reml üzre saba — Remillerle araya bulmaya remmal beni. — Hayali».

rems, *A. i.* (*Sin* ile) Mezar.

remun, *A. i.* Pey akçesi.

remy, *A. i.* 1. (Her çeşit mermi) atma. 2. Hızla fırlatma. • «Anların da ezeli olmak ile mutadı — Âdet-i remy ü talebkâri-i esbab-i gaza. — Nabi».

remz, *A i.* Meramı, gizliden işaretle anlatma. (ç. Rümuz, rümuzat). • «Kim derk eder anı ki ola zatına malum — Remz-i kütüb-i medrese-i âlem-i balâ. — Ruhi».

remzaşina, *F. s.* [Remz-âşina] Anlamı gizli olan sözlerle işaretlerin anlamını kavrayan kimse. (ç. Remzaşınayân).

remzi, remziyye, *A. s.* İşaret ve gizliliğe mensup, onlarla ilgili.

renan, *A. i.* 1. Çok ses çıkaran, çınlayan. 2. İnleyen.

renanet, *A. i.* İnleme, sesle inleme.

renc, *F. i.* 1. Sıkıntı, illet. 2. Ağrı, sızı. • *Birenc,* zahmetsiz, kolayca. • «Hasta-i aşk olana renc-i tegafül güctür — İhtiyari bu kadar renc» • «Tesirli nîrenc dahi bîrenc bulunmaz. — Nedim».

rencber, *F. s. i.* 1. Rençper. Irgat. (ç. Rencberân).

rencberan, *F. i.* [Rencber ç.] Rençberler. Gündelikçiler. • «Ve rencberan yedinde olup bey' olunacak sîmden. — Raşit».

rence, *F. i.* Zahmet, sıkıntı. Eziyet.

rencide, *F. s.* İncinmiş, kırılmış. (ç. Rencidegân). • «Kışın câmid nigâh-i lerzebahşasıyle rencide. — Fikret».

rencidegû, *F. i.* İncinmiş olma, incinme.

renciş, *F. i.* Sızlanış, inciniş. • «Ne bu renciş sana küstah nigâh eylemedik. — Nabi».

rencur, *F. s.* Sıkıntılı, incinmiş. Rahatsız. • «Budur şekli bütün bir mevsimin. pürlerziş ü rencur. — Fikret».

rencuri, *F. i.* Ağrı. Keder. Eziyet.

rende, *F. i.* Rende.

rendide, *F. s.* Ufaltılmış. düzeltilmiş.

reng, renk, *F. i.* Bk. *Renk.*

rengâmiz, *F. s.* [Renk-amiz] Renk renk. türlü renklerde olan. • «Tağyir-i ziy edip hartavi destarlar ekseri rengâmiz şal ve harirden serbendler sarınıp. — Naima».

rengârenk, *F. s.* [Renk-a-renk] Çeşit çeşit renkli. • «Çiçekler, kuşlar etrafında fevcafevc ü rengârenk. — Fikret».

rengâver, *F. s.* [Reng-âver] 1. Renkli olan. 2. Hileci, iki yüzlü olan.

rengîn, *F. s.* 1. Boyalı, renkli. 2. Güzel, tabiata hoş gelen. • «Ey nağme-i rengîni rebab-i hevesatın. — Fikret».

renim, *A. i.* Türkü söyleme.

renîm, *A. i.* Haykırma, inleme. Bağırma.

renk, reng, *F. i.* 1. Renk. 2. Hile, oyun. 3. Suret, şekil. • «Bülbül-i şurideye güller acep renk ettiler. — Baki» • «Fürug-i gaze mi billah söyle ruyunda — Bu renk ü tâb Huda verdiği cemal midir. — Nedim». (Ed. Ce.):

reng-i âl,   -teellüm,
-adem,   -tehalüf,
-behişti   -tereddüd,
-garib,   bîrengi,
-hakikat,   hirenk,
-hayat,   gülerenk,
-inbisat,   hemrenk,
-memat,   lâlerenk,
-serd,   rengârenk,
-simîn,   siyehrenk,
-sükûn,   şulerenk.

rennan, *A. s.* Çok ses çıkaran, inleyen.

re's, *A. i.* 1. Baş. 2. Uc, tepe. 3. Birinci, baş, başkan. 4. (Coğ.) Burun. 5. Baş, başlangıç. 6. Canlı hayvan tanesi. 7. devleti idare mevkii, • -sene-i efren- En baş mevki. • Re's-i kâr, iş başı, ciye, 1 ocak; -sene-i hicriyye, 1 muharrem; • -sene-i maliyye, 1 mart. • -enei milâdiyye, 1 ocak; • re's-ül-hikmeti mehafetullah, veya -muhabbetullah, hikmetin bası Tanrı korkusu (veya) sevgisidir; • re's-ül-mal, re's-el-mal, ana para, sermaye; • bire'sihi, kendi başına, doğrudan; • maşkıt-i re's, bir kimsenin doğduğu yer. • Ey re's-i fürubürde, ki ak pak fakat iğrenç. — Fikret» • «Yetmiş re's bedene-i hüda. — Naima» • «Resülmalin her yirmi kuruşundan her kuruş faideden verilmek üzere. — Naima».

-res, *F. s.* Erişen, yetişen, ulaşan anlamlarıyle kelimeler teşkilinde kullanılır.• Destres, • feryadres, • müjderes. Bk.

-resa, *F. s.* «Yetisen, yetiştiren» anlamıyle kelimelere ulanır. • «Dest-i kûtahımızı etmemiş Allah resâ. — İzzet Molla».

resai, *F. i.* (Sin ile) Akıl, kavrayış, anlayış.

resail, *A. i.* [Risale ç.] 1. Tek konuda yazılmış küçük kitaplar. 2. (XX. yy.). Dergiler. • «Okur, okur, ve hatm ettiği resailden — Birer hulâsa-i hikmet yapardı. — Fikret».

resalet, *A. i.* Bk. • Risalet.

-resan, *F. s.* «Yetiştiren, getiren» anlamıyle kelimelere ulanır; • Müjderesan,

müjde getiren; • şerefresan, şeref getiren. • «Nazmın görünce ruh-i Zahir ü Senayi hem — Peyk-i neşata müjde-i rahat-resan verir. — Nedim».

resanende, *F. s.* Getirici, ulaştırıcı. • «Resanende-i mektubu paralamaya hücum ettiklerinde. — Naima».

resaset, *A. i.* (Se ile) Eskilik. Yıpranmış olma.

resatik, *A. i.* (Sin ile) [Rüstak ç.] Köyler. Çiftlikler. • «Bazı kura ve resatikte hisarlar peyda edip. — Naima».

resaye, *A. i.* (Se ile) Bir ölümün iyiliklerini sayıp ağlama.

re'sen, *A. zf.* Kimseye danışmadan, kendi başına doğrudan doğruya.

resen, *F. i.* (Sin ile) İp, urgan, halat. • «Geçire kâhkeşan gerden-i gerdune resen. — Nedim».

resenbaz, *F. i.* [Resen-baz] İp cambazı.

resenbend, *F. s.* [Resen-bend] Halatla bağlı.

resi, *A.* . (Se iile) Bir ölünün hallerini söyleyerek acıklanıp ağlama.

re'si re'siyye, *A. s.* Baş ile ilgili.

resid, *F. i.* 1. Maliye hesaplarında kayıt silme, hükümsüzlüğünü işaretleme. 2. Resmi bir yazının «geldi» kaydı, işareti. • Nevresid Bk. • «Biz vermeyelim parayı sen borcu resid et» • «Residi ve tuğrası sahih. — Naima».

reside, *F. s.* Yetişmiş, erişmiş. • Reside-i hitam, sona erişmiş, bitmiş; • nareside, yetişmemiş, körpe; • nevreside, yeni yetişmiş. • «Bir namuradı eylemek isterse bermurad — Olur reside hod-behod ecza-yi devleti. — Nabi» • «Olurdu reng-i tebessüm şüküfte gülbünden — Henüz olmadan evvel reside gonce-i ter. — Nedim» • «İnsanlarda bu fark hadd-i azamına reside olur. — Cenap».

resil, *A. i.* (Sin ile) Elçi.

resis, resise, *A. s.* (Se ile) Eski.

resm, *A. i.* 1. Yazma. Çizme. 2. İz, nişan. 3. Suret. 4. Özen, tertip. Plân. 5. Resim, fotoğrafla alınan resim. 6. Tarz, üslup. 7. Âdet, davranış. 8. Alay, tören. 9. Resmî. 10. Vergi. • Resm-i geçid, geçit resmi; -gümrük, gümrük vergisi; • -kadim, eski usul; • -küşad, açış töreni; • -selam, asker selâmı, asker protokoluna uygun selâm; • min gayr-i resm, resmi olmayarak, özel olarak. • «Ey Fuzuli incime senden tegafül kılsa yâr — Resmdir kim göstere ahbaba istiğna habib. — Fuzuli» • «Âlem-i fânide resm-i zindegânî böyledir. — Cevri».

resmen, *A.* :*f.* 1. Devlet adına, devletçe beğenilecek yolda ve usulüne uygun olarak. 2. Âdet yerini bulsun diye, görünüşte. • «Diplomam yok cümlesi resmen «Cahilim!» itirafını şamildir. — Cenap».

resmî, resmiyye, *A. s.* 1. Devlet tarafından veya devlet adına olan. 2. Alay ve törenle olan. 3. Resme, yazı ve çizgiye ait. 4. Çok ciddî, sert. 5. Âdet yerini bulsun diye yapılan ciddî ve samimî olmayan. • *Gayr-i resmî,* resmî olmayan, • *hendese-i resmiyye;* • *nim resmî,* yarı resmî; • *suret-i resmiyyede,* resmî olarak.

resmiyyat, *A. i.* Resmi işler.

resmiyyet, *A. i.* Resmîlik. • «Bu mefkûreye resmiyyet veren ve onu fi'len tatbik eden de. — Z. Gökalp».

ress, *A. i. (Sin ile)* 1. İçi taşla örülü kuyu. 2. Semud kaviminin peygamberlerini içine atıp ağzını ördükleri kuyu (Büyük harfle).

ressam, *A. i.* [Resm'den] Resim yapan. • «Çün ezelden ressam-i kudret yazdı hüsnün berkemal. — Kanuni».

reste, *F. s.* Kurtulmuş.

restegân, *F. i.* [Reste ç.] Kurtulmuşlar.

resul, *A. i.* 1. Elçi! 2. Peygamber. 3. Haberci. • *Resulullah,* Muhâmmed Peygamber. • «Varıp cemiyeti teşkin eylen deyu resulleri yolladı. — Naima».

resye, *A. i.* Eklem ve baş ağrısı. Romatizma.

reşad, *A. i.* Manevî doğru yol bulup ona koyulma, hak yolda yürüme. • «Tarik-i adl ü dâd ve sebil-i sedad ıı reşaddır. — Lâmii».

reşadetlû, *F. s.* Şeyhler hakkında da kullanılır resmî lakap.

reşahat, *A. i.* [Reşaha ç.] Sızıntılar. • «Kırıldı işte bugün bir rakik kâse gibi — O taşla mahfaza-i hâtırat-i masumen — Döküldü hep reşahat-i masumen. — Fikret».

reşakat, *A. i.* 1. Bel inceliği. 2. Davranma ve kımıldanmadaki incelik, hoşluk. • «Reşakat-i kadd ve sabahat-i hadd ile. — Sadettin».

reşaş, reşaşe, *A. i.* Serpinti, çişinti. • «İsterim bir hudutsuz derya — Olsun âlâmıma reşaşe nisar. — Cenap».

reşf, reşfe, *A. i.* Suyu emerek içme. • «Lâkin bahrden bir katre ve nehrden bir reşfedir. — Taş.».

reşh, *A. i.* Sızma, sızıntı, terleme. • «Sirişk-i çeşmine ehl-i nifakın itimat etme — Esasında binanın reşh-i âb olsa metîn olmaz. —Nabi».

reşha, *A. i.* Sızıntı. Damla. • «Ey si'r-i terim eşkim ile hem-cereyan ol — Sinemdeki nîran-i gama rehşafeşan ol. — Naci».

reşhapaş, *F. s.* [Reşha-paş] Damla saçıcı.

reşhayap, *F. s.* [Reşha-yap] Sızıntı bulmuş. • «Tef-i hayatbahş-i aftaba karşı bisebat — Erir, akar, onunla reşhaba-i feyz olur turab. — Fikret».

reşid, reşide, *A. s.* [Rüşd'den] 1. Doğru yolda giden. 2. Akıllı, iyi davranan. 3. Ergin. 4. (Huk.) 18 yaşını tamamlamış kimse. • «Reşid ü kârdan ü huşmend ü sahib-i temkîn. — Nedim» • «Reşid malını muhafaza hususunda takayyüd ederek sefeh ve tebzirden tevakki eden kimsedir. —Mec. 974».

reşîh, *A. i.* Ter.

reşîk, reşîka, *A. s.* Uzun, güzel boylu.

reşk, *F. i.* 1. Kıskanma. 2. Kıskanmayı uyandıran. • «Tavan-i sakf reşkle çâk olsa vechi var —Gördükçe pâyın öptüğünü nerdübanların. — Nabi» • «Ey reşk-i melâik, nağme-i ruhnevazın — Cennetlere, hurilere canbahş-i safadır. — Fikret».

reşkâver, *F. s.* [Reşk-aver] Kıskanmayı uyandıran. • «Ey dilber-i dusize-i reşkâver-i huran. — Zari».

reşkendaz, *F. s.* [Reşk-endaz] Gıpta ettirici. • «Şir' ü inşada reşekendaz-i Hace-i Cihan. — Naima».

reşkîn, *H. s.* Haset edici, kıskanıcı.

reşksaz, *F. s.* [Reşk-saz] İmrendiren, gıpta ettiren. • «Kef-i sirişkî-i bezm reşksaz-i anberdir. — Ki doldu nükhet-i zülfüyle cuybar-i zamir. — Beliğ».

reşş, *A. i.* 1. Su serpme, su serpilme. 2. Çisinti yağmur.

retk, *A. i.* Yırtık ve yırtığı onarma. *Retk ü fetk,* idare. • «Kesme ey ebr-i kerem riştesini âbların — Belki retk eyliyesin fetkını mizâbların. — Nabi».

retka, *A. i.* (Hek.) Cinslik organı normal denmeyecek şekilde bitişik olan kadın.

-rev, *F. s.* «Giden, yürüyen» anlamlariyle kelimeler yapılmada kullanılır. •

Ahesterev, ağır giden; • kalem'rev, kalemin, hükmün yürüdüğü yer, ülke; • peyrev, peşten giden; • pişrev (peşrev) sazda faslın ilk kısmı; • ti:rev, çabuk giden.

reva, F. s. Lâyık, uygun. Caiz. Kâmreva, isteği yerine gelmiş; nareva, uygun olmayan. • «Bu berât ile hacetim reva kılmağı reva görmezler. — Fuzuli». • «Ne boş tamah. Bu tehalük reva mı şöhret için? — Fikret».

revabıt, A. i. [Rabıta ç.] Bağlar. • «Tabayi-i beşerden mahasin-i mücerredeye mutabık olarak münbais olan revabıt-i zaruriyeye. — Kemal».

revac, A. i. 1. Sürüm. 2. Geçerlik, itibarda olma, herkesçe aranılma. • «Padişahım iki şairdir veren nazma revac. — Nedim».

revadaşte, F. s. [Reva-daşte] Uygun bulma. • «İsmetlû haseki sultan hazretlerinin ileri irsalleri revadaşte-i re'y-i hümayun olup. — Raşit».

revafız, A. i. [Rafıza ç.] Rafızaler. Şiiler. (Eski tarihlerde) İranlılar. • «Kale-i mezbur miyan-i eşkıya-yi revafız ve Ekradda olmak hasebiyle. — Raşit».

revah, A. i. (Ha ile) Güneş battıktan gece oluncaya kadar zaman. • «Mebde-i tebaşîr-i sabahtan makta-i deyacir-i revaha dek. — Sadettin».

revahi, A. i. (He ile) [Rahize ç.] Balarıları. • «Revahi değilmiş devahi imiş. — Naci».

revahil, A. i. [Rahile ç.] Yük hayvanları. • «Kâbe-i kavafil-i haçât ve kıble-i revahil-i dua ve münacat olmuştur. — Sadettin».

revaid, A. i. [Raide ç.] Gürüldeyenler. Gürüldemeler.

revai, A. i. ç. (Ayın ile) Düşman kanına bulanmış mızraklar.

revak, rivak, rüvaak, A. i. 1. Ev önündeki saçak. Kemar kubbe.

revakî, revakiyye, A. s. Ev saçağı veya kubbe ile ilgili.

revakid, A. i. [Rakid ç.] Durgun olanlar.

revakiyye, A. i. (Fel.) Zenon felsefesinin adı olan portique ve stoicisme, karşılığı (XX. yy').

revan, F. s. Giden, yürüyen, akan. Âb-i revan, akarşu. • «Zapt eyleyebilsin mi gözüm eşk-i revanı. — Fikret».

revan, F. i. Ruh, can. Nefs-i natıka. — «Murg-i revanı göklere erdi hüma gibi. — Baki».

revanbahş, F. s. [Revan-bahş] Canlandırıcı, can bağışlayıcı. • «Bir dem gelir ki lûtf-i revanbahş-i asafî. — Nedim».

revane, F. s. Giden, yürüyen. • «Akar çağıl çağıl o su — Ki bağlara revanedir. — Fikret».

revasi, A. i. (Sin ile) [Rasiye ç.] Ulu dağlar.

revatib, A. i. [Ratibe ç.] Vazifeler, maaşlar. • «Ve revatib-i erbab-i tekaüt. — Fuzuli».

revayih, A. i. [Rayiha ç.] Kokular. • «Elvan ü revayih — Kut-i hevesindir. — Fikret».

revende, F. s. Giden, yürüyen. • Âyende vü revende, gelen giden.

revendegâh, F. i. [Revende ç.] Gidenler, yürüyenler. • «Kasabat ve kurada mürur ve ubur eden kayafil ve revendegânı teftiş edip. — Naima».

revgan, rugan, F. i. Yağ. • Revgan-i sade, sağ, yağ; • -zeyt, zeytinyağı, rugan. 2. Hafif esen yelin verdiği rahatlık. • «Renk renk etti çerağındaki pertev bezmi — Mağz-i tavustan almış gibi tab'ım revgan. — Nedim».

revgandan, rugandan, F. i. 1. Yağhane. 2. Yağ konan yer. • «Lâkin sakf ü cüderan ve revgandanı ahşaptan bina olunmakla. — Raşit».

revh, revha, A. i. 1. Rahat. 2. İç açıklığı. • Revh-i ruh, can fahatı; • revhullah, Tanrı rahmeti; • revh ü reyhan, rahat ile rızık. • «Neylesin böyle rind-i hoşmeşreb — Hodnümalarla revh ü reyhanı? — Naci».

revhanî, revhaniyye, A. i. Gönül açan, güzel görüüüşlü, havadar (yer).

revi, A. i. Kafiye olan kelimelerin son harfi.

reviş, F. i. 1. Gidiş, yürüyüş. 2. Tarz, üslup. 3. Geçiş, oluş. • «Gelip geçen şu müzehher kadınların insan — Revişlerinde sezer bir şemim-i istihkar. — Fikret».

reviyyet, A. i. Bir işin her cihetini iyice düşünüp taşınma. • «Dinsizlere tevcih-i reviyyet yeni çıktı. — Ziya Pş.».

revk, A. i. 1. Perde. 2. Ev önü. 3. Sâf, katıksız. 5. Boynuz.

revnak, A. i. Parlaklık, güzellik. Tazelik, süs. • «Hilkatin subh-i pürfüsununda — Hâke revnak veren güzellikler. — Fikret».

revnakfeza, *F. s.* [Revnak-efza] Bir şeyin parlaklığını artıran, güzelleştiren.

revnakdar, *F. s.* [Revnak-dar] Parlak. • «Çiçekler handesinden serpilen elvan-i revnakdar. — Fikret».

revzen, *F. i.* Pencere. • *Revzen-i mahlû,* indirilmiş pencere (Tevfik Fikret'in tahttan indirilmiş olan Abdülhamid'i kasdederek yazdığı siyasi bir manzumenin adı). • «Revzenleri mai tülle mestur. — Fikret».

revzençe, *F. i.* Küçük pencere. • «Sarmaşıkları arasında câbeca açılmış aralıklardan bir revzençe-i zümurrüd buldu. — Uşaklıgil».

revzene, *A. i.* Pencere. • «Gülistana açılır revzenesi. — Naci».

re'ye, *A. i.* 1. Görme, görüş. 2. Fikir. Bir iş hakkında söylenilen söz. 3. Oy. • *Re'y-el-ayn,* kendi gözüyle görerek; • *re'y-i âmm,* genel oy; *re'y-i saib,* doğru fikir. • «Re'y-i müniri meş'ale-i kârban verir. — Nedim».

reyah, *A. i. (Ha ile)* Şarap.

reyahîn, *A. i.* [Reyhan ç.] Feslegenler.

rey'an, reycan, *A. i.* Her şeyin öncesi, tazelik zamanı.

reyb, *A. i.* Şüphe, sanı. • *Reyb-el-menun,* dünya olayları; • *bilâreyb,* • *bîreyb,* şüphesiz. • «Manend-i hut sükût hercümerc-i âleme sebep olduğu lâreybdir. — Naima» • «Beni âvare kıldı reyb-i menun. — Naci».

reybe, reybet, *A. i.* Şüpheye düşme, şüphecilik.

reybî, reybiyye, *A. s.* Şüpheci. • «Bu mektebe mensup ediplerle şairler ekseriyetle reybî bedbin, ümitsiz, hasta ruhlar suretinde tecelli etmişlerdir. — Z. Gökalp».

reybiyyun, *A. i.* [Reybî ç.] (Fel.) Şüpheciler.

reycan, rey'an Bk. • *Rey'an.*

reyhan, *A. i.* Fesleğen. • «Hattın ki reşk-i fasl-i baharan olup gelir. — Sermayebahş-i sünbül ü reyhan olup gelir. — Nedim».

reyhanî, *A. s.* 1. Fesleğen gibi ince nakışlı. 2. Rızık. Geçinecek şey. • *Hatt-i reyhanî,* Fesleğen gibi satır dolduran bir nevi divanî yazı. • Neydi gâhi o bûyi reyhanî. — Recaizade».

reyn, *A. i.* 1. Kir. 2. Kalb kasveti.

reyya, *A. i.* Güzel koku.

reyyan, *A. s.* Suya kanmış. • «Önünde ruhfeza bir hadika-i reyyan. — Fikret».

rez, *A. i. (Ze ile)* Asma, bağ kütüğü. • *Duht-i* yahut • *duhter-i rez,* (üzüm ağacının kızı) şarap. • «Sâki rez duhterinin ol engüşt — Sim halhalidir ayağında. — Baki» • «Hülâsa himmet eylen duhter-i rez kalmasın giryan — Hum-i meyhaneveş bir hubs ü bedgirdar altında. — Nabi» • «Olsun saray-i duhter-i rez hâbgâhınız. — Beyatlı».

rezail, *A. i. (Zel ile)* Alçakça ve utanılacak işler. • «Memleketimizde mevcut olan rezailin birincilerindendir. — Kemal».

rezalet, *A. i.* 1. Alçaklık. 2. Utanılacak hal. Utanç verici şey, maskaralık. • «Dünyada vü ukbada ne zillet ne rezalet. — Ziya Pş.».

rezan, *A. s. (Ze ile)* Ağır, vakarlı.

rezanet, *A. i.* Ağırlık, ciddilik, önem. • «Vezir-i mezburun rezanet-i akl ve metanet-i reyin. — Naima».

rezele, *F. s.* «Rezil» çoğulu olarak Türkçede kullanılmıştır. • «Dellâk ve hallâkb ir bölük rezele-i sukadır. — Şefikname».

rezil, rezile, *A. s.* 1. Alçak. 2. Maskara. 3. Bayağı. • «Vay eğer ruz-i cezada sahip olmazsan bana — Olmaya hiç ben gibi bir kimse rüsvay ü rezil. — Vâsıf».

rezile, rezilet, *A. i.* Kötü, fena huy. (ç. Rezail). • «Tahammül ve sükût bir fazilet, iddia-yi hukuk ve taleb-i adalet bir rezilet. — Cenap».

rezin, rezine, *A. s. (Ze ile)* Ağır, sağlam. • «Tevkıf ve iadeden her kangısı muvafık-i rey-i rezinleri ise ferman efendimindir. — Kâni».

rezm, *F. i.* Savaş. • «Rezmde gelse o rahş-i berk-cevlân üstüne. — Nedim».

rezmgâh, rezmgeh, *F. i.* [Rezm-bâh geh] Savaş meydanı. • «Remzgehte — Câbecâ dag-i siyehlerle ten-i uryanımız. — Ruhi».

rezz, *A. i.* Karınca. • «Bir gün rezzin yani nemelin gayet hardalarını ki yüz tanesi bir tane şa'r veznincedir. — Taş.».

rezzak, *A. s.* [Rızk'tan] Bütün yaratıkların rızkını veren Tanrı. • «Rezzaksın ki hazinende yok yokluk. — Sinan Pş.».

rıb', *A. s. (Ayın ile)* Dörtte bir. • *Hummayi rıb',* dört günde tutan veya dört gün süren sıtma. • «Revane olup humma-yi rıb' ile marizen Asitane'ye gelip. — Naima».

rıda', reda', A. i. (Dat ile) Öz anasından başka bir kadından, sütle beslenme süresince süt emmek veya süt emzirmek. (Rıda süresi iki yıldır).

rıdvan, rızvan, A. i. Razılık, hoşnutluk • Rıdvanullahii aleyh. Tanrı razı olsun. • «Ve eimme-i din rıdvanullahü aleyhim ecmaîn muhtarı üzere. — Kâtip Çelebi».

Rıdvan, A. i. Cennet kapıcısı melek. • «Hur ü gılmanı kalır kendisine Rıdvan'ın. — Fuzulî».

rıfk, A. i. Yavaşlık, Yumuşaklık. • «Vâizlar dahi umum üzere halkı sünnete tergıp ve bid'atten tahzir babında rıfk ile va'z ü nasihat ile iktifa edicek. — Kâtip Çelebi».

rıfkî, A. s. Yumuşaklığa mensup, onunla ilgili.

rıh, A. i. 1. Yel, rüzgâr. 2. Yel, sızı.

rıhlet, rihlet, Bk. • Rihlet.

rıka', A. i. [Ruk'a ç.] Yazı yazılacak deriler veya kâğıtlar. 2. Sunulmuş yazılar. Dilekçeler.

rıka', ruk'a, Bk. • Ruk'a. Yazı dilekçe. • «Rık'ayı okuyup çehresinde âsar-i gazap peyda oldu. — Süheylî».

rıkk, A. s. i. Kul, köle. Kulluk. • Kayd-i rık, kölelik kaydı, bağı. • «Hayat rıkk ve mvet ıtktır. — Taş. • «Demişlerdir ki hazret-i Hasan rıkk üzere iken velâdet eylemiştir yani valideleri daha mu'takka değil iken. — Taş.».

rıkkıyet, A. i. Kulluk, kölelik. • «Eğerçi hizmeti yok lîk ana yeter bu şeref Ki ede hizmet-i rıkkıyetinde ömrü güzar. — Nedim».

rıtl, A. i. 1. Bir litre kadar olan bir sıvı ölçüsü. 2. Şarap kadehi. • Rıtl-i giran, ağız ağza dolu kadeh. • «Rıtl-i peyapey sun bize gitsin gönüllerden elem. — Nef'î» • «Bir gün göçerse sahn-i harabâttan Kemal — Rıtl-i giranı çevr eden evlâd olun dedi. —Beyatlı».

rıyaz, riyaz, A. i. [Ravza ç.] Bahçeler. • «Riyaz-i cennetin gûya ki bir serv-i hiramanı. — Nedim» • «Karlar... bütün ezharı riyaz-i melekûtun. — Cenap».

rıza, A. i. 1. Hoşnutluk, memnunluk. 2. Razı olma, peki deme. 3. İstek, kendi isteği. 4. Tanrının yazdığına boyun eğme. • Rızaen lillâh, Tanrı rızası için, bir karşılık için değil de sevap için; • rıza-i tarafeyn, iki tarafın razılığı, hoşnutluğu. • «Ve rizaen lillâh müda-

vat-i fukara ve zuafa edip. — Taş.». • «Teslim ederim gerdenimi tavk-i rızaya Çekticeğim kendi ceza-yi amclimdir. — Vâsıf».

rızacu, F. s. [Rıza-cu] Razı etmeye çalışan. • «Ey cümle cihan sana rızacu. — Senin feyz ü kereminle memlû. — Fuzuli».

rızadade, F. s. [Rıza-dade] Rıza vermiş, razı olmuş.

rızaen, A. zf. Kendi razı olması ile. Kendi isteği ile.

rızk, A. i. 1. Yiyecek içecek sey. Azık. 2. Tanrının herkese nasip kıldığı nimet. 3. Sipahiye verilen veya evkaftan bağlanan maaş. • Rızk-i maksum, Tanrının ayırdığı kısmet, nimet; • rızk-i mukadder, Tanrının takdir edip ayırdığı nimet. • «Yok sende kanaat gözün açolduğu budur — Rızkın erişir sana eğer subh ü eğer şâm. — Ruhi».

riayet, A. i. 1. Gözetme. 2. Sayma. 3. Ağırlama.

riayeten, A. zf. Sayarak. • «Ahda riayeten evvel-i emirde İstanbul imparatorunun ruhsatını talep edince — Kemal».

riayetkâr, F. s. [Riayet-kâr] Sayan. Saygı gösteren.

riba, A. i. Faiz. • «Aslına zam olunan fer'-i riba — Kametin bâr-i riba ede düta. —Nabi».

riba', A. i. (Ayın ile) [Reb' ve rebi ç.] 1. Bahar evleri, çadırlar. 2. Yaz yağmurları. • «Svad-i zalâm-i zulm olan zevaya ve riba' pertev-i misbah-i İslâm ile tenvir. — Raşit».

ribahar, ribahor, F. s. [Riba-har, hor] Faizci.

ribat, A. i. (Tı ile) 1. Bağ. 2. Sağlam yapı. 3. Han gibi konaklanacak, konuk yeri. 4. (Ana.) Bazı sinirler. • «Yine ferraş-i saba sahn-i ribat-i çemene — Geldi bir kafile kondurdu yükü cümle bahar. — Baki».

ribe, ribet, A. i. Şüphecilik, şüpheye düşme.

ribh, A. i. (Ha ile) Faiz, fayda, kâr. • «Ribh, faide ve kâr demektir. — Mec. 1058» • «Akçesine cefa olunmayıp vakti ile eda olunup ribh-i azîm husule gelirdi. — Naima».

ribka, A. i. Kement bağı, boyna atılan halka, ilmik. • «Silkip ukud-i ribka-i a'sarı, en çetin — Bir uykudan uyandırır akvamı dehşetin. — Fikret».

rica, reca, A. i. Bk. • Reca.

ric'a, Bk. Ricat.

rical, A. i. [Recül ç.] 1. Erkekler. 2. Yaya olanlar. 3. Rütbeli, mevki sahibi kimseler. • «Her hissede ricale nisadan füzun düşer. — Nabi». • «Tevfir-i esbab-i cenk ü cidal ve teksir-i rical olunmamış. — Sadettin».

ricaname, F. i. [Rica-name] Bir iş için yazılan rica mektubu. • «Kederzade kadı-i mumaileyhe ricaname gönderdikte. — Naima».

ric'at, A. i. 1. Geri dönme. 2. Vazgeçme. 3. (Eski hu.) Erkek eşin boşadığı karısını iddet zamanı içinde boşamadan vazgeçmesi. • Ric'at-i kahharî, arkasını dönmeyerek gerisin geriye gitme, acele geri çekilme; • hatt-i ric'at, geri çekilme yolu. • «Bir desti ederse tard ü tağrib — Bir desti eder niyaz-i ric'at. — Cenap».

ric'î, ric'iyye, A. s. Geri dönmeye ait, onunla ilgili. • Talak-i ric'i, bir veya iki defa karısını boşamış erkeğin tekrar onu alması.

ricl, A. i. Ayak. • «Bisat-i kesel üzre riclini medd. — Taş.».

ricm, A. i. 1. Atılan taş. 2. Düşen yıldız.

rics, A. i. (Sin ile) 1. Dince günah olan iş. 2. Pislik, murdarlık. • «Rics-i müşrikinden tathir olunup. — Sadettin».

ricz, A. i. (Ze ile) Azaba götüren davranış. Fena davranma.

rida', A. i. Belden yukarıya örtülen örtü. • «Bulutlarıyle sema şimdi bir rida-yi memat. — Fikret».

riddet, A. i. İslâm dininden dönme.

ridf, A. i. 1. Arka. 2. Rediften önce gelen elif, he, ye harfleri.

rie, A. i. Akciğer. • Sill-ür-rie, verem; • zatür-rie, akciğer zarı yangısı.

rieteyn, A. i. İki akciğer.

rievî, rieviyye, A. s. Akciğere ait.

rif'at, A. i. Yücelik. Yüksek ve büyük rütbe. • «Haris-i rifat olduğuna kendi kendine utandı. — Uşaklıgil» • «İzzetin zillete ve rifatin nekbete müebeddel edip. — Naima».

rih, A. i. 1. Rüzgâr. 2. Yel, sızı. • Rih-i cenubi, lodos; • -şimali, poyraz; • -tayyar, romatizma. (ç. Riyah). • «Hazan yeli eser etmiş misal-i rîh-i firak. — Nedim».

rihal, A. i. (Ha ile) [Rahl ç.] Palanlar, semerler. • «Mah-i saferülhayrın on üçüncü günü Paşaçayırı'na hatt-i rihal edeceği müteayyen oldukta. — Raşit».

rihale, A. i. (Ha ile) At semeri, kaltaksız eyer. • «Düzgün olmaz rihale-i har-i lenk. — Naci».

rihan, A. i. Öndül koma, bahis tutuşma. • «Ve mâkul ile menkul fereseyn-i rihan gibi idüğü. — Kâtip Çelebi».

rihat, A. i. 1. Kayış yaptıkları deri. 2. Kayış.

rihlet, A. i. 1. Göç, göçme. 2. Ölme. • «Zavallı hasta, firaş-i zelil-i rihlette. — Fikret».

rihte, F. s. Dökülmüş, akıtılmış. • «Pâyına rihte sad şerm ile su ab-i hayat. — Nedim».

rihteger, F. i. [Rihte-ger] Dökmeci. (ç. Rihtegeran).

rihtegeranan, F. i. [Rihtegeran ç.] Dökmeciler. • «Bir mektub-i latifleri Tophane-i âmire üstatlarından rihtegeranan yedinden vârit oldu. — Peçoylu».

rik, F. i. (Kef ile) 1. Kum. 2. Yazı kurutmada kullanılan ince kum. • «Rik-i revanı boğdu ümmid-i necatımız. — Fikret».

rik, A. i. (Kaf ile) Salya. • «Etti bir şure çalıa katre-i rîk — Oldu lâl-i gibi leziz ü berîk. — Sabit».

rikab, A. i. [Rakabe ç.] Kullar, köleler. Enseler. • «Ol der-i çakernevaz ü bendeperver kim eder — Halkasın bi-ihtiyar âzadeler tavk-i rikab. — Nef'î».

rikâb, A. i. 1. Üzengi. 2. Büyük bir kimsenin katı, önü. • «Şeyh efendi rikâbından mesafe-i baideye gidip bitab kaldı. — Naima».

rikâbdar, F. i. [Rikâb-dar] Üzengi tutan.

rikâz, A. i. Toprak altında var olan mal. • Rikâz-i tabiî, 1. Yer altındaki madenler. 2. Gömü, toprağa gömülü para ve değerli eşya.

rikdan, F. i. [Rik-dan] Rıh hokkası. • «Diller gubar-i hayretle rikdan olur. — Nabi».

rikkat, A. i. 1. İncelik. Yufkalık. 2. Acıma, yürek etkilenme. • «Sabah vakti dem-i rikkat-i tabiattir. — Fikret».

rikkatamiz, F. s. [Rikkat-amiz] Acıma uyandıran, etkilendiren.

rikkataver, F. s. [Rikkat-âzver] Acıklandırıcı, acıklılık uyandıran. • «Rikkataver-i nümune-i nasut. — Fikret».

rikkatefza, rikkatfeza, F. s. [Rikkatefza, -feza] Rikkat artıran, çok etkilendiren. • «Rikkatefza-yi sakinan-i sema» • «Ah zalim ah kim asla sana kâr etmedi — Bunca ah ü nale-i rikkatfezası hamemin. — Recaizade».

rikkatengiz, *F. s.* [Rikkat-engiz] Acıklı, acıma uyandıran.

rikkatyab, *F. s.* [Rikkat-yab] Acıyan, incelen, içlenen. • «Eder bu levha en âvare kalbi rikkatyab — Verir bu manzara en kayıtsız mizaca esef. — Fikret».

rikkıyyet, *A. i.* Kulluk, kölelik. • «Eğerçi hidmeti yok lik ona yeter bu şeref — Ki hidmet-i rikkıyetinde ömrü güzar. — Nedim».

rim, *F. i.* İrin.

rimah, *A. i.* [Rümh ç.] Mızraklar. • «Bir gün erbab-i rimahı cemedip ol şensüvar. —Vâsıf».

rimal, *A. i.* [Reml ç.] Kumlar. • «Âkılin kârı mıdır add-i rimal. — Naci».

rimayet, *A. i.* Ok, kurşun, gülle gibi şeyleri atma. Atıcılık.

rime, *F. i.* Çapak.

rimm, *A. i.* Çürümüş kemik. Kemik çürümesi.

rimnâk, *F. s.* [Rim-nâk] İrinli.

rind, *F. s. i.* Dünya işlerini hoşgörür, aldırış etmez kimse. • «Fuzuli rind ü şeydadır — Hemişe halka rüsvadır. — Fuzuli». — «Rind ol mey-i muhabbeti gel aşıkâre çek. — Nabi».

rindan, *F. i.* [Rind ç.] Rind kimseler. • «Mey sun bize saki biziz ol kavm ki derler—Rindan-i sabuhi-zede-i bezm-i kademdir. — Ruhi».

rindane, *F. zf.* Rinde yakışır yolda. • «Geçer şu heyet-i rindane pîş-i çeşmimden. — Fikret». • «Zahidâ der idim it yürü rindana taarruz — Bilseydin eğer etmeyi rindana taarruz. — Nabi».

rindî, *F. i.* Rintlik.

risâ, risayet, *A. i.* (*Se* ile) Bir ölüyü anarak acıyıp ağlama.

risale, *A. i.* 1. Mektup. 2. Bir konuda kısa yazılmış kitap. 3. (XIX. yy.). Dergi (ç. Resail) • «Birkaç risale, bir iki tasvir-i yadigâr — Fikret» • «Küttaba Risale-i Veraset. — Kemal».

risale, resalet, *A. ii* 1. Elçilik. 2. Peygamberlik. 3. Haber ulaştırma, habercilik. • «Nitekim sadr-i risalede sadr-i risaletten rivayet ve beyan ve hikâyet eyledik. — Taş.» • «İçlerinden bazı mutemet kimseleri risalete namzet edip. — Sadettin» • «Risalet, birkimse, tasarrufta dahli olmaksızın bir kimseye sözünü diğere tebliğ etmektir, ol kimseye *resul* ve ol kimesneye mürsel diğerine mürselün ileyh denilir. — Mec. 1450».

risaletpenah, *F. s. i.* [Risalet-penah] Muhammet peygamber.

risaset, *A. i.* (*Se* ile) Eskilik, yıpranmışlık.

risman, *F. i.* İp, halat. • *Asman ü risman*, akıllı sözü ile saçma söz. • «Mihri usturlap edip kılmış şuaın risman. — Nef'î».

Risto, *A. i.* Aristatalis. • «Ben Naili mühendis-i nazmım çeh-i devat — Ristoyi tab'ıma rasadı intibahtır. — Nailî».

riş, *F. i.* Sakal. • «Ağardı riş-i siyahım civan arar gezerim. — Senihi».

riş, *F. i.* 1. Yara. 2. (s.) Yaralı. • *Dilriş*, yüreği yaralı. • «Tig-i erbab-i gazadan canına yettikte riş — Gitti kâfir câygâh etti cahimi bitti iş. — Süruri».

riş, *A. i.* Kuştüyü. (Ana.) Telek.

rişa, rüşa, *A. i.* [Rişvet, rüşvet ç.] Rüşveler. • «Memikzade ve Mülâkkab bab-i rişa zımmında alem olmuşlar idi. — Naima».

rişdar, *F. s.* [Rîş-dar] Sakallı.

rişe, *F. i.* 1. Saçak. Püskül. 2. (Bot.) İnce, saçaklı kök. • «Hayal ettikçe zülfün ta seher ol dâmen-i zülfe — Sarıldı rişe-i reyhan gibi hâb-i perişanım. — Nedim».

rişegîr, *A. s.* [Rişe-gîr] Kök tutmuş, köklenmiş.

rişhand, *F. s.* [Riş-hand] Bıyık altından gülme, alay etme. • «Neşc-i kelâmı anın mizacına muvafık ve havasına münasip tarz üzre tarh edip rişhand ederlerdi. — Hümayunname».

rişte, *F. i.* 1. İplik. 2. İlgi, bağ. • *Serrişte*, ipucu. • «Bulsam sana lâyık yeni bir rişte-i ilham — Her beytine bir hissimi bağlar da verirdim. — Cenap».

riştefürüş, *F. i.* [Rişte-füruş] İplik satan. İplikçi. ç. Riştefüruşan). • «Riştefürüşan-i gerdunun revnak-arayi dükkân-i itibarı olunca ser-rişte cuyan-i zemaneden neler çekilmiştir. — Salim».

rişvet, rüşvet, Bk. • *Rüşvet*.

rîv, *F. s.* Hile, düzen. • «Ve girivegiran-i bişezaran-i riv ve pişekâran-i sanayi-i div. — Kâni».

rivak, rüvak, revak, *A. i.* 1. Üstü örtülü, önü açık yer. 2. Kemerli yer, kemer altı. 3. Sundurma, çardak. • «Pür etti nüh rivakı gulgul-i kûs-i cihanbani. — Nef'î».

rivakî, *A. i. s.* Eski Yunan feylesoflarından Zenon'un yolu, o yolda olan. (ç. Rivakıyyan, Ruvakıyyun).

rivayât, A. i. [Rivayet ç.] Rivayetler. • «Bunlardan hangisi mütalaa olunsa içinde görülecek rivayât-i cahilânenin kesret ve garabeti akla hayret getirir. Kemal».

rivayet, A. i. 1. Bir söz veya olay hikâyesi. 2. Hikâye olunan söz veya olay. 3. Halk ağzına düşmüş söz. • «Evvel yoğidi işbu rivayet yeni çıktı. — Ziya Pş.».

rivayetkerde, F. s. [Rivayet-kerdĕ] Rivayet edilen, söylenilen. Uydurulan. • «Rivayetkerde-i kibardır ki. — Nergisi».

riya', A. i. İki yüzlülük. Yalandan gösteriş. • «Hep levs-i riya dalgalanır zerrelerinde. — Fikret».

riyafürüş, F. s. [Riya-füruş] Riyacı, mürayi. • «Bu çarşuda fark olunmadı kaldı — Riyafüruşla helvafüruş-i sabunu. — Nabi».

riyagâh, A. i. [Riya-gâh] Fiya yeri. Mürayilerin bulunacağı yer. • «Zühhada açılmaz der-i eyvan-i harabat — Ol mastaba-i feyz riyagâh değildir. — Naili».

riyah, A. i. [Rîh ç.] 1. Yeller. 2. Rüzgârlar. • Mürsil-ür-riyah, rüzgârlar gönderici (Tanrı). • «Acı bir nevha-i teşekkisi — Yolunda kalb-i hayatın gelir enin-i riyah. — Fikret».

riyahîn, A. i. (Ha ile) [Reyhan ç.] Güzel kokulu otlar.

riyakâr, F. s. [Riyakâr] İki yüzlü. (ç. Riyakâran). • «Riyakâran-i magşuş tabiatın. — Nergisi».

riyakârane, F. zf. İki yüzlüce, iki yüzlüye yakışır şekilde. • «Rükn-i âzamı mübalagat-i riyakârane ve meşreb-i kalenderaneden ibaret olan manzumatımız ise. — Kemal».

riyakârî, F. i. İki yüzlülük. • «Olma meftun-i riyakâri-i ehl-i tezvir —Subhasının neseb-i riştesi zünnara çıkar. — Nabi».

riyaset, A. i. 1. Baş olma. ' Başlık, başkanlık.

riyasetpenah, F. s. [Riyaset-penah] Başkan olan, başkanlık eden.

riyasetpenahi, F. s. Başkana ait, onunla ilgili.

riyaz, rıyaz, A. i. [Ravza ç.] Bahçeler. • «Övmesin vâiz âşıklara riyaz-i Cenneti — Bag-i hurrem olmaz ehl-i aşka didarın gibi. — Bakî».

riyazat, A. i. [Riyazet ç.] Sofuların nefis eğitimi için kendilerine yaptıkları eziyetler. • «Temaşa bunda kim fasl-i bahar eyyam-i îd oldu — Dahi künc-i riyazatta tutarlar ehl-i dil ruze. — Baki».

riyazet, A. i. Nefsi kırma. Dünya rahat ve lezzetlerinden çekinip perhizle yetinerek yaşama. • Riyazet-i bedeniye, jimnastik. (XIX. yy.). • «Oğul, riyazet ile ruha takviyet etmişsin anın âsarıdır. — Kâtip Çelebi».

riyazî, riyaziyye, A. s. Matematikle ilgili.

riyaziyyat, A. i. [Riyazet ç.] Nefsi kırmak için yapılan perhizler. • «Meşayih, evail-i sülûklerinde tevsen-i hodkâmı riyaziyyat ile bir mertebe râmederler ki. —Kâtip Çelebi».

riyaziyyat, A. i. Matematik bilgisi. • «Eyledim gülşende tahkik-i riyaziyat-i sun' — Oldu evraki gülistan nüsha-i hikmet bana. — Neyli».

riyaziyyun, A. i. [Riyazî ç.] Matematik bilginleri.

riyy, A. i. Suya kanma. • «Vâde-i puç eder dilim şâdap — Riyyi bu mezraın serab iledir. — Ragıp Pş.».

-riz, F. s. «Dökme, akıtma» anlamıyle kelimelere katılır. • «O bezm-i hasta hamyazeriz olmak da işrettir. — Nedim».

• âbriz
• arakriz
• eşkriz
• demariz
• hunriz
• şerefriz.

rizan, F. s. Dökülen, akan. • «Cânân gide rinden dağıla mey olan rizan. — Ruhi» • «Güneşin daire-i nevvarından rızan olan elvah-i ziya. — Cenap».

rize, F. i. Ufak parça, kırıntı. Saçıntı. • «Gûftara geldi nageh açıp lâ'l-i nuşhand — Bir piste gördüm ande döker rize rize kand. — Fuzuli».

rizeçin, F. s. [Rize-çin] Döküntü, saçıntı toplayan. • «Nedim çün niamın rizeçinidir daima — Seza budur ki efendim cevabı ola naam. — Nedim».

rizehor, F. s. [Rize-hor] Döküntü, saçıntı yiyen.

riziş, F. i. Dökülüş. Akış. • «Olmasa fikr-i tırazende-i giysu-yi bütan — Riziş-i eşk-i kalem-i galiyegûn olmaz idi. — Nabi».

rospi, F. i. Orospu. • «Vezir cevabında Ol rospi oğlu için saklayıp müsamaha ederiz deyu. — Naima».

rû, rûy, *F. i.* 1. Yüz. 2. Yüzey. • *Ruy-i arz,* yeryüzü, • *-derya,* deniz yüzü. • «Ve hâcei şehriyar-i rû-yi zemin mevlâna Hayrettin Efendi hazretleri. — Peçoylu» • «Biraz güzellensin — Şu rû-yi zerd-i sefalet. — Fikret» • «Denizin ru-yi na-mütenahisi üstünde. — Cenap».

-ru, *F. s.* «Biten, olan» anlamıyle kelimelere ulanır. • *Hodrû;* kendiliğinden biten.

ru', *A. i. (Ayın* ile) 1. Akıl. 2. Kalp, yürek. • «Kelâm melik-i allâm-i hazretin ruuna nefs olundu. — Taş.».

rua, ruat, *A. i.* [Râi ç.] Çobanlar.

ruaf, *A. i. (Ayın* ile) Burundan akan kan. Burun kanama. • «Müşk idi nesimi bustanın — Değmezdi ruafı ergavanın. — Ş. Galip».

ruam, *A. i. (Ayın* ile) (Atlarda) mankafa hastalığı.

ru'b, *A. i.* Korku. • «Kalplerine ru'b u dehşet düşmekle. — Naima».

rub, *F. i.* 1. Süpürge. 2. Süpürme. • *Reft ü rub,* gezip tozma. • «Ve kûhkûb ve güruh rûb toplar. — Sadettin».

rub', rubu, *A. s.* Dörtte bir. • «Rub-i meskne anın dikkati icra eyler. — Fuzuli».

rubah, rubeh, *F. i.* Tilki. • «Rubah ile şir olur mu seyyan. — Naci».

rubehane, *F. zf.* Tilkicesine. Kurnazca. • «Nakş bîmeal-i tabasbus-i rubehanelerine vücut verilmeye — Nergisi».

rubehî *F. i.* Tilkilik, kurnazlık.

ruberah, *F. s.* [Ru-be-rah] Gitmeye hazır. • «Mütefekkir ve mütehayyir ruberah oldu. — Naima».

ruberu, *F. s.* [Rû-be-rû] Yüz yüze. • «Öyle hisseyleriz ki gûya biz — Ebediyetle ruberu geliriz. — Cenap».

rub'iyye, *A. i.* Eskiden kullanılan bir altın paranın dörtte biri.

rud, rod, *F. i.* 1. Irmak içinde akan su. 2. Kemençe, saz. 3. Saz kirişi, saz teli. • «Dağ olmayıcak dilde nedir hüsnü sirişkin — Câm olmayıcak elde leb-i rud gerekmez. — Nabi».

rudbar, *F. i.* Çay, akarsu.

rude, *A. i.* Bağırsak.

rugan, revgan, Bk. • *Revgan.*

rugandan, *F. i.* [Rugan-dan] Yağ kandili.

rûgerdan, *F. s.* [Rû-gerdan] Yüz çeviren, yüz çevirici. • «Valde hazretleri bunlardan rûgerdan olduklarını tahkik ettiklerinde. — Naima».

rugerdanî, *F. i.* Yüz çevirme, yüz döndürme.

ruh, *A. i. (He* ile) 1. Ruh. 2. Etki. 3. Öz. 4. İspirto gibi uçucu gaz. • *Ruh-ülkuds,* Cebrail; • *ruhullah,* İsa peygamber; • *ziruh,* canlı. (ç. Ervah). • «Ruh-ül-kudsün Meryem'e nefh ettiği ruhuz. — Ruhi» • «Bir dakika için ruhumu bu gecenin bu ruh-i namütenahisi içine terk ettim. — Cenap» • «At kalbini girdaba, açıl engine ruh ol. — Beyatlı».

ruh, rüh, *F. i. (Hı* ile) Yanak. • *Ruh-i al,* pembe yanak; • *-zerd,* sarı, solgun yanak (yüz). • *Ruh-i gülnar,* • *-hurşid,* • *-rengin,* • *-ziba.* «Bakıp bir kâre bir de ol ruh-i zibaya — Gülün her berki bir hâr oldu çeşm-i bagban üzre. — Nedim».

ruh, *A. i.* 1. Anka kuşu. 2. Satranç cyununda bir taşın adı.

ruham, *A. i. (Hı* ile) Mermer. • «Benim veren o ruham-i hakîre keyfimce — Şu vaz-i dilberi, yahut şu şekl-i merdudu. — Fikret» • «Gülsitan olsa sehab-i kereminden sirab — Çemen-i ter bitirir havzdaki ferş-i ruham. — Nedim.»

ruhanî, ruhaniyye, *A. s.* [Ruh'tan] 1. Ruha ait, ruh ile ilgili. 2. Gözle görülemeyen cismi olmayan. 3. Mezhep işlerine ait olan, ahiretle ilgili olan. • «İnanmak... İşte bir aguş-i ruhani o gurbette. — Fikret» • «İmam hiç bir zaman hahamı kendisi gibi bir memur-i ruhanî addedemedi. — Cenap».

ruhani, *A. i.* Ruhtan ibaret olan, melek. (ç. Ruhaniyan, ruhaniyyun). • «Nihal-i kaddinin üftadesidir Sidre vü Tuba — Esir-i şiftesi ruhaniyan-i arş-i rahmanî. — Nedim».

ruhaniyyat, *A. i.* Madde âleminden gayrı âlemler. • «Beşeriyetten insilâh ile ruhaniyyata iltihak işi. — Kâtip Çelebi».

ruhaniyyet, *A. i.* 1. Ruhanilik, yalnız ruhtan ibaret olanın hali. 2. Ölmüş bir kimsenin ruhça olan varlığı. 3. İslamdan gayrı dinlerde din adamlarının hali. • «Akşamların bu letafeti sabahların ruhaniyyetine nisbet olunsa. — Kemal».

ruhban, *A. i. (He* ile) [Rahib ç.] Rahipler. • «Çıkmadı deyr-i felekte yine hurşid-i sanem —Kara çulla görmeyince âlemin ruhbanını. — Hayali».

ruhbaniyyet, *A. i.* Rahiplik, keşişlik. Dünyayı bırakarak bekâr yaşama.

ruhefza, ruhfeza, *F. s.* [Ruh-feza, -efza] Canlılık katan, ruh artıran. • «Sâkıya sun rah-i ruhefzayı dilşad olalım. — Kemalpaşazade» • «Önümde ruhfeza bir hadika-i reyyan. — Fikret».

ruhfersa, *F. s.* [Ruh-fersa] Ruh yıpratan, aşındıran. • «Âlem-i yakazanın dağdağa-i ruhfersasından azade olan. — Recaizade».

ruhfirib, *F. s.* [Ruh-firib] Ruh avlayıcı. Ruh eğlendirici. • «Ey nehr-i mutalasam, ki uçar mevecelerinden — En ruhfirib, en güzel, enşuh ü münevver — Bir buşiş-i nefrin. — Fikret».

ruhgeza, *F. s.* [Ruh-geza] Ruha acı veren, acılandıran. • «Çerhin idbari değildir yalnız ruhgeza -- Cây-i asayiş-i ikbali de hayret verir. — Nailî».

ruhgüdaz, *F. s.* [Ruh-güdaz] Ruh eriten. • «Uzun bir buse-i ruhgüdaz-i şagafle öpüyordu. — Uşaklıgıl».

ruhî, ruhiyye, *A. s.* Ruha mensup, ruh ile ilgili.

ruhiyyat, *A. i.* Fransızcadan *psychologie* karşılığı kullanılmıştır (XX. yy.).

ruhiyye, *A. i.* Fransızcadan *spritualisme* (spritüalizm) karşılığı (XX. yy.).

ruhnevaz, *F. s.* [Ruh-nevaz] Ruh okşayan. • Ey reşk-i melâik, nagam-i ruhnevazın. — Fikret» • «Küçük dalgalar bir feşfeşei ruhnevaz ile. — Cenap».

ruhperver, *F. s.* [Ruh-perver] Ruha kuvvet ve açıklık veren. • Evet, bu rüyada — Cenanı görmeye benzerdi, ruhperverdi. — Fikret».

ruhs, *A. i.* (Hı ve sat ile) Ucuzluk.

ruhsar, ruhsare, *F. i.* Yanak. • «Kûh sakınmakta ruhsarın doğar günden anın. — Nedim» • «Ruhsare-i aşk ü aşk-i ruhsar. — Ş. Galip».

ruhsat, *A. i.* İzin. • «Ruhsat bulunur dâmen-i canân ele girmez — Cânan bulunur gşe-i damen ele girmez — Nedim».

ruhsatname, *F. i.* [Ruhsat-name] İzin kâğıdı.

ruhsatiyye, *A. i.* Satıcılık veya bir iş yapmak için verilen izin kâğıdı.

ruhsatyab *F. i.* [Ruhsat-yab] İzin alma. • Astan üzere yüzün bir iki defa ferş edip —Sonra ruhsatyab olur Cem girmeğe divanına. — Nedim».

ruhsude, *F. s.* [Ruh-sude] Yanağını, yüzünü süren, sürmüş. • «Ey şanlı ekâbiri cihanın — Ruhsude-i hâk-i astanın. — Naci».

ruhsudegî, *F. i.* Yüz sürmüşlük.

ruk'a, rık'a, *A. i.* 1. Yazma. 2. Dilekçe. • «Ruk'ayı okuyup çehresinde âsar-i gazab peyda oldu. — Süheylî».

ruka, *A. i.* [Rukye ç.] Rukyeler. Afsunlar. Büyü muskaları. • «Mihad-i ruka üzre hâb-i nuşine dalmış iken. — Sadettin».

rukaba, *A. i.* [Rakîb ç.] Rakîpler. • «Bir taraftan rukaba ve husemasiyle uğraşmaya başlayıp. — Kemal».

rukad, *A. i.* Uzun uyku. • «Ve azm-i cihad ü ikaz-i erbab-i rukaddır. — Lâmii».

rukud, *A. i.* Uyuma.

rukûşade *F. s.* [Rû-küşade] Açık yüzlü. • «Girifte oldu dilim kise-i hasis gibi. — Misal-i hân-i cıvanmerd rukûşade idim. — Nabi».

rukye, *A. i.* Büyücü ve üfürükçülerin okudukları dua; afsun.

Rum, *A. i.* 1. Romalı. 2. Arap ilinden başka ilden olan kimse. 3. Anadolu. 4. Osmanlı. • *Molla-yi Rum,* Mevlâna Celâlettin • Meydan-i sühanda yoğiken sen gibi bir er — Bir şair-i Rum oldu sana şimdi beraber. — Ziya Pş. • «İklim-i Rum'u tuttu cihangir savleti. — Beyatlı».

rûmal, rûymal, *F. s.* [Rû-mal] Yüz süren. • Gelip bir gûne rûmal eylemiş kim seyr eden âdem — Süm-i esbinden mîh-i zer kıyas eyler Süreyyayı. — Nedim».

rumalî, *F. i.* Yüz sürme. Yüz sürücü.

rumî, rumiyye, *A. s.* 1. Arap ilinden başka ilden olan. 2. Romalı cinsinden olan. • *Tarih-i rumî,* • *sene-i rumiye,* ayların mart, nisan, mayıs... sırasıyle sayılan yıl hesabı. • «Bir nice zarif-i hıtta-i Rum — Rumi ki dedik kaziye malûm. —Fuzuli» • «1286 sene-i rumiyesi mevsim-i baharında. — Recaizade».

rumuz, *A. i.* [Remz ç.] Remizler. İşaretler. (ç. Rumuzat). • «Rumuz-i aşkla hayretgüzin cahidler — Cidal-i daniş ile dem vurur muanitler. — Behcet».

rûnüma, *F. s.* [Rû-nüma] Yüz gösteren meydana çıkan. • «Mahzun nigehinle rûnümasın. — Recaizade».

runümayî, *F. i.* Yüz gösterme. Meydana çıkma.

rûnümude, *F. s.* [Rû-münude] Yüz gösteriniş, meydana çıkmış.

rûnümun, *F. s.* [Rû-nümum] Yüz gösteren. Meydana çıkan.

rûpuş, *F. i.* [Rû-puş] Yüz örtüsü, peçe. (ç. Rûpuşân). • ‹Bu muzahraf kelimatı rupuş-i temşiyet-i meram. — Naima›.

rûsefid, *F. s.* [Rû-sefid] Ak yüz, yüzü ak. • ‹İnsanı hüsn-i hatimedir rusefid eden — Subha şeref veren nefes-i vâpesindir. — Raşit›.

ruşg, *A. i.* Bilek. • *Rusg-ul-kadem*, ayak bileği; • *rusg-ul-yed*, el bileği.

rusiyah, rûsiyeh, *F. s.* [Rû-siyeh] Yüzü kara. Kara yüzlü. Aybı olan. • ‹Çün rakib-i rusiyahi mahrem ettin âkıbet. — Kanuni›.

rusta, *F. i.* Köy.

rustai, rustayi, *F. s.* 1. Köylü. 2. Köy ile ilgili. 3. *Pastorale* karşılığı (XX. yy.). ‹İmamı darp ettikte rustayi Etrak cumhur ile hücum edip. — Naima›.

rustahiz, *F. i.* (*Sin, te, hı* ve *ze* ile) [Rusta-hîz] Kıyamet, mahşer.

rustak, *A. i.* Köy. Çiftlik. (ç. Resatik).

rustayi, *F. s.* Bk. • *Rusṭaî.*

rustehiz, *F. i.* Kıyamet. Mahşer.

ruşen, *F. s.* 1. Aydın, parlak. 2. Belli, meydanda. • ‹Ey şems, ey kevkeb-i muazzam — Sen dide-i ruşe-ni bekasın. — Fikret›.

ruşena, *F. s.* Aydın. Işıklı. • ‹Bahusus böyle hamami münever kim anın — Ruşena her mermer-i sâf misal-i mahtab. — Nedim›.

ruşenayi, *F. i.* Aydınlık. • ‹Pür-safadır tâb-i didarınla bezm ü bezmgâh — Ruşenayi bahş-i kalb-i sagar ü peymanesin. — Nef'î›.

ruşenbeyan, *F. s.* [Ruşen-beyan] Açık anlatışlı.

ruşendil, *F. s.* [Ruşen-dil] Gönlü aydınlık. Gerçekleri bilen. (ç. Ruşendilân). • ‹Ruşendil olsa da ne kadar merdüm-i nazr — Muhtaçtır inayetine sürmedanların. — Nabi›.

ruşenger, *F. s.* [Ruşen-ger] Cilâcı. • ‹Münasip hemzeban ruşenger-i ayine-i dildir. — Nabi›.

ruşeñî, *F. i.* 1. Aydınlık. Açıklık. Belli olma. 2. Bir tarikat adı. • ‹Ruşeni-i tulû' içinde mer'i oluyordu. — Cenap›.

ruşenzamir, *F. s.* [Ruşen-zamir] İçi ziyalı, gerçekleri bilen. • ‹Pîr-i ruşenzamir ilham-i gaybî ve ilâm-i lâreybî ile. — Hümayunname›.

rûşinas, *F. s.* [Rû-şinas] Belli, herkesçe tanınmış kimse.

rûşinasî, *F. i.* Tanıklık. Dostluk.

rutubet, *A. i.* 1. Yaşlık, nemlilik. 2. Hava veya yapı içindeki nem. 3. Zenginlik. • ‹Güzer etmektedir ikbal ü rutubet dediğin — Biri hurşid-i zemisatn birisi raşh-i gamam. — Nabi›.

ruud, *A. i.* [Ra'd ç.] Gök gürlemeleri. • ‹Hugo'nun ruud ü sevaikını. — Cenap›.

ruunet, *A. i.* 1. En ağır gelecek muamele yapma, tavır gösterme. 2. Bönlük. Sünepelik. 3. Kibirlilik. • ‹Humk-i ümmiyane ruuneti ile. — Naima›.

rûy, rû, *F. i.* Bk. *Rû.* • *Ruy-i nigâr.* 1. Pembe taneli bir cins üzüm. 2. Bir çeşit zambak. • *Rûyi-i dil*, yumuşak yüz. • ‹Hanüman-i takatı viran ederken ryû-i dil — Bülbül-i nâçize gül bihude âteşnâk olur. — Nabi›.

ruy, *F. i.* Tunç.

ruya, *F. s.* Biten, bitici (bitki).

ruya, rüya, Bk. • *Rüya.*

ruyin, *F. i. s.* 1. Tunç. 2. Tunçtan.

ruyinten, *F. s.* [Ruyin-ten] Tunç vücutlu. Güçlü, kuvvetli.

ruyşinas, *F. s.* [Rûy-şinas] 1. Ünlü (kişi). 2. Herkesle tanışır (kimse).

ruyşinasî, *F. i.* Dostluk. Tanışıklık.

ruyûr, *F. s.* Tunçtan.

ruz, *F. i.* 1. Gün, gündüz. (ç. Ruzan). • ‹Ruzan ü şebân ve evkat ü ahyan. — Nergisi› • ‹Bir ruz-i siyahı tev'em eyler — Bir leyl-i sefid-i matemiyle. — Fikret›.

ruze, *F. i.* 1. Günlük, günde olmuş şey. 2. Oruç. • *Deh ruze*, on günlük. • ‹Cihana tâ ebed ziynet vere bir gevher ey Baki — Ana kıymet olur mu devlet-i dünya-yi deh ruze. — Baki› • ‹Şöyle bitap olmuş ol mehpare tâb-i ruzeden. — Nedim›.

ruzedâr, *F. s.* [Ruze-dâr] Oruç tutan, oruçlu. • ‹O denli teşne iken ruzedar-i tahkika — Verir mi su dem-i iftarda sıyam-i dürug. — Sami›.

ruzekâr, *F. s.* [Ruze-kâr] Oruç yiyen, oruçsuz.

ruzgâr, *F. i.* 1. Zaman. 2. Devir. 3. Yel. • ‹Vülât Mısıri le muharebat ve müşacerat üzere ruzgâr geçiren. — Naima› • ‹Sıcak bir cenup ruzgârı sahili okşayarak geliyor. — Cenap›.

ruzi, *F. i.* 1. Günlük, gündelik. 2. Günlük rızık. Nasip. • ‹İçtiği âb değil kenduye çünkim ruzi — Agzının kesretinin nef'i ne dulabların. — Nabi› • ‹Azadî-i dili bana ruzi mi kılmadın. — Recaizade›.

ruzine, F. s. Gündelik.

ruzinedâr, F. i. [Ruzine-dâr] Gündelikçi.

ruziresan, F. s. [Ruzi-resan] Rızık yetiştiren. Tanrı.

ruzmerre, F. s. Her günkü. • «Mesai-i ruzmerre altında sıkılan. — Cenap».

ruznamçe, F. i. Küçük ruzname. Muhasebe kâtiplerinin kayıt defteri. • «Pürsiş-i hâtır-i zivre-i ruznamçe-i âmâl kılınır. — Ragıp Pş.».

ruzname, F. i. [Ruz-name] 1. Her günkü gelir ve giderin kaydedildiği defter. 2. Takvim. 3. Her günkü olaylar kaydedilen kâğıt, gazete. 4. (XIX. yy.). Gündelik hâtıra yazılan defter, jurnal. 5. Gündem. • «Beşeriyet-i hazıranın ruzname-i müzakeratına dahil ne kadar mesail varsa. — Cenap».

-rüba, F. s. «Kapan, kapıcı» anlamıyle kelimelere ulanır. • Dilrüba, • hoşrüba, • kehrüba, Bk.

rübai A. i. Belli vezinlerle yazılan dört mısralık manzume. (ç. Rübaiyyat). • «Mesnevi semtinde Atayi geçmiştir cümlesin — Haleti evc-i rübaide uçar Anka gibi. — Nedim».

rübubiyyet, A. i. [Rabb'dan] 1. Efendilik. 2. Tanrılık. • «Bir nefes rübubiyyetin havasında perr açıp uçamaz. — Sinan Pş.».

rübude, F. s. Kapılmış, kapılan. • «Olduk yine bir pençe-i hurşide rübude. — Nedim».

rüchan, A. i. Üstün olma. Üstünlük. • «Hüveydadır hebar İskender ü Dâra'ya rüchanı. — Vâsıf».

rüchaniyyet, A. i. Üstün olmaklık.

rücu', A. i. 1. Geri dönme. 2. Cayma, sözü, fikri değiştirme. • «İklim-i ilâhiye rücu etmek için — Ervah açılır göklere yelken yelken. —Beyatlı» • «Yektir yine özrden şüruum — Bu işte tevekkülle rücuum. — Fuzuli».

rücum, A. i. [Recm ç.] Taşlamalar, taşa tutmalar. • «Şeyatin-i bugatı nişane-i rücum ettiklerinde. — Naima».

rüesa, A. i. [Reis ç.] Reisler, başkanlar. • «Fransızların bugünkü nasyonalistleri rüesasından. — S. Nazif».

Rüfai. A. i. Bir İslam tarikatı ve bu tarikattan olan. • «Ben rüfai-meşrebim zira Halim — Âteş-i ruhsardan çekmem elim. — Halimgiray».

rüfeka, A. i. [Refik ç.] Refikler, arkadaşlar. • «Rüfeka-yi seyahatı toplu bir surette ancak şimdi görebildim. — Cenap».

rühun, rühün, A. i. (He ile) [Rehn ç.] Rehinler.

rükban, A. i. [Rakib ç.] Binenler, binmişler.

rükbe, A. i. Diz. (ç. Rükebat). • «Mubarek rükbelerin takbil eyleyip. — Kâtip Çelebi».

rükeb, A. i. [Rükbe ç.] Dizler.

rükn, A. i. 1. Bir şeyin en sağlam tarafı. Temel direği. 2. Kolon, direk. 3. Önemli kimse. • «Edip amihte huşk ü ter ü germ ü serdi — Çar rükn üstüne yapmış bu binayı üstat. — Nabi».

rükû', A. i. Namazda elleri dizlere dayıyarak eğilme hareketi. • «Ve ekâbir-i din ü devlet hususen ulema (padişah) huzurunda rükû ve inhina ederler. — Kâtip Çelebi» • «Rükûu eyler ebruna kıyamı kaddine âşık — Olur taât-i ehl-i dert gâhi rast gâhi geç. — Nailî».

rükûb, A. i. 1. Binme. 2. Taşıta binme. • «Hattâ bu defa rükûbları için beygir vagonu dahi bulunmayarak. —A. Mitat».

rükûd, A. i. Durulma, durgunluk olma. • «Sümbülî bir hava ki mest-i rükûd. — Fikret».

rükûdet, A. i. Durulma, durgunluk. • «Bu rükûdet, bu samt ü cevf-i leyal. — Cenap».

rükum, A. i. [Rakam ç.] Rakamlar, sayılar. • «Sahife-i zellât-i serdar-i Terakimeden rükum-i hatayı âb-i afv ile imha buyurup. — Sadettin».

rükûn, A. i. Bir şeye samimî olarak meyl etme. • «Ve ibadât ü taâta rükün ile. — Naima».

rükûnet, A. i. Vakar ve temkin sahibi olma.

rükûz, A. i. (Binek üstünde) ayaklarını depretme. Seğirtme, seğirttirme. • «Arsai mübalağada rükûz ile lenk etmişler idi.»

rümat, A. i. [Rami ç.] Atıcılar, nişancılar. • «Haci İsmail üstad-i sanadid-i rümat — Ki bu fende o idi pîr ferid-i yekta. — Nabi».

rümh, A. i. 1. Mızrak, kargı, süngü. 2. (Mec.) Yoksulluk. (ç. Rimah). • «Görse Rüstem ol şehin destinde rümh-i şevketi — Vâsıf».

rümman, A. i. Nar yemişi.

rümmanî, A. s. Nar çiçeği renginde. • «Murassa' sayebanından döküldü ebr-i nisanın — Dür ü yakut-i rümmanî nihal-i erguvan üzre. — Baki».

rümaniye, *A. i.* Nargiller. (XIX. yy.).

rüste, *F. s.* Bitmiş, yetişmiş bitki, yemiş). • «Mabeyn-i gülde rüste olan berk-i sebzveş — Sen şah-i hüsn ben gaşiyedarın senin. — Nabi».

rüstehiz, Bk. • *Rustahiz.*

Rüstem, *F. ö. i.* Ünlü Fars pehlivanı. • «Başlı başına her birimiz Rüstem-i aşkız. — Nef'î».

rüstemane, *F. zf.* Farslıların ünlü kahramanı Rüstem'e yaraşır yolda. • «Birden hücum edip bir ma'reke-i rüstemane kopardılar ki. — Naima».

rüsub, *A i.* Tortu, telve. Çöküntü.

rüsum, *A. i.* 1. Sağlamlık. 2. Bir bilginin inceliğine, derinliğine varma.

rüsum, *A. i.* [Resm ç.] 1. Vergiler. 2. Metod, kural. • «Ol kale rüsum-i şirkten ari olup. — Sadettin» • «Bilir hâki Stanbul'dur rüsum-i şive vü nazî — Kenarın dilberi nazik de olsa nazenîn olmaz. — Nabi».

rüsumat, *A. i.* [Rüsum ç.] Gümrük idaresi.

rusumî, rusumiye, *A. s.* [Resm'den] 1. Vergi ile ilgili. 2. Resmilik ve resmiyetle ilgili. Protokol ile ilgili. • Tekellüfat-i rüsumiye yok nihadımda — Telâş-i hâhiş-i esbab-i ihtişam edemem. — Nabi».

rüsül, *A. i.* [Resul ç.] Peygamberler. • *Enba-ir-rüsül,* peygamberlerden haberler; • *hatem-ül-rüsül,* peygamberlerin sonu (Muhammet peygamber). • «Ve melâikesine ve kütüb ü rüsülüne ve yevm-i ahiret iman gibi. — Taş.».

rüsva, rüsvay, *F. s.* Rezil, maskara. Ayıpları ortaya çıkarılmış. • «Olsak n'ola Nef'i gibi rüsva-yi dü-âlem — Hem âşık ü hem şair ü hem bâdeperstiz. — Nef'î».

rüsvaî, *F. i.* Rezillik, rüsvaylık.

rüşd, *A. i.* 1. Doğru yolda gitme. 3. Erginlik. • *İsbat-i rüşd,* bulûğa erdiğini iddia edip şer'an kabul ettirme. • «Bu rütbe akl ü rüşde malik olmak nice mümkündür. — Nedim». • «Akl ü rüşd ü fazailden haiz-i evfa-yi nisabı olduğuna. — Raşit».

rüşdî, rüşdiyye, *A. i.* Ortaokul. • «Mahdum beyin bir rüştiyeye konulmasına nasılsa himmet olundu. — Recaizade».

rüşey, *A. i.* [Rüşvet ç.] 1. Bahşışlar. 2. Rüşvetler. • «Umura müdahale ve ahz-i rüşey ile masalih-i mühimmeye muaraza. — Naima».

rüşeym, *A. i.* (*Bio.*) Embriyon. Oğulcuk.

rüşvet, rişvet, *A. i.* Vazifeliye bir iş gördürmek için verilen para veya hediye. • «Rüşvet töhmetinden beri etti. — Naima».

rütbe, *A. i.* 1. Sıra, basamak. 2. Nicelik, derece. 3. Memur derecesi. • «Ne rütbe etse sitem kendisi değil hâli — Nevazis eylemeden gönlümün hali yine. — Recaizade» • «Bir günlük rütbe-i fetva ile sadkâm. — Naima».

rütbeşinas, *F. s.* [Rütbe-şinas] Rütbe tanır. Derece bilir. • «Rütbeşinas-i reviş-i sadeyim. — Naci».

rütbet, *A. i.* Rütbe. • *Rütbetlú,* patiriklerin elkabı. • «Husrevan-i âl-i Osman'ın şeh-i Cem-rütbeti. — Vâsıf».

rüteb, *A. i.* [Rütbe ç.] Rütbeler.

rütebî, *A. s.* Derece, sıra ile ilgili.

rüus, *A. i.* [Re's ç.] 1. Başlar. 2. Sadrazamın verebileceği küçük rütbeler için verilen resmî yazı. 3. Sarıklı, ulema derecesi, rütbesi. 4. (Huk.) •*Aded-i rüus,* mirasçı sayısı. • «Kacan geldim der-i ikbale ol dem dest-i ihsanın — Kef-i nakâmıma sundu rüus-i sîm-simayı. — Nedim».

rüvak, rivak, Bk. • *Revak.*

rüvat, *A. i.* [Ravi ç.] Rivayetciler. • «Ol sebeptendir ki fukaha kalîl ve rüvat-i hadis kesîrdir. — Taş.».

rüveyde, *A. s.* Hoş. İnce. Nazik.

rüveyha, *A. i.* İncelik. Zariflik.

rüya, ruya, *A. i.* Düş. • «Evet, bu rüyada — Cenanı görmeğe benzerdi, ruhperverdi. — Fikret» • «Berrak fakat kamersiz bir sema altında bir hâb-i tarike uzanmış, (...) şeb-i yeldanın rüya-yi medidine dalmış. — Cenap».

rüyaamiz, *F. s.* Rüya karıştıran, rüva gibi. • «Ne güzel, ne hulvaperver, ne ruyamiz bir isim. — Uşaklıgil».

rüyet, *A. i.* 1. Görme. 2. Bakma, idare etme, çevirme. • «Sermedi bir safa-yi rüyetle — Seyr-i firdevs-i mahremiyet eder. — Fikret».

rüzelâ, *A. i.* (*Zel* ile) [Rezil ç.] Reziller.

rüzgâr, Bk. • *Ruzgâr.*

S

s, Arap alfabesinin «se, sin, sad» harflerini karşılar. Üç noktalı olduğu için sâ-i müsellese de denen «se» harfi Osmanlı ve Fars alfabelerinin dördüncü harfidir, ebcet hesabında 500 sayısını gösterir; «sin» harfi Osmanlı ve Fars alfabesinin on beşinci, Arap alfabesinin on ikinci harfidir, ebced hesabında 60 sayısını gösterir. «Sad» harfi ise Osmanlı ve Fars alfabelerinin on yedinci, Arap alfabesinin on dördüncü harfidir. Ebcet hesabında 90 sayısını gösterir.

s., «Sual» kelimesinin kısaltılmış şekli.

sa, A. i. «Se» harfinin Arapça adı.

-sâ, F. s. «âsâ» benzetme edatının hafifletilmişidir; • anbersâ, amber gibi.

-sâ, -sây, F. s. «Süren, sürücü» anlamıyle kelimelere ulanır. • Cebhesâ, alın süren (yüzüstü yere kapanan), • cebinsâ, aynı anlamda.

saab, Bk. • Sa'b.

saad, sa'd, • Bk. Sa'd.

saade, saadet, A. i. (Sin ve ayın ile) Mutlulu. • Bab-i saadet (Bab-üs-saade), İstanbul Topkapı sarayında karaağaların beklediği kapı; • Dersaadet (Der-i saadet), İstanbul'a verilen adlardan biri, • vakt-i saadet. • zaman-i saadet, Muhammet peygamber zamanı. (Ed. Ce.)

• Aşiyan-i saadet,
• behic-i saadet,
• hacle-i saadet,
• hâtıra-i asadet,
• hulya-i saadet,
• incilâ-yi saadet,
• kûşe-i saadet,
• lebriz-i saadet,
• lem'a-i saadet,
• matem-i saadet,
• müjde-i saadet
• rüya-yi saadet,
• sine-i saadet,
• sükûn-i saadet,

• süruid-i saadet.
• sürur-i saadet,
• tebessüm-i saadet,
• terane-i saadet,
• tevali-i saadet.
• ufk-i sadet.
• ümid-i saadet,
• zemzeme-i saadet.

saadetbahş, F. s. [Saadet-bahş] Saadet verici. • «Bu izdivacı ruhunun yegâne şifa-yi saadetbahsı olmak üzre telâkki ediyordu. — Uşaklıgil».

saadethane, F. i. [Saadet-hane] 1. Ulu bir kimsenin evi. 2. Mutlu kimselerin oturduğu ev. • «Birkaç kadeh rakının şu saadethanede bir zehrabe-i musibet hükmünü tutacağını. — Uşaklıgil».

saadetmend, F. s. [Saadet-mend] Mutlu.

saadetpenah, F. s. [Saadet-penah] Mutluluk yeri. • «Böyle bir cah-i saadetpenah ihsaniyle tâviz olundu. — Raşit».

saâlik, A. i. [Sa'lûk ç.] 1. Dilenciler. 2. Dervişler. 3. Kalenderler. serseriler. • «Etraf ve cevanipte olan saalike haber gönderip — Naima».

saât, A. i. [Saat ç.] Saatler. • «Bükâ-yi hicr ile saât-i leyl eder de mürur. — Fikret».

saat, A. i. 1. Bir günün yirmi dörtte biri. 2. Vakit, zaman. 3. Vakti bildiren alet. 4. Belirli vakit. 5. Kıymet. Değer. Uzaklık yol ölçüsü. • Eşrat-i saat, kıyamet alâmetleri; • eşref-i saat, uğurlu vakit. • «Ele evkat-i ömrün girdiğiyle çıktığı birdir — Değil zincirlerle zapta kadir vakti saatler. — Nabi». • «Bu yol bugün bir saat önce mahşerdi. — Fikret».

saat, sa't, A. i. Genişlik. • «Saat-i cûdlarına nisbet güneşten zerre ve deryadan katre mikdarı olamaz. — Sadettin».

sab, A. s. (Sin ile) [Sebb'den] Küfür eden, söyücü.

sa'b, saab, A. s. [Suubet'ten] Güç, zor, çetin. Sâ'b-ül-meal, anlamına varılması güç; • *sa'b-ül-mürür*, geçilmesi zor (yer). • ‹Kenduyu kâfire urdu sanki mahzen-i baruta ateş girdi cenk saab olup. — Naima›.

sabâ, *A. i.* *(Sat* ile) Gün doğusundan esen hafif ve tatlı yel. 2. Bir doğu müzik makamı. • *Saba-beraber*, saba rüzgârına ait, onun gibi hafif ve çabuk yürüyüşlü. • Gülşen-i hüsnünden ettikçe güzer bâd-i sabâ — Reşk edip pirahanenin-veş üstüne titrer gönül. — Mesihî› • ‹Sabâ eser. gusun-i ter. — Fikret›.

sabah, *A. i.* Sabah. • *Al-es-sabah*, sabahleyin erkenden. • ‹Sabah-i îd, o mübarek ferişte-i handan. — Fikret›.

sabahat, *A. i.* Güzellik. • ‹Artık uyu ey mah, ey mah-i sabahet. — Cenap›.

sabavet, *A. i.* Çocukluk. • ‹Karanlık bir sabavet, bir şebab -i hâsir ü merdut. — Fikret›.

sabaya, *A. i.* [Sabiyye ç.] Bülûğ çağına varmamış küçük kızlar. Kız çocukiar.

sabb, *A. i.* 1. Şiddetli akış. Güçlü akıntı. 2. Kovadan boşalır gibi dökülme. • ‹İşbu kavalib-i elfaza sabbolunup. — Taş.›.

sabbag, sabbaga, *A. s.* 1. Boyayan. 2. Deri altındaki boyalı madde. • ‹Sabbagına sad-hezar tahsin. — Naci›.

sabbar, sabbare, *A. s.* *(Sat* ile) [Sabr'dan] Çok sabırlı olan.

sabbar, *A. i.* 1. Atlasçiçeği (Kaktüs). 2. Frenk inciri.

sabbariyye, *A. i.* (Bot.) Fransızcadan *cactées* (Atlasçiçeğigiller) karşılığı (XIX. yy.).

sabg, subg, Bk. • *Sıbg.*

sabık, sabıka, *A. s.* *(Sin* ile) [Sebk'ten] 1. Geçmiş, geçen. 2. Şimdikinden bir önceki memurluk veya işte bulunmuş olan, eski. 3. Önde bulunan, ilerde olan. • *Sabık-ul-beyan*, • *sabık-uz-zikr*, zikri geçmiş, yukarıda söylenilmiş; • *asr-i sabık*, • *sene-i sabıka*, bundan önceki yüzyıl, bundan önceki zaman, yıl. (ç. Sabıkîn-sabıkun). • ‹Kim bilirdi şuara olmasa ger sabıkta — Dehre devletle gelip yine giden şahanı. — Nef'i›.

sabıka, *A. i.* 1. Geçmiş şey. Geçmiş olay. 2. Geçmişte yapılmış, hükme bağlanmış suç, • *Sabıka-i mükerrere*, birden fazla suç işleme. (ç. Savabık).

sabıkan, *A. zf.* Bundan önce.

sabıkîn, *A. i.* [Sabık ç.] Geçmişler, önce gelmiş olanlar.

sabıkun, *A. i.* [Sabık ç.] Geçmişler, önce gelip geçmiş olanlar. • ‹Şuara-yi sabıkun ve nuzema-yi akdemun. — Latifî›.

sabi, sabiy, *A. i. s.* Bülûğ çağına gelmemiş çocuk. (ç. Sabaya, sıbyan).

sâbi', sâbia, *A. s.* Yedinci. • *Sâbi aşır*, on yedinci.

sâbi', *A. i. s.* Yıldızlara tapanlardan, Sebea'lı (Harran'da bulunurlardı).

sâbian, *A. zf.* Yedinci olarak.

sâbih, sâbiha, *A. s.* [Sebahet'ten] Yüzen, yüzücü. • *Havz-i sâbih*, yüzer havuz. • ‹Yekdiğerini birkaç saattan beri bu sâbih otel içinde tanıyan seyyahın arasındaki. — Cenap›.

sabih, sabiha, *A. s.* *(Sat* ile) Güzel, şirin. Latif. • ‹Mahbub-ül-lika sabih-ül-vech melih-ül-eda idiler. — Naima›.

sabiha, *A. i.* *(Sat* ile) Sabah (fecr) vakti. • ‹Vefatı yevm-el-isneyn sabihasındadır. — Taş›.

sâbiha, *A. i.* *(Sin* ile) Gemi. (ç. Sâbihat).

sabiin, *A. i.* [Sabi' ç.] Yıldıza tapanlar.

sâbir, sâbire, *A. s.* [Sabr'dan] 1. Sabreden, acele etmeden bekleyen. 2. Bir kötülüğe karşı kızmayıp dişini sıkarak dayanan. • ‹Aşkında bilirsin kim sâbır kulunum cânâ. — Ruhi›.

sâbirin, *A. i.* *(Sat* ile) [Sâbir ç.] Sabırlılar. • *Fukara-i sâbirin*

sabit, sabite, *A. s.* *(Se* ile) 1. Yerinde duran, kımıldamayan. 2. İspatlanmış, kanıt ve tanıtla belli edilmiş. • ‹Manend-i şecer nâbit olur sabit olanlar. — Ziya Pş.›. • ‹Siz şiirinizi bıraktıkları noktada sabit görmek istiyorsunuz. — Uşaklıgil›.

sabitat, *A. i.* *(Se* ile) [Sabite ç.] Gezeğen olmayan gökcisimleri. • ‹Kürsüye basınca pâ-yi reftar — Şevk eyledi sabitati seyyar. — Ş. Galip›.

sabite, *A. i.* Gezegenlerden gayrı gökcisimlerinden her biri.

sabitkadem, *A. s.* [Sabit-kadem] Yerinde veya sözünde duran, direnen. • ‹Sabitkademiz tevbemiz üstünde nasuhuz. — Ruhi›.

sabiy, sabi, *A. i.* Bülûğa ermemiş çocuk. • ‹Bir sabiy-yi reşit mektepte — Etti hatim-i tilâvet-i Fürkan. — Süruri›.

sabiyye, *A. i.* *(Sat* ile) Bülûğa ermemiş kız çocuğu.

sabr, *A. i.* 1. Başa gelen acı şeye diş sıkıp dayanma. 2. Gelecek veya olacak bir şey iiçn acele etmeden bekleme. 3. Sokatra adasında çıkan ve hekimlikte

kullanılan bir bitki. • *Sabr-i cemil,*
Tanrıdan gelen bir acıya sabretme; •
Sabr-i Eyyüb, Eyüp peygamberin dille-
re destan olan sabrı. • ‹Gerektir hüzn-i
Yakup sabr-i Eyyüp. — Kanunî›.

sabuh, *A. i.* 1. Sabahleyin içilen şarap.
2. Mahmurluk açan içki. • ‹Sun bu
mahmur-i mey-enduha bir câm-i sa-
buh. — Ruhi›.

sabuhî, *F. s. i.* 1. Sabah içkisiyle ilgili. 2.
Sabah ile ilgili. • ‹Neşei sabuhi ile ser-
gerdan. — Sadettin›. • ‹Henüz paşa
kâb-i sabuhide iken kaldırıp. — Nai-
ma›.

sabun, *A. i.* Sabun. • ‹Suna ey cahpe-
rest el yumağa âlemden — Miskî sa-
bun ile simîn leğen ibrik gerek. — Na-
bi›.

sabunî, sabuniyye, *A. s.* 1. Sabuncu. 2.
Sabun karışık, sabunlu. 3. Sabun çeşi-
dinden. 4. Elmasiye nevinden tatlı.

sabur, sabure, *A. s.* [Sabr'dan] Çok sa-
bırlı. • ‹Yürüdüm fakat ben muannit,
sabur. — Fikret›.

saburane, *F. zf.* Sabırla. Sabırlı kimseye
yakışır yolda. • ‹Bu müzeyyen hulya-
yı dudaklarında bir tebessüm-i sabura-
ne ile dinlerken. — Uşaklıgil›.

sac, *A. i.* Hindistan'dan gelen sert ve de-
ğerli kerestesi olan ağaç.

sacid, sacide, *A. s.* [Secde-den] Secdeye
varan. Yere yüz süren.

sad, *A. i.* ‹S› harfinin adı. Noktasız oldu-
ğu iiçn sad-i mühmele de denir.

sad, *F. s.* (Sat ile) Yüz, 100. • ‹Bu gûne
sad şeb-i helvaya edesin teşrif. — Ne-
dim›.

sa'd, saad, *A. i.* (Sin ile) 1. Kutluluk. 2.
Uğur getrien şey. Uğur. • *Sa'd-i asgar,*
Venüs (Zühre, Nahid) yıldızı; • *-ek-
ber,* Jüpiter (Müşteri) yıldızı.

sada', *A. i.* (Sat ile) 1. Sada, ses. 2. Yankı.
• ‹Baki kalan bu kubbede hoş bir sa-
da imiş. — Baki›.

sadaî, sadaiyye, *A. s.* Sada ile ilgili, sese
ait. • ‹Hafif ivicacat-i sadaiyye ile
uzanıp gidiyordu. — Uşaklıgil›.

sadak, *A. f.* Bk. • *Mâsadak*

sadaka, *A. i.* 1. Tanrı hoşnutluğu için fa-
kirlere verilen şey. 2. (Peygamber za-
manında) zekât. • *Sadaka-i fıtr,* f'tre,
şeker bayramında verilen para. (ç. Sa-
dakat). • ‹Çocuklarının birkaç sada-
ka-i tebessümiyle kalb-i metrukü ısın-
mayarak. — Uşaklıgil›. • ‹Rindin ni-
gâhı gerdiş-i câm-i billûrda — Şeyhin
nezaresi sadakat ü nüzürda. — Nabi›.

sadakat, *A. i.* [Sıdk'tan] 1. Dostluk. 2. Gö-
rülen iyiliğe bağlılık, doğruluk. • ‹İn-
sana sadakat yaraşır görse de ikrah.›

sadakatkâr, *F s.* [Sadakat-kâr] Sadakat
sahibi, sadık. • ‹Tahta cülûs edip bir
mücerreb-i rüzgâr âkıl-i sadakatkâr
kurbuna muvaffak olmayıp. — Naima›.
• ‹Ol çorbacı dahi sadakatkârlık edip.
— Naima›.

sadakatprver, *F. s.* [Sadakat-perver] Sa-
dakatli. • ‹İki birader-i sadakatper-
verden tecanup. — Nergisi›.

sadaret, *A. i.* [Sadr'dan] 1. Başta bulun-
ma, öne geçme. 2. Sadrazamlık. 3. Ru-
meli ve Anadolu kazaskerliklerinin her
biri. • ‹İzhar-i şan-i sadarette ensa-yi
evsaf-i küremay-yi eslâf edip. — Ra-
şit›.

sadaretpenah, *F. s.* [Sadret-penah] Sadra-
zam bulunan (kimse).

sadaretpenahî, *F. s.* Sadrazama ait, sadra-
zamlıkla ilgili.

sâdat, *A. i.* [Seyyid ç.] Seyyitler, ulular.
2. Muhammet Peygamber soyundan
olanlar. • ‹Ve sâdattan nicelerin zul-
men şehit edip. — Naima›.

sadberk, *F. i.* [Sad-berk] Yüz yapraklı,
katmerli. • *Gül-i sadberk,* katmerli bir.
gül çeşidi.

sadçâk, *F. s.* (Sat ile) [Sad-çâk] Yüz par-
ça. Paramparça. • ‹Taze taze dağlarla
kanlı kanlı şerhalar — Hırka-i Hindû-
ya döndürdü ten-i sad-câkimiz. — Ba-
ki›.

sadd, *A. s. i.* 1. Kapayan, engel olan. 2.
Aksu denen göz perdesi. • ‹Askir-i İs-
lâm sedd ve kendileri selâmet uburdan
sadd edeceklerin muşahede. — Raşit›.

saddane, *F. s.* [Sad-dane] Yüz tane. •
‹Şarabı nuş edip aheste döksen cur'asın
hake —Kadeh desti de sofî şüphe-i sad-
dane olmaz mı. — Nailî›.

sade, *F. s.* 1. Karışık olmayan, düz, ba-
sit. 2. Süssüz. 3. Karışıksız, katıksız. 4.
Doğru, halis (kimse). 5. Çok derin dü-
şünmez, bön, sâf. 6. Bir katlı. 7. Yalnız,
onun için. • ‹Sade sensin nakş-i levh-i
hâtırım. — Naci›.

saded, *A. i.* 1. Yakınlık. 2. Fikir, niyet. 3.
Asıl konu. Konuşulan maded. *Haric ez
sadet,* konu dışı, • *sadede gelmek,* ko-
nuya dönmek, konu dışı sözleri bir ya-
na bırakmak. • ‹A'dası böyle münasip
saded ile mecal-i kelâm bulup. —— Nai-
ma›.

sadedil, F. s. [Sade-dil] Sâf gönüllü. Bön. (ç. Sadedilân). • «Avakıb-i umuru tefekkür ve tasavvurdan âri sadedil idi. — Naima». • «Hayran kalıp bulutlara ol sadedil çoban — Cenap».

sadedilâne, F. zf. Bönlükle. Sâfçasına.

sadef, A. i. Kabuklu deniz böceklerinin kabuğu. 2. Böyle kabuklulardan her biri. (ç. Esdaf) • «Kadın o vaz-ı harabiyle bir şikeste sadef. — Fikret».

sadefçe, A. i. Küçük sedef.

sadefe, A. i. 1. Bir deniz böceği. Bunun kabuğu. 2. (Ana.) Kulak kepçesi.

sadefi, A. s. Sadefle ilgili, kabuksal.

sadefkâr, F. s. [Sadef-kâr] Sedef işi yapan.

sadefkârî, F. s. 1. Sedef işçiliği. 2. Sedef işi. • «Cenab-i şahka ey Bakî nisar et lû'lû-yi nazmın — Bu sanduk-i sadefkâride dürr-i şehyar olsun. — Baki».

sâdegi, F. i. Sadelik. Süssüzlük.

sadekâr, F. s. [Sade-kâr] Kuyumcu taslakçısı.

sadelevh, F. s. [Sade-levh] Bön. • «Ben herif-i sadelevh dehr pürnakş-i füsun. — Fuzulî».

sademat, A. i. [Sadme ç.] Sademeler. • «Bazice-i âmâl ederek hep sadematı — Bir mehd-i serabîde çocuklar gibi yattık. — Fikret».

saderû, F. s. [Sade-rû] Yüzü tüysüz. Taze (delikanlı). • «Saderûluk vaktinin ver hükmün ey şuh-i cihan — Hârzâr olmazdan evvel sahn-i gülzarın senin. — Nabi».

saderuyan, F. i. [Sade-rû ç.] Sakal ve bıyığı çıkmamış gençler.

sa'deyn, A. i. (Sin ile) (iki uğurlu) Venüs (zühre) ile Jüpiter (Müşteri) yıldızları. • «Bu meclis-i pür-meymenetin verdiği feyzi — Bahş eyleyemez âleme sa'deyn kıranı. — Nedim».

sadgûne, F. s. (Sat ile) [Sad-gûne] Yüz türlü, çeşitli. • «Nevbenev etmekle devlette zuhur — Günde sadgûne anın gibi umur. — Nabi».

sadhezar, F. s. Yüz bin. • «Saf bağlamıştı âsaf-i sultana sad hezar. — Beliğ».

sadık, sadıka, A. s. [Sıdk'tan] 1. Doğru, gerçek. 2. Sadakatli olan. • Sadık-ulvaad, sözünde duran, • kavl-i sadık, gerçek söz; • subh-i sadık, gerçek sabah. (ç. Sadıkan). • «Mezbur sadedîl ve sadık-ul-kavl. kimesne idi. Latifî».

sadıkan, F. i. [Sadık ç.] 1. Doğru kimseler. 2. Sadık, candan bağlı insanlar. •

«Ayırmaz sadıkan-i aşkını alâm-i gurbetten. — Kemal».

sadıkane, F. s. zf. Sadık olanlara yakışır yolda. • «Bu cüret-i sadıkane tab-i hümayuna hoş gelip. — Naima».

sâdır, sadıra, A. s. [Sudur-dan] Çıkan. • • «Ekser-i zamanda sâdır olan ef'al ve akval bir veçhile bid'atten salim değildir. — Kâtip Çelebi». • «Kendinden bazı evza' ki nakl olunur mecnundan sâdır olmaz böyle divane imiş. — Peçoylu».

sadic, A. i. Sade olan, karışık olmayan.

sadid, A. i. (Hek.) İrin. Yaradan akan sarı su. • «Ol meyyit Bab-i Hümayun-da yatıp rayiha-î kerihe ve sadidinden halk müteezzi olup. — Naima».

sadik, A. i. Doğru, gerçek, dost. (ç. Asdika).

sadin, A. i. Kâbe hizmetçisi. 2. Tapınak hizmetçisi.

sâdis, sâdise, A. s. Altıncı. Daire-i sâdisi). altıncı daire)Beyoğlu Belediye dairesi).

sadisen, A. zf. Altıncı olarak. • «Sadisen büyük zenginler. — Cenap».

sa'diyye, A. i. (Bot.) Fransızca'dan cypéracées (papirüsgiller) karşılığı (XIX. yy.).

sadme, A. i. 1. Çarpma. Catma. 2. Birden başa gelen belâ. 3. (Kim.) Patlama. (ç. Sademat). • «Ah, bir sarsar — Anîf sadme-i gulânesiyle bir kuvvet. — Fikret».

sadpâre, F. s. [Sad-pâre] Yüz parça. • «Galebe-i havfe derun-i isne-i pürkînesi sadpâre oldu. — Sadettin». • «Her şeyi sadpâre bir âyine gibi bin şekilde aksettirir. — Cenap».

sadr, A. i. 1. Göğüs. 2. Yürek. 3. Her şeyin önü, başı, ilerisi. 4. Yüce yer. 5. Oturulacak en iyi yer. 6. Baş, başkan. 7. Sadrazam sözünün hafifletilmişi. • Sadr-i Anadolu, Anadolu kazaskeri, • -âzam, (sadrazam) Başbakan, • -Rum, Rumeli kazaskeri (ç. Sudur). • «İllet-i sadr antah gayrı nefes aldırmadı. — Şinasi• «Sığmamış sadr-i pelengâne kalb-i şirin. — Fikret». • «Bu ande çıktı bütün sadr-i zar-i kafileden — Revanhiras ü cigerder, derin bri Ah, serab. — Cenap».

sadrazam, F. i. [Sadr-âzam] Padişahın vekili.

sadreyn, A. i. (İki sadr) Rumeli ve Anadolu kazaskerleri. • «Bir gün divan-i vezirde sadreyn-i mezbureyn dururlarken. — Naima».

sadrgâh, F. i. [Sadr-gâh] En önemli yer. Tam orta yer. «Ol makam-i cennet havalinin sadrgâh-i gerdun-penahını yaylak edinmişlerdir. — Lâmii».

sadrî, sadriyye, A. s. 1. Göğüsle i!gili, göğse ait. 2. (Anaya nisbetle) çocuk. Emraz-i sadriyye, göğüs hastalıkları.

saduk, A. s. [Sıdk'tan] Çok doğru, gerçek. • «Kıraatte saduk ve huccettir. — Taş.».

sadrnişîn, F. i. [Sadr-nişin] Bir toplantıda üst başta oturan. • «Ol melik-i bidin bir gün sadrnişin-i tahtgâh-i gurur iken — Veysi».

sâf, A. s. 1. Katkısız, karışıksız. 2. Temiz, berrak. 3. İçi karışık olmayan, sade, bön, • «Aşkın bana hoştur iltifatı — Bir goncede böyle sâf ü ruşen. — Fikret». (Ed. Ce.)

- Cephe-i sâf.
- eskâl-i sâf,
- fiaş-i sâf,
- safa-yi sâf,
- hande-i sâf,
- iltima-i sâf-i kamer.
- kalb-i sâf.
- leb-i sâf,
- nasiye-i sâf.
- ruh-i sâf,
- sine-i sâf.
- şeb-i sâf,
- tevekkül-i sâf'
- vaz-i sâf,
- vech-i sâf.
- zemzeme-i sâf.

saf, saff, A. i 1. Sıra, dizi. 2. Sıralanmış asker. Saff-i nial, papuçların dizildiği yer, papuçluk. Saf besaf, dizi dizi. Sıra sıra. (ç. Sufuf). • «Ben bir alem-efraz-i cihangir-i aşkım — Emvac-i yem-i gam sıpeh-i saf besafımdır. — Nabi». • «Maktada olsa mahlas-i şi'rin n'ola Halim — Beytinde mizban yeri saff-i nialdir. — Halimgiray».

safa', A. i. 1. Saflık, berraklık. 2. Rahat, düşüncesizlik, dertsizlik. • İhvan-i safa', (ihvan-üs-safa), eski bir bilginler sınıfı, drevişler, ermişler. • «Açıp nigâhıma dilber, safalı bir mehtap. — Fikret». — (Ed. Ce.) :

- Canbahş-i safa.
- leyal-i safa,
- mevc-i safa,
- sermaye-i safa,
- sine-i safa,
- subh-i safa,
- sûr-i safa.

Safa, A. i. Mekke dolaylarında bir yer. Hacılar burasıyle Merve adında olan yer arasında Hacer ile İsmail peygamberin hareketini taklid ederek yed defa gidip gelirler.

safabahş, F. s. [Safa-bahş] Rahatlandıran, eğlendiren.

safacu, F. s. [Sefa-cu] Rahat, eğlence arayan. (ç. Safacuyan).

safahat, A. i. [Safha ç.] Bir şeyin düz, yassı tarafları. • «Ona bir ruya-yi visalin safahatını getiriyordu. — Uşaklıgil».

safaih, A. i. [Safiha ç.] Düz şeyler. Levhalar.

safaperver, F. s. [Safa-perver] Safa veren. Safalı, iç açan. • «Fakat inişirah veren, onu safaperver dalgalarla saran bir üşümek değil. — Uşaklıgil».

safârâ, F. s. [Saf-ârâ] Asker saflarını süsleyen. • «Sarmısak Mehmet Paşa ardınca Eş Mehmet Paşa ve sair ümera-yi saf-ârâ yürüyüp. — Naima».

safayab, F. s. [Safa-yab] Safalanmış, safa bulmuş.

safbesle, F. s. [Saf-beste] Saf bağlamış, sıra sıra dizilmiş.

safder, F. s. [Saf-der] Düşman askerinin saflarını yarıp geçen yigit. (ç. Safderan). • «Aferin ey ruzigârın şehsüvar-i safderi. — Nef'î».

safderane, F. zf. Yiğitçesine. Cesaretle.

sâfderun, F. s. [Sâf-derun] İçi sâf, bön. (ç. Sâfderunan). • «Bir sâfderunun sayd olunmasına intizaren. — Uşaklıgil».

sâfderunane, F. zf. Bönlükle. • «Şu sâfderunane sözler bir burhan-i metîn hükmünü almış idi. — Uşaklıgil».

sâfdil, F. s. [Sâf-di] İçi sâf, bönce. (ç. Sâfdilân).

sâfdilâne, A. zf. Böncesine.

safer, A. i. Arabî aylarının ikincisi.

Safevî, A. s. Safi adlı kimsenin soyundan olan. Fars hükümdarı Şah İsmail'in soyu. (ç. Safeviyan).

saff, saf, Bk. • Saf.

saffeyn, A. i. İki sıra; savaşta karşılaşan iki taraf.

saffet, Bk. • Safvet.

safh, A. i. (Sat ve ha ile) 1. Yüz çevirme. 2. Suç bağışlama.

safha, A. i. 1. Bir şeyin düz yüzü. 2. Bir cismin gözle görülen taraflarının her biri. 3. Yazılmış veya yazılabilir yüz. 4.

İnce, geniş cisim, levha. (ç. Safahat). • «Beligaa esb-i hâme safhada cevlâna geldikçe — Enamil-i Hayder-i kerrara benzer Düldül üstünde. — Beliğ».

sâfi, sâfiyye, A. s. [Saffet, safa'dan] 1. Katıksız. 2. Karışıksız, ayırtlanmış. 3. Masraf çıktıktan sonra kalan kâr. (ç. Sâfiyan, sâfiyat). • «Doğan güneş gibi sâfi bir infilâkın var. — Fikret».

safih, A. i. 1. Gökyüzü. 2. Yassı, düz olan şey.

safiha, A. i. (Sat ile) 1. Yassı, düz yüz. 2. Tahta halinde maden, saç. (ç. Safaih). • «Bütün safiha-i veçhinde neşeperver, şuh. — Fikret».

safil, safile, A. s. (Sin ile) Aşağı bulunan, alçak. • «Heyhat! ey nur-i semavî — Safillere mekşuf olamazsın. — Fikret».

safile, A. i. Dip. Alt taraf.

safinat, A. i. ç. (Sat ile) Soy atlar.

sâfir, safire, A. s. (Sin ile) [Sefer'den] Yola çıkmaya hazır. Yolcu.

safir, A. i. (Sat ile) Islık gibi çıkan ses. • «Yürü: sükût-i adem. dur: safir-i istihza. — Fikret».

safir, A. i. Gök yakut.

safirî, safiriyye, A. sö Islığı andırır (soluk).

safiy, A. s. [Saffet'ten] Temiz, halis, katıksız. • Safiy-ullah, Âdem peygamber.

sâfiyane, F. zf. Böncе olanlara yakışır yolda. • «Etvar-i sâfiyanesinden hoşnut olmayacağı. — A. Mitat».

safiyyet, A. i. 1. Sâflık. 2. Bönlük. (Ed. Ce.)

• cevher-i safiyyet,
• cezbe-i safiyyet,
• cümbüş-i safiyyet,
• esîr-i safiyyet,
• umk-i safiyyet.

safka, A. i. (Fıkıh) Alışverişte iki taraftan birinin ötekisinin eline vurması (anlaştıklarını anlatır).

safra', A. i. Sarı.

safra, A. i. 1. Öd. 2. Eskilerin ahlât-i erbaa dediklerinden biri ki ödde bulunan yeşilimtrak sıvı.

safravî, safraviyye, A. s. 1. Öd ile ilgili. 2. Safraya ait. Safra-i.

safsaf, A. i. Söğüt ağacı.

safsafiyye, A. i. (Bot.) Fransızcadan salicinées (söğütgiller) karşılığı (XX. yy.).

safsata, A. i. Görünüşte düzgün ve gerçekte düzgün olmayan, karşısındaki

alt etmek için gerçek süsü verilmiş yalan tasım. • «Bin safsata bir mısra-i bercesteye değmez. — Avni».

safşiken, F. s. [Saf-şiken] Düşman saflarını kıran, bozan. (ç. Safşikenan).

safvet, A. i. Saffet. Sâflık, temizlik, arılık. • «Uzak yakın bütün âfaka neşr eder safvet — Tabiatın o samimî tevekkül-i sâfı. — Fikret».

safzen, F. s. [Saf-zen] Düşman askerlerinin sıralarını vuran, cesaretli. Yiğit.

sagair, A. i. [Sagîre ç.] Küçük günahlar.

sâgar, F. i. Kadeh. İçki bardağı. • «Hilâl sandığın ey gurre-mest Cemşid'in — Tehî cihanda kalan sagar-i keşidesıdir. — Nedim». • «Her gelen rind kanar zevka bu mecliste Kemal — Canib-i rahmete son çektiği sagarla döner. — Beyatlı».

sagar, sagr, A. i. (Se ile) 1. Sınır. 2. Derbent ağzı, korkulu yer. (ç. Sügur).

sagır, sagıre, A. s. 1. Küçük. Ufak. 2. Bülûğa ermemiş çocuk. • «Lisan sagir-ül-cirm kebir-ül-cürmdür cemi-i nâsa hususa hükkâm-i kirama hıfz-i lisan kadar ehemm. — Naima».

sagîre, A. i. (Öldürme veya zina etme çeşidinden olmayan) küçük günah (ç. Sagair).

sah, A. i. (Sin ve ha ile) [Saha ç.] Sahalar, alanlar.

sah, sahh, Bk. • Sahh.

sahâ, A. i. (Sin ve hı ile) El açıklığı, cömertlik. • «Doldurdu gerçi cud ü sahâ gösterip felek — Ceyb-i cibal ü dâmen-i sahrayı sîm ile. — Bakî».

saha, A. i. (Sin ve ha ile) 1. Açık yer, meydan. 2. Evin önünde veya yanındaki açık yer. 3. Alan. • «Anka ile bir serçe ne mümkin — Bir sahada olsun mütekarın. — Fikret».

sahabe, A. i. (Sat, ve ha ile) [Sahib, sahabi ç.J Ashab. Sahipler, sahip çıkanlar, tutanlar. Bk. • Ashab

sahabet, A. i. 1. Sahip çıkma. Benimseme. 2. Arka olma. Koruma. • «Görmez sahabet etmeyi Allah bile reva — Vicdana karşı şahs-i günehkâr ü mücrimi — Fikret».

sahabetkâr, F. s. [Sahabet-kâr] Sahip çıkan. Koruyan.

sahabî, A. i. Muhammet peygamberin kendisini görmüş olan kimse.

sahabiyye, A. i. Muhammet peygamberi görmüş olan kadın.

sahafet, A. i. (Sin ve hı ile) Zayıflık. Bozukluk. Hafiflik.

sahaif, sahayif, *A. i.* [Sahife ç.] Sahifeler. • ‹Artık sahayifinde kitab-i hayatımın — Bir nükte-i sürura tesadüf muhal olur. — Fikret›.

sahare, *A. i.* *(Sin* ve *ha* ile) [Sahir ç.] Büyücüler. • ‹Sahare-i şu'bedbaz tac-i İslâm ile şerefraf oldukta. — Veysi›.

sahari, *A. i.* [Sahra ç.] Sahralar. • ‹Seylâb-i sahari gibi bicâ-yi nişestiz. — Sami›.

sühüt, *A. i.* [Saha ç.] Sahalar, alanlar.

sahavet, *A. i.* *(Sin* ve *hı* ile) El açıklığı, cömertlik.

sahavetkârane, *F.* ਃf. Cömertçesine.

sahb, *A. i.* [Sahabi, sahib ç.] Peygamberi görmüş kimseler.

sahba', *A. i.* *(Saf, he* ve *hemze* ile) Şarap. • ‹Meykeşler eder sagar-i sahaya perestiş — Cenap›.

sahh, sah, *A.* ਃf. Doğrudur, yanlışı yoktur anlamıyle resmî yazılara konulan işaret. • ‹Baki'ye edip işaret dedi sahh-el -baki. — Baki› • ‹Tarf-i hatta turrası bir ukde peyda eylemiş — Gûyya salı çekmiş asaf pençe ferman üstüne. — Nedim›.

sahhaf, *A. i.* *(Sat* ve *ha* ile) [Suhf'tan] (Eski) kitap alıp satan kimse. • ‹Carı sahhafa götürüp ol kitabı. — Recaizade›.

sahhaka, *A. i.* Sevici kadın.

sahhare, sahhare, Bk. • *Sehhaer.*

sahık, sahıka, *A. s.* *(Sin* ve *ha* ile) Ezici, dövüp toz edici.

sahıt, sâhiyye, *A. sö* *(Sin* ve *he* ile) [Sehv'den] Yanılan, yanlış yapan. • ‹Nazar teftiş-i esrarında sâhi. — Recaizade›.

sahi, sahiy, *A. s.* *(Sin* ve *hı* ile) [Seha'dan] Cömert, eli açık. • ‹Civanmerd-i cihandır şuh-meşreptir melekhudur — Sahiydir ehl-i dildir nüktedandır nüktepiradır. — Nef'î›.

sahib, *A. s.* *(Sin* ve *ha* ile) Bir şeyi yerde sürükleyen.

sahib, *A. i. s.* [Sahb'dan] 1. Sahip. 2. Bir niteliği olan. 3. Bir şeyi elde etmiş olan. 4. Bir şey yapmış bulunan. 5. Koruyan, arka çıkan. • *Sahib-i hane,* ev sahibi; *-hayart,* (çeşme gibi) hayırlı işler yaptırıp bırakmış kimse; *-imtiyaz,* imtiyaz sahibi, (ç. Ashab). • *Sahib-i arz,* beytülmala ait toprakların kanun dairesinde satış ve başka türlü belirli muamelesini görmek üzere pa-

dişahın tayin ettiği vekil, memur. Bunlar evvelâ timar ve zeamet sahipleri, sonra mültizimler ile muhassıllar, daha sonra mal memurları, Defterhane memurları, tapu kâtipleri›.

sahib, *A. i.* *(Sat* ile) [Sohbet'ten] Konuşulan, arkadaş. (ç. Ashab, sahabe, sahab).

sahibe, *A. i.* (Bir şeyin kadın) sahibi. • *Sahibe-i hane,* ev sahibi kadın; • *-cemal,* güzelliği olan kadın. (ç. Sahibat). • ‹Sahibat-i hiffetten düzgünlü boyalı iki kadına. — Recaizade›.

sahibfiraş, *F. s.* [Sahib-firaş] Hasta. Yatağa düşmüş. • ‹Ve bu esnada Hazine-darbaşı Sinan Ağa nice eyyam sahibfiraş olmakla dâr-i mihnetten saray-i sürura irtihal eyledi. — Selâniki›.

sahibhuruc, *F. s.* [Sahib-huruc] Ayaklanarak idareyi ele almış kimse. Âsi, ayaklanmış.

sahibkemal, *F. s.* [Sahib-kemal] Olgun (kimse).

sahibkıran, *F. s.* [Sahib-kıran] Her zaman başarı gösteren, üstün gelen hükümdar. • ‹Yegâne Rüstem-i sahib-kıran-i devran kim — Süm-i semendi eder kûha ettiğin Ferhat. — Nabi›.

sahibnazar, *F. s.* [Sahib-nazar] 1. Olgunluk sahibi. 2. Görüşü, fikri kuvvetli.

sahibvücud, *F. s.* [Sahib-vücud] Mevki sahibi. Sözü geçer. • ‹Darüssaade ağası gibi bir sahibvücud ile rûberû muhavereye ve selli hançere ikdam edip. — Naima›.

sahibzuhur, *F. s.* [Sahib-zuhur] Başkaldırmış, ayaklanarak başa geçmiş. • ‹Gâve-i ahengerin hali gibi bir sahibzuhur olup. — Naima›.

sahif, sahife, *A. s.* *(Sin* ve *hı* ile) [Sahafet'ten] Gevşek, boş. Hafif, zayıf. • ‹Nahvet-i mülûkâne ile birkaç sahif-ür-re'yin melhuzat-i nâkıslarına firifte olup. — Naima›. • ‹Fakat doğrusu bana bu delillerin (...) biri diğerinden sahif görünüyordu. — Cenap›.

sahife, *A. i.* *(Sat* ve *ha* ile) Sayfa, sahife (ç. Sahaif, suhuf). • ‹Çünkü o faciayı bir kâtibin karihası veya bir gazetenin sahifesi tamamıyle ihata etmek. — Kemal›. • ‹O gün sahife-i şi'rim kalır tehiy, uryan. — Fikret›.

sahih, sahiha, *A. s.* *(Sat* ve *ha* ile) [Sıhhat'ten] 1. Gerçek. 2. Sağ, sağlam. 3. Tam, eksiksiz. 4. (Arap. Gra.) Asıl harfleri arasında illet harfi)elif, vav, ye) bulunmayan • «Yalının rutubeti belki sahihtir, ben Adnan Beye gidiyorum. — Uşaklıgil».

sahihan, *A. zf.* Gerçekten. • «Onlar da bizim gibi bir dakika sonra yaşayacağını sahiden bilmez. — Kemal».

sahil, *A. i.* (*Sat* ve *he* ile) At kişnemesi. • «Avaz-i sahîli nefha-i sûr. — Ş. Galip».

sahil, *A. i.* (*Sin* ve *ha* ile) 1. Su ve deniz kenarı. 2. Kıyı, yalı. (ç. Sevahil). • «Bir denizle dumanlı bir de sema — Bir de sahil, ki dilber ü mahzun — Sürünür zeyl-i nazına derya. — Fikret».

sahilhane, *F. i.* [Sahil-hane] Deniz kıyısındaki aypı, yalı.

sahilreside, *F. s.* [Sahil-reside] Kıyıya ulaşmış. • «Hep nefha-i latife-i aşkındır eyleyen — Sahilreside mevc-i perişan-i şi'rimi. — Fikret».

sahilsaray, *F. i.* [Sahil-saray] Deniz kıyısında büyük yapı, büyük yalı. • «Edip zevk u safalar daim sahil-sarayında — Helâk olsun hasedden düşmeni bedtıynet ü bedgû. — Nedim».

sahin, *A. s.* (*Sin* ve *hı* ile) [Suhunet'ten] Sıcak, kızgın.

sahin, *A. s.* (*Se* ile) [Sihan'dan] Kalın, katı, Sıkı. • «Ol azîm ve sahîn tahta ol sütunun başı ile delinip. — Naima».

sahin, *A. s.* (*Se* ile) [Sihan'dan] Kalın, katı, Sıkı. • «Ol az-m ve sahîn tahta ol sütunun başı ile delinip. — Naima».

sahir, sahire, *A. s.* (*Sin* ve *he* ile) [Seher'den] Uykusuz. Gece uyumayan.

sahir, sahire, *A. s.* (*Sin* ve *ha* ile) [Sihr'den). 1. Büyücü. 2. Büyüler gibi etki yapan güzel. • «Ol sahiri gamze bi-muhaba — Cibril çi ve güdam İsa. — Ş. Galip». • «Zer-i zülfünde her ham-i sahir — Sanki bir halka-i muziasıdır. — Unk-i ruhumda bağlı zincirin. — Cenap».

sahir, *A. s.* (*Sin* ve *hı* ile) 1. Maskara edici. 2. Maskaralık edici .

sahirane, *F. zf.* Büyüleyici gibi. Büyülercesine olan. • «Nerde bir nev-şüküfte gül görsem — Sahirane tebessümün sanırım. — Recaizade».

sahire, *A. i.* [Sihr'den] Büyücü kadın.

sahire, *A. i.* (*Sin* ve *he* ile) Yeryüzü. *Sahire-i gabra,* yeryüzü.

sahk, *A. i.* (*Sin* ve *ha* ile) 1. Dövme. 2. Ezme. Kırma. Dövüp ezme. • «Olmaz Mesih eder ise eczasını da sahk — Şem-

şir-i gamze yareleri mahremâşina. — Nabi».

sahlep, *A. i.* (*Sin* ve *ha* ile) Salep.

sahlebiyye, *A. i.* Fransızcadan *orchidacées* (salepgiller) karşılığı (XIX. yy.).

sahm, *A. i.* Karaltı, karanlık.

sahn, *A. i.* (*Sat* ve *ha* ile) 1. Avlu. 2. Boşluk, boş yer. 3. Orta, meydan. 4. Büyük kâse 5. Sahne. • *Sahn-i semaniye* (sekiz medrese) Fatih medresesi. Sarıklıların medrese öğretmenliği yolunda bir derece (ç. Suhun). • «Her sahn-i hakikatten uzak, herkese meçhul. — Fikret».

sahn, *A. i.* (*Sin* ile) Sıcaklık.

sahne, *A. i.* (*Sat* ve *ha* ile) Sahne. (XIX. yy.). • «Bunu, bu sahne-i pür ye's ü giryemeşhunu. — Fikret» • «Biraz sabır ediniz, şimdi onlar size acip ve latif bir manzara, Africain operasının üçüncü perdesini andıran bir sahne hazırlıyorlar. — Cenap».

sahr, *A. i.* Kaya. (ç. Suhur).

sahra, *A. i.* (*Sat* ve *hı* ile) 1. Kaya. 2. (Jeo.) Kütle. • *Sahratullah.* Beyt-i Mukaddes'te Beniisrail peygamberlerinin ibadet ettikleri ünlü kaya; *sahra-i indiaiyye,* (Jeo.) püskürtük külte; *-mültâsika,* yapışık külte; *-müşatile,* yanar külte. *-samma,* sagır, somkaya. • «Derun-i sahara-i sammaya nefes-i nesim-i saba ne mertebe tesir eder ise. — Nergisî».

sahra', *A. i.* (*Sat* ve *ha* ile) 1. Ova, kır. 2. Çöl. Yaban. • «Seherde seyre koyuldum semayı, sahrayı. — Fikret».

sahraî, sahravî, *A. s.* Kıra veya çöle ait. • «Yağmur yemiş ağaçlardan münteşir bir bû-yi sahravî vardı. — Uşaklıgil».

sahraneverd, *F. s.* [Sahra-neverd] Çölde, kırda dolaşan. • «Hayli dem olmuş idi. sahraneverd. — Naci».

sahranişin, *F. i.* [Sahra-nişin] Kırda veya çölde oturan.

sahravî, Bk. • *Sahrâî.*

sahrınc, *A. i.* Sarnıç. .

saht, *F. s.* (*Sin,* hı ve *te* ile) 1. Katı, sert. 2. Güç, zor. 3. Güçlü, sağlam. • «Çille-i sahtın çeker her dem keman-ebrulerin. — Fıtnat».

sahtdil, *F. s.* [Saht-dil] Katı yürekli.

sahte, *F. s.* Yapma, uydurma, düzme, Yalandan, taklit. • «Sahte bir teneffür tâlim eden fakir hayat. — Uşaklıgil». • «Bir fürce sahte ettirir».

sahtegî, *F. i.* Sahtelik. Yalan. Düzme.

sahtekâr, *F. s. i.* Sahteci (ç. Sahtekârân). ● «Mektebe yeni girmiş bütün çocuklara mahsus sahtekârlıkla. — Uşaklıgil».

sahtevakar, *F. s.* [Sahte-vekar] Yalandan tavır takınan, kendisini satmaya çalışan.

sahtgîr, *F. s.* [Saht-gîr] Bir şeyi sıkıca tutan. (ç. Sahtegîrân). ● «Eğerçi pençe-i sahtgîr-i ye's ü hirmandan tahlis-i giriban ve. — Kâni».

sahtî, *F. i.* 1. Katılık, sertlik. 2. Güçlük. 3. Sıkıntı.

sahur, *A. i.* Temcit yemeği. ● «O gece sahur vaktine kadar bekledi. — Recaizade».

sahur, *A. i. (Sin ve he* ile) Uykusuzluk. Gece uyuyamama.

sahv, sahve, *A. i. (Sat ve ha* ile) Ayıklık. Aklı başında uyanık olma.

sai, saiyye, *A. s. i.* [Sây'dan] 1. Çalışan. Sâyeden. ● *Sai-bil-fesad,* karışıklık çıkarmaya çalışan. 2. Haber götüren. Haberci. (ç. Saiyan). ● «Tahsil-i ulûma oldu sai. — Naci» ● «Şu ulvi sai i bihâb ü rahat işte gayz-efşan. — Fikret» ● «Ve illâ bu kadar nüfus bedhân ve sai-bil-fesad olmak müşkül iştir. — Naima».

saib, *A. i. (Se* ile) Yağmur öncesi rüzgâr. Bora.

saib, saibe, *A. s.* [Savab'dan] 1. Amaca doğru ulaşan. 2. Yanlışlık yapmayan. Maksada uygun. ● «Tedbir-i memalikte Aristo gibi saib. — Nevatî».

saibe, *A. i. (Sin* ile) Başıboş bırakılmış hayvan.

said, *A. i. (Sin* ile) Dirsekten bileğe kadar olan kol. ● *Said-i billûr,* bembeyaz kol. (ç. Sevaid). ● «Bürehne sîne vü said, bürehne sak ü serîn — Bürehne sertapâ. — Fikret».

saîd, saide, *A. s.* [Sa'd'den] 1. Kutlu. 2. Tanrıca beğenilmiş, öbür dünyayı sağlamış. ● «İzar-i şahid-i baht-i cihan said oldu. — Nedim».

said, *A. s. (Sat* ile) [Suud'dan] Yukarı çıkan.

saik, saika, *A. i. (Sin ve hemze* ile) [Sevk'ten] Götüren. Sevkeden. ● «Tezyid-i mesaine bugün bir yeni saik. — Fikret».

saika, *A. i. (Sat ve ayın* ile) Yıldırım. ● *Siper-i saika,* paratoner. ● «Seyf-i İslâma değil saika tâbiri seza — Öyle bir saika indirmedi takdir henüz. — Naci».

saika, *A. i. (Sin* ile) [Sevk'ten] Götüren, sürükleyen hal. Sebep.

saikabar, *F. s.* [Saika-bar] Yıldırım yağdıran. ● «Salarsa hasmına cenk içre tîg-i saikabar. — Nabi».

saikaşitab, *F. s.* [Saika-şitab] Yıldırım hızında. ● «Rakâb-i saikaşitabında durbaşan-i celâl ü azamet. — Kemal».

saikazede, *F. s.* [Saika-zede] Yıldırım çarpmış. ● «Sedire yıkılmış yatan bu vücud-i saikazedenin karşısında dondu. — Uşaklıgil».

sail, saile, *A. s. (Sin* ile) [Sual'den] 1. Soran, sual eden. 2. Dilenen, dilenci. ● «Saile sual teveccüh etmez». ● «Dergeh-i Hakta hemen şeh ile sail birdir. — İzzet Molla».

sail, *A. s. (Sin* ile) [Seylân'dan] Akan. ● «Niçin ey seyl-i eşk-i dide herdem böyle sailsin — Meğer sen de serv-i cuybar-i hüsne mailsin. — Nevres».

sail, *A. s. (Sat* ile) [Savlet'ten] Saldıran, saldırıcı. ● «Hasan ilerde giden bir bölük fedayinin — Önünde saîl idi. — Fikret».

sailiyyet, *A. i.* Akıcılık. Akan şeylerin hali.

saim, saime, *A. s. (Sat* ile) [Savm'dan] Oruç tutan. Oruçlu. (ç. Saimat, saimun). ● «Saimundan bulunduğu cihetle. — Recaizade».

saime, *A. i. (Sin* ile) Otlağa başı boş salıverilmiş hayvan.

sâir, *A. s. (Sin ve hemze* ile) [Seyr'den] 1. Yürüyen. 2. Geçen, dolaşan. 3. Başka Öteki. ● *Sair-fil-menam,* uyur gezer. ● «O zıll-i sâir, o mevceler, o cibal — Birer misal-i emeldir ki rehgüzarında. — Fikret. ● «Güzideler zümresi ise şimdiye kadar bir sair-fil-menam hayatı yaşıyordu. — Z. Gökalp». ● «Sairi tu'me-i tig-i bidiring oldu. — Naima».

saîr, *A. i. (Sin ve ayın* ile) 1. Ateş. 2. Cehennemin ikinci tabakası. ● «Düşse kemter şerer-i şule-i berk-i gazabı — Bag-i Firdevs olur ateşkede-i dâr-i saîr. — Hakkı».

sais, sayis, Bk. ● *Sayis.*

sâit, saite, *A. s.* [Savt'tan] Sesli. Ses çıkartan.

saiyan, *F. i.* [Sai ç.] 1. Çalışanlar. 2. Haberciler. ● «Şu kır bıyıklı, yanık yüzlü saiyan-i hayat. — Fikret».

sak, *A i.* 1. Baldır, incik. 2. (Bot.) Sap. 3. (Geo.) Kenar. ● *Sak-i cezrî,* köksap; ● *-mültasık,* (Bot.) yapışık sap; *-zâhif,* (Bot.) sürüngen sap. ● «Ben mi sâki

olayım bezme dururken sevgilim —
Böyle simîm saklar billûr bazularla
sen. — Nedim».

sak, sakk, A. i. Bk. • Sakk.

sâka, A. i. [Sevk'ten] Ordunun gerisinde
bulunan asker. Artçı. • «Mukaddem
meymene ve meysere ve kalp ve sâka
tertip olunmak üzre ettikleri meşvere-
ti arz eyledi. — Naima».

sa'ka, A. i. (Sat ve ayın ile) Bayılma.

sa'ka', sakka', Bk. • Sakka'.

sakaf, sakf, Bk. • Sakf.

sakaleyn, A. i. (Se ile) 1. İnsan ile cin. 2.
Dünya ile ahret. 3. Arap ile Acem. 4.
Ağır ile hafif şeyler.

Sakalibe, A. i. ç. İslâvlar.

sakan, A. i. Hastalık, illet. (ç. Eskam). •
«Cisim ü can-i âlem maraz ü sakamdan
ve derd ü elemden tamam arındı. —
Lâmii».

sakamet, A. i. (Sin ile) Bozukluk, noksan-
lık, sakatlık. Yanlışlık. • «Her derd ü
her sakamete hazık tabib olur — İllâ
mariz-i aşka bulunmaz deva bilir. —
Baki».

sakankur, A. i. 1. Mısır'da bulunan kum
kertenkelesi. 2. Sahangur denen tül-
bent.

Sakar, A. i. Cehennem. • «Azab-i nâr-i
Sakardan emin ede Rahman. — Şina-
si».

sakat, A. i. 1. Nesnenin düşük ve işe ya-
ramaz kısmı. 2. Kötü, yaramaz şey. 3.
Yanlış. 4. (s.) Bedende bir eksikliği
olan. 5. Yanlıs, doğru olmayan. • «Eeh-
lûl öyle bir sakat zemin-i mütalaaya
girmiş idi ki. — Uşaklıgil».

sakatat, A. i. 1. Düşük şeyler. Eksikler,
yanlışlar. 2. (Kasaplık hayvanların)
ciğer, işkembe, paça gibi şeyler.

sakb, A. i. (Se ile) Delinme. Delme.

sakbe, sukbe, A. i. Delik.

sakf, sakaf, A. i. Dam, çatı. (ç. Sukuf). •
«Tavan-i sakf reşk ile çâk olsa veçhi
var — Gördükçe pâyin öptüğünü ner-
dübanların. — Nabi».

sâkı, A. i. [Saky'den] 1. Su veren. Su da-
ğıtan. 2. Kadeh, içki sunan. • «Açsın
bizîm de gönlümüz sâki medet sun
câm-i Cem. — Nef'î».

sâkî sakıyye, A. s. [Sak'tan] aBldıra veya
baldır kemiğine ait, onuñla ilgili.

sâkıb, sakıba, A. s. (Se ile) [Sakb'dan]
1. Bir yandan bir yana delen, delik
açan, delip geçen. 2. Pek parlak, ışıklı.
• «Şehab-i sakıptan esra' ve berk-i ha-
tıftan esta'. — Naima».

sâkıname, F. i. [Sâkı-name] İçki konulu
uzunca manzume. • «Koca şair sakına-
mesi dercolunmamış diye küplere bin-
miş. — Uşaklıgil».

sâkıt, sâkıta, A. s. [Sukut'tan] 1. Düşen.
Düşmüş. 2. Yürürlükten kalkmış, öne-
mi kalmamış. 3. Vakitsiz rahimden dü-
şen. • «Yere düşmekle cevher sâkıt ol-
maz kadr ü kıymetten. — Kemal». •
«Sâkıt olan şey avdet etmez yani gi-
den geri gelmez. — Mec. 51».

saköyâ, F. ü. Ey saki, ye içki sunan! •
• «Sakıyâ pertevi câmından alır hur-
şid — Çeşmimiz târ ede lâyık mı şeb-i
derd ü mihen. — Nedim».

sakıye, A. i. [Saky'den] 1. Su veren, içki
dağıtan kadın. 2. Su cetveli, su dolabı
(ç. Sevakı). • «Niçin olsun benat-i
beste-nikab — Bezm-i a'dada sakıyat-i
şarap. — Naci».

sakib, sakibe, A. s. Dökülen, dökülücü.

sakil, sakile, A. i. (Se ile) [Sıklet'ten]
1. Ağır. 2. Sıkıntılı, can sıkan. 3. Çirkin.
4. Söylenilmesi ağır ve kalın olan (he-
ce). (ç. Sukalâ). • «Hâtır-i enver-i Ke-
lîmullah'a sakil gelip. — Veysi».

sakim, sakime, A. s. [Sakamet'ten] 1
Hasta, hastalıklı. 2. Yanlış. 3. Söylene-
ni pek gerçek ve sağlam olmayan (ha-
dis). • «Söz müdür ol kicep ü rast dü-
şe mazmunu — Nice mâna-yi dürüstün
boza bir lâfz-i sakim. — Nef'î».

sakin, sakine, A. s. [Sükûn'dan] 1. Oyna-
yamayan. Kımıldanmaz. 2. Oturan, bir
yerin ahalisinden olan. 3. Durgun. 4.
Kendi halinde. 5. (Arap. Gra.) Harcke
ile okunmayan harf. • «O bakış çeh-
re-i eş'arıma sakin sakin. — Fikret».

sakinan, F. i. [Sakin ç.] Oturanlar. Sa-
kinler. • «Rikkat-efza-yi sakinan-i se-
ma. — Recaizade».

sakinane, F. zf. Sessizce. Sakin bir kim-
seye yakışır surette.

sakit, sakite, A. s. [Sükût'tan] Susan, ses
çıkarmayan. • «Gündüz gibi pür velev-
le akşam gibi sakit. — Cenap».

sakitane, F. zf. Sessizce, ses çıkarmayarak.
• «Sual-i sakitanesi irad edecek san-
dı. — Uşaklıgil».

sakiye, A. i. Bk. • Sakıye.

sakk, A. i. (Sat ve kef ile) 1. Şeriat mah-
kemelerinden verilmiş olan hüccet,
ilâm, berat. 2. Bu gibi yazıların kompo-
zisyonu, bunlardaki terim ve deyimler.
(ç. Sukûk).

sakka, *A. i.* [Saky'den] Arkada veya hayvanla su taşıyan adam. Saka. • ‹Şekl-i sakkada gezer dide-i giryan saf saf. — Naci›.

sakkâk, *A. i.* [Sak'ten] İlâm ve hüccet yazmada usta şeriat mahkemesi kâtibi.

sakl, *A. i.* Törpü ile eğelenme. Cilâlama.

saky, *A. i.* Sulama.

sâl, *F. i.* *(Sin* ile) Yıl. (ç. Sâlha). • ‹Âradan bin kadar sâl mürur etmiş iken. — Nev'î›.

sal', *A. i.* *(Sat* ile) Baş tepsinin kılsızlığı.

salâ', *A. i.* 1. Cuma namazına veya cenazeye çağırmak için minarelerde okunan salavat. 2. Meydan okuma. 3. Ayrı ayrı mahalle çocuklarının kavgası. • ‹Salâdır nükte-sencanai zemane hiç lâf istemem — Ben öğrettim cihana tarz-i şuh ü şi'r-i hemvarı. — Nef'î›.

salâbet, *A. i.* [Sulb'den] 1. Katılık. Peklik. 2. Dayanma, kuvvet. • ‹Diyordu vak'ü salâbetle muhterem bir pîr. — Fikret›.

salâh, *A. i.* 1. İyilik 2. Barış, rahatlık. 3. İyi davranış, dine bağlılık. • *Suret-i salâh*, iki yüzlülük, riyakârlık. • ‹Fikr-i mcal ü zikr-i maad ellemez gibi — Ol suret-i salâha giren mebde-i fesat. — Bakî›. • ‹Salâh ve ibadâta müdavim idi. — Naima›.

salühan, *F. s.* [Salâ-hân] 1. Salâ veren. 2. Meydan okuyan.

salâhiyyet, *A. i.* 1. Bir işi yapmaya veya ona karışmaya haklı olma. 2. Bir davaya bakabilme. • ‹Etraftan kendisine gülümseyerek bakmak için salâhiyet bulan gözler açılacak. — Uşaklıgil›.

salâr, *F. i.* 1. Baş, başkan. 2. Komutan. • *Kafile salâr*, • *sipehsalâr*. (ç. Salârân). • ‹Menem ki kafile-salâr-i kârvan-i gamem. — Fuzulî›. • ‹Cümle ümera-yi kiram ve salârân-i leşker-i İslam. — Naima›.

salât, *A. i.* 1. Namaz. 2. Muhammet Peygambere ‹aleyhisselât vesselâm, -salâvatullahi aleyh, sallâllahü aleyhi ve sellem› zum ü mensur ola enva-i salât — Nazm ü nesrin her salât oldukça zib ü feri. — Nazım›.

salâvat, *A. i.* [Salât ç.] 1. Namazlar. 2. Muhammet peygambere dua okumalar.

salb, *A. i.* 1. Asma. Darağacına çekme. 2. Haça germe. • ‹Maslahat-i mülke binaen salb olundu. — Naima›.

salben, *A. zf.* Asarak, darağacına çekilerek.

sâldar, *F. s.* *(Sin* ile) [Sâl-dar] Yaşlı kocamış.

sâldide, *F. s.* [Sâl-dide] 1. Yaşlı. 2. Tecrübeli. • ‹Sükûn içinde veda ettiler çocuklarına — O sâldide pederler, rahîm valideler. — Fikret›.

sâle, *F. s.* Yıllık, yaşında. • ‹Kemal-i hüsn-i huban olduğundan çar deh sâle — Komuşlar Nabiya erbab-i mâna namını mehveş. — Nabi›.

sa'leb, *A. i.* *(Se* ve *ayın* ile) Tilki.

sâlha, *F. s.* [Sâl ç.] Yıllar. • ‹Haremgâh-i sultanîde sâlha nail-i takarrub olup. — Nergisî›.

salhorde, solhurde, *F. s.* [Sâl-hurde] Yaşlı, seçkin (ç. Salhordegân). • ‹Salhordegân-i dehri. — Nergisî› • ‹Kuvayi fark edemez salhorde hikmetler. — Cenap›.

salib, *A. i.* *(Sad* ile) [Salb'den] Haç.

sâlib, sâlibe, *A. s.* *(Sin* ile) [Selb'den] 1. Kapıp götüren, alan. 2. (Gra.) Olumsuzlaştıran. • ‹Sükût-i mahzin-i mevki kadar ârâmı sâlibdir. — Fikret›.

salibî, salibiyye, *A. s.* 1. Haça kutsal diye bakan. Hıristiyan. 2. Haçlılardan olan. 3. (Ana., Bot.) Haç şeklinde olan.

salibiyye, *A. i.* (Bot.) Turpgiller.

salif, salife, *A. s.* [Selef'ten] Geçen, geçmiş. • *Salif-ül-eyyam*, • *eyyam-i salife*, geçmiş günler, eski zaman. • ‹Âsaf- salif-ül-eyyam-i diyar-i Şehba. — Nabi›.

salih, saliha, *A. s.* [Salâh'tan] 1. İyi yarar. 2. Salâhiyetli, hakkı olan. 3. Din buyruklarına uygun davranan. (ç. Suleha). • ‹Kim arza Huda eyledi salihleri vâris. — Ruhî› • ‹Geçen senenin esvabını bu seneye de salih görmeye çalışarak. — Uşaklıgil›.

salihat, *A. i.* ç. Şeriatın buyurduğu ahlâk ve insanlıkça beğenilebilecek işler. • ‹...den murat taât ve a'mal-i salihattır dediler. — Kâtip Çelebi›.

salik, *A. s.* [Sülûk'ten] 1. Bir yol tutturan, bir yolda giden. 2. (Tas.) Bir tarikate girmiş olan. (ç. Salikân, salikîn). • ‹Mürid-i hakikî ve sâli-ki sadık beyninde iştibah vakı olup. — Kâtip Çelebi› • ‹Seyyare-i arzı târik oldun — Yükseklere doğru salik oldun. — Naci›.

salikân, *F. i.* [Salik ç.] Salikler. Bir tarikata girmiş, bir şeyhe uymuş kimseler. • ‹Böyle zamanda acırım ol asdedillere — Kim kavl-i salikan-i riyaya inandılar. — Ruhî›.

salikin, A. i. [Salik ç.] Bir meslek veya tarikate girmiş olanlar.

salim, salime, A. s. 1. Sağ. Sağlam. 2. Noksansız. 3. Korkusuz, emin olan. 4. (Arap. Gra.) Kelime harfleri bozulmadan çoğul eki katılarak meydana gelen (çoğul). • «Daha nafiz, daha salim bir nazarla tahlil-i mesele etmekte. — Uşaklıgil».

salimen, A. zf. 1. Sağ, sağlam olarak. 2. Emin olarak, emniyetle. • «Tatyip edip yine geri salimen muazzez gönderdi. — Naima».

salimîn, A. i. Sağ ve sağlam olanlar.

salis, salise, A. s. (Se ile) Üçüncü. • «Canbahş edip emvata Huda hazret-i Hızır'ı İsa'yi ona eyledi sani seni salis. — Ruhi». • «Halil Paşa kaymakam ve Hafız Ahmet Paşa vezaret-i salise ile bekâm kılındı. — Naima».

salise, A. i. 1. Sivil rütbelerden üçüncü derecede. 2. (Zaman) Saniyenin altmışta biri.

salisen, A. zf. Üçüncü olarak.

salname, F. i. [Sal-name] Yıllık. • «Korkma salnameye bir köşesinden iliş, istikbalin taht-i emniyettedir. — Cenap».

salsal, A. i. 1. Kumla karışık ince çamur. 2. Lüleci çamuru. • «Onları salsal-i Nil'in tabakat-i müterakimesinden kurtarmış. — Cenap».

salsala, A. i. Demirden şeylerin birbirine dokunmasından çıkan ses. • «Salsala-i ceres gibi işitirlerdi. — Taş.».

salsalî, A. s. (Sat ve sat ile) Çamur kıvamında.

saltanat, A. i. 1. Hükümdarlık. 2. Devlet, hükümet.3. Tantana, gürültülü gösteriş. • «Başı bir iklil-i saltanatla tetviç edilmiş bir melike vekar-i şuhanesi verirdi. — Uşaklıgil».

salûs, F. s. (Sin ile) İki yüzlü. Riyacı. • «Bezenmiş penbe-i dag ile bir sermest abdalız — Ne salusuz ne kayd-i hırka-i peşminemiz vardır. — Ruhi».

salûs, A. i. (Se ile) Tek bir şeyin üç olması, (Frenkçe Trinité).

salûsi, F. i. (Sin ile) İki yüzlülük.

salvele, A. i. (Sat ile) Muhammet peygambere dua.

salyane, F. i. Yılda bir alınan vergi.

Sam, A. i. Nuh peygamberin oğullarından biri.

Sam, F. i. 1. Zal'in babası. 2. Ay ağılı, hale. 3. Beyin uru.

sam, samm, Bk. • Samm.

sâman, F. i. 1. Servet, bir kimsenin varı yoğu. 2. Rahat. Dinçlik. 3. Düzgünlük ve düzen sebepleri. • «Aşkınla bütün sabrımı, sâmanımı yaktın. — Recaizade».

Saman, A. i. Samanî devletinin kurucusu.

sâmangüdaz, F. s. [Sâman-güdaz] Sükûn ve rahatı yok eden, tüketen. • «Efkâr ve hissiyatındaki ihtirak-i sâmangüdaz da itidal kesbetti. — Recaizade».

samanî, A. i. s. Saman devletine mensup, onunla ilgili. (ç. Samaniyan).

samansuz, F. s. [Sâman-suz] Varı yoğu, rahatlık sebeplerini yakan, yok eden.

samed, A. i. Kimseye ve hiç bir şeye ihtiyacı olmayan Tanrı. • «Etme dert ehlini ey ferd-i Samed — Heybet-i Sümme rededna ile red. — Hakani».

samedani, A. s. (Sat ile) Tanrıya mensup, onunla ilgili.

samedaniyyet, A. i. Tanrılık.

samem, A. i. Sağırlık. • «Bostancıbaşı sameme müptelâ olmakla Diyarbakır e-yaletiyle çıkıp. — Naima».

samg, A. i. Zamk.

samgî, A. s. Zamk halinde olan veya zamk gibi olan.

Samî, A. s. (Sin ile) Sam soyundan olan. • «Tabakat-i Hamiye ve Samiyeyi kök salmış. —Cenap».

sami, samiyye, A. s. [Sümüv'den] Yüksek, yüce. (Sadrazamla ilgili ve sadaret makamına ait işler için kullanılırdı). • «Rütbe-i âliyye ve derece-i samiyye sahibi idi. — Taş.».

sami', A. s. i. (Sin ve ayın ile) [Sem'den] 1. İşiden. 2. Dinleyen. 3. Dinleyici. (ç. Samiîn). • «Kendisinin alelâde bir samii, muhatabı iken. — Cenap».

samia, A. . iİşitme yetisi. • «O derece z̶if-üs-savt idi ki samialarını istediği gibi tehziz edemedi. — Uşaklıgil».

samiahıraş, F. s. [Samia-hıraş] Kulak tırmalayan. • «Samiahıraş bir darbuka gürültüsü var. — Cenap».

samianevaz, F. s. Kulağı okşayan. • «Sâf bir nagme-i, reh-enis sadası söyledikçe kuvvet buluyordu. — Uşaklıgil».

samih, samiha, A. s. [Semahat'tan] Cömert.

samiin, A. i. [Sami ç.] Dinleyiciler. • «Samiîn evvelâ bu tebeddüli evzanı fark etmiyor gibiydi. — Uşaklıgil».

samil, samile, A. sö (Sin ile) Geçimini iyileştirmek için çabalayan.

samim, samime, *A. i.* Her şeyin içi, göbeği, merkezi. Aslı, en temel kısmı. ● «Samim-i ruhuma saklar, derim ki, incinme. — Fikret».

samimane, *F. zf.* Samimî olarak, içten gelerek. ● «Behlûl'e biraz daha samimane bir hasbihalden çekinmedi. — Uşaklıgil».

samimî, samimiyye, *A. s.* Yüreğin içinden gelen. Ciddî, gerçek. ● «Samimî bir meraret gösterir, ağlardı rikkatle. — Fikret».

samimiyyet. *A. i.* Samimîlik, içtenlik. (Ed. Ce.) :

● *Samimiyyet-i dostane.* ● *-sükût,*
● *-fevkalâde,* ● *-şebab,*
● *-hissiyat,* ● *-şiir.*
● *-ruh,*

sâmin, *A. zf.* Sekizinci olarak.

samir, *A. s.* (*Se* ile) Yemişli, yemiş tutmuş (ağaç).

sâmit, sâmitte, *A. s.* (*Sat* ve *te* ile) [Samt'tan] 1. Susan. Lâkırdı etmeyen. 2. Sessiz, ses çıkarmaz. Sağır. 3. Cansız (mal). ● «Ey çehre-i sâmit! gülüyorken — Cephende nigâh-i ebediyyet. Fikret».

saml, sumul, *A. i.* Katılık, sertlik. Kuruluk.

samlah, *A. i.* Kulak kiri.

samm, sam, *A. s.* [Sem'den] Zehirleyen.

samma, *A. s.* 1. Sağır ve dilsiz olan. 2. Sadası çıkmayan. 3. Kunt ve katı som kaya taşı. ● «Ve çok geçmeyip dahiye-i dehaya ve fitne-i samma zuhur edip. — Naima».

samme, *A. i.* (*Sin* ile) Zehirli hayvan.

samsam, *A. i.* Keskin kılıç. ● «Cihana sa'şaabâr oldu berk-i samsamı. — Nef'î».

Samsame, *A. i.* Amir'in kılıcı. Zülfikâr'dan sonra ikinci ünlü kılıç. ● «Samsameyi eyledikçe teslil. — Naci».

samt, *A. i.* Susma. ● «Bir semt-i siyehrenk ile meşbu-i hayalât. — Fikret» ● «Sonra bu âlem-i samt ü zıyayı (...) perilerle doldurarak. — Cenap».

samut, *A. s.* [Samt'tan] Az lakırdı söyler. Susmuş. ● «Çölün samut ü mukassî leyal-i târında. — Fikret».

-san, *F. s.* «Benzer, andırır» anlamıyle kelimelere ulanır. ● *Yeksan,* Bk. ● «Benan-i şem'san ve yed-i beyzai nurefşanı ile. — Sadettin» ● «Kâğazi yaseminsanda piçide. — Mevkufatı».

sanaat,sınaat, *A. i.* İnsana gerekli eşyadan birini meyana getirmek için yapılan iş. 2. Ustalık. (ç. Sanayi).

sanacık, Türkçe *sancak* sözünden Arapça çoğul. ● «Elviye ve sancak-i menkûse ve kerrenay ve tubul-i menhusesi. — Naima».

sanadid, *A. i.* (*Sat* ile) [Sındıd ç.] Başlar, başkanlar. İleri gelenler.

sanadik, *A. i.* [Sanduk ç.] Sandıklar.

sanat, *A. i.* (*Sat* ile) Sanat. ● «On gündür işte uğraşıyor fikr ü sanatım — Bir mevc-i hisse vermek için şekl-i irtisam. —Fikret».

sanatger, *F.* . i[Sanatger] Sanatçı.

sanatkâr, *F. i.* [Sanatkâr] 1. Sanatçı. 2. Usta. 3. Fransızcadan *artiste* karşılığı. ● «Bir hayat uyandıran bir sanatkâr sanihasıyle. — Uşaklıgil».

sanatkârane, *F. zf.* Sanatkârca. Bir sanatçıya yakışır yolda. ● «Nasıl sâf bir emeli sanatkârane ile. — Uşaklıgil».

sanavber, *A. i.* 1. Çamfıstığı ağacı. 2. Çamfıstığı kozalağı. 3. Sevgilinin boyu. ● «Dikti leşkergeh-i ezhara sanaber tuğun. — Baki».

sanavberî, *A. s.* Kozalak şeklinde, koni biçiminde. ● «Bir cism-i sanavberî halk eyledi ki «kelle» ile musemmadır. — Taş.».

sanavberiye, *A. i.* 1. Kozalaklılar. 2. (Bot.) İğneyapraklılar.

sanayi, *A. i.* [Sanaat ç.] Sanaatlar. ● «Bu sade nazmı ehl-i sanayi beğenmese — Nev'i ne gam bizim sözümüz âşıkanedir. — Nev'i». ● «Avrupaya gelince her türlü sanayi-i nefise ve bdayi-i fikriyenin. — Kemal».

sancak, Türkçedir, *sancag-i şerif* tamlaması yapıldığı gibi *sanacık* diye de çoğulu Arap kuralınca yapılmıştır.

sancakdar, *F. i.* [Sancak-dar] Sancak taşıyan. ● «Mehib bir sancaktar vaziyetiyle vücudunu büyülte büyülte. — Uşaklıgil».

sand, sandal, *A. i.* Hindistan'dan gelir bir çeşit kuvvetli kereste. ● «Baki'ye kılsın muattar bezm-i efkârı diye — Padişahın micmer-i adlinde sandal vaktılar. — Baki».

sandel, sandeli, *A. i.* Sandal ağacından yapılma iskemle, sandalye. ● «Sandeli-i zib ü behadır o bahadır-i rüzgâr. — Şinasi».

sanduk, *A. i.* Sandık. ● «Maksad-i şem'i münevver oldu — Sanduk-i emel dür ile doldu. — Fuzuli».

sanduka, A. i. 1. Mermerden veya çuha kaplı mezar üstü. 2. Küçük sandık. • ‹Tuhaf ü cevahir sandukalarını çıkarıp. — Naima›.

sanem, A. i. 1. Put. 2. Güzel kimse. • ‹Gülistan oldu bugün bir sanem-i lâle izar. — Baki›. • ‹Yok bana ol sanemin rahmi bihakk-i İncil. — Şinasi›.

sanemhane, F. i. [Sanem-hane] Puthane. Tapınak. • ‹Bir gece sanemhane-i murassa-i Nemrudî serirlerinden sernigûn olup. — Veysi›.

Sani', A. s. (Sat ve ayın ile) [Sun'dan] Yapan, işleyen. Yaradan. • Sani, hakikî Tanrı. • ‹Sûbesû manzaram bedayidir — Pürtecelli-i nur-i Sani'dir. — Recaizade›.

sâni, sâniyye, A. s. (Se ile) 1. İkinci. 2. Dönen, çeviren. • ‹Size de var mı neşe-i sani? — Recaizade›. • ‹Çok kere kendilerinin bile varlığından haberdar olmadıkları bir tabiat-i' saniye hükmündedir. — Cenap›.

sani', sania, A. s. (Sat ve ayın ile) İşlenmiş (iş). Yapılan (iş). • ‹Kimsenin medhali yok kendi saniimdendir — Ettiğim cürm ü hata kendi elimden feryat. — Nabi›.

sania, A. i. (Sat ve ayın ile) 1. İş 2. Uydurma. Düzen. 3. İftira. • ‹Kendisinin aleyhinde mürettep bir sania olmak üzere telâkki etmişti. — Uşaklıgil›.

sanih, saniha, A. s. [Sünuh'tan] Zihin ve fikirde olup çıkan fikre doğan. (ç. Sanihat). • ‹Fakat ölmüş bir cihanın ölmüş bir gecesi sanih oluyordu. — Uşaklığil›. • ‹Zekâ'nın da — Günün birinde bütün sanihatı toplanacak. — Fikret›.

saniha, A. i. Çok düşünmeden fikre doğan. (ç. Sanihat). • ‹Bir amacgâh-i sanihat kadar parlak çehresi. — Uşaklıgil›.

saniye, A. i. 1. Sivil rütbelerden ikinci derece, (saniye, sınıf-i sani ve mütemayiz olarak ikiye ayrılırdı). 2. Dakikanın altmışta biri. (ç. Sevani). • ‹Bu vefasız gecenin koynunda — Kalalım bir ebedî saniye dalgın, bihuş. — Fikret›.

saniyen, A. zf. İkinci olarak, ikinci derecede.

sâr, A. i. (Şe ile) Öc. • ‹Birden eski tahammülleri birer hakk-i sâr kuvvetiyle. — Uşaklıgil›.

sâr, F. i. (Sin ile) 1. Deve. 2. Sığırcık kuşu. • ‹Beşyüz sürü sâr geldi. — Sadettin›.

-sar, F. e. (Sin ile) Yer bildirerek kelimelere ulanır. • Çeşmesar.

sara, F. s. Halis, katıksız. Anber-i sara, hilesiz, katıksız amber.

sar'a, A. i. (Sad ile) Tutarak hastalığı. • ‹Sar'a-i ihtizar içinde gusun. — Cenap›.

sarahat. A. i. (Sat ile) Açıklık. Açık anlatım. • ‹Tamamen vuzuh ve sarahat kesb edememekle beraber. — Uşaklıgil›.

sarahaten, A. zf. Açık açık. Açıktan açığa. • ‹Onu büyük valide edecek olan bu mahlukla sarahaten husumet ediyordu — Uşaklıgil›.

saramet, A. i. Yiğitlik. • ‹Şevhzade efendi ki tehevvür ve sarametle söhret siardır. — Naima›. • ‹Saramet-i hulâsa-i dudmani saltanat-i kitisitanî. — Ragıp Ps.›.

sar'avî, sar'aviye, A. s. [Sar'a'dan] tutarak, sara hastalığı ile ilgili.

saray, saray, Bk. • Seray. • ‹Katil kuleler, kaleli, zındanlı saraylar. — Fikret›.

sarban. F. i. (Sin ile) Deveci. Deve sürücüsü. • ‹Nice zaman gezip sarbanlık ve badehu leventlik ederek. — Naima›.

sarf. A. i. (Sat ile) 1. Harcama, gider. 2. Kullanma. Uğraştırma. 3. Gramer, dilbilgisi. 4. Değişme. • ‹Yâr mihmanımız oldu gelin ey can ü gönül — Kılalım sarf nemiz var ise mihmanımıza. — Fuzulî›.

sarfî, sarfiyye, A. s. 1. Giderle, harcama ile ilgili. 2. Gramerle ilgili.

sarfiyyat. A. i. 1. Harcamalar, giderler. 2. Vücudun çıkarttıkları, salgıları.

sarfiyyun, A. i. ç. Gramer bilginleri. Gramerciler.

sarh, sarah, A. i. Büyük köşk, yüksek yapı. (ç. Suruh). • ‹Çasar çiftliğinde nümudar-i sarh-i haman olan enbiye-i refia ve kâşane ve kasır ve haneler hark olundu. — Raşit›.

sârî, sariyye, A. s. [Sirayet'ten] Bulaşan, bulaşıcı. • ‹Ağlayın, girye belki sâridir — Bana bir cuşiş-i bükâ getirir. — Fikret›.

sârif, sarife, A. s. [Sarf'tan] 1. Sarfeden, harcayan. 2. Değiştiren. (ç. Sarifîn). • ‹Cemi' evkatlarını mücahedat ve riyazata sarifîn. — Taş.›.

sarih, sariha, *A. s.* [Sarahat'ten] 1. Açık. 2. Belli. 3. Sade, halis. • «Bu suale sarih bir cevap vermek külfetine lüzum görülmemiştir. — Uşaklıgil».

sarik, sarika, *A. s. i. (Sin* ile) [Sirkat'ten] 1. Çalan, hırsızlık eden. 2. Hırsız. • «Ve dest-i sarik ve ayyar ve rehzen ve tarrar andan kesile. — Hümayunname».

sârim, sarime, *A. s. (Sat* ile) Keskin. *Seyf-i sârım*, keskin kılıç. • «Devletler beyninde zuhur eden dâvalara hâkim-i hâsim seyf-i sârimden başka kim olabilir? — Kemal».

sarir, *A. i. (Sat* ile) Gıcırtı, cızırtı. • *Sarir-i hame*, kalem cızırtısı. • «Ağlıyor hâmemin saririnde — Şi"rimin lafzı, vezni, kafiyesi. — Cenap».

sarr, sarre, *A. s. (Sin* ile) [Sürur'dan] Sevindiren, sevinçli. • «Hıyaz-i harresi ve riyaz-i sarresi. — Sadettin».

sarraf, *A. i.* Sarraf. (ç. Sarrafan). • «Evi harap olacak öyle vakitte şiddet-i tamaından sarraflık sevdasına düşüp. — Naima». • «Benim sarraf-i şehr-i râz ü dükkânım dehanımdır — Davatim kise tahtam safha engüştüm zebanımdır. — Nabi».

sarrafiyye, *A. i. s.* 1. Sarraflık hakkı. 2. Sarraflık ile ilgili. • «İlânat-i sarrafiyenin çoğu. — Cenap».

sarsar, *A. i.* Şiddetli, soğuk rüzgâr. • «Bahr-i ateş-i sarsar-i ahım huruşun görme sehl. — Nailî».

satavat, *A. i.* [Satvet ç.] Kahırlar. Korkunç kuvvetler. • «Sen ol kahharsın ki satavat-i kahrını vurup. — Sinan Pş.».

sa'ter *A. i.* Zater. Kekik. • «Sürenler su gibi rû sat'terine — Kapılmaz sebze-i huld-i berine. — Lâmiî».

sa'terbaz, *F. i.* Aletle kendi cinsel zevkini yerine getiren kadın.

sa'terî, *F. s.* Aletle cinsel zevkini yerine getirmeye alışkan (kadın). • «Sa'terî fahişe veş muhiştir — O da böyle muazzam bir iştir. — Sünbülzade».

sath, *A. i.* 1. Bir şeyin dış tarafı, yüz. 2. Üstten görünen kısım. 3. (Geo.) Yüzey. • «Reng-i simîni sath-i deryanın. — Fikret».

sathan, *A. zf.* Dıştan, dış yüzden.

sathî, sathiyye, *A. sö* 1. Dış yüzle ilgili. 2. Derinden değil, üstünkörü. • *Mesaha-i sathiyye*, yüzölçümü.

sathiyyen, *A. zf.* 1. Dış yüzden, dıştan. 2. Üstten. Sudan.

satı', *A. s.* Yükselip meydana çıkan. Yükselerek belli olan. • «Bu gaziler ki en satı' birer sima-yi necdettir. — Fikret».

sâtir, satire, *A s. (Sin* ve *te* ile) [Setr'den] Örten, kapatan. • «Ayıbınızı damen-i afv ile sâtir. — Nergisî».

satl, *A. i. (Sin* ve *tı* ile) 1. Tas. Küçük leğen. 2. At sulama kabı. • «Su-i sıfatla muttasıf ve seyislik satlından çirkâbı rezaleti mürteşif iken. — Naima».

satr, *A. i. ç.* (ç. Sutur). Satır. • «Yazarken vasf-i çeşmin pâ-yi hame satrdan çıkmış — Meğer mestanelik tesir edip gümkerde rah olmuş. — Nabi».

satranç. *A. i. (Sin* ile) Satranç.

satur, *A. i.* Satır, büyük bıçak (ç. Savatır).

satvet, *A. i.* Brinin üzerine kuvvet ve şiddetle sıçrmaa. • «Fakat bizimkilerin satvet-i mühacemesi — Bırakmıyor ki atılsın o bir adım ileri. — Fikret».

satvetmedar, *F. s.* [Satvet-medar] Satvet sahibi, satvet vesilesi. • «Gözler dalar güzariş-i satvetmedarına. — Fikret».

saur, *A. i. (Sin* ve *ayın* ile) 1. Ocak. 2. Fırın.

saure, *A. i. (Sin* ve *ayın* ile) Ateş.

savab, *A. i. (Sat* ile) 1. Doğruluk. 2. Doğru davranış. 3. Doğru fikir. • «İman-i azmini savb-i savaba eden ol merd-i pâk-dil idi. — Naima».

savabdide, *F. s.* [Savab-dide] 1. Doğru görülmüş, doğru bulunmuş. 2. Beğenilmiş, gözde. • «Molla, Derviş Paşanın savabdidi ve vasiyeti budur dedikte. — Naima».

savabendiş, *F. s.* [Savab-endiş] Fikri, görüşü doğru olan. (ç. Sevabendişan). • «Malum-i savabendişan-i âlirütbettir. — Nergisî».

savabnüma, *F. s.* [Savab-nüma] Doğruyu gösterir olan.

savaik, *A. i.* [Saika ç.] Yıldırımalr. • «Hugo'nun raad ü savaıkını. — Cenap».

savami', *A. i. (Sat* ve *ayın* ile) [Savmaa ç.] Tekekler.

savarf, *A. i. ç.* Değişiklikler. Değişmeler.

savarim, *A. i.* [Sarim ç.] Keskin kılıçlar. • «Sa'saa-i savarim-i ateşbar. — Sadettin».

savatır, *A. i.* [Satır ç.] Satırlar, büyük bıçaklar.

savb, *A. i.* Yön. • «İnan-i azmini sevb-i savaba icale eden. — Naima».

sa've, *A. i.* Kuyruksallayan kuşu. • «Havalandın yeter ey sa've-i dil didebaz ol kim. — Sabit».

savl, *A. i.* Saldırma, atılma.

savlecan, *A. i.* Çevkân. Cirit oynayanların eğri sopası. • «Savlecan-i yed-i kudretle hemin — Geldi meydana bu gez rû'yi zemin. — Hakanî».

savlet, *A. i.* Saldırma. • «Ey savet-i evham ile bitab-i tahassüs. — Fikret».

savm, *A. i. (Sat* ile) Oruç.

savmaa, *A. i. (Sat* ve *ayın* ile) İbadet yeri. Tekke. • «Mahsus olursa zahid-i salûsa savmaz — Olmaz aceb ki sakin-i virane bûmdur. — Ruhî».

savmaanişin, *F. s.* [Savmaa-nişin] Tekkeye çekilmiş oturan.

savn, *A. i.* Koruma.

savt, *A. i. (Sat* ile) 1. Ses. 2. Bağırma. (ç. Avsat). • «Giryan oluyor savt-i hazininde muhabbet. — Fikret».

savt, *A. i. (Sin* ve *tı* ile) Kamçı, kırbaç. • «Emr eyledi ki şuna birkaç yüz savt ursunlar dedi».

savtî, savtiyye, *A. s. (Sat* ve *te* ile) Sesle ilgili. Ses çıkaran harf.

savtiyat, *A. i.* Fransızcadan *phonétique* karşılığı olarak (XX. yy.).

savvaf, *A. s. (Sat* ile) Yün veya yapağı satıcısı.

-say, -sâ, *F. s.* Bk. • *Sâ.*

sây, *A. i. (Sin* ve *ayın* ile) 1. Çalışma, çabalama, emek. 2. Geçinmek için iş işleme. 3. (Hacta Safa ile Merve arasında) Koşma, yürüme. • «Davet olunup barid üzre süvar olup sây-i şedit ile Mısır'a dahil. — Taş.» • «Bir istifade edersin bugünkü sâyinden. — Fikret».

sayd, *A. i. (Sat* ile) Av. • «Sayd eyleyelim gel — Ben kafiyeler, sen, de müzehhep kelebekler. — Fikret».

saydalânî, *A. s.* 1. Eczacılıkla ilgili. 2. Eczacı.

saydale, *A. i.* Eczacılık.

saydefken, *F. s.* [Sayd-efken] Av düşüren. Avcı. • «Eder şikârına hamyaze suretin talim — Elinden ol büt-i saydefkenimin keman düşmez. — Nabi».

saydgâh, *F. i.* [Sayd-gâh] Av yeri. Avlak. • «Bu fena saydgehinde acaba var mı ola — Sayd için kendisi sayd olduğun anlar sayyad. — Nabi».

saye, *F. i. (Sin* ile) 1. Gölge. 2. Koruma, sahip çıkma. • «Serer zemine ağaçlar sedefli bir saye. — Fikret». • «Savemde bu neşen, demek ister gibi mağrur. — Fikret».

sayeban, *F. i.* 1. Gölgelik. 2. Koruyan. • «Murassa' sayebanından döküldü ebr-i nisanın — Dür ü yakut-i rumani nihal-i erguvan üzre. — Baki».

sayebâr, *F. s.* [Saye-bar] Gölge salmış. • «Bir bulut sayebâr olur mutlak. — Fikret».

sayedar, *F. s.* [Saye-dar] 1. Gölge veren. Gölgesi olan. 2. Sahip çıkan, koruyan. • «Nevreste bir çoban kızı bir muzlim ormanın — Dâman-i sayedarına düşmüştü bîmecal. — Cenap».

sayeendaz, *F. s.* [Saye-endaz] Gölge salan. (Mec.) Koruyuculuk eden. • «Ne var pederinizi ziyarete geldikte câ-yi gurbetmekânımıza sayeendaz-i ziynet buyursanız. — Veysi».

sayegâh, *F. i.* [Saye-gâh] Gölgelik yer. • «Yarın sen de bir avuç toprak — Kesafetivle gelirsin bu savgâha, bırak — Esîr-i sâfını döksün ilelebet Mevlâ. — Fikret».

sayeküster, *F. s.* [Saye-küster] 1. Gölge salan, gölge eden. 2. Koruyan. • «Geh bir leb-i cûda hoş-nişinim — Perverdesi bîd-i sayeküster. — Naci».

sayende, *F. s.* 1. Cilâcı. 2. Süren, sürüştürücü.

sayenişin, *F. s.* [Saye-nişin] 1. Gölgede oturan. Bir şeyin gölgesine sığınan. 2. Korunan, koruma halinde bulunan.

sayeperver, *F. s.* [Saye-perver] Gölgelendirme, gölge verici. Koruyucu. • «Müjgân-i sayeperveri eyilyor gibi. — Fikret».

sayesâz, *F. s.* [Saye-saz] Gölgeleyici. • «Garip ağaçlar hafif, gizli ve âdeta samîmî bir korku neşrederek kumlara sayesaz oluyor. — Cenap».

sayezar, *F. s.* [Saye-zar] Gölgelik. • «Bu sayezar-i serairde böyle yapyalnız — Yürür. — Fikret».

sayf, *A. i.* Yaz. • «Havalinin o müşemmes o kızgın sayf-i dûradûruna karşı bir türlü ısınamayarak üşüyor. — Uşaklıgil».

sayfî, *A. s.* Yaza ait, yazla ilgili.

sayfiyye, *A. i.* Yazlık. • «Valdesini zorlaya zorlaya sayfiyye nakle ırza etmiş. — Recaizade».

sayha, A. i. Bağırma. Nara. • ‹Deniz dışarda uzun sayhalarla bir hırçın — Kadın görüntüsü neşr eyliyordu ortalığa. — Fikret›. — (Ed. Ce.) :

- Sayha-i dehşet,
- -grab,
- -haşyet,
- -hayret,
- -ıstırap,
- -meserret,
- -mezbuhane,
- -muzafferiyet,
- -nefret,
- -şum,
- -takdir,
- -tehaşi,
- -zafer.

sayide, F. s. 1. Sürüle sürüle yıpranmış. 2. Eskimiş.

sayil, sail, Bk. • Sail.

sayis, A. i. [Siyaset'ten] Ata bakıp tımar eden hizmetçi. Seyis. • ‹Kendi sayisine varınca etba ve levahıkı irtişada yekcihet olup. — Naima›.

saykal, A. i. 1. Cilâcı. 2. Cilâ aleti. • ‹Saykal ur o mir'ata ki pür jeng-i elemdir. — Ruhî›.

saykalzede, F. s. [Saykal-zede] Cilâlı cilâlanmış. ‹Oldu saykalzede bu nüh revak-i kevn ü fesat. — Nabi›.

sayref, sayrefi, A. i. 1. Sarraf. 2. İşini hesabını, çıkarını bilir kimse. (ç. Sayarıf, sayrefiyan). • ‹Künc-i sinede meknüz olan cevherleri pişgâh-i sayrafi-i nakkada arz ü ihda. — Sünbülzade›.

sayruret, A. i. Olma, edilme, kılınma. Bir halden başka bir hale değişme.

sayyad, A. i. [Sayd'dan] Avcı. • Kıl temaşa zülfünü sayyad-i can gürsün. — Naci›.

sayyag, A. i. [Sıyagat'ten] Kuyumcu.

sayyat, A. s. (Sin ve tı ile) Kırbaçla döven. Kamçıcı. • ‹Darb-i siyat için tâyin olunan sayyat imama iki savt vurup. — Taş.›.

saz, F. i. 1. Çalgı. 2. Silâh. 3. Sıra, düzen. 4. Öğrenme, ustalık. • ‹Ey gıpta-i Nahit, ki zîr ü bem-i sazın. — Fikret›.

-saz, F. s. "Yapan, eden, edici" anlamıyle kelimelere ulanır.

- âramsaz
- cilâsaz
- cilvesaz
- çaresaz
- demsaz
- hâtırsaz
- kârsaz
- keremsaz
- merhemsaz
- nagamsaz
- nağmesaz
- nemimesaz
- neaskasaz
- terennümsaz
- ukdesaz

sazec, A. s. Sade. • ‹Müraat-i esbabtan âri tevekkül-i sazec ile teslim-i cblehaneye tavtin-i nefs etmiş idi. — Naima›. • ‹Söz bir nefesi sazec-i birenktir

amma — Berhemzen-i suretkede-i kevn ü mekândır. — Avni›.

sazende, F. i. 1. Çalgıcı. 2. Yapıcı, düzeltici. • ‹Cûlardaki sazende hayalât. — Cenap›.

-sazi, F. s. «Yapıcılık, yapma, edicilik» anlamlarına kelimelere ulanır.

saziş, F. i. Yapılış, kuruluş.

sazkâr, F. s. [Saz-kâr] Uygun. • ‹Mevsim-i gülde Bakî'ya gülşene vardığım bu kim — Nağme-i ahı bülbülün nâleme sazkârdır. —‹ Baki›.

sazkârî, F. i. Uygunluk.

sealib, A. i. (Se ve ayın ile) [Sa'leb ç.] Tilkiler.

seamet, A. i. Bezme, bıkma. • ‹Bir nevi kelâmdan seamet hâsıl ola deyu. — Taş.›.

seb', A. s. (Sin ve ayın ile) Yedi (7).

Seba, A. i. Yemende eski bir şehir. Hükümdarı Belkis'in Süleyman peygamberle olan ilişkisiyle ün almıştır. • ‹Ey hüdhüd-i ümmid Sebâ'dan mı gelirsin. — Nabi›.

seb'a, A. s. Yedi. • Seb'a-i seyyare (yedi gezegen) Kamer (Ay), Utarid (Merkür), Zühre (Aenüs), Şems (Güneş), Mirrih (Mars), Müşteri (Jüpiter), Zuhal (Satürn); • acaib-i seb'a-i âlem (dünyanın yedi şaşılacak şeyi), Babil asma bahçesi, İskenderiye feneri, Rodos heykeli, Çin seddi, Keops piramidi, Halikarnas'taki türbe, Olymp'teki Zeuz tapınağı; • Cezair-i seb'a-i Yunaniye (Yedi Yunan adası) İyonien adaları; • deva-yi seb'a, yedi ilâç (heptafarmacon) üstübeç, mürdesnek, zift, trementi, balmumu, günlük, öküz ödü karışığı yapılan ilâç. • ‹Şi'r-i Baki seb'a-i iklime oldukça revan — Okunursa yeridir bu nazm-i garra semt semt. — Baki›. • ‹Ruhün seyrettir ey rû-yi zeminin mah-i tâbânı — Biraz baksın felekten sab'a-yi seyyare eğlensin. — Baki›. • ‹Zira mucib-i küfr olan secde âza-i sab'a üzerine... mahlûka ibadet niyetiyle olan secdedir. — Kâtip Çelebi›.

sebahat, A. i. (Sin ile) Suda yüzme. • ‹Özümü kurtaran sabahatlen — Bir kenara çıkan feragatlen. — Fuzulî›.

sebaik, A. i. [Sebike ç.] Eritilip parça halinde dökülmüş madenler. Külçeler.

sebak, A. i. Ders. • ‹İstiyorsan almayı hikmet kitabından sebak — Hâme-i Kudret ne yazmış safha-i ruhsara bk. — Hayalî›. • ‹Şeytana sebak vcren

F. : 47

Kalenderoğlu gibi haramzadeye firib ve hâb-i hargûş verip. — Naima».

sebakamuz, F. i. [Sebak-amuz] Ders öğreten. Öğretmen.

sebakdaş, F. i. s. [Sebak-daş] Ders arkadaşı. Aynı öğretmenden ders alan. (ç. Sebakdaşân).

sebakhân, F. s. [Sebak-han] Ders okuyan (ç. Sebakhanân).

sebat, A. i. (Şe ile) Yerinde durma. Kımıldamama. • Bîsebat, • sebatsız, bir şey ve bir yerde durmaz; geçici. • Birer kayık ve tükenmez bir ihtiyac-i sebat. — Fikret».

sebatkâr, F. s. [Sebat-kâr] Sebat eden. Bir halde duran. (ç. Sebatkâran).

sebatkârane, F. zf. Sebat ederek. Yılmadan, yorulmadan.

sebaya, A. i. [Seby ç.] Köle veya cariye edilmek üzere esir alınanlar.

sebb, A. i. (Sin ile) Sövme. Sövüp sayma.

sebbab, A. s. [Sebb'den] Çok küfür eden. Küfürbaz. • «Bu sebebab münafıkı hapsetmek ne lâzım diye. — Naima».

sebbabe, A. i. İşaretparmağı. Sağ elin baştan ikinci parmağı. • Sebbabegeza, şaşarak, parmak ısıran. • «Sebbabe-i hakîmaneleri nabzgir-i şiryan-i bimaran olarak». • «Birer sebbabe-i şehadet gibi küngüre-i asümanı gösteren minareler. — Cenap».

sebbah, A. i. (Sin ile) [Sebahat'ten] Suda yüzen. Yüzgeç. Yüzücü.

sebbî, A. s. [Seby'den] Esir edilmiş.

sebeb, A. i. 1. Bir şeyin olmasını gerektiren şey. 2. Bahane. 3. İlgi. 4. Araç. 5. Alet. 6. (Ed.) Aruzda, iki hrfin meydana gelen parça. 7. Neden. • Sebeb-i hayat, baba; • bilâ sebeb, sebepsiz, hiç yoktan; • lisebetin, bir işten dolayı, bir sebep etkisiyle. (ç. Esbab). • «O taş meğer olacakmış bu şi'rimin sebebi. — Fikret».

sebebî, sebebiyye, A. s. Sebeple ilgili.

sebebiyyet, A. i. Sebep olma. Gerektirme. •.«Bülent'in sebebiyet verdiği fasılalarla. — Uşaklıgil».

sebel, A. i. 1. Gözde olan hafif perde. 2. Dumanlı, bulanık görme hastalığı. • «Mikraz-i lâ ile sebel-i didesin kesen — Görmek dilerse nur-i yakîn ırak değil. — Hayali».

sebele, Bk. • Seblet .

sebelnak, F. i. [Sebel'nak] Sebel hastalığına tutulmuş.

sebh, A. i. (Suda) Yüzme.• «Emvac-i iktirabımın üstünde sebh ile — Oldum re-

side sahil-i hücr ü tevekküle. — Cenap».

seb'i A. s. Yedi günde bir olan (nöbet v.b.).

sebike, A. i. (Sin ve kef ile) Külçe. Eritilip parça olarak dökülmüş maden. (ç. Sebaik.

sebîl, A. i. 1. Yol. 2. Sebil, su dağıtma yeri. 3. Parasız dağıtılan su (ve başka şeyler). • Ebna-yi sebil, yolcular, yolda olan kimseler; • fi sebillâh, Tanrı uğruna; • ibn-i sebil, yolcu, yolda kalmış kimse. (ç. Sübül). • «Ve ol havalide askersiz ebna-yi sebîl güzer etmek muhal olduğu haberi gelip. — Naima».

sebilhane, F. i. [Sebil-hane] Sebil olarak su dağıtılan yer.

seb'in A. s. Yetmiş. 70. • «Ve sinni hudud-i seb'ine ermiş, ak sakallı bir pîr iken. — Naima».

sebît, A. s. (Se ile) İyice yerleştirilmiş. Yerinde sağlam.

sebiyy, A. s. Savaşta esir alınmış.

seb'iyye, A. i. Bâtınıları andırır bir şia kolu (yediler).

sebk, sebkat, A i. (Kaf ile) 1. İleri geçme. İlerleme. 2. Yarış kazanan hayvan.

sebk, A. i. (Kef ile) 1. Bir madeni eritip kalıba dökme. 2. (Ed.) İbarenin düzeni

sebkat, A. i. Geçme, ilerleme. • «Sebkat-i zat ile eyvan-i resalet sadre. — Fuzuli». ·

seblâ, A. s. Uzun kirpikli (göz).

seblet, A. i. Bıyık. • «Az idi seblet-i ferhundeleri— Milk-i Rum'un nitelikleri müşk-i teri. — Hakanî».

sebt, A. i. (Sin ile) Cumartesi. • Ashab-üs sebt. Yahudiler.

sebt, A. i. (Se ile) Bir yere yazma. Yazı halinde tutma. • «Ol dem ki kalem sebt için âsar-i hayalim — Destimde ser-ender-ham-i aguş-i bütandır. — Nef'î».

sebû, F. i. 1. Testi. 2. Şarap kabı. • «Sebû endam sakiler elinden bâde geldikçe. — Beyatlı».

sebu', A. i. Yırtıcı hayvan. (ç. Siba').

sebuçe, F. i. Küçük şiş, küçük testi.

sebuh, A. i. [Sebh'ten] Yüzgeç.

seb'un, A. s. Yetmiş, 70

sebük, F. s. 1. Hafif. Yeyni. 2. Çabuk. 3. Ağırlığı, ağırbaşlılığı olmayan.

sebükbâr, F. s. [Sebük-bar] 1. Yükü hafif. 2. Ağırlıksız. 3. Derdi, düşüncesi olmayan. • «Sermaye-i necat sebükbarlıktadır. — Nabi».

sebükdestî, *F. i.* Eline çabukluk. • ‹Durbinan ki eder nakşa nigâh-i dikkat — Zımn-i sanatta sebükdesti-i üstada bakar. —Nabi›.

sebükhîz, *F. s.* [Sebük-hîz] Çabuk kalkan, hareket eden. • ‹Ey hâme-i serkeş-i sebükhîz — Vakt oldu ki olasın güherrîz. — Fuzulî› • ‹Alât-i sebükhîzi kuva kaldı amelden — Nabi›.

sebükî, *F. i.* Hafiflik. Yeğnilik.

sebükmagz, *F. s.* [Sebük-magz] Hafif beyinli, akılsız. (ç. Sebükmagzan. • ‹Ben esbab-i kaderle âşinalık etmişim Nabi — Sebükmagzan gibi takdirle cenk ü cidal etmem. — Nabi›.

sebükmagzane, *F. zf.* Akılsızca.

sebükmizac, *F. s.* [Sebük-mizac] 1. Hafif tabiatlı. 2. Çocuk gibi. Hoppa.

sebükpâ, *F. s.* [Sebük-pâ] Ayağına çabuk. Ayağı çabuk. • ‹Açıldığın haber verir agyara gül gibi — Daim bize nesim-i sebükpâ gelir gider —. Nabi›.

sebükpervaz, *F. s.* [Sebük-pervaz] Çabuk ve ziyade uçan.

sebükray, sebükrey, *F. s.* [Sebük-re'y] Hafif fikirli, düşüncesiz. • ‹Bîkes kaluben men-i sebukray — Sen eylemesen bana medet vay. — Fuzulî›.

sebükrev, *F. s.* [Sebük-rev] Çabuk giden.

sebükruh, *F. s.* [Sebük-ruh] 1. Ağır canlı olmayan. 2. Görüşmesi hoş olan, hoşa giden. (ç. Sebükruhan). • ‹Bârını gerden-i ahbaba edenler tahmil — Ne kadar olsa sebükruh olur elbette sakil. — Ragıp Pş.». • ‹Merasim-i meclis-i üns sebükruhana sıklettir — Miyan-i asdıkada şart-i ülfet terk-i külfettir. — Ş. Arif Hikmet.›

sebükser, *F. s.* [Sebük-ser] Hafif düşünceli. (ç. Sebükseran). • ‹Boğazı boş ne sebükserler olur — Ki suhan nakline süratle solur. — Nabi›.

sebükserî, *F. i.* Düşüncesizlik. • ‹Olur sebükeri-i cevre fark-i naks ü ziyad — Ferah-i havsaladır tahrir-i karara gelir. — Nabi›.

seby, *A. i.* Düşman ülkesinden kadın erkek esir alma. • ‹Malınızı nehb ve maharıminizi seby ederiz. — Naima›.

sebz, *F. s.* Yeşil. • *Berk-i* sebz, yeşil yaprak; • *hatt-i* sebz, gençlerin sakal ve bıyıktan önce gelen tüyleri. • ‹Gûya ya çiçek diye — Bir hâk-i sebze döktüğü kanlarla titriyor. — Fikret›. • ‹Dehenin tuti-i sükker şiken olsa ne aceb

— Leb-i şirin ü hat-i sebz ana bâl ü perdir. — Baki›. • ‹Dırahtan-i sebz-gûn ve çeşmeha-yi gelsebil-nümun. — Nergisî›.

sebze, *F. i.* 1. Yeşillik. 2. Yemeği yapılan yeşillik. • ‹Mevc urur hâd-i seherden sebze-i ter mi acep — Ye besat-i bezm-i ayş olmuş yeşil hârâ mıdır. — Baki›.

sebzevat, *F. i.* [Sebze ç.] Zerzevat. • ‹Nefîs sebzevat çorbasını. — Recaizade›.

sebzezar, *F. i.* Yeşillik olan yer. Çayırlık, çimenlik. • ‹Sürüni sürüni su gibi sebzezara git. — Necati›.

sebzgûn, *F. s.* [Sebz-gûn] Yeşil renk. • ‹Ve yer yer bîd-i sernigûn ve dırahtan-i sebzgûn. — Nergisî›.

sebzî, *F. i.* Yeşillik • ‹Seninle gel, bu hıyaban-i vehdet-ârâmın — İlelebed koşaltım sebz-i zalâlinde. — Fikret›.

sebzîn, *F. s.* Yeşil, rengi yeşil. • ‹O bulur câme-i sebzîn-i verakla revnak. — Kemalpaşade› • ‹Ve bu muhit-i sebzin içinde binalar birer taş tebessüm gibi zarif ve mesuttur. — Cenap›.

sec', *A. i.* 1. Nesirde yapılan kafiye. 2. İbarenin kafyel olan cümle sonlarından her biri.

secavend, *F. i.* Kur'andaki yazıların üzerine doğru okunmak için konan işaret. Böylece işaretleme bir aralık ponctuation (noktalama) karşılığı olarak kullanılmak istenilmişse de tutmamıştır.

secaya, *A. i.* [Seciyye ç.] Seciyeler, karakterler. • ‹Osmanlıların ahlak-i fazıla ve secaya-yi muhsînesini bildiğimizden. — Kemal›.

secc, *A. i.* Su akma.

seccac, *A. s. (Se* ile) Şarıltı ile akan.

seccade, *A. i.* [Secde'den] Üzerinde namaz kalınacak küçük halı. • ‹Nesrin'le Şayeste kahvecinin hasırlarını seccadelerle örtüyorlar. — Uşaklıgıl› • ‹Elli yıldır ki müsellem sana seccade-i nazm — Şimdi sensin şuara zümresine şeyh-i kebîr. — Nabi›.

seccadenişîn, *F. s.* [Seccade-nişîn] Seccadede oturan. Şeyh. İmam.

seccan, *A. i. (Sin* ile) [Sicn'den] Gardiyan. Zindancı.

secde, *A. i.* Namazda eğilip yere kapanma, yüzünü yere sürme. • *Secde-i sehv,* namaz sırasında yapılan bir yanlış için secdeye varma. • *secde-i şükran,* büyük bir sevince karşılık yapılan secde. • ‹Cânâ ederse secde sana ay ü gün n'ola — Yusuf gibi güzellik ile buldun imtiyaz. — Baki». • «Bütün tabiat kıldı o dem secde-i şükran. — Fikret».

secdegâh, secdegeh, F. i. [Secde-gâh] Secde edilecek yer. • «Teklif-i perestiş etme bana secdegehinle. — Fehim». • «Ali Paşa bu râna secdegâhı eyledi mamur. — Şinasi».

secdegîr, F. s. [Secde-gîr] Secde eden, secdeye kapanan. • «Serteser secdegîr-i istiğfar. — Fikret.

secencel, secencele, A. ii Ayna. • «Ve secencel-i tahsilim maskala-i tekmil ile incilâ bulması ise. Okçuzade».

seciyye, A. i. 1. Tabiat. Huy, yaradılış. 2. Fransızcadan *caractère* (karakter) karşılığı (XX. yy.).

seciyyet, A. i. Huy, tabiat, meşrep. • «Anda mekârim-i ahlâk ve kesret-i riyazet ve letafet-i tab' ve sühile-ti seciyyetten nice meratib müşahede eyledim. — Taş.».

seda, desi, A. i. (Se ile) Meme. (ç. Sedaya).

sedab, A. i. Sedefotu.

sedacet, A. i. Sadelik.

sedad, A. i. 1. Doğruluk. Doğru ve haklı şey. 2. Akıl. • *Erbab-i rüşd ü sedad,* akıllı kimseler. • «Tasarruf-i akl ü sedadı olmadığı kati zâhir. — Naima».

sadaya, A. i. [Seda ç.] Memele. • *Zat-üssedaya,* (Zoo.) Memeliler.

sedd, A. i. Kapama. Tıkanma. 2. Engel olma. 3. Büğet. 4. Baraj. 5. Engel. • *Sedd-i nutk,* susma; • *-ramak,* açlıktan ölmeyecek kadar yiyecek içecek. • «Çamlık yüksek bir sedd, geniş geniş nefes alan bir dev korkunçluğu ile titriyordu. — Uşaklıgil».

seddad, A. i. (Hek.) 1. Tıpa. 2. Tampon.

sedebiyye, A. i. (Bot.) Sedefotugiller (XIX. yy.).

sedi, seda, A. i. (Se ile) Meme. (ç. Sedaya).

sedid, sedide, A. s. [Sedad'dan] Doğru. Hak.

sedîd, A. i. (Sin ile) Perde. • «Gurubun bir sedîl-i esmer ve şetfaf gibi semânın emvac-i harir-i maisine gerilen zılına daldı. — Uşaklıgil».

sedin, A. s. Etli, gövdeli, semiz (kimse).

sedir, A. i. Odanın üst tarafına konan minder ve yastıklı kerevit. • *Sedir-i ezhar,* • *-naz.* • «Bütün bu hüsn-i rebiisi bir güzel seherin — Eder ihata yeşil bir sedir-i ezharı. — Fikret».

seele, A. i. [Sail ç.] Dilenciler. • «Bugün cami-i Tolon bir mecma-i seele halini almıştır. — Cenap».

sefahet, A. i. Sonunu düşünmeden gereksiz yere elindekini harcama. 2. Yasak şeylere, eğlence ve zevke düşkünlük. • «Ey kanlı muhabbetleri bi-lerziş-i nefret — Perverde eden sine-i meshuf-i sefahet. — Fikret».

sefain, A. i. [Sefine ç.] 1. Gemiler. 2. Çeşitli konualrı alan kitaplar. • «Burasını bir sefain-i sagîre mehşeri haline getiriniz. — Uşaklıgil».

sefalet, A. i. 1. Aşağılık, hakirlik. 2. Çok sıkıntıda yaşama. Yokluktan çekilen sıkıntı. • «Şimdi artık bu maişette büyük bir zillet — Bir sefalet görüyor. — Fikret». • «Yolun en mufit olmak lâzım gelen bu son kıtasında etrafınızı bir şirzime-i sefalet ihata eder. — Cenap».

sefaret, A. i. Elçilik. Sefirlik. (ç. Sefarat). • «Onun hey'at-i sefarâttan birine intisap hevesini gösterdiği zaman. — Uşaklıgil».

sefarethane, F. i. [Sefaret-hane] Elçilik konağı. • «Devletlerin devair kadar sefarethanelerini de tanırlar. — Cenap».

sefeh, A. i. Akılsızlık. • «Ama evvelkisi cehl-i azîm ve sefeh-i vahimdir. — Taş.».

sefele, A. i. [Sâfil ç.] Aşağıda bulunanlar, alçaklar. • «Vilâyetin kibar ü sigarı ekser Hüseyin Paşa tarafında ve sefele makulesi Ahmet ve Fethi taraflarında idi — Naima». • «Meşkûk işlerle geçinen sefele gibi. — Uşaklıgil».

sefen, A. i. (Se ile) Nasır.

sefer, A. i. 1. Yolculuk. 2. Savaşa gitme. Savaş. 3. Askerin savaşa hazır bulunma hali. 4. Kız. • *Müddet-i sefer,* üç günlük yol (18 saat). (ç. Efsar). • «Merd-i rah olmayana zâd-i sefer vermezler. — Naili». • «Tatar han rikâbinde sefere eşer bendelik ve cansıparlık ederler. — Naima».

seferber, F. s. [Sefer-ber] 1. Savaşa yollanmış veya yollanmak üzere bulunan (asker) 2. Savaşa hazırlanmış (devlet). 3. Yola çıkmış kafile. (ç. Seferberan). • «Birer kafile-i seferberan şeklinde öbek öbek hurma ağaçları. — Uşaklıgil».

sefercel, A. i. Ayva.

sefergüzin, F. s. Yolculuk yapan, yol giden. • «Geh bir ovada sefergüzinim. Naci».

seferî, *A. s.* 1. Yolculukla ilgili. 2. Savaş ile ilgili. 3. Bazı din buyruklarını hafifletici yolculuk ile ilgili.

seferiyet, *A. i.* (Türkçede). Göçebelik. • ‹Hazariyet *(sédentérite)* mukabilidir (yerleşiklik). Zıddı *nomadisme*'dir ki bedeviyet ve seferiyet kelimeleriyle tercüme ediyoruz. — Cenap›.

seffak, *A. s. (Sin* ile) [Sefk'ten] Kan dökücü. • ‹Buhtünnasr nam seffak-i bîbâk-i fettaki onlara musallat edip. — Veysi›.

sefid, *F. s.* Ak. • *Bahr-i Sefid*, Akdeniz. • ‹Uzak değil, şu küçük zirve-i sefide kadar. — Fikret›.

sefidaç, *F. i.* Üstübeç.

sefih, *A. i.* İsrafçı. Malını düşünmeden harcayan. 2. Akılsız. (ç. Süfeha). • ‹Sefih malını beyhude yere sarf ile ve masarıfinde tebzir ve israf ile izaa ve itlâf eden kimsedir. — Mec. 946›.

sefihane, *F. zf.* Sefihe yakışır yolda. Akılsızca bir israfla. • ‹Benim yüzümden temin edeceği maişet-i sefihane yüzünden. A. Mitat›.

sefil, sefile, *A. s.* [Sefalet'ten] Sefalet çeken. Yoksul. Çok sıkıntıda. (ç. Sefilân, süfelâ). • ‹Elbet sefil olursa kadın alçalır beşer. — Fikret›.

sefile, *A. i.* (Türkçede yapılmıştır) Orospu. Düşmüş kadın. • ‹Behlûl'ün hatırasında tesadüfen temellük edilmiş bir sefile hükmünde kalacaktı. — Uşaklıgil›.

sefine, *A. i.* 1. Gemi. 2. Çeşitli konuları olan kitap. (ç. Sefain, süfün). • ‹Râkib-i sefine olanlardan maada — Veysi›. • ‹Sakife-i hâtır-i vesiinde sefine ve cönk gibi ebyat ü eş'ar ve letaif ü esmar bîşümar idi. — Latifî›.

sefir, *A. i.* [Sefaret'ten] Elçi. (ç. Süfera).

sefire, *A. i.* Elçi eşi.

sefk, *A. i.* Dökme, akıtma. • *Sefk-i dima'*, kan dökme, kan dökücülük. • ‹Birkaç senedir sefk-i dimayı mucib olan meseleler. — Kemal›.

sefl, *A. i.* Çöküntü, tortu.

seg, sek, *F. i.* Köpek. İt. • ‹Bir ruban seğirtip gider ve bir seg akabine düşüp dendaniyle sinirlerin çekip dider. — Hümayunname›.

segâbî, *F. i.* [Seg-âbî] (Zoo.) Kunduz.

segâh, *F. i.* Kürdî ile buselik arasında musiki makamı.

segban, sekban, *F. i.* 1. (Yeniçeri kurulunda) Hafif asker. 2. Av köpeklerine bakan kimse. (Seymen).

segbeçe, *F. i.* [Seg-beçe] Köpek yavrusu.

segcan, *F. s.* [Seg-can] İt canlı. Dayanıklı.

seh, *F. s.* Üç, 3. • ‹Cem-i kutbiyyet ü ferdiyyet ü gavsıyet ile — Seh sütun üzre durur bârigeh-i Şeyh. — Nabi›.

seha', *A. i.* (Ana.) Beyin zarı.

seha', saha, *A. i.* Bk. • *Saha.*

sehab, *A. i.* (Sin ve ha ile) 1. Bulut. 2. Karanlık. 3. Kalabalık uçuşan (çekirge gibi) böcek. • ‹Solgun bakışlarıyle. sema-yi kesifin — Teşyi eder gibiydi uzak bir sehabını. — Fikret›.

sehabe, *A. i.* Tek bulut. • ‹Tekâsüf eyleyerek bir sehabe halinde. — Fikret›.

sehabalûd, *F. s.* [Sehab-alûd] Bulutlu. • ‹Gece mukmir, sema sehabalûd. — Recaizade›.

sehabî, sehabiyye, *F. s.* Bulutsu. Bulutla ilgili. • ‹Bir şekl-i sehabide melekler gibi tâir. — Fikret›.

sehafet, *A. i.* (Sin ve hı ile) Akılsızlık. Akıl hafifliği.

sehaî, sehaiyye, *A. s.* Beyin zarına ait, onunla ilgili. Beyin zarı-i.

sehaib, *A. i.* [Sehabe ç.] Bulutlar. • ‹Kış — Ayrılmak istiyor, fakat ayrılamıyor gibi — Örter, açar, bakar, yine örter sehaibi. — Fikret›.

sehakâr, *F. s.* [Seha-kâr] Cömert, eli açık. (ç. Sehavetkâran).

sehanet, *A. i.* (Sin ile) Sıcaklık.

sahanet, *A. i.* I. (Se ve hı ile) Kalınlık. 2. Sıkılık.

sehavet, *A. i.* (Sin ve hı ile) Cömertlik. El açıklığı.

sehaya, *A. i.* [Seha ç.] Beyin zarları.

seher, *A. i.* (He ile) Gece uyuyamama illeti. Uykusuzluk. • ‹Müptelâyan-i seher gıpta ile der tarih — Bir gece daldı ecel uykusuna tiryaki. — Süruri› ‹Bu intibahtan pek az sonra seferlerde arzu-yi faaliyetle titreyen genç bir cemiyet cevelan ediyordu. — Cenap›.

seher, *A. i.* (Sin ve ha ile) Sabah açılmaya başladığı vakit. • *Alesseher*, sabah erkenden. • ‹Geçen leyal-i safanın o çeşm-i hasretidir — Ki dûrdan nazar etmekte âlem-i sehere. — Fikret›. • ‹Her seher bir gül açar, her gece bir bülbül öter. — Beyatlı›. — (Ed. Ce.) :

• *Biseher,*
• *cebhe-i seher,*
• *lika-yi seher,*
• *necm-i seher,*
• *pür-seher,*
• *reng-i seher,*
• *şule-i seher.*

sehergâh, F. i. [Seher-gâh] Seher zamanı. Sabahın erken zamanı Ah-i sehergâh, sabahları edilen ah; geceyi bekleyerek geçirenlerin sabah ahları. • «Dâd o zalimden eğer böyle kalırsa nazı — Ne figan-i dil ne ah-i sehergâh bilir. — Nef'î».

seherhîz, F. s. [Seher-hîz] Sabahları erken kalkan. Erkenci. • «Bekler hübub için o seherhîz olan sabâ — Bir hiramını. — Fikret».

seherî, seheriyye, A. s. Sabah ve tan zamanıyle ilgili. Mürg-i seher, bülbül. • «Gittim seherî taat için mesçide nagâh. — Ruhi».

sehhaka, A. s. Sevici kadın.

sehhar, sahhar, A. s. [Sihr'den] 1. Büyücü. 2. Büyü gibi bir kuvvetle çeken. Büyüleyici. • «Tahattur eylediğim lâhza aşk-i sehharı. — Fikret» • «Bütün göğsü kurun-i vusta sehhareleri gibi (...) timsah, para, kuş, tarak, tırnak, (...) daha hangi şeylerin taklilteriyle mestur. — Cenap».

sehin, A. s. (Sin ve hı ile) Kalın. Sık. Pek.

sehiy, sehy, Bk. • Sehy.

sehl, A. s. Kolay. • Sehl-i mümteni (Ed.) kolay ve sade göründüğü halde bulunup söylenmesi, benzeri yapılması güç olan. • «Bahr-i ateş-i sarsar-i ahım huruşum görme sehl. — Nailî».

sehlen, A. zf. Kolaylıkla. Ehlen ve sehlen, safa geldiniz.

sehlter, F..s. [Sehl-ter] Çok kolay. En kolay. • «Eğerçi zevktir meyhanelerde câm-i Cem çekmek — Cem'e memnunluktan sehlterdir bâr-i gam çekmek. — Nabi».

sehm, A. i. 1. Ok. 2. Yay. 3. Aksiyon (ç. Esham, siham). • «Hadise derhal tebdil-i kıyafet eder, güya her tarafından bir sehm-i tehlike görünür. — Cenap».

sehm, F. i. (Sin ve he ile) Korku.

sehmgîn, F. s. [Sehm-gîn] Korkunç. Korkulu.

sehmnâk, F. s. [Sehm-nâk] Korkunç korkulu.

sehpa, F. i. [Seh-pâ] Sehpa. Üç ayaklı (masa), sıpa.

sehşenbih, F. i. [Seh-şenbih] Üçüncü gün salı günü.

sehv, A. i. Yanlış. Sehv-i kalem, yanlışlıkla yazma; -mürettip, dizici yanlışı -tertip, dizme yanlışı. (ç. Sehviyyat).

sehv, A. i. Suhur.

sehven, A. zf. Yanlışlıkla. Yanılarak.

sehviyat, A. i. [Sehv ç.] Yanlışlar.

sehy, sehiy, F. s. 1. Doğru, düz. 2. Fidan gibi (boy). • «Ol iki semenber-i sehiy kadd — Birbirine oldular mukayyed. — Fuzuli».

sek, seg, F. i. Köpek, it. • «Sek-i kemkadr-i derinden dahi kemter kaderim — Üstühvarpare-i ihsanın ile et beni yâd. — Nabi».

sekam, A. i. Hastalık, illet. (ç. Eskam).

sekâbi, F. i. [Sek-abi] (Zoo.) Kunduz.

sekân, F. i. i. [Sek ç.] Köpekler. • «Bekler kemin-i fırsatı manende-i sekân — Hatırşikenlik etmek için bed-hisaller. — Nabi».

sekb, A. i. Sıvı dökme.

sekban, segban, Bk. • Segban. • «Cafer kethüdayı bir mikdar sekban ile inare-i fitne için göndermiş idi. — Naima. • «Erişmiş olsa bu vakte Bu Ali Şîr-i Nevayi ger — Olurdu ol hıdiv-i ekremin bi şüphe sekbanı. — Nedim».

sekebe, A. i. Örme takke.

sekebe, A. i. (Başta olan) Kepek.

sekenat, A. i. ç. Durma (lar), duruş (lar). • Harekât ü sekenat (kımıldmalar ve duruşlar) davranış.

sekene, A. i. [Sakin ç.] Oturanlar.

sekerat, A. i. ç. Sarhoşluk. Sekerat-ülmevt, can çekişirken gelen kendinden geçme. • «Çal, simdi, şu ân olsa da ân-i sekeratım. — Fikret».

sekine, sekinet, A i. 1. Karar, rahat, dinlenme. 2. Yürek rahatlığı, kafa dinçliği. İnanç. 3. Beniisrail'e ihsan olunan bir mucize (Sandık içinde gezdirilir, kendilerine inanç düşmanlarına korku verirdi). • «Kapsan da bizi sefinemizden — Gitmez bu sekîne sinemizden. — Naci». • «Kendisine o evin sûkûnuyle hem-ahenk olacak bir hayat-i sekine vücuda getirseydi? — Uşaklıgil».

seklî, A. s. Çocuğunu kaybetmiş (ana).

sekr, A. i. Sarhoşluk • «Humma-yi aşkın cismaniyetini sızlatark ıstırab-i sekrini duymuşmuş. — Uşaklıgil».

sekran, A. s. [Sekr'den] Sarhoş. (ç. Sükâra). • «Lâkin bu sefer kış, o soğuk zair-i sekran. — Fikret».

sekraver, F. s. Sarhoşluk verici, saıhoş eden, baş döndüren. • «Daha dün gece bir zemzeme-i sekraverin kanadlarıyle. — Uşaklıgil».

sekre, sekerat, A. i. Sarhoşluk. Şaşkınlık, şiddet. (ç. Sekerat).

sekt, *A. i.* 1. Sesi soluk almadan durdurma. 2. (Ed.) *Sekt-i melih,* nazımda hareke düşüklüğünden ileri gelme ahenk kırıklığı.

sekte, *A. i.* 1. Durgunluk, kesilme. 2. Bozukluk, zarr, 3. Kanın birdenbire durması. Damla. • ‹Bu rükûdet, bu samt ü cevf-i leyal — Ruhu bir sekte-i tereddütle — Habseder bir azab-i seyyale. — Cenap›.

sektedâr, *A. s.* [Şekte-dâr] 1. Zarara uğrama, 2. Ahengi bozulma. Düzensiz. • ‹İcra-yi agrazlarının sektedar olmaması zımmında. — Kemal›.

sel, sell, Bk. • *Sell.*

sel'a, *A. i.* Baştaki yarık. • ‹Ve kafasında bir sel'a vardı ki Türkîde ‹yarık› derler. — Taş.›.

selâcıka, *A. i.* [Selçuk ç.] Selçuklular. • ‹Zaman-i Selâçıka'da Ilgın ve Eskişehir nahiyelerine Âb-i Germ derlerdi. — Naima›.

selâkat, *A. i.* 1. Selika sahibi olma. 2. Düzgün ve uygun söyleme. ‹Tabiat-i şiiriyesi ve selâkat-i nazmiyyesi vardır. — Latifî›.

selâm, *A. i.* 1. Barış, rahatlık. 2. Son, iyi ve hayırlı olma. 3. Fani olmama, zevalsizlik. (Tanrı sıfatı). 4. Tanış. 5. Selâm. *Dar-üs-selâm,* 1. Cennet. 2. Bağdat şehri; *Mesinet-üs-selâm,* Bağdat şehri; *sellemehüsselâm,* selâmsız, sabahsız; damdan düşer gibi. • ‹Selâm verdim rüşvet değildir deyu almadılar. — Fuzulî›. • ‹Bihruz Beyin sellemehhüsselâm ortaya sürmek istediği. — Recaizade›.

selâmet, selâme, *A. i.* 1. Salim olma. 2. Emin olma. 3. İyi son. 4. Kurtulma. 5. (Ed). İbrenin düzgün ve doğru olması. • ‹Senin selâmet-i fikrin demek selâmet-i hal. — Fikret›.

selâse, *A. s.* (*Se* ile) Üç (3). • ‹Bu şurut-i selâseyi câmi fikirler. — Cenap›.

selâset, *A. i.* (Ed.) Anlatıştaki kolaylık ve rahatlık. Kolay ve akıcı anlatış. • ‹Dil çeşme-i belâgat ana lûledir kalem — Âb-i zülal şi'r-i selâset şiardır. — Baki›.

selâsil, *A. i.* [Silsile ç.] 1. Zincirler. 2. Birbirine ulaşıp giden şeyler. 3. Sıra dağlar. *Selâsil-i müşkin,* sevgilinin saçı. • ‹Kapıcılar gelip Bekir Paşayı Tımışvar'dan alıp selâsil-i ahenine çekip araba ile. — Naima›.

selâsin, selâsun, *A. s.* (*Se* ile) Otuz.

selâtet, *A. i.* (*Sin,* tı ve *te* ile) Acı lakırdı söyleme. Acı dilli olma. • ‹Şecaat ve selâtet-i lisanda ne kendisi nefsine adîl ve ne onu görenler ana mesîl görmüştür. — Taş.›.

selâtin, *A. i.* [Sultan ç.] Sultanlar. • ‹Serv-i serdar-i şerefraz-i selâtin-i cihan. — Bakî›.

selb, *A. i.* 1. Kampa, zorla alma. 2. Kaldırma, giderme. 3. Olumsuz hale koyma. • ‹Suret ü siretteki zıddıyeti — Fehm ile selb eyledim emniyyeti. — Naci›.

selbî, selbiyye, *A. s.* Olumsuzlukla ilgili.

selc, *A. i.* (*Se* ile) Kar.

selcem, *A. i.* Şalgam.

Selçukî, Selçukiyye, *A. s.* Selçuklu.

seleb, *A. i.* 1. Birbirinden kapılıp alınan şey. 2. Birinden soyularak alınan şey. 3. Savaş aleti. • Bir gün Yusuf Paşa saz ü seleb ile süvar olup. — Naima›.

selef, *A. i.* 1. Bir yerde başka birinden önce bulunmuş olan kimse. Eski adam. (ç. Eslâf). • ‹Ve sipah dahi selefte kaide üzre kurulup. — Naima›.

selem, *A. i.* Peşin para ile vereisye mal alma.

selh, *A. i.* (*Sin* ve hı ile) 1. Yüzme, soyma. Derisini çıkarma. 2. Arabî ayının son günü. • ‹Selh ü ilmam ü tevarüd diye sonra çalışır — Aybını setre nice düzd-i tuvana-yi suhan. — Sümbülzade›.

selhhane, *F. i.* [Selh-hane] Salhane. • ‹İran ü Turan'da cins-i nisadan eser kalmayıp sahra-yi âlem selhhaneye döndükte mi âlem mamur ü âbadan idi? — Veysi›.

selîb, *A. i.* Güzel söyleme veya yazmadaki istidat. Düzgün ve temiz söyleme.

selika, *A. s.* 1. Soyulmuş, giderilmiş. 2. Tıraş olunmuş.

selim, selime, *A. s.* [Selâmet'ten] 1. Iyileşmesi kolaylıkla olan (Hastalık). 2. Kusursuz. Sağlam. *Akl-i selim, hiss-i selim tab-i selim, zevk-i selim.* • ‹Yevm-i lâyenfa'da kalb-i selim isterler. — Ruhi›.

selis, selise, *A. s.* [Selâset'ten] Düzgün, akıcı (anlatış). • ‹Olmasa nazm-i selisimde aceb mi tâkid. — Nef'i›.

sell, *A. i.* Yavaşça çekip çıkarma. Sıyırma. *Sell-i seyf,* kılıç çekme.

sellâh, A. i. [Selh'ten] Kasaplık hayvan kesen, yüzen. • «Manend-i ganem seni bu bissmilgehte — Üfler şişirir sellâh-i kaza. — Nabi».

selle, A. i. (Sin ile) Sele, sepet.

selle, A. i. (Se ile) Davar sürüsü. 2. Yıkama.

sellebaf, F. i. [Selle-baf] Sepetçi.

sellem, A. zf. • «Selâm etsin, selâmet versin» anlamıyle dualarda söylenir.

selm, silm, Bk. • Silm.

selsal, A. i. (Sin ve sin ile) Hafif soğuk, tatlı su. • «Ve selsal-i serçeşme-i neşatları. — Kâni».

Selsebil, A. i. Cennette bir ırmak veya çeşme. (Mec.) Tatlı su çeşmesi. • «Bazan sürud-i buse kadar tatlı bir sada — Bir şairane zemzeme-i sâf-i selsebil. — Fikret». • «Selsebili kalbinin nasıl çorak bir kum sahrasına döküldüğünü. — Uşaklıgil».

selva, A. i. 1. Bal. 2. Beniisrail'in Tih sahrasında bulunduğu müddetçe «men» ile beraber Tanrı ihsanı olan (bıldırcına benzer) kuş. • «Yeri var âleme men eylese selya-yi adem. — Akif Pş.». • «Eğerçi ne sahra-yi Tih görülüyor, ne o sahrada kavm-i Beniisrail'i terk sene besleyen kudret helvası yağıyor, ne de selva kuşları uçuyordu. — Cenap».

selvet, A. i. (Sin ve te ile) Yürek rahatı.

sem, semm, A. i. Bk. • Semm.

sem', A. i. 1. İşitme. 2. Dinleme, kulak asma. 3. Kulak. • «Ederdi sem-i hayalimde bi-misal — Bir aks-i canrüba. — Fikret». • «Asvat-i arza karşı sen etmiştin itiyat — Bass ü şikâyet etmeyi alâm-i sem'den. — Cenap».

semâ, A. i. (Sin ve hemze ile) Gök. (ç. Semavat). • «Sema dalar o zaman bir perili rüyaya — Serer zemine ağaçlar sedefli bir saye. — Fikret».

sema', A. i. (Sin ve ayın ile) 1. İşitme. 2. Mevlevi âyin dönüşü. • «Hızlanana mevlevi semaiyle — Yedi kat arşa çıkmış âyin'i. — Beyatlı».

semaceţ, A. i. Çirkinlik. Kötü görünüş.

semaen, A. zf. İşiterek.

semahat, A. i. Cömertlik, el açıklığı. • «Pes ol yerlerde bir şey lûtfederse aç urbana — Birine bir çanak kısrak südü vermek semahattir. — Nedim».

semaî, semaiyye, A. i. 1. Kurala bağlı olmayan, işitilmekle öğrenilen. 2. (i.) Özel makamı olan ve bir kıtalık bulunan şarkı. • «Semaî edatları kıyasî edatlar sırasına sokarak. — Z. Gökalp».

semaî, semavî, A. s. 1. Gökle ilgili 2. Tanrıdan olan, Tanrı işi. • «Etrafını birden sarıyorlar o semaî — Bir tude-i ezhar-i muhayyel gibi lerzan. — Fikret».

semaim, A. i. (Sin ve hemze ile) [Semum ç.] Sam yelleri.

sem'an, A. zf. 1. İşiterek. 2. Dinleyerek. • Sem'an ve taaten, baş üstünde.

seman, semaniye, A. s. (Se le) Sekiz.

semanet, A. i. Semizlik, yağlılık.

semanîn, semanun, A. s. (Se ile) Seksen. • «Velâdeti sene-i semanînde idi. — Taş.».

semaniye, A. s. Sekiz (8). • «Ebülfeth sultan Mehmet Han medrese-i semaniye bina edip. — Kâtip Çelebi».

semapâre, F. s. Gök parçası.

semar, simar, A. i. (Se ile) [Semer ç.] Yemişler, meyvalar.

semasire, A. i. (Sin ile) [Simsar ç.] Simsarlar, tellâllar.

semavat, A. i. [Sema ç.] Gökler. • «Yükselir semavata — O sükût an-i hoşgüzeştesinin. — Fikret».

semavî, semaî, A. s. 1. Gökle ilgili. 2. Tanrıdan olan, Tanrı işi. • «Ben isterim ki semavi olan muhabbetime. — Fikret».

semc, A. s. (Sin ile) Çirkin.

seme, A. s. (Sin ile) Boş, yalan olan şey.

semek, A. i. Balık. (ç. Esmak). • «Yemek ne demek bî-nemek olunca semek. — Sürurî».

semen, F. i. (Sin ile) Yasemin. Berg-i semen, yasemin yaprağı. • «Arılar mest-i semen, mest-i çemen. — Konuyor bir güle, bir sünbülden. — Cenap».

semen, semn, A. i. (Sin ile) Semizlik, yağlılık. • «Recai'ye semen geldi bu mahzende oturmaktan. — Recaî».

semen, A. i. (Se ile) 1. Değer, tutar. 2. Satılan şeyin bahasıdır. (Mec. 152). • semen-i misl, bir malın tam değeri; -müsemma, alıcı ile satıcının kararlaştırdıkları baha. (ç. Esman). • «Kabz-i semen hüccetin göndermişti. — Naima».

semin gibi beyaz. Yasemin göğüslü.

semenber, F. s. [Semen-ber] Göğsü yasemin.

semenbu, F. s. [Semen-bu] Yasemin kokulu. • «Ruh-i dilcu da güzel zülf-i semenbu da güzel. — Abdi Pş.». • «Bir îd-i münevver gibi ey hüsn-i semenbû — Ömrüm bana zülfün arasından güler ancak. — Cenap».

semend, *F. i.* 1. Kula at. 2. Çevik ve güzel at. ● *Semend-i hame*, kalemi çevik bir ata benzetme, eski yazıda çok geçerdi. ● Geda-yi bî ser ü payı semend-i naza çiğnetme — İkende hüsne mağrur olma sultanım bu dünyadır. — Bakî».

semender. *F. i.* 1. Ateşte yaşar bir masal hayvanı (salamandre). 2. Soğukluğuyle ün almış bir cins su kertenkelesi. ● «Ey abâ peşm semendersin ki suzan olmadın. — Naci».

semenfam, *F. s.* [Semen-fâm] Yasemin renkli. ● «Zira geçiyor ah — Saat-i semenfam — Cenap».

semeni, *A. i.* Tereyağı.

semensâ, *F. s.* [Semen-sâ] Yaseminisi. ● «Ruhlerin üzre yatar zülf-i semensa gûya — Gül-i terden edinir kenduye pister sünbül. — Bakî».

semer, *A. i.* (*Se* ile) Yemiş, meyva. (ç. Esmar, simar).

semer, *A. i.* (*Sin* ile) [Gece sohbeti] ve gece meclisi.

semerat, *A. i.* (*Se* ile) [Semere ç.] Yemişler. Faydalar. Sonuçlar. ● «Eyledi halka ifaza semerat-i rahmet — Mezar-i âlem-i gark-i gil ebri zalâm. — Ziya Pş.».

semere, *A. i.* (*Se* ile) 1. Yemiş. 2. Fayda. Kâr. 3. Sonuç, elde edilen şey. *Semere-i fuad*, evlât. (ç. Semerat). ● «Hayatının bîsemere fedakârlıklarını. — Uşaklıgil».

semeredar, *F. s.* [Semere-dar] 1. Yemiş veren. 2. Verimli, kârlı.

semh, *A. s.* (*Sin* ve *ha* ile) Cömert.

semhâ, *A. s.* Aşırı cömert (kadın).

semha, *A. i.* Kolaylık. ● «Semha--i sehle ve beyza-i nakye olmak şarttır. — Taş.»

sem'î, sem'iyye, *A. s.* (*Sin* ve *ayın* ile) [Semi'den] İşitmekle ilgili.

semi', semia, *A. s.* [Sem'den] İşiten. ● «Semi'sin ki sem'ine alet yoktur. — Sinan Pş.».

semih, semiha, *A. s.* Bol, cömert vergili. ● «Şehzade-i irfanın gehvare-i semihi bizde. — Cenap».

semil, *A. i.* Eskimiş (giyecek).

semile, *A. i.* 1. Artmış, artık şey. 2. Dere içinde su artığı.

semîn, semîne, *A. s.* (*Se* ile) Çok değerli, pahalı. ● «Bahar-i heveste çektiğim alâma karşılık — Bir dürre-i semîne gibi kaldı yadigâr. — Cenap». ● «Âbdan her katre tevfikınle bir dürr-i semîn. — Fuzulî».

semin, semine, *A. s.* (*Sin* ile) Semiz, yağlı. ● «Ten-i semini, cephe-i bülend ü handanı. — Fikret».

semir, *A. i. s.* 1. Arkadaş. 2. Niteliği olan.

semiy, semiyye, *A. s.* Adaş, aynı adda olan. ● «Semiyy-i fâtih-i Beytülharam Haci Emin. — Şinasi».

semm, sem, *A. i.* Ağı, zehir, ● *Semm-i kaatil*, öldürücü etkide zehir; ● *semm-ül-fâr*, sıçan otu. (ç. Sümum). ● «Aşk ehline ayine vü zuhd ehline semmdir. — Kâzım Pş.».

semmah, *A. s.* [Semahat'ten] Çok cömert. ● «Âsafâ derya kefâ semmah-i Hetem masrafâ — Mübtenidir tıynetin afdâl ü ihsan üstüne. — Nedim».

semmî, semmiyye, *A. s.* Zehirli zehirle ilgili.

semmiyet, *A. i.* Zehirlilik. Ağılılık. ● «Ol sahil-i pür-helâhilin semmiyyet-i mâr ve vehamet-i havası sebebiyle. — Naima».

semmur, *F. i.* Samur. ● «Dûş-i liyakatine samur kürk libas olundu. — Raşit». ● «Semmurunu kaplat bu sene kırmızı şale. — Nedim».

semmuriyye, *A. i.* Fransızca'dan *mustélidées* (susamurugiller) karşılığı (XX. yy.).

semn, *A. i.* (*Sin* ile) Tereyağı.

semra, *A. s.* Esmer.

semt, *A. i.* 1. Yön, taraf. 2. (Ast.) Açıklık. Azimut. ● *Semt-i kadem* (Ast.) ayakucu, *semt-ür-reis* (Ast.) başucu. ● «Semti re'sinde güneş pürfeveran — Ediyor neşr-i şua-i nîran. — Fikret». ● «Semt-i re'sinde titresin ruhum — Sen okurken bu şiîr-i mahzunu. — Cenap».

Semud, *A. i.* Hicaz'ın Hayber şehri kuzey taraflarında bulundukları söylenen bir kabile. Salih peygambere yaptıkları kötülüklerin cezası olarak üç gün yüzleri türlü renge girdikten sonra dördüncü gün bir ateş yağmuru ile yok olmuşlardır. ● «Güruh-i merdud-i âl-i Semud kuvvet-i şedit ve batş-i mezid ashabı olmakla. — Veysi».

semuh, *A. s.* [Semahat'ten] Çok cömert.

semum, *A. i.* Çölden geldiği için sıcak ve zehirli olan rüzgâr, sam. ● «Olsa ger bâd-i semum-i sahatınde pertâb — Ser-i bedbahına ta haşr yağardı samsam — Nedim».

sena, sina, Bk. ● Sina.

sena', A. i. (Se ile) Överek ve ululuyarak niteleme. (ç. Esniye). ● ‹Kimse pamâl edemez kimseyi eyyamında — Meğer evrak-i sanayı kalem-i çabukpâ. — Nabi›. ● ‹O kadar sena-yi hüsnünü işittiğim hadayik-i sayfiyeyi görmek için. — Cenap›.

sena, A. i. (Sin ile) Şimşek parıltısı. ● ‹Berk, ruhundan etti cezb-i sena — Ey ziyabahş-i dide amenna. — Naci›.

senabik, A. i. [Sünbük ç.] At tırnakları. ● ‹Olur elbetet senabik-zen-i meydan-i kabul — Pençe-i masiyet olmazsa inangir-i dua. — Nabi›.

senabil, A. i. [Sünbüle ç.] Başkalar. ● ‹Mürur-i eyyam ve kürur-i a'yamla hemçün senabil-i hazanreside gülistan-i âlemde pejmürde ve perişan olmayıp. — Salim›.

senahan, F. s. (Se ile) [Sena-han] Birini öven, metheden. ● ‹Yerde meddahı beşer gökte senahanı melek. — Bakî›.

senakâr, F. s. [Sena-kâr] Överek ve ululayarak niteleyen.

senakârane, F. zf. Öven birine ait, onunla ilgili. Öven birine yakışır yolda.

senakârî, F. i. Överek niteleme. (Eski mektup yazışmada kullanılır deyim).

senaver, F. s. [Sena-ver] Öven.

senaverane, F. s. Birini övene ait, onunla ilgili.

senaverî, F. i. Övücülük.

senaya, A. i. (Se ile) [Seniyye ç.] Öndeki dört dişler.

-senc, F. s. ‹Tartan, ölçen, değerlendiren› anlamıyle kelimelere eklenir.

sencab, sincab, F. i. Sincap.

sencer, F. i. Hal ve aşk ehlinden kimse.

senceristan, F. i. Hal ve aşk ehli tekkesi.

sencide, F. s. 1. Tartılmış, ölçülü. 2. İyi düşünülmüş, tam yerinde (söz). ● ‹Etse sencide kimi haslet-i nigû-yi edeb — Ref eder hâkten elbette terazu-yi edeb. — Nabi›.

sendan, sindan, A. i. Örs.

sendanî, A. s. Örs gibi, örsü andırır.

sendel, F. i. 1. Sanadl. 2. Sandal ağacı.

sene, A. i. (Sin ile) Yıl. (ç. Senevat, sinîn). ● ‹Üstünde belki on senenin jeng-i hüznü var. — Fikret›.

sened, A. i. 1. Dayanılacak şey, 2. Senet. 3. Tapu. 4. Kuvvetli, kanıt olacak söz. (ç. Senedat). ● ‹Musibetinin bir sened-i beliğini okumuş oldu. — Uşaklıgil›.

seneteyn, A. s. İki yıl.

senevat, A. i. [Sene ç.] Yıllar. ● ‹Senevat-i ömr-i berbad dade-i nisab-i erbainden. — Nergisî›.

senevî, seneviyye, A. s. Yılda bir olan veya bir yıl içinde olan. ● ‹Oralarda senevi bir milyon kile buğday ihraç olunur. — Kemal›.

senevî, seneviyye, A. s. (Se ile) [Sünai'den] Biri hayır öteki şer için olan iki tanrı sanısında bulunan.

seneviyye, A. i. (Se ile) Hayır ve şer için iki tanrı tanıyanlar yolu.

seng, senk, F. i. Taş. ● Seng-i felâhen, sapan taşı. ● ‹Muhitimin beni yekpare seng-i hare gibi — Sıkıp erittiği demler. — Fikret›. ● ‹Seng-i felâhan ursa eğer dest-i rüzgâr — Kandil-i aftab-i münevver şikest olur›.

sengdil, F. s. [Seng-dil] Taş yürekli, acımaz. (ç. Sengdilân). ● ‹Sen sengdilin şol ki derununda yer eyler — Âlemde hemen şikke kazar mermere cânâ. — Bakî›.

sengdilâne, F. zf. Katı yüreklilere yakışır yolda.

sengendaz, F. i. [Seng-endaz] Taş atma. ● ‹Afitaba jalelerden oldu sengendaz gül. — Hayalî›.

sengin, F. s. Taştan olan. ● Dil-i sengîn, taştan yürek. ● ‹Biraz hayat ü hararet şu cism-i sengîne. — Fikret›.

sengistan, F. i. Taşlık yer. ● ‹Sengistan yer olmakla asker gönderilmek münasip olmamakla müdara için. — Naima›.

senglâh, F. i. Taşlık, taşı çok yer. ● ‹Üstüne soğuk sular döküp senglâh üstüne yatırdılar. — Nergisî›.

sengpâre, F. s. i. [Seng-pare] Taş parçası. ● ‹Ben o sengpare ile — Tahattur eyliyorum işte, yirmi yıl akdem — Ölen kanaryama yaptımdı hücre-i matem. — Fikret›.

sengsar, F. i. Taşlama. Taş atma.

sengzar, F. i. [Seng-zar] Taşlık. Taşlı yer. ● ‹Bu sengzara yeşil bir sehabe halinde — Yağar yağar mütemadi esîr-i gufranın. — Fikret›.

sengzen, F. s. [Seng-zen] Taş atan. ● ‹Olmadan Ebreheveş sengzen-i Kâbe-i dil — Düşmen-i Kâbeye vur sengi ebabil gibi. — Nabi›.

seniy, seniyye, A. s. Yüce, yüksek.

seniyye, A. i. 1. Öndeki dört tane diş. (ç. Senaya).

sepa, *F. i.* Sehpa.

sepet, *F. i.* Sepet.

sepenz, *F. i.* Üzerlik tohumu.

sepid. *F. s.* Ak. • ‹Ol riş-i sepid ile yine eylemeyip şerm. — Nabi›. • ‹Şurada bir silsile-i harir-i sepid şeklinde. — Uşaklıgil›.

sepidedem, *F. i.* Sabah aydınlığı. • ‹Sepidedem ki olup dide hâbdan bîdar. — Nedim›.

ser, *F. i.* 1. Baş, kafa, kelle. 2. Baş, başkan. 3. Tepe, doruk. 4. Uc, kenar. 5. Son, nihayet. • ‹Huruşa başladı nagâh şerde derd-i humar. — Nedim. • ‹Gelir tezelzüle ruhum ser-i benanında. — Fikret›.

ser-, *F. s.* ‹Baş, başkan› anlamıyle kelime başlarına katılır. • *Serkâtip,* • *sermuharrir*

sera', *A. i. (Se ile)* 1. Toprak. 2. Yeryüzü. • *Eyn-es-esar ves-süreyya,* yer nerede, ülker nerede; • *fevk-es-sera,* toprak üstü; *taht-üs-sera,* toprak altı. • ‹Mizmar-i seradan gelen asude nevalar — Cûlardaki sazende hayalât. — Cenap›.

-sera, *F. s.* • ‹Şarkı söyleyen, terennüm eden› anlamıyle kelimelere katılır. • *Nağmesera,* • *suhansera.*

serab, *F. i.* Sıcak günlerde çorak yerlerde gündüz ortasında su gibi görünen buğu, sis. Alkım salkım. • ‹Ah ey gaflet ey serab-i nasib — Seni mümkün mü etmemek tââkiâb. — Fikret›.

serabi, *A. s.* 1. Serabla ilgili. 2. Serab gibi. • ‹Bir mehd-i serabide çocuklar gibi yattık. — Fikret›.

serabil, *A. i.* [Sirbal ç.] Gömlekler.

serabıstan, *F. i.* 1. Scrab görünen yer. 2. Bu dünya.

seraçe, *F. i.* Küçük saray, evcik. • ‹Timsal-i serace-i hayalin. — Revzenleri mai tülle mestur — Bir köşk aşiyan-i aşkım. — Fikret›.

seradik, süradik, Bk. • *Süradik.*

seragaz, *F. s.* [Ser-agaz] Yeniden başlama. Baştan başlama.

serah, *A. i. (Eşini)* Boşama.

serahenk, *F. i.* [Ser-ahenk] 1. Çalgı takımı başı. Orkestra şefi. 3. Çalgıcı başı. (ç. Serahengânââ). • ‹Ey zemzemeferma-yi seraheng-i sahari. — Cenap›.

serair, *A. i.* [Serire ç.] Gizli şeyler. • ‹Fikrimde seherhîz olacaktır sana dair — Bir leyl-i serair. — Fikret›.

seramed, *F. s.* [Ser-amed] Başta gelen. Başta bulunan, başkan. (ç. Seramedan). • ‹Şive vü nazda seramed idi. — Nahîd› • ‹Elif ki encümen-i harfte serâmeddir. — Nabi›.

serapâ, *F. s. zf.* Baştan ayağa, bütün hep. • Âlem oldu in'ikasından serpa gark-i nur. — Cenap›.

seraperde, *F. i.* 1. Saray perdesi. Bir büyük konağın kapısında bulunan harem ile selâmlık arasındaki büyük perde. 2. Padişah çadırı. 3. Çadır perdesi, tozluk. • ‹Serir-i devletine asman seraperde. — Nef'î›.

serar, serare, *A. i.* Ayın son gecesi.

serarî, *A. i.* [Süriyye ç.] Cariyeler, odalıklar. • ‹Merhum Fazıl Hüseyin Paşanın bazı serarisin tezevvüç eden. — Naima›.

seraser, *F. s. zf.* Baştan başa, bütün. Kumaş çeşidi. • ‹Seraser çeşm-i ibretten geçirdim nüsha-i dehri. — Nabi›. • ‹Huzur-i asafide esrasere kapalı kürk ilbas edildi. — Naima›.

serasime, *F. s.* Sersem. • ‹Biz mest-i serasime-i câm-i mey-i aşkız. — Nef'î›.

serasimegi, *F. i.* Sersemlik.

serasker, *F. i.* [Ser-asker] 1. Asker, ordu komutanı. (Yeniçeri zamanında). 2. Millî Savunma Bakanı (Tanzimat'tan sonra). • ‹Mora canibinde olan asakir-i İslâm üzerlerine serasker tâyin olundu. — Raşit›.

seraskeri, *F. s.* (Tanzimat'tan sonra) Seraskerlikle ilgili, Millî Savunma Bakanlığına ait. • *Bab-i Seraskerî.* (Serasker kapısı) Serasker dairesi, İstanbul'da şimdiki Üniversite binası.

seravil, *A. i.* İç donu. Şalvar. • ‹Seravilimin uçkurunu çıkarıp. — Taş.›.

seray, *F. i.* 1. Saray. 2. Büyük konak. 3. Hükümet konağı. • ‹Nice bahşiş ve atâyayı amme-i şaraya verdi. — Sadettin›. '

seraya, *A. i.* [Seriyye ç.] Düşman üzerine gönderilen asker müfrezeleri.

seraydar, *F. i.* Ayvaz, büyük yerlerde yemek ve sofra işlerine bakan kimse.

serayende, *F. s.* Şarkıcı. Şarkı söyleyen. (ç. Serayendegân).

serazad, *F. s.* [Serazad] 1. Serbest, hür, başı boş. 2. Rahat, dertsiz. (ç. Serazadegân). • ‹Ne serazade ömr-i sâfiydi — Geçecek gölgesinde çamlarının. — Fikret›. • ‹Dünya-yi dûnu bahşederek dünyevilere — Divan-i Cem'de rind-i serazad olun dedi. — Beyatlı›.

serb, *A. i.* Bağırsakları saran yağ İçyağı.

serbaz, *F. s.* [Ser-baz] 1. Korkusuz. Cesaretli. 2. İranda bir sınıf asker. (ç. Serbazan). • «Ne bir zahm-i nigâh ü ne esir-i zülf-i müşkinim — Anınçün saf-i serbazan-i aşk içre yerim yoktur. — Vecdi».

serbazi, *F. i.* Cesurluk, yiğitlik. • «Serbazi-i tab'ıma şaşılsın. — Naci».

serbeceyb, *F. s.* [Ser-be-ceyb] Utanma veya keder etme, yahut düşünmekten başı göğsü üzerine sarkmış olan.

serbeha, *F. i.* [Ser-beha] Baş pahası. Diyet. haraç.

serbemühr, *F. s.* Ağzı mühürlü.

serbend, *F. i.* [Ser-bend] Başa sarılan veya bağlanan şey. • «Ta kim ola dâd-i aha manend — Bağlanmış idi benefşe serbend. — Fuzulî».

serberan, *F. s.* Baş göstermiş, hemen nerdeyse olacak gibi.

serbeser, *F. s. zf.* 1. Baştan başa, büsbütün. 2. Başbaşa. 3. Başabaş. • «Bu kârgâh-i ilâhîde Nabiyâ — Ayş ü keder muhasebede serbeser gelir. — Nabi». • «Gel bu akşam da serbeser güzelim — Levha-i kâinatı seyr edelim. — Cenap».

serbest, *F. s.* 1. Başı boş. Kayıtsız, istediği gibi davranan. 2. Sıkılmayan. Engelsiz. • «Ne vakitten beri kızlar validelerine karşı izdivaç hakkında serbest lakırdı söylemeye başladılar? — Uşaklıgil».

serbestane, *F. zf.* Serbestçe. • «Yeğeninin fikirlerini pek serbestane söyledikten sonra. — Uşaklıgil».

serbeste, *F. s.* Başı bağlı veya örtülü, Gizli. • «Evvelâ ilm-i maanide meharet lâzım — Bilmeye nükte-i serbeste-i mânayi sühan. — Sümbülzade».

serbestî, *F. s.* Serbestlik. • «Kemal-i serbestî ile düşünebilmek. — Uşaklıgil».

serbestiyet, *A. s.* Serbestlik.

serbesücud, *F. s.* [Ser-be-sücut] Secde edici. Başını yere değdirici.

serbezemin, *F. s.* [Ser-be-zemin] Başı yere eğilmiş olan.

serbülend, *F. s.* [Ser-bülend] Başı yüksek. Yüce. (ç. Serbülendan). • «Her d5na şah-i gül gibi meyl etme ey dostum — Düşmez giyaha hemser ola serv-i serbülend. — Baki».

serbülendî, *F. i.* Başı yükseklik. Yücelik.

serbürehne, *F. s.* Başı açık. • «Serbürehne bir geda ol şah olma tâcdar. — Hayalî».

serbüride, *F. s.* [Ser-büride] Başı kesilmiş. • «Serbüride-i şemşir-i âbdar edip kelle-i bidevletlerin rikâb-i kâmyaba gönderdiler. — Raşit».

serc, *A. i.* Eyer. (ç. Süruc).

ser cünban, *F. s.* Baş sallayıcı. • «Hem eder ta'ne hem olur ser cünban — Düşmana har mı desem ya büz-i Ahfeş mi desem. — Münif».

serçeşme, *F. i.* [Ser-çeşme] 1. Çeçme başı. Pınar, su başı. 2. (Tanzimattan önce) Yardımcı askerin maddî işlerine bakan kimse. 3. Pîr. 4. Baş. (ç. Serçeşmegân). • «Dilteşnelere kalmadı yekkatre-i feyzin — Serçeşme-i ihsanını ağyar kuruttu. — Ragıp Pş.». • «Giryeyi ol dem ki ehl-i aşka âyin ettiler — Dide-i giryanımı serçeşme tâyin ettiler. — Nevres».

serd, *F. s.* 1. Soğuk. 2. Sert. 3. Kaba, hoyrat. • «Beyaz-i berfi sevad-i leyle mezc ediniz — Bu reng-i serd ile manzur olurdu vech-i sema. — Fikret».

serd, *A. i.* (Sözü) birbiri ardınca düzgün ve iyi söyleme. • «Serd eylediğim sözleri üss-ül-harekât et. — Naci».

serdab, *F. i.* Çok sıcak zamanlarda sığınılacak yeraltı odası. • «Kendi mezilinde bir serdaba hulûl ve duhul edip. — Sahip».

serdabe, *F. i.* Bk. • *Serdab.* • Olmuş o da serdabe nişin-i Arabistan. — Naci».

serdabe, *F. s.* Baş vermiş, baş göstermiş olan.

serdar, *F. i.* Asker başı, komutan. • *Serdar-i ekrem,* başkomutan. (ç. Serdâran). • «Yetmez mi sana emîr-i kâmil — Serdar-i zemane Veys-i âdil. — Fuzulî».

serdarî, *F. i.* 1. Serdarlık. 2. (s.) Serdarlığa lâyık, sedarlıkla ilgili.

serdefter, *F. s.* [Ser-defter] Defterin başında yazılı olan. En başta olan, ileri geçen. • «Başımın yazısını hep gördüm — Benim erbab-i aşka serdefter. — Bâkî».

serdarhava, *F. s.* [Ser-der-hava] Düşüncesi heva ve heves olan. • «Serdarheva-yi aşkı idi diller olmadan — Bad-i sabaya kâkül-i canane âşina. — Nedim».

serdî, F. i. Soğukluk. • «Yüreğim pür-le-hib mihnetle — Donarak serd-i muhabbetle. — Fikret».

seref, A. i. Boş yere harcama. İsraf. • «İndimede medihalar sereftir — Memduh değilse medha ahra. — Naci».

serefkende, F. s. [Ser-efekende] Başını eğen. (ç. Serefkendegân). • «Hakşinas ehl-i nazar yâranın — Ayağı tozu serefkendesiyiz. — Bakî».

serefraz, serfiraz, F. s. [Ser-efraz] Başını yükselten, benzerlerinden üstün olan. • «Tab'ımın ne lâzım bilmek evcpervaz olduğun — Var o nahl-i işvenin seyret serefraz olduğun. — Nabi».

sereka, A. i. [Sarik ç.] Hırsızlar.

serencam, F. i. [Ser-encam] Başa gelen ders olacak olan. • «Dediler ârifan: Müessirdir — Bir serencam bin nisihatten. — Naci».

serendaz, F. s. [Ser-endaz] Çekinmez. başından korkmaz. (ç. Serendazan). • «Kim etti böyle serendaz-i hayret-i efkâr. — Nedim».

serengüşt, F. i. Parmak ucu.

seretan, A. i. 1. Yengeç. Çağanoz. 2. Yerince hasatlığı. 3. (Ast.) Güneşin Haziran 22 de girdiği Yengeç burcu. • «Medaric-i muvaffakıyat tayyederek seretan-i iştihara erdi. — Cenap».

sereyan, A. i. Dağılma, yayılma. Geçme, sirayet.

serfiraz, serefraz, Bk. Serefraz. (ç. serfırazan). • «Azadegân-i kayd-i emel serfiraz olur. — Ragıp Pş.». • «Serfirazan-i sulhiyun söyle veya böyle demişler. — Cenap».

serfirazî, F. i. 1. Başını yükseltme. 2. Maddî ve manevî yüksek olma. • «Paşa-yi gazi tahrik-i ra'yet-i serfirazî edip. — Naima».

serfüru, F. s. [Ser-füru] Baş eğme. Söz dinleme. • «Şükr ü minnet birer şerefhâhın — Serfürular nisar-i şehrahın. — Fikret».

serfüruburde, F. s. [Ser-fürubürde] 1. Baş eğmiş. 2. Düşünceye dalmış. • «Ferman sizindir cevabiyle serfürubürde-i tefekkür olup. — Raşit».

sergerdan, F. s. [Ser-gerdan] Başı dönmüş. Sersem. • «O da deşt-i belâda sergerdan — Arıyor kendi derdine derman. — Naci».

sergerdanî, F. i. Başı dönme. Sersemlik.

sergerm, F. s. [Ser-germ] Başı kızmış, kızgın. Coşmuş, sarhoş. • «Mihri ser-germ eylemiş mah-i nevi kılmış nizar. — Nazîm».

sergermî, F. i. 1. Kafa kızmak. Sarhoşluk. • «Sittin erişti ey dil inabet zamanıdır — Sergermi-i havadan ifakat zamanıdır. — Nabi».

sergeşte, F. s. [Ser-geşte] Başı dönmüş. sersem, şaşkın. • «Arzu sergeşte-i fikr-i muhal eyler beni. — Fuzulî».

sergîn, F. i. Gübre, fışkı. • «Tasaddur etse ne gam rinde cahil-i hodbîn — Gehiy tefavvuk eder bahre keşti-i sergîn. — Nabi».

sergiran, F. s. [Ser-giran] Başı ağır, sersem. iZyadece sarhoş. • «Bu neşenin sonu elbette sergiranlıktır. — Nabi».

sergiranî, F. i. Sarhoşluk. Mahmurluk.

sergüzeşt, F. i. [Ser-güzeşt] Bir insanın başından gelip geçen şey. • «Bütün bir sergüzeşti münkesir, bir ömr-i zehralûd. — Fikret».

serhadd, F. i. [Ser-hadd] Serhad. Sınır. (ç. Serhaddat). • «Füshat-i meydanının serhaddi hadd-i lâmekân. — Nev'î» • «Serhaddata evamir-i şerife ve masarif göndcrip mamur ve abadan ettirdiler. — Peçoylu».

serhaddar, F. i. [Ser-haddar] Sınır muhafızı.

serhan, F. i. [Ser-han] 1. Baş okuyucu, zâkir başı. 2. Sofra başı.

serhayl, F. i. [Ser-hayl] 1. Kervan baş. 2. Baş, başkan.

serhas, F. i. (Bot.) Eğreltiotu.

serhasiye, A. i. (Bot.) Eğreltiotugiller.

serheng, F. i. Çavuş. Yasakçı. (ç. Serbengân). • «Ol serheng-i baferhenk dahi. — Sadettin». — «Hakani'yem ben Muhteşem yanımda serhang-i haşem. — Naf'î».

serhoş, F. s. i. [Ser-hoş] Sarhoş. • «Filhal tagayyür gelir ol serhoş-i naza — Etmez bir iki sagar-i gülfama tahammül. — Nailî».

serhoşane, F. zf. Sarhoşça, sarhoş gibi. • «Severim serhoşane reftarı. — Naci».

seri', seria, A. i. [Sür'at'ten] Çabuk. • Seri-ül-hareke, hızlı giden. • seri-üzzeval, çabuk kaybolan, süreksiz. • «Nazarında elvah-i seria devran ederek. — Uşaklıgil». • «Seri-ül-mürur bir şerit üstündeki bir panoroma gibi. — Cenap».

serian, A. zf. Çabuk olarak.

serika, A. i. Hırsızlık. • «Ve serika-i sarihaları malûm olsa. — Latifî».

serin, sürin, *A. i.* Kıç.

serir, *A. i.* 1. Yatacak yer. 2. Taht. • ‹Onun o künc-i mezellet serir-i âmali. — Fikret›.

serirârâ, *F. s.* [Serir-ârâ] Tahtı süsleyen. Tahtta oturan.

serire, *A. i.* Gizli şey. (ç. Serair). • ‹Bu siyak üzere bast-i makal ve keşf-i serirei hal ettiler ki. — Nabi›.

seriri, seririyye, *A. s.* Fransızcadan *clinique* karşılı,ı olarak (XIX. yy.).

seririyyat, *A. i.* ç. Hastanelerde hasta yatakları yanında hekimler tarafından öğrencilere verilen hekimlik dersleri.

seriyye, *A. i.* Düşman üzerine yollanan asker takımı. • ‹Böyle bir gaile def'i için hazır bir seriyye olurlar imiş. — Naima›.

serkâr, *F. i.* İş başı. Müdür. Kâhya. • ‹Mesalih-i tâmirine kıyam için nazır ve serkâr tâyin buyurdular. — Sadettin›.

serkâtib, *F. i.* [Ser-kâtip] (Tanzimattan sonra) Mabeyin kâtiplerinin başı.

serkerde, *F. i.* 1. (Kötü anlamda) bir topluluk başı. 2. Gönüllü asker başı.

serkeş, *F. s.* [Ser-keş] Baş kaldıran. İnatçı, dik başlı, itaatsiz. (ç. Serkeşan). • ‹Ahger ola sefih-i serkeş — Etvarı kerih ü hulku nahoş. — Fuzuli›.

serkeşane, *F. s. zf.* İtaatsizlikle, inatla.

serkeşî, *F. i.* İnatçılık. İtaatsizlik.

serkûb, *F. i.* [Ser-kûb] 1. Başa vurma. 2. Başa vuracak şey.

serkûçe, *F. i.* [Ser-kûçe] Sokak başı.

serkûy, serikûy, *F. i.* [Ser-kûy] Yol, sokak başı. Mahalle başı.

serlevha, *F. i.* [Ser-levha] Yazı başlığı. • ‹İnce bir yazı ile bir serlevha koymuş idi: Nihal nahıma. — Uşaklıgil›.

serma, *F. i.* 1. Kış. 2. Soğuk. • ‹Bulun germabede sermâda germada ser-i mâda. — Şakir›. • ‹Nedir iniltisi hariçte bâd-i sermanın? — Fikret›.

sermadide, *F. s.* [Serma-dide] Pek üşümüş, donmuş. • ‹Mâr-i sermadideye Mevlâ güneş göstermesin›.

sermaye, *F. i.* 1. Anamal. 2. Bir malın mal olduğu değer. 3. Bilgi, ustalık. • ‹Suddan fârig olan sermayeden etmez ziyan. — Fehim›.

sermayedar, *F. i.* [Srmaye-dar] Sermaye sahibi. Sermayesi olan. Anamalcı. (ç. Sermayedaran).

sermed, *A. i.* Hep sürerlik. Hiç yok olmama. • ‹Olur mu herkese hüsn-i tabiat erzanî — Tabiat âyine-i ruh ü feyz-i sermeddir. — Nabi›.

sermedi, sermediyye, *A. s.* Sonu olmayan, bakî, sürer durur. • ‹Sermedî bir safa-yi ruyetle — Seyr-i firdevs-i mahremiyyet eder. — Fikret›.

sermediyyet, *A. i.* 1. Bakîlik. Sürerlik. 2. (Fel.) İlksizlik. • ‹Gezer nazarları âfak-i binihayette — Sükûn arar gibi aguş-i sermediyette. — Fikret›.

sermest, *F. i.* [Ser-mest] Sarhoş. (ç. Sermestan). • ‹Öyle sermestem ki idrâk etmezem dünya nedir. — Fuzuli›.

sermestane, *F. zf.* Sermestçesine. Sarhoşça, başı dönmüş olarak. • ‹Bir müddetten beri sermestane ve müteşevvikane. — Recaizade›.

sermestî, *F. i.* Sarhoşluk. • ‹İkisinin ruhunu esirî bir deraguş içinde eriten bir dakika-i sermestî geçmiş idi. — Uşaklıgil›.

sermenzil, *F. i.* [Ser-menzil] Durak yeri. • ‹Âzim-i sermenzil-i nehc-i sadakattir dilim. — Cenap›.

sermû, *F. s.* Kıl ucu, pek az şey. • ‹Yoksa emrinizden sermû harice çıkabileceğime ihtimal verir misiniz? — A. Mitat›.

sermuharrir, *F. i.* [Ser-muharrir] Başyazar.

sermuze, *F. i.* Kalçın ve kaloş üzerine giyilen ayakkabı. • ‹Olur atın önünce asman peyk-i cihan peyma — Ana hurşit tac-i zer hilâl-i çerh sermuze. — Bakî›.

sermüneccim, *F. i.* [Ser-müneccim] Müneccimbaşı.

sermürettip, *F. i.* [Ser-mürettib] Basımevinde mürettiplerin başı. • ‹Matbaada sermürettibe serfüru etmeli, tashihlere bakmalı. — Uşaklıgil›.

sername, *F. i.* [Ser-name] 1. Mektup başlığı. 2. Yazı başlığı, adı. 3. Bir topluluğun başı. • ‹Namını seng-i mezarından ifna etse yine sername-i âsarından imha ifna etse yine sername-i âsarından imha edemez. — Kemal›.

sernigûn, *F. s.* [Ser-nigûn] 1. Baş aşağı, tersine dönmüş. 2. Talihsiz. • ‹Ve sair alât-i harb ve sernigûn bayrakları ve tabılhaneleri. — Naima›.

sernihade, *F. s.* [Ser-nihade] Baş koymuş. Başını bir yere koymuş, dayamış. • ‹Sernihade-i secde iken. — Nergisi›.

sernüma, F. s. [Ser-nüma] Baş göstermek. • ‹Sahralar ötede beride sernüma çemenler arasında. — Cenap›.

sernüvişt, F. i. [Ser-nüvişt] 1. Başa yazılan, alın yazısı. 2. Başlık, yazının adı. • ‹Bu yüzden ölmek imiş hükm-i sernüvişti dirig. — Recaizade›.

serpaş, F. i. Çomak. Gürz.

serpenç, F. i. Başa takılan cevahirli süs.

serpençe, F. i. Kuvvetli, güçlü kimse, zorlu.

serpuş, F. i. [Ser-puş] Başa giyilecek şey. • ‹Behlûl'ün o kadar istihzalarına hedef olan serpuşları ne derece müzeyyen, mutantan ise. — Uşaklıgil›.

serra, A. i. Genişlik, bolluk, rahatlık hali. • ‹Dü mir'at-i tekabül-gûnedir serra ile darra. — Nabi›.

serrac, A. i. Saraç.

serrişte, F. i. [Ser-rişte] 1. İp ucu. 2. Tutamak. • ‹Rehzen-i ecel katı-i şerrişte-i emel olup. — Peçoylu›.

sersam, sersem, F. s. Başı dönmüş. Budala. Akılsız. Unutkan. • ‹Hey koca sersem! — Tevbihi tokatlarla gürüldürdi başımda. — Fikret›. • ‹Lîk mümkün mü bu evzaa tahammül ki eder — Âdemi her birinin bâd-i bürutu sersam. — Nabi›.

sersebük, F. s. [Ser-sebük] Hafif başlı, akılsız.

sersebz, F. s. [Ser-sebz] 1. Taze, genç, 2. Talihli.

serser, F. s. Düşüncesiz.

serseri, F. s. i. Başıboş. 2. İşsiz güçsüz. 3. Kayıtsız, düşüncesiz. (ç. Serseriyan). • ‹Bulabilsem o serseriyi bugün — Bir avuç altın eyleyip ihsan. — Fikret›.

serseriyane, F. zf. Serserice.

serşar, F. s. 1. Dökülecek derecede dolu. 2. Çok taşkın. • ‹Bu şeb bir afetin ibramı ile mecliste — Çekilmiş idi bir iki peyale-i serşar. — Nedim› • ‹Başında neşeli bir ninni söyler enharın — Sürud-i serşarı. — Fikret›.

serşikeste, F. s. [Ser-şikeste] 1. Başı kırık. 2. Ucu kırılmış olan. • ‹Fakat ağaçları hep serşikeste, hep uryan. — Fikret›.

sertab, F. s. İnatçı.

sertabekadem, F. zf. [Ser-ta-be-kadem] Baştan ayağa kadar. • ‹Sinelerde nigeh-i hasret-i peykânın iicn — Oldu sertabekadem dide-i giryan diller. — Nailî›.

sertabepâ, F. s. zf. [Ser-ta-be-pâ] Baştan tan ayağa. • ‹Sak u sürin ü gabgab ü leb meşrebimcedir — Ser ta be pây hep meşrebimcedir. — Nedim›.

sertabib, F. s. [Ser-tabib] Baş hekim.

sertac, F. i. [Ser-tac] 1. Baş tacı, başa giyilen taç. 2. Çok sayılan kimse, baştacı edilecek değerde kimse. • ‹Her tac olmaz fakr ü fena şahına sertac — Terk ehlinin ey hâce biraz başı kabadır. — Baki›.

sertak, F. i. Evin üstünde olan cihannüma gibi açık daire veya oda.

sertapâ, F. s. zf. [Ser-tâ-pâ] Baştan ayağa. Baştan aşağı. • ‹Bürehne sertapâ. — Fikret›.

sertaser, serteser, F. s. zf. Baştan başa, hep, bütün. • ‹Kâinat oldu sanki sertaser —Bir büyük hastane-i etfal. — Cenap› • ‹Üstad elinde serteser ahenk olur lisan. — Beyatlı›.

sertıraş, F. s. Başı dipten tıraş edilmiş. • ‹Serimde yine bir dag-i heves bagrımda başım var — Cebini maha dest-i redd vurur bir destraşım var. — Nedim›.

sertiz, F. s. [Ser-tîz] Ucu sivri. Keskin. • ‹Tîşe-i sertîzine can atmada dil muttasıl. — Cenap›.

serv, F. i. Servi, selvi. 2. (Mec.) Sevgilinin boyu bosu. • Serv-i simîn (gümüş selvi) ay ışığının denizde yaptığı ışıktan yol. • ‹Fısıldaşan iki serv-i siyaha son lemeat. — Fikret› • ‹Kaddine dedim ki serv-i bustandır bu. — Fuzuli›. • ‹Efgandır işim serv-i hiramanın için. — Fuzulî› • ‹Mahşer günü görem dedim ol serv-i kameti. — Fuzuli›.

servakt, F. i. Kimse bulunmayan boş oda veya daire. Yalnız görüşülecek yer. • ‹Hayal-i hâtır-rübaları servakt-i hâb-i nûşide. — Kâni›.

servazad, F. i. [Serv-azad] 1. Düz ve dalları doğru bitmiş biçimli bir çeşit selvi. 2. (Mec.) Sevgilinin güzel endamı. • ‹Cihanı bend eder sana o perçem gayri neylersin — Yürü ey serv-i azadım yürü başında devlet var. — Nedim› • ‹Serv azadlık ismiyle yaraşmaz yürümek — Onu hem şive-i reftara giriftar eyle. — Fuzulî›.

server, A. s. 1. Baş, başkan. 2. Bir takımın en ileri geleni. • Server-i enbiya, • -kâinat, (Peygamberlerin, kâinatın en ilerdeki kimsesi) Muhammet Peygamber. • ‹Server-i cem-i rüsül serdar-i hayli enbiya. — Nazîm» • «Serevrâ canı mı var devletin eyyamında — Sünbülün turrasında el uzata şah-i çınar. —Nabi».

serveran, F. i. [Server ç.] Başlar, ulular. Başkanlar. • «Cem' oldu serveran-i selâtin-i her diyar. — Nev'î».

serverî, F. i. Başlık, başkanlık. Ululuk.

servet, A. i. 1. Zenginlik. 2. Zenginliği meydana getiren şey. • İlm-i servet, sonraları «İktisat» sözüyle karşılanan économie karşılığı (XIX. yy.). • «Sahib-i malikâne-i servet. — Fikret».

servistan, F. i. Servilik.

servkadd, F. s. [Serv-kadd] Servi boylu. • «Serv-i kadler çimenzarda hiramaver olur — Cuylar katrezenan bağa peyamaver olur. — Nailî».

servnaz, F. i. [Serv-naz] Dalları yana sarkan servi.

servsehiy, F. i. Doğru büyümüş iki daldan servi. Güzellerin boyu buna benzetilir.

serzede, F. s. [Ser-zede] Baş vurmuş, baş göstermiş.

serzeniş, F. i. [Ser-zeniş] Başa kakma. Çıkışma, tekdir. • «Ucunda gizli mana-yi teşekkür titreyen bir lehaza-i serzenişle. — Uşaklıgil».

serzenişkâr, F. s. [Serzeniş-kâr] 1. Başa kakan. 2. Çıkışan. 3. Sitem eden. • «Ah, o dallardaki fütur-i derun. — Onların tavr-i serzenişkârı — Onların maderane ekdarı. — Cenap».

sersenişkârane, F. zf. Sitemli bir yolda.

setare, sehtare, F. i. 1. Üç telli saz. 2. Düzen, uyum.

setir, A. s. [Setr'den] Gizli, örtülü. Kapalı.

setire, A. i. Örtü. • «Sirişk-i ye'sini yaprak gibi dökerdi gusun — Zemine fers ederek bir setire-i asfar. — Cenap».

setr, A. i. Örtme, kapama. • Setr-i avret, ayıp yerlerini kapama. • «Müjgan-i sayeperveri setr eyliyor gibi — Takrir-i gamzesinden melâl anlaşılmasın. — Fikret».

settar, settare, A. s. [Setr'den] Örten. • Settar-ül-uyub, ayıpları (günahları) örten, bağışlayan (Tanrı). • «Huda settardır ta'n etme rinde ayb-bin olma. — Ş. Galip».

seva, siva, A. s. (Sin ve elif ile) Bir, eşit, denk.

sevab, A. i. (Se ile) 1. İyi bir davranışa karşı Tanrı mükâfatı. 2. Hayırlı davranış. • «Ben günah eyledim amma sen sevap ettin bu şeb. — Nabi».

sevabık, A. i. [Sabıka ç.] Geçmiş şeyler. • «Acaba sevabık-i hâtıratı arasında neler görmüştür. — Uşaklıgil».

sevabit, A. i. (Se ile) [Sabite ç.] Sabiteler.

sevad, A. i. (Sin ile) 1. Karanlık. 2. Yazı, karalama. 3. Uzaktan karaltı halinde görülen kalabalık. 4. Bir şehrin etrafı, bağ, bostanlar. • Sevad-i a'zam, ulu şehir; • sevad-ül-ayn, gözbebeği; • sevad-ül-kalb, yüreğin ortasında var sayılan kar aebnek; • teksir-i sevad, boş yere ya zıyazma. • «Bakma ya Rab sevad-i defterime — Anı yak benim yerime. — Ziya Pş.». • «Leyal-i şüphenin âciz de imha-i sevadından — — Diler mihr-i hakikat şulariz olsun midadından. — Fikret».

sevâdhan, F. s. [Sevad-han] Yazı okuyabilen, acemi. • «Hod bu hakir emsali sevadhân-i aklâmı küncayişinden birundur. — Peçoylu». • «Biziz Nailî ol rusiyah-i şerm ü haclet ki — Sevadname-i a'malimiz sehv ü hatadır hep. Nailî».

sevadname, F. i. [Sevad-name] Yazılmış, karalanmış defter.

sevafil, A. i. [Safil ç.] Aşağılar. Alçaklar.

sevahil, A. i. [Sahil ç.] Kıyılar. • «Ey dürr-i pâk ağzına nisbet senin sadef — Derya sevahilinde yatar pâre-i hazef. — Baki».

sevaik, A. i. (Sin ve ayın ile) [Saik ç.] Yıldırımlar. • «Ol gün ziyade büruk ve Sevaık olup İstanbul'da emakin-i müteaddideye saika inip. — Naima».

sevaim, A. i. ç. Başı boş otlayan hayvanlar.

sevakı, A. i. [Sakiye ç.] Sakiyeler, su yerleri.

sevakıb, A. i. (Se ile) [Sakıbe ç.] Parlak yıldızlar.

sevakıt, A. i. [Sakıt ç.] Düşükler, düşmüşler. • Sevakıt-i fâtiha, Fâtiha suresinde bulunmayan harfler. • «Fâtiha-i şerifte bulunmayan huruf ki sevakıt-i Fâtiha derler havassını zikr edip. — Naima».

sevakin, A. i. [Sakin ç.] Bir yerde oturanlar.

sevalif, *A. i.* *(Sin* ile) [Salif, salife ç.] Geçmişler. Geçmiş insnlar. • «Eser-tı-razan-i sevalif-i eyyam. — Nergisî».

sevamm, *A. i.* [Samm ç.] Zehirleyici şeyler. • «Her kişi bir bucağa girip ma-nend-i hevam ü sevam zad ü müste-ham olmuş idi. — Lâmiî».

sevani, *A. i.* *(Se* ile) [Saniye ç.] 1. Saniyeler. 2. İkinci derece şeyler.

sevanih, *A. i.* *(Sin* ve *ha* ile) [Saniha ç.] Yüreğe doğan fikirler. • «Ve macun-i cevahir letaif dürr-i dehan ve sevaniħ-i tâbirat ü zeraif dürr-i zeban idi. — Na-ima».

sevatı', *A. i.* *(Sin, tı* ve *ayın* ile) [Satı ç.] Belli ve yüksek olan şeyler.

sevb, *A. i.* *(Se* ile) Giyecek şey. (ç. Esvab, siyab). • «Bana bir sevb-i cedit alıver ki. — Taş.».

sevda', *A. i.* *(Sin, dal* ve *elif* ile) 1. İnsanı meydana getiren dört hılttan biri. 2. Bu hılttan meydana gelen düşünce, merak. 3. Aşk, sevgi. 4. Fazla sevgiden ileri gelen bir çeşit hastalık. 5. İstek, heves. 6. Kara. (Ed. Ce.) :

• *Âfak-i sevda,*
• *felsefe-i sevda,*
• *gehvare-i sevda,*
• *gonce-i sevda,*
• *hâtırat-i sevda,*
• *hava-yi sevda,*
• *hayal-i sevda,*
• *hayat-i sevda,*
• *hikâye-i sevda,*
• *hucre-i sevda,*
• *ihtiyac-i sevda,*
• *ihtiyacat-i sevda,*
• *kevser-i sevda,*
• *kûşe-i sevda,*
• *leyl-i sevda,*
• *mana-yi sevda,*
• *meftur-i sevda,*
• *mezhere-i sevda,*
• *müşareket-i sevda,*
• *nağme-i sevda,*
• *nigâh-i sevda,*
• *nuşabe-i sevda,*
• *ruh-i sevda,*
• *ruya-yi sevda,*
• *saadet-i sevda,*
• *selâm-i sevda,*
• *şi'r-i sevda,*
• *talib-i sevda,*
• *tecrib-i esvda,*
• *tecrübe-i sevda,*
• *temayül-i sevda,*

• *tuhfet-i sevda,*
• *ufk-i scvda,*
• *ulviyyet-i sevda,*
• *zemzeme-i sevda.*

sevdacû, *F. s.* [Sevda-cû] Sevgi arayan. • «Bütün derenin sevdacû sandalları. — Uşaklıgil».

sevdager, sudager, *F. s.* [Sevda-ger] 1. Sevdalı. 2. Tüccar, bezirgân. (ç. Sev-dageran). • «Dilber ne denlû nazik ü nerm olsa ol kadar — Sudageran-i aşk ile bazarı saht olur. — Nailî». • «Reh-güzar-i sevdageran-i deryabâr olan ce-zerie-i mamureyi. — Sadettin».

sevdakâr, *F. s.* [Sevda-kâr] Sevdalı. • «Mayıs bir köylü kızdır; sâf ü dilber, şuh ü sevdakâr. — Fikret»

sevdaperest, *F. s.* [Sevda-perest] 1. Aşı-rı düşkün, tutkun. 2. Tamahkâr. • «Fakt benim gibi sevdaperest bir kızın gönlünü kendinize celbeylediğiniz hal-de. — A. Mithat».

sevdaperver, *F. s.* [Sevda-pervre] Sevgi artıran, sevgi geliştiren. • «Derenin sevdaperver sularının üstünde. — U-şaklıgil».

sevdavî, sevdaviyye, *A. s.* 1. Meraklı, ku-runtulu. 2. Sevda ile ilgili.

sevdazede, *F. s.* [Sevda-zede] Sevdalı, âşık. • «Amma müteakiben de naçar — Sevdazede-vâr bir dönüş var. — Naci».

seveban, *A. i.* *(Se* ile) Hasta iyiliğe yüz tutma.

sev'eteyn, *A. i.* İki mahrem yer. (İnsanın dübür ve kalbi). • «Sev'eteyn de ihmal-i nazar olunmaya müeddi olma-ya. — Taş.».

sevgend, sevkend, *F. i.* And, yemin. • «Sevgendine itimat olunmaz. — Naci».

sevik, *A. i.* Kavut ve unun su ile karış-tırılıp tava içinde pişirilmesiyle yapı-lan yol azığı. • «Bana bir mikdar se-vik getirip. — Taş.».

seviy, *A. i.* 1. Düz, doğru. 2. Bir, bera-ber.

seviyye, *A. i.* 1. Düzlük, doğruluk. 2. Bir-lik, beraberlik. • *Al-es-seviyye*, eşit olarak. • «Alesseviyye gidilirken bir mikdar guzat. — Peçoylu».

seviyyet, (Türkçede yapılmıştır) Eşitlik, denkli. Aynı seviyede oluş. • «Arala-rında bir seviyyet-i sinn hâsıl olurdu. — Uşaklıgil».

sevk, *A. i.* 1. Öne katıp sürme. 2. Bir so-nuca bağlama. 3. Gönderme. • «Hayal-i

F. : 48

âb ile eyler seraplar onu sevk. — Cenap». • «Onu çılgınlıklara sevk eden isyan-i hissiyatını ezmek için. — Uşaklıgil».

sevkıyyat, A. i. ç. Asker ve yiyecek, içeceğini, asker eşyasını gönderme işleri.

esvm, A. i. Satılık şeye paha biçme.

sevr, A. i. (Se ile) 1. Öküz, boğa. 2. (Ast.) Boğa burcu.

sevret, A. i. 1. Öfke. Kızgınlık. 2. Tezlik. 3. Hücum, dövüş. 4. Hükümdarın şiddeti, kudreti. • « Çün sevret-i şita geçip eyyam-i bahar erişti. — Naima».

sevseniyye, A. i. (Bot.) Süsengiller (XIX. yy.).

sevvab, A. i. (Se ile) Esvab satan, elbiseci.

seyadet, siyadet, A. i. Bk. • *Siyadet.*

seyahat, siyahat, A. i. Yolculuk. (ç. Seyahât). • «Mükerreren seyahât-i bahriyede bulunmak hasebiyle. — Recaizade» • «Olup hayalime peyrev seyahat eylerken. — Fikret». • «Münevver bir hakikat-i buhariye arasında bir seyahat-i hayaliye icra ediyordum. — Cenap».

seyahatname, A. i. [Seyahat-name] Bir seyyahın gezip gördüğü yerler ve şeyler için yazdığı kitap.

seyelân, A. i. 1. Akma. 2. (Coğ.) Selleme. 3. (Fiz.) Akı. • «Afaka inince gecenin sütre-i dûdu —Başlarsın seyelâna. — Cenap».

seyf, A. i. Kılıç. ç. Esyaf, süyuf). • «Bir seyf-i âmirane parıldar: Selâm dur!. — Fikret».

seyfî, seyfiyye, A. s. 1. Kılıçla ilgili, askerliğe ait. 2. Kılıç şeklinde.

seyhan, A. i. Şehirden şehire yolculuk.

seyl, A. i. 1. Sel. 2. Şiddetli gelen şey. • *Seyl-ül-arim,* Seba şehrini batıran ünlü sel. • «Azîm yağmurlar yağmakla seyl-i firvan gelip. — Naima» • «Bâran-i mütevaliye yağıp seyl-ül-arim gibi suyu Harem-i muhterem'e dahil olup. — Naima».

seylâb, seylâbe, F. i. Sel, su. • «Hak-i dergâhın nazardan sürme ey seylâb-i aşk. —Fuzulî». • «Devha-i kamet-i Abdullah berkende-i şeylâb-i fena olmuş ola. — Veysi» • «Seylâbelerle şerhalanır sînei cibal. — Fikret».

seylhiz, F. s. [Seyl-hiz] Taşkın ve coşkun.

seyr, A. i. 1. Yürüme, yürüyüş, gitme. 2. Yolculuk. 3. Gezme, gezinme. 4. Eğlenmek için bakma. 5. Uzaktan bakıp

karışmama. 6. Gezilecek, görülecek şey. • *Seyr filmenam,* uyurgezerlik. • «Bu esnada padişah İstanbul'da olan saray-i ziba ve hatair-i rânalarda meşgul-i seyr ü temaşa oldular. — Naima» • «Sürat-i seyrinden azhardır ki rahş-i himmetim. — Naci» • «Seyr eylerim bu levhayı artık aleddevam. — Fikret».

seyran, F. i. 1. Gezinme. 2. Bakıp görme, gözden geçirme. • «Sapa vâdileri seyran ederek çeşm-i hayal — Reh-i narefeteyi keşf etmelidir pây-i suhan. — Sümbülzade».

seyrangâh, F. i. [Seyran-gâh] Seyir yeri. Gezme yeri, gezi. • «Memleketin en âşıkane bir seyrangâhı olan o zemin-i bimisali. — Kemal».

seyyaf, A. i. [Seyf'ten] 1. Kılıçlı. 2. Kılıççı. 3. Cellât.

seyyah, A. i. [Seyahat'ten] Seyyah. Yolcu. (ç. Seyyahîn). • «Seyyah-i bîkararın olur aşinası çok. — Yahya».

seyyahîn, A. i. ç. Yolcular, seyyahlar. • «Yekdiğerini birkaç saattan beri bu sâbih otel içinde tanıyan seyyahîn arasındaki. — Cenap».

seyyal, A s. [Seyelân'dan] 1. Akan, akıcı, sıvı. 2. (Fiz.) Akışkan. • «Kavurmuş ateş-i seyyal-i girye didesini. — Fikret».

seyyale, A. i. 1. Akan şey. 2. Sıvı sicim. • *Seyyale-i berkıye,* elektrik akımı (XIX. yy.). (ç. Seyyalât). • «Bunu söylerken omuzlarında akan bir seyyale-i lerzişle yeldirmesinin içine sarılıyordu. — Uşaklıgil» • «İpek kumaşın üstünden akan seyyalât-i raşe. — Uşaklıgil».

seyyan, siyyan, Bk. • *Siyyan.*

seyyar, A. s. [Seyr'den] 1. Gezen, dolaşan. 2. Yerli olmayıp istenilen tarafa taşınabilen. 3. (Ast.) Durmayıp yer değiştiren gök cismi. • «Var vechi gülüp açılsa dildir — Cennette yok bu kasr-i seyyar. — Naci».

seyyiat, A. i [Seyyie ç.] 1. Kötülükler. 2. Suçlar, günahlar. 3. Kötülük karşılığı çekilenler. • «Seyyiatım sıyag-i cem'i edip istiap — Hasenem sıygasının sehmine kaldı efrad. —Nabi» • «Seyyiat-i mevcudeyi tabiî bir kad daha tezyit etmiş olur. — Kemal».

seyyib, seyyibe, A. i. (Se ile) Dul kadın. • «Bikr ararken pederin mânada — Seyyib alma koca şairzade. — Sümbülzade».

seyyibat, *A i.* [Seyyib ç.] Dul kadınlar. • ‹Seyyibat olsa dahi mamure — Alagör bakire-i bakûre. — Sümbülzade›.

seyyid, *A. i.* 1. Efendi, ağa. 2. Muhammet Peygamberin soyundan olan kimse (ç. Sadât). • ‹Nasuh Paşanın ağavatından Cebrail Ağa nam bir kimesne seyyidin menizline konmuş idi. — Naima›.

seyyie, *A. i.* 1. Kötülük. 2. Suç, günah. 3. Kötülük karşılığı çekilen sıkıntı. • ‹Galiba inhizamat-i mükerrere seyyiesi olarak. — Cenap›.

seba, *F, i.* Uygun, lâyık. Yaraşık. • ‹Eğerçi vaz-i sengîn hobruyâna seza amma — Verir çok hüsn vaz-i lâubaliler sefahatler. — Nabi›.

sezabiyye, *A. i.* (Bot.) Sedefotugiller (XX. yy.). seza -

sezavar, *F. s.* Uygun, yaraşır. Lâyık. • ‹Feyyaza buhl nisbeti hâşâ reva değil — Hikmet hemen o lûtfe sezavarlıktadır. — Nabi›.

sıab, *A. i.* (*Sat* ve *ayın* ile) [Sab ç.] Güçlükler, zorluklar. • ‹Umur-i devlet olan sıab-i masalihte hiçbir işe kadir olamaz. — Naima›.

sıba, *A. i.* (*Sat* ile) Gençlik. • ‹Âyan-i sıbasında Acem diyarına kaçıp. — Sadettin›.

sıbag, *A. i.* 1. Boya. 2. Yaradılış.

sıbg, sıbga, *A. i.* 1. Boya. 2. Hıristiyanların vaftizi. 3. Din, mezhep. 4. İspirtoda eritilmiş boya maddesi. 5. (Kim.) Tentür. • ‹Benzemez reng-i ruh-i yârâ melâhatte yine — Sıbgat-ullah ise ger nakş-i bihin-i yakut. — Hersekli›.

sıbt, *A. i.* Torun. Evlât evlâdı. (ç. Esbat).

Sıbteyn, *A. i.* (*Sin* ile) (İki torun) Muhammet peygamberin iki torunu Hasan ile Hüseyin. • ‹Cedd-i Sıbteyn ü nebiy-üs-sakaleyn. — Hakanî›.

sıbyan, sübyan, *A.i.* [Sabi ç.] Çocuklar. • ‹Libas-i nevle bezenmiş kavafil-i sıbyan. — Fikret›.

sıdak, sadak, *A. i.* (*Sati* le) Kadın eşe verilen nikâh parası.

sıddîk, sıddika, *A. s.* [Sıdk'tan] Pek doğru, hiç yalan söylemez. • ‹Zıll-i Hak hazret-i sıddık-i atîk. — Hakanî›.

Sıddık, *A. ö. i.* Birinci halife Ebubekir'in lakabı. Adaleti ile ün almıştı. • ‹Hükûmet-î âdile-i Sıddık-i ekber ile faysal bulmuştur. — Saip›.

sıddıkiyette, *A. i.* Aşırı doğruluk. • ‹Ben ona sıddıkıyet-i uzma ile şehadet ederim. — Taş.›.

sırh, *A. i.* 1. Doğruluk. Gerçeklik. 2. Yürek temizliği. • ‹Çün var idi mestlikte lafım — Ta anlana sıdkım ü hilâfım. — Fuzulî›.

Sıfahan, *F. ö. i.* Isfahan (şehri). • ‹Sürme-i cevher-i Sıfahan. — Fehim›.

sıfât, *A. i.* [Sıfat ç.] Sıfatlar. • *Sıfât-i adediye,* sayı sıfatları, sayılar; • *-istifhamiyye,* soru sıfatları; • *-işariyye,* işaret sıfatları; • *-mübheme,* belgisiz sıfatlar; • *-tavsifiyye,* niteleme sıfatları; • *-tâyiniyye,* belirtme sıfatları. • ‹Hemen umumunu cem' eylemişti zatında • Cenab-i Hlık-i ekrem sıfât-i ulyanın. — Recaizade›.

sıfat, *A. i.* [Vasf'tan] 1. Bir şahıs veya nesnenin geçici hali. 2. Lakab, ünvan. 3. Surat. 4. (Gra.) Bir şahıs veya nesnenin geçici hal ve niteliğini gösteren kelime. • ‹Kabil-i vasf değildir sıfatı. — Hakani›.

Sıffîyn, *A. i.* Fırat dolaylarında Rakka yakınında bir yer olup Ali ile Muaviye arasında geçen savaşta ün almıştır.

sıfr, *A. i.* Sıfır. • *Sıfr-ül-yed,* eli boş. • ‹Selefi Ahmet Ağa sıfr-ül-yedd kaldıkta. — Naim› ‹Sıfr-i alâf ola ya Rab heme-i necm-i sema. — Eşref›.

sıga, sıyga, *A. i.* 1. Sıyga. 2. Kip. (ç. Sıyag). • ‹Hiç bir lisan başka lisanlardan sıyga alamaz. — Z. Gökalp›.

sıgar, sigaar, *A. i.* [Sagir ç.] Küçükler.

sıhaf, *A. i.* [Sahfe ç.] Geniş düz kaplar. • ‹Sıhaf-i fıdda içre taam gelip. — Şefikname›.

sıhhat, *A. i.* 1. Gerçeklik. 2. Sağlamlık. 3. Doğruluk. 4. Sağlık. • ‹Olmaya devlet cihanda bir nefes sıhhat gibi. — Kanunî›.

sıhhî, *A. s.* 1. Sağlıkla, sağlamlıkla ilgili. 2. Hekimliğe ait.

sıhhiyye, *A. i.* Hekimlik işleri, sağlık işleriyle uğraşan daire.

sıhhiyyun, *A. i.* Hekimlerin sağlık koruması işine önem veren kısmı (eskiden).

sıhr, *A. i.* (*Sat* ve *he* ile) Güvey, enişte. Evlenmekle akraba hükmüne geçen kimse. • ‹Gelip bu meclise fasl-i bahar veş kıldın — Misal-i gül dil-i sıhr-i güzînin handan. — Nedim›.

sıhrî, *A. s.* Evlenmeden ileri gelen (akrabalık).

sıhriyyet, *A. i.* Nikâhla meydana gelen akrabalık.

sıkaye, *A. i.* Su içecek kap.

sıkayet, *A. i.* Kâbe sakalığı. Zemzem dağıtma işi.

sıklet, *A. i.* 1. Ağırlık. 2. Sıkıntı. • ‹Ablak yüzünün liheye-i carubnüması — Enzar-i temaşaya verip siklet ü vahşet. — Fikret›.

sıkletkeş, *F. s.* [Sıklet-keş] Ağırlık çeken. Yük taşıyn. • ‹Çabükter olduğun gam-i nagehres-i heves — Sıkletkeş-i misafir-i bigâh oln bilir. — Nabi›.

sıkt, *A. i.* Ölü düşen çocuk.

sıla, *A. i.* [Vasl'dan] 1. Ulaşma. 2. Yurdu, hısım akrabayı gidip görme. 3. Bahşış, armağan. 4. (Gra.) Bağfiil. • ‹Bizzarure izn ü icazet ile sıla-i rahm bahanesin edip. — Selânikî› • ‹Sun'i'ye elli kuruş sıla-i tarih ita ettiler. — Naima›.

sılat, *A. i.* [Sıla ç.] 1. Sılalar. 2. Armağanlar, bahşışlar. • ‹Erbab-i maarif ve kemalâta bezl avatıf ü sılat ettiğinden. — Raşit›.

sımah, *A. i.* Kulak deliği. • ‹Tahris eder sımahımı bin nevha-i gurab. — Fikret› • ‹Terane-i kebuteran — İner sımah-i ruhuma. — Cenap›.

sımam, sımame, *A. i.* 1. Tıpa, tıkaç. 2. Kan damarlarında tıkanıklık yapan kan pıhtısı.

sımt, *A. i.* Dizi. Diziye konulmus sey. (ç. Sümut). • ‹Harezt-i elfaz-i bi-intizam ü mensur ilk ü sımt-i sutura nazm olunup. — Taş.›.

sınat, sanaat, *A. i.* 1. İnsan ihtiyaçlarınından her hangi birini meydana getirmek için yapılan iş. 2. Pratikle de elde edilen bilgi. 3. Ustalık. (ç. Sanayi). • ‹Böyle bir sınaat-i hayriye ne kadar tezyin ve teksir olunsa sayestedir. — Kemal›.

sınab, *A. i.* Hardal terbiyesi.

sınaî, sınaiyye, *A. s.* 1. Sanat ve sınaat ile ilgili. 2. Tabiatten olmayan, yapma. İnsan yapısı. • ‹Ölülere teneffüs-i sınaî yapmaya benzeyen akîm bir gayrettir. — Cenap›.

sındid, *A. i. s.* Baş, başkan, ileri gelen. (ç. Sanadid).

sınf, sınıf, *A i.* Sınıf. (ç. Esnaf). • ‹Bir sınıf gençlerin ibre-i telebbüsü hükmünde idi. — Uşaklıgil›.

sınv, *A i.* 1. Bir kökten çıkma dallar. 2. Erkek kardeş. 3. Oğul.

sırat, *A. i.* 1. Yol. 2. Cennete geçilmek üzere Cehennemin üzerinde kurulmuş pek dar ve zor geçilir köprü. 3. (Mec.) Çetin ve korkulu yol. • *Sırat-i müstakim,* doğru yol, Hak dini.

sırdaş, *F. s.* (Birinin) Gizli kapaklı işlerini bilen. • ‹Bir sırdaşı kadar olmuştum. — Cenap›.

sırf, sırfa, *A. s.* 1. Katıksız, halis. 2. Büsbütün. 3. (zf.) Ancak, yalnız. • ‹Sırf hissî, sırf, asabi bir eza duymuş idi. — Uşaklıgil› • ‹Nasıl denir faraziyyat-i sırfaya fendir. — Cenap›.

sırr, *A. i.* 1. Gizli söz, gizli iş. İnsan aklının ermediği Tanrı hikmeti. • *İfşa-yı sırr,* gizli bir şeyi açığa vurma; • *ketm-i sırr,* sır saklama. • ‹Sonunda gördü nedir sırrı bu esrarın. — Fikret›.

sırran, *A. zf.* Gizli olarak, gizlice. • ‹Bazı müfist muhal-endişler ve sırran reis olup tebdil-i düvel sâyinde olanlardan. — Naima›.

sırrî, sırriyye, *A. s.* (Sin ile) Gizlilikle ilgili. Bir ara *mystique* kelimesine karşılık kullanılmıştır.

sıyag, *A. i.* [Sıyga ç.] Sıygalar, kipler. • *Sıyag-i inşaiyye,* dilek kipleri.

sıyagat, *A. i.* (Sat ile) Kuyumculuk. • ‹Sınaat-i sıyagat-i şiirde mahir idi. — Hümayunname›.

sıyah, *A. i.* [Sayha'dan] Çığlık. Feryat. • ‹Siyah-i mateme benzer terane-i idi, — Fikret›.

sıyam, *A. i.* Oruç. • *Hal-i sıyam,* oruç hali; • *şehr-i sıyam,* oruç ayı (Ramazan ayı). • ‹Zâhid etmez mi görünce o mehi terk-i sıyam. — Eşref›.

sıyanet, *A. i.* Koruma. • ‹Naçizden sıyanet sun'-i hakîmdir — Dest-i tebiyle kaldığı sahib-kemaller. — Nabi›.

sıyasî, *A. i.* [Sıyasa ç.] 1. Kaleler. 2. Köşkler. 3. Sığınacak yerler.

sıyga *A. i.* (Gra.) Kip; fiilin çekiminden meydana gelen şekillerin her biri. • *Sıyga-i ihbariyye,* bildirme kipi; • *-iltizamiyye,* istek kipi; • *-rabtiyye,* ulaç, bağ-fiil.

sıyt, *A. i.* 1. İyi ün. 2. Çatırtı patırtı gibi ses. • ‹Kemal-i sıytını teyit içinse kâfidir — Şebaba verdiği ders-i edep kitabında. — Fikret›.

si, *F. s.* Otuz. • *Si vü dü,* otuz iki. • ‹Bir zman Edrene vü İstanbul — Oldu si sâl bana câ-yi nüzul. — Nabi› — ‹Ve esnan-i si vü dünün her birin. — Nergisî›.

sia, *A. i.* [Vüs'at'ten] Genişlik. Bolluk.

siayet, *A. i.* (Sin ve ayın ile) Koğuculuk.

Bir kimseyi başka birine çekiştirme, geçme. • ‹İkbal için ahbabı siayet, yeni çıktı. — Ziya Pş.›.

sib, *F. i.* Elma. • *Sib-i zenahdan,* sevgilinin çenesi.

siba', *A. i. (Sin* ve *ayın* ile) [Sebu' ç.] Yırtıcı hayvanlar. • ‹Gözönüne teşne-i hun ü hayat sib'a-i mutehevvire, kulağa safir-i canhıraş-i efai gelir. — Cenap›.

sihab, *A. i.* Sövme. Küfür etme.

sibak, *A. i.* [Sebk'ten] 1. Bir şeyin üst tarafı, geçmişi. 2. Bağ, bağlantı. • *Siyak ü sıbak,* sözün (öncesiyle sonrası) gelişi. • ‹Ve ancak iane-i sıyak ü sibak ile mecra-yi mukalemeyi takip edebiliyorduk. — Cenap›.

sical, *A. i.* [Secl ç.] Büyük, dolu su kovaları.

sicc4n, *A. i.* 1. Cehennemde bir vadinin adı. 2. Günahlıların işlediklerinin defteri konulan yerin adı. • ‹Derecat-i siccin'e azm eyledi. — Naima›.

sicill, *A. i.* 1. Şeriat mahkemelerinde karar ve buyrukların kaydedildikleri defter. 2. Memurların iş ve güçleriyle bunlarda olan değişikliklerin kaydedildiği yer. (ç. Sicillât). • ‹Ey kadı sana dâvacı Yezdan olacaktır — Mahşer Arasat'ında ki divan çün bula imza — Rüşvet rakamı naçin bula imza — Rüşvet rakamı namene unvan olacaktır. — Suzî›.

sicn, *A. i.* Zindan. Cezaevi. Tomruk. • ‹Cümle sicnde müddet-i meksi. — Taş.›.

sidad, *A. i.* (Hek.) Fransızcadan *tampon* karşılığı olarak (XIX. yy.).

sidre, *A. i.* 1. Arabistan kirazı. 2. Arş-i âzam ltında ve kürsü karşısında olan ve yedinci kat gökte bulunan bir makam. • *Sidret-ül-müntehâ,* o yerin adı. • ‹Ol seyrde mavera göründü — Ta Sidre-i münteha göründü. — Ş. Galip›.

sidrenişinan, *F. i.* [Sidre-nişin-an] Sidre'de bulunan melekler.

sifad, *A. i.* (At gibi) Hayvanların çiftleşmesi.

sifal, sifale, *F. i.* Topraktan yapılmış (çanak, çömlek gibi) şey. • ‹Hem sifal-i meykede hem tac-i Edhem'dir kadeh. — Nef'î›.

sifalin, *F. i. (Sin* ile) Çamurdan yapılma şey. Çanak, çömlek.

sifariş, *F. i.* Ismarlama. Sipariş. • ‹Sifariş etti ki. — Saddettin› • ‹Tig-i cellâd-i canrübaya sifariş etti ki. — Nergisi›.

sifle, *A. s.* Alçak. Terbiyesiz. • ‹Her sifle hıridar-i leal-i Aden olmaz. — Nabi›.

siflekâm, *F. s.* [Sifle-kâm] Bayağıların işine yarayan. • ‹Lâkin unutmasın şunu tarih-i siflekâm. — Fikret›.

siflenihad, *F. s.* [Sifle-nihad] Alçak tabiatlı. (ç. Siflenihadan). • ‹Meslek-i sıflenihadandır âz ü imsâk — Reh-i balâ nazarân himem ü ihsan yoludur. — Nabi›.

sifleperver, *F. s.* [Sifle-perver] Bayağı. Alçak kimseleri kullanan, onlara taraflı olan.

sifr, *A. i.* 1. Kitap, yazılmış şey. 2. Kitap cildi. 3. Tevrat'ın beş kitbından her biri. • ‹Ve nef'i eamm bir kitab-i nafi' ve sifr-i câmi'dir. — Taş.›.

sigâl, *F. i.* Düşünme. Fikir. • *Bedsigâl* kötü düşünceli; • *niksigâl,* iyi düşünen. (ç. Sigâlân).

sigâliş, *F. i.* Düşünüş, kuruş.

sigar, *A. i.* [Sagir ç.] Küçükler. • ‹Başına akçe dizer nite ki etfal-i sigaar. — Bakî›.

sigar, *A. i.* Küçüklük. • *Sigar-i sınn,* yaş küçüklüğü. • ‹Pederiyle sigar-i sinninde memleket memleket dolaştıran. — Recaizade›.

sih, *F. i.* Demir şiş. • ‹Ehl-i aşkın ne bilir derd ü belâ vü mihnetin — Döne döne olmayan bu sîh-i mihnetle kebap. — Kanunî› • ‹Sîh-i bâtın dediği sofinin — Sih-i efrencidir sa içre. — Şefikname›.

siha', *A. i. (Sin* ve *he* ile) Yanlışlık etme.

sihal, *A. i. (Sin* ve *he* ile) Kolaylık gösterme, yumuşak davranma.

siham, *A. i.* [Sehm ç.] Oklar. • ‹Gösterdin âdemiyyete bir deste-i siham. — Cenap›.

sihan, sahn, *A. i. (Se* ile) Kalınlık. İçi boş şeyin kalınlığı.

sihirbaz, *F. s. i.* Büyücü. • ‹Bütün kurunuvusta Musevilerin sihirbazlığına iman etmişti. — Cenp›.

sihirbazane, *F. zf.* Büyücülükle, büyücü gibi.

sihirsaz, *F. s.* [Sihir-saz] Büyü yapıcı. • ‹Ol sihirsaz-i mucize-gûyum ki nutkumun — Feyzi devat ü kilke zeban ü dehan verir. — Nef'î›.

sihr, *A. i.* 1. Büyü. 2. Büyü kadar etkili şey, fettanlık. 3. Şiir ve güzel söz söyleme gibi insan bağlayan sanat ki böylesine • *sihr-i helâl* (haram olmayan büyücülük) derler. • ‹Nice yıl istese

sihr öğretir Harut'e endisem. — Nef'î>
• «Nedir sanat ki taşlar canlandırır
sihr-i temasiyle. — Fikret».

sihramiz, F. s. [Sihr-âmiz] Büyü gibi, üstün etkili. • «Sahifelerin üzerine sihramiz bir ziya dökmüştür. — Uşaklıgil».

sihrî, sihriyye, A. s. Büyü ile ilgili. • «Bu erkek ellerinde öyle bir hassa-i sihriye vardı ki. — Uşaklıgil».

sika, A. i. (Se ile) [Vüsuk'tan] 1. İnanç. Güven. 2. İnanılır güvenilir kimse. • «Ama müverrih sikadan nakl eder ki. — Naima».

sikal, A. i. (Se ile) 1. Ağrılar. 2. Çekilmezler, çirkin şeyler.

sikâl, sigâl, F. i. 1. Fikir, düşünce. 2. Endişe, kuruntu. • Bedsikâl, fikri kötü.

sikâliş, F. i. (Sin ile) Düşünüş, kuruş.

sikat, A. i. [Sika ç.] İnanılır kimseler. • «Bu esnada olan halini sikaṭ-i huzzardan biri nakledip. — Naima».

Sikender, F. i. İskender. • «Bâdedir zevkını idrak edene abıhayat — Muteriftir buna Hızr ile Sikender de tamam. — Nabi».

sikke, A. i. 1. Para üzerine vurulan damga. 2. Damgalanmış para. 3. Düz sokak veya yol. • «Ne faide sikkesiz diremden — Ne sûd neticesiz keremden. — Fuzulî».

sikkedar, F. i. [Sikke-dar] Darphane muhasebecisi. • «Himmeti altın eyleyip kârım — Sikkedar oldu nakd-i âsarım. — Nabi».

sikkezen, F. i. [Sikke-zen] Para kesen ustalardan her biri.

sikkîn, A. i. Bıçak. • «Lâyık mıdır ki risman-i ümidini sikkin-i istiğna ile kat'edip. — Naima».

sil'a, A. i. 1. Bedende olan ur. 2. Ticaret malı. 3. Sülük.

silâh, A. i. Savaş aleti. • «Düşmüş türaba zırh ü silâhiyle bir yığın — Enkaz-i ahenîn gibi. — Fikret».

sîli, F. i. Tokat. Şamar.

sîlihor, F. s. [Silî-hor] Toḳat, şamar yiyen.

silizen, F. s. [Sili-zen] Tokat atan, döven. • «Silizen-i a'da-yi din eyleyesiz. — Naima».

silk, A. i. 1. Tane dizilen iplik. 2. Dizi, sıra. 3. Sıra, tertip. 4. Yol. Tutulan yol. Meslek.

sill, A. i. Verem. • «Çivizade Efendinin sill ü istiskadan iki günlük ömrü kalmış idi. — Naima».

sille, (Türkçede ypılmıştır). Tokat, sille. • «Bir sille-i hakaret içinde iade olunacak bir şey gibi yüzüne fırlattıktan sonra. — Uşaklıgil».

silm, selm, A. i. Barış. Barışıklık.

sils, A. s. 1. Kolay, hafif. 2. Yumuşak. • Sils-il-bevl, sidiğini tutamama hastalığı. • «Meclis-i halifeye duhule salâhiyeti yoktur zira silsilbevle müptelâdır. — Taş.».

silsile, A. i. 1. Zincir. 2. Birbirine bağlı bir sıra meydana getirilen şey. 3. En yukarıdan en aşağıya doğru sıralanma ve düzenlenme. 4. Babadan çocuğa sıra ile yazılarak meydana getirilen kütük. • «Üsera-yi İslâm silsile-i esrden necat ile. — Raşit». • «Bu defa kendi zihninden cereyan eden silsile-i efkârı takip ederek. — Uşaklıgil». — (Ed. Ce.) :

• Silsile-i a'zar,. • -mülâtafat,
• -hâtırat, • -nazariyyat,
• -inkılâbat, • -temrinat,
• -muhakemat, • -vekayi,
• -mülâhazat, • -vukuat.

silsilename, F. i. [Silsile-name] Ünlü kimselerin kuşaklarını göstermek için yazılmış kitap, yapılmış levha.

sîm, F. i. 1. Gümüş. 2. Gümüşten sırma. • «Sim-i halis gibi idi her dem. — Hakani».

sima, A. i. Beniz, çehre. • «İçinde rengi bozuk bi-hutut simalar. — Fikret».

sima', A. i. 1. Çalgı dinleme. 2. Çalgılı tören. • «Sima'a girse n'ola câm-i meydan zâhid-i hüşyar — Ki raks-i zerreye hurşid-i âlemtâb olur bais. — Baki».

simab, A. i. [Sim-âb] Cıva. • «Ruhünde bâdeden yârın ki ab ü tâb olur peyda — Derunumda benim bir maden-i simab olur peyda. — Nabi».

simâk, A. i. (Sin ve kef ile) 1. Üzerine bir şey asılan dik direk. 2. (Ast.) Bir çift parlak yıldız adı. • «Çerhi kim himmet-i valâsı temaşaya çıkar — Ta varır fark-i simâk üzre eder darb-i hıyam. — Nedim».

simar, A. i. (Se ile) [Semer ç.] Yemişler. • «Ne şecere-i devletten ictina-i simar murat etmişler ne... — Nergisî».

-simat, A. i. ç. (Sin ve te ile) Damgalar, izler. • Maarifsimat, • meleksimat, • mekârımsimat.

simat, A. i. (Sin ve tı ile) 1. Sofra. 2. Yemek. (ç. Sümut). • «Kaldırmadı simatın o gün aftab-i çerh — Akşam olunca câmını döndürdü lâlevâr. — Nef'î».

simber, F. s. [Sîm-ber] Göğsü gümüş gibi beyaz (ç. Sîmberan).

sime, A. i. 1. Nişan. İz. 2. Damga. 3. Fransızcadan schéma (şema) karşılığı (XIX. yy.).

simeviyye, A. s. Fransızcadan schématique karşılığı (XX. yy.).

simhak, A. i. (Ana.) Kemikleri örten ince deri veya zar.

simîn, F. s. 1. Gümüşten. 2. Gümüş gibi beyaz gümüş gibi sâf. • «Karışır toprağın siyahıyle — Aheng-i simîni sath-i deryanın. — Fikret».

siminber, F. s. [Sîmîn-ber] Gümüş vücutlu. Vücudu gümüş gibi duru beyaz olan. • «Eylemez her kem-ayar hüsne rağbet Nailî — Kadr-i âşık dilber-i siminberinden bellidir. — Nailî». • «Nahiş-i siminberana pîrlik mani değil. — Nabi».

sîminten, F. s. [Sîmîn-ten] Gümüş gibi (duru ve beyaz) tenli. • «Gelin o dilber-i sîmînteni sıkıştıralım. — Naci».

sîmkeş, F. i. [Sîm-keş] Haddeden gümüş tel çeken sanatçı.

simsar, A. i. Simsar, komisyoncu. • «Takdir edemez kıymet-i ıkd-i dür-i nazmım — Endişe ki simsar-i kelâm-i fusahadır. — Nef'î».

simsim, A. i. Susam.

simten, F. s. [Sîm-ten] Gümüş bedenli. (ç. Sîmtenan). • «Sahn-i hammama giren sîmtenan şevkinedir.— Leb-i ateşteki gülhand teh-i külhande, — Nabi».

simurg, F. i. Kaf dağında bulunduğu söylenen masal kuşu. Anka. • «Bivücüt olmak gibi yoktur cihanın rahatı — Gör ki Simurgun ne dâmı var ne de sayyadı var. — Ragıp Pş.».

simya', A. i. Eski kimya. • «Simya sime batırmaz bileni. — Sümbülzade».

sin, A. i. «s» harfinin Arap alfabesindeki sesi, noktasızlığından dolayı; • sin-i mühmele de denir. • «Mimdir gûya dehanın safha-i mah üzredir — Sîne benzer şane-i zülfün ki, sâl üstündedir. — Bakî».

sin, sinn, Bk. Sinn.

Sina', A. i. Arap yarımadasının Mısır ile birleştiği yerde bir üçgen gibi olan yarımada. Mısırdan çıkan Beniisrail kırk yıl buradaki çölde dolaşmış, Musa peygamber buradaki Tûr-i Sina'da Tanrı hitabına nail olmuştur.

sina', A. i. Çeşitleri olan bir ot. • Sina-i Mekki (sürgün için kullanılan) sinameki.

sinan, A. i. Mızrak, süngü gibi şeylerin sivri ucu. (ç. Esinne). • «Ten-i âdayı etti hayli zaman — Gaziyan darbegâh-i seyf ü sinan. — Naci».

sincab, F. i. Sincap. Kır renkte kakum. • «Padişah-i aşka bestir gûşe-i külhan serir — Bister-i sincap ise maksut hakıster yeter. — Bakî».

sincabî, F. s. Sincapla ilgili. Boz renk. • «Sarı, fes-rengi, pembe, sincabî — Bir kucak, bir yığın şükûfte-i ter. — Fikret». • «Soğuk, sisli ve sincabâbî bir tabiat ortasında idik. — Cenap».

sincerf, A. i. Sülüğen boya.

sindan, senden, A. i. Örs. • «Ne bâkim var hasud-i kine-cûdan devlet-i şehte — Ne mümkündür sımak mina-yi naziki tab-i sindanı. — Hayali».

sine, A. i. 1. Göğüs. 2. İç, yürek. • Sine-i billûr, çok beyaz göğüs, -hırs, hırs dolu göğüs, yürek; • -pür-kine, kin ile dolu yürek; -sâf, lekesiz (bembeyaz) göğüs; -sîmin, gümüş beyazlığında göğüs. • «Sinemde ger müessir bir dud-i ah olaydı — Ruhsarını yakardım ger gökte mah olaydı. — Nevres». • «Derin, inilti çırpıntılarla sîne-i hâk. — Fikret».

sine, A. i. Uyuklama, uyku başlangıcı. (ç. Sinevat). • «Sinevat-i hummeyat ile. — Şefikname».

sinebend, F. i. [Sine-bend] 1. Göğüslük. 2. Hayvan göğsüne asılan süslük. • «Muradı sineyc ol serv-i sîm endamı çekmektir. — Semend-i tab'-i Baki bir gümüşten sînebend ister. — Bakî».

sîneçâk, F. s. [Sine-çâk] Göğsü, yüreği yaralı. • «Feryat, kelimesinin aheng-i sineçakîni pek iyi duyuyorum. — Uşaklıgil».

sinegâh, F. s. [Sine-gâh] Göğüs. • «Kopup gelir sanırım ruhu sinegâhından. — Fikret».

sinehiraş, F. s. [Sine-hiraş] Göğüs paralayan. • «Cidal sinehiraş ü sitize ruhgeza — Kaza hilâf-i riza sulh maye-i tesdid. — Nailî».

sinesaf, F. s. Sarılıp kucaklaşmış. • «Tarafeynden ziyafetler olup suret-i zâhirede sinesaf olmuşlar idi. — Naima».

sinesuz, F. s. [Sine-suz] Yürek yakan, insanı çok acındıran.

sinezen, F. s. [Sine-zen] Göğüs döven. Göğsüne vurarak yas gösteren. (. Sinezenan).

sinh, A. i. (Dişlerin gömülü olduğu) Yuva. Diş çukuru.

Sinimmar, A. i. Havarnak sarayını yapan mimar, bir eşini daha yapmasın diye saray damından atılarak öldürülmüştür. ● Ve sûy-i deryadan terdesti-i Sinimmar-i ihtimam ile keşide kılınmış zencir-i ahenîn ile. — Kemal».-

sinîn, A. i. [Sene ç.] Yıllar. ● «Ben de sinîn içinde kalan bir harabeyim. — Cenap».-

Sinîn, A. i. Tur-i Sina dağı.

sinn, sin, A. i. 1. Diş. 2. Yaş. ● Sinn-i lâhime, etobur dişi; ● -nâbi, köpek dişi; ● hadaset-i sinn, (yaş tazeliği) gençlik; ● sinn-i temyiz, ayırt etme yaşı; ● -vukuf duraklama yaşı; ● tahdid-i sinn, yaş haddi. (ç. Esinne, esnan, üsün). ● «Sinnlerin hükm-i ihtilâfiyle kızlarının zevkını ifratperverlikle itham ederek. — Uşaklıgil».

sinnen, A. zf. Yaş bakımından, yaşça.

sinnevr, A. i. Kedi.

sinn, sinniyye, A. s. Dişe ait, dişle ilgili.

sipah, sipeh, F. i. 1. Asker. 2. Ordu. ● «Sipah-ı memlekete iftikarı sabit iken — Malûk-i âlem suret-i geda değil de nedir. — Nabi».

sipahi, F. i. 1. Timar sahibi süvari askeri. 2. Süvari ocağı (Nizam-i Ceditten önce). 3. Ata iyi binen. (ç. Sipahiyan).

-sipar, -süpar, F. s. ● «Veren, feda eden» anlamıyle kelimelere ulanır; ● cansipar, canını feda eden.

sipariş, F. i. 1. Ismarlama. 2. Bir şeyin bir yerden alınmasını söyleme, havale. 3. Askerlerin başka yerde bulunan ailesine ayırdığı miktar. (ç. Siparişat).

sipas, F. i. Şükretme, yetinip dua etme. ● Hamd ü sipas, Tanrıya şükür.

sipasgüzar, F. s. Şükreden. (ç. Sipasgüzaran).

sipeh, sipah, F. i. 1. Asker. 2. Ordu. ● «Sipeh-şikâf-i yegâne Halil Paşa kim. — Nef'î».

sipehbed, sipehdüd, F. i. Başkomutan. ● «Sipehbüdan-i murassa-cevşen. — Veysî.

sipehdar, F. i. Başkomutan.

sipehdarî, F. s. Başkomutanlığa ait, onunla ilgili.

sipehkeş, F. i. [Sipeh-keş] Başkomutan. Er güder. (ç. Sipehkeşan).

sipehsalâr, F. i. Başkomutan. ● «Bula bir mertebe nusret sipehsalâr-i mansurun — Nef'î».

sipehsalârî, F. s. Başkomutanlığa ait. onunla ilgili.

sipenc, F. i. 1. Konaklama yeri. 2. Dünya. ● Saray-i sipenc, dünya. ● «Ne mümkün olmamak azürde-i meşakkat ü renc — Meğer ki olmayasın sakin-i saray-i sipenc. — Ruhî».

sipend, sepend, F. i. (Tütsü olarak kullanılan) üzerlik otu. ● «Sipend-âsâ eder her rû-yi ateştabtan feryad. — Ragıp Pş.».

siper, F. i. 1. Kalkan. 2. Arkasına saklanılacak şey. ● Siper-i saika, paratoner; ● siper-i şems, ● şems-i siper, şapka kenarı. ● «Hazinesin siperler ile üleşirler. —Peçoylu» ● «Bulmayınca, ne çare, bastonumu —Siper aldım geçip giderlerken. — Fikret».

siperde, sipürde, F. s. Ismarlanmış, sipariş edilmiş. ● «Lâyık mıdır ki risman-i ümidimi sikkîn-i istiğna ile kat edip sipürde-i dest-i sili-zen-i a'da eyliyesi. — Naima».

sipergam, F. i. Fesleğen. ● «Ne çiçektir bu gülistanda sipergam biliriz. — Sümbülzade».

sipihr, F. i. 1. Gök. 2. Talih. ● «Efkâr için sipihr-i teali bilinmeli. — Fikret».

sîr, F. s. 1. Tok. Doymuş, kanmış. 2. (i.) Sarmsak. ● Dilsir, yüreği tok, kanmış. ●«Ne bilir gürsinenin halin sîr. — Naci» ● «Tahsil-i semen-i piyaz ü sîr ve tedarik-i beha-i peynir kaydında olma. — Veysi».

si'r, A. i. Nark. (ç. Es'ar). ● «Her nesnenin şi'ri gali ve semeni âli olmaktır deyu. — Taş.».—

sîrab, F. s. [Sîr-âb] 1. Suya kanmış. 2. Taze. Sulu. ● Gül-i sîrab, ● sünbül-i sîrab, taze gül, sümbül. ● «Hüccac ü müstakbilîn ol mevzide refahiyet üzre sîrab olurdu. — Naima».

sirabî, F. i. Suya doymuşluk. ● «Dök cûybar-i eşkini hâk-i daraate — Sirabi-i nihal-i nedamet zamanıdır. —Nabi».

sirac, A. i. Işık, kandil.

sirayet, A. i. 1. Geçme. Bulaşma. 2. Geçme, yayılma. Dağılma. ● «Bu iğbirar-i latifin sirayetiyle gönül. — Fikret».

sirbal, A. i. Gömlek. (ç. Serabil).

sîrçeşmî, F. i. [Sir-çeşmî] Göz tokluğu. ● «Sîrçeşmî hirmen-i sâmân-i servettir bana — Tengdestî vüs'at-i pehna-yi devlettir bana. — Ragıp Pş.».

siret, siyret, Bk. • *Siyret*.

sirhan, *F. i. (Sin* ve *ha* ile) Yırtıcı.

sirişk, *F. i.* Göz yaşı. • «Sirişk-i âlimi seyret ki hadd ü gayeti yok. — Fikret».

sirişkbar, *F. s.* [Sirişk-bâr] Göz yaşı saçan, ağlayan. • «Ey hâme şirişkbâr olupsun — Serkeşte vü bikarar olupsun. — Fuzulî».

sirişt, *F. i.* Yaradılış, huy. Tabiat. • «Sâlib-i âramdır Naci dil-i firkat-sirist. — Naci».

sirişte, *F. s.* Yoğrulmuş. • «Bina-yi feyzpâşı gülâb-i tetkik ve ıtr-şahi-i tahkikten girişte idi. — Nabi».

sirka, sirkat, *A. i.* Hırsızlık. Çalma. • «Zikıymet varak ve esbabların sirka edip. — Selâniki» • «Sirkat-i şi'r edene kat-i zeban lâzımdır. — Sümbülzade».

sirke, *F. i.* Sirke.

sirkefürüş, *F. s.* [Sirke-fürüş] Sirke satan. • «Telh olur zaika-i nazm-i umur-i âlem — Olmasa sirkefürüşa mütekabil kannad. — Nabi».

sirkençübin, *A. i.* Bk. • *Sirkengebîn*.

sirkengebin *F. i.* Bal ile sirke karışımı şerbet.

sitad, *A. i.* Alma, alış. • *Dâd ü sitat*, alım satım.

-sitan, *F. s.* «Alan, alıcı» anlamıyle kelimelere katılır. • *Cansitan*, can alan.

-sitan, -stan, *F. s.* Katıldığı kelimeye yer anlamı katar. • *Gülistan*, güllük, gül bahçesi; *neyistan*, kamışlık, sazlık.

sitare, *F. i.* Yıldız. • «Ufukta nâim ü nair sitareler görünür. — Fikret».

sitayiş, *F. i.* Övme.

sitebr, *A. s.* Kalın, kaba. • «Salabette manend-i sahife-i ahenîn idi mısraları mübalaga sitebr tahte idi. — Naima».

sited, *F. i.* Bk. • *Sitad*.

sitem, *F. i.* Haksızlık, zulüm. 2. Eziyet. 3. Çıkışma. • «Fakat niçin bu şikâyet, bu gizli sitem? — Fikret» • «Soğuğun bütün şiddet-i sitemini görmek için. — Cenap».

sitemalûd, sitemalûde, *F. s.* [Sitem-alûd] Sitemlerle karışık, sitemli. • Bir boğuk sada — Ruhunda inliyor, sitemalûd ü pürtaleb. — Fikret».

sitemdide, *F. s.* [Sitem-dide] Haksızlık görmüş, zulme uğramış. (ç. Sitemdidegân).

sitemger, *F. s.* [Sitem-ger] Haksızlık eden, zulüm eden. (ç. Sitemgeran). • «Rahm

eylemedin halime ey şuh-i sitemger. — Recaizade».

sitemgeran, *F. i.* [Sitemger ç.] Sitem edenler. Eziyet, zulüm edenler. • «Evza-i sitemgeranı çok meşk ederek — Biz de biliriz fünun-i istignayı. — Nabi».

sitemberi, *F. i.* Zulüm, eziyet, zorbalık.

sitemkâr, *F. s.* Zulüm ve haksızlık eden. (ç. Sitemkâran). • «Nasuh Paşanın huni ve gaddar ve hakkı kabul etmez mağrur ve sitemkâr idiğünü bildiği eclden. — Naima».

sitemkeş, *F. s.* [Sitem-keş] Zulüm ve haksızlık çeken. (ç. Sitemkeşan). • «Ben bu vakıada zalim değilim belki mazlumum ve sitemger değilim belki sitemkeşim. — Hümayunname».

sitemkeşide, *F. s.* [Sitem-keşide] 1. Eziyet çekmiş. 2. Zulme uğramış. • «Muzaffer olmayacak intikama ey Nabi — Sitemkeşidelere tesliyet müfit midir. — Nabi».

sitemkiş, *F. s.* [Sitem-kis] Huyu zulüm etmek olan. • «Sanma ebna-yi zemane beni dilriş etti — Her ne ettiyse bana baht-i sitemkiş etti. — Ragıp Pş.».

sitemname, *F. i.* [Sitem-name] Sitemli mektup. • «Takdim olunmak üzere mükemmel bir sitemname hazırlamaktan. — Recaizade».

sitiz, sitize, *F. i.* Kavga. Çekişme. *Pürsitiz*, çok kavgacı. • «Dehşetlicedir benim sitizim. — Naci».

sitizecu, *F. s.* [Sitize-cû] Kavga arayan. (ç. Sitizecuyan).

sitizekâr, *F. s.* Kavgacı (ç. Sitizekâran). • «Şu'bedebaz-i dehr-i sitizekâr-i ibreteser ân-i gayri münkasemde. — Naima».

sitizger, *F. s.* Kavgacı, inatçı.

sitr, *A. i.* 1. Perde. 2. Örtü. (ç. Estar, sittur).

sitt, *A. i.* Altı (6).

sitt, *A. i.* Bayan. Kadın.

sitte, *A. s. i.* 1. Altı. 2. Atlılık. *Sitte-i sevr*, güneşin Boğa burcunda bulunduğu (nisanda) zaman içindeki altı günlük fırtına; • *rüsum-i sitte*, Osmanlı idaresinde Düyun-i Umumiye'ye bırakılmış, altı vergi.

sitti, *A. i.* Bayan, kadın.

sittîn, *A. i.* Altmış. • «Sittin erişti ey dil inabet zamanıdır. — Sergermî-i hevadan ifakat zamanıdır. — Nabi».

sittun, A. s. Altmış.

sittur, A. i. [Sitr ç.] Perdeler, örtüler.

siva, A. i. Başka, gayri. ●Masiva, yaratıklar. ● ‹Gönlünde senin gayr ü siva sureti neyler — Lâyık mı kim Kâbe'ye büthane desinler. — Ş. Yahya›.

sivar, süvar, A. s. (Sin ile) Bilezik.

sivüm, F. s. Üçüncü.

- siyab, A. i. (Se ile) [Sevb ç.] Giyecek şeyler. ● ‹Bu siyabın üstüne bir sevb ile mütalebe ederken. — Taş›.

siyadet, A. i. 1. Efendilik, sahiplik. 2. Seyyitlik. Peygamber soyundan olma.

siyah, siyeh, F. s. Kara. ● ‹Şeb-i siyah-i teayyüşte mustarib. — Fikret›.

siyahan, F i. [Siyah ç.] Kara Araplar. Zenciler.

siyahat, A. i. Bk. ● Seyahat.

siyahbaht, F. s. [Siyah-baht] Kara bahtlı.

siyahçerde, siyehçerde, F. s. [Siyah-çerde] Esmer, karayağız olan.

siyahdil, F. s. [Siyah-dil] Yüreğinde kötülük olan. (ç. Siyahdilân).

siyahfam, F. s. [Siyah-fâm] Kara renkli.

siyahhane, F. s. [Siyah-hane] Karanlık yer. iZndan.

siyahgûş, F. i. (Zoo.) Karakulak denen hayvan.

siyahî, F. i. 1. Zenci. 2. Karanlık. ● ‹Tar ü pud-i siyahi-i şebden — Çehre-i bahtıma nikab ettim. — Fehim›.

siyahkâr, F. s. [Siyah-kâr] Günah işlemiş. (ç. Siyahkâran'.

siyahkârî, F. i. Günahkârlık. Suçluluk. ● ‹Ey mil-i sürme gözlerin öp benden ol mehim. — Arz et siyahkarî-i hicranı mû bemû. — Nabi›.

siyahpuş, F. s. [Siyah-puş] 1. Kavas, yasakçı. 2. Karalar giymiş. (ç. Siyahpuşan).

siyahrenk, siyehrenk, F. s. [Siyah-renk] Kara renk. ● ‹Eyvah şimdi her neye baksam siyah renk. — Fikret›.

siyahrû, F. s. [Siyah-rû] Yüzü kara olan. Rezil. (ç. Siyahrûyan). ● ‹Siyahrûyuluğa meylinin şeametidir — Bu güne damen-i evraka rûymal-i nigîn. — Nabi›.

siyahruz, F. s. [Siyah-ruz] Talihsiz, kara günlü.

siyak, A. i. [Sevk'ten] 1. Sözün gelişi. 2. Tarz, üslûp. ● ‹Eğer bunların hücumu siyakında müftüyü versek bunlar havfımıza haml edip. — Naima›.

siyakat, A. i. 1. Bir nesneyi arkasından ileri kakma. 2. Eskiden defterlere yazılan çengelli çarpık, noktasız yazı. ● Siyakat vavı, kanbur.

siyaset, A. i. 1. Ülke idaresi. 2. Ceza. Ceza olarak öldürme. 3. Politika. 4. Diplomatlık.

siyaseten, A. zf. Siyaset bakımından. Diplomatça.

siyasetgâh, F. i. [Siyaset-gâh] Hükümetçe öldürülecek kimselerin öldürüldüğü yer.

siyasetkede, F. i. [Siyaset-kede] Ceza yeri. ● ‹Lezzet-i buse-i çeşminle feramuş etmiş — Yediğin sürme siyasetkede-i havende — Nabi›.

siyasî, siyasiye, A. s. 1. Siyaset gereğince olan. 2. Diplomatça olan. ● Ahval-i siyasiye, ● ceraid-i siyasiye, ● makalât-i siyasiye, ● rical-i siyasiye, ● umur-i siyasiye, ● ‹Umur-i siyasiyeye karşı bir nev'i zâbıta. — Cenap›.

siyasiyyat, A. i. Politika işleri. ● ‹Sanıyorum ki siyasiyata hevesin fazlaca. — Cenap›.

siyasiyyun, A. i. Politikacılar, diplomatlar.

siyat, A. i. [Savt ç.] Kırbaçlar. Kamçılar. ● ‹Anı dahi siyat ile darbeylediler. — Taş.›.

siyeh, siyah, F. i. Kara. ● ‹Nur-i siyeh olsa pâre pâre. — Etmem ben o zülfe istiare. — Ş. Galip›.

siyehbaht, F. s. [Siyeh-baht] Kara talihli. (ç. Siyahbahtan). ● ‹Siyehbahtan-i dehr-i dûnu san is'ad eder bir kuş. — Cenap›.

siyehdil, F. s. [Siyeh-dil] Kötü yürekli. ● ‹O dem ki piş-i İlâhide ol siyehdiller — Hezar töhmet ile duzehî şiar kalır. — Nailî›.

siyehfâm, F. s. [Siyeh?fâm] Karaya boyanmış, kara renkli. ● ‹Kemani-i siyehfamı görmek üzere. — Cenap›.

siyehkâr, F. s. [Siyeh-kâr] Kötü işler işlemiş, günaha girmiş. ● ‹Şer-î zülf-i siyehkârın şeb-i târ — İzarın perteyi mehtaba benzer. — Baki›. ● ‹Günahkârım, sefehkârım, siyehkârım, siyehkârım — Beni reddetme ferda-yi kıyamet ya resulullah. — Nabi›.

siyehkede, F. s. [Siyeh-kede] Karanlık yer. ● ‹Teşkil eder siyehkede-i şedde bahr ü ber — Bir hufte aile. — Cenap›.

siyehmest, F. s. [Siyeh-mest] Aşırı sarhoş. (ç. Siyehmestan). ● ‹Meyhane-i naz olmuş o çeşm-i siyehmest — Her kuşe-i pürfitnesi bir hâbgeh-i mest. — Nef'î›.

siyehneşe, F. s. [Siyeh-neşe] Kötü, karanlık neşeli. • ‹Bir siyehneşe mest-i lâya'kıl — Gidiyor çarpa çarpa kendisini. — Fikret›.

siyehpuş, F. s. [Siyeh-puş] Karalar giyinmiş. • ‹Bir siyehpuş fakir erdi ana. — Hakanî›. • ‹Gird-i ruhunde hat ki siyehpuş-i fitnedir — Mehtab-i hüsne halever-i aguş-i fitnedir. — Sami›. • ‹Taze mezarlar arasında serapâ siyehpuş kadınlar birer saye-i matem gibi dolaşıyorlar. — Cenap›.

siyehrenk, siyahrenk, F. s. [Siyeh-renk] Kara renkli. • ‹Bir samt-i siyehrenk ile meşbu-i hayalât. — Fikret›.

siyehru, F. s. [Siyeh-rû] Yüzü kara olan, rezil ve rüsva olan. (ç. Siyehrûvan).. • ‹Böyle muzevir ve hilekâr olan sivehrû ve mekkârın. — Naima›.

siyehruz, F. s. [Siyeh-ruz] Talihsiz. • ‹Düştü etlâle karşı girye bana. — Ne siyehruz-i rüzgâr oldum ben. — Naci›.

siyemma, A. zf. Lâ siyemma, velâsiyemma suretlerinde kullanılır ki hele, hususiyle, her şeyden önce anlamlarına gelir. • ‹Ve hayrat ü hasenatı vardır, siyemma salâhı mahsus ve ibadetle melûf. — Sadettin›.

siyer, A. i. [Siyret ç.] 1. Yollar, gidişler. 2. Konusu Muhammet Peygamberin hayatı olan kitap. • ‹Aferin ey siyernüvis-i habib. — Naci›.

siyret, A. i. 1. Bir kimsenin içi, tabiatı, ahlâkı. 2. Hal tercümesi. (ç. Siyer). • ‹Siyreti fark edemez suret-perest-i gecnigâh. — Şinasi›.

siyyan, A. i. Eşit. Birbirine denk.

sof, suf, A. i. 1. Yün. 2. Yün dokuması.

soffa, suffa, A. i. 1. Sofa. 2. Kapı yanlarında oturacak peyke. 3. Bahçelerde oturacak set.

sofi, sufi, Bk. • Sufi.

sofra, sufra, Bk. • Sufra. • ‹Bir sofrada, birkaç da misafirle beraber. — Fikret›.

sohbet, A. i. Görüşüp konuşma. • ‹Tıflane sohbetindeki ciddiyet-i eda. — Fikret›.

-stan, -sitan, F. s. Bk. -sitan.

su', A. i. (Sin ve hemze ile) Kötülük. Fenalık. • Su-i ahlâk, ahlâk kötülüğü, kötü ahlâk; • -ef'al, kötü davranışlar; • hal, hal. durum kötülüğü; • -hazm, sindirim bozukluğu, • -istimal, kötüye kullanış; • -kast, sana kıymaya hazırlanma; • -muamele, kötü muamele; • -niyet, kötü, bozuk niyet; • -telakki, kötüye çekme; • -teşekkül, vücut ya-

pısındaki fena kuruluş; • -zan, kötü sanma; • -suil-kınye, genel halsizliğe yol açan, sürgün ve benzerleri hallerde olan hastalık. • ‹Ol kelimatın kailine su-i zan edip. — Taş.›. • ‹Su-i ef'al sahibi olanlara sorunuz. — Uşaklıgil›.

sû, suy, F. i. Yan, taraf. • ‹Ey zemzemeferma-yi ser-aheng-i sahari — Her sûdan edersin dil ü cana. — İsal-i terane. — Cenap›.

suada, A. i. (Sin ile) [Said ç.] Kutlu kimseler. • ‹Suadadan sayılırdı koca Nemrud-i pelîd. — Kâzım Pş.›.

sual, A. i. 1. Sorma. Soruşturma. 2. Sorulan nesne. 3. Dilenme. Dilencilik. (ç. Es'ile) • ‹Mescitte sual edene tasadduk edenin şahadetini kabul etmezem demiştir. — Taş.›. • ‹Müntic-i cerr ü sual oldu kazaya-i sühan. — Sümbülzade›. • ‹Hastayım derdim sual etmez tabip. — Esrar Dede›. • ‹Sual cevapta iade olunmuş addolunur. Yani tasdik olunan bir sualde ne denilmiş ise mücip onu söylemiş hükmündedir. — Mec. 66›.

sual, süal, A. i. (Sin ve ayın ile) Öksürük. • Sual-i dikî, boğmaca öksürüğü. • ‹Etmiş gibi natıkam teverrüm — Her lafzım bir sual-i faci'. — Fikret›.

sualât, A. i. [Sual ç.] Sorular, sorgular. • ‹Mânalı sualât ile her hatvede mevkuf. — Fikret›.

subabe, A. i. (Sat ile) 1. Kap içinde artmış su. 2. Her şeyin artığı. • ‹Ol nehrin bakiyye ve subabesinden içtim. — Taş.›.

su'ban, A. i. [Sa'b ç.] Su yolları.

su'ban, A. i. Pek büyük yılan. Ejderha. • ‹Geh asâ su'ban olur amma yed-i beyza ile. — Ziya Pş.›.

subesu, F. zf. Taraf taraf. Her yana, her yanda. • ‹Subesu sevk eyleyen hep saik-i takdirdir. — Ragıp Pş.›. • ‹Eynel-meferr çöle can attı şubesu. — Beyatlı›.

subh, A. i. 1. Sabah. Sabah vakti. 2. Tan zamanı. • Subh-i kâzib, tan olmadan önce geçici aydınlık; • -sadık, gerçek tan zamanı. • ‹İntizarım sanadır subhe dek ey mihr-i münir. — Nailî›.

subhdem, F. i. Sabah zamanı, sabahleyin erken. • ‹Esti nesim-i nevbahar açıldı güller subhedem. — Nef'î›.

subhgâh, F. i. [Subh-gâh] Tan yeri. • ‹Micmer-i gülde nesim-i subgâhı udsuz — Sefha-i gülzarda bad-i baharı ıtrsâ. — Bakî›.

sud, *F. i. (Sin* ile) Kazanç, gelir, kâr. • *Bisud,* faydasız, yaramaz; • *çi sud,* neye yarar. • ‹Nedir sûdu bu bazar-i fenada çelb-i emvalin. — Nabi›.

suda', *A. i. (Sat* ile) 1. Baş ağrısı. 2. Rahatsız etme, sıkıntı verme, sıkma. • ‹Suda-i seri — Yatakta hastayı çıldırtıyor, sayıklatıyor. — Fikret›.

sudager, *F. i.* Tüccar. • ‹Cana âşık nice dağ ursun o sudager-i naz — Cevher-i cangeh-i hicrana tahammül mü eder. — Nailî›.

sudd, sadd, *A. i. (Sad* ile) 1. Vâdi. 2. Dağ. (ç. Sudud).

sude, *F. s.* 1. Sürmüş, sürülmüş. 2. Ezilmiş, dövülmüş. ‹Ve damen-i ismetinizi bunca Müslümanların hûn-i nahakkiyle suda etmiyesiz. — Sadettin›. • ‹Cebîn-i tazarru' u niyazım sude-i hâk-i secdegâh ola. — Nergisî›.

suderû, rûsude, *F. s.* [Sude-rû] Yüzü sürülmüş olan.

sug, *A. i.* Şakak.

sugî, *A. i.* Şakakla ilgili, şakağa ait.

sudmend, *F. s.* Kazançlı, kârlı. • ‹Sudmend olmaz ederse şem' ile pervane bahs. — Nabi›.

sudud, *A. i.* [Sudd ç.] 1. Vâdiler. 2. Dağlar. • ‹Ol hududun ehl-i sududunu hüsn-i tedbir ile tedmir. — Sadettin›.

sudur, *A. i.* [Sadr ç.] 1. Göğüsler. 2. Sadrazamlar. 3. Kazaskerler. • ‹Anın ardınca bilcümle sudur-i asman-pâye — Ki ilm ü fazl ü tekva gevherinin her biri kânı. — Nedim›.

sudur, *A. i.* Meydana çıkma. Olma.

suf, sof, *A. i.* 1. Yün, yapağı, ibrişim. 2. Yünden yapılma dokuma.

sufar, *F. i.* 1. İğne deliği. 2. Ok gezi.

suffe, soffe, *A. i.* Sofa.

sufî, *A. i. s.* Sofu. 2. Tasavvufa düşkün, tasavvufla uğraşan. (ç. Sufiyan). • ‹Bundan sonra bazı sufilerin zikr ve tevhid esnasında hareketine geldim. — Kâtip Çelebi› • ‹Taife-i saffet-eser-i sufiyan olan bir kavm-i mutebere. — Nergisî›.

sufiyyane, *F. s.* 1. Sofice. 2. Sofilere yakışır yolda. • ‹Kendi Doğanî Dede dervişlerinden geçinmekle Mevlevihane'de evkat geçirip dervişan ile ülfet ve sufiyane hareket üzre oldu. — Naima›.

sufiyye, *A. i.* Tasavvufçuluk. Tasavvuf taifesi. Sofuluk.

sufiyyun, *A. i.* [Sufi ç.] Tasavvufla uğraşanlar.

sufra, *A. i.* Sofra, üzerinde yemek yenilen yaygı ve benzerleri. • ‹Olsa sufra-i âsarımızın sâkıtası — Bulamaz lezzet-i mânaya zafer lâkıtası. — Nabi›.

sufret, *A. i.* 1. Sarı renk. 2. Beniz solukluğu.

sufuf, *A. i.* [Saf ç.] Saflar, sıralar. • ‹Ve küffar dahi tertib-i sufuf ettikte. — Naima›.

sugra, *A. i. (Man.)* Küçük önerme. • ‹İktiran eylese sugrasına kübra-yi adem. — Akif Pş.›.

sugra, *A. s.* Daha veya pek küçük.

suh, *A. i. (Sin* ve *ha* ile) [Saha ç.] 1. Sahalar, alanlar. 2. Meydanlar, herkese açık yerler.

suhan, sühan, Bk. • *Sühan.*

sûhan, *F. i.* Törpü. • *Sûhan-i ruh,* ruh törpüsü. • ‹Harekât-i nahemvarları mesabe-i sûhan-i ruh. — Fuzulî›.

suhre, *A. s.* Maskara. • ‹Giyse Amr'in külâhın başına — Suhre-i şeyh ü şabdır peykim. — Nef'î›.

suhrekâr, *F. s.* [Suhre-kâr] Maskaralık eden. Maskara. • ‹Fasih gılzeti bir suhrekâr üstadın. — Fikret›.

suhrekârane, *F. s.* Maskaraca. Maskara gibi. • ‹Aynı evza-i suhrekârane ile şık beylere mukabele. — Recaizade›.

suhuriyye, *A. i. (Sin* ve *hı* ile) Maskaralık. Maskara işi. • ‹Sıfat-i rezmini gûş edene suhriyye gelir — Harf-i Dârâ vü Sikender suhan-i Giv ü Peşen. — Nedim›.

suhte, *F. s.* 1. Yanmış, tutuşmuş. Yanık. 2. Softa. • ‹Olsak ne acep talib-i gülzar-i visal — Biz suhtei ateş-i İbrahimiz. — Nabi›. • ‹Sarfa sarf eylemeyip medreselerde ömrün — Geçinir bazı yobaz suhte de molla-yi sühan. — Sümbülzade›.

suhtevat, *A. i.* [Suhte ç.] Softalar. Kaba sofular. • ‹Eğerçi ol havaliyi suhtevattan hâli kıldı feemma. — Naima›. • ‹Olmaz hele suhtevat şair — Etmem o güruhu bahse dair. — Ş. Galip›.

suhuf, *A. i.* [Sahife ç.] Sahifeler. 2. 2. Bazı peygamberlere gelen Tanrı buyrukları.

suhur, *A. i. (Sat* ve *hı* ile) [Sahr ç.] Kayalar, külteler. • ‹Taziyane-i tahziri ile suhur ve cibali kar ü mezb eylese. — Taş.›.

suk, *A. i.* Çarşı. Pazar • *Suk-i sultani.* mezat yeri; • *-Ukâz,* Arap yarımadasında İslâmdan önce çok ünlü bir panayırdı. Arap şairleri de toplanır şir yarışı yaparlardı. • «Suk-i âlemde revaç ümmit ederdik biz dahi — Cehli tervic olmasaydı mukteza-yi rûzgâr. — Naci».

suka, A. i. Çarşılı, çarşı adamı, esnaf. • «Suk-i istidada şehrâyin edip yaran-i nazm — Ettiler gülrizler avize dukkân üstüne. — Nedim». • «Ve sukadan bakkal ve sair zimmilere sermaye verip halka eksik sattırmaya sebep olduğundan. — Naima».

sukata, A. s. (Sin ve tı ile) Kırıntı, döküntü, artık. • Sukutaçîn, artık toplayan.

sukbe, sakbe, A. i. (Se ile) Delik. • «Hasiyyetimi bildiği manende-i tiryak — Endahte-i sukbe-i mâr etmek içinmiş. — Nabi».

sukî, A. s. (Sin ile) 1. Çarşı, pazarla ilgili. 2. Çarşılı, pazarlı. (ç. Sukîyan). • «Sukîler gibi seraif-i insaniyetten münselih olmuş olur. — Naima».

sukubat, A. i. (Se ile) [Sukbe ç.] Delikler.

sukuf, A i. (Sin ile) [Sakf ç.] Çatılar, damlar.

sukuk, A. i. (Sat ile) [Sakk ç.] Sakkler. Şeriat mahkemesi hüccetleri.

sukut, A. i. 1. Aşağı inme, düşme. 2. Sarkma. 3. Büyük bir mevkiden ayrılmış olma. 4. Çocuğun vakitsiz veya eksik dünyaya gelmesi. 5. Yaprak dökümü. • «Evlendiler, seviştiler amma muvakkaten — Sevda sukuta başladı beş hafta geçmeden. — Fikret».

sul'a, A. i. 1. Başın kılsız yeri. 2. Kılları dökülmüş baş tepesi.

sulb, A. i. 1. Omurga kemiği. 2. Döl. (ç. Aslâb).

sulb, sulbe, A. s. [Salâbet'ten] 1. Katı, sert. 2. (Fiz.) Katı. 3. Taş gibi. • «Bir sulb ve sadık ve enva-i ihsana lâyık kimesne olduğu. — Peçoylu».

sulbî, sulbiyye, A. s. Birinin sulbünden gelme. onun çocuğu olma. • «Esat Efendinin sulbiyye duhterin tezevvüç ettikte. — Naima».

sulbiyyet, A. i. 1. Katılık, sertlik. 2. Cisimlerin katı hali. 3. Duygusuzluk, taş gibi olma.

suleha, A. i. [Salih ç.] Salih insanlar. • «Suleha silkine ilhak buyur. — Hakanî».

sulh, A. i. 1. Barış. 2. Rahatlık. 3. Uyuşma, uzlaşma. • «Hazır ol cenge eğer ister isen sulh ü salah. — Ragıp Pş.».

sulhamiz, F. s. [Sulh-amiz] Barıştırıcı, arabulucu.

sulhan, A. zf. Barış yoluyle.

sulhî sulhiyye, A. s. Barışa ait, barış ile ilgili.

sulhiyun, A. i. ç. Barıştan yana olanlar. Fransızcada Pacifistes karşılığı olarak (XX. yy.). • «Binaenaleyh sulhu sever ve isterim, fakat sulhiyundan değilim. — Cenap».

sulhname, F. i. [Sulh-name] Barış kâğıdı.

sulta, A. i. Fransızca'dan autorité (yekte) sözüne karşılık olarak. (XX. yy.).

sultan, A. i. Hükümdar, 2. Hükümdar ailesinden (anne, kız kardeş, kız çocuk gibi) kadınlardan her biri. • «Bildirir haddini sultana senin kanunun. — Şinasi».

sultanî, sultaniyye, A. s. Hükümdara ait, hükümdarlarla ilgili. • Mekâtib-i sultaniyye. liseler; • Mekteb-i Sultani. Galatasaray lisesi. • «Bihamdillâh ki yârî kıldı ferr-i baht-i sultanî — Müyesser eyledi Bâri-tealâ feth-i Şirvan'i. — Bakî».

su'lûk, A. i. 1. Fakir. 2. Serseri. 3. Dilenci. (ç. Saalik). • «Tarik-i yağma ve garete salik ve her su'lûk bir tarik ile ata ve dona malik olup. — Naima».

Sumenat, A. i. Hindistan'ın Gücerat bölgesinde ünlü bir puthane, tapınak. Gazne'li Mahmut tarafından yıkıldığı söylenir. • «Geh deyr ü gâh Kâbe gehiy Sumenat'ta — Hakcuy kande olsa Hudasın arar bulur. — Ragıp Pş.».

summ, A. i. [Asamm ç.] Sağırlar, işitmezler.

sumak, summak, A. i. Somak.

sumul, samul, A. i. Sertlik, katılık. Diklik.

sun', A. i. İş, eser. • «Sırr-i sun' idi ol esnan-i nazif — Hakanî». • «Takdise inhimek ederim sun-i kudreti. — Fikret».

suni, sun'iyye, A. s. (Sat ile) 1. Yaradılıştan olmayan, yapma. 2. Uydurma, yapma. • «...diye başladığı bir kâğıda sunî bir mektup uydurmakla meşgul olurken. — Uşaklıgil».

sunuf, A. i. [Sınıf ç.] Sınıflar. • «Hayır suale mahal yok; sunif-i hâr-i beşer — Bütün o soytarının aynıdır ki, pâberser — Tuhaflık etmek için yerde, elleriyle gezer. — Fikret».

sur, A. i. (Sat ile) 1. Büyük boynuzdan boru. 2. Kıyamet günü İsrafil'in üfleyeceği boru. • «Bütün dünyayı haberdar etmek isteyen bir sur-i ilân gibi. — Uşaklıgil».

sur, *A. i. (Sin* ile) Şehir ve kasabalar etrafını çeviren yüksek duvar, kale (ç. Esvar). • ‹Ey dişleri düşmüş sırıtan kafile-i sur. — Fikret›.

sûr, *F. i.* Düğün. • ‹Meyletmediğim sûr-i safa bahşına dehrin — Matemkede-i dilde olan şiven içindir. — Nailî› • ‹Ve bir ketibe-i raksan ü sur ü neşe gibi — Gönüllüler yola doğruldu. — Fikret›.

surah, *F. i.* Delik. • ‹Vücudu hançer zahmından surah surah olmuş idi. — Naima›.

surah, *A. i. (Sat* ve *hı* ile) Çığlık.

surahi, *A. i.* Uzun boyunlu su ve şarap şişesi. • ‹Mey değil ağzı suyu aktı surahinin gece — Lâ'lini derc edicek mecliste yâran-i safa. — Ruhi›.

sure, *A. i.* Kur'an'ın 114 bölümünden her biri. • ‹Kaplamıştı yüzünü, nur-i sürur — Sure-i nur idi ya matla'-i nur. — Hakanî›.

suret, *A. i.* 1. Dıştan görünen şekli. Kılık. 2. Dış gösteriş. 3. Surat, yüz. 4. Gidiş, yol. 5. Resim. 6. Nüsha, kopya. 7. Aksilik, yüz ekşiliği. • ‹İlme meşgul iken halet-i fena galebe edip ser ü pâ bürehne ebdallar haletin ve fena ehli suretin kullandı. — Latifî›. • ‹Suretim gerçi güler kalp gözüm kan ağlar. — Şinasi›.

suretâ, *A. zf.* Görünüşte. • ‹Mânide bir dûd peyda kılmıştır cihan — Suretâ bir hûb kâşî kubbeli kâşanedir. — Baki›. • ‹Buluştuğu gün suretâ ikramen hil'at giydirdi. — Naima›.

suretbend, *F. i. s.* [Suret-bend] Tasvir yapan. Resimci.

suretgede, *F. i.* [Suret-gede] • ‹Söz bir nefes-i sazec-i bi-renktir amma — Berhemzeni suretgedei kevn ü mekândır. — Avni›.

suretger, *F. i.* [Suret-ger] Resim yapan. Resimci. Ressam. • ‹Nice mey desti Mesiha da çeker sagarını — Kalem alsa ele suretger-i deyr-i ifham. — Nef'î›.

suretnüma, *F. s.* [Suret-nüma] Meydana gelen, yüz gösteren. • ‹Havadis-i garibe suretnuma olmuştur. — Naima›.

suretperest, *F. s.* [Suret-perest] 1. Surete tapan. 2. Surete önem veren. (ç. Suretperestân). • ‹Sureti ko bak Muhibbî sirete — Olma zahid gibi sen suretperest. — Kanunî›.

suretpezir, *F. s.* [Suret-pezir] 1. Meydana çıkan. 2. Şekillenen. • ‹Ol fitne-i gayr-i marziye onun yüzünden suretpezir olduğundan. — Naima›.

suretyab, *F. s.* [Suret-yab] Şekillenen. Meydana çıkan.

surgâh, *F. i.* [Sur-gâh] 1. Düğün evi. 2. Eğlence, cümbüş yeri. • ‹Hengâmeli bir surgâh-i şevk u şagab idi. — Recaizade›.

surî, surîyye, *A. s. (Sat* ile) Görünürde olan. İçten olmayan. • ‹Beyinlerinde ittifak ve ittihat vâki olmayıp câli ülfet ve surî âşinalık ile sohbet ederlerdi. — Naima›.

surna, surnay, *F. i. (Sin* ile) Zurna.

surre, *A. i. (Sat* ile) 1. Para kesesi. 2. Hükümdar tarafından Mekke ve Medineye her yıl gönedrilen para ve eşya.

suruf, *A. i.* [Sarf ç.] 1. Sarflar. Harcamalar. 2. Değişmeler, değişiklikler. • ‹Ve müdafaa-i beliyyat ü suruf benim vücuduma mevkuf değildir. — Sadettin›.

suruh, *A. i.* [Sarh ç.] Köşkler. Yüksek yapılar.

sus, *A. i.* (Bot.) Meyankökü.

sus, *F. i. (Sin* ile) 1. Güve. 2. Kurtçuk.

susam, *A. i.* Susam.

susen, *A. s.* Susm çiçeği. • ‹Susenin hancerini tuttu serapâ jengâr. — Bakî›.

suseniyye, *A. i.* (Bot.) Süsengiller (XIX. yy.).

susmar, *F. i. (Sin* ile) Kertenkele.

sutu', *A. i. (Sin* ve *tı* ile) 1. Yükselme, yukarı çıkma. 2. Belli olma, görünme (koku, toz v.b.). Yayılma. • ‹Ulüvv-i şan ve sutu-i burhanı mukarrer iken. — Nergisî›.

sutuh, *A. i. (Sin* ve *tı* ile) [Sath ç.] Yüzeyler. • ‹Anınla hudut ve sutuh ve ecsamın makadiri taarruf olunur. — Taş.›.

sutur, sütur, *A. i.* [Satr ç.] Satılar. • ‹Saf çekse ne dem sutur-i hattın — Ey saf‹ der-i rezmgâh-i mânâ. — Nef'î›.

suubet, *A. i. (Sat, ayın* ve *te* ile) Güçlük, zorluk. • ‹Bazı kılâ-i metine ki kemal-i suubeti ile kabil-i teshir değil idi. — Naima›.

suud, *A. i. (Sad* ile) Yukarı çıkma. ‹Hasta bir nağme, bi-mecal-i suud. — Fikret›. • ‹Dünyada dehşetle tuhaflığı cem eden şeylerden biri de Büyük Ehram'a suuddur. — Cenap›.

suud, *A. i. (Sin* ile) [Sa'd ç.] Mübarek olan (yıldızlar). • ‹Göründü tâli-i lâemde itilâ-yi suud — Bulundu baht-i memalikte irtika-yi küşad. — Nabi».

suut, *A. i. (Sat, ayın ve tı ile)* Enfiye.

suver, *A. i. (Sat ile)* [Suret ç.] Suretler. • «Ma'şerî vicdanında meş'ur ve müdrek bulunan suver-i zihniyeden ibarettir. — Z. Gökalp».

suz, *F. i. (Sin ve ze ile)* Yanma, tutuşma.

-suz, *F. s.* «Yakan, yakıcı» anlamıyle kelimelere ulanır.

- *cansuz*
- *cigersuz*
- *dilsuz*
- *hanümansuz*
- *takatsuz*
- *vicdansuz*

suzan, *F. s.* Yakan. 2. Yanan. • «Gönül bir nevcivanın şule-i hüsnüyle suzandır — Ki bir ketmer şirarı afet-i sad hirman-i candir. — Neilî». • «Çölde şemsin şua-i suzanı — Yakarak gözlerinde elvanı. — Fikret».

suzen, *F. i.* İğne. • «Envardan ibşirimle suzen-i rahmet. — Nabi». • «Bütün asabınız üzerine bir deste-i suzen gibi batar. — Cenap».

suzendan, *F. i.* [Suzen-dan] İğnedenlik. İğneler konulan veya tutturulan şey. • «Suzendan-i merdüm-âzarı zamair-i eşrara işrab. — Kâni».

suzende, *F. s.* Yakan. Yakıcı.

suzenî, *F. i.* İnce bir nakış çeşidi.

suzenger, *F. i.* [Suzen-ger] İğneci (ç. Suzengerân).

suziş, *F. i.* 1. Yanma. Yakma. 2. Dokunma, teki yapma. 3. Yürek yanması, büyük acı. • «Sen ağla; ben de bütün suzişimle giryefeşan. — Fikret».

suznâk, *F. i.* 1. Bir musiki makamı. 2. (s.) Yakan. î. Dokunaklı.

süb', süba', Bk. *Sübu'.*

sübai, sübaiyye, *A. s. (Sin ile)* [Seb'den] 1. Yedili. 2. Yedilik.

sübat, *A. i.* 1. Soğuk sıtma denen uzun uyku. Uzun, uyku şeklinde baygınlık. 2. *Litagors,* lisagors, denilen (XIX. yy.). «nevm-i müstagrak» ile karşılanan *lethargus* karşılığı (XX. yy.). • «Dide-i candan sübat-i gafleti def et. — Nergisî».

Sübbuh, *A. i.* Tanrı. • «Tevhidi sever o halık-ur-ruh — Birdir bir o bi-niyaz Sübbuh. — Naci».

sübha, *A. i. (Sin ile)* 1. Doksan dokuzlu tespih. 2. Tespih tanesi. • *Sübha-i zâkir,* zikir eden kimsenin tespihi. *Sübha-i tesbih* tesbih tanesi. • «Bütün bu kafilenin dest-i ıstırabında — Siyehdane-i eyyamı sübha-i ömrün. — Cenap».

sübhadar, *F. s.* [Sübha-dar] Tespihli. (ç. Sübhadarân). • «Gösterir dest-i sübhadarıyle — Gösterir bir lika-yi handanı. — Fikret».

sübhakeş, *F. s.* [Sübha-keş] Tespih çeken. (ç. Sübhakeşan).

Sübhan, *A. i.* Tanrı. • *Sübhanallah,* Tanrıyı takdis ve tenzih ederim. • «Dil ki âyinee-i sübhandır — Levha-i Hilye-i Hakani'dir. — Naci».

sübhanî, sübhaniyye, *A. s.* Tanrı ile ilgili.

sübhaşümar, *F. s.* [Sübha-şümar] Tespih çeken.

sübu', süb', *A. s.* Yedide bir.

sübut, *A. i. (Se ile)* Meydana çıkma. Kesin ve aydın olarak belirme. • «Dâva sübut bulmaz olunca güvah mest. — Galip».

sübut, *A. i. (Sin ile)* Sebitler, Cumartesi günleri.

sübül, *A. i.* [Sebîl ç.] Yollar. • «Çıkaran doğruya hadi-i sübüldür — Kim ki bir raha gider ol rehi şahrah bilir. — İzzet Molla».

sübyan, sıbyan, Bk. • *Sıbyan*

sücud, *A. i.* Namazda veya kulluk göstermek için yüzü yere sürme, yere kapanma. • «Kimdir ki kaşlarını görüp etmeye sücud. — Kanunî».

sücuf, *A. i.* Secfler, perdeler, örtüler.

sücul, *A. i.* [Sicil ç.] 1. Siciller. 2. Büyük su kovaları.

sücun, *A. i.* [Sicn ç.] Zindanlar.

südasi, südasiyye, *A. s.* 1. Altılı. 2. Altılık.

südde, *A. i.* 1. Kapı, eşik. 2. (Bio.) Tutkunluk. • «Yüz sürmez idi südde-i devlet meabına — Kul olmayaydı Hüsrev-i gerdun-serir ana. — Baki».

südüs, *A. i.* Altıda bir.

süfeha, *A. i.* [Sefih ç.] Sefihler. • «Hakkımda ne derlerse o gûne süfehanın — Âsar-i tabiatlarına kim nazar eyler. — Nef'î».

süfelâ, *A. i.* [Sefil ç.] Sefiller.

süfera, *A. i.* [Sefir ç.] Elçiler. • «Meclis-i süferada neler söyleniyor. neler düşünülüyor. — Cenap».

süfl, *A. i. (Se ile)* 1. Çöküntü, tortu. 2. Çıkartı. 3. Alçaklık.

süflâ, *A. s:* [Safil'den] Daha veya pek aşağı.

süflî, süfliyye, *A. sö (Sin ile)* 1. Aşağıda bulunan. 2. Alçak, bayağı, değersiz. 3. Kılıksız. 4. (Ast.) Arz ile güneş arasında bulunan Utarit ile Venüs (Zühre) gezegenleri.

süflî, süfliyye, *A. s. (Se* ile) Tortu ve çıkartıya ait.

süfliyyat, *A. i. (Sin* ile) (Tas.) Dünya ile ilgili bayağı şeyler. • «Nefsinin maddiyat ve sülfiyatından itilâsını keşf ile. — Kemal».

süfliyyet, *A. i.* Süflilik. Bayağılık. • «Ne zaman baksa bu süfliyyetine — Gerilir inleyerek âsabı. — Fikret».

süfliyeyn, *A. i.* İki süfli. Merkur (Utarit) ile Venüs (Zühre) gezegenleri.

süfuf, sefuf. *A. i.* Toz halinde ilâç.

süfte, *F. s.* Dilenmis.

süftegûs, *F. s.* [Süfte-gûs] Kulağı delinmiş olan (küpe takmak için).

süfün, *A. i.* [Sefine ç.] Gemiler.

sügur, *A. i. (Se* ile) [Sagr ç.] Sınırlar. • «O şehriyar-i serir-i beka ki yoktur anın — Kalemrevinde sügur ü memalikinde hudud. — Sabit».

sügvâr, *F. s.* Acılı, kederli. • «Mesrur ederdi sügvarı — Mahmur ederdi huşyarı. — Ş. Galip».

Süha, *A. i. (Sin* ve *he* ile) Büyük ayı yıldızı takımından parlak bir yıldız. • «Kaşların arasın etmişti Huda — Evc-i eflâk-i şeriatte Süha. — Hakanî».

sühan, *F. i. (Sin* ve *hı* ile) Söz. Lakırdı. • «Suz-i pervane vü şem'a dolasırlar gâhi — Tutuşur gayret ile şem-i şebâra-yi sühan. — Sünbülzade». • «Nakd-i sühanım rayic olur ölse de Nabi — Hiç kaleb-i fersudeye mesbûk değildir. — Nabi».

sühanâra, *F. s.* [Sühan-âra] Düzgün söyleyen. • «Hezaran tut-i sühanâra mütekellimdir. — Latifî».

sühançin, *F. s.* [Sühan-çin] Bir yerden söz toplayıp başka yere götüren. Dedikoducu.

sühandan, *F. s.* [Sühan-dân] Güzel söz söyler, söz bilir. • «Hazret-i Nabi-i üstada nazîre demeye. — Sabit âsâ Halep'in merd-i sühandanı mı var. — Sabit».

sühangû, *F. s.* [Sühan-gû] Söz söyleyici, söz söyleyen. (ç. Sühangûyan). • «İnkâra kimin cüreti var ise desinler — Yâran-i sühan-fehm ü sühangûya salâdır. — Nef'î».

sühangüşter, *F. s.* [Sühan-güster] Söz yayan, şair. • «Nice üstad-i suhangustere oldum galip — Ki bulunmaz arasan her birinin akranı. — Nef'î».

sühanperdaz, *F. s.* [Süphan-perdaz] Güzel, düzgün söz söyleyen. • «Hususa ol sühanperdaz üstadım ki eş'arım — Ya-

zar müşkilpesendan-i cihan evrak-i can üzre. — Nef'î».

sühanperver, *F. s.* [Sühan-perver] İyi söz söylemesini iyi bilen. • «Tuti gibi hoş nükteler öğretti dehanın — Baki gibi üstâd-i sühanpervere cânâ. — Bakî».

sühanpira, *F. s.* [Sühan-pira] Süslü söz söyleyen. • «Aferin Piri-i hoş-tab' ü sühanpiraye. — Nabi».

sühanran, *F. s.* [Sühan-rân] Güzel söyleyen. • «Sühandan olmadan suhanranlık kasdın edip. — Latifî».

sühansenc. *F. s.* [Sühan-senc] Söylediğini iyice tartıp düşünen. Gereksiz söylemeyen. (ç. Sühansencân). • «Olsaydı birinde bir sühansenc — Elbette ayan olurdu ol genc. — Fuzulî».

sühanserâ, *F. s.* [Sühan-serâ] Ahenkli söz söyleyen. (ç. Sühansereyan). • «Bilmem ne durur sühanserayan — Vaciptir o lûtfe arz-i şükran. — Naci».

sühanşinas, *F. s.* [Sühan-şinas] Söz bilir, söz değerini ayırt edebilir. (ç. Suhanşinasan).

sühanver, *F. s.* [Sühan-ver] Fasahatle söz söyleyen. (ç. Sühanveran). • «Zu'munca sühanver-i zemane — Seccadenişin-i kahvehane. — Ş. Galip».

sühar, sühür, *A. i. (Sin* ve *he* ile) Gece uyanık kalıp uyumama.

Süheyl, *A. i.* Parlak yıldızlardan biri olup güney tarafında görünür. Yemen'de en iyi göründüğü için • *Süheyl-i yemanî* de denir.

Sührab, *F. i.* Zaloğlu Rüstem'in oğlu.

sühran, *A. i. (Sin* ve *he* ile) Gece uyumayan kimse.

sühulet, *A. i. (Sin* ve *he* ile) 1. Kolaylık. 2. Kolaylık aracı. 3. Yavaşlık. 4. Elverişli. Kullanışlı. 5. Para bakımından kolaylık. • «Her kârda âkıl gözetir semt-i sühulet. — Sami».

sühuletbahş, *F. s.* [Sühulet-bahş] Kolaylık veren, kolay kullanılır.

sühunet, *A. i. (Sin* ve *hı* ile) 1. Sıcaklık. 2. Kızgınlık. • «Sanki suhunet-i tabiîyelerini bürudet-i hariciye taz'if eder. — Cenap».

sühür, *A. i. (Sin* ve *he* ile) Gece uyumayıp uyanık kalma.

sükalâ, *A. i. (Se* ve *kaf* ile) [Sakıl ç.] 1. Ağırlar. 2. Çirkinler. 3. Kabalar. • «Gerdun-i dûn bizi sükalâdan şümar eder — Takvim-i itibarda mahzurlardanız. — Nabi».

sükâra, A. i. (Sin ve kef ile) [Sekran ç.] Sarhoşlar.

sükkân, A. i. [Sakin ç.] Oturanlar. • ‹Zannederler şükkân-i keşti sahil-i derya yürür. — Ragıp Pş.›.

şükker, A. i. Şeker. • ‹Dehenin tuti-i sükker şiken olsa ne aceb — Leb-i şirin ü hat-i sebz ana bâl ü perdir. — Bakî›.

sükkerî, sükkeriyye, A. i. s. 1. Şekerden yapılma tatlı. Şekerle ilgili. • ‹Hattâ sükkerî eşrübe-i mütenevvia badyalar ile memlû durup. — Naima›.

sükna, A. i. Oturulan yer. • ‹Bir haftada kabil-i sükna olacak kadar bina ettiler. — Naima›. • ‹Sevk-i vukuat ile kırk aile gelmiş, orada bir sükna-yi muvakkat teşkil etmiş. — Cenap›.

sükub, A. i. (Se ile) [Sakb ç.] Delikler.

sükûn, A. i. 1. Durma. 2. Rahat. 3. Durgunluk. 4. Dinme, kesilme. 5. (Arap Gra.) Bir harfin a, e, i, o okunmayıp yalnız ses vermesi, cezm sözündeki z harfinin hali. • ‹Vâbeste bu âlemde sükûnun harekâta. — Kemal›.

sükûnet, A. i. 1. Durgunluk. 2. Rahat. 3. Durma, dinme, azalma. • ‹Otuz saattan beri bizi kucağında sarsan deniz kesb-i sükûnet etmiş, (...) yolculara artık müsaade göstermişti. — Cenap›.

sükûnetbahş, F. s. [Sükûnet-bahş] Dinlendirici. Rahatlandırıcı. Yatıştırıcı. • ‹Hüseyn Baha Efendinin bir nazar-ı sükûnet-bahşi zabt-i nefs etmesine. — Uşaklıgil›.

sükûnetgâh, F. i. [Sükûnet-gâh] Dinlenme yeri. • ‹Firaş-i sâfıdır dildar-i hâbın — Sükûnetgâhıdır her ıstırabın. — Fikret›.

sükûnetyab, F. s. [Sükûnet-yâb] Durgunlaşan, duran, durulan. Dinen.

sükûngâh, F. i. [Sükûn-gâh] Dinlenme rahatlanma yeri. • ‹Bu sükûngâh-i ârâmişi bırakarak. — Uşaklıgil›.

sükûnperver, F. s. [Sükûn-perver] Rahatlandırıcı, dinlendirici. • ‹Güneşli sath-i sükûnperverinde bir havzun. — Fikret›.

sükût, A. i. Susma. Lâkırdı söyleme. • ‹Bütün bu manzara ol mehlikayı arz eyler — Zalâm içinde, zalâm ü sükût içinde bana. — Fikret›.

sükûtî A. s. 1. Çok söylemez. 2. Susmayı seven. 3. Susuk.

sükûtperest, A. s. [Sükût-perest] Susan, susmayı seven. • ‹Bu hayat-i meşguliyet başladıktan sonra sükûtperest olmuş. — Uşaklıgil›.

sülâ', A. i. Diken.

sülâf, sülâfe, A. i. Şarap. • ‹Sülâf-i nasâf. — Ragıp Pş.›. • ‹Saki kanı ol sülâfe-i na-mağşuş. — Nabi›.

sülâle, A. i. Soy. Oğullar, torunlar.

sülâmî, A. i. Parmak kemiği.

sülâsı' A. i. (Se ile) [Selâse'den] 1. Üçlü. 2. (Arap Gra.) Asıl kelimesi üç harf olan (kelime).

sülhafa, A. i. 1. Kaplumbağa. 2. İstiridye.

sülhafiyye, A. i. (Zoo). Fransızcadan chéloniens (kaplumbağalar) karşılığı (XIX. yy.).

süllâf, A. i. (Sin ile) [Selef ç.] Selefler. Önce gelip geçmişler.

sülle, A. i. (Se ile) İnsan topluluğu, kalabalık. • ‹Ve her kim etmez der ise zümre-i kanıtîndendir sülle-i kanitînden olamaz. — Kâni›.

süllem, A. i. (Sin ile) Merdiven. • ‹Âli ve Fuat Paşalar süllem-i vezarete ayak bastıktan sonra. — Kemal›.

sülme, A. i. (Se ile) Gedik. Çatlak. • ‹Mahazil dinlemeyip sülmeleri sadd ve mermetlere müsaraat ettiler. — Naima›.

sülûc, A. i. (Se ile) [Selc ç.] Karlar. • ‹Teraküm eden sülûç meyanına vüluc etmiş idi. — Sadettin›.

sülûk, A. i. [Silk'ten] 1. Bir yola girme. 2. Özel bir gruba katılma. 3. (Tas.) Dervişlik yoluna, bir tarikate girme. • ‹Sedd ola sülûküm itikada. — Fuzulî›.

sülüs, A. s. i. (Se ile) 1. Üçte bir. 2. Bir çeşit yazı.

sülüsan, sülsan, A. s. (Se ile) Üçte iki. • ‹Kârının sülüsanını iktiza ettikçe menafi-i umumiyeye sarf edeceğinden. — Kemal›.

sülvan, sülvane, A. i. 1. Yüreğe ferahlık veren ruh. 2. İç açıcı ilâç. • ‹Bir mikdar sülvan gelip teselli bulasız. — Süheylî›.

süm, A. i. (Se ile) Sarmısak. • ‹Süm ü basal çü nergis ü lâle küşade leb›.

süm, A. i. (Sin ile) (At, öküz... gibi) Hayvanların ayak tırnakları. Toymak. • ‹Süm-i esbinde mîh-i zer kıyas eyler Süreyya'yı. — Nedim›.

süm'a, A i. (Sin ve ayın ile), Başkalarına gösteriş olmak için yapılmış iş, davranış. • ‹Eğer öyle olmayıp belki süm'a ve riya ve tahsil-i nam ü sıyt ü sada için olursa. — Taş.›.

sümmak, *A. i.* Somak.

sümmettedarik, *A. s. zf.* İşin olup bitmesinden sonra veya hemen bulunmuş. Derme çatma.

sümpare, *F. i.* Zımpara.

sümre, sümret, *A. i.* Esmerlik. Karayağızlık.

sümum, *A. i. (Sin* ile) [Semm ç.] Zehirler, ağılar. • ‹Bâd-i sümumu yaktı nihal-i sebatımı. — Fikret›.

sümmumat, *A. i.* [Semm ç.] Zehirler. • ‹Sümumat-i mühlikeyi def' ü ḳam' etmekte padzehriyat›.

sümut, *A. i. (Sin* ve *te* ile) [Semt ç.] Semtler. Yönler. • ‹Ve bu ilm, marifet sümut-i bihar ve büldan ve akalim-i cihana mütevakkıftır. — Taş.›.

sümut, *A. i. (Sin* ve *tı* ile) [Simt ç.] 1. Sıralar, diziler. 2. Taburlar, saflar.

sümün, *A. s. (Se* ile) Sekizde bir.

sümüvv, *A. i. (Sin* ile) Yükseklik. • ‹Ulüvv-i ahlâkının, sümüvv-i cenabının en büyük delili bana olan muamelesidir. — A. Mitat›.

sünai, sünaiyye, *A. s. (Se* ile) 1. İkili. 2. İkilik.

sünbük, *A. i.* At tırnağı. Toynak.

sünbül, *F. i.* 1. Sünbül. 2. Güzellerin saçı. • ‹Gam-i zülfünde dûd-i âh-i kebud — Lâciverdî latif sünbül olur. — Bakî›.

sünbülât, *A. i.* [Sünbüle ç.] Başaklar. • ‹Enzarı karşısındaki zersine tarlanın Derya-yi sünbülâtına eylerdi istimal. — Cenap›.

sünbüle, *A. i.* 1. Başak. 2. (Ast.) Güneşn ağustosta girdiği Başak burcu. 3. Doğu müziğinde bir makamın adı. (ç. Senabil, sünbülât). • ‹Bağladı sünbülede ey mahrû — Vasf-i zülfündeki şi'rim üstad. — Bakî›. • ‹Babanın kanını emen bu toprak şimdi babanın cism ü ruhundan yabani açıklara sühüle-i gıda hazırlıyor. — Cenap›.

sünbülî, *F. i. s.* Kapalı yağmursuz hava. • ‹Sünbili bir hava ki mest-i rükûd. — Fikret›.

sünbülistan, *F. i.* Sümbül tarlası. • ‹Sümbülistan-i hatın fikriyle her şeb ta seher — Göz döner bin kerre bir hab-i perişan üstüne. — Nedim›.

sünbülzar, *F. i.* Sümbüllük. Sümbül bahçesi. • ‹Kûhtan geçse gam-i zülfünle âhım sarsarı — Kûh deşt ü deşt bag ü bağ sünbülzar olur. — Bakî›.

sündüs, *A. i* Eski değerli bir kumaş çeşidi. • ‹Bunu tahkik bil o reşk-i süruş

— Oldu hûra gibi hem sündüspûş. — Hakanî›. ?

sündüsî, *A. s.* Sündüs kumaşından.

sünen, *A. i.* [Sünnet ç.] Sünnetler.

sünk, *A. i.* Açık, geniş yol.

sünnet, *A. i.* 1. Muhammet peygamberin yaptıklarıyle söylediklerinden her biri. 2. Erkek çocukların sünneti. • ‹Ümmete böyle amel sünnet imiş. — Hakanî›. • ‹Ol gün ki usr-i sünnet-i sultan için seher. — Nef'î›.

sünni, *A. i. s.* [Sünnet'ten] Ehl-i sünnetten olan. • ‹İtikatte olan bid'atler için sünni padişahlar niçe cenkler ve kıtaller ettiler, müfit olmadı. — Kâtip Çelebi›.

sünu', *A. s.* Taze, boy ve biçimi güzel olan.

sünud, *A. i.* 1. Dayanma. 2. Yükünü bir şey üzerine verme.

sünuh, *A. i.* Akla, hatıra gelme. (ç. Sünuhat). • ‹Onun bu halini tercih eder de beklerim — Ki bir neşide sünuh eylesin hayalinden. — Fikret›.

sünuh, *A. i.* Sağlam ve emnyetli olma. Adamakıllı bilme. (ç. Sanihat).

sünuhat, *A. i.* [Sünuh ç.] Akla, hatıra gelen şeyler. Yüreğe doğanlar. • ‹Doğar fehavi-i eş'arı, irticalidir — Gören sanır ki sünuhatı hep maalidir. — Fikret›.

sünun, *A. i.* [Sene ç.] Yıllar.

süpare, *F. i.* Kur'an cüzlerinden beheri. 2. Risale.

süpürde, *F. s.* 1. Ismarlanmış. 2. Bırakılmış, verilmiş.

süradik, seradik, *A. i.* 1. Saray perdesi. 2. Padişahın büyük çadırı. (ç. Süradikat). • ‹Kelîm-i sohbet-i hassı üradik-i ceberut. — Sabit› • ‹Sahra-yi Filibe muhayyem-i süradikat-i asker-i İslâm olup. — Selânikî›.

sürag, *F. i.* İz, işaret. • ‹Gümkerde sürag-i reh-i hayran-i aşkız. — Sami›.

sür'at, *A. i.* 1. Çabukluk. 2. Az zamanda çok hareket etmek. • *Sur'at-i intıkal,* kavrama çabukluğu; • *-seyr,* gidiş hızı. • ‹Zihninde bir şimşek süratiyle bir korku geçiyordu. — Uşaklıgil›.

Süreyya, *A. i.* Ülker yıldızı. • ‹Pâderserâ ve ser der-Süreyya. — Kemal›.

sürb, *A. i.* Kurşun (madeni).

sürbe, *A. i.* 1. Sürü. 2. Yığın, küme. (ç. Süreb, sürub).

sürer, *A. i.* [Sürre ç.] Göbekler.

sürfe, *A. i.* (Bio.) Kurtçuk.

sürh, *F. s.* (*Sin* ve *hı* ile) 1. Kırmızı. 2. Kırmızı su (kan ve şarap). 3. Bir çeşit ördek. • ‹Sen mey içtikçe ızarın üzre çeşmin sürh olur. — Hayalî›.

sürhab, *F. i.* [Sürh-ab] 1. Kırmızı su. 2. Kan. 3. Şarap. • ‹Şehidanî-i İslâmla Mısır hemreng-i sürhab oldukta mı dünya mamur ü âbadan idi? — Veysi›.

sürhî, *F. i.* Kırmızılık.

sürhser, *F. i.* [Sürh-ser] Kızılbas. (ç. Sürhseran).

sürin, serin, *A. i.* Kıç.

sürm, *A. i.* Kalın bağırsağın alt kısmı.

sürme, *F. i.* Sürme. • ‹Ol iki dide-i bi-sürme siyah — Daim olmuştu nazar-gâh-i ilâh. — Hakanî›.

sürmedan, *F. i.* [Sürme-den] Sürme kabı. Sürmedanlık. • ‹Ruşendil olsa da ne kadar merdüm-nazâr — Muhtaçtır inayetine sürmedanların. — Nabi›.

sürr, *A. i.* Yeni doğmuş çocuğun kesilen göbeği.

sürrak, *A. i.* [Sarik ç.] Hırsızlar. • ‹Han Yunus kalesi ki harab ve me'va-yi sürrak olmuş idi. — Naima›.

sürre, *A. i.* Göbek.

sürre, *A. s.* Erkeğin hoşuna giden (kadın). • ‹Herbiri bir sürre-reva ardınca revan. — Sadettin›.

sürrî, *A. s.* Göbeğe ait göbekle ilgili.

sürüb, *A. i.* [Serb ç.] İçyağları.

süruc, *A. i.* [Serc ç.] Eyerler.

sürud, *F. i.* Şarkı. Türkü. • ‹Sürud-i müjde ile asman tarabhane. — Nef'î›. • ‹İner gusun-i rikkatin — İner surud-i lerzişi. — Cenap›.

sürur, *A. i.* Sevinç. • ‹Ezharına aks eder de nurun — Bir kabri de güldürür sururun. — Fikret›.

sürüş, *F. i.* Melek. 2. (Tanrı haberi ulaştıran). Cebrail. (ç. Suruşan). • ‹Tev'em süruşlar gibi aynı cenah ile — Uçsun hayalimiz. — Cenap›.

sürür, *A. i.* [Serir ç.] Tahtlar.

süryani, *A. s. i.* Eski Suriye (Şam) halkından, onların eski idnlerinden olanlar.

süs, sus, *F. i.* Güve.

süsen, susen, Bk. • *Susen.*

süst, *F. s.* Gevşek. • ‹Temkinimi belâyi muhabbetle kılma süst. — Fuzulî›. — • ‹Ne belâdır hele berş ü afyon — Ki eder âdemi süst ü mecnun. — Sümbülzade›.

süsti, *F. i.* Gevşeklik. • ‹Süsti-i sulh içinde çürüyenler az değildir. — Cenap›.

sütre, *A. i.* Perde, örtü. • ‹Çekti mazisine bir sütre-i nisyan, pürnur. — Fikret›.

sütude, *F. s.* 1. Övülmüş. 2. Övülmeye değer. (ç. Sütudegân). • ‹Sütude necl-i necibiydi Sami Paşanın. — Recaizade›.

sütuh, *F. s.* Yorgun, bezgin. • ‹Ol güruh-i sütuh bu mertebede enbuhtur ki. — Sadettin›.

sütun, *F. i.* 1. Direk. 2. Gazete sahifesinin yukarıdan aşağı olan bölümlerinden her biri, kolon. • ‹Bakar lâkayd ü ulvi bir sütun-i ahen üstünden. — Fikret›.

sütur, *F. i.* (*Sin* ve *te* ile) Binek ve yük hayvanı. • ‹Ganaim-i düşmenan ile süturlarını pürdâr ettiler. — Sadettin›.

sütur, *A. i.* [Sitr ç.] Örtüler, perdeler.

sütur, sutur, *A. i.* (*Sin* ve *tı* ile) [Satr ç.] Satırlar. • ‹Sütur-i nüsha-i devlet gibi Şahin kafasında — Durur cümle agayan-i harim-i has-i sultanî. — Nedim›.

sütüre, *F. i.* Ustura. • ‹Sütüreyle ızarın mühreletmiş ol büt-i nev-hat — Kumaşın rûy-i kârın gösterip bazara yüz tutmuş. — Nabi›.

sütürk, *F. i.* 1. Büyük, iri. 2. Kuvvetli. 3. Kızgın.

süul, *A. i.* Et beni.

süvar, *F. s. i.* 1. Ata binmiş, binici. 2. • ‹Binen, birinci› anlamıyle kelimeye ulanır. • *Esbsüvar, üştürsüvar.* (ç. Süvaran). • ‹Ruhi süvar-i arsa-i aşkız eğerçi biz — Amma ki şeh-süvarın önünde piyadeyiz. — Ruhî›.

süvar, sivar, *A. i.* Bilezik. (ç. Esavir. esvire).

süvari, *F. i.* 1. Atlı. 2. Atlı asker. 3. Gemi kaptanı. (ç. Süvariyan).

süver, *A. i.* (*Sat* ile) [Sure ç.] Sureler.

süveyda', *A. i.* (*Sin* ile) 1. Yüreğin ortasındaki kara benek. 2. Yürekteki gizli günah. 3. (Bot.) 1. Besidoku. 2. Besiözü. • ‹Süveyda-yi dili aşk ehlinin sevda-yi hâlindir. — Ş. Galip›.

süveyk, *A. i.* (Bot.) Sapçık.

süvüm, *F. s.* Üçüncü.

süyuf, *A. i.* [Seyf ç.] Kılıçlar. • *Süyuf-i meslûle,* kınından çekilmiş kılıçlar. • ‹Teslim-i süyuf ederdi a'da. — Naci›.

süyul, *A. i.* [Seyl ç.] Seller. • ‹Nihayet işte adu. işte harp... dağlarda — Süyul-i ateş ü hun dalga dalga çalkanıyor. — Fikret›.

Ş

ş, 1. Arap alfabesinin 13., Osmanlı ve Fars alfabesinin 16. harfidir. 2. Ebcet hesabında 300 sayısını, ay hesabında da Şaban ayını gösterir.

şâb, Bk. • *Şabb*.

şa'b, *A. i.* Kabîle, taife, cemaat. (ç. Şuub).

şa'b, *F. i.* Şap.

şa'ban, *A. i.* Arabî ayların sekizincisi. • «Şabanda geldi âleme Sultan Mustafa. — Sururî».

şabaş, *F. i.* Beğenme. Aferin deme.

şabaşi, *F. i.* Beğenme. Aferin diye bağırma. Alkış.

şabb, *A. i.* Şap. • «Bagteten vapurumuzun kâ'rına tesadüf eden bir şab kütlesi bizi mahv edebilirdi. — Cenap».

şabb, *A. s. i.* Genç delikanlı. • *Şubb-i emred*, sakalı bıyığı gelmemiş delikanlı. • «Tab'ıma geldi fütur evza-i şeyh ü şabdan. — Halimgiray».

şad, *F. s.* Sevinçli. • «Niçin eksilmiyor halâ melâlim — Niçin şad olmuyor gönlüm, hayalim? — Fikret» • «Bu yolda mest-i hayalât iken o duhter-i şad. — Cenap».

şadab, *F. s.* [Şad-âb] 1. Suya kanmış. 2. Sulu. Taze. • «Pejmürde-i zübul olan sebze ve kiyahı gereği gibi şadab eyledi. — Raşit».

şadabter, *F. s.* Aşırı sulanmış. Her berk ü şâh-i memulüm cûybar-i merhametleri ile şadabter-i inayet buyrulup. — Salim».

şadan, *F. s.* Sevinçli. • «Kamis-i Yusuf'ü hâmil, mübeşşer ü şadan. — Fikret».

şadırvan, *F. i.* Şadırvan. • «Kadeh fıskıye mey su halka-i rından onun havzı — Saray-i ayşa şadırvan oluptur Bakıya meclis. — Bakî».

şadî, *F. i.* Sevinç. Gönül ferahlığı. • «Gam ü şadi-i felek böyle gelir böyle gider. — Ragıp Pş.».

şadkâm, *F. s.* [Şad-kâm] Talihi düzgün olmakla halinden memnun bulunan. • «Üsera-yi İslâm silsile-i isrden necat ile şadkâm oldualr. — Raşit».

şadman, *F. s.* Sevinçli. • «Bezm-i felekte urmuş idi Zühre saza cenk — Ayş ü safada hurrem ü şadan ü şadman. — Bakî».

şadmanî, *F. i.* Sevinç. • *İzhar-i şadmanî*, sevincini gösterme. • «Birer kömür parçası gibi siyah gözlerinde şedit bir incilâ-yi şadmanî hâsıl oluyor. — Cenap».

şadmerg, *F. i.* [Şad-merg] Sevinç ölümü. Sevinme aşırılığından ölme. • «Şadmerg olsa görünce n'ola şimdi badenin — Müflisan-i iyşe mürvariddir her katresi. — Nailî».

şadnâk, *F. s.* [Şad-nâk] Şadolan. Sevinçli.

şafak, *A. i.* 1. Güneş batmasından sonra olan alacakaranlık. 2. Tan zamanı. Güneş doğmadan evvelki alacalık. • «Nigehfüruz idi envar-i lâlereng-i şafak. — Fikret». • «Diyar-i harrenin bütün şafağı bu tembellikten ibaret kalıyor. — Cenap».

şafak, *A. i.* Acıma, sevme, esirgeme. (ç. âşfak).

şafakalûde, *F. s.* [Şafak-alûde] Şafak renginde, şafak gibi. • «Şafakalûde bir hadika gibi — Nazragâhımda ibtisam eyler. — Fikret».

şafaknümun, *F. s.* [Şafak-nümun] Şafak yeri gibi kırmızı olan.

şafakgûn, *F. s.* [Şafak-gûn] Şafak renkli.

şafi, **şafiyye**, *A. s.* [Şifa'dan] 1. Şifa veren, sağaltan. İyi eden. 2. Kandıran. İnandıran, yeter görülen. *Cevab-i şafi*, yeter görülen karşılık; *deva-i şafi*, iyi eden ilâc. • Şafi cevabı cümle ihtiyarların gelmesine talik ettiler. — Naima».

şafi', *A. s.* [Şefaat'ten] Şefaat eden. Birinin bağışlanması için araya giren. *Şafi-i ruz-i ceza* (ceza gününün şefaatçisi) Muhammet peygamber. • «Şafii olsun anın şari-i âhir zaman. — Şinasi».

Şafiî, *A. s.* İmam Şafiî mezhebinde olan. • «Ol dahi mezheb-i Şefiîde bir kitab-i nefîstir. — Taş.».

Şafii, *A. i.* İslâmın dört mezhebinden birinin imamı olan zat (167-819).

Şafiiyye, *A. i.* 1. İmam Şafiî mezhebi. 2. Bu mezhepte olanlar. • «Zira şafiiye usul-i din ve itikadiyat üzre eşaire mezhebindedirler. — Taş.».

Şafiye, *A. ö. i.* İbn Hacıb'in ünlü gramer kitabı.

şagab, *A. i.* 1. Fitne uyandıran. 2. Tutku, sevgi. • «Hengâfeli bir surgâh-i şevk ü şagab idi. — Recaizade».

sagaf, şegaf, *A. i.* 1. (Hek.) Yürek zarı. 2. Çıldırasıya sevme. • «Hayatı bitmeyecek bir dem-i şagaf sanıyor. — Fikret».

şagafdar, *F. s.* [Şagaf-dar] Delirtici, deli edecek halde. (ç. Şagafdaran).

şagal, şakâl, *F. i.* Çakal.

şagıl, *A. s.* [Şugl'dan] 1. İşgal eden. 2. Tutan.

şagile, *A. i.* 1. Meşguliyet. 2. İş.

şagird, şakird, *F. i.* Bk. • Şakird.

şah, *F. i. (Hı* ile) 1. Dal, budak. 2. Geyik yik ve benzerleri hayvanların dallı boynuzları. • *Şah-i ahû*, ceylân boynuzu; • *-gül*, gül dalı. • «Kopmadı şah-i gül-i ümmidden bir tane gül. — Ş. Yahya».

şah, şeh, *F. i. (He* ile) 1. Padişah. 2. İran hükümdarı ünvanı. • *Şah-i merdan-i vilâyet*, halife Ali. (ç. Şahan). • «Şah-i cihanâra mıdır mah-i zeminpira mıdır. — Nef'î • «On üçüncü günü casus gelip şah tarafından sulh ricasına elçi gelmek üzere idüğünü ihbar eyledi. — Naima».

şaha, *F. i. Hı* ile) Boyunduruk.

şahab, şihab, *A. i. (He* ile) Alev. Ateş parçası. • «Âciz rehgüzarımı göstermeden bana — Avare iltimaı şehab-i hayatımın. — Fikret».

şahadet, *A. i.* 1. Şahitlik, tanıklık. 2. Bir şeyin gerçekliğine inanma. 3. İşaret, iz 4. • «Eşhedü...» cümlesini söyleme. 5. Din uğrunda ölme, şehit olma. 6. Gözle görülen şeyler, dünya, bütün varlık. • *Âlem-i şahadet*, bütün maddî, gözle görünen şeyler, • *âlim-ül-gayb veş-şehade*, (görülen ve görülmeyen şeyleri bilen) Tanrı. • «İskender Çavuş câm-i şahadet ile dünya-yi deniyi feramuş eylediler. — Peçoylu» • «Abidat ve mahkûkat-i atika şahadet ediyor ki. — Cenap».

şahadetname, *A. i.* [Şahadet-namé] 1. Diploma. 2. Bir işi yapabilme için resmî izin kâğıdı. 3. İyilik kâğıdı.

şahan, *F. i.* [Şah ç.] Padişahlar, şahlar. • «Deryuzeger-i cenab-i tab'ın — Şahan-i cihanpenah-i mâna. — Nef'î».

şahane, *F. s.* 1. Hükümdara uyar şekilde. Hükümdara lâyık. 2. Bir hükümdara lâyık, yakışır tamlıkta. • «Her gedatab' anlamaz âyin-i Cem'dir bezm-i mey — Bunda bir şahane tavr ü özge âlem var. — Baki».

şahbal, şehbal, *F. i.* [Şah-bal] Kuş kanadının en uzun tüyleri. • «Duydum o dem taharrükünü şahbalimin. — Fikret».

şahbaz, şehbaz, *F. i.* [Şah-baz] 1. Beyaz iri doğan kuşu. 2. (Mec.) Gösterişli, yiğit kimse. (ç. Şahbazan). • • «Şahbaz-i tab'ımın pervazın urmaz kimseler — Çare ey Baki hemen oldur o gence vareler. — Baki». • «Şahbazım yok idi sende bu halet evvel. — Fehim».

şahbender, şehbender, Bk. • *Şehbender*.

şahbeyt, *F. i.* [Şah-beyt] Bir manzumenin en güzel beyti.

şahdane, şehdane, *F. i.* [Şah-dane] 1. İri inci tanesi. 2. Kendir tohumu.

şahdar, *F. s.* [Şah-dar] 1. Dallı (ağaç) 2 Dallı boynuzlu (hayvan).

şâhdaru, *F. i.* [Şah-darû] Şarap.

şahenşah, Bk. *Şahinşah*.

şâhıs, *A. i.* [Şahs'tan] Ölçme için dikilen ve işaret tutulan nişan.

şahî, *F. i. s.* 1. Padişahlık. 2. Nişasta ve yumurtalı bir çeşit helva. 3. İnce bir çeşit patiska. 4. Küçük bir İran parası. 5. Eski bir çeşit top. 6. Hükümdara lâyık. 7. İran Şahı ile ilgili.

şahid, *A. i.* [Şehadet'ten] 1. Tanık. 2. (Ed.) Büyük bir yazardan veya eserden alınan örnek *Şahid-i âdil*, tanıklığı şüphe götürmeyen tanık, *-zor*, yalan yere tanıklık eden, yalancı şahit. • «Dâva-yi düruguna hoş yapmıştır — Tesbih ü asâ vü tacdan şahid-i zor. — Nabi». • «Bir hâtıra yoktur o güzel günlere şahit. — Fikret». • «Hunhar kuşlar ne faciaların şahid-i ketumu olmuştur. — Cenap».

şahid, *F. i.* Güzel delikanlı. *Şahid-i bazar*, orospu; • *-devran*, ünlü güzel. • «Nevfel çün işitti bu cevabı — Terk eyledi şahid ü şarabı. — Fuzulî».

şahidbaz, *F. i.* [Şahid-baz] Kulampara. (ç. Şahidbazân). • «Gayette şahidbaz ve mahbub perest idi. — Latifî».

şahidbazar, *F. s.* 1. Orta malı güzel. 2. Orospu.

şahidbazî, F. i. Kulamparalık. Oğlancılık.

şahik, şahika, A. s. Yüce, yüksek (dağ, yapı...).

şâhika, A. i. Dağ tepesi. (ç. Sevahik). • ‹Karlı bir şahika gibi görülen bulut parçasına. — Fikret›.

şahinşah, eşhinşeh, F. i. Şahlar şahı, büyük hükümdar. (ç. Şahinşahan). • ‹Enci›. • ‹Şahinşeh-i kevkebe-i devr ü zamandır. — Nef'î›.

şahinşahî, F. i. Padişahlık.

şahka, A. s. Keskin çığlık, ses.

şahm, A. i. 1. İçyağı. Etler arasında bulunan yağ. 2. (Kim.) Katıyağ, don yağı. Şahm-i madenî, mineral yağ.

şahme, A. i. İçyağı parçası.

şahna', A. i. (Ha ile) Düşmanlık, kin. • ‹Adavet ve şahna-i kalbiye olup. — Taş.›.

şahname, F. i. [Şah-name] 1. Hükümdarların biyografisini manzum olarak anlatan kitap. 2. (Ö. i.) Tus'lu Firdevsi'nin ünlü manzum destanı.

şahne, A. i. İnzibat, emniyet memuru. • ‹Der-i meyhaneyi şahne kapatmak· ister imiş. — Sümbülzade›.

şahnişin, şehnişin, F. i. [Şah-nişin] Odanın sokak tarafına olan çıkıntısı. Balkon. • ‹Ziver-i şahnişin oldu şeh-i mahveşan. — Naci›.

şahper, şehper, F. i. [Şah-per] Kuş kanadının en uzun tüyleri.

şahran, şehran, F. i. 1. Büyük yol. 2. (Mec.) Şaşırılması mümkün olmayan doğru ve açık yol. • ‹Açmış Tehemten-i nigehin şahrah-i nev. — Nailî›.

sahrek, F. i. [Şah-rek] Şahdamar.

şahrud, F. i. [Şah-rud] Büyük ırmak.

şahs, A. i. 1. Şahıs. 2. İnsanın görünen kalıbı. 3. Kişi, kimse. • Şahs-i manevî, (ortaklıklar ve bankalar gibi) kişi muamelesi yapılan; • -salis (üçüncü şahıs) dâvada iki taraftan da olmayan. (ç. Eşhas). • ‹Şahsın istidadı lûtf-i peykerinden bellidir. — Nailî›.

şahsan, A. zf. 1. Cisimce, gövdece, şekli itibariyle. 2. Kendisi.

şahsar, F. i. [Şah-sar] 1. Dallı budaklı ağaçlar. 2. Ağaçlık yer. • ‹Müfekkirem o zaman bir nihale benzer ki — Alîl ü ra'şenüma şahsar-i bi-berki. — Fikret›.

şahsî, şahsiyye, A. s. Kişinin, kendi özüne ait, kendisiyle ilgili. • ‹Velhasıl menfaat-i şahsiyelerini menafi-i devlet ve millete müraccah tuttuklarını dahi. — Kemal›. • ‹Su ilm-ül-hayat darbı-

meselinin hakikate muvafakatini 'tecrübe-i şahsiyemle tasdik ettim. — Cenap›.

şahsiyyat, A. i. 1. Kişinin kendine ait işler. Özel işler. 2. Birinin şahsiyle ilgili uygunsuz sözler.

şahsiyyet, A. i. Kişilik. Özlük.

şahsüvar, şehsüvar, F. i. [Şah-süvar] Ata iyi binen. (ç. Şahsüvaran). • ‹Ey resul-i Kureşî şahsüvar-i Medenî. — Cami›.

şahtere, şehtere, F. i. Şahtere otu. (Dövülerek yapılan hapı uyuz hastalığında kullanılır).

şahtereciyye, A. i. (Bot.) Fransızcadan fumariacées (sahtergiller) karşılığı (XIX. yy.).

şahvar, şehvar, F. s. [Şah-var] 1. Hükümdara uygun şekilde. 2. (i.) İri taneli inci. • ‹Cism-i latifin oldu silk-i dürr-i şahvar — Hıfz etmek için anı, buluptur cihan sedef. — Bakî›.

şahzade, şehzade, F. i. [Şah-zade] Şahın oğlu, prens. (ç. Şahzadegân).

şai, şaiyye, A. s. Dağılmış, yayılmış olan.

şaibe, A. i. Leke. Eksiklik. (ç. Sevaib). • ‹Halk ile müsavat şaibesinden kurtarmak için — Kemal›.

şaik, şaika, A. s. [Şevk'ten] İstekli. Şevkli.

şaik, şaike, A. s. Dikenli.

şaikane, F. zf. İsteklice, şevkli olarak. • ‹Zavallı âleme pek şaikane aldanıyor. — Fikret›.

şaile, A. i. Ateş alevi, şule.

şair, A. i. s. Şair. ç. Şairán, şûara). • ‹Şair deme ehl-i hal demektir. — Ş. Galip›. • ‹Andan sonra gelir evahir — Bu sınıfta şair oldu nadir. — Ziya Pş.›.

şaîr, A. i. Arpa.

şairan, F. i. [Şair ç.] Şairler. • ‹Anılmaz idi Feridun ü Cem'le Keyhusrev — Cihana gelmese ger şairan-i şehdmakal. — Hayalî›.

şairane, F. s. zf. Şairce. Şaire yakışır yolda. • ‹Şair değil, fakat ne kadar şairanesin. — Fikret›.

şaire, A. i. Kadın şair. (ç. Şevair).

şaire, A. i. Arpa tanesi.

şairiyet, A. i. (Türkçede) Şairlik. Ozanlık. X ‹Halkın renk ve şekle, bir şairiyet-i zâhiriye demek olan şeylere cibillî bir muhabbet ve irtibatı var. — Cenap›.

şakayık, A. i. Şakayık çiçeği. • ‹Şakayıklarla, zanbaklarla, sünbüllerle süslenmiş. — Fikret›.

şakî, *A. s.* [Şekavet'ten] 1. Her türlü günahı işleyecek bahtsız. 2. Haylaz, habis. 3. Haydut, yol kesen.

şâki, şâkiyye, *A. s.* [Şikâyet'ten] Şikâyetçi. X ‹Ve bir memleket yıkılmayınca bir memleket alınmaz deyu şâkilere böyle cevap verirdi. — Peçoylu›.

şakîk, *A. i.* 1. İkiye bölünmüş bir şeyin yarısı. 2. Ana baba bir erkek kardeş.

şakîka, *A. i.* Ana baba bir kız kardeş. 2 Yarım başağrısı.

şakîkiyye, *A. i.* (Bot.) Düğün çiçeğigiller, Fransızcadan *rénonculacées* karşılığı (XIX. yy.).

şakıyyane, *F. zf.* Eşkıyaca. ‹Son hareket-i şakıyyanesinde çiğneyiverdi. — Cenap›.

şakile, *A. i.* 1. Tarikat, mezhep. 2. Yaratılış. tabiat. ‹Kurban-i rıza şakile-i hancer-i aşkım. — Naci›.

şakir, şakire, *A. s.* [Şükr'den] Şükreden. Gördüğü iyiliğe karşı dua eden. ‹Her kim âşıktır cefa vü cevrine sâbır geçinir — Yüz çevirmez her ne kim senden gele şakir geçinir. — Kanunî›.

şakird, şagird, *F. i.* 1. Öğrenci. 2. Çırak. 3. Stajyer. (ç. Şakirdan). ‹Fenn-i keremin fazıl-i allâmesi sensin — Billâh sana şakird olmaz Fazıl ile Cafer. — Nedim›.

şakk, *A. i.* 1. Yarma, çatlama. 2. Yırtma, paralama. 3. Kırma. 4. Yarık, yarma. Çatlak. ‹ Şakk-i şife, ağız açma, lakırdı söyleme.

şâkk, şakka, *A. s.* [Meşakkat'ten] Eziyetli, zahmetli. ‹ Hidemat-i şâkka, ağır ve kaba işler.

şakul, *A. i.* (Geo.) Çekül.

şakulî, şakuliyye, *A. s.* (Geo.) Düşey.

şal, *F. i.* Şal.

şalgam, *F. i.* Şalgam.

şam, *F. i.* Akşam. ‹ Şam ü seher, akşam, sabah, şam-i‘’garibam, matem gecesi. ‹Âşıkın subhun eder şam-i garibandan siyeh — İnmeden tarf-i binagûşuna ser-i percem henüz. — Nabi›. ‹Zemine toz gibi rizandı ruh-i eşmer-i şam. — Fikret›.

şame, *A. i.* Ben. Bedendeki kara nokta. (ç. Şâmât).

şame, *F. i.* Başörtüsü.

şamekeş, *F. s.* [Şame-keş] Başına örtü örtmüş olan.

şamekûşa, *F. s.* [Şame-küşa] Başörtüsünü açmış olan.

şamgâh, *F. i.* [Şam-gâh] Akşam vakti.

şamî, şamiyye, *A. s.* 1. Şam şehrinden olan. Şam şehri ile ilgili. 2. Akşam ile ilgili. ‹Yalnız bu sahra şi'r-i şamisiyle. — Uşaklıgil›.

şamih, şamiha, *A. s.* 1. Yüksek, yüce. 2. Kibirli, azametli. (ç. Şamihat). ‹Lâkin tur-i şamih ve cebel-i rasih mesabesinde olan âyan-i devlet. — Naima›.

şamil, şamile, *A. s.* [Şümul'den] 1. Kaplayan, çevreleyen. 2. Genel. Herkese ait. ‹ Şâmil-ül-afak, âlemi kaplamış olan. ‹Ol amîm-ül-feyz mün'imsin ki feyz-i şamilin. — Fuzuli›.

şamm, şamme, *A. s.* [Şemm'den] Koklayan. Koku alan.

şamme, *A. i.* Koku alma yetisi. Koklam. ‹Şamme-i beşere ara sıra kan kokusu mu lâzım? — Cenap›.

şan, *A. i.* Şan. Ün. Gösetriş, çalım. ‹Cihan-i fende büyük bir şeref, büyük bir şan. — Fikret›.

şane, *F. i.* Tarak. ‹Zülfünü tarıyor şane-i elmas ile cânan. — Cenap›.

şanesaz, *F. i.* [Şane-saz] Tarak yapan. Tarakçı. ‹Ol kişver halkının sanatı şanesazlık ve mil'aka-tıraşlık idi. — Sadettin›.

şanezede, *F. s.* [Şane-zede] Taranmış.

şanezen, *F. s.* [Şane-zen] Baş tarayan. (Mec.) Zorlukları çözen. (ç. Şanezenan) ‹Enamil-i fehm ü idrakleri turra-i pîç der pîç-i maaniye şanezen. — Nabi›.

Şapur, *F. i.* Husrev ve Şirin hikâyesinde Husrev'e Şirin'in resmini gösteren ressam. ‹Gel ey Şapur-i kilk-i fitneengiz — Yine nakşınla kıl evrakı gülriz. — Atavi›.

şa'r, *A. i.* Kıl. ‹İçinde şa'r-i şerif ve mû-yi nazif-i hazret-i maden-i resaıet. — Taş.›.

şarap, *F. i.* Şarap. *Sarab-i nab,* katıksız şarap. ‹Çok mudur eyler isem lebin öpüp terk-i şarap. — Cenap›.

şarabaşam, *F. s.* [Şarab-asam] Şarap düşkünü. ‹Şarabaşam-i hubb ü vedad olmuş iken. — Nergisî›.

şarabhane, *F. i.* [Şarab-hane] 1. Meyhane. 2. Şarap yapılan yer.

şarabî, *F. s.* Kırmızı şarap renginde olan. ‹Saki duracak zaman değildir — Fevt etmeyelim dem-i şebabi — Bir halete koy beni ki olsun — Duşumda sef dahi sarabî. — Nedim›.

şârık, şârıka, *A. s.* [Şark'tan] Doğup parlayan. ● «Şevahıkten kopan bir hande-i şârıkle zulmetler — Perişan bir bulut halinde titrerken bevadide. — Fikret».

şarıka, *A. i.* Aydınlık. Nur, ışık.

şâri', şaria, *A. s. i.* 1. Kanun koyan. 2. Şeriat koyan.

şa'ri, şa'riyye, *A. s.* (Fiz.) Kılcal.

şarib, şaribe, *A. s.* [Sürb'den] İçen. *Şasib-ül-leben*, süt içen; *şarib-ül-leyl ü vennehar*, gece gündüz içen, alkol düşkünü. ● «Firkatin eşkimi şarap edeli — Şarib-ül leyl ü ven-nehar oldum. — Naci».

şarib, *A. i.* Bıyık. (ç. Sevarib).

şarid, *A. s.* 1. Soğuk, uygun olmayan. 2. Kaçan, kaçak. ● «Manend-i şikâr-i nâfir ve şarjd lâyih ü zâhir olsa. — Taş». — ● «Ol feres-i rehvar şarid veya bedidar olmak üzere. — Şefikname».

şarih, *A. i.* [Şerh'ten] Bir kitaba açıklama yazan kimse. (ç. Surrah). ● «Şârih deseler fehm olunur Ankaravî. — Ş. Galip».

şa'riyye, *A. i.* Şehriye.

şa'riyet, şâriyyet, *A. i.* (Fiz.) Fransızcadan *capllarté* (kılcallık) karşılığı (XX. yy.).

şark, *A. i.* 1. Şark, doğu. 2. Doğu yönleri. ● «Şarkın ezelî hâkime-i cazibedarı. — Fikret». ● «Bir ominübüs katarı iiçnde şarka doğru avdet ediyorduk. — Cenap».

şarkan, *A. zf.* Gün doğusu tarafından. ● «Zulm-i zulümat-i Nemrud-i merdud rûyi zemini şarkan ve garben kaplayıp. — Veysi».

şarkî, şarkıye, *A. s.* 1. Doğu ile ilgili. 2. Doğu ülkeleriyle ilgili. ● «Biz limanın sahil-i şarkisune yanaşırken. — Cenap».

şarkiyyat, *A. ç. i.* Türkçe. ● «Şarkı» çoğulu, şarkılar.

şarkıyyat, *A. i.* [Şark'tan] Şark ülkeleri, milletleri üzerinde inceleme yapan bilim kolu.

şarkiyyun, *A. i.* Doğulular.

şarsu, *A. i.* Çarşı. ● «Himmet-i asafa olan mazhar — Olur ol şarşuya şehbendar. — Nedim».

şart, *A. i.* (*Te* ile) Şart. Koşul. ● *Şart-i caiz* koşulabilir şart; ● *-fâsid*, aslında bozuk olan şart; ● *-lâgv*, çürük, temelsiz şart; ● *-muteber*, usule uygun şartı; ● *-takyidî*, kayıtlı şart; ● *-tâlikî*, şart edatı ile yaplımış şart. ● «Evvelâ kendisine gösterilmek şartıyle bazı hikâ-

yelerin okunmasını tecvize başlamıştı. — Uşaklıgil». ● «İki saat sonra avdet etmek şartıyle merdivene teveccüh ettik. — Cenap».

şartî, şartiyye, *A. s.* Şart ile ilgili, şart gibi olan. Şartlı.

şartname, *F. i.* [Şart-name] Bir sözleşmede oln şartların yazıldığı resmî kâğıt.

şast, *F. s.* Altmış (60).

şast, *F. i.* 1. Okçuların baş parmaklarına taktıkları yüksük. 2. Balık oltası. ● «Düşmez yere zira okumuz sahib-i şastız. — Ruhî».

şa'şaa, *A. i.* Parlaklık, parlama. 2. Gösteriş, dış süs, yaldız. ● «Ey şa'şaanın, kevkebenin mehdi, mezarı. — Fikret». ● «Bir yanda en ruhfirip şa'şaasıyle ziynet ve sefahat, bir yanda en dilhiras bir manzara-i fakr ü sefalet. — Cenap».

şa'şaadar, *F. sö* [Şa'şaa-dar] Gösterişli, parlak. ● «Tutuşup yanmış bir güneşin hâlâ şa'şaadar bekaya-i remadı savrularak. — Uşaklıgil».

şa'şaapaş, *F. s.* [Şa'şaa-paş] Parıltılı, parıltı saçan. ● «Kevkeb-i ikbali sipihr-i kemale sa'saapaş olmağa balşadıkta. — Kemal».

şat, *A. i.* (*Te* ile) (Zoo.) Koyun. ● «Zebh edilen şatı. — A. Haydar».

şatat, *A. i.* (*Tı* ile) Haksızlık. Haksız davranış. ● «Şatat ü şikâyeti ber karar olmakla. — Nergisî».

şathiyyat, *A. i.* Eğlenceli fıkralar.

şathiyye, *A. i.* Şeriata aykırı düşen ve Vahdet-i vücutta aşırı görüşü bildiren sözler.

şatıyye, *A. i.* (Zoo.) Fransızcadan *échassiers* (uzun bacaklılar) karşılığı (XIX. yy.).

şâtır, şâtıra, *A. s.* [Şetaret'ten] 1. Neşeli, istekli. 2. Bir büyük kimseni n atı yanında giden hizmet adamı. ● «Geçer hengâmeler, mes'ud ü muzlîm, şatır ü naşad. — Fikret». ● «Bu faal misafirler şen ve şatır bir hazine-i Karun idiler. — Cenap».

şâtim, şâtime, *A. s.* [Şetm'den] Sövüp sayan.

şatr, *A. i.* (*Tı* ile) 1. Yön, taraf. 2. Yarı, yarım. ● «Şatr-i ömrünü ona sarf eylemişti. — Kâtip Çelebi».

şatranç, *A. i.* Şatranç. Santıraç. ● «Şatranç sıfat ol iki leşker — Birbirine durdular beraber. — Fuzulî».

şatt, *A. i.* Büyük nehir.

şavt, *A. i.* (*Tı* ile) Hacı olmak töreninde Hacer-i Esved'i dolaşma.

şayan, *F. s.* Yakışır, yaraşır. Uygun. Lâyık. ● «Vatan bir lâne-i idbara dönmüş, titrer, ağlarken — Koşanlar, kurtaranlar şüphesiz şayan-i minnettir. — Fikret». ● «Onun için meydan-i hayatta yalnız bir melâib-i elfaz ile baran-i bedayi şayan-i temaşadır. — Cenap».

şayanter, *F. s.* [Şayan-ter] Daha, en çok lâyık. ● «Giyus-yi yâr ile şayanterdir étse şane bahs. — Nabi».

şayed, *F. s.* Şart edatıdır. Belki, ola ki, olabilir ki.

şayeste, *F. s.* Yaraşır. Uygun. (ç. Sayestegân). ● «Bak teferrüce — Şayeste her taraf. — Fikret». ● «Bu güzel binanın mevzi-i medhali şayeste-i intikat olabilir. — Cenap».

şayestegî, *F. s.* Yaraşıklık. Uygunluk.

şaygân, *F. s.* 1. Uygun. 2. Bol. ● *Genc-i şaygân,* Husrev Perviz'in hazinesi.

şaygânî, *F. i.* Bolluk, çokluk.

şayi', **şayia,** *A. s.* [Şüyu'dan] 1. Duyulmuş, işidilmiş. 2. Ortaklar arasında pay edilmiş. ● «Hisse-i şayia, mal-i müşterekin her cüzüne şâri ve şamil olan sehimdir. — Mec. 139».

şayia, *A. i.* Yayılmış haber, (ç. Şayiat). ● «Olacağına dair o aralık devran eden bir şayia üzerine. — Uşaklıgil».

şazz, **şazze,** *A. s.* (*Zel* ile) Kural dışı. Kurala uymayan. (ç. Şevaz, şüzuz).

şeair, *A. i.* ç. Âdetler, törenler. ● «Velhasıl şeair-i milliyetten mümkün olduğu kadar sıyrılmak. — Recaizade».

şeamet, *A. i.* Uygunsuzluk. (ç. Şeamât). ● «Ona, herkes, onun eşametle — Tasadduk ettiği ikbale müftakir, müştak. — Fikret». ● «Bu çöller üstünde birer şeamet-i mucannaha gibi dolaşan hunhar kuşlar. — Cenap».

şeb, *F. i.* Gece. ● «Şeb-i siyah-i taayyüşte mustarib. — Fikret». ● «Şeb-i yeldanın ruya-yi medidine dalmış. — Cenap». ● *Şeb ü ruz,* ● *ruz ü şeb,* gece gündüz; ● *şeb-i hicran,* hicran, ayrılıkla geçirilen gece; ● *-yelda,* yılın en uzun gecesi (22 Aralık.) (ç. Şeban). (Ed. Ce.) :

- Şeb-i hail,
- -hayal,
- hulya,
- -huzur,
- -neyli-i nişan,
- sâf.

şebab, *A. i.* Gençlik. ● «Bakılsın hüsnüne subh-i şebabdan terdir. — Fikret». ● «Sonra yine âsar-i ziraat görünmeye, toprak ine bir hayat-i şebap –çinde güzelleşmeye başladı. — Cenap». ● *Ahd-i şebab,* gençlik zamanı. Civanlık. (Ed. Ce.) :

- Berk-i ümmid-i şebab,
- cihan-i şebab,
- eda-yi hâr-i şebab,
- emel-i şebab,
- eyyam-i şebab,
- garam-i şebab,
- hande-i şebab,
- hüsn-i şebab,
- iltizaz-i şebab,
- mazi-i şebab,
- mest-i şebab,
- pür şi'r ü şebab,
- pür taravet-i şebab,
- rayiha-i şebab,
- saffet-i şebab,
- sa'saa-i şebab,
- vehm-i şebab,
- zeval-i şebab.

şebabet, *A. i.* Gençlik. ● «Tab'ımda bir kelâl ki benzer şebabete. — Fikret».

şebabîk, *A. i.* [Şebike ç.] 1. Pencere kafesleri. 2. Balık ağları.

şebahet, *A. i.* Benzeme, benzeyiş.

şeb'an, *A. s.* [Şibi'den] Tok. Karnı doymuş. ● «Bu kadar bin asker ile bu kadar sene mülebbes ve şeb'an ve müreffeh ve pür-unvan vech-i şsan üzere geçinip. — Naima».

şeban, *F. i.* [Şeb ç.] Geceler. ● «Ruzan ü şeban ve evkat ü ahyan teakup ettikçe. — Nergisî».

şebane, *F. s.* Gecelik, gece olan. ● «Birer efsane-i şebane gibi — Söylerim hötırat-i sevdamı. — Fikret».

sebanet, *A. i.* Gençlik tazeliği.

şebangâh, şebangeh, *F. i.* 1. Gece vakti. 2. Gecelenecek yer. ● «Ol dem götür, ey bzd-i şebangâh — Benden ona bir ah! — Cenap».

şebanruz, *F. i.* (Yirmi dört saatlik) gün. ● «Her kim derecat-i çerhi derk eyler ise — Evkat-i şabanruzu neşat üzre peçer. — Nabi».

şebârâ, *F. s.* [Seb-ârâ] Geceyi süsleyen. ● «Olur hilzl-i şebzrâ fetil-i çeşme-i hur. — Nabi».

şebaviz, *F. i.* [Seb-aviz] Gece avizesi, ay. ● «Bir nahl-i mustazilde şebaviz-i natüvan — Ruya nevaz olur. — Cenap».

şubbuy, *F. i.* [Şeb-bû] Şebboy çiçeği. ● ‹Şabbuları şebçerag-i iman — Gülberk-i hazanı cevher-i can. — Ş. Galip›.

şebcerag, *F. i.* [Şeb-çirag] Şimşirek taşı. ● ‹Demdir yanar remad olmaz şebçirag-i dil. — Beyatlı› ● ‹Şebbuları şebçerag-i iman — Gülberk-i hazanı cevher-i can. — Ş. Galip›.

Şebdiz, *F. i.* Husrev Perviz'in kaaryağız atı. ● ‹Her nalı Şebdiz-i Husrev ve her mû-yi müjgânı. — Nabi›.

şebefruz, *F. s.* [Şeb-efruz] Gece vakti ışık veren. Geceyi aydınlatan. ● ‹Gerçi şevk ehli geçer şem-i şebefruz amma — Şevk pervanededir k'oda yanar bâl ü peri. — Baki›.

şebeh, *A. i.* (*Ha* ile) 1. Beden, gövde, cüsse. 2. Cisim, şahıs. (ç. Eşbah).

şebeh, *A. i.* (*He* ile) Benzer. eBnzeyiş. ● ‹Sana ey nur-i mücessem nice teşbih edeyim — Yoğiken vech-i şebeh taze nihal-i şemeni. — Kemalpaşazade›.

şebeke, *A. i.* 1. Ağ, balık ağı. 2. Kafes, parmaklık. 2. Demiryollarının tümü. 4. İskara. 5. (Ana.) Ağ ve kafes şeklinde olan zar. ● ‹Şebeke-i basiretimiz önünden geşer. — Cenap›.

şebekî, şebekîyye, *A. s.* (Ana.) Ağsı. ● ‹(Güneş) Bir dakika sonra cevf-i kâinat içinde eriyor, ancak tabaka-i şebekiyede bir ihtizaz-i nuşin bırakıyor. — Cenap›.

şebengiz, *F. i.* Yarasa kuşu.

şebgerd, *F. sö* [Şeb-gerd] 1. Gece dolaşan kol, gece bekçisi. 2. Gece gezen. 3. Ay. ● ‹Dile târik-i zülfünden ol ebru nümayandır — Misal-i kıble-i şebgerd gâhi rast gâhi geç. — Nailî›. ● ‹Teşrifin ümidiyle senin ey meh-i şebgerd — Manende-i halka kapıda kaldı kulaklar. — Nabi›.

şebgir, *F. s.* [Şeb-gîr] 1. Gece uyumayan. 2. Kervan. 3. Sabah vakti. 4. Sabah kuşu. ● ‹Gûya ki nesim-i ah-i şebgir — Etmiştir o gonce lâ'le tesir. — Fehim›.

şebgir), *F. i.* Gece uyumazlık. Fransızcadan *agrypnie* karşılığı (XIX. yy.).

şebgûn, *F. s.* [Şeb-gûn] Gece renkli, kara.

şebhengâm, *F. s.* [Şeb-bengâm] Gece vakti.

şebhîz, *F. s.* [Şeb-hiz] Gece kalkan. Gece iş gören. (ç. Şebhîzan). ● ‹Ebhar ü sevahildeki bihude sadalar — Vermez dil-i şebhizime âram. — Cenap›.

şebhun, şebihun, *F. i.* [Şeb-hun] Gece baskını. ● ‹Yüzden mütecaviz itoğlu it ile ılgar edip vezir-i mezburu basıp şebihun eyledi. — Naima›.

şebih, *A. s.* Benzer. Aynı, tıpkı. ● ‹Lâ'lin şebih-i gonce diyenler açıldılar. — Sığmaz benim bu gûne büyük söz dehanıma. — Ragıp Pş.›.

şebike, *F. i.* Bk. ● *Şebeke.*

şebistan, *F. i.* 1. Yatak odası. 2. Harem dairesi. 3. Gece ibadet yeri. ● ‹Eyler küşa le arza şebistan-i nazını — Bir semt-i hoşgüvar. — Cenap› ● ‹Bir şebistandır devatın hâme zengi hâdimi — Ol şebistanın arus-i dilsitanidir sözüm. — Nef'î›.

şebkülâh, *F. i.* [Şeb-külâh] Gecelik külâh. ● ‹Sabâdan eyle hazer çıkma haneden ey şem' — O düzd her gece bir nice şebkülâh kapar. — Ş. Yahya›.

şebnem, *F. i.* [Şeb-nem] Çiy. ● ‹Kuşların zemzeme-i esrarı — Ağlatır şebnem ile ezharı. — Cenap›.

şebperre, *F. i.* [Şeb-perre] 1. Yarasa. 2. (Mec.) kapalı gözlü. (ç. Seperregân). ● ‹Bir şebperre-i hufte, bir ahû-yi çerende. — Cenap›. ● ‹Biz, şebperegân-i aşrk, hiç bir zaman ziya-yi hakikatle muvacehet-i tammeye cesaret edememişiz. — Cenap› .

şebrenk, *F. s.* [Şeb-renk] Gece rengi, kara. ● ‹Görse ser barika-i re'yin rüyada olur — Şule-i şem-i seher şehper-i şebrenk-i gurab. — Nef'î› ● ‹İhata etmiş iken bir harabe-i şebrenk. — Cenap›.

şebrev, *F. s.* [Şeb-rev] Gece giden. Gece yolcusu, karanlıkta yürüyen. ● ‹Alil bir camın altında bir mezar-i garip — Ki münteha-yi azimet o şebrev-i eleme. — Fikret›. ● ‹Sebrev ki hâb, galip ola bister istemez — Ateş ki supha kalmaya ḥakister istemez. — Nabi›.

şebtâb, *E. i.* [Şeb-tâb] Ateşböceği. ● ‹Yakardı şem'a-i türbet başında bir şebtab. — Fikret›.

şebzinde, *F. s.* [Şeb-zinde] Gece uyumayan. ● ‹Dag-i gamındır âşıka hâbi ḥaram eden — Güller çemende eyledi şebzinde bülbülü. — Beliğ›.

şebzindedar, *F. s.* [Şeb-zinde-dar] Geceyi boş geçirmeyip ibadet eden. Geceleyin uyanık duran. ● ‹Arzu-yi vasl ile şebzindedar olduklarım — Girye-i hasretle çeşm-i intizarım söylesin. — Nabi›.

şecaat, *A. i.* Yiğitlik, yüreklilik. • ‹Şecaat arz ederken merd-i kıptı sirkatin söyler. — Ragıp Pş.›.

şecc, *A. i.* Baş yarma.

şecce, *A. i.* Baş yarılması.

şece, *A. i.* Baş yarası.

şecen, *A. i.* Dal, budak, kol. (ç. Şücün).

şecer, *A. i.* Ağaç. • *Şecer-i hayat* (Bio.) hayat aşacı; • *-mışmış.* (Bot.) Kayısı akacı; • *-rumman*, nar aşacı; • *-Süleyman*, katran ağacı; • *-temr*, hurma ağacı; • *-tin*, incir ağacı; • *-tuffah*, elma ağacı. • *secer-ül-hur*, kavak ağacı. (ç. Eşçar). • ‹Şecer-i Tur-i hemişe yed-i beyza vermez. — Ragıp Pş.›.

şecere, *A. i.* 1. Tek bir ağaç. 2. Bir ailenin kökünü gösteren cetvel, kütük. (ç. Şecerta). • ‹(Bu isme) tesadüf etmek şecerat-i nesliye mütevagıllerine belki mümkün olur. — Uşaklıgil›. • ‹Bu itibarla milliyette şecere aranmaz. — Z. Gükalp›.

şeceristan, *F. i.* Orman. Koruluk.

şeci, *A. s.* Kederli, kaygılı.

şeci, şecia, *A. s.* [Secaat'ten] Yiğit yürekli. (ç. Şüc'an, şücea).

şecic, *A. s.* Yaralı olan.

şedaid, *A. i.* [Şedide ç.] 1. Eziyetli, zahmetli haller. 2. Belâlar, büyük sıkıntılar. • ‹Mesut Çelebinin çektiği şedaid-i azle merhameten. — Naima›. • ‹Makalât-i müntesiredeki şedaid-i ifadiye. — Cenap›.

şedd, *A. i.* 1. Sıkı bağlama, sıkma. 2. Hızlı, çabuk gitme. • *Şedd-i nitak-i himmet*, himmet kuşağını kuşanma, işe sıkı başlama. • *-rihal*, semerleri bağlama, hareket etme, gitme. • ‹Padişah uğruna livechillâh-i teâlâ şedd-i nitak-i himmet kıldığının asârı idüğü, — Nima›. • ‹Ki altı bin senedir eylemekte şedd-i rihal. — Cenap›.

Şeddad, *A. i.* Yemen'de Âd kavminin hükümdarı. Büyük binaları, bu arada Cennete benzetmek isteğiyle yaptırdığı İrem ile ün almıştır. Bu bağdaki köşke girmeden Tanrı gazabına uğrayarak hepsi yerin dibine geçmiştir.

şeddadane, *F. zf.* Şeddad'ınki gibi, o yolda. (En çok büyük, sağlam yapılar için kullanılır).

şeddadi, şeddadiye, *A. s.* Şeddad yapısı gibi. • ‹Ol sipehre çıkmış şeddadi binalar. — Veysi› • ‹Tamamına yetişemediği ebniye-i şeddadiyenin suret-i halinden. — Naima›.

şedde, *A. i.* Arap alfabesinde bir harfin iki kere okunmasını gösteren işaretin adı. (Buradaki iki dal ile yazılan sözcük Arap alfabesiyle tek dal ile yazılır.)

şedid, şedide, *A. s.* [Şiddet(ten)] 1. Sert, katı. 2. Sıkı. • ‹Birden şedid bir arzunun mengenesinde kalbinin sıkıldığını. — Uşaklıgil›. • ‹Sert ve sedit bir bâd-i garbî vapurun bütün ipleri bir safir-i istırap ile öttürüyor. — Cenap›.

şedide, *A. i.* Belâ, büyük sıkıntı. (ç. Şedaid).

şef'a, şüf'a, Bk. • *Şüf'a.*

şefaat, *A. i.* Bağışlanmasını dileme. Birine arka olma, sahip çıkma. • ‹Bazı şüfea şefaatiyle ıtlak edip. — Naima›. • ‹Bir desti ile ederse te'dib — Bir desti ile eder şefaat. — Cenap›.

şefe, şife, *A. i.* Dudak. (ç. Sefevat, Şifah). • *Hakkı şefe.* • ‹Hakkı şefe, su içmek hakkı demektir. — Mec. 1262›. • ‹Zir-i eşfeden güler eder hande bu hale. — Naci›.

şefef, *A. i.* Yaramaz, kötü yaradılışlı kimse.

şefetan, *A. i.* İki dudak.

şefeteyn, *A. i.* İki dudak. • ‹Gûşe-i didesini canib-i semaya tutup şefeteynini tahrik eyledi. — Taş.›.

şefevat, *A. i.* [Şefe ç.] Dudaklar.

şefevî, şefeviyye, *A. s.* Dudağa mensup, dudakla ilgili. Dudaksal. • *Huruf-i şefeviye*, dudak harfleri ,b, f, m, v)

şefeviyye, *A. i.* (Bot.) Fransızcadan *lâbiées* (ballıbabagiller) karşılığı (XIX. yy.)

şeffaf, *A. s.* Bakıldığı zaman arkasındaki cisim görülen. Saydam. • ‹Bir mukaddeme-i zulmet nim-şiffaf tülden eteklerini salıvererek karşı sahili sisliyordu. — Uşaklıgil› • ‹Bir adada bir ince su akıntısı bir rişte-i şeffaf halinde denize kadar iniyor. — Cenap›.

şefi', *A. s.* 1. Suç bağışlanması için araya giren. 2. Satılacak bir mal için almada üstünlük hakkı olan. *Şefi-i müznibîn*, günahlıların şefaatçısı (Muhammet Peygamber). • ‹Asla tarik-i istihkak gözetmeyip kimi rüşvet kimi şefi-i mücbir sebebiyle takaddüm eder oldu. — Naima›. • ‹Şefi, hakk-i şuf'ası olan demektir. — Mec. 951›.

şefif, şefife, *A. s.* Bakıldığı zaman arkasındaki cisim görülen. Saydam. • ‹Bu makule cevahir her ne levinde olursa olsun berîk ü şefifi ne miktar ziyade olursa. — Naima».

şefik, şefika, *A. s.* [Şefkat'ten] Şefkatli, acıyıp esirgeyen. • «Saçlarını göz yaşlarıyle ıslatarak bir kalb-i şefik aratıyordu. — Uşaklıgil».

şefkat, *A. i.* Acıyarak ve esirgeyerek sevme. • *Şefkat-i maderane*, ana şefkati. • «İki üç katre-i şefkat... bu teselli yetişir. — Fikret». • «Güzel gözler diyorum, çünkü hepsinde birer katre esk-i şefkat vardı. — Cenap».

şefkatkârane, *F. zf.* Şefkatlice, severek ve koruyarak. • «Bu niyyet-i şefkatkârane ile. — Recaizade».

şefkatnisar, *F. s.* [Şefkat-nisar] Şefkat saçan. şefkat dağıtan. • «Birinde hüsn-i tabiî şefkatnisar-i gurur — Bediazar-i tecellisi nur-i icadın. — Fikret».

şeftalû, *F. i.* 1. Şeftali. 2. Öpücük. • «Firkatinde tan mı şeftalû dilerse can ü dil — Meyve-i bîvakt ederler arzu bimarlar. — Baki».

şegaf, *A. i.* Yürek zarı.

şegal, *F. i.* Çakal.

şeh, şah, Bk. • *Şah.*

şehâ, *F. ii.* Ey şah! ey padişah! • «Durmaz kafes-i tende şehâ mürg-i dil ü can — Gûyuna senin uçmk iiçn bâl ü per ister. — Kanunî».

şehadet, şahadet, Bk. • *Şahadet.* • «Ciddiyet-i makaline şehadet-i evzaını ilâve ederek. — Uşaklıgil».

şehamet, *A. i.* Akıllılıkla birlikte olan yiğitlik. (İran Şahının unvanlarından). • «Ey muazzez melike-i hevesat — Zir-i pâ-yi şehametinde hayat. — Fikret»,

şehba', *A. s.* Kül rengine yakın akçıl renk. Kır (at). • *Haleb-üş-şehba*, (uzaktan görünüşü akçıl olan) Halep şehri.

şehbal, şahbal, *F. i.* [Şeh-bal] Kuş kanadının uzun tüyü. • «Ben isterim ki garamın açınca şehbali. — Fikret».

şehbaz, şahbaz, *F. i.* [Şeh-baz] Doğan kuşu. (ç. Şehbazan). • «Himmetim şehbazı alçaklarda pervaz etmedi. — Ş. Yahya».

şehbender, *F. i.* 1. Konsolos. 2. Tüccar başı, bezirganlar kethüdası. • «Himmet-i âsafa olan mazhar — Olur şarsuya şehbender. — Nedim».

şehbeyt, şahbeyt, *F. i.* [Şeh-beyt] Manzumenin en güzel beyti.

şehd, *A. i.* 1. Gömeç balı. 2. Bal. • «Birinde zehr-i hakikat, birinde şehd-i hayal. — Fikret».

şehdab, şehdabe, *F. i.* [Şehd-âb] Bal şerbeti.

şehdamiz, *F. s.* [Şehd-amiz] 1. Bal karışığı. 2. Bal gibi tatlı. • «Halâyet-i şehdamiz-i hikmetten mezak-i bi-ihtimamı lezzet bulmaz. — Lâmii».

şehdane, şahdane, *F. i.* 1. Kenevir tohumu. 2. İri tane inci. • «Şehdane-i dide-i terimle — Meşgul olurum kebuterimle. — Naci».

şehdhan, *F. i.* [Şehd-hân] Bal sofrası.

şehdkâm, *F. s.* [Şehd-kâm] Tadı damağında kalmış.

şehenşah, *F. i.* • «Şahişah» sözünün başka bir kullanılışı. • «Muallâ paye İbrahim Paşa kim odur şimdi — Şehenşah-i cihanbana vezir-i âzam ü damad. — Nedim».

şehevi, şeheviyye, *A. s.* Şehvet ile ilgili.

şehid, şehide, *A. s.* [Şehadet'ten] Din uğrunda ölen. Savaşta ölen. • *Şehid-i Kerbelâ*, Muhammet Peygamberin torunu imam Hüseyin. • «Soyumda hepsi şehid : işte amcam, işte dayım. — Fikret».

şehidan, *F. i.* Şehitler. • «Komaz cam-i gururu bezmgâh-i haşre dek elden — O mestne nigeh kim teşne-i hun-i şehidandır. — Nailî».

şehik, *A. i.* 1. Nefesi içeri alırken ses verme, hıçkırık. 2. Soluk alma. • «Yine bir mustarib enin-i hayat — Duyulur en küçük şehikinden. — Fikret».

şehîm, şehime, *A. s.* (He ile) [Şehamet'ten] Şehametli. Yiğit, çok akıllı.

şehinşah, şehinşeh, *F. i.* Şahlar şahı. Ulu şah. (ç. Şehinşahan). • «Şehinşeh-i Mekke vü Medina. — Fuzulî».

şehir, şehire, *A. s.* [Şöhret'ten] Ün almış, ünlü.

şehiyy, şahiyye, *A. s.* [Şehvet'ten] İştahlandırıcı. İstek uyandıran. • *Et'ıma-i şehiyye*, iştah uyandıran yemekler. • «Etbaı ile niam-i şehiyye tenavül ederler iken. — Naima».

şehka, *A. i.* Bk. • *Şahka.*

şehkâr, *F. s.* [Şeh-kâr] Baş eser. En güzel eser. Fransızcadan *chef-d'oeuvre* karşılığı (XX. yy.).

şehlâ, *A. s.* 1. Elâ gözlü (kadın). 2. Koyu mavi, elâ. 3. Tatlı şaşı, yarım şaşı. • *Ayn-i şehlâ*, • *çeşm-i şehlâ*, elâ göz (veya) tatlı şaşı bakan göz. • «Şehlâ gözü nergis-i pür efsun — Ziba kaşı nergis üzreki nun. — Fuzulî».

şehlevend, F. s. [Şeh-levend] Boylu boslu, şen, güzel genç. (ç. Şehlevendan). • «Sevmez mi gönül bu şehlevendi? — Naci».

şehlevendane, Yiğitçe, şehleventlere yakışır yolda. • «Bu şehlevendane tarz ile. — Nergisî».

şehm, A. s. 1. eZki. 2. Yiğit, cesaretli.

şehnaz, F. i. 1. Çok nazlı. 2. Bir musiki makamı. • «Şehnaz-i hayalperver-i leyal (ay) şimdi oradan gözükecek. — Uşaklıgil».

şehnişin, şahnişin, F. i. [Şeh-nişin] Binanın dışarı çıkınıtsı, balkon. • «Uzaktan iki kadınla şehnişinde duran genç adam rasında bir tebessüm teati olundu. — Uşaklıgil».

şehper, şahper, F. i. [Şeh-per] Kuş kanadının uzun tüyü. • «Kurtulur pâ-yi tarab yerden o dem kim melekût — Yere gökten süzülüp halka-i şehperle döner. — Beyatlı».

şehr, A. i. Günlerin meydana getirdiği ay. (ç. Şühur). • «Bu sene-i mubarekenin şehr-i muhrremülharamı, bu ayın ilk cuması idi ki. — Cenap».

şehr, F. i. Şehir. • «Badehu şehir ve diyar ve kusur ve evsak her ne ise ihrak ve tahrip edip. — Naima». • «Bu büyük şehrin muhtelif noktalarına dağılmışlar. — Uşaklıgil». • «Şahri lando ile dolaşacağız. — Cenap».

şehrah, şahrah, F. i. [Şeh-rah] Büyük yol. • «İnnmak... işte bir şehrah-i nuranî o zulmette. — Fikret».

şehrara, F. s. [Şehr-âra] Şehri süsleyen, şehre süs veren.

şehraşub, F. s. [Şehr-aşub] Memleketi fesada veren.

şehrayin, F. i. [Şehr-ayin] Donanma. • «Dimağının içi bir binihaye şehrayin. — Cenap». • «Her taraftan Boğaz, o şehrayin. — Beyatlı».

şehrek, F. i. [Şeh-rek] Şahdamar.

şehrî, F. s. i. 1. Şehirli. 2. İstanbul'lu. 3. (Mec.) İnce, kibar.

şehri, şehriyye, A. s. Aylık. aya mensup, ayla ilgili.

şehristan, F. i. Büyük şehir.

şehriyar, F. i. Hükümdar. (ç. Şehriyaran). • «Mısır'ın o şehriyarına benzer ki tıynetin — Öldürmedikçe, vaslını etmezdi rayegâh — Fikret». • «Firdevsi'nin şehriyaran-i fürsü gezdirdiği. — Cenap».

şehriyari, F. s. Hükümdara mensup, hükümdarla ilgili. • Damad-i hazret-i şehriyari, padişah damadı.

şehrud, F. i. [Şeh-rud] Büyük ırmak.

şehsüvar, şahsüvar, F. i. Usta ve ünlü (ata) binici. (ç. Şehsüvaran). • «Şehsüvarım dil-i mecruhu basıp geçme eğer — Pâymalin bir avuç hâk ile yeksan ise de. — Nailî». • «Şehsüvaranı kılıç koymamak azmiyle kına. — Beyatlı».

şehvan, A. i. Şehveti aşırı olan kimse.

şehvani, şehvaniyye, A. s. 1. Şehvetle ilgili. 2. Şehvete düşkünlüğü fazla (kimse).

şehvar, şahvar, F. s. 1. Hükümdara uygun şekilde. 2. (i.) İri taneli inci. • «Aksa eşkim dideden ol gevher-i nâyâb için — Eşk seyl ü yem, yem pür dür-i şehvar olur. — Baki».

şehvat, A. i. [Şehvet ç.] 1. Kuvvetli istekler. 2. Nefis düşkünlükleri.

şehvet, A. i. Şehevet. Bir şeyi sevip ziyade isteme. 2. Nefis. 3. Cinsel istek. «Şehvet mi almış takatın bitab-ı işret mi nedir? — Recaizade».

şehvetengiz, F. s. [Şehvet-engiz] İştiha, istek uyandıran.

şehvetperest, F. s. [Şehvet-perest] Nefsine, isteklerine fazla düşkün.

şehvi, şehevî, A. s. Şehvet, ve nefisle ilgili.

şehzade, şahzade, F. i. [Şeh-zade] Hükümdar oğlu, prens. (ç. Şehzadegân). • «Ol câ-yi hatarnakte şehzadenin ahzine. — Sadettin».

şek, şekk, A. i. Sanı, zan. • Bişek; şüphesiz. (ç. Şükûk).

şeka', A. i. 1. Kutsuzluk. Bahtı karalık. Mihnet. 2. Rezalet. Alçaklık. • «Bundandan sonra halk arasında Firavun gibi su-i zan ve şeka mülâhazası rüsuh bulup yerleşti kaldı. — Kâtip eÇlebi».

şekase, A. i. İnat. Tabiat tersliği, huy çetinliği.

şekât, A. i. Hastalık, keyifsizlik.

şekavet, A. i. 1. Kutsuzluk. 2. Yaramazlık, kötü iş işleme. 3. Haydutluk, yol kesicilik.

şekayık, A. i. Şakayık çiçeği.

şekayıkıyye, A. i. (Bot.) Fransızcadan actinaires karşılığı. Deniz şakayıkları (XIX. yy.).

şeker, şekker, F. i. Şeker. • Şîr ü şeker (sütle şeker) uygun.

şekerab, F. s. [Şeker-âb] İki dost arasındaki kırgınlık, aradaki soğukluk.

● «Müftü ile beynleri şekerâb olma-
ğın. — Naima».

şekerbar, F. s. [Şeker-bar] Şeker yağdı-
ran. Etrafa şeker saçarcasına tatlı. ●
Hande-i şekerbar, tatlı gülümseme.

şekergüftar, F. s. [Şeker-güftar] Sözü şe-
ker gibi tatlı. ● «Dilimle uğradım kay-
de ben bu âlemde — Ne bülbül uğradı
ne tuti-i şeker güftar. — Nedim».

şekerhâb, F. i. [Şeker-hâb] Otururken ge-
len tatlı uyku.

şekerhand, şekerhande, F. i. [Şekerhand]
Şeker gibi tatlı gülme. ● «Bu şeker-
handeler ağyara mı ey şirin. — Naci».

şekerî F. s. Şeker ile ilgili.

şekeristan, F. i. Şeker kamışı tarlası. ●
«Kani bir şirin-sühan lâ'l-i şekerbarın
gibi — Kande gördü tuti bir âyine ruh-
sarın gibi. — Baki».

şekerkand, F. i. Şeker kamışından yapıl-
ma şeker.

şekerleb, F. s. [Şeker-leb] Dudağı şeker
gibi tatlı.

şekerrenk, F. s. [Şeker-renk] 1. Sarıya
çalar beyaz renk. 2. (Mec.) Bozulmuş,
bozuşuk.

şekerriz, F. s. [Şeker-riz] Şeker saçan.
Pek tatlı. (ç. Şekerrizan).

şekerşiken, F. s. Tatlı söz söyler (güzel).
● «Dehenin tuti-i şekker şiken olsa ne
acep — Leb-i şirin ü hat-i sebz ana bâl
ü perdir. — Baki».

şekib, şikib, F. i. Sabır. ● Naşekib, sabır-
sız.

şekibaî, şekibende, F. s. Sabırlı, sabreden.

şekime, A. i. 1. Gem. 2. Dayanma, kolay
teslim olmama. ● Kaviy-üş-şekime, ●
şedid-üş-şekime; çok dayanıklı, kuv-
vetli dayanır; kimseye baş eğmez. ●
«Her devlet-i kaviye şekime-i şiddeti
altında bir zebunu eziyor. — Cenap».

şekk, şek, A. i. Sanı; zan. ● Yevm-i şekk,
ayın ilk görünmesi ihtimali olan gün.
(ç. Şükûk). ● «Vakt-i iftarda şimden
sonra — Şekkimiz kalmadı saat geldi.
— Sabit».

şekker, şeker, F. i. Bk. ● Şeker. ● «Gûya
ki karıştı şîr ü şekker. — Ziya Pş.».

şekkî, şekkiye, A. s. Sanı ile ilgili.

şekkerin, F. s. Tatlı Şekerli. ● «Pistandaki
şîr-i şekkerine — Fıtrat onu eylemiş
fütade. — Naci».

şekl, A i. 1. Şekil. 2. Biçim. 3. Benzer. 4.
Taslak. 5. Beniz, çehre. 6. Tür, çeşit.
(ç. Eşkâl). ● «Bir mevc-i hisse ver-

mek için şekl-i irtisam. — Fikret». ●
«Karada zaman zaman insan şekilleri
teressüm ediyordu. — Cenap».

şeklen, A. zf. Şekil bakımından.

şeklî, şekliyye, A. s. 1. Şekilce. 2. Şekil ile
ilgili.

şekliyyat, A. i. Şekil bilgisi. Fransızcadan
morphologie karşılığı olarak (XX.
yy.).

şekm, A. i. Sertlik. Güç. Kuvvet. ● «Meh-
met Ağa nam bir sahib şekm yüzbaşı-
sı vardı ki. — Naima».

şekûr, şekûre, A. s. [Şükr'den] Tanrı ver-
gilerine karşı hep sükreden. ● «Şiar-i
hiçkesandır rıza-yi naçarî — Hilâf-i
meşreb himmet-i şekûru neylerler. —
Nailî».

şekva, A. i. Şikâyet, sızıltı. ● «Sadrazam
Husrev Paşaya doğru gidip arz ve
mahzrlarını verip dâdhâhane şekvà ve
feryat ettiler. — Naima». ● «Hep bu
şekva-yi nedametle, muazzep, solgun.
— Fikret».

şekvaeser, F. s. [Şekva-eser] Şikâyetçi,
şikâyet uyandıran. ● «Gelen sesler bü-
tün şekvaeserdir — Çiçekler hep açıl-
mış yarelerdir. — Fikret».

şekvaî, şekvaiye, A. s. Şikâyetli, şikâyet-
le ilgili. ● «Efvah-i avamda salyalanan
bu cümel-i şekvaiyye. — Cenap».

şekve, A. i. Şikâyet, sızıltı. ● «Öksüz dul
ağızlardaki her şekve-i tali. — Fikret».

şekvekâr, F. s. [Şekve-kâr] Şikâyet eden.
Sızıldayan. ● «İki âciz kadid-i lerzen-
de — İki mat'un-i şekvekâr-i hayat.
— Fikret».

şekveriz, F. s. [Şekve-riz] Şikâyet saçan.
Sızıltı yayan. ● «Hazin nazarlarını et-
rafa şekveriz-i fütur. — Fikret».

şelâle, A. i. Büyük çağlayan. ● «içinde bir
derecelik, bir şelâle-i giryan. — Fik-
ret». ● «Bir kar damlası tarzında ha-
valara doğru gidiyor. Sonra bir şelâle
halinde tekrar dökülüyor. — Cenap».

şelel, şell, A. i. 1. (Bio.) Vücutta olan
renkli leke. 2. Çolaklık. El veya kol
tutmaması ● Şelel-i asfar, (Bio.) sarı
benek; -intaşiyya, çimlenme beneği.
● «Nesim-i afiyetin desti şell olur Na-
bi — Mededres olmasa tedbire safa-yi
Halep. — Nabi».

şelenk, F. i. Sıçrama. Hoplama. Perende
atma. ● «Heft seyyare rikâbında peyk
gibi şelenk. — Nef'î».

şelvar, F. i. Şalvar.

şem', A. i. 1. Balmumu. 2. Mum. ● Şem-i
kâfur, kâfurdan yapılma beyaz mum;

• -şebistan, gece mumu (kandili). •
‹Aşk bir şem-i ilâhidir benim perva-
nesi. — Hayalî›. • ‹Hâller görsem yü-
zünde sanırım pervaneler — Yandılar
çün geldiniz şem-i şebistan öpmeye. —
Hayalî›.

şem'a, A. i. Mumlu fitil, muma batırılmış
fitil. • ‹Güneş bazan yakar fevk-es-se-
ma bir şem'a-i beyza — Ervah-i zerra-
ta. — Fikret›.

şemail, A. ç. i. Huylar, ahlâklar, tabiatlar.
• ‹Girer şemail-i hubana cilve hengâ-
mı. — Nef'î›.

şemaim, A. i. [Şemime ç.] Güzel kokular.

şemame, F. i. Güzel kokulu. • ‹Mastur-i
hane-i anberîn şemame olmuş idi ki. —
Sadettin›.

şemarih, A. i. [Şimrah ç.] 1. Hurma bu-
dakları, salkımlar. 2. Tepeler. • ‹Zîb-i
hakayik-i tarih-i şubbat şemarik-i Na-
ima olduğu üzere. — Esat Ef.›.

şematet, A. i. Şamata. Kuru gürültü. ‹Te-
selli-i şematet-gûse-i ahbabdan feryat.
— Ragıp Pş.›.

şem'dan, F. i. [Şem-dan] Şamdan. • ‹Ta
şam-i aftab-i cihantâbı subhdem —
Devran ufukta göstere bir sîm şem'-
dan. — Baki›.

şemîm, şemime, A. s. [Şemm'den] İyi ko-
kan, güzel kokulu. • ‹Onun şemimi
onun, Yusuf'un harreti bu. — Fikret›.

şemime, A. i. Güzel koku.

şeml, A. i. 1. Örtme, bürünme. 2. Kavra-
ma, içine alma. • ‹Hemen onların
şeml-i cem'lerin müteferrik ve peri-
şan. — Esat Ef.›.

şemle, A. i. 1. Kıldan baş örtü. 2. Şarık.

semm, A. i. Koklama, koku alma. • ‹Edip
müsaadenle şemm — Şu turra-i siya-
hını. — Recaizade›.

şemmame, A. i. Koklamaya yarar küçük
kavun biçiminde bir meyve. • ‹Feyz-i
şeb-i kimya-eserden — Tesir-i şemma-
me-i seherden. — Fuzulî›.

şemmas, A. i. Başının tepesi tıraşlı papas.

şemmasiyan, F. s. [Şemmas ç.] Papaslar.

şemme, A. i. 1. Bir kere koklama. 2. Az
şey. • ‹Ruhum sehabelerden alır şem-
me-i türab. — Fikret›. • ‹Şemme ru-
hunla, kuşça canınla. — Recaizade›.

şemmî, şemmiyye, A. s. Koklama ile ilgili.
Koklamaya ait.

şems, A. i. Güneş. • Şems ü kamer, gü-
neşle ay, • Şems-i münir, parlak gü-
neş; • gurub-i şems, güneşin batması;
keşşems, güneş gibi; • tulû-i şems, gü-
neşin doğması. (ç. Şümus). • ‹Ey

şems; ev kevkeb-i muazzam. — Fik-
ret›. • ‹Gurub-i şemsten birkaç saat
sonra idi ki o burc-i arzîye dahil ol-
duk. — Cenap›.

şemsabad, F. s. [Şems-âbad] Güneş bol
yer.

şemse, A. i. Güneş biçiminde işleme, süs.
• ‹Şemse-i takı verir hâtır-i hurşide
keder. — Nabi›.

şemsî, şemsiye, A. s. Güneşle ilgili güne-
şe ait.

şemsiyye, A. i. 1. Şemsiye. 2. (s.) güneşle
ilgili. • Huruf-i şemsiyye, Bk. • hu-
ruf; • manzume-i şemsiyye, güneş
sistemi; • sene-i şemsiyye, güneşin 13
burcu ile hesaplanan yıl. • ‹Şemsiye-
sini ileri uzatarak. — Uşaklıgil›.

şemsiyye, A. i. (Zoo.) Fransızcadan heli-
ozoaires (günsüler) karşılığı (XX.
yy.).

şemspâre, F. s. [Şems-pare] 1. Güneş par-
çası. 2. (Mec.) Çok parlak. • ‹Para...
Ey şemspâre-i âmal. — Fikret›.

şemşir, şimşir, F. i. Kılıç. • ‹Şemsir bekef
o çeşm-i şâhir — Gencine-i mülk-i na-
za nâzır. — Ş. Galip›. • ‹Tahvil-i ef-
kârda tesir-i nutk şemsir-i kahra galip
olduğu tecarib-i adîde ile sâbit olmuş-
tur. — Kemal›.

şemşirbaz, F. s. [Şemşir-baz] 1. Kılıç oy-
natan, iyi kılıç kullanan. 2. Kılıçla us-
talık gösteren. (ç. Şemşirbazan). •
‹Bir tig-i zernişan ile girmişti arsaya
— Şimşirbaz-i mareye-i sahn-i Os-
man. — Baki›.

şemşirbazî, F. i. Kılıç kullanma.

şe'n, A. i. 1. İş. 2. Yeni iş. 3. Yeni olan hal.
(ç. Şüun, şüunat).

şen, F. i. 1. Naz, cilve. Göze ve gönüle hoş
görünen hal. 2. Ferahlı, sevinçli. 3.
Şenlip, bayındır. • ‹Onun badar şen,
onun gadar genç olmamaktan müte-
vellit bir kin ile. — Uşaklıgil›.

şenaat, A. i. Kötülük, fenalık.

şenar, A. i. Büyük utanç, ayıp. • ‹Âr-i
buhl ü şenar-i imsâkten ihtiraz kıla.
— Hümayunname›.

şenayi, A. i. [Şenia ç.] Kötü ve ayıp iş-
ler.

şenbih, F. i. 1. Gün. 2. Cumartesi günü. •
Yekşenbih, pazar; • düşenbih, pazarte-
si • şeşenbih, salı; • çarşenbih, çar-
şamba; • pençşenbih, perşembe. •
‹Yevm-i cuma fikr-i şenbih ile telh ü
pür-melâl geçmekle. — Nabi›.

şeng, şenk, F. i. Haydut. Eşkıya.
şeng, şenk, F. s. Neşeli, kıvrak.
şengaret, A. i. Kötü huyluluk.
şengerf, F. i. Zincifre denen boya. • «Mihrinle Huda sinemi tenvir-i ferag et — Şengerf-i gamı mıskala-i jeng-i dimag et. — Hersekli».
şennar, şenar, A. i. Ayıp. Utanç. Kötülük. • «Kimin burnu kanadı ki irtizayi âr ü şenar ede. — Sadettin».
şeni', şenia, A. s. Kötü, fena. Utanılacak, ayıp. • Fiil-i şeni, cinsel münasebet.
şe'ni, şe'niyye, A. s. Bir ara Fransızcadan pragmatique karşılığı kullanılmak istenilmiş ise de tutmamış, réel (gerçek) karşılığı kullanılmıştı (XX. yy.).
şe'niyyet, A. i. Fransızca'dan réalité (gerçek, gerçeklik) karşılığı (XX. yy). • «Mefkûrelerinden hangisi daha ziyade şe'niyyete muvafık olduğu münakaşa ediliyordu. — Z. Gökalp».
şenia, A. i. Kötü ve ayıp iş. (ç. Şenayi). • «Bu ne vicdangudaz şenia, ne âr. — Fikret».
şer', A. i. 1. Tanrı buyruğu, âyet, hadis, icma-i ümmet esaslarıyle urulmuş din kuralları. 2. (Mec.) Kanun (XX. yy.). • «Ser'in bu dört rükniyle bir muteber bina. — Fuzuli».
şerafet, A. i. 1. Şerefli olma. 2. oSyluluk. S. Şereflilik (İmam Hasan soyundan inerek peygamber soyundan gelme). Şerafet-i • Mekke-i Mükerreme, Mekke şerifliği.
şeraif, A. i. [Şerife ç.] Mutlular, kutlular. • «Sukiler gibi şeraif-i insaniyetten münselih olmuş olur. — Naima».
şeraik, A. i. [Şerik ç.] Ortaklar.
şerain, A. i. [Şiryan ş.] Atardamarlar.
şerair, A. i. [Şerire z.] Şerirler. 2. Ateş kıvılcımları.
şerait, A. i. (Tı ile) [Şart, şarita ç.] Şartlar. • «Birkaç şerait-i esasiyenin takarrürüne sebebiyet vermişti. — Uşaklıgil».
şer'an, A. zf. Şeriat bakımından. Şeriate göre. • «Aklen ve şer'an kerahetinde söz yok. — Kâtip Çelebi».
şerare, şirare, A. i. Kıvılcım. • «Damarlarında nagehan bir şerare-i zevciyetin tutuştuğunu. — Uşaklıgil». • «Diz çökmüş bir terzi lâyenkati dikiyor; ötekinde bir demirci örsünden şerareler saçıyor. — Cenap».
şerareefşan, şerarefeşan, F. s. [Şerareefşan,-feşan] Kıvılcım saçan. • «Göre-

yim yere geçe ab-i çeş-i şerarefeşanım. — Fuzuli».
şerarefiken, F. s. Kıvılcım saçan. • Yine mihr-i pür ateş-i temmuz — Olarak muttasıl şerarefiken. — Fikret».
şeraret, A. i. (Te ile) Kötülük. Şerr işleme. Şerirlik.
şeraset, A. i. (Sin ve te ile) Titizlik, huysuzluk. Geçimsizlik.
şerat, A. i. (Tı ile) 1. İz, işaret. 2. Bir şeyin en bayağısı, aşağılığı. (ç. Eşrat).
şerayi', şerai', A. i. [Şeria ç.] 1. Şeriatler. 2. Şeriat hükümleri. • Şerayi-i sâlife. İslâmlıktan önce gelen peygamberlerin şeriatları. • «Şer'-i şerifi dahi şerayi-i salifeden efdal. — Taş.».
şerayin, A. i. [Şiryan ç.] Atardamarlar.
şerazet, A. i. Sertlik, şiddet.
şerazim, A. i. (Ze ile) [Şirzime ç.] Azca olan kalabalıklar.
şrebet, A. i. 1. Şerbet. 2. Sıvı olarak içilecek ilâç, müshil. • «Istılahatı sever mânasız — Şerbet ü hukne yapar eczasız. — Nabi».
şerc, A. i. (Ana.) Anüs.
şeref, A. i. 1. Ululuk. Yükseklik. 2. Övünme. 3. Üstünlük, beğenilme. Şeref-i ârizî, rütbe veya mevkiden gelen ululuk; -zatî, kişinin öz ululuğu.. • «Ve şeref-i ebasını tâmıs ve mahık olup. — Nima».
şerefbahş, şerefbahşa, F. s. [Şeref-bahş] Şeref veren, şereflendiren.
şerefe, şürfe, A. i. Minarede ezan okunan yer. (ç. Şürefat).
şerefefza, F. s. [Şeref-efza] Şeref artıran. şeref veren.
şerefhâh, F. s. [Şeref-hâh] 1. Şeref dileyen. 2. Onur sağlayan. • «Şükr ü minnet birer şerefhâhın. — Fikret».
şerefiyye, A. i. Bir yerin bayındırılmasın alınan para.
şerefresan, F. s. [Şeref-resan] Şeref yetişiren, ulaştıran.
şerefriz, F. s. [Şeref-riz] eŞref veren.
şerefsâdır, F. s. [Şeref-sâdır] Şerefle çıkan (padişah emri).
şerefsanih, F. s. [Şeref-sanih] Şerefle akla gelen (padişah emri).
şerefsünuh, F. s. [Şeref-sünuh] Şerefle akla gelen, akıldan buyrulan.
şerefyab, F. s. [Şereb-yab] Şeref bulan. şeref kazanan. • «Şerefyab eyleye sad sâl zatın sadr-i divani. — Nedim».
şereh, A. i. 1. Açgözlülük. 2. Oburluk. • «Cümle havasıl-i şerehalûdların nefais-i et'ımadan hissedar. — Nergisi».

şerer, *A. i.* [Şerare ç.] Kıvılcımlar. • «O alevler, o tude tude şerer — Şimdi efsürde bir avuç ahker. — Fikret».

şererfeşan, *F. s.* [Şerer-feşan] Kıvılcım saçan.

şerernâk, *F. s.* [Şerer-nâk] Kıvılcım saçan. • «Şûbesû berk-i çekçâk-i şerernâk-i süyuf. — Fikret».

şergîr, *F. s.* 1. Kötü muamele edilmiş, sıkıştırılmış. 2. Âsi, başkaldırmış. • «Vezirin kenduye şergîr olduğundan münfail ve dilgîr olup. — Naima».

şerh, *A. i.* 1. Açma, yayma. 2. (Bir ibare veya kitabı) Açıklama. 3. Açıklama yolunda yazılmış kitap. 4. (Mec.) Açık açık anlatma. • «Ne bilir okumayan Mushaf-i hüsnün şerhin — Yere gökten ne için indiğini Kur'an'ın. — Fuzulî» — «Şerha şerha eylesin sinem firak — Eyleyim ta şerh-i derd-i iştiyak. — Nahifi».

şerha, *A. i.* 1. Kesme veya yarma eseri. 2. Dilim. Parça parça. • «Sinemde taze şerha değil kişver-i dile —Açmış Tehemten-i nigehin şahrah-i nev. — Nailî». • «Seylâbelerle şerhalanır sine-i cibâl. — Fikret».

şerhân, *A. s.* Bir şeye çok düşkün. Ziyade hırs sahibi.

şerhsaz, *F. s.* [Şerh-saz] Şerh edici. Açıklayıcı. • «Olaydı atıfeti serhsaz-i nüsha-i cud — Verirdi vade-i imruz lutf-i ferdaya. — Fehim».

şer'-, şer'iyye, *A. s.* Şeriate ait, şeriatle ilgili. • *Hükm-i şer'î*, şeriate uygun hüküm; • *mahkeme-i şer'iyye*, şeriat hükümlerine göre dâvaları gören mahkeme. • «Nezafet-i şer'iyyeyi ihlâl ederler. — Kemal».

şeriat, *A. i.* 1. Doğru yol. 2. Tanrı buyruğu. 3. Ayetler, hadisler, icma-i ümmet, imamların içtihadı ile kurulmuş temel. • «Dilenciler şeriat ve medeniyetin hilâfında olarak. — Kemal».

şerif, şerife, *A. s.* 1. Kutsal, mübarek. 2. Soylu. 3. Peygamber soyundan olan. (ç. Eşraf, şürefa).

şeriha, *A. i.* 1. Et dilimi. 2. Bedenden kopmayarak ayrılmış et.

şerik, şerike, *A. i.* 1. Ortak. 2. Arkadaş. (ç. Şürekâ). • «Ya Behlülle o şerik-i cinayete. — Uşaklıgil».

şerir, şerire, *A. s.* Kötü, hayırsız, fesatçı, yaramaz. (.ç Eşirra eşrar). • «Bugün şerir bir kadın gibi beni size müracaata mecbur eden de bu. — Uşaklıgil».

şerit, *A. i.* 1. Hurma kabuğundan ip veya uzun sargı. • «Üzeri resimli bir büyük şerit gibi lâyenkati' akıp gidiyordu. — Cenap».

şerita, *A. i.* Sözleşmeyi meydana getiren maddelerden her biri. (ç. Şerait).

şerm, *F. i.* Utanma. • *Bîşerm*, utanmaz. • «Taksir-i ibadette ruh-i şerme nikab et. — Nabi». • «Gül susar şerm ederek bülbül-i şeyda söyler. — Beyatlı».

şermende, *F. s.* 1. Utangaç. 2. Utanacak bir iş yapmış olan. (ç. Sermendegân). • «Erbab-i aşkı lûft ile şermende eylesen. — Nailî».

şermendegî, *F. i.* Utanma.

şermîn, *F. s.* Utangaç.

şermgîn, *F. s.* Utangaç.

şermnâk, *F. s.* [Şerm-nâk] Utangaç.

şermsar, *F. s.* [Şerm-sar] Utangaç. (ç. Şermsarân). • «İlâhi bugün katl-i eadide ben kulunu şermsar etme. — Naima». • «Gizlendi gülistanda yeşil yaprak ardına Reng-i izarınızdan olup şermsar gül. — Naci».

şermsarî, *F. i.* Utanma.

şerr, *A. i.* 1. Kötülük. 2. Kavga, gürültü. 3. Şer'a uygun olmayan şey. (ç. Şürur).

şerr, *A. s.* 1. Kötü adam. 2. Daha, en kötü. (ç. Eşrar). • «Yalnız hayrı değil şerri de öğrenmeye bak. — Naci».

şerrah, *A. s.* [Şerh'ten] 1. Şerh eden, açıklayan. 2. Şerh yazmış olan.

şerreyn, *A. i.* [Şerr'den] İki kötülük. İki zararlı nesne. • «Ehven-i şerreyn ihtiyar olunur. — Mec. 29».

şerrî, şerrîyye, *A. s.* Kötülüğe ait, kötülükle ilgili.

şersuf, *A. i.* (Ana.) Kaburga kemiklerinin ön taraf uçlarındaki kıkırdak.

şerze, *F. s.* Kudurmuş, kuduruk. • «Tâbiş-i tığını der pençe dem-i heycada — Görse teblerze tutar şerze-i şîr-i ücemi. — Belig».

şest, şast, *F. i.* Ok atanların parmaklarına geçirdikleri halka. • «Tîr-i gamzen öldürür bin âşıkı — Kimde vardır ey keman-ebru bu şest. — Kanunî».

şeş, *F. s.* Altı (6). Şeş cihet, altı yön; (tavla oyununda). • *şeş ü dü*, altı ile iki; • *şeş cihar*, altı ile dört; • *şeş ü se*, altı ile üç; • *dü şeş* altı altı, (Mec.) iyi raslama. • «Kim sada-yi şevket ü şaniyle pürdür şeş cihet. — Nedim».

şeşder, *F. i.* [Şeş-der] (Altı kapı) Dünya. • *Şeşder-i fena;* • *şeşder-i tenk,* (bu)

F. : 50

dünya. • ‹Şeşder-i gamda zâr kıldı gönül — Olmadı vaslının kapısı küşad. — Bakî›.

şeşhane, F. i. İçi altı köşeli, namlusu yivli tüfek. • ‹Bir haneye malik değilim ben şu cihande — Kutta-i tarîkın bile şeşhanesi vardır. — Pertev Pş.›.

şeşper, F. i. [Şeş-per] Dilli topuz, soğancık denen savaş aleti. • ‹Darbe-i şeşperle çıkan ka'kaa miğferlerden. — Fikret›.

şeşpistan, F. i. [Şeş-pistan] (Altı memeli) kancık köpek.

şeşüm, F. s. Altıncı.

şetaim, A. i. [Şetm ç.] Sövüp saymalar, küfürler. • ‹Mevzuumuz haricinde taharri-i şetaime teşebbüs etmekle. — Cenap›.

şetaret, A. i. Neşeli olma. Şenlik. • ‹Bir çift şuh çocuk gözlü size mâna-yi şetaretiyle bakıyor zannolunurdu. — Uşaklıgil›.

şetat, A. s. (Te ile) Dağınık.

şetim, şetime, A. s. (Te ile) 1. Sövülmüş sayılmış olan. 2. Kötü görünüşlü olan.

şetime, A. i. Sövme, kötü söyleme. • ‹Bir lâtife bir şetime-i hakaret kadar kalbini incitir. — Cenap›.

şetit, şetite, A. s. (Te ile) Dağınık.

şetm, A. i. Sövme. • Şebb ü şetm, sövüp sayma. (ç. Şetaim, şütum).

şett, A. i. Ayrı ayrı olma. Dağınık olma. • ‹Zulme-i cürmü n'ola nur-i kerem mahvetse — Zülf-i şett perdei rû-yi mei-i tâbân olmaz. — Talip›.

şetta, A. s. ç. Dağınık, çeşitli maddelerden meydana gelme. Ayrı ayrı, başka başka. Mevadd-i şetta, çeşitli maddeler; ulûm-i şetta, çeşitli bilgiler • ‹Ederdi anda da ispat-i fazl ü ehliyet — Açılsa bahs birinden ulûm-i şettanın. — Recaizade›.

şetum, A. s. Söğülüp sayılmış olan.

şe vagıl, A. i. [Şagıle ç.] Uğraşmalar. Meşguliyetler. • ‹Bazı şevagil sebebiyle bulunmamakla. — Naima›.

şevahid, A. i. [Şahide ç.] Tanıt olarak gösterilen örnekler.

şevahik, A. i. [Şahika ç.] Yüksek yerler, tepeler. • ‹Şevahikten kopan bir hande-i şârikle zulmetler. — Fikret› • ‹Uzakta bir ada karlı şevahikıyle köpüklü bir dalga gibi duruyordu — Cenap›.

şevahin, A. i. [Şahin ç.] Şahin kuşları.

şevai, A. i. [Şayi ç.] Sayı olanlar, yayılmış bulunanlar.

şevaîb, A. i. [Şaibe ç.] 1. Şüpheler. 2. Ayıplar, lekeler. • ‹Ey şi'r-i bi-şevaib-i sanat ki daima — Ulviyyet-i cemaline timsal olur sema. — Cenap›.

şevail, A. i. [Şule ç.] Ateş alevleri.

şevakil, A. i. [Şakile ç.] Tarikatler, mezhepler.

şevamih, A. i. [Şamiha ç.] Yüksekler, teperler.

şevamil, A. i. [Şamil ç.] Şamil olanlar. İçinde bulunanlar.

şevari', A. i. [Şari' ç.] Caddeler. oYllar. • ‹Ezikka ve sevari' ise paşanın fitilleri yanmış tüfenklileri ile malâmaldı. — Naima›.

şevarib, A. i. [Şarib ç.] Bıyıklar.

şevarid, A. i. [Şarid ç.] Dağılmış, dağınık şeyler.

şevarik, A. i. [Şarika ç.] Aydınlıklar.

şevaz, A. i. (Ze ile) [Şazze ç.] Şazalr, müstesnalar. Kural dışı olanlar. • ‹Yani kıraatin şevazını bilip. — Taş›.

şevazi, A. ç. i. (Zı ile) Dğların dik tepeleri.

şevb, A. i. s. Karışık. Karışım. • ‹Cemal-i Kemal-i milk-i Bari şevb-i noksandan âridir. — Taş›.

şeve, F. i. Kara amber.

şevende, F. s. Hazır bulunan, var olan. (ç. Sevendegân).

şehver, F. i. Erkek eş.

şevk, A. i. (Kaf ile) 1. Şiddetli istek. 2. Keyif, istek, neşe. 3. (Türkçede) Işık. • ‹Bezm-i Cemşit'te devran ki kadehlerle döner — Şevk ta beseher raks-i mükerrerle döner. — Beyatlı›. — (Ed. Ce.) :

- Şevk-i bidar,
- -cinan,
- -fuad,
- -i'tilâ,
- -muktebes,
- aks-i hande-i şevk,
- aks-i şevk,
- arz-i şevk,
- avaz-i şevk,
- cilve-i şevk,
- dakika-i şevk,
- ruya-yi şevk,
- tanin-i şevk.

şevk, A. i. (Kef ile) Diken.

şevkalûd, F. s. [Şevk-alûd] Şevkli. • ‹Onun fırakı olurken içimde zehrefşan — Nasıl görür gözüm âşar-i fecri şevkalûd. — Fikret›.

şevke, A. i. (Kef ile) Deve dikeni.

şevkefeza, F. s. [Şevk-efza] 1. Şevklendiren, neşe artıran. 2. Bir musiki makamı.

şevkel, A. i. 1. Yaya askeri. 2. Askerin sağ (veya) sol kanadı.

şevkengiz, F. s. [Şevk-engiz] Aşırı istek-lendiren, neşelendiren. • ‹Ara sıra şevkengiz romanlar bulup. — Recaiza-de›.

şevkeran, F. i. Baldıran bitkisi.

şevket, A. i. Ululuk. (Padişah için kulla-nılırdı). • ‹Kızılbaş taifesinin devlet ve şevketi mezheb-i rafz üzre bina olunmakla. — Naima›.

şevketmeab, F. s. [Şevket-meab] Şevketin bulunduğu yer. (Padişah nitelemede kullanılırdı).

şevki, şevkiyye, A. s. [Şevk'ten] Şevkle, neşe ile ilgili.

şevkî, şevkiyye, A. s. [Şevk'ten] Dikene ait, dikensi.

şevval, A. i. Arabî ayların onuncusu olup ilk üç günü ramazan (şeker) bayramı-dır. •‹Şevval geldi arzu-yi îd kalmadı — Esbab-i şevka niyyet-i tecdit kal-madı. — Nabi›.

şey, A. i. Nesne, şey. (ç. Eşya).

şeyatin, A. i. [Şeytan ç.] Şeytanlar.

şeyb, A. i. Saç sakal ağarması, ihtiyarlık. • ‹Geçti eyyam-i şebab etti hulûl hengâm-i şeyb›.

şeyba', A. s. 1. Ak, kırçıl. 2. Ayın son ge-cesi. 3. Gelinin gerdek gecesi. • Leyle-i şeyba, aylı gecelerin sonu. • Şimdi ka-mer bütün tabiata bir şeyba-i münev-ver hazırlamak istiyormuşcasına. — Uşakligil›.

şeybiyye, A. i. (Bot.) Fransızcadan liché-nées (likenler) karşılığı (XIX. yy.).

şeyda, F. s. Sevgiden aklını kaybetmiş. Şaşkın, divane. • Âşık-i şeyda, • bül-bül-i şeyda. • ‹Ne acep eylese esrar-i derunun ifşa. — Gonceden söz ettirir bülbül-i şeydaya saba. — Nedim›. • ‹Ben, âşık-i şeyda — Her kahra taham-mülle severdim. — Fikret›.

şeydai, şeydayi, F. i. Sevgiden ileri gelen divanelik.

şeydayane, F. zf. Şeyda bir kimse gibi. Öylelerine yakışır yolda. • ‹Bu işti-yak-i şeydayanenin şevkıyle. — Ce-nap›.

şeyh, A. i. [Şeyhuhet'ten] 1. Yaşlı adam. 2. Tekkede bulunan başkan. 3. Arabis-tanda kabile başkanı. Şeyh-ül-ekber, Muhiddin Arabî; şeyh-ül-harem, ha-rem-i şerif heyetinin başkanı; şeyh-ül -islâm, Şeyhülislâm. • ‹Mest olsa dil-ber sevse ger mazurdur şeyh-ül-harem. — Nef'î›. • ‹Cenab-i şeyh-ül-İslâm-i şerif-etvar ü sa'dâşâr — Ki şakird et-meye etmez tenezzül mirza Can'ı. —

Nedim›. • ‹Yegâne şeyhül-İslâm-i me-lek-haslet ki evsafi — Olur ziynet-i zeban-i iftihar-i ins ü cann üzre. — Ziya Pş.›. • ‹Şunda huzur içinde ya-tan şeyh ü şabdan. — Recaizade› • ‹Ben şeyhin teklifini evvela reddetti-ğim için. — Cenap›.

şeyheyn, A. i. ‹İki şeyh› anlamında olup halife Ebubekir ile Ömer'in unvanları.

şeyhuhet, A. i. Yaşlılık. Kocama. • ‹Var mıdır hengâm-i şeyhuhette yokluktan belâ›. • ‹Ve şeyhuhete mahsus uyu-şukluktan silkinerek. — Cenap›.

şey'i şey'iyye, A. s. Fransızcadan objec-tif (nesnel) karşılığı (Afakî ile birlikte, XIX. yy.).

şeyn, A. i. Leke, ayıp. • ‹Gönder, şu dal-galar yıkasın şeyn-i hilkati. — Fikret›.

şeytan, A. i. Şeytan. (ç. Şeyatin). • ‹Ver-mez şehab sine-i şeytan-i maride — Ol bîmi kim aduya dırahş-i sınan verir. — Nedim›.

şeytanat, A. i. Şeytanlık. Kurnazlık. • ‹Bilmiş ol ki sevilmek için sadakatten ziyade şeytanat lâzımdır. — Cenap›.

şeytanatkârane, F. zf. Hilecilik ve fesat-çılık ile.

şeytanî, şeytaniyye, A. s. Şeytanla ilgili, şeytana yaraşır. • ‹Her biri varidat-i gaybden mülkem lîk şeytanî. — Fe-him›.

şeytanpesendane, F. zf. Şeytanın beğene-ceği yolda. • ‹Nümayişi bile en hunriz cellâtlara bile nefretbehş olıcak öyle bir ziynet-i şeytanpesendane ile. — Kemal›.

şeytaraciyye, şıtırciyye, A. i. (Bot.) Fran-sızcadan plumbaginées (dişotugiller) karşılığı (XIX. yy.).

şeyyad, A. i. 1. Sıvacı. 2. Riyacı. yüze gü-lücü. • ‹Âdab ile bas pâyını hâk-i der-i yârâ — Ey zahid-i şeyyad bu sec-cade değildir. — Ruhi›.

şeza, A. i. Kokulu şeylerin kokusu.

şezre, A. i. 1. Maden içinden işlenmeden

şibl, A. i. 1. (Dört ayaklı) Hayvan yavru çıkarılmış altın. 2. Süs için asılan inci ve altın taneleri. (ç. Şezerat, şüzur).

şıkk, A. i. 1. İkiye bölünmüş şeyin bir parçası. 2. Bir işin iki yönünden her biri. • İki şıktan birini tercih etme, ya onu ya bunu yapma.

şia, A. i. 1. Taraflılar yardımcılar. 2. Ha-life Ali taraflısı. • ‹Ehl-i sünnet ule-ması ile ulema-yi şia beyninde bu bap-ta kîlükaal oldu. — Kâtip Çelebi›.

şiâb, *A. i.* [Şi'b, şube ç.] Şubeler. • ‹Akabat-i şiab üzre havale olan şevahık. — Naima›.

şiar, *A. i.* 1. İz, işaret. 2. Ayırıcı işaret. 3. Âdet, İyi ve ayırt edici âdet. • ‹İzhar-i kin şiar-i dil-i zarımız değil. — Naci›. • ‹Kırgızların ve özbeklerin nasıl bir şiar takip edeceklerini bilmiyoruz. — Z. Gökalp›.

-şiar, *A. s.* ‹İyi, üstünlük veren işaret, âdet› anlamıyle kelimelere katılır. *Merhametşiar* (hep) merhametli; • *şöhretşiar* ünlü, ün alarak belirmiş; •*zaferşiar,* (her zaman) üstün gelmiş.

şib, *F. i.* İniş. Aşağı doğru eğiklik.

şib, *A. i.* Doyma, tokluk.

şi'b, *A. i.* Dar yol.

şiba', *A. i.* Doyma, tokluk.

şibak, *A. i.* [Şebeke ç.] Şebekeler, ĸafesler. • ‹Çün padişah-i rub-i meskûn habshaneye konup bab ü şibaki yapıldı. — Naima›.

şibh, *A. i.* 1. Benzeme, benzeyiş. 2. Bir şeyin benzeri. 3. Benzeyen şey. 4. (XIX. yy. da) Hekimlik ve matematik terimlerinde *forme* ve *ide* soneklerini karşılamada kullanılmıştır. • *-billûri* (cristalloide-billûrsu); *-cezire* (yarımada); • *-cezrî* (rhioideköksü); • *-cild* (dermoide - cildimsi›; • *-insaniye,* • *-beşer* (Anthropoide-insanımsılar); • *isfenci* (spongoide - süngersi); • (alçaloide - madensi); • *-münahrif* (trapeze - yamuk); • *-necliyye* (graminidées - buğdaysılar); • *-zıll* (pénombre). • ‹Ey sibh ü şerikten münezzeh. — Fuzulî›.

su. 2. Köpek yavrusu. • ‹Meşcerenin içinden bir şibl-i esed peyda olup. — Taş.›.

şibr, *A. i.* Karış. • ‹Arzı bir şibr idi. — Taş.›.

şidad, *A. i.* [Şedid ç.] Sertler, katılar. • ‹Eyman-i şidad yâd etmekle azad etti. — Sadettin›.

şiddet, *A. i.* 1. Peklik, çokluk. 2. Sertlik. 3. Sıkılık. • ‹Bakın hava ne güzel açtı incilâ buldu — Deminki velvele, şiddet sükûnpezir oldu. — Fikret›. • ‹Toprak üzerinde olduğumuza inanmak için hatyelerimizi şiddetle yere vuruyorduk. — Cenap›.

şiddî, *A. s.* Şiddetli, yeğin.

şiet, *A. i.* İsteme, dileme.

şifa', *A. i.* Hastalıktan kurtulma, sağalma. • *Şifa-i âcil,* (Hastalıktan) çabuk kurtulma, • *şifa-i sadr,* öc almış olma. iç rahatlanma. • ‹Ağaların katlini işittiklerinde şifa-yi sadr hâsıl ettiler. — Naima› • ‹İnan, Halûk, ezelî bir şifadır aldanmak. — Fikret›.

şifabahş, *F. s.* [Şifa-bahş] İyilik veren, iyileştiren.

şifah, *A. i.* [Şefe ç.] Dudaklar. • ‹Enamil-i sultan-i âdili üifah-i ikram ile takbil. — Sadettin›.

şifahane, *F. i.* [Şifa-hane] 1. Hastane. 2. Tımarhane. • ‹Kim itibare eder bu kifahanede bize — Macun-i nevsirişte-i nâ-âzmudeyiz. — Nabi›.

şifahen, *A. zf.* Ağızdan, söyleyerek. • ‹Bu müsaade şifahen talep edilemez bir istida yazmalısınız. — Cenap›.

şifahî, şifahiyye, *A. s.* Ağızdan olan, sözle olan. • ‹Bu hayasız kadınlar yalnız davet-i şifahiye ile de kanaat etmeyerek küstahlıkla kolunuzdan tutup sizi içeri çekmek derecesine varıyorlar. — Cenap›.

şifapezir, *F. s.* [Şifa-pezir] İyileşebilir; geçebilir.

şifaresan, *F. s.* [Şifa-resan] İyi eden, şifa veren.

şifasaz, *F. s.* [Şifa-saz] İyi eden.

şifayab, *F. s.* [Şifa-yab] Şifa bulan.

şife, şefe, *A. i.* Bk. Şefe.

şifte, *F. s.* Düşkün, tutkun; kaçık. (ç. Şifteggn). ‹Eden eda-yi hatt-i dilkeşe bizi Ragıp — Esir ü şifte hep şive-i kitabettir. — Ragıp Pş.›.

şiftegi, *F. i.* Kaçıklık. Çok tutkunluk.

şihab, şehab, *A. i.* Kıvılcım. • ‹Ey asman-i turfenümadan edip şitab — Bir tarz-i dilfirib ile sgkıt olan şihab. — Naci›.

şihe, *A. i.* (He ile) At.

şiham, *A. i.* [Şehm ç.] 1. Zekiler. 2. Yiğitler.

şihar, *A. i.* Aylıkla verme veya alma.

şıl, Şiiyye, *A. s.* Şia mezhebinden olan. Ali taraflısı.

şiîyyet, *A. i.* Şiîlik. • ‹İsmail Safevî tesis ettiği erkgn-i şiîyeti şimşir-i galibiyetinin döktüğü kanlarla tahkim ettikten sonra. — Kemal›.

şikâf, *A. i.* Yırtık, yarık. • ‹Gelmiş aguş-i giribana şiksf-i damen. — Nedim›.

-şikâf, *F. s.* ‹Yaran, yırtan› anlamıyle kelimelere katılır. • *Canşikâf,* • *dilşikâf,* • *muşikâf.*

şikâfe, *F. i.* Saz çalma için parmağa takılan alet. Mızrab.

şikak, A. i. Uyuşmazlık. Bozuşma. • «Tahrik-i fitne ve şikak etmeye balşamış bizzarure diyar-i ahara nefvolunması iktiza etmiştir deyu. — Raşit».

şikâr, F. i. 1. Av. 2. Avlama. 3. Avlanan hayvan. 4. Kılıç hakkı ele geçen şey. (ç. Şikâran). • «Evet, bu dâr-i nakayıkta her eser mutlak — Şikâr-i nahün-i tenkid olur. — Fikret».

şikârgâh, F. i. [Şikâr-gâh] Avlak.

şikârger, şikârgîr, F. s. [Şikâr-ger,-gîr] Avcı. • «Bâz-i şikârgîr-i çeragâh-i himmetim. — Ragıp P.ş..»

şikâri, F. i. (Şahin ve doğan gibi) Av kuşu.

şikâristan, F. i. Av yeri. Avlak. • «Süzülmüş bir şikâra iki şehbaz ol iki ebru — Şikâristani hüsnün gözleridir iki lâçini. — Hayalî».

şikât. A. i. Bir kimse derdini anlatma.

şikâyat, A. i. [Şikâyet ç.] Şikâyetler. • «Anlamazlar o tehevvür o şikâyât niçin — Dahl edenler sana feryad-i mübahatın için. — Fikret».

şikâyet, A. i. Sızlanma. Sızıldanma. • «Şakileri yelip der-i devlete şikâyet ettiler. — Naima». • «Herkes taarruk ve izdihamdan şikâyet ediyor. — Cenap».

şikâyetamiz, F. s. [Şikâyet-amiz] Sızıldayan, inildeyen. • «Hazin, şikâyetamiz (...) bir neşide gibiydi. — Uşaklıgil».

şikem, F. i. Karın. • Ehl-i şikem, boğazına düşkün, yeme ve içmeden başka bir şey düşünmez kimseler. • «Lezzeti et'imada ziyneti puşişte arar — Ne bilir neşe-i idraki nedir ehl-i şikem. — Ragıp Pş.».

şikebme, F. i. İşkembe.

şikemperest, F. s. [Şikem-perest] Boğazına düşkün, obur. (ç. Şikemperestan).

şikemperver, F. s. [Şikem-perver] Boğazına düşkün, obur. (ç. Şikemperveran).

şiken, F. i. Büklüm. Kıvrım. • «Her bir şiken ki dillere câ-vi karardır — Zindan-i muhabbet için bir kemend olur. — Nailî».

-şiken, F. s. «Kıran, kırıcı» anlamıyle, kelimelere ulanır. • Bütşiken, • dilişken • hâtırşiken, • peymanşiken, safşiken, • sipehşiken. • «Dilir-i safşikendir. Ürdşir-i şîrefkendir. — Nef'î» • «Kimin aguş-i küstahında piç ü tâba düşmüş kim — Yine destarı derhem dâm-i giysusu şikenleşmiş. — Nabi».

şikenc, F. i. Büklüm, kıvrım. • Şikenc-i gisu, -turra, -zülf. • «Her bir şikenc-i turrada bin mübtelâsı var. — Nedim».

şikence, F. i. İşkence. • «Metruk idi alet-i şikence. — Nabi».

şikest, F. i. 1. Kırma. 2. Yenilme. • «Bostancının başına bir tabak vurup şikest eyledi. — Naima».

şikeste, F. s. 1. Kırılmış, kırık. 2. Yenilmiş. 3. Kırılmış. • «Hâr ü şikeste müntekıl-i hufre-i heder. — Fikret».

şikestebâl, F. s. [Şikeste-bal] Kırık kanatlı, kanadı kırık. • «Dil-i mecruhuma rahm eyle kalsın dâm-i zülfünde — Şikeste-bâl olan mürgu edip azad n'eylersin. — Bahayi».

şikeste beste, F. s. Kırık dökük. • «Zencir takıp bu bütpereste — Abdiyete cek şikeste beste. — Ş. Galip». • «Yazdım ne ise şikeste beste — Malum değil mi hal-i haste. — Ziya Pş.».

şikestedil, F. s. [Şikeste-dil] Yüreği kırık olan.

şikestehal, F. s. [Şikeste-hal] Durumu kötüleşmiş olan.

şikestegi, F. i Kırıklık. • «Şikestegi-i dile çaresaz olur sanma — Tabib-i tesliyetin mumiyaların gördük. — Râşit».

şikib, şekib, F. i. Sabır. • Nasekib, sabırsız.

şilân, A. i. Padişah veya vezir sofrası.

şimal, A. i. 1. Sol yön. 2. Kuzey.

şimalen, A. zf. Kuzey yönden. • «Şimalen İsfahan ü Gence vü Tiflis ü Şirkan'ı. — Nef'î».

şimali, şimaliyye, A. s. Kuzeye mensup. kuzeyle ilgili. • «Bugünkü harareti kânunusani ayının şöhret-i şımaliyesiyle hiç de mütenasip bulmadıklarını söylüyorlar. — Cenap».

şime, A. i. Huy, tabiat. (ç. Şiyem). • «Şime-i kerime-i hayırhahi ve bîgarazî. — Kemal».

Şimr, A. ö. i. Kerbelâda Hüseyin'in ölümüne sebep olanlardan.

şimrah, A. i. Hurma (veya ona benzer yolda) üzüm budağı, salkımı. 2. Dağ tepesi. (ç. Şemarih).

şimrahiyye, A. i. Bir haricî tarikatı.

şimşad, F. i. Şimşir ağacı. • «Yürü ey serv-i şerefraz yürü — Kadd-i balâna erişmez şimşad. — Baki».

şimşir, şemşir, F. i. Kılıç. • «Savlet-i gürz-i giran, darbet-i şimşir ü sinan. — Fikret».

şin, A. i. «ş» harfinin adı.

şina, şinâb, F. i. Suda yüzme. • ‹Etmeden farkı nedir abıhayat içre şina — Hased avuşa çeken rinde o sim endamı. — Nabi›.

şinah, F. i. Suda yüzme. • ‹Beşerin işte, pür ümmid ü heves, kıvranarak — Kâ'r-i târında şinah ettiği girdab-i üful. — Fikret›.

şinahte, F. s. Belli. Tanınmış.

şinar, F. i. Yüzme.

-şinas, F. s. ‹Tanıyan, bilen, anlayan› anlamlarıyle kelimelere ulanır. (ç. Şinasan).

- ahterşinas
- bediaşinas
- cevherşinas
- fasahatşinas
- gevherşinas
- gevherşinas
- hakikatşinas
- hakşinas
- hatırşinas
- hukukşinas
- kadirşinas
- kârşinas
- lezzetşinas
- lûgatşinas
- marifetşinas
- merdümşinas
- meyşinas
- musikişinas
- na-şinas
- remzşinas
- renkşinas
- ruhşinas
- sihrşinas
- suhanşinas
- tarhişinas
- vazifeşinas
- zerşinas

şinaver, F. s. 1. Suda yüzücü. 2. Yüzgeç. (ç. Sinaveran). • ‹Bahr-i aşk içre şinavergeçinenler ne bilir — Düşmese çah-i zenehdanına girdab nedir. — Baki›.

şinev, F. s. İşiten, dinleyen.

şinid, F. i. İşitme.

şinide, F. s. İşitilmiş. • Naşinide, işitilmemiş; • nevşinide, yeni işitilmiş. • ‹Hep o keşf-i râz-i dil dehenimden şinidedir. — Naili›.

şi'r, A. i. 1. Anlama. 2. Şiir. • ‹Bu memleketin hanesinde, dükkânında, sokaklarında, meydanlarında bütün bir şi'r-i ârayış var. — Cenap›. — (Ed. Ce.)

- Şi'r-i giryan,
- -hayat,
- -kalb-i natüvan,
- -ter; mâbude-i şi'r,
- -levha-i şi'r,
- -lebriz-i şi'r,
- -mâna-yi şi'r,
- nevha-i şi'r,
- per-i şi'r,
- -tar-i şi'r,
- -telkin-i şi'r,
- -velvele-i binihaye-i şi'r,
- -zemzeme-i şi'r,
- -zevk-i şi'r.

şîr, F. i. Süt. Şîr-i mader; ana sütü. • ‹Acep mecnun-i maderzaddır tıfl-i dil-i âşık — Ki hunab-i cizer nuş etse sanır şîr-i maderdir. — Naili›. • ‹Ey şîr-i teri sine-i pür-zahm-i hayatın. — Fikret›.

şir, F. i. (Zoo.) Aslan. (ç. Şirân). • ‹Şirler pençe-i kahrımda olurken lerzan — Beni bir gözleri ahûya zebun etti felek. — Yavuz Selim›.

şira', A. i. Yelken. • ‹Tayy-i şira-i seyr ü sefer olunmak lâzım geldi. — Abdullah›.

şirâ', A. i. Satın alma. Bey ü şira, alım satım.

şi'ra, A. i. İki yıldızın adı. • ‹Zühre-i zehra terennum-i şi'ri Şiray'ya ergörüp›.

şirâk, A. i. 1. Ortaklık. 2. Çığır, patika.

şirane, F. s. zf. Aslınca. Aslana yakışır yolda. Hamle-i şirane, aslanca saldırma. • ‹Oturmuş ol şehenşah-i cihan şîrane heybetle. — Nedim›.

şirar, A. i. Kıvılcım. • ‹Değil şebnem şirar-i ah-i bülbüldür ki çıktıkça — Dâser kesb-i rütubetle hevadan gülsitan üzre. — Nef'î›.

şirare, A. i. Kıvılcım.

şirat, A. i. Şartlaşma.

şiraz, A. i. (Tı ile) Çekişme. Huysuzluk etme.

şiraze, F. i. (Ze ile) 1. Kitap ciltlerinin iki ucunda bulunan ibrişimden şerit. 2. (Mec.) Düzen. Düzgünlük. • ‹Gerdun verir mi kimseye şiraze-i murat — Ta sıkmayınca mengenes-i ıstırapta. — Nabi›. • ‹Cildi kaba, şirazesi perişan bir kitap ile. — Recaizade›.

şirazebend, F. s. [Şiraze-bend] Düzen veren. Düzenleyen. • ‹Safha-i diller olup şirazebend-i ittifak — Fenn-i pür zor-i nezakette kitap olmuş sana. — Rağıp Pş.›.

şirb, A. i. Ekin sulama ve hayvan suvarma nöbeti. • ‹Şirb, ekin ve hayvan sulamak için su ile intifa' etmek nbbetidir. — Mec. 1262›. • ‹Şirb-i hass eşhas-i madudeye mahsus olan mâ-i carideki hakk-i şirbdir. — Mec. 955›.

şirban, F. s. [Şîr-ban] 1. Aslan bekçisi. 2. Aslancı.

şirdan, F. i. Geviş getiren hayvanlarda ikinci mide. Şirden.

şîrdar, F. s. [Şîr-dar] Süt veren. Sütlü.

şirdil, F. s. [Şîr-dil] Aslan yürekli. (ç. Şîrdilân). • ‹Gayet şeci' ve şirdil ve sehada bi'muadil idi. — Süheyli›.

şire, F. i. Şıra. • «Sanman bizi kim şire-i engûr ile mestiz. — Ruhî».

şirekeş, F. s. [Şire-keş] Şıra içen. Şıra ile sarhoş olan. • «Bengi ketm eylemez esrarın — Şirekeş tatlı sanır güftarın. — Vehbi».

şirgir, F. s. [Şîr-gîr] 1. Aslan tutacak kadar güçlü. 2. Yarı sarhoş, az keyifli, çakır keyif. (ç. Şirgîrân).

şirhâr, F. s. [Şîr-hâr] Süt emen, sütten kesilmemiş. (ç. Şîrhârân). • «Şîrharlar beşizini. — Kemal».

şiri, F. i. Aslanlık.

şi'rî, şi'riyye, A. s. Şiirle ilgili. • «Edebî hayallerini ve şi'rî duygularını ifade edecek hususî kelimelere malik olması da lâzımdır. — Z. Gökalp».

şirin, F. s. 1. Tatlı. 2. Sevimli, cana yakın. 3. (Ö. i.) Ferhat'ın sevgilisi. • «Bu câmehâb-i rebîîde bir ten-i şirin — Ten-i hayatârâ. — Fikret».

şirineda, F. s. [Şirin-eda] Latif edalı.

şiringüvar, F. s. [Şirin-güvar] Tadı iyi olan. • «Zaman-i va'd-i tahassürde başkadır âlem — O telh şerbet-i şiringüvarı benden sor. — Nedim».

şirini, F. i. Şirinlik. Tatlılık.

şirinküm, F. s. [Şirin-kâm] Tatlılığı damaümda kalmış. • «Sonra alıp elime neyşeker-i kilk-i teri — Olayım vasıf-i cihan-da-ver ile şirinkâm. — Nedim».

şirinkâr, F. s. [Şirin-kâr] Tatlı, hoş muamele eden.

şirinter, F. s. [Şirin-ter] Daha çok tatlı. • «Şirinter imiş ülfetimiz vuslatınızdan. — Recaizade».

şirinzeban, F. s. [Şirin-zeban] Tatlı dilli. (ç. Şirinzebanân). • «Şive-i güftarı hemşiren mi bğretti sana — Her sözün şirinzebanım canıma can oldu hep. — Nedim».

şiristan, F. i. Aslanı çok yer. Aslan yatağı.

şi'riyet, A. i. Şairanelik. • «Manazır-i berf içinde bir şi'riyet hissetmişti. — Cenap».

şirk, A. i. (Kef ile) Tanrıya ortak koşma. • «Yok şirke egerçi itibarı — Tevhide de yoktur iftikarı. — Naci».

şirket, A. i. Ortaklık. • «Geceler azm ettiğim ol maha sayem havfidir — Bir tarik ile kabul etmez muhabbet şirketi. — Fasih dede».

şirret, A. i. Kötülük, şerirlik. • «Şirretlere zulmetlere, zilletlere lânet. — Fikret».

şirpençe, F. i. [Şîr-pençe] En çok ensede çıkan öldürücü çıban.

şiryan, A. i. (Ana.) Atardamar. • Şiryan-i şubatı, şahdamar; • -şezen, soluk borusu; • -taht-et-terkova, köprücük altı atardamarı. • «Caddenin iki tarafında gülen, söyleyen, kaynaşan birer şiryan-i içtimaî teşkil ederler. — Cenap».

şirzime, A. i. Küçük, önemsiz bir topluluk. • «Lâyenkati çarpışan bu şirzimelerin sebeb-i münafesesi. — Cenap».

şişe, F. i. Şişe, sırça. • «Bir şişe ki oldu pâre pâre — Peyvendine var mı hiç çare — Fuzulî».

şişebaz, F. i. Sırçadan şeylerle hokkabazlık eden kimse. • «Ru-yi latif-i şişebaz-i çarhı dil görmüş gibi — Jengdar ayinesinden şaffet ümmidindedir. — Nailî».

şita, A. i. Kış. • «Olmuştu bir şita bu gönüllerde mündemiç. — Fikret».

şitab, F. i. Çabukluk. Seğirtme. • «Şitabı titreterek sinei taravetini — Pırıl pırıl uçuyor, muttasıl uçup gidiyor. — Fikret» «Herkes vapura gitap etti. — Cenap».

şitaban, F. s. Koşan, çabuk olan. Seğirten. • «Şitaban ü pâşide-ser bir sabi. — Fikret».

şitaî, şitaiyye, A. s. Kışa ait, kışla ilgili.

şitaiyye, A. i. 1. Kışlık. 2. Konusu kış olan manzume. • «Şitaiyeye nakle muvafakat gösterdi. — Recaizade».

şitevî, şiteviyye, A. s. Kışa ait, kışla ilgili. Kış-i.

şivaz, şüvaz, A. i. Dumansız ateş. 2. Susama. Bk. Şüvaz.

şive, F. i. Ağız, tarz. Üslup. 2. Naz, eda. • «Onda bir şive-i tahakküm var. — Fikret».

şivebaz, F. s. [Şive-baz] Şiveli, naz ve cilve eden. (ç. Şivebazân).

şiveger, F. s. [Şive-ger] Şiveli. (ç. Şivegerân).

şivekâr, F. s. [Şive-kâr] Şiveli. (ç. Şivekâran). • «N'olur bîrahm sengîndil cefa-hu tünd serkeşten — Gönüller inlese şuh olsa dilber şivekâr olsa. — Baki». • «Ne serve bakmadadır şimdi gözlerim ne güle — O şivekâr bu kamette nevcivan olalı. — Beyatlı».

şiven, F. i. İnleme, sızlanma. Yas. • «Ve şekvalarla hal-i şivenimden — Firar eyler şikâf-i revzenimden. — Fikret».

şivengâh, F. i. [Şiven-gâh[Yas yeri.

şiyem, A. i. [Şime ç.] Huylar.

şoban, şuban, F. i. Çoban.

şöhre, A. s. Ünlü. Ün alıp ağızlarda dolaşan. Şöhre-i afak, dünyaca bilinen; -şehr, bütün şehrin dilinde gezen. • «Ey muradın aksine dönmekte biperva felek — Lûtrüne kahr eylemekle şöhre-i dünya felek. — Hayalî».

şöhret, şühret, A. i. Ün. Ad verme. Ad, san. • «Ne boş tama'! bu tehalük reva mı şöhret için. — Fikret». • «Bütün eski kitaplarda o rakkaselerin kaside-i şöhretini okumamış mı idik? — Cenap».

şöhretgîr, F. s. [Şöhret-gîr] Ün almış, ünü dünyayı tutan. (ç. Şöhretgîran).

şöhretşiar, F. s. [Şöhret-şiar] Ünlü. (ç. Şöhretşiaran).

şöhretyab, F. s. Ünlü, ünlenem. • «Refte refte olarak şöhretyab — Tekkesi ola melâz-i ahbab. —Nabi».

-şu, -şuy, F. s. «Yıkayan, temizleyen» anlmıyle kelimelere katılır. • Mürdeşuy, ölü yıkayıcı.

şu, şuy, F. i. Yıkama, Şüst ü şû, yıkama, temizleme. • «Şüst ü şuy-i gerd-i rah için. — Nergisî».

şua', A. i. Güneşten veya bir ışık kaynağından uzanan ışık telleri, ışın. (Mat.) Vektör, (ç. Eşi'a) • «Çölde şemsin şua-i suzanı — Yakarak gözlerinde elvanı. — Fikret» • «Bu iklimde ölüm alel ekser parlak bir şua-i şems üzerinde gelir. — Cenap».

şuaat, A. i. [Şua' ç.] Işınlar. • «Gündüz âteşin kumlar, ateşin rüzgârlar, vücudu kavuran şuaat-i şemisye arasında. — Cenap».

şuab, A. i. [Şube ç.] Şubeler, dallar, kollar. • «Bir şecerenin cümle şuab ü füruunu ekl edip. — Taş.».

şuai', şuaiyye, A. s. Işın ile, vektör ile ilgili.

şuaiyye, A. i. (Zoo.) Fransızcadan radiolaires, (ışınlılar) karşılığı (XIX. yy.).

şuara, A. i. [Şair ç.] Şairler. «Ol bir nice hemdem-i muvafık — Yani şuarayi ruz-i sabık. — Fuzuli».

şuban, şoban, F. i. Çoban. • «Küsfendi adlin eyyamında bulsa bî-şuban — Şane eyler müyeni serpensin gürk-i gurin. — Hayalî».

şu'be, A. i. 1. Şube. 2. Dal, budak. 3. Bölük. Bölüntü.

şubede, F. i. Elçabukluğu, hokkabazlık. • «Ta hâsıl ola maaş-i etfal — Bir şubededir bu gördüğün hal. — Fuzulî».

şubedebaz, F. i. Hokkabaz. (ç. Şubedebazan). • «Döndü maksudumuz üzere felek-i şubedebaz — Doğdu vuslat güneşi gitti zalâm-i firkat. — Ruhi».

şubedebazane, F. zf. El çabukluğu ile, hokkabazcasına.

şugl, A. i. 1. İş, uğraşacak şey. 2. Dert, uğraşma. ç. Eşgal). • «Sugl-i edep kılıp da matlab. — Recaizade».

şuh, F. s. Neşeli ve davranışlarında serbest olan. Kıvrak, oynak. Nazlı (ç. Şuhn). • «Mayıs bir köylü kızdır, sâf ü dilber şuh ü biâram. — Fikret».

şuhî, F. i. Şuhluk. Kıvraklık, oynaklık.

şuhum, A. i. [Şahm ç.] Yağlar.

şukka, A. i. 1. Parça, kumaş veya kâğıt praçsı. 2. Küçük tezkere. • «Şukka-i zerrin-i alem-i rüzgâr. — Nef'i».

şukuk, A. i. [Şakk ç.] Çatlaklar, yarıklar.

şule, A. i. Alev, ateş alevi. • «Bir kerre batıp da mihr-i tâban — Kaldıkça o şule şule elvan. — Fikret» • «Göz yaşları şule-i berkıyye gibidir. — Uşaklıgil». (Ed. Ce.):

• -berkıyye, • -nigâh-i rica,
• Şule-i beka, • -seher,
• -endişe, • -şâm.
• -hurşid,

şulebar, F. s. [Şule-bâr] Işıklı. • «Bir tenide-i şulebar-i nîlgûn gibi. — Uşaklıgil».

şuledar, F. s. [Şule-dar] Alevli, alevlenmiş. • «Kuruldu karşıma bir tak-i şuledar-i zafer. — Fikret».

şulegîr, F. s. [Şule-gîr] Alevlenen, tutuşan.

şulenüma, F. s. [Şule-nüma] Alevli, alev gösteren. • «Gözünde şulenüma mihr-i ateşîn-i Irak. — Fikret».

şuleperve, Fr. s. [Şule-perver] Alevlendirici. Işıklandıran. • «Ki onun hun-i şuleperveridir. — Fikret».

şulepuş, F. s. [Şule-pûş] Alev renkli olma, alev içinde kalmış olma. • «Nabiyâ yansak yakılsak şulepuş olsak n'ola — Düştü bir destar-i âl ile servkaddin senin. — Nabi».

şulerenk, F. s. [Şule-renk] Alev renkli. •«O ooh ey lebriz — Kise-i şulerenk-i fecrâmız. — Fikret».

şuleriz, F. s. [Şule-riz] Alev saçan parıl parıl ışıldayan. • «Dilber mihr-i hakikat suleriz olsun midadından. — Fikret».

şuletab, F. s. Güçlü alevi olan. • «Üryan elinde gamzesinin tig-i şuletab — Benzer ki dahme-i dili teshire rah açar. — Nailî».

şulever, F. s. [Şule-ver] Işıklı, aydınlık. • «Bir nur mu şemsten saçılmış — Etrafı ne şulever şu mahın. — Cenap».

şulide, F. s. Karmakarışık. • «Bütün bu zemzeme-i şulide-i şebangâh. — Uşaklıgil».

şum, F. s. Uğursuz, kutsuz. • «O nazra-i şûmun — Nasıl sukutuna kail şu hüsn-i masumun? — Fikret».

şur, F. s. 1. Tuzlu, çorak yer. 2. Kavga, gürültü. 3. Uğursuz, bahtsız. «Kalem olsun eli ol kâtib-i bed-tahririn — Ki fesad-i rakamı sûrumuzu şur eyler. — Fuzulî». • «Ol kilâb-i zevil-enyabdan bir şûr bahtı otuz mikdarı eşkıya ile koyup. — Naima».

şûra, A. i. Konuşma yeri. Konuşma için toplanma. • Şura-yi devlet, Devlet Şûrası, Danıştay.

şurabe, F. s. [Şur-âbe] 1. Murdar acı su. 2. Göz yaşı. • «Şah-i Acemin mu'temedün aleyh müşiri ve şurabe-i revafızın erzel i hınziri idi. Naima».

şurba, F. i. Çorba.

şurbaht, F. s. [Şur-baht] Talihsiz. Kutsuz. (ç. Şûrbahtan). • «Bölükbaşılar namına iki şurbahtı tutup. — Naima».

şure, F. i. s. Çorak toprak. • «Bir sebze-i nayab-i muhabbet var imiş — Bu şure gönüllerde şimdi o bitmez. — Beliğ».

şurefgen, F. s. [Şur-efgen] Karışıklık çıkaran. • «Benzerdi nihal-i kametine — Şurefgen-i haşr olaydı Tubi. — Fehim».

şurengiz, F. 's. [Şur-engiz] Kavga, gürültü çıkaran. • «Şeker-lebler gibi girişmesi şurengiz. — Hümayunname».

şurezar, F. i. [Şure-zar] Çoraklık yer. • «Şurezar-i dillerinde adavet tohmun ekmişler imiş. — Sadettin».

şurgâh, F. i. [Şur-gâh] Kargaşalık yeri. Kavga yeri.

şuride, F. s. 1. Karışık. 2. Tutkun, âşık. (ç. Şuridegân). • «Eder çocuk gibi şuride neşeler izhar. — Fikret».

şuridebaht, F. s. [Şuride-baht] Talihsiz. (ç. Şuridebahtan).

şuridehal, F. s. [Şuride-hal] Hali perişan.

şuridehatır, F. s. [Şuride-hatır] Gönüllü, içi, karışık; aklı dağınık.

şuridegî, F. i. 1. Karışıklık. 2. Tutkunluk, düşkünlük.

şuristan, F. i. Çorak yer.

şuris, F. i. Karışıklık. Kargaşaılk. • «Olmasaydı mahşer-i sevda ser-i pür şurişim. — Naci».

şurişgâh, F. i. Kavga, karışıklık yeri.

şurub, A. i. Şurup.

şurrah, A. i. [Şarih ç.] Şerhçiler. Şerh yazanlar.

şurta, A. i. (Tı ile) (Yelkenliye) uygun rüzgâr. 2. Çarkacı askeri. Sahib-i şurta, inzibat memuru. • «Olıcak şurta-i tevfik vezan sahilden — İndi deryaya suyun buldu Sürag-i Bahrî. — Şinasi».

şuşe, F. i. Dökme ve külçe halinde olan nesne.

şuub, A. i. (Ayın ile) [Şa'b ç.] Cemaatler, taifeler, kabîleler.

şuubiyye, A. i. Bir haricî takımı. • «Şuubiyye bir kavimdir ki Araba adavet üzere olup daima anların şanını tasgir ve istihkar ve Arabın gayrı üzerine fazlını inkâr ederler. — Taş.».

şuur, A. i. Anlama, anlayış. • «Keyf için esrara olup müptelâ — Etti tamamıyle şuurun heba. — Atayî». • «Nakş etti bir tehekküm için baht-ı bişuur — Tarih-i zulme bir yeni bidace-i gurur. — Fikret».

şuy, şu, F. i. Yıkanma. Bk. • Şu.

şuy, F. i. Kadın eş. (ç. Şuyan).

şübake, A. i. 1. Kafes. 2. Balık ağı.

şübban, A. i. [Şâb ç.] Gençler, delikanlılar. • «Harp oldu, bütün köydeki şübban-i hamiyyet — Serhadde şitab eyledi. — Fikret».

şübeh, A. i. [Şübhe ç.] Şüpheler.

şüphe, A. i. Şüphe. • «Acı bir levha şüphe yok ki hayat — Görmemek en büyük tesellidir. — Fikret».

şübhedar, F. s. [Şübhe-dar] Şüpheli, işkilli. (ç. Şübhedarân).

şüca', A. s. 1. Yiğit. 2. (Ast.) Aslan ve Yengeç arasında yıldız kümesi. • «Fürsan ve şucaândan bir dilberin taht-i nikâhında idim — Silvan».

şüc'an, A. i. [Şeci ç.] Cesaretliler, yiğitler. • «Başı üzre yeri şüc'an ana bicâ vermez. — Ragıp Pş.».

şücea, A. i. [Şeci ç.] Cesaretliler, yiğitler.

şücun, A. i. [Şecan ç.] Dallar, budaklar.

şüd, A. i. Gitme. Gidiş. • Amed ü şüd, gelip gitme.

şüdegân, F. i. [Şüd ç.] Geçmişler, gitmiş olanlar.

şüf'a, A. i. Satılık bir mala ortak veya komşu olanın aynı para ile alma hakkı üstünlüğü.

şüfea, *A. i.* [Şefi' ç.] Şefaatçiler, taraflı çıkanlar. • ‹Biçare Ali Reis şüfea ricasiyle güc ile kurtulmuştu. — Naima›.

şüfre, *A. i.* 1. Yassı bıçak. 2. Kılıç ağzı. 3. Kirpik biten yerler.

şüheda, *A. i. (He* ile) [Şehid ç.] Şehitler.

şühud, *A. i.* 1. Hazır bulunup görme. 2. Göze görünecek halde şekillenme, görünme. • *Âlem-i şühud,* gözle görülen âlem (bu dünya), • ‹O yanda koskoca bir kâinat-i hiss ü şühud. — Fikret›.

şühud, *A. i.* [Şahid ç.] Şahitler, tanıklar.

şühur, *A. i.* [Şehr ç.] Aylar. • ‹Meşime-i şühurunda ne âfetler getirdiğini. — Cenap›.

şükât, *A. i.* [Şâki ç.] Şikâyet edenler. Şikâyetçiler. • ‹Vülâtın zulmünden gelen şükâtla. — Naima›.

şükr, *A. i.* Görülen iyiliğe karşı memnunluk gösterme. • ‹Şükr ü minnet birer şerefhânın. — Fikret›.

şükran, *A. i.* İyilik bilme. • ‹Bütün tabiat o dem kıldı secde-i şükran. — Fikret›.

şükrane, *F. i.* İyilik bilme nişanesi. • ‹Ve hemen ol gece vezir-i âzam sarayında mühr geldiği şükranesi kurban olup. — Naima›.

şükrgüzar, *F. s.* [Şükr-güzar] İyilik bilir.

şükürgüzarane, *F. s. zf.* İyilikbilirlere yakışır yolda. • ‹Bedel-i mesadetini hesap ile şükrgüzarane dua etmeyi unutmamalıdır. — S. Nazif›.

şükrgüzarî, *F. i.* İyilik bilme.

şükûh, *F. i.* Ululuk. • ‹Akşam bütün fürug-i şükûhiyle bir cihan. — Fikret›.

şükûk, *A. i.* [Şekik ç.] Şüpheler, sanılanlar. • ‹Bütün şükûk o zaman karşısında devrildi. — Fikret›.

şükûl, *A. i.* [Şekl ç.] Şekiller, suretler.

şükûr, *A. i.* [Şükr ç.] Şükürler, teşekkürler.

şüküfe, *F. i.* Çiçek. • ‹Bir kucak, bir yığın şüküfe-i ter. — Fikret›.

şüküfezar, *F. i.* [Şükûfe-zar] Çiçek yeri, çiçek bahçesi. • ‹Şita geçer, bahar olur — Zemin şükûfezar olur. — Fikret›.

şüküfte, *F. s.* ‹Açılmış› anlamıyle kelimeye katılır. • *Naşüküfte,* açılmamış, • *nevşüküfte,* yeni açılmış; • ‹Ey ibtisam ile gûya, şüküfte ruh-i bahar. — Fikret›.

şüküftegî, *F. i.* (Çiçek) açılma. Çiçeklenme. • ‹Bais-i şüküftegi-i gonce-i ikbal olur. — Nergisî›.

şümar, şümare, *F. i.* Sayı. • *Bişümar,* sayısız. • ‹Ve şümaresi endaze-i hesaptan ve güncayiş-i küttptan ziyade. — Sadettin›. • ‹Sevr-i didarında buldu dil füyuz-i bişümar. — Cenap›.

şümarende, *F. s.* Sayan, sayıcı. (ç. Şümarendegân).

şümaride, *F. s.* Sayılmış, hesap olunmuş.

şümu', *A. i.* [Şem' ç.] Mumlar.

şümul, *A. i.* 1. İçine alma. kaplama. 2. Bildirme, anlamları arasında bir anlamı daha olan.

şümus, *A. i.* [Şems ç.] Güneşler. • ‹Senin yerinde olsaydım, bütün şümus-i garam — Zebun ü biârâm — Dönerdi piş-i igtirarımda. — Fikret›.

şümürde, *F. s.* Sayılmış.

şünkar, *F. i.* Sungur kuşu. • ‹Anka-yi nazperver-i evc-i kanaatim — Tavus-i hoşhirami hiyaban-i nahvetim — Şünkar-i pür ferr ü şiken-i nesr-i hissettimi — Ragıp Pş.›.

şürb, *A. i.* İçme. • *Şürb-i hamr,* şarap içme; • *-müdâm,* durmayıp içme, sarhoşluk. • ‹Mezbur İbrahim Ağa ise şürb-i müdama melûf idi. — Naima›. • ‹Bizler kadehte aks-i rüh-i yârı görmüşüz — Bundandır işte lezzet-i şürb-i müdamımız. — Beyatlı›.

şürefa, *A. i.* [Şerif ç.] Şerifler. • ‹Sen âdab-i hulefa ve âdab-i meclis-i selâtîn ü şürefayı bilmezsin. — Taş.›.

şürefat, *A. i.* [Şerefe, şürfe ç.] Minarelerdeki ezan okunan yerler. • ‹Şürefat-i minarını teşrifsaz-i ezan-i Muhammedî eyledi. — Kemal›.

şürekâ, *A. i.* [Şerik ç.] Ortaklar. • ‹Her bâr ki bir müstakil padiaşh ve hall ü akd bir hâkim-i kahirin hükmüne münhasır olmaya devlete şürekâ peyda olur. — Naima›.

şürfe, *A. i.* Minarenin ezan okunan yeri. • ‹Ashab-i kemal evc-i şürfe-i şerefe suud edip. — Sadettin›.

şüru', *A. i.* Başlama. • ‹Deyu kat-i tarık ve fesad-i azîme şüru eyleyip. — Naima›.

şürud, *A. i.* Kaçma.

şüruh, *A. i.* [Şerh ç.] Şerhler, açıklamalar.

şürur, *A. i.* [Şerr ç.] Şerler, kötülükler. • ‹Ve bu fitne-i azîmenin şürûru daim-ül-istimrar. — Taş.›.

şürut, *A. i.* (Tı ile) [Şart ç.] Şartlar. • ‹Hancere-i insandan sudur edeni bazı şurut ve kuyud ile tecviz eylediler. — Kâtip Çelebi›.

şüst, *F. i. (Sin* ve *te* ile) Yıkama. • *Şüst ü şûy*, yıkama. • «Dâmenim gird-i gam-i habisten eyler şüst ü şû — Cû-yi nesim-i safadır şürb-i himmet bana. — Neyli».

şüste, *F. s. (Sin* ile) Yıkanmış.

şüş, *F. i.* Akciğer.

şütum, *A. i. (Te* ile) [Şetm ç.] Küfürler. Sövmeler. • «Nedir günahı sipihrin ki biz şütum edelim. — Ragıp Pş.».

şütut, *A. i.* [Şett ç.] Ayrı ayrı olanlar, dağınık olanlar.

şütür, *F. i.* Deve. • «Ve şütüre tahmil ettiler. — Silvan».

şütürban, *F. i.* Deveci, deve çobanı.

şütürbâr, *F. i.* [Şütür-bâr] Bir deve yükü ağırlık.

şütürbeçe, *F. i.* [Şütür-beçe] Deve yavrusu.

şütürdil, *F. s.* [Şütür-dil] Deve yürekli, korkak.

şütürgâv, *F. i.* [Şütür-gâv] Zürafe.

şütürgürbe, *F. s.* [Şütür-gürbe] 1. Deve ile kedi, iyi ile kötü. 2. Karışık, uygun olmayan, orantısız. • «Ama evzaı şütürgürbe idi. — Pcçoylu».

şütürmurg, *F. i.* [Sütür-murg] Devekuşu.

şüun, *A. i.* [Şe'n ç.] Olaylar. • «Geçen şüun-i hayatım teceddüd eyleyemez. — Fikret». • «Şüun-i bahriye için adi bir istitrat bile teşkil edemeyen bu ihtimal. — Cenap».

şüunat, *A. i.* [Şüun' ikinci kat ç.] Olaylar, işler. • «Şüunat-i tabiatte bidayet yok nihayet yok. — Hersekli».

şüvaz, *A. i.* Dumansız alev. Bk. • *Şivaz.* • «Zihi kerem k'ola yek-katra feyz-i lûtfundan — Şüvaz-i pürtef-i duzeh füru nişin-i hamud. — Sabit».

şüyu', *A. i.* Duyulma, herkesin işitmiş olması, yayılma. Dağılma.

şüyuh, *A. i.* [Şeyh ç.] 1. Şeyhler. 2. Yaşlılar. 3. Bir mesleğin eskileri. • «Huzzardan biri ki şüyuh-i ulemadan idi. — Naima».

şüzur, *A. i.* [Şezre ç.] 1. Maden içinden toplanan altın parçaları. 2. Süs olarak takılan altın ve inci parçaları.

şüzuz, *A. i.* [Şaz ç.] Kurala uymayanlar, kural dışı kalanlar. • «Ve anlardan hariç bulunanın şüzuzuna hükmedesin. — Taş.».

T

t, Arap alfabesinin 3., Osmanlı ve Fars alfabelerinin 4. harfi olan «tı» ve Arap alfabesinin 15., Osmanlı ve Fars alfabesinin 19. harfi olan «t» harfini karşılar; ebcet hesabında «t» 400, «tı» 9 sayısına işarettir.

ta, *F. i.* Kat. *Düta,* iki kat; *yekta,* tek.

tâ, *F. e.* Dek, kadar • *Tâ besabah,* sabaha kadar, • *tâ beseher,* • *tâ besubh,* sabaha kadar. • «Eyledi bendelerin tâ begelû garka-i kâm. — Nabi».

ta', *A. i.* «Te» rafhinin Arapça adı. İki noktalı olduğu için «ta-i müsennat», noktaları üstte olduğu için de «ta-i fevkaniyye» denir.

ta, *A. i.* «Tı» harfinin Arapça adı. «Zı» dan ayırt edilmek için, noktasız olmasından dolayı «Tâ-i mümele» denir.

taab, *A. i. (Te* ve *ayın* ile) 1. Yorgunluk. 2. Sıkıntı, eziyet. • «Gûya omuzlarında mütemadi bir yükün kahr-i taabı «ziyormuşçasına. — Uşaklıgil».

taabgir, *F. s.* [Taab-gîr] Yorulmuş, yorgun. • «Bir meşy-i taabgir ve sektedar ile. — Uşaklıgil». ·

taabbud, *A. i. (Te* ve *ayın* ile) [Abd'den] Kulluk etme, ibadet etme. Tapma, tapınma'. • «Ne bir ehl-i dünyaya ettim taabbüt — Ne bir ehl-i takvaya var intisabım. — Naci».

taabbüs, *A. i. (Te, ayın* ve *sin* ile) Yüz ekşitme. Somurtma. (ç. Taabbüsat). • «Vezir-i âzam azîm taabbüs edip isaret eyledi. — Naima».

taaccüb, *A. i.* [Ucb'den] Şaşakalma. • «Ve sonra bu kadar lâkayt kalışına taaccüb etmiş idi. — Uşaklıgil» • «Her zairi ağır bir hava-yi taaccüp içinde boğan bu yüksek taş yığını. — Cenap».

taaccübkünan, *F. zf.* [Taaccüb-künan] Şaşarak. Şaşkın şaşkın. • «Halk taaccübkünan birbirine naki ü beyan ederek. — Silvan».

taaccül, *A. i.* [Acele'den] Acele etme. Acelecilik.

taaddi, *A. i.* [Abdu'dan] 1. Öteye geçme, saldırma. 2. Zulüm etme. Adaletsizlik.

Gelenek ve şeriat kuralının sınırlarını aşma. 4. (Gra.) Fiilin geçer halde olması. (ç. Taaddiyat). • «Kapılan pençe-i taaddine — Ağalasın kendi za'f ü zilletine. — Fikret».

taaddiyat, *A. i.* [Taaddi ç.] Zulümler.

taaddüd, *A. i.* [Add'den] Birden çok olma, birkaç tane olma. • *Taaddüd-i ezvac. -zevcat,* birkaç kadınla evlenme. • «Alınacak şeyler taaddüd ediyordu. — Uşaklıgil».

taaffüf, *A. i.* [İffet'ten] 1. İffetli olma. 2. Ahlâka dokunacak şeylerden çekinme. 3. İffetli görünme. • «Hatt-i hümayun yazılıp verildikte taaffüf ve hulûs yüzünden. — Naima».

taaffün, *A. i.* [Ufunet'ten] Çürüyüp kokma. Leş kokma. (ç. Taaffünat). • «Derya taaffün eyler oldukça âremide» • «Taaffünatını yâd ile beyza vü ferahın — Piliç lezizdir amma çepel bozuntusudur. — Nabi».

taahhüd, *A. i.* [Uhd'den] 1. Üzerine alma, yapacağına söz verme. 2. Bir işi yapmaya resmî olarak sözleşme. 3. Postada verilen bir şeyin yerine ulaşmasını sağlama. (ç. Taahhüdat).

taahhüdname, *F. i.* [Taahhüd-name] Taahhüd kâğıdı. Bir şeyi üstüne aldığını bildiren resmî kâğıt.

taakkud, *A. i.* [Ukde'den] Düğümlenme. Bağlanma. Anlaşılma. Anlaşılmaz hale gelme.

taakkul, *A. i.* [Akl.den] Zihin yorarak anlama. Akıl erdirme. • «Taakkül vechine gaflet hicabın çekti çün zâhid — Bizim andan tegafül gösteren divanemiz yeydir. — Baki».

taakküs, *A. i.* [Aks'ten] Tersine dönme.

taalli, *A. i.* Yükselme. (ç. Taalliyat).

taalluk, *A. i.* 1. Asılı olma, asılma. 2. İlişik, ilgi. 3. (Tas.) Dünya ilgisi. • «Hayatımın bu hayaletle bir taalluku var. — Fikret».

tallukat, *A. i.* [Taallûk ç.] Akraba, hısımlar. Bir kimsenin adamları.

taallül, *A. i.* [İllet'ten] Yalandan bahanelerle bir işten kaçma, kaçınma. (ç. Taallülât). • «Günagûn teklifat irtikâp ettirdikten sonra bir mani iradiyle taallûl edip. — Raşit».

taallüm, *A. i.* [İlm'den] Öğrenme, belleme. Okuyarak. ders alarak elde etme. (ç. Tallümat). • «Mektepte başlanan taallümü tevsi ve ikmal için. — Uşaklıgil».

taallün, *A. i.* Meydana çıkma, alenileşme.

taam, *A. i.* Yemek. • *Bâ'd-et-taam*, yemekten sonra; • *esna-yi taamda*, yemek sırasında. • *kabl-et-taam*, yemekten önce. (ç. Et'ima). • «Akşam taamından başka bir şey kabul etmemesinden. — Uşaklıgil».

taamiyye, *A. i.* 1. Yemek parası. 2. Tekkelere bağlanan yemeklik.

taammi, *A. i.* [Ama'dan] Kör olma. Görmez hale gelme. (ç. Taammiyat).

taammuk, *A. i.* [Umk'tan] Derinleşme. • «Dekaik-i hesap ve tıpta taammuk gibi. — Taş.».

taammüd, *A. i.* [Amd'den] Bilerek ve isteyerek bir iş yapma. (ç. Taammüdat).

taammüden, *A. zf.* Bile bile, önceden hazırlanarak.

taammüm, *A. i.* [Umum'dan] 1. Umumî olma. Genelleşme. 2. Sarık sarma. 3. Amca olma.

taanni, *A. i.* (*Ayın* ile) Zahmet çekip emek harcama.

taannüd, *A. i.* [İnad'dan] İnat etme. Direnme. (ç. Taannüdat). • «Fakat, bilmem niçin, mazide müdhiş bir taannüd var. — Fikret».

taannudî, *A. s.* İnat, direnme ile ilgili. • «Mâna-yi musiki-i vezne karşı öyle bir cehl taannüdîdir. — Uşaklıgil».

taannüf, *A. i.* [Unf'ten] Tekdir etme, azarlama, darılma. (ç. Taannüfat). • «Ali Paşa zâhir olup itab ve taannüf ettikte. — Naima».

taannüt, *A. i.* (*Tı, ayın* ve *te* ile) Herkesin hatasını arama. • «Ve sualinde taannüt ü inad veyahut bazı ugl»lât ilkasını itiyat edenlere cevap vermeye. — Taş.».

tarri, *A. i.* [Ura'dan] 1. Soyunma. Uryan olma. 2. Bir şeyden, bir işten beri ve boş olma.

taarrub, *A. i.* (*Ayın* ile) Araplaşma, Arapçalılaşma.

taarruk, *A. i.* (*Te* ve *ayın* ile) [Arak'tan] Terleme. • «Herkes taarruk ve izdihamdan şikâyet ediyor. — Cenap».

taarruz, *A. i.* 1. Sataşma, takılma. 2. Düşmana saldırma. (ç. Taarruzat). • «Damen-i ikbalime gerd-i taarruz yetmeyip — Çeşm-i basid çehre-i cemiyyetimden dur idi. — Fuzulî». • «Ne isterse verelim bize taarruz etmesin demeleriyle. — Naima».

taarruzî, taarruziyye, *A. s.* Taarruz, saldırma, takılma ile ilgili.

taarrüf, *A. i.* Bir şeyi araştırarak öğrenme, bilme. • «Bir ilimdir ki anınla ahval-i mubassırat taarruf olunur. — Taş.».

taarrüs, *A. i.* (*Ayın* ve *sin* ile) Kocanın karısına sevgi göstermesi.

taassı, *A. i.* (*Ayın* ve *sat* ile) İsyan ve zorbalık etme, âsileşme.

taassub, *A. i.* [Asab'dan] 1. Birine taraflı olma. 2. Din işlerinde aşırı taraflılık edip başka dinde olanlara düşman oluş. 3. Fransızcadan *fanatisme* karşılığı olarak (XIX. yy.). (ç. Taassubat). • «Olmuş insana taassub bir unulmaz illet — Hüsn-i tedbirin ile kurtulur andan millet. — Şinasi».

taassüf, *A. i.* [Asıf'ten] Zulüm veya eziyet etme. ç. Taassüfat). • «Tarh-i tekellüf ü içtinap tavr-i taassüftur. — Nergisi».

taassi, *A. i.* [Usr'den] Güçleşme. Güç olma.

taaşşi, *A. i.* [İşa'dan] Akşam yemeği yeme.

taaşşuk, *A. i.* Âşık olma.

taât, *A. i.* [Taat ç.] İbadetler. • «Taât-i ins ü melekten yani. — Şan-i alâsı iken müstağni. — Hakanî».

taat, *A. i.* (*Tı* ve *te* ile(1. Tanrı buyruklarına uymak. 2. İbadet. • «Taat-i Haktan dili gaflettir agâh etmeyen — Rehrevi alıkoyan menzilden ekser hâb olur. — Nazîm».

taatgâh, *F. i.* [Taat-gâh] İbadet yeri.

taatti, *A. i.* [Utüv'den] Kibirlenme, ululanma.

taattuf, *A. i.* [Atf'tan] Acıma. Fransızcadan «tecazüp» ile birlikte *sympathie* (duygudaşlık) karşılığı (XIX. yy.). (ç. Taattufat).

taattul, *A. i.* [Atalet'ten] İşsiz güçsüz, boşta olma.

taattur, *A. i.* (*Te, ayın,* ve *tı* ile) Güzel kokular sürünme.

taattus, *A. i.* [Ats'tan] Aksırma.

taattuş, *A. i.* [Atş'tan] 1. Susama. 2. Çok istekli olma.

taavvuk, *A. i.* [Avk'tan] Oyalanıp eğlenme, gecikme.

taavvuz, *A. i.* [İvaz'dan] Bir şeye karşılık alma. Bir şey karşılığı olarak alınma.

taavvüc, *A. i.* Eğrilme, eğri olma. (ç. Taavvücat).

taavvüd, *A. i.* [İyadet'ten] Hastâ ziyaretine gitme.

taavvüz, *A. i.* [İyaz'dan] • «Euzü» deme, Tanrıya sığınma.

taayyün, *A. i.* [Ayn'dan] 1. Meydana çıkma. Belli olma. Göze çarpma. 2. Âyan sırasına gelme. İtibarlanma. • «Şöhret-i hanedan ve tesebbüt ve taayyün-i şanın zikr edip. — Naima». • «Safderunun kim olduğu taayyün ettikten sonra. — Uşaklıgil».

taayyüş, *A i.* [Ayş'ten] Yaşama. Geçinme. • «Taayyüşün kerem-i atâdandır. — Nabi».

taayyüşgâh, *F. i.* [Taayyüş-gâh] Yaşama yeri. Geçinme yeri. • «Şu âlem dediğimiz taayyuşgâh-i umumiye. — Kemal».

taazzi, *A. i.* Uzuv peydah etme, şekillenme. (XX. yy.).

taazzum, *A. i.* (*Te, ayın ve zı ile*) [Azm'dan. • Ululuk satma, kibirlenme. • «Ben bu tavr-i taazzumu çekemem. — Uşaklıgil».

taazzuv, *A. i.* (*Te, ayın ve dat ile*) [Uzuv'dan] Organlaşma. • «Bir taazzuv ki kan, irin yalnız. — Fikret».

taazzüb, *A. i.* (*Ze ile*) Bekâr kalma. Evlenmeme.

taazzül, *A. i.* (*Ze ile*) [Azl'den] Çekilme. Ayrılma. Çekinme.

taazzür, *A. i.* (*Te, ayın ve zel ile*) [Özr'den] 1. Özür söyleme. 2. Zor olma.

taazzüz, *A. i.* (*Te, ayın ve zel ile*) Aziz kılma. Aziz sayma. Azizlenme.

tâb, *F. i.* 1. Güc, kuvvet. 2. Parlaklık. 3. Tazelik. 4. Kıvrım, büklüm. 5. Sıkıntı, eziyet. 6. Öfke; • «Rengine sanatle verse de tâb — Kırılır tez çıkarır üzab. — Nabi». • «Görmekteyim o gülşeni kim gark-i âb ü tâb. — Fikret». • «Kalmadı sabr eylemeğe dilde tâb. — Naci».

-tâb, *F. s.* «Parlayan, parlatan» anlamıyle kelimelere katılır. • *Alemtâb,* • *cihantâb,* dünyayı aydınlatan.

tab', *A. i.* 1. Tabiat, huy. 2. Mühür ve damga basma. 3. Kitap basma. *Bittab',* tabiî olarak, tabiatıyle. • «Bütün tab ü mizacının hiffeti ile. — Uşaklıgil».

tab'a, *A. i.* Bir kere basılma. *Tab'a-i ulâ-*birinci baskı.

tababet, *A. i.* (*Tı ve te ile* Tabiplik, hekimlik. • «Lâkin bir özge derde düşürdük tababeti. — Behçet».

tabahat, tıbahat, *A. i.* (*Tı ve hı ile*) Bk. *Tıbahat.*

tabak, *A. i.* (*Te ile*) 1. Tabak. 2. İnce kat. (ç. Âtak, tabakha). • «Bir fazla tabak sofrayı bir dağ gibi ezdi — Fikret». • «Tabakha-yi fagfurî ile enva-i na'mayi mülûkâne. — Nergisî».

tabaka, *A. i.* (*Tı ile*) 1. Kat, tabaka. 2. Grup, derece. • *Tabaka-i karniye,* (Ana.) 1. Saydam tabaka. 2. Korun tabakası; • -*kuzahiyye,* (Ana.) iris; • -*mantariyye,* (Bot.) mantar tabakası; • *mesimiyye,* (Ana.) damar tabaka; • -*müvellied,* (Bot.) büyükten doku; • -*sulbe,* (Bio. sert tabaka; • -*şebekiyye,* (Ana.) ağtabaka; • *tabak-ül-arz,* yeryüzü. (ç. Tabakat). • «Zaman bu acının üzerine ince bir tabaka-i remad çekmiş idi. — Uşaklıgil».

tabakat, *A. i.* [Tabaka ç.] Tabakalar. *bakat-ül-arz;* jeoloji; • *tabakat-ül-fukaha,* fakihlerin sınıf ve derece üzerine biyografileri; • *tabakat-üş-şuara,* şairler sınıfı, şairler biyografisi. • «Meyl-i tabiî hasebiyle tevarih ve tabakat ve vefeyat kitapların tetebbu hoş gelirdi. — Kâtip Çelebi». • «Bihaber olduğu mebahisin tabakat-i ulyasını okur. — Cenap».

tabakçe, *F. i.* Küçük tabak. • «Mevzu-i tabakçe-i nükte-senci kılınan. — Veysî».

tâban, *F. s.* (*Te ile*) Parlak, ışıklı. • *Mah-i tâban,* parlak ay; • *necm-i tâban,* parlak yıldız; • *rüy-i tâban,* vech-i tâban, parlak yüz. • Bir kerre batıp da mihr-i tâban. — Fikret».

tab'an, *A. zf.* (*Tı ile*) Tabiî olarak, kendiliğinden. Yaradılıştan.

tabance, *F. i.* Avuç içi, el ayası. • «Oğlunun ruhsarını darbgâh-i tabance-i âzar edip. — Naima».

tab'aniyye, *A. i.* (Fel.) Fransızcadan *naturalisme* karşılığı. (XX. yy.).

tabankeş, *F. s.* [Taban-keş] Taban çeken, yayan yürüyen.

tabasbus, *A. i.* (*Te ve sat ile*) Alçakaç yalvarma, yaltaklanma. • *Tabasbus-i kelbî,* • *tabasbus-i kelbane,* köpekçesine yaltaklanma. • «Kendin gibi bir şahsa tabasbus ne belâdır. — Sünbülzade».

tabassur, A. i. [Basar'dan] Dikkatle bakıp esasını kavrama. Dikkatle gözetiş. (ç. Tabassurat).

tâbaver, F. s. [Tâb-âver] Güçlü, kudretli. Dayanıklı. • Tâbaver-i mukavemet, karşı durabilen. Karşı koyabilen.

tabavi, A. i. (Tı ile) [Tabiat ç.] Tabiatler, huylar.

tabbah, A. i.ˡ (Tı ve hı ile) [Tabh'tan]. Aşçı. (ç. Tabbahîn). • «Müteaddit çergeller ve tabbahlar ve sair levazım-i ziyafet. — Naima».

tâbdar, F. s. (Te ile) [Tâb-dâr] 1. Işıklı, parlak. 2. Büklümlü, kıvrımlı. • «O şimdi yaresinin aks-i tâbdarı gibi — Guruba karşı geniş sinesinde berk-efşan — Madalyasının lemeatiyle. — Fikret».

ta be-, F. ⁊f. «-ye kadar» anlamıyle kelimelere katılır. • Ta besabah., • ta bekıyamet, • ta bemahşer.

tabe, F. i. Tava. Tabe-i zer, (altın tava) Güneş. • «Tâb-i aftab ile tabe misal kızgın beriyeleri. — Sadettin».

tabefgen, F. s. [Tâb-efgen] Güç yitiren, dayanma gücü bırakmayan. • «Mahşer k'ola hüsnünden ayan saffet-i didar — Tabefgen-i hurşit olan germiyyet-i didar. — Nailî».

tabekey, F. s. Ne zamana kadar? • «Tabekey zemzeme-pira-yi tagazzül Kâzım — Eyle evsafına ol şah-i enamın ahenk. — Kâzım Pş.».

tabe serah, A. cüm. «Toprağı temiz olsun» anlamında ölüler için edilen dua.

tabel, tabil, A. i. Yemeklere konan bahar. (ç. Tevabil).

tabende, F. s. Parlayan, ışık veren, Tabende izar, parlak yanıklı. • «Zulmete ashab-i amâ bendedir. — Nur ise bînalara tabendedir. — Naci».

taberzed, teberzed, F. i. (Tı ve ze ile) 1. Beyaz şeker. 2. Kaya tuzu. • «Gerektir ki taberzed-i kelime-i şahadet mezak-i canına halâvet-i imanı. — Nergisî».

tabh, A. i. 1. Kaynatma, pişirme. 2. İlâç kaynatma. • «Sana yağ ile tabh olunmuş bir taam tedarik eylesek. — Taş.».

tâbhane, F. i. [Tâb-hane] 1. Kışevi, kış odası. 2. Hastane. • «Cihanda kimden eder sin ümid-i han-ı kerem — Bu tabhanede ikram-i zayf bilmezler — Nailî».

tâbi, A. s. [Teb'den] 1. Birinin arkası sıra giden, ona uyan. 2. Birine bağlı olan

emri altında bulunan. 3. (Arap Gra.) Kendinden önceki kelimeye göre hareke alan. (ç. Tâbiîn, tabiun. tab'a, tevabi). • «Başlardı vefasızlığa, ben, âciz ü meşhur — Her türlü huzuzatına, her keyfine tâbi. — Fikret».

tabi', A. s. [Tab'dan] Kitap basan, bastıran. Editör. • «Mütercimi vazgeçmiş, tâbi'de arkasını aramamış idi. —. Uşaklıgil».

tabiat, A. .i (Tı ve te ile) 1. Tabiat, yaradılış, huy. 2. Tabiat, yaradılıştaki durum ve nitelik. Dünyanın esası. 3. Varlığın düzen ve kuralı. (Arapça tamlamalarda • tabia şeklinde bulunur). • Mafevk-et-tabia, mavera-üt-tabia, metafizik, fizik ötesi. • «Daima parlamaya müheyya olan tabiatına mağlup oldu. — Uşaklıgil». • «Sahil yeşil, eşçar yeşil... sanki tabiat — Vermek dilemiş mevkie şeyan-i perestiş — Bir reng-i behiştî. — Fikret».

tabib, A. i. [Tıbb'dan] Hekim, doktor. Sertabib, başhekim. (ç. Etibba, tabiban). • «Tabibin olsa da kizbi marizin sıhhatin söyler. — Ragıp Pş.».

tabiban, F. i. [Tabib ç.] Hekimler. • «Böyledir şimdi tabiban-i zaman — Ekseri cahil-i ahval-i ebdan. — Nabi».

tâbih, tâbiha, A. s. [Tabh'tan] 1. Pişiren, aşçı. 2. (Hek.) Ateş getiren, yakan. Ateşli.

tabiî, tabiiyye, A. s. 1. Tabiatle ilgili Tabiat gereğinden olan. 2. Olağan. 3. Tabiat. • «O bu izdivacı pek tabiî buluyor. — Uşaklıgil».

tâbiî, A. i. (Te ve ayın ile) Muhammet peygamberi görmüş olanlar zamanında yetişmiş olan ikinci kuşak Müslümanı.

tâbiîn, A. i. [Tâbi, tâbiî ç.] Muhammet peygamberi görmüş olanları görüp onlardan hadis dinlemiş olanlar. Tebe-i tâbiîn, tâbiînden birinden, yani ikinci derecede olark, hadis nakletmiş olan. • «Bu zikrolunan tefdil ile sâbit olur ki imam tabiîndendir. — Taş.».

tabiyyat, A. i. Tabiat bilgileri.

tabiyye, A. i. (Tı ile) 1. Tabiat bilgisi. 2. Fransızcadan naturalisme karşılığı (XX. yy.).

tâbiiyyet, A. i. (Tı ile) 1. Tâbi olma. 2. Uyrukluk. • «Bütün milletleri yenmişler, tâbiiyyetleri altına almışlardır. — Z. Gökalp».

tabiiyyet, A. i. (Tı ile) Tabiilik. Tabiî olma. • «Hattâ Bülent'ten ziyade Behlûl'ün beklemesinde daha tabiiyet vardı. — Uşaklıgil».

tabiiyyin, *A. i.* [Tabii ç.] Tabiat bilginleri. • ‹Ve vaktinde reis-i hukema-i tabiiyyin idi. — Taş.›.

tabiiyun, *A i.* 1. Tabiiyeciler. 2. Fransızcadan *naturalister* karşılığı (XX. yy.).

tâbir, *A. i. (Te* ve *ayın* ile) [Ubur'dan] 1. İfade, anlatım. 2. Bir anlamı olan söz. 3. Deyim. 4. Terim. 5. Rüya yorumu. • *Hüsn-i tâbir,* edep ve terbiyeye uygun olarak anlatma; • *su-i tâbir,* edep ve terbiye dışı sözle anlatma. (ç. Tâbirat). • ‹Tâbir edemem tıynet-i pâkindeki lûtfü. — Nef'î›.

tâbirname, *F. i. (Te* ve *ayın* ile) [Tâbirname] Rüyaların yorumları bulunan kitap. Düş yorumu kitabı.

tabistan, *F. i. (Te* ile) Yaz. •.‹Ve bika-i latifesin gülistan eyyamında ve tâbistan hengâmında. — Lâmiî›.

tabiş, *A. i.* Parlama. • ‹Tabiş-i mey kim izarın reng-i sürh-amiz eder. — Fehim›.

tabişgeh, *F. i.* [Tabiş-geh] Parıltı yeri. • ‹Bir nur-i mübindir ki bu tabişgeh-i envar — Bir mislini olsun edemez ta ebed•ezhar. — Naci›.

tâbiye, *A. i.* 1. Yerli yerine koyup hazırlama. 2. Tertip etme. • *Tâbiyet-ül ceyş,* strateji. • ‹Çekide-i kataraündan afrinişdih — Olundu tâbiye-i hilkat ü hakikat bud. — Sami›.

tabl, *A. i. (Tı* ile) 1. Davul. 2. Kulak zarı. (ç. Tubul). • ‹Verdi tablın serteser âlemlere sıyt ü sada. — Kanunî›.

tablbaz, *F. i.* [Tabl-bâz] Davulcu, davul çalan kimse. (. Tablbazan). • ‹Darb-i tablbaz ile bâzı saldıkta. — Naima›.

tablekâr, *F. i. (Te* ile) 1. Ufak tefek eşya satan gezici, satıcı. 2. Yemek sırası iş gören hizmetçi. (ç. Tablekâran). '• ‹Helvacıya teblekâr lâzım — Ol kâra da iktidar lâzım. — Ziya Pş.›.

tablhane, *F. i.* [Tabl-hane] Büyük davul. • ‹Tablhane-i husrevani çalınıp şenlikler şadümanilikler oldu. — Peçoylu›.

tablî, *A. s.* 1. Davulla ilgili 2. (Hek.) Kulak zarına ait.

tablzen, *F. i.* [Tabl-zen] Davulcu. ç. Tablzenan).

tâbnâk, *A. s. (Tc* ile [Tâb-nâk] Parlak.

tabsıra, *A. i. (Te* ve *sat* ile) Dikkati çekecek husus. Gözü açacak keyfiyet.

tabsir, *A. i.* Tarif ve açıklama.

tabut, *A. i.* 1. Ölü taşınan sandık. 2. İsrailoğulları için Musa peygambere gelen kutsal emirlerin konduğu sandık; *tabut-ül-ahd,* • *tabut-üs-sekîne.* (ç. Tevabit). • ‹Mahmil-i tabutta olur metaı bir kefen — Şol ki birkaç gün fena dünyada şöhret bağladı. — Hayalî›. • ‹Gûya aralarında yatan bir tabutun mateminden münteşir bir sükûtla. — Uşaklıgil›.

tac, *F. i. (Te* ile) Hükümdarların başlarına giydikleri değerli taşlarla işlenmiş giyecek. 2. Bazı şeyh ve dervişlerin baş giyecekleri. 3. Gelin başlarına takılan süs taşlı başlık. 4. Bazı kuşların başlarındaki tarak biçiminde başlık. • ‹En gırra tac-i haşmeti sarsar tekarrubun. — Fikret›. • ‹Zahidâ o denlû siklet-i tac ü kaba ile — Uçmak ümidin etmez idi ebleh olmasa. — Nergisî›.

tacdar, *F. s. i.* [Tac-dar] Taç giyen Hükümdar. (ç. Tacdaran). • ‹Şehriyar-i şehriyaran-i cihan — Tacder-i tacdaran-i zaman›.

tacdarane, *F. zf.* Hükümdarca. Hükümdara yakışır yolda.

tacdarî, *F. s. i.* 1. Hükümdarlıkla ilgili. 2. Hükümdarlık. 3. Hükümdar -i.

tacgâh, *F. i.* [Tac-gâh] Hükümet merkezi.

ta'cib, *A. i. (Te* ve *ayın* ile) [Ucb'den] Şaşırtma. (ç. Ta'cibat).

Tacik, *F. i.* Müslüman Farslı.

ta'cil, *A. i.* [Acele'den] Acele ettirme, çabuklaştırma, sıkıştırma. • ‹Ve esnaf-i tavaif-i askeriyenin ordu-yi hümayuna iltihakları tâcil. — Raşit› • ‹Fakat bir kelime söylerse netice-i faciayı tacil etmiş olacağından korkarak. — Uşaklıgil›.

ta'cim, *A. i.* Noktalama, noktalatma.

ta'cin *A. i.* [Acn'den] Yoğurma, Hamur yapma.

tacir, *A. i.* [Ticaret'ten] Ticaret yapan kimse. (ç. Tüccar).

ta'ciz, *A. i.* [Acz'den] 1. Âciz bırakma. 2. Tedirgin etme, rahatsız etme. (ç. Tâcizat). • ‹(Onun) tâcizatından kurtuldu. — Recaizade›. • ‹Kediler insanı eğlendirdiği müddetçe pek iyidir, fakat tâciz etmeye başlarlarsa. — Uşaklıgil›.

tacver, *F. i.* [Tec-ver] Hükümdar. (ç. Tacveran).

tâ'dad, *A. i.* 1. Sayma. 2. Birer birer söyleme, sayıp dökme. • ‹Teferruatı birer

birer kendi kendisine tâdad etti. — Uşaklıgil».

tadadcu, A. i. (Te ve dat ile) Üşenip gevşek davranma.

tadadcur, A. i. [Ducret'ten] Sıkılma. Yürek daralma. • «İzhar-i tadadcur ettikte. — Naima».

tada'du, A. i. 1. Alçak gönüllülük gösterme. 2. Hor olma. 3. Viran olma.

tadallu, A. s. Güç ve kuvvet kazanmış. • «Ve ilm-i kelâm ile tadallu ve kuvvet tahsil etmiş kimse idi. — Taş.».

tadcir, A. i. Yürek daralma. Can sıkma.

ta'did, A. i. Hazır etme. Hazırlama.

ta'dill, tâdil, A. i. [Adl'den] 1. Doğrultma, doğrulaştırma, doğrulama. 2. Değiştirip hafifletme. (ç. Tadilât). • «Sükût-i mevkii tâdil edince bir bülbül. — Fikret». • «Arzettiği resmin tâdilatiyle uğraşıyordu. — Recaizade».

ta'diye, A. i. (Gra). Bir fiili geçişli hale koyma.

tadill, tazlil, A. i. (Dat ile) [Dalâl'den] Doğru yoldan sapıtma, azdırıp günah işletme. • «Ol nümune-i ashab-i Fil olan kabîle-i tadlil üzre musallat. Sadettin».

tafaddul, tafazzul, A. i. Bk. Tefaddul.

tafahhus, A. i. Bk. • Tefahhuş.

tafakkud, A. i. Bk. • Tefakkud.

tafakkuh, A. i. Bk. Tafakkuh.

tafakkur, A. i. [Fakr'den] Fukaralaşma. • «Eğer biçarenin bû-yi tafakkur ile kuvvet-i şammesi muattal ve gubar-i iğbirardan dimag-i iktidarı muhtel olmasa. — Salim».

tafattun, A. i. [Fetanet'ten] Farkına varma, anlama. • «Ve gulâm dahi kendi tafattun ve karihasına nisbet. — Silvan».

tafattur, A. i. Yarılma. Ayrılma.

tafdih, A. i. (Dat ve ha ile) [Fedahat'ten] Rezil etme. Kötülüklerini yayarak adını lekeleme. (ç. Tafdihat).

tafdil, A. i. (Dat ile) [Fadl'dan] Birini öbüründen üstün tutma. (ç. Tafdilât). • «İmam Ali ve evlâd-i kiramını sair hulefa-yi raşidine tafdil ye tercih eder. — Saip».

tafra, A. i. (Tı ile) 1. Yukarı sıçrama, atlama. 2. Yüksekten atma. 3. Sarıklılarda rütbe alma. • «Yeniçeriler tafrasın bertaraf ettiler. — Naima».

tafrafüruş, F. s. [Tafra-füruş] Üst perdeden atıp tutan. (ç. Tafrafüruşan).

tafrakünan, F. s. [Tafra-künan] Yüksekten atıp tutan. • «Nihayet hangileri dişinde kuvvete malik ise kahr-i hasm ile savaş meydanı olan sokaklarda tafrakünan dünbalecünban olurlar. — Şinasi».

tafsil, A. i. (Te ve sat ile) [Fasl'dan] Geniş olarak ve her yanını ayrı olarak bildirme. Uzun uzadıya açıklama. (ç. Tafsilât, tefsil). • «O mücmel noktanın tafsil-i âsarın temaşa et. — Nabi».

tafsilen, A. zf. Uzun uzadıya.

tafte, F. s. Bükülmüş, dürülmüş.

tagaddi, tagazzi, A. i. [Gıza'dan] Beslenme, gıdalanma.

tagaddub, tagazzub, A. i. [Gadab'dan, gazab'dan] Öfkelenme.

tagafful, A. i. [Gaflet'ten] Gaflet gösterme. Bilmezlikten gelme.

tagalli, A. i. [Galiye'den] Galiye sürünme. (ç. Tagalliyat).

tagallüb, A. i. [Galebe'den] Zorla hüküm sürme. Zorbalık. (ç. Tagallübat). • «Bundan sonra tagallûb-i tam ile zimam-i hall ü akdi kabza-i tasarruflarına aldılar. — Naima».

tagallüf, A. i. [Gılâf'tan] Kılıflanma.

tagallül, A. i. [Galiye'den] Saç ve sakalı galiye ile kokulama.

tagallût, A. i. [Galat'tan] Yanılma. (ç. Tagallûtat).

tagamgum, A. i. Anlaşılmaz söz.

tagammüd, A. i. Örtme, bürüme.

taganni, A. i. [Gına'dan] 1. Zenginleşme. 2. Muhtaç olmama. Yetinme. 3. Makamla okuma.

tagannüc, A. i. [Ganc'den] Nazlanma.

tagannüm, A. i. Nesneyi ganimet sayma.

tagarrüd, A. i. (Kuş) Güzel sesle ötme.

tagarrür, A. i. 1. Nefsini tehlikeye koma. 2. Gururlanma. 3. Borçlanma. (ç. Tagarrurat). • «Bil hesabın çeker isen de taab — Kim tagarrür olur iflâsa sebep. — Sümbülzade».

tagassül, A. i. [Gusl'den] Yıkanma.

tagaşşi, A. i. [Gısa'dan] Örtünme, bürünme.

tagavvül, A. i. Renkten renge girme.

tagavvur, A. i. [Gavr'den] Nesnenin derininevarma.

tagavvut, A. i. Aptes etme.

tagayyuz, A. i. [Gayz'dan] Gayz etme, darılma.

tagayyüb, A. i. [Gayb'den] Gözden kaybolma. Görünmeme. (. Tagayyubat).

tagayyüm, *A. i.* [Gaym'dan] Bulutlanma.

tagayyür, *A. i.* [Gayr'den] 1. Değişme, başkalaşma. 2. Renk değişme. 3. Bozulma kokma. (ç. Tagayyürat). • ‹Tagayyürler gelip cism-i semîne. — Akif Pş.›. • ‹Ezmanın tagayyürü ile ahkâmın tagayyürü inkâr olunamaz. — Mec. 39›.

tagazzub, *A. i.* [Gazab'dan] Gazaba gelme, darılma. (ç. Tagazzubat).

tagazzül, *A. i.* [Gazel'den] Gazel söyleme. (ç. Tagazzülat).

tagbir, *A. i.* [Gubar'dan] Toza bulaştırma.

tagdiye, tagziye, *A. i.* Besleme. • ‹Bunları teshin ve tagdiyeden maada bir de tedavi lâzım. — Cenap›.

tagfil, *A. i.* [Gaflet'ten] Gafil avlama, avlanma. (ç. Tagfilât).

tâgi, tâgiye, *A. s.* [Tugyan'dan] 1. Azgın. 2. İsyan eden, söz dinlemez. (ç. Tavagi).

taglib, *A. i.* [Galebe'den] (Gra.) Bir ilgi veya ilişikten dolayı bir kelimeyi başka bir anlamı da içine alacak şekilde kullanma. Ana ile babaya • *ebeveyn* denilmesi gibi. (ç. Taglibat).

taglif, *A. i.* [Gılâf'tan] Kına, kılıfa koyma. (ç. Taglifat).

taglik, *A. i.* Kapama, kilitleme.

taglit, *A. i.* [Galat'tan] 1. Yanlış çıkartma. 2. Yanıltma. (ç. Taglitat).

tagliye, *A. i.* 1. Kaynatma. 2. Pahalanma.

tagliz, *A. i.* (Zı ile) [Gılzet'ten] 1. Kabalaştırma. 2. Kaba söyleme. • ‹Bir fırka ifrat edip kılınmaması babında tesdid ü tagliz eyledi, bir fırka tefrit edip elbet kılınmak gerek dedi. —› Kâtip Çelebi›.

tagmid, *A. i.* Kınına koyma.

tagmis, *A. i.* Batırma.

tagmiz, *A. i.* [İgmaz'dan] Göz yumup görmeyiverme.

tagniye, *A. i.* Birini zengin etme.

tagrib, *A. i.* [Gurbet'ten] 1. Birini gurbete gönderme. 2. Memleketten çıkarma. 3. Kovma. 4. Garipleştirme, tuhaf kılığa koyma. (ç. Tagribat). • ‹Bir desti ederse tard ü tagrib — Bir desti eder niyaz-i ricat. — Cenap›. • ‹O kafiyede bir kelimeyi kasideden mahrum etmemek için türlü tagrib-i mânaya mecbur olarak. — Uaşklıgil›.

tagrid, *A. i.* (Kuş) Güzel sesle ötme.

tağrim, *A. i.* Ödetme.

tagrik, *A. i.* [Gark'tan] Batırma. Dağıtıp yok etme. • ‹Yanımdan malı tagrik etmeye mübaşeret. — Taş.›.

tagrir, *A. i.* Müşteriyi aldatmak (Mec. 164). (ç. Tagrirat). • ‹Kendini tagrir eden hamilerine düşüp. — Naima›.

tagris, *A. i.* [Gars'tan] Yere (ağaç) dikme.

tagşiş, *A. i.* [Gış'dan] 1. Karıştırma. 2. Saflılığını giderme. (ç. Tağşişat). • ‹Nişan tagşişi hiç şüphe yok ki süte su veya ana tebeşir katmaktan daha şenî değildir. — Cenap›.

tagşiye, *A. i.* [Gışa'dan] Örtme, bürüme.

Tagut, *A. i.* 1. İslâmlıktan önce Mekke'deki putlardan biri. 2. Ö. i. Şeytan. 3. Kayıptan haber veren, büyücü. (ç. Tavagi, tavagit).

tagviye, *A. i.* [Gava'dan] Azdırıp yoldan sapıtma.

tagyir, *A. i.* [Gayr'dan] 1. Başkalaştırma. Değiştirme. 2. Bozma. (ç. Tagyirat). • ‹Gerkara taşı kızıl kan ile rengin etsen — Tab'a tagyir verip lâ'l-i Bedahşan olmaz. — Fuzulî›.

tagyiz, *A. i.* [Gayz'dan] Öfkelendirme.

tahabbüs, *A. i.* [Habs'ten] Kendini bir yere kapama.

tahaccüm, *A. i.* [Hacm'den] Hacım peydahlama, irileşme.

tahaccür, *A. i.* [Hacer'den] Taş kesilme, taş gibi katılaşma. (ç. Tahaccürat). • ‹Yâd-i azameti dağda, sahrada tahaccür ve havada, deryada temessül etmiş gibi görünüyor. — Kemal›.

tahaddi, *A. i.* (Ha ile) Çekişme.

tahaddu', *A. i.* (Hı ile) [Hud'a'dan] Bilerek aldanma. • ‹Bu inhida' değil beyim tahaddudur. — Naci›.

tahaddüb, *A. i.* (Ha ile) Kamburlaşma. (ç. Tahaddübat).

tahaddür, *A. i.* (Hı ile) [Hıdr'dan] (Kadın) Örtünme.

tahaddür, *A. i.* (Hı ile) [Hadr'den] İnişe doğru akıp gitme. Yokuş aşağı hızla inme.

tahaddüs, *A. i.* (Ha ve se ile) 1. Yok iken vücuda gelme. 2. Sonradan olma. (ç. Tahaddüsat). • ‹Tahaddüsleri zamanında bî-mâna zannolunan bu küçük şeyler. — Recaizade›.

tahaddüs, *A. i.* (Ha ve sin ile) [Hads'ten] (Psi.) Fransızcadan *intuition* (sezgi) karşılığı (XX. yy.). (ç. Tahaddüsat).

tahaddüsî, tahaddüsiye, A. s. (Psi.) Fransızcadan *intuitif* (sezgili) karşılığı (XX. yy.).

tahaddüsiye, A. i. (Psi.) Fransızcadan *intuitionisme* (sezgicilik) karşılığı (XX. (yy.).

tahaffuz, A. i. [Hıfz'dan] Sakınma, korunma. • ‹Evin içinde hâsıl olabilecek şüpheler için, en nafiz bir çare tahaffuzdur. — Uşaklıgil›.

tahaffuzhane, F. i. Karantina bekleme yeri.

tahaffuzî tahaffuziyye, A. s. Korunma ile ilgili.

tahafuzkârane, F. s. zf. 1. Korunma, savunma için olan. 2. Korunma, savunma isteğiyle.

tahaffüf, A. i. Hafiflenme.

tahakkud, A i. Kin tutma. Kinlenme.

tahakkuk, A. i. [Hakk'tan] Gerçek olduğu belli olma. Meydana çıkma. (ç. Tahakkukat). • ‹Onun masumiyeti tahakkuk ettikten sonra. — Uşaklıgil› • ‹Ebediyete doğru uzanmağa çalışan bir ömr-i cemadî tahakkuk ediyor. — Cenap›.

tahakküm, A. i. [Hükm'den] Hüküm sürme. (ç. Tahakkümat). • ‹Onda bir şive-i tahakküm var. — Fikret›.

tahalli, A. i. [Halâ'dan] Tenhaya çekilme, yalnız kalma. Boşalma. • ‹Badehu terk-i dünya edip ibadet için tahalli eyledi ta vefat edince. — Taş.›.

tahalli, A. i. [Halil'den] Donanma, süslenme. • ‹Reng-i matemledir tahallisi. — Beni hayran eder tecellisi. — Recaiza›.

tahallû, A. i. (Hı ve ayın ile) 1. Kopar gibi olma. 2. Doğru duramayıp sallanma.

tahallûk, A. i. [Hulk'tan] Bir huy veya tabiat edinme. • ‹Lîk her şahsa temellûk etme — Tavr-i zilletle tahallûk etme. — Sümbülzade›.

tahallûs, A. i. [Hulûs'tan] 1. Kurtulma. 2. Mahlas, takma ad kullanma.

tahallût, A. i. [Halt'ta] Karışma.

tahallüb, A. i. 1. Sızma. Ter çıkarma. 2. Süt peydah etme.

tahallüd, A. i. [Huld'den] Bir yerde daimî kalma.

tahallüf, A. i. [Hilâf'tan] 1. Geride kalma. 2. Uygun olmama. • ‹Hizmet-i iftanın bizden tahallüfünde ne fayda melhuzdur diye iltimas etmeğin. — Naima›.

tahallül, A. i. (Ha ile) [Hall'den] Hallolma. Birbirinden parçaları ayrılma. (ç.

Tahallülat). • ‹Renkleniyor, parlıyor, tahallül ediyor. — Cenap›.

tahallül, A. i. (Hı ile) Eczası ayrılarak fazla yer kaplama.

tahallül, A. i. 1. [Halel'den] Bozulma. 2. Ekşime, sirkeleşme. 3. Araya girme. (ç. Tahallülât).

tahammi, A. i. Korunma. Perhiz etme.

tahammuz, A. i. [Humz'dan] Ekşime. Asitleşme. (ç. Tahammuzat).

tahammül, A. i. [Haml'den] 1. Yükü üstüne alma, yüklenme. 2. Ağır bir şeye katlanma. Ses çıkarmadan çekme. • ‹Zamn olur ki fikrim tahammül etmezdi. — Fikret›. • ‹Her metaın bir revci var bu bendergâhta — Geh tahammül geh niyaz ü gâh istigna yürür. — Ragıp Pş.›.

tahammülfersa, F. s. [Tahammül-fersa] Dayanmayı azaltıcı.

tahammülgeza, F. s. [Tahammül-geza] Dayanılmaz. • Soğuk, soğuk... bu tahammülgeza bürudetle — Çocuk harap olacak. — Fikret›.

tahammülgüdaz, F. s. [Tahammülgüdaz] Dayanmayı yok eden.

tahhammülsûz, F. s. [Tahammül-sûz] Dayanmayı tüketen, bitiren. • ‹Bugün dar geliyor, yarın tahammülsüz olacak. — Cenap›.

tahammür, A. i. (Hı ile) [Hamr'den] 1. Mayalanma. 2. Ekşime. 3. Örtünme. 4. Yuğrulma. ç. Tahammürat). • ‹Onur hüvüyetiyle tahammür eylemiş idi. — Uşaklıgil›.

tahammül, A. i. [Haml'den] Saldırma, üstüne yürüme. • ‹Ebüssuut Efendi gibi kimseye karşı durup da ne mertebe tahammül eylediği malum olmaktır. — Kâtip Çelebi›.

tahannut, A. i. Ölü üzerine güzel kokular serpip kefenlenme. • ‹Pes imam igtisal ve tahannut edip gitti. — Taş.›.

tahannüf, A. i. Hanefî mezhebinden olma.

tahannün, A. i. (Ha ile) [Hanin'den] Çok acınma. Çok isteme. • ‹Validesi bu lafz ile raks ü tahannün ederdi. — Taş.› • ‹Ayrıldı kuzu olup mükedder — İzhar-i tahannün etti mader. — Naci›.

taharet, A. i. (Tı ve ha ile) 1. Temizlik. 2. Temizlenme. (ç. Taharât). • ‹Sakıyâ cuma namazın kıl da gel meyhaneye — Hurmatin anla taharetle yapış meyhaneye. — Beliğ›.

taharri, A. i. (Ha ile) Araştırma. Seçme için inceleme. (ç. Taharriyat). • ‹Yıllarca taharri der-i mesdud-i necatı. — Fikret› • ‹Taharri-i şetaime teşebbüs etmekle narefte bir tarik-i münazara. — Cenap›.

taharruk, A. i. (Hı ile) Yırtılma. Koparılma. Sökülme.

taharrüc, A. i. (Hı ile) 1. Öğrenimi tamamlayarak çıkma. 2. Usta çıkma. • ‹Anınla taharrüc eylemişlerdir. — Taş.›.

taharrük, A. i. [Hareket'ten] 1. Kımıldama. Oynama. 2. Arap alfabesinde harf harekelenme. Bir hareke ile okunma. • ‹Anlar daima naire-i fiten mündefi olmasın diye taharrükte olup. — Naima›.

taharrükiyet, A. i. Hareketlilik. Kımıldama hali.

taharrüm, A. i. [Haram'dan] Sakınma. (ç. Taharrümat).

taharrüs, A. i. (Ha ve sin ile) Sakınma, korunma.

taharrüş, A. i. (Hı ile) Tırmalanma, örselenme. (ç. Taharrüşat).

taharrüz, A. i. (Ha ve zel ile) Çekinme, sakınma. Korunma. • ‹Evzanda taharrüz-i zihâfat — Teksir-i tetabu-i izafât. — Ziya Pş.›.

tahassul, A. i. [Husul'dan] Hâsıl olma, sonuç olarak çıkma. (ç. Tahassulât). • ‹Ol' savta kim tahassul eder asyabdan. — Recaizade›.

tahassun, A. i. [Hısn'dan] 1. Bir kaleye kapanma. 2. Sarp bir yere sığınma. • ‹Padişah-i İslâmın geleceğin malum edindikte tahassun levazımın tedarik edip. — Naima›.

tahassus, A. i. (Hı ve sat ile) [Husus'tan] Özel olma.

tahassür, A. i. [Hasret'ten] Elden çıkan veya elde edilmesi istenen bir şey için acı duyma. (ç. Tahassürat). • ‹Ol zata tahassürden sandım ki zaman ağlar. Recaizade›.

tahassür, A. i. (Ha ve se ile) (Kan) pıhtılanma. (ç. Tahassürat).

tahassüs, (Ha ve sin ile) [Hiss'ten] Bir şey için acı duyma. (ç. Tahassürat). • ‹Söz gölgesidir tahassüsatın — Derler; bu hata değilse, eyvah! — Fikret› • ‹Münasebetleri teati-i tehassüsattan ibaret. — Uşaklıgil›.

tahaşşi, A. i. (Hı ile) Korkma. Bk. • Tehasi.

tahaşşu', A. i. [Huşu'dan] Alçak gönüllü olma. • ‹Ve cebhe-i tazarru ve itizarı zemin-i tahaşşu' ve iftikara sürdü. — Sadettin›.

tahaşşüd, A. i. Birikme, yığılma. (ç. Tahaşşüdat). • ‹Tahaşşüd eyledi teşyi için gönülleri. — Fikret›.

tahaşşül, A. i. (Hı ile) Zelil ve hakir olma.

tahaşşun, A. i. [Huşunet'ten] Sertelme. Katılaşma.

tahaşşür, A. i. (Ha ile) Mezardan dirilme.

tahatti, A. i. (Te, hı ve tı ile) Atlayıp geçme. • ‹Meyn-i saff-i mazlumînden tahatti edip. — Nergisi›.

tahattur, A. i. Hatıra getirme. Hatıra gelme. (ç. Tahatturat). • ‹Söylediklerini tahattur etmek isteyerek. — Uşaklıgil› ‹Fakat bu tahatturat kendisinde... teessür ve tahassür husule getirmedi. — Cenap›.

tahattüm, A. i. [Hatm'den] Gerekli olma. Yapılması gerekli.

tahavif, A. i. [Tahvif ç.] 1. Korkunçlar. 2. Umacılar.

tahavvuf, A. i. (Hı ile) Korkma.

tahavvun, A. i. Hain olma. Hiyanet etme.

tahavvül, A. i. Değişme, bir halden bir hale geçme. (ç. Tahavvülât). • ‹Siz de biraz hayatınızdan yorulmuş, bezmiş idiniz, ufak bir tahavvül arıyordunuz. — Uşakligil›. • ‹Göstermek için nikât-i nazmı — Ezman-i tahavvülât-i nazmı — Ziya Pş.›.

tahayyül, A. i. (Hı ile) [Hayal'den] Hayal kurma. Hayalleme. (ç. Tahayyülât). • ‹Dile her muyu bir ejder görünür ol zülfün — Nice bin ejderi bir yerde tahayyül ne belâ. — Nef'î› • ‹Bunun telh-i lezizini siz — Tahayyül etmeye bilmem muktedir misiniz? — Fikret› • ‹Hepsi, en bivefa emellerden — En samimî tahayyülâta kadar. — Fikret›.

tahayyür, A. i. [Hayret'ten] Şaşakalma. Hayran olma. (ç. Tahayyürat). • ‹Ve câmid bir kütle-i tahayyür halinde bakakalan. — Fikret›.

tahayyüz, A. i. (Ha ve dat ile) [Hayz'dan] Kadın, aybaşısı yüzünden namaz kılamama.

tahayyüz, A. i. [Hayyiz'den] 1. Yer tutma, yer alma. 2. Önemlileşme, ileri bir mevki alma. • ‹Bunlardan bir bölük adam Yenicami imaretine girip müçtemian tahayyüz eylediler. — Naima›.

tahazül, A. i. (Hı ve zel ile) Savaştan kaçıp geri dönme.

tahazzu', tahaddu', A. i. 1. Kendini alçaltma. 2. Kibir ve ululanmadan uzak durma.

tahazzüb, A. i. [Hizb'den] Hizipleşme. Küçük topluluk meydana getirme. (ç. Tahazzübat). • «Altı bin miktarı eşkıya ile Kırşehir'i havalisinde tahazzüb edip. — Naima».

tahazzün, A. i. [Hüzn'den] Kederlenme, hüzünlenme. • «Ne de câli imiş tahazzün-i yâr — Susayım bari gülmesin ağyar. — Naci».

tahazzür, A. i. [Hazer'den] Sakınma. Korunma. • «Eyledi takdir sanduk-i tahazzürde nihan. — Nabi».

tahbir, A. i. [Haber'den] Haber etme.

tahbiz, A. i. «Habbeza» (ne güzel!) deme.

tahcil, A. i. [Hacle'den] Gerdeğe koyma.

tahcil, A. i. [Hacl'den] Utandırma. (ç. Tahcilât). • «Tâdad-i hukuk-i niam ile tahcil ve tebkit semtine zâhip olup. — Naima».

tahcir, A. i. • «Araziye başka kimse vaz i yad etmemek için etrafa taş ve sair nesne vzetmektir. — (Mec. 1052).

tahdi', A. i. (Hı ile) [Hud'a'dan] Hile edip aldatma.

tahdib, tahzib, A. i. (Saç, sakal) Boyama.

tahdib, A. i. [Hadbe'den] Kamburlaştırma.

tahdid, A. i. (Ha ile) [Hudud'dan] 1. Sınırlama. 2. Belli etme. Tarif etme. 3. Bir sınır koma. (ç. Tahdidat). • «Tahdid idi, onun nazarında, hayatında — Bir şahsa hasrediş emel ü irtibatını. — Fikret».

tahdid, A. i. (Hı ile) 1. Kurutma. 2. Pastırma gibi kuru etme.

tahdik, A. i. (Hc ile) [Hadeka'dan] Gözünü dikip bakma, dikkatle bakma.

tahdir, A. i. (Hı ile) [Hadr'den] Örtme, örtülü bulundurma. (ç. Tahdirat).

tahdis, A. i. (Ha ve se ile) [Hudus'tan] 1. Söyleme, birinden haber alıp söyleme. 2. Peygamber sözünü tekrar etme. 3. Bir şükür, teşekkür etme. (ç. Tahdisat). • «Elli yıl mikdarı mecli-i tahidste tasaddur edip. — Taş.» • «İntisabiyle müftehir olduğumuz ümmetin tadhis-i mefahiri yolunda söyleriz ki. — Kemal».

tahdiş, A. i. [Hadeş'den] Tırmalama. Tırnaklayıp incitme. Kurcalama. • Tahdiş-i ezhan, zihinleri kurcalama, karış-

tırma. (ç. Tahdişat). • «Yeter hayalimi tahdişe bazı en narin — İhtizaz, ufacık bir teheyyüc-i ilham. — Fikret».

tahfif, A. i. [Hiffet'ten] 1. Hafifletme, yükünü azaltma. 2. Kolaylaştırma. (ç. Tahfifat). • «Celâl Beyden hataen huzur-i hümayunda paşa-yi müşarünileyhi tahfife müteallik bazı na-şayeste akval sudur etmekle. — Koçubey» • «Bu tezatları mümkün mertebe tahfif ederek./— Uşakligil».

tahfifî, tahfifiyye, A. s. 1. Hafifletme ile ilgili. 2. Hafifletici.

tahfir, A. i. [Hufre'den] Çukur kazma. (ç. Tahrifat). • «Tahfir-i mezra-i yakîn niyetiyle yaksa ne an ki iska-yi hârzâr-i şekk için ola. — Naima».

tahnan, A. i. Değirmenci.

tahîn, A. i. 1. Öğütülmüş tahıl. Un. 2. Darı unu. 3. Şekerle karıştırılarak helvası yapılan darı unu.

tahir, tahire, A. s. [Taharet'ten] 1. Temiz. 2. Aptes bozan şeylerden biri bulunmayan. 3. Bir musiki makamı.

tahiyye, tahiyyet, A. i. Birine «Tanrı ömür fersin» diyen selâm. (ç. Tahiyyât). • «Padişahın ayağın öpüp bir derece kadar zaman secde-i tahiyyette kalıp baş kaldırıp. — Naima» • «Siz hepsine âciz ve sakit ve tehiyet-i nazardan başka bir nişane-i sıdk u vefa. — Raşit».

tahkik, A. i. [Hak'tan] 1. Gerçek olup olmadığını araştırma. 2. Gerçeğini ispatlama. • «Hep giydi lisanınla senin kisve-i tahkik — Mâna-yi nihanîsi huruf ü kelimatın. — Nabi» • «Haklıyı haksızı im'an ile tefrik edelim. — Dur telâş etme efendi işi tahkik edelim. — Naci».

tahkikan, A. z. Tahkik ederek.

tahkikat, A. i. [Tahkik ç.] 1. Araştırmalar. 2. Soruşturmalar.

tahkikî, tahkikiyye, A. s. İnceleme ile, hakikati araştırma ile ilgili.

tahkim, A. i. [Hükm'den] 1. Sağlamlaştırma. Berkitme. 2. (Bir dava için) hakem tâyin etme. • «Tahkim, hasmeynin husumet ve davalarını fasl için rızalarıyle ahar kimseyi hâkim ittihaz etmelerinden ibartetir. — Mec. 1790».

tahkimat, A. i. Siper kazma, savunma işlerini kuvvetlendirmeler.

tahkir, A. i. [Hakaret'ten] Hor ve hakîr görme. Horlama, alçaltma. (ç. Tahkirat). • «Sorun fazileti tahkir eden esafilden. — Fikret» • «O tahkiratı icradan seni meneden bir şey var ki. — Uşaklıgil».

tahkiramiz, *F. s.* [Tahkir-amiz] Hakaretle karışık.

tahkiye, *A. i.* (Türkçede kullanılmıştır). Hikâye etme. Anlatma. • «Perişan bir tarz-i tahkiye ile bütün gördüklerini, bildiklerini böyle dökerken. — Uşaklıgil».

tahli', *A. i.* [Hal'den] 1. Söküp çıkarmak. 2. Koparmak.

tahlilat, *A. i.* [Hil'at'ten] Hil'at giydirmeler. • «Ve Rumeli ümerasına tahliat-i fâhire ile izn-i insiraf verildi. — Peçoylu».

tahlid, *A. i.* [Huld'den] Ebedî surette oturma. (ç. Tahlidat). • «Nam-i kiramilerini sahayif-i eyyamda tahlid eden vasf-i sedî. — Naima».

tahlif, *A. i.* [Half'ten] Yemin ettirme.

tahlif, *A. i.* [Halef'ten] Birini kendi yerine bırakma. (ç. Tahlifat).

tahlik, *A. i.* Tıraş etme. (ç. Tahlikat). • «Tahliki rüus ve tâlık-i şiir emsali. — Naima».

tahlil, *A. i.* (*Ha* ile) [Hall'den] 1. Bir şeyi incelemek üzere parçalarına ayırma. 2. Analiz. (ç. Tahlilât). • «Nebîz-i temeri tahlil etsin. — Taş.» • «Şimdi artık bütün âmalini tahlil etsen — Bir yudum zehr olacak. — Fikret».

tahlil, *A. i.* (*Hı* ile) Ekşitme. Ekşi kılma.

tahlim, *A. i.* [Hilm'den] Kızgınlığını giderme, yumuşatma.

tahlis, *A. i.* [Halâs'tan] Kurtarma. *Tahlis-i giriban,* yakayı kurtarma, kurtulma.

tahlisiyye, *A. i.* Cankurtaran.

tahlit, *A. i.* [Halt'tan] 1. Karıştırma. 2. Sâflığını giderme. 2. Bozma. (ç. Tahlitat).

tahliye, *A. i.* (*Ha* ile) [Hilli'den] Süsleme, donatma. Bezetme. • «İşte şehzade bu kadar fazail ve hasail-i celile ile tahliye-i nefs ederek. — Kemal».

tahliye, *A. i.* [Halâ'dan] 1. Boşaltma. Boş bırakma. 2. Bir şehri, bir istihkâmı bırakma. *Tahliye-i sebil,* cezaevinden bir tutuğu salıverme. • «Sensin ol gevher-i nayab ki mislin bulamaz. — Etse gavvas-i kader tahliye-i kise-i yem. — Nabi».

tahmid, *A. i.* [Hamd'den] Şükretme. (ç. Tahmidat).

tahmik, *A. i.* (*Te, ha* ve *kaf* ile) [Humk'tan] Ahmak deme. Ahmak olduğunu söyleme. (ç. Tahmikat). • «Nice bin mesele tahkik etmiş — Nice fehhameyi tahmik etmiş. — Kâni»;• «Salonlarında tahmik olunur. — Cenap».

tahmil, *A. i.* [Haml'den] 1. Yükleme. 2. Bir işi bir kimse üzerine bırakma. (ç. Tahmilât). • «Kavgaların mesuliyetini kendisine tahmil ederdi. — Uşaklıgil».

tahmin, *A. i.* [Hamn'den] Kesin olmadan, aşağı yukarı bir tutar veya fikir söyleme. (ç. Tahminat). • «Akl ile tahmin olunmaz pâye-i ulviyyetin. — Recaizade» • «Biz tahmir-i hayalîmize aldandığımızı anlamıştık. — Cenap».

tahminen, *A. zf.* Aşağı yukarı.

tahmir, *A. i.* (*Ha* ile) Kızartma, kızarmış hale koyma.

tahmir, *A. i.* [Hamr'dan] 1. Mayalandırma. 2. Yoğurma. (ç. Tahmirat). • «Hey ne kudret hey ne sanattır ki Hallak-i ezel — Bir avuç toprağı tahmir etmiş Âdem koymuş ad. — Ziya Pş.».

tahmis, *A. i.* (*Hı* ve *sin* ile) [Hums'tan] 1. Bir şeyi beş kat veya beş köşe etme. 2. (Ed.) Bir şairin bir manzumesinin beyitlerine üçer mısra katarak beşerli bentler haline koyma. (ç. Tahmisat). • «Tahmisler, tesdisler parçalandı. — Uşaklıgil».

tahmis, *A. i.* (*Sat* ile) Kavurma.

tahmis, *A. i.* (*Ha* ve *sin* ile) 1. Darıltma. 2. Tekel kuru kahve yeri.

tahn, *A. i.* Öğütmek, değirmenden geçirmek. (ç. Tahniyat).

tahnik, *A. i.* [Hunk'tan] Boğma.

tahnit, *A. i.* Mumyalama. • «Bütün bunlar tahnit edilmiş, yalnız, naışları cesetleri değil, elbiseleri, kunduraları, yiyecekleri, takma saçları, etler, sebzeler, yemişler, her şey birlikte tahnit edilmiş. — Cenap».

tahr, *A. i.* (*Tı* ve *he* ile) Kadının hayız halinde bulunmadığı zamanki hali.

tahrib, *A. i.* [Harab'dan] Yıkıp bozma. Bayındırlığını yok etme. (ç. Tahribat). • «Divar ü der-i sineyi tahrib ediyor dil. — Naci».

tahribkâr, *F. s.* [Tahrib-kâr] Yıkıcı. (ç. Tahribkâran).

tahric, *A. i* [Huruc'dan] 1. Çıkartma. 2. Diploma verme. 3. Peygamber sözünü ilk rivayet edeni çıkarma. (ç. Tahricat).

tahrif, A. i. [Harf'ten] 1. Bir adın veya ibarenin harflerinin yerini değiştirme, bozma. 2. Bir ibarenin anlamını karıştırma, değiştirme. (ç. Tahrifat).

tahrik, A. i. [Hareket'ten] 1. Oynatma, kımıldatma. 2. Harekete getirme, etki yapma 3. Kışkırtma. 4. (Arap Gra.) Harekeleme, harekei le okuma, ‹akl› kelimesini • ‹akıl› okuma. (ç. Tahrikât). • ‹Bu levha kalbimi tahrik içinse, kâfidir. — Fikret›.

tahrikâmiz, F. s. [Tahrik-amiz] Kışkırtıcı.

tahrikât, A. i. [Tahrik ç.] Fena işler için ayaklandırma, kışkırtma.

tahrim, A. i. [Haram'dan] 1. Din bakımından kutsal sayıp yaklaşmayı yasak etme. 2. Haram kılma. • Kerahat-i tahrimiyye, sıkı olarak mekruh. (ç. Tahrimat). • ‹Müslimînden bir ferd anın men ü tahrimine cüret edemez. — Taş.› • ‹Kuvve-i hayatiyeden vücudunu tahrim etmek için hadım olmaya mecbur olur. — Cenap›.

tahrime, A. i. 1. Namazda başlarken söylenen tekbir. 2. Hacıların ihram giymeleri.

tahrimî, tahrimiyye, A. i. Harama ait, haram ile ilgili.

tahrir, A. i. 1. Yazma. 2. Yazı olarak meydana getirme. 3. Kaydetme, kayda geçirme. 4. Hür kılma, azat etme. Tahrir-i rakaba, köle veya cariye azat etme. (ç. Tahrirat). • ‹Ham olur kadd-i kalem cevrini tahrir etsem. — Nebi›.

tahrirat, A. i. Posta ile gönderilen resmî mektup.

tahrirî, tahririyye, A. s. Yazılı.

tahris, A. i. [Hırs'tan] Birinin tamahını uyandırma, tutkulandırma. (ç. Tahrisat). • ‹Erbab-i harabatı komak haliney eydir — Tahrise sebeptir mey-i gülfame yasaklar. — Nabi›.

tahriş, A. i. 1. Tırmalama. 2. Azdırma. (ç. Tahrişat). • ‹Tahriş eder sımahımı bin nevha-i gurab. — Fikret› • ‹Sem-i ruhu tahriş eder. — Cenap›.

tahriz, A. i. (Ha ve dat ile) İyi bir şeye teşvik etme. (ç. Tahrizat). • ‹Binefsihi at sürüp cenge tahriz edip gayret verirdi. — Naima›.

tahsil, A. i. [Husul'den] 1. Ele geçirme. 2. Vergi veya irat toplama. 3. Bilgi edinme. (ç. Tahsilât).

tahsilât, A. i. [Tahsil ç.] Devlet gelirinin toplanması.

tahsildar, F. i. [Tahsil-dar] Para toplayan. (ç. Tahsildaran).

tahsin, A. i. (Ha ve sin ile) [Hüsn'den] Beğenip alkışlama. (ç. Tahsinat). • ‹Tahsin sana ki gönlüm evin tîre koymadın — Her zahm-i navegin bana bir revzen eyledin. — Fuzulî›.

tahsin, A. i. [Hısn'dan] Kale gibi sağlamlaştırma. • ‹Limanı istihkâmat-ı kebire ile tahsin etmekten başka çare var mıdır? — Kemal› • ‹Her memleketin bir usul-i takdiri, bir tarz-i tahsini var, burada da inliyorlar. — Cenap›.

tahsinhan, F. s. [Tahsin-hân] Aferin deyici, beğenici. • ‹Hüsn-i hatt-i İzzet'i kim görse tahsin-i hân olur. — Naci›.

tahsinkerde, F. s. [Tahsin-kerde] Beğenilmiş.

tahsis, A. i. (Hı ve sat ile) [Husus'tan] Bir şeyi birinin veya bir yerin kılma. Bir şey için ayırma. (ç. Tahsisat). • ‹Etti sular emelce tahsis-i semt-i mecra. — Recaizade› • ‹Kendisine kalbinde tahsis ettiği muhabbetin. — Uşaklıgil›.

tahsisan, A. zf. Tahsis suretiyle. Hele, en çok.

tahsisat, A. i. [Tahsis ç.] Bir kimse veya bir daire için ayrılmış para.

tahşid, A. i. Yığma, biriktirme. (ç. Tahsidat).

tahşim, A. i. (Ha ile) Darıltma. Kızdırma.

tahşiye, A. i. (Hı ile) Korkutma.

tahşiye, A. i. (Ha ile) Haşiye yazma.

taht, A. i. (Hı ile) Yağma, talan.

taht, F. i. Hükümdarın oturduğu özel sandalye, koltuk, makam. • ‹Taht-i mahlûla müsaraatle vüsul-i lüzummun. — Sadettin›.

taht, A. i. (Te ve hı ile) Alt. Aşağı. • ‹Hıtta-i pâk-i hâki iki birader meyanında beraber taksim edip tahtın Cem'e ve fevkın şah-i ferhunde-deme tâyin eyledi. — Sadettin›.

tahtanî, tahtaniyye, A. s. 1. Aşağıda bulunan.

tahte, F. i. Tahta. • ‹Ve tahte-i teşni kakıp ta'n ü lâ'n ile teşhir ettiler. — Naima›.

tehtelarz, A. i. [Taht-el-arz] Yeralı.

tahtelbahr, A. i. [Taht-el-bahr] Denizaltı.

tahtelhıfz, A. i. [Taht-el-hıfz] Muhafaza altında.

tahtelkahr, *A. i.* [Taht-el-kahr] Zorla, zorbalıkla. • ‹Halkı tahtılkahır istihdam ederim zu'miyle. — Naima›.

tahtgâh, tahtgeh, *F. i.* [Taht-gâh] Taht yeri, başkent. • ‹Olamaz devletinin tahtgehi. — Şinasi› • ‹Tahtgâh-i saltanatın Akdeniz'e karşı ağyara seddolunmuş bir bab-i ahenîni denilmeye şayan olan. — Kemal›.

tahtıa, *A. i.* [Hata'dan] Yanlışını çıkarma.

tahtıt, *A. i.* [Hat'tan] Çizme. Çizgilerle belli etme.

tahtim, *A. i. (Ha* ve *tı* ile) Kırma, parça etme.

tahtim, *A. i.* [Hatm'den] Mühür basma. Mühürleme.

tahtnişin, *F. s.* [Taht-nişin] Hükümdar olan. Tahtta oturan. • ‹Ol tahtnişin-i kisver-i Karaman savbına. — Sadettin›.

tahtrevan, *F. i.* [Taht-revan] İki katır veya dört insan tarafından taşınır taşıt. • ‹Padişah âlempenah hazretlerinin mizacı bir mikdar münharif olmakla üç kollu dört katır çekecek bir tahtrevan yaptırılıp. — Naima›.

tâhun, *A. i.* Değirmen. (ç. Tavahin).

tahur, tahure, *A. s.* [Taharet'ten] Pek temiz. Temizleyici.

tahvif, *A. i.* [Havf'ten] Korkutma, ürkütme. (ç. Tahvifat). • ‹Tahvif ve işkence ile bakiye-i mali söylettirmek ferman olundu. — Naima›.

tahvil, *A. i.* [Havl'den] 1. Değiştirme. 2. Bir halden başka bir hale koma. 3. Borç senedi. 4. Aksiyon. • ‹Racine'in Esthere'ini neşre tahvil ediyor. — Uşaklıgil›.

tahvilât, *A. i.* [Tahvil ç.] Aksiyonlar.

tahyib, *A. i. (Hı* ile) [Hiybet'ten] Eli boş, mahrum kılma. • ‹Vatan-i ikamet-i olan İstanbul'dan tard ü tahyib ve cezire-i Sakız'a nefy ü tagrible tedib olundu. — Raşit›.

tahyil, *A. i. (Hı* ile) [Hayal'den] 1. Hayalleme. 2. Akla, zihne getirme; canlandırma. 3. Kötüye yorma. Oyun etme. (ç. Tahyilât). • ‹Cûş-i hayretten tecellihane-i tahyilde — Lâl olur dil-i bîtab hüsnünü tertilde. — Naci›.

tahyir, *A. i. (Hı* ile) [Hayr'dan] 1. İki şey arasında seçme durumunda bırakma. 2. İstediğini seçmeyi teklif etme. (ç. Tahyirat). • ‹Kader dedikleri halkın murad-i Haktır kim — Ezelde etti bizi her umurda tahyir. — Şinasi›.

tahzib, tahdib, *A. i. (Dat* ile) Boyama, boyanma.

tahzib, *A. i. Ha* ve *ze* ile) [Hızb'den] Takım takım etme. (ç. Tahzibat).

tahzil, *A. i. (Hı* ve *zel* ile) Aşağılatma.

tahzin, *A. i.* [Hüzn'den] 1. Kederlendirme. 2. Hazin hazin okuma. • ‹Dil-i firkatzede zaten mahzun — Sen de bir kat daha tahzin etme. — Naci›.

tahzir, tahdir, *A. i. (Dat* ile) Yeşil renk verme.

tahzir, *A. i.* [Hazer'den] Sakındırma. (ç. Tahzirat). • ‹Fitne baş kaldıramaz haşra değin ta o kadar — Etti kahrınla kaza ehl-i şakayı tahzir. — Hakkı›.

tâım, *A. s. (Tı* ve *ayın* ile) Yiyen. • ‹Bittbi muzun lezzetini sormazsınız çünkü bilirsiniz ki lezzet tâımın niyetine tabidir. — Cenap›.

tai', tayi', Bk. • *Tayi.*

taib, taibe, *A. i.* [Tövbe'den] Tövbe eden. • ‹Hele ben tâib oldum hicv ile hem intikam ettim. — Nef'î›.

taif, taife, *A. s.* [Tavaf'tan] 1. Tavaf eden. 2. Dönen, dolaşan. • ‹Etrafımı zıll-i merk tâif. — Recaizade›.

Taif, *A. i.* Arabistan yarımadasında, Mekke yakınınd bir kasaba.

taife, *A. i.* 1. Bölük, özel bir bölük meydana getiren adamlar. 2. Kavim, kabîle. 3. Tayfa. 4. (Zoo.) Fmilya. (ç. Tavaif). • ‹Yetmez mi bu devlet ki bana reşk ede daim — Bir taife kim davi-i fazl u hüner eyler. — Nef'î› • ‹Siz canibdari-i Muhammet ile muttasıf bir taifesiz. — Naima›.

tail, *A. i. (Tı* ve *ha* ile) Felâket, belâ. (ç. Tavaih).

tail, *A. i.* Fayda. Yarar. • *Bitail, lâtail* boşuna, faydasız.

tair, *A. s.* [Tayaran'dan] Uçan, uçucu. • ‹Kendi cevvim, kendi eflâkimde kendim tâirim. — Fikret›.

tair, *A. i.* Kuş. • *Tair-i cennet,* Cennet kuşu. • ‹Tair-i devlet ki mahbit-i duneşgal. — Nef'î›.

tak, *A. i. (Tı* ile) 1. Kemer. 2. Sedir, taht üstündeki kubbe. *Tak-i ebru* kaş kemeri, kemer biçiminde kaş: -*zafer,* bir zafer için kurulan anıt; *çartak,* çardak. • ‹Hayal-i çin-i zulf ü tak-ı ebrusuyla zevkım gör — Sanasın haşmetiye kısrî'yim kadrıyle fağfurum. — Fuzuli› • ‹Celâdetler kuşanmış yükselen tak-i hamiyettir. — Fikret› • ‹Bir sıra küçük cam fenerler içinde yanan yağ mumlarının sisli ziyalarından yapılmış bir tak-i hazin rakıshanenin medhalini gösteriyordu. — Cenap».

tâk, *F. i. (Te* ve *kaf* ile) Asma, üzüm kütüğü. • «Tekatür eylemedikçe sirişk-i dide-i tâk — Olur mu bağ-i temennada huşe-i engûr. — Nabi».

tâka, *A. i.* Kubbeli mahfe. • «Tenk ü tenha bir yoldan geçer iken tâkadan bir sahibet-ül-cemal avrata gözü ilişti. — Süheyli».

taka, takat, Bk. • *Takat.*

takaat, *A. i.* [Tak ç.] 1. Taklar, kemerler. 2. Kubbeler.

takabbuh, *A. i.* [Kubh'den] Çirkin görme, kötü sayma.

takabbuz, *A. i.* [Kabz'dan] 1. Toplanıp çekilme, büzülme. 2. Kabız olma, peklik. ç. Takabbuzat).

takabbül, *A. i.* [Kabul'den] Kabul etme. Üstüne alma. • «Takabbül bir işi taahhüt ve iltizam etmektir. — Mec. 1055».

takaddese, *A. zf.* Kutlu, mutlu olsun anlamında dua sözü.

takaddüd, *A. ı.* Kurma, kurtulma. Nemliliği giderme.

takaddüm, *A. i.* [Kıdem'den] 1. İleri geçme, ileride bulunma. 2. Zamanca, mevkice ileri bulunma, önde bulunma. 3. Teşrifatça önden geçme veya daha yukarı oturma hakkı. *Hak-ki takaddüm,* öncelik hakkı. *Fazl-i takaddüm,* öncelik meziyeti. (ç. Takaddümat). • «Artık sevmemekte takaddüm etmeyen bir kadın hissiyle anlamış idi. — Uşaklıgil».

takaddür, *A. i.* Alın yazısına göre olacağın belirtilmesi.

takaddüs, *A. i.* Mübarekleme, kutlu kılma.

takallüb, *A. i.* [Kalb'den] 1. Dönme, bir yandan bir yana çevrilme. 2. Değişme, başka kalıba girme. • «Olmaz o kelâmı mahve bais — Enbuh-i takallüb-i havadis. — Ziya Pş.».

takallübat, *A. i.* [Takallüb ç.] Değişmeler.

takallüd, *A. i.* 1. Muska gibi boyna geçirme. Takınma, kuşanma. 2. Bir işi üstüne alma. (ç. Takallüdat). • «Hacibleri takallüd-i süyuf edip. — Sadettin».

takallûs, *A. i.* Bir şeyin gerilip büzülmesi. (ç. Takallûsat). • «İki ellerinin bir takallûs-i asabisiyle. — Uşaklıgil» • «Giryelerin mukaddemat-i takallûsatiyle titreyen gözlerini. — Uşaklıgil».

takannün, *A. i.* Kanunlaşma. Değişmez halde, kesin olarak belirme.

takarrubat, *A. i.* [Takarrub ç.] Kurbanlar, kurban kesmeler. • «Defn edip takarrubat-i mevfure ve tasaddukat-i gayr-i mahsura ile. — Sadettin».

takarruh, *A. i.* [Karha'dan] Yara olma. Yara içinde kalma. (ç. Takarruhat).

takarrüb, *A. i.* [Kurb'dan] 1. Yaklaşma, yanaşma. 2. Vakti yakınlaşma. 3. (Tas.) Tanrıya yakınlaşma. • «Behlûl'le Bihter'in arasında yalnız meylen bir fazla takarrüb husulü ihtimalinden. — Uşaklıgil». • «Zinet-i zâhiri erbab-i takarrub neyler — Ziveri yok Kâbe'de mihrapların. — Nabi».

takarrür, *A. i.* [Karar'dan] 1. Yerleşme. 2. Kararı verilme. • «Birkaç şerait-i esasiyenin takarrürüne sebebiyet vermişti. — Uşaklıgil».

takas, *A. i.* Takas, ödeşme.

takassu, *A. i.* [Kasr'dan] Bir isi bile bile yapmama.

takassu', *A. i.* (Hek.) Çıbanlaşma.

takaşşur, *A. i.* Kabuğu soyulma.

tâkat, *A. i. (Tı* ile) Güc, kuvvet. • «Peride reng-i tahassür, melûl, bîtakat. — Fikret».

takatfersa, *F. s.* [Takat-fersa] Takat götürmez, dayanılmaz. • «Gündüzün takatfersa sıcağından. — Uşaklıgil».

takatgüdaz, *F. s.* Takatı yok eden. Gücü bitiren. • «Bir hicran-i müebbedin ateş-i takatgüdaziyle. — Recaizade».

takatir, *A. i. (Te* ve *tı* ile) [Taktir ç.] İnbikten çekmeler, damıtmalar.

takatsuz, *F. s.* [Takat-suz] Güc, kuvvet tüketen, bitiren. • «Bir hava-yi ateşnakin taab-i takatsuzu yayılmaya. — Uşaklıgil».

takatşiken, *F. s.* [Takat-şiken] Takati tüketen. • «Bir sabah, evde, bütün bir şebi takatşikenin — Taab-i nekbeti altında ezilmiş, gamkîn. — Fikret».

takattür, *A. i.* [Katre'den] Damlama. Damla damla akma. (ç. Takatturat). • «Her şeyde — Takattür etmeli âvare mest û lerzende — Bir ibtikâyi hazanîsi aşk-i sahharın. — Fikret».

takatür, *A. i.* [Katr'dan] Damlama. Damla damla akma. (ç. Takattürat). • «Takatür eylemedikçe sirişk-i dide-i tâk. — Nabi», takavvum, *A. i.* [Kıvam'dan] 1. Kıvam ve karar bulma. 2. Kuvvetlenme. • ‹Şer-i şerif hamrin takavvumunu ifsat ve iptal eylemiştir. — A. Haydar›.

takavvi, *A. i.* [Kuvvet'ten] Kuvvetlenme.

takavvus, *A. i.* [Kavs'ten] Çarpılıp ok yayı biçimine girme.

takavvut, *A. i.* [Kut'tan] Geçinme, beslenme.

takavvül, *A. i.* [Kavl'den] Sözleşme.

takaşşür, *A. i.* [Kışr'dan] Kabuklanma, kabuk tutma.

takayyüd, *A. i.* [Kayd'den] 1. Bağlanma, bağlı olma. 2. Çalışma, çabalama. (ç. Takayyüdat). • ‹Nihal'in bu ufak tefek takayyüdlerinin arasında. — Uşaklıgil› • ‹Hamlinden beri kendisinin böyle küçük takayyüdata mazhar edilmesinden. — Uşaklıgil›.

takayyüh, *A. i.* [Kih'ten] İrinlenme, irin peydah etme. (ç. Takayyuhat).

takbil, *A. i.* Öpme. • ‹Eyledin miydi destini takbil? — Recaizade›.

takbih, *A. i.* [Kubh'tan] Çirkin görme. Beğenmen.e. (ç. Takbihat). • ‹Öyle meramları takbih ediyorum zannetmeyiniz. — Cenap›.

tâkçe, *F. i.* Küçük kemer.

takdim, *A. i.* [Kıdem'den] 1. Öne geçirme, ileri sürme. 2. Bir büyüğün önüne bir şey götürme, bir şey verme. 3. Sunma. 4. Birini başka birine tanıtma. *Takdim ü tehir,* bir ibaredeki sözlerin yerlerini değiştirerek. düzeltme. (ç. Takdimat). • ‹Mani ve muktezi tearuz ettikte mani takdim olunur. — Mec. 46› • ‹Size takdim ederim. Nihal Hanım. — Uşaklıgil›.

takdime, *A. i.* Kendine göre üst sayılan birine verilen armağan.

takdir, *A. i.* [Kader'den] 1. Kader. Tanrının yaratıkları hakkında olan ezeldeki kararı. 2. Değer biçme. 3. Değer tanıma. 4. Beğenme. 5. Sayma, öyle sanma. (;. Takdirat). • ‹Yazık ki cahil eder matlabınca şerr ü fesat — Koyar netice-i ef'ali ismini takdir. — Şinasi› • ‹Benim bugün onu takdire iktidarım yok. — Fikret› • ‹Tuhaf şey, her memleketin bir usul-i takdiri; bir larza-i tahsini var, burada da inliyorlar. — Cenap›.

takdirî, takdiriyye, *A. s.* 1. Kaderden olan. 2. (Gra.) Görünürde olmayıp öyle denilen.

takdirname, *F. i.* [Takdir-name] Beğenilen bir işe karşı verilen yazılı belge.

takdis, *A. i.* 1. Kutsal sayma. 2. Tanrıya şükretme. 3. (Mec.) Ululama, büyük saygı gösterme. (ç. Taksidat). • ‹Yaşar her fert için takdis-i hürriyet ibadettir. — Fikret›.

ta key, *F. s.* Ne vakte kadar. • ‹Mey gibi ney gibi şeyler ta key. — Safa›.

takfil, *A. i.* [Kufl'den] Kilitlenme.

takfiyye, *A. i.* [Kafiye'den] Kafiyeleme. Kafiye bulma.

ta'kim, 4. *i.* [Ukm'dan] 1. Kısırlaştırma. Çıkmaz veya olmaz hale koyma. 2. Mikropsuzlaştırma (XIX. yy.). (ç. Takimat).

ta'kır, *A. i.* Yaralama.

takıy, takıyye, *A. s.* 1. Sakınan. 2. Kendini gözeten. 3. Tanrıdan korkan. • ‹Meğer cahil-i şaki ve muanid eşkiyayı gayr-i takıy ola. — Taş.›.

takıyyet, *A. i.* Tanrıdan korkma. Tekva. Diyanet.

ta'kib, takibat, *A. i.* [Akab'dan] Arkası sıra gitme. 2. Kovalama, peşine düşme. 3. Arkasını bırakmama. (ç. Takibat). • ‹Zevk ü gam şevk ü mihen birbirin eyler takib. — Vâsıf›.

ta'kid, tak'id, *A. i.* [Ukde'den] 1. Düğümleme. 2. (Ed.) Cümle veya ibareyi anlaşılmayacak şekilde düzenleme. (ç. Takidat). • ‹Tâkid ü rekike uğramaz hiç — Eyler okudukça tab'ı tehyiç. — Ziya Pş.›.

takli', *A. i.* [Kal'den] Kökünden söküp koparma. (ç. Takliat).

takke, *A. i.* (Tı ve kaf ile) Kumaştan yapılma gece giyilen başlık. • ‹Orada hutut-i müstakime üzre dizilmiş birçok takkeler arasında (...) birkaç çıplak baş, bir iki yağlı şakpa vardı. — Cenap›.

taklib, *A. i.* [Kalb'den] 1. Döndürme, çevirme. 2. Bir şeyin biçim ve kalıbını değiştirme. *Taklib-i hükûmet,* hükümet başındakileri veya hükümet şeklini kanunsuz değiştirme. (ç. Taklibat). • ‹Kara Abdullah ise nefsinde taklib-i devlete ve tefrik-i cemiyete kadir mütekellim iş bilir âdem idi. — Naima› • ‹Ben ederken gamla taklib-i sahaif dembedem. — Recaizade›.

taklid, *A. i.* 1. Takma, asma, kuşanma. 2. Benzemeye veya benzetmeye açlışma. 3. Kalpını yapma. 4. Başka birinin davranışını tekraralyarak alay etme. (ç. Taklidat). • ‹Eyalet-i Mısır'ın takli-

dini ferman eyledi. — Süheylî». •
«Somurtkan gelinin taklidini yapıyor.
— Uşaklıgil».

takliden, A. zf. 1. Benzerini yaparak. 2.
Gülünç tarafını belirterek.

taklidî, taklidiyye, A. s. Taklit ile ilgili.

taklil, A. i. [Kıllet'ten] Azaltma, indirme. (ç. Taklidât). • «Nâmüstahakların
vezaifin kesip vaktin müsaadesi mertebe masrafı taklil ve iradı teksir edip.
— Naima» • «Bir nevadan bir dıraht-i
bârver eyler zuhur —Hâk eder tehsir
devr-i cerh taklil ettiğin. — Nabi».

taklis, A. i. Büyük bir kimseyi karşılamada yapılan şenlik. • «Tesis-i perde-i
sûz ü güdaz ve taklis-i daire-i râz-i
naz üniyaz ile. — Nabi».

taknin, A. i. [Kanun'dan] Kanun koma.
(XX. yy.).

takri', A. i. Başa kakma. Azarlama, paylama. (ç. Takriat). • «Göresin sen de
mücazat nice olur deyü takri ile ahz-i
intikam eyledi. — Naima».

takriat, A. i. [Takri ç.] Paylamalar.
Azarlamalar. • «Deyip vicahen ol kadar takriat etmiş ki âlem hayran oldu.
— Naima».

takrib, A. i. [Kurb'den] 1. Yanaştırma,
yaklaştırma. 2. Kesin olarak değil de
aşağı ykuarı bir şey söyleme. 3. Bahane. ç. Takribat). • «En evvel Nihal'i
Bihter'e takrib için. — Uşaklıgil».

takriben, A. zf. Aşağı yukarı, tamamıyle olmayarak.

takribî, takribiyye, A. s. Kesin olmayan,
aşağı yukarı denilen.

takrin, A. i. [Karin'den] Birlikte bulundurma. Yaklaştırma.

takrir, A. i. [Karar'dan] 1. Yerleştirme.
Yerini belli etme. 2. Sağlamlatma. 3.
Ağızdan anlatma. 4. Resmî olarak yazı ile bildirme. 5. Politika yazısı, nota.
6. Mal satarken tapu idaresinde mal
sahibinin memur önündeki ifadesi. 7.
Resmî dairelerin Babıâliye sadece mühürlenmiş gönderdikleri yazı. (ç. Takrirat, tekarir). • «Aybı tarafına nazır
olup işaat-i nakayis ve maayibi için
takrir ve tahrirde zemm ü kadhi canibine zahip olurlar. — Naima» • «Her
birini takrirat-i kâmile ve tahrirat-i
vazıha ile şerh etmekle. — Taş.».

takriz, A. i. (Te, kaf ve dat ile) [Karz'-
dan] (Eser) övme. (ç. Takrizat). •
«Etti takrizine sarf-i miknet. — İzzet
Molla» • «Hassasiyet-i makalin haka-

yikine ârif olan nice ashab-i hüner
takrizat-i adîdein şad eylemektedir. —
Kemal».

taksim, A. i. [Kısm'dan] 1. Taksim. 2.
Bölme. 3. Akarsuların ayrıldığı yer.
Savak. 4. Çalgıcıların yalnızca çaldıkları parça. (ç. Taksimat). • Taksim-i
a'mal, iş bölümü (XX. yy.).

taksimat, A. i. [Taksim ç.] Taksimler.
Bölmeler. Bölümler. • «Hemen her kitap başka türlü taksimat ile beyan
eder. — Kemal».

taksir, A. i. [Kasr'dan] 1. Kısaltma. 2.
Bir işi eksik yapma. Kusur etme. •
Pürtaksir, çok kusurlu, kabahatli (ç.
Taksirat). • «Bimecalim sitem-i dehr
ile gayet affet — Vasf-i pâkinde ger
ettimse zaruri taksir. — Hakkı».

taksirat, A. i. [Taksir ç.] 1. Kusurlar. 2.
Tanrı tarafından bir belâya uğramaya yol açan bir suç veya günah. •
«Levazim-i muhasarada taksiratları
emare-i idbar olmakla. — Naima».

taksit, A. i. [Kıst'tan] Parça parça belli
zamanlarda ödenecek paranın her parçası. (ç. Tekasit). • «Taksit, deyni müteaddit ve muayyen vakitlerde tediye
etmek üzre tecildir. — Mec. 157» •
«Birinci tksiti şimdiden inayet buyururlarsa. — Recaizade».

takti', A. i. [Kat'dan] 1. Kesme, parça
parça etme. 2. (Ed.) Manzumeyi vezin parçalarına göre ayırarak okuma.
(ç. Taktiat). • «Eş'ar-i Araptan birini
kaide-i aruz üzre takti ile. — Taş.».

taktir, A. i. [Katre'den] 1. Damla damla
akıtma, damlatma. 2. Damıtma. (ç.
Taktirat). • «Hndesi âvaze-i kulkul
giryesi taktir-i mey — Macera-yi meclise sagar hem ağlar hem güler. —
Pertev Pş.».

takva, A. i. (Te ve kaf ile) [Vikaye'den]
Tanrıdan korkup dinin yasak ettiği
şeylerden çekinme. • Ehl-i tekva, din
emirlerine sıkıdan sıkıya uyan kimse
veya kimseler. • «Salah ü takvası
dâm-i tezvir ve riya idi. — Naima».

takvaperver, F. s. [Takva-perver] Tanrı
korkusu çok olan (kimse). • «Mısırlılar kadar takvaperver bir halk görmedim. — Cenap».

takvaşiarane, F. zf. Din emirlerine sıkıca uyanlara yaraşır şekilde. • «Bir
hamusi-i takvaşiarane içinde şeb-i yeldanın rüyâ-yi medidine dalmış. — Cenap».

takvil, A. i. Bir sözü birinin söylediğini deme, şöyle söyledi deme.

takvim, A. i. 1. Doğrultma, düzeltme, yoluna koma. 2. Takvim. 3. Kronoloji. 4. Değer biçme. • Takvim-i sâl, yılın takvimi; • takvim-ül-büldan, şehir ve memleketlerin coğrafya ve topografya durumunu gösteren kitap: • Ahsen-i takvim, • hüsn-i takvim, insan. • «Sair mameleki dahi dört yüz keseye takvim olunup miriye kabz olundu. — Naima» • «Ve bir kere ebniye ve eşçardan hâli olarak takvim olunup iki kıymet beyninde. — Mec. 882» • «İstanbul'un hayat-i seyranı takviminde ismi silinemeyen. — Uşaklıgil».

takvis, A. i. Kavislendirme, yay şekline sokma.

takviye, A. i. 1. Kuvvetlendirme. 2. Sağlama, sağlamlaştırma. • «Bedbahtlığına karar verdikten sonra onu takviye edecek sebepler bulmağa. — Uşaklıgil».

takviyet, F. i. Bk. • Takviye. • «Elem çekme ayağın merdane bas deyu takviyet verdi. — Naima».

takyid, A. i. [Kayd'dan] 1. Kayıtlama. 2. Bağlama. 3. Bukağıyla vurma, vurulma. (ç. Takyidat).

takyim, A. i. Süsleme.

tal', A. i. (Bot.) Çiçeklerin üreme organı olan sarı toz. • Gubar-i tal'.

talac, F. i. Bağırma.

talâk, A. i. Boşanma. Nikâhlı eşten ayrılma.

talâkar, F. i. Bk. • Tıla.

talâkat, A. i. Dil açıklığı. Kolay ve serbest söz söyleme. • «Şu servler mütehaşi birer talâkatle — Okur geçenlere ait menakıb-i ibret. — Fikret».

talan, F. i. Talan, çapul. • «Muattar sünbül-i giysusu talan-i şatarettir. — Fikret».

talaş, F. i. 1. Savaş. 2. Usulsüz telâşlı gayret.

tal'at, talat, A. i. 1. Yüz, surat. 2. Güzellik. Aydınlık ve açık yüz. • «Yavaş yavaş azalan tâb-i tal'atiyle kamer — Çıkıp görünmeli bir hasta kız kadar muğber. — Fikret».

tal'atefruz, F. s. [Tal'at-efruz] Aydınlık saçan. • «Didarın olunca talâtefruz — Âfaka sirayet-i cemalin — Ekdarını mahv eder zilâlin. — Fikret».

talâvet, A. i. (Tı ile) Güzellik.

talayi', A. i. (Tı ve ayın ile) [Talia ç.] Askerde öncüler. • «Talayi-i sultan-i

rebi' zuhur tetiği hengâmda. — Sadettin».

tâle, A. f. [Tul'den] • Tâle ömrühu, ömrü uzun olsun.

taleb, A. i. 1. İsteme, dilemek. 2. İstek. • Arz ü taleb, aranan (eşya), piyasaya çıkarılan (eşya). • «Kimden, nasıl saadetimi eyleyim taleb. — Fikret».

talebe, A. i. [Talib ç.] 1. İstekliler. 2. Öğrenci. • Talebe-i ulum, medrese öğrencisi sarıklı öğrenci. • «Talebe-i ulumdan biri ancak. —Cenap».

talebkâr, F. s. [Taleb-kâr] İstekli. (ç. Talebkârân). • «Mihr-i hümayun talebkârı olanlar makam-i vekâletinizde olan kulunuza haset edip. — Naima».

talh, A. i. Zamk ağacı.

tali', talia, A. s. [Tulû'dan] Doğan. • «Gürre-i fecr tali' olunca. — Taş.».

tali', A. i. Kısmet. Talih. • «Böyle bir istisnayı teşkil etmek zilletini tali onun için mi alıkoymuş idi? — Uşaklıgil».

tali, taliye, A. s. 1. Sonradan gelen. 2. İkinci derece. 2. Kur'an okuyan. 3. (Man.) Sonurtu.

talia, A. i. (As.) Öncü. • «Çün oldu ayan talia-i şeb — Meydan-i sipihri tuttu kevkeb. — Fuzulî».

taliateyn, A. i. (Tı ve te ile) İki öncü, iki tarafın öncüsü. • «Telâkı-i taliateyn vuku buldu. — Sadettin».

talib, talibe, A. s. [Taleb'den] 1. İsteyen. 2. İstekli. (ç. Talebe, tailban, talibîn, tullâb). • «Duydum gam-i Hüsn'e canfeşansın. — Zer' tâlibisin esir-i kânsın. — Ş. Galip» • «Ben senin âb-i hayat-i lebinin teşnesiyim — Talib-i çeşme-i hayvan isem insan değilim. — Avni».

taliban, F. i. [Talib ç.] 1. İstekliler. 2. Öğrenciler. • «Ol haşiye dahi sermaye-i taliban-i hikmet olmuştur. — Sadettin».

talid, A. i. Bir kimsenin (köle, cariye, hayvan gibi) canlı eşyası. • «Emirgûne han cem ettiği tarîf ü talid bittamam dahil-i hizane-i âmirane olup. — Naima» • «Gencine-i baharı vurup leşker-i hazan — Meştaya sarf olundu telid ü taraifi. — İzzet».

talih, taliha, A. s. (Tı ve ha ile) Aşırı düşkün, işe yaramaz. • «Eğer nik ü eğer bed eğer talih ü eğer salih. — Nergisî».

tâlik, talika, *A. s.* [Talâk'tan] Boşanmış. ● ‹Bu gece bana söylemezsen tâlik ol. — Taş.›.

ta'lik, tâlik, *A. i.* 1. Asma. 2. Bir şeye bağlı gösterme. 3. Geciktirme. 4. Arap harfleriyle bir yazı şekli. ● ‹Gaybe iman getir ey mülhid-i facir ki sana — Ahiretten hatt-i ta'lik ile hüccet gelmez. — Sabit› ● ‹Bunun böyle bir şarta talik edilmesine darılmıyordu. — Uşaklıgil› ● ‹Biri kûfi, ibri ta'lik iki güzel levha. — Uşaklıgil›.

talik, *A. s. (Tı ile)* 1. Güler yüzlü (kimse). 2. Düzgün söz söyleyen (kimse).

talika, *A. s. (Tı ile)* Kocasından boşanmış (kadın).

ta'likat, *A. i.* [Ta'lik ç.] Bir eserin açıklaması olarak kenarına veya ayrıca eser olarak yazılan notlar.

ta'lil, *A. i.* [İllet'ten] 1. Sebep, bahane gösterme. 2. (Fel.) Fransızcadan *déduction* (tümdengelim) karşılığı (XX. yy.).

ta'lim, *A. i.* 1. Öğretme, belletme. 2. Okutma, ders verme. 3. Meşk ile alıştırma. 3. Egzersiz. ● ‹İtmama yetip tarik-i sünnet — Talim-i ulûma yetti nevbet. — Fuzul.›.

ta'limat, *A. i.* [Talim ç.] Bir iş hakkında nasıl davranılacağını gösteren emir. ● ‹Evvelden, eyledi rica-yi sebat — Saniyen verdi şöyle talimat. — Naci›.

talimhane, *F. i.* 1. Okul veya benzerleri yerler. 2. Asker talim yeri.

talimhane, *F. i.* [Talim-name] Alıştırma kitabı.

ta'lin, *A. i.* [Alen'den] 1. Aşikâr etme. 2. Meydana, açığa vurma.

ta'liye, *A. i.* Yükseltme, yüceltme.

ta'liye, *A. i.* Mika.

taltif, *A. i.* [Lutf'tan] 1. Bir iyilikle gönül alma. 2. Yumuşatma. Yumuşaklık içinilâç alma. (ç. Taltifat). ● ‹Âlemi taltif için sen eylersen ref'i nikab — Nura müstağrak olur cümle cihan ey afitab. — Cenap›.

ta'm, taam, *A. i.* 1. Yeme. 2. Tat.· (ç. Tuum).

tama', *A. i.* 1. Doymazlık. 2. Çok isteme. 3. Açgözlülük. ● *Tama-i ham,* olamayacak istek. ● ‹Yazık sana kim eyleyesin hırs ü tam'adan — Bir habbe için kendini âlemlere bed-nam. — Ruhi› ● ‹Müşarünileyhten bazı mesalihte garaz-amiz hareket ve tamaa meb-

ni hareketçikler görülmekle. — Naima›.

tama'kâr, *F. s.* [Tama-kâr] Açgözlü, tamah sahibi. Pinti, cimri. (ç. Tama'kâran). ● ‹Bir hodbin ve tamakâr adam idi. — Peçoylu›.

tamam, temam, *A. i.* 1. Tamam, bitme, bitirme, son. 2. Olgunlaştırma, tamamlama. ● *Bitamamihi,* ● *bittamam,* tam olarak eksiksiz; ● *natamam,* tam değil, eksik. ● ‹Ben o sizin dediğiniz çılgınlıkları yapmayacak olursam hayatıma na-tamam kalmış nazariyle bakarım. — Uşaklıgil›.

tamamen, *A. zf.* Bütün bütün. Tam ve eksiksiz olarak. ● ‹Bihter'in beyaz örtüsünün içinde, pür vekar ü endişe çehresi tamamen lâkayt kaldı. — Uşaklıgil›.

tamamî, tamamiyye, *A. s.* Noksan tamamlamaya mahsus, onunla ilgili. ● ‹Kendisini kocasına tamami-i hüviyetiyle vermekten men eden. — Uşaklıgil›.

tamamiyyet, *A. i.* Tamlık, bütünlük. ● *Tamamiyyet-i mülkiyye,* ülkenin dokunulmazlığı, bütünlüğü. ● ‹Babasından intikamının tamamiyeti için ölmesi lâzım geliyordu. — Uşaklıgil›.

tamat, *F. s. ç.* Saçma sapan sözler. ● ‹Ama kimseyi irşat etmek ve tarik-i zerk ü tamata gitmek olmamıştır. — Lâtifî›.

tame, *A. i.* 1. Kıyamet. 2. Keskin çığlık.

tamh, *A. i. (Tı ve ha ile)* Bir nesneye göz dikerek bakma.

tamih, tamiha, *A. s. (Tı ve ha ile)* Sert başlı, inatçı. 2. Yüksek olan.

tami' tamia, *A. s. (Tı ile)* [Tama'dan] Tamahçı. ● ‹Bekir subaşı dahi tami' ve mekkâr üç bin asker ile. — Naima›. ● ‹Hisset ve denaet muktezasınca kuvvet-i tamiası galip olup. — Naima›.

ta'mid, *A. i. (Te ve ayın ile)* Vaftiz etme. (ç. Tamidat).

ta'mik, *A. i.* [Umk'tan] 1. Derin kazma, derinleştirme. 2. Kökleri anlayacak şekilde inceleme, derinleşme. (ç. Ta'mikat).

tamil, *A. s. (Tı ile)* Arsız, edepsiz.

ta'mil, *A. i. (Te ve ayın ile)* Vali tâyin etme.

ta'mim, *A. i.* 1. Genleştirme, genelleştirme. 2. Genelge.

ta'mimen, *A. i.* 1. Genleştirme, genelleştirerek.

ta'mir, A. i. Onarma, düzeltme. Tamir. (ç. Tamirat). • ‹Meselâ gözünün bir kenarında bozulmuş bir sürmenin tamir edilmesine mani olmuyordu. — Uşaklıgil› • ‹Evle hatırları mire şitab — Eyleme arş-i ilahiyi harab. — Nabi›.

tâmis, A. s. (Tı ve sin ile) Yok eden. • ‹Halka cevr ü teadi etmekle şeref-i abâsını tâmis ve mahıko lup. — Naima›.

ta'miye, A. i. 1. Körletme, köreltme. 2. Kapalı şekilde anlatma. 3. (Ed.) Manzum tarihlerde ebcet hesabını doldurmak için çıkartılacak veya katılacak sayıları işaret etme.

tamm, tamme, A. s. (Te ile) 1. Bütün, eksiksiz. 2. Olgun, tamam. • ‹Her fende vukuf-i tammın tahsil etmiş idi. — Sadettin›.

tamma', A. s. [Tama'dan] Son derece tamahçı. • Ol makule mütagallibe ve tamma' ağalar. — Naima›.

tams, A. i. (Tı ve se ile) Âdet görme, aybaşı.

tams, A. i. (Sin ile) Yok etme, belirsiz etme. • ‹Ol yolları kızılbaşlar tams ü hedm ü tahrib edip. — Naima›.

tamaan, F. i. (Tı ve ayın ile) [Tamma ç.] • Aşırı açgözlüler, tamahkârlar. • ‹Tammaan-i etba ruhsat verip. — Naima›.

ta'n, A. i. Sövme. Yerme. • ‹Âşıka ta'n etmek olmaz müptelâdır neylesin. — Nef'î›.

tanabir, A. i. [Tanbur ç.] Tamburlar.

tanbur, tunbur, A. i. Tambur. • ‹Her muyu tarabda târ-i tanbur. — Ş. Galip›.

tanburî, A. i. Tanbur çalmada usta kimse.

ta'ne, A. i. Sövme, zemmetme, yerme, çekiştirme. • ‹Her söz ki gelir zuhura benden — Bin ta'ne bulur her encümenden. — Fuzuli›.

ta'nezen, F. s. [Ta'ne-zen] Söven (ç. Ta'nezenan).

ta'nif, A. i. Şiddetle azarlama, darılma. (ç. Ta'nifat). • ‹Yıkıl şundan diye ta'nif ettikte. — Naima›.

tanin, A. i. Tınlama, çınlama. • ‹Yazık ğil mi, niçin bir tanin-i şevk olsun — Benim enîn-i gamım bir leb-i meserrette? — Fikret›.

taninendaz, F. s. [Tanin-endaz] Tınlayan, çınlayan. • ‹Devre-i mesude-i hayatının saati-i iptidası taninendaz olacaktı. — Uşaklıgil›.

taningâh, F i. [Tanin-gâh] Tınlama yeri. • ‹Enîn-i ümmetin bir taningâh-i samimisi oldu. — Cenap›.

tannan, tannane, A. s. Tınlayan, çınlalatan. — Cenap›.

tannane, (Türkçede yapılmıştır) Senfoni (XIX. yy.). • ‹Bilhassa Beethoven'in bir tannanesini çalardı. — Uşaklıgil›.

tannaz, tannaze, A. s. (Tı ve ze ile) [Tanz'dan] Herkesle eğlenen, alaycı (güzel). • ‹Gamzesi sahir ü çeşmi tannaz. — Fazıl Bey› • ‹Seyredre bir bulut kenarından — Bir hilâlin nigâh-i tannazi — Kalb-i zulmette titreyen râzı. — Cenap›.

tansıs, A. i. (Te ve sat ile) İyice araştırılma ve incelenme.

tansif, A. i. (Te ve sat ile) [Nısf'tn] Yarı yarıya bölme. • Silâhdar mülâzımları az olmakla tansife sipah razı olmayıp niza ederken. — Naima›.

tansir, A. i. (Te ve sat ile) Hıristiyanlaştırma.

tantana, A. i. (Tı ve tı ile) 1. Gürültü, patırtı. 2. Gürültülü gösteriş. • ‹Ey debdebeler, tantanalar, şanlar, alaylar. — Fikret› • ‹İçinde kuru, kısır tantana-i elfazdan başka bir şey çıkmayan. — Cenap›.

tanz, A. i. (Tı ve ze ile) Herkesle eğlenme, alay etme. • ‹Ve meşayihin ehl-i tarik hakkında eyledikleri ta'n ü tanzı işaat edip. — Naima›.

tanzif, A. i. [Nezafet'ten] Temizleme.

tanzifat, A. i. Temizlik işleri.

tanzim, A. i. [Nazm'dan] 1. Sıralama, sıraya koma, dizme. 2. Düzen verme. 3. Tertipleme, manzum veya mensur olarak yazma. 4. Islah, düzeltme. (ç. Tanzimat). • ‹Mukaddem Hemdemi ile Raşit etmişi di tanzim — Hulâsa veçhile tarih-i nesl-i âl-i Osman'ı. — Ziya Pş.›.

Tanzimat, A. i. 1839 yılının 3 kasım günü Gülhne'de okunan bir padişah fermanı ile esasları konan hareket zamanı, 1877 Rus savaşına kadar sürmekle sınırlandırılır.

tanzir, A. i. [Nazar'dan] 1. Benzetme. 2. (Ed') Bir manzumenin anlamca, şekilce benzerini meydana getirme. • ‹Bu şeb bilmem seni tanzir için mi böyle biçarım. — Fikret› • ‹Gazelim etti Süruri yine kendi tanzir. — Sürurî›.

tapan, F. s. (Tı ile) Istıraplı, bozuk durumda olan.

tapide, F. s. (Tı ile) Sıkıntı içinde. Rahatsız. • Bismilgeh-i gamında nola olsa mustarip — Dil saydgâh-i aşkta murg-i tapidedir›.

tapu, Toprak alım ve satımında tasarruf hakkını göstermek için hükümetçe verilen senet, belge demek olan bu sözle • ashab-i tapu, • hakk-i tapu,. • müstahakk-i tapu, • tapu-yi misl... gibi tamlamalar yapılmıştır.,

târ, F. i. (Te ile) 1. Tel, iplik. 2. (Dokumada) Arş. • Târ târ, tel tel; • târ-i ankebut, örümcek ağı, • -zülf, saç teli. • ‹Mesken etmiş mâr-ı târ-i zülfü çeşmim rahnesin — Pend vernen kim anı andan çıkarmaz bin. füsun. — Fuzulî›. • ‹Vur, kopsa da mızrabın ile târ-i hayatım. — Fikret›.

târ, F. s. Karanlık. Şeb-i târ: karanlık gece. • ‹Çölün samut ü mukassi leyal-i târında. — Fikret›.

tarab, A. i. (Tı ile) Sevinç, şenlik. İç açıklığından gelme coşkunluk ve tepinme. • ‹İşret tabiatımca tarab meşrebimcedir. — Nedim›.

tarabamuz, F. s. [Tarab-amuz] Tarab öğreten. • ‹Ol dem ki olur, ey tarabamuz-i hayalât — Bir nây-i zümürrüt gibi nalân — Destinde nihalân. — Cenap›.

tarabengiz, F. s. [Tarab-engiz] Sevindirici, coşturucu.

tarabfeza, F. s. [Tarab-feza] İç açıcı, neşelendirici. • ‹Bir vezn-i tarabfeza ile mersiye söylemek. — Uşaklıgil›.

tarabgâh, F. i. [Tarab-gâh] Sevinç, coşkunluk yeri. • ‹Bu tarabgâh... Yok, bu câyi sük›t —Ki durur pür mehabet ü mebhut. — Fikret›.

tarabkünan, F. s. [Tarab-künan] Sevinçle, neşeyle. • ‹Takire ve ammimiz Mahmut Çelebiyle tarabkünan ve kinaye tarikiyle sorardı. — Naima›.

tarabnâk, F. s. [Tarab-nak] Neşeli. Sevinçli. • ‹Varayım hâk-i tarabnakine yüzler süreyim —Bir gün olsun olayım hari felektaen bir kâm. — Nedim›.

tarabsaz, F. s. Neşelendirici, coşturucu. • ‹Bir safa-bahş kani câm-i musaffadan yey — Bir tarabsaz mı var saagar-i sahbadan yey., — Baki›.

târâc, F. i. (Te ile) Yağma, çapul. • ‹Dostum daim haraminin işi târâcdır. — Ruhi›.

tarâcger, F. s. (Te ile) [Tarâc-ger] Yağmacı. (ç. Tarâcgeran).

taraf, A. i. (Tı ile) 1. Yan, yön. Altı yönden (ön, arka, sağ, sol, alt üst) her biri. 2. Ülke, memleket. 3. Bir kimsenin) yanı. 4. Taraflılık, sahip çıkma, koruma. 5. Bölük. Aralarında ayrılık bulunanlardan her biri. 6. Savaş veya yargılmada, yarışmada birbirine karşı çıkanlardan her biri. (‹. Etraf). • ‹Adnan Bey tarafından bilhassa buldurtulan. — Uşaklıgil› • ‹Şehirden çıkmış, iki tarafı ağaçlık bir yola dahil olmuştuk. — Cenap›.

tarafdar, F. s. [Taraf-dar] Taraf tutan. Taraflı. (ç. Tarafdaran). • ‹Ey tarafdar-i makalât nüvis-i "ve ne de" — Acab kaç "ve ne de" sarf olunur bir senede. — Naci›. • ‹Onun bu izdivacına hiç tarafdar olmamış idi. — Uşaklıgil›.

tarafdari, F. i. Taraf tutma.

tarafeyn, A. i. İki taraf. • ‹Asayiş-i fukara-yi tarafeyn ve ârayiş-i zuafa-yi canibeyn için. — Raşit›.

taraffuz, A. i. (Te ve dat ile) Rafazı olma. Rafazılaşma. • ‹Ve emsali birkaç küşteni Aceme firar ve taraffuz ihtiyar edip. — Naima›.

tarafgir, F. s. [Taraf-gir] Taraf tutan. Taraflardan birine sahip çıkan, gayretini güden. (ç. Tarafgiran). • ‹Herkesten başka bir şey olmayışı tarafgîr olmasına da mani olmamış idi. — Uşaklıgil›.

tarafgirî, F. i. Taraflılık.

tarafiyyet, A. i. Tarafçılık. Taraf tutma. • ‹Hâlâ tarafiyet, hasebiyyet, nesebiyyet. — Fikret›.

taraif, A. i. (Tı ile) [Tarife ç.] Az bulunur, ince şeyler. • ‹Nümude-i hayal olan taraif-i emel gibi — Mükevvenat, uzak yakın ne varsa gark-i âb ü tâb. — Fikret›.

taraik, A. i. [Tarikat ç.] Tarikatler.

tarassud, A. i. (Te ile) [Rasad'dan] Gözleme. Gözetme. Dikkatle bekleme. (ç. Tarassudat).

taravet, A. i. Tazelik. • ‹İzmihlâl-i taravetini örtmek için düzgünlere sıvadığı simasiyle. — Uşaklıgil› • ‹Kenarda köpüren mevceler şimdi ruhuma bir reşaşe-i taravet döküyor. — Cenap›.

tard, A. i. 1. Kovma, sürme, çıkarma. 2. Okuldan, hizmetten çıkarma. • ‹Tard etti cünud-i bihesabı — Tesir-i dua-yi müstecabı. — Vessaf›.

tardiyye, *A. i.* (Ed.) Bir mesnevi arasında söylenen gazel gazel ve buna benzer manzume.

tare, *A. i.* Defa, kere.

tarek, *F. i.* Tepe, basın tepesi. • ‹Melâ-i kudsi meyamen-i berekâtı tarek-i mübarekine nisar ettiler. — Sadettin›.

tarem, Bk. • *Tarüm.*

tareten, *A. zf.* Bir kere veya bazı kere. • *Tareten ba'de uhra,* defalarla, birçok kere.

tareyan, *A. i.* 1. Birdenbire çıkma. 2. Geliverme, oluverme. • ‹Ve hangi suret-i mahsimadır ki tareyan-i mevan-i nekebat-i kesîre ile. — Sinan Pş.›.

tarf, *A. i.* (*Tı* ile) 1. Bakış. 2. Göz ucu. • ‹İmam ol halde tarfını yani kûşe-i didesini canib-i semaya tutup. — Taş.›.

tarfe, *A. i.* Göz kapağının bir açılıp kapanması. • *Tarfa-i ayn, tarfat-ül-ayn,* göz yumup açıncaya kadar olan an. • ‹Tarfetülayn içre ol şah-i harem. — Süleyman Çelebi›.

tarh, *A. i.* 1. Atma, koma, bırakma. 2. Dağıtma, bölme. 3. Kurma. Kurulmuş, yapılmış (yapı). 4. (Mat.) Çıkarma. • *Tarh-i esas,* temel atma. (ç. Tarhiyat). • ‹Bir gazel tarh edeyim lâl-i lebin vasfında. — Kâzım Pş.›.

tarhefken, *F. s.* [Tarh-efken] Kuran, düzenleyen. • ‹Olmak ister yine bir tavr-i nevâyin üzre — Vasf-i paşa-yi Feridun-haşeşene tarh-efken. — Nedim›.

tarhendaz, *F. s.* [Tarh-endaz] Temel kuran, düzenleyen.

Târık, *A. i.* (*Tı* ve *kâf* ile) Sabah yıldızı. Venüs.

târi, *A. i.* [Tareyan'dan] Birdenbire çıkan. (Bir kimse veya şeyde ansızın beliren). • ‹Denizin lerzedari girye sesi — Eder yüreklere târi bir ihtizaz-i cenah. — Fikret›.

tari (y), *A. s.* (*Tı* ile) Taze.

ta'rib, *A. s.* [Arab'dan] Arapçalaştırma. (ç. Ta'ribat). • ‹Ulûm-i evail kitaplarının uercüme ve ta'rib ettiler. — Kâtip Çelebi›.

târid, *A.i.* [Tard'dan] Kovan. Çıkartan. • *Tarid-i didân* (Hek.) solucan düşürücü ilâç.

tarid, *A. i.* Kovulmuş, çıkartılmış nesne, • ‹Tarîd-i dergehin etme bu abd-i rûsiyehi. — Sami›.

tarif, tarîfe, *A. s.* (*Tı* ile) Az bulunur, zarif. (ç. Taraif).

ta'rif, *A. i.* (*Te* ile) [İrfan'dan] 1. İnceden inceye anlatma. Belirli noktalarla belli işaretlerle bildirme. 2. Bir maddeyi bütün gereklerini içine alır bir şekilde bir ibare ile anlatma. • *Harf-i ta'rif* (Arap Gra.) ‹e, l› harfi. (ç. Tarifat). • ‹Tarifine gitmemektir evlâ — Tarife gelir mi hiç Mevlâ. — Naci› • ‹Beşir hasta bunu nasıl tarif edeyim? — Uşaklıgil›.

tarife, *A. i.* Bir şeyi anlatıp bildiren cetvel veya yazı.

tarifname, *F. i.* [Tarif-name] Bir şeyin yapılışını, kullanılışını anlatan yazı. • ‹Kitaplarda bulunmuş tarifnamelerle tatlılar yapılacaktı. — Uşaklıgil›.

tarih, *A. i.* Tarih. (ç. Tevarih). • ‹Tarih-i zulme bir yeni dibace-i gurur. — Fikret› • ‹Bu belde-i kadimenin tarih-i müfidini okumalı. — Cenap›.

tarîh, *A. i.* İşe yaramaz diye bir kenara atılmış nesne.

tarihî, tarihiyye, *A. s.* Tarihle ilgili. • ‹Bu eski manzaraların menafi-i tarihiyesi olduğunu bilirdim. — Cenap›.

tarihnüvis, *F. i.* [Tarih-nüvis] Tarih yazan. (ç. Tarihnüvisan). • ‹Müdekkik bir tarihnüvis ihtimamiyle. — Uşaklıgil›.

ta'rik, *A. i.* [Arak'tan] Tere yatırılma, terletme.

târik, *F. s.* (*Kef* ile) Karanlık. • ‹Kamersiz bir sema altında bir hâb-i târike bürünmüş. — Cenap›.

târik, tarike, *A. s.* [Terk'ten] Bırakan, vazgeçen. • *Târik-i dünya,* dünyadan el çekip bir yana çekilen. • ‹Kim târik-i hâb olup beher şeb. — Recaizade›.

tarik, *A. i.* (*Tı* ve *kaf* ile) 1. Yol. 2. Meslek. 3. Tanrıya ulaşma için bir ulunun tuttuğu yol. 4. Araç. • *Tarik-i amm,* ‹ -sultani, geniş ve genel yol; • *-askeriyye, -ilmiyye, -kalemiyye,* asker, sarıklı, sivil meslek; • *-müstekim,* doğru yol. (ç. Turuk). • ‹Münkir-i evliya ve tarîk mülhid ve zındıktır. — Kâtip Çelebi› • ‹İlâlâ bir kolay tarîk bulunmamış aklına gelen çrelerin hiçbirine karar verememiş idi. — Uşaklıgil› • ‹Bu geniş tarikin bir baştan bir başa iki tarafı birahane. — Cenap›.

ta'rik, *A. i.* (*Ayın* ve *kef* ile) Terbiyesini verme, kulağını çekme.

tarika, tarikat, *A. i.* Tanrıya ulaşmak isteğiyle tutulan yol. Meslek. • ‹Mebadi-i neşv ü nüma-yi şebabda sâlik-i tarikai kitabet olup. — Raşit›.

târikî, *F. i.* *(Te* ile) Karanlık. • ‹Oldu târikî-i şeb ahımla kat kat lîk sen — Tal'atınla hangi bezmi mahtab ettin bu şeb. — Nabi›.

tarim, tarüm, Bk. • *Tarüm.*

ta'ris, *A. i.* *(Ayın* ve *sin* ile) 1. Düğün etme. 2. Bir yerde konuklama. • *Leyle-i ta'ris,* Muhammed peygamberin bir savaş gecesi uyuyakalıp sabah namazını geçirdiği gece.

ta'riye, *A. i.* Soyma, çıplaklaştırma.

ta'riz, *A. i.* Dokundurmak. Dokunaklı söz söyleme, taş atma. (ç. Tarizat). • ‹Bize tariz edene biz dahi tariz ederiz. — Naci› • ‹Bunca erbab-i nazar tarizat-i şeddide irat etmekte iken. — Kemal›.

tarmar, tarümar, *F. s.* Karmakarışık. Dağınık. • ‹Elin elimde, saçın tarmar sinemde. — Fikret›.

tarr, *F. s.* *(Tı* ile) Taze. Sulu. Nemli.

tarraka, *A. i.* Gümbürtü. • ‹Nagehen bir tarraka-i muhiş — Sarsıyor hep kulûb-i huzzarı. — Fikret› • ‹Vagonların içerisi tekerleklerin rayları ezmesinden mütahassıl bir tarraka-i madeniye ile doldu. — Cenap›.

tarrar, tarrare, *A. s. i.* Yankesici. • ‹Bir geda-yi tarrarın Karunzadelikten bahsetmesi. — Cenap›.

tarsı', *A. i.* 1. Değerli taşlar takarak süsleme. 2. (Ed.) İki fıkranın kelimelerini vezin ve kafiyece denkleştirme. (ç. Tarsiat).

tarsif, *A. i.* Birbirine bitiştirip kuvvetlendirme. • ‹Ve bünyan-i faziletini onunla teşyid ve tarsif eyledi. — Taş.›.

tarsin, *A. i.* [Rasanet'ten] Sağlamlaktırma.

tarsis, *A. i.* 1. (Kim.) Kurşunlama. Kurşun haline getirme. 2. Sağlamlaştırma. • ‹Ve sâid-i baht-imüsaid ile kâşane-i kâm tarsis ve ihkâm oluna. — Okçuzâde›.

tartib, *A. i.* Islatma. • *Tartib-i lisan,* (güzel bir şey söylemekle) dili ıslatma. ‹Kâm al mey ü mahbubdan ey Nailî-i zar — Tahsil-i neşat-i dil ü tartib-i dimağ et. — Nailî›. • ‹Gözlerim razı mısın tartib ede her bir yeri. — Recaizade›.

tarüm, tarem, tarim, *F. i.* 1. Çardak. 2. Kubbe. 3. Gökyüzü. • ‹Hava-yi cünbüşünden câk olur bu nigûn tarüm. — Nef'î› • ‹Derd-i dil ü eşk-i Nailîdir — Bu tarem-i nilgûna bais. — Nailî›.

tarümar, tarmar, *F. s.* Karmakarışık. Dağınık. • ‹Sen zülf-i tarümarını destinle okşasan — Cephem dizinde, ben de sükûnetle ağlasam. — Cenap›.

târüpûd, *F. i.* Arş ile argaç. • ‹Tarüpud-i siyahi-i şebden — Çehre-i bahtıma nikap ettim. — Fehim›.

tarz, *A. i.* 1. Biçim, kılık. 2. Yol, üslup. • ‹Bu yeni tarz-i hayat da elîm can sıkıntılarından mürekkep. — Uşaklıgil›. (Ed. Ce.) :

- *Tarz-i cedid,*
- *-cereyan,*
- *-hayat,*
- *-kadîm,*
- *-muaşaka,*
- *-muhabere,*
- *-muhakeme,*
- *-muhavere,*
- *-nevin,*
- *-şikâyet,*
- *-tahkiye,*
- *-telaffuz,*
- *-telebbüs,*
- *-terbiye.*

tarziye, *A. i.* [Rıza'dan] Razı ve hoşnut etme. 2. Bir kusura karşı özür dileme. 3. • ‹Radıyallahü anh› deme. • ‹Bir zaman mesele-i ebeveyn ve tasliye vü tarziye ve regaip ve kadir namazları nizaları sürünüp. — Kâtip Çelebi›.

tas, *F. i.* Tas. Su kabı. • ‹Şirar-i nâr-i ahımla sipihrin tâs-i pulâdı — Döner her şeb belâ bezminde câm-i zer-nişanımdır. — Baki› • ‹Artık yetişir toplayalım tası tarağı. — Kâni›.

ta's, *A. i.* *(Ayın* ve *sin* ile) Yok olma.

tasabbi, *A. i.* Çocuklanma.

tasabbur, *A. i.* [Sabr'dan] Sabırlanma. (ç. Tasabburat).

tasaddi, *A. i.* Bir işe girişme. (ç. Tasaddiyat). • ‹Cevaba etme tasaddi suali anlamadan. — Naci›.

tasaddu', *A. i.* 1. Dağılma. 2. Yarılıp çatlama.

tasaddud *A,. i.* *(Te* ve *sat* ile) Bir kimsenin önüne çıkma, çapariz gelme.

tasadduk, *A. i.* [Sadaka'dan] Sadaka verme. (ç. Tasaddukat). • ‹Tasadduk ettiği ikbale müftekir, müştak. — Fikret› ‹İraka-i hun-i karabîn ve nice hayrat ve tasaddukat ederlerdi. — Naima›.

tasaddur, *A. i.* [Sadr'dan] Başa geçme. En başta oturma. • ‹Ol mecliste Hoca Hasan Efendi sadr-i Rum Abdurrahim Efendiye tasaddur eyledi. — Naima›.

tasaffi, *A. i.* Durulma, saflaşma.

tasallub, *A. i.* [Sulb'dan] 1. Katılaşma. 2. Sağlamlaştırma. 3. Gayret gösterme. •

F. : 52

«İster amma ağanın tasallub ve istilâsından valide sultan hazretleri sebebiyle endişe de eder. — Naim».

tasalluf, *A. i.* Kendi gücü dışında görünerek övünme. (ç. Tasallufat). • «Ashab-i tasallûfun yarazı seyyiesinden erbab-i hünerin kuvve-i mümeyyizesine iltica ederim. — Şinasi».

tasallut, *A. i.* 1. Birinin başına hâkim kesilip rahat bırakmama. 2. Son derece rahatsız etme, peşini bırakmama. (ç. Tasallutat). • «Kara Mustafa Paşanın tecebbür ve tasallutundan havf edip. — Naima» • «Kaziye nice olduğun bilip ocak ağalarının tasallutunu fehm etmekle naçar hazm ü sükût eyledi. — Naima».

tasannu', *A. i.* Zorlayarak bir şeyi daha süslü, değerli gösterme. Yapmacık. (ç. Tasannuat). • «Ne tasannu bu ki yok ehl-i keramet diyerek — Kendini ehl-i keramet tanıtırmış halka. — Naci».

tasarruf, *A. i.* [Sarf'tan] 1. Sahip olma. 2. İdare ile kullanma, tutum. 3. Bir kadın eş alma. • *Tasarruf-i kavlî.* (bir kimsenin) tasarruf üzerine olan sözünün geçer olması. (ç. Tasarrufat). • «Servet-i umumiye ve tasarrufat-i beytiye kavaid-i tabiiyesi. — Kemal» • «Var hayatımda bir tasarruf eden — Var ki ben pençesinde mustarrım. — Fikret».

tasa'ub, *A. i.* [Suubet'ten] Güçleşme.

tasaub, *A. i.* (Te, sat ve ayın ile) İnat ve aksilik etme.

tasa'ud, *A. i.* [Suud'dan] 1. (puğulaşıp) yükselme, kalkma. 2. Kapalı bir yerdeki durgun sudan yükselen ecza ve buğular. (ç. Tasa'udat).

tasavvuf, *A. i.* «Kişinin kalbini dünya ilgilerinden kesip Tanrı sevgisine bağlamasıdır.» • «Ey satan harf-i tasavvufla velâyet halka — Harf-i taklit ile olmaz ana tahkik gerek. — Nabi».

tasavvun, *A. i.* (Te ve sat ile) Kendini koruma, kendini savunma.

tasavvur, *A. i.* [Suret'ten] 1. Zihinde şekillendirme, kurma. 2. Zihne, hayale getirme. 3. İstek, dilek, kurma. (ç. Tasavvurat). • «Nihayet birçok tasavvurlardan sonra buraya gelmeye karar verilmiş. — Uşaklıgil».

tasavvurat, *A. i.* (Man.) Önermelerin zihinde meydana gelişini, bunların teorisini konu yapan bölüm. (Tasdikat karşıdı).

tasavvuri, tasavvuriyye, *A. s.* Tasavvura ait, tasavvurla ilgili.

tasavvut, *A. i.* [Savt'tan] 1. (Gra.) Perdelenme. 2. Seslendirme. (ç. Tasavvutat). • «Kafiyenin mâna-yi tasavvutunu düşünmek akıllarına gelmemiş. — Uşaklıgil».

tasayyud, *A. i.* [Sayd'dan] Ava gitme.

tasayyüf, *A. i.* [Sayf'tan] Yazlıkta oturma.

tasbaz, *F. s.* [Tas-baz] Taşlarla hokkabazlık eden. • «Çıkarma tas-i zer-i mihri ey felek min ba'd — Dil ehli sencileyin tasbaza bakmazlar. — Nailî».

tasdi', *A. i.* [Suda'dan] 1. Baş ağrıtma. 2. Rahatsız etme. 3. Sıkma. (ç. Tasdiat). • «Hele dilencilerin tasdiatına takat gelmiyor. — Kemal».

tasdik, *A. i.* [Sıdk'tan] Gerçek olduzunu söyleme. Birinin sözünü gerçekleme. (ç. Tasdikat). • «Bu iki suali tasdik etmiş idi. — Uşaklıgil».

tasdikî, tasdikiyye, *A. s.* Tasdikle ilgili.

tasdir, *A. i.* [Sadr'dan] 1. Başa koma, başa geçirme. 2. Bir şeyle başlama. 3. Çıkarma, çıkartma. • «Yeridir eyler ise gayrı duayı tasdir. — Hakkı».

tase, *F. i.* (Te ve sin ile) Tasa.

tasfif, *A. i.* [Saf'tan] Sıralama. Dizme, dizilme.

tasfih, *A. i.* [Safh'tan] 1. Alkışlama. 2. Yaprak yapma, safhalandırma. (ç. Tasfihat).

tasfik, *A. i.* Kanat çırpma.

tasfir, *A. i.* [Safr'dan] 1. Sarartma. 2. Islık çalma. • «Gümüşü tasfir edip altın levhine koman. — Naima».

tasfiye, *A. i.* Temizleme. Sâflaştırma. *Tariki- tasfiye,* sofilik yolu. • *Tasfiye-i düyun,* borçları temizleyip faizini ödeme; • *-kalb (-derun),* yüreği temizleme; • *-rüteb,* rütbeleri kanuna göre düzeltme. • «Tarik-i nazar, edille-i akliye ve nakliye ile istidlâle mebnidir; tarik-i tasfiye sülûk ile keşf ü şuhuda mebnidir. — Kâtip Çelebi» • «Edeyim tasfiye-i kalb ile âgaz-i dua. — Münif».

tasgir, *A. i.* 1. Küçültme, ufaltma. 2. (Gra.) İsim veya sıfatı, küçük anlamı verecek şekle koma.

tashif, *A. i.* Yazı yazarken yanılarak yanlış kelme yazma, kelimeyi yanlış yazma. (ç. Tashifat).

tashih, *A. i.* [Sihhat'ten] 1. İyiletme. 2. Yanlışı doğrulama. (ç. Tashihat). • «Tashihe lüzum gördü. — Uşaklıgil».

tashin, A. i. [Sahn'den] Sahneye koma, oynatma. Sahnede oynanacak şekle koma (XX. yy.).

tasi', tasia, A. s. (Te, sin ve ayın ile) [Tis'adań] Dokuzuncu.

tasian, A. zf. Dokuzuncu olarak.

tas'ib, A. i. [Suubet'ten] Güçleştirme. (ç. Tas'ibat).

tas'id, A. i. [Suud'dan] Buharlaştırıp temizleme. (ç. Tas'idat).

ta'sil, A. i. [Asel'den] Ballama. Ballandırma. • ‹Cennet aselin etmese tavsife tasaddı — Kim der idi ta'sil-i kelam eyledi vaız. — Naci›.

ta'sir, A. i. (Sin ile) [Usr'den] Güçleştirme. (ç. Ta'sirat).

ta'sir, A. i. (Sat ile) [Asr'dan] Sıkıp suyunu çıkarma.

taskıl, A. i. [Saykal'dan] Cilâlama, (ç. Taskılât). • ‹İnsan anı şevagılden kat'ile taskıl eylese. — Taş.›.

taslib, A. i. [Salb'den] 1. Haça girme. 2. Haç çıkarma. 3. Katılaştırma. (ç. Taslibat).

taslit, A. i. (Te, sin ve tı ile) Sataştırma. Musallat etme. (birini başka birine) saldırtma. (ç. Taslitat). • ‹İrzını sıyanet edip vermediğim için senin gibi herifi üzerime taslit ettiler. — Naima› • ‹O lisan-i pakin üzerine sanat gibi, ziynet gibi iki dahiye-i uzmayı taslit etmişler. — Uşaklıgil›.

tasliye, A. i. (Te ve sat ile) ‹Aleyhisselatü vesselâm› veya ‹Sallallahü aleyhü ve sellem› duasını okuma. • ‹Vücub-i tasliye ihtilâflı olmakla tercih olunmak mukarrerdir. — Kâtib Çelebi›.

tasmim, A. i. 1. İyice niyet etme. 2. Zihinde yapmaya kesin karar verme. (ç. Tesmimat). • ‹Hediye etmeyi tasmim etmişti. — Recaizade›.

tasni', A. i. [Sun'dan] 1. Uydurma, yapma. Yakıştırma. 2. Yalandan uydurma. 3. (Fel.) Yapıntı. (ç. Tasniat). • ‹Bermutad tasni-i fesat etmeleri dahi. — Kemal›.

tasnif, A. i. [Sınıf'tan] 1. Sınıf sınıf etme, sıralama. 2. Kitap yazma. 3. (Fel., Zoo.) Sınıflama. (ç. Tasnifat. Tesanif). • ‹Riyasete fart-i meyilleri olmağın telif ve tasnife mültefit olmamışlardır. — Sadettin›.

tasnim, A. i. [Sanem'den] Putperestlik etme.

tasrif, A. i. [Sarf'tan] 1. İstediki yolda idare. 2. (Gra.) Bir kelimenin çekimi. (ç. Tasrifat, tasarif).

tasrih, A. i. Açık açık anlatma. (ç. Tasrihat). • ‹Peyker bu gülümsemenin tasrih-î mânasından da çekinmeyerek. — Uşaklıgil›.

tastih, A. i. (Te, sin, tı ve ha ile) [Sath'tan] Yassılatma, düz etme. (ç. Tashihat).

tastir, A. i. [Satr'dan] Yazı yazma. Satırlar meydana getirme.

tasvib, A. i. [Savab'dan] Doğru bulma. (ç. Tasvibat). • ‹Bu defa tasavvurunu birden tasvib etmiş. — Uşaklıgil›.

tasvif, A. i. (Te ve sat ile) Kelimelerin anlamlarını değiştirerek din ve mezhep hususunda kelâmlar telif etme.

tasvir, A. i. [Suret'ten] 1. Resmini yapma. 2. Resmini yapar gibi anlatma. 3. Resim. • ‹Etse tasvirim teveccüh âlem-i ervah olur — İntikâs-i peyker-i can-perverimden müstenir. — Naci› • ‹Birkaç risale, bir iki tasvir-i yadigâr. — Fikret›.

tasvirperdaz, F. s. [Tasvir-perdaz] İyi tasvir eden, güzel anlatan. • ‹Bir şehrin bütün sergüzeştini karşımdaki şahid-i tasvirperdaz lisanından dinledim. — Cenap›.

tasvit, A. i. [Savt'tan] Seslendirme, ses çıkarma.

ta'şir, A. i. [Üşr'den] 1. Ona çıkarma veya ona bölme. 2. Öşrünü, ondalığını alma. (ç. Ta'şirat). • ‹Değil hale tutup harmengeh-i çerh üzre bir gırbal — Hububat-i nücumu şeb beşeb ta'şir eder mehtab. — Nabi› • ‹Tediyat daima sizin zararınıza ta'şir edilecek. — Uşaklıgil›.

ta'şiye, A. i. (Te ve ayın ile) Akşam yemeği yedirme.

taşt, F. i. Leken. Taşt-ı fassad, hacamatçı leğeni; • -sîmin, gümüş leğen; • -zer, altın leğen. • ‹Nagâh elime mâ ile memlûl ina ve yanına vazolunmuş bir taşt dokunup ben dahi abdest alıp. — Taş.›.

tat, F. i. Türklerden gayrı olanlar.

tatabbub, A. i. [Tıbb'dan] Hekimlik taslama.

tatafful, A. i. (Hek.) Dalak şişkinliği.

tatahhur, A. i. [Taharet'ten] Temizlenme. (ç. Tatahhurat).

tatar, F. i. Tatar. (ç. Tataran). • ‹Deşt-i gamda her yana tenler getürdi seyl-i hûn — Durmayıp tatar-i gamzen tîr-i bâran etmede. — Baki›.

tatarî, F. s. Tatarlara ait, onlarla ilgili.

tatarrub, A. i. (Te ve tı ile) Şevka gelme, coşma, neşelendirme.

tatarruf, A. i. Bir yana, bir tarafa çekilme.

tatarruk, A. i. [Tarik'ten] 1. Yol bulma. Yol bulup girme. 2. Çekiçleyip, vurup durma. • ‹Tatarruk-i ehl-i kin ve taarruz-i müşrikîn ile mütekeddir olsa. — Sadettin›.

tatavvu', A. i. (Te, tı ve ayın ile) Nafile namazı kılma.

tatavvuk, A. i. Boyuna gerdanlık takma.

tatayyub, A. i. Güzel koku sürünme.

tatayyur, A. i. [Tayran'dan] 1. Fal. 2. Uğursuz sayma. (ç. Tatayyurat). • ‹Tatayyur gûne lisan-i keramet-feşan-i padişahiden. — Peçoylu›.

tatbik, A. i. [Tıbk'tan] 1. Uydurma, yakıştırma. 2. Benzetme, uydurma. 3. Karşılaştırma. 4. Bir kanun veya kuralı uygulama. (ç. Tatbikat) • ‹Hâtırat-i hikâyatından hangisinde bir zemin-i tatbik bulabileceğini. — Uşaklıgil›.

tatbikan, A. z. Uydurarak, onun gibi yaparak. • ‹Islığın tarab-ı meşyine tatbiken. — Uşaklıgil›.

tatbikat, A. i. Uygulama.

tatbikî, tatbikiyye, A. s. Uygulama suretiyle, yaparak.

tatbil,, A. i. (Te vetı ile) Davul çalma.

tathin, A. i. [Tahn'dan] Öğütme, un haline getirme.

tathir, A. i. Temizleme, paklama. (ç. Tathirat). • ‹Kalb-i mecruhunun yaralarını yıkayacak, zehirlerini tathir edecek. — Uşaklıgil›.

ta'tif, A. i. (Te, ayın ve tı ile) Büküp iki kat etme.

ta'til, A. i. 1. İşsiz halde bırakma. 2. Geçici bir zaman için işi bırakma. 3. Durdurma, kesme. • ‹On dakikalık bir tatilden sonra Bülent'in derslerine başlanırdı.— Uşaklıgil›.

tatilname, F. i. [Tatil-name] Tanzimattan sonra gazetenin geçici bir zaman için kapatıldığı hakkında yazılan resmî tezkere.

ta'tir, A. i. Güzel koku ile kokulandırma. (ç. Ta'tirat). • ‹Mubayim bir leylak rayıhasi yemek salonunu aheste aheste tatir etti. — Cenap›.

tâ'tis, A. i. [Ats'tan] Aksırtma.

ta'tiş, A. i. (Te, ayın ve tı ile) Susatma.

tatlik, A. i. (Te ve tı ile) [Talak'tan] 1. Boşama. Bırakma ayırma. 2. Bazı a-ğaçlara dişilerini asarak yemişlendirme. (ç. Tatlikat).

tatliye, A. i. (Te ve tı ile) [Tıla'dan] Sıvama.

tatmin, A. i. İnsanın yüreğini inandırma, rahatlandırma. • ‹O çapkın kız için henüz muhtac-i tatmin hevesler buluyordu. — Uşaklıgil›.

tatrib, A. i. Zeyklendirme, neşelendirme.

tatriz, A. i. Elbise yeya kumaşa süs için kenar geçirme, kenar çevirme.

tature, tatule, A. F. i. Tatula.

tatvık, A. i. Boyuna gerdanlık takma, takılma.

tatvil, A. i. [Tul'den] Uzatma. Tatvil-i kelâm, sözü uzatma. (ç. Tatvilât). • ‹Tatvil-i kelâm etmiyelim Varvar'ın başın kesip Asitane'ye gönderdi. — Naima›.

tatyib, A. i. [Tayb'den] Hoplandırma. İyi davranma. • Tatyib-i hâtır, gönül alma. (ç. Tatyibat). • ‹Böyle ateşle gelip âb gibi geçmekten — Kasdin âzara mi tetyib-i dil-i zare midir. — Nedim› • ‹Yaltaklanır, atlar, sürünür, okşatır, okşar; — Tatyibime elbette o gün çare bulurdu. — Fikret›.

tatyiben, A. zf. Gönül hoş edilerek, gönlünü almak için.

taun, A. i. Veba, yumurcak dedikleri salgın hastalık. (ç. Tavain). • ‹Yevm-i hamîste ta'ne-i taun ile âlem-i bekaya azm etti. — Naima›.

taunzede, F. s. [Taun-zede] Taun hastalığına tutulmuş. (ç. Taunzedegân). • ‹Karantina altına alınan taunzedegân ile. — Cenap›.

taus, tavus, A. i. Tavus kuku. Taus-i cennet, Cennetkuşu. (ç. âtvas, tavais). • ‹Hıram-ı endamı taus-i cennet gibi cevelân ederek. — Nergisi› • ‹Benzetirken dâmenin tavus-i kudsi bâline. — Naci›.

tav., A. i. (Tı ve ayın ile) 1. Boyun eğme. Dinleme. 2. İsteyerek bir şeyi yapma.

tavaf, A. i. 1. Etrafını dolaşma. 2. Hacı olmak için Kâbe'nin etrafını dolaşma. • ‹Müsallah yeniçeriler padişah sarayın ve ağaların hanelerin ve müftü Abdürrahim'in evini sabaha dek tavaf edip haraset ederlerdi. — Naima›.

tavagı, tavagıt, [Tagut ç.] Putlar.

tavagi, A. i. [Tayi ç.] 1. Azgınlar. Âsiler. 2. Söz dinlemezler. • ‹Asasbaşı Ömer Ağa ki zikr olunan tavaginin biridir. — Naima›.

tavahin, A. i. [Tahune ç.] 1. Öğütülmüş şeyler. 2. Su değirmenleri.

tavaif, A. i. (Tı ile) [Taife ç.] Taifeler. • ‹Tavaif-i şîanın mezahıb-i muhtelifleri. — Saip›.

tavaih, A. i. [Taiha ç.] Felâketler, belâlar. • ‹Avasıf-i tavaih-i rüzgâr ile. — Abdullah›.

tavaik, A. i. [Tavk ç.] Gerdanlıklar.

tavain, A. i. [Taum ç.] Taunlar.

taval’, A. i. [Tali ç.] Talihler, kısmetler.

tavamir, A. i. [Tomar ç.] Tomarlar.

tav’an, A. zf. İsteyerek. Zorlanmadan. • ‹Üçüncü gün mührü tav’an getirip teslim eyledi. — Naima› • ‹Âbların şevk-i âşikaneleri — Beni tav’an neşidesaz etsin. — Cenap›.

tavarık, A. i. (Tı ile) [Tarık, tarika ç.] 1. Gece gelen belâlar. 2. Tarikatler, kabîleler. • ‹İyazübillahî tealâ tavarık-i hâdisat-i çerh-i gerdun ile. — Naima›.

tavassub, A. i. Hastalanıp perişan olma.

tavassul, A. i. [Vasl’dan] 1. Ulaşma, bitişme. 2. Nikâh yolu ile hısım akraba olma. • ‹Eazım-i asra tavassul bais-i vusul-i matalibdir. — Fuzulî›.

tavassut, A. i. [Vasatta’tan] Araya girme, aracılık. (ç. Tavassutat). • ‹Bu oyuna, velev masumane olsun, tavassut eden bu çocuk. — Uşaklıgil›.

tavaşi, A. i. Dölleme aleti alınmış olan (kimse). • ‹Dört nefer tavaşiyi taleb ve katl edesiz. — Naima›.

tavattun, A. i. [Vatan’dan] Yerleşme. Yurt tutma, yurtlanma.

tavattungâh, F. i. [Tavattun-gâh] Yurt edinilmiş, yurtlanılmış yer. • ‹Tarih ise kahramanlıkların en büyüğünü son nefesinde göstermiş olan ekvamın tavattungâh-i ebesidir. — S. Nazif›.

tavavis, A. i. [Taus ç.] Tavus kuşları.

tavazzu, A. i. [Vuzu’dan] Aptes alma. • ‹Leğn ibrik getirdiler tavazzu’ edip. — Naima›.

tavazzuh, A. i. [Vuzuhtan] Açıklama.

tavd, A. i. Dağ. (ç. Atvad). • ‹Lâkin hakikatte bir tavd-i azîm idi. — Taş.›.

tavf, A. i. Tavaf, dolanma.

ta’vic, A. i. (Te ve ayın ile) Eğip bükme, çarpıtma.

ta’vid, A. i. (Te ve ayın ile) Alıştırma, âdet ettirme.

ta’vik, A. i. [Avk’ten] Geri bırakma, alıkoma, geciktirme. (ç. Tavikat). • ‹Melhuzları tâvik olundu. — Naima›.

ta’vil, A. i. (Te ve ayın ile) [Avl’den] Sesli ağlama.

tavil, A. i. (Tı ile) [Tul’den] 1. Uzun. 2. Çok sürer. 3. (Ed.) Aruzda bir vezin. • ‹Mah-i nev gibi tavil ü bârik. — Hakanî›.

tavile, A. i. 1. Hayvan katarı. 2. Tavla, ahır. 3. Çayıra salınan hayvanların ayakların bağlanan ip. • ‹Bundan akdem merbut-i tavile-i temellükleri olan. — Kanî›.

taviyyet, A. i. İnsanın gönlünde gizli olan istek. Niyet. • ‹İhkâm eder kemal-i hulûs-i taviyyetim — Her kârda Hudaya olan istinadımı. — Recaizade›.

ta’viz, A. i. (Te, ayın ve zel ile) [İyaz’dan] Nazar değmesine ve başka türlü kötülüklere karşı olan muska. (ç. Taaviz, tavizat). • ‹Ben dahi gam mı çekerim nazar-i a’dadan — Bazu-yi vaslda tavizim olaydı hâmim. — Nabi›.

ta’viz, A. i. (Te, ayın ve dat ile) [İvaz’dan] Karşılık bir şey verme. (ç. Ta’vizat).

tavizan, A. zf. Karşılık alınmak şartıyle. Karşılık olarak.

ta’vizat, A. i. [Ta’viz ç.] Karşılık verilen şeyler.

tavk, A. .. 1. Gerdanlık. 2. Tasma, halka. 3. Bazı kuşların boyunlarındaki çizgi. 4. Güc. (ç. Atvak). • ‹İnhina tavk-i esaretten girandır boynuma. — Fikret›.

tavr, A. i. 1. Davranış. 2. Yapma ve uydurma davranış. (ç. Atvar). • ‹Güzarişi böyle soğuk yabancı tavriyle. — Fikret›.

tavsif, A. .i (Te ve sat ile) [Vasf’tan] Niteleme. (ç. Tavsifat).

tavsil, A. i. [Vasl’dan] Ulaştırma, vardırma. (ç. Tavsilât). • ‹Kimdi malik acep sana evvel? — Sonra kim eyledi ana tavsil? — Recaizade›.

tavsit, A. i. [Vasat’tan] Araya koma. Aracı bulma. (ç. Tavsitat). • ‹Hayır, mürebbiyesini tavsit etmek daha iyi olur. — Uşaklıgil›.

tavsiye, A. i. 1. Vasiyet bırakma. 2. Ismarlama, sipariş etme. 3. Birini iyi tanıtma, işinin olmasını dileme. • ‹Ben tabibimin tavsiyesiyle. — Uşaklıgil› • ‹Bir mihibbe-i azizenin tavsiye-i musırranesi üzerine. — Cenap›.

tavtıa, A. i. Anlatılacak maksada uygun olarak önceden bazı sözler söyleme.

tavtin, *A. i.* [Vatan'dan] 1. Yurtlanmak, vatan edinme. 2. Bir şeye bağlanıp onu sonuçlama. • ‹Teslim-i eblehaneye tavtin-i nefs etmiş idi — Naima›.

tavus, taus, *A. i.* Tavus kuşu. (ç. Atvas, tavais). • ‹O zaman erdi ki bin şevk ile tavus-i neşat — Ede sahn-i harem-i bağ-i cihanda cevlân — Baki›.

tavvaf, *A. s.* Kâbe'yi tavaf eden. 2. Çok dolaşan. Gezginci. • ‹Bilâd ve emsarda tavvaf ve devvar idi — Taş.›

tavzif, *A. i.* [Vazife'den] Görevlendirme. İşe alma, iş verme

tavzih, *A. i.* (*Te, dat* ve *ha* ile) [Vuzuh'tan] Açma, açıklama, açık anlatma. (ç. Tavzihat). • ‹Eyle re'y-i sedidini tavzih. — Naci›.

tayeran, *A. i.* 1. Uçma, uçuş. 2. Gaz olup havaya karışma. • ‹Bütün revayih-i nuşini eyledi tayeran. — Cenap›.

tayf, *A. i.* 1. Uykuda veya karanlıkta korkudan gözde görünen hayal. 2. (Fiz.) Tayf. (ç. Tuyuf). • ‹Birkaç nazîr-i tayf-i adem zag-i bed-nigâh. — Fikret›.

tayfbin, *F. i.* [Tayf-bin] Spektroskop.

tayı', tayia, *A. s.* (*Tı* ve *ayın* ile) [Tav'dan] Bi işi kendi isteğiyle yapan.

tayıan, *A. zf.* İsteyerek. • ‹Mührü götürüp tayıan padişaha teslim ve tahlisi giriban ü bîm eyliyesin. — Naima›.

ta'yib, *A. i.* [Ayb'den] Tâyip. Ayıplama. (ç. Ta'yibat). • ‹Arkasından onu gülen gözlerle tâyib ediyorlar zannetti. — Uşaklıgil›.

ta'yid, *A. i.* (*Te* ve *ayın* ile) [İd'den] Bayram etme.

ta'yin, *A. i.* [Ayn'dan] Tâyin. 1. Ayırma, belli etme. 2. Bir memurluğa yerleştirme. 3. Tayin. Maaştan başka olan yiyecek ve erzak. (ç. Tâyinat). • ‹Giryeyi ol dem ki ehl-i aşka âyin ettiler — Dide-i giryanını serçeşme tayin ettiler. — Nevres› • ‹Öyle bir mecra-yi istikbal tşyin etmeliydi ki. — Uşaklıgil›.

tâyinat, *A. i.* Maaştan gayrı olan yiyecek ve erzak. Geçim levazımı. Tayın. • ‹Ve mazarrat-i ihtilâlini defe çalışıp kat-i tâyinat etmekle. — Naima›.

tâyinkerde, *F. s.* [Tâyin-kerde] Tâyin edilmiş. Belirtilmiş. • ‹Tabiatın tayinkerdesi olan hatt-i inkılâbatı tâkip ederek. — Uşaklıgil›.

ta'yir, *A. i.* Kabahati yüze vurarak utandırma. (ç. Tayirat). • ‹Cehlini işaa ve

tâyir ve belki mânen teşhir etmişlerdir. — Peçoylu›.

tayr, *A. i.* Kuş. *Tayr-üd-devle,* (devlet kuşu) Hüma, • *mantık-ut-tayr,* kuş dili. (ç. Tuyur). • ‹Erzincan'a berid-i tayr irsal eylediler. — Sadettin• • ‹Benim tayr-i huzurum bir melâlin — Gezer dest-i sitemkârında medhuş. — Fikret›.

tayş, *A. i.* (*Tı* ile) Hafif beyinli. Düşüncesiz. • ‹Onların cümlesinin aslı hiffet-i akl ü tayştır ki. — Taş.›.

tayy, *A. i.* 1. Sarma, bükme, 2. Kesme. 3. Çıkarma, kaldırma. • *Tayy-i mekân,* -*zaman,* yer ve zamanı olağanüstü bir güçle aşma. • ‹Üsküdar'dan göçüp tayy-i merahil ederek Bağdat ve Hemedan deyu ruberah oldu. — Naima›.

tayyar, tayyare, *A. s.* [Tayaran'dan] 1. Uçan, uçucu. 2. Gaz olan, gaze değişen. • *Cafer Tayyar,* iki kolu savaşta kesilerek kollarının yerinde kanatlar peyda olduğu peygamber tarafından görülen bir zat; • *rih-i tayyar.* yer değiştirerek, gezen sızılar, sinir ağrıları, romatizma. • ‹Sarı, sarılığında tayyar bir penbeliğin aldatıcı neşveleri. — Uşaklıgil› • ‹Binlerce hevam-i tayyarenin vızıltısıyle memlu olan çarşılarda. — Cenap›.

tayyarat, *A. i.* [Tayyar ç.] Havadan gelen paralar. • ‹Binasına Sultan Selim merhum yüz bin altın imdat etti ve lâkin merhum almayıp sultana hibe etti yani bunun gibi tayyarata nihayet yoğidi. — Peçoylu›.

tayyare, *A. i.* Uçak. (XX. yy.).

tayyib, tayyibe, *A. i.* İyi, hoş. *Kelime-i tayyibe,* yatıştırıcı, uyuşturucu, hoş söz. (ç. Tayyibat). • ‹Ol mikdar akçeyi getir ben tayyib-i hatırla sadareti sana fârig olurum deyu yemin eyledi. — Naima›.

tayyibe, *A. i.* İyi iş. Güzel davranış. (ç. Tayyibat). • ‹Ahsen-i hal ve erbah-i ticarte ve tayyib-i emval ile. — Taş.›.

Tayyibe, *A. i.* Medine şehri.

taz, *F. i.* Koşma; *tek ü taz* olarak kullanılır. • ‹Üftadeler şikeste vü mecruh ü pâymâl — Hûban semend-i naza binip tek ü tâzda. — Baki›.

tazaccu', tadaccu', *A. i.* [Ducret'ten] İç sıkılma. Sıkıntı.

tazahhur, *A. i.* (*Te, zı* ve *he* ile) Kadın eşe öyle bir lâf söylemek ki kefaret etmedikçe yaklaşma haram olur.

tazallül, *A. i.* [Zıl'den] Gölgeleme. Gölge altına girme.

tazallüm, *A. i.* [Zulm'den] Yanıp yakılma. ● *Tazallüm-i hal,* halinden şikâyet etme. (ç. Tazallümat). ● ‹Sadhezar velvele vü feryad ile giryekünan ü dâdhâhan daman ü giribana dest-i tazallüm yetürürlerse. — Veysi› ● ‹Tazallüm eyler idi gökte sarsar-i nalân. — Cenap›.

tazammun, *A. i.* [Zımn'dan] 1. Başka şeyler arasında bir şeyi daha havi olma. 2. (Zıman'dan) Kefil olma. ● ‹Bir istifade... yarın... belki... ben bu elfazın — Tazammun ettiği va'd-i baide aldanarak. — Fikret›.

tazannun, *A. i.* (*Te* ve *zı* ile) Sanma, delilsiz hükmetme, kıyaslama.

tazarru', *A. i.* Kendini alçaltarak yalvarma. (ç. Tazarruat). ● ‹Helâkları için rû-yi tazarruu seccade-i niyaza salıp. — Veysi›.

tazarruf, *A. i.* ˙Zarafet satma. Yapmacık incelik gosterme (ç. Tazarrufat). ● ‹Alayiş-i elfazı zarafet sanma — Âlemde sükûtveş tazarruf yoktur. — Nabi›.

tazarrur, *A. i.* [Zarar'dan] Zarar görme-Zarara uğrama. (ç. Tazarrurat). ● ‹Tazarrurunu intac eden her fiil bir fenalıktır. — Cenap›.

tazayyuk, *A. i.* [Zîk'ten] Sıkışma, daralma.

taze, *F. s.* 1. Yeni. 2. Bayatlamamış, buruşmamış. ● ‹Taze bir aşk-i muhtazır sesinin — Mevecatında keşf-i râz ediyor. — Fikret›.

tazegî, *F. i.* Tazelik. ● ‹Vehm-i tazegisinin içine öyle bir âma-yi fikrile tevdi-i nefs etmiş idi ki. — Uşaklıgil›.

tazegû, *F. s.* [Taze-gû] Taze söz söyleyen. (ç. Tazegûyan). ● ‹Değildir tazegû yârana peyrev Nailî amma — Yine inkâr olunmaz şair-i nazik tabiattir. — Nailî›.

tazende, *F. s.* Koşucu.

tazerû, *F. s.* [Taze-rû] Genç yüzlü. (ç. Tazerûyan). ● ‹Kalmadı Nabi visal tazerûyana heves — Şimdi ağuş-i hayale taze mezmundur düşer. — Nabi›.

tazi, *F. s. i.* (*Te* ve *ze* ile) Arap. (ç. Taziyan).

ta'zib, *A. i.* (*Te, ayın* ve *zel* ile) [Azab'dan] Eziyet etme. Boşuna yorma. (ç. Tâzibat). ● ‹Her ruz figani ile ta şeb — Tazib çekerdi ehl-i mekteb. — Fuzulî›.

ta'zibat, *A. i.* [Ta'zib ç.] Eziyetler. Yapılan eziyetler. ● ‹Nasıl bu kadın o kadar ta'zibat ve tahkiratına tahammülden sonra. — Uşaklıgil›.

taz'if, *A. i.* (*Te, dat* ve *ayın* ile) [Zı'f'tan] İki kat etme. Bir o kadar daha artırma. ● ‹Sanki sühunet-i tabiiyelerini bürudet-i hariciye taz'if eder. — Cenap›.

taz'if, *A. i.* (*Te, dat* ve *ayın* ile) [Zaif'ten] 1. Zayıflatma. 2. Çürütme. ● ‹Amma (...) taz'if eylemiştir, yani rivayeti zaifedir demiştir. — Taş.›.

ta'zil, *A. i.* (*Zel* ile) Ayıplama. (ç. Ta'zilât).

ta'zil, *A. i.* (*Ze* ile) Azletme. İşinden çıkarma.

ta'zim, *A. i.* [Azm'dan] Tâzim. 1. Büyütme, ağırlama. 2. İkram etme. Saygı gösterme. (ç. Tâzimat). ● ‹Tedriçle geldiler cihana —tâzimle oldular revane — Fuzulî›.

ta'zir, *A. i.* (*Ze* ile) [Özr'den] Esassız bahane arama. (ç. Ta'zirat).

ta'zir, *A. i.* (*Zel* ile) Tekdir etme. Azarlama. (ç. Tâzirat). ● ‹Yirmi otuz değnek ile tazir edip — Naima›.

taziyane, *F. i.* (*Te, elif* ve *ze* ile) 1. Kamçı. 2. Çalgı tellerini çalmaya mahsus âlet. 3. Mec.) Araç. ˙Sebep. ● *Taziyane-i teşvik,* şevklendirme kamçısı (aracı). ● ‹Ederdi illetinin taziyane-i âli — Anın şükûfe-i bedbaht-i ömrünü taraç. — Cenap›.

ta'ziye, *A. i.* (*Te, ayın* ve *ze* ile) [Aza'dan] Başsağlığı. ● ‹Rindana ta'ziye dahi zühhada tehniye. — Fazıl›.

ta'ziyet, *F. i.* Tâziye. ● ‹Bu üslûp ile maksadım taziye — O mahzuna kalbini takviyet. — Naci›.

taziyetname, *F. i.* [Taziyet-name] Baş sağlığı dileyen yazı, mektup.

ta'ziz, *A. i.* (*Te* ve *ze* ile) Şerefli, kutlu kılma. (ç. Tâzizat). ● ‹Eğil hürmetle zâir, piş-i tazizinde heybetler — Celâdetler kuşanmış yükselen tâk-i hamiyettir. — Fikret›.

tazlil, tadlil, Bk. *Tadlil.*

tazlil, *A. i.* (*Zı* ile) Gölgelendirme.

tazmin, *A. i.* [Zımn, zıman'dan] 1. Zarar ve ziyanı ödeme. 2. Başkasının sözünü kendi manzumesine alma. (ç. Tazminat). ● ‹Orda sensiz geçecek günleri tazmin edelim. — Fikret› ● ‹N'ola bu beytini Baki'nin edersem tazmin. — Nef'î›.

tazrir, A. i. Zarara uğratma. (ç. Tazrirat).

tazyi', A. i. (Te, dat ve ayın ile) [Ziya'-dan] Bırakıp kaybetme. Kaybına sebep olma. Boşuna harcama. • ‹Bir yerde ki yok nagmeni takdir edecek gûş — Tazyi-i nefes eyleme tebdil-i makam et. — Ziya Pş.›.

tazyif, A. i. (Dat ile) Misafire gerekli ikramı etme.

tazyik, A. i. [Zîk'tan] Sıkıştırma, darlaştırma. 2. Zorlama. 3. Sıkıntı verme. (ç. Tazyikat). • ‹Tazyikının altında silinmiş gibi eşbah — Fikret›.

teacib, A. i. ç. Şaşılacak şeyler.

teadi, A. i. [Adu'dan] Ara açılma, düşmanlık. (ç. Teadiyat).

teadud, A. i. [Adud'dan] Kol kola tutunma. Birbirini tutma, karşılıklı yardımda bulunma. • ‹Defterdar paşa dahi kaptanı istiskal ve vezir ile teadud etmekle. — Naima›.

teadül, A. i. [Adl'den] Biribirine denk gelme. (ç. Teadülât).

teahhur, A. i. 1. Geri kalma. 2. Gecikme. (ç. Teahhurat). • ‹Bihter şüphesiz teahhur etmiş izahatın teatisi için geliyordu. — Uşaklıgil›. • ‹Yolcular bir heras-i teahhurla bir pencereden ötekine koşuyor. — Cenap›.

teahüd, A. i. [Ahd'den] 1. Sözleşme. 2. Antlaşma. (ç. Teahhüdat). • ‹Kendi ile teahüd eden türkmen ulusları asla cenge girmeyip. — Naima›.

teakub, A. i. [Akab'dan] 1. Birbiri arkasından gitme. 2. Birbiri ardından gelme. • ‹Çün bir devlet sahibinden rugerdan ola esbab-i zeval teakube başlar. — Naima›.

teakud, A. i. (Te, ayın ve kaf ile) [Akd'den] Bağlaşma.

teaküs, A. i. [Aks'ten] Tersine dönme, karşıt olma. • ‹Ve teaküs-i harekât-i çerh-i devvar. — Sadettin›.

tealâ, A. i. ‹Yüksek olsun› anlamında fiildir. Tanrı diyle kullanılır, Allahütealâ, Hak tealâ ve takaddes.

teali, A. i. [Ulüvv'den] Yükselme, ululanma. • Tealiperver, yükselmeyi isteyen. • ‹A'dasının alçaklığı ettikçe tevali — Eyler o ziya küster-i âfak teali. — Naci›.

tealli, A. i. Yüksek olma, yükselme. (ç. Tealiyat). • ‹Bazı medarise dahi tevelli ve ol sebepten medaric-i izzete tealli eyledi. — Taş.›.

tealüm, A. i. Bir şeyi herkes bilme. Bir şey herkesçe bilinme.

teami, A. i. [Amy'den] Görmezliğe gelme. Yalandan körlük satma. (ç. Teamiyat).

teamül, A. i. [Amel'den] 1. İş. Muamele. 2. Bir işin oluşu. 3. Bir yerde insanlar arasında olagelen muamele. • Teamül-i kadim, eskiden beri yapılagelen muamele ve davranış. (ç. Teamülât). • ‹Salkım Mehmet ile teamül eden tüccarı haber alıp defter edip. — Naima›.

teani, A. i. (Te ve ayın ile) Özenme.

teanuk, A. i. [Unk'tan] Birbirinin boynuna sarılma.

tearuf, A. i. [Aref'ten] Birbirini tanıma. Tanışma. (ç. Tearüfat). • ‹Cağalazade şarka serdar oldukta tearüfüne binaen. — Naima›.

tearuz, A. i. [Araz'dan] 1. Birbirine karşıt olma. Karşıtlık. 2. Çatışma. • ‹Mâni ve muktezi tearuz ettikte mâni takdim olunur. — Mec. 46› • ‹Hak ile kuvvet tearuz edince? — Cenap›.

teasüf, taassüf, Bk. Taassüf.

teasür, A.i. [Üsr'den] Bir şey güçleşme, güç olma.

teaşür, A. i. Geçim, geçinme.

teati(y), A. i. [At'dan] Birbirine verme. Verişme. • ‹Henüz bir buse bile teati edilmeksizin fırlar giderdi. — Uşaklıgil›.

teatuf, A. i. [Atıfat'ten] Birbirine sevgi, şefkat gösterme.

teaviz, A. i. [Taviz ç.] Nazar muskaları.

teavün, A. i. [Avn'den] Birbirine yardım etme, yardımlaşma. • ‹Beşere şan veren teavündür. — Naci›.

teayüb, A. i. (Te ve ayın ile) Birbirini ayıplama.

teazum, A. i. Gözde büyüme, büyük görünme.

teb, F. i. 1. Sıtma. 2. Ateş. • ‹Şah ü dervişe beraber yetişir cezbe-i aşk — Hâsılı teb tuticak her kişi yeksan titrer. — Baki› • ‹Bütün şu arz-i tebi bihuzur eden bir şey. — Cenap›.

teb'a, A. i. [Tâbi ç.] Uyruk.

tebaat, A. i. [Teb'a ç.] 1. Uyruklar. 2. Bir kimsenin adamları, hizmetkârları. • ‹İmtinaımız dahi kesret-i tebaat-i küstahanemize binaen. — Naima›.

tebab, A. i. Ziyan.

tebabia, A. i. Eski Yemen hükümdarlarının unvanları. • Dâr-üt-tebabia.

Mekke'de Muhammet peygamberin doğduğu ev.

tebadül, *A. i.* [Bedel'den] Değişme. Değişişme. (ç. Tebadülât).

tebadür, *A. i.* Birdenbire zihne girme. (ç. Tebadürat). • ‹O sırada dimağına iyi bir fikir tebadür etti. — Cenap›.

tebaguz, *A. i.* [Bugz'dan] Sevişmeme. (ç. Tebagüzat). • ‹Tebaguz-i tıynet muktezası üzre. — Sadettin›.

tebah, *F. s. i.* 1. Yıkılmış. tükenmiş. 2. Yıkıntı, tükenme. • ‹Gönlümü israf ü tebah ettiğimi — Bin meraretle bugün anlıyorum. — Fikret›.

tebahhur, *A. i. (Hı* ile) [Buhar'dan] 1. Buğulanma. 2. Tütsü. (ç. Tebahhurat). • ‹Müheyya-yi tebahhur bir jale katresi gibi erir. — Uşaklıgil›.

tebahhür, *A. i. (Ha* ile) [Bahr'dan] Bir şeyin içine dalma. Pek derine varma.

tebahî, *F. i.* Yokluk. • ‹Âtide, o gayyayi serairde müheyya — Girdab-i tebahiye düşen seyl-i revanı. — Fikret›.

tebahi, *A. i.* Övünme.

tebahkâr, tebehgâr, *F. i.* [Tebah-kâr] Fena eden, bitiren. (ç. Tebahkâran).

tebahtür, *A. i.* Ululanarak yürüme. • ‹Murat Paşa dahi tebahtüri âsafane ile huzurdan çıkıp. — Naima›.

tebaiyyet, *A. i.* Tâbi olma. Uyma. • ‹Öyle bir ihtiyac-i ruh idi ki mutlaka hükmüne tebaiyyet edecekti. — Uşaklıgil›.

tebaiyyeten, *A. zf.* Uyarak.

tebâki, *A. i.* Ağlar görünme.

tebance, *F. i.* Tokat.

tebar, *A. i.* Yok olma, bitme.

tebar, *F. i.* Soy. Âlitebar, ulu soylu. • ‹Celâl ü haşmetin arayiş-i hîş ü tebar olsun. — Nedim›.

tebareke, *A. f.* ‹Mübarek etsin› anlamıyle dua deyimidir. • *Tebarekâllah,* Tanrı mübarek etsin. • ‹Râna râna yürürdü ol mah — Bir şekl ile kim tebarekâllah. — Fuzulî›.

tebarüz, *A. i.* [Büruz'dan] 1. Görünme, gözükme. Belirme. 2. İki düşman boğuşmak için birbirine karşı meydana çıkma.

tebaşir, *A. i.* 1. Müjde. 2. Her şeyin ilk zamanı. • *Tebaşir-i subh,* sabahın yeni açılmaya başlama zamanı. • ‹Ol tebaşir-i subh-i ikbal olan mcnaşiri. — Sadettin›.

tebaşir, *F. i.* Tebeşir.

tebaüd, *A. i.* [Bu'd'dan] Uzaklaşma. Birbirinden uzak düşme. (ç. Tebaüdat). • ‹Bir cailedir ki fikr-i çeşmin — Dil-

den ebadâ tebaüd etmez. — Naci› • ‹Nihal'i Bihter'e takrib etmek için kendisinin ondan tebadü lüzumuna. — Uşaklıgil›.

tebaül, *A. i.* Karı koca cilvesi, oynaşması.

tebayün, *A. i.* [Beyn'den] 1. İki şey arasındaki karşıtlık. (ç. Tebayünat) • ‹Ashab-i kiram zamanındaki gibi kalmamağı atvar-i devlet ve tebayün-i diyar ü âdet iktiza eyledi. — Kâtip Çelebi›.

tebcil, *A. i.* Ululama, ağırlama. (ç. Tebcilât). • ‹Tebcil edilir Nuşirevan ile Süleyman. — Ziya Pş.›.

tebdi', *A. i.* 1. Yeni bir şey çıkarma 2. Bir şeyi yeni çıkmış sayma. 3. ‹Bid'atçi› sayma.

tebdil, *A. i.* [Bedel'den] Değiştirme. Başka kılığa koyma. (ç. Tebdilât). • ‹Tebdil-i ayş, nakl-i mekân hepsi bieser. — Recaizade›.

tebdilen, *A. zf.* Değiştirerek.

tebean, *A. zf.* Uyarak, uymak suretiyle. • ‹Ötekinin berikinin yaptığına imtisal âdetine tebean. — Uşaklıgil›.

tebeddu, *A. i. (Te, dal* ve *ayın* ile) Ehl-i Sünnetten iken başka mezhebe girme.

tebeddül, *A. i.* [Bedel'den] Değişme. Başkalaşma. (ç. Tebeddülât). • ‹Olmuş bu tebeddül-i lisana — Bais iki husrev-i yegâne.— Ziya Pş.› • ‹Her noktasının umku başka, bir noktasının umku her gün kabil-i tebeddüldür. — Cenap›.

tebeh, *F. s. (He* ile) Bk. *Tebah.*

tebehhül, *A. i.* Öğrenmek için eziyet, zahmet çekme.

tebehhüm, *A. i.* Belirsiz olma.

tebehkâr, *F. s.* [Tebeh-kâr] Bk. *Tebahkâr.* • ‹Ve düşmen-i tebehkâr-i siyehrüzgârdan. — Sadettin›.

tebelbül, *A. i.* Dillerin çeşitliği ve karışıklığı. Dil kelimelerinin karışıklığı. (ç. Tebeddülât).

tebellüd, *A. i.* 1. Şaşırıp kalma. 2. Aklı az olma.

tebellüg, *A. i.* 1. Yetişme, erişme. 2. Anlayıp alma. (ç. Tebellügat).

tebellüh, *A. i.* Ahmaklaşma. Ahmak gibi görünme.

tebellül, *A. i.* Islanma, nemlenme. (ç. Tebellülât).

tebellür, *A. i.* [Billûr'dan] Billûrlaşma.

tebenni, *A. i.* Oğulluğa kabul etme. Oğul edinme. • ‹Sulbünden olmayan bir kız veya bir oğlanı evlât edinmektir›.

teber, *F. i.* 1. Balta. 2. Dervişlerin taşıdıkları ve yarım ay şeklinde olan balta. • ‹Mücahidan-i celâdet-pişe darb-i teber ü tîşe ile ol cengül ü bişeyi hemvar edip. — Sadettin›.

teberdar, *F. i.* Baltacı. (ç. Teberdaran). • ‹Zamânında teberdaran yeri suzan olup oldu — Bu halet suretâ ana ziyan mânide amma sûd. — Nedim›.

teberra, *A. i.* 1. Uzaklaşma, uzak durma. 2. Halife Ali'ye uymayanlardan yüz çevirme. • ‹Teberra eylemiştir ülfet-i erbab-i gafletten. — Naci›.

teberri, *A. i.* Beri olma, sermeyip yüz çevirme, uzaklaşma. • ‹Onlara iltica etti onlar dahi teberri gösterip. — Naima›.

teberru', *A. i.* 1. Bağış. 2. Bir şeyin parasız olarak verilmesi. (ç. Teberruat). • ‹Teberru ancak kabz ile tamam olur. — Mec. 57›.

teberrüd, *A. i.* [Berd'den] Soğuma. (ç. Teberrüdat). • ‹Hengâm-i teberrüd-i havada — Bir barka zemindedir hiramın. — Recaizade›.

teberrük, *A. i.* [Bereket'ten] Uğur sayma. (ç. Teberrükât). • ‹Hûn-i nahakkı ile alûde olan kaftanı sandukasında teberrük zu'miyle saklayıp. — Naima›.

teberrüken, *A. zf.* Uğur sayarak. • ‹Ve teberrüken her burcunu Muhammed kelimesini terkibeden harflerden birinin şeklinde tertip eylemişti. — Kemal›.

teberrür, *A. i.* Tanrı rızasına çalışma. (ç. Teberrürat).

teberrüz, *A. i.* Meydana çıkma, görünme.

teberzed, Bk. *Taberzed.*

teberzin, *F. i.* Bir çeşit küçük savaş baltası olup eyere asılırdı. • ‹Havale-i teberzin-i ihtimam olunmadığı surette. — Ragıp Pş.›.

tebessül, *A. i.* Somurtma, ekşi yüzlü durma.

tebessüm, *A. i.* Gülümseme. (ç. Tebessümat). • ‹Çocuk dargın tebessümlerle ayrılmıştı pîşimden. — Fikret› • ‹Bazı gözlerde yaş, bazılarında bir tebessüm-i mahzunane, bazılarında derin bir durgunluk var. — Cenap›. (Ed. Ce.): • *Tebessüm-i hulya,* • *-mesudane,* • *-istifsar,* • *-saadet.* • *-mahzuziyet.*

tebessümat, *A. i.* [Tebessüm ç.] Gülümsemeler. • ‹O neşeli sarışın kızcağız

sararmış iken — Tebessümata yine iltifat ederdi lebi. — Cenap›.

tebessümkünan, *F. s. zf.* [Tebessümkünan] Gülümseyerek, gülümser halde. • ‹Tebessümkünan bu duanın aslı nedir dedikte. — Naima›.

tebessür, *A. i.* (Se ile) (Hek.) Sivilce çıkma.

tebesbüs, *A. i.* Güler yüzle iltifat etme.

tebettül, *A. i.* Dünyadan el ayak çekip Tanrıya bağlanma. • ‹Çârbâliş nişin-i tebettül olup. — Şefikname›.

tebevvül, *A. i.* [Bevl'den] İşeme.

tebeyyün, *A. i.* Meydana çıkma. Görülüp anlaşılma.

tebhal, tebhale, *A. i.* Uçak, dudak kabartısı. • ‹Lâ'l-i lebinden ey meh donmuş şarap göster — Tebhaleden de onda şekl-i habab göster. — Recaizade›.

tebhaledar, *A. s.* (Hı ile) Uçuklamış. • ‹Pürcuş-i aks-i l'al-i tebhaledarın olsun — Her sunduğun kadehte saki habab göster. — Nailî›.

tebhic, *A. i.* [Behic'den] Güzelleştirme. (ç. Tebhicat).

tebhil, *A. i.* (Hı ile) [Buhl'den] Biri için pinti deme. (ç. Tebhilât).

tebhir, *A. i.* [Buhar'dan] 1. Buğu haline koma. 2. Tütsüleme. 2. Etüvden geçirme. (ç. Tebhirat).

tebi', *A. i.* Yardımcı, yardak.

teb'id, *A. i.* [Bu'd'dan] Uzaklaştırma. Uzağa gönderme. Sürme. (ç. Teb'idat). • ‹Bu hayali bir kelime ile tebi'd etmek istedi. — Uşaklıgil›.

te'bid, *A. i.* [Ebed'den] Ebedîleştirme. (ç. Te'bidat). • ‹Nasiye-i halinde bir vech-i te'bid zâhir olur. — Sümbülzade›.

teb'iz, *A. i.* Bölme. Bölük bölük etme. • ‹Ve taifesini teb'iz edip cevanib-i erbaaya adamlar gönderdi. — Sadettin›. • ‹Teb'izinde zarar olmayan mevzuattan bir mecmuun. — Mec. 223›.

tebkir, *A. i.* 1. Acele. 2. Erken. • ‹Daye-i mahdumunuzu getirmekte tebkir ediniz. — Abdullah›.

tebkit, *A. i.* 1. Başa kakma. 2. Kanıt ve tanıtla karşısındakini susturma.

tebkiye, *A. i.* [Bükâ'dan] Ağıt okutarak ağlatma. Ağlattırma.

teblerze, *F. i.* [Teb-lerze] Isıtma titremesi. • ‹Kanun ü nakkare savt-i şiyven — Teblerze-i cangüdaz defzen. — Ş. Galip›.

teblig, *A. i.* [Bülûg'dan] 1. Yetiştirme. Eriştirme. 2. Götürme. Taşıma. (ç. Tebligat). • ‹Ben de işte hepinize, bilhassa Bihter'e resmen tebliğ ediyorum. — Uşaklıgil›.

teblil, *A. i.* Islatma. Islatılma.

tebliye, *A. i.* Eskitme. Eskitilme.

tebrid, *A. i.* [Bürudet'ten] 1. Soğutma. 2. (Mec.) Ara açılma, soğuma. • ‹Kar ile tebrid olunmuş aşlama su içerdi. — Naima› • ‹Adu benden seni tebride olsa ittifak üzre. — Nabi›.

tebrie, tebriye, *A. i.* [Beraet'ten] 1. Birini bir şüpheden kurtarma. Temizliğini çıkarma. 2. Borçtan kurtarma. • ‹Vicdanına karşı kendisini tebrie eden bu esbab. — Uşaklıgil›.

tebrik, *A. i.* [Bereket'ten] Uğurlu olmayı dileme, uğur dileme. (ç. Tebrikât). • ‹Tebrik ederim Behlûl! Sen metîn bir adamsın diyordu. — Uşaklıgil›.

tebrir, *A. i.* Kabahatsiz çıkarma. (ç. Tebrirat).

tebşir, *A. i.* Müjde verme. Müjdeleme. (ç. Tebşirat).

tebşiş, *A. i.* [Başaşet'ten] Güler yüz gösterip yakınlaşma.

tebti, *A. i.* Dünyadan el etek çekip Tanrıya yaklaşma.

tebvib, *A. i.* (*Te* ve *be* ile) Kısım kısım ayırma. • ‹Tertip ve tebvib ile. — Naima›.

tebyin, *A. i.* [Beyan'dan] Açık açık anlatma. • ‹Başkadır teşrih ü tebyinde edası hâmemin. — Recaizade›.

tebyiz, *A. i.* [Beyaz'dan] 1. Ağartma. 2. (Bir ilkyazıyı) beyaza çekme, temiz olarak yazma. • ‹Tebyiz eylediğimiz tarihte. — Naima› • ‹Bir kıpti yazıcısı bir Arap karısının mektubunu tebyiz ediyor. — Cenap›.

tebzede, *F. s.* [Teb-zede] Sıtmalı. (ç. Tebzedegân).

tebzir, *A. i.* (*Zel* ile) 1. Dağıtma, serpme. 2. İsraf. (ç. Tebzirat).

tecadül, *A. i.* İki taraftan boğuşma.

tecafif, *A. i.* [Ticfaf ç.] At zırhları.

tecahüd, *A. i.* Uğraşma, didinme.

tecahül, *A. i.* [Cehl'den] Bilmez gibi gösterme. Bilmezlenme. • ‹Rû-yi eşyaya gölgeler, sisler — Bir tecahül nikabı ferş eyler. — Cenap›.

tecalüd, *A. i.* [Cedel'den] Dövüşme, kavga.

tecalüs, *A. i.* Aynı mecliste bulunma. Bir arada toplanma.

tecanüb, *A. i.* [İçtinab'dan] Çekinme, sakınma. • ‹Sokuldukça ben eylerdi tecanüb — Çekilsem etmek isterdi takarrüb. — Recaizade›.

tecanüs, *A. i.* [Cins'ten] Aynı cinsten olma. Cinsi uygun olma. (ç. Tecanüsat).

tecarib, *A. i.* [Tecribe ç.] Denemeler. • ‹Behlül bütün o tecarib-i sevda ile dolgun hayatını. — Uşaklıgil›.

tecasür, *A. i.* [Cesaret'ten] Cesaretlenme. (ç. Tecasürat).

teca'ud, *A. i.* Büklüm büklüm olma.

tecavüb, *A. i.* Cevaplaşma. (ç. Tecavübat).

tecavül, *A. i.* Karşılıklı dolaşma.

tecavür, *A. i.* Komşu olma.

tecavüz, *A. i.* [Cevaz'dàn] 1. Ötesine geçme, aşma, atlama. 2. Sınırı aşma. Başkasının hakkına dokunma. 3. Geçme, daha ileri varma. 4. Saldırma. (ç. Tecavüzat). • ‹Kemal-i ısrar ve inat ile devam eden tecavüzat-i hasmanesine. — Uşaklıgil›.

tecavüzkâr, *F. s.* [Tecavüz-kâr] Saldıran, sataşan. (ç. Tecavüzkâran).

tecavüzkârane, *F. zf.* Saldırırcasına. • ‹Harfendazlıkta veya diğer bir muamele-i tecavüzkâranede bulunursa. — Recaizade›.

tecazüb, *A. i.* [Cezb'den] Fransızcadan *sympathie* (duygudaşlık) karşılığı (XX. yy.). (ç. Tecazubat).

tecazür, *A. i.* Sövüşme. İki kişi birbirine dil uzatma.

tecdil', *A. i.* Vücut üyelerinden birini kesme.

tecdid, *A. i.* [Cid'den] Yeni etme. Yeniletme. Yenileme. (ç. Tecdidat). • ‹Fakat yine hep tecdid-i râbita eden o olur. — Uşaklıgil›.

tecdiden, *A. zf.* Yenileterek.

tecdil, *A. i.* Yere yıkma. Yere atma.

tecdir, *A. i.* Çiçek aşısı yapma.

tecebbür, *A. i.* [Cebr'den] Ululuk, zorbalık peydahlama. Zor gösterme. • ‹Merre çün sadra geçti tecebbür ve gazapta ifrat eyleyip. — Naima›.

teceddüd, *A. i.* [Cid'den] Yenilenme. Tazelenme. (ç. Teceddüdat). • ‹Geçer şüun-i hayatım teceddüd eyleyemez. — Fikret›.

teceffüf, *A. i.* Kuruma. Kuruyup katılaşma.

tecehhüz, *A. i.* [Cihaz'dan] Çeyizlenme. Hazır bulunma.

tecellâ, tecelli, *A. i.* 1. Görünme. 2. Tanrı kudret ve sırrının kişilerde ev eşyada eserinin görünmesi. 3. Tanrı lütfuna uğrama. (ç. Tecelliyat). • «Nazarında elvah-i seria ile deveran ederek tecelli ediyordu. — Uşaklıgil».

tecelligâh, tecelligeh, F. i. [Tecelli-gâh] Tecelli yeri. • «Tecelligâh iken binlerce rinde — Melâmet söndü Şarkın her yerinde. — Beyatlı».

tecellizar, F. i. [Tecelli-zar] Tanrı kudretinin eserleriyle dolu yer.

tecellüd, A. i. 1. Yalandan ve güçlü cesaret gösterme. 2. İnat, direnme. (ç. Tecellüdat). • «Ne rütbe etse tecellüd gıyabınızda gönül — Huzurunuzla gider ihtiyar — Niçin? — Recaizade».

tecellüs, A. i. Meclis kurup oturma.

tecemmu', A. i. [Cem'den] Toplanma, yığılma, birikme. (ç. Tecemmuat).

tecemmüd, A. i. Donma.

tecemmül, A. i. [Cemal'den] Süs. Süslenme. (ç. Tecemmulât). • «Cevher-i zatım iktiza-yi tecemmül edip. — Fuzulî».

tecemmülât, A. i. [Tecemmül ç.] Süslenme için olan ağır ve pahalı eşya.

tecemmür, A. i. Halk toplanma.

tecenni, A. i. (Te ve c ile) 1. Yemiş devşirme. 2. Suçlandırma.

tecennüb, A. i. Sakınma, çekinme. • «Biz imam Muhammet ile taleb-i hadise bile gitmekten tecennüb ederdik. — Taş.».

tecennün, A. i. [Cinn'den] Delirme. Çıldırma.

tecennüs, A. i. Aynı cinsten olma.

tecerru', A. i. (Ayın ile) Yudum yudum içme. Süze süze içme. (ç. Tecerruat). • «Zavallı hastacık eyler tecerru-i âmâl. — Fikret».

tecerrüd, A. i. 1. Soyunma. 2. Her şeyden boş olma. 3. Bütün ilgilerden geçip Tanrıya bağlanma. 4. Evlenmeyip bekâr olarak yaşama. (ç. Tecerrüdat).

tecessüd, A. i. [Cesed'den] Gövde peydahlama. (ç. Tecessüdat).

tecessüm, A. i. [Cisim'den] 1. Cisimlenme. 2. Görünme, göz önüne gelme. (ç. Tecessümat). • «Tecessüm eylemiş aczin emelle ittihadından. — Fikret».

tecessüs, A. i. 1. Yoklama, arama. 2. Bir şeyin iç yüzünü araştırma. Gözetme. (ç. Tecessüsat). • «Herkesin nazar-i tecessüsünden çalınabilen on dakika içinde. — Uşaklıgil» • «Nazar-i tecessüslerini dürbünler vasıtasıyle vapurlar arasında dolaştırıyordu. — Cenap».

tecessüskâr, F. s. [Tecessüs-kâr] Araştırıcı, araştıran. Meraklı. (ç. Tecessüskâran). • «Nihal'in tecessüskâr suallerinden âzâde kalabilmesine müsait fırsatlar. — Uşaklıgil».

tecevvu, A. i. (Ayın ile) İsteyerek aç kalma, açlık çekme.

tecevvüf, A. i. [Cef'ten] 1. İçi boşalma. Kovuk olma. 2. İçine işleme.

tecevvüz, A. i. (Ze ile) 1. Caiz olmayanı caiz görme. 2. Sözü mecaz olarak söyleme.

teceyyüf, A. i. Cifeleşme, çürüyüp kokma.

teceyyüş, A. i. Asker toplanıp ordu olma.

tecezzi, tecezzü, A. i. Eczaya ayrılma, parça parça bölünme. Ufalanma. (ç. Tecezziyat).

tecfif, A. i. Kurutma, kurutulma. (ç. Tecfifat). • «Kesret-i istimal-i ma' ile mübtela olup tecfifine meşgul iken. — Sadettin».

tecfiye, A. i. Eziyet etme, cefa çektirme.

techil, A. i. [Cehl'den] Birinin bilgisizliğini meydana koyma. (ç. Techilât).

techiz, A. i. Gerekli şeyleri tamamlama. Donatma, donatım. (ç. Techizat). • «Yetmiş pâre süfün-i harbiye techiz edip. — Naima».

tec'id, A. i. (Ayın ile) Büklüm büklüm etme.

tecil, A. i. [Ecl'den] 1. Erteleme. 2. Belirli bir vakit ile sonraya bırakma. 3. Acele etmeme. (ç. Tecilât). • «Tecil, deyni bir vakt-i muayyene tâlik ve tehir etmektir. — Mec. 156».

teclid, A. i. [Cilt'ten] Ciltleme. (ç. Teclidat).

teclil, A. i. (Hayvanı) Çullama. • «Yetmiş reis bedene-i hüda bera-yi imtiyaz teclil ve taklid ve iş'ar buyrulup. — Naima».

tecilye, A. i. [Cilâ'dan] Cilâlanma, parlama, temizleme. • «Dide-i ümidlerin tecliye ve gönüllerin. — Sadettin».

tecmid, A. i. Dondurma.

tecmil, A. i. Güzelleştirme. Süsleme.

tecmir, A. i. Toplama, biriktirme.

tecnid, A. i. Asker toplama.

tecnis, A. i. [Cins'ten] İki anlamlı söz söyleme.Ci nas yapma. (ç. Tecnisat).

tecri', A. i. Yudum yudum içirme.

tecrib, A. i. Deneme, sınama.

tecribe, tecrübe, A. i. Deneme, sınama. Tecrübe.(ç. Tecarib) • «Mir'a'ta bakma bir iki gün eyle tecrübe — Sabr eylemek firakına müşkül değil midir? — Nahifi».

tecribî, tecribiye, *A. s.* Deneme ile ilgili. • ‹Daha tecrübî, daha bedihi deliller istenilirse. — Kemal›.

tecrid, *A. i.* 1. Soyma. 2. Bir tarafta tutma, ayırma. 3. (Tas.) Dünyayı yürekten çıkarıp Tanrıya yönelme. 4. (Fel.) Soyutlama. • *Ehl-i tecrid,* dünyadan geçmiş olan dervişler. (ç. Tecridat). • ‹Cihad-i nefse tevekkül gibi hisar olmaz — Sipah-i âlem-i tecrit suru neylerler. — Nailî›. • ‹Kendisini bir müsebbib mesuliyetinden tecrid eder olmuş idi. — Uşaklıgil›.

tecriden, *A. zf.* Tecrit ederek. Tek alarak. Tekleyerek. (Fel.). Soyutlayarak. • ‹Ziraat veya sanat veya ticaretin hangisi tecriden mütalâa olunursa. — Kemal›.

tecrih, *A. i.* [Cerh'ten] Yaralama.

tecrim, *A. i.* [Cürm'den] 1. Cerime alma. 2. Cezalandırma. (ç. Tecrimat). • ‹İstihmam-i nisvanı tecrim ediyor. — Cenap›.

tecrübe, tecribe, Bk. *Tecribe.*

tecsim, *A. i.* [Cism'den] Vücut verme. Cisimlendirme. (ç. Tecsimat).

tecrübekâr, *F. s.* [Tecrube-kâr] Tecrübeli. Çok şeyler görmüş geçirmiş. (ç. Tecrübekâran). • ‹Kebalik tecrübekâran-i rüzgâr demişlerdir. — Nergisî›.

tecrübiye, *A. i.* Fransızcadan *empiriqu, èmpirisme* (görgücülük) karşılığı (XX. yy.).

tecvi', *A. i.* [Cu'dan] Açıktırma.

tecvid, *A. i.* Kur'an'ı okuma kurallarını yazan kitabın adı. Bu okumayı öğreten bilim.

tecvif, *A. i.* [Cevf'ten] Oyma. Oyuk haline koyma. ç. Tecvifat). • ‹Tak olup Kisri-i ikbaline kavs-i Rüstem — Ola tecvif-i felek düşmene çâh-i Bijen. — Nedim›.

tecvir, *A. i.* [Cevr'den] Cevr etme. Zor ve sıkıya koyma.

tecviz, *A. i.* [Cevaz'dan] İzin verme. Yapılmasına razı olma. (ç. Tecvizat). • ‹Ona bazı hikâyelerin okunmasını tecvize başlamıştı. — Uşaklıgil›.

tecvif, *A. i.* 1. Leş gibi kokutma. Kokutma. 2. Korkutma. 3. Hor ve hakîr etme.

teczie, tecziye, *A. i.* (*Ze* ile) 1. Parçalanma. 2. Cezalandırma (XX. yy.).

teczim, *A. i.* (*Zel* ile) Kesme.

teczir, *A. i.* [Cezr'den] 1. Kökünü çıkarma. Kökünden koparma. 2. (Mat.) Karesini alma.

tedabir, *A. i.* [Tedbir ç.] Tedbirler. • ‹Huzzak-i etibbanın kaide-i tıb üzere ettikleri tedabir ve mualece faide vermeyip. — Naima› • ‹Yalnız ittihazına lüzum görünecek bazı tedabir var. — Uşaklıgil›.

tedafu', *A. i.* [Def'den] 1. Birini iletme, itişme, kakışma. 2. Savunma. (ç. Tedafüat).

tedafül, tedafüive, *A. s.* Kendini savunma ile ilgili. • ‹Nihal'e karşı bir vaziyet-i tedafüiye almasına müsaade ediyordu. — Uşaklıgil›.

tedahül, *A. i.* [Dühul'den] 1. Birbiri içine girme. 2. Bir taksitin ödenmeden öbürünün gelmesi. Ödenmede gecikme. (ç. Tedahülât).

tedai, *A. i.* [Davet'ten] (Psi.) Çağrışım.

tedarik, tedarük, *A. i.* [Derk'ten] Araştırıp bulma. Elde edip hızırlanma. *Sümm-et-tedarik,* hemen bulunmuş, derme çatma. (ç. Tedarikât). • ‹Gayrı ihtiraz ve ihtiyat ile başı tedrikinde oldu. — Naima› • ‹Padişahın tedarikâtı hitama erdiği sırada. — Kemal› • ‹Kolayca tedarik-i maişet yolunu görünce bir zaman tarlalarda çalışanlar sapanı tarağı terk etmiş. — Cenap›.

tedavi, *A. i.* [Deva'dan] İlâç verme. İyileştirme için bakma. • *Tedavi bilmâ,* hastalığı su ile iyileştirme. • ‹Kimdir veren alile tedaviye ihtiyaç. — Ziya Pş.›. • ‹Sana rahip Knaib'ın usuliyle tedavi bilma tavsiye ederim. — Cenap›.

tedavül, *A. i.* 1. Elden ele gezme, dolaşma. Kullanılma. 2. Dilde dolaşma. (ç Tedavülât).

tedavür, *A. i.* [Devr'den] Sıra ile yapma. Karşılıklı yapma.

tedbir, *A. i.* 1. Bir işin sonunu düşünerek başarısını sağlama çaresine baş vurma. 2. Bir Bir işin başarısı için düşünülen yol. *Tedbir-i menzil* (Sos.) Fransızcadan *économie domestique* karşılığı olarak (XIX. yy.); • *hüsn-i tedbir,* iyi düşünülerek tutulan yol; • *su-i tedbir,* yanlış yol, fena tutulmuş yol. (ç. Tedabir, tedbirat). • ‹Gam derdine câm-i mey devadır — Tedbir-i gam eylemek revadır — Fuzuli› • ‹Ve dekayık-i tedbirattan gafil olmağın. — Naima›.

tedebbür, A. i. Duruma uygun davranma. • ‹Ne veçhile müyesser ola deyu tefekkür ve bu hususta tedebbür ederim.' — Sadettin›.

tedeffün, A. i. Gömülmüş olma. Gömülü bulunma.

tedehhün, A. i. [Dühn'den] 1. Yağlanma. 2. Yağ sürünme.

tedehhüş, A. i. [Dehşet'ten] Dehşete düşme, dehşetlenme, korkma. Yılma.

tedelli, A. i. [Dell'den] Nazlanma. (ç. Tedelliyat).

tedemmu, A. i. [Dem'den] Göz yaşarma.

tedemmug, A. i. [Dimag'dan] (Fel.) Fransızcadan *cérébration* (beyinleşme) karşılığı (XX. yy.).

tedenni, A. i. [Denaet'ten] Aşağı inme. Aşağılaşma. (ç. Tedenniyat). • ‹Sen felsefende tedenni mi ediyorsun yoksa? — Uşaklıgil›.

tedennüs, A. i. Kirlenme.

tederrü, A. i. Zırhlanma. Zırh elbise giyme.

tederrüc, A. i. Derece derece, adım adım ilerleme.

tederrüs, A. i. [Ders'ten] Ders alma.

tedessür, A. i. Elbiseye bürünme.

tedavvür, A. i. Yuvarlak olma. Yuvarlaklık. • ‹Yanlarını latif bir tedevvürle tersim ettikten sonra. — Uşaklıgil›.

tedeyyün, A. i.' [Din'den] 1. Dine bağlı olma. 2. Dinine sıkı bağlı olma. 3. Borçlanma.

tedfin, A. i. [Defn'den] Gömme. • ‹Kendisine süslü bir ayin-i tedfin temin ediyor. — Cenap›.

tedhin, A. i. (Hı ile) [Duhan'dan] Dumanlama. Tütsüleme. (ç. Tedhinat). • ‹Bir damın içine kapayıp azab-i tedhin ile helâk etti. — Naima›.

tedhin, A. i. (He ile) [Dühn'den] Yağlam. (ç. Tedhinat).

tedhiş, A. i. Şaşırtma, ürkütme. Yıldırma. (ç. Tedhişat). • ‹Kendi kendime idim: Bu tenhalık beni tedhiş etti. — Cenap›.

te'dib, A. i. [Edeb'den] 1. Terbiye verme, eğitme. 2. Edeplendirme. Terbiyesini verme. • *Hadd-i tedib*, bir suç işleyenia klınıb aşınag etirecek, başkalarına da ders olacak şekilde cezalandırma (muaheze, tâzir, darp gibi). (ç. Tedibat). • ‹Şahne-i renc-i humar eyler o saat tedib. — Vâsıf›.

te'diye, A. i. [Eda'dan] 1. Ödeme. 2. (Borcunu) verme. (ç. Tediyat). • ‹Te-

diyat daima sizin zararınıza olarak tâşir edilecek. — Uşaklıgil›.

tedkik, A. i. [Dikkat'ten] 1. İnceltme, ufak ufak kırıp ezme. 2. İnceleme. (ç. Tedkikat). • ‹Halkın kolaylıkla itiyad-i itimadı neticesiyle tedkik olunmak zahmeti ihtiyar edilmeksizin. — Uşaklıgil› • ‹Bir meşher-i milel ve uruk ki bir antropoloji âlimi için pek müsait bir sahne-i tedkikat teşkil edebilir. — Cenap›.

tedliss, A. i. Alışverişte satıcının mal kusurunu müşteriden gizlemesi; hiyle. (ç. Tedlisat).

tedmir, A. i. Sındırma. Tepeleme. (ç. Tedmirat).

tednis, A. i. Kirletme. (ç. Tednisat).

tedri, A. i. 1. Zırh giydirme. 2. Zırhlama.

tedrib, A. i. (Ped.) Yetiştirim. Fransızcadan *dressage* karşılığı (XX. yy.).

tedric, A. i. Derece derece ilerleme, ilerletme. Azar azar hareket. • *Alettedric*, tedric üzere; • *bittedric*, azar azar, dereçe ile. • ‹Etsin nem-i eşk ol güle tedric ile tesir. — Nabi›.

tedricen, A. zf. Yavaş yavaş, azar azar. • ‹Geniş bir hat tedricen koyulaşan bir gölge şeklinde. — Uşaklıgil›.

tedricî, tedriciyye, A. s. Yavaş yavaş yapılan.

tedris, A. i. [Ders'ten] Ders verme, öğretme. (ç. Tedrisat).

tedrisat, A. i. [Tedris ç.] (Ped.) Öğretim.

tedrisî, tedrisiyye, A. s. Ders ile, öğretim ile ilgili.

tedvin, A. i. [Divan'dan] 1. Manzumeleri divan şekline sokma. 2. Kitap yapma. (ç. Tedvinat).

tedvir, A. i. [Devr'den] 1. Çevirme, döndürme. 2. Daire biçimine koma. (ç. Tedvirat). • ‹Ne kudrettir edip tedvir arzı. — Recaizade›.

teebbi, A. i. [Eb'den] Bir kimseyi baba edinme, baba sayma.

teebbüd, A. i. (Te ve *hemze* ile) 1. Ürküp çekinme. 2. Ergen kalma, evlenme.

teebbüh, A. i. 1. Kibirlenme. 2. Göz tokluğu ile bir şeyden vazgeçme.

teebbün, A. i. İze uyma, birinin gittiği yana yönelme.

teeccüc, A. i. Kendi tutuşup alevlenme.

teeccül, A. i. Belli bir vakte kadar ertelenme isteme.

teeccüm, A. i. Öfkelenme.

teeddi, A. i. 1. Borcunu ödeme. 2. Üzerine düşeni yapma.

teeddüb, A. i. [Edeb'den] Edeplenme. Çekinme. • ‹Teeddüb eyle ruh-i hâke cür'apâş olma. — Nabi›.

teeddüben, A. zf. Edep ve terbiye kurallarına uyarak. • ‹Gelen kayığa binip teeddüben kayığın sadrına oturmayıp. — Naima›.

teeddüm, A. i. Ekmeğe katık katıp yeme.

teefüf, A. i. Öf öf diye sıkıntıyı belli etme. (ç. Teeffüfat).

teehhül, A. i. [Ehl'den] Evlenme. • ‹Bir kaç sene sonra o da bittabi teehhül edecek. — Uşaklıgil›.

teekküd, A. i. Sağlamlaşma.

teekkül, A. i. (Yaranın) yenmesi. Oyulup açılması, büyümesi.

teellüf, A. i. [Ülfet'ten] Alışma, hoş geçinme. (ç. Teellüfat).

teellüm, A. i. [Elem'den] Kederlenme. Eseflenme. (ç. Teellümat). • ‹Şi'rimdeki şive-i teellüm — Raci' bana hep bu acze raci'. — Fikret›.

teemmi, A. i. Cariye edinme.

teemmül, A. i. [Emel'den] Etraflıca düşünme. • Bilâ teemmül, düşünmeden. (ç. Teemmülât). • ‹Ve bir zaman baş aşağı teemmül edip. — Naima›.

teemmüm, A. i. Emniyette olma. Emniyet etme.

teemmür, A. i. [Emr'den] Âmirlenme.

teenni, A. i. Yavaş davranma. Yavaşlık. Gecikme. (ç. Teenniyat). • ‹Olamazsın harem-i vaslına mahrem derviş — Sende mademki taksir ü teenni görünür. — Baki›.

teennüs, A. i. (Se ile) Kadınlaşma.

teennüs, A. i. (Sin ile) [Uns'ten] Ünsiyet etme. Alışkanlık gösterme. • ‹Belki vücut — Bu leyle-i serd ile bir çare-i teennüs arar. — Fikret.

teerrüb, A. i. Kendini zeki göstermeye uğraşma.

teessi, A. i. (Sin ile) Avunup sabretme.

teessüf, A. i. [Esef'ten] Acıma, acığını gösterme. •Maatteessüf, esefle. (ç. Teessüfat). • ‹Firdevs Hanımın kızı olduğuna vâkıftınız, teessüf olunur ki onun yanında bir de Behlûl bulundu. — Uşaklıgil›.

teessüm, A. i. [İsm'den] Günahtan sakınma.

teessür, A. i. [Eser'den] 1. Bir şeyin etkisini duyma. 2. Etkilenme. 3. Acı, keder duyma. • Seri-üt-teessür, çabuk etkilenen. (ç. Teessürat). • ‹Hayatı

bence teessürdür eyleyen ispat — Taayyün eyleyemez nevm içinde hayat. — Fikret›.

teessür, A. i. Oyalandırma. İşten alıkoma.

teessürat, A. i. [Teessür ç.] Etkiler, acılar, kederler. • ‹Teessürat-i beşerden gelir mi dehre melâl. — Fikret›.

teessüryab, F. i. [Teessür-yab] Etkilenme. • ‹(Ona) ait düşüncelerinin bundan teessüryab olmasını menederdi. — Recaizade›.

teessüs, A. i. [Esas'tan] Temelleşme, yerleşme. • ‹Kalplerinde valideleri çocuklarına rapteden rişte-i hürmet. ve muhabbet teessüs edememiş. — Uşaklıgil›.

teevvi, A. i. [İyva'dan] Oturacak yer edinme.

teevvüd, A. i. Eğrilme, iki kat olma.

teevvüh, A. i. İnleme, figan etme. Eyvahlanma. (ç. Teevvühat).

teevvül, A. i. Başka anlama gelme. Anlamda,, başka olma.

teeyüd, A. i. Kuvvetlenme. Sağlamlaşma. (. Teeyyüdat). • ‹Gözlerinde gittikçe teeyyüt eden vahşi bir tebessümle devam ediyordu. — Uşaklıgil›.

teezzi, A. i. [Eza'dan] İncinme. (ç. Teezziyat). • ‹O yeknasak-i ahenkten husul bulacak teezzi-i hissi niçin anlamamak. — Uşaklıgil›.

teezür, A. i. [İzar'dan] Örtünme.

tef, F. i. Sıcak. • ‹Tef-i hayatbahş-i aftaba karşı bi-sebat — Erir, akar. — Fikret›.

tefaddul, tefazzul, A. i. (Te ve dat ile) [Fadl, Fazl'dan] Üstünlük, meziyet iddiasında bulunma.

tefahhum, A. i. [Fahm'den] Kömürleşme.

tefahhur, A. i. (Hı ile) [Fahr'den] Övünme, kurulma. (ç. Tefahhurat).

tefahhus, A. i. İyice araştırma. (ç. Tefahhusat). • ‹Gureba ve tüccarın emtia ve eşyasını tefahhus edip. — Naima›.

tefahur, A. i. [Fahr'den] Övünme. (ç. Tefahhurat). • ‹Eb ü ceddiyle tefahur eden ebced-hânın. — Nef'î›.

tefahuş, A. i. Açıktan, aşırı söyleme ve işleme.

tefail, A. i. [Tef'ile ç.] (Ed.) Tef'ileler. Mısra veya beytin vezin parçaları.

tefakkud, A. i. 1. Arayıp sorma. 2. Hazır bulunmayan birini soruşturma. • ‹Emval-i galâli bizzat tefakkud ve tefahhus etmekle. — Naima›.

tefakkuh, *A. i.* [Fıkıh'tan] Fıkıh öğrenme.

tefakkud, *A. i.* Birbirini sorup soruşturma.

tefakum, *A. i.* (İş) büyüyüp güçleşme.

tefaric, *A. i.* [Tifrice ç.] Yırtmaçlar. Aralıklar.

tefarik, *A. i.* [Tefrik ç.] 1. Ayırmalar, seçmeler. 2. Ufak, küçük armağanlar. 3. Küçük küçük parçalar. • ‹Tefarik-i ezasına lerze saldı. — Naima› • ‹Hedayayi lâyika ve tefarik-i faika ile gelip. — Peçoylu›.

tefaruk, *A. i.* Birbirinden başka olup ayrılma.

tefasil, *A. i.* [Tafsil ç.] Tafsiller, ayrıntılar. • ‹Bir hainin tefasil-i rezailini arar. — Cenap›.

tefasir, *A. i.* [Tefsir ç.] Tefsirler.

tefasuh, *A. i.* Fasahatle söyleme.

tefavüt, *A. i.* [Fevt'ten] İki şey arasındaki fark. • ‹Rûnumadır neşesinde hep tefavüt âlemin. — Halimgiray›.

tefazul, *A. i.* [Fazl'dan] 1. Fazilet ve keremde yarışma. 2. Fark, miktar fazlası. (ç. Tefazulât).

tefci', *A. i.* Acıtma. Acıtıp ağrtma. (ç. Tefciat). • ‹Rehayab-i dehşet ü tefci. — Esat Ef.›.

tefcir, *A. i.* Fâcir sayma, fâcir olarak adlandırma.

tefcir, *A. i.* 1. Su akıtılma. 2. Drenaj.

tefeccu, *A. i.* Acıyıp dertlenme. • ‹Bu makule işca' ile tefeccu ve istirca. — Taş.›.

tefeccür, *A. i.* Tan yeri atma, fecir zamanı olma.

tefehhüm, *A. i.* [Fehm'den] Ağır ve azar azar anlama. Farkına varma. • *Su-i tefehhüm,* anlaşmazlık, kötüye çekme. • ‹Biraz su-i tefehhümden başka bir sebeb-i ihtilâf olmadığını. — Cenap›.

tefekküh, *A. i.* 1. Pek hoşlanıp şaşırma. 2. Pişman olma. 3. Yemiş toplama, yemiş yeme. • ‹Asker-i İslâm bağ ve bahçelerde şeb ü ruz tefekkün ve. — Naima›.

tefekkür, *A. i.* [Fikr'den] Düşünme. Akıl yorma. (ç. Tefekkürat). • ‹Vezir-i âzama gelip bu veçhile hayrette buldukta: Nedir tefekkürünüz bana söylenüz, eğer bu vâki olan ahvalden ötürü ise. — Naima›.

tefelsülf, *A. i.* [Felsefe'den] Feylesoflaşma. Felsefe sözleri söyleme. (ç. Tefelsüfat). • ‹Zekâ tefelsüfe maildi... Muttasıl düşünür. — Fikret›.

tefennün, *A. i.* [Fen'den] Fen öğrenme. Birçok şeyler bilme.

teferru', *A. i.* [Fer'den] 1. Dallanıp budaklanma. 2. Birçok bölüme ayrılma. 3. Bir kökten çıkıp ayrılma. (ç. Teferruat). • ‹Dereli Halil dahi zaman-i kalîlde hayli teferru edip ol bilâda istilâ etmiş idi. — Naima›.

teferruat, *A. i.* Bir şeyin bütün noktaları. ı yrıntılar.

teferrug, *A. i.* [Ferag'dan] 1. Bir işi bitirip kurtulma. 2. Satın alınan bir mülkün tapu işini yaptırma, kendi üzerine çevirme. (ç. Teferrugat).

teferruh, *A. i.* [Ferah'tan] Ferahlanma. İçi açılma.

teferruk, *A. i.* [Fark'tan] Ayrılma, dağılma.

teferrüc, *A. i.* [Ferec'den] 1. Açılmış, ferahlanma. — 2. Eğlenmek için gezme, seyir. • ‹Ve ekser-i eyyamda keşt ü teferrüce iletip. — Sadettin› • ‹Cuma ve pazar günleri kadın, erkek bütün kibarlar alelekser orada teferrüc ederler. — Cenap›.

teferrücgâh, *F. i.* [Teferrüc-gâh] Gezinti yeri. • ‹İki tarafı büyük ıhlamur, kestane ve salkım ağaçlarıyle müzeyyen, geniş ve uzun bir teferrücgâhtır. — Cenap›.

teferrüd, *A. i.* [Fer'den] 1. Tek, tenha kalma, herkesten ayrılma. 2. Benzersiz olma. 3. Kendi başına olma. • ‹Teferrüd etmedi derler nazîri bir sâki — Cem'in seririne câlis sülâle devrinde. — Beyatlı›.

teferrüs, *A. i.* [Feraset'ten] Sezme, farkına varıp anlama. (ç. Teferrüsat). • ‹Gelmeden sen teferrüs etmiş idim. — Naci›.

teferrüş, *A. i.* [Ferş'ten] Yayılma, serilme.

teferrüz, *A. i.* [İfraz'dan] Ayrılma.

tefer'un, *A. i.* Firavun gibi ululanma. natçı olma. Firavunlaşma. • ‹Tefer'unu kemakân hali üzre kaldı. — Naima›.

tefessuh, *A. i.* (Hı ile) Bozulma. (ç. Tefessuhat).

tefessüh, *A. i.* (Ha ile) [Fesh'ten] Çürüyüp dökülme. (ç. Tefessühat). • ‹Heykeller gibi sert, bilâ eser-i tefessüh duruyorlar. — Cenap›.

tefettut, *A. i.* (Te ile) Ufalanma.

tefe'ül, *A. i.* [Fal'dan] 1. Uğur sayma. 2. Fala bakma, fal açma. (ç. Tefe'ülât). • «İstikbale müteallik tefe'ül ve teşe'ümlere başlarlar. — Cenap».

tefe'ülen, A. zf. Uğur sayarak. • «Teberrüken ve tefe'ülen kendude alıkodu. — Naima».

tefevvuk, A. i. [Fevk'ten] Üste çıkma, üstün olma. (ç. Tefevvukat). • «Zaice-i hal ü kalinden ahkâm-i livakati ve akran ü emsaline tefevvuk ve rüçhan niyeti zâhir olur. — Akif Pş.».

tefevvüh, A. i. 1. Ağza alma söyleme. 2. Dil uzatma. (ç. Tefevvühat).

tefevvühat, A. .i [Tefevvüh ç.] Münasebetli münasebetsiz sözler. Dedikodu. Kanunca cezalandırılacak sözler. • «Kızların bu tefevvuhatına valideler mağrurane tebessüm ederler. — Cenap».

tefeyyüz, A. i. [Feyz'den] İlerleme, bollaşma. (ç. Tefeyyüzat).

tefhim, A. i. [Fehm'den] Anlatma. (ç. Tefhimat). ∖ «Nice tefhim edeyim halimi çeşm-i yâre — Gördüğü bildiği yok mekr ü füsundan gayrı. — Nabi».

te'fif, A. i. (Hemze ile) Of diye sıkıntı gösterme. (ç. Te'fifat).

te'fik, A. i. Yalan söyleme. (ç. Te'fikât).

tefri', A. i. [Fer'den] Asıl meseleden türlü hükümler ve dallar çıkarma, dallandırıp budaklandırma.

tefrid, A. i. [Ferd'den] (Tas.) Bütün varlığı Tanrı varlığı bilip dünyadan geçerek Tanrı ile meşgul olma. (ç. Tefridat).

tefrig, A. i. [Feragat'ten] 1. Vazgeçirme. Feragat ettirme. 2. Dolu kabı boşaltma. • «Mukaddemat-i mâkule ile padişah ve valide hazretlerini fesh-i reyden tefrig eyledi. — Naima».

tefrih, A. i. [Ferah'tan] (içi) açma, ferahlandırma. • «Tercih-i hussad-i bedhâh ve tefrih-i asdika-yi nikhâh. — Nabi».

tefrih, A. i. Filizlenme. Gelişme. • Devr-i tefrih, (Bio.) Kuluçka devri.

tefrik, A. i. [Fark'tan] 1. Ayırma. 2. Ayrı tutma, seçme. • «Her yeldirmeden tefrik edecek bir eser-i icat olarak. — Uşaklıtgil».

tefrika, A. i. 1. Ayrılma, ayrılık. 2. Bozuşma, nifak. 3. Gazete veya benzerlerinde parça parça yayımlanan uzun yazı. • «Görmemişti gülşen-i aşkım hazan-i tefrika. — Fuzuli» • «Beyefendi tefrikaya iki sütun lâzım. — Uşaklıgil».

tefriş, A. i. [Ferş'ten] 1. Yayma. 2. Döşeme. (ç. Tefrişat). • «Düşünür zahm-i arzı tefrişi. — Cenap».

tefrit, A. i. [Fart'tan] Ortalamanın çok üstünde demek olan «ifrat» sözünün karşıtıdır. çok defa iki ucu göstermek için ifrat ü tefrit denirdi. (ç. Tefritat). • «Merhum ve mağfur padişah hakkında tefrit edip biedebane vaz'ları taslit-i ilâhiye sebeb oldukta. — Naima».

tefsid, A. i. [Fesad'dan] Fesada verme. (ç. Tefsidat).

tefsik, A. i. [Fısk'ten] Fısk ve fücura sürükleme. Bozmak. (ç. Tefsikat). • «Ahd-i şariden beri kema yenbagi tetkik ve tekaddüm-i zaman ile şühud tefsik olunurken. — Raşit».

tefside, F. s. Kızgın, ateşli.

tefsir, A. i. 1. Açıklama. Anlamını anlatma için genişletme. 2. Asıl bir ibareyi daha kolay anlaşılacak şekilde beyan etme. 3. Kur'an'ın anlamında yapılan açıklamalar. 4. Bu iş için yazılmış eserler. (ç. Tefsirat, tefasir). • «Çıkar tefsir-i bismillâh her harf-i beyanından. — Leskofçalı».

teftih, A. i. [Feth'ten] 1. Açma. 2. Geyirme. (ç. Teftih-i memalik müyesser olmuş idi. — Selânikî».

teftik, A. i. (Kef ile) [Fek'ten] 1. (Pamuk) atma. 2. (Yün) tarama.

teftik, A. i. (Kaf ile) [Fetk'ten] Yarma. Yarılma.

teftil, A. i. Fitil yapma. Bükme. eğirme.

teftin, A. i. 1. Fitneye düşürme. 2. Meftun etme. Ayartma.

teftir, A. i. Bıkkınlık verme. Usandırma.

teftiş, A. i. Araştırma. Bir şeyin doğrusunu bulmak için her tarafı arayıp tarama. (ç. Teftişat). • «Nefes alışlarına kadar taht-i teftişte tutularak. — Uşaklıgil». • «Fabrikalar birer makel-i amele olmamak için teftişat-i daimeye tabi tutuluyor. —. Cenap».

teftit, A. i. Ufalama.

tefyiz, A. i. Birine verme. (Bir malı) üste etme. Tevfiz-i umur, işleri birine bırakma. (ç. Tefvizat). • «Hakka tefviz-i umur et ne elem çek ne keder. — Vâsıf».

tegabbün, A. i. [Gabn'den] Birbirini aldatma.

tegafül, A. i. [Gaflet'ten] Bilmezliğe gelme. Bilmiyor görünme. • «Hemen muradı tegafüldür ol bütün yoksa — Zebanı beste-i naz ise çeşmi lâl midir. — Nedim». • «Artık uyan ey mah — Ey mah-i tegafül. — Zira geçiyor, ah — Saât-i tahayyül. — Cenap».

tegallüb, *A. i.* [Galebe'den] Üstün gelme. (ç. Tegallübat).

tegayür, *A. i.* [Gayr'dan] Birbirine karşıt olma. (ç. Tegayürat).

tegayyür, *A. i.* [Gayr'den] Başkalaşma. Karşıt olma. (ç. Tagayyürat).

tegerg, *F. i.* (Yağan) Dolu. • «Boran-i ferah tegerg-i âfat. — Ş. Galip».

teh, *F. i.* (He ile) Dip. • *Teh-i çah,* kuyunun dibi. «Pürcuş ü huruş olsa da dil taşmaya gelmez — Mestane-i teh-i cur'a-i peymane-i aşkım».

tehab, *A. i.* Birbiriyle sevişme. (ç. Tehabat). • «Kadızade ile ziyade tehab üzre olup. — Sadettin».

tehaci, *A. i.* [Heca'dan] Hicivleşme.

tehacüm, *A. i.* [Hücum'dan] Birlikte ve birden hücum etme. Üşüşme. (ç. Tehacümat).

tehacür, *A. i.* [Hicr'den] Birbirinden ayrılma.

tehadi, *A. i.* Hediyeleşme, birbirine hediye verme.

tehadu', *A. i.* (Hı ve ayın ile) [Huda'dan] Aldanmış görünme.

tehaddüm, *A. i.* Birbiriyle batıl davalaşma.

tehadür, *A. i.* [Heder'den] Birbirinin kanlarını boşuna dökme.

tehadüs, *A. i.* (Ha ile) Birbirine havadis söyleme.

tehafüt, *A. i.* (He ile) Birbiri üstüne atılma.

tehaif, *A. i.* [Tuhfe ç.] Armağanlar.

tehakül, *A. i.* Birbiriyle kavga etme.

tehalüf, *A. i.* (Ha ile) Yargıcın iki tarafa da femin ettirmesi.

tehalüf, *A. i.* (He ile) [Hulf'ten] Birbirine uymama. Birbirine uymama. Birbirine karşıt olma. (ç. Tebalüfat). • «Esbab-i tehalüfle bulur halkteselli — Her birisi bir gûne safadan mütelezziz. — Nabi». • «Niçin bu reng-i tehalüf İlka-yi hilkatte? — Fikret».

tehalük, *A. i.* [Helâk'ten] İstekle atılma. Tehlikeye alaırmama. Birbirini çiğneyecek gibi koşuşma. (ç. Tehalükât).. • «Ne boş tama! bu tehalük reva mı şöhret için. — Fikret» • «Bir tehalük-i marifetcuyane ile romanlara koştuğum zamanlara acıyorum. — Cenap».

tehamet, *A. i.* (He ile) Yağ ve et kokma.

tehami, *A. i.* Kendini sakınma. Korunma. (ç. Tehamiyat). • «Asker ve tehami ve korunmak vâdilerini terk eyleyesin. — Naima».

tehamuk, *A. i.* (Ha ile) Kendini ahmak gösterme.

tehammül, *A. i.* Başkasının zahmetini yüklenme. • «Anların tehamülü ve ifkarı sarir-i bab ve tanin-i zübab menzilesinde göründü. — Kâtip Çelebi».

tehani, *A. i.* [Tehniye ç.] Tehniyeler, tebrikler, kutlamalar. • «Demeaz-i zîr ü bem-i sâz-i tehani kıldılar. — Şefikname».

tehanüf, *A. i.* (He ile) (Birine) alay yoluyla gülme.

teharut, *A. i.* (He ve tı ile) Sövüşme.

teharüm, *A. i.* [Herm'den] İhtiyarlık taslama.

teharüş, *A. i.* Hırıldaşıp dalaşma.

tehassum, *A. i.* (Hı ve sat ile) [Hasm'dan] Düşmanlık gösterme, düşmanlaşma.

tehasun, *A. i.* [Hısn'dan] Bir kaleye kapanma.

tehasüd, *A. i.* [Hased'den] Haset etme, imrenme. (ç. Tehassüdat).

tehaşa, *F. i.* Çekinme. • «Eş'ar ü fünun hep o dudaklarda müheyya — Çirkâb-i taarruzdan ederlerdi tehaşa. — Fikret».

tehaşi, *A. i.* Korkup çekinme. Sakınma. • «Hattâ dudaklarında bir tehaşi-i asabî bile hissetmeyerek. — Uşaklıgil».

tehatüm, *A. i.* (He ile) Boşuna davalaşma.

tehatür, *A. i.* (He ile) Boşuna davalaşmak.

tehavif, *A. i.* ç. (Hı ile) Umacılar.

tehavün, *A. i.* (He ile) [Hevn'den] Aldırış etmeme. Önemsiz görme. Hafifseme. • «Ne tehavün taleb-i kâma ne tedkik gerek — O da bir dâd-i Hudadır ona tevfik gerek. — Nabi».

tehaya, *A. i.* [Tahiyye ç.] Dualar, selâmlar.

tehcil, *A. i.* Irz ve namusa dokunma.

tehcin, *A. i.* Dedikodu yapma. Sövüp sayma. (ç. Tehcinat).

tehcir, *A. i.* [Hicret'ten] Göç ettirme. (XX. yy.).

tehdid, *A. i.* Yapılacak bir ceza ile korkutma. (ç. Tehdidat). • «Sonra Peyker'in firar etmek tehdidine mukabil. — Uşaklıgil» • «Deniz gâh ü bigâh bu yığınları resaşe-i tehdidi ile ıslatıyordu. — Cenap».

tehdidamiz, *F. s.* [Tehdid-amiz] Tehditle karışık.

tehditkârane, *F. zf.* Tehdit eder yolda. • ‹Behlûl tehditkârane Bihter'e yaklaşıyordu. — Uşaklıgil›.

tehdim, *A. i.* [Hedm'den] Yerle bir etme, yıkma, (ç. Tehdimat).

tehdin, *A. i.* Çocuk uyutma. (ç. Tehdinat).

tehdiye, *A. i.* [İhda'dan] Armağan verme. Bağışlama.

tehecci, *A. i.* [Heca'dan] Heceleme.

teheccüd, *A. i.* (*He* ile) 1. Gece uyumayıp namaz kılma. 2. Gece namazı. • ‹Paşa kalkıp mutadı üzre teheccüd kılıp. — Naima›.

teheccüm, *A. i.* [Hecm'den] Hücum etme. Saldırma. Acele gitme. (ç. Teheccümat). • ‹Anın dâmenin mülâzemetine dest-i neyl erişmedi ama divan-ül-belâgatine teheccüm ettim. — Fuzulî›.

teheddi, *A. i.* Hidayetlenme. Doğru yola gelme.

teheddüm, *A. i.* (*He* ile) Yıkılma. (ç. Teheddümat).

tehekküm, *A. i.* Ciddî görünür gibi eğlenme. (ç. Tehekkümat). • ‹Mütebessim enzar-i tehekkümünü âşığının solgun çehresine serperek. — Fikret› • ‹O rahm-i tehekkümamiz mealini ikna eden yine ben idim. — Cenap›.

Tehemten, *F. i.* Zal'in oğlu Rüstem'in lakabıdır. • ‹Meclis-i işrette korkaklar Tehemten'dir bütün. — Naci›.

tehennüc, *A. i.* Çocuk ana karnında oynama.

tehettük, *A. i.* (*He* ile) 1. Yırtılma. 2. Utanmazlıkta aşırı durumda bulunma. (ç. Tehettükât).

tehevvüd, *A. i.* Yahudi olma.

tehevvük, *A. i.* Şaşırıp kalma.

tehevvül, *A. i.* [Hevl'den] Korkunç olma.

tehevvüm, *A. i.* Uyuklayan bir kimsenin başını öteye beriye sallaması.

tehevvür, *A. i.* Sonunu düşünmeden bir işe saldırma. Kızma, köpürme. (ç. Tehebvürat). • ‹Birden taşan tehevvür-i mecnunane ile. — Uşaklıgil› • ‹Bu satıcıları ciddî bir tehevvür-i meyusaneye düşüren. — Cenap›.

teheyyü, *A. i.* Hazırlanma.

teheyyüb, *A. i.* [Heybet'ten] Korkutma. Korkma.

teheyyüc, *A. i.* [Heyecan'dan] Heyecana gelme, coşma. (ç. Teheyyücat). • ‹Bir ihtizaz, ufacık bir teheyyüc-i ilham. — Fikret›. • ‹Havas ve kuvasınca badi-i

teheyyücat ve tezelzülât olmuş idi. — Recaizade›.

tehezzüz, *A. i.* İnce bir surette titreme. (ç. Tehezzüzat).

tehi, tehiy, *F. s.* Boş. *Tehidest*, eli boş zügürt; • *tehimagz*, bos kafalı; *tehimeyan*, içi boş; • *tehimidegân*, mideleri boş, karınları aç. • ‹Bu matbah-i niamda tehi midegân için — Dûd-i derunu carha çıkar dudmanların. — Nabi›. • ‹Tehi, kazazade bir tekne karşısında peder. — Fikret›.

tehidest, *F. s.* [Tehi-dest] Eli boş. Fakir, zügürt. (ç. Tehidestan). • ‹Ger yolun düşer ise varma tehidest Aceme — Bu Muhibbî gazeli Kum ile Kâşan'a ilet. — Kanunî›.

tehidestan, *F. i.* [Tehi-dest ç.] Eli boş kimseler, yoksullar. • ‹İtimat etme sakın tehdistanın asla lâfına. — Şerif›.

tehidestî, *F. i.* Zügürtlük, fakirlik.

tehie, *A. i.* [Heyet'ten] Hazırlama. Hazır etme. • ‹Sadabad'da yine sultan-i enam hazretlerine tehie-i ziyafet ve. — Asım›.

tehim, *A. s.* Suçlu.

tehimagz, *F. s.* [Tehi-magz] Boş kafalı, beyinsiz, (ç. Tehimagzân).

tehir, *A. i.* [Ahar'dan] Geriye bırakma. Geciktirme. (ç. Tehirat). • ‹Hem görmek istiyor, hem görmek zamanını tehire çalışıyordu. — Uşaklıgil›.

tehiy, Bk. • *Tehi*.

tehiye, Bk. • *Tehie*.

tehlik, *A. i.* (*He* ve *kef* ile) Öldürme.

tehlike, tehlüke, *A. i.* [Helâk'ten] Ölümle sona erebilecek hal. Tehlike. • ‹Bihter'le muaşakalarının yeni bir devre-i tehlikeye girdiğini anladı. — Uşaklıgil›.

tehlil, *A. i.* ‹Lâilâhe illallah...› sözünü söyleme. (ç. Tehlilât). • ‹Seni tehlil için, takdis içindir. — Recaizade›. • ‹Birer beyaz sandık içinde tehlil ve ibadetle meşgul oluyorlar. — Cenap›.

tehlilhân, *F. s.* [Tehlil-hân] Tehlil edip duran, tehlil sözünü makamla okuyan. (ç. Tehlilhanân).

tehniy, tehniyet, *A. i.* Gutlama, mübarekeleme. • ‹Rindana ta'ziyede dahi zühhade tehniye. — Fazıl› • ‹Ve tehniyet-i feth için otak önünde sayeban-i âli kurulup. — Naima›.

tehrib, *A. i.* (*Te* ve *he* ile) Kaçırma. Kaçırılma.

tehrim, *A. i.* Kocaltma.

tehtik, *A. i.* *(He* ile) 1. Yırtma. 2. Namusa zarar verme.

tehvid, *A. i.* Yahudi etme. Yahudi edilme.

tehvil. *A. i.* [Hevl'den] Korkuya düşürme. (ç. Tehvilât). • «Bu haber asker beyninde şayi olmakla tehvil ve fütura bais olur diye ol şahsı kaybettiler. — Naima».

tehvim, *A. i.* Imızganma. Hafif uyku, (ç. Tehvimat). • «Mersum-i mecâ-yi mütehayyile kılınmış hayalât-i tehvim-i evhama müşakil sice. — Şefikname».

tehvin, *A. i.* [Hevn'den] 1. Yolaylaştırma. Hafifletme. 2. Ucuzlatma. 3. Alçaltma. (ç. Tehvinat). • «İhtiyati mahalliye mahsulat-i mahalliye ile tehvin olunan. — Cenap».

tehviş, *A. i.* Karmakarışık etme.

tehyib, *A. i.* *(Te, he* ve *ye* ile) Heybetli gösterme, gösterilme.

tehyic, *A. i.* [Heyecan'dan] Coşturma, heyecanlandırma. (ç. Tehyicat). • «Ta'kid ü rekike uğramaz hiç — Eyler okudukça tab'ı tehyic. — Ziya Pş.».

tehzib, *A. i.* Düzeltme. Temizleme. Islah etme. (ç. Tehzibat).

tehzil, *A. i.* 1. Zayıflatma. 2. Alaya alma. Alay şekline sokma. (ç. Tehzilât).

tehziz, *A. i* *(He* ve *ze* ile) İnce ve uzun titretme. (ç. Tehzizat). • «Titretir bin kalbi bir tehziz-i müjgân etmede. — Naci».

tek, *F. i.* Koşma, seğirtme. • *Tek ü putek ü tâz,* durmayıp koşma. • «Sebzenin âb gelir pâyına yerden gökten — Rızk iicn olmadığından tek ü pû kaydında. — Nabi». • «Öteki oturamıyor, daima geziniyor, hatavat-i asabiye ile güvertede, salonda mütemadiyen tek ü taz ediyor. — Cenap».

tekabül, *A. i.* [Kabl'den] 1. Karşı karşıya gelme. Yüzleşme. 2. Karışlık olma, bir şeye karşılık olma veya yerini tutma. • «Tekabül-i sufuf' ve tekarri-i süyuf vuku bulacak. — Sadettin».

tekadim, *A. i.* [Takdime ç.] Sunulan armağanlar.

tekadir, *A. i.* [Takdir ç.] Mukadderat. Alın yazıları.

tekaddüm, *A. i.* Geçmiş bulunma. *Tekadüm-i ezmine,* zaman geçmesi.

tekâfü', *A. i.* [Küfüv'den] Birbirinin dengi olma.

tekâhhul, *A. i.* [Kûhl'den] Gözlere sürme çekme.

tekâhül, *A. i.* Dikkatsizlik, ihmal. • «Asla tekâhül buyurmazlardı. — Sadettin».

tekalib, *A. i.* [Taklib ç.] Dönüşler. Döndürüşler. Çevrilmeler. İçi dışa çevirmeler. • «Tekalib-i mihen ü kürabdan. — Nergisî».

tekâlif, *A. i.* [Teklif ç.] 1. Teklifler. 2. Vergiler. *Tekâlif-i emîri-ye* hükümdarın kestiği vergi; *-harbiye,* savaş zamanı olan olağanüstü vergi ve alımlar; • *-şer'iyye,* dinin buyurduğu vergiler.

tekâlüb, *A. i.* Köpek gibi birbirine saldırma.

tekâmül, *A. i.* [Kemal'den] Olma, olgunlaşma. Evrim. (ç. Tekâmülât). • «Hayat-i beeşr şahs-i fikretin — Bir cümle-i tekâmülü. — Fikret».

tekâmülî, tekâmüliye, *A. s.* Evrim, gekikişim ile ilgili. • «Harp en mühim ayamil-i tekâmüliyeden olmakla beraber. — Cenap».

tekâmüliyye, *A. i.* (Fel.) Fransızcadan *évolutionnisme* (evrimcilik) karşılığı (XX. yy.).

tekâpu, *F. i.* 1. Öteye beriye seğirtme, bir şeyler araştırma. 2. Dalkavukluk, kavuk sallanma. • «Yekdiğere eyleyip tekâpu — Derler ki efendi böyledir bu. — Ş. Galip».

tekarir, *A. i.* [Takrir ç.] Takrirler, önergeler.

tekarun, *A. i.* [Kurb'dan] 1. Birbirine yanaşma.

tekarüb, *A. i.* [Kurb'dan] 1. Birbirine yakın gelme, yaklaşma. 2. (Fiz.) Yakınsama.

tekâsüf, *A. i.* [Kesafet'ten] Sıklaşma. Koyulaşma. Yoğunlaşma. (ç. Tekâsüfat). • «Tekâsüf eyleyerek bir sehabe halinde. — Fikret».

tekâsül, *A. i.* [Kesl'den] Üşenme, kayıtsızlık. (ç. Tekâsülât). «Öldür tekâsül eyleme kurbanın olduğum. — Yenişehirli». • «Birinci vazifelerini ne dereceye kadar eda ettiklerini bilmem, fakat ikinci vazifelerinde doğrusu hiç tekâsülleri yok. — Cenap».

tekasüm, *A. i.* 1. Antlaşma. 2. Bölüşme. Bölüşülme.

tekâsür, *A. i.* (Sin ile) [Kesr'den] Kırılma. Kırınım.

tekâsür, *A. i.* (Se ile) [Kesret'ten] 1. Çoğalma. 2. Çok övünme.

tekaşşu', *A. i.* (Hek.) 1. Balgam çıkarma. 2. Kan tükürme.

tekatir, *A. i. (Tı* ile) [Taktir ç.] Damlamalar. Damıtıklar.

tekattül, *A. i.* [Katl'den] Birbirini kesme. kesişme.

tekatu, *A. i. (Te* ve *tı* ile) [Kat'dan] Kesme. Kesişme.

tekatül, *A. i.* [Katl'den] Birbirini öldürme.

tekaüd, *A. i. (Ayın* ile) [Kuud'dan] Emeklilik.

tekaüdiyye, *A. i.* Emklilik aylığı.

tekâver, *F. s.* Koşucu, seğirtici. (ç. Tekâverân). • «Bu peder-i natüvanı raiz-i tekâver-i iftihar eylemiştir. — Nabi».

tekavvüm, Bk. *Takavvüm.*

tekavvüs, *A. i.* [Kavs'ten] Yaylanma. Yay biçimine girme.

tekavvüt, *A. i.* [Kut'tan] Beslenme, geçinme.

tekâyüd, *A. i.* [Keyd'den] Birbirine hile yapma. (ç. Tekâyüdat).

tekayyuh, *A. i.* [Kîh'ten] İrinlenme. (ç. Tekayyuhat).

tekaza, *A. i.* [Kaza'dan] 1. Borcunu ödemesi için borçluyu sıkıştırma. 2. Takaza, çekişme. • «Niçin, sorun, bu tekaza-yi ömre katlanıyorlar. — Fikret» • «Maişetin o tekaza-yi cangüdazında. — Fikret» • «Bir geniş nefes almanıza vakit bırakmaksızın yeni bir güruhan daire-i tekazasına düşersiniz. — Cenap».

tekazüb, *A. i. (Zel* ile) Birbirine yalan söyleme.

tekbir, *A. i.* [Kibr'den] «Allahü ekber» (Tanrı uludur) sözünü söyleme. (ç. Tekbirat). • «Gök top sesleriyle inlerken — Söylemişler tantanatlı tekbiri. — Beyatlı».

tekbirhân, *F. s.* [Tekbir'hân] Tekbir okuyan.

tekdir, *A. i.* [Keder'den] 1. Bulandırma. 2. Kederlendirme. Kedere verme. 3. Azarlama. (ç. Tekdirat). • «Kerametlû efendimize söyleyip tekdir-i hâtır etmek makul değildir. — Naima». • «Sonra kendi kendisini tekdir ederek Nihal'e günlerce lâkayt kalmak için çalışırdı. — Uşaklıgil».

tekebbüd, *A. i.* [Kebed'den] (Bio.) Katılaşma.

tekebbür, *A. i.* [Kibr'den] Kibirlenme, ululuk satma. • «Lâzım değil inayeti ehl-i tekebbürün — Bahş eyledim atâsını veçh-i abusuna. — Necati».

tekeddür, *A. i.* [Keder'den] Bulanma, duruluğunu yitirme. • *Tekeddür-i hatır.* kederlenme. • «Bütün şiirlerimin ruhu bir tekeddürdür — Ki dembedem duyarım kalb-i nale-meşhunda. — Fikret».

tekeffüf, *A. i.* El uzatarak dilencilik etme. • «Ve ehl-i tekeffüf teaffuf pâyesine kadem basıp. — Sadettin».

tekeffül, *A. i.* [Kefil'den] Birine kefil olma. Kefalet verme. • «Kim itimat edecek müflisin tekeffülüne. — S. Vehbi».

tekehhüm, *A. i.* Kâhinlik, falcılık etme.

tekellüf, *A. i.* [Külfet'ten] 1. Güçlüğe katlanma. 2. Özenme, gösterişe kapılma. 3. Gösteriş, özenti. Yapmacık davranış. • *Bilâ tekellüf,* • *bî tekellüf,* külfetsiz, sıkıntısız, özenmeden. (ç. Tekellüfat). • «En ziyade tekellüfe lüzum gördükleri mesirelere mahsus kıyafetleriydi. — Uşaklıgil».

tekellüm, *A. i.* [Kelâm'dan] Söyleme. Lakırdı etme. (ç. Tekellümat). • «Nerde bülbül teranesi duysam — Âşıkane tekellümün sanırım. — Recaizade» • «Tekellümatına bir lüknet-i necibe verir. — Fikret».

tekellüs, *A. i.* [Kils'ten] Kireçleşme. (ç. Tekellüsat).

tekemmül, *A. i.* [Kemal'den] Olgunlaşma. Kemale gelme. (ç. Tekemmülât).

tekemmüm, *A. i.* Örtünüp bürünme.

tekemmün, *A. i.* [Kemn'den] Pusu tutma, gizlenme.

tekenni, *A. i.* [Künye'den] Künye alma, ad alma.

tekerrüm, *A. i.* [Kerem'den] Keremli olma. Saygı görme.

tekerrür, *A. i.* Bir daha olma. Tekrarlanma. • «İkisinin arasında bu daima tekerrür eden bir oyun oluyordu. — Uşaklıgil».

tekessüb, *A. i. (Sin* ile) Kazanma.

tekessül, *A. i. (Sin* ile) Gevşek davranma.

tekessür, *A. i. (Se* ile) [Kesret'ten] Çoğalma.)ç. Tekessürat). • «Berikilerin tekessürünü arzu ederiz. — Cenap».

tekessür, *A. i. (Sin* ile) [Kesr'den] Kırılma.)ç. Tekessürat).

tekevvün, *A. i.* [Kevn'den] Var olma. Meydana gelme. Oluş. Şekillenme. • *Tekevvün-i evvel,* oluş. Şekillenme. • *Tekevvün-i evvel,* Fransızcadan *preformation* (ön oluşum) karşılığı, • *-cibal,*)Jeo). Fransızcadan *orogénie*)dağoluş) karşılığı; • -ferdî, (Bio.) Fransızcadan ontogénie)bireyoluş) karşılığı.)ç. Tekevvünat). • «Daima etraflarında bir halka-i infaalât tekevvününe sebep olurlar. — Cenap».

tekeyyüf, A. i. [Keyf'ten] 1. Keyiflenme. 2. Keyiflendirecek bir şey alma. (ç. Tekeyyüfat).

tekeyyüs, A. i. Kiyasetli görünme, zekilik taslama.

tekfil, A. i. 1. Kefil etme. 2. Kefil edilme.

tekfin, A. i. [Kefen'den] Kefene sarma. Kefenlenme. • «Köyleri tekfin eden karın. — Fikret».

tekfir, A. i. [Küfr'den] Birine kâfir deme. ç. Tekfirat). • «Bu bipervalık ve müfti-i asrı tekfir ne demektir deyu perişan olduk. — Naima».

tekhil, A. i. [Kühl'den] Göze sürme çekme. Sürmelemek, sürmelenmek.

tekhin, A. i. (He ile) Kayıptan haber verme. Kehanet gösterme.

tekid, A. i. 1. Sağlamlaştırma. 2. Bir iş için önce yazılanı bir daha tekrarlama. 3. (Gra.) Pekiştirme. (ç. Tekidat).

te'kil, A. i. Bir kimseye yiyecek yedirme.

tekke, tekye, A. i. 1. Dayanma. 2. Tekke. (ç. Tekaya) • «Tekke-i dilde hayal-i yârdır mihmanımız — Ruhi».

teklif, A. i. [Külfet'ten] 1. Eziyetli bir şey isteme. 2. Resmî ve çekingen muamele. 3. Vergi yükleme. 4. Önerge. • Teklif-i ham, münasebetsiz, ağır teklif; • -mâlâyutak, ağır ve yapılmayacak teklif. ç. Teklifat). • «Bakınız size ne şartlar teklif ediyorum. — Uşaklıgil» • «Bana verin ve illâ zor bazu-yi tagallüb ile zaptederim deyu teklif-i malayutak ettiğinden gayri. — Raşit» • «Ben bu teklife muntazırdım; hemen çıktık. — Cenap».

teklil, A. i. [İklil'den] Taçlama. Taç giydirme.

teklis, A. i. [Kils'den] Kireç haline getirme. Kireçlendirme. • «Gâh teklis gehi istiktar — Azmayiş ile geçer leyl ü nehar. — Nabi».

tekmil, A. i. [Kemal'den] 1. Kemale erdirme. 2. Bitirme, tamamlama. • Tekmil-i enfas, ölme; • -selâsin, (ay görülemediği zaman) Arabî ayını 30 gün sayma. • «Bir pembelik ki birkaç dakika zarfında doğuyor, büyüyor, tekmil-i hayat ediyor. — Cenap».

tekmile, A. i. Ek, katma gibi tamlama için sonradan yapılan iş.

tekmin, A. i. [Kemin'den] Pusuya, sipere yerleştirme, yatırma. • «Metrislere tâbiye ve tekmin ile. — Ragıp Pş.».

teknif, A. i. Etrafını sarıp kuşatma.

teknin, A. i. Gizleyip saklama.

tekniye, A. i. [Künye'den] Künye koma.

tekrar, A. i. Bir şeyi iki veya daha çok defa yapma. • Tekrar alettekrar, • be tekrar, birçok defa. • «Bu odaya, hakikatte, aldanmak için tekrar gelmiş idi. — Uşaklıgil».

tekrih, A. i. (He ile) Kerih gösterme. Sevdirmeme.

tekrim, A. i. [Kerem'den] Ululama, saygı gösterme.)ç. Tekrimat). • «Eya muhit-i cihan-i tekerrüm ü tekrim. — Nef'î».

tekrimen, A. zf. Saygı göstererek. Saygı olarak.

tekrir, A. i. Bir daha yapma veya söyleme. Tekrarlama.)ç. Tekrirat). • «Tekrir ederdi sem-i hayalime bi-mesîl — Bir aks-i canrüba. — Fikret».

teksib, A. i. (Sin ile) [Kisb'den] Kazandırma.

teksif, A. i. (Se ile)]Kesafet'ten] 1. Koyu veya sık yapma. 2. Saydamlığını giderme.

teksir, A. i. (Se ile) [Kesret'ten] Çoğalma. (ç. Teksirat). • «Ki ola mail-i teksir-i neseb — Kesretin zannede evlâda sebep. — Sümbülzade».

teksir, A. i. (Sin ile) [Kesr'den] Kırma.

tekşif, A. i. [Keşf'ten] Ziyadesiyle, iyice açma, açılma.

tekşifî, A. s. i. Buldurarak öğretme sistemi.

tektaz, F. i. Çabuk koşucu. • «Bazen tektaz ü çalâk, bazen batiy vü seyyal. — Uşaklıgil».

tektib, A. i. 1. Yazdırma. 2. Yazılma veya yazma nedeni.

tekvin, A. i. [Kevn'den] 1. Var etme. 2. Yaratma. • Âlem-i tekvin, vücut ve hudus âlemi. • Kitab-iit-tekvin, Tevrat'ın birinci bölümü.

tekvinî, A. s. Tekvin ile ilgili.

tekvir, A. i. Başına sarık sarma.

tekyil, A. i. Kile ile ölçme. • «Ancak sekizde bir öşr alınmak üzre mahsulleri taşir ve tekyil, agnam rüsumları cem ü tahsil olunup. — Raşit».

tekzib, A. i. [Kizb'den] Yalanlama. Yalan olduğunu söyleme. • «Bâd-i pürva'd-i nevbaharı eder. — Bir enîn elîm ile tekzib — Öksüren, inleyen şu bâd-i ratîb. — Cenap».

tel, tell, *A. i.* Tepe, küme, yığın. (ç. Tilâl). • «Ve bir tel-i reti üzre bârgâh kurulup. — Naima».

telaffuz, *A. i.* [Lafz'dan] Bir harf veya kelimeyi seslerini iyi çıkararak söyleme. (ç. Telâffuzat). • «Nâkıs öğrenilmiş Fransızcalarını sahte bir telâffuzun süslerine boğmaya. — Uşaklıgil».

telâfi, *A. i.* Elden çıkmış bir şeyin veya o değerde olanın yerine getirilmesi. • *Telâf-i mâfat,* olan bir ziyandan bir kısmını çıkarma: • *nakaabil-i telâfi,* yerine konamaz. • «Fırsat geçer telâfi-i mâfat vaktidir — Nefs-i hevaperesti melâmet zamanıdır. — Nabi» • «Fakat şimdi yapılmış olan müracaat gayr-i kabil-i telâfi bir şey görünüyordu. — Uşaklıgil».

telâfif *A. i.* (Ana.) Kıvrımlar, büküntüler.

telâhhum. *A. i.* [Lâhm'dan] (Yara) etlenme. Et peyda etme.

telâhî, *A. i.* [Lehv'den] Oyunla vakit geçirme.

telâhuk, *A. i.* [Lühuk'tan] Birbiri arkasından gelip birleşme. Birbirine katılma. • «Ebna-yi beşer telâhuk-i efkârın ittisaı sayesinde. — Kemal».

telâhuz, *A. i.* Göz ucuyla bakma. Göz ucuyla bakışma.

telâki, *A. i.* [Lika'dan] Birbirine ulaşma. Kavuşup birleşme. • *Mev'id-i telâki,* randevu yeri. • «Meselâ şu dehliz, şu otel, şu meydanlar ve su bahçeler hepsi birer mevki-i telâkidir. — Cenap».

telâkigâh, *A. i.* [Telâki-gâh] Buluşma yeri. • «Harîm bir telâkigâh-i esrar samimiyetini kesbeden bu yuva. — Uşaklıgil».

telakki, *A. i.* [Lika'dan] 1. Alma, kabul etme. 2. Sayma, fikir sahibio lma. • *Telâkki bilkabul,* kabullenerek.)ç. Telakkiyat). • «Ferman-i lâzım-ül-iz'anlarını telâkki bilkabul edip — Sadettin» • «Kendisini bir hikâyenin kahramanı ehemmiyetiyle telâkki ediyordu. — Uşaklıgil».

telakkub, *A. i.* [Lakab'dan] Lakaplanma. • «Dava-yi siyadet edip Emir-ül-müminin telakkub etmişidi. — Naima».

telâkkum, *A. i.* Paralayıp lokma edip yutma.

telakkun, *A. i.* Anlama, Öğretme.

telâ'lü, *A. i.* [Lû'lü'den] Parıldama. • «Olur telâlü-i bârani çinde handefeşan. — Fikret».

telâmiz, tilâmiz *A. i.* [Tilmiz ç.] Öğrenciler.

telâsim, *A. i.* (*Te* ve *se* ile) [Telsim ç.] Öpücükler. • Her taraftan mendiller sallanıyor. son telâsim-i vedaiye bu temevvüclere tevdi olunuyor. — Cenap».

telâssus, *A. i.* (*Sad* ile) Çalma. Hırsızlık etme.

telâsuk, *A. i.* [Lüsuk'tan] Yapışma, birbirine bitişik olma.

telâ'süm, *A. i.* Karşılık verememek, kekelemek. • *Bilâ telâ'süm,* kekelemeden doğrudan doğruya. • «Ahkâmını memleketteb ilâ telâ'süm icra ederdi. — Naima».

telâs, *A. i.* Sıkıntı ile karışık acele. • «Küçük bir eser-i telâs, ufak bir sayha-i havet bile uyandırmayarak. — Uşaklıgil» • «Merdiven telâs ile çıkanlardan ziyade telâs ile inenlerle memlu. — Cenap».

telâsi, *A. i.* 1. Önemini kaybetme. 2. Telâs.

tel'at, *A. i.* Bk. Tal'at.

telâttuf, *A. i.* [Lûtf'tan] Lûtuf ve nezaketle davranma. • «Cenap-i molla telâttuf yüzünden. — Naima».

telâttufkâr, *F. s.* [Talâttuf-kâr] Lûtf ile, tatlılıkla muamele eden. (ç. Talâttufkâran). • «Bir sâmi-i telâttufkâr sıfatıyle. — Uşaklıgil».

telâttufkârane, *F. zf.* Tatlılıkla davrananlara yakışır şekilde. • «Kendisini telâttufkârane dinleyenlerin sükûnunda. — Uşaklıgil».

telâtum, *A. i.* (*Te* ve *tı* ile) [Lâtm'dan])Dalgalar) birbirine çarpma.)ç. Telâtumat). • «Bait bir denizin — Telâtumundaki müphem sürüda benzeterek. — Fikret». • «Kalbim tezad-i müthişin telâtum-i tesiriyle. — Cenap».

telâtumgah, telâtumgeh, *F. i.* Dalgaların çarptığı yer, dalgası çok yer. • «Ta o semalara, o telâtumgâh-i handahand-i envara. — Uşaklıgil» • «Hep karanlık... Bu telâtumgeh-i bâran ü zalâm. — Fikret».

telâtumzar, *A. i.* Dalgalık, çalkantı yeri. • «Bu telâtumzar-i kebud içinde. — Uşaklıgil».

telâ'ub, *A. i.* [Lûb'dan] Oynama.

telâub, *A. i.* Oynama. Oynaşma.

telâun, *A. i.* Lânetleşme, uğursuzlaşma.

telâvvuk, *A. i.* Lûtilik etme.

telbis, *A. i.* [Lebs'ten] 1. Bir şeyin aybını örtme. 2. Sahteleştirme. 3. Doğrucu gözükerek aldatma. • *İblis-i pür-telbis*, çok hileci şeytan. (ç. Telbisat). • «Ne yabana söyler butelbis şirretin ihzarına adam gitsin dedi. — Naima» • «Bunların emsali telbisat gibi. — Taş.».

telbiye, *A. i.* Hacıların ziyaret sırasında «Lebbeyk» diye seslenmeleri.

tele, *F. i.* 1. (Hayvan için) Tuzak. 2. Ağıl. • «Gavvasi hırs-i gevher eder lokma-i nehenk — Kebki ummid-i dane eder teleye şikar. — Ziya Pş.».

telebbüs, *A. i.* [Libas'tan] Giyinme. (ç. Telebbüsat). • «Tarz-i telebbüsündeki reng-i garip ile — Belliydi şi're, sanata meyl-i tabiatı. — Fikret».

teleclüc, *A. i.* Anlaşılır anlaşılmaz şekilde söyleme, lâkırdıyı ağzının içinde çiğneme.

telef, *A. i.* 1. Yok etme, öldürme. 2. Bozma. (ç. Telefat).

telefat, *A. i.* [Telef ç.] 1. Öldürülen kimseler. 2. Geberen hayvanlar.

teleffüf, *A. i.* Sarılıp bürünme. (ç. Teleffüfat).

teleffüt, *A. i.* Etrafa iltifat etme, bakma. • «Ve teleffüt-i ulema-yi zaman ile beyn-el-ekfa vel ahidda magbut. — Okçuzade».

telehhi, *A. i.* Oynama. Oyunla vakit geçirme.

telehhüb, *A. i.* [Leheb'den] Alevlenme, tutuşma. İltihap, yangı.

telehhüf, *A. i.* Acınarak sızlanma, yanıp yakılma. (ç. Telehhüfat). • «Gûya onun hayatına damlayan birer katre-i telehhüfle ağır ağır. — Uşaklıgil».

telemmu', *A. i.* [Lem'a'dan] Parıldama. (ç. Telemmuat).

telemmüs, *A. i.* [Lems'ten] Dokunma. (ç. Telemmüsat).

telemmüz, *A. i.* Öğrencilik etme. Bir şey öğrenme için devam etme. • «Gibi efrat gelip kendüden telemmüz eylediler. — Kâtip Çelebi».

telessüm, *A. i.* Yaşmak tutunma. Yaşmaklanma. • «Çehrende nedir buh üsn-i tabiş — Sandım ki kamer telessüm etmiş. — Naci».

televvün, *A. i.* [Levn'den] 1. Renkten renge girme. Renk değiştirme. 2. Döneklik. Kararsızlık. (ç. Televvünat). • «Hezar ahbab olan ehl-i televvünden vefa gelmez. — Ragıp Pş.» • «Binlerce televvünatına boyanarak. — Uşaklıgil».

televvüs, *A. i.* [Levs'den] Kirlenme. Bulaşık, murdar hale gelme. (ç. Televvüsat). • «Bir daha silinmeyecek bir leke ile televvüs etmiş. — Uşaklıgil».

teleyyün, *A. i.* [Leyyin'den] Yumuşama. (ç. Teleyyünat).

telezzüc, *A i.* [Lüzucet'ten] Yapışkan olma.

telezzüz, *A. i.* [Lezzet'ten] Tat alma. Zevke gitme. Hazmetme.)ç. Telezzüzat). • «Kaç gecedir pür-nefret — Bir telezzüz, acı bir zevk ile eğlenmişti. — Fikret».

telfif, *A. i.* [Leff'ten] Sarma, bürünme. (ç. Telâfif).

telfik, *A. i.* Birleştirme. Birleştirip ulaştırma.)ç. Telfikat).

telh, *F. s.* (Hı ile) Acı. • «Mührü alıp başkasına versinler deyu cevab-i telh vermekle . — Naima».

telhab, telhabe, *F. i.* [Telh-âb] Acı su. • «Misal-i Yusüf azm-i Mısr edip ol şuh-i siminten — Dehan-i zahme telhab-i firakı oldu şur-efken. — Beliğ».

telhgû, *F. s.* [Telh-gû] Acı söyleyen. (ç. Telhgûyan).

telhî, *F. i.* Acılık. • «Bu iftirakı, bunun telhi-i lezizini siz — Tahayyül etmeye bilmem muktedir misiniz? — Fikret .

telhib, *A. i.* [Lehb'den] Alevlendirme, tutuşturma. (ç. Telhibat).

telhid, *A. i.* 1. Mezar çukuru kazma. 2. Ölüyü gömme.

telhif, *A. i.* Acınma, acıklanma. (ç. Telhifat).

telhin, *A. i.* 1. Okurken kelimeyi değiştirme. 2. Makam ile, ezgi ile okuma.)ç. Telhinat).

telhis, *A. i.* 1. Uzun bir şeyi kısaltma. Özetleme. 2. Sadrazam tarafından padişaha yazılacak şeylerin özetlenmesi. (ç. Telhisat). • «Sözleri içeri telhis olundu. — Naima».

telhisen, *A. zf.* Kısaca. Kıasltılarak. • «Bu suale karşı aldığım cevapları telhisen diyeceğim ki. — Cenap».

telhisî, *F. i.* Babıâliden padişaha yazılacak şeylerin özetini yapan memur.

telhiye, *A. i.* (He ile) 1. Oyuncak. 2. Oyun.

telhkâm, *F. s.* [Telh-kâm] Damağı acı. 2. Acıklı. • «Telhkâm eyledi firakın beni. — Akif Pş.».

telhkâmi, *F. i.* Kederlilik.

telhnâk, *F. s.* Lezzeti acı olan, hoş olmayan.

telid, *A. i.* Kendi evinde doğmuş büyümüş köle, cariye, hayvanat gibi mallar. (ç. Telidat).

te'lif, *A. i.* [Ülfet'ten] 1. Uzlaştırma, barıştırma. 2. Toplayıp yazma. 3. Toplayıp yazılmış kitap. • *Telif-i beyn*, ara bulma, uzlaştırma, barıştırma. (ç. Telifat). • «Altı yüz kadar kitap ve resail telifine muvaffak olup. — Kâtip Çelebi» • «Şark medeniyeti ile garp medeniyetini telife kalkışmak. — Z. Gökalp».

telifat, *A. i.* [Te'lif ç.] Yazılmış eserler. • «Lisanımızda birtakım telifat-i tıbbiye vücuda getirip de. — Kemal».

telifkerde, *F. i.* [Telif-kerde] Telif olunmuş, yazılmış kitap.

te'lih, *A. i.* (*Hemze* ve *he* ile) [İlah'tan] Tanrılaştırma.

tel'in, *A. i.* [Lâ'n'den] Lânetleme. Lânet okuma. • «İnsanda şu nankörlüğü telin eden avaz. — Fikret».

tel'inat, *A. i.* [Tel'in ç.] Lânetlemeler. • «Hayır, hayır asna raci' değil bu tel'inat. — Fikret».

telkıb, *A. i.* [Lâkab'dan] Lakab koyma. Lakaplandırma.)ç. Telkıbat).

telkıh, *A. i.* Aşı yapma, aşılama. • *Telkıh-i bakarî*, inekten alınma serumla yapılan aşı (ikisi de çiçek hastalığına karşı yapılırdı).

telkın, *A. i.* 1. Birine bir şey anlatıp zihnine koma. 2. Ölü gömüldükten sonra imam tarafından söylenen söz. 3. Fransızcadan *suggestion* karşılığı)XX. yy.). (ç. Telkınat). • «Karye papazları kadınlara itikdat-i bâtıla telkininden bir an hali kalmazlar. — Cenap».

telkınî, *A. s.* 1. Telkın ile ilgili. 2. Telkin-i. • «Elfaza lüzumundan ziyade isnad-i ehemmiyet edenler Bahr-i Siyahın sularını is renginde zannettikleri gibi Bahr-i Ahmer'in sathını da kırmızı tasavvur ederler, bu tasavvur bazan bir itikad-i vicdanî derece-i kuvvetini alıyor, o zaman itikad-i vicdanînin kudret-i telkınîyesi bir galat-i basarîye sebep olarak, Bahr-i Ahmer bir lücce-i hunın gibi görünüyor. — Cenap».

tell, tel, *A. i.* Tepe, küme, yığın. (ç. Tilâl).

telmi', *A. i.* [Lemean'dan] (Ed.) Mısraları (Arapça, Türkçe, Farsça) başka başka dillerde olan manzume yazma. (ç. Telmiat).

telmih, *A. i.* 1. Söz arasında başka bir şey kasdederek mânalı söyleme. Açıkça söylememe. 2. (Ed.) Bir hikâye, bir söz, bir mesel, bir manzume, bir olay, işaretle söylenme. (ç. Telmihat). • «En bait telmihattan bagteten ateş alarak. — Cenap».

telsim, *A. i.* Ağzını öpme. Öpme. (ç. Telsimat). • «Telsim-i dâmen-i ikramla kesb-i sermaye-i saade eylediler. — Raşit».

telvi', *A. i.* (*Ayın* ile) Yakıp dertlendirme.)ç. Telviat).

telvih, *A. i.* 1. Söz arasında manalı söyleme. 2. Açıklama. Açık ve belli etme. (ç. Telvihat).

telvim, *A. i.* [Levm'den] Azarlama. (ç. Telvimat).

telvin, *A. i.* [Levn'den] Renk verme. Boyama. (ç. Telvinat).

telvis, *A. i.* [Levs'den] 1. Bulaştırma. kirletme. 2. (Mec.) Berbat etme. İşi olmayacak şekle sokma. (ç. Telvisat). • «Bu vaka hayatını ebediyen telvis edecek bir leke kadar onu korkutuyor. — Uşaklıgil».

telviye(t). *A. i.* Bükme, çevirme.

telyin, *A. i.* [Leyyin'den] 1. Yumuşatma. 2. Kabzı hafifletme, içi yumuşatma. • «Ehl-i Amid ile telyin-i kelâm eyledi. — Sadettin».

telziz, *A. i.* [Lezzet'ten] Tatlılandırma.

temacüd, *A. i.* [Mecd'den] Ululuğunu çoğaltma.

temadi, *A. i.* Uzama, sürme, sürüp gitme. • «Fakat dolayısıyle temadi-i sulhu hazırlıyorlar. — Cenap».

tema'dün, *A. i.* [Maden'den] Maden haline geçme (XIX. yy.).

temalük, *A. i.* Kendine hâkim olma. Nefsini zaptetme.

temam, tamam, Bk. • *Tamam.*

temaruz, *A. i.* [Maraz'dan] Yalandan hasta olma. Kendini hasta gösterme. (ç. Temaruzat). • «Cuma günü dahi temaruz edip gelmediğinden. — Naima».

temas, *A. i.* (*Sin* ile) [Mes'ten] Birbirine dokunma, değme. • «Nedir sanat-ki taşlar canlanır sihr-i temasiyle? — Fikret».

temasih, *A. i.* [Timsah ç.] Timsahlar.

temasil, *A. i.* (*Se* ile) [Timsal ç.] Timsaller. Semboller. • «Bütün mesirelerin en maruf tefasîl-i hayatından biridir. — Uşaklıgil».

temasüh, *A. i.* (*Ha* ile) Münafıkça karşılıklı tatlı tatlı görüşme.

temasüh, *A. i.* (*Hı* ile) Suratını korkunç ve çirkin şekle koyma.

temasük, *A. i.* Perhiz etme. Kendini tutma.

temasül, *A. i.* (*Se* ile) [Misl'den] Benzeme; benzeyiş.

temaşa, *F. i.* 1. Bakıp seyretme. 2. Gezme. • *Sahe-i temaşa,* tiyatro sahnesi; • *şayan-i temaşa,* görülmeye değer. • «Uzun bir temaşa ile bu levha-i uryana bakıyordu. — Uşaklıgil» • «Hem de etrafındaki vasi' ufku temaşaya fırsat bulacaksınız. — Cenap».

temaşagâh, *F. i.* [Temaşa-gâh] Seyir ve gezinti yeri. • «Ya temaşagâhımı âyine-i ruhsarın et. — Ruhi».

temaşager, *F. i.* [Temaşa-ger] Seyirci. (ç. Temaşageran). • «Temaşager-i nükuş ve elvanı bulunduğu. — Recaizade» • «Etrafına toplanan temaşageranın onda dokuzu güler. — Uşaklıgil».

temaşahane, *F. i.* [Temaşa-hane] 1. Tiyatro. 2. Çalgılı dans yeri. • «Ter ve daha bilmem nasıl kokular bu temaşahaneyi dolduruyordu. — Cenap».

temaşakâr, *F. s.* Seyirci. • «Sahne-i mesainin temaşakârıdır. — Cenap».

temaşakârî, *F. i.* Seyircilik. Seyirci durumu. • «Bir safderunun saydolunmasına intizaren bir vaz-i temaşakâride de kalmak tercih olunurdu. — Uşaklıgil».

temayül, *A. i.* [Meyl'den] 1. Bir tarafa eğilme, çarpılma. 2. Bir tarafa veya bir adama taraflı olma. (ç. Temayülât). • «İzdivacında şebabının hiç bir temayül-i sevdasına tebaiyet etmemiş. — Uşaklıgil» • «Temayulât-i sairesine galebe etmiştir. — Recaizade».

temayüz, *A. i.* Yükselme, üstün olma. • «Bugün Melih Bey takımı unvaniyle bir nokta-i temayüzde birleşen kadınlar. — Uşaklıgil».

temazüh, *A. i.* (*Ze* ve *ha* ile) Karşılıklı latife etme. Şakalaşma.

temcid, *A. i.* [Mecd'den] 1. Ululama. Ağırlama. 2. Sabah ezanından sonra minarelerde okunan dua. (ç. Temcidat). • «Fâtiha-i tahiyyat-i mecd ü ikballeri kemal-i temcid ve tevcid ile tilâvet ve

tertil. — Vehbi» • «Cenab-i Kelim'in gehvare-i mevvacına masiye-sude-i temcid olan sazlar. — Cenap».

temdid, *A. i.* [Medd'den] 1. Çekip uzatma. 2. Uzatma, sürdüme.) ç. Temdidat). • «Hayatı aşkını temdid için sever görünür. — Fikret».

temdih, *A. i.* [Medh'ten] Fazla övme. (ç. Temdihat).

temdin, *A. i.* Medenileştirme. (XX. yy.). • «Âlem-i bedaveti temdin bahanesiyle. — Cenap».

temeccid, *A. i.* Ululanma.

temeccüs, *A. i.* Mecusi olma.

temeddüh, *A. i.* Kendi kendini övme. Övünme. (ç. Temeddühat).

temeddün, *A. i.* [Medeniyet'ten] Medenî olma. Medenileşme. • «Mebna-yi temeddün madde-i teavün olmasıyle. — Şinasi».

temehdi, *A. i.* Mehdileşmek. Mehdilik iddiasına kalkışma.

temehhüd, *A. i.* Yayılıp döşenme.

temehhül, *A. i.* (*He* ile) Acele etmeyip, ağır davranma.

tenehhür, *A. i.* Ustalanma. Mahir olma.

temekkün, *A. i.* [Mekânet'ten] Yerleşme. yer tutma. • «Ve mesned-i pederiü zre temekküne her vechile istihkakını. — Sadettin».

temellûk, *A. i.* (*Kaf* ile) Yaltaklanma. (ç. Temellükât). • «İptida vezir-i âzama mülâkatı mahallinde ettiği temellûku namus-i saltanat muktezasiyle gittikçe kalb-i şeriflerine tesir edip. — Peçoylu».

temellük, *A. i.* [Milk'ten] Sahip olma. (ç. Temellükat). • «Bu devre esnasında onlara ve kazaen tekrar temellük etmek yahut. — Uşaklıgil».

temellül, *A. i.* 1. (Hek.) Çarpınma *(gitation)* karşılığı)XIX.yy.). 2. Fransızcadan *Nationatisation* karşılığı)XX. yy.). • «Çünkü memleketin kanun-i esasi Hıristiyanlığı şart-i temellül ittihaz etmişti. — Cenap».

temelmül, *A. i.* Döşekte rahat olmama. • «Bu esnada filcümle temelmül-i şevagıl asude-i pister-i rahat olduğumuz. — Ragıp Pş.».

temenna, *A. i.* 1. El ile selâm verme. 2. Dilek. • «Zâhidin âlemde cennettir temanna ettiği — Âşık-i dilhaste gönlünden geçen didardır. — Ruhi».

temenni, *A. i.* 1. İstek. 2. İstenen şey. 3. Dua. Dilek. (ç. Temenniyat). • «Gûya bu hatanın temenni-i affiyle eğildi. — Uşaklıgil» • «Hepsi tahassür ve iştiyaktan, temenni-i selâmete mülakattan bahs ediyor. — Cenap».

temennü', A. i. Yapılamama. Vücuda gelmesi imkânsız. • «Ocağın zâbitleri ve ağaları temennu' gösterip. — Naima».

temer, temr, Bk. • Temr.

temerküz, A. i. [Merkez'den] 1. Merkez tutma. 2. Toplanma. 3. Birikme, yığışma.

temerrüd, A. i. Karşı durma. Dik gelme. inat.)ç. Temerrüdat) • «Fart-i temerrüd ve mezid-i teşeddüdlerinden. — Sadettin».

temeshur, A. i. 1. Maskaralık etme. 2. Maskaraya alma, zevklenme. (ç. Temeshurat).

temeskün, A. i. Miskin olma, miskinleşme.

temessuh, A. i. (Ha ile) [Mesh'ten] Bir şeye el sürme. Bir şeye sürünme. (ç. Temessuhât).

temessük, A. i. 1. Tutunma, sarılma. 2. Borç senedi. (ç. Temessükât). • «Katil hususu için bende mufassal temessük vardır vefatımda bile defn olunmak vasiyetimdir ki Hak dergâhında dahi temessüktür deyip Abdürrahim Efendi fetvasına telmih eyledi. — Naima» • «Haraçlar ve hizmetler muhasebesin sorup temessükât ibraz ettikten sonra. — Naima».

temessül, A. i. [Misl'den] 1. Bir şekil ve surete girme. Cisimlenme. 2. Benzeşme. (ç. Temessülât). • «Nazarında her şeye muktedir bir kadın hırçınlığıyle temessül ediyordu. — Uşaklıgil».

temeşşi, A. i. Yürüme.

temeşşuk, A. i. [Meşk'ten] Meşk alma. Meşk yazma.

temettu', A. i. Kâr etme, kazanma. (ç. Temettuat). • «Bezm-i aşk içre Fuzulî ince ah eylemeyim — Ne temettu bulunur bende sadadan gayrı. — Fuzuli» • «Bu kadar temettua müsait bir teşebbüse birçok talipler de bulunur. — Kemal».

temevvüc, A. i. [Mevc'den] Dalgalanma. Çalkalanma. Deniz karışıp dalgalar kalkma. (ç. Temevvücat). • «Temevvüc etmede yer yer zılâl-i tenhayî. — Fikret» • «Her tarafta mendiller sallanıyor, son telâsin-i vedaiye bu tenevviclere tevdi olunuyor. — Cenap».

temevvücat, A. i. [Temevvüc ç.] Dalgalanmalar. • «Küşade bir alemin al temevvücatında. — Fikret».

temevvül, A. i. [Mal'dan] Mal edinme. Zenginleşme.)ç. Temevvülât). • «Meşhur zenginlerin belâ-yi temevvülden şikâyeti. — Cenap».

temevvüt, A. i. [Mevt'ten] (Hek.) Bir organın veya bir beden parçasının çürüyüp ölü haline gelmesi. (XIX. yy.).

temeyyu', A. i. [Mayi'den] Sulanma. Sıvılaşma. (ç. Temeyyuat).

temeyyüh, A. i. (Hek.) Sulanma. (XIX. yy.).

temeyyüz, A. i. Benzerlerinden ayrılıp sivrilme. Farklı olma, seçilme. • «Ekserisi için Arga bir medar-i temeyyüz olur. — Cenap».

temga, F. i. Damga. • «Sanır temga-yi zerrindir gören bir mai hârada — Meyan-i âba düşmüş aks-i hurşid-i pür-envarı. — Nef'i».

temhid, A. i. [Mehd'den] 1. Yayma, döşetme. 2. Düzeltme. Islah etme.)ç. Temhidat). • «Gülşenin haddi değil kûyuna taklit etmek — Çend evrakla dâvasını temhid etmek. — Nabi».

temhil, A. i. [Mehl'den] Erteleme, sonraya bırakma. Zaman ve fırsat verme. (ç. Temhilât).

temhir, A. i. Mühürleme. (ç. Temhirat).

temime, A. i. Nazar boncuğu, nazarlık. • «Tâviz-i kühengûşe-i ikbal ve temime-i bazu-yi ahval, bendei bi-mecal — Veysi».

te'min, A. i. [Emn'den] 1. Korkusunu giderme, eminlik verme. 2. Sağlamlaştırma. Kesin bir hale koyma. Sağlama. (ç. Teminat). • «Zira temin-i istikbalin mevkuf-i aleyhi olan teşyid-i revabıt. — Kemal» • «Behlûl temin ederdi ki bu, evin içinde hâsıl olabilecek şüpheler için, en nâfi çare-i tahaffuzdur. — Uşaklıgil».

te'minat, A. i. [Temin ç.] Sağlamlık için gösterilen kefil; verilen söz veya para. • «Sonra bu suale karşı verilecek teminatta sevilmediğinin daha haiz-i sarahat bir bürhanını görmek korkusundan. — Uşaklıgil».

te'mir, A. i. (emze Hile) Vali yapma, komutan tâyin etme. • «Liva-i mezbure tâyin ve te'mir olundu. — Raşit».

tem'ir, A. i. (Ayın ile) Geçineceği kalmayıp fakir düşme.

temkin, *A. i.* [Mekânet'ten] 1. Ağırlık. Ağırbaşlılık. 2. (Hek.) İlletin bir yere yerleşmesi. • «Zulm ederse yıkılır hane-i din — Etmese bulmaz umuru temkin. — Nabi».

temlie, *A. i.* Doldurma. • «Bunu düzen su için düzmüştür demekle temlesi iradesin remzle iş'ar ederler idi. — Sadettin».

temlih, *A. i.* [Milh'ten] 1. Tuzlama. Tuza yatırma. 2. (Ed.) Söz arasında güzel bir mazmun söyleme. (ç. Temlihat).

temlik, *A. i.* [Milk'ten] Birine mülk kazandırma. Mülkü ona verme, onun üstüne etme. (ç. Temlikât) • «Belde-i mezbureyi şahi- uzletgüzine temlik eyledi. — Sadettin».

temliken, *A. zf.* Mülk olarak. *Temliken ikta'.* Bk. *Ikta'.*

temlis, *A. i.* (Sin ile) Düz etme.

temme, temmet, *A. f.* «Bitti» anlamındadır. • «Ona bir an evvel «temmet» kelimesini çektikten sonra. — Uşaklıgil».

temni', *A. i.* (Ayın ile) Önleyip geri durdurma.

temniye, *A. i.* Meni akıtma.

temr, temer, *A. i.* Hurma.

temrin, *A. i.* 1. Tekrarla alışma, alıştırma. 2. Alıştırma.)ç. Temrinat). • «Nihal piyanosunda bir sürat temrinin velvelesi arasında. — Uşaklıgil».

temsil, *A. i.* [Misl'den] 1. Benzetme. 2. Bir şeyin aynını yapma. 3. Örnek söz. 4. Oyun. (ç. Temsilât). • «Ey kapkara damlarla birer matem-i berpâ — Temsil eden asude ve fersude mesakin. — Fikret».

temsiye, *A. i.* Tün aydın deme. • «Şıktır hünernüma beyim âlâ lisan bilir. — İcrayi resm-i temsiyede bonsuvar der. — Naci».

temşıt, *A. i.* (Te ve tı ile) Tarama, taranma.

temşiyet, *A. i.* Yürütme, ilerletme. • *Temşiyet-i umur,* işleri yürütme. • «Bimeşveret-i âyan ve bilâ-marifet-i erkân temşiyeti mesalih olunması için. — Naima».

temti', *A. i.* (Ayın ile) ·Faydalandırma.

temtin, *A. i.* [Metanet'ten] Sağlamlaştırma.

temvih, temviye, *A. i.* Eğri söze doğru süsü verme. Sözü yaldızlama.)ç. Temvihat).

temvil, *A. i.* [Mal'dan] Mal sahibi etme,)ç. Temvilât).

temyil, *A. i.* [Meyl'den] Eğriltme, mail kılma.

temyiz, *A. i.* 1. Ayırma. seçme, 2. İyiyi kötüden ayırt etme. 3. Tanzimattan sonra bir dâvanın üçüncü ve son görülme derecesi. 5. (Arap. Gra.) Sayıları, belirsiz isimleri belirten kelime. • *Mahkeme-i temyiz,* yargıtay. • «Temyize yoğ'idi iktidarım. — Ziya Pş.». • «Bütün mesalik-i ahlâk temyiz-i nîk ü bede irca edildiği halde. — Cenap».

temzic, *A. i.* [Mecz'den] Karıştırma, katıştırma.

temzik, *A. i.* Yırtma. (ç. Temzikat). • «Bu cemiyetimizi tefrik ve bizi katl ü temzik etmektir biz birbirimizden ayrılmazız. — Naima».

temziyet, *A. i.* Övmek.

ten, *F. i.* 1. Gövde. 2. İnsan gövdesinin dış yüzü, et ile deri. • «Ancak mahsûl pembe mevceler tayaran eden teninden. — Uşaklıgil».

tenaci, *A. i.* Birbirine fısıltı ile gizli söyleme.

tenadd, *A. i.* Dağılma, darmadağın olma. • *Yevm-i tenadd,* mahşer günü. • «Ve yevm-i tenadda anlara özür olmaz. — Kâtip Çelebi».

tenadi, *A. i.* İnsanlar bir araya toplanma ve birbirini çağırma.

tenadüm, *A. i.* Birbiriyle konuşma, sohbet.

tenadür, *A. i.* Azalma, nadirleşme.

tenafür, *A. i.* [Nefret'ten] 1. Birbirinden ürküp kaçma. 2.)Ed.) Kelime seslerinin uygunsuzluğundan ileri gelen söyleme ağırlığı.)ç. Tenafürat). • «Yok zerre tenafür-i ibarât. — Ziya Pş.» • «Mahsul-i musiki bir tenefür-i asvat olur. — Cenap».

tenafüs, *A. i.* Haset etme, çekememe. (ç. Tenaffüsat). • «Kabail-i Arab-i sa'b-ül-ittihad bir kavm olup. — Naima».

tenaggum, *A. i.* [Negam'dan] Nağme etme, şarkı söyleme.

tenahhi, *A. i.* Çevrilme, kıvrılma. • «Mirmiran-i cedid Varvar Ali Paşaya rast geldikte yolunda tenahhi edip. — Naima».

tenahhul, *A. i.* [Nihle'den] Bir mezhep edinme. • «Her kimse ki kelâm ile tenahhul edip anda mücadele eyleye. — Taş.».

tenahhus, *A. i.* Bir sözün, haberin ardını araştırma.

tenahi. *A. i.* [Nihayet'ten] Bitme, tükenme. ● *Bitenahi,* bitip tükenmez, sonsuz. — ● ‹Ey kudretine olmayan agaz ü tenahi. — Ziya Pş.›.

tenahnuh, *A. i.* Boğazını tekrar tekrar hırıldatıp soluma. (ç. Tenahnuhat).

tenai, *A. i.* Uzaklık. ● ‹Memalik-i Osmaye'den bu'd ü tenayi iktiza edip. — Naima›.

tenakkul, *A. i.* [Nakl'den] Bir yerden başka bir yere göçme.

tenakkul, *A. i.* [Nukl'den] Mezelenme. (ç. Tenakkulât). ● ‹Ol nevbave-i nevadir ile tefekküh ve tenakkul edip. — Nergisi›.

tenakus, *A. i.* [Naks'tan] Eksilme. (ç. Tenakusat). ● ‹Bu ehemmiyet inkılâbat-i zaman ile tenakus etmedi belki tezayüd eyledi. — Kemal›.

tenakuş, *A. i.* Tartışma. ● ‹Bir payede iki âlim tenakuş ve niza üzre olagelmiştir. — Kâtip Çelebi›.

tenakuz, *A. i.* [Nakz'dan] İnsanın sözlerindeki birbirini tutmazlık, karşıtlık. (ç. Tenakuzat). ● ‹Tenakuz ile hüccet kalmaz› ● ‹Sonra kendi kendisine bu tenakuzu fark ederek. — Uşaklıgil›.

tenaküh, *A. i.* [Nikâh'tan] Nikâhlanma. (ç. Tenakühat).

tenakür, *A. i.* [Nekr'den] 1. Bilmezlenme. 2. (Fel.) Fransızcadan *antipathie* (antipati, karşıt duygu) karşılığı (XX. yy.).

tenanir, *A. i.* [Tennur ç.] Ocaklar, fırınlar.

tenasan, *F. s.* Vücudu rahatta olan.

tenasani, *F. i.* Vücut rahatlığı. Sağlık.

tenasi, *A. i.* Unutma. Unutur görünme.

tenassub, *A. i.* (Sat ile) Dikilip durma.

tenassuh, *A. i.* (Sat ve ha ile) Öğüt alma. Öğütten faydalanma.

tenassur, *A. i.* Nasranileşme. Hıristiyan olma.

tenasuh, *F. i.* (Sat ve ha ile) Birbirine öğüt verme. Öğütleşme.

tenasuh, *A. i.* (Sin ve hı ile) [Nesh'ten] 1. Ruhun bir cisimden ötekine bazı kere de insandan hayvana ve hayvandan insana geçmesi. 2.)Fel.) Fransızcadan *métempshychose* (ruh göçü, ruh sıçraması) karşılığı. 3.)Mec.) Şekil, kılık değiştirme. ● ‹Her an bir başka şekle giren, her dakika bir silsile-i tenasuhtan geçen bu eşkâl-i garibe alayı. — Uşaklıgil›.

tenasuhi, *A. i.* Tenasuh inancında olan kimse. ● ‹Hangi hayvan)...) kuyruğu dikerse insan suretine girer davasında bulunan bir tenasuhiye karşı. — Kemal›.

tenasuhiyye, *A. i.* Tenasuhcular.

tenasuk, *A. i.* Nizam üzre dizilme.

tenasur, *A. i.* [Nasr'dan] Yardımlaşma.

tenasüb, *A. i.* [Nisbet'ten] Uyma, uygunluk. Tutma, yakışma. Orantı.

tenasül, *A. i.* [Neşl'den] 1. Birbirinden doğup üreme. 2. Türeme, nesil yetiştirme. ● ‹Kadınlarımızın tenasüle hizmetten başka benî nev'imize hiç bir menfaatleri görülemiyor. — Kemal›.

tenasüli, tenasüliyye, *A. s.* Tenasül ile ilgili.

tenasür, *A. i.* (Se ile) Saçılma, dağılma.

tenaşşut, *A. i.* (Te, şın ve tı ile) Ferahlanma, sevinme.

tenaşüd, *A. i.* Karşılıklı şiir okuma.

tena'um, *A. i.* [Nimet'ten] Bolluk içinde, naz ve nimetle yaşama. (ç. Tena'umat). ● ‹Ol garka-i bar-i zevk-i candır — Bu mahv-i tena'um-i cihandır. — Fuzulî›.

tenaver, *F. s.* [Ten-aver] Vücutlu, iri.)ç. Tenaveran). ● ‹Cümleden büyüğü sultan Beyazıt idi bir tenaver mültehi çivan idi. — Naima›.

tenavüb, *A. i.* [Nevbet'ten] Nöbetleşme. ● ‹Her gün tenavüb tarikiyle. — Sadettin›.

tenavül, *A. i.* [Neval'den] Alıp yeme veya içme. ● ‹Bast-i maide edip huzzara teklif-i tenavül etti. — Sadettin›.

tenevüm, *A. i.* [Nevm'den] Uyur görünme.

tenazu', *A. i.* [Niza'dan] 1. Çekişme, uğraşma.)ç. Tenazuat).

tenazur, *A. i.* [Nazar'dan] 1. Birbirinin karşısında olma. Birbirine bakma. 2. (Mat.) Bakışım, simetri.

tenazül, *A. i.* (Zel ile) Savaş için iki taraf attan inme.

tenazzuf, *A. i.* (Zı ile) Temizlenme, paklanma.

tenazzur, *A. i.* Dikkatle bakarak düşünme.

tenbakû, *F. i.* Tömbeki, nargile ile içilen bitki. ● ‹Yâran-i kahve destinde kalyan-i tenbakû ve kasab-i tiryakî. — Şefikname›.

tenbel, *F. s.* 1. Üşenen, üşengen. 2. İşte ağır davranan.

tenbelhane, *F. i.* [Tembel-hane] 1. Tembeller yurdu.. 2. İş görülmez daire.

tenbelid, tenbelit, *F. i.* Hayvan yükü, küçük yük. • ‹Merkep üzre yükletirler tenbelit. — Süruri›.

tenbih, *A. i.* 1. Uyandırma. 2. Sıkı emir verme. (ç. Tenbihat). • ‹Tenbihat-i büzürgvaran-i ebrardandır ki. — Nergisi›. • ‹Bülent'e tenbih olunacak şeyler Nihal'e söylettirilir. — Uşaklıgil›.

tenbit, *A. i.* Yetiştirme, verimli kılma.

tencim, *A. i.* [Necm'den[Yıldız bilgisi ile uğraşma. (ç. Tencimat). • ‹Kosun tecahülü erbab-i hikmet ü tencim. — Nef'î›.

tencis, *A. i.* 1. Murdarlaştırma. 2. Büyü için boyuna asılan murdarlık ve ölü kemikleri.

tenciz, *A. i.* Sona erdirme. Sonuçlandırma. Sözünü yerine getirme. • ‹Vâdeni tenciz eyle. — Süheylî›.

tendiye, *A. i.* Islatma, nemleme.

tendürüst, *F. s.* [Ten-dürüst] Sağlam, kuvvetli (kimse). • ‹Nizamperver, itaatli, tendürüst, çevik. — iFkret›.

tendürüsti, *F. i.* Sağlık, sağlamlık.

tene, *F. i.* 1. Gövde, vücut. 2, Örümcek ağı. • ‹Sürdükçe hasma yek tene — Bakmaz silâh ü cevşene. — Nef'î›.

tenebbü', *A. i.* Yalan olarak peygamberlik iddiasında bulunma.

tenebbüh, *A. i.* Uyanma, uykudan kalkma. 2. Gafletten kurtulma, kendine gelme. 3. (Psi.) Uyarım. (ç. Tenebbühat) • ‹Tenebbüh etmiyoruz olduğu muhakkak iken — ,Hayat, hâb ü hayal; vücut ayn-i zılâl. — Recaizade›.

tenebbüt, *A. i.* (Bot.) Bitkilenme. • ‹Ancak tenebbüt eyleyen, ancak pinekleyen. — Fikret›.

teneccüm, *A. i.* Yıldızlara dikkat etme. Yıldızlardan ahkâm çıkarma. (ç. Teneccümat).

teneddüm, *A. i.* [Nedamet'ten] Pişman olma.)ç. Teneddümat).

teneffu', *A. i.* [Nef'ten] Faydalanma. (ç. Teneffuat). • ‹Levs-i riya, levs-i haset, levs-i teneffu' — Yalnız bu... ve yalnız bunun ümmid-i teraffu'. — Fikret›.

teneffür, *A. i.* [Nefret'ten] 1. İğrenme, tiksinme. 2. Çekinme, kaçınma.)ç. Teneffürat). • ‹Atmıştı bu manzar beni hem reng-i teneffür — Bir havf-i siyaha. — Fikret›.

teneffüs, *A. i.* [Nefes'ten] 1. Soluk, soluk alma. 2. Geçici olarak işi bırakıp dinlenme. (ç. Teneffüsat). • ‹Pek bunaldım, biraz teneffüs için — Sahili etmek istedim mesken.' — Fikret› • ‹Şu menfesi olmayan kundaklar içinde nasıl teneffüs edebiliyorlardı? — Cenap›.

tenekkür, *A. i.* [Nekr'den] Kendini bilmeme. Tebdil gezme.

tenekküs, *A. i.* Baş aşağı olma.

tenemmi, *A. i.* [Nema'dan] Nemalanma. Bereketlenip artma. • ‹Medeniyetin tenemmisi de gecikiyor mu. — Cenap›.

tenemmül, *A. i.* Karınca gibi kaynama.

tenessüb, *A. i.* (Sin ile) Bir nesepten olduğunu iddia etme.

tenessük, *A. i.* Tanrıya kulluk etme. Kendini bu işe bırakma. • ‹Tenessük ve ferag-i bal ihtiyar etmekle. — Taş.›.

tenessüm, *A. i.* [Nesim'den] Rüzgâr koklama. • ‹Nesim-i kûy-i dilberin tenessümiyle mest olur. — Naci›.

tenessür, *A. i.* (Se ile) Dağılma, saçılma.

tenessür, *A. i.* (Sin ile) Yıldızlaşma. • ‹Huruç edip tenessür eden bugat. — Abdullah›.

teneşşi, *A. i.* Neşelenme, sarhoş olma.

teneşşüf, *A. i.* Toprak veya havuz gibi şeylerin suyu kendilerine çekmeleri.

teneşşür, *A. i.* 1. Haber yayılıp duyulma. 2. Cenaze yıkanma.

tenevvu', *A. i.* [Nev'den] Birkaç çeşit olma, çeşit çeşit.)ç. Tenevvüat). • ‹Muamelât-i kazaya tenevvu-i esrar. — Ziya Pş.›.

tenevvuh, *A. i.* [Nevha'dan] (Ölü için) feryat edip ağlama.

tenevvür, *A. i.* [Nur'dan] Parlama. Işıldama. • ‹Ati kılar ancak lemeatınla tenevvür. — Fikret›.

tenezzehe, *A. i.* ‹Beri ve uzaktır› anlamında Tanrı için kullanılır.

tenezzüh, *A. i.* [Nüzhet'ten] Eğlenmek için gezip dolaşma.)ç. Tenezzühat). • ‹Küşade-bâl-i tenezzühtü bir beyaz kotra. — Fikret›.

tenezzül, *A. i.* [Nüzul'dan] 1. İnme, aşağılama. 2. Gönül alçaklığı, kibirsizlik. • ‹Yâr için sohbet-i ağyara tenezzül güçtür — Âşıka belki bu manâ-yi teemmül güçtür. — Nailî› • ‹Tuhaflıklarından mahzuziyetlerini işarete tenezzül buyururlar mı? — Uşaklıgil›.

tenezzür, *A. i.* (Zel ile) Vacip olmayan nesneyi üzerine vacip kılma. Adama.

tenfih, *A. i.* *(He* ile) Yorma, güçsüz bırakma.

tenfih, *A. i.* *(Ha* ile) [Nefh'ten]. Çok üfleme. Üfleyip şişirme.

tenfil, *A. i.* 1. Ganimet verme. 2. Yağmaya izin verme. 3. Yemin verme. 4. Zararı giderme.

tenfir, *A. i.* [Nefret'ten] İğrendirme, tiksindirme. (ç. Tenfirat). • «Ve halkı bütün bütün tenfir etmek değildir. — Nuri».

tenfir, *A. i.* [Nefir'den] 1. Savaşa toplanma. 2. Asker ·derme. • «Vezir Mustafa Paşa Rumeli'ye tenfir-i asker için gönderildi. — Naima».

tenfis, *A. i.* [Nefes'ten] Soluklandırma. (ç. Tenfisat).

tenfiş, *A. i.* Pamuk gibi atma. Yün gibi ditme. (ç. Tenfişat).

tenfiz, *A. i.* [Nüfuz'dan] Hükmünü yürütme. • «Ferman-i kadr-tuvanın tenfiz edip. — Sadettin».

teng, *F. i.* Denk. Yük dengi. • «Düşse bin teng şeker bahre halâvet gelmez. — Ş. Vehbi».

teng, tenk, *F. s.* Dar. • «Rah-i firar teng idüğün görmekle naçar dönüp bir hamle-i âcizane dahi edip. — Naima».

tengçeşm, *F. s.* [Teng-çeşm] Açgözlü.

tengçeşmi, *F. i.* Açgözlülük.

tengdest, *F. s.* [Ten-dest] Eli dar, züğürt. (ç. Tengdestan).

tengdesti, *F. i.* Züğürtlük.

tengdil, *F. s.* [Teng-dil] Yüreği dar, sıkıntılı.) ç. Tengdilân).

tengdili, *F. i.* Dar yüreklilik, iç sıkıntısı.

tenghal, *F. s.* [Teng-hal] Başı sıkıntıda olan.

tengi, *F. i.* 1. Darlık. 2. Züğürtlük. • «Dünyanın feza-yi âlem-i ahirete nisbeti tengî-i rahmin feza-yi dünyaya nisbeti gibidir. — Taş.» • «Tengî-i, lehceden Tevfik (Fikret) asla mustarip olmamıştır. — Cenap».

tengmeşreb, *F. s.* [Teng-meşreb] Huyu kötü, geçimsiz. • «Mezbur tengmeşreb ve su-i hulk sahibi olmakla. — Naima».

tegna, *F. i.* 1. Darlık, sıkıntı. 2. Dar, sıkıntılı yer. • «Bu mülkün farkı yok bir tengnadan. — Beyatlı».

tengnavi, *F. i.* 1. Darlık. 2. Dar boğaz. 3. Mezar. 4. Dünya. • «Burada tengnayi-i mahrumiyet, pencerenin öteki tarafında vus'at-i servet, bütün küşayiş-i huzur. — Cenap».

tengtar, *F. i.* Küçük, dar çadır. • «Ol gece (ölüsünün) üzerine bir tengtar kurup beklettiler. — Selâniki».

tenha, *F. s.* 1. Yalnız, tek. 2. Boş. • «Tenha duhanaşamlığa meşgul idik. — Naima» • «Yürürdüm öyle, çemen taze, ortalık tenha. — Fikret».

tenha, *F. i.* Boş yer. • «Etrafta tenha sahiller. — Cenap».

tenhanişin, *F. i.* [Tenha-nişin] Yalnız oturan. (ç. Tenhanişinan).

tenharev, *F. s.* [Tenha-rev] Yalnız giden. (ç. Tenharevan) .

tenhayi, *F. i.* Yalnızlık, ıssızlık. • «Kırlarda o tenha-i hüznaver içinde. — Fikret» •.Kürre-i nesin bir tenhaî-yi kulli gösteriyor; ne bir kuş, ne bir ses var. — Cenap».

tenide, *F. i.* 1. Örgü. 2. Örümcek ağı. • «Anakıb-i helâhilriz tenide ettikleri.— Şefikname» • «Bir tenide-i şulebar-i nilgûn gibi. — Uşaklıgil».

ten'im, *A. i.* Nimetlendirme. Nimetlendirilme. • «İnsanlığa yakışmaz ten'imsiz tena'um. — Naci».

te'nis, *A. i.* *(Se* ile) (Arap. Gra.) Bir kelimeyi müennes yapma. Arapçada kelimenin sonuna «te» katılarak yapılır.

te'nis, *A. i.* *(Sin* ile) [Üns'ten] Alıştırma. Ürkekliğini giderme.

tenize, *F. i.* Uc, etek.

tenk, teng, Bk. *Teng.*

tenkıh, *A. i.* Bir şeyin fazla, gereksiz parçalarını çıkarıp kısaltarak düzeltme.

tenkıhat, *A. i.* [Tenkıh ç.] Bir dairede çalışanları azaltarak paralarını kısarak gelir gideri düzenleme.

tenkıs, *A. i.* [Noksan'dan] Azaltma. İndirme. (ç. Tenkısat). • «Muhakkak ki sanayiin terakkisi muharebatı tenkıs ediyor. — Cenap».

tenkış, *A. i.* [Nakış'tan] İşleme, resim yapma.)ç. Tenkışat).

tenkıt, *A. i.* *(Tı* ile) [Nokta'dan] Noktalama. • «Sahili siyah vücutlarıyle tenkit ediyorlar. — Cenap».

tenkit, *A. i.* *(Te* ile) Kötüsünü çıkarma, temizleme. • «Tenkıti ahlât ve tasfiye-i dem merasimine müraat. — Ragıp Pş.».

tenkıye, *A. i.* 1. Ayıklayıp temizleme. 2. İçi temizleme ve bu iş için yapılan ilâç.

tenkid, *A. i.* Tenkit. Eleştiri. (ç. Tenkidat).

tenkih, A. i. [Nikâh'tan] Nikâh kıyma, evlendirme. (ç. Tenkihat).

tenkil, A. i. 1. Uzaklaştırma. 2. Örnek olacak bir ceza verme. (ç. Tenkilât). • ‹Bir orduyu bir er etti tenkil. — Naci›.

tenkir, A. i. [Nekr'den] 1. Bilinmeyecek, tanınmayacak hale getirme. 2. (Arap Gra.) Bir ismi belirsiz yapma, yani elif-lâmsız kullanma.

tenkis, A. i. 1. Baş aşağı etme. 2. Boşaltma. (ç. Tenkisat). • ‹Asitane-i aliyyenin esvak ü mahallâtı hass ü haşâk ile dopdolu olup emr-i tenkis ve tathirine. —Esat Ef.›.

tenmik, A. i. 1. Güzel yazı ile yazma. 2. Yazma.

tenmiye, A i. [Nema'dan] Nemalandırma.

tennub, A. i. Çam ağacı.

tennubiyye, A. i. (Bot.) Fransızcadan abiétinées (çamgiller) karşılığı)XIX. yy.).

tennur, A. i. 1. Fırın. 2. Fransızcadan étuve karşılığı XIX. yy.). • ‹Dilin tennur-i ateşhane-i sûz ü güdaz eyle. — Nabi› • ‹Mehdi-i zamanım diye ateş-i tefside tennur-i füsunu)...) üfürmeğin. — Şefikname›.

tennure, A. i. Mevlevî dervişlerin giydikleri geniş etekli elbise. Eteklik.

tenperest, F. s. [Ten-perest] Bütün önemi kendi vücuduna harcayan. Kendini seven. Aşırı tenbel.

tenperestane, F zf. Tenpereste yakışır yolda. • ‹Nice bu hâb-i tenperestane? — Kemal›.

tenperver, F. s. [Ten-perver] Vücudunu beslemeyi düşünen. Yiyip içmekle, kendi keyif ve rahatıyle uğraşan. (ç. Tenperveran). • ‹... Zehabı hâsıl olarak tenperverlik peygulesinde yan gelip. — Kemal›.

tensib, A. i. Uygun bulma.

tensik, A. i. [Nesak'tan] 1. Düzene koma. Sıralama, düzeltme. 2. (Ed.) Bir isme birkaç sıfat sıralama; • tensîk-us-sıfât. (ç. Tensîkat). • ‹Bulmadı kimse bu tensik-i umura tevfik. — Nabi›.

tensikât, A. i. Düzenleme, ıslah. (1908 Meşrutiyetinden sonra memurlar arasında yapılmıştır).

tensuh, A. i. [Ten-suh] 1. Az bulunur güzel şey. 2. Türlü şekillerde yapılan güzel koku yuvarlağı. (ç. Tensuhat).

tenşib, A. i. 1. Saplama, içeri işletme. 2. Rüzgâr esme.

tenşif, A. i. 1. Ter kurulama. 2. Sünger veya bez ile suyu alıp kurulama. (ç. Tenşifat).

tenşim, A. i. 1. (Et) Bozulup kokma. 2. Bir işe başlama.

tenşir, A. i. 1. Açıp yayma. 2. Serpme.

tenşit, A. i. [Neşat'tan] Şenlendirme, keyiflendirme. (ç. Tenşitat). • ‹Tenşit mümkün olsa dil-i gam-nihadimi. — Recaizade›.

tenşuy, F. i. [Ten-şuy] Teneşir.

tenumend, F. i. Gövdeli, güçlü kuvvetli, boylu boslu. • ‹Azîm-ül-cüsse şahs-i tenumend olmakla. — Naima›.

tenük, F. i. Yufka. İnce, dayanıksız. • ‹Gamze pür zehr çıkar çeşm-i tenük hususundan. — Nedim›.

tenvi', A. i. [Nev'den] Türlü türlü etme. Çeşitlendirme. (ç. Tenviat). • ‹Bunlardır eden beyanı tenvi'. — Ziya Pş.›.

tenvim, A. i. [Nevm'den] Uyutma. • ‹Ne vakitten beri tenvim-i ıstırabı için üzerine serpilen tozların altında. — Uşaklıgil›.

tenvin, A. i. [Nun'dan] (Arap. Gra.) Kelimenin sonunu ‹nun› gibi okutan işaret, iki üstün)-en), iki esre)-in), iki ötrü (-ün). • ‹Dehenin nüsha-i rûyunda çü nun-i tenvin — Sözde peyda vü tekellümde nihandır câni. — Ragıp Pş.›.

tenvir, A. i. [Nur'dan] Aydınlandırma. (ç. Tenvirat). • ‹Bir şeb-i sâfı — Tenvir ediyor sanki bir avize-i raksan. — Fikret›.

tenzih, A. i. [Nüzhet'ten] 1. Kabahat ve eksiği yok etme. 2. Tanrının hiç bir eksikliği ve insan niteliği bulunmadığına inanıp bunu söyleme. Berileme. (ç. Tenzihat). • ‹Kendi cinayetinin intikamını yine kendi alsaydı o lekeden tenzih-i nefs etmiş olacaktı. — Uşaklıgil›.

tenzil, A. i. [Nüzul'den] 1. İndirme. 2. Aşağılama. 3. Azar azar indirme)bu anlamsa Kur'an anlaşılır). (ç. Tenzilât). • ‹Ve yine tenzil-i celilede vârid olmuştur. — Taş›. • ‹Öyle bir mecra-yi istikbal tâyin etmeliydi ki onu tenzil değil i'lâ etsin. — Uşaklıgil›.

tenzir, A. i. (Ze ile) Bir şey bildirerek korkutma. (Müjde'nin karşıtı).

ter, F. s. 1. Yaş, ıslak. 2. Taze. Ter ü taze, pek körpe, pek hoş; çeşm-i ter, dide-i ter, yaş, ıslak göz; gül-i ter, meyve-i *ter, müşk-i ter*, taze gül, meyva, bis. ● «Saba eser, gusun-i ter — Ki mürg-i aşka lânedir. — Fikret».

-ter, *F. e.* Kelimeleri pekiştirir, büyültür :

- *Balâter*
- *efzunter*
- *füzunter*
- *hubter*
- *huşter*
- *kemter*
- *müşkilter*
- *nazikter*

terabbu', *A. i.* Bağdaş kurarak rahatça oturma. ● «Tavil ü arîz terabbu üzre oturup. — Naima».

terabbus, *A. i.* 1. Durup bekleme. 2. Vakıf arsaya izinsiz bina yapan kimseye engel olma, yıkılıncaya kadar kirasını ödemeye zorlama.

terabiş, teraviş, *F. i.* Akış, sızma, damlama. ● «Peymane elde pür gerek ey Nailî bu şeb — Lebrizdir teraviş-i mihr ile mehtab. — Nailî».

teracim, teracüm, *A. i.* [Terceme ç.] Çevirmeler. ● *Teracim-i ahval*, hal tercümeleri, biyografiler.

teracu', *A. s.* [Rücu'dan] 1. Bırından ayrılma. 2. Bir yere, bir kimseye dönme. 3. Vazgeçme, dönme. ● «Kendi devleti dahi teracua yüz tutmuştu. — Naima».

teradüf, *A. i.* 1. Birbiri arkasından gitme. 2. (Ed.) İki veya daha çok kelimenin anlamdaş olması. (ç. Teradufat).

terafu', *A. i.* Duruşmaya girme (ç. Terafuat). ● «)...) efendi ile terafu' için mahkemeye davet olunmuştuk. — Kemal».

terafuk, *A. i.* 1. Arkadaş olma. 2. Yardım etme. Yardımlaşma.

terafüd, *A. i.* İki taraf birbirine yardım etme. Yardımlaşma.

terah, *A. i.* (*Ha* ile) Tasa, acı, keder. ● «Ferah gelir terah gider terah gelir ferah gider —ˮNaci».

terahhul, *A. i.* (*Ha* ile) 1. Yola çıkma. 2. Göç etme, taşınma. 3. Menzile konma. (ç. Terahhulât).

terahhum, *A. i.* [Rahm'dan] 1. Acıma Rahmet dileme. (ç. Terahhumat). ● «Daima Şafiî, imam Muhammed üzerine terahhum ederdi, yani rahmet-i Hudaya vusul ile dua ederdi. — Taş.» ● «Zulm ü tecavüz ile meşhur olanlara kat'a terahhum etmeyip bilâ aman katledip sairlere mucib-i ibret ederdi. — Naima».

terahhumen, *A. zf.* Acıyarak.

terahhus, *A. i.* (*Hı* ve *sat* ile) 1. İzinli olma. 2. Değer ucuzlama.

terahi, *A. i.* (*Hı* ile) Gevşeme. İşte gayretsizlik gösterme.

teraib, *A. ç. i.* Göğüs kemikleri, göğüs tahtası.

terak, tirak, *F. i.* 1. Çatlak, yarık. 2. Çatırtı, gürültü. ● «İkbal-i şahiden zehre terak oldu. — Sadettin».

terakib, *A. i.* [Terkib ç.] 1. Terkipler. 2. (Gra.) Tamlamalar. Takımlar. ● «Ağızdan bellediği bir hayli elfaz ve terakib ile. — Recaizade».

Terakime, *A. i.* [Türkmen ç.] Türkmenler. ● «Serdaran-i Terakimeden. — Sadettin».

terakki, *A. i.* 1. Yukarı kalkma, yükselme. 2. Çoğalma, artma. 3. İlerleme. İleri gitme. 4. Bilgi ve medeniyette ilerleme. (ç. Terakkiyat). ● «Fakat piyanoda terakkisine hayretten men-i nefs edemezdi. — Uşaklıgil» ● «Tarih-i terakkinin mukaddeme-i zaruriyesini teşkil eden ilk zünun ve itikadat. — Cenap».

terakkiperver, *F. s.* [Terakki-perver] İlerlemeyi seven. (ç. Terakkiperveran).

terakub, *A. i.* Bekleme, gözetme. (ç. Terakkubat).

terakkus, *A. i.* Raks etme. Dans etme.

teraküm, *A. i.* Birikme, toplanma, yığılma. (ç. Terakkümat).

terane, *F. i.* 1. Ahenk, makam, nağme. 2. (Ed.) Rubai. ● *Terane-i seher*, sabah nağmesi. ● «Bu bir terane ki dilden şürmek artık güç. — Fikret». ● «Uçuşurken teranelerle tuyur. — Cenap».

teranekâr, *F. s.* [Terane-kâr] Terennüm eden. Öten, ötücü. ● «Teranekâr iki nermin kebuter-i mağrur. — Fikret».

teraneperdaz, *F. s.* [Terane-perdaz] Makamla şarkı söyleyen. (ç. Teraneperdazan).

teraneperdazî, *F. i.* Makamla şarkı söyleme. ● «Teraneperdazi-i si'r ü inşadan hâli olmayıp. — Nergisî».

teranesaz, *F. s.* [Terane-saz] Öten, ötücü. ● «Olmaktayım o şevk ile artık teranesaz. — Fikret».

teranezar, *F. i.* [Terane-zar] Ahenkli yer. ● «Teranezar-i felekte işittiğim nagamat — Benim avalimi tutmuş sadalarımdandır. — Naci».

teranezen, *F. s.* [Terane-zen] Teganni eden. Şarkı söyleyen. ● «Gönlüm gibi teranezen-i âh-i serdsin. — Recaizade».

terasül, *A. i.* Haberleşme, mektuplaşma. (ç. Terasülât).

F. : 54

teravih, *A. i.* [Terviha ç.] Ramazan geceleri yatsı namazından sonra kılınan yirmi rekâtlık namaz. (Halife Ömer zamanında başlamıştır). • «Bağteten sabit olup gurre firaşında imam — Hâb için yatmış iken etti teravihe kıyam. — Nedim».

terazi, *A. i.* [Rıza'dan] Birbirini razı etme. *Bitterazi,* iki tarafın razılığıyle.

terazu, *F. i.* Terazi. • «Çarsu-yi kabiliyette terazu kalmamış. — Nabi».

terbi', *A. i.* 1. Dörtleme, dörde çıkarma. 2. (Ast.) Dördün. 3. (Ed.) Başkasının bir manzumesine mısralar katarak dörtlü bentler yapma. (ç. Terbiat). • «Cemaziyelâhirenin on yedinci isneyn günüt erbi-i nahseyn vakı oldu. — Naima».

terbiye, *A. i.* 1. Besleyip yetiştirme. Büyütme. 2. Eğitim. 3. Alıştırma. 4. Hafif ceza. 5. Salça, sos. • «Bu soğuk terbiyenin karları altından uzak. — Fikret». • «Bizim büyük kabbahatlerimizden birisi roman mütalaasıyle terbiye-i fikriyeye çalışmak değil midir? — Cenap».

terbiyekerde, *F. ş.* [Terbiye-kerde] Eğitilmiş. Terbiye edilmiş.

terbiyet, *F. i.* Bk. •*Terbiye.* • «Ettin beni terbiyetle pür-cûş. — Recaizade».

terceme, tercüme, *A. i.* 1. Bir dilden başka bir dile çevirme. 2. Bir kimsenin özel hayatı, hali. • «Şu ateşîn katarat-i dümu' hepsinden. — Fasih terceme-i hüzn ü inkiasrım olur. — Fikret».

terci', *A. i.* [Rücu'dan] Geri çevirme, döndürme. • *Terci-i bend,* her bendinin nunda aynı beyit tekrarlanan uzun manzume. (ç. Terciat).

tercih, *A. i.* [Rücuhan'dan] Bir şeyi ötekinden üstün tutma, daha ziyade beğenme. • *Tercih bilâ müreccah,* sebepsiz bir üstün tutma. (ç. Tercihat). • «İkincisini tercih et. — Uşaklıgil».

tercim, *A. i.* [Recm'den] 1. Taşlama. 2. Taşlayarak öldürme.

tercüman, *A. i.* 1. Bir dilden başka bir dile çevirip maksadı anlatan kimse. 2. Bektaşi törenlerinde tarikat uluları için okunan dualar. • «Dil-i belâzedenin kârını sorarsan eğer — Miyan-i gamze vü çeşminde tercümanlıktır. — Nabi». • «Tercüman o kadar memnun idi ki. — Cenap».

terdamen, *F. s.* [Ter-damen] Namussuz, bulaşık. • «Terdamen olanlar bizi alû-

de sanır lîk — Biz mail-i leb-i câm ü kef ü destiz. — Ruhi».

terdest, *A. s.* [Ter-dest] Eli işe yatan. Usta. (ç. Terdestan). • «Nigeh ki saki-i terdest bezm-didesidir — Füsun ü fitne iki cam-i der keşidesidir. — Nedim».

terdid, *A. i.* [Redd'en] 1. Geriletme, geri çevirme. 2. (Ed.) İki ihtimalle fikir anlatma. (ç. Terdidat).

terdif, *A. i.* Ardı sıra yürütme. (ç. Terdifat). • «Çapkın mudhikeleri türlü mütalâat-i ahlâkıye terdif ederek. — Uşaklıgil».

terdifen, *A. zf.* Ardı sıra yürüterek. Katarak.

terdiye, *A. i.* [Rida'dan] Ortü ile kapatma.

terebbi, *A. i.* [Rabb'den] Besleme. Eğitme, terbiye etme.

terecci, *A. i.* Rica etme. Yalvarma. Umma.

tereccuh, *A. i.* Bir tarafı ziyadece tutma, taraflı olma.

tereddi, *A. i.* [Redi'den] Soysuzlaşma. (XX. yy.).)ç. Tereddiyat).

tereddüd, *A. i.* [Redd'den] 1. Birinin yanına gidip gelme. 2. Karar veremeyiş. 3. Nöbetli hastalıkların tekrarlanışı. • *Bilâtereddüd,* • *bîtereddüd,* düşünmeden, hemen karar vererek.)ç. Tereddüdat). • «Bu tereddüdden bû-yi hilâf istişmam olundu. — Naima». • «Henüz bu tereddüdat içinde bir karar verebilmek için — Uşaklıgil». • «Gösterdiğin alâim-i tereddüde karşı. — Cenap».

teref, *A. i.* 1. Yumuşaklık 2. İyi, güzel yemek. 3. İnce, güzel şey, biblo.

tereffu', *A. i.* [Rifat'tan] Yukarı kalkma, yükselme. • «Yalnız bu... ve yalnız bunun ümmid-i teraffu'. — Fikret».

tereffuk, *A. i.* [Rıfk'tan] Tatlı dil ve güler yüzle davranma.

tereffüh, *A. i.* [Refah'tan] Refah bulma. Geçimde bolluğa kavuşma. • «Bu demde gerçi bu gûne tereffüh-i âlem. — Nef'i».

terehhub, *A. i.* 1. Tanrıya tam kulluk etme. 2. Korkma.

terekât, terikât, *A. i.* [Terike ç.] Terekeler. Ölmüş birinin bıraktığı şeyler. • «Taksim-i terekât asker kadılarına tafviz buyrulmak. — Sadettin».

tereke, terike, *A. i.* Bir ölünün bıraktığı malların hepsi. Tereke. (ç. Terekât).

terekküb, *A. i.* Birkaç parçadan meydana gelme. (ç. Terekkübat. • ‹Küçük küçük hiçlerden terekküb ederek onu sıkılacak bir mecmu teşkil eden. — Uşaklıgil›.

terekkün, *A. i.* [Rükn'den] Rükünleşme. Erkân sırasına geçme. • ‹Bir beldeye var temekkün eyle — Kesb-i şeref et terekkün eyle. — Naci›.

teremmül, *A. i.* Dul kalma, (kadının) kocası ölme.

teren, *F. i.* Nesrin veya nesteren denen gül.

terencebin, *A. i.* Deve dikeni üzerine geceleri düşen ve yenmesi tatlı madde.

terennüm, *A. i.* Güzel ve yavaş sesle şarkı söyleme. (ç. Terennümat). • ‹Terennüm eyle bülbül-i mutribim çengim rebabımsın. — Nedim› • ‹Terennümatında öyle bir şemme-i sitem var ki. — Fikret›.

terennümsaz, *F. s.* [Terennüm-saz] Şarkı söyleyen, ahenk yapan.

teressüb, *A. i.* [Rüsub'dan] Tortulanma. Dibe çökme. Durulma. (ç. Teressübat).

teressül, *A. i.* Acele etmeden yavaş yavaş yapma.

teressüm, *A. i.* [Resm'den] 1. Resim gibi canlı şekillenme. 2. Dikkatle bakma. (ç. Teressümat). • ‹Dudaklarında bir hande-i istihfaf teressüm ediyordu. — Uşaklıgil› • ‹Bütün melamih-i vechiyeye hutut-i alâm teressüm eder. — Cenap›.

tereşşuh, *A. i.* [Reşha'dan] Sızma. Ter gibi ufak damlalar halinde çıkma. Terleme. (ç. Tereşşuhat). • ‹Tereşşuh kabrimin taşına zevminin yaşı — Hayal eyler ki gören kim lâ'ledendir kabrimin taşı. — Fuzulî.

tereşşuhat, *A. i.* [Tereşşuh ç.] Sızıntılar. • ‹Ancak boyarların evlerinde yanan meşalelerin tereşşuhatıyle kanaat edermiş. — Cenap›.

terettüb, *A. i.* 1. Sıralanma. Sırası gelme. 2. Gerekme. 3. Sonuç olarak çıkma. • ‹Devlete faide hâsıl edemediyse bile zarar olsun terettüp ettirmedi. — Kemal›.

terfi', *A. i.* [Ref'den] 1. Yukarı kaldırma, yükseltme. 2. Rütbe verme. 3. Rütbe alma.). Terfiat). • ‹Memuriyetinin bir derece terfiiyle maaşının zammı. — Uşaklıgil›.

terfian, *A. zf.* Rütbe alarak, rütbesi yükseltilerek.

terfih, *A. i.* Bollukta yaşatma. Rahat yaşamasını sağlama. • ‹Elfaz ile terfih-i raiyyet yeni çıktı. — Ziya Pş.› • ‹Denizyollarının bütün vesait-i terfihini massetmiş. — Cenap›.

terfik, *A. i.* [Refik'ten] Arkadaş etme. Yanına katma. • ‹Her kelimeye bir hareket terfik ederek söylüyordu. — Uşaklıgil›.

tergıb, *A. i.* [Rağbet'ten] İstek verme, isteklendirme. (ç. Tergıbat). • ‹Zira eğer akvalini ef'ali tekzip eylerse tergıb ve terhip mümkün olmayıp. — Taş.› • ‹)...) yollu sözlerle tergıbat-ı müz'icede yekdiğerine müsabakat gösteren arabacıların. — Recaizade›.

tergım, *A. i.* Yere sürtme. (Çoklukla *enf* ‹burun› kelimesiyle kullanılır).

terhıb, *A. i.* Merhaba deme. • ‹Merasim-i terhıb ü ta'zimi takdim edip. — Silvan›.

terhıl, *A. i.* [Rihlet'ten] Göç ettirme. Göçtürme.

terhım, *A. i. (Ha* ile) [Rahmet'ten] • Tanrı rahmet eylesin» deme.

terhım, *A. i. (Hı* ile) [Ruhm'dan] 1. Bir adı kısaltma. 2. Fransızcadan *abréviation*)kısaltma) karşılığı (XIX. yy.). (ç. Terhimat).

terhıs, *A. i.* [Rahs'dan] 1. İzin verme. 2. Askeri sivil hayata geçirme. 3. Ucuzlatma.

terhib, *A. i. (He* ile) Çok korkutma.)ç. Terhibat). • ‹Gece esrar-i bihududiyle — Beni terhib eder. — Fikret› ‹Nush ve mevaıza müteallik tergıbat ve terhibat ile Seydi Ahmet Paşaya nasihat etsin diye, — Naima›.

terhibî, terhibiyye, *A. s.* Çok korkutucu. Çok korkma ile ilgili. • *Mücazat-ı terhibiyye.* (öldürülme, küreğe konma, sürgün edilme, memurluktan çıkarılma, memur olamama, medenî haklardan düşürülme gibi) ağır cezalar.

terhin, *A. i.* [Rehn'den] Rehin olarak verme. Emanet bırakma.)ç. Terhinat). • ‹Karısının elmaslarını terhin etmek — Uşaklıgil›.

te'rib, *A. i.* Sağlamlaştırma, kuvvet verme.

terike, *A. i.* Evlenmeyip evde kalmış kız.

terike, tereke, Bk. *Tereke.*

-terin, *F. e.* «-ter» edatının bir derece daha yükseği. Türkçe «en» ile karşılanır. ● *Kemterin,* en küçük.

terk, *A. i.* [Tereke ç.] 1. Terekeler. 2. Savaş miğferleri.

terk, *F. i.* 1. Savaş miğferi. 2. Yama dikişi. 3. Bir nevi derviş başlığı. ● «Ol büzürgüvarın tacını giyip ahir-i ömrüne dek ol terki terk-i dünya nişanesi olan tacı terk etmedi. — Sadettin».

terk, *A. i.* 1. Bırakma koyverme, salıverme. 2. Vazgeçme. 3. Boşanma. 4. Bakmama, ihmal etme. 5. Olduğu halde bırakma. ● «Kadîm, kıdemi üzre terk olunur. — Mec. 6» ● «Felek ger kâmımıza dönmese alâmımız yoktur — Biz hal-i terkiz candan zerre denlû kâmımız yoktur. — Ruhi». ● «Yaz veda-i hayat edip gidiyor — Seni dest-i hazana terk ediyor. — Fikret». ● «Yemek masasını terk ettiğimiz zaman. — Cenap».

terkeş, tirkeş. *F. i.* Ok çantası, ok mahfazası. ● «Kalsaydı terkeşimde eğer, son bir atım ok. — Beyatlı».

terkı', *A. i.* *(Te* ve *ayın* ile) [Rık'a'dan] 1. Yamama. 2. Yama koma. (ç. Terkıat).

terkık, *A. i.* [Rıkk'tan] 1. Kul, köle etme. 2. İnceltme. 3. Yumuşatma. ● «Girye vü zârisi ile sultan-i şefik kalbini terkık edip. — Sadettin».

terkım, *A. i.* [Rakam'dan] 1. Rakam koma. Rakamlama. 2. Yazma. (ç. Terkımat). ● «İcmalen tercüme olunup bu mahalle terkım olundu. — Peçoylu».

terkın, *A. i.* 1. Boyama, yazma. 2. Yazılı bir şeyi silme, çizme. *Terkın-i kayd,* kaydını silme. (ç. Terkınat).

terkıs, *A. i.* [Raks'tan] Oynatma, raksettirme. ● «Herkesi terkıs eden musiki-i beyanı içinde. — Cenap».

terkib, *A. i.* 1. Birkaç şeyi karıştırıp meydana getirme. 2. Birkaç bentten meydana getirilmiş şiir. 3. (Gra.) Tamlama, takım. *Terkib-i bend,* (Ed.) Birkaç bentten meydana getirilmiş manzum; -izafi, isim tamlaması; -kelâm, söz dizimi; -sakîm, kurala uymayan tamlama;tavsifi, sıfat tamlaması. ● «Asıl Beyoğlu hayatını terkib edenlerden bu kız için ilk devre-i cinnet geçmiş idi. — Uşaklıgil».

terkibî', *A. s.* Fransızcadan *synthétique* karşılığı)XX. yy.).

terkik, *A. i.* Zayıflatma. Dili veya ibareyi kusurlu, bozuk kullanma.

terkiz, *A. i.* *(e* ile) Mıhlama, saplama.

termid, *A. i.* Yakıp kül etme.

termig, *A. i.* Sözü art ara vermeden arasız düzenleme.

termik, *A. i.* *(Kaf* ile) Kelâmı düzenleme.

termim, *A. i.* Onarma. (ç. Termimat). ● «Hane-i kalbim eylesin termim. — Kâbe yapmak dilerse İbrahim. — Baki».

termizac, *F. s.* [Ter-mizac] Buluttan nem kapan, alıngan.

terniyan, *A. i.* Sazdan örme sepet.

ters, *F. i.* Korku. ● «Kim Süleyman-veş hücum etti Selim — Mülk dâvasın eder bî-ters ü bîm. — Sadettin».

tersa, *F. i.* Hıristiyan (ç. Tersayan). ● «Mürebbi-i Müslüman ü Yehud ü Gebr ü Tersadır. — Nef'î».

tersabeçe, *F. i.* [Tersa-beçe] Hıristiyan çocuğujj, genci. (ç. Tersabeçegân).

tersan, *F. s.* Korkan. *Tersan tersan,* korka korka. ● «Azm-i rah eyledi terasn tersane. — Naci».

tersayan, *F. i.* [Tersa ç.] Hıristiyanlar.

tersib, *A. i.* Tortusunu durultma.)ç. Tersibat).

tersil, *A. i.* Konuşma ve yazmada ağır başlı üslup. ● «Muharrerat-i resmiye ve sukûk-i şer'iye ve kanuniye hep tersil yolunda yazılmalıdır. — Cevdet Pş.».

tersim, *A. i.* Çizme. Resmini yapma. (ç. Tersimat). ● «Kolunu uzatarak bütün Ada'yı ihata eden bir daire tersim ediyordu. — Uşaklıgil».

tersnâk, *F. s.* [Ters-nâk] Korkak. ● «Düşman-i magrurun olma satvetinden tersnâk. — Nabi».

terşih, *A. i.* Süzme. Sızdırma. (ç. Terşihat). ● «Terşih-i zülâl-i sanihata — İşte yine navdanım oldun. — Recaizade».

tertib, *A. i.* 1. Sıralama. Sıraya koyma. 2. Hazırlama. 3. Çeşitli şeyleri bir araya getirip düzenleme. 4. Usul, düzen. 5. Kuruntu, niyet. Tasar. 6. Sıralanmada olan takım, sınıf. 7. Reçete. 8. Dizme. Harfleri bir araya getirme. 9. Forma (8, 16, 32 sahife).)ç. Tertibat). ● «Bu karar kendisine karşı bil-iltizam tertib olunmuş bir şey mânasını kesp ediyordu. — Uşaklıgil».

tertibhane, *F. i.* [Tertib-hane] Basımevlerinde yazı dizgi bölümü. ● «Tertibhanede mürettiplr telâşa lüzum görmeyerek. — Uşaklıgil».

tertibname, *F. i.* [Tertib-name] 1. Program. 2. Reçete.)XIX. yy.). ● «Mekteplerinin ders tertpnamelcrind. — Kemal».

tertil, *A. i.* (Kur'an'ı) iyi ses ve kuralla okuma. • «Doldu gönlüm nur ile bi-ihtiyar — Sure-i vennecm'i tertil eyledim. — Naci». • «Her an leb-i nazmımda durur lezzet-i busen — Bir mısra-i pür ıtrını kim eylese tertil. — Cenap».

tervî, *A. i.* Korkutma.

tervic, *A. i.* [Revac'dan] 1. Değerini artırma. 2. Geçirme, yaptırma. • «Sakın, hanım, bu fena hissi etmeyin tervic. — Fikret».

tervih, *A. i.* 1. Korkutma, kokusunu artırma. 2. Rahatlandırma. • «Ki dallarıyle, semasıyle, kuşlarıyle bütün — Şu köhne toprağı tervih eder. — Fikret».

terviha, *A. i.* Ramazan geceleri kılınan namazın her dört rekâtı. (ç. Teravih).

tervik, *A. i.* Durultma, sâflaştırma.

terviye, *A. i.* Sulama. Su verme. *Yevm-i terviye*, kurban bayramından iki gün evvel (hacılar yanlarına su alarak, su bulunmayan Mina'ya giderler). • «Ol gün kemal-i şevket ile ki yevm-i terviye idi — Zeman nam mevzıa konulup id-i adha olur devu. — Selâniki».

terviz, *A. i.* (Dat ile) 1. Çiçek, fidan dikerek bahçe yapma. 2. Eğitme ve öğretme.

terzeban, *F. s.* [Ter-zeban] Hazır cevap. • «Tab'ımın bir tercüman-i terzebanıdır kalem — Hamemin bir hemzeban-i nüktedanıdır sözüm. — Nef'î».

terzık, *A. i.* [Rızk'tan] Besleme. (ç. Terzikat).

terzik, *F. i.* Boş ve anlamsız söz. • «Bu sebepten ekseri maani-i dakîkin terzik tasavvur ederler. — Latifî».

terzil, *A. i.* Rezil rüsva etme. (ç. Terzilât).

terzin, *A. i.* Düz etme.

tesabuk, *A. i.* Yarış etme. • «Câ-yi tesabuk--fürsan-i izz ü şandır. — Nergisî».

tesabür, *A. i.* Bir şeyi sürekli olarak yapma.

tesadük, *A. i.* [Sıdk'tan] Doğru sayma. Doğru diye kabul etme. *Tesaduk-i tarafeyn,* iki tarafın da birbirinin sözlerinin sözlerini doğru olarak kabul etmeleri.

tesadüf, *A. i.* Rast gelme. Aramadan bulma. *Alettesadüf,* rastlama üzerine, rasgele; *bittesadüf,* tesadüf ederek, aramadan. (ç. Tesadüfat). • «Mahun sandalla müsademeyi andıran bu tesadüflere o kadar alışmış idiler ki. — Uşak-

lıgil». • «Afifane hükm-i tesadüfe teslim-i servet edenler)...) tahmik olunur. — Cenap».

tesadüfen, *A. zf.* Rasgele. • «Tesadüfen temellük edilmiş bir sefile hükmünde kalamazdı. — Uşaklıgil».

tesadüfî, tesadüfiyye, *A. s.* Rasgele olan. • «Bir ressamın fırçasında unutulmuş bekaya-yi elvanın hediye-i tesadüfisine, fakir hutut ve elvan içinde çizilivermiş bir hurde çehreye benzetirdi. — Uşaklıgil».

tesadüm, *A. i.* Çarpışma, tokuşma. (ç. Tesadümat). • «Açık tesadüm-i emvaç-i kahra sineleri. — Fikret».

tesagur, *A. i.* Küçük görünme.

tesahhur, *A. i.* (Hı ile) 1. Maskaralanma. Zevklenip alay etme. 2. Âleme gülünç olma. (ç. Tesahhurat).

tesahhur, *A. i.* (Ha ile) Sahur yemeği yeme.

tesahub, *A. i.* 1. Arkadaşlık etme. 2. Sahip çıkma, koruma. • «Bihter bu tesahubun altında gizlenen hiss-i hasede zaten muntazırdı. — Uşaklıgil».

tesahül, *A. i.* [Sehl'den] Yumuşak muamele etme. • «Ve menazım-i cumhur-i müsliminde nev'a tesahül. — Sadettin».

tesakkub, *A. i.* (Se ile) Delme, delinme.

tesakkuf, *A. i.* (Sin ile) 1. Papas olma. 2. Yapı tavanlama, yapıyı tavanlama.

tesakul, *A. i.* (Se ile) Ağırdan alma, oyalanma.

tesakut, *A. i.* Birbiri ardına düşme. Düşüşme. • «Sebeb-i tesakut-i büruc ve mucib-i infirac-i füruc olur idi. — Sadettin».

tesalüb, *A. i.* (Hek.) Damarların haçvari kavuşması.

tesalüf, *A. i.* İki erkek birbiriyle bacanak olma.

tesamu', *A. i.* İşitme. Kulaktan duyma. • «Celâlzade Nişani Bey merhum ve Âli Efendi dahi tesamu' ile yazmışlardır. — Peçoylu».

tesamuh, *A. i.* [Semahat'ten] 1. Hoşgörü. 2. Dikkatsiz, kayıtsız davranma. (ç. Tesamühat). • «Bu kadının ihmalat ve tesamühatına rağmen. — Uşaklıgil».

tesamum, *A. i.* [Sum'dan] 1. Sağırlaşma. 2. Sağır görünme.

tesanif, *A. i.* [Tasnif ç.] Kitaplar, eserler. • «Tesanif-i meşhure-i gayr-i mahsuresiyle kütüphaneler doldu. — Sadettin».

tesanüd, *A. i.* (Sos.) Fransızcadan *solidarité* (dayanışma) karşılığı)XX. yy.).

tesanüdiyye, *A. i.* (Fel.) Fransızcadan *solidarisme* (dayanışmacılık) karşılığı (XX. yy.).

tesarif, *A. i.* [Tasrif ç.] 1. (Tanrının) istediği yolda hüküm ve iradesi. 2. (Gra.) Tasrifler, çekimler.

tesaru, *A. i.* (*Sat* ve *ayın* ile) Birbiriyle güreş etme. Güreşme.

tesaub, *A. i.* (*Sat* ve *ayın* ile) İnat gösterme, serkeşlik etme.

tesaud, *A. i.* [Suud'dan] 1. Yukarı çıkma. Ağma. 2. (Fiz., kim.) Siblimleşme. (ç. Tesaudat).

tesa'ur, *A. i.* (*Sin* ve *ayın* ile) 1. Ateş yanma. 2. Çıldırıp yanıp yakılma

tesaüb, *A. i.* (*Se* ile) Esneme. Boş bulunma. (ç. Tesaübat).

tesaül, *A. i.* [Sual'den] Birbirine sorma, soruşturma.

tesavi, *A. i.* [Sevi'den] Beraber ve bir derecede bulunma. Eşit olma. *Tesavi-i leyl ü nehar,* (Ast.) gün-tün eşitliği; *-kuva,* kuvvetlerin eşitliği; *-nakızeyn,* (Man.) çatışkı; *dâva-yi tesavi,* eşitlik iddiası. • «Eğer beraber farz edip dâva-yi tesavi ederler ise. — Nergisî» • «Demek oluyor ki bunda sermaye iki senede resülmal ile tesavi hâsıl ediyor. — Kemal».

tesavir, *A. i.* [Tasvir ç.] Resimler.

tesavüb, Bk. *Tesaüb.*

tesayüf, *A. i.* Kılıçla vuruşma.

tesbi', *A. i.* [Seb'den] Yediye çıkarma, yedileme. (ç. Tesbiat).

tesbah, *A. i.* [Sübhan'dan] 1. • «Süphanallah» sözünü söyleme. 2. Tespih. (ç. Tesbihat). • «Girmiş kemer-i vahdete almış ele tesbih. — Ruhi».

tesbihat, *A. i.* [Tesbih ç.] Tespihler. 2. Dualar. • «Arşı tutsun nagme-i ulya-yi tesbihatınız. — Naci».

tesbihiyye, *A. i.* (Bot.) Fransızcadan *meliacés* (tespihağacıgiller) karşılığı (XX. yy.).

tesbik, *A. i.* (*Kaf* ile) 1. Yarışmada ödül 2. İleri geçme, önde olma. (ç. Tesbikat).

tesbik, *A. i.* (*Kef* ile) Eritip kalıba dökme. (ç. Tesbikât).

tesbil, *A. i.* [Sebil'den] 1. Tanrı yoluna bağlama, onun için ayırma. 2. Yola koyma, yolcu etme. (ç. Tesbilât). • «Fukara ve misafirîn için tesbil ettikleri imaret-i âmirenin. — Sadettin».

tesbit, *A. i.* [Sebt'ten]1. Sağlamca yerleştirme. 2. Yerinden oynamaz hale koyma. • «Gûya o tebessüm-i saadeti orada tesbit etmek isteyerek. — Uşaklıgil».

tesci', *A. i.* [Seci'den] Nesirde kafiye kullanma, cümleleri kafiyelendirme.)ç. Tesciat).

tescil, *A. i.* [Sicil'den] 1. Dâvanın mahkeme defterine geçirilmesi. 2. Bir şeyin resmîleşmesi için deftere kaydı.)ç. Tescilât).

tescin, *A. i.* [Sicn'den] Zindana koyma. • «Bilâ tehir kaldırıp habs ü tescin ve malları taraf-i miriye kabz olunmak için. — Raşit».

tesciye, *A. i.* [Seciye'den] Fransızcadan *caractérisation* karşılığı; pek az süre kullanılmıştır. (XX. yy.).

tesdid, *A. i.* [Sedd'den] 1. Hayırlı işe doğru yöneltme. 2. Doğrultma, doğrultulma. • «Kaza hilâf-i niza sulh maye-i tasdid. — Nailî».

tesdis, *A. i.* [Süds'ten] (Ed.) Altıya çıkarma. Atılama.)ç. Tesdisat). • «Tahmisler, tesdisler parçalandı. — Uşaklıgil».

tesebbüb, *A. i.* Sebep olmak.

tesebbüt, *A. i.* [Sebt'ten] Sebat gösterme. Dayanma, direnme. • «Kabulden imtina edip tesebbüt gösterdi. — Naima».

teseccüd, *A. i.* [Secde'den] Secde etme. Başını secdeye koyup Tanrıyı kutlama. • Es ey sabâ latif olur çemenlerin teseccüdü. — Naci».

teseddüc, *A. i.* Bile bile yalan söyleme.

teseffül, *A. i.* (*Sin* ile) Aşağılaşma, bayağılaşma.

tesaffüh, *A. i.* (*He* ile) Sefihleşme.

tesehhür, *A. i.* [Sehr'den] Gece uyuyamama. Uyanık kalma.

tesekkün, *A. i.* [Sükûn'dan] 1. Yatışma. 2. Miskin ve fakir olma.

tesekkür, *A. i.* (Hek.) Şekerlenme. Şeker hastalığına tutulma. 2. Sarhoşlaşma.

tesellâ, *A. i.* Bk. *Teselli.* • «Zaman zaman kapılır gamlı bir tesellâya — Dalıp gider nazar-i kalbi leyl-i sevdaya. — Fikret».

teselli, tesellâ, *A. i.* Avutma, avundurma. • «İki üç katre-i şefkat... bu teselli yetişir. — Fikret».

teselliâmiz, *F. s.* [Teselli-âmiz] Avunduracak yolda, teselli yollu.

teselibahş, *F. s.* [Teselli-bahş] Avutucu, avundurucu.

tesellipezir, *F. i.* [Teselli-pezir] Avutabilir, avundurabilir. *Teselli napezir,* avundurulamaz.

teselliyab, *F. s.* [Teselli-yâb] Teselli bulan. Avunan. • «Hayaliyle teselliyab olur. düştükçe hicrana — Dile mahsustur hem çekmeyip hem çekmek. — Nabi».

teselliyat, *A. i.* [Teselli ç.] Avutmalar, avundurmalar.

tesellüb, *A. i.* 1. Soyunma. 2. Eşi ölen kadının yas elbisesi giymesi.

tesellüf, *A. i.* 1. (Nesnenin) Parasını peşin alma. 2. Ödünç alma.

tesellül, *A. i.* [Sill'den] Veremlenme.

tesellül, *A. i.* Sevişme. • «Taife-i bagiye tesellülkünan orduya mülhak olmaya başladılar. — Naima».

tesellüm, *A. i.* Verilen bir şeyi alma. Aldığını kaydetme. (ç. Tesellümat).

teselsül, *A. i.* [Silsile'den] Zincirleme, Zincir gibi sıra ile uzama. (ç. Teselsülât). • «Bülbüller edince fasla agaz — Vâidd eder teselsül âvaz. — Naci».

tesemmi, *A. i.* [İsm'den] Adlanma.)ç. Tesemmiyyat).

tesemmüm, *A. i.* [Sem'den] Zehirlenme.)ç. Tesemmümat).

tesemmün, *A. i.* [Semen'den] Semirme, şişmanlama.

tesennüh, *A. i.* Küflenme.

tesennüm, *A. i.* Bir nesnenin tepesine çıkma.

tesennüm, *A. i.* (Sin ile) [Sin'den] Diş çıkarma, dişlenme.

teserri, *A. i.* Odalık edinme. • «Ukalâ anda taharri eyler — Ekseri meyl-i teserri eyler. — Sümbülzade». • «Odalık tâbir olunan cariyelerden istediği kadar istifraş edebilir».

teserru', *A. i.* [Sür'atten] Koşma, çabuk davranma.

tesettür, *A. i.* [Setr'den] Örtünme, gizlenme. *Tesettür-i nisvan,* kadınların erkeklerden örtünmeleri. • «Lâyık bu tesettür sana, ey sahn-i mezalim. — Fikret».

tese'ül, *A. i.* [Sual'den] Dilenme.)ç. Tese'ülât). «Hepsinin birden iştirak ettikleri bu enin-i tese'ül bütün asabımız üstüne bir deste-i suzen gibi batar. — Cenap».

tesevvi, *A. i.* Tesviye etme, düzeltme.

tesevvüb, *A. i.* 1. Sevap kazanma. 2. Farzdan sonra nafile namazı kılma.

teseyyüb, *A. i.* Kayıtsızlık. Üşenme, tembellik. (ç. Teseyyübat).

tesfif, *A. i.* (Sin ve fe ile) (İlâç için) dövüp ezme, toz haline getirme.

tesfih, *A. i.* [Sefahet'ten] Sefih sayma, sefih görme. (ç. Tesfihat). • «Ta'n ü teşni erbabına redler yazıp tesfih eyledi. — Kâtip Çelebi».

tesfil, *A. i.* [Süfl'den] Aşağılama.)ç. Tesfilât).

tesfir, *A. i.* [Sefer'den] Yolcu etme, yola çıkarma. (ç. Tesfirat).

teshil, *A. i.* (Sin ve he ile) [Sehl'den] Kolaylaştırma (ç. Teshilât).

teshin, *A. i.* Isıtma, kızdırma.)ç. Teshinat). • «Bunları teshin ve tagdiyeden maada. — Cenap».

teshir, *A. i.* (Hı ile) Zaptetme, ele geçirme. • «Uçan bu gölgeyi teshire eylerim ikdam. — Fikret».

teshir, *A. i.* (Ha ile) [Sihr'den] Büyü yapma, büyüleme.

tes'id, *A. i.* [Sa'd'dan] Kutlama. (ç. Tes'idat).

te'sim, *A. i.* [İsm'den] Günahkâr sayma.

tes'ir, *A. i.* (Sin ile) [Sa'r'dan] 1. Narh koyma. 2. Ateşi yakıp alevlendirme.

te'sir, *A. i.* (Se ile) [İsr'den] 1. İz bırakma. 2. Dokunma, içe işleme. 3. Kederlendirme. 4. Etki. (ç. Tesirat). • «Bu cümlenin tesirini görmek için validelerine baktılar. — Uşaklıgil».

tesirat, *A. i.* [Tesir ç.] İzler. Etkiler. • «Bu eski manzaraların menafi-i tarihiyesi olduğunu bilirdim; fakat tesirat-ı ahlâkîyesini hissettim. — Cenap».

te'sis, *A. i.* [Üs'ten] Temelleştirme. Kurma. • «Tesis olunurken daha, bir dest-i hiyanet. — Fikret». • «Medeniyet-i Mısriye ilk devr-i evham ve hurafatı tesis etti. — Cenap».

te'sisat, *A. i.* 1. Kurumlar. 2. Birbirine bağlı döşenmiş aletler veya araçların tümü.

teskıb, *A.i.* (Se ile) [Sukbe'den] Delme, delik açma.

teskıf, *A. i.* (Sin ile) 1. Bir hıristiyanın papas olması. Papas olma. 2. Yapıyı tavanlama.

teskıl, *A. i.* (Se ile) [Siklet'ten] Ağırlatma, ağırlığını artırma.

teskım, *A. i.* [Sakm'dan] 1. Hasta etme. 2. Yanlış sayma.

teskıye, A. i. [Saky'den] 1. Su verme, suvarma. 2. Sulama.

teskin, A. i. [Sükûn'dan] 1. Yatıştırma. Rahatlandırma. 2. (Arap. Gra.) (bir harfi) sâkin okuma. • «O çocuğu teskin etmiş, yatağına biraz zorla yatırarak. — Uşaklıgil».

teskir, A. i. [Sekr'den] Sarhoş etme.

teskit, A. i. [Sükût'tan] Susturma.

teslif, A. i. Kahvaltı etme.

teslih, A. i. (Ha ile) [Silâh'dan] Silâhlandırma. (ç. Teslihat).

teslih, A. i. (Hı ile) [Selh'ten] Dersini yüzüp çıkarma.

teslil, A. i. [Sell'den])Kınından) Sıyırıp çekme. • «Samsame'yi eyledikçe teslil. — Naci».

teslim, A. i. (Se ile) Çentme, diş diş etme.

teslim, A. i. (Sin ile) 1. Elden ele verme. 2. Dayanamayıp pes etme. 3. (Tas.) Kendini Tanrı kaderine bırakma. 4. Kabul etme, razı olma. Teslim-i can, -ruh, ölme. (ç. Teslimat). • «Bu arzuya teslim-i nefs etmek istiyordu. — Uşaklıgil». • «Afifane hükm-i tesadüfe teslim-i servet edenler (...) salonlarında tahmik olunur. — Cenap».

teslimat, A. i. [Teslim ç.] Parça parça ödeme, ödenen paralar.

teslimiyyet, A. i. Boyun eğme. Teslim olma. • «Bütün kuvvetleri düşerek bir teslimiyet-i mezbuhane ile rıza gösterdi. — Uşaklıgil».

teslis, A. i. (Se ile) [Süls'ten] 1. Üçleme, üçe çıkarma. 3. Şarabı üçte biri uçuncaya kadar kaynatma. 3. Tanrı'nın üç olduğuna inanma.

teslis, A. i. (Sin ile) Düzeltme, nizam ve düzen verme.

tesliye, A. i. Avutma, teselli verme. Tesliye-i hâtır, gönlü alınma.

tesliyebahş, F. s. [Tesliye-bahş] Avutucu. • «Pamal-i cevre tesliyetbahş-i nevaziş ol — Âzâr-i hatıra dil-i mihnetfüzun yeter. — Naili».

tesliyet, A. i. Avutma, teselli verme. • «Gururuna karşı bir nevi tesliyet kabilinden idi. — Uşaklıgil». • «Bahr-i Ahmer'in nefehat-i mutedilesi gündüzün hatıra-i harareti üstüne bir mirvaha-i tesliyet sallıyordu. — Cenap».

tesliyetbahş, F. s. [Tesliyet-bahş] Avutucu, avundurucu. • «Tesliyetbahş aradı kalb-i hazin — Buldu bir âşık-i harabegüzin. — Naci». • «Derin, uzun bir

hâb-i tesliyetbahşa-yi hayat ile uyu. — Uşaklıgil».

tesliyetkâr, F. s. [Tesliyet-kâr] Avutucu, avundurucu.

tesliyetsaz, F. s. [Tesliyet-saz] Teselli verici. Avundurucu. • «Sakin, tesliyetsaz, istirahatbahş yaşlarla. — Uşakgil».

tesmi', A. i. (Ayın ile) [Sem'den] İşittirme, duyurma.

tesmih, A. i. (Sin ve ha ile) 1. Doğrulatma. Düzeltme. 2. Yumuşak davranma.

tesmil, A. i. İncelikle ve yumuşak söz söyleme.

tesmim, A. i. [Semm'den] Zehirleme. • «Yazık! şu neşemi tesmim ederdi hiss-ı firak. — Fikret».

tesmimen, A. zf. Zehirlenerek.

tesmin, A. i. [Sümn'den] Sekizleme.

tesmin, A. i. (Sin ile) [Semen'den] Semirtme, yağlatma.

tesmin, A. i. (Se ile) [Semen'den] Değer biçme. Kıymet belirtme.

tesmir, A. i. (Se ile) [Semer'den] 1. Ağaçların yemiş bağlaması. 2. Malın bereketlenip çoğalması.

tesmir, A. i. (Sin ile) Çivileme. Mıhlama.

tesmit, A. i. Aksıran kimseye «çok yaşa» deme.

tesmiye, A. i. 1. Ad koma, adlandırma. 2. Besmele çekme.

Tesmim, A. i. Cennetteki ırmaklardan birinin adı. Ma-i Tesnim, Tesnim ırmağının suyu, Cennet suyu.

tesniye, A. i. (Se ile) 1.)Arap. Gra.) Arabiye mahsus olan ve ikilik çoğulu gösteren sıyga; kelimenin sonuna «-an» veya «-eyn» eklenerek yapılır; tarafeyn (iki taraf). 2. Bir kimseyi överek veya yererek bildirme.

tesri', A. i. [Sür'at'ten] Acele ettirme. Çabuklaştırma. (ç. Tesriat). • «O zaman hareketini tesri etti. — Recaizade».

tesrib, A. i. (Sin ile) Asker) Yollama. gönderme.

tesrib, A. i. (Se ile) Ayıplama, darılma. başa kakma.

tesric, A. i. (Sin ile) Hayvan eyerleme. Eyer vurma.

tesrih, A. i. 1. Ayırma, salıverme. 2.)Eşini) Boşama.

tesrik, A. i. Hırsızlık isnad etme.

tesrir, A. i. [Sürur'dan] Sevindirme.

tesriye, A. i. Gam ve kederi bırakma. Gam

tessab, A. i. Birbirine sövme.

testir, A. i. Gizleme, saklama, setretme.

tesvık, A. i. [Sevk'ten] Sürme, ileri gütme.

tesvid, A. i. [Sevad'dan] 1. Karartma. 2. Müsvedde yazma. Karalama yazma. (ç. Tesvidat). • «Müceddeden tesvid edip hazırlandıkları fetvayı. — Naima».

tesvif, A. i. Gereksiz yere sonraya bırakma. Atlatma, geciktirme. «Teklif-i mezkûre bilâ tesvif müsaade gösterip. — Naima».

tesvih, A. i. (Se ile) Karşılığını verme. Mükâfatlandırma.

tesvig, A. i. Caiz görme. İzin verme.

tesvik, A. i. [Misvak'ten] Misvaklenme. Dişleri misvakleme.

tesvil, A. i. Kötü bir şeyi güzel göstererek aldatma. (ç. Tesvilât). • «Bu gûne tesvil ve tehvil ile. — Sadettin».

tesvilât, A. i. [Tesvil ç.] Kötü bir şeyi güzel göstererek aldatmalar. • «Sefirleri iade ederek ve Halil Paşanın tesvilâtını kemal-i nefretle reddeyleyerek yine işinde devam etti. — Kemal».

tesvir, A. i. (Sin ile) Büyük derecelere çıkma, büyük işlere yükselme.

tesvir, A. i. (Se ile) 1. Toz kaldırma. 2. Bâtın mânayı araştırma. 3. Kur'an'ı sure sırasıyle toplama, • «Ol kimse Kur'an'ı tesvir eylesin yani ilm-i Kur'an'dan bahs eylesin. — Taş.». • «Kur'an'ı tesvirde yani suver üzere cem'ü tahrirde. — Taş.».

tesviye, A. i. [Sevi'den] 1. Beraber etme. 2. Düz etme. 3. Sonuca bağlama. 4. Verip ödeme. • Tesvie-i deyn, borç ödeme; • -umur, işlerin görülüp sonuçlandırılması; -turabiye, (yol için) toprak düzenlenmesi. • Bu müşkilâtı tesviye edecek bir çare ile. — Uşaklıgil».

tesyar, tisyar, A. i. Gönderme.

tesyil, A. i. Sel gibi akıtma, akıtılma.

tesyil, A. i. Akıtma. (ç. Tesyilât).

tesyir, A. i. [Seyr'den] Gönderme, yollama. (ç. Tesyirat). • «Ve bundan akdem tesyir-i asakire gönderilen acem İbrahim Paşa devr-i memalik ve tenfir-i asakir namıyle çeşm-i emval ederek. — Naima».

teşabüh, A. i. |Şibh'ten] Birbirine benzeme, benzeşme. (ç. Teşabühat).

teşabük, A. i. Şebekelenme, karışık ve dolaşık hal alma.

teşacür, A. i. [Şecer'den] 1. Odunla vuruşma. 2. Birbirine girme, kavga, dövüş. (ç. Teşacürat).

teşadduk, A. i. Lügat paralayarak, avurt çatlatıp konuşma.

teşahhus, A. i. [Şahs'tan] Şahıslanma.)ç. Teşahhusat).

teşaki, A. i. [Şekva'dan] Birbirinden şikâyet etme.

teşakkuk, A. i. [Şikk'tan] Yarılma, ikiye ayrılma. (ç. Teşakkukat).

teşakül, A. i. [Şekl'den] Şekil ve suretçe bir olma. Benzeşme.

teşarük, A. i. [Şirk'ten] Ortak olma. (ç. Teşarükât).

teşa'şu, A. i. [Şa'şaa'dan] Şa'şaalanma. Parıldama. • «Bu teşa'şu-i lerzenede-i gülgûn içinde. — Uşaklıgil».

teşatüm, A. i. (Te ile) [Şetm'den] Sövüşme.

teşaüb, A. i. [Şi'b'den] Çatallaşma, kol kol ayrılma.

teşa'ub, A. i. Dallanma. Dal budak peyda etme. (ç. Teşa'ubat). • «Teşviş-i akayid-i Müslimîn ve huzm ü nizem-i din ve teşa'ub-i mesalik-i İslâm ve ihtilâti sıhhat ü sikam bir mertebe mukarrer ye meşhur oldu ki. — Taş.».

teşa'ul, A. i. [Şul'den] Parlama, tutuşma.

teşa'ur, A. i. [Şa'r'dan] Kıllanma.

teşaür, A .i. [Şiir'den] Şairlik iddiasında olma. Zorla şair olma. (ç. Teşaurat). • «Erbab-i teşaür çoğalıp şair azaldı. — Naci».

teşavür, A. i. [Şura'dan] Danışma.

teşaytun, A. i. Şeytanca davranma.

teşayü, A. i. Birbiriyle dost olma.

teşbi', A. i. Karnını doyurma, karnı doyurulma.

teşbib, A. i. [Sebab'dan] 1. (Ed.) Bir kadının güzelliğini şiirle övme. 2. Kasideye bir güzeli övmekle girişme.

teşbih, A. i. [Şibh'den] Benzetme. Lâteşbih, benzetmeden. Benzemez. (ç. Teşbihat). • «Gonceyi servi sana teşbih eder her biedeb — Hep sükûtunla sükûnundur buna cana sebeb. — Yahya» • «Ben bu teşbih-i zârı pek severim. — Fikret».

teşbik, A. i. [Şebeke'den] Ağ biçimine koyma.

teşbir, A. i. Ölçme, karşılama.

teşci', A. i. [Şecaat'ten] Gayrete getirme. Yüreklendirme. (ç. Teşciat).

teşcin, A. i. Kederlendirme.

teşdid, A. i. [Şiddet'ten] 1. Şiddet ve kuvvet verme. 2. Sağlamlaştırma. 3. (Arap Gra.) Bir harfi çift okutan işaret. •

«Kahvehane veduhan yasağında bu mertebe teşdid ve devr-i ezikka ve katl-i nüfus ile tehdit buyurdukları. — Naima» • «Hattâ o işkence devrelerini teşdid edecek şeylere. — Uşaklıgil».

teşebbüh, A. i. [Şibh'ten] Zorla benzemeye çalışma. Benzetmeye özenme. (ç. Teşebbühat). • «Sahavet sebebi ile Beramike'ye teşebbüh ve muaraza meslekine salik olup. — Taş.».

teşebbük, A. i. [Şebeke'den] Ağ şeklini alma.

teşebbüs, A. i. (İşe) sarılma. Dikkatle başlama, girişme. (ç. Teşebbüsat). • «Efkâr-i terakkiyi teşebbüsat-i şahsiyenin çıkarmakta olduğu. — Kemal» «Hiç bir şeye hazırlanmaksızın, hiç bir ihtiyata teşebbüs etmeksizin. — Uşaklıgil».

teşeccu, A. i. Yiğitlik taslama.

teşeddüd, A. i. [Şiddet'ten] Daha kuvvetli ve sert olma. (ç. Teşeddüdat). • «Saniyeden saniyeye teşeddüd edecek bir muhabbetle sevilmek için — Uşaklıgil».

teşeffi, A. i. [Şifa'dan] 1. İyi olma. 2. Rahatlanma. Öc alma. • «Aziz Efendiden ahz-i sâr ile teşeffi-i gayz buyurdular. — Naima».

teşehhi, A. i. [İşteha'dan] İştahlanma. Hırsla isteme. (ç. Teşehhiyat).

teşehhüd, A. i. [Şehadet'ten] Namazda oturulduğu zaman • «Ettehiyyat» suresini okuma.

teşekki, A. i. [Şekva'dan] Şikâyet etme. • «Soğuk, soğuk... acı bir nefha-i teşekkisi — Yolunda kalb-i hayatın gelir enin-i riyah. — Fikret».

teşekkük, A. i. Şüphede olma. Şüphe etme. (ç. Teşekkükât).

teşekkül, A. i. Şekillenme. Şekil ve surete girme. (ç. Teşekkülât). • «Dersleri daima sektelere uğrayan kırık kırık parçalardan teşekkül ederdi. — Uşaklıgil».

teşekkür, A. i. [Şükr'den] Bir iyiliğe karşı minnetini söyleme. (ç. Teşekkürat). • «Ucunda gizli bir mâna-yi teşekkür titreyen bir lehaza-i serzenişle. — Uşaklıgl» • «Biz ricalar, teşekkürler ettik. — Cenap».

teşelşül, A. i. 1. Yukardan gelen su şarıltı ile akma. 2. Soğuk su banyosu, duş. (XIX. yy.).

teşemmu', A. i. [Şem'den] Mumlaşma,)ç. Teşemmümat).

teşemmül, A. i. İhrama bürünme.

teşemmüm, A. i. [Şem'den] Bir şey koklama. (ç. Teşemmümat).

teşemmür, A. i. İşe hazırlanma. Sıvanma.

teşemmüs, A. i. [Şems'ten] 1. Güneşleme. 2. Güneş çarpma.

teşennüc, A. i. Sinirlerin çekilip büzülmesi, ispaszmos. (ç. Teşennücat). • «Her gülüş bir teşennüc-i adalî. — Fikret». • «Şiddet-i berdden ekseri teşennüc olup vefat eyledi. — Naima».

teşennüf, A. i. Küpe takınmak. • «Pırlanta küpe teşennüf etmiş — Süslenmede pek tekellüf etmiş. — Naci».

teşerru', A. i. [Şeriat'ten] Şeriate uygun davranma.

teşerrüd, A. i. Dağınık olma. Ayrı bulunma. • «Hassa-i lâzimeleri olan teşerrüd iktiza-yi istiklâl ve teferrüd etmeğin. — Sadettin».

teşerrüf, A. i. [Şeref'ten] Şereflenme. Saygı gösterme. Şeref bulma.

teşetti, A. i. (Te ile) Kışlama. Kış zamanınca bir yerde oturma.

teşettüt, A. i. Birçok dallara ayrılma. Ayrılaşma, çatallaşma.

teşe'um, A. i. Uğursuz gözüyle bakma. Uğursuz sayma. (ç. Teşe'ümat). • «İstikbale müteallik tefe'ül ve teşe'ümlere başlarlar. — Cenap».

teşevvuk, A. i. [Şevk'ten] İstek gösterme. şevklenme. (ç. Teşevvukat). • «Üzerimize lâzım olanı söyledik diye teşevvuk ile nakledip. — Naima».

teşevvüş, A. i. Karışma, karmakarışık olma. (ç. Teşevvüşat).

teşeyyu', A. i. (Ayın ile) [Şia'dan] Şiî olma.

teşeyyuh, A. i. [Şeyh'ten] 1. İhtiyarlama. 2. Şeyhlik taslama.

teşeyyüd, A. i. Yükseltme ve sağlamlaştırma.

teşfiye, A i. [Şifa'dan] Şifalandırma, iyileştirme.

teşhir, A. i. 1. Şöhretlendirme. 2. Bir şeyi herkesin göreceği gibi yayıp gösterme. 3. Silâh çekme. 4. Bir suç sahibine verilen ibret olmak üzere, herkese gösterilme cezası. • Teşhir-i silâh, silâh çekme. (ç. Teşhirat). • «Hüsnünü eş'ar-i meşhuremle teşhir eyledim. — Naci».

teşhirgâh, F. i. [Teşhir-gâh] Sergi. Yapıp gösterme yeri. • Teşhirgâh-i nefais ve maali olan. — Nazif».

teşhis, A. i. [Şahs'ten] 1. Şahıslandırma, cisim ve suret verme. 2. (Kim veya ne olduğunu) seçme, ayırma. 3. Hastalığın ne olduğunu bilme. 4. (Ed.) Canlılandırma. (ç. Teşhisat). • «Saz-i aşkın edemez kimse havasın teşhis. — Ruhi».

teşhiz, A. i. 1. Sivriltme, keskinleştirme. 2. Uyandırma, gücünü, kuvvetini artırma. (ç. Teşhizat). • «Sefer azminin hududunu teşhiz ve asakir-i zafer-mesair içtimaı için — Sadettin».

teş'ib, A. i. (Ayın ile) [Şi'b'den] Şubelere ayırma. Dallandırma.

teş'il, A i. (Ayın ile) [Şu'l'den] Parlatma, tutuşturma, alevlendirme.

teşkık, A. i. (Te ve ka ile) [Şık'tan] Parça parça yarma.

teşkıye, A. i. Eşkıyalığa sürükleme.

teskik, A. i. Şüpheye düşürme. Şüphede bırakılma. (ç. Teskilât). • «Teşkik-i akaid ve taz'if-i mezahib. — Taş.».

teşkil, A. i. [Şekl'den] 1. Bir şeye şekil, suret verme. 2. Vücut verme, meydana getirme. (ç. Teşkılât) • «Aıtık bü bütün uçurumlara yuvarlanmak için bir sebep, bir hak teşkil etmiş olacaktı. — Uşaklıgil». — Şüun-i bahriye için âdi biristıtrad bile teşkil edemeyen bu ihtimal. — Cenap».

teşkilât, A. i. [Teşkil ç.] Yapışlar. Kuruluşlar. Düzen verişler. Örgüt.

teşmi', A. i. [Şem'den] Balmumuna batırma. Mumlama.

teşmil, A. i. 1. Ehrama bürünme. 2. Genişletme, şümullendirme.

teşmim, A. i. [Şemm'den] Koklatma.

teşmir, A. i. Sığama. Sıvama. Teşmir-i said, -sak (yenleri, paçaları sıvama) büyük bir gayretle çalışmaya hazırlanma. • «Bazu-yi şevka bais-i teşmir kalmadı. —Nabi» • «Bunların def'ine teşmir-i sak ettikte. — Naima».

teşmis, A. i. Güneşlendirme.

teşmit, A. i. (Te ile) 1. Ümitsizlendirme. 2. Aksıran birine çok yaşa deme.

teşne, F. s. 1. Susamış. 2. Çok istekli. (ç. Teşnegân). • «Ya Rab nevâdidir bu kim can teşne cânân teşnedir. — Baki».

teşnedil, F. s. [Teşne-dil] Can ve yürekten isteyen. (ç. Teşnedilân). • «Sehab-i lûtfün âbın teşnedillerden diriğ etme — Bu deştin bağrı yanmış lâle-i numanıyuz cânâ. — Baki».

teşnegân, F. i. [Teşne ç.] Susamışlar. İstekliler. • «Teşnegânın çâk çâk olmuş leb-i hahişgeri. — Nabi».

teşnegî, F. i. Susama. • «Harik-i haili bir teşnegi-i hâr ü mürün. — Cenap».

teşneleb, F. s. [Teşne-leb] Dudağı kurumuş, çok susamış. • «Sirişk-i didemi pâmale teşnelebdir o şuh — Tarık-i pâdan eder nahl gibi def-i ateş. — Nabi.

teşni', A. i. [Şenaat'ten] Ayıp diye görme. Ayıplama. (ç. Teşniat). • «Teşni okuna olup nişane — Bizar ola andan ate ane. — Fuzulî». • «Ezhar-i Ebkâr manzumesine bir alay teşniat. — Uşaklıgil».

teşnif, A. i. 1. Küpe takma. 2. Süsleme. (ç. Teşnifat). • «Haber-i afiyetinle teşnif. — Münif».

teşri', A. i. [Şer'den] 1. Peygamberin seriate dair buyruklar. 2. (XX. yy.) Kanun yapma. (ç. Teşriat).

teşrid, A. i. Ürkütüp kaçırma.

teşrif, A. i. [Şeref'ten] 1. Şereflendirme. 2. Gelmesiyle bir yere şeref verme, gelme. • «Kadr-i ilhanisi hil'at-i behiye-i hakanı ile teşrif olundu. — Raşit».

teşrifat, A. i. 1. Büyük, resmî olan ziyaret ve kabullerde davranış. 2. Törenlerde yapılacak şeyler, davranışlar. Protokol.

teşrifatî, A. i. Teşrifat memuru, protokol memuru.

teşrih, A. i. [Şerh'ten] 1. Açma, yayma, inceden inceye didikleme. 2. (Hek.) Bir ölü gövdesini kesip parçalara ayırma, otopsi. 3. Anatomi. 4. İskelet. (ç. Teşrihat). • «Bu incelikleri teşrih eder, neler bulurum. — Fikret» • «Eğer (şüphe eden) var ise teşrihat-i âtiye ıknaına kâfidir zaanederim. — Kemal».

teşrihane, F. i. [Teşrih-hane] Otopsi salonu.

teşriî, teşriiyye, A. s. Kanun ile, kanun yapma ile ilgili. • Kuvve-i teşriiyye, millet meclisleri (mebusan, âyan).

teşrik, A. i. (Kaf ile) [Şark'tan] Pastırmanın güneşte kurutulması. • Eyyam-ü-teşrik, çöl Araplarının kurban etlerini kuruttukları zilhiccenin on bir, on iki ve on üçüncü günleri. • «Tekrimat-i eyyam-i teşrik tamam oldukta cümle âyan-i devlet ile. — Selânikî».

teşrik, A. i. (Kef ile) [Şirk'ten] 1. Ortak etme. 2. (Tanrıya) ortak koşma. •

Teşrik-i mesai, işbirliği. (ç. Teşrikat).
• «Nihal, Şakire Hanımı fikrine teşrik etmek için — Uşaklıgil».

teştit, A. i. Dağıtma, dağıtılma.)ç. Teştitat). • «Her kande cemiyetleri istima olundu ise hezm ü testit olunup. — Naima».

teşvik, A. i. [Şevk'ten] Şevklendirme.)ç. Teşvikat). • «Yollu teşviki üzerine. — Dadı kalfanın teşvikatı da yardım ederek. — Recaizade».

teşvir, A. i. Kaplama, içine alıp gizleme. İçinde bulunma. • «Tesiri salıp dimağa teşvir — Teşvir-i mizacım etti tagyir. — Fuzulî».

teşviş, A. i. Karıştırma. Karmakarışık etme. (ç. Teşvişat). • «Ordudaki teşvişi bertaraf etti. — Kemal».

teşyi', A. i. Uğurlama. Selâmetleme. • «Ben bu ümmid ile teşyi-i etmedeyim. — Fikret».

teşyid, A. i. Yükseltip sağlamlaştırma. (ç. Teşyidat). • «Teşyid-i revamıta çalışmak akdem vezaifleri olduğunu itiraf ederler. — Kemal». • «Bu ziruh ve müteharrik-i menfaat üzerinde teşyid-i uhuvvet mümkün olur. — Cenap».

tetabu', A. i. [Teb'den] Aralıksız, birbiri ardından gelme. Tetabu-i izafet, zincirleme isim takımı. (ç. Tetabuat).

tetabuk, A. i. [Tıbk'tan] Birbirine uygun gelme. Uyma. • «Hikâyelerinden birinin bir sahifesiyle kabil-i tetabuk vukuat-i hayat. — Uşaklıgil».

tetafful, A. i. 1. Asalaklık. 2. Uyma, bağlanma.

tetali, A. i. Birbiri ardınca meydana gelme.

tetarük, A. i. İki taraftan bırakma.

tetavül, A. i. [Tul'den] 1. Uzanma, uzama. 2. Zulüm. (ç. Tetavülât). • «Zamanın tetavül-i illetle kaldığı rencur.—Nabi».

tetavvu', A. i. Nafile namazı kılma. Tetavvuan, nafile olarak.

tetavvuk, A. i. (Te ve tı ile) Boyna gerdanlık gibi şeyler takma.

tetayür, A. i. [Tayaran'dan] 1. Uçuşma, uçuşup dağılma. 2. (Kim.) Sıvıların gaz haline geçmesi.

tetbi', A. i. (Ayın ile) Peşini bırakmayıp iyice araştırma.

tetbib, A. i. Zarar ve ziyan eriştirme.

tetebbü', A. i. Bir şeyi etraflıca inceleme. Bir şey hakkında geniş bilgi edinme. (ç. Tetebbüat). • «Ehl-i ilmin tetebbü ve

marifeti böyle gerektir diye târiz ettiler. — Sadettin».

tetelli, A. i. Ardına düşüp gereği gibi araştırma.

tetellû', A. i. (Ayın ile) Boynunu uzatıp başını kaldırma.

teterrüb, A. i. Toz toprak içinde kalma.

tetevvüç, A. i. [Tac'dan] Taç giyme, taçlanma. • «Eylerse nasıl hüsn-i hazinin — Giysu-yi zerininle tetevvüç. — Cenap».

tetimme, tetümme, A. i. [Tamam'dan] 1. Bir eksiğin tamamlanması için katılan şey. 2. Bir şeyin tam olması için gerekli şey. • Tetimme-i sükna, köy ve kasabalarda ev yapılmak için bırakılmış topraklar (arsalar). (ç. Tetimmat).

tetliye, A. i. 1. Adağı yerine getirme. 2. Farzdan sonra nafile namazı kılma.

tetmim, A. i. [Tamam'dan] Bitirme, tamamlama. (ç. Tetmimat). • «Kavak'ta on üç gün kalıp tetmim-i mühimmattan sonra. — Naima».

tetrib, A. i. Toz toprağa bulaştırma.

tetvibe, A. i. Günahtan tövbe etme.

tetvic, A. i. [Tac'dan] Taç giydirme.)ç. Tetvicat). • «Alnını tetviç eden yumuşak saçlarına. — Uşaklıgil».

tevabi', A. i. [Tâbi ç.] 1. Bir kimsenin adamları. 2. Bir kimseye fikir bakımından bağlı olanlar. 3. Uşaklar, yardaklar. 4. Bir merkeze bağlı olan yerler. 5. (Arap. Gra.) Önündeki kelimeye göre harekelenen kelimeler. • «Paşa tevabiinin biri küffarın bayrağını kapıp. — Naima».

tevabil, A. i. [Tabil ç.] Yemeğe konan baharlar.

tevabit, A. i. [Tabut ç.] Tabutlar.

tevacüh, A. i. Birbiriyle karşı karşıya olma.

tevadu, A. i.)İki taraf düşmanlıktan vazgeçip) barışma.

tevafuk, A. i. Muvaffak olma, başarma.

tevafuk, A. i. [Vefk'ten] Uyma. Uygun gelme. • «İçimde bilmediğim bir neşat-ı muhişle — Tevafuk eyledi kırın hal-ı giryeperverdi. — Fikret».

tevafür, A. i. [Vefur'dan] Çoğalma, artma.

tevaggul, A. i. Bir işle ziyade uğraşma, pek ilerisine varma. (ç. Tevaggulât). • «Şir-i Araba tevessül eyle — Nahv ü lûgate tevaggul eyle. — Ziya Pş.».

tevahhud, A. i. Tek olma, benzeri olmama.

tevahhuş, *A. i.* [Vahşet'ten] 1. Yalnızlıktan çekinme, ürkme. 2. Yabani hayvan gibi korkma, ürkme. Emin olmayarak bakma. • ‹Terk eyle tevahhuşu emin ol. — Naci›.

tevakı', *A. i.* [Tevkı ç.] Fermanlara çekilen nişanlar.

tevakki, *A. i.* [Vikaye'den] Sakınma, çekinme. • ‹Etmiş orada fünun terakki — Tahsilden eyleme tevakkı. — Ziya Pş.›.

tevakku, *A. i.* [Vuku'dan] Bekleme. Umma. • ‹Al ilâhi vedianı benden — Budur ancak tevakkuum senden. — Recaizade›.

tevakkud, *A. i.* [İkad'dan] Tutuşup yanma.

tevakkuf, *A. i.* [Vukuf'dan] 1. Durma. 2. Olması bir şeye bağlı. O olmadıkça öteki olamaz. • *Bitevakkuf*, durmadan. • ‹Bilâ udul ü tevakkuf devam eder yoluna. — Fikret› • ‹Gayr-i munuazar bir tevakkufun kalbe ilka eylediği şiddet-i halecanı. — Cenap›.

tevakkur, *A. i.* [Vekar'dan] Vekarlanma.

tevakül, *A. i.* [Vekil'den] Birbirini vekil etme.

tevali, *A. i.* [Vely'den] Arası kesilmeden sürüp gelme. Birbiri arkasından gelme. • ‹İri iri katreler tevali etti. — Uşaklıgil›.

tevalüd, *A. i.* Doğma, doğurma.

tevani, *A. i.* Gevşeklik, gevşek davranma. Bir işte bezginlik gösterme.

tevari. *A. i.* [Vera'dan] Bir şeyin arkasına gizlenip görünmez olma. • ‹Etti ebr içre tevarı teyza-i beyza gibi. — Nabi›.

tevarih, *A. i.* [Tarih ç.] Tarihler. *Ehl-i tevarih*, tarihçiler.

tevarüd, *A. i.* [Vürud'dan] 1. Birbiri arkasından gelme. Her taraftan gelip birikme. 2. İki şairin ayrı ayrı olarak aynı mısra veya beyit söylemeleri. (ç. Tevarüdat).

tevarüs, *A. i.* [Veraset'ten] 1. Mirasa konma. 2. Miras gibi geçme. (ç. Tevarüsat). • ‹Tevarüs eden birkaç parça mal ve mülkü bir türlü paylaşamazlar. — Kemal›.

tevası, *A. i.* [Vasiyet'ten] 1. Vasiyetleşme. 2. Tavsiye etme.

tevasuf, *A. i.* [Vasf'tan] Birbirine nakil te vasf etme.

tevasuk, *A. i.* (*Se* ile) [Misak'tan] Birbiriyle antlaşma.

tevasul, *A. i.* (*Sat* ile) [Vasl'dan] Ulaşma. Birleşme. (ç. Tevasulât).

tevasüb, *A. i.* (*Se* ile) Birbiri üzerinden atlayıp hücum etme.

tevatu', *A. i.* Birbirine uygun gelme.

tevatuh, *A. i.* Uyup ulaşma. Savaşma.

tevatus, *A. i.* 1. Deniz dalgaları kabarıp dalgalanma.

tevatür, *A. i.* 1. Bir haberin ağızdan ağıza geçerek yayılması. (ç. Tevatürat). • Hediye olarak erbab-i devlete gönderildiği hadd-i tevatüre erişmekle bir çavuş gönderilip. — Peçoylu›.

tevatüren, *A. zf.* (Bir haber) ağızdan ağıza geçerek yayılma suretiyle.

tevaud, *A. i.* [Va'd'den] Birbirine söz verme, sözleşme.

tevazi, *A. i.* Birbiriyle paralel olma.

tevazu', *A. i.* Alçak gönlülülük. • ‹Munafıktır tevazu gösterir ahbap şeklinde. — Nabi›.

tevazuan, *A zf.* Alçak gönüllülükle. • ‹Sakın tevazuan liyakatsizliğinden bahse kalkışma. — Cenap›.

tevazün, *A. i.* [Vezn'den] Denk olma. Tartıda bir gelme. • ‹Şimdi velvele ile netice arasında bir tezavün göremeyince hükmederim ki bir mesele-i kalemiyeden bahs olunuyor. — Cenap›.

tevazzu, *A. i.* (*Dat* ve *ayın* ile) Konma. konuş.

tevbe, tövbe, Bk. *Tövbe*.

tevbih, *A. i.* Azarlama. (ç. Tevbihat). • ‹Hey, koca sersem! Tevbihi tokatlarla gürülderdi başımda. — Fikret›.

tevcib, *A. i.* Gerekli ve vacip kılma.

tevcih, *A i.* [Vech'ten] 1. Yönetme. Döndürme. 2. Bir kimseye bakma veya söz atma. 3. Mâna verme, yorumlama. 4. Rütbe verme. 5. (Ed.) İki anlama gelebilecek ve anlamca birbirinin karşıdı söz kullanma. • *Tevcih-i vecih*, güzel ve yerinde yorma; iyi mâna verme. (ç. Tevcihat). • ‹Anın kelâmına vukuftan evvel tevcih-i vecihe mail idim. — Taş.›. • ‹Demek isterler deyü tevcih lâzım olur. — Kâtip Çelebi› • ‹O zaman bu mühim vazife kendisine tevcih olunmuş idi. — Uşaklıgil›.

tevcihat, *A. i.* [Tevcih ç.] Rütbe verişler, verilmiş rütbeler.

teveddu', *A. i.* 1. Zarflama, zarf içinde saklama. 2. Kullanarak yıpratma. 3. Bir kimseyi yola çıkarırken selâmet dileme. 4. Rahat olma.

tevdi', A. i. 1. Bırakma, emanet etme. 2. Vedalaşma. (ç. Tevdiat). • «Eyler hazin gönüllere tevdi-i râz-i naz. — Fikret» — «Her taraftan mendiller sallanıyor, son telâşım-ı vedaiye bu temevvüclere tevdi olunuyordu. — Cenap».

tevdian, A. zf. Verere, emanet olarak.

tevdiat, A. i. 1. (Bir bankaya) Yatırma, koyma. 2. Emanet bırakma.

teveccu', A. i. [Veca'dan] Ağrıma.

teveccüd, A. i. [Vecd'den] Hallenme, coşma.

teveccüh, A. i. [Vech'ten] 1. Yönelme. Doğrulma. Bir yöne doğru gitme. 2. Gelme, yanaşma. 3. Sevgi, hoşlanma. İyi gözle görme. (ç. Teveccühat). • «Yukarı çıkmak için merdivene teveccüh ediyordu. — Uşaklıgil». • «Artık bu güzel gözler de merdivene teveccüh etti. — Cenap».

teveddüd, A. i. [Vüdd'den] Sevişme. Sevgi. Dostluk etme. (ç. Teveddüdat). • «Takviyet-i kalb ile tereddütlerin selb ve teveddüdlerin celbeyledi. — Sadettin» • «Fıtrattaki temayül ü teveddüd. — Recaizade».

tevehhüc, A. i. (He ile) Parıldama, ateş tutuşma.

tevehhüd, A. i. (He ile) Çiftleşme, cinsel münasebette bulunma.

tevehhül, A. i. Yanıltmaya çalışma.

tevehhüm, A. i. [Yehm'den] Kurma, sanma. Asılsız şüpheye düşme. (ç. Tevehhümat). • «Tevehhüme itibar yoktur. — Mec. 74» • «Kalbinin çarpıntısını işittikçe ayak sesleri tevehhüm edecek. — Uşaklıgil» • «Tek hâtır-i şerifleri cem' olup tevehhümattan beri ve halâs olsunlar deyu. — Naima».

tevehhüs, A. i. Bir işe dikkatle koyulma.

tevekküd, A. i. Sağlamlaşma, kuvvetleşme.

tevekkül, A. i. İşi Tanrıya bırakıp kadere razı olma, güvenme. • «Allaha tevekkül edenin yaveri Haktır. — Ziya Pş.» • «Bir tevekkül-i dilhiras ile gözlerini önüne indiriyor. — Cenap».

tevekkün, A. i. Yerleşme, yuva tutma.

tevellâ, tevelli, A. i. 1. Birine yanaşma. 2. Birini dost tutma. 3. Ehl-i beyti, Ali'yi sevenler, onlara bağlılık. 4. Yakınlık, akrabalık. 5. Üzerine alma.

tevellüd, A. i. Doğma. (ç. Tevellüdat). • «Hızır Paşa kızından tevellüd eden duşiz duhterin tezevvüç ve azîm velime

edip. — Naima» • «Ferda — O bir cenin ki bugünden tevellüd eyleyemez. — Fikret».

tevellüh, A. i. (He ile) [Veleh'ten] Şaşırıp sersemleşme.

tevelvül, A. i. [Gelvele'den] Gürültü patırdı etme. (c. Tevelvülât).

tev'em, A. i. 1. İkiz. 2. Eş. • «Mesiha gecinir amma har-i Deccal ile tev'em. — Nef'î» • «Haber aldım ki bu âlim tev'emler. — Cenap».

tev'eman, A. i. (Çift) İkizler. • «Miyan-i erbab-i danişte akl ile nakl tev'eman idüğü. —Kâtip Celebi».

tev'emiyyet, A. i. İkizlik. • «Biraz daha yaklaşırsa kendisiyle bu hayalin tev'emiyeti teeyyüd edecekti. — Uşaklıgil»

teverru', A. i. [Vera'dan] 1. Din işlerine bağlı, sağlam olma. 2. Yasak edilmiş şeylerden çekinme. • «Bu mertebeden sonra ehl-i vera' teverru' edip kendi içmez ve içene dahl etmez. — Kâtip Çelebi».

teverruk, A. i. [Varak'tan] Yapraklanma.

teverrün, A. i. [Verem'den] Verem olma, vereme tutulma. (Asıl anlamı ciltte kabartı ve şiş olmadır). • «Bu son ümid-i saadet ki eylemişti teverrüm. — Fikret».

teverrüs, A. i. [Veraset'ten] Mirasçı olma.

tevessuh, A. i. Kirlenme, paslanma.

tevessuk, A. i. Güvenerek dayanma.

tevessü', A. i. [Vüs'at'ten] Genişleme.)ç. Tevessüat). • «Bütün efrad-i ailede tevessü ve teessüs eden bir ihtiyac-i zarafetle. — Uşaklıgil».

tevessüs, A. i. Yastığa dayanma.

tevessül, A. i. [Vesile'den] Sarılma, inanma. Sebep tutma. (ç. Tevessülât). • padişahiye bend edip. — Sadettin». «Engüşt-i tevessülün damen-i inayet-i padişahiye bend edip. — Sadettin».

tevessüm, A. i. Bir nesneyi işaretlerinden iyice anlama.

tevessün, A i. Kadını uykuda bastırıp cinsî muamelede bulunma.

tevesvüs, A. i. Vesveselenme, kuruntuya düşme. (ç. Tevessüsat). • «Daima şübehat ve tevesvüsat içinde bulunmaktan memnun olduğundan. — Recaizade».

teveşşi, A. i. Ağarma, alacalanma.

teveşşuh, A. i. Süslenme. Takıp takıştırma.

tevettür, A. i. (Te ile) Gerilme. Gerginlik. (ç. Tevettürat).

teveyyül, A. i. Vaveylâ etme. Bağırıp, ah etme. (ç. Teveyyülât).

tevezzü', A. i. [Tevzi'den] 1. Dağılma. 2. Yer tutma.

tevfid, A. i. Elçilikle yollama.

tevfik, A. i. |Vefk'ten] 1. Uydurma. Uygunlaştırma. 2. Tanrı yardımı. (ç. Tevfikat). • «Hak yol aramak vecibedir akl-i selime — Tevfikını isterse Huda rahber eyler. — Şinasi».

tevfikan, A. zf. Uyarak, uygun olarak. • «Bu güzelliği kanun-i bedayie tevfikan ifade eder. — Cenap».

tevfir, A. i. [Vefret'ten] Çoğaltma, artırma. (ç. Tevfirat). • «Selâmlayıp tevkır merasiminin tevfir eylediler. — Sadettin».

tevhım, A. i. (Ha ile) 1. Aş yeren kadına istediğini yedirme. 2. Kırılmış ağaç çubuğundan su çıkma. (ç. Tevhimat).

tevhid, A. i. [Vahdet'ten] 1. Birkaç şeyi bir etme, birleştirme. 2. Birliğine inanma, bir sayma. 3. Lâilâhe sözünü tekrarlama. • Ehl-i tevhid. Tanrı birliğine inananlar. • «Yok şirke eğerçi itibarı — Tevhide de yoktur iftikarı. — Naci».

tevhil, A. i. (He ile) Korkutma.

tevhim, A. i. Vehme düşürme. Vehimlendirme. (ç. Tevhimat). • «Deyu padişah-i masumu tevhim ettiler. — Naima».

tevhin, A. i. Zayıf düşürme. Zayıflatma. kaçmasına sebep olma. • «Tevhiş edip (ç. Tevhinat).

tevhiş, A. i. [Vahşet'ten] Ürkütme, ürküp hayalini bir levh-i gamnisar. — Fikret».

te'vil, A. i. [Meal'den] Bilinen anlamından başka bir anlamla yorumlama. Başka mâna verme. (ç. Tevilât). • «Ve ele girdiklerinde her biri yeniçeriliğin ketm için türlü teviller edip gâh raiyyet gây rençper gâh taciriz deyu. — Naima» • «Zihninde bulduğu tevilâtın altında saklanan. — Uşaklıgil».

tevili, teviliyye, A. s. Tevil ile, yorumla ilgili.

tev'ir, A. i. (Ayın ile) 1. Zorlulaştırma. 2. Alıkoyup önleme.

te'viye, A. i. [İva'dan] 1. Yerleştirme. 2. Oturacak yer peydahlama.

tevkı', A. i. [Vuku'dan] 1. Padişah buyruklarına çekilen nişan. 2. Padişahın nişanlı buyruğu. • Tevkı-i refi-i hümayun, padişahın yüce buyruğu. •

«Kaşların tevkı-i tugra-yi şehinşahi midir? — Baki».

tevkıd, A. i. [Vakd'den] Tutuşturup yakma. (ç. Tevkıdat).

tevkıf, A. i. [Vukuf'tan] 1. Durdurma. 2. Alıkoyma. 2. Tutma. Tutuk halinde bekletme. (ç. Tevkıfat). • «Ağzında cümlesinin aşağısı tevkıf etmek isteyerek. — Uşaklıgil».

tevkıı, F. i. Padişah buyruklarına nişan işaretini yapan memur. • Tevkıı-i divan-i hümayun. • «Mustafa Paşa-yi tevkıı o gerdun-paye kim — Mah-i nev seng-i fesan-i hancer-i tuğrasıdır. — Nedim».

tevkır, A. i. [Vekar'dan] İyi karşılama, ağırlama, ululama. (ç. Tevkırat). • «Sufuf-i tevkır ve izaz ile derun-i şehre getirip. — Sadettin».

tevkıf, A. i. [Vakt'ten] Vakit ve saatı belli etme. • «Kaideten nikâh ebedi olmak üzere akd olunur, herhangi bir vakit ile tevkıti caiz değildir. — M. Esat».

tevkid, A. i. [Ekid'den] Sağlama, sağlaştırma. • «Va'd-i ekid ve peymanın eyman ile tevkid eyledi. — Naima».

tevkil, A. i. [Vekâlet'ten] Birini vekil etme. • «Eniştenle konuşmak için beni tevkil eder misin? — Uşaklıgil».

tevlid, A. i. [Velâdet'ten] 1. Doğurma. 2. Doğurtma. 3. (Mec.) Vücuda getirme. Sebep olma. • «Tevlid eder o lânede eş'ar-i dilşikâr. — Fikret».

tevlih, A. i. Şaşırtma. Sersemleştirme.

tevliyet, A. i. Vakıf işine bakma görevi. Mütevellilik. • «Selâtin-i evkafını hayrat-i müslimînin ve kitabet vecihet ve nezaretleri bile alınıp. — Naima».

Tevrat, A. i. Musa peygamberin kutsal kitabı. • «Tevrat ola mı yahut Enacil — Hem-menkıbet-i Kitab-i tenzil. — Ziya Pş.».

tevri', A. i. 1. Geri durdurma, sakındırma. 2. Perhiz ettirme.

tevrih, A. i. Tarih atma. Tarihleme.

tevrim, A. i. 1. Vücutta şiş yapıp kabartma. 2. Kızdırma, gazaba getirme. • Tevrim-i enf, burun şişirme, ululanma.

tevris, A. i. [Veraset'ten] 1. Mirasçı yapma. 2. Miras bırakma. • «Veyahut bir Kur'an'ı Kerim tevris ile. — Taş.».

tevriye, A. i. [Vera'dan] 1. Meramını gizleme. 2. (Ed.) Birkaç anlamı olan bir kelimeyi en uzak anlamında kullanma.

● «Şair-i nadire-gûyem ne desem hisse çıkar — Düşmen ü dosta bi tevriye vü bi ibham. — Nef'î».

tevsen, A. i. At. Sert, azgın at. ● «Rahş-i tab'ı gibi bir tevsen-i çapük-pâyı. — Nef'i».

tevsi', A. i. [Vüs'at'ten] Genişletme. (ç. Tevsita). ● «Hep bu lâtifeyi tevsi etmek. — Uşaklıgil».

tevsid, A. i. Yastığa dayatma.

tevsih, A. i. Kirletme, murdarlama.

tevsik, A. i. [Vusuk'tan] 1. Sağlamlaştırma. 2. Yazılı hale koma. ● «Bu kelâma hüccet-i tevsik olamaz. — S. Nazif».

tevsil, A. i. Tanrıya yakınlaşmak, iyi iş işleme.

tevsim, A. i. [Vesm'den] 1. Demir dağla işaret koma. 2. Ad takma, adlandırma. 3. Hacıların hac zamanı toplanmaları.

tevşi', A. i. Süsleme. ● «Tevşi-i duş-i celâdet kıldığımız gürz-i giran. —Şefikname».

tevşih, A. i. 1. Süsleme, süslendirme. 2. (Ed.) Çifte kafiye. (ç. Tevşihat).

tevşim, A. i. [Veşm'den]1. Bedene dövme yapma. 2. İğne ile yazı yazma veya şekil yapma.

tevtid, A. i. [Veted'den] Kazık kakma.

tevtir, A .i. (Te ile) Yayı kurma.

tevvab, A. i. [Tevbe'den] Kullarının tövbesini kabul eden Tanrı. ● «Zenb ile mağlûb-i ye's olmam Huda tevvabdır. — Naci».

tevzi', A. i. 1. Dağıtma. 2. Herkese payını üleştirme. (ç. Tevziat). ● «İskele başında bekleyen zümerelere selâmlar tevzi ederek. — Uşaklıgil».

tevzif, A. i. Acele etme, çabuklaşma.

tevzig, A. i. Dölyatağında çocuğun suret bağlaması.

tevzin, A. i. [Vezn'den] Tartma. Denkleştirme. ● «Zevkın miyar-i müşkilpesendiyle kabil-i tevzin olabilen sanat-i telebbüste. — Uşaklıgil».

teyakkun, A. i. [Yakîn'den] Tam ve iyiden iyi bilme. ● «Mukavemet edemeyeceklerini teyakkun ederek ricate mecbur oldular. — Naima».

teyakkuz, A. i. 1. Uyanma. Uykudan kalkma. 2. (Mec.) Uyanıklık, göz açıklığı. (ç. Teyakkuzat).

teybis, A. i. Kurutma, kurulama.

teyebbüs, A. i. Kuruma, kuru olma.

teyemmüm, A. i. Su bulunmadığı yerde temiz toprak ve başka şeylere ellerini sürerek aptes almak. ● «Ben dahi namaz için teyemmüm niyetine elimi sürerken. — Taş.».

teyemmün, A. i. [Yümn'den] Uğur sayma. ● «İlel ü mesaib-i azîme def'i için teyemmün olunur. — Naima».

teyemmünen, A. zf. Uğur sayarak.

teyessür, A. i. [Yüsr'den] 1. Kolaylaşma. 2. Başarı ile bitme. (ç. Teyessürat). ● «Teyessür-i ilâhî ile tahsil-i fünun semti müsahhar olup. — Kâtip Çelebi».

te'yid, A. i. Kuvvetlendirme. Sağlamlaştırma. (ç. Teyidat). ● «Canla, başla ey vatan, teyidine peymanlıyız. — Fikret».

te'yidat, A. i. [Te'yid ç.] Sağlamlar, kuvvetlendirmeler.

te'yis, A. i. [Ye's'ten] Umutsuzlaştırma. yese düşürme.

teys, A. i. Erkek keçi, teke. ●«Olmuş idi masebakta rubah — Bir teys-i dıraz karna hemrah. — Recaizade».

teysir, A. i. Kolaylaştırma.

teyyar, A. i. Dalga. (ç. Teyyarat). ● «Katarat-i hadenk ü tîr ile meydan-i vegayı bahr-i teyyar. — Ragıp Pş.».

teyyar, A. i. 1. Hazırlanmış. 2. Büyük dalgaların yarıldığı zaman meydana gelen dalga. ● «Şimşirler miyani teyyarda seyyar olan mahiler gibi. — Sadettin» ● «Teyyar-i kefnisar şeklinde köpürmüş. — Uşaklıgil».

tezad, A. i. [Zıdd'dan] 1. Birbirinin aksine olma. 2. (Ed.) Karşıtma. 3. Terslik. ● «Boğuk bir tezad-i sükûn ü tanin. — Fikret»:

tezahüf, A. i. Savaşta iki taraf askerinin karşılaşması, çatışması.

tezahüm, A. i. Kalabalık yığılma. Kalabalıkla bir şeyin çevresini çevirme. (ç. Tezahümat). ● «Temadi-i evkat ve tezahüm-i zaruret esbebiyle. — Naima».

tezahür, A. i. [Zâhir'den] 1. Görünme. 2. Birbirine arka olma.

tezahürat, A. i. Bir şey hakkında toplu bir halde gösteri yapma.

tezakir, A. i. [Tezkire ç.] Tezkereler.

tezakkum, A. i. Güçlükle yutma.

tezalüm, A i. (Te ve zı ile) 1. İki taraf birbirine zulüm etme. 2. Birbirinin zulmünden iki taraf şikâyet etme.

tezauf, A. i. [Zıf'tan] İki kat olma.

tezavür, A. i. Birbirini gidip görme.

tezayüd, A. i. [Ziyad'dan] Artma, çoğalma. (ç. Tezayüdat). ● «Havayic-i beşeri ifa edecek esbabın usul-i tezayüdü ebna-yi beşerin sureti tekessürüyle bir nisbette değildir. — Kemal».

teza'yu, A. i. Deprenme.

teza'zu, A. i. Önleme, engel olma. • «Ne efnanu agsan-i ittifakımıza teza'zunüman olurdu. — Nergisî».

tezbib, A. i. Yaş yemişi kurutma.

tezbih, A. i. (Ze ve ha ile) [Zebh'ten] Boğazlama.

tezbil, A. i. Gübreleme.

tezbir, A. i. Yazma, yazılma.

tezebbüd, A. i. Köpüklenme. Kaymak tutma.

tezebzüb, A. i. Kararsızlık. Karışıklık.)ç. Tezebzübat).

tezehhüd, A. i. [Zühd'den] Din işlerine dalma. • «Medine-i Münevvere'de mücaveret ve tezehhüd eyledi. — Taş.».

tezehhür, A. i. Çiçeklenme. • «Emellerimde soluk bir hazan tezehhür eder. — Fikret».

tezekki, A. i. Temizlenme.

tezekkür, A. i. [Zikr'den] 1. Hatıra getirme. 2. Birkaç kişi toplanıp bir iş üzerine konuşma. (ç. Tezekkürat).

tezellûk, A. i. (Te, zel ve kaf ile) Kayma, sürçme. (ç. Tezellukat). • «Tezellukat-i raksiyeyi andıran bir hareketle dalgalanarak. — Cenap».

tezellül, A. i. [Zillet'ten] Zillete katlan ma. Kendini alçak tutma. Alçalma. (ç. Tezellülât). «Katil-i padişah olanların dâvasından geçip tezellül ve niyaz ile. — Naima».

tezelzül, A. i. [Zelzele'den] Sallanma, sarsılma. Sarsıntı. (ç. Tezelzülât). • «Havas ve kuvaşınca badi-i teheyyücat ve tezelzülât olmuş idi. — Recaizade» — «Gelir tezelzüle ruhum ser-i benanında. — Fikret» • «Halkı bu gece mevcudiyet-i adaliyelerini satan kadınlar oraya topluyor. Sırf hayvanî bir tezelzül-i asabîye karşı bu kadar zaaf incizap? — Cenap».

tezelzülnümun, F. s. [Tezelzül-nümun] 'Sarsıntı, zayıflama gösteren. • «Bazuyi mukavemeti tezelzülnümun olmaya başlamakla beraber. — Nazif».

tezemmül, A. i. Bürünme, sarınma.

tezenduk, A. i. Zındıklaşma. Hak yoldan sapıtma. • «Bir kimse ki husumet ile taleb-i din eyleye tezenduk etmiş olur. — Taş.».

tezerv, F. i. Sülün. • «Eyler tezervi pençe-i gadrine bâz hâr. —Ziya Pş.».

tezevvuk, A. i. [Zevk'ten] Tat alma. Zevk alma.

tezevvüc, A. i. [Zevc'den] Evlenme. Kadın eş alma. • «Padişahın hâherin tezevvüc etmiş idi. — Peçoylu».

tezevvüd, A. i. Yanına yiyecek alma. Azıklanma.

tezeyyün, A. i. [Zeyn'den] Süslenme. • «Türlü eşkâl ile tezeyyün eder. — Recaizade».

tezhib, A. i. [Zeheb'den] Yaldızlama. (ç. Tezhibat). • «Serverî serlevha-i evsafını tezhib için. — Riyazi» • «Ashab-i maarif ve hünermendan meşgul-i nakş ü tezhib-i eyvan idiler. — Naima».

te'zin, A. i. [İzn'den] 1. İzin verme. 2. Ezan okutma. • «Menairden ezan te'zin olundukça. — Şinasi».

tezkâr, tizkâr, A. i. Anma, hatıra getirme. • «Eyle bana sakitane tezkâr. — Recaizade».

tezkere, tezkire, Bk. *Tezkire.*

tezkir, A. i. [Zikr'den] 1. Hatıra getirme, hatırlatma. 2. (Gra.) Bir kelimeyi müzekker kullanma. 3. Vaaz ve nasihat etme. (ç. Tezkirat). • «Meşayih-i İstanbuldan biri gönderilip va'z ü tezkir ile men' eyleye. — Naima».

tezkire, tezkere, A. i. [Zikr'den] 1. Tezkere. 2. Resmî makamdan yazılan yazı. 3. Bazı meslek sahipleri için yazılan biyografi eseri. (ç. Tezakir). • «Bu tezkere bugün gelmiş bir şey olmayabilirdi. — Uşaklıgil».

tezkiye, A. i. 1. Temize çıkarma. Ayıptan temizlenme. 2. Birinin halini tanıyanlardan soruşturma. 3. Malın zekâtını verme.

tezlik, A. i. Kaydırma. Sürçtürme. (ç. Tezlikat).

tezlil, A. i. (Te ve ze ile) [Zillet'ten] Tahkir etme. (ç. Tezlilât). • «Ve taraf-i hilâfında olanları azl ü ile merci-i kül oldu. — Naima».

tezmim, A. i. Yularlama. Yular takma.

teznib, A. i. 1. Kuyruk takma. 2. Ekleme.

tezniye, tezniyet, A. i. (Ze ile) Zina etme.

tezvib, A. i. Eritme.

tezvic, A. i. [Zevc'den] Evlendirme.

tezvid, A. i. (Ze ile) Yol azığı hazırlama.

tezvik, A. i. (Ze ve kaf ile) 1. Süsleme. 2. Cıva ile demire yaldız vurma.

tezvik, A. i. [Zevk'ten] Tattırma. Zevk aldırma.

tezvir, A. i. 1. Yalan karıştırma. 2. Dolandırma. Hile kullanma. • Ehl-i tezvir, müzevirler. (ç. Tezvirat). • «Bedhahların mıdır bu tedbir — Gammazların mıdır bu tezvir. — Fuzulî».

tezyid, A. i. [Ziyad'dan] Artırma.)ç. Tezyidat). • «Tezyid-i mesaine bugün bir yeni saik. — Fikret».

tezyif, A. i. 1. Çürütme. 2. Eğlenme, maskaraya alma. (ç. Tezyifat). • «Hâtırat-i âşıkaneyi tezyif ediyordu. — Uşaklıgil».

tezvil, A. i. [Zeyl'den] Ekleme. Altına devam etme. (ç. Tezyilât).

tezyif, A. i. Dağıtmak. Perişan etmek.

teyin, A. i. [Ziynet'ten] Süsleme. (ç. Tezyinat). • «Öyle bir vakar ile tezyin ediyordu ki. — Uşaklıgil».

tı, Arapça «ta» harfinin sesi ve adı.

tib, A. i. Güzel koku. Güzel kokulu şey. • «Mahbus-i genc-i mahfaza-i tenknâda tîb. — Ziya Pş.».

tıba', A. i. 1. Tabiat, yaradılış. 2. (Çoğul gibi) Tabiatlar, yaradılışlar. • «Varsın olsun şive-i İran tıba-i nâsta. — Nabi».

tıbaa, tıbaat, A. i. Kitap ve başka şeyler basma işi. • Dar-üt-tıbaa, sonra Matbaa-i âmire denen ve devletin olan resmî basımevi. • «Lisan-i Osmanide tıbaatin zuhur-i tammı o zamandır denilebilir. — Kemal».

tıbahat, tabahat, A. i. Aşçılık. Yemek pişirme işi.

tıbak, A. i. 1. Uyma, uygunluk. 2. Tabaka.

tıbb, A. i. (Tı ile) Hekimlik. Doktorluk. • «Fatih Sultan Mehmet medarisinin biri münhasıran tahsil-i tıbb için tesis olunmuş idi. — Kemal».

tıbben, A. zf. Hekimlik bakımından. • han cevher-i havayı mükedder kılmakla tıbben muzırdır. — Kâtip Çelebi».

tıbbî, tıbbiyye, A. s. Hekimlikle ilgili.

tıbbiyye, A. i. Tıb okulu.

tıbk, A. i. Tıpkı. Aynı.

tıfl, A. i. Küçük çocuk. (ç. Etfal). • «Bu hastalık beni bir tıfl iken ezdi. — Fikret». (Ed. Ce.):

Tıfl-i bidar,   -muazzez,
-bîhaber,   -muhabbet,
-canruba,   -münfail,
-handeperver,   -natüvan,
-hayalî,   -püremel,
-melekçehre,   -uryan-ten.

tıflâne, F. zf. Çocukça. • «Şi'ri baziçe-i tıflâne eden eşhasın — Kimisi söz ebesidir kimi baba-yi sühan. — Sümbülzade» • «Kendine mahsus bir eda-yi tıflâne ile ellerini kilitleyerek. — Uşaklıgil».

tıfliyyet, A. i. Çocuk sapıklığına ait olarak Fransızcadan infantilisme karşılığı (XX. yy.).

tıhal, A. i. (Ana.) Dalak.

tıksar, A. i. Gerdanlık.

tıla', A. i. (Tı ve ayın ile) Düşünüp taşınma.

tılâ, F. i. Altın.

tıla', A. i. 1. Sürülecek şey. 2. Madene sürülecek sıvı yaldız. 3. Sürülecek merhem veya yağ. • «Memalik-i Osmaniyede hevan olan tıla ve sîm ol ism-i besim ile revaç ü ibtihac bula. — Sadettin».

tıladuz, F. i. [Tıla-duz] Sırmacı. • «Makbul-i tab-i müstetab olup hilât-i tıladuz emr ettiler. — Naima».

tılakâr, F. i. [Tıla-kâr] Yaldızcı. Sırmacı.

tılakârî, F. i. (Tı ile) Yaldızcılık.

tılavet, A. i. (Tı ile) Güzellik, güzel olma. Sevimli olma.

tılsım, A. i. 1. Tılsım. 2. (Mec.) Çare. Olağanüstü etki. 3. (Tas.) Sırları bir türlü anlaşılamayan insan gerçeği. (ç. Tılsımat). • «Meğer zorbaların ve eşkıya taifesinin tılsım-i tasallutları bozulmak bu zalimin boğulmasına merbut imiş. — Naima» • «Ahımdadır kilid-i tılsımat-ı genc-i ruh' — Abıhayat lücce-i çeşm-i terimdedir. — Nabi».

tin, A. i. Çamur, balçık. Toprak. • «Çamurlu gadirlerden su içip yüzleri ve ağızları tîn ve çamur bulaşmaktan. — Naima».

tınab, A. i. Kazığa bağlanan çadır ipi. • «Çeşmi Mecnun Leyli'ye hargâhtır — Eylemiştir kirpiği ana tınab. — Kanunî».

tînet, A. i. Yaradılış. • «Hilâf-i tînetimdir tab-i ahibbaya keder vermek. — Ragıp Pş.».

tınnet, A. i. Çınlama. • «Bir fırtına saklar gibi şehrin yüreğinde — Her yerde sükûtun o hazin tınneti çınlar. — Cenap».

tıraz, A. i. 1. İpek ve sırma ile işleme. Giyeceklere nakış ile yapılan süs. 2. Süs. 3. Üslûp, tutulan yol. 4. Fransızcadan devise karşılığı (XIX. yy.).

-**tıraz,** *F. s.* ‹Donatan, süsleyen› anlamıyle kelimelere katılır. ● *Bedayi-tıraz,* ● *bediatıraz,* ● *cevahirtıraz,* ● *heykeltıraz,* ● *nakşıtıraz.*

tırazende, *F. s.* 1. Süsleyen. Donatan süsleyici. 2. Düzüp koşan. ● ‹Olmasa fikr-i tıranzede-i gıysu-yi bütan — Riziş-i eşk-i kalem galıyegûn olmaz idi. — Nabi›.

tırazî, *F. i. (Tı* ve *ze* ile) Tertip edicilik.

tırazî, *F. s. (Tı* ve *ze* ile) Süslü, süslenmiş. ● ‹Bu hamuşî-i ummîyi yalnız (...) muntazam bir hışırtı ile biçiyor, etrafında beyaz köpüklerle tırazide bir tarık-i umumî açıyordu. —Cenap›.

tıval, *A. i. (Tı* ile) [Tavil ç.] Uzun (olanlar). ● *Tıval ü kısar,* uzunlar ve kısalar. ● ‹‹Ve tıval ü kısar üzerinde ihtilâfında. — Taş.›.

tıynet, *A. i. (Tı* ile) Yaradılış.

tibn, tebn, *A. i.* Saman.

tibr, *A. i.* 1. Toz halinde altın. 2. Altın külçesi.

tibyan, *A i.* Açık anlatma, bildirme.

tic, *A. i.* [Tac ç.] Taçlar.

tican, *A. i.* [Tac ç.] Taçlar.

ticaret, *A. i.* Ticaret. ● ‹Sularında mersa-yi ticaret arayan gemiler görüldü. — Cenap›.

ticaretgâh, *F. i. s.* [Ticaret-gâh] Ticaret yeri. Ticaret yapmaya elverişli.

ticarethûne, *F. i.* [Ticaret-hane] Ticaret evi.

ticarî, ticariyye, *A. s.* Ticaretle ilgili. ● ‹Aramızda alayik-i ticariye tesisine çalışalım. — Cenap›.

tig, *F. i.* Kılıç. ● *Tig-i bürran,* keskin kılıç. ● ‹Tıraş etti ser-i a'dayı bir bir tig-i bürranı — Atan fethetti gürz ile bilâd-i Berberistan'ı. — Baki›. ● ‹Bir çelik parçası bir tîg-i mehib olmak için. — Fikret›.

tigbend, *F. s.* [Tîg-bend] 1. Kılıç bağlayan. 2. Kılıç kuşanan.

tigdar, *F. s.* [Tîg-dar] 1. Kılıç taşıyan. 2. Kılıçlı.

tigzen, *F. s.* [Tîg-zen] Kılıç vuran. Kılıç çeken. (ç. Tigzenan).

tih, *A. i.* 1. Çöl. Susuz, kuru sahra. 2. (Ö. i.) Mısır ile Şam arasında Tur-i Sina'nın bulunduğu yarımadada bir çöl. Musa peygamber Mısır'dan çıktıktan sonra halkıyle beraber bu çölde kırk yıl dolaşmış, burada Tanrı kendisine

tecelli etmiştir, bu yüzden edebiyatta adı çok geçer. ● ‹Tih-i hayrette kalır germ-rey-i sû-yi talep›.

Tihame, *A. ö. i.* Mekke şehri. ● ‹Ol nur Tiyame'de açıldı — Dünyaya şeraresi saçıldı. — Ziya Pş.›.

tihu, *A. i.* Çil kuşu. (ç. Tihuvan). ● ‹Baruta şitab ederdi ahû — Ağız otuna gelirdi tihû. — Ş. Galip›.

tikke, *A. i.* Don bağı. ● ‹Tikke henüz elimde idi. — Taş.›.

tilâl, *A. i.* [Tel ç.] Tepeler.

tilâmize, telâmize, *A. i.* [Tilmiz ç.] Öğrenciler. ● ‹Ve cümle-i tilâmizesinden biri dahi. — Taş.›.

tilâvet, *A. i.* Güzel sesle ve kuralla (Kur'an) okuma. ● ‹Güzel sesli hafızların müessir tilâvetlerini. — Recaizade›.

tilka, *A. i.* 1. Taraf. Hiza. 2. Görüşme. Buluşma.

tille, *F. i.* 1. Basamak. 2. Sıradağ.

tilmiz, *A. i.* 1. Öğrenci. 2. Çırak, kalfa. 3. (Bir ulunun) tâbii' peşinden gideni. (ç. Tilâmiz, tilâmize).

tilmizane, *F. zf.* Bir tilmize yakışacak şekilde. ● ‹Dükkânlarda daima bir hürmet-i tilmizane ile dinlenirdi. — Uşaklıgil›.

timar, *F. i.* Hastaya bakma. 2. Hayvana, bağ ve bahçeye bakma. 3. Görmüş olduğu ve görecek olduğu askerlik hizmetine karşılık olmak üzere derecesine göre üç bin akçeden yirmi bin akçeye kadar gelir ihsan edilen kimse. Buna *sahib-i timar* ve böylelerinc *ashab-i timar* denirdi.

timarhane, *F. i.* 1. Hastane. 2. Deli hastanesi.

timsah, *A. i.* Sıcak ülkelerde büyük nehirlerde yaşar büyük, yırtıcı hayvan.

timsal, *A. i.* Suret. Resim. *Timsal-i mücessem,* heykel. (ç. Temasil). ● ‹Güzelliğin bir timsal-i zaferi gibiydi. — Uşaklıgil›. *(Ed. Ce.)* :

● *Timsal-i cehalet,*　　● *-hüsn,*
● *-hadşe-âver,*　　　● *-muaheze,*
● *-esfeliyyet.*　　　● *-zafer.*

tin, *A. i.* İncir.

tinbal, *A. s.* Kısa, bodur (kimse).

tinnin, *A. i.* 1. Büyük yılan, ejderha. 2. (Ast.) Yedi burç boyunca uzanan hafif beyazlık.

tir, *F. i.* Ok. ● *Tir-i kaza,* (ok gibi raslayan) kaza ve kader; ● *tir ü keman,* ok ile yay. (Sevgilinin kirpiği ve bakışı).

● ‹Tir-i duası hedef-i icabete isabet edip. — Peçoylu›.

tiraje, *F .i.* *(Te* ile) Eleğimsağma.

tirajefam, *F. s.* [Tiraje-fam] Gökkuşağı rengi. ● ‹Gurup bütün semahatiyle elvan-i sebasını (...) derya-ı rakidin sath-i bî-payanına yaymış denize en müşkilpesend bir markizi mecburi şitap edecek bir dibâ-yi tirajefam melahatini iare etmişti. — Cenap›.

tiraş, *F. i. s.* Üstten ve üstünkörü yontma. 2. Yontulan, yontarak düzlenen. ● ‹Çerh-i felek usturasın tîz eder — Nice Cem'i cevr ile naçiz eder — Her kimi kim eyleye bir dem tıraş — Can ü dilin eyler anın pür-hıraş. — Sadettin›.

tiraşe, *F. i.* Yonga. Talaş. ● ‹Siyah dillere manend-i şeb verir gerdun — Tiraşe-i meh-i âlemfüruzdan tuşe. — Nabi›.

tiraşende, *F. s.* Tıraş eden.

tiraverd, *F. i.* [Tir-averd] Cenk oku. ● ‹Kemanî kaşların attıkça müjgân okların diller — Yürür manend tiraverd gâhi rast gâhi geç. — Nailî›.

tiraşide, *F. s.* 1. Tıraş olmuş. 2. Yontulmuş. ● *Natiraşide,* yontulmamış, kaba. ● ‹Dest-i sanatkâr gûya oraya kadar bu eser-i tiraşideyi darlaştıran imsak-i hututu. — Uşakligil›.

tîrdan, *F. i.* [Tir-dan] Okluk.

tire, *F. s.* Karanlık. ● ‹Hayalim tire-i mihnet, dilim pür-ıstırap. — Recaizade›.

tirebaht, *F. s.* [Tire-baht] Kutsuz, talihsiz. ● ‹Ve demserdi ile o tirebahtın çerag-i aklını söndürmüştü. — Sadettin›. (ç. Tirebahtan).

tiredil, *F. s.* [Tire-dil] Kalbi kara, fena yürekli. (ç. Tiredilân).

tiregûn, *F. i.* Bulanıklık, karalık.

tiregî, *F. s.* [Tire-gûn] Rengi bulanık, kara renkli.

tirendaz, *F. s.* [Tir-endaz] Ok atan, okçu. (ç. Tirendazan).

tirendazi, *F. i.* Okçuluk.

tirezamir, *F. s.* [Tire-zamir] Gönlü kara. (ç. Tirezmiran).

tirhal, *A. i.* 1. Yola çıkma 2. Göç etme. ● ‹Esna-yi hatt ü tirhalde — Nergisî›.

tirkeş, *F. s.* [Tir-keş] Okluk, terkeş. (ç. Tirkeşan).

tiryak, *A. f. i.* 1. Ağılanmaya ve bazı hastalıklara karşı kullanılan macun. 2. Panzehir. 3. Afyon. ● ‹Kâse kâse nice zehrin içelim gerdunun — Bize tirya-

kını sun saki mey-i gülgûnun. — Hayalî›.

tiryakî, *F. s.* 1. Afyon düşkünü. 2. Keyif veren şeylerden birine düşkün. 3. (Mec.) Huysuz, aksi, titiz.

tirzen, *F. s.* [Tir-zen] Ok vuran, okçu. (ç. Tirzenan).

tis'a, *A. s.* Dokuz.

tis'in, *A. s.* Doksan. (90).

tisyar, tesyar, *A. i.* Gönderme.

tişe, *F. i.* Keser, kazma. *Tişe-i Ferhat.* Ferht'ın dağ açmada kullandığı külünk. ● ‹Benim ebru-yi huban tişe-i kûh-i vekarımdır. — Nabi›.

tişekâr, *F. s.* [Tişe-kâr] Baltacı. ● ‹Bu âlem pây-taser kûh kûb-i mihnet ü gamdır — Eder her tişekâr-i arzu bir Bisütun peyda. — Nailî›.

tişrin, Süryaniden, Yılın on ve on birinci ayları olan ekim ve kasım aylarının adı idi. ● ‹Sal-i aşkın itidal-i nevbaharıdır visal — Serdi-i eyvam-i hicran mevsimi tişrinidir. — Nabi›.

tiyatrohane, *F. i.* [Tiyatro-hane] Tiyatro yapısı. ● ‹Perde perde sanat ibraz etmeye üstad-i sun' — Bir tiyatrohane yapmış sonra âlem koymuş ad. — Ziya Pş.›.

tiyer, *A. i.* [Tare ç.] Defalar, kereler.

tiz, *F. s.* 1. Keskin. 2. Çabuk. 3. Sabırsız. ● ‹Acep ne tiz feramuş eder cebin-i gurur — Hasır-i mescide her ruz cephesalığını. — Nabi› ● ‹Müphem bir bulut arasında tiz güzer bir lem'a müşevveşiyetiyle. — Uşaklıgil›.

tizab, *F. i.* [Tiz-âb] Kezzap. ● ‹Rengine sanatle verse de tâb — Kırılır tez çıkarır tizab. — Nabi›.

tizçeşm, *F. s.* [Tiz-çeşm] Gözü keskin.

tizdest, *F. s.* [Tiz-dest] Eline çabuk. Çabuk iş görür. ● ‹Şebdir mahall-i cilve-i düzdan-i tîzdest — Nabi› ● ‹Tizdest-i temşiyet hâlâ Sofya beylerbeyisi defterdar Mustafa Paşadan memul olmağın. — Raşit›.

tizdesti, *F. i.* 1. Elçabukluğu. 2. Çabuk iş görme.

tizî, *F. i.* Keskinlik. 2. Çabukluk.

tizmeşreb, *F. s.* [Tiz-meşreb] Titiz, aceleci.

tizpâ, *F. s.* [Tiz-pâ] Ayağı çabuk.

tizper, *F. s.* [Tiz-per] Çabuk uçucu.

tizreftar, *F. s.* [Tiz-reftar] Çabuk yürüyüşlü. ● ‹Tizreftar olanın pâyine dâmen dolanır. — Ziya Pş.›.

tizrev, *F. s.* [Tiz-rev] Çabuk yürüyüşlü. ● «Bakma dehr-i bi-sebatın menzil ü mevasına — Girdbad-i tizrevden hayme kur sahrasına. — Beliğ».

tohm, *F. i.* Tohum. ● «Şurezar-i dillerinde tohm-i nedamet ektiler. — Sadettin» ● «Biter tohm-i şerer lûtf-i havasından duhan üzre».

tomar, *A. i.* 1. Tomar. 2. Uzununa deri, kâğıt, defter. 3. Sarılıp tomar şekline konmuş eşya. (ç. Tavamir). ● «Açıldı gonce tomarı vü malûm oldu mazmunu. — Fuzulî».

töhmet, *A. i.* İşlenildiği sanılan henüz gerçekliği meydana çıkmamış suç. ● «Kendisine bir hisse-i töhmet çıkarmış idi. — Uşaklıgil».

tövbe, tevbe, *A. i.* Tövbe. *Tövbe-i nasuh,* tövbeler tövbesi; ● *sure-i tövbe,* Kur'an'ın dokuzuncu suresi. ● «Edeli seyl-i hücumun hane-i zühdü harap — Tövbenin bünyadını hâtırda muhkem bulmadım. — Nef'î». ● «Tövbe ettim ki etmeyim tövbe — Tövbeye tövbe-i nasuh olsun. — Bezmî».

tövbegüzar, *F. s.* Tövbe edici olan.

tövbekâr, *F. s.* [Tövbe-kâr] Tövbeli, tövbe etmiş. ● «Fasl-i güldür câm sun saki ki şeyh-i tövbekâr — Vâdi-i hayrettedir şerke—te-i encamdır. — Ruhî».

tövbekârî, *F. i.* (Te ile) Tevbe etme.

tövbeşiken, *F. s.* [Tövbe-şiken] 1. Tövbesini bozan. 2. Herkesin tövbelerini bozduran.

tu, tuy, *F. i.* Kat. Katmer. ● «Ve serpençe-i kuvve-i mütehayyileleri tuy der tuy-i agtiye-i tevriye ve istiarata çâkefken olduğu halde. — Nabi».

tuam, *A. i.* (Tı ile) [Tu'me ç.] Yiyintiler, azıklar.

tub, *A. i.* Kızıl kiremit. ● «Bir mikdar tub dedikleri kiremi çıktı. — Süheylî».

tuba, *A. ün.* Ne güzel! Ne âlâ! ● *Tuba leke, ne* mutlu sana. ● «Hurlar derler idi tuba lehu. — Hakanî».

Tuba, *A. i.* Cennet'te Sidre'de bulunan ve dalları bütün cenneti gölgeleyen bir ağaç. ● «Sayei Tuba'yı anmam nev-nihalim var iken. — Naci».

tuba, *A. i.* 1. Güzellik, iyilik. 2. Rahat.

tubul, *A. i.* [Tabl ç.] Davullar. ● «Altı adet top ve beş yüzden mütecaviz tüfek ve alât-i harb ve tubul ve bayraklar alınıp. — Naima».

tude, *F. i.* Küme, yığın. ● *Tude betude, tude ber tude,* yığın yığın üstüne. ● «Harman zamanı olmakla Kân'ın ve sair Erzurum karyelerinin harmanları tude tude dururdu. — Naima» ● «Tude ber-tude mahşer-i esrar. — Fikret». (Ed. Ce.) :

● *Tude-i ateş,* ● *-zinde,*
● *-ezhar,* ● *-zulmet.*
● *-siyah.*

Tufan, *A. i.* Nuh peygamber zamanında sapıtmışları kahr için Tanrı tarafından yağdırılan büyük yağmur ve fırtına. Bunun sonunda yeryüzündeki bütün canlılar yok olmuş, yalnız Nuh peygamberin gemisine alınmış olan çiftlerden ikinci defa olarak canlılar türemiştir.

tufan, *A. i.* Ortalığı kaplayan genel ve kuvvetli yağmur ve fırtına. ● «Ondan yeşil, mai, sarı ve al harir tufanları serilmiş idi. — Uşaklıgil».

tufan, *A. .i* [Tufan-geh] Tufan yeri. ● «Sineden rahatını ey gam götür afet yeridir — Girye tufangehidir ateş-i hasret yeridir. — Nailî».

tufanpişe, *F. s.* [Tufan-pişe] Tufan nedeni. ● «Girye kim derya-yi tufan-pişedir her katresi — Mevchiz oldukça ateş rizedir her katresi. — Nailî».

tufeyl, *A. i.* 1. Küçük çocuk. 2. Yemek misafiri. 3. (Ö. i.) Dalkavuklar başının adı. ● «Dem-i tahrir-i eltafında âlem — Tufeyl-i hame-i müşkînrakamdır. — Bakî».

tufeylâniyyet, *R. i.* Fransızcadan *commensalisme* karşılığı (XX. yy.).

tufeylât, *A. i.* [Tufeyl ç.] Asalaklar. ● «Şecere-i hayatını kemirip duran tufeylât-i maraziye. — Cenap».

tufeylî, *A. s.* 1. Dalkavuk. Çanak yalayıcı. 2. (iBo.) Asalak. ● «Rabian büyük zenginlerin her biri hayvan-i tufeylidir. — Cenap» ● «Hayvanat-i tufeyliyye-i sairenin kâffesinden ziyade şayan-i istihkârdırlar. — Cenap».

tufu', *A. i.* Sönme.

tufu, *F. i.* Tuh. Tükürme.

tufulâne, *F. zf.* Çocukçasına. ● «Nigâh-i şevki tufulânesiyle, müstağrak. — Köyün lika-i hamuşunda bir peyan arıyor. — Fikret».

tufule, *A. i.* Çocukluk.

tufulet, tufuliyyet, *A. i.* Çocukluk. Küçüklük. ● «Burada ise efkâr-i umumiye henüz hal-i tufuliyette bulunduğu. — Kemal».

tugat, A. i. s. [Tagi ç.] Ayaklanmışlar. İsyan etmişler. • «Mecma-i tugat olan hankah kurbuna vardıkta. — Naima».

tugra, A. f. i. 1. Tura. 2. Padişah damgası. • «Nasuhpaşazade'ye de badelyevm tuğra çekmiyesin diye mer-i şerif ile. — Naima».

tugranüvis, F. s. Tuğra çeken. • «Dest urmuş idi kilk-i şehaba debîr-i çerh — Tuğranüvis-i hükm-i Hudavend-i ins ü cann. — Baki».

tugrayî, A. i. Tugra işareti yapan memur.

tugyan, A. i. 1. Taşma, taşkınlık. 2. Azgınlık. • «Kendinin ca'l ü vaz'ını ve ol kavmin keyfiyet-i tuğyanını bildirmek siyakında. — Naima» • «Behlûl, karsısında isyan etmiş, tuğyan-i gururundan yükselmiş bir Bihter bulacağından emin iken. — Uşaklıgil». (Ed. Ce.) :

• -Tugyan-i acr, • -hiddet,
• -bükâ, • -sirişk.
• -cinnet,

tuhaf, A. i. [Tuhfe ç.] Hediyeler. Ufaktefek ince güzel şeyler. • «İbrişim kaliçeler ve tuhaf-i Acem hedaya getirip. — Naima» • «Dünyada dehşetle tuhaflığı cem' eden şeylerden biri Büyük Ehram'a suddur. — Cenap».

tuhfe, A. i. 1. Armağan. 2. Yeni çıkma, görülmemiş güzel şey. • «Müstağni — Tuhfe-i mahmidetimden. — Fikret». (Ed. Ce.) :

• Tuhfe-i iştiyak,
• -mahmidet,
• -sevda,
• -samimiyyet.

tuhme, A. i. (Bio.) Mide dolgunluğu. • «Girse zevrakçeye o tuhne ile — Bârını çekmeye kürek mi kalır. — Sümbülzade».

tuka, tüka, A. i. (Te ve kaf ile) Nefsini haramdan ve şüpheli nesnelerden koruma. • «Dimetoka'ya zühd ü tukaya eşgaal için azimeti tasmim. — Sadettin».

tûl, A. i. 1. Uzunluk, boy. 2. Zaman çokluğu. 3. Çokluk. 4. (Coğ.) Boylam. • Tul-i emel, tamah, bitmez tükenmez istek; • -mevc, dalga uzunluğu (XX. yy.). • -müddet, uzun zaman; • -ömr, ömür çokluğu. • «Çeriden doldu tûl ü arzı arzın — Aduya kaçacak yei altı kaldı — Kanunî» • «Ehl-i tul-i eme-

lin pişrev olmaz kârı — Kahkarı cünbüşü şahit bu ki mutabların. — Nabi».

tulâ, A. s. [Atvel'den] Pek, çok uzun. • Yed-i tulâ, çok uzun el, büyük kudret.

tulânî, A. s. [Tul'den] Boyuna.

tulen, A. zf. 1. Boyca. Boyuna. 2. (Coğ.) Boylam bakımından, boylamca.

tullâb, A. i. [Talib ç.] Öğrenciler. • «Kitaplarla medarisde bahseder tullâb — Kitap cildi anınçin cedel bozuntusudur. — Nabi.»

tulû', A. i. 1. Doğma. Bir gökcisminin doğudan görünmesi. 2. (Mec.) Görünme, meydana çıkma. Zihne gelme. (ç. Tulûat). • «Müebbeden beklerim bir subh-i târın — Tulû-i nahsını ümmit içinde. — Fikret».

tulûat, A. i. [Tulû' ç.] 1. Zihne doğan şeyler. 2. Bir metin olmadan akla geliverdiği gibi oynanan oyun.

tu'm, A. i. 1. Yiyinti. Azık. 2. Tat, çeşni.

tu'me, A. i. 1. Yiyinti, azık. 2. Lokma. • «Murg-i hevaya tu'me olur mahi-i bihar. — Ziya Pş.».

tumturak, A. i. Söylenişi ahenkli, parlak olan. Gösterişli. • «Sözde nazîr olmaz bana ger âlem olsa bir yana — Pürtumturak ü hos-eda ne Hafız'am ne Muhteşem. — Nef'î».

tur, A. i. 1. Dağ. 2. (Ö. i.) Sina yarımadasındaki dağ ki. Musa peygambere Tanrı tecelli etmiştir; • Tur-i Sina, Tur-i Sinin. • «Cemalin şekına doymaz gönüller — Tecelli turuna sabr eylemiştir. — Baki» • «Tur-i Sina-yı şekk ü hayrette — Ben sağır bir Kelim-i bedbahtım. — Cenap».

turfe, A. i. 1. Turfa. Yeni, görülmedik şey. 2. Garip, şaşılacak şey. 3. İsrailoğullarına göre yenilip kullanılmayacak şey. 4. Kaçınılacak şey. • Turfeneva, görülmemiş (yeni) ahenkli. • «Turfe Mecnun'am ki peyderpey hayal-i çeşm-i yâr — Dolanır etrafımı serkeşte ahûlar gibi. — Naili».

turfegüzar, F. s. [Turfe-güzar] Turfa söyleyen. • «Hayrendiş sanıp ol turfegüzar mkaddematını temhide agaz edip. — Sadettin».

turfekâr, F. s. [Turfa-kâr] Garip, şaşılacak işler yapan. • «Davut Paşa dahi naçar bu sipihr-i turfekâra vücut verip. — Naima».

turra, A. i. 1. Alın saçı. Kıvrık saç lülesi. 2. Saçak. • «Memerr-i nahl olan sokağa nazır sukuf turraları ve. — Naima» • «Edip müsaadenle şemm — Şu turra-i siyahını. — Recaizade».

turş, türş, Bk. *Türş.*

turuk, A. i. [Tarik ç.] Tarikler, yollar. • «Türlü turuk u vesait gösteriyor. — Uşaklıgil».

tuşe, tüşe, Bk. • *Tüşe.*

tuti, F. i. İşittiği sesi taklit eden, bazı sözleri ezberleyip tekrarlayan papağan cinsinden bir kuş. • *Tut-i şekerha,* (şeker çiğneyen papağan) güzel söz söyler, güzel. (ç. Tutiyan). • «Suhan bir tuti-i mu'ciz beyandır hamem üstadır. — Nef'î».

tutiya, tutya, A. i. Kalayı andıran bir cins maden ki eskilerce pek makbul idi ve döverek sürme yapımında kullanılırdı. • «Tutiyadan toprağın vakt ola tercih edeler — Rindler sagar düzüp zühhad tesbih edeler. — Ş. Yahya.» • «Sahrayi dilde gird-i sipah-i haal-i dost — Çeşmi ummidi ruşen eder tutiya kadar. — Nabi».

tuveys, A. i. Küçük tavus kuşu.

tuyur, A. i. [Tayr ç.] Kuşlar. • «Tuyur âvaz-i şevkınden uçan ervah-i ziahenk. — Fikret» • «O nagamatı ka'r-i semade uçan tuyur-i vahsiye ile (...) boş iskemlelerden başka dinleyen yok. — Cenap». (Ed. Ce.) :

• *-Tuyur-i emel,* • *-aheng-i tuyur,*
• *-nur,* • *-güruh-i tuyur.*

Tübbet, F. i. Tibet ülkesi. • «Gûya edip tabiat kû-yi zemini tastih — Tübbet aşağı düşmüş Çin ü Huten yukarı. — Nedim».

tücah, tecah, ticah, A. i. Karşı yön. Karşı taraf.

tüccar, A. i. [Tacir ç.] Tüccarlar.)ç. Tüccaran). • «Yemen beylerbeyi oldukta nice tüccardan mal istikraz edip. — Naima».

tüfenk, F. i. Tüfek.

tüfenkendaz, F. i. s. [Tüfenk-endaz] Tüfek kullanan. • «Otuz bini piyade tüfenkendaz. — Naima».

tüffah, A i. Elma.

tühem, A. i. [Töhmet ç.] Töhmetler.

tükme, F. i. Düğme. • «Çözdü gülşende gülün tükmelerin nahun-i hâr. — Nedim».

tünd, F. s. Sert. Katı. • «Acıttı beni acı sözüŋ tünd nigâhın. — Fuzulî».

tündbad, F.` i. [Tünd-bad] Sert rüzgâr, kasırga. • «Kadd-i sehiy-misalleri tündbad-i melâl ile hilâl-âsâ hamide. — Sadettin».

tündçehre, F. i. [Tünd-çehre] Çatık yüzlü.

tündhu, F. i. [Tünd-hu] Sert huylu. • «Tündhuluk yani hışm ü gazapta ifrat ve ferman-i siyasette tehevvür ve adem-i ihtiyat. — Hümayunname». ‹

tündî, F. i. Sertlik. Katılık.

tündinan, F. s. [Tünd-inan] Çabuk seğirten.

tündlicam, F. i. [Tünd-licam] Bası sert hayvan.

tündligâm, F. s. [Tünd-ligâm] Sert ağızlı, ağzı sert olan.

tündmizac, F. i. [Tünd-mizac] Sert huylu.

tündreftar, F. s. [Tünd-reftar] Çabuk giden.

tündru, F. i. [Tünd-rû] Sert çehrli, katı yüzlü.

tündzeban, F. s. [Tünd-zeban] Düzgün söz söyleyen.

tünk, F. i. Dar ağızlı bardak veya sürahi. • «Sulansın ağzı bu şirin negamden — Revan olsun şeker butünk-i kalemden. — Atayî».

türab, A. i. Toprak. Toz. *Ebu Tuarb,* halife Ali'nin lakabı. (ç. Etrübe). • «Âdab ile bas pâyını rûyuna türabın. — Nabi» — «Sen turab-i siyehte bir mahbus — Ben celipâ-yi gamda bir maslub. — Cenap».

türabî, türabiyye, A. s. Toprağa ait, toprakla ilgili.

türbe, A. i. 1. Mezar. 2. Mezar üzerine çatılmış yapı. • «Artık ebedî defîn-i vahdet — Bir türbeyi andıran köşemde. — Fikret».

türbet, F. i. Türbe. • «Yakardı şem'a-i türbet başında bir şebtab. — Fikret».

türbedar, F. i. [Türbe-dar] Türbe bekçisi. (ç. Türbedaran).

türfende, terfende, F. i. Turfanda.

Türk, A. i. Türk. (ç. Etark, türkân).

Türkî, türkiyye, A. s. Türke ait, türkle ilgili.

Türkiyyat, A. i. 1. Türkçe yazılmış eserler. 2. Fransızcadan *Turcologie* karşılığı (XX. yy.). • «Türkiyat sahasında büyük bir mütebahhir ve âlim oldu. — Z. Gökalp».

türktaz, *F. i.* Koşup saldırarak yağma etme. Seğirtme. • «Bihude mi böyle türktazın. — Naci» • «Bütün bu şeyler bir ruh-i pür hayalin türktaz-i mustağrakanesine birer hıyayaban-i bîhudut olabilirdi. — Cenap».

türrehat, türrühat, *A. i. ç.* Saçma sapan sözler. • «Anlar mı acep o türrehatı Coştukça sahayifi eserden. — Fikret».

türs, *A. i.* Kalkan, siper.

türş, *F. s.* Ekşi.

türşmizac, *F. s.* [Türş-mizac] Tabiatı hoş olmayan, ekşi tabiatlı.

türşrû, *F. s.* [Türş-rû] Ekşi yüzlü. (ç. Türşrûyan). • «Handerulük eser-i rahmettir — Türşrûlük sebeb-i nefrettir. — Nabi».

türştab', *F. i.* [Türş-tab] Tabiatı hoş olmayan kimse.

türünc, *A. f. i.* Turunç. • «Türüncu bağ-i hüsnün ey dil alâdır kirrazından. — Nedim».

türüncî, *F. i.* Turunç biçiminde. • «Türünci gabgab ü sib-i zenehdanın fırakından — Sararıp benzin ey unnab lebin leymun olmuştur. — Baki».

tüs', *A. s.* Dokuzda bir.

tüşe, *A. i.* Ölmeyecek kadar yenecek şey. • «Kanaat ehline Yahya yeter bir gûşe bir tüşe. — Ş. Yahya».

tütuk, *A. i.* Örtü, perde. Tutuk. • «Sakin bir akşamın tütukk-i erguvanını — Yırtarken ihtiräz ile dest-i siyah-i şeb. — Fikret».

tüvan, *F. i.* Güç. • *Tâb ü tüvan,* güç; • *nâtüvan,* güçsüz, bitik. • «Peyk-i endişe aceb mi ola bi tâb ü tüyan. — Nef'î».

tüvana, *F. s.* Güçlü. • «Selh ü ilmam ü tevarüd deyu sonra çalışır —Aybını setre nice düzd-i tüvana-yi suhan. — Vehbi».

tüvanfersa, *F. s.* [Tüvan-fersa] Güç yıpratan. • «Pek yorucu, pek tüvanfersa bir şeydir. — Cenap».

tüvanger, *F. s.* Zengin. Mal. mülk sahibi.

tüveyc, *A. i.* [Tac'dan] 1. Küçük taç. (Bot.) Taç.

tüveycat, *A. i.* [Tüveyc ç.] (Bot.) Taçyapraklar. • «Solar görürse tüveycat-i nevmealinizi — Zemine ferş-i baharan eden gusun ü zühur. — Cenap».

tüzükât, *A. i.* Türkçe «Tüzük» sözünün çoğulu. Tüzükler.

U

u, Arap alfabesinin elif ve ayın ile başlayan kelimelerden zammeli bazılarının sesini karşılar.

ubab, *A. i. (Ayın* ile) Taşkın sel suyu. • «Ubab-i himmet-i derya-adilin eyleyip icra. — Şinasi».

ubeyd, *A. i.* [Abd'den] 1. Küçük kul. 2. Değersiz ufak köle.

ubeydane, *F. s. zf.* Hakîr ve değersiz kula yakışır surette. • *Maruzat-i ubeydane,* eski inşada büyüklere karşı kullanılır klişe.

ubudiyyet, *A. i.* 1. Kulluk. kölelik. 2. Bağlılık, aşırı mensupluk. • *Arz-i ubudiyyet,* bağlılığını bildirmek. • «Kudretin kemaline iman ile secdeber-i hayret ve ubudiyet olan odur. — N. Kemal».

ubur, *A. i.* Bir suyun öte yakasına geçme. Oldukça zor geçme, atlama. • *Mürur ü ubur,* gelip geçme. • «Pül-i mecaz-i senden icazet ubur bizdendir. — Ragıp Pş.».

ubus, abus, *A. s.* Yüzü ekşi. Çatık çehreli.

ubuset, *A. i.* Yüz ekşiliği. Çehre çatıklılığı, somurtkanlık.

ucab, uccab, *A. s.* Çok şaşılacak fazla gülünç. • «Bu emr-i ucabı şeyh ü şab istiğrab edip. — Naima».

ucale, ucalet, *A. i.* 1. Acele ile hemen yapılan şey. 2. Kolay ve hafif tertipli kitap, el kitabı.

ucaleten, icaleten, *A. zf.* Acele ile, hemen, çabucak.

ucb, *A. i.* Kendini beğenmişlik. Kibir, gurur.

ucbe, *A. i.* Acayip, şaşılacak şey. (ç. Ucubaha). • «Ucubeha-yi dehr-i kühensalde. — Nergisî» • «Bîşüphe süslü bir madamı bir ucube-i hilkat sanıyorlardı. — Cenap».

ucma, *A. i.* Söz söylemeyen canlı. Hayvan.

ucme, *A. i. (Ayın* ile) Dil tutukluğu.

u'cube, a'cube, *A. i.* [Aceb'den] Pek acayip, garip şey. • «Kenan... bu soluk çehre, bu acubi-i fıtrat. — Fikret» •

«Bütün bu maarif-i medeniye müflisleri oranların yetiştirdiği ucubelerden değil midir? — Cenap».

ud, *A. i. (Ayın* ile) 1. Ağaç, odun. 2. Yakıldığı zaman güzel koku çıkaran ve Hint'ten gelen ağaç ile onun kokucu. 3. Saz, çalgı. Ut. (ç. A'vad, îdan). • «Udun mu hüner, yoksa cânânın elinde — Bir feyz mi var kim daha mu'ciz hünerinden? — Fikret».

udal, *A. s. (Ayın* ile) Zor, yenilme, çaresiz. • *Da-i udal, derd-i udal,* ilâçsız, çaresiz hastal.k. • «Bulunur mu gezelim gibi müferrih terkib — Ki gönüllerde komaz da-i udal-i elemi. — Beliğ».

udhiyye, *A. i. (Dat* ile) 1. Kuşluk vakti kesilen kurban. 2. Kurban bayramı.

udhuke, *A. i. (Dat* ile) [Dıhk'ten] Gülünecek şey. Komedi. • *Udhukeperdaz,* güldüren, komik. • «İstediler ki her sözleri bir udhuke olsun, karilerini behemehal güldürsünler. — Cenap».

udhukeperdaz, *F. i.* [Udhuke-perdaz] Güldürücü. Komik. (ç. Udhukeperdazân). • «Bir alay udhukeperdaz olmaktan başka bir ehemmiyet alamazlar. — Uşaklıgil».

udhume, *A. i.* Bohça, yastık.

udî, *A. s.* Ut çalan, utçu. • «Genç udî telleri tehzize başladı. — Cenap».

udul, *A. i.* 1. Sapma, yoldan çıkma. 2. Dönme, vazgeçme. • «Tahribinden udul olundu. — Naima». • «Bilâ udul ü tevakkuf eder yolunda devam. — Fikret».

udul, *A. i.* [Âdil ç.] Hakkı teslim edenler. Âdiller. *Heyet-i udul,* bir ara Fransızca *jury* karşılığı olarak kullanılmıştır (XIX. yy.).

udvan, *A. i.* 1. Düşmanlık. 2. Haksızlık. zulüm. • «Görme caniler gibi lâyık bana udvanını — Bir cinayet etmedim etimse ilâ şanını. — Naci».

ufk, *Â. i.* Ufuk. (Ast.) Çevren.)Ed. Ce.)

Ufk, *A. i.* Ufuk. (Ast.) • «Ufk-i teayyünden doğdu bir güneş — Zerrat-i âleme saldı bir ateş. — E. Pertev Pş.» • «Deniz ufukta, kadın, kadın evde muhtazır. — Fikret». • «Bize, ya Rabb görün ufuk gibi sen: — Çölde biz bir scraba muhtacız. — Cenap». — (Ed. Ce.) :

• *Ufk-i hayat,*   • *-nevhayat,*
• *-meserret,*   • *-saadet,*
• *mübhem,*   • *-sevda.*
• *münevver.*   • *-şeffaf.*

ufki, ufkiyye, *A. s.* Ufka paralel olan. (Geo.) Yatay. • «Ufkî ziyalar cemiz ağaçlarının güzel yaprakları arasından altın varaklar gibi görünüyordu. — Cenap».

ufuf, *A. i. (Ayın* ile) 1. İffet. 2. Günaha perhiz etime.

ufufet, *A. i.* Afiflik, temizlik.

ufunet, *A. i. (Ayın* ile) 1. Yara veya çıban etleri çürüyüp fena kokma. 2. Kötü koku. Çürük kokusu. 3. Ağırlık. • «İstanbul sokakları mezbele ve lâşeden mülevves olup tagyir-i mizac-i havaya bais ve hudus-i ufunete sebeptir deyü. — Naima».

ufuset, *A. i. (Sat* ile) Kekrelik.

uglûtat, *A. i.* [Uglûte ç.] 1. Yanıltmaçlar. 2. (Sarıklı) bilginlerin birbirini şaşırtmak için düzenledikleri yanıltmaç sorunlar. • «Veyahut bazı uglûtat ilkasını itiyat edenlere. — Taş.».

uglûte, *A. i.* Yanıltmaç.

ugniyye, *A. i.* Şarkı, ilâhi, türkü. • *Ugniyet-ül-agani,* Süleyman peygamberin kitabı. • «Başka ugniyyesi var her kavmin — Bize hoş gelmez agani-i mugan. — Naci».

uhcuvve, *A. i. (Ha* ile) Bilmece. Bk. • «Ühcüvve.

uhde, *A. i.* 1. Söz verme. Bir işi üzerine alma. 2. Bir kimsenin üstünde olan iş. 3. Becerme, yapma. 4. Sorumluluk. • *El'uhedetii alerravi,* gerçek olup olmaması sorumluluğu rivayet edenin, günahı söyleyenin boynuna. • «Bunda sema' edin uhdesi benim üzerime olsun. — Taş.».

uhra, *A. s.* Başka, diğer. • *Merreten ba'de uhra,* birbiri arkasından, birkaç defa. • *neşe-i uhra,* • *neş'etii uhra,* ahiret hayatı, öbür geliş; • *zade fittanburi nagmetiin uhra,* tanburda bir nağme daha arttı, yeni bir fikir daha katıldı. • «Hasılı her taife zümre-i uhradan havf üzere olup. — Naima».

uhrevî, uhreviyye, *A. s.* Ahirete ait, ahiretle ilgili. • «Sâlik-i bitüşe-i gümraha zad-i uhrevi. — Nef'î • «Saadet-i uhreviyye ve lezzat-i akliyenin mebnasıdır. — Naima» • «Öyle uhrevî bir hayat geçiriyordu ki (...) bir evden ziyade bir türbe olmuştu. — Cenap».

uhreviyyat, *A. i.* Ahiretle ilgili işler. Ahiret bahsi.

uht, *A. i. (Hı* ve *te* ile) Kızkardeş.

uhteyn, *A. i.* İki kızkardeş. • *Cem-i uhteyn,* iki kız kardeşle evlenme.

uhud, *A. i.* [Ahd ç.] Ahitler. Yeminler. Antlaşmalar. • «Hirmen-i hukuku bâd-i ukukla dağıttılar ve riyaz-i uhudu âb-i künudla hâksar ettiler. — Lâmiî».

uhuvvet, *A. i. (Elif* ve *hı* ile) 1. Kardeşlik. 2. (Mec.) Dostluk, bağlılık. • «Fakat Arapları uhuvvet-i İslâmiye ve tabiiyyet-i hilâfet öyle raptetmiştir ki. — Kemal». • «Bu da mı var imiş uhuvvette? — Naci».

uhuvvetkâr, *F. s.* [Uhuvvet-kâr] Kardeş gibi davranan.

uhuvvetkârane, *F. zf.* Kardeşçesine.

ukab, *A. i. (Ayın* ile) 1. Karakuş, tavşancıl. • «Eşia-i eseneleri berîkından nümudar-i dide-i nikab olmuş idi. — Sadettin». • «Geniş kanatlarıyle muazzam birer ukab — Tecsim eden bulutlar. — Fikret».

ukabân, *F. i.* [Ukab ç.] Karakuşlar.

ukad, *A. i. (Ayın* ile) [Ukde ç.] 1. Düğümler. 2. (Ana.) Bezler. • *Halâl-ül-ukad,* bütün zorlukları halledici. düğümleri çözücü.

ukalâ, *A. i.* [Âkıl ç.] Akıllılar. • «Ukalâ kısmı idi aklına dilbeste hemen. — Şinasi».

ukama, ukma, *A. i. (Ayın* ile) [Akım ç.] Kısırlar. Verimsizler.

ukara, *A. i.* [Kura ç.] Hafızlar. • «Hatip olup meclis-i ukarada tasaddur etmiş idi. — Taş.».

Ukâz, *A. i. (Ayın* ve *zı* ile) Mekke yakınında Nahk ile Taif arasında çok eskiden panayırıyle ün almış bir yer, *Suk-i Ukâz.*

ukba, *A. i. (Ayın* ile) Ahret, öbür dünya. • *Dâr-i ukba,* mükâfat ve mücazat yeri, ahret; • *dünya ve ukba,* bu dünya ile öbür dünya. • «Gadr ede reayasına vâli-i eylet — Dünya vü ukbada ne zillet ne rezalet. — Ziya Pş.». • «Beka yoksa dünyada ukbada vardır. — Naci».

ukde, *A. i. (Ayın* ile) 1. Düğüm. 2. Zor iş, muamma. 3. (Ana.) Bez. 4. (Ast.) Bir gezegen yörüngesinin zodyak üstündeki iki ucundan beheri. • *Ukde-i derun,* içe dert olma, iç derdi; • *-lisan,* serbest söyleyemeyip kekeleme. • «Ve kevkeb-i baht-i a'ra-yi saltanat-i seniyye ukde-i vebalde münkesif-ül-bal idi. — Ragıp Pş.». • «Hazin bir ukde-i meşkûkiyyet neş'et-i hayatında. — Fikret».

ukdegîr, *F. s.* Düğümlü olan, zor olan.

ukdeküşa, *F. s.* [Ukde-küşa] Zorluğu halleden, çözen. • «Etse hezar nahun-i engüşt ittifak — Olmaz nazîri ukdeküşalıkta şanenin. — Nabi».

ukdeteyn, *A. i.* (Ast.) Bir gezegenin zodyak üstündeki yörüngesinin iki ucu. Biri, • *ukde-i re's,* öteki, • *-zeneb.*

ukdevî, ukdeviyye, *A. s.* 1. Ukde ile ilgili. 2. (Ana.) Bezel.

ukdî, ukdiye, *A. s.* (Ana.) Beze mensup, bez gibi.

ukhuvan, *A. i. (Elif* ve *ha* ile) Papatya.

Uklides, *F. i.* İ. Ö. III. yüzyılda yaşamış ünlü geometri bilgini. • «Kâbe'yi şekl-i sanövberde eğer yazmaz ise Uklides — Nesh eder hane-i dil nüsha-i Uklidisi. — İzzet Molla».

ukıyye,, *A. i. (Elif* ile) Okka, kiyye. • «Sakın «paşa ukıyyesi» ya • «Sadizade ukiyyesi» olmasın. — Naima.

ukm, *A. i. (Ayın* ile) Kısırlık. Çocuk yapmama.

uknum, *A. i. (Elif* ile) Asıl. (ç. Ekanim).

ukr, *A. i.* Kısırlık. • «Bin zeytun ve tek levze kat' ü ukr ettirip. — Silvan».

ukubât, *A. i.* [Ukubet ç.] 1. Cezalar, 2. Azaplar. • «Ukubatta niyabet câri olmaz. — Mec. 632».

ukubet, *A. i.* 1. Ceza. 2. Azap. İşkence. • «Kuvveti bir hak tanıyacaksın; ve illâ hakk-i hayatını kaybetmek ukubetine uğrarsın. — Cenap».

ukud, *A. i.* [Akd ç.] İki tarafça kararlaştırılıp kabul edilen şeyler. Bağlar, şartlar. • «Ukud-i büyu-i fâside gibi fesh ettiği ecilden. — Hümayunname».

ukud, *A. i.* [İkd ç.] Diziler. *Ukud-ül cevahir,* mücevher dizileri.

ukûf, *A. i. (Ayın* ve *kef* ile) 1. Bir işle uğraşma, gayret gösterme. 2. Kendini bir yere hapsetme.

ukuk, *A. i.* Anaya babaya âsi olmak. • «Mehmet Giray'ın nasıye-i halinde emare-i ukuk müşahede olunmakla Selâmet Giray onu katle kasd edicek. — Naima».

ukul, *A. i.* [Akl ç.] Akıllar, uslar. • *Ukul-i zaife ashabından,* akılca zayıf olanlardan; • *ehl-i ukul,* akıllılar. • «Sanki cidden o harikat-i ukul — Geliyormuş bütün vücuda gibi. — Fikret».

ukûs, *A. i.* [Aks ç.] Akisler, çarpmalar.

ulâ, *A. s. (Elif* ile) Birinci. • «Vükelâ-yi devlet nısıf merhale-i ulâdan mezun-i avd ü ricat oldular. — Raşit».

ulb, ulbe, *A. i.* (Bot.) Kapsül.

ulema, *A. i.* [Âlim ç.] 1. İlmiye mensupları. Müderris ve kadılık yolunda olup özel kıyafetleri bulunanlar. 2. (XIX. yy.). Bilginler. • *Ulema-yi rüsum.* • «Molla-yi merkum ayn-ül-âyan-i ulema-yi Rum. — Naima».

ulinnüha, *A. i. (Elif* ile) [Uli-n-nüha] Akıl sahipleri. • «Nezd-i ulinnühada hafi olmadığı üzre. — Kemal».

ulleyk, *A. i.* (Bot.) Öksüz organı.

ulû-, uli-, *(Elif* ile) «Zu» edatının çoğullu yerinde olup «sahipler» anlamında.

ulûf, alûf, *A. i.* [Alef ç.] Hayvan yemleri.

ulûf, *A. i.* [Elf ç.] Binler. • «Yanında nice ulûf müştemi oldu. — Naima».

ulûfe, *A. i.* 1. Hayvan yemi. 2. Yeniçeri ve sipahi kapıkulu yevmiyesi. • «Umumen tavaif-i askeriyeye müstahak oldukları bir kıst ulûfeleri inayet ve ihsan olundu. — Raşit».

ulûfehar, *F. s.* [Ulufe-hâr] Ulûfesi olan. Ulûfeci. (ç. Ulûfehâran).

ulûhiyyet, ülûhiyyet, *A. i.* Tanrılık, Allahlık. • «Feyzinle aklı ettin ulûhiyyet âşina. — Naci».

ulûk, *A. i. (Ayın* ve *kaf* ile) Gecikme. • «Tuğyanı ve buz pâreleri ile şiddet üzre ceryanı ulûka bais olup. — Naima».

ulûlazm. *A. s. (Elif* ve *ze* ile) [Ulû-l-azm] Azim sahipleri. Peygamberliklerini büyük bir dikkatle yerine getirmiş olan Nuh, İbrahim, Musa, İsa ve Muhammet.

ulûlebsar, *A. i.* [Ulû-l-ebsar] Göz sahipleri, dikkatle görenler. • *Fa'teberu ya ulûlebsar,* ey dikkatle görenler ibret alınız.

ululecniha, *A. i.* Kanatlılar. • «Biziz ol hirmen-i tevhîd kidem bağından —

Kondu mürgan-i ülulecnihalar dane-
mize. — Hayalî».

ulûlelbab, A. i. [Ulû-l-elbab] Akıl sahip-
leri.

ulûlemr, A. i. [Ulû-l-emr] Emir sahipleri.
Halifelerle onların adına hükümler ve-
ren kadılar, idare memurları.

ulum, A. i. (Ayın ile) [İlm ç.] İlimler,
bilimler. • Ulûm-i akliyye, tabiat bil-
gileri ve matematik gibi akıl esası üze-
rine kurulu bilimler; • -aliyye sarf ve
nahiv (kramer, sintaks) gibi başka
ilimlerin elde edilmesine yarayan vası-
ta, alet bilgileri; -âliyye, din konulu bil-
giler; • diniyye, din bilgisi (XIX. yy.).
• -garibe, kayıptan haber verme, gizli
şeyler bilme ve bulma gibi bazıları din-
ce yasak bilgiler; • -hikemiyye, ahlâk
ve eşya gerçeğini konu yavan bilgiler;
• -nakliyye, fıkıh, hadis ve tefsir gibi
nakil ve rivayet üzerine kurulmuş bil-
giler; • -riyaziyye, matematik bilgiler;
• -tabiiye, tabiat bilgileri (XX. yy.).
• Ulûm ü fünun, teorik ve pratik bilgi-
ler. • Dar-ül-ülûm, medrese. • «Ce-
mi-i eştat-i ulûm. — Sadettin» • «Ulûm
beştir: fıkıh ki edyan içindir ve tıbb
ki ebdan için ve hendese ki bünyan
için ve nahiv ki lisan için ve nücum ki
zaman için. — Taş.».

ulüvv, A. i. Büyüklük, yücelik. Ulüvv-i
cenab, âlicenaplık kerem. • -efkâr, fi-
kir yüceliği (XIX. yy.). • -himmet,
himmet ve gayret büyüklüğü; -şan, şan
ve şeref yüceliği. • «Gam gibi öldür-
se kanlı tek kaçar benden yana —
Şah-i derdim iltica eyler ulüvv-i cahı-
ma. — Fuzulî». • «Ulüvv-i rütbe bize
itibarsızlıktır — Gelirse pâyeperestana
itibar leziz. — Nabi».

ulvan, A. i. 1. Mektup ve yazı başlığı. 2.
Övünme.

ulvi, ulviyye, A. s. 1. Yüce. 2. Göğe veya
manevî âleme mensup. • «Benim bu
şeb yine ulvi bir infialim var. — Fik-
ret». • «Gelir mi saffet-i ulviyesiyle
tasvire — Bu subh-i taze ki pürfeyz ü
bi-muadildir. — Fikret».

ulviyan, A. ç. i. 1. Melekler. 2. Yıldızlar.

ulviyyat, A. i. [Ulviye ç.] Manevî yüce-
likler. • «Kâinatın bakma ulviyyat ü
süfliyyatına — Câmi-i mecmu-i arş-i
a·zam-i dildir garaz. — Nabi».

ulviyyet, A. i. Yücelik, yükseklik. Büyük-
lük. • «Harap ettin beni ulivyet-i sev-
da-güzininle. — Fikret». • «Bu kitab-i

müstetabın kudsiyet ve ulviyetine
ilân-i iman ediyor. — Cenap».

ulya, A. i. (Ayın ile) Âlâ, pek yüce.
• Atebe-i ulya, padişah katı; • mehd-i
ulya, padişah anası. • Mısr-i ulya, Yu-
karı Mısır. • «Ser-i kûyun tavafa sâ-
yeder uşşak-i âvâre — Der-i valâ-ce-
nabın Kâbe-i ulya mıdır. — Halım Gi-
ray».

umde, A. i. 1. Dayanacak, inanılacak şey
2. Güvenilecek yer, kimse. • «Serkârda
olanların umdesi Moralı defterdar ki.
— Naima».

umk, A. i. Derinlik. (ç. A'mak). • «Ta
umk-i ruhunda hayat-i aşkını tehdit
eden bir tehlike duymuş. — Uşaklıgil».
• «Her geminin başında bir adam elin-
deki uzun bir sırıkla umk-i mehri öl-
çüyor. — Cenap».

umkan, A. zf. Derinliğine.

ummal, A. i. [Amil ç.] İdare âmirleri.
Tahsildarlar. • «Kudat ve ummal cem-i
mal etmeğe meyyal olup. — Sadettin».

Umman, A. i. Arap yarımadasının güney
doğusunda bulunan açık deniz. (Mec.)
Büyük, engin deniz. • «Yosunlu bir
adacık ortasında ummanın. — Fikret».

umran, imran, A. i. Bayındırlık. Bayındır-
laşma.

umranî, umraniyye, A. s. Bayındırlığa ait,
bayındırlıkla ilgili.

umre, A. i. Hacılık için belli olan vaktin
dışında Kâbe'yi Mekke ile öteki kutsal
yerleri ziyaret etme.

umuh, umuhet, A. i. 1. Tutulacak yol ve
meslek işinde şaşırıp kalma. 2. (Hek.)
Fransızcadan ablepsie (körlük) karşı-
lığı (XIX. yy.).

umum, A. i. 1. Genel olma. 2. Hep, herkes.
• Alelûmum, genel olarak, bütün; • bi-
lûmum, hep, herkes, ayırt olmadan.

umumen, A. zf. Bütün, hep. • «Umumen
muasırların haline bakılsın. — Kemal».

umumet, A. i. (Ayın ile) Amcalık. Amca
akrabalığı. «Ona umumet ve übüvvet-
ten dem vurup oğlana babalanıp. —
Naima».

umumet, A. i. (Elif ile) Analık. Bk. •
Ümumet.

umumî, umumiyye, A. s. Umuma, herkese
mütealik, herkesle ilgili. • Afv-i umu-
mi, bütün suçluların salıverilmesi; •
ahval-i umumiyye, genel durum; • Em-
niyet-i Umumiye, polis kuvvetleri ge-
nel müdürlüğü; • Harb-i umumi, 1914-
18 genel savaşı, • müdir-i umumi, ge-

nel müdür, • *müdirriyet-i umumiyye*, genel müdürlük; *tarih-i umumi*, genel tarih.

umumiyyat, *A. i. (Ayın* ile) [Umumiyyet] ç.] Genel konular.

umumiyyet, *A. i.* Umumîlik, genel oluş. *Umumiyetle*, genel olarak.

umur, *A. i. (Elif* ile) [Emr ç.] İşler, maddeler, şeyler. • *Umur-i askeriyye*, askerlik işleri; • *-beytiyye* ev işleri; • *-hayriyye*, hayır işleri; • *-memure*, her memurun yapmakla görevli bulunduğu işler; • *-mühimme*, önemli işler; • - *-mülkiyye*, sivil işler; askerlikten ayrı olan işler. (Tanzimattan biraz evvel) İçişleri; • *-nafıa*, bayındırlık işleri; • *-siyasiyye*, siyaset, politika işleri; • *-zatiyye*, özel işler. • «Hemen padişah-i â'mel dergâhına ehemm-i umur budur ki. — Veysî» • «Eyleye rah-i esvabı irşat —Etmeye yani umuru ifsat. — Sümbülzade».

umuraşina, *F. s.* [Umur-aşina] İş bilir. (ç. Umuraşinayan).

umurdide, *F. s.* [Umur-dide] İş görmüş, tecrübeli. (ç. Umurdidegân) • «Rical-i Devlet-i Aliyyeden kârgüzar ve umurdide adamlar tâyin olunmak lâzime-i hal olmakla. — Raşit».

umyan, *A. i.* [A'ma ç.] Körler. • «Ekser müstahikkîn dervişan ve eytam ü eramil ve umyandır. — Naima».

unat, *A. i.* [Ani ç.] 1. Esirler, tutsaklar. 2. Âdi, bayağı kimseler. • «Lâkin zaleme ve unattan madud olup şükâtına nihayet olmayıp. — Naima».

unf, *A. i.* Sertlik, kabalık. • «Olurken nagehan ahker-nüma bir fecr-i dûradûr — Söner, püf! sanki üfler bir dudak unf ü huşunetle. — Fikret».

unfen, *A. zf.* Sertlikle, kabalıkla. Zorla. • «Cemiyetlerine unfen müstashap olan kudat. — Naima».

unfi, unfivye, *A. s.* Sert, şiddetli. Kaba.

unfuvan, *A. i.* Gençlik ve güzelliğin başlangıcı, en parlak zamanı. Tazelik, parlaklık. • *Unfuvan-i civani*, • *-şebab*; tazelik, gençlik çağı. • «Unfuvan-i sıhhate ey Baki mağrur olma kim — Lâcerem her hayy-i dânâ irtihal üstündedir. — Baki».

unk, unuk, *A. i.* Boyun. *Darb-i unk*, boynunu vurma. • «Katlini ferman buyururlar unku darb olundu. — Naima». • «Sanki bir halka-i müziesidir. —

Unk-i ruhunda bağlı zincirin — Cenap».

unkud, *A. i.* Salkım. • «İnebler astı unkud-i süreyya. — Lamiî».

unkudî, unkudiyye, *A. s.* Salkımsı.

unnab, *A. i. (Ayın* ile) Hünnap.

unnabî, *A. s.* Unnap renginde.

unsur, *A. i.* 1. Mürekkep cisimleri meydana getiren basit cisimlerden her biri. 2. Bir bütünden ayrılıp ayrı bir fırka vücuda getiren kısım. 3. Madde, esas, kök. (ç. Anasır). • «Uzanıp giden unsur-i maînin. — Recaizade».

unud, *A. i. (Ayın* ile) İnatçılık. Zulüm işleme. • «Ahkâm-i şer'iyyeye asla inkıyad etmeyip unud ü istikbarı hadden tecavüz etmiş idi. — Naima».

unuf, *A. i.* [Enf ç.] Burunlar. • *Tergım-i unuf*, burunları yere sürtmek, kibir kırma. • «Yeniçerilerin unuf ve âzasın kat'a cüreti. — Naima».

unvan, *A. i.* 1. Kitap, risale, fasıl, bap adı. Başlık. 2. Ad, lakap. • *Sahib-i unvan*, yüce mevki sahibi. • «Mezc eyledim çiçeklere unvan-i şi'rimi. — Fikret».

unve, anve, *A. i.* Zor, kuvvet, gösterme.

unveten, anveten, *A. zf.* Zorla.

ur, *A. i.* [A'ver ç.] 1. Tek gözlüler. 2. Silâhsız ve mühimmatsız olanlar. • «Libas-i zer şu kadar eyledin atâ halka — Ki kimse kalmadı zira cihanda muflis ü ur. — Ruhi».

ura, *A. i. (Ayın* ile) Çıplaklık.

urat, *A. i.* [Ari ç.] Çıplaklar, soyulmuşlar.

uraze, *A. i.* 1. Armağan. 2. Misafire çıkarılan yiyecek.

urban, *A. i. ç.* Çöl Arapları. • «Mehmet Paşa isyan eden urban aşiretini vurup. — Naima».

urcan, *A. i.* [A'rec ç.] Topallar.

urcun, *A. i.* 1. Kuru hurma dalı. 2. Ak-ot bitkisi. • «Serfürubürde-i şükr oldu nihal-i urcun. — Münif».

urefa, *A. i.* [Arif ç.] Ârifler, irfan sahipleri. • «Lâtif tarihleri ve eşâarı ve urefa beyninde mergup hayli âsarı vardı. — Naima».

urkub, *A. i.* Bk. • *Arkub*.

urs, *A. i.* Düğün yemeği. • «Okudular bu ursa hürmet edip — Deşt-i Kıpçak ilindeki hanı. — Hayalî».

uruc, *A. i.* 1. Yukarı çıkma, yükselme. • *Uruc-i İsa*, İsa peygamberin göğe çıkışı. • «Kavala kalesine varıp derun-i burcuna suud ve uruc buyurup. — Raşit» • «Beşer bu şimdi muazzep sürüklenen meflûç — Adım adım edecek zirve-i halâsa uruc. — Fikret».

uruk, A. i. (Ayın ile) [Irk ç.] Irklar. Damarlar. Kökler.

uruş, A. i. [Arş ç.] Arşlar, gökler. Tavanlar. • «Ve hilye-i cidaran ve uruşu olan. — Sadettin».

uruz, A. i. [Arz ç.] 1. Arzlar. 2. Bildirmeler. 3. (Coğ.) Enlemler. • «Ve gelen mekâtib ve uruzun tekzib etmekten hali değil idi. — Peçoylu» • «Ve anlarda vakı olan büldanın uruzu ve atvali. — Taş.».

urve, A. i. Kova kulpu. Kulp. • Urve-i vüska, •urvet-ül-vüska, sağlam sap. İslâmlık. • «Ve ittikan ve tahkikte urve-i vüska idi. — Taş.».

uryan, A. s. Çıplak. • «Ben tekke-i aşkına o uryanı-ı yemim ki — Linhan-i beden etmeye bir pirehenim yok. — Cama» • «Zavallı, bağrına bastıkça tıfl-i uryanı. — Fikret».

uryanî, A. i. 1. Çıplaklık. 2. Bir çeşit erik. • «Uryanî-i sefaletine ettin ittihaz. — Ayine-i tehekkümü bir makes-i münir. — Cenap».

urza, A. .i Hedef. • «Kendi dahi urza-i asîb ü husran oldu. — Naima».

usare, A. i. Sıkılan şeylerden çıkan su, öz. • Usaer-i ineb, şıra; • -mideviyye, mide salgısı. • «Hâlâ güzel karhetiyle yatarken usaresi kuruya kuruya bir gün. — Uşaklıgil».

usat, A. i. (Ayın ile) [Âsi ç.] Âsiler, başkaldıranlar. • «Usatın bazu-yi mukavemetine. — S. Nazif».

usefa, A. i. [Asîf ç.] Irgatlar. Rençberler.

uses, A. i. [As ç.] Gece bekçileri.

useyb, A. i. Küçük sinir.

usr, A. i. (Ayın ve sin ile) 1. Güçlük. Zor iş. 2. Sıkıntı, kıtlık.

usret, A. i. 1. Zor, güçlük. 2. Darlık, sıkıntı. 3. (XIX. yy. da) • «Zorluk, güçlük, işlemezlik» anlamıyle bazı hekimlik terimleri yapılmıştır. • Usret-i bel', yutkunma zorluğu; • -bevl, sidik zoru; • -hazm, sindirim güçlüğü; • -teneffüs, nefes alma darlığı. • «Nihayet yazmurlar izyade yağıp sular dolmakla cüz'i usret görüldü. — Naima» • «Yolcuları gündüzkü hava-yi âteşinin verdiği usret-i teneffüsten ancak kurtarabildi. — Cenap». • «Filhakiki dimag-ı beşer yalnız bir lisana bile usretle tahammül eder. — Cenap».

usturlâb, üsturlâb, A. i. Güneş irtifa âleti. • «Daima düşmez kaza destinden usturlab-i çarh. — Beliğ».

usul, A. i. (Elif ile) [Asıl ç.] 1. Bir ilim veya tekniğin asıl konusundan önce öğrenilmesi gereken başlangıç bilgileri. 2. Başlangıç. 3. Tertip, düzen. 4. Fransızca méthode karşılığı (XIX. yy.). • Usul ve furu, bir kimsenin ataları ve çocukları kendinden öncekilerle sonrakiler. • «Reh-i irfan-i hakikatte budur de'b ü usul. — Vâsıf».

usuleyn, A. i. [Usul'den] İki usul (usul-i fıkıh ile usul-i din).

usulî, usuliyye, A. s. Usule ait, usulle ilgili. • «Aslında yazılan mebahis ve delâil yerinde cümlesi ilmî ve usulî ve fıkhî olduğu ehline malûmdur. — Kâtip Çelebi».

usuliyyat, A. i. (Fel.) Fransızcadan méthodologie (metodoloji) karşılığı (XX. yy.). • «Ve bu mantıktan doğan usuliyatı almanın dinimize ve harsımıza ne zararı olabilir? — Z. Gökalp».

usuliyyun, A. i. 1. Fıkıh ve hadis usulleriyle uğraşan bilginler. Bunlara dair eser yazanlar. 2. Fransızca méthodistes karşılığı olarak (XX. yy.).

us'us, A. i. (Ayın ile) Kuyruksokumu.

uşb, A. i. Taze ot. (ç. A'şeb). • «İki aydan ziyade ekmeksiz geçinmek ve uşb ü kiyah tenayülü ile iktifa etmek. — Sadettin».

uşeyya, A. i. [Eşya'dan] Küçük şeyler. Eşyacıklar.

uşş, A. i. Kuş yuvası.

uşşak, A. i. [Âşık ç.] 1. Âşıklar. 2. Doğu musikisinde bir makam. • «Daima uşşakı öldürmekle istiğna eder. — Ş. Yahya» • «Ruh-i suhanı ki canfezadır — Uşşakına aslı yok belâdır. — Ş. Galip».

Utarid, A. i. Gezegenlerin güneşe en yakın olanı, Merkür, Arzıdilek. Farsça • Debir denilir. Yazarların pîri sayılır. • Kalem-i utarid rakam, (Utarid gibi yazan kalem) deyimi bundan ileri gelir. Pazar gecesi ve çarşamba gününe hâkim olan bu gezegen altında doğanlar, anlayışlı, edepli, akıllı ve kurnaz olurlar. • «Beyaza hame-i zerle debîr-i subh âmâde — Utarid meclis-i mânâda müsvedde-nüvisimdir. — Nabi».

utas, A. i. Aksırık. • «Bir kimseye meclisinde utas ârız olup. — Taş.».

utat, A. i. [Ati ç.] Utüvv sahipleri, âsiler, serkeşler. • ‹Lâkin zaleme ve utattan madut olup şükkâtına nihayet olmayıp. — Naima›.

utele, A. i. Boşluk, işsizlik. • ‹Kezalik evkat-i utelesi talebesiyle geçip. — Sadettin›.

uteka, A. i. [Atik ç.] Azatlılar. Azat olmuş köle veya cariyeler. • ‹Bir iki sene sonra Medrese-i Berkokıyye'ye utekadan bir müstahak zuhur edip. — Naima›.

utrufe, A. i. [Turfe ç.] Tuhaf. Az bulunur. • ‹Manzur ve meşhudum olan utrufe-i hikâyat-i mütahakkuk-ul-vuku. — Nergisî›.

utruş, A. i. Sağır. • ‹Utruş yani asamm idi. — Taş.›.

utufet, atufet, A. i. Bk. • Atufet.

utüvv, A. i. Serkeşlik, âsilik. Serkeşlikle karışık kibir ve azamet satma. • ‹Ali Paşa unvan buldukta utüvvü mezid olup. — Naima›.

uvvar, A. i. Dağ kırlangıcı. 2. Korkak adam.

uyub, A. i. [Ayb ç.] Ayıplar, utancak haller. • Setr-i uyub, ayıpları örtme, gizlemek; • Settar-ül-uyub, ayıpları örtücü olan Tanrı. • ‹Yüz uyub içinde bir hünere ve derya içinde bir gühere nazır olanlar. —Lamiî›.

uyun, A. i. [Ayn ç.] 1. Gözler. 2. Pınarlar, kaynaklar. • ‹Uyun-i gayzı kamaştırdı hep o körlükle. — Fikret› • ‹Üzerlerinde toplanan uyun-i tecessu. — Cenap›.

uzam, A. i. Bk. İzam.

uzbe, A. i. Bekârlık, ergenlik.

uzema, A. i. [Azim ç.] Görünüşce, mevkice ulular, büyükler. • ‹Müşaveresini hamiyet ve marihetlerine itimat ettiği Zağanos Paşa ve Molla Gûrani ve Ak Şemsettin gibi birkç uzemaya hasr ile. — Kemal›.

uzeyvat, A. i. ‹Küçük uzuvlar› anlamında icat edilmiş olan ‹uzeyve› nin çoğulu, • Uzeyvat-i hurdebiniyye, bakteri (ler). (XX. yy.).

uzlet, A. i. Bir tarafa çekilip kendi kendine tenha oturma. • ‹Ülfet belâlı şey fakat uzlet sıkıntılı. — Beyatlı›.

uzletgâh, uzletgeh, F. i. [Uzlet-gâh -geh] Uzlet yeri. Tenha oturulan yer.

uzletgüzin, F. s. [Uzlet-güzin] Tenha bir tarafa çekilen.

uzletnişin, F. s. [Uzlet-nişin] Bir kenara çekilip yalnız başına oturan.

uzm, A. i. (Ayın ile) Kibirlenme. Ululanma.

uzma, A. i. [A'zam'dan] Büyük. Ulu. • Beliyye-i uzma, çok büyük dert: • sadaret-i uzma, yüce sadrazamlık mevkii. • ‹Rumeli Demiryolu gibi oraları ihya etmeye salih bir fırsat-i uzma elde iken. — Kemal› • ‹O lisan-i pakin üzerine sanat gibi, zıynet gibi iki dahiye-i uzmayi taslit etmişler. — Uşaklıgil›.

uzubet, A. i. (Ayın ile) Bekârlık.

uzubet, A. i. Tatlılık, şirinlik. • Uzubet-i ifade, anlatış şirinliği; • -lisan, dil tatlılığı. • ‹Selâmet-i elfazı hoşayende ve uzbubt-i maanisi safa-efzayende ola. ola. — Lamiî›.

uzv, A. i. (Ayın ve dat ile) Canlıyı meydna getiren parçaların her biri. Üye, organ. (ç. Âza).

uzvaniyyet, A. i. (Fel.) Fransızcadan organicisme karşılığı (XX. yy.).

uzvî, uzviyye, A. s. Canlı olan. Uzuvla ilgili bulunan. • ‹Demek ki içtimaî hasletler uzvî verasetle intikal etmezler. — 2. Gökalp› • ‹Bu muzayaka-i maiset her gün sefalet-i uzviyeyi büyüte büyüte artıyor. — S. Nazif›.

uzviyyat, A. i. [Uzvî ç.] Organik cisimler. • ‹Filhakika bu denizde birtakım hurdebinî hayvanlar yaşıyor. Bu uzviyat-i gayr-i mer'iyye şaplar, mercanlar gibi bazı teşekkülat-i madeniye inşa ediyor. — Cenap›.

uzviyyet, A. i. Canlılık. • ‹Her fert dinî camialarında birer uzviyyet. — Z. Gökalp›.

uzviyyun, A. i. (Hek.) Her bir hastalığın nedenini bir organın maddî bozukluğunda gören bir hekimlik mesleği, organicisme.

Ü

ü, Arap abecesinin elif ile başlayan kelimelerinden hafif zamme ile okunanların sesini karşılar.

übab, A. i. Zorlu, büyük sel.

übbehet, übhet, A. i. Ululuk, azamet. Sadrazamlıktan ayrılmışlara mahsus resmî lakap (XIX. yy.). • «Dibace-i menşure-i übehetini piraye-i veliyünniami ile tevkı ve tevşih ettirdi. — Şefikname».

übüvvet, A. i. [Eb'den] Babalık, atalık. • «Mehmet Paşa ile ülfet ve muhabbet edip beyinlerinde übüvvet ve bünüvvet akdi sebk edip. — Naima». • «Yavrun sana bir hiss-i übüvvet de mi vermez? — Fikret».

ücac, A. i. Acı su. • «Muhitin vasfıdır azb ü ücac-i lezzet-i enhar — Müsemma vahid amma muhtelif evsaf ü esma. — Nabi».

ücem, A. i. Sık ağaçlık yerler. Şîr-i ücem, kükremiş aslan. • «Mecliste şuh-i dilfirab cenk edicek şîr-i ücme. — Nef'î».

ücret, A. i. Emeğe karşı verilen akça. Gündelik, haftalık, aylık, yıllık. 2. Taşıt ve benzerleri için ödenen para. Bilâ ücretin, ücretsiz olarak. (ç. Ücurat). • «Ücrete gitmede kesb ettiğimiz nakd-i nefes. — Nabi».

ücur, A. i. [Ecr ç.] İyi bir davranışa karşı olan ahiret mükâfatları, sevaplar. Ücur-i cezile, bol sevaplar. • «Ucur-i cezileye faiz olup âlemde niknam ü nişan oldular. — Selanikî».

ücurat, A. i. [Ücret ç.] Ücretler.

ücum, A. i. Kale, palanka.

üdeba, A. i. [Edib ç.] Edipler. • «Başkalarının göz yaşlarına kendi mürekkeplerini karıştırmak üdebaca bir vazifedir. — Cenap».

üfnün, A. i. 1. Çeşit, cins. 2. Saçma sapan söz, dedikodu. 3. Karışık dallar.

üfkûhe, A. i. Şaşılacak şey.

üftade, F. s. 1. Düşmüş. Düşkün. 2. Biçare. Âşık. (ç. Üftadegân). • «Saki-i tig-i helahil-füruşları bade-i ebade ile a'da-yi dini üftade. — Sadettin». • «Görür o toprağa üftade nurdidesini. — Fikret».

üftadegân, F. i. [Üftade ç.] Düşkünler. Tutkunlar. Âşıklar.

üftadegî, F. i. Düşkünlük.

üftan, F. s. Düşen, düşerek. Üftan ü hizan, düşe kalka.

üful, A. i. Batma. • «Veremli çehre-i muğber — Soğukluğunda içemden doğup üful eden âmal. — Fikret». • «Artık siyahlar kendilerinden afak-i üfulden bir zevk-i temaşa isteyecek kadar. — Cenap».

üf'ule, A. i. (Elif ve ayın ile) Fransızca fonction karşılığı olarak görev, işlev. (XX. yy.). • «Hayatî üf'uleleri. — Z. Gökalp».

üf'ulevî, A. s.)Ped.) Fransızca fonctionel karşılığı olarak işlevsel, görevsel (XX. yy.).

üfulî, ufuliye, A. s. Batma, kayıp olma ile ilgili. • «Bu ekalimin sabahat-i ufuliyesi nazarfirip olduğu kadar seri-üzzeval. — Cenap».

ühciyye, ühcüvve, A. i. (He ile) Yermeye sebep olan hal. Yerme, yergi. • «Cidd ü bezel ü lûgaz ve ta'miye vü ühciyyede bir nev-zuhur kumaş. — Abdullah».

ühkûme, A. i. Alaylı. XX. yy.). • «Açtın o köhne-i dide-i ühkûmekârını — Gösterdin âdemiyyete bir deste-i siham. — Cenap».

ünkâr, A. i. Plan.

ükle, A. i. Lokma.

ükrume, A. i. Kerem. Bahşiş.

ükzube, A. i. Yalan.

ülfet, A. i. 1. Alışma, kaynaşma. 2. Görüşme, konuşma. 3. Dostluk. • Germ ülfet, sıkı sıkı konuşan, içli dışlı. • «Ne hoş ülfet tutuptur natuvan cisminle can güya — Sanır bir tar mudur ol ser-i zulf-i perişandan. — Fuzulî». • «Bekler şu donuk didelerinden — Çeşmin yine bir nazra-i ülfet. — Fikret».

ülûf, *A. s.* [Elif ç.] Binler. • ‹Rağbeten ve rehbeten yanına nice ulûf müçtemi oldu. — Naima›.

ülûhiyyet, *A. i.* *(Elif ve he ile)* Tanrılık.

üm, ümm, *A. i.* Bk. • *Ümm.*

ümem, *A. i.* [Ümmet ç.] Ümmetler, insanlar, insan toplulukları. • *Ümem-i kadime,* • *ümem-i salîfe,* eski, geçmiş zaman ümmetleri, cemiyetleri; • *hayr-ül-ümem,* İslâmlar. • ‹Nizambahş-i ümem saye-i Huda-yi şekûr. — Nabi›.

ümena', *A. i.* [Emin ç.] 1. İnanılır kimseler. 2. Emanet adlı ödevlerin başları. • ‹Ümena-i bahriyeden Mehmet Paşa kalyonu alıp bunca ganayim ve benat ü benin-i a'da ele girdiği haberi geldi. — Naima›. • ‹Ümena ve kurenası bervech-i meşruh devleti istilâ edercesine yüze çıkıp. — Cevdet Pş.›.

ümera, *A. i.* [Emîr ç.] 1. Emîrler. 2. Askerlikte fermanlı subaylar; (XIX. yy.). Bu rütbelerin altına *zabitan,* üstüne ed *erkân* denirdi. • *Emir-ül-ümera,* beylerbeyileri lakabı (Tanzimat'tan önce). Establ-i âmire ile mirmiranlık arasında sivil rütbe, sahiplerine *izzetlû paşa* denirdi (Tanzimat'tan sonra). • ‹İmrenme görüp meyve-i bağın ümeranın. — Kınalızade› • ‹Azak seferinde ümerayi devlet ile hüsn-i hareket ve muamele eylemediğinden. — Naima›.

Ümeyye, *A ö. i.* Muhammet peygamber'in dedesinin kardeşi olan Abdüşşems'in oğludur. Emevî hanedanını kurmuştur. Halife Osman bu soydandı. • *Benî Ümeyye* (Emevî hanedanı) 14 hükümdardır. Haşimilere, ehl-i Beyt'e büyük bir kin gütmüşlerdir.

ümid, ümmid, *F. i.* Umu, umut. • ‹Kimseden ümmid-i feyz etmem, dilenmêm perr ü bâl. — Fikret›. • ‹Ümmid ü bimden bana ya Rab ferağ ver — Can ü cihanı terk edecek bir dimağ ver. — Nailî›.

ümidbahş, *F. s.* [Ümid-bahş] Ümitlendiren, umut veren; • ‹Kendisi için hükümlü ve ümidbahş bir mâna çıkardığı cihetle. — Recaizade›.

ümidgâh, ümidgeh, *F. i.* [Ümid-gâh,-geh] Ümit yeri, bir şey umulan yer, makam • ‹Erbab-i hüner ümidgâhı — Türk ü Arab ü Acem penahi. — Fuzulî›.

ümidvar, *F. s.* [Ümid-var] Uman, ümitli. • ‹Ne dem ki fikr-i nevaziş derun-i yâre gelir — Hayali müjde-i tab-i ümidvara gelir. — Nabi›. • ‹İnsan

ku'at-i hamse ahalisinin her birinden bir nümune görmekten ümidvar olabilir. — Cenap›.

ümidvarane, *F. zf.* Ümidi olanlara yakışır yolda. • ‹Hemşiresine sâbr ü sebatı ve ümidvarane intizarı tekrar tekrar bittavsiye. — A. Mitat›.

ümm, *A. i.* Ana, anne. • *Ümm-i Dünya.* Mısır, Kahire; • *Kur'an,* Kur'an'ın Fâtiha suresi; • *-veled,* çocuk anası olan satılmaz cariye; • *ümm-ül-fazail,* bilgi; • *ümm-ül-ha-bais,* şarap; • *ümm-ül-ül-kitap,* • levh-i mahfuz; Fâtiha suresi; • *ümm-ül-kura,* Mekke; • *ümm-ül-mü'minîn,* Peygamber Muhammet'in kadın eşleri; • *ümm-ür-reis,* dimağ, • *ümm-ür-rezil,* cehalet, bilmezlik. • ‹Fitne ve şürura bais hamr dedikleri ümmülhabaisi. — Naima›. • ‹Mescidülharam-i fehme dühul ve ümmülkura-yi kalbe nüzul. — Mevkufatı›. • ‹Kelâl geldi tasarruftan Ümm-i Dünya'yı — Yeter şu Kahire'nin kahri azm-i Rum edelim. — Ragıp Pş.›. • ‹Olmaz hata sahife-i ümmülkitapta. — Hersekli›.

ümmehat, ümmühat, *A. i.* [Ümm ç.] 1. Analar. 2. Analar. 3. Bir bilimde yazılmış belli başlı, ana kitap.

ümmet, *A. i.* 1. Bir dille konuşan insanların hepsi. 2. Bir peygamberin hak dine çağırdığı insan topluluğu. • *Ümmet-i-dâvet,* dak dine çağrılıp da kabul etmeyenler; • *icabet,* bu çağrıyı kabul edenler; • *Muhammet,* İslâm dininde olanlar; • *ümmetullah,* halk. • ‹Abru-yi ümmet-i ahir zamanidir sözüm. — Nef'î›.

ümmî, ümmiyye, *A. c.* [Ümm'den] Anasından doğduğu gibi öyle kalıp okuyup yazma öğrenmemiş kimse. • *Ummi-i sadık,* Muhammet peygamber. • ‹Berk urufdu cemalinde o ümmi yetimin — En şa'şaalı feyzi Hudavend-i hakîmin. — Naci›. • ‹Ümmiyye bir ana kucağında büyümeği tercih ederim. — Cenap›.

ümmiyane, *A. zf.* Ümmice, cahillere yakışır yolda. • ‹Humk-i ümmiyane ruuneti ile. — Naima›.

Ümmühani, *A. i.* Hazreti Ali'nin kızkardeş. Mi'rac gecesi Muhammet Peygamber bunun evinde bulunuyordu. • ‹Gevher-i şehvar-i gûş-i Ümmühani'dir sözüm. — Nef'î›.

ümmühat, *A. i.* Bk. • *Ümmehat.*

F. : 56

ümniyye, *A. i.* 1. Umu, umut. 2. İstek. 3. Niyet, kuruntu.

ümumet, *A. i.* [Umm'den]Annelik, analık. ● «Vezaif-i ümumetini geviş getiren hayvanlarla hizmetçi karıları arasında taksim ediyor. — Cenap».

ünas, *A. i. (Sin* ile) [Nüs'tan] İnsanlar.

ünbube, *A. i.* İnce boru. (ç. Enabib). ● «Ser-i ünbube-i mizab-i engüştan ile iska. — Nabi».

üns, *A. i. (Sin* ile) Alışkanlık, alışma. ● *Ünsanüns,* alışkanlığı ziyade. ● *Üns tutmak,* alışmak, düşüp kalkmak. ● «Ne şevk-i ülfet-i yâran, ne şevk-i üns-i kitap. — Recaizade» ● «Bezm ünsa-ünste bir hemnefes buldum yine — Eyledim bir nalede erbab-i hali ahgû. — Naci».

ünsiyet, *A. i.* Alışkanlık, sokulganlık. Düşüp kalkma. ● «Perizadın aceb kimlerle ünsiyettedir şimdi. — İzzet Molla».

ürcufe, *A. i.* Yalan, uydurma söz. «A kâfir bu senin ihtira eylediğin ürcufedir, denilmediğinden. — Akif Pş.».

ürcuhe, *A. i.* Salıncak. ● «Çocuk artık uyanmak istese de — Uyutur irticac-i ürcuhe. — Naci».

ürcuvan, ercüvan, *A. i.* Erguvan.

ürcuze, *A. i.* [Recez'den] Mısraları kafiyeli vezni kısa nazım. ● «Ve derler ki menasik-i hacda dahi bir ürcuze nazm eylemiştir. — Taş.».

ürdibehişt, *F. i.* 1. Nisan ayı. 2. Cennet gibi. ● «Erdi yine ürdibehişt oldu hava anber sirişt. — Nef'î».

ürume, erume, *A. i.* 1. Ad kavminin mezarları. 2. Dip, kök. ● «Bu ürume-i rasîf-ül-asldan mütevellit olmuş. — Şefikname».

üs, *A. i.* Bk. ● *Üss.*

üsara, esara, *A. i.* [Esir ç.] Esirler, kullar.

üsbu', *A. i. (Elif* ve *ayın* ile) Hafta.

üsbuî, üsbuiyye, *A. s.* Haftalık. Her hafta yayınlanan (XIX. yy.).

üsera, *A. i.* [Esir ç.] 1. Esirler, tutsaklar. 2. Kullar, köleler.

üsküf, eskaf, *A. i.* Papas, Peskopos.

üslub, *A. i.* 1. Tarz, yol, biçim. 2. İfade yolu, selika (XIX. yy.). ● *Üslûb-i hakîm,* kışkırtıcıya, huysuza karsı sözü onun isteğinin aksine idare etme. (ç. Esalib).

üslubî, *A. s.* [Üslub'dan] Üslupçu. Üsluba özel bir önem veren (yazan). ● «Üslûbî-i bîemta Anatole France'a gelince. — Cenap».

üslübkâr, *A. s.* [Üslüb'dan] Üslupçu.

üsr, *A. i.* (Hek.) Sidik zoru, sidik tutulma.

üsrüb, *A. i.* Kurşun. ● Üsrüble türaşide olur peykeri elmas. — Ş. Galip».

üsrüş, *F. i.* 1. Güzel ses. 2. Melek. 3. Güneş ayının her on yedinci günü.

üss, *A. i.* 1. Temel. 2. Kök. 3. (Mat.) Üs. ● *Üss-i bahri,* deniz üssü; ● *-mizan,* kazanılan türlü sayıların ortalamasının ermesi gereken sayı; ● *Üss-i Zafer,* Yeniçeri ocağının kaldırılması hakkında Esat Efendinin yazdığı ve ebcet hesabında da onun zamanı olan 1241 (1825) yılını gösteren kitap; ● *üss-ül-hareke,* asker hareketini idare merkezi. ● «Belgrat'ı Macarların Memalik-i Osmaniyye tecvüzlerinde üss-ül-harekât olabilmek kabiliyetinden beri bırakmayı.» «Kâffe-i füyuzat-i medeniyyenin üss-ül-esası olan bu teavün-i içtimaî — Kemal».

üstad, *F. i. s. (Te* ile) 1. Öğretmen, eğitmen. 2. Herhangi bir alanda en bilgili kimse. 3. Usta. ● *Ustad-i âzam,* büyük üstad, bir bilginin en yetkili insanı. Fermasonlukta büyük derece; ● *-küll,* birçok bilgileri iyi bilen. ● «Eş'arı böyle söyler üstad söyleyince. — Nailî».

üstadane, *F. zf. sı* Üstada yakışır, usta elinden çıkmış. Ustaca. ● «Sonra ellerinin bir iki üstadane darbesiyle. — Uşaklıgil».

üstaz, *A. i.* Bk. ● *Üstad.*

üstre, *F. i.* Ustura. ● «Ser-i melâhat efserin buride-i üstre-i elmasgûn ettikçe. — Nergisî».

üşture, *A. i. (Tı* ile) 1. Yalan, bâtıl. 2. Uydurma masal, söz. 3. İlkçağlarda yaratılan mabutların her biri, bunlar hakkında söylenen menkıbeler, mitoloji (XX. yy.). ● «Masalların, üsture ve menkıbelerin, darbımesellerin. — Z. Gökalp».

üsturevî, *A. s.* Mitoloji ile ilgili. ● «Başka bir üsturevî şahsiyettir. — Z. Gökalp».

üstühvan, *F. i. (Te* ve *hı* ile) Kemik. ● *Üstühvanrüba, üstühvanrend, üstühvanrenk,* masal kuşu olan Hüma'nın adı. ● «Her vakit kemik yediği sanıldığından böyle ad konulmuştur. ● «Niçin bilmem Hüma eyler tenezzül üstühvan üzre. — Ziya Pş.».

üstühvanpâre, *F. s.* [Üstühvan-pâre] Kemik parçası.

üstüvan, *F. s.* Sağlam.

üstüvane, *A. i.* 1. Direk. 2. İçi boş direk. 3). (Geo.) Silindir. • ‹Çelik dişlerin, üstüvanelerin, safhaların üzerinden, arasından kayarak. — Uşaklıgil›.

üstüvanî, *A. i.* Üstüvane biçiminde.

üstüvar, *F. s.* Sağlam, kuvvetli. Dayanıklı. • ‹Ahdı söze üstüvar kıldım. — Eş'ar demek şiar kıldım. — Fuzulî›.

üşabe, *A. i.* Bayram yeri, panayır.

üşgur, *A. i.* Kurt, böcek.

üşbeb, *A. i.* (Oklu) Kirpi.

üskûfe, şükûfe, *F. i.* Çiçek. • ‹Sanki üşkûfeler kanatlanmış. — Recaizade›.

üşküh, *F. i.* Bk. • *Şükûh*.

üşne, *A. i.* Yosun.

üşr, öşr, *A. s.* Onda bir. • ‹Benim bunca malımı aldılar, padişaha üşrünü vermemişlerdir diye söylediği. — Naima›.

üşniyye, *A. i.* (Bot.) Suyosunu.

üştür, *F. i.* Deve. • *Üştüril*, ikinci, fesatçı', • *üştürhu*, deve huylu, kinci. • ‹Sipahın hârkeş davarları ve esbab ve zevada çeken üştür ve eter katarları. — Sadettin›. • ‹Sürahi üştür-i sermesttir gerdenfiraz olmuş — Lebin şevkı ile câm-i şarab-i nâb kanzildir. — Baki›.

üştürban, *F. i.* Deveci.

üştürgâv, *F. i.* Zurafa.

ütrüc, ütrüce, *A. f.* Limon. • ‹Bir tabak ile ki içinde bir ütrüce ve kıta-i sükker. — Taş›.

üvvab, *A. i.* Tekrar tekrar ibadet eden. (ç. Üvvabîn). • ‹Zümre-i üvvabinden sahib-i tekva ve vera', — Taş›.

üzeyn, *A. i.* 1. ʌüçük kulak. 2. (Ana.) Kulakçık, kulacık.

üzn, *A. i.* Kulak.

V

v. *A. i.* Fars abecesiyle Osmanlı abecesinin yirmi dokuz, Arap alfabesinin yirmi altıncı harfidir. Ebcet hesabında 6 sayısını gösterir. Sessiz olarak kullanıldığı gibi, sesli harf işini de görür. Bu halde makbuz-i sakil (u sesi) makbuz-i hafif (ü sesi) mebsut-i sakil (o sesi) mebsut-i hafif (ö sesi) adlarını alır.

v. *A. e.* Arapça ant edatı olup Allah kelimesiyle birleşir; *vallahi*, Allah için, Allah hakkı için.

vâ-, *F. e.* ● Geri, arkada anlamı ile kelimelere girer. *Vâmande* geride kalmış; ● *vâpesin*, en gerideki, en sondaki.

vâ, *A. i.* Vah, yazık anlamıyle yazıklanma, özlem gibi kelimelerle beraber kullanılır.

va, *A. i.* Çakal.

vaat, Bk. ● *Va'd.*

vâbeste, *F. s.* [Vâ-beste] Bir şeyin arkasında bağlı, ancak onunla olabilir. ● ‹Koca bir memleketin ırzı, hayatı, malı — Ona yâbeste kalır. — Fikret›.

vacib, *A. s.* [Vücub'dan] 1. Bırakılması caiz ve mümkün olmayan, yapılması gerekli. 2. Dince yapılması gerekli olan, farzdan sonra gelen emir derecesi. ●*Vacib-ül-izale*, yok edilmesi gerek; ● *vacib-ül-vücud*, varlığı gerek, Tanrı (ç. Vacibat). ● ‹Kâfirler gibi vacib-ül-katillerdir deyu fetvalar verildi. — Naima›. ● ‹Bilmem ne durur suhanserayan — Vacibdir o lûtfa arz-i şükran. — Naci›. ● ‹Bunların vacib-ül-izale seyyieler olduğu. — Cenap›.

vacibat, *A. i.* [Vacibe ç.] Yapılması gerek olan şeyler. ● ‹Anadolu caniplerinin ıslah-i ahvali dahi vacibattan idi. — Naima›.

vacibe, *A. i.* Din bakımından cavip olma derecesinde gerekli şey. ● ‹Hak yol aramak vacibedir akl-i selime. — Ziya Pş.›.

vacibî, *A. s.* Yok edilmesi gerek. ● ‹Huzur-i humayunda izhar-i vekahat eden Çalık Derviş nam vecibî. — Naima›.

vacid, vacide, *A. s.*[Vücud'dan] 1. Vücuda getirici. 2. Zengin. ● ‹Ol kenz-i mahfiyi yabende ve vacid olalar. — Taş.›.

vacir, *A. s.* Kısa olan.

vacüda, *A. s.* Ayrı, ayrılmış.

va'd, *A. i.* 1. Söz verme, üste alma. 2. Peşinden haber verme. ● *El-va'dü keddeyn.*, vad, borç gibidir. ● ‹Âşıklara ferdada dahi va'd-i lika var. — Ruhî› ● ‹Ucunda va'd-i firdevs olmasa kim nafile namazı kılardı. — Cenap›. — (Ed. Ced.) :

Va'd-i baid,   *-visal,*
-mugfil,   *-zaif.*
-muhal,

va'de, *A. i.* *(Ayın* ile) 1. Önden belirtilen zaman. 2. Bir işi geri koyma için belirtilen zaman. 3. Ecel, ölüm vakti. ● ‹Pes padişah gelecek yıl yardım vermeğe va'de eyledi. — Peçoylu›.

vâdi, *A. i.* 1. İki dağ arasındaki dar, uzun düzlük. 2. Bir nehrin aktığı yer, yatak. (Mec.) Yol, tarz, konu. ● *Vâdi-i Eymen*, Peygamber Musa'nın Tanrı hitabına nail olduğu Tur dağı dolaylarında bir dere; ● *vâdi-i kadîm*, eski tarz, yol. (ç. Evdiye). ● ‹Vâdi hayal eder gibidir nevm içinde bir — Yekrengi-i hayat. — Fikret›. ● ‹Ne tarik-i reviş-i taze ne vâdi-i kadîm. — Nef'î›.

vâfi, vafiye, *A. s.* [Vefad'dan] 1. Tam elverir, yeter. 2. Sözünde duran. ● *Vâfi ve kâfi*, yeter.

vafid, *A. i.* Elçi. Temsilci.

vâfir, vâfire, *A. s.* [Vefret'ten] Çok, bol. *Bahr-i vâfir*, aruzda şiir vezni. ● ‹İki kapısın kırıp kati vafir merd-i ciğerden içeri girdiler. — Raşit›.

vah, *A. i.* *(Ha* ile) Çöl ortasında sulu ve yeşillik yer.

vah, *A. f. ü.* *(He* ile) Ay, yazık, vay. *Ah ü vah*, inleyip sızlama. ● ‹Güler, şakır, bağırır, ağlar, ah ü vah eyler. — Fikret›.

vâha, *A. i.* Çöl ortasında sulu ve yeşillik yer. ● ‹Sevdamızı bir vâha-i gaflette yaşattık. — Fikret›.

vâhat, A. i. [Vah ç.] Çöl ortasında sulak ve yeşillik yerler.

vahal, A. i. (Ha ile) Balçık, batak. Çamur. • ‹Nicesi anâ vahaline battı. — Sadettin›.

vahalgâh, F. i. [Vahal-gâh] Bataklık.

vahalnâk, F. s. [Vahal-nâk] Çamurlu. • ‹Ve yağmur yağıp yollar vahalnâk olmuş idi. — Naima›.

vahalnişin, F. s. Batakta yerleşmiş. • ‹Nenk ü namus olsa camus-i vahal-nişin gibi bir mahalde karar. — Sadettin›.

vaham, viham, A. i. (Ha ile) Gebe kadının aş yermesi.

vahamet, A. i. (Hı ve te ile) 1. Sindirim ağırlığı. 2. Ağırlık. Sonu tehlikeli ve ağır şeyin hali. • Vahamet-i hava, havanın ağırlığı. • ‹Âkıbetin vahametini tamamıyle keşf eylemeleri cihetle. — Kemal›.

vâ hasretâ, A. ü. [Va-hasretâ] Eyvah, yazık.

vâ hayfâ, A. i. [Va-hayfâ] Eyvah, yazık.

vahdanî, A. i. Tanrının birliğine, bir olan Tanrıya ait, onunla ilgili.

vahdaniyye, A. i. (Fel.) Fransızcadan monahéisme (Tektanrıcılık) karşılığı. (XX. yy.).

vahdaniyyet, A. i. Tanrının birliği. • ‹İktiza eyler o vahdaniyyet — Vakaa kibr ü celâl ü azamet. — Hakanî›.

vahdet, A. i. (Ha ile) 1. Birlik, bir ve tek olma. 2. Yalnızlık, kendi kendine kalış. 3. (Tas.) Tanrı yakınlığı, Tanrıya ulaşma. • Vahdet-i vücud, varlıkların tek asıldan çıkma inanışı. • ‹Her zerre eder vahdetine arz-i güvahî, — Ziya Pş.›.

vahdetaram, F. s. [Vahdet-aram] Dinlendirici, rahat yer. • ‹Seninle gel şu hıyaban-i vahdet-âramın — İlelebed koşalım sebzi-i zalâmından. — Fikret›.

vahdetgâh, F. i. [Vahdet-gâh] Yalnız kalınacak yer.

vahdetgüzin, F. s. [Vahdet-güzin] Vahdette oturan, vahdete çekilen.

vahdetiyye, A. i. (Fel.) Fransızcadan monisme (bircilik, monizm) karşılığı (XX. yy).

vâhi, vahiye, A. s. (He ile) Boş, mânasız, önemsiz. • ‹Temas edip gülüyor bir ümid-i vâhiye. — Fikret›.

vahib, vahibe, A. s. [Vehb'den] Bağışlayan, bağışlayıcı. • Vahib-ül-âmal,

emelleri gerçekleştiren. (Tanrı); vâhib-ül-ataya, bağışlayıcı, ihsanlar edici (Tanrı). • ‹Ehl-i enfasa hayat ü ecelin vahibidir. — Şinasi›.

vahid, vahide, A. s. (Ha ile) [Vahdet'ten] Tek, bir. • Vahid-i kıyasi, birim. • Vahiden bâ'de vahidün, birbirinden sonra, teker teker. • ‹Muhasarasına tâyin olunup vardıkları saat ân-i vahidde varoşun harap. — Raşit›. • ‹Sedair-i kudsünü vahiden ba'de vahidün muttali' ve müşahit olanlardan. — Taş›.

vahîd, A. s. [Vahdet'ten] 1. Yalnız, tek 2. Benzeri olmayan. • Vâhîd-i zaman, vahid-ül-asr, zamanın tek insanı.

vahim, A. s. (Hı ile) [Vahamet'ten] Sonu tehlikeli, korkulu.

vâhim, vahime, A. s. (He ile) [Vehm'den] Kuran, kuruntulu.

vehime, A. i. (He ile) Kuruntu. kurma yetisi. • ‹Vahimesi Bıhruz Beye diyordu ki. — Recaizade› • ‹Çıplak ağaçlarıyle, beyaz damlarıyle gâh — Mahsul-i vâhime — Bir bi hudut mahşer-i emvat olur. — Fikret›.

vahin, A. s. Zayıf zebun olan.

vahiyat, A. i. [Vahi ç.] 1. Esassız, anlamsız sözler . 2. Boş şeyler. • ‹Lisanın üzerine yığılan o vahiyet hava-yi zaman ile. — Uşaklıgil›.

vahiyatperest, F. i. [Vahiyet-perest] Boş şeylere düşkün. • ‹O kadar vahiyetperest olmaktan değil, fakat görünmekten korkuyordu. — Uşaklıgil›.

vahş, A. s. (Ha ile) 1. Yabanî, insandan kaçan. • ‹Bir gün seher ol mücavir-i deşt — Eylerdi güruh-i vahş ile geşt. — Fuzuli›.

vahşan, A. s. Gamlı, kederli olan.

vahşet, A. i. 1. Yabanîlik, vahşilik. 2. Issızlık, tenhalık, 3. Issız yerlerde duyulan ürküntü, korku. • ‹Kudsizade ve müftü yalnız kalmakla vahşet gelip. — Naima›. • ‹Açılmaz ne bir yüz ne bir pencere; — Bakıldıkça vahşet çöker yerlere. — Fikret›.

vahşetabad, F. s. [Vahşet-abad] Çok ıssız. • ‹Binanın ziynet ve cesametiyle beraber vahşetabad-i hiçâhice döndüğünü müşahade ile. — Kemal›.

vahşetagîn, F. s. [Vahşet-agin] Çok ıssız, korkunç.

vahşetgüzin, F. s. [Vahşet-güzin] Yalnızlığı seçen. • ‹Evvel cünun-i aşk ile ruh aşina idik — Kays-i remide hatır-i vahşetgüzin ile. — Nailî›.

vahşetaver, *F. s.* [Vahşet-aver] Ürküntü getiren, korku veren.

vahşetengiz, *F. s.* [Vahşet-engiz] Ürkütücü, korkunç. • ‹Nemrud-i lâin dahi nice vahşetengiz vakıa görüp. — Veysi›.

vahşetgâh, *F. i.* [Vahşet-gâh] Korku yeri, ıssız yer .

vahşetnâk, *F. s.* [Vahşet-nâk] Korkulu, korku veren.

vahşetnâk, *F. s.* [Vahşet-zar] Yabanî, ıssız yer. • ‹Gönül bilmem bu vahşetzar-i mihnette neden gülsün. — Naci›.

vahşi, vahşiyye, *F. s. (Ha* ile) 1. Yabanî, insana alışık olmayan. 2. İlk çağda.ı insanlar halinde kalmış olan, o şekilde yaşayan. 3. İnsanlardan kaçan ürkek. • ‹Öyle vahşî o periçehre ki imkân olsa —Âşık-i zâra görünmezdi hayalindc bile. — Avni›.

vahşi, *A. s. (Hı* ile) Bir nevi hayvan hastalığı olan ‹Vahş› tan. • *Himar-i vahşî.* (Zoo.) Zebra; • *reng-i vahşî,* zebra renginde, yani belli bir renk üzerinde boyu ve şerit biçiminde olan renk. (XX. yy.).

vahşiyane, *F. s.* Vahşîlikle, yabanîce. Ürküp kaçarak.

vahy, *A. i.* Bir fikir veya buyruğun Tanrı tarafınadn bir peygambere duyurulması. Evliyanınki keşft'ir. • *Vahy-i münzel,* Kur'an. • *Emin-ül-vahy,* Tanrı tarafından peygambere vahy getirmeye memur Cebrail. • ‹Peymanekeş-i eda olur mu — Vahy-i dile âşina olur mu. — Galip›. • ‹Vahy-i ilâhî nâzil olmakla. — Saip›.

vaız, *A. i.* Bk. • *Va'z.*

vâız, *A. s.* [Va'z'dan] Din öğütleri veren. Öğütleyen. • ‹Vâızların efsaneleri hep hezeyandır. — Ziya Pş.›.

vaızan, *A. i.* [Vaız ç.] Va'zedenler. Öğüt verenler. • ‹Bu mağlatayla eyleyemez vâızan-i asr — Rindin cihanda ettiği kesb fazaili. — Beliğ›.

vâızîn, *A. i.* [Vâız c.] Camilerde Kur'an ve hadisten öğütler veren kimseler.

vaîd, *A. i.* Cezasını söyleyerek fenalıktan korkutmak, yıldırmak. • *Vâ'd ü vaid, iyi* ve ürkütücü şeyler vaat etmek.

vajgûn, vajgûne, *F. s.* Ters, uğursuz. • ‹Bir câm-i vâjgûn ile çarh-i desisekâr — Mest-i harab-i gaflet eder ehli devleti. — Nabi›.

vak', *A. i.* Ağırlık, ağırbaşlılık. • ‹Diyordu vak ü salabetle muhterem bir pîr. — Fikret›.

vak'a, *A. i.* 1. Olup geçen şey, olay. 2. Savaş. 3. Mesele. • *Vak'a-i hayriye,* Yeniçeri ocağının kaldırılması. • ‹Fakat bu vakaya çok ağladımdı vaktiyle. — Fikret›.

vakaa, *A. zf.* Gerçekten, her ne kadar.

vakahat, vikahat, *A. i.* Arsızlık, utanmazlık, küstahlık. • ‹Tecahül-i vakaha tile. — Naima›.

vak'anüvis, *F. i.* [Vak'a-nüvis] Zamanın olaylarını kayıtla görevli resmî devlet tarihcisi.

vakar, vekar, *A. i.* Ağırlık, onuru koruma. Onurlu olma. • *Sahtevekar,* yalandan ve yersiz büyüklük satan; • *zivekâr,* vakar sahibi, onurlu. • ‹Güneş gurup ediyor pembe, mai, leylâkî — Zılâl içinde, güzel bir kadın vakarıyle. — Fikret›. — (Ed. Ce.) :

Vakar-i asalet.	-validiyyet,
-kalb.	hava-yi vakar,
-şuhane,	ihtişam-i vakar.

vakayi, *A. i.* [Vakıa ç.] Vakalar, olaylar. • ‹Bir senenin havsala-i eyyamına sığabilecek silsile-i vakayi hükmünde. — Uşaklıgil›.

vakayiname, *F. i.* [Vakayi-name] 1. Olaylar kitabı. Tarih. 2. Bir olay üzerine yazılmış eser. 3. Kronoloji cetveli. • ‹Osmanlıların vakayiname-i mevcudiyetine Çatalca muharebesi. — S. Nazif›.

vakayinüvis, *F. i.* [Vakayi-nüvis] Olan bitenleri yazan. 2. Vakanüvis, Bk. • ‹Gazeteci az çok Don Kişot'a karabeti olan bir vakayinüvistir. — Cenap›.

vakf, *A. i.* 1. Durus, durma. Kımıldanmama. 2. Mal veya mülkü satılmamak şartıyle bir hayır işine bağışlayıp bağlama. • ‹Endişe-i enmam ile vakf-i halecandır. — Ziya Pş.›. • ‹Kalmış Âdem'den sarayı köhnedir milk-i cihan — Kim değişmiş cennete vakfeylemiş evkadına. — Nabi›. — (Ed. Ce.) :

| • Vakf-i dikkat. | • -hayat, |
| • -fikir, | • hayret. |

vakfe, *A. i.* 1. Durak, durak yeri. 2. Hacılık şartlarından, hacıların bir yerde durmasıyle yapılan hareket. 4. Duraklama anı. • ‹Müteharrik bir şey içinde uyuyanlar her vakfe uyandırır. — Cenap›. — (Ed. Ce.) :

• *Vakfe-i muhasebe,*
• *-sükûn,*
• *-tereddüd.*

vakfegîr, *F. s.* [Vakfe-gîr] Duraklayan. *Vakfegîr-i hayret*, şaşakalma. ● «Filcümle vakfegîr-i tazarru olup. — Veysî».

akfî, vakfiyye, *A. s.* Vakfa mensup, vakıfla ilgili.

ʾakfiyye, *A. i.* Bir vakfın şartlarını göstererek şeriat hükümlerine uygun olarak düzenlenmiş senet.

vakı', vakıa, *A. s.* [Vuku'dan] 1. Vuku bulan, olan. 2. Olağan, olagelen. 3. Raslanan. 4. Geçen, geçmiş olan. *Filvaki*, Bk. ● «Duyulmamış bir muzafferiyet nısfen gayr-i vakı' hükmünde idi. — Uşaklıgil».

vakı, vakıye, *A. s.* [Vikâye'den] Koruyan, saklayan. Bir hastalık çıkmasından önce korunmak için alınan (ilâç, tedbir).

vakıa, *A. i.* 1. Olan madde, düştü. 2. Rüya, düş. ● «Her vakıa bir ders-i hikemdir nazarında — Her derd ü belâdan dahi ahz-i iber eyler. — Şinasi».

vakıat, *A. i.* [Vakıa ç.] Başa gelen, baş tan geçen olaylar. ● «Haberin yok mu vakıatımdan. — Naci»

vâkıf, *A. s.* 1. Ayakta duran. 2. Arafat'ta hacılık sırasında vakfede duran. 3. Bir işten haberi olan. 4. Bir şey vakfeden. ● *Vâkıf-i ahval*, işlerden haberi olan; ● *-hafaya*, işin gizli taraflarını, gizli şeyleri bilen; ● *şart-i vâkıf*, vakfı yapanın koştuğu şart. ● «Ey tegafül birle her saat kılan şeyda beni — Vâkıf ol kim öldürür ahir bu istigna beni. — Fuzulî». ● «Vâkıf mı için saydığım ekdar-i hayata? — Fikret».

vakıfan, *F. i.* [Vâkıf ç.] İçyüzü bilen, işten haberi olanlar. ● «Bu hal ceza-yi amel-i mahut olduğu vakıfan-i keyfiyet-i hale iş'ar ve ilân olundu. — Raşit».

vâkıfane, *F. zf.* Bilen kimselere yakışır. yolda. ● «İntihabına nakkadane ve vâkıfane dikkat ediniz. — Kemal».

vakıfname, *F. i.* [Vakıf-name] Bir vakfın şartları yazılı resmî kâğıt, vakfiyye.

vakıyye, *A. i.* Dört yüz dirhemlik tartı. (780 gram).

vakkad, *A. s.* Ateş gibi. Parlak. ● «Zihn-i vakkadının evsafını yazdıkça senin — Geceler kilkimin etrafına pervane gelir. — Nedim».

vakkas, *A. s.* Savaşçı. Okçu.

vakt, *A. i.* 1. Zaman, vakit. 2. Saat, günün muhtelif saatleri. 3. Mevsim. 4. Uygun zaman. 5. Boş zaman, işsiz za-

man. 6. Geçim. 7. Çağ, zaman. 8. Fırsat. 9. Belirtilmiş zaman. ● *Vakten min-el -evkat*, zamanlardan bir zaman, bir aralık; ● *vakt-i asır*, şafiîlerin sabah zamanı; ● *-gurubî*, alaturka saat, «ezanî saat» adı da verilen güneşin batmasıyle hesaplanan vakit; ● *-hakiki*, rasada göre saptanan gerçek vakit; ● *-hazar*, barış zamanı; ● *-nücumî*, yıldızlara göre düzenlenen vakit; ● *-sefer*, savaş zamanı; ● *-zevalî*, alafranga saat de denilmiş olan güneşin öğle anından hesaplanan vakit. (ç. Evkat).

vaktaki, *F. zf.* O vakit ki, ne zaman ki, olduğu vakit (XIX. yy.). ● «Vakta ki erdi guşuma bu müjde eyledim — İmza efendimin keremin hem kerametin. — Nedim».

vakud, *A. i.* Yanacak şeyler. Ateş yakmaya yarayan şeyler.

vakur, *A. s.* [Vakar'dan] Ağır, ağır başlı. ● «Evza ü etvarı âlimane vezir-i vakur idi. — Naima».

vakurane, *A. s. zf.* Ağır başlılıkla, onurla. ● «Yaşlar altında vakurane yanan veçh-i güzin. — Fikret».

vakvak, *A. i.* Yemişleri insan biçiminde olduğu söylenen bir masal ağacı. ● *Şecer-i Vakvak*. İstanbul'da At Meydanında bir çınara verilen ad. Öldürülen bazı büyüklerin başları bu ağaca asılırdı. ● «Meyve vaktine eriştik Şecer-i Vakvak'ın».

vakvaka, *A. i.* Kurbağa sesi. ● «Âb-i pâkene zarar vakvaka-i kurbağadan».

valâ, *F. s.* Yüce, yüksek. ● «Ana etmiş kader fanus-i mîna çarh-i valâyı. — Nef'î».

valâcah, *F. s.* [Valâ-cah] Rütbesi, mevkii yüce.

valâî, valâyî, *F. i.* Yükseklik, yücelik.

valâkad, *F. s.* [Valâ-kad] Boyu yüksek, uzun boylu.

valânijad, *F. s.* [Valâ-nijad] Yüce soylu. ● «Def'i murad-i şehinşah-i valânijad olmağın. — Naima».

valâşan, *F. s.* [Valâ-şan] Şanı yüce.

valeh, *F. i.* Ağlaşma, inildeme.

vali, *A. i.* [Velâyet'ten] Bir eyaletin, vilâyetin en büyük memuru. ● «Benden ki serir olanda hali — Sen olasın ol mülke vali. — Fuzulî».

valid, *A. i.* [Vilâdet'ten] Doğurtan. Baba. ● «Validi vakfı olan işbu muallâ camii. — Şinasi».

validan, A. i. Baba ile ana.

valide, A. i. Ana. • ‹Dokundu gönlüme hali şu hasta validenin. — Fikret›.

valideyn, A. i. İki doğurtan, ana ile baba. • ‹Kendini hem valideynin âlem-i ervahta — Eyleye müstağrak-i rahmet cenabi Kibriya. — Şinasi›.

validiyyet, A. i. Analık, annelik. • ‹Bu kadarcık ihtiyat-i lisana tamamen intifası kabil olamayan bir vekar-i validiyetle lüzum gördü. — Uşaklıgil›.

valih, valihe, A. s. (He ile) [Veleh'ten] Şaşakalmış. • ‹Bu bâd-i âfet anı kıldı valih ü hayran. — Cenap›.

valihane, F. zf. Şaşkınca. • ‹Nigâh-endazi-i incizab-i valihane. — Nergisî›.

valiyan, F. i. [Vali ç.] Valiler. • ‹Hususa valiyan-i Karaman ve Ermeniye-i sugra. — Sadettin›.

vallahi, A. ter. [V-Allah] Allah için, Tanrı hakkıyçin anlamında ant. • ‹Kapında nale kılmamağa ihtiyar yok — Vallahi bigünahım efendi bu bapta. — Bakî›. • ‹Vallühilazîm bu ettikleri vaz namâkul ve ukalâ yanında na mâkbulüdür. — Taş.›.

vâm, F. i. Borç. • ‹Lezzeti inkâr olunmaz bezl ü israf etmenin — Ah zımnında eğer endişe-i vâm olmasa. — Nabi›.

vamande, F. s. [Va-mande] 1. Geri kalmış, geride. 2. Sıkıntı içinde. (ç. Vamendegân). • ‹Ve tedarik-i havayic-i vamendegân. — Nergisî».

vamcu, F. s. [Vam-cu] Borç arayan. • ‹Havale-i sitemi vamcu veş amâde — Küşad-i kise-i râz etmenin zamanı değil. — Nabi».

vamdar, F. s. [Vam-dar] Borçlu. (ç. Vamdaran).

vamhah, F. s. [Vam-hah] Alacaklı.

Vamık, A. i. ‹Asıl anlamı sevdalı, âşık olan bu söz Vamık ile Azra hikâyesinin erkek kahramanının adıdır.

-van, F. i. ‹-ban› ekinin bazı aldığı şekil.

vanî, A. s. Yorgun, zayıf,

vapes, F. s. Gerideki. Geride olan.

vâpesin, F. s. [Va-pesin] En gerideki, en sondaki. • Nefes-i vâpesin, son nefes. • ‹Bu sönen — Nefes-i vâpesini- mevsimdir. — Fikret».

-var, F. e. 1. Sahiplik. 2. Benzetme. 3. ‹Bar» gibi kere, kez bildirir.

varak, A. i. 1. Ağaç veya ot yaprağı. 3. Yazılmış kâğıt. 4. İnce yaldız yaprağı.

(ç. Evrak). • ‹Bin ders-i maarif okunur her varakında. — Ziya Pş.».

varaka, A. i. 1. Tek yaprak kâğıt. 2. Yazılmış kâğıt. • Varaka-i sahiha, resmî damgalı kıymetli kâğıt.

Varaka, A. i. Varaka ile Gülşah hikâyesinin kahramanı.

varakî, A. s. Yaprağa ait veya yaprak biçiminde.

varakpare, F. i. [Varak-pâre] 1. Kâğıt parçası. 2. Önemsiz yazı, tezkere. 3. Küçük yaprak. • ‹Bir varakpare-i hazandide — Ayrılıp sak-i meyvebârından — Düştü bir şairane ümmide. — Cenap».

varatat, A. i. [Varta ç.] Korkulu uçurumlar, tehlikeler. • ‹Mededres-i pesmandegân-i varatat-i isyanım. — Veysi».

-vare, F. e. Bk. • Var.

vareste, F. s. Kurtulmuş, rahat, İstemez. • ‹Kendilerinin bir suretle sehv ü hatadan vareset olmadıklarını. — Nuri».

varestegî, F. s. Serbestlik, rahatlık.

-vari, F. e. ‹Gibi› anlamına son-ek.

varid, varide, A. s. [Vürud'dan] 1. Gelen, erişen. 2. Bir şey hakkında söylenen, uygulanan. 3. Akla gelen. • ‹Müptelâ oldukları hayretten kurtulunca sefain-i vârideyi yakmaya. kalkıştılar. — Kemal».

varidat, A. i. [Varide ç.] 1. Gelir. 2. Akla gelen, yüreğe doğan. (Daha çok manevî ilan fikirler için kullanılmıştır). • ‹Başladıkta ben söze başlar hücuma varidat — Şöyle kim takat getirmez anı takrire zeban. — Nef'î». • ‹Bu risale tarzı üzre varidat üslûbunda yazıldı. — Kâtip Çelebi».

varide, A. i. Resmî daireye gelen kâğıtlar.

varidîn, A. i. [Varid ç.] Gelenler. • ‹Ve varidîn ve sadırîn için imaret ve misafirhaneler. — Sadettin».

vâris, A. s. i. [Veraset'ten] Mirascı. Miras yiyen. • ‹Hayır, bu zehrime sen vâris olma, evlâdım. — Fikret».

varta, A. i. 1. Kuyu gibi oyuk ve derin yer. 2. Uçurum. Tehlike. (ç. Varatat). • ‹Zira ki neşe varta-i girdabı andırır. — Şinasi».

vartagâh, F. i. Tehlike, ölüm yeri. • ‹O vartagâh-i belâ berzahından eyle halâs — Ulaşmadan daha ecsada nâr-i zat-i yakud. — Sabit›.

varun, varune, F. s. Ters, aksi. Uğursuz. • Baht-i varun, • çarh-i varun: • künbed-i varune; • sipehr-i varune.

● «Kanun-i varun-i Osmanî mucebince terki saltanat-i fâni etmişler idi. — Peçoylu». ● «Girḍ-i haşyetle dolar künbed-i varune-i cev. — Fikret».

vasat, *A. i.* 1. Orta. 2. Ara, merkez. 3. Bel. 5. İkisi ortası olan şey. 5. (XX. yy.). Cemiyet muhiti. Ortam.

vasatî, vasatiyye, *A. s.* İkisi ortası, orta halde.

vasf, *A. i.* 1. Bir kimse veya nesnenin hali, sıfatı. 2. Bir şahıs veya nesnenin halini anlatarak tarif etme. 3. Övme. 4. (Gra.) Sıfat. ● *Vasf-i terkibî,* bir isme Farsça bir emir eklenerek yapılan kelime. ● «Hazırdaki vasf lağv ve gaipteki vasf muteberdir. — Mec. 65» ● «Feza-yi namütenahiyi vasfa cüret eden — Bilir mi zerrelerin şart-i ittihadı nedir? — Cenap».

vasfî, vasfiyye, *A. s.* Hele, nicelik ve niteliğe, beyan ve tarife ait, onlarla ilgili.

vasıb, vasıba, *A. s.* Sürekli. Yerinde duran.

vâsıf, *A. s.* [Vasf'tan] Vasfeden, bildiren, öven.

vâsık, *A. s.* [Vüsuk'tan] İnanan, güvenen.

vâsıl, *A. s.* 1. Erişen, ulaşan. 2. Kavuşan. 3. (Tas.) Hakka eren.

vâsıla, *A. s.* (Fel.) Fransızcadan *adventice* (dıştan) karşılığı (XX. yy.).

vasilîn, *A. i.* [Vâsıl ç.] Hakka erenler. ● *Gavs-ül-vasilîn,* erenlerin başı.

vâsıt, *A. s.* [Vasat'tan] Ortada bulunan, ikisi ortası.

vasıta, *A. i.* 1. İki şeyi birbirine bitiştiren. 2. Araya giren, aracı. 3. Karışma, el. 4. Alet, araç. 5. Soy kuşağının her bir derecesi. ● *Bilâvasıta,* vasıtasız, doğrudan doğruya; ● *bilvasıta,* vasıta ile, birinin araya girmesiyle. ● «Söz vasıta-i rabıta-i âlemiyandır. — Avni» ● «Bugünkü lehcelerde bahusus bir vasıta-i ahzu ü itadır. — Cenap».

vasi, *A. i.* [Vesayet'ten] Bir ölünün vasiyetini yerine getirmeye memur kimse. ● «Biz vasiye muhtaç değiliz deyu nush kabul etmezdi. — Naima».

vâsi', vasia, *A. s.* [Vüs'at'ten] Geniş. Enli. Bol. ● *Arzullahü vasıan,* Tanrının yeri geniştir. ● «Bu mesafat-i binihayette — Bister-i vasi-i tabiatte. — Cenap».

vasif, *A. i.* Genç hizmetkâr, hizmetçi.

vasil, *A. s.* Birinden asla ayrılmaz (Kimse).

vasiyyet, *A. i.* Bir ölünün, sağlığında, ölümünden sonra yapılmasını istediği şeyler hakkındaki siparişi. ● «(Avrupada kadınların) hakk-i vasiyyeti ise zevçlerinin rızasına muallâktır. — Cenap».

vasiyetname, *F. i.* [Vasiyyet-name] Yazılı vasiyet. ● «Kundura boyası yapar bir adam vasiyetnamesinde fukaraya yirmi bin lira bırakıyor. — Kemal».

vasl, *A. i.* 1. Ulaşma, birleşme. 2. Kavuşma, vuslat. ● «Şimdi ber'akstir ahval-i visal ü hicran — Vaslına mahrem idik hicrine bigâne idik. — Nabi». ● «Çatlasın hiddetle baht-i kinedar — Saye-i vaslında oldum kâmkâr. — Recaizade».

vaslî, *A. s.* Ulaşma ile ilgili.

vasm, *A. i.* Ayıp, utanacak şey. Eksiklik.

vasmet, *A. i.* 1. Kırıklık, güçsüzlük. 2. Ayıp, eksiklik. ● *Vasmet-i cehalet,* cahillik aybı. ● «Ahbar-i dürerbar vasmet-i mübalaga ve ıtradan âri ve müberra. — Sadettin». ● «Eğer vasmet-i cehaletetn tahlis-i nefs-i celil için. — Okçuzade».

vassad, *A. i.* (Sat ile) Örücü, dokuyucu.

vassaf, *A. s.* [Vasf'tan] Vasf ve tarif eden, öven. ● «Ey Hudavendimizin vassafı — Sana Hak vermiş o kalb-i sâfî. — Naci».

vaş, *F. i.* Düşman. Gammaz.

vatan, *A. i.* Bir kimsenin doğup büyüdüğü yer. ● *Vatan-i sani* (ikinci vatan) sonradan yerleşilen yer. ● «Evvel enis idik dil-i zar-î hazin ile — Şimdi vatan garibiyiz ah ü enin ile. — Nailî». ● «Bu muhterem vatanın bergüzide evlâdı. — Fikret».

vatandaş, *F. i. s.* Bir memleket halkından olan. Hemşeri. ● «Vatandaşlarımız bizde olmayan halleri bize isnat edip de... — Kemal».

vatanî, vataniyye, *A. s.* Vatana ait, vatanla ilgili. ● «Millî tesanüdü kuvvetlendirmek için vatanî ve medenî ahlâklardan sonra, bir de meslekî ahlâkı yükseltmek lâzımdır. — Z. Gökalp».

vatanperver, *F. s.* [Vatan-perver] Yurt sever. (XIX. yy.).

vatanperverane, *F. s. zf.* Yurtsevere yakışır yolda (XIX. yy.). ● «Bir zulüm veya bir fenalığa vatanperverane mukavemet etmek isteyenler. — Kemal».

vatar, *A. i.* İş. ● *Kaza-i vatar,* aptes bozma. ● «Ol sitemgerler agnaimi garetle tahsil-i vatar eyledi. —Sadettin». ●

vatid, *A. s. (Tı ile)* Sabit, sağlam olan.

vatvat, *A. i.* 1. Dağ kırlangıcı. 2. Yarasa. 3. Korkak geveze adam.

vaty, *A. i.* 1. Çiğneme, basma. 2. Çiftleşme. ● «Ben kat'a ferc-i harama vaty etmedim. — Taş.».

vav, *A. i.* V harfinin adı. ● *Vav-i atıfa.* atıf vavı, aynı cinsten iki kelime arasına gelen «ve» (ü), *vav-i kasem.* Allah sözünün başına eklenip *(Vallahi)* ant bildiren «ve» harfi. ● «Yok verdiği vav-i Amr'e bir kimse vücut — İbnin elfine itibar eyleyemezler. — Nabi».

vaveyl, *A. ü.* [Va-veyl] Yazık, eyvah! ● «Hep onun aks-i huruşiyle gark-i vaveyl. — Fikret».

vaveylâ, *A. i.* [Va-veylâ] 1. Eyvah, yazık. 2. Çığlık, feryat. ● «Oldu murgan ile ezhar-i çemen hemsohbet — Sahn-i gülşende zuhur etse n'ole vaveylâ. — Nedim».

vaye, *F. i.* Nasip, kısmet. *Bivaye,* nasipsiz. ● «Bu âleme vermişidi veya — Ol âleme salmış idi saye. — Fuzulî».

vayebahş, *F. s.* [Vaye-bahş] İhsan bağışlayıcı. ● «Vayebahş olsa eğer tab-i suheyl-i cudu — Kesti-i Nuha döner âb-i akık üzre Yemen. — Nedim».

vayedar, *F. s.* [Vaye-dar] Nasibi olan.

vayegir, *F. s.* [Vaye-gir] Nasiplenmiş. Elde etmiş. ● «Vayegir-i marifet pest anlamaz — Magz-i cevzi piste vü bâdamdan. — Nabi».

vayemend, *F. s.* [Vaye-mend] Nasipli, pay sahibi.

va'z, vaız, *A. i.* Din öğütlemek. ● «Âdeme etmez isen va'z-i fesad-i sûri — Cinlere fitne-i gaybiye edersin tedris. — Şinasi».

vaz', *A. i.* 1. Koma, bırakma. 2. Tâyin etme. 3. Kurma, icat etme. 4. Duruş, davranış. 5. Aşağı komak. Aşağılama. ● «Eğer derecenizi ref eylemez ise bari vaz' dahi eylemez. — Taş.». ● *Vaz-i esas,* temel atma; ● *-haml,* doğurma; ● *-yed,* el koma. ● «A'maki târ-i leyle birer kimsesiz çocuk — Vaz-i mükedderiyle bakar sitareler. — Fikret». ● «Hazer dide-i kevkeb nigehbanı iken — Nevale-i emele vaz-i yed ne müşkül imiş. — Nabi». — (Ed. Ce.):

● *Vaz-i adavet,*
● *-bimecalâne,*
● *-dilber,*
● *-ictinab,*

● *-mealperver,*
● *-mükedder,*
● *-pürigbirar,*
● *-sâf,*
● *-temaşakârî,*
● *-vakurane,*
● *-yetimane.*

vazaif, *A. i.* [Vazife ç.] 1. Vazifeler. 2. Maaşlar, ücretler. ● «Kocasına karşı vazaifine karşı hıyanet ederek. — Uşaklıgil». ● «Ve İstanbul ihtisabı mukataasından olan vazaifi yoklayıp. — Raşit».

vaz'an, *A. zf.* Durumu itibariyle. Asıl lûgat anlamı bakımından.

vazgûn, *F. s.* Bk. ● *Vajgûn.*

vâzı', vâzıa, *A. s.* [Vaz'dan] 1. Koyan. 2. Kuran. temel koyan. ● *Vazı-i imza.* imza koyan, imzalamış bulunan; ● *-kanun,* kanunu yapan, hazırlayan; ● *vaz-ül-yed,* el koyan, eline alan.

vazî, vazîa, *A. s.* [Vaz'dan] Alçak, deni, bayağı. ● «Bir ma'şer-i vazî-i temaşa. — Fikret».

vaz'î, vaz'iyye, *A. s.* Vaz'a mensup onunla ilgili.

vazıh, vazıha, *A. s.* [Vuzuh'tan] Açık. meydanda. Kapalı ve düğümlü olmayıp açıktan anlatılan, şüphe bırakmayan. ● «Adnan Bey kalbinde vazıh bir hiss-i hiras duydu. — Uşaklıgil».

vazih, vazîha, *A. s.* [Vuzuh'tan] Çok açık. Besbelli. Meydanda.

vazıhan, *A. zf.* Açık açık.

vazıhat, *A. i.* [Vazıh ç.] Açık ve meydanda şeyler.

vazife, *A. i.* 1. Bir kimsenin yapmak zorunda bulunduğu iş. Bir kimse üzerine yapılması havale edilmiş iş. 2. Önem verilen iş. 3. Bir kimseye her gün verilmesi kararlaştırılmış iş ücreti. (ç. Vazaif). ● «Bu vazifeyi o bizzat icra edecekti. — Uşaklıgil».

vazifedar, *F. s.* [Vazife-dar] Vazifeli. Memur. ç. Vazifedaran).

vazifehâr, vazifehor, *F. s.* Ücret alan, ulûfesi olan. (ç. Vazifehâran).

vazifeşinas, *F. s.* [Vazife-şinas] Vazife veya işini dikkatle, titizlikle yapan. (ç. Vazifeşinasan). ● «Sekiz sene kemal-i sabr ü mutavaatle şedaid-i mahlûliyete tahammül etmiş vazifeşinaslar... — Kemal».

vazifeşinasane, *F. zf.* [Vazife-şinas-ane] Vazifesini, işini titizlikle yapana yakışır şekilde. • «Devair-i belediye memurlarının vazfeşinasane bir gayret göstermesiyle, — Kemal».

vazifeten, A. zf. Vazife ile, vazife olarak.

vazin, A. s. Tartısı tamam olan.

vaziyyet, A. i. Durum, duruş, (XIX. yy.). • «Ciddi bir mev'izekâr vaziyetiyle. — Uşaklıgil».

ve, A. e. Dahi, de, hem, ile.

ve, F. e. Çok defa «ü» gibi ve sesli harfle biten kelimeden sonra «vü» olarak okunur. • Ruz ü şeb, gece ile gündüz.

vea, via, A. i. 1. Kap. Mahfaza. 2. (Bio.) Damar. • «Ben şahidim ki sen vea-i ilimsin dedi. — Taş.».

veai, veaiyye, A. s. (Hek.) Damarlarla, en çok da, kan damarlarıyle ilgili. • Cümle-i veaiyye, (systeme vasculaire), • hücre-i veaiyye, (cellule vas.), • mecari-i veaiyye (conduits vas.), • nebatat-i veaiyye (plantes vas.), • verem-i veai (tumeur vas.), • zeir-i veai (souffle vas.) (XIX. yy).

veba, A. i. 1. Yumurcak illeti, taun. 2. Genel olarak salgın hastalık. • «Kazıklı Voyvoda) Bulgaristan'ı illet-i veba ve zelzele-i belâyı arattıracak surette kahr ü tahrip etmişti. — Kemal».

ve ba'dü, A. cüm. «İmdi, ondan sonra» anlamıyle Tanrı ve peygambere edilen dualardan sonra maksada giriş için kullanılırdı.

vebaî, vebaiyye, A. s. Vebaya ait, veba ile ilgili.

vebal, A. i. Bir davranışın ahretçe olan sorumluluğu, günah.

vebalet, A. i. Ağırlık, sağlığa zararlı olma.

veber, A. i. 1. Kıl, tüy. 2. (Hek.) Hav, tüy.

vebil, A. s. Ağır, zararlı.

vebr, A. i. (Zoo.) Aktavsan Arabistan tavşanı.

veca', A. i. Ağrı, sızı, acı. • Veca-i mefasıl, mafsal ağrıları, romatizma çeşidinden.

vecahet, A. i. 1. Güzellik, güzel yüz. 2. İtibar, onur. Haysiyet. • «Karaçelebzade Mahmut Efendi ki devlet ve vecahet ile beynelulema menî-ül-cenab idiler. — Naima».

vecaî, A. i. Hastalar.

cevaib, A. i. [Vecibe ç.] Vecibeler.

vecazet, A. i. Sözün veciz, kısa oluşu.

vecd, A. i. Kendinden geçecek derecede dalgınlık. (Tas.) Kendinden geçecek derecede. Tanrı sevgisine dalma. Yüksek heyecan. (XX. yy). • «Talib tera-

neyim ki mezayası nazmımın — Ervahı mest-i zemzeme-i vecd ü hab eder. — Nailî». • «Dururdu rindler dembeste, ney dembeste vecdinden — Ağaçlıklarda bülbül dûrdan feryada geldikçe. — Beyatlı».

vecdalûd, F. s. [Vecd-alûd] Coşkunluk veren haller. • «Mevce mevce nûş eyleyerek vecdalud ü vüs'at ü nur mürur eylemelidir. — Cenap».

vecdan, A. i. Vecd hali. Coşkunluk hali.

vecdaver, F. s. [Vecd-aver] Büyük heyecan verici. • «Muallâ bir derinlik şi'r-i Hâmit, şi'r-i vecdâver. — Fikret».

vecdî, A. s. Vecde mensup, vecd ile ilgili.

vecel, A. i. Korku. • «Ve safret-i vecel tatarruku ile yüzleri sarardı. — Sadettin».

vecenat, A. i. [Vecene ç.] Yanaklar.

vecene, vecne, A. i. Yanak.

vecenî, veceniyye, A. s. Yanağa ait, yanakla ilgili. • Azm-i veeni, (Ana.) Elmacık kemiği.

vecer, F. i. Fetva. • Vecerger, müftü.

vech, A. i. 1. Yüz, surat 2. Üst taraf. 3. Ön, alın. 5. Tarz, üslup. 5. Sebep. 6. Vasıta • Vechen min-el-vücuh, hiç bir sebep ve münasebetle; • vech-i ahar, başka yüzden, başka yönle; • -ahesn, en iyi yol; • -maaş, maişet, geçim vasıtası; • -mülâhaza. Fransızcadan «nokta-i nazar» diye çevrilen point de vue karşılığı; • bervech-i, olduğu üzere, olduğu gibi anlamında terkipler yapılır; • bervech-i âti, -balâ, -meşbuk. -muharrer, -peşin. -zir, aşağıda yukarıda, anlatıldığı gibi, yazıldığı gibi, peşin olarak, aşağıda olduğu üzre; • -yesir, kolayca, kolaylıkla; • min vechin, bir bakımdan. • «Vech-i namusuna ol kan ile düzgün mü sürer. — Şinasi». (Ed. Ce.) :

• Vech-i dilber,   • -ketum,
• -güzin,   • -pürgubar,
• -igbirar,   • -sâf.

veche, A. i. Yüz. Yan, taraf. • Veche-i azimet, gidiş tarafı. • «Mille De Corton'un veche-i hayatını tebdil etmiş oldu. — Uşaklıgil».

vechen, A. zf. 1. Yüzce, yüz bakımından. 2. Bir yönden, bir bakımdan.

vechî, vechiyye, A. s. Yüze mensup, yüzle ilgili. • «Zaviye-i vechiyye, alın açısı.

veci', A. i. (Cim ve ayın ile) Hastalıklı olan.

veci', vecia, A. s. [Veca'dan] Ağrıtıcı, sızlatıcı. • «Vezir asâ ile başına gözüne darb-i veci ile girişip. — Naima».

vecibe, A. i. Gerek ve vacip olan şey. Borç hükmünde olan görev, ödev. Yapılması gerek şey. • Vecibe-i zimmet, boyun borcu. — Kemal».

vecih, vecihe, A. s. [Vecahet'ten] 1. Güzel, hoş. 2. Uygun, lâyık. münasip. • Tevcih-i vecîh, iyi uygun yorma; • vech-i vecîh, en uygun şekil. • «Bir vecîh kâmran. — Peçoylu» • «Ebüssuut Efendi ve Süleyman Ağa reyi vech-i vecîh görüp. — Naima».

vecil, A. s. Korkak.

vecim, A. s. Isısı aşırı olan.

veciz, vecize, A. s. [Vecazet'ten] Kısa, derli toplu. • «Bu o kadar veciz ve hattâ o kadar yabis idi ki. — Cenap».

vecize, A. i. Özdeyiş (XIX. yy.).

vecm, A. s. Yüzü ekşi, somurtkan (insan).

vecn, A. i. Dövme.

vecne, A. i. Yanak yumrusu, elmacık.

vecz, A. i. Söz kısa olma, sözü uzatmama.

veda', A. i. [Ved'a ç.] Katırboncukları.

ved'a, A. i. Katırboncuğu.

veda', A. i. Ayrılma, ayrılık. (Ed. Ce.). • «Mevsim veda eedr gibidir zâr ü bimecal. — Fikret».:

• Veda-i hayat,   • buse-i veda,
• -nazarî,   • nazar-i veda.
• -sakin,

vedaat, A. i. 1. Rahat, durgunluk. 2. Emanet verilmiş nesne.

vedda, A. i. Sevme, sevgi. Dostluk. • «Bir dimagî vedad ü refetle. — Cenap».

vedai', vedayi, A. i. [Vedia ç.] Emanet olarak bırakılan şeyler. • «Mamelek ve eşyası kabz ve vedayii teftiş ferman buyruldu. — Naima».

vedaî, vedaiye, A. s. Ayrılmakta esenlik dileme ile ilgili. • «Her taraftan, mendiller sallanıyor, son telâsim-i vedaiye bu temevvuclere tevdi olunuyordu. — Cenap».

vedaname, F. i. [Veda'-name] Ayrılma yazısı : • «Emin olunuz ki o vedaname-i kıymetdarı kıskanç bir itina ile muhafaza edeceğim. — Cenap».

vedd, vüdd, A. i. Sevgi.

veddua, A. cüm Mektup sonlarına «dualarımız sizinle beraberdir» anlamında yazılırdı. • «Şi'r ü inşadan muradı âşık-i biçarenin — Arz-i ihlâs eylemektir yâre veddua. — Baki.».

vedi, A. s. (Aynı ile) Başkasının malını saklamaya memur kimse.

vedia, vediat, A. i. Emanet. Saklanılmak üzere bırakılan şey. • Vediat-ul-lah, 1. Tanrı emaneti olan halk. 2. Ruh, can. • «Bir şey senin değil 'sana ferda vediadır. — Fikret». • «Ben ki ilm ü hikmetim vediat koymuşumdur. — Taş.».

vedid, vedide, A. s. Sevgisi çok olan.

vedr, A. i. Aşırı sarhoşluk.

vedud, A. s. Pek ziyade muhabbetli, pek şefkatli (Tanrı sıfatlarından).

vefa', A. i. 1. Sözde durma. 2. Sevgi ve dostlukla durma. 3. Yetişme, yetme. 4. Ödeme. • Bey' bilvefa, bir malı, alınan para ödenince, egri vermek üzere satma; • bivefa, vefasız, hercayi. • «Ta çocuklukta penah ettiği aguş-i vefa — Doymadan germi-i nuşînine biçare sabi — Ebediyyen soğuyup. — Fikret.

vefadar, F. s. [Vefa-dar] Vefalı, dostluk veya sevgisinde duran, unutmayan. (ç Vefadaran). • «Bulmadım cânâ gamın gibi muvafık mahrem — Çok olur yâr velî yâr-i vefadar olmaz. — Baki».

vefadarî, F. i. Vefa. Vefalılık. • «Ve tetimma-yi vefadaridendir ki. — Nergisî».

vefakâr, F. s. [Vefa-kâr] Vefalı. (ç. Vefakâran). • «Dil secde eder yâr-i vefakârı görünce. — Cenap».

vefaret, A. i. Çokluk, vefret.

vefaşiar, F. s. [Vefa-şiar] Vefalı. Vefa huyu ile yaratılmış.

vefat, A. i. Ölüm. • «Melih Bey vefatından sonra pâydar olacak hiç bir hâtıra bırakmamıştır. — Uşaklıgil».

vefd, A. i. 1. Gelme. 2. Birlikte gelen insan heyeti. 3. Elçi gibi gönderile insan topluluğu. Farsça kuralla esci olarak nezd-i maalivefd diye de kullanılır.

vefik, vefika, A. s. [Vefk'tan] Uygun, aynı fikirde.

vefir, vefire, A. s. [Vefret'ten] Çok. • Sinin-i vefire, çok yıllar.

vefk, A. i. 1. Uyma, uygun gelme. 2. Dua yazılı muska. • Ber vefk-i dilhah, her vefk-i meram, gönlün isteğine, merama göre, onlara uygun olarak. • «Se ruze devlet ü ikbal-i çerha olma dilbeste — Bu bir vefk-i müsellestir nice bazuya bağlanmış. — Nailî».

vefret, *A. i.* Çokluk. Bolluk.

vega, *A. i.* Gürültü, patırtı. Savaş. • «Dehşet fiken-i kalb-i diliran-i vegadır. — Nef'î».

ve gayruhu, *A. ter.* Ondan başkaları, sairleri.

vegd, vagd, *A. i.* 1. Ahmak. 2. Hizmetçi.

vefr, vefret, *A. i.* Çokluk.

vegl, *A. i.* Zayıf, zavallı adam.

vegm, *A. i.* Düşmanlık, kin.

vegr, *A. i.* 1. Hava aşırı sıcak olma. 2. Kin, düşmanlık. 3. Hiddetten köpürme.

vehamet, *A. i.* Yalnız, biricik olma.

vehal, *A. i.* Batak, çamur.

veham, *A. i.* (Gebe) Aş yerme.

veh, *F. ü.* Vah!

vehb, *A. i.* Vergi, bağışlama. Bağış, hibe.

vehbî, vehbiyye, *A. s.* Tanrı vergisi. • «Dimağın delalet-i vehbiyesiyle parmaklarınız o noktaya giderse. — Cenap».

vehc, *A. i.* Alevle yanma.

vehel, *A. i.* Her şeyden ürkme, çekinme. Yanılıp yanlış işleme.

ve helümme cerra, *A. ter.* Ötekileri de buna kıyas eyle, onlar gibi çek.

vehhab, *A. s.* Çok çok ihsan eden, ziyade bağışlayan (Tanrı sıfatlarındandır). • «Vehhabsın ki kemine bahşışın varlık. — Sinan Pş.». • «Bu makuleye nehhab-i vehbab derler. — Naima».

vehhabî, *A. s.* Abdülvehhab tarafından kurulan mezhep ve buna uymuş kimse.

vehhac, *A. s.* Çok parıltılı. Çok çok alevli. • «Üçer günlük yere dek asker-i Tatar bahr-i mevvac ve âteş-i vehhac gibi yayıldılar. — Naima».

vehham, *A. s.* [Vehm'den] Pek guruntulu.

vehil, *A. s.* Her şeyden korkar olan.

vehl, *A. i.* (Hı ile) Zayıf, ürkek olma.

vehl, *A. i.* Yanlış anlama. Zihin yanlış varma.

vehle, *A. i.* Dakika, an, lâhza. • *Vehle-i ulâ,* ilk iptida, birdenbire. • «Mürşit sanılır vehlede ashab-i dalâlet. — Ziya ş.». • «Geçen hafta gördüğüm zaman vehle-i ulâda tanıyamadım. — Cenap».

vehleten, *A. zf.* Birdenbire. İlkin. • «Bu ricası vehleten o kadar gayr-i kabil-i icra görünecekti ki. — Uşaklıgil». •

«Vehleten zannolunur ki millet-i Hıristiyaniye içinde zuhur eden mesele-i Museviye bir hadise-i diniyedir. — Cenap».

vehm, *A. i.* 1. Esassız, bâtıl fikir. 2. Şüphe, kuruntu. 3. Yersiz korku. • «Çıkar şu vehm-i saadet güdazı fikrinden. — Fikret» • «Cehillerden, vehimlerden, ebatîl ve hurafattan sıyrılmak için. — Cenap».

vehmalûd, *F. s.* [Vehm-alûd] Vehim dolu. Vehim karışığı. • «Bu vehmalûd bir zulmet ki benzer zulmet-i kabre. — Fikret».

vehmî, vehmiyye, *A. s.* Gerçekte olmayan, fakat sanılan, kurulan.

vehmiyyat, *A. i.* [Vehmi ç.] Gerçekte olmayıp var sanılan şeyler. • «Veya müceddidlik dâiyesinde bulunmak gibi vehmiyyatı hatırlarına getirmemişlerdir. — Kemal».

vehmnâk, *F. s.* [Vehm-nâk] Kuruntulu.

vehn, *A. i.* Gevşeklik, kuvvetsizlik.

vehub, *A. s.* Eli açık, bağışı bol.

ve illâ, *A. e.* Yoksa. • «Devlet-i Aliyye üzerinden def-i siklet eyleyin ve illâ ferman-i âliye itaat etmeyip. — Raşit». • «Febiha! Ve illa onu keşf müddet-i ömrünüz kifayet etmez. — Cenap».

vekâlet, *A. i.* 1. Başkasının işini görmeye memur olma. Vekillik. 2. Bir kimse başkasını işinde kendi yerine koyma. 3. Birinin yerini tutma. 4. Nezaret, Bakanlık. 5. Sadrazamlık, Başbakanlık. • *Vekâlet-i devriyye* bir başkasına deyredilecek, yani bir başkasını vekil edecek şekilde birine vekil olma; • *mutlaka,* (Osmanlı İmparatorluğu) sadrazamlık; • *-umumiyye,* bir kimseye genel şekilde vekil olma; • *-uzma,* sadrazamlık; Başvekâlet, (XIX. yy.). Sadrazamlık; (İstiklâl savaşı ve Cumhuriyet devrinde) Kabine Başkanlığı, Başbakanlık, • *davavekâleti,* avukatlık; • *ders vekâleti,* (Osmanlı İmparatorluğu) Şeyhülislâmlıkta öğretim işleriyle uğraşan daire. • «Vekalet bir kimse işi başkasına tevfiz etmek ve ol işte anı kendi yerine ikame etmektir. Ol kimseye *müvekkil,* yerine ikame eylediği kimseye *vekil* ve ol işe *müvekkeliinbih* denilir. — Mec. 1449». • «Bulunduğu hizmete tayin ettiği vazifeyi icrada umuma vekâlet etmekle. — Kemal».

vekâleten, A. zf. Vekil olarak, başkasının adına.

vekâletname, F. i. [Vekâlet-name] Vekil tayin eden kimsenin noterce (mukavelât muharriri, kâtib-i adilce) düzenlenmiş senedi.

vekâletpenah, F. s. Padişahın vekili olan sadrazama mensup, onunla ilgili.

vekâletpenahî, F. s. Padişahın vekili olan sadrazama mensup, onunla ilgili.

vekar, vakar, Bk. • Vakar.

vekayi, vakayi, Bk. Vakayi.

vekb, A. i. Bir işin üzerine düşme.

ve kıs, A. f. «Var buna uydur» anlamındadır.

vekil, A. i. 1. Başkasının isini gören kimse. 2. Birinin adına söz söyleyen, iş gören. 3. Bir memurun yerine geçici olarak işe bakan. • Vekil-i harc, (Vekilharç) masraf görme ile ödevli kimse; • -müsahhar, mahkemeye getirilmeden hakkında dava olunan kimse için mahkemece tayin olunan avukat; • Başvekil, Başbakan; • dava vekili, avukat. • «Muradatımız olıcak vekilüs-saltana yediyle inha ve iltimas ederiz. — Naima».

vekîn, A. s. Pek sağlam. Korumada kuvveti yerinde olan.

vekn, A. i. Kuş yuvası. (ç. Evkcn).

vekr, A. i. Kuş yuvası. (ç. Evkâr).

vekûb, A. s. İşe iyi sarılan.

velâ, A. i. Sahiplik, yakınlık. Sahibinin azat ettikleriyle olan ilgisi ve onlar üzerindeki hakkı. • «Beni âzade kılsa pirlik aşk-i cevaniden — Yine hakk-i velâ bu bende-i derincoden çıkmaz. — Beliğ».

velâdet, vilâdet, A. i. Doğma, doğuş.

velâdî, vilâdî, A. s. Anadan doğma.

velâid, A. i. [Velîd ç.] 1. Köleler. Cariyeler. 2. Çocuklar, küçükler.

velâim, A. i. [Velime ç.] Düğünler. • «Duhteran-i saad-ahteranlarının velâim-i sûr-i izdivaçları tertibine şuru olunmak. — Raşit».

velâperver, F. s. [Velâ-perver] Dostluk besleyen, gösteren. • «Bir velâperver-i insaf-şiar olsa dahi — Nazm-i eş'arda hemkevkebe-i Hakanî. — Naci».

velâya', A. i. [Veli ç.] Veliler. Ermişler.

velâyet, vilâyet, A. i. 1. Velilik, ermişlik. 2. Veli olan kimsenin hali, şanı. 3. Başkasına sözünü geçirme. • Şah-i velâ-

yet hazret-i Ali. • «Şehriyar-i bahr ü berr Sultan Süleyman veli — Ol ki mahz-i adldir zat-i velyetperverî — Hali andan olmasın Ya Rab vilâyet ta ebed — Kim velâyetten değil hali safa-yi cevheri. — Fuzulî». • «Velâyet-i ammeden akvadır. — Mec. 59».

veled, A..i. Çocuk, evlât. Oğul. Eskiden hıristiyan künyelerinde oğlu yerine kullanılırdı. • Veled-i manevî, ahret evlâdı; ahretlik; • -zina, kanunsuz evlenmeden dünyaya gelen çocuk, piç; • bilâ veled, evlât bırakmadan; • ümm-i veled, çocuğu olan nikâhsız cariye; • -sulbi, öz oğul. • «Gulâm Halil meğer âkıl veled imiş. — Naima». • «Bu herifin zevaline sâyetmek veled-i zinalıktır. — Naima».

veleh, A. i. Şaşkınlık, şaşakalma. • «Göreceği bedayi akla veleh getirir. — Kemal».

velehu, A. ter. «Bu da onun» anlamıyle mısra veya beyitlere konulurdu.

velehza, F. s. [Veleh-za] Şaşırmış. • «Serbeser ra'd-i heyahay-i velehzâ-yi sufuf. — Fikret».

velehzede, F. s. [Veleh-zede] Şaşkınlığa çarpılmış, uğramış.

velev, A. e. Olsa da, hatta, bile. • «Tasavvur eyleyemem. bir yürek velev münkir — Velev haşin ve mülevves. — Fikret».

velhan, A. s. [Veleh'ten] Şaşakalmış. Sersem.

velhasıl, A. bağ. [Ve-el-hâsıl] Sözün özü, sonuç, kısaca.

veli, veliyye, A. i. s. 1. Sahip. 2. Küçük çocuğun işlerine karışan. halinden sorumlu olan kimse. 3. Ermiş • Veliyyül-emr, emir sahibi, âmir; • veliy-yi nimet, (velinimet) nimet sahibi, besleyen. • «Bir ailenin velisi veya bir şirketin reisiyle. — Kemal». • «Çocuğun mahrumiyet vaveylâlarını bertaraf etmek için veli ve veliyyeleri tarafından. — Recaizade».

velî, velik, velikin, F. s. [Ve-likin] Lâkin, fakat. • «Meyhanedeyiz gerçi veli aşk ile mestiz. — Ruhi» «Baki velik biz felek-i dûn-nevazdan — Müstağniyiz mürüvvet-i şah-i kerim ile. — Baki». • ««Riyası zahidin derkârdır dilber hususunda — Velikin zalimin ârami kalmaz zer hususunda — Nedim».

veliahd, veliyy-i ahd, A. i. Bir hükümdardan sonra hükümdar olacak kimse. •

«Kendini veliahd-i müeyyed makamına koyup. — Naima».

velice, *A. i.* 1. Bir kimsenin her işini bilen. 2. Birinin sır arkadaşı. ● «Ve Hudadan gayrı dalâllarına velice ittihaz eylediler. — Taş.».

velid, *A. i.* Çocuk. Köle.

velime, *A. i.* Düğün cemiyeti, düğün ziyafeti. ● «Nikâh bir uçurum, velime bir hâdise-i inhidam olacaktı. — Cenap».

velinimet, *A. s.* Birinin geçimini sağlayan. ● «Velinimet-i hakikî bildikleri hazret-i millete her türlü hizmetten çekinmemek. — Kemal».

veliyyat, *A. i.* [Veliyye ç.] Kadın veliler. ● «Terakkiyat-i edebiyemizi mâbed-i matbuatımızın bu veliyyat-i zekiyesi temin edecek. — Cenap».

veliyye, *A. i.* Ermiş kadın. Kadın veli.

veliyullah, *A. i.* Ermiş kimse.

velûd, *A. s.* Doğurgan. ● «Eminim ki hiç bir Varna tavuğu bu kadar velûd olmamıştır. — Cenap».

veludiyet, *A. i.* Doğurganlık. ● «İşleyen tezgâhlar dünyanın başka hiç bir tarafında göstermedikleri bir veludiyete mazhar oluyorlar. — Cenap».

velval, *A. i.* Kaygı, tasa ile ağlama. ● «Sıyt-i velval-i vega, velvele-i çeng-i cüyuş. — Fikret».

velvele, *A. i.* Gürültü, patırtı, şamata. ● «eBlki bir noktada birden durarak, velvelesiz. — Gösterişsiz iki üç katracık isar eyler. — Fikret». ● «Vincin velvele-i aheini susmuş, makinenin gamgama-i raşedarı başlayacaktı. — Cenap».

velveleendaz, *F. s.* [Velvele-endaz] Gürültü patırtı eden.

velveleengiz, *F. s.* [Velvele-engiz] Gürültü çıkaran. Gürültü koparan. ● «Bu hareket-i askeriyenin mahareti Osmanlıların velveleengiz-i cihan olan dehşet-i galibiyetine munzam olunca. — Kemal».

vely, *A. i.* Birbiri arkasından gelme, çıkma. ● «Ebediyyen soğuyup, en acı, en ruhgeza — Bir maişet onu vely etti. — Fikret».

vemîz, *A. i.* Bulut arasından görünen ışık. ● «Ve vemîz-i esinne-i şehab-girdar. — Sadettin».

veni, *A. i.* Gevşek, şülpük olma.

venim, *A. i.* Sinek tersi.

ver, *F. bağ.* Ve, eğer. ● «Oğlan nice sabr pîşe kılsın — Ver sabrı hem olsa nise kılsın. — Fuzulî».

-ver, *F. e.* «Sahıp, usta» anlamıyle kelimelere ulanır. (ç. veran).

● *behrever* ● *namver*
● *danişver* ● *raşever*
● *handever* ● *pişever*
● *hünerver* ● *sühanver*
● *kinever* ● *tacver*

verâ', veraat, *A. i.* Korkak olma. Sakınma, çekinme.

verâ', *A. i.* (Hemze ile) 1. Arka. 2. Öte. ● *Vera-i perde*, perde arkası. ● *Mavera*, (bir şeyin) arkasında, ötesinde bulunan şey. ● «Teferrüç etmeye dil bihudane Nailiyâ — Vera-yi âlem-i hayrette bir diyar ister. — Nailî».

vera', *A. i.* (Ayın ile) Haramdan kaçınma. Din buyruklarına bağlılık. ● «Ulûm-i Bu Hanife'yle derun-i sinesi memlû — Vera'la vech-i pâki subh-i sadık gibi nuranî. — Nedim».

vera, *A. i.* 1. Halk, âlem. 2. Yaratıklar. ● *Ahkar-ül-vera*, hakkın en âcizi; ● *hayr-ül-ve-ra*, (yaratıkların hayırlısı) Muhammet Peygamber. ● «Çünkü cenab-i hayr-ül-vera talebkâr-i visal-i Kâbe-i ulya ile. — Naima».

verag, *A. i.* Alev, yalın.

veraset, *A. i.* Mirasçılık, mirasta hak sahibi olma. ● «O esnada mer'i olan usul-i veraset iktizasınca Sırbistan hükümetini iddiaya. — Kemal».

veraya, *A. i.* Yaratıklar.

verb, *A. i.* Yabani hayvan ini.

verd, *A. i.* Gül. ● *Mal-ül-verd*, gülsuyu. ● «Sen mevc-i nur içre şafak — Zambak da yahut verd-i âl. — Recaizade».

verdî, *A. s.* Gül ile ilgili.

verdiyye, *A. i.* (Bot.) Fransızcadan *rosacées* (gülgiller) karşılığı (XIX. yy.).

vere, *A. i.* Ahmaklık.

verem, *A. i.* 1. Şiş. 2. Verem. (ç. Evram). ● «Gurup edip de güneş bir veremli taze gibi. — Fikret».

verek, verk, *A. i.* (Ana.) Kalça kemiği. Kaynak yeri.

verekî, *A. s.* Kalçaya ait, kalaç ile ilgili.

verese, *A. i.* [Vâris ç.] Mirasçılar. ● *Beynel-verese*, mirasçılar arasında. ● «Katl olunan dermendelerin vereseleri huzur-i hümayuna ref-i ruka-i istikâ. — Raşit».

veri', *A. s.* Korkup günahtan sakınan.

verid, *A. i.* (Bio.) Toplardamar, siyah kan damarı. • *Verid-i bab.* kapı toplardamarı; • *-ecvef-i süflâ.* alt ana toplardamarı; • *fevk-al-kebed,* karaciğer üstü toplardamarı; • *-kilûsi,* kilûs damarı; • *-vidai,* boyun toplardamarı; • *habl-ül-verid.* şahdamarı. (ç. Evride). • «Hayat-i hazıra ihtiyacatını tehvin edecek birer verid-i iktisaddir. — Cenap».

veridî, veridiyye, *A. s.* Toplardamarla ilgili :

• *Cümle-i veridiyye.*
• *efvah-i veridiyye.*
• *imtisas-i veridî.*
• *kanevat-i veridiyye.*
• *nabz-i veridî.*
• *zeir-i veridi.*

verka', *A. i.* 1. Yabanî güvercin. 2. Açık boz renk. • «Gaar içinde lâne-i neskûn bir verka iki. — Şinasi».

verz, verze, *F. i.* Meslek, sanat. İş.

verzide, *F. s.* Eskimiş.

verzide, *F. s.* Çalışma. İşletme.

verzkâr, *F. i.* [Verz-kâr] 1. Çiftçi. 2. İşçi, rençber.

vesabet, *A. i.* Sıçrama, atlama.

vesadet, *A. i. Sin* ile) Oturulacak veya yaslanacak şey.

vesacet, *A. i. (Se* ile) Sımsıkı kalın tıknaz olma.

vesah, *A. i.* Kir, par. Pislik, murdarlık.

vesaid, *A. i.* [Visade ç.] Yastıklar, şilteler.

vesaik, *A. i.* [Vesika ç.] Belgeler. • «Şehadetnameler, diplomalar ve emsali vesaik-i mutebere. — Canap».

vesail, *A. i.* [Vesile ç.] Vesileler. • «Fakat bütün bu vesail-i husumetin fevkinde bir şey vardı ki. — Uşaklıgil».

vesait, *A. i.* [Vasıta ç.] Vasıtalar, araçlar. • *Vesait-i harbiyye,* savaş araçları; • *-nakliyye,* taşıtlar. • «Zaten ailenin vesait-i maliyesi bunu gayr-i kabil-i tebdil bir kaide-i esasiye hükmüne getirmiş idi. — Uşaklıgil».

vesakat, *A. i. (Se* ile) Sağlamlık.

vesalet, *A. i. (Sin* ile) Vesile olma.

vesatet, *A. i.* Araya girme, vasıta olma. • «Valde hanımefendinin nezdinde vesatetini rica ederek. — Uşaklıgil».

vesaviş, *A. i.* [Vesvese ç.] Vesveseler, kuruntular. • *Vesavis-i şeytaniyye,* şey-

tanın akla getirdiği kuruntular. • «Vesavis ve fiten galeyanına sebep oldular. — Naima».

vesaya, *A. i.* [Vasiyet ç.] Ismarlanan şeyler, öğütler. Siparişler. Vasiyetler. • «Bu çareyi ararken vesaya-i nisaiyuna kulak tıkadığınızdan dolayı. — Cenap».

vesayet, *A. i.* 1. Vasilik. 2. Vasiyet. • «Avrupada kadınların hakk-i vesayeti hiç yok. — Cenap».

vesb, *A. i. (Se* ile) Sıçrama. Atlama.

veseban, *A. i. (Se* ile) Sıçrama, atlama.

vesen, *A. i. (Se* ile) Put, sanem. (ç. Evsan).

vesen, *A. s. (Sin* ile) Uyku ağırlığı. Uyuklama. • «Sîr ü şeker nesak-i hükm-i sitarenle süûd — Âb ü ateş hadak-i dide-i bahtınla vesen. — Nedim».

vesenî, veseniye, *A. s.* Putla ilgili.

vesi', vesia, *A. s.* Geniş, bol, ferah. • «Vesi' ufuklara doğru medit iltimaatiyle ilerleyen sema. — Uşaklıgil».

vesîc, *A. s. (Se* ile) Kalın, tıknaz, yoğun.

vesik, *A. s.* Çok sağlam, kuvvetli. • «Mütemessikân-i habl-i vesik-i şeriate tefhim için. — Naima».

vesika, *A. s.* 1. İnanacak, sağlam delil. 2. Belge. • «Bugün on paraya aldığımız kâğıt parçası yarın vesika olacak. — Cenap».

vesile, *A. i.* 1. Yol, vasıta. 2. Fırsat, ara. 3. Bahane, sebep. • *Vesile-i cemile,* güzel sebep; • *bivesile, bilâvesile,* ortada bir sebep ve bahane olmadığı halde; • *ni'm-el-ve-sile,* fırsattan istifade. • «Demin getirdi küçük bir vesile hâtırama. — Fikret». — (Ed. Ce.) :

• *Vesile-i adavet,*   • *-mazeret,*
• *cidal,*   • *-niza',*
• *-intikam,*   • *-töhmet.*
• *-istihkar,*

vesilecu, *F. s.* [Vesile-cu] Sebep ve bahane arayan. • «Fakat daima gülmeye güldürmeye vesilecu gençten. — Uşaklıgil».

vesiledar, *F. s.* [Vesile-dar] Murada ulaşmak için vesilesi bulunan.

vesîm, vesime, *A. s.* 1. Güzel hoş çehre. 2. Damgalı. «Kayd-i tahririm ile pâ-yî suhan der-zencir — Dag-i fermanım ile cebhei endişe vesîm. — Nef'î».

vesir, *A. i.* Yumuşak minder ve benzeri.

vesm, *A. i. (Se* ile) Toz gibi ufaltma.

vesm, *A. i. (Sin* ile) Dağlama, damgalama.

vesme, *A. i. (Sin* ile) 1. Hayvana basılan kızgın damga. 2. Kaş boyası, rastık. • "Ebru-yi yâra vesme henüz naza başladı — Kimler çeker bu resme kurursa mürekkebi. — Beliğ".

vesmedar, *F. s.* [Vesme-dar] 1. Damgalı. 2. Rastıklı.

vesn, vesen, *A. i. (Se* ile) Put. (ç. Evsan).

vesnan, *A. s.* Uykusu basmış olan. Uyuklayan.

vesselâm, *A. ter.* 1. Artık bitti. işte bu kadar diye sözü kısa kesme deyimi. 2. • "Bundan sonrası selâm" anlamına mektup sonlarına yazılır deyim.

vesvas, *A. i.* Şeytan. • "Ve illâ kadir bilmez ve had-nasinas bir alay nüdema-yi vesvasa beyhude yere selâm ve senamızı itlâf ve izaat etmeyesiz. — Kânî".

vesvese, *A. i* Şüphe, tereddüt. İç rahat etmeme, kuruntu. • "Bâtıl zehaplar bekayasından olduğu için bu vesvese-i muzırrayı. — Kemal".

vesvesedar, *F. s.* [Vesvese-dar] Vesveseli, kuruntulu. • "Bi-mâna bir hiç onun vesvesedar damarlarını tahrik etmiş olacaktı. — Uşaklıgil".

vesvesehîz, *F. s.* [Vesvese-hîz] Kuruntu veren, kuruntu artıran. • "Ey meh leyal-i vesvesehîz-i firakta — Sen gelmeyince hatıra görsen neler gelir. — Nabi".

-veş, *F. s.* Benzetme edatı olup "gibi" anlamıyle kelimelere eklenir. • *Bülbülveş,* bülbül gibi; • *goncaveş,* konca gibi.

veşak, *F. s.* Vaşak denilen yabanî hayvan.

veşayet, *A. i.* Gammazlık etme.

veşime, *A. i.* Düşmanlık.

veşl, *A. i.* Su akma.

veşm, *A. i.* İğne ile ve renkli tozla vücuda şekiller yapma, dövme. (ç. Vişam, vişum).

veşy, veşiy, *A. i.* 1. Kumaş işlemeleri, alacalığı. 2. Kumaşı renk ile resim ile süsleme. 3. Kılıç çeliğinin suyundaki özlülük. 4. Söze yalanlar katıp yakıştırma. 5. Gammazlık etme. • "Ve Murtaza Paşa dahi Hasan Paşa hakkındaki bazı veyş ve nemime yüzünden hareket edip. — Naima".

vetair, *A. i.* [Vetire ç.] Vetireler.

veted, *A. i.* 1. Ağaç kazık. 2. Aruzda üç harften mürekkep nazım parçası. 3. (Anat.) Ense kemiği.

veter, *A. i.* 1. Yay çilesi, kiriş. 2. Saz teli, kirişi. 3. (Geo.) Kiriş. • *Veter-i kaime,* hipotenüs.

vetih, *A. i.* Verilen ihsandan değeri pek az olan.

vetire, *A. i.* 1. Dar yol. 2. Üslup. Tarz. 3. Burunun iki deliğini ayıran zar. 4. (Fel.) Süreç. • "Böyle tahrifler de, bir nevi şuursuz temsil vetiresidir. — Z. Gökalp".

veyl, *A. i. ü.* Yazık.

veza', *A. i. (Ze* ve *ayın* ile) Yasak, etme.

vezaat, *A. i. (Dad* ve *ayın* ile) Alçaklık, aşağılık, âdilik. • "Lâlenin babası soğandır: bu vezaat-i cezriye onları başımızda taşımaya mani oluyor mu? — Cenap".

vezan, *F. s.* Esen, esici. • "Asmandan safir-i bâd-i vezan — Ediyor gûş-i araz istilâ. — Cenap".

vezane, *A. s.* Esen, esmekte olan.

vezani, *F. i.* Esinti zamanı. • "Eyyam-i vezani-i sabada. — Recaizade".

vezaret, *A. i.* Vezirlik, vezir rütbesi. Bu rütbe sahiplerine *paşa* denirdi; • *Vezaret-i uzma,* sadrazamlık. • "Şem-i cihansera-yi vezaret ki şulesi — Meş'alfüruz-i encümen-i husrevan olur. — Nef'î".

vezb, *A. i.* Su gibi akma.

veziden, *F. i.* Yel esme.

vezin, *A. s.* Kımıldamayan, sabit. Yerinde sağlam duran.

vezir, *A. i.* Mülkiye rütbelerinin son derecesi olan rütbeye ulaşmış kimse. • *Vezir-i âzam,* padişahın vekili olan birinci vezir; sadrazam, kabine başkanı; • *kubbe veziri* Osmanlı imparatorluğunda Tanzimattan önce bir nevi kabine teşkil eden ve sayıları zaman zaman değişen vezirler İstanbul Topkapı sarayında bulunan Kubbe altı'nda toplanırlardı. • "Bu sağ kurtulursa ol vakit evleviyet tarikiyle yine vezir olup. — Naima" • "Bir böyle vezir lâyık elhak — Bir böyle habîr padişaha. — Naci".

vezirane, *F. zf.* Vezirce, vezire yakışır yolda.

vezme, *A. i.* Kış sonu.

vezn, *A. i.* 1. Tartı, tartma. 2. Ağırlık. 3. Nazmın belli kalıplarından her biri. • "Bâd-i aşkın neler fısıldarsa — Vezn ile kafiyeyle bestelerim. — Cenap".

vezne, *A. i.* 1. Tartı aleti, terazi. 2. Akça alınıp verilen yer. 3. Ateşli silâhlarda barut konan yer, hazne.

veznedar, *F. i.* [Vezne-dar] Vezne memuru, sandık emini.

veznî, *A. i.* Tartılan şey. (Mec. 134). (ç. Vezniyat).

vezzan, *A. s.* [Vezn'den] Çok tartan, kantarcı.

via, vea, *A. i.* Bk. • *Vea.*

vica', *A. i.* [Veca' ç.] Ağrılar.

vicah, *A. i.* [Vech'den] Yüz yüze gelme, yüzleşme.

vicahen, *A. zf.* Yüz yüze, yüzüne karşı.

vicahî, vicahiyye, *A. s.* Yüz yüze olan.

vical, *A. i.* [Vecl ç.] Korkaklar.

vicdan, *A. i.* 1. Bulma, bir şeyi bir halde görme. 2. Duyma, duygu. 3. Dalma, kendinden geçme. 4. Din, inanç, 5. İnsanın içinde olan ve iyi ile kötüyü ayırt eden duygu. (XIX. yy.). • *Hürriyet-i vicdan.* din inancında, din töreni yapmada serbestlik. • «Bir görür mir'at-i vicdanında nefsin hodperest. — Şinasi».

vicdanen, *A. zf.* İçten, yürekten.

vicdanî, vicdaniyye, *A. s.* Vicdana ait, iç duygu ile ilgili. • «Hıssiyat ve ilkaat-i vicdaniyenin mecmuuna. — N. Kemal».

vicdaniyyat, *A. i.* Vicdana ait haller, nitelikler. • «Ve mademki vicdaniyat bahs ü tariz götürmez. — Kemal».

vicdansuz, *F. s.* [Vicdan-suz] Vicdana acı veren, yürek paralayan. • «Şu murgun nalesin bir ah-i vicdansuza benzettim. — Cenap».

vid, *A. i.* Muhabbet, dostluk.

vidac, *A. i.* (Bio.) Boyun damarı.

vifak, *A. i.* 1. Uygunluk. Aynı fikirde olma. 2. Barış. • «Lâkin ebalise-i Çerakisenin bünyad-i vifakları nifak üzre. — Sadettin». • «Akla muvafık mı ki olsun nifak — Hâkim-i âfak dururken vifak. — Naci».

vihad, *A. i.* [Vehd, vehde ç.] Uçurumlar. Derin vâdiler. • «Şehm-i zud-güzar tilâl ü vihadından hezar zor ü zâr ile gider. — Sadettin».

viham, veham, *A. i.* (Gebe kadın) Aş yermesi.

vije, *F. s.* Halis, katıksız.

vika', *A. i.* Cinsel birleşme. • «Muharrik-i kuvve-i vika' olup. — Taş.».

vikahat, vakahat, Bk. • *Vakahat.*

vikaye, *A. i.* 1. Kayırma, koruma. 2. Sahip çıkma. Koruma. 3. Önünü alma. • «Karanlıkta bizi bir tehlike-i mütekarribenin sadmeasinden haberdar ve vikaye eden tehaşi-i asabî nevinden bir hareket-i gayr-i ihtiyariye ile. — Uşaklıgil».

vikayet, *A. i.* Koruma, sahip çıkma. • «Vikayet-i namus-i saltanat için vüzeradan kâtim olmuşlar. — Sadettin».

vila', *A. i.* 1. Birbirinin ardı sıra gelmek. 2. Ahbaplık, dostluk.

vilâd, *A. i.* Doğurma. • «Ve hayrat-i mukarrere ile riayet-i hakk-i vilâd ettiler. — Sadettin».

vilâdet, velâdet, *A. i.* Doğma.

vilâdî, vilâdiyye, *A. s.* Anadan doğma.

vilâf, *A. i.* Birbiriyle ülfet etme, kaynaşma.

vilâyât, *A. i.* [Vilâyet ç.] İller.

vilâyet, *A. i.* Bk. • *Velâyet.*

vilâyet, *A. i.* Vali idaresinde bulunan ülke bölümü. İl. • «Asılzade bir kız sıfatıyle vilâyetlerden birinde. — Uşaklıgil».

vildan, *A. i.* [Velid ç.] 1. Yeni doğmuş çocuklar. 2. Kullar, Köleler.

viran, *F. s.* 1. Yıkık. 2. (Mec.) Gamlı, tasalı, tesellisiz. • «Elbette olur ev yıkanın hanesi viran. — Ziya Pş.».

virane, *F. i.* 1. Yıkılmış yapı kalıntısı. 2. Eski, yıkılmaya hazır halde yapı. • «Ya pister-i kemhada ya viranede can ver. — Ziya Pş.». • «Halin yed-i kahrında birer hasta esiriz; — Virane-i maziyi gelin seyredelim biz. — Cenap».

viranî, *F. i.* Yıkıklık. • «Erişti ey meh-i namîhribanım âkıbet seyr et — Senin virani-i hüsnünle âbâd olduğum günler. — Halimviray»..

vird, *F. i.* Öğrenci.

vird, *A. i.* Belli vakitlerde okunması âdet edinilen Kur'an cüzleri, bazı dualar. • *Vird-i zeban,* her vakit tekrar edilen, ağızdan düşmeyen. • «Bu beytin edip vird-i zeban dil-i sad çâk. — Sami».

visab, *A. i.* (Se ile) Atlama, sıçrama.

visab, *A. i.* (Sat ile) [Vasb ç.] Hasta olanlar.

visad, visade, *A. i.* Dayanıp rahat edilecek yastık veya şilte. • «Çekilip visadeyi, kılmış bûşeyi ham — Fikret». • «Gündüz piş nazar-i istifadesinde gece zir-i visadesinde bulundurması icap eden. — Cenap».

visak, vesak, A. i. 1. Kalın, kuvvetli bağ- 2. Antlaşma, yeminle söz verişme. 3. Sözleşme yeri. • «Rumeli kithüdasının visakında muhtefi oldu. — Naima». • «Ol bedr-i bi-mahak ile hem-visak oldu. — Sadettin».

visal, A. i. [Vasıl'dan] Sevdiğine kavuşma. • «İstedim han-i visali kapısından baş açıp — Yürü derviş yoluna kim vere Allah dedi. — Hayalî» • «Bakın şu pembe bulutlarda bir eda-yi vişal: — Yeter çocukluğa rağbet, diyor. — Fikret». — (Ed. Ce.):
- *Amal-i visal,*
- *ân-i visal,*
- *humma-yi visal,*
- *leyal-i visal,*
- *nevid-i visal,*
- *nokta-i visal,*
- *safa-yi visal,*
- *ümmid-i visal,*
- *va'd-i visal.*

visam, A. i. [Vesîm ç.] 1. Güzel, hoş çehçehreler. 2. Damgalanmış şeyler.

visare, A. i. (Se ile) Döşek, minder, yastık.

visr, A. i. (Se ile) Döşek, minder, yastık.

vişah, A. i. Boyundan koltuk altına doğru kuşanılan sırma ve cevahirle süslü hamail.

vişam, A. i. [Veşm ç.] Dövmeler.

vişnab, F. i. [Vişne-âb] Vişne şurubu, şerbeti.

vişne, F. i. Vişne.

vitr, A. i. Tek olan şey. • Salât-i vitr, yatsı namazından sonra kılınan üç rekât namaz.

vizr, A. i. 1. Günah. 2. Yük, ağırlık. (ç. Evzar). • «Aşikâre irtişa ile kesb-i vizr ü vebalden içtinap etmedi. — Naima».

vuhul, A. i. [Vahal ç.] Çamurlu, batak yerler.

vuhuş, A. i. [Vahş ç.] Yabanîler, vahşîler. Yabani hayvanlar. • «Gûya bu zulmetlerin vuhuş-i hâbidesini uyandırmaktan ihtirazen — Uşaklıgil».

vuku', A. i. 1. Düşme, olma. 2. Raslama, gelip çatma. 3. Geçme, olma. • Vuku-i hal, bir olayın çıkış ve geçişi; • adîm-ül-vuku, hiç olmayan, olması imkânsız; • kesir-ül-vuku, çok, sık sık olan; • nadir-ül-vuku, seyrek raslanan. •

«Birden bu meserrette bir tebeddül vukua gelmiş idi. — Uşaklıgil».

vukuat, A. i. [Vak'a ç.] 1. Olaylar. 2. Normal geçen hayat dışında sayılacak işler. 3. Kavga, yaralama gibi haller. • «Bu silsile-i vukuatı asıl mahiyetlerine tenzil etmek istemişti. — Uşaklıgil».

vukud, A. i. Tutuşma. Yanıp ateş alma.

vukuf, A. i. 1. Durma, duruş. 2. Bir halde durma, artıp eksilmeme. 3. Öğrenme, haberli olma. • Ehl-i vukuf, haberi olanlar, bilgililer; • kesb-i vukuf, haberi olma, öğrenme. • «Buna vukuf hasıl ettikten sonra. — Uşaklıgil».

vukufdar, F. s. [Vukuf-dar] Bilgisi, haberi olan. (ç. Vukufdaran).

vukufiyyet, A. i. Vâkıf olma, haberli olma.

vuslat, A. i. Sevenin sevdiğine kavuşması. • «Sıhhat sonu dert olmasa vuslat sonu hicran. — Ruhi».

vusta, A. s. Orta. Asya-yi vusta, Ortaasya, kurun-i vusta, ortaçağ (XX. yy.).

vusul, A. i. Varma, erişme, ulaşma, yetişme. • «Öğrenmek isteyenler ne vasıta ile vusul-i maksada muktedir olsunlar. — Kemal».

vuzu', A. i. Abdest alma. • «Su bulunmazsa teyemmüm ile caizdir vuzu. — Hilmi».

vuzu', A. i. Nefsini alçaltma, hakir görme.

vuzuh, A. i. Açık ve belli olma. Anlaşılır olma. Açıklık. • «Tamamen vuzuh ve sarahat kesbedememekle beraber. — Uşaklıgil».

vücud, A. i. Mal, mülk, zenginlik.

vüceha, A. i. [Vecîh ç.] 1. Şeref, onur sahipleri. 2. Güzel, yakışıklı olanlar.

vücub, A. i. Vacip ve gerekli olma. Bırakılması mümkün olmama.

vücubî, vücubiyye, A. s. Vücuba ait, onunla ilgili. • Fil-i vücubi, gereklilik kipi. (Man.) Olumlu.

vücubiyye, A. i. Vacip ve lâzım olmaklık.

vücud, A. i. 1. Bulunma, var olma, varlık. 2. Vücud, cisim, gövde, beden. • «Hak içre ola haşre dek ecza-yi vücudum — Simab sıfat mustarip haclet-i didar. — Nailî». • «Ve beyn-en-nâs illet-i vücud ve kıllet-i ihsan ve cûd ile kesb-i şöhret ettiğinden — Raşit». «Halkın ta'n ü teşniine vücud vermeyip. — Naima».

vücudiyye, *A. i.* (Fel.) Fransızcadan *pant-héisme* karşılığı (XX. yy.).

vücudpezir, *F. i.* [Vücud-pezir] Meydana gelme, olma. • «Lâkin vücudpezir olur mân olmayıp. — Raşit».

vücuh, *A. i.* [Vech ç.] 1. Yüzler, çehreler. 2. Bir şehir veya kasabanın ileri gelenleri. 3. Suretler, imkânlar. 4. Kur'an'ın okunuşundaki bazı farklar. • «Kuvvet-i maliye sahibi ve vücuh-i âyandan olmakla. — Naima». • «Tehir ve tevkıfe rıza vermeyip nice vücuha ihtimal vermekle. — Peçoylu».

vücum, *A. i.* Küskünlükten susma.

vücuz, *A. i.* (Ze ile) Söz kısa olma. Sözü uzatmama. kısa kesme.

vüdd, vedd, vidd, *A. i.* Sevme, sevgi, dostluk.

vüfud, *A. i.* Gelme. Erişme. • «Ve merci-i vüfud-i Şark ü Garp ve tullâb-i cemi-i afâk idi. — Taş.».

vüfud, *A. i.* [Vefd ç.] Heyetler, vekiller.

vüfur, *A. i.* Bolluk, çokluk. ,

vühad, *A. i.* (Ha ile) [Vahid ç.] Birler.

vühud, *A. i.* (Ha ile) Tek olma, bir tane olma.

vühum, *A. i.* (He ile) [Vehm ç.] Vehimler.

vükelâ, *A. i.* [Vekil ç.] 1. Vekiller. 2. üyeleri. • «*Vükelây-i deavi*, avukatlar; • *meclis-i vükelâ*, .kabine toplantısı. • «Cumhurreisleri, nazırlar vükelâ-yi ümmet, generaller, memurlar... — Kemal».

vükûl, *A. i.* Biriyle işe girişme. işbirliği. • «Bu mertebe ahmak vükûl şimdiye değin bu sahada vusul bulmamış idi. — Peçoylu».

vülât, *A. i.* [Vali ç.] Valiler. • «Mukaddeme vulât-i Mısır tahammül-i evzar edip. — Naima».

vüleyd, *A. s.* [Veled'den] Küçük çocuk, çocukçuk.

vülû, *A. i.* Bir şeye aşırı düşkündük.

vülûb, *A. i.* Yetişme, erişme.

vülûc, *A. i.* Girme, sokulma. • «Eder mi âkil olan kimse tenknaya vülûc — Kemal-i hasyet ile etmeyince fikr-i huruc. — Beliğ».

vüreyka, *A. i.* Küçük yaprak, yaprakçık. • «Vüreykalardaki şermende bir tehaşi ile. — Fikret».

vüreykat, *A. i.* [Vüreyka ç.] Küçük yapraklar.

vürud, *A. i.* Varma, gelme, yetişme. • «Şair bu şeylere atf-i hayal ile — Eyler vürud-i refref-i ilhama intizar. — Fikret».

vüs', *A. i.* 1. Güç, kudret. Yapabilme kuvveti. 2. Zenginlik, bolluk. • *Vüs-i beşer,* insanoğlunun yapabileceği. • «Kulun vüs'um mertebe din ve devlet hizmetinde bezl-i makdur eyledim. — Naima».

vüs'at, *A. i.* 1. Genişlik. bolluk. 2. Para bakımından durum. 3. Boş meydan, fırsat. • «Rümuz ve şümuliyle telhis ve icmal eder bir vüs'at-i ifadeye maliktir. — Uşaklıgıl» • «İşte deniz burada da vusat-i tabiat...— Cenap».

vüska, *A. s.* [Vüsuk'tan] Pek sağlam ve kuvvetli olan. • *Urvet-ül-vüska,* (pek sağlam kulp) müslümanlık.

vüsu', *A. i.* Bk. • *Vüs'*.

vüsub, *A. i.* Sıçrama. atlama.

vüsud, *A. i.* (Sat ile) Kapının alt eşikleri.

vüsuk, *A. i.* Sağlam surette inanma, güvenme. İnanç.

vüsum, *A. i.* (Sat ile) [Vasm ç.] Ayıplar. Noksanlar,

vüsut, *A. i.* (Sat ve te ile) Sürekli ve durur olma.

vüsüd, *A. i.* [Visade ç.] Yastıklar.

vüşat, *A. i.* [Vâşi ç.] Koğucular. Yalanlarla fitne uyandıranlar. • «Kabul-i kelimat-i fasidilmeal-i vuşattan men ü tahzir. — Nergisî».

vüşuh, *A. i.* (Ha ile) [Vişah ç.] Cevherli hamayıllar.

vüşum, *A. i.* [Veşm ç.] Dövmeler.

vüzera, *A. i.* [Vezir ç.] Vezirler. • *Şeyh-ül-vüzera,* vezirlerin en eskisi olan kimse.

vüzu', *A. i.* (Ze ve ayın ile) Yasak etme.

vüzub, *A. i.* (Ze ile) Su gibi akma.

Y

y, *A. i.* Arap alfabesinin yirmi sekizinci; Fars ve Osmanlı abecesinin otuz birinci harfidir. Ebcet sayısında 10 işaretidir.

ya!, *A. i.* Ey, hey ünlemi.

-yab, *F. s.* 1. Bulan. 2. Bulunan, ele geçen anlamlarıyle terkiplere girer.

- fenayab
- feyzyab
- fürceyab
- hisseyab
- kemyab
- nayab
- rehayab

- rehyab
- suretyab
- şerefyab
- şifayab
- şöhretyab
- taravetyab
- zaferyab

yaban, *F. i.* Yaban.

yabanî, *F. s.* Yabana mensup, ıssız yerde yaşayan. Vahşi.

yabenak, *F. s.* Bulan, bulucu.

yabende, *F. s.* Bulan, bulucu. • «Ol kenz-i mahfiyi yâbende ve vacid olalar. — Taş.».

yâbis, yabise, *A. s.* Kuru. • *Ratb ü yâbis,* taze, kuru, her türlüden. • «Bu o kadar veciz, hatta o kadar yâbis idi ki. — Cenap».

yâd, *F. i.* Anma, hatıra getirme. • «Lâkin kendinden sonra yâd olunacak bir hizmet görmedi. — Peçoylu».

yaddar, *F. s.* [Yâd-dar] Hatırda tutan, unutmayan.

yaddaşt, *F. i.* [Yad-daşt] Hatırda tutulan. Hatıra. • «Sikadan mesmu olanları yaddaşt olmak için sebt ü tahrir eyleyelim. — Peçoylu».

yade, *F. i.* Hâtıra, anı. • «Çün bu mecmuamızda yâde kelâmın nihayeti yok. — Peçoylu».

yadest, *F. i.* Lâdes oyunu.

yadigâr, *F. i.* Bir kimse veya nesneyi hatıra getirecek şey. • «Hep onun yadigârıdır kederim. — Fikret» • «Bir mendilin içinde kalan ıtır-i yadigâr. — Cenap».

Yafes, *A. i.* Peygamber Nuh'un üçüncü oğlu. Tufan'dan sonra Hazer denizi ku-

zeyinde yerleşmiş ve o taraftaki insanlar silsilesi ona bağlanmıştır.

yafte, *F. s.* Bulmuş, bulunmuş, bulunan anlamıyle tamlamalar yapılır. • *Husulyafte,* meydana gelmiş olan; • *şerefyafte,* şeref bulmuş; • *ziynetyafte,* zıynet bulmuş, süslenmiş. • «Reng-i bukalemun ile ziynetyafte. — Nergisî».

yafte, *F. i.* Yafta. • «Sinemdcki dağım ki nümudar-i gamımdır — Bir yaftedir hokka-i attara yapışmış. — Nabi».

ya'fur, *A. i.* 1. Toprak renginde ahu. 2. Gecenin beşte, altıda bir gibi bölümü.

yagfirullahü, *A. ter.* Tanrı mağfiret etsin.

yağma, *F. i.* Zorla mal kapma. Çapul. • *Han-i yağma,* fakirler için düzenlenen sofra. • «Bazar-i yağma vü taraca germiyyet verip. — Naima» • «Mücadelelerinin başlıca iki saiki var: Katl-i a'da ve icra-yi yağma! — Cenap».

yagmager, *F. s. i.* [Yagma-ger] Çapulcu.

yagmageran, *F. i.* [Yağmager ç.] Çapulcular. • «Hazine-i âmireyi malâmal ve yağmageran-i devletin dest-i taaddilerin kûtah etmekle. — Naima».

yah, *F. i. (Hı ile)* Buz.

yahbeste, *F. s.* [Yah-beste] Buz tutmuş. • «Huşe-i yahbeste şekline girmekle. — Nergisî».

yahçe, *F. i.* 1. Dolu. 2. Çiy.

yahpare, *F. i.* [Yah-pâre] Buz parçası.

yahu, *A. ü.* Ey, hey çağırısı ile bana bak anlamlarıyle kullanılır. • «Semend-i tab'a süvar oldu azm eder Baki — Belâgat ehline yahu gönüller alçakta. — Baki». • «Yola azm etmiş ol serkeş bana yahu demez bir kez — Çekip atı başı ağyar ile durmuş veda' eyler. — Baki».

yahud, *F. s.* İki şey arasında duraksama bildirir, yahut.

Yahud, yehud, *A. i.* Peygamber Yakup'un oğlu Yahuda soyundan gelenler. Yahudi. • «Bilmeyip doğru yolu sana muti olmadılar — Kıldılar nâr-i cahîm içre nalara vü yahud. — Kanunî».

Yahuda, *A. i.* (*He* ile) Peygamber Yakub'un on iki oğlunun en büyüğü.

Yahudi, *A. i. s.* Yahuda'ya mensup olan. Beniisrail dininde bulunan.

yakaza, *A. i.* Uyanıklık. ● *Beyn-en-nevm vel yakaza* uyku ile uyanıklık arasında. ● «Müstağrak-i gaşy ü yakaza, mürde vü zinde. — Cenap».

yakîn, *A. i.* 1. Kesin olarak bilme. 2. Olması veya olmaması tarafını aklın kesmesi veya kuvvetle sanılmış olması. 3. Uzak olmayan. ● *Hakk-el-yakîn*, gerçekliğine hiç şüphe olmayan; ● *ilm-el-yakîn*, kesin olarak edinilmiş bilgi, ● *kesb-i yakîn*, kesin olarak öğrenme, ● «Şek ile yakîn zail olmaz. — Mec. 4» ● «Ey nigehdar-i asman ü zemin — Nur-bahş-i kulûb-i ehl-i yakîn. — Haleti».

yakinen, *A. zf.* Hiç şüphe edilecek yeri bulunmaz surette, kesin olarak.

yakinî, yakîniyye, *A. s.* Kesin, şüphe olmayacak bilgiye ait, onunla ilgili.

yakîniyyat, *A. i.* Yakîn ile, kesin olarak bilinen şeyler.

Ya'kub, *A. i.* Peygamber Yakup. Oğlu peygamber Yusuf'un başına gelenler dolayısıyle ün almış, edebiyatta gam, kaygı sembolü olmuştur.

ya'kubî, *A. s. i.* Yakup adlı bir peskopos tarafından çıkarılan bir mezhep olup Suriye'de taraflıları vardır; bu mezhep ten olan kimse, bu mezheple ilgili.

yakut, *A. i.* 1. Değerli süs taşlarından biri. Kırmızı, mavi, sarı, beyaz renkleri olur en değerlisi kırmızısıdır, bu yüzden sade yakut kelimesi ile kırmızı renk de anlatılır. 2. (Mec.) Şarap. 3. Güzelin (kırmızı) dudağı. ● *Yakut-i ahmer*, kırmızı yakut, şarap; ● *-ham*, (işlenmemiş yakut) güzelin dudağı; ● *-kebud*, gök yakut; ● *-müzab*, (erimiş yakut) göz yaşı. Kırmızı şarap.

yakutfam, *F. s.* [Yakut-fam] Yakut renginde. ● «Nevazişle leb-i yakutfamın eyledim tâbir — Bu şeb gencine-i rüyada bir lâ'l-i nigîn buldum. —Nabi».

yakzân, *A. s.* (Zı ile) Uyanık.

yal, *F. i.* 1. Boyun, boynun gövdeye bitiştiği yer. 2. Kuvvet, güç, zor. ● *Yal ü bâl*, boy bos, endam. ● «O yâl ü bâl o temayül o şive-i reftar. — Nedim».

yalmend, *F. i.* Aile başkanı.

yalvane, *F. i.* Kırlangıç kuşu.

yam, *F. i.* Posta (menzil) beygiri.

ya'mur, *A. i.* Oğlak.

ya'ni, *A. e.* Kendinden önce gelen cümleyi veya sözü açıklama yerinde kullanılır.

yâr, *F. i.* 1. Dost. 2. Sevgili. 3. Tanıdık, ahbap. 4. Yardımcı. ● *Yâr-i can*, candan dost; ● *-gaar*, (Mağara dostu) Peygamber Muhammet'e mağarada arkadaşlık eden Ebubekir; (Mec.) Çok vefalı arkadaş; ● *-kadîm*, eski dost. ● *Çihar-i yâr*, Ebubekir, Ömer, Osman, Ali; ● *zülf-i yâr*, (Sevgilinin saçı) dokunaklı, mânalı söz.

yârâ, *F. i.* Güç, takat. ● *Yarây-i suhan*, söyleme kudreti.

ya Rab, ya Rabbî, *A. i.* [Ya-Rabb] Ey rabbim. Tanrım ● «Nasıl sabah idi, ya Rab, ne subh-i muğberdi.» ● «Sayıklıyor yine, ya Rabbi sen esirge bizi. — Fikret».

yâran, *F. i.* [Yâr ç.] Dostlar. ● *Bezm-i yâran*, dostlar meclisi. ● «Tuttu beni ol söz ile yâran — Dâvaya gerek gel imdi bürhan. — Ş. Galip ● «Bezm-i meyhanede yâran buluruz. — Halimgiray» ● «Yâranla tarab yâr ile sohbet dileriz. — Beyatlı».

yare, yara, *A. i.* Yara sözü ile bazı terkipler yaygın bir hal almıştır. ● *Yare-i dil*, gönül yarası; ● *yare-i hicran*, ayrılık yarası.

yârî, *F. i.* 1. Dostluk, 2. Yardım. ● «Devlet ikbal kılıp eyledi tali' yârî — Hâsılı üstümüze döndü sipihr-i gerdan. — Baki».

yasemen, yasemin, *F. i.* Yasemin. ● «Göründü çıkıp tareme yasemen — Tulû etti sandım Süheyl-i Yemani. — Nedim».

ya'sub, *A. i.* 1. Arı beyi. 2. Ulu, baş. ● «Biz ki ya'suba olup fermanber. — Şinasî».

yave, *F. i.* Boş lakırdı, saçma sapan söz. ● «Ve hakkına nice yave eş'ar nazm edip bîmünasebet okuttular. — Peçoylu».

yavederayi, *F. i.* Saçma söylemeklik.

yavegû, *F. s.* [Yave-gû] Saçma sapan söyleyen. ● «Jajhay-i herzekâr ve yavegû-yi perişan etvarın. — Veysi».

yavegûyan, *F. i.* [Yavegû ç.] Yâve söyleyiciler. ● «Yavegûyan-i cihanın her biri bir hod-pesend. — Ruhi».

yavegûyî, *F. i.* Saçma sapan konuşma.

yaver, *F. s.* Yardımcı, imdatçı. ● *Yaver-i ekrem*, Sultan Hamit sarayında müşür yaverler; ● *-fahrî*, maaş ve tahsisatı olmadan padişah yaverliği yapan; • -harb, büyük komutan yaveri (XIX. yy.). (ç. Yaveran). • «Cihanban-i kavi devlet cihangir-i zafer yaver. — Nef'î».

yaveran, A. i. [Yaver ç.] Yaverler.

yaverî, F. i. Yardımcılık. Yardım.

yavesenc, F. s. [Yave-senc] Yaveden hoşlanan. (ç. Yavesencan).

yazdeh, F. s. (Ze ile) On bir.

yeafir, A. i. (Ayın ile) [Yafur ç.] Ahular.

yeakîb, A. i. [Ya'kub ç.] Erkek keklikler.

yeasib, A. i. [Yasub ç.] Arı beyleri.

yebab, A. s. Yıkık, bozuk. • Harab ü yebab. yıkık dökük. • «Hemen sizin zaman-i devletinizde harab ü yebab oldu. — Veysî».

yebruhüssanem, A. i. (Bot.) Kan kurutan adlı bir çeşit dağ turpu.

yebs, A. i. (Islak şey) Kuruma. • «Nebatatın yebs ü ceffafı gibi ola. — Taş.».

yed, A. i. 1. El. 2. Kudret, güç. 3. Yardım. 4. Vasıta. 5. Mülk. • Yed beyed, yeden biyed, elden ele, doğrudan doğruya; • yed-i beyza, (Beyaz el) Peygamber Musa'nın parlayan eli, onun ilk mucizesi, keramet; • -emin, kanunun inanılır kimse olarak seçtiği insan; • -tasarruf, sahiplik; • -tulâ, (uzun el) tam, geniş bilgi, ustalık; • -vahid, tekel; • yedullah, (Tanrı eli). Tanrı kudreti. (ç. Eyadi, eydi).

yeg, F. s. Bk. • Yek.

yegâne, F. s. Tek. • «Yegâne ziynet-i aguşu bir güzel masum. — Fikret».

yegânegî, F. i. Teklik. Eşsizlik. • «Hemişe ayın-i yegânegî ve biraderi berkarar ola. — Nergisî».

yegân yegân, F. s. Birer birer, ayrı ayrı.

Yahud, A. i. (He ile) Yahudi. • «Mesakîn-i Yehud yağmasına cüret. — Nergisî».

yek, F. s. 1. Bir. 2. Tek. 3. Birlik, bir oluş. Yekbeyek, tek tek, yekdüse, bir iki üç.

yekâhenk, F. s. [Yek-ahenk] Aynı ahenkte, hiç değişmeden. • «Ben neyleyeyim elhan-i yekaheng-i cihanı. — Cenap».

yekâviz, F. i. Bir cins kılıç.

yekâyek, F. s. 1. Bir tek, tek tek. 2. Ansızın. • «Atılmış kese akçeyi yekâyek faide ile alıp. — Naima».

yekbar, yekbare, F. s. [Yek-bar] Bir defa bir kere.

yekcihet, F. s. [Yek-cihet] Oylar bir olarak, birlikte. Yekdil ve yekcihet, gönül ve oy birliği.

yekçeşm, F. s. [Yek-çeşm] 1. Tek gözlü. 2. Güneş.

yekdane, F. s. [Yek-dane] Eşi, benzeri olmayan, tek. • «Kân-i endişe hazef-pâreleridir. Ekrem — Bu güherler ki sana her biri yekdane gelir. — Recaizade».

yekdem, F. s. [Yek-dem] Bir dem, tek bir nefes, çok kısa. • «Yoktur sebat çünkü cihan-i harapta — Birdir hezar sâl ile yekdem hesapta. — Baki».

yekdeme, F. s. Bir dem olan, sürmez olan.

yekdest, F. s. [Yek-dest] Elbirliği ile çalışanların her biri.

yekdiğer, F. s. Birbirine, birbirini.

yekdil, F. s. [Yek-dil] Kalpleri birbirine uygun. • «Fırkamız yekdil olur sertâser. — Şinasi».

yeke, F. s. Tek. Bir. Yalnız.

yekesüvar, F. s. Binicilikte emsalsiz yiğit atlı. (ç. Yekesüvaran). • «Yekesüvar-i meydan-üs-saadeden. — Nergisî».

yeketaz, F. s. 1. Tek başına saldıran savaşçı. 2. Yiğit.

yekheca, F. i. [Yek-heca] Tek heceli. • «Ecdad-i ibtidaiyemizin yekheca eninleri gibi. — Cenap».

yekmahe, F. s. [Yek-mahe] Bir aylık. • «Arayiş-i ariyet-i yekmahe-i gülşen — Bülbüllerin nale vü feryadına değmez. — Nabi».

yekmeal, F. s. [Yek-meal] Anlamları aynı.

yeknasak, F. s. [Yek-nasak] 1. Biteviye, 2. Değişmez. 3. Tek düzen. • «Yolda, o iki saatlik yeknasak vapur seferinde de. — Uşaklıgil».

yeknasakî, F. i. Biteviyelik. Tekdüzenlilik. • «O yeknasakî-i ahenkten husul bulacak. — Uşaklıgil».

yekpâ, F. s. [Yek-pâ] Tek ayaklı. Topal.

yekpare, F. s. [Yek-pâre] Bir parçadan ibaret. Bütün, som, Parçasız. • «Yekpare bir beyazlığın altında na'ş-i hâk. — Fikret». • «Salonun ortasında kırmızı çuha örtülü uzun bir masa, masanın iki tarafında, sabit, yekpare birer sıra vardı. — Cenap».

yekran, F. i. Soyu belli, cins at. • «Serdar-i âzam zîr-i rânında olan yekran-i çabukinanı birkaç kadem ileri sürüp. — Naima».

yekrengî, F. i. [Yek-renk] 1. Halislik, dostluk. 2. Aynı renkte, aynı boyda. • «Germ edip yekrengî-i ülfet gül ü pervaneyi — Aşiyansaz oldu bülbüller şem'adan üzre. — Nedim». • «Yekrengî-i manzara dahilinde kuru, siyah birer tehekküm-i nebatî, hasis birer piraye-i elem teşkil ediyordu. — Cenap».

yekrenk, F. s. [Yek-renk] 1. Bir renkte, -alaca olmayan. 2. Yürek temizliği. • «Kâbe'yle sanem-hanede yekreng-i sücuduz. — Sami». • «Yekrenk bir denizle, yekpâre bir sema. — Cenap».

yekru, F. s. [Yek-ru]·1. Bir yüzlü, riyasız. 2. Halis dost.

yekruze, F. s. [Yek-ruze] Bir günlük. Geçici. • «Ey müftehir-i devlet-i yekruze-i dünya — Dünya sana mahsus ü müsellem mi sanırsın. — Ziya Pş.».

yeksal, yeksale, F. s. Bir yıllık. Bir yaşında. • «Ne bu tezeyyün-i tekellüf ne bu elfaz-i dürug — Ömr-i yeksale için nüsha-i takvim gibi. — Nabi».

yeksan, F. s. 1. Düz. 2. Bir, beraber. 3. Her zaman, bir düzüye. • Hâk ile yeksan, toprakla bir, yıkık. • «Yeksan azab-i kabre nihanî bir ıstırap. — Fikret».

yekser, yeksere, F. s. 1. Baştan başa, 2. Birlikte, hep beraber.

yeksüvar, yeksüvare, F. s. [Yek-süvar] Arkadaşı olmayan atlı. (ç. Yeksüvaran). «Yüz bin olursa gam sipehi dönmez yüzüm — Meydan-i aşk içinde bugün yeksüvareyim. — Kemal Paşazade».

yekşebe, F. s. [Yek-şebe] Bir gecelik. • «Bizimle yekşebe hembezm-i ülfet olduğuna — Rakîbe eylediğin itizarı biz biliriz. — Nabi».

yekşenbih, F. i. Pazar günü.

yekta, F. s. Tek, eşsiz, benzersiz. • Dürr-i yekta, tek inci. • «Ey sadr-i cihan, safder-i yekta-yi zemane. — Nef'î».

yektene, F. s. Yalnız başına, tenha. • «Sürdükçe hasma yektene bakmaz silâh ü cevşene. — Nef'î».

yekûn, A. i. Toplam. • «Bunlar öyle yekûn-i meziyyet teşkil ediyordu ki. — Uşaklıgil».

yekvücud, F. s. [Yek-vücud] Hep birden, tek bir insan gibi. • «Kalsın sular üstünde dil-i yekvücudumuz. — Cenap».

yekzeban, F. s. [Yek-zeban] Bir dil kullanan. Sözleri bir. • «Görenler yekzeban olarak itiraf ediyorlar ki. — Cenap».

yel, F. s. i. Pehlivan, yiğit.

yelân, F. i. [Yel ç.] Pehlivanlar, yiğitler.

yelda, F. i. Uzun ve kara şey • Şeb-i yelda, (20-26 Aralık) yılın en uzun gecesi. • «Şeb-i yeldayı müneccimle muvakkit ne bilir.» • «O yelda-yi sefalet, şimdi bir subh-i tesellibar. — Fikret».

yele, F. i. 1. Otlağa salınmış sürü. 2. Kuvvetle saldıran. 3. Seğirten. Koşucu.

yem, yemm, A. i. Deniz. • «Olan sefine nişin-i tevekkül ü teslim — Garîk-i mevc bemevc yem-i avatıf olur. — Nabi • «Üç gemi yol buldu gemsiz at gibi saldırdı yeme. — Sürurî».

Yemanî, yemaniyye, A. s. Arap yarımadasındaki Yemen ülkesine ait, onunla ilgili. • Hıtta-i Yemani. Yemen ülkesi saray-i Yemanî.

Yemen, A. i. Arap yarımadasının batı güney tarafını teşkil eden bölge.

yemin, A. i. 1. Sağ. 2. Ant. 3. Sözü Tanrı adı ile kuvvetlendirme. • Yemin ü yesar. sağ ve sol; • kedd-i yemin, el emeği, el emeğiyle kazanılan.

yenabi', A. i. (Ayın ile) [Yenbu, ç.] Kaynaklar, pınarlar.

yenbagi, A. f. Kema yenbaği, gerektiği yolda.

yenbu', A. i. Pınar, kaynak, ayazma.

yeraa, A. i. (Ayın ile) 1. Kamış kalem. 2. Ateşböceği. • Yeraa cunban, (kalem oynatan) yazı yazan.

yeraazen, F. s. [Yeraa-zen] Yazan.

yerabî, A. i. [Yerbu ç.] Tarla sıçanları.

yerbu', A. i. Tarla sıçanı. • «Alâ-i ribvede bir yerbu' ki zeban-i Fariside muşdeşti ve Türkide Arap tavşanı dedikleri canavardır».

yerhamükâllah, A. c. «Tanrı sana merhamet etsin» anlamında dua. Aksıranlara söylenir.

yerekan, A. i. 1. Sarılık hastalığı. 2. Ekine vuran şap hastalığı. • «Kan alır kande görürse yerekan. — Nabi».

yerlig, F. i. Türkçe yarlığ sözünden. Ferman, buyruk. • Yerlig-i beliğ, padişah buyruğu.

ye's, A. i. Ümitsizlik. Ümit kesme. • «Seni isimle sade yâd etmek — Bana ye's-i fena verir. — Fikret».

yesag, F. i. 1. Yasak. 2. Kanun, nizam.

yesar, A. i. 1. Sol. 2. Zenginlik, varlık, genişlik. • «Yesarında durup şehzadegân izz ü saadetle — Sipihr-i haşmetin her biri oldu mihr-i tâbânı. — Nedim».

yesaret, A. i. 1. Zenginlik. 2. Kolaylık.

ye'saver. F. s. [Ye's-aver] Ümitsizlik verici, ümitsizlendiren.

yesir, *A. s.* [Yüsr'den] 1. Kolay. 2. Az.

yesr, *A. i.* Kolay, kolaylık.

Yesrib, *A. i.* Medine şehri. • «Al Kâbe'nin ey hâce dilden haberin gör kim — Yesrib ne aceb kûşe Bahta ne aceb verdir. — Ruhi».

Yesu', *A. i.* İsa Peygamber.

yesui, yesuiyye, *A. s.* İsa ile ilgili; Hıristiyanlık ile ilgili. • «Roma afakını dolduran kasaîd-i yesuiye. — Cenap».

yeşb, *A. i.* Yada, yağmur taşı.

yeşem, yeşim, *F. i.* Yada, yağmur taşı.

yetami, *A. i.* [Yetim ç.] Babaları ölmüş çocuklar.

yetim, *A. s. i.* 1. Tek, eşsiz. 2. Babası, yahut babası, anası ölmüş çocuk. • *Yetim-üt-tarafeyn,* baba ve anası ölmüş çocuk. • *Yetim-üt-tarafeyn,* baba ve anası ölmüş çocuk: • *dürr-i yetim,* büyük taneli, eşsiz inci. • «Kılar yetimi için Halıkından istimdat. — Fikret».

yetimane, *F. s.* Yetimlere yakışır yolda. Kimsesizlikle. • «Çocuk o vaz-i yetimanesiyle bir dürr-i nâb. — Fikret».

yetime, *A. s. i.* 1. Yetim kız. 2. Eşsiz. • *Yetimet-üd-dehr,* emsalsiz inci. • «Yetimeler gibi eyler için için feryat. — Fikret».

yetimhane, *F. i.* Yetim çocukların bakımevi. • «Rahibelerin yetimhanelerinde yahut. — Uşaklıgil».

yevakit, *A. i.* [Yakut ç.] Yakutlar. *Dürer ü yevakit,* inciler ve yakutlar.

yevm, *A. i.* 1. Yirmi dört saatlik zaman gün. 2. Gündüz. • *Yevm-i kameri,* ayın; • *-nücumî,* bir yıldızın, • *-şemsî,* güneşin meridyene ilk defa gelmesi arasındaki zaman; • *-şekk,* ramazan ayının ispatlanamayan günü; • *yevm-ül-cem',* • *-cevab,* • *-ceza, yevm-üd-din, yevm-ül-ahd, -feza'-ül-ekber, -haşr, -hisab, -ivaz, -karar, -karıa, -kıyam, -kıyame, -mev'ud, -miad, -misak, -mizan, -va'd, -rakıa, yevm-üssual,* kıyamet günü. Bunlardan çoğu Fars kuralıyle *yevm-i kıyam, yevm-i misak* tarzında da kullanılırdı. *Yevmen feyevma,* günden güne, gittikçe; *yevmen min-el-eyyam,* günlerden bir gün; *fi yevmina,* günümüzde, *külle yevmin,* her gün.

yevmî, yevmiyye, *A. s.* Gündelik. • *Yevmî gazete, cedide-i yevmiyye,* gündelik gazete. • «Demiryollarının büyük merkezinde yevmî on dört saat. — Kemal».

yevmiyye, *A. i.* 1. Bir günlük iş için verilen ücret. 2. Günlük olayları günü gününe kaydetmeye mahsus defter.

yez, yiz, *F. i.* Bk. • Yiz.

Yezdan, *F. i.* 1. (Zerdüşt dininde) Hayır ilâhı. 2. Tanrı.

yezdani, *F. s.* Tanrıya ait, Tanrı ile ilgili.

Yezdcürd, *A. i.* Eski Fars hükümdarlarından Behram Gûr'un babası, Nuşrevan'ın torunu.

Yezidi, *A. s. i.* Musul taraflarında ve kürtler arasında yaygın bir mezhep. Bu mezhep adamı.

yiz, *F. i.* 1. Bağ. 2. Duvar yapılmış dikenli çalı.

yuh, *F. i.* Güneş. • «Surette n'ola zerre isek mânide yuhuz. — Ruhi».

Yunüs, *A. i.* Beniisrail peygamberlerinden. Bir balık tarafından yutulup yine sağ çıkmakla ün almıştır. (İ. Ö. VIII. yy.).

Yusuf, *A. i.* Beniisrail'den Yakup Peygamberin oğlu olup kardeşleri tarafından kuyuya atılıp, Mısırda köle diye satılan ve sahibinin karısı bulunan Zeliha'nın sevgisine karşılık vermediği için zindana atılan, Mısır hükümdarının rüyasını yormakla zindandan çıkıp Mısır'ın idaresi başına geçen ünlü peygamber. Güzellik sembolü'. Yusuf ile Züleyha vakası. Kur'an'da anlatıldığı gibi Doğu yazarlarının önemli konularından biri olmuştur. • «Bel ki Yusuf da seni görse olurdu âşık — Ol kadar hüsnle mümtaz ü dilârasın sen».

yuz, *F. i.* Kaplanı andırır yırtıcı bir hayvan, pars.

yuze, *F. s.* Yüzsüz, edepsiz dilenci.

yübuset, *A. i.* Kuruluk. • «Ruhları mahrur-i yübuset bir arz-i akîm. — Cenap».

yümn, *A. i.* Uğur, mut, bereket.

yümna, *A. s.* Sağ. Sağ taraf. • «Darb-i muştadan dide-i yümnası asîb-zede olup. — Naima».

yümum, *A. i.* [Yem ç.] Denizler.

yüsr, *A. i.* 1. Kolaylık, rahat. 2. Zenginlik. • «Can vermeyicek yüsre girmez leb-i dilber — Ancak bu dahi çeşm-i hayvana benzer. — Muhibbî».

yüsra, *A. i.* Sol taraf.

yüus, *A. i.* [Ye's ç.] Yeisler. Umutsuzluklar.

z, Osmanlı abecesi ile Fars abecesinin 11., Arap abecesinin 9. harfi olan «zel» ve Osmanlı abecesiyle Fars abecesinin 13., Arap alfabesinin 11. harfi olan «ze», Arap abecesinin 17., Osmanlı ve Fars abecesinin 20. harfi olan «zı» harfli kelimelerle, Osmanlı ve Fars abecelerinin 18. ve Arap abecesinin 15. harfi olan «dad» harfli kelimelerden bazılarını karşılar. Ebced hesabında «zel» 700, «ze» 7, «dad» 800, «zı» 900 sayılarına işarettir. «Zel», zilhicce; «zel» «a» yani «za» da Zilkade ayını gösterir.

za, A. zm. Sahip, malik anlamıyle ve «zi, zu» şekilleriyle kullanılır. Tarihte Zilkade ayına işarettir.

za, A. s. Bu şu anlamıyle bazı Arapça kelimelerle bileşik olarak bulunur. • Badeza, bundan sonra; • badeza, hakeza, keza, bundan böyle, bunun gibi.

-zâ, F. s. «Doğuran» anlamıyle bileşik kelime meydana getirir. • Nadirezâ, nadir şey meydana getiren; • suhanzâ, söz doğuran. • «Feyz-i Ruhülkuds'ü eyledi icra Nef'î — Meryem-âsâ kalemi nâdirezây oldu bugün. — Nef'î».

zaaf, za'f, A. i. Arıklık, kuvvetsizlik. • Zaaf-i basar. miyopluk, • zaaf-i pîrî, yaşlılıktan gelen kuvvetsizlik.

zaafir, A. i. [Za'feran ç.] Safranlar.

zâbıta, A. i. 1. Şehir güvenliğini sağlamakla ödevli eminlik idaresi. 2. Kural, bağ.

zabıtname, F. i. [Zabıt-name] Bir toplantı veya mahkemenin görüşülen, kararlaştırılan şeylerini saptamak üzere düzenlenen resmî yazı. Tutulga.

zabi, A. i. (Zı ile) Karaca. Ahu.

zâbih, zabiha, A. s. (Zel ve ha ile) [Zebh'ten] Boğazlayan, boğazlayıp kesen.

zâbit, A. i. Askerde erlere komuta eden ve kendilerini idare eden rütbeli asker. • «Yarın şehirdeyiz artık, diyordu zâbitler. — Fikret».

zâbitan, F. i. [Zabit ç.] Zâbitler. • Zâbitan-i aklâm, resmî dairelerde kalem

başları. • «Kifayet mikdarı neferat ve zabitan tayin. — Ragıp Pş.».

zabt, A. i. (Zı ile) 1. Sıkı tutma. 2. İdaresi altına alma, kendine mal etme. 3. Silâh kuvvetiyle bir yeri alma. 4. Anlama, kavrama. 5. Kaydetme, özetini yazma. • Zabt ü rabt, düzen, disiplin.

zabtiyye, A. i. Zaptiye, Tanzimattan sonra memleket içi güven ve emniyet işleriyle ödevli daireye verilen ad. Bu işle görevli polis, jandarma. İstanbul'da Zaptiye Nezareti vardı.

zac, A. i. Demir sulfat.

zacce, A. i. Çığlık. Feryat. • «Bir zacce yani ceza' ü feza' işittim. — Taş.».

zacir, zacire, A. s. (Ze ile) [Zecr'den] Buyuran ve yasak eden.

zad, A. i. (Ze ile) Azık, yiyecek. • «Merd-i rah olmayana zad-i sefer vermezler. — Nailî».

-zad, F. s. «Doğma, doğmuş» anlamıyle bileşik kelimeler yapar. • Maderzad. anadan doğma; • melekzad, melekten doğma; • nevzad, yeni doğmuş; • perizad, periden doğmuş.

zade, A. f. Çok olsun, artsın anlamında dua sözü. • Zade âmrühu, ömrü artsın; • zadet fazailühu, faziletleri artsın.

zade, F. i. Evlât, oğul.

zade, F. s. (Ze ile) Doğmuş, meydana gelmiş anlamıyle kelimeler yapmada kullanılır. • Zade-i tab' (bir kimsenin) tabiatından meydana gelmiş eseri; • haramzade, piç; • merdümzade, insan oğlu; • perizade, periden doğmuş; • şehzade, şeyhoğlu. • «Çünkü o levha sulhiyyundan bir ressamın zade-i hiss ü hayalidir. — Cenap».

zadegân, F. i. [Zade ç.] Belirli ve ünlü aileler topluluğu, sınıfı. (XIX. yy.) Fransızcada aristocrates karşılığı olarak kullanılmıştır. • «Kendisi gibi kibar-i zadegânın. — Recaizade».

zadegî, F. i. Zadelik, tanınmış bir kimsenin çocuğu olma.

za'f, A. i. (Ze ile) Hemen öldürme.

zafer, A. i. (Zı ile) 1. Maksada ulaşma. başarma., 2. Düşmanı yenme, üstün gelme. • «İnce ve uzun kametiyle güzelliğin bir timsal-i zaferi gibiydi. — Uşaklıgil». • «Duyuldu bizde nihayet zafer teraneleri. — Fikret».

za'feran, A i. (Ze ve ayın ile) Safran.

zaferyab, F. s. [Zafer-yab] 1. Başarı gösteren, isteğine erişen. 2. Üstün gelen. • «Tahkikin icrasına da zaferyab olamamak. — Recaizade».

zâfir, A. s. (Zı ile) [Zafer'den] Zafer bulmuş. • «Kâfir kenduyu zâfir sanıp. — Sadettin».

za'fiyyet, A. i. (Dat ve ayın ile) Zayıflık, Güçsüzlük. • «Bir hayat-i esaretin yadigâr-i zarurisi olan za'fiyyet-i ahlâkiyyeyi görüp de. — Cenap».

zag, F. i. (Ze ile) Karga.

zâgaan, F. i. [Zag ç.] Kargalar. • «Zâgana agazi teayyün edip. — Şefikname».

zagain, A. i. [Zagıne ç.] Kinler. Nefretler. • «Küffar-i hâksar zagain-i kadîme teşeffisi için. — Naima».

zagbece, F. i. Karga yavrusu.

zagçeşm, F. s. [Zag-çeşm] Mavi gozlü.

zagme, A. i. Kin, nefret.

zagzaga, A. i. (Ze ile) Anlamsız söz.

zahair, A. i. (Zel ile) [Zahire ç.] Zahireler. • «Vişgrat feth olunmakla zahair ve asakir ve sair mühimmat. — Naima».

zahf, A. i. (Ze ve ha ile) 1. (Çocuk) emekleme. 2. Düşmana karşı asker yürüme. 3. Kalabalık asker. (ç. Zuhuf).

zahib, A. s. (Zel ile) [Zehab'dan] 1. Gidici, giden. 2. Bir fikir veya sanıya uyan, kapılan. • «Ben de o tarika zahib oldum. — İnsanlar ile musahib oldum. — Ziya Pş.».

zahid, zahide, A. s. (Ze ve he ile) [Zühd'den] 1. Din emirlerine aşırı bağlı bütün düşüncesi bu emirlerin yerine getirilmesi olan. 2. (Sofilerce) Riyacı, irfansız, kaba sofu. 3. (Alevilerce) Kızılbaş olmayan. • «Görmez misin a zâhid im'an ile bakınca — Keyfiyyet-i hayatı câm-i cihannümadan. — Recaizade».

zahidane, A. zf. Zahidlere yakışır surette.

zâhif, zâhife, A. s. (Hı ile) Kibirli. Övüngen.

zâhif, A. s. (Ze ve ha ile) Yılan gibi karnı üzerine sürünerek yürüyen, sürüngen. (ç. Zevahif).

zâhife, A. i. Yılan gibi karnı üzerine sürünerek yürüyen hayvan.

zahik, A. s. Berbat ve perişan olan.

zahil, A. s. (Zel ve he ile) İhmalci, çapaçul. • «Refikım behasından gafil ve hakikatinden zahil olup. — Taş».

zâhil, zâhile, A. s. (He ile) Sıkıntıdan sonra yüreği feraha erişen.

zahil, F. i. (Hı ile) Zakkum ağacı.

zahil, zahile, A. s. [Zühul'den] İhmal eden, unutan. • «Sultan Mustafa umur-i devletten zahil olmakla. — Naima».

zahir, A. s. Semiz, tavlı ve bol olan.

zahir, zahire, A. s. (Ze ve he ile) Parlak. • Nücum-i zahire, parlak yıldızlar.

zahir, A. s. (Ze ve hı ile) Dolu ve taşkın (deniz). • Bahr-i zahir, coşkun deniz.

zâhir, zâhire, A. s. (Zı ve he ile) [Zuhur'dan] Meydanda olan. Açık, belli, görünür. • Hilâf-i zâhir, gözle görülenin aksi durum, eski hal.

zâhir, A. i. (Zı ve he ile) Bir şeyin dış görünüşü. Meydanda olan suret. 2. (Bektaşîlere göre) Bektaşî olmayanlar.

zâhir, A. s. [Zahr'dan] Arka çıkan, yardımcı.

zahîr, zuhar, A. i. (Ze ile) İç surgunu, dizanteri.

zâhirbîn, F. s. [Zahir-bîn] Bir şeyin yalnız dışına bakan, görünüşe aldanan. (ç. Zahirbînan). • «Ammenin zahirbînliği kati acayiptir. — Naima».

zahirbinane, F. zf. Yalnız dıştan görerek. üstünkörü yolda. • «Hakkındaki tahminat-i zahirbînanı. — Recaizade».

zahire, A. i. Vaktinde harcanmak için ambara konup saklanan yiyecek. (ç. Zahair).

zâhiren, A. zf. Meydanda olarak, görünüşte. • «Ne bilsin yâr halin zâhiren şinende yaren yok. — Ş. Yahya».

zâhirî, zahiriyye, A. s. Dıştan görünen. Meydanda olan.

zahiriyyat, A. i. Dış görünüşler. • «Mâneviyyatını özler canım. — Zahiriyyatına da hayrandır. — Recaizade».

zâhirperest, F. s. [Zahir-perest] Göze görünecek taraflara dikkat edip iç yüze aldırış etmeyen. (ç. Zâhirperestan).

zahiye, dahiye, A. i. (Dat ile) Ülke kenarları, ıssız, çöl yer.

zahl, A. i. Öc: İntikam. Düşmanlık. (ç. Zühul).

zahm, A. i. (Ze ve ha ile) Kalabalık.

zahm, F. i. Yara. • Zahm-i çeşm, (göz yarası) göz değmesi.

zahmdar, F. s. [Zahm-dar] Yaralı. (ç. Zahmdarân».

zahme, F. i. (Ze ve hı ile) 1. Vurma. 2. Yara. 3. Saz çalacak alet. 4. Üzengi kayışı.

zahmet, A. i. (Ze ve ha ile) 1. Sıkıntı, rahatsızlık. 2. Zor, güç. 3. Yorgunluk.

zahmefzun, F. s. [Zahm-efzun] Yara azdıran. • «Neylesin hasta olan merhem-i zahmefzunu. — Nabi».

zahmhâr, F. s. [Zahm-hâr] Yaralı. Yaralanmış.

zahmhorde, F. s. [Zahm-horde] 1. Vurulmuş, çarpılmış. 2. Yaralı.

zahmhorende, F. s. Yaralı, yaralanmış.

zahmkâr, F. s. [Zahm-kâr] Yaralayan yaralayıcı. (ç. Zahmkârân).

zahmkârî, F. i. Yaralı olma.

zahmnâk, F. s. [Zahm-nâk] Yaralı.

zahmres, F. s. [Zahm-res] Yaralanmış.

zahmzede, F. s. [Zahm-zede] Yaralı olan. • «Ve dest-i zahmzedesin gerden-i hurduna asıp. — Sadettin».

zahmzen, F. s. [Zahm-zen] Yara açan. Yaralayan.

zahr, A. i. (Ze ve hı ile) Kurulma, böbürlenme.

zahr, zahir, A. i. (Zı ve he ile)1. Arka, sırt. 2. Kâğıt ve sairenin arka tarafı, gerisi. • Kuvve-i zahr, kuvvet-üz-zahr, arkada olan yardımcı kuvvet, arkalayan, arkayı tutan. • «Hükkâm zahr-i avamdan asâyı eksik etmeye deyu. — Kâtip Çelebi».

zai', A. i. (Zel, hemze ve ayın ile) Yayılmış olan, dağılmış, herkesçe bilinen (şey). • «Kıraat-i mezkûre şeyi' ve zai' olup. — Taş.».

zaib, zaibe, A. s. [İzabe'den] Erimiş olan. Eritilmiş. • «Hararetinden zaib olurdu. — Taş.».

zaid, zaide, A. s. [Ziyade'den] 1. Artan, artıran. 2. Fazla, gereksiz. 3. (Mat.) Artı. • «Varlığım Halıkımın varlığına şahittir — Gayri bürhan-i kavi var ise, de zaiddir. — Şinasi».

zâif, A. s. (Ze ile) Kalp, eksik (akçe).

zaif, zaife, A. s. (Dat ve ayın ile), [Zaaf'-tan] 1. Güçsüz. 2. İtibarsız, kuvvetsiz. Gevşek. 3. Arık, lâgar. • «Arar cism-i zaifin şûbesû bitab enzarın. — Fikret».

zaik, zaika, A. s. (Zel ile) [Zevk'ten] Tadan, lezzet duyan.

zaika, A. i. [Zevk'ten] Tatma, Tadım. • «Tatlı sözlerle yazıp vasfını Sa'd-a-

bad"ın — Eyle şirin gel zaika-i irfanını. — Nedim».

zail, zaile, A. sö (Ze ve hemze ile) [Zeval'den] 1. Sona eren, sürekli olmayan. 2. Geçen, geçmiş olan. • «Zail oldu leb-i âline olan reng-i şarap — Kalmadı gamzesinin kudreti mestaneliğe. — Nabi». • «Hayat-i zail içinde muhabbet-i ebedî. — Fikret».

zâim, A. s. (Ze ve ayın ile) Zeameti olan.

zaim, A. i. [Zeamet'ten] 1. Zeamet sahibi. 2. Kefil. • «Dergeh-i fakra varıp dirliğini arz etme — Anda her giz ne sipahi ne zaîm isterler. — Ruhi».

zair, zaire, A. s. (Ze ve hemze ile) [Ziyaret'ten] Ziyaret eden, görmeye, hatır sormaya giden. (ç. Zairun, züvvar).

zake, A. e. Ol, o.

zâki, A. s. (Ze ile) Sâf, temiz (kimse). Davranışı düzgün.

zakir, zakire, A. s. [Zikr'den] Zikreden.

zakire, A. i. (Fel.) Fransızcadan Mémoire (bellek) karşılığı (XX. yy.).

zakkum, A. i. 1. Yemişi acı bir çeşit ağaç. 2. Cehennemde yetişen bir ağaç.

Zal, F. i. «Yaşlı, ak sakallı adam» anlamında olan bu kelime eski Fars kahramanlarından ünlü pehlivan Rüstem'in babasının adıdır.

zal, A. i. Arapça «zal-i muceme» denilen harfin adı. Türkçede «dal ze'si» de denirdi.

zalâl, A. s. (Zı ile) Gölge eden. Gölgesi olan.

zalâm, A. i. 1. Karanlık. 2. Haksızlık. • «Görmekteyiz zalâm-i hazan içre infialimi. — Fikret».

zaleme, A. i. [Zalim ç.] Zalimler. • «Ve zeleme-i Emeviye karşısında hıfz-i hakikat ve hürriyet yoluna üç yüz binden ziyade şehit veren. — Kemal».

zalil, A. s. [Zıll'den] Koyu gölgeli.

zalim, zalime, A. s. Haksızlık eden, zulüm eden.

zalimane, F. s. zf. Zulümle yapılan, zalim insana yakışır surette. • «Hele sakamet-i mâneviyeyi teşhirden biraz zalimane bir zevk bile alır. — Cenap».

zalimîn, A. i. [Zalim ç.] Zalimler. •

zalimiyyet, A. i. Haksızlık etme. Zalimlik. • «Nefret ederseniz bir nişane-i zalimiyyet göstermiş olursunuz. — Cenap».

zalûm, A. s. Aşırı zalim olan.

zam, zamm, A. i. (Dat ile) 1. Katma, ekleme. 2. Artırma, fazla olarak verme. 3. (Arap Gr.) Bir harfin mazmum (yani o ile) okunması.

zamaim, A. i. [Zamm ç.] Ekler, artırmalar.

zamair, A. i. (Dat ile) [Zamir ç.] Zamirler.

zaman, zaman, A. i. (Ze ile) Zaman. Zemin ü zaman, münasebet, uygun düşürme. Hemzaman. • «Zaman zaman o teessür nedir bilinmez ki. — Fikret».

zaman, A. i. (Dat ile) 1. Kefil olma, kefalet. 2. Bir şeyin mislini veya değerini vermek üzere zarara karşı kefil olma.

zamane, F. i. (Çoğunlukla yermeli olarak) Zaman, vakit. • «Yok bigaraz muamele ehl-i zamanede — Kimse ibadet etmez idi Cennet olmasa. — Nabi».

zamanen, A. zf. 1. Bazı bazı. Ara sıra. 2. Vaktiyle. Vaktinde.

zamanî, A. s. Zamanla ilgili.

zamaniyun, F. i. İnsanlar.

zamile, A. i. (Ze ile) 1. Küçük yük. 2. Yük hayvanı. • «Zamile-i hareketimizi keside-i zaviye-i karar ettik. — Nergisi».

zamime, A. i. (Dat ile) Zammedilmiş, eklenmiş şey. • (Felekler attı sipası zamime-i evrad. — Nef'î».

zâmin, A. s. (Dat ile) [Zaman'dan] Kefil olan. Tazmin edilen. • «Halde zâmin oldukları haracı getirmedi. — Naima».

zamin, A. s. [Zaman'dan] Tazmin eden, kefil olan. • «Müdamkâre sehv ü hataya zatındır — Kefil-i lûtf ü zamîn-i kerem dem-i mev'ud. — Sabit».

zamir, A. i. (Dat ile) 1. İç. Her şeyin iç yüzü. 2. Yürek vicdan. 3. Gizli fikir. 4. (Gra.) Bir ismin yerini tutan kelime. • Levh-i zamir, içteki (gönüldeki) levha. • «Zamir-i sâfa esrar-i dili i'lâma hacet ne — Olur mir'ate suret mürtesem ressama hacet ne. — Vehbi».

zamm, A. i. Bk. Zam.

zamme, A. i. (Dat ile) Ötrü denen «ve» yazılıp, o, ö, u, ü okunan Arap harekesi. • Zamme-i makbuza-i hafife, ü sesi; • -makbuze-i sakile, u sesi; • -mu-mebsuta-i hafife, ö. sesi; • -mebsuta-i sakile, o sesi veren «v» harfi.

zan, zann, A. i. (Zı ile) 1. Sanma, sanı. 2. Şüphe, kesin bilmeme. 3. Şüphe, işkil. • Zann-i galib, kuvvetli gerçeğe en yakın zan; • hüsn-i zan, iyi fikir besle-

me; • su-i zan, kötü fikir besleme. kötü sanma. • «Zannetme ki şöyle böyle bir söz — Gel sen dahi söyle böyle bir söz. — Ş. Galip».

zank, dank, A. s. (Dat ile) Darlık, sıkıntı. • «Ayş-i zank ü ruzi-i tenklerine. — Sadettin».

zânî, zâniye, A. s. (Ze ile) [Zina'dan] Zina eden erkek veya kadın.

zanbak, A. i. (Ze ile) Zambak. • «Açıyor her tarafta bir zanbak — Gerden-i zanbakın senin nerede? — Cenap».

zann, A. i. Bk. Zan.

zannî, A. s. Zanna ait, zan ile ilgili. • «Sayar döker bize birçok araz ki zannîdir. — Cenap».

zanniyyat, A. i. [Zannî ç.] Zanna ait şeyler. Asılsız şüpheler, tereddütlü sanmalar. • «Zannıyatla yakiniyattan olan hususa muaraza cehildir, hasmı ilzam eylemez. — Kâtip Çelebi».

zanu, F. i. (ze ile) Diz. • «Kan oturdu sille-i efsustan zanulara. — Nedim».

zanubezanu, F. s. Diz dize. • «Muanaka ve hal ü hâtırın sual ederek zanu bezanu yanına alıp oturdular. — Naima».

zanubezemin, F. s. [Zanu-be-zemin] Diz çöken.

zanuzede, F. s. [Zanu-zede] Diz çökmüş.

zanuzen, F. s. [Zanu-zen] Diz çökmüş, • «Taht-i hümayunun iki tarafına zanuzen-i kuud oldular. — Raşit».

zâr, F. s. (Ze ile) 1. Arık, bitkin. 2. İnleyen. 3. Ah ü zâr, ah çekip inleme. • «Çin-i zülfün perişan kalırdı dil-i zâr — Erişip bâd-i saba etmese negâh medet. — Nef'î». • «Durma ey dil böyle ah ü zârla nevruzda — Gel açıl seyr-i gül ü gülzarla nevruzda. — Nef'î».

-zar, F. s. İsim olan kelimelere eklenerek yer bildirir. Bağzar, çemenzar, goncezar, gül; lâlezar, sengzar, Bk.

zar', A. i. 1. Meme. 2. Süt veren hayvan memesi. • Zer' ü zar', tahıl ve süt türünü. (ç. Zuru). • «Mahsulat-i zer' ü zar'ı camidir. — Sadettin».

zaraat, daraat, A. i. (Zı ile) Alçalma, kendini küçültme. • «Ki zaraatle ser behâk-i sücud. — Fikret».

zarafet, A. i. (Zı ile) Naziklik, incelik. Davranış ve söyleyiş, giyim kuşam inceliği. • «Çoktan gömüldü hüsn-i şebabın, zarafetin — Kalbin kadınlığın, şerefin, istirahatın. — Fikret». • «Zarafet zekânın tellalıdır. — Cenap». — (Ed. Ce.) :

• *Zarafet-i müstesna,*
• *-nadire,*
• *ihtiyac-i zarafet,*
• *muvafık-i zarafet,*
• *nokta-i zarafet,*
• *zevk-i zarafet.*

zaragım, *A. i. (Dat* ile) [Zırgam ç.] Aslanlar.

zaraif, *A. i. (Zı* ile) [Zarife ç.] Zarif, ince şeyler. • «Letaif-i hikmet ü fazılla zaraif-i lehv ü hezl meyanında. — Hümayunname».

zarar, *A. i. (Dat* ile) 1. Ziyan, eksiklik. 2. Kayıp. • *Zarar-i amm,* herkese kötülüğü dokunan zarar; • *hass,* bir veya birkaç kişiye dokunan zarar. • «Zarar, kadîm olmaz. — Meç. 7». • «Zarar izale olunur. Mec. 20». • «Zarar-i ammı def' için zarar-i hass ihtiyar olunur. — Mec. 26». • «Onları zararsız, nihayet bilâ-tehlike geçecek bir hastalığın nöbetleri. — Uşaklıgil». • «Bizim gibi fukara-yi dimağ ağlasa devlete ne fayda, gülse milletene zarar? — Cenap».

zarardide, *F. s.* [Zarar-dide] Kayba, ziyana uğramış.

zarrb, darb, *A. i. (Dat* ile) 1. Vurma, dövme. 2. Maden üzerine para damgası vurma. 3. (Mat.) Çarpma. 4. Dikme kurma. 5. Kudret

zarbhane, Bk. *Darbhane.*

zarf, *A. i. (Zı* ile) 1. Kap, kılıf, mahfaza. 2. Mektupların içine konduğu kâğıt kap. 3. (Gra.- Yer ve zamanı belirten kelime. • «Yavaşça, esrar-perverane küçük zarfı eline sıkıştırmış idi. — Uşaklıgil».

zarfiyyet, *A. i.* Bir kelimenin belirteç olma hali, bu halde kullanılması.

zari', *A. s. i. (Ze* ile) [Zer'den] Ekin eken, çiftçi.

zarî, *F. i.* Ağlayıp sızlanma.

zarif, zarife, *A. s. (Zı* ile) Nazik, ince, beğenilir tavır ve edalı, güzel, yakışıklı kimse. • «Çocukluğunla beraber zarif ü âkıldin. — Fikret». • «Benim pek zarif bulduğumu sen beğenmeyebilirsin. — Cenap».

zarifane, *F. zf.* Zarif bir şekilde. İncelikle. • «Bu kendisine zarifane anlatıldıktan sonra. — Uşaklıgil».

zarife, *A. i.* Zarif, ince şey.

zârife, *A. i. (Ze* ile) Fazla, gereksiz söz.

zarih, darih, *A. i. (Dat* ile) Mezar.

zarr, zarre, *A. s.* Zarara yol açan.

zarr, darr, *A. i. (Dat* ile) Zarar, ziyan.

zarra, darra, *A. i.* Bk. *Darra.*

zarta, *A. i.* Osuruk.

zarurât, *A. i.* [Zaruret ç.] Zaruretler, zorunluklar.

zarure, zaruret, *A. i.* 1. Çaresizlik. 2. Yoksulluk. fakirlik. 3. (Dince) Yasak bir şeyin yapılmadığı halde ölüm veya ölüme yakın durumda onun işlenmesi. • *Bizzarure,* çaresiz, ister istemez.

zarurî, zaruriyye, *A. s.* İster istemez olacak olan mecburi iş. • *Emr-i zaruri.* ister istemez olacak iş; • *ihtiyacat-ı zaruriyye,* yaşama için mutlaka gerekli olan şeyler. • «Bu rüya hayatı için o kadar lâzım, o kadar zarurî bir şey olmuş idi ki. — Uşaklıgil».

zaruriyyat, *A. i.* [Zaruri ç.] Mutlaka olan ve yapılan şeyler. • «Bizden kalsa zaruriyyat-i asitaneden kalır mı? — Fuzuli».

zâr zâr, *F. zf.* İnleye inleye. • «Ettim tebaüd eyleyerek girye zar zar. — Naci».

zat, *A. i. (Zel* ile) 1. Kendi. 2. Asıl, öz. cevher. 3. Saygı değer, sayılır kicse. • *Zat-i âlileri,* sen veya o; • *zat-ül-beyn,* iki veya daha çok kimse arasındaki münasebet; • *-zat-üs-sudur,* yürekte gizli olan şeyler; *bizzat,* kendisi; • *hadd-i zatında,* aslında, sonradan değil; • *ism-i zat,* zat bildiren isim.

zat, *A. s.* 1. Sahip, malik (Kadın), -li. 2. Bir çok hekimlik, botanik ve zooloji terimlerinde hastalık ve -li, -giller anlamıyle bulunur. • *Zat-üc-cenb,* yan zarı yangısı; • *zat-ül-ercül-ül-batn-ye,* karından bacaklılar; • *zat-ül-ercül-üc-cezriye,* kökten bacaklılar; • *zat-ül-filkateyn, iki* çenekliler; • *zat-ül-hareke,* otomatik; • *zat-ül-ilkah-i hafiyye,* çiçeksiz bitkiler; • *zat-ül-kasabat,* trakeliler. • *Zat-ül-kürsi,* Kasyope (Cassiopée) takımyıldızı; • *zat-üs-sedaya,* memeliler (XIX. yy); • *zat-üz-zevc,* kocalı (kadın). • «Dört defa taklib-i devlet etmiş bir dahiye-i azîme idi zatüccenb marazından fevt olup. — Naima».

zaten, *A. zf.* 1. Normal ve yaradılıştan olan, olarak. 2. Kendiliğinden olup yapma olmayarak. • «Zaten ve zamanen liyakati mütehakkak iken. — Naima». • «Geldiler işte on adım öteme —

Geçtiğim yol geniş değil zaten. — Fikret».

zati, zatiyye, *A. s.* 1. Cevhere, asla ait olan, sonradan olmayan. 2. Bir kimsenin kendine, şahsına mahsus olan, özel. • *Muamelât-i zatiyye,* zat işleri. • «Bu istidad-i zatî kim senin vardır nihadında — Okut İskender'i evvel eliften iptida eyle. — Nedim». • «Sırf tahassüsat-i zatiyyesini rehber ittihaz etmekle. — Uşaklıgil».

zatiyyat, *A. i. (Zel* ile) 1. Zata, şahsa ait işler. (XIX. yy.). 2. Şahsiyat, kişinin özel yaşayışı ile ilgili işler. (XIX. yy).

zavabıt, *A. i. (Dat* ile) [Zabıta ç.] Kurallar, nizamlar, usuller. • *Zevabıt-i idare,* idare nizamları; • *-nahviyye,* sentaks kuralları. • «Hademe-i devlet ve saltanat üzerine hususa zavabit-i leşkere vacibattandır. — Naima».

zavahir, *A. i. (Zı* ve *he* ile) [Zâhir ç.] Bir nesne veya kimsenin meydanda olan görünür tarafları. • «Kendisini müzeyyen zavahir altında, müthiş bir maraz saklayanlar kadar sahte buluyordu. — Uşaklıgil».

zavahi, davahi, *A. i. (Dat* ile) [Zahiye ç.] Kenar yerler, çöller. • «Lâkin Mekke'nin zavahi ve nevahisinde. — Taş.».

zaviye, *A. i. (Ze* ile) 1. Köşe, bucak. 2. Bir sofunun ibadet için çekildiği tenha yer. 3. Küçük'tekke. 4. (Mat.) Açı. • «Zamile-i hareketimizi keşide-i zaviye-i karar ettik. — Nergisî».

zaya', *A. i.* Bk. • *Ziya.*

zay'a, *A. i.* 1. Yapısı olmayan arsa. 2. Geliri olan yapı. 3. Tarla, çiftlik. • «Yahya Efendi Şeyh Sinan karyesinde olan zay'asında idi. — Naima».

zay'ay, *A. i.* Kaybetme. Kaybolma. • «Ve hazane-i memleket rehin-i zay' at ve ihtilâl. — Naima».

zayf, *A. i. (Dat* ile) Konuk. Çağrılmış kimse.

zayi', *A. s.* [Ziya'dan] Elden çıkan, kaybolan. Yitik. • «Bir de cânan ki hüsn-i enverini — Edeyim seyre doymadan zayi. — Fikret».

zayiat, *A. i.* [Zayi ç.] Kayıplar, yitikler.

zayiçe, *F. i. (Ze* ile) [Zeyç'ten] Yıldızların belli bir vakitteki yer ve durumunu gösterir cetvel.

zayig, zayiga, *A. s.* [Zeyg'den] Başka tarafa dönmüş. Yolundan ayrılmış. •

«Akaid-i zayıga ve akval-i bâtıladandır ki. — Sahip».

zayr, *A. i. (Dat* ile) Zarar, ziyan. • «Mani-i enva-i hayr ve bais-i esnaf-i zayr olan taife-i baıyye. — Esat Ef.».

zeab, *A. i.* [Zi'b ç.] (Yırtıcı) Kurtlar.

zeamet, ziamet, *A. i.* Osmanlılar zamanında askerdeki yararlığına karşılık olarak âşırı padişah tarafından sipahilere verilen arazi. Buna sahip olanlara *ashab-i zeamet ,zaim* ve *sipahi* denirdi. • «Elli bin akçe zeamet ile Bosna Beylerbeyisi olup. — Peçoylu».

zean, *A. i. (Ayın* ile) 1. Baş eğme. 2. Örnek tutma.

ze'b, zeeb, *A. i.* Reddetme. Hor ve hakir etme. • «Tâbiş-i mihr-i cemalin ze'b ederse bir dili — Çeşme-i hurşid olur. şebnem gibi cevlângehi. — Ragıp Pş.».

zebad, *A. i.* 1. Kalemis yağı. 2. Mis kedisi.

zeban, *F. i. (Ze* ile) Dil. *Ateşezeban, düzeban, terzeban.* Bk.

zebanaver, *F. s.* [Zeban-aver] Dile getirme, bol söyleme. • «Diye zebanaverlikler edip. — Naima».

zebandıraz, *F. s.* [Zeban-dıraz] Dil uzatan, atıp tutan.

zebane, *F. i.* 1. Terazi gibi bazı âletlerin dili andıran parçaları. 2. Alev, yalım. • «Söz kim zebanıma gele gûya zebanedir — Ben âşıkım sözüm de benim âşıkanedir. — Ş. Yahya».

zebanekeş, *F. s.* [Zebane-keş] Alevli, alevlenen.

zebanepâş, *F. s.* [Zebane-pâş] Alev saçan. • «Zeban-i zebanepâş-i tevbihi dıraz edip. — Nergisî».

zebangir, *F. s.* Dil alma, canlı düşman yakalama. • «Bir muteber hanı kıyam edip bebangirlik dâvasın etti. — Sadettin».

zebanî, *A. i.* 1. Cehennemlikleri cehenneme atmaya memur melek. 2. Yabancı dil anlayan. • «Tîrin zeban ile zebaniler ile söyleşeyim — Sen eğer vermez isen ruz-i kıyamette cevap. — Fazıl».

zebaniyan, *F. i.* Zebaniler. • «Zebaniyan-i kahr-endaz. — Nergisî».

zebaniye, *A. i.* [Zebani ç.] Zebaniler. • «Şikence-i ateşin-pençe-i zebaniye nîranı bulur. — Veysi».

zebanşinas, *F. s.* [Zeban-şinas] Dil bilen. Yabancı dil anlayan. • «Tirin zebanşinası mahdumu üstadı.

zebanzed, *F. s.* [Zeban-zed] 1. Dil persengi. 2. Alışılmış, kullanılışı yayılmış (söz). • «Ol gûne zebanzed sözü kim bulmaya kadir. — Nabi».

zebayih, *A. i.* [Zebiha ç.] 1. Kurbanlar. 2. Kurbanlık hayvanlar.

zebb, *A. i.* Kovmak. • «Zebb-i cerîm suretinde def-i sail olunmuştur. — Naima».

zebed, *A. i.* Köpük.

zeber, *F. s.* Üst. • *Zir ü zeber*, altüst.

zeberced, *A. i.* Zümrütten daha açık yeşil renkte bir süs taşı. (ç. Zebaṛiç).

zeberdest, *F. s.* [Zeber-dest] En üstün. Âmir, hâkim.

zeberdestane, *F. zf.* [Zeber-dest-ane] Amirce, ezici surette. • «Bir nazar-i zeberdestane ile bütün şu enkaz-i şikeste-i semavata. — Uşaklıgil».

zeberdestî, *F. i.* El üstünlüğü. Hàkimlik, amirlik.

zebh, *A. i.* (Zel ile) 1. Boğazlama, kesme. 2. Kurban kesme. 3. Baş ile boyun arasındaki eklemi kesme, ayırma. • «Ve tatavvuan zebh ettiğinden ekl eyleye. — Taş.».

zebhiyye, *A. i.* Kasapların kestikleri hayvanlardan alınan vergi.

zebib, *A. i.* (Ze ile) Kuru üzüm. • «Amma zebib ve habb-i rumman ve bunların emsali fevakih ile. — Taş.».

zebîh, zebiha, *A. s.* [Zebh'ten] Kesilmiş veya kesilecek kurban.

zebiha, *A. i.* Kurbanlık hayvan. 2. Boğazlanan hayvan.

zebr, *A. i.* 1. Kitap, cüz. 2. Kitap yaprağı. 3. Yazı yazma.

zebun, *F. s.* Zayıf, güçsüz, kuvvetsiz.

zebuni, *F. i.* Zayıflık.

zebunküş, *F. s.* [Zebun-küş] Kendinden zayıfa acımayan, kendinden zayıfa gücü yeten. • «Gaddarları, zebunküşleri, mazlumların zîr-i pâ'yi intikamlarına atan. — Cenap».

zebunküşane, *F. zf.* Zalim ve acımaz kimseye yakışır yolda.

zebur, *A. i.* 1. Kitap. 2. Mektup. 3. (Ö. i.) Davut peygamberin kutsal kitabı.

zebzeb, *A. i.* Erkeklik organı.

zeccac, *A. s.* [Zücac'dan] Camcı, şişe ve cam yapan.

zecr, *A. i.* 1. Yasak etme, yaptırmama. 2. Zorlama, zorla yaptırma. 3. Angarya işletme. 4. Eziyet. Sıkma. • «Kimini tahvif ve terhib ve kimini zâbitleri ma-

rifetleriyle zecr ü tedib eylemeleriyle. — Raşit».

zecren, *A. zf.* 1. Zorlayarak, zorla. 2. Ceza olarak.

zecriyye, *A. i.* Alkollü içkiler vergisi. • «Müskirata dahi ifrat üzere istimaline her tarafa intişarına mâni ağır bir zecriyye vaz olunur. — N. Kemal».

zed, *F. i.* Vurma, dövme. • *Zed ü hord.* savaṣ.

-zed, *F. s.* «Vuran, vurucu» anlamıyle bileşikler yapılmada kullanılır. *Gûṣzed. zebanzed.* Bk.

-zede, *F. s.* «Vurulmuş, uğramış yakalanmış» anlamıyle tamlamalar meydana getirmede kullanılır. *Afetzede, belâzede, harikzede, kazazede, musibetbede, serzede, sevdazede.* Bk.

-zedegân, *F. s.* [-zede ç.] Bk. • *Zede.*

zeferat, *A. i.* [Zefir ç.] Soluk almalar.

zefif, *A. i.* Çabuk davranan. Çevik.

zefir, *A. i.* Nefes verme.

zegan, *F. i.* Çaylak. • «Edemez zag ü zegan bülbü!-i gûya ile bahs. — Ruhi».

zegc, *A. i.* (Zel ile) Kakma, ileri itme.

zehab, *A. i.* (Zel ile) 1. Gitme. 2. Bir fikir ve sanıya uyma. Sapma. 3. Bir fikir veya sanıda bulunma. • *İyab ü zehab.* gidip gelme. • «Gitmeyen yoluna uryan ü fakir olsun hep — Çar mezhepte haram ola zehab ü zenebi. — Nazîm».

zehadet, *A. i.* (Ze ve he ile) Zahitlik.

zeharif, *A. i.* (Ze ve hı ile) [Zuhrüf ç.[Yalancı süsler.

zeheb, *A. i.* (Zel ve he ile) Altın. • *Eb-üzzeheb*, altın babası, çok zengin insan. • «Ufalanmış yığınla nur ü zehab. — Fikret».

zehebî, *A. s.* Altından yapılma veya altınla ilgili.

zehhar, *A. i.* (Ze ve hı ile) Çok taşkın, coşkun (Deniz).

zehib, *A. s.* Altın yaldızlı olan.

zehid, *A. s.* (Ze ve hı ile) Aşırı zahit olan. nefsini tutan.

zehin, *A. s.* (Zel ve he ile) Zeki, akıllı.

zehiy, zihî, *F. ü.* Ne güzel! Ne mutlu, anlamında ünlem. Alay için de kullanılır. • «Zehiy tasavvur-i bâtıl zehiy hayal-î muhal. — Ahmet Pş.».

zehl, *A. i.* 1. Unutur gibi olma. 2. Gaflet ederek unutma.

zehr, *F. i.* Zehir, ağı. (Ed. Ce.) *Zehr-i bürudet, -hakikat, -memat, -tekaza.* •

«Et lokması lâzım mı doyurmaz mı seni nân — Zehr olsun o lokma k'ola pesmande-i dûnan. — Ruhi». • «Titrerdi civarındaki, pişindeki eşya — Nutkundan uçan, zehr-i bürudetle. — Fikret».

zehr, zehre, A. i. (Ze ve he ile) Çiçek.

zehra', A. s. Yüzü pek parlak olan.

Zehra, A. i. Muhammet Peygamberin kızı Fatma'nın lakabı : Fatımatüz-Zehra.

zehrab, F. i. [Zehr-âb] Acı su. • «Edip câm-i lebin asude zehrab-i nigâhımdan. — Nedim».

zehrabe, F. i. Acı, zehir gibi su. (Mec.) Acılık, acı, kaygı. • «Bünyanına katmış gibi zehrabe-i lânet. — Fikret».

zehragîn, F. s. [Zehr-agîn] Zehir dolu, çok acı. • «Bihruz Beye de zehragîn handeler gönderiyordu. — Recaizade».

zehralûd, F. s. [Zehr-alûd] Zehirli. Zehir gibi. • «Bütün bir sergüzeşt-i münkesir, bir ömr-i zehralûd. — Fikret».

zehramiz, F. s. [Zehr-amiz] Zehirli. Acı.

zehrbar, F. s. [Zehr-bar] Zehir yağdıran, pek acı.

zehrdar, F. s. [Zehr-dar] Zehirli olan.

zehre, zehr, A. i. Çiçek.

zehre, F. i. (Ze ve he ile) 1. Öd, safra. 2. Yiğitlik, cesaret. • «Zehresin tig-i zebanımla çalıp çâk edeyim — Düşmanın şad ü ahibbasını gamnâk edeyim. — Nef'î».

zehrecâk, F. s. [Zehr-çâk] Ödü kopmuş, korkak.

zehredar, F. s. [Zehre-dar] Yiğit, cesaretli. (ç. Zehredaran).

zehrefşan, F. s. [Zehr-efşan] Zehir saçan. • «Onun firakı olurken içimde zehrefşan — Nasıl görür gözün âsar-i fecri şevk-alûd. — Fikret».

zehrkeş, F. s. [Zehr-keş] Zehir içen, ağı içen. (ç. Zehrkeşan).

zehrpaş, F. s. [Zehr-pâş] Ağı saçan. Zehir saçan. • «Ol mâr-i zehrpaşın dendan-i satvetinden —Nice vezir ü vali olmuştu nabesâman. — Nabi».

zehreterak, F. s. [Zehr-terak] Ödü kopmuş, çok korkmuş. • «Savletin ve âsar-i zuhur-i devletin istima'la a'da zehreterak olup. — Sadettin».

zehrhand, F. i. [Zehr-hand] Acı acı gülme.

zehrîn, F. s. Zehir gibi, acı. • «Ey girye-i bifaide, ey hande-i zehrîn. — Fikret».

zehrnâk, F. s. [Zehr-nâk] Zehirli, ağılı. • «Validelikten mahrum olmak acısı, daima zehrnâk birer katre ile. — Uşaklıgil».

zehuk, A. s. Kısa ömürlü, daim olmayan.

zeir, A. i. Aslan kükremesi.

zekâ, A. i. (Zel ile) Zihin keskinliği. Çabuk anlama. • «Ey matla-i edebde doğan kevkeb-i zekâ. — Fikret».

zekâ, A. i. (Ze ile) Sâflık duruluk. Hal düzgünlüğü.

zekâb, F. i. Yazı mürekkebi.

zekan, A. i. İki çene kemiğinin birleştiği nokta. • Çah-i zekan, çene çukuru. • «Ey şah-i hüsn bu ne zekandır dedim dedi — Âramgâh-i ruh-i revanındürür senin. — Nazım».

zekât, A. i. (Ze ile) İslâmın beş şartından biri, mal ve paranın paklığını ve helâlliğini sağlamak için kırkta birinin her yıl sadaka olarak dağıtılması. • «Zekât-i mey verilir bir diyare dek gider riz. — Nailî».

zekâvet, A. i. (Ze ile) Dindarlık.

zekâvet, A. i. (Zel ile) Zekâ. Zekilik. • «İstanbul'da bu gayrette, bu zekâvette tulumbacı var mıdır? — Kemal».

zekâvetmendane, F. zf. Zeki kimselere yakışır yolda. • «Zat-i zeküvetmendanenizi tedhiş etmesin. — Cenap».

zeker, A. i. 1. Erkek. 2. Erkeklik organı.

zeki, zekiyye, A. s. (Zel ile) Zihni keskin, çabuk anlayışlı.

zeki, zekiyye, A. s. (Ze ile) [Zekâ'dan] Temiz, halis. Hali temiz olan kimse.

zekir, A. s. Unutmayan. Hâfızası kuvvetli olan.

zel, A. i. Bk. • Zell.

zelâk, zelka, Bk. • Zelka.

zelâlet, A. i. (Ze ile) Alçaklık, hakirlik.

zelâzil, A. i. (Zel ile) [Zelzele ç.] Yer depremleri.

zelâzil, A. i. [Zilzil ç.] Uzun etekler. • «Kûşe-i zelâzil-i visallerine. — Şefikname».

zelel, A. i. Eksiklik. (s.) Kayağan (yer). • «Anın ilelini kabul ve halelini sedd ve zelelini affeder. — Taş.».

zelem, A. i. Yeleksiz ok. Kumar oynanan ok.

Zeliha, A. i. Züleyha.

zelik, A. s. i. Düşük (çocuk).

zelil, A. s. (Zel ile) 1. Ayağı kayan. 2. Sözünde hata eden. 3. Tatlı, hafif sâfi su.

zelil, zelile, A. s. [Zelilet'ten] Hor, hakir, alçak. • «Zavallı hasta firaş-i zelil-i rahatta. — Fikret». • «Rüyalarının şu hakikat-i zelilesinden tam bir hafta kaçtı. — Uşaklıgil».

zelilâne, F. zf. Zelil bir surette. Alçakça, aşağılaşarak. • «Demek böyle zelilâne, sefil ve müstahkar, titriyordu. — Uşaklıgil».

zelka, zelak, A. i. Sürçme, kayma. • Zelka-i kadem, ayak sürçmesi.

zel, zelle, A. i. (Ze ile) 1. Ayak sürçme, kayma. 2. Yanılma, yanlış. (ç. Zellât). • «En hurdebinî bir zelle-i lâfziyeyi bile kabul etmezdi. — Cenap».

zellât, A. i. (Ze ile) [Zelle ç.] 1. Suçlra, günahlar. 2. Ayak sürçmeler, hatalar. • «Muttali' oldukları hefevat ü zellâta ta'n ü tesrib ile. — Naima».

zelle, zellet, A. i. (Ze ile) 1. Ayak sürçüp kayma. 2. Hata, suç. • «Böyle iken kendisine asla şehv ü gaflet ve hata vü zellet târi olmayıp. — Taş.». • «Bir kumandandan sâdır olan küçük bir zelle bir millete bir harp kaybettirebilir. — Cenap».

zelûl, A. i. Yavaş ve yumuşak huylu olan. Başı sert olmayan.

zelzal, zilzal, A. i. Deprem.

zelzele, A. i. Yer depremi. (ç. Zelâzil). • «Harab-i zelzele bir köy. — Fikret».

zelzeleendaz, F. s. [Zelzele-endaz] Zelzele salıcı. Yer sarsıcı. • «Nice şeb, zelzeleendaz-i cihandır ol şeb — Tâk-i Kisra dil-i küffar gibi oldu harab. — Fâzıl».

zem, A. i. Bk. Zemm.

zemaim, A. i. [Zemime ç.] Kötü haller, şeyler. • «Yalan o kadar insanîdir ki eğer «yalancı» kelimesi icat edilmemiş olmasa yalan zemaim sırasına girmezdi. — Cenap».

zeman, A. i. Hak, lâzım ve vacip olan.

zemanet, A. i. Kefalet. Kefil olma.

zeman, A. i. Bk. • Zaman.

zemane, A. i. 1. Devir. 2. (Horlukla) Şimdiki zaman. 3. Baht, talih, felek. • «Lâl etti bin şive-i bîcâ-yi zemane. — Nef'î» • «Ettin esir-i kahve bizi hey zemane hey».

zemanen, A. zf. Zamanca. Zaman bakımından.

zemanî, A. s. Dünya ve zaman ile ilgili.

zemaniyan, A. i. (Zemani ç.) İnsanlar.

zemherir, A. i. (Ze ve he ile) Kara kış. • «Zemherir eyyamı olmakla azîm fırtınaya uğrayıp. — Sadettin». • «Zemistan geldi hükm-i zemherir erdi cihan üzre — Felek ak câmeler kesti sevad-i bustan üzre. — Ziya Pş.».

zemim, zemime, A. s. [Zemm'den] Kötü, beğenilmeyecek. • «Hubb-i câh ve sevda-yi teayyüne mebni bir emr-i zemim-i cibillidir. — Naima». • «Hırs ve tamaa mağlûp olup yine ülfet-i kadîme ve âdet-i zemimeleri üzre mahfi rüşvetler aldığına. — Raşit».

zemime, A. i. [Zemm'den] Zemmedilmeye, yerilmeye lâyık şey. Kötü hal, davranış.

zemin, F. i. (Ze ile) 1. Yeryüzü. 2. Üzerinde nakışlar bulunan bir şeyin asıl rengi. 3. Tarz, eda. 4. Konu, tema. • Zemin ü zaman, yer ve konu uygunluğu, münasebet; • nevzemin, yeni yolda, yeni üslupta; • rûy-i zemin, yeryüzü; • taht-ez-zemin, yeraltı; • zir-ı zemin, yer altı, yerin dibi. • «Sana bir başka zemin, başka zaman lâzımdı — Fikret». — (Ed. Ce.) :

• Zemin-i cidal, • -mütalaa,
• -izdivaç, • -tatbik,
• -mekal, • -zevk.
• -muhakeme,

zeminbus, F. i. [Zemin-bus] Yer öpme. • «Üç kere at üzerinde zeminbus resmin icra. — Raşit».

zeminbusî, F. i. [Zemin-busî] Yer öpmeklik. • «Sadrazam hazretleri piyade istikbal edip ve zeminbusi-i iclâl edicek. — Raşit».

zemindar, F. i. [Zemin-dar] Vali, hâkim. (ç. Zemindaran).

zeminkûb, F. s. [Zemin-kûb] Yer tepici. (At, katır, deve ve benzerleri hayvan).

zeminpeymay, F. s. [Zemin-peymay] 1. Yer ölçen. 2. Çok yolculuk etmiş olan.

zemistan, F. i. (Ze ile) Kış. • «Kılmasın devr-i felek bir daha icra-yi füsul — Ne bahar ü ne harif ü ne zemistan olsun. — Fâzıl».

zemm, zem, A. i. Birinin kötülüğünü söyleme. Ayıplama, yerme, çekiştirme. • «Meclis bemeclis gezip hoca efendinir zemm ü kadhin edip bed-duaya başladılar. — Naima».

zemm, A. i. 1. Zaman, vakit. 2. Baht, talih.

zemmam, A. s. [Zemm'den] Çok zemmeden, çekiştiren, fassal, dedikoducu.

zemzem, *F. i.* Yavaş ve hafif türkü söyleme.

Zemzem, *A. i. (Ze ile)* Kâbe yanında ünlü bir kuyu. ● *Âb-i Zemzem.* Zemzem kuyusu suyu; ● *bi'r-i Zemzem, çah-i Zemzem, çeh-i Zemzem,* Zemzem kuyusu. ● «Derun-i dilde niyyet âb-ı Zemzemden musaffadır. — Bakî». ● «Tavafa kâbe-i kûyun bekayl-i Baki-i merhum —Derun-i dilde niyet âb-i zemzemden musaffadır. — Nef'î».

zemzemat, *A. i. (Ze ile)* [Zemzeme ç.] Irlamalar, nağmeli sesler. ● «Şimdi her kûşe ebkem ü câmit. — Ne ağaçlarda zemzemat-i riyah — Ne hadayıkta ihtizaz-i cenah. — Cenap».

zemzeme, *A. i. (Ze ile)* 1. Ezgili ses. 2. Terennüm, teganni. 3. Davut'un Mezamir'ini, yahut Makamat-i Zend-i okuyanların teranesi. ● «Bir şairane zemzeme-i sâf ü selsebil. — Fikret». ● «Beşeriyetin serabistan-i hayalâtına inkıtasız bir zemzeme-i tehekkümle cevap vermiştir. — Cenap». — (Ed. Ce.) :
● *Zemzeme-i dûradur,*
● *-mestiâver,*
● *-ruya,*
● *-saadet.*

zemzemedar, *F. s.* [Zemzeme-dar] Ahenkli. Zemzemeli bir şekilde. ● «Bu feşafeş-i zemzemedarın korkak mevceleri. — Uşaklıgil».

zemzemekâr, *F. s.* [Zemzeme-kâr] Hışıltılı (Ser). ● «Ekinler bir temevvüc-i zemzemekâr içinde rüzgârla birlikte yürür gibi görünüyor. — Cenap».

zen, *F. i. (Ze ile)* Kadın. ● *Pirezen,* koca karı. (ç. Zenan).

-zen, *F. s.* 1. Vuran, çalan. 2. Kesen. 3. Basan. 4. Atan anlamlarıyle bileşikler yapmada kullanılır. ● *Destzen,* el vuran, el uzatan; ● *handezen, lâfzen,* Bk. *nârazen,* nara atan; ● *rehzen,* yol kesen, eşkıya; ● *sikkezen* madenden para kazan, para basan; ● *Şemşirzen,* kılıç çeken, kılıç çalan. (Ed. Ce.) : ● *Handezen, kahkahazen, mevczen, muştezen, nalişzen.*

zenabil, *A. i. (Ze ile)* [Zenbil ç.] Zembiller.

zenabir, *A. i. (Ze ile)* [Zenbur ç.] Arılar. ● «Etse manend-i güvare n'ola pürşehd ü kabul — Künbed-i âlemi fervad-i zenabir-i dua. — Nabi».

zenadik, zenadıka, *A. i. (Ze ile)* [Zındık ç.] Zındıklar. ● «Ve Bozok sanca-ğı melâhide ve zenadıka ile malâmal olup. — Raşit».

zenah, zenahdan, *F. i.* Çene. *Çah-i zenahdan,* çene çukuru. ● «Habs edermiş zenahın zülfüne berdar olanı. — Figanî».

zenan, *F. i.* [Zen ç.] Kadınlar. *Mekr-i zenan,* kadınlar hilesi. ● «Saçına bağlanıp aldanma zenanın sözüne — Sevdiğim akl-i nisa geh uzanır geh kısalır. Fâzıl».

-zenan, *F. s.* «Vurarak» anlamıyle bileşikler meydana getirir. ● *Te'nazenan,* söverek.

zenane, *F. zf.* Kadınca, kadına yakışır yolda.

zenane, *F. s.* Kadına mahsus, kadın işi.

zenanir, *A. i. (Ze ile)* [Zünnar ç.] Zünnarlar.

zenb, *A. i.* Günah, suç, kabahat.

zenbak, *A. i.* Zambak.

zenbil, *A. i. (Ze ile)* Zembil. ● «Ko hasır olup ayakta kalalım istemeziz — Kimsenin duşuna bâr olmayı zenbil gibi. — Nabi».

zenbur, *F. i.* Arı. Bal arısı. ● «Evin yıkılmaya ta misl-i hane-i zenbur. — Hayalî». ● «Zenbur-vâr metrislerine üşüştüler. — Raşit».

zenburane, *A. zf.* Arı gibi. ● «Lebin yâdiyle zenburane feryat ettiğim şebler — Olur şem-i asel her mum yansa şem'idanımda. — Nabi».

zenburek, *F. i. (Ze ile)* Zemberek. ● «Zenburek-i mühüfte-i süveyda-yi kalbimiz cazibe-i ihlâslarına pâbeste. — Nabi».

zenburvâr, *F. s.* Arı gibi.

zenc, *A. i.* Kara, siyah.

zencar, *A. i.* Bakır pası çeşidinden göztaşı.

zencebil, *A. i.* 1. Zencefil. 2. Şarap.

zencebre, *A. i.* Parmak ile fiske vurma.

zencerf, *F. i.* Civa kükürt alaşımı bir boya.

zenci, zenciyye, *A. s. i. (Ze ile)* Afrikalı, kara ırktan. Kara adam, Sudanlı. ● «Sabahtan akşama kadar zenciyelerin darbukalarıyle uyuyan. — Uşaklıgil». ● «Elsine-i zençiyeden bir kelime bilmedikleri halde. — Cenap».

zencir, *F. i. (Ze ile)* Zincir. ● «Zülfünün zencirine bendeyledi şahım beni. — Fatih Sultan» ● «Küffar hücum edip Müslümanları katl ü esir ve niceleri beste-i zencir edip. — Peçoylu».

zencirbend, *F. s.* [Zencir-bend] Zincirle bağlı, pırangaya vurulmuş.

zenciri, *F. i.* Zincir ile bağlanacak deli.

zenciriyan, *F. i.* [Zenciri ç.] Zincirle bağlanacak deliller.

zence, *F. i.* Sokak orospusu.

zend, *A. i.* (*Ze* ile) 1. Çakmak demiri. 2. Bilek kemiği. • «Zend yani çakmak hakkında demiştir. — .Tas.». • «Demişlerdir ki Hasan'dan zendi yani bileği ariz kimse. — Taş.».

Zend, *F. i.* 1. Mecusi dinini kurmuş olan Zerdüşt'ün bıraktığı kitap. 2. Eski Fars dili. • *Zendavesta.*

zende, *F. i.* Çakmak taşı.

zendeka, *A. i.* Tanrıyı, ahreti, haşrı inkâr etme. Dinsiz olma.

zendost, *F. s.* [Zen-dost] Kadınlardan hoşlanan, zampara. (ç. Zendostan). • «İstanbul'daki ayyaşların. zendostların hanelerinde birer ikişer çocuk ancak görülebilir. — Kemal».

zendosti, *F. i.* Zamparalık. Kadın düşkünlüğü. • «Kavaid-i sadakate pek muvafık olmayan hafif bir zendosti vardı. — Uşakligil».

zeneb, *A. i.* Kuyruk. • *Zuzeneb,* kuyruklu.

zenek, *F. i.* Küçük kadın.

zeng. *F. i.* 1. Zenc, zenci. 2. Jeng, pas. 3. Zil. Çalpara. • «Âzim zengler ve ceresler tâlik edip. — Sadettin».

zengâr, *F. i.* Bakır pası soyundan göztaşı.

zengî, *F. i.* Zenci • «Bir zengi-i zişt-didar ve hane harab-i siyeh-rüzgâr var idi. — Veysi».

zengiriz, *F. s.* [Zen-giriz] Kadından ürken, kadından kaçan, mizogen. • «Zenginirizan-i zamandan biri diyordu ki. — Cenap».

zengül, zengüle, *F. i.* Çan, çıngırak, Tef pulu. Doğu musikisinde bir makam adı. • «Neva-yi zengûle ve deray ile deray nağmesin meşk. — Sadettin».

zenim, *A. s.* Yaramaz kimse. Zina çocuğu. (ç. Zenayim). • «Bir evbaş-i zenime hufyeten teslim edip. — Şefikname».

zenne, *A. i.* [Farsça zenan'dan] 1. Kadın kısmı. 2. Kadın rolü yapan erkek. 3. Kadın işi, kadın eşyası. «Bu kâğıtta zenne hattına müşabih muhtelit nesih hatla. — Naima».

zenpare, *F. s.* [Zen-pare] Zampara. • «Bu haysiyetten âlemde zen ve zen pâre gayette menfuru. — Latifi».

zenperest, *F. s.* [Zen-perest] Kadına düşkün. Kadın peşinde dolaşır (kimse) (ç. Zenperestân).

zenperestane, *F. zf.* Zamparaca davranış. • «Hevesat-i zenperestane bahsini. — Recaizade».

zer', *A. i.* (*Ze* ve *ayın* ile) 1. Tohum saçma, ekme. 2. Ekilip bitmiş olan, tahıl. Ekin. (ç. Züru'). • «Mahsulât-i zer' ü zar'ı câmidir. — Sadettin».

zer, *F. s.* Sarı. • «Hazan-reside çemen sanki sütre-i zerdir. — Fikret». • «Dem-i subhu severin, çünkû eder — Kuru toprakları suyide-i nur, — Çıplak insanları puşide-î zer. — Cenap».

zer, *F. i.* (*Ze* ile) 1. Altın. 2. Akçe, para. 3. (Tas.) Nöbet, oruç. Çile. • *Zer-i mahbub* (Eski) yirmi beş kuruş değerinde bir altın para; • *-maklûb,* kalp altın; • *pute-i zer,* altın potası; • *sîm ü zer,* gümüş ile altın. • «Sîm ile zeri kendine kat kat siper ettin — Merk okunu geçmez mi sanırsın siperinden. — Ruhi».

zerab, *F. i.* [Zer-âb] 1. Yaldız mürekkep. 2. Beyaz şarap.

zerafe, zerrafe, *F. i.* Zürefa.

zerafi, *A. i.* [Zürefa ç.] Zürefalar.

zerarî, *A. i.* [Zürriyet ç.] Zürriyetler. Kuşaklar, Evlât, çocuklar. • «Ve zerari ve ayallerin esir edip askere ziyade doyumluk hâsıl etti. — Naima».

zeravend, *F. i.* (Bot.) Zeravend.

zerbaf, *F. i.* [Zer-baf] Ustufacı. Sırmalı kumaş dokuyan kimse.

zerbafte, *F. i.* [Zer-bafte] Sırmalı kumaş. Ustufa. • «Zerbafte câme giydi seraser sanır gören — Etse ihata cismimizi yanar umudumuz. — Baki».

zerbeft, *F. i.* Sırmalı kumaş. Ustufa. • «İçeri libasları kibritî zerbeft üzerine benli erguvanî zerbeft giyip. — Naima».

zerd, zered, *A. i.* (*Ze* ile) Halka halka örülmüş zırh, savaşçı zırhı.

zerd, *F. s.* (*Ze* ile) 1. Sarı. 2. Soluk, solgun. • *Ruy-i zerd,* sararmış, soluk yüz. • «Ne zaman zerd ü muhtazır eylül — Etse giryan bulutlarıyle hulûl. — Fikret».

zerdab, *F. i.* [Zerd-âb] 1. Beyaz şarap. 2. Safra. 3. Cerahat, irin.

zerdalû, *F. i.* Zerdali.

zerde, *F. i.* 1. Safran ile tatlı olarak pişirilmiş pilâv. 2. Yumurtanın sarısı. 3. Safra. • *Plâv, zerde,* düğün.

zerdeçav, zerdeçûb, *F. i.* Zerdeçal boyası.

zerdfam, *F. s.* [Zerd-fam] Sarı renkte, sarı renkli.

zerdgûş, zerdgûşe, *F. s.* 1. Ürkek, korkak. 2. İki yüzlü.

zerdi, *F. i.* Sarılık. Sarı renkte olma. • «Zahide zerdî-i rû vasıta-i ziyb olmaz — Her varakpare-i pejmürdede tezhip olmaz. — Nabi» • «Ekinler şurada yeşil, ötede bir zerd-i kemal içinde. — Cenap».

zerdost, *F. s.* [Zer-dost] Hasis, cimri.

zerdî, *F. i.* Sarılık. Sarı renkte olma. • «Zahide zerdî-i rû vasıta-i ziyb olmaz — Her varakpare-i pejmürdede tezhip olmaz. — Nabi». • «Ekinler şurada yeşil, ötede bir zerdi-i kemal içinde. — Cenap».

zerduzî, *F. s.* Sırma işlemeli. • «Döşendi bezmgâh-i âleme bir nat-i zerduzî. — Nef'î».

Zerdüst, *F. i.* Zerdüşt.

zerdüştî, *F. s. i.* 1. Zerdüşt dininde olan kimse. 2. Ateşperest, ateşe tapan. Mecusi.

zerefşan, *F. s.* [Zer-efşan] 1. Altın saçıcı. 2. Altın kakmalı.

zerendud, *F s.* [Zer-endud] Altın yaldızlı. • «Eylerdi güzergehini zerendud — Yer yer görünen ziya-yi mevvac. — Naci».

zerger, *F. i.* [Zer-ger] 1. Altın işleyen. 2. Kuyumcu. • «Zergerin naziki-i sun'-unu görmek hoştur — Farktan kıymetin elmas ü durr ü yakutun. — Nabi».

zergeran, *F. i.* [Zerger ç.] Kuyumcular. • «Cevher-i sîrab-i şebnem gûşvare zer varak — Sahn-i büstan oldu gûya çarşu-yi zergeran. — Bakî».

zergerî, *F. i.* Kuyumculuk.

zergûn, *F. s.* [Zer-gûn] Altın gibi, sarı renkte.

zerhırid, zerhıride, *F. s.* [Zer-hırid] Satın alınmış (kimse), köle.

zeri', *A. s.* Çabuk, kolay olan. • *Mevt-i zer'î*, çabuk ölüm. • «İshal-i kabih ve mevt-i zeri' ile kırılmışlardır. — Naima».

zer'î, *A. s.* Arşın ile ölçülen (şey).

zerî', *A. i.* Araya giren, şefaatçi.

zeria, *A. i.* Vesile, bahane, fırsat. (ç. Zerai').

zerin, zerrin, *F. s.* Altından veya altına benzer olan. • «Eşheb-i ikbaline bir na'l-i zerin aftâb. — Nef'î».

zerine, *F. s.* 1. Altına benzer olan. 2. (i.) Ekmek kırıntısı ile yapılmış çorba.

zer'iyyat, *A. i.* Ekim.

zerk, *F. i.* (Ze ile) 1. İki yüzlülük. Hile. 2. Dindar görünme, sofuluk taslama. • «Tahkik bu kim hep işiniz zerk ü riyadır — Takliddesiz taatınız cümle hebadır — Ruhi».

zerk, *A. i.* (Hek.) Şırınga etme.

zerka, *A, s.* 1. (Uğursuzluğiyle ün almış bir Arap kadının adından) Gök gözlü kadın. 2. Gök mavisi. 3. Mavi (göz).

zerkalûd, *F. s.* [Zerk-alûd] Riyalı, riya içinde.

zerkâr, *F. s.* [Zer-kâr] Altın işleme. Sırma işlenmiş. • «Güler ukûs-i terennümle sakf-i zerkârı. — Fikret».

zerkârî, *F. i.* Altın işlemecilik.

zerkeş, *F. s.* [Zer-keş] Altın tel yapıcı. sırmacı. • «Biz müttekü-yi zerkeş-i câha dayanmazız — Hakkın kemal-i lütfunadır istinadımız. — Bakî».

zerkfürüş, *F. s.* [Zerk-füruş] Hileci, iki yüzlü.

zerkûb, *F. i.* [Zer-kûb] Altın dövücü. Altın yaprak, sarı yaldız yapan. (ç. Zerkûban).

zernigâr, *F. s.* [Zer-nigâr] Altın ile işlenmiş.

zernişan, *F. s.* [Zer-nişan] Kılıç ve başka şeyler üzerine kakma altınla işlenmiş yazı veyahut şekiller. • «Berk-i ah-i suznâk içre şirar-i nâr-i dil — Zernişan hattır görünür tig-i âteştabda. — Bakî».

zerra', *A. i.* (Ze ve *ayın* ile) Ekinci. Çiftçi.

zerrad, *A. i.* 1. Zırh örücü. 2. Usta zırhçı.

zerrak, *A. s.* [Zerk'ten] Ziyade mürayi. iki yüzlü. • «Takıp kemend boynuna döndürdü Kâbe'den — Çekti çevirdi zahid-i zerrakı zülf ü hat. — Nedim».

zerrat, *A. i.* [Zerre ç.] Zerreler. • «Sahabâsa yürürler yerde câmid gördüğün dağlar — Bütün zerrat bir kanun-i istimarara tâbidir. — Ziya Pş.». • «Bulutlar karardıkça zerrata bir — Ağır. muhtazir dalgalanmak gelir. — Fikret».

zerre, *A. i.* (Zel ile) Pek küçük parça. • «Olur âfaka dembedem nâzil — Zerre halinde bir yığın ahker. — Fikret».

zerrevâr, *F. s.* [Zerre-vâr] 1. Zerre kadar. 2. Çok önemsiz.

zerrin, zerin, *F. s.* 1. Altından yapılmış, altın. 2. Altın gibi, sarı. • «Bir kürsi-i zerrin konulup hüsn-i iltifat-i şahane ile manzur. — Peçoylu». — (Ed. Ce.) :
• *Giysu-yi zerrin,*
• *pervane-i zerrin,*
• *zühre-i zerrin.*

zerrişte, *F. s.* [Zer-rişte] Altın tel. Sırma. Sarı. • «Zerrişte bu ismiydi onun. — Fikret».

zersay, *F. s. i.* 1. Altın ezici. 2. Varakçı.

zersine, *F. s.* [Zer-sine] Sarı göğüslü. Altın sarılığında göğüs.

zerşinas. *F. s.* [Zer-şinas] 1. Altın tanıyan. 2. Sarraf.

zertar, *F. s.* [Zer-târ] Altın tel, sırma. (Mec.) Güneş ışını. • «Safil olmasa olmaz ahali nail-i samân — Veren zira ki suret came-i zertara suzendir. — Nabi». • «Zülf-i zertarın tararken sane-i zerrin ile. — Cenap».

zertari, *F. i.* Altın tel veva sırma ile işlenmiş veya dokunmuş.

zerur. *A. i.* (Zel ile) Gözotu: göz değmesi ve hava değişikliği için kullanılan ot. • «Gubar-i dergehidir zahm-i ruzgâra zerur. — Nabi».

zerver, *F. s.* Altın yaldızlı olan.

zevacir. *A. i. ç.* (Ze ile) Yasak şeyler.

zevad, zevade, *A. i.* Azık stoku. • *Zad ü zevad* azıklar.

zevahif, *A. i.* [Zahife ç.] (Zoo.) Sürüngenler.

zevahir, *A. i.* (Ze ve hı ile) [Zahir ç.] Coşkun denizler.

zevahir. *A. i.* (Ze ve he ile) [Zühre ç.] Çiçekler.

zevaib, *A. i.* [Ze'b ç.] Perçemler, kâküller. • «Eşrafın gayrine irsal-i zevaib dahi memnudur. — Taş».

zevaid, *A. i.* [Zaide ç.] Ziyade. fazla şeyler. • «Lisan-i halime bak, sözlerim zevaiddir. — Fikret».

zevail, *A. i.* (Ze ile) [Zaile ç.] Baki olmayan, zeval bulucu şeyler.

zeval, *A. i.* (Ze ile) 1. Zail olma. sona erme. 2. Aşağılama, inme. 3. Bir nesne yerinden ayrılıp geçme. 4. Güneşin başucunda bulunma zamanı. • *Zevalnapezir.* zeval bulmaz; • *bizeval,* zevalsiz; • *şeri-üzzeval,* çok dayanmayan, çabuk geçen.

zevali, *A. s.* Zeval ile ilgili, zevale ait. • *Saat-i zevali,* öğle vaktini esas alan saat.

zevalpezir, *F. s.* [Zeval-pezir] Sona eren, geçici olan.

zevamil, *A. i.* [Zamile ç.] Küçük yükler. Yük hayvanları.

zevan, *F. i.* Zıvana.

zevarif, *A. i.* [Zarife ç.] Fazla söylenmiş laflar.

zevat, *A. i.* [Zat ç.] Zatlar, kimseler. • «Gibi zevat hep gazeteciliğin hasretgüdazı idiler. — Cenap».

zevaya, *A. i.* [Zaviye ç.] 1. Zaviyeler. 2. Tekkeler. 3. Köseler. • «Cümlesi silâhlar kuşanıp zevayada muhtefi durur idiler. — Naima».

zevb, *A. i.* (Zel ile) Eritme. • «Bir mikdar sîm-i hâm zevb edip. — Naima».

zevc, *A. i.* (Ze ile) 1. Cift. İki şeyden meydana gelen takım. 2. Bir çiftin beheri, eş. 3. Koca ve karının beheri.

zevcat, *A. i.* [Zevce ç.] Kadın eşler.

zevce, *A. i.* Kadın eş. (ç. Ezvac, zevcat) • «Gösterdi zevce oğlunu hidedtli zevcine. — Fikret».

zevceyn, *A. i.* Kadın ile erkek çift. • «Meselâ dört veya sekiz takım zevceyn mevzu-i bahs edilip de... — N. Kemal».

zevci, zevciyye, *A. s.* Karı kocaya ait. karı koca ile ilgili.

zevciyyet, *A. i.* Kocalık, karılık, Karı koca hali.

zeveban, *A. i.* (Zel ile) Erime. • «Şu mermer-künbed-i lâciverdin zeveban etmiş parçaları. — Uşaklıgil».

zevi-, *A. s.* [Zu ç.] Sahipler.

zevilenyab, *A. s.* [Zevi-l-enyab] Azı dişli. • «Ol dahi kilâb-i zevilenyabdan bir şûr bahtı. — Naima».

zevilerham, *A. s.* [Zevi-l-erham] Ana (kadın) tarafından akraba.

zevilervah, *A. s.* [Zevi-l-ervah] Ruh sahipleri, canlılar. • «Üstad-i kudret zevileryah ve cemadatı halk. — Kemal».

zevilhayat, *A. s.* [Zevi-l-hayat] Canlılar.

zevilihtiram, *A. s.* [Zevi-l-ihtiram] Saygıdeğer kişiler. • «Münkad emr ü nehyine ashab-i itibar — Edna işaretine zevilihtiram râm. — Baki».

zevilukul, *A. s.* [Zevi-l-ukul] Akıl sahipleri, insanlar.

zevk, *A. i.* (Zel ile) 1. Tatma, tat. 2. Beş duygudan tat alma duygusu. 3. İyi kötüyü ayırt etme yetisi. 4. Eğlence. cünbüş. 5. Alay etme, eğlenme. • «Zevkın idrak edemez anlamayan ey Nabi — Farkını nagüfte ile meşhurun. —

Nabi». • «Mihneti kendine zevk etme-
dir âlemde hüner — Gam ü şadi-i fe-
lek böyle gelir böyle gider. — Vâsıf».
(Ed. Ce.) :

- Zevk-i ani,
- -mariz,
- -nefasiperesti,
- -nefaset,
- nefis,
- -telebbüs,

- -zarafet,
- erbab-i zevk,
- hayat-i zevk,
- hisseçin-i zevk,
- humma-yi zevk,
- zemin-i zevk.

zevkalûd, F. s. [Zevk-alûd] Zevk verici.
• «Bulutların leb-i sâfında belki zev-
kalûd — Bir ibtisam arıyor, belki bir
melâl arıyor. — Fikret».

zevkcu, F. s. [Zevk-cû] Zevk arayan,
zevkine düşkün. (ç. Zevkcuyan).

zevkcuyane, F. zf. Zevka düşkünler gibi.
Zevk düşkünlerine lâyık. • «İstanbul'-
un hayat-i zevkcuyanesinde mertebe-i
tefevvuka çıkaran. — Uşaklıgil».

zevkıyyat, A. i. Zevka, eğlenceye dair hu-
suslar.

zevkî, zevkiyye, A. s. Zevk ile ilgili. •
«Zarafet bil'umum âsâr-i sanat gibi
umur-i zevkıyedendir. — Cenap».

zevkyab, F. s. [Zevk-yab] Tat alan, zevk
alan.

Zevra, A. i. Bağdat şehri.

zevrak, A. i. (Ze ile) 1. Kayık. 2. Mekke-
de yapılan ve Zemzem koymaya mah-
sus sırça kap. Zemzem şişesi. • «Ba-
dehu bir zevrak ile Asitane'ye müsa-
raat edip. — Naima». • «Yine zevrak-i
ümidim, kırılıp kenara düştü — Daya-
nır mı şişedir bu reh-i senksara düştü.
— Ş. Galip».

zevrakçe, F. i. Küçük kayık, sandal. •
«Bak şu zevrakçe-i dil-ârâmın — Cün-
biş-i iltifat-perverine. — Fikret».

zey', zey'an, Duyulma. Meydana çıkıp ya-
yılma.

zeybak, A. i. Bk. Zıbak.

zeyc, A. i. Bk. Zic.

zeyf, A. i. Kalp, silik para.

zeyg, A. i. (Zel ile) 1. Yanılma. Şüphe et-
me. 2. Başka tarafa dönme. Yolundan
sapma. • «Ehl-i zeyg ü dalâl ve müs-
tahakk-i azab ü nikâl idi. — Taş.».

zeyl, A. i. (Zel ile) 1. Etek. 2. Bir nesne-
nin devamı, altı, eki.

zeylen, A. zf. Ek olarak, altta.

zeyliyyat, A. i. ç. Zeyl olarak yazılan şey-
ler.

zeyn, A. i. (Ze ile) Süs. • «Hengâm-i şeb
ki küngüre-i kasr-i asman — Zeyn ol-

muş idi şu'lelenip şem-i ahteran. —
Baki».

zeyrek, ziyrek, F. s. Zeki, anlayışlı, uya-
nık.

zeyrekî, F. i. Akıllılık. Uyanıklık.

zeyt, A. i. (Ze ile) 1. Zeytinyağı. 2. Yağ.
(ç. Ezyat, züyut).

zeytiyye, zeytuniyye, A. i. Fransızcadan
oléacées, olécinees (zeytingiller) karşı-
lığı.

zeytun, A. i. Zeytin.

zeytunî, F. s. Koyu yeşil, zeytin rengi.

zeyyal, A. s. 1. Kuyruklu. 2. Uzun etekli.

zeyyat, A. i. [Zey'ten] 1. Zeytinyağı çı-
karan kimse. 2. Zeytinyağı satan kim-
se.

zıa, A. i. İşlenir toprak, tarla.

zıdd, A. i. (Dat ile) 1. Bir şeyin karşılığı
aksi. 2. Karşıt.

zıddan, A. i. [Zıdd ç.] İki karsıt. Zıddan-i
lâyectemian, bir yere gelmesi imkânsız
iki zıt şey.

zıddeyn, A. i. İki karşıt şey. İçtima-i zıd-
deyn, iki karşıtın birleşmesi.

zıddiyyet, A. i. Zıtlık, karşıtlık.

zı'f, zuf, A. i. Bir şeyin iki katı.

zıfr, A. i. (Zı ile) 1. Tırnak. 2. Çengel.
3. Pençe. (ç. Azfar).

zîk, A. i. Darlık, sıkıntı. Zik-i maaş, ge-
çim darlığı; -nefes, nefes darlığı; -sadr,
göğüs darlığı.

zîkî, A. s. Aşırı dar olan.

zıkat, A. i. Darlık, fakirlik.

zıl, A. i. Bk. Zıll.

zılâl, A. i. (Zı ile) [Zıll ç.] Gölgeler. (Ed.
«Hakikat... ah hakikat! Onun zılâlin-
den — Vücuda gelmişse benzer hayat,
ruh, zekâ. — Fikret». — (Ed. Ce.) :
- Zılâl-i ahval, •
- -giryeperver,
- -hamuş, leyl-i zılâl,
- sine-i zılâl.

zılâlalud, F. s. [Zilâl-alûd] Gölgeli.

zılâle, A. i. Gölgelik.

zıll, A. i. Gölge. (Meç.) Koruma. Sahip
çıkma. Zılullah, zılullah-i fi-lâlem,
(Tanrı gölgesi, dünyada Tanrının göl-
gesi) İslâmın halifesi. • «Ey servilerin
zıll-ı siyahında birer yer — Temin
edebilmiş nice bin sail-i sâbir. — Fik-
ret». • «Her kişi anlayamaz mâni-i zıl-
lüllahı — Bivelâyet olamaz kimse o
mânaya habir. — Nabi».

zıman, A. i. (Dat ile) Olmuş veya olacak
bir zarara karşı verilen sağlamlık nes-
nesi.

zımn, *A. i. (Dat* ile) 1. İç taraf. 2. Söz ve davranışın içyüzü. Açıktan anlatılamayıp, öteki sözlerden çıkarılan gizli maksat. 4. Maksat, istek.

zımnen, *A. zf.* Açıktan olmayarak, dolayısıyle. • «Paşayı zımmen tezyif etmiş olduğunu. — Naci».

zımnî, zımniyye, *A. s.* Açıktan olmayarak dolayısıyle anlatılan. • «Her kim ile olursa olsun hıyanet etmesine bir muvafakat-i zımmiye gösteren bu kadın. — Uşaklıgil».

zındık, *A. s. (Ze* ile) Tanrıya ve ahrete inanmayan. •, «Asrda zındık-sima şeyhler — Müstecab-üd-davelikle lâf atar. — Nabi».

zınnet, *A. i. (Dat* ile) Cimrilik. • «İmsak ve zınnet ile izhar-i kasvet etmeye başlamıştır. — Naima».

zırar, *A. i. (Dat* ile) Ziyan verme. *Mescid-i zırar*, Medine dolaylarında bir mescitti, İslâmlara zararlı işlere merkez olduğundan Muhammet peygamber tarafından yıktırılmıştır. • «Mescid-i zırar şekline kodukları Ortacami'e...— Esat Ef.».

zırgam, *A. i. (Dat* ile) Aslan (ç. Zaragım). • «Zırgam-i ecel pençe-i irgam ile. — Sadettin». • «Cümlesini tu'me-i zırgam-i belâ eyledi. — Koçu Bey».

zırh, *F. i. (Ze* ile) Demirden örme veya dökme savaş elbisesi. • «Düşmüş türaba zırh ü silâhiyle bir yığın — Enkaz-i ahenîn gibi. — Fikret».

zırhpuş, *F. s.* [Zırh-puş] Zırh giyinmiş. (ç. Zırhpuşan). • «Katırcıoğlu dört yüz zırhpuş levent ve birkaç yüz sipahi ile. — Naima».

zıya', zaya', *A. i. (Dat* ve *ayın* ile) [Zayi'den] Kaybolma. (Felsefe terimlerinin 1915'teki karşılıkları sırasında a-öneki için bu söz kullanılmıştır. Ayrıca fasahatı sağlanmak için de *zaya* şeklinde harekelenmiştir) *Zıya-i elem*, analgie, (analgésie, acı yitimi, analjesi); *-hâfıza*, amnésie (hâfıza yitimi); *-his*, anesthésie (duyum yitimi, anestezi); *-intizam*, ataxie; *-kelâm*, alalie, aphasie (söz yitimi, afazi); *-kıraat*, alexie (okuma yitimi, aleksi); *-mismar* amusique; *-şahsiyet*, dépersonnalisation (benlik yitimi); *-şemm*, anosmie (koklama yitimi). *Ziya-ı ebedî*, Ölme.

zıya', *A. i. (Dat* ve *ayın* ile) [Zıy'a ç.] 1. Tarlalar. 2. Küçük çiftlikler. • «Ta-

gallüben menzili üzerine nüzul edip bunun zıya ü emvalin gasb ve teaddi ettiğin. — Naima».

zıyk, *A. i. (Dat* ve *kaf* ile) 1. Darlık, dar olma. 2. Dar, sıkıntılı. *Zıyk-i maişet*, geçim darlığı, *-nefes*, *-sadr*, göğüs sıkışıklığı, nefes darlığı. • «Gehi telâtum-i efkâr-i derd-i zıyk-i maaş — Gehi tezahum-i ekdar-i gayret-i emsal. — Nedim».

zi-, *A. s. (Zel* ile) «Sahip» anlamında olarak kelime başlarına katılır. (Ed. Ce.):
• *Ziahenk*,   • *Zimkal*,
• *zifikret*,   • *zişa'aa*,
• *zihicab*,   • *zivahşet*,
• *zikemal*,   • *zivekar*.
• *ziletafet*,

ziab, *A. i. (Zel* ile) [Zi'b'denç.] Kurtlar.

zi'b, *A. i. (Zel* ve *hemze* ile) Kurt. *Dâ-üz-zi'b* (Kurt hastalığı) açlık, doymazlık. • «Saye-i heyet-i şiranesine girse nemel — Fehd ü zi'bin görünür aynına ayn-i su'ban. — Şinasi».

zîb, ziyb, *F. i. (Ze* ile) Süs. *Enamil-zîb*, parmak süsleri; *zîb ü fer*, süs ve parlaklık; *zîb ü ziver*, süs. • «Zib ü fer vermek için rû-yi arus-i çemene — Yasemen şane saba maşıte, âb âyinedar. — Bakî». • «Sandali-i zîb ü behadır o bahadir-i dildar. — Şinasi».

zîba, *F. s. (Ze* ile) 1. Süslü. 2. Yakışıklı. • «Maşuka... O bir gonce-i nevhande-i zîba — Âşık ona hemhal. — Fikret».

zibaçe, *F. s.* Süslü.

zîbaî, *F. i.* Süslülük. Yakışıklılık.

zıbak, zeybak, *A. i. (Ze* ile) Civa. • «Hilmi suret-dih-i âram-i cihan olmasa olur — Katra-i zeybakâ mir'at-i küri üzre vatan. — Nedim».

zıbakî, zeybakî, *A. s. (Ze* ile) Civa ile ilgili. Civalı.

zibar, *A. i.* [Zebr ç.] Kitaplar. Kâğıt yaprakları.

zibarû, *F. s.* [Ziba-rû] Yüzü süslü.

zîbaver, *F. s.* [Zib-âver] Süslendiren. Süsleyen.

zibayî, *F. i.* 1. Süslülük. 2. Yakışıklılık.

zibefza, *F. s.* [Zib-efza] Süs artıran. Güzelleştiren.

zibende, *F. s. (Ze* ile) 1. Yaraşıklı. Yakışıklı. 2. Süslü.

zibha, *A. i. (Zel* ve *ha* ile) (Hek.) Kuşpalazı hastalığı.

zibr, *A. i.* Kitap yazılmış kâğıt.

zic, zeyc, *A. i.* (Ze ile) Yıldızların yerlerini ve dolaşmalarını göstermek için düzenlenmiş cetvel. • «Ve istihraç olunan zicatın enfaı ve turuk-i ahkâmı eşmal ve ecmaı zic-i İlhanidir ki. — Taş.»

zida, *F. s.* Pas açıcı, cilâlayıcı. Temizleyip parlatıcı. • «Bu kufl-i müşkülbendin miftah-i tâbirat-i vahşet-zida ile küşadı emrinde. — Naima».

zide, zîdet, *A. f.* «Artsın, çoğalsın, çok olsun» anlamlarıyle dualar yapmada kullanılır: *Zidet fazluhu*, fazlı, bilgisi çok olsun; • *-kadrühu*, kadri, itibarı çok olsun; • *zidet fazailühu*, faziletleri çok olsun.

zidude, *F. s.* Silinip pası açılmış. Parlatılmış. • «Bazan bir safha-i zidude-i nuhas şeklinde ateşrenk. — Uşaklıgil».

zifaf, *A. i.* (Ze ile) Gerdeğe girme. *Hucre-i zifaf*, gerdek odası; • *leyle-i zifaf*, gerdek gecesi. • «Bir katre-i tesliyet serpilmeyen bu hacle-i zifaftan kaçarak. — Uşaklıgil».

zift, *A. i.* (Ze ile) Çamdan ve madenden çıkarılan yarı katı kara madde.

zih, *F. i.* (Ze ve he ile) 1. Kiriş. 2. Yay kirişi. 3. Kaytan, şerit. 4. Kenar çizgisi. • «Ve zih-i giriban-i kelâm damen-i ihtitama yetmeden. — Veysi».

zihaf, *A. i.* (Ze ve ha ile) (Ed.) Manzumelerde vezin zorundan, kelimenin harflerinden birini düşürme veya okumamak üzere yazma.

zihafat, *A. i.* [Zihaf ç.] Zihaflar.

ziham, *A. i.* (Ze ve ha ile) Çok adam dar yere sıkışma. Kalabalık, sıkışıklık. • «Azîm divan edip ziham-i azîm ile tehniyet olundu. — Naima».

zihamgâh, *F. i.* [Ziham-gâh] Kalabalık yer. Toplanma yeri. • «Harabezar-i dile derd ü gam sığınmaz — Zihamgâh-i imarette bulsa câ-yi giriz. — Nabi».

zihayat, *A. s.* [Zi-hayat] Yaşar, canlı. (Hek.) • *Teşrih-i ziyahat*, Fransızcadan *vivisection* karşılığı (XIX. yy.). • «Mazî... O şimdi gölge iken şimdi ziyahat —Bir cism olan. — Fikret».

zihgir, *F. i.* [Zih-gir] Ok atanların parmaklarına geçirdikleri halka. • «Sîmden yokas ki engüştüne zihgir takıp — Pehlivan-i felek eyler heves-i tîr u keman. — Fâzıl».

zihi, zehiy, Bk. • *Zehiy*.

zihn, *A. i.* (Zel ile) Zihin. • «Zihn-i vekkadının evsafını yazdıkça seniŋ — Geceler kilkimin etrafına pervane gelir. — Nedim» • «Hâli-iz-zihn padişah bile. — Naima».

zihnen, *A. zf.* Zihince, zihinde, kafasında. • «Zihnen acı bir nida-yi husran şeklinde bu kelimeyi tekrar ederken. — Uşaklıgil».

zihnî, zihniyye, *A. s.* Zihinle ilgili. Zihne ait. • *Hesab-ı zihnî* (yazmadan) akıldan hesab. • «Bihruz Beyin meşguliyet-i müz'ice-i zihniyyesi. — Recaizade». • «Bediî ilhamdan değil, zihnî hünerverlikten doğmuştur. — Z. Gökalp».

zihniyye, *A. i.* (Fel.) Fransızcadan *intellectualisme* karşılığı (XX. yy.).

zihniyyet, *A. i.* Düşünce, düşünce yolu (XX. yy.).

zikıymet, *A. s.* [Zi-kıymet] Değerli. Kıymetli. • «Zikıymet olunca nidelim câh ü celâli — Yuf anı satan dûna haridarına hem yuf. — Ruhi».

zikr, *A. i.* (Zel ve kef ile) 1. Anma, hatıra getirme. 2. Ağıza alma, adını söyleme. 3. Anlatma, ifade etme. 4. Övme, iyilikle anma. 5. (Tas.) Tanrı adlarını anma, böylece gerçeğe doğru yönelme. • *Zikr bilhayr*, hayırla anma. • *zikr-i cemîl*, güzelliğini, iyiliğini anma, okullarda beğenilen öğrencilere verilen mükâfat; • *ânif-üz-zikr*, • *salif-üz-zikr*, yukarda söylenilen, adı geçen; • *halka-i zikr*, dervişlerin bir halka kurarak Tanrı adı söyledikleri topluluk; • *âti-yüz-zikr*, aşağıda söylenen. «Derun-i ehli şevkı ruşen eyler hazret-i pîrin — Tecelli etmede zikr-i celiden sırr-i pinhanı. — Nedim». • «Zikr bi-l-hayrına sebeptir. — Peçoylu». • «Muttasıl zikr eder, ibadet eder. — Fikret».

zikra, *A. i.* 1. Anma, hatırlama. 2. İbret, örnek. 3. Mev'ize, öğütleme.

zikudret, *A. s.* [Zi-kudret] Kudret sahibi, kudretli, güçlü. • «Merdanelikle maruf ü meşhur zikudret ü miknet olmağın. — Selânikî».

zilâl, *A. i.* Zeliller. Hor ve hakir olanlar.

zilhicce, *A. i.* Arabî ayların on ikincisi olup onuncu günü Kurban bayramıdır, hacı olma töreni bu ayda yapılır.

zilkade, *A. i.* Arabî ayların on birincisi.

zillet, *A. i.* (Zel ile) Alçaklık, aşağılık. • «Şimdi artık bu maişette büyük bir zillet — Bir sefalet görüyor. — Fikret». «Gözleri sanki ayıp ve zillet içinde akan hun-i vatanla kızarmış. — Cenap».

zilyed, A. i. [Zi-l-yed] Sahip. El sahibi.

zilzal, zelzal, A. i. (Ze ile) Deprem, yer sarsıntısı. • «Dem-i vegada çü pâyi semendi deprense — Sipihre lerze düşer arza erişir zilzal. — Bakî».

zilzil, A. i. Etek. (ç. Zelâzil)

zimam, A. i. (Ze ile) Yular. • «Sultan Mustafa meslûb-ül-akldır zimam-i tasarruf ahar elindedir. — Naima».

zimam, A. i. Namus, ırz.

zimamdar, F. i. s. [Zimam-dar] Yular elinden olan. İdare eden.

zimamdaran, F. i. [Zimamdar ç.] İdare edenler. • «Muhat olduğumuz ahval-i fecianın bütün mesuliyeti zımamdaran-i umurundur. — Cenap».

zimeal, A. s. [Zi-meal] Anlamlı, mânalı. • «Dertleri için bir lisan-i zimeal olmuş idi. — Uşaklıgil». • «Eski duvarların piraye-i zimeali olan hutut-i kûfiye yerine. — Cenap».

zimem, A. i. [Zimmet c.] Borçlar. • «Taraf-i mîriden musadere olunan nukud ü zimemden maada. — Raşit».

zimemat, A. i. [Zimem ç.] Borçlar.

zimmet, A. i. (Zel ile) 1. Sahip çıkma, koruma, zorunda kalma. 2. Nefis ve zat, kişinin kendisi. 3. Üst, üstte olan şey. 4. İmanı hem menfaat hem mazzarata ehleden nitelik. 1. Borç. Beraet-i zimmet. (bir suçtan) sıyrılıp kurtulma, temize çıkma; beri-üz-zimme, suçsuz, ilisiksiz; ehl-i zimmet; bir İslâm devleti uyruğu olan hıristiyanlar. • «Beraet-i zimmet asıldır. — Mec. 8».

zimmî, zimmiye, A. s. i. [Zimmet'ten] 1. İslâm devleti uyruğu olan hıristiyan. 2. Haraç veren. Raiyye. • «İskerletzade Aleksandre zimmi dahi maan tâyin olundu. — Raşit».

zin, F. i. (Ze ile) (Binek atına vurulan) Eyer. Zir-i zîn, eyer vurma. • «Dört adet zerrin licam ve murassa zîn ile huyul-i saadet-şümul ihsan olundu. — Naima».

zina', A. i. Kanunsuz çiftleşme. Veled-i zina, veled-üz-zina piç. • «Şol veled-üz-zinaya ne dersin. — Naima». • «Mutribe-i meclis olan cariyesine ol meclíste nüdeması mahzarında zina edip. — Veysi».

zinâb, A. s. [Zî-nâb] Azıdişli (köpek). • «Her canipten gelen kilâb-i zinâb-i

ser-i kûy-i av'avi şütum ile. — Nergisî».

zinab, A. i. [Zeneb ç.] Kuyruklar.

zinabe, A. i. (Her şeyin) ardı, arkası.

zinad, A. i. Çakmak demiri. Zinad-ül-hacer, çakmak taşı. • «İra-yi zinad-i reyettiniz ise.».

zinakâr, F. s. [Zina-kâr] Zina yapan. Zampara. • «Zihiy haclet ki çün kıyamet ola — Her zinakâr olan melâmet ola. — Hamdi».

zinakârî, F. i. Zina işleme. Zamparalık.

zincifre, A. i. Zincifre boyası.

zindaka, A. i. Zındıklık. Kâfirlik.

zindan, F. i. Karanlık, yeraltı hapishanesi. Pek karanlık, sıkıntılı yer. • «Muhabsi. Pek karanlık, sıkıntılı yer. • «Muhabbetinle bu zindan-i gamda mazbutum. — Fikret».

zindangir, F. s. [Zindan-gir] Zindana atılmış. Zindana konulmuş. • «Gerçi zindangir-i tenk-i meclis-i tendir dil — Şehnişin-i arşla revzen berevzendir dil. — Nabi».

zindanî, F. i. Zindanlık. Zindana kapatılmış suçlu. (ç. Zindaniyan). «Cümle zindaniyanı ol dem hapisten azad. — Taş.».

zinde, F. s. 1. Diri, canlı. 2. Dinç, sağ. sağlam. • «Her deminde bin Mesiha zinde-i cavid olur — Senden izhar-i i'cazı Mesiha etmedi. — Fuzuli». • «Haşre dek ab-i hayat-i suhan Bakidir — Andırıp zinde kılan nam-i Süleyman hanı. — Nef'î». • Oturup nimmürde vü zinde — Bir tecelliye muntazır düşünür. — Fikret».

zindebad, F. i. [Zinde-bad] Yaşa. Sağol.

zindedar, F. s. [Zinde-dar] (Gece) Uyumayan. Uyanık kalan. • «Fener o ruhların aynıdır ki, gark-i hayal — Yaşar ümid ile şeb-zindedar-i kesel. — Fikret».

zindedil, F. s. [Zinde-dil] Yüreği canlı olan. Uyanık. • «Seni kenara çeken zindedil ne şekle girer — Alınca suretin aguşa oldu ayine gaşy. — Nabi».

zindegân, F. i. [Zinde ç.] Diriler.

zindegânî, F. i. 1. Dirilik, hayat. 2. Yaşayış. Geçim. • «Kavafil-i beşeriyyet şikeste-sak-i tevan — Yürür sükûn ile feyfa-yi zindegânide. — Cenap».

zindegî, A. i. Dirilik, canlılık.

zinhar!, F. ü. Sakın! Aman! «Ama zinhar mührü yeniçeri ocağından kimseye verme. — Naima».

zinnur, *A. s.* [Zi-n-nur] Işıklı, nurlu; •
Zinnureyn, (Ö. i.) Muhammet Pey-
gamberin iki kızıyle evlenmesinden
ötürü Halife Osman'ın lakabı. • «Ol
celil-ül-kadr-i Zinnureyn-i sahib-i
hilm kim — Geldi dünyaya said ü git-
ti ukbaya şehid. — Ruhi».

zinpuş, *F. i.* [Zin-puş] Eyer örtüsü.

zir. *F. s.* Alt, aşağı. • *Zir-i zemin,* yer al-
tı; *-zin,* (bineğe) eyer vurma; *zir ü ber,*
alt ve üst; • *zir ü zeber,* altüst. •
«Rehnüverd-i saba-refları bana zir-i
zin edeler. — Nergisî». • «O müz'iç yı-
lanlar ki zir ü berimde — Dolaştıkça.
— Fikret». • «Bütün arz ve talep, bey'
ü şira kanunlarını zir ü zeber edecek
bir pazarlık. — Cenap».

zir. *A. i.* (Ze ile) Sazın en ince teli. • *Zir
ü bem,* sazın en ince ve en kalın teli.

zira'. *A. i.* (Zel ve ayın ile) Dirsekten or-
ta parmak ucuna kadar olan uzunluk
ölçüsü 75 ile 90 santim arasında deği-
şen çeşitleri vardı.

zira, *F. e.* «Çünkü, şundan ötürü» anlam-
lı edat. • «Ol gonce-feme bülbül-i na-
lân gerekmez — Zira ki derbesteye
derban gerekmez. — Fazıl». • «Sakın
dilden olur zira dil-i erbab-ı gam na-
zik. — Nef'î».

ziraî, ziraiyye, *A. s.* (Ze ile) Tarımla il-
gili. Tarım -i. • «Birinin mezaya-yi
askeriyesi, ötekinin fazail-i ziraiyyesi.
— Cenap».

ziraat, *A. i.* Tarım. • «Çöl ortasında ha-
dika-i ziraat tarh-i tabiîsiyle duruyor.
— Cenap».

zirbend, *F. i.* Kuşak, kemer, kayış.

zirdest, *F. i.* [Zir-dest] El altındaki aha-
li. • «Me'bun odur ki yirmi otuz zir-
dest oğlan besleye. — Naima».

zirdestan, *F. i.* [Zir-dest ç.] El altındaki-
ler. Uyruk. • «Daltaban'ın dahi pey-
revlerinin vaktinde — Ayak altında
lekdhor idi zirdestan. — Şinasi».

zire, *F. i.* Kimyon.

zirek, *F. s.* Bk. • *Zeysek.*

zirin, *F. s.* Alttaki, aşağıdaki.

zirnih, zirnik, *A. i.* (Ze ile) Zırnık.

zirtenk, *F. i.* Kuşak, kemer.

zirr. *A. i.* (Ze ile) Tomurcuk. (ç. Zürur).

ziruh, *F. s.* [Zi-ruh] Canlı. • «Bu mermer
sanki bir ziruh idi, ziruh-i muğberdi.
— Fikret». • «Bütün ateş-i hayatı göz-
lerinde idi; hadakaları ziruh birer ah-
ker-i siyahtı. — Cenap».

zirve. *A. i.* (Zel ile) Dağın en yüksek nok-
tası. • «Uzak değil, şu küçük zirve-i
sefide kadar. — Fikret».

zist, *F. i.* Hayat, ömür. Geçinecek şey.

zişan, *F. s.* [Zi-şan] Şanlı. • «Üçü ol şeh-
riyar-i âlemin damad-i zişanı. — Ne-
dim».

zişa'şaa, *F. s.* [Zi-şa-şaa] Şa'şaalı, çok
parlak. • «Ey sahne-i zi-şa'şaa-i haile-
pîra. — Fikret».

zişt, *F. i.* (Ze ile) Çirkin. • «Nedir ol tî-
re-ru vü zişt-beden — Anı var eylemiş
Huda yoktan. — Nedim».

ziştî, *F. i.* Çirkinlik. • «Ey münkir-i müs-
tehzi-i ziştî. — Cenap».

ziştrû, *F. s.* [Zit-rû] Çirkin yüzlü. • «Zişt-
rû ayineyi, a'ma çerağı neylesin. —
Zati».

zivekar, *F. s.* [Zi-vekar] Vekarlı. • «Geç-
mekte zivekar ü tarab mevkib-i zafer.
— Fikret».

ziver, *F. i.* (Ze ile) Süs. • «Meta-i ziver-i
dünyayı terk eder pîran — Hazanı erin-
ce hemen berk ü bârı silker şâh. — Be-
liğ».

ziverbahş, *F. s.* [Ziver-bahş] Süsleyici. •
«Mesned-i fetvaya ziverbahş olup ikbal
ile — Bang-i elhamd etti gûş-i çerha
iras-i tanin. — Nedim».

ziy, *A. i.* Dış görünüş, kılık kıyafet. Her
sınıfın giyeceği, kıyafeti. • *Ziyy-i ule-
ma,* ulema kılığı. • «Bazı ulema ziyin-
de eşhas Sofu Mehmet Paşayı ucbe dü-
şürüp. — Peçuylu».

ziya, *A. i.* (Dat ile) Işık, aydınlık. • «Öğ-
leyin bir cahîm olur âlem — Yere bir
ateşîn ziya saçılır. — Fikret». • «Bir
semay-i nekahat ki öksürükten şikâyet
eden nahif göğüsleri zir-i ziya-yı ter-
biyetine davet ediyor gibi. — Cenap».
(Ed. Ce.) :

• *Aks-i ziya,* • *emvac-i ziya,*
• *ânât-i ziya,* • *mızrab-i ziya.*

ziyabar, *F. s.* [Ziya-bâr] Işık saçan. •
«Kamerin safha-i ziyabarı — Bir mu-
kassi dumanla örtülüyor. — Fikret».

ziyad, *A. i.* (Ze ile) Ziyadelik. çocukluk.
Yalancı şahit.

ziyadar, *F. s.* [Ziya-dar] Parlak, ışıklı. •
«Pür-zemzeme bir cevf-i ziyadar ile
meşhun — Geçsin ebedî günlerimiz fâ-
hir ü gülgûn. — Fikret». • Engüşt-i
nevaziş ki keb-i yâra yapışmış — Mık-
razdır ol şem-i ziyadara yapışmış. —
Nabi».

ziyade, A. i. (Ze ile) 1. Artma, çoğalma. 2. Artan, fazla kalan. 3. Çok, bol. 2. Aşırı. Artık. • «Daha ziyade tekarrupla. — Fikret».

ziyafet, A. i. (Dat ile) Misafir kabul etme. Misafiri yedirip içirme.

ziyafetkede, F. i. [Ziyafet-kede] Ziyafet yeri. • «Kudat efendiler vâsıl-i ziyafetkede-i sultanî olup. — Raşit».

ziyagüster, F. s. [Ziya-üster] Işık saçıcı, aydınlık verici olan. • «Hurşid ruhin kenduyu kim göstere cânâ. — Minnet mi kalır mihr-i ziyagüstere cânâ. — Baki».

ziyaî, ziyaiyye, A. s. Ziya ile ilgili, ziyaya ait. • «Elvan-i ziyaiyeye bir kudret-i cevlân. — Fikret».

ziyan, F. i. (Ze ile) Zarar, kazançtan kayıp. • «Eyvah bu bazicede bizler yine yandık. — Zira ki ziyan ortada bilmem ne kazandık. — Ziya Pş.».

ziyankâr, F. s. [Ziyan-kâr] Ziyancı, zarar veren. • «Ziyankâr olmasın bir kimse lûtfa kadir olmazsa. — Beliğ».

ziyapâre, F. s. Küçük ışık, ışık parçası. • «Semanın sönük, dargın ziyapâreleri altında. — Uşaklıgil».

ziyapaş, F. s. [Ziya-pâş] Işık saçan. • «O zeyn-i şemse-i tâbân ki reşk-i mihr-i rahşandır — Ziyapaş olsa ger kevn ü emkâna zerrece nuru. — Nef'î».

ziyaret, A. i. (Ze ile) Birini görmeye, biriyle görüşmeye gitme. 2. Dua için ve hayır kazanmak için kutsal bir yere gitme. İade-i ziyaret, yapılan bir ziyarete karşı görüşmeye gitme. • «Bir diken belki delil-i kabrin — Develer belki ziyaretçilerin. — Fikret».

ziyaretgâh, F. i. [Ziyaret-gâh] Ziyaret yeri, türbe.

ziynet, zinet, A. i. (Ze ile) Süs. • Ziynet altını, süs altını. • «Parmakta bir akık yüzük, gerdanda bir ziynet altını, göğüste bir salıp. — Cenap».

ziynetbahş, F. s. [Ziynet-bahş] Süsleyen. • «Olup bânisi daim mesned-i iclâle ziynetbahş — Görünsün tab-i pâkinde hezaran şevk bir demede. — Nedim».

ziynetdade, F. s. [Ziynet-dade] Süsleyen. • «Ol gül-i cemal ki ziynetdade-i zibende. — Veysi».

ziynetyafte, F. s. [Ziynet-yafte] Süslenmiş. • «Çemenistan-i zi-reng-i bukalemun ile ziynetyafte ve revnakdâdeki. — Nergisî».

zizefun, A. i. Ihlamur (ağacı).

zizefuniye, A. i. (Bot.) Ihlamurgiller.

zokak, A. i. (Ze ile) Sokak. (ç. Ezikka).

zor, zur, A. i. Yalan, asılsız iş. • Şahid-i zor, yalancı şahit. • «Kendi şahit o da vahit o da zor.».

zor, F. i. Güç, kuvvet. 2. Zorbalık, sıkı. Zor-i bazu, kol kuvveti. «Rüstemane kemana sunsa elin — Zor-i bazuda gösterir i'caz. — Nef'î». • «Deyu zorbazu ile tutup. — Naima». • «Adl ü hikmet sıfat-i bâhire-i Mevlâdır — Zor ü cür'etse değil âdem ü hayvanda muhal. — Şinasi. • «Âlem-i vahşette zor ne ise alem-i medeniyette para odur. — Cenap».

zorbayane, F. zf. Zorbacasına. Zorbaya yakışır yolda. • «Vülâtın hükûmetlerine müdahale ve tasallût yüzünden zorbayane muamele eder oldular. — Naima».

zorbaz, F. s. [Zor-baz] 1. Kuvvetli, güçlü. 2. Sert, hoyrat. 3. Pehlivan, atlet. • «Badehu Mısır zorbazlarından birisi. — Raşit».

zorkâr, F. s. [Zor-kâr] Zorlayan.

zorkâran, F. i. [Zorkâr ç.] Zorlayanlar. zor edici kimseler. • «Kırk nefer bostanciyan-i zorkâran ile etrafını ihata edip — Naima».

zormend, F. s. [Zor-mend] Kuvvetli, güçlü.

zu-, zü-, A. s. (Zel ile) Sahip. Arapça kurala göre yapılan tamlamaların belirteni olarak kullanılır, ve Türkçe «li» ile karşılanır. • Zu-erbaat-ül-adla (Geo.) dörtgen; • zu-erbaat-ül-vücuh (Geo.) dörtyüzlü; • zu-haddeyn (Mat.) iki terimli; • zu-hadd-i vahid (Mat.) bir terimli; zu-hudud-i kesîre, (Mat.) Çok terimli.

zu', A. i. (Dat ile) Işık. Aydınlık. (ç. Azva). • «Tulû-i fecr ve zuhur-i zu-i nehar vaktine değin. — Taş.».

zuabe, A. i. Zülüf, perçem. (ç. Zevaib).

zuafa, A. i. (Dat ile) [Zaif ç.] Zayıflar. Hastalıktan dermansızlaşmışlar. • «Zuafa-yi kavimden ancak bir kimse imana gelip. — Veysi».

zuama, A. i. (Ze ve ayın ile) [Zaim ç.] Zaimler. • «Tabur cenginde şehit olan zuamanın zeametlerini iktisam hususunda. — Raşit».

zud, F. s. (Ze ile) Çabuk, hemen olan. • «Naire-i zud-suz-i cenk ü peykârî. — Ragıp Pş.».

zudres, F. s. [Zud-res] Çabuk erişen çabuk yetişen. • «İmdada erip kafile-i zudres-i subh. — Nabi».

zudter, F. s. [Zud-ter] Daha çabuk. • «Zudter zail olur şevki heveskârların. — Nabi».

zufr, A. i. (Zı ile) Tırnak. (ç. Azfar).

zuhr, zuhur, A. i. (Zı ve he ile) Öğle. Öğle zamanı • Bâd-ez-zuhr, öğleden sonra; kabl-ez-zuhr, öğleden önce; • salat-üz-zuhr, öğle namazı; • vakt-i zuhr, öğle zamanı.

zuhrüf, A. i. (Ze ve hı ile) Yalancı süs (ç. Zeharif). • «Ve kelâmını ibarat-i müsacca ile zuhrüfe ve tezyin eden. — Taş.».

zuhûr, A. i. (Zı ve he ile) 1. Görünme, meydana çıkma. 2. Belli olma. Nageh-zuhur, ansızın, vakitsiz oluveren; nev-zuhur, yeni çıkma. • «Elbette gayret-i ilâhiye zuhur edip bir hâkim-i câsirin şemşir-i kahr ü tedibiyle. — Naima». • «Nagâh br kitap arasından kılar zuhur. — Fikret». • «Bir neşide nasıl eylerse zuhûr — Bir karanlık nazar-i hulyadan. — Cenap».

zuhurat, A. i. [Zuhur ç.] Umulmadığı halde oluveren, meydana çıkan şeyler. Esintiler. • «Bu devletin muamelât-i hariciyesine bir meslek tâyin etmek, zuhurat-i âleme ve dirayet-i beşere bir hadd vaz'ına benzer. — N. Kemal».

zuhurî, A. i. Ortaoyununda komik rolünü yapan kimse. Zuhuri kolu, ortaoyunu takımı.

zuhurivye, A. i. (Fel.) Fransızcadan émanatisme karşılığı (XX. yy.).

zulm, A. i. (Zı ile) Zulüm. Haksızlık. Eziyet. • «Gönlüm bu zulme kail olur muydu hiç, düşün. — Fikret».

zulma, A. s. Karanlık. • «Fürugi şuh-i eshariyle, zulma-yi leyaliyle. — Fikret».

zulmanî, A. s. Karanlıkla ilgili. Karanlığa ait. • «Avrupaya ne kadar zulmanî görünsek çok sayılmaz. — Kemal».

zulmet, zulümat, A. i. Bk. • Zulümat. • «Zulmatta ise şem-i maksud — Ruşen kıl ü benden iste mevcut. — Fuzulî».

zulmdide, F. s. [Zulm-dide] Zulüm görmüş, zulme uğramış.

zulmen, A. zf. Zulüm yaparak, haksızlıkla.

zulmet, A. i. (Zı ile) Karanlık. • «Çeşmim şitarelerde arar zulmet-i mezar. — Fikret». • «Sıyrılıp sutre-i zulmetten yer. — Cenap».

zulmetefza, zulmetfeza, F. s. [Zulmet-efza] Karanlığı artıran. • «Sevin — Sen o zulmetfeza tecelliye. — Fikret».

zulmetzeda' F. s. [Zulmet-zeda] Karanlık meydana getiren. • «Şebzindedar-i aşka bu vahşatzarda — Zulmetzeda-yi hayret olur bir dimağ ver. — Nailî».

zulümat, zulmat, A. i. [Zulmet ç.] Karanlıklar. Eskiden en çok bilinmeyen yer parçaları için kullanılırdı. Dünyanın keşfedilmemiş yerleri için söylenirdi. İskender'in Abıhayat'ı aramak için dolaştığı yerler. • Bahr-i Zulmat. Atlantik Okyanusu. • «Karşımda ocaktan süzülen dûd-i sefide — Kalb olmada hep leyl-i hayatın zulümatı. — Fikret».

zulmi zulmiyye, A. s. Zulümle ilgili, zulüm -i. • «İrade-i keyfiye ve zulmiyeden istifadeye alışmış. — N. Kemal».

zu'm, A. i. (Ze ve ayın ile) 1. Sanı, zan. 2. Şüphe, kuşku. • «Andan kalkıp zu'munca me'men ittihaz ettiği ocağa düşüp. — Naima».

zu'miyyta, A. i. Sanılarla ilgili şeyler.

zunun, A. i. (Zı ile) [Zann ç.] Sanılar, zanlar. • «Zunun-i bî-ser ü bünle beni avutturma. — Cenap».

zur, Bk. Zor.

Zurah, A. i. Mekke'deki Kâbe hizasında olarak gökte bulunan Beyt-i Ma'mur'un bir adı.

zurefa, A. i. [Zarif ç.] 1. Zarif kimseler. 2. Sevici kadınlar. • «Zurefa için hakikat, azamet, ulviyet birer mesele-i izafiyedir. — Cenap».

zuru', A. i. [Zar' ç.] İnek ve benzerleri hayvanların memeleri. • Züru' ü zuru, ekinler ve süt ürünleri. • «Şahların keder-i hâtırları züru' ü zurua tesir eder. — Süheyli».

zuruf, A. i. (Zı ile) [Zarf ç.] Zarflar.

zuyuf, duyuf, A. i. (Dat ile) [Dayf, zayf ç.] Konuklar, misafirler.

zuzeneb, A. i. [Zu-zeneb] Kuyruklu.

zü-, zu-, A. s. Bk. • Zu.

züabe, A. i. 1. Saç örtüsü. 2. Yele. Züzüabe, kuyruklu yıldız.

zübab, zübabe, A. i. (Zel ile) Sinek. • Cenah-i zübab, sinek kanadı; tanin-i zübab, sinek vızıltısı. • «Ola hem-pervaz-i anka nice mümkündür zübab — Hürrenin şîr-i jeyan ile olur mu nisbeti. — Vâsıf».

zübale, A. i. (Zel ile) Mum. Kandil fitili.

zübd, A. i. Tereyağı. Kaymak.

zübde, A. i. (Ze ile) 1. Bir şeyin en seçkin parçası. 2. Öz, sonuç. ● Zübde-i makal, sözün özü. ● «Hoşça bak zatına kim zübde-i âlemsin sen — Merdüm-i dide-i ekvan olan âdemsin sen. — Ş. Galip». ● «Artık çocuk demem sana, ey zübde-i deha. — Fikret».

zübul, A. i. 1. Sararıp solma. 2. Buruşma. ● «Hangi lâle-i çemen-i melâhattir ki âkıbet zübul bulmadı. — Sinan Pş.».

zübulyafte, F. s. [Zübul-yafte] Gübrelenip kuvvetlenmiş olan.

zübur, zübür, A. i. [Zebur ç.] 1. Kitaplar. 2. Yazılı şeyler. ● «Telif olunan kütub-i nefise ve zübür-i latifenin esamisi. — Taş.».

zücac, zücace, A. i. (Ze ile) Sırça, cam, şişe. ● «Revgan-i zeyt şişesi kadar memlû züccaceler ile yüzler, ikişer yüzer miskal gönderir idi. — Naima».

zücacî, zücaciye, A. s. Cam ve sırça ile benzerlerinden olan. ● «Kubbe-i asman mavi bir nısıf kürre-i zücaciye gibi lekesiz. — Cenap».

züccaciyye, A. i. Cam ve sırça kaplar.

zügabe, A. i. Şiş. Tümör.

Zühal, A. i. (Hek.) Şiş. Tümör. Nash-i ekber sayılır; gam, kaygı vericidir, ahmaklık, cahillik, pintilik, yalan, fenalık bu yıldız altında doğanlarda olur. ● «Rivayet olunur ki hükemayi ümem-i sâlifeden bir taife kevakibden Zuhal'i tâzim ve takdis ve tesbih ederler idi. — Taş.».

zühd, A. i. (Ze ve he ile) Her türlü hazdan kendini alıkoyarak perhiz etme. Kendini ibadete verme. Eski edebiyatta kaba sofuluk karşılığı sayılır, yerilirdi. ● «Bir revacı var harabatın ki korkarın — Zahid-i şehre bina-yi zühdü viran ettirir. — Ş. Yahya». ● «Ederse zühd satıp suret-i riya izhar. — Nedim».

zühdî, zühdiyye, A. s. Züht ile ilgili. Aşırı ve işkenceli bir din düşkünlüğü ile ilgili. ● «Türklerin eski ibadetlerinde zühdî âdetleri yoktu. — Z. Gökalp».

zühdiyye, A. i. (Fel.) Fransızcadan ascétisme (çilecilik) karşılığı (XX. yy.).

zühhad, A. i. (Ze ve he ile) [Zahid ç.] Zahitler. ● «Zühhad içinde mâni-i zühdü bilen mi var. — Naci».

Zühre, A. i. (Ze ile) Çoban yıldızı, Çulpan, Kervankıran, Venüs, Sa'd-i asgar

olup yüreğe ferahlık verir. Zühre-i hunyager, (şarkıcı Zühre). Venüs (Harut ile Marut'u baştan çıkaran). ● «Komazdı Zühre ile iktirana Keyvan'ı. — Nef'î». ● «Ey mah! sen o zühre-i zehra değil misin? — Cenap».

zührevî, zühreviyye, A. s. i. Frengi ve belsoğukluğu gibi hastalıklar. (XIX. yy.).

zühuk, A. i. Bitip tükenme, yok olma.

zühul, A. i. İsteyerek veya elde olmadan unutma, geçiştirme. ● «Şu zühul-i gafilaneden dolayı. — Uşaklıgil».

zühur, A. i. Darlık zamanı için saklanıp biriktirilen şey.

zühur, A. i. Parıldama.

zühur, A. ç. i. Çiçekler. ● Zemine ferş-i baharan eden gusun ü zühur. — Cenap».

zükâm, zükkâm, A. i. Burun nezlesi. ● «Dimag-i hâhişim gayette naziktir benim Asım — Zükâm-alûd olur ye's ile bû-yi imtinan çekmez. — Asım». ● «Açılsa bin gül-i şadî zükâm-i gamla yine — Dimağ-i hahiş olur buy-i kâmdan nevmid. — Nailî».

zükr, A. i. Yürekte olan düşünce. (ç. İzkâr).

zükûr, A. i. (Zel ile) [Zeker ç.] Erkekler. ● «Besmeledir virdi-i inas ü zükûr. — Nazîm».

zükûret, A. i. Erkeklik. ● Zükûret ve ünuset, erkeklik ve dişilik.

zül, züll, A. i. Bk. ● Züll.

zül-, A. i. «Sahip» anlamıyle kelimelerin başına eklenen «zu-el» sözünün hafifidir.

zülâl, A. i. (Ze ile) 1. Sâf, hafif, tatlı su. 2. Fransızcadan albumine (yumurta akı) karşılığı olarak (XIX. yy.). Şibh-i zülâl, Fransızcadan albuminöide karşılığı (XIX. yy.). ● «Ağzında ezilen şekerle beraber gaşyaver bir menekşe zülâlinin içinde güya uyuşarak eriyordu. — Uşaklıgil».

zülâlî, zülâliyye, A. s. Yumurta akı niteliğinde olan.

zülcelâl, A. i. [Zü-l-celâl] Celâl, ululuk sahibi. Tanrı adlarındandır. ● «Ol kahhar-i zülcelâl ez'af-i mahlûkatından peşşe-i naçiz nevine. — Veysi».

zülcenah, A. s. [Zül-l-cenah] Çok taraflı. Her yana, her tarafa gelebilir.

zülcenaheyn, A. i. (Zoo.) Fransızcadan dipteres (çiftekanadlılar) karşılığı (XIX. yy.).

zülehdab, *A. i.* [Zü-l-ehdab] (Zoo.) Fransızcadan *celiés* (kirpikliler) karşılığı (XIX. yy.).

Züleyha, *F. i.* (*Ze* ile) Yusuf peygamber ile olan menkıbeleri Kur'an'da geçen kadın. Yusuf ile Züleyha hikâyesinin kadın kahramanı. • «Ol hüsn-i Züleyha ile ol Yusuf-i sani. — Fazıl». • «Yazılmış bir kitaba nakş-i Yusuf'la Züleyha'dır. — Nef'î».

zülf, *F. i.* (*Ze* ile) 1. Yüzün iki yanından sarkan saç lülesi. 2. Sevgilinin saçı. • «Sor dil-i biçaremin halini perişan zülfüne. — Ahmet Pş.». • «Eylemiş her târını bir dâm-i belâ — Mürg-i dil kurtulamaz zulf-i sıyehkârından. — Halimgiray». • «Zülfün tarıyor şane-i elmas ile cânan — Etmez mi gönül zülf-i muttaraya perestiş. — Cenap·

Zulf-i :	-i zülf :
• anberalûd	• heva
• anberbu	• hüma
• anberefşan	• kemend
• anberin	• küfr
• cadu	• mar
• canaviz	• mor
• dilbend	• nafe
• dilkes	• saye
• dilküşa	sevda
• dilrüba	• şahin
• galiyebar	• nesrispus
• galiyefam	• perişan
• gülbuy	• piçapiç
• hambeham	• seherpuş
• hindu	semensa
• kâfirmizac	• siyah
• kemendandaz	• siyehkâr
• lâlepuş	• şebgir
• müşkfam	• tarmar.
• müşksa	• sam
• aşiyan-i zülf	• silsile
• çengâl-i zülf	• sipah
• çevkân	• şebdiz
• çin	• tatar
• dal	• târ
• dam	• taus
• dar	• taziyane
• ejder	• zag
• esir	• zincir
• halka	• zünnar

zülfe, *A. i.* (*Ze* ile) 1. Ufak saçak.. 2. Bazı şeylerin başındaki püskülcük. • «Hamdır dü zülfü veş anınla bil heman — Ey bâd-i subh işte nişan söylerim sana. — Nedim».

Zülfikar, *A. i.* Muhammet peygamberin kullanıp Ali'ye armağan ettiği. Ali'nin kahramanca kullanışlarıyle ün almış olan ağzı çatallı kılıç. • «Biri anın Esadullah-i Ali'dir ki henüz — Zülfikâr'ın ele aldıkça olur hasm dü nîm. — Nazîm».

zülfikateyn, *A. i.* [Zü-l-filkateyn] (Bot.) Zatülfikateyn ile birlikte Fransızcadan *dicotylédones,* (iki çenekliler) karşılığı (XIX. yy.).

Zülkarneyn, *A. i.* [Zü-l-karneyn] • «İki boynuzlu» anlamında olan bu adın kim hakkında kullanıldığı karışıktır. Büyük İskender için de kullanıldığı bu arada söylenir. • «Esas-i pür-şükûhu sedd-i Zülkerneynden muhkem — Feraz-i âstanı çerh-i vâlâ-taktan balâ. — Nedim».

züll, zül, *A. i.* (*Zel* ile) Horluk, hakirlik. Alçaklık. • «Büyük valide olmak onun için bir zül, bir ayıp hükmünde idi. — Uşaklıgil».

zülmaişeyn, *A. i.* [Zü-l-maişeyn] (Bio.) Fransızcadan *amphibie* (iki yaşayışlı) karşılığı (XIX. yy.).

zülmem, *A. s.* Tanrı sıfatlarından. Nimet ihsan edici. • «Levm-i hüssaddan aşib-i nazardan daim — Eyleye zatını mahfuz Huda-yi zülmen. — Nedim».

zülvecheyn, *A. i.* [Zü-l-vecheyn] (Geo.) İki yüzlü, iki düzlemli. • «Janos adında zülveçheyn bir mabudu vardı ki bir yüzü güneşin· doğduğu tarafa, diğeri güneşin battığı cihete nâzırdır. — Cenap».

zülvücut, *A. s.* [Zu-l-vücud] Vücut sahibi. • «Nurunla zülvücuddürür zerre-i vücut — Ey Nur-i dide görmedi sahibsebel sesi. — Hayalî».

zülzil, *A. i.* Etek ucu. (ç. Zülâzil).

zümer, *A. i.* [Zümre ç.] Zümreler, gruplar.

zümre, *A. i.* (*Ze* ile) 1. Cemaat. 2. Topluluk. 3. Sınıf. 4. Çins. 5. Grup. 6. (Zoo.) Alttakım. • *Zümre-i hûban,* güzeller cemaati. • «İstidat ve teayyün ol zümreden zail ve zümre-i uhraya müntakıl oluncaya dek her biri saye-i saltanatta atıp tutmak...— Naima».

zümrevî, *A. s.* Zümre, topluluk ile ilgili. • «Bütün şahsî ve zümrevî ihtiraslarınızı. — Z. Gökalp».

zümürrüd, zümrüd, *A. i.* (*Ze* ile) 1. Zümrüt. 2. (Mec.) Pek yeşil renk. • «Çamlar zümürrütlü şehperiydi. — Fikret».

zümürrüdî, zümürrüdîn, *F. s.* Zümrüt renginde yemyeşil.

züneyb, *A. i.* 1. Küçük kuyruk. 2. Sapçık.

zünnar, *A. i. (Ze* ile) 1. Keşişlerin bellerine bağlayıp uçlarını sarkıttıkları kıldan ve sert kuşak. 2. (Mec.) Güzelin saçı. • «Sana derler büt-i Çin zülfüne zünnar söylerler. — Fuzulî». • «Kâfiran râbıt-i zünnar-i belâsıdır hem — Küfr-i giysusuna hayran nice ehl-i iman. — Şinasi».

zünub, *A. i. (Zel* ile) [Zenb ç.] Günahlar. • «Vezn olundukta zünubum keffe-i mizanda — Her günah-i bigeranım ola bir bâr-i sakil. — Vâsıf». • «Sokaklar birer naz gibi munhani ve binalar güya zunub-i aşk ile memlu. — Cenap».

Zünnun, *A. i.* Yunus peygamberin lakabı.

zürafe, *A. i.* (Zoo.) Zürafa. • «Geh zürafe olur râcih o kâv-i har-nijad üzre. — Nef'î».

zürare, *A. i. (Zel* ile) Saçılan şey. Saçıntı.

zürkt, *A. i. (Ze* ile) Göklük, morarma.

zürra', *A. i.* [Zâri ç.] Çiftçiler, ekinciler. • «İsviçre dağlıları ve Amerika zürraı asrımızda afdal-i hükûmet olan cumhurlarını. — Kemal».

zürriyet, *A. i. (Zel* ile) Kuşak, soy, nesil. (ç. Zürriyat). • «Bağlıdır halince bir kayd-i emelde her kişi — Cem-i mal eyler kimi ister kimi zürriyeti. — Ziya Pş.». • «Menabi-i zürriyeti sâf ve salim kalan milletler. — Cenap».

zürû', *A. ç. i. (Ze* ile) Ekilmiş tarlalar. • «Şahların keder-i hâtıraları züru' ü zurua tesir eder. — Süheylî».

zürur, *A. i* (Ze ile) [Zirr ç.] Tomurcuklar.

züvvar, *A. i. (Ze* ile) [Zair ç.] Ziyaretçiler. • «Zira züvvar-i kiramın hepsine değilse de bize malum idi ki. — Kemal». • «Zuvvar-i ecnebiyenin kemmiyeti ile mutenasib bir derecede seele-i mahalliyenin mikdarı artmış. — Cenap».

züyuf, *A. i. (Ze* ile) [Zeyf ç.] (Madenden) Kalp, silik para. • «Ebubekir Paşa askere verdiği mevacib züyuf, mağşuş akçe olmağın. — Naima». • «Kendisinde asla altın ve gümüş bulunmayan para demektir. — A. Haydar». • «Tarihten ziyade züyuf ve haşviyattır. — Cenap».

züyul, *A. i. (Zel* ile) [Zeyl ç.] Ekler. Kuyruklar.

züyut, *A. i. (Ze* ile) [Zeyt ç.] Yağlar.

SON